Dicionário escolar WMF

Inglês-Português
Português-Inglês

Dicionário escolar WMF

Inglês-Português
Português-Inglês

Coordenador geral
MARCELO BRANDÃO CIPOLLA

wmf martinsfontes
SÃO PAULO 2019

1ª edição *2013*
De acordo com a nova ortografia
2ª tiragem *2019*

Inglês-português
Tradução
Ângela Maria Moreira Dias
Eneida Vieira Santos
Coordenação da tradução
Marcelo Brandão Cipolla

Português-inglês
Elaboração de verbetes
Ivone C. Benedetti
Tradução
Ana Cardona
Lina Alvarenga
Nilce Maria Pereira
Patricia Arima
Revisão da tradução
Marcelo Brandão Cipolla
Coordenação da tradução
John Milton

Acompanhamento editorial
Luzia Aparecida dos Santos
Revisões
Renato da Rocha Carlos
Marisa Rosa Teixeira
Produção gráfica
Geraldo Alves
Paginação
Studio 3 Desenvolvimento Editorial

Dados Internacionais de Catalogação na Publicação (CIP)
(Câmara Brasileira do Livro, SP, Brasil)

Dicionário escolar WMF : inglês-português, português-inglês / coordenação geral Marcelo Brandão Cipolla. – São Paulo : Editora WMF Martins Fontes, 2013.

Título original: Vox diccionario esencial.
Vários tradutores.
ISBN 978-85-7827-640-9

1. Inglês – Dicionários – Português 2. Português – Dicionários – Inglês I. Cipolla, Marcelo Brandão.

CDD-423.69
12-13855 -469.32

Índices para catálogo sistemático:
1. Inglês : Português : Dicionários 423.69
2. Português : Inglês : Dicionários 469.32

Editora WMF Martins Fontes Ltda.
Rua Prof. Laerte Ramos de Carvalho, 133 01325-030 São Paulo SP Brasil
Tel. (11) 3293-8150 e-mail: info@wmfmartinsfontes.com.br
http://www.wmfmartinsfontes.com.br

ÍNDICE

PRÓLOGO

Este dicionário bilíngue inglês-português/português-inglês é dirigido sobretudo aos estudantes de inglês, mas também a turistas e pessoas de negócios que, nas viagens e no trabalho, necessitam comunicar-se nesse idioma.

Seu formato e a estrutura clara de seus verbetes fazem dele uma obra muito prática, fácil de manusear e de consultar. Na seleção das entradas levaram-se em conta o vocabulário atual das novas tecnologias e, também, as abreviaturas e siglas mais habituais. O usuário é orientado para a tradução mais apropriada por meio de indicadores de contexto e, quando necessário, são introduzidos exemplos de uso. Em todos os verbetes do inglês foi incluída uma transcrição fonética com os símbolos universais reconhecidos pela AFI (Associação Fonética Internacional).

Nas primeiras páginas encontram-se algumas noções básicas da gramática inglesa e uma tabela de verbos irregulares, que ajudam a responder às dúvidas mais frequentes quando se trata de construir frases e conjugar verbos.

Estamos certos de que os usuários encontrarão nas mais de novecentas páginas do *Dicionário escolar WMF* uma informação prática, ampla e atualizada que satisfaz plenamente às exigências do século XXI.

ABREVIATURAS USADAS NO DICIONÁRIO

abbreviation, acronym	*abbr/abr*	abreviatura, sigla
adjective	*adj*	adjetivo
adverb	*adv*	advérbio
architecture	ARCHIT/ARQ	arquitetura
astronomy	ASTRON	astronomia
astrology	ASTROL	astrologia
auxiliary	*aux*	auxiliar
chemistry	CHEM/QUÍM	química
commercial	COMM/COM	comércio
computing	COMPUT/INFORM	informática
conditional	*cond*	condicional
conjunction	*conj*	conjunção
determiner	*det*	determinante
electricity	ELECTR/ELETR	eletricidade
euphemism	*euph/euf*	eufemismo
familiar	*fam*	familiar
figurative	*fig*	uso figurado
finance	FIN	finança
formal	*fml*	formal
future	*fut*	futuro
British English	GB	inglês britânico
geography	GEO/GEOG	geografia
geology	GEOL	geologia
geometry	GEOM	geometría
grammar	GRAMM/GRAM	gramática
history	HIST	história
indicative	*ind*	indicativo
interjection	*interj*	interjeição
invariable	*inv*	invariável
ironic	*iron/irôn*	irônico
law	JUR/DIR	direito
mathematics	MATH/MAT	matemática
mechanics	MECH/MEC	mecânica
medicine	MED	medicina
music	MUS/MÚS	música
noun	*n/s*	substantivo
femenine noun	*nf/sf*	substantivo feminino
masculine noun	*nm/sm*	substantivo masculino
masc, and fem. noun	*nm,f*	subst masc e fem
masc. or fem. noun	*nm & f*	gênero ambíguo
plural noun	*npl/spl*	substantivo plural

number	*num/núm*	número
pejorative	*pej*	pejorativo
perfect	*perf*	perfeito
person	*pers/pes*	pessoal
phrase	*phr/loc*	locução
pluperfect	*pluperf/mqpf*	mais que perfeito
politics	POL	política
past participle	*pp*	particípio
preposition	*prep*	preposição
present	*pres*	presente
pronoun	*pron*	pronome
past	*pt/pas*	passado
religion	REL/RELIG	religião
slang	*sl/gír*	*gíria*
somebody	sb/alg	alguém
singular	*sing*	singular
American English	US/*AmE*	inglês americano
intransitive verb	*vi*	verbo intransitivo
reflexive verb	*vpr*	verbo pronominal
transitive verb	*vt*	verbo transitivo
vulgar	*vulg*	vulgar
zoology	ZOOL	zoologia
approximate equivalente	≈	equivalente aproximado
see	→	ver
registered trademark	®	marca registrada

GRAMÁTICA INGLESA

Fonética

Todas as entradas inglesas neste dicionário são acompanhadas da transcrição fonética baseada no sistema da Associação Fonética Internacional (AFI). Segue-se uma relação dos símbolos empregados. O símbolo ' diante de uma sílaba indica que se trata da sílaba tônica.

As consoantes

[p] pan [pæn], happy ['hæpɪ], slip [slɪp].
[b] big [bɪg], habit ['hæbɪt], stab [stæb].
[t] top [tɒp], sitting ['sɪtɪŋ], bit [bɪt].
[d] drip [drɪp], middle ['mɪdəl], rid [rɪd].
[k] card [kɑ:d], maker ['meɪkəʳ], sock [sɒk].
[g] god [gɒd], mugger ['mʌgəʳ], dog [dɒg].
[tʃ] chap [tʃæp], hatchet ['hætʃɪt], beach [bi:tʃ].
[dʒ] jack [dʒæk], digest ['daɪdʒest], wage [weɪdʒ].
[f] coffee ['kɒfɪ], wife [waɪf].
[v) very ['verɪ], never ['nevəʳ], give [gɪv].
[θ] thing [θɪŋ], cathode ['kæθəʊd], filth [fɪlθ].
[ð] they [ðeɪ], father ['fɑ:ðəʳ], loathe [ləʊð].
[s] spit [spɪt], stencil ['stensəl], niece [ni:s].
[z] zoo ['zu:], weasel ['wi:zəl], buzz [bʌz].
[ʃ] show [ʃəʊ], fascist ['fæʃɪst], gush [gʌʃ].
[ʒ] gigolo ['ʒigələu], pleasure ['pleʒəʳ], massage ['mæsɑ:ʒ].
[h] help [help], ahead [ə'hed].
[m] moon [mu:n], common ['kɒmən], came [keɪm].
[n] nail [neɪl], counter ['kaʊntəʳ], shone [ʃɒn].
[ŋ] linger ['lɪŋgəʳ], sank [sæŋk], thing [θɪŋ].
[l] light [laɪt], illness ['ɪlnəs], bull [bʊl].
[r] rug [rʌg], merry ['merɪ].
[j] young [jʌŋ], university [ju:nɪ'vɜ:sitɪ], Europe ['jʊərəp].
[w] want [wɒnt], rewind [ri:'waɪnd].
[x] loch [lɒk].
[ʳ] chama-se "*linking r*" e encontra-se apenas no final de palavras. É pronunciado somente quando a palavra seguinte começa por uma vogal: ***mother and father came*** ['mʌðar ən 'fɑ:ðə keɪm].

As vogais e os ditongos

[i:] sheep [ʃi:p], sea [si:], scene [si:n], field [fi:ld].
[ɪ] ship [ʃɪp], pity ['pɪtɪ], roses ['rəuzɪz], babies ['beɪbɪz], college ['kɒlɪdʒ].
[e] shed [ʃed], instead [ɪn'sted], any ['enɪ], bury ['berɪ], friend [frend].
[æ] fat [fæt], thank [θæŋk], plait [plæt].
[ɑ:] rather ['rɑ:ðəʳ], car [kɑ:ʳ], heart [hɑ:t], clerk [klɑ:k], palm [pɑ:m], aunt [ɑ:nt].
[ɒ] lock [lɒk], wash [wɒʃ], trough [trɒf], because [bɪ'kɒz].
[ɔ:] horse [hɔ:s], straw [strɔ:], fought [fɔ:t], cause [kɔ:z], fall [fɔ:l], boar [bɔ:ʳ], door [dɔ:ʳ].
[ʊ] look [lʊk], pull [pʊl], woman ['wʊmən], should [ʃʊd].
[u:] loop [lu:p], do [du:], soup [su:p], elude [ɪ'lu:d], true [tru:], shoe [ʃu:], few [fju:].
[ʌ] cub [kʌb], ton [tʌn], young [jʌŋ], flood [flʌd], does [dʌz].

[ɛ:] third [θɛ:d], herd [hɛ:d], heard [hɛ:d], curl [kɛ:l], word [wɛ:d], journey ['dʒɛ:nɪ].
[ə] actor ['æktəʳ], honour ['ɒnəʳ], about [ə'baʊt].
[ə] opcional. Em alguns casos pronuncia-se e outros se omite: trifle ['traɪfəl].
[eɪ] cable ['keɪbəl], way [weɪ], plain [pleɪn], freight [freɪt], prey [preɪ], great [greɪt].
[əʊ] go [gəʊ], toad [təʊd], toe [təʊ], though [ðəʊ], snow [snəʊ].
[aɪ] lime [laɪm], thigh [θaɪ], height [haɪt], lie [laɪ], try [traɪ], either ['aɪðəʳ].
[aʊ] house [haʊs], cow [kaʊ].
[ɔɪ] toy [tɔɪ], soil [sɔɪl].
[ɪə] near [nɪəʳ], here [hɪəʳ], sheer [ʃɪəʳ], idea [aɪ'dɪə], museum [mju:'zɪəm], weird [wɪəd], pierce [pɪəs].
[eə] hare [heəʳ], hair [heəʳ], wear [weəʳ].
[ʊə] pure [pjʊəʳ], during ['djʊərɪŋ], tourist ['tʊərɪst].

Ortografia

1. O sufixo *-s/-es* conforme a raiz.

a) Para formar a terceira pessoa do singular do presente do indicativo acrescenta-se **-s** ao infinitivo, mas, se o infinitivo terminar em ***-sh***, ***-ch***, ***-s***, ***-x***, ***-z*** e, às vezes, ***-o***, acrescenta-se ***-es***. O mesmo acontece ao se acrescentar ***-s/-es*** para formar o plural dos substantivos. Veja-se também o item sobre os substantivos.

wish	–	***wishes***	***fix***	–	***fixes***
teach	–	***teaches***	***buzz***	–	***buzzes***
kiss	–	***kisses***	***go***	–	***goes***

b) Quando a raiz termina em qualquer consoante + ***y***, esta última letra se transforma em ***i*** e acrescenta-se ***-es***.

	fry	–	***fries***	***worry***	–	***worries***
mas	***play***	–	***plays***			

2. Mudanças ortográficas na raiz com o acréscimo de certos sufixos.

a) Para formar o gerúndio ou particípio presente acrescenta-se ***-ing*** ao infinitivo, mas, quando o infinitivo termina em qualquer consoante + ***e***, este desaparece. Quando termina em -***ie***, essa combinação se transforma em ***y***.

give	–	***giving***	***die***	–	***dying***
move	–	***moving***	***lie***	–	***lying***

b) Quando se trata de uma raiz monossílaba que termina em uma única consoante precedida por uma única vogal, a consoante se duplica nos seguintes casos: ao se acrescentar

-ing ao verbo para formar o gerúndio ou particípio presente
-ed ao verbo para formar o passado simples
-er ao verbo para formar o agente
-er ou ***-est*** ao adjetivo para formar o comparativo e o superlativo

	stab	– *stabbing*	*trek*	–	*trekked*
	swim	– *swimming*	*clap*	–	*clapped*
	run	– *runner*	*grin*	–	*grinned*
mas	*sleep*	– *sleeping*	*look*	–	*looked*
	pant	– *panting*	*grasp*	–	*grasped*
	sad	– *sadder, saddest*	*hot*	–	*hotter, hottest*
	wet	– *wetter, weetted*	*big*	–	*bigger, biggest*
	cold	– *colder, coldest*	*cool*	–	*cooler, coolest*
	dear	– *dearer, dearest*	*fast*	–	*faster, fastest*

NB As consoantes ***y***, ***w*** e ***x*** não se duplicam.

c) Também se duplica a consoante final dos verbos de mais de uma sílaba quando o acento tônico recai na última sílaba.

	begin	– *beginning*	*admit*	–	*admitted*
	refer	– *referring*			
mas	*offer*	– *offering*	*open*	–	*opened*

No entanto, quando a consoante final é ***l***, esta se duplica independentemente de onde recaia o acento tônico. Veja-se também o item 4f.

travel	– *travelling*	*model*	– *modelled*

d) Quando a raiz termina em qualquer consoante + ***y***, ao acrescentar ***-ed*** à raiz do verbo ou ***-er*** ou ***-est*** à do adjetivo, o ***y*** se transforma em ***i***.

spy	– *spied*	*carry*	– *carried*
pretty	– *prettier, prettiest*		

e) Quando um adjetivo termina em -***y***, ao formar o advérbio pelo acréscimo de -***ly***, o ***y*** se transforma **em i.**

happy	– *happily*	*gay*	– *gaily*

3. As contrações

Em inglês familiar o uso das formas contraídas de certos verbos nas quais um apóstrofo ocupa o lugar de uma letra suprimida é muito frequente. Segue-se uma lista das mais usuais:

's	is, has	***'re***	are
've	have	***'d***	would, had
'm	am	***'il***	will, shall
-n't	not	***can't***	cannot
won't	will not		

4. Diferenças ortográficas entre o inglês britânico e o americano.

Há várias diferenças entre a ortografia britânica e a americana. Aqui estão resumidas as diferenças regulares, mas todas as formas diferentes constam do corpo do dicionário. O ponto de referência é sempre o inglês britânico.

a) Algumas palavras terminadas em ***-tre*** escrevem-se com ***-ter*** no inglês americano.

centre	– ***center***	***mitre***	–	***miter***
theatre	– ***theater***			

b) Algumas palavras terminadas em ***-our*** escrevem-se com ***-or*** no inglês americano.

harbour	– ***harbor***	***vapour***	–	***vapor***
colour	– ***color***			

c) Algumas palavras que contêm o dígrafo ***ae*** são escritas com ***e*** no inglês americano.

mediaeval	– ***medieval***	***gynaecology***	–	***gynecology***

d) Algumas palavras que contêm o dígrafo ***oe*** são escritas com ***e*** *no* inglês americano.

manoeuvre	– ***maneuver***	***oestrogen***	–	***estrogen***

e) Algumas palavras terminadas em ***-ogue*** terminam em ***-og*** *no* inglês americano

catalogue	– ***catalog***	***dialogue***	–	***dialog***

f) Apesar do que foi dito acima, no item 2c), enquanto no inglês britânico um ***l*** final costuma duplicar-se independentemente de onde recaia o acento tônico, no inglês americano esse ***l*** só se duplica quando o acento recai na última sílaba:

travel	–	***traveled, traveling***
rebel	–	***rebelled, rebelling***

O determinante

O artigo indefinido

O artigo indefinido é ***a*** e é invariável: ***a man***, ***a young woman***, ***a boy***, ***a girl***, ***a big dog***, ***a tree***, ***a planet***.
Diante das palavras que começam por vogal, ***a*** se transforma em ***an: an apple***, ***an eagle***, ***an easy test***, ***an Indian***, ***an untidy room***.
No entanto, uma palavra pode começar por uma vogal escrita e não começar por som vocálico: isso acontece com as palavras que começam por ***eu-*** e algumas das que começam por ***u-*** (vejam-se as transcrições fonéticas no dicionário). Nesses casos usa-se ***a*** em vez de ***an***: ***a European***, ***a euphemistic expression***; ***a union***, ***a university professor***.
Do mesmo modo, quando o ***h*** inicial é aspirado emprega-se ***a***, *quando é mudo usa-se* ***an***: ***a house, a helpful person***, mas ***an hour***, ***an honest man***.
O artigo indefinido só se coloca diante dos substantivos no singular.

a dog	***um cachorro***	***dogs***	***cachorros***
an eel	***uma enguia***	***eels***	***enguias***
an old house	***uma casa antiga***	***old houses***	***casas antigas***

O artigo definido

O artigo definido é ***the*** e é invariável. Serve tanto para o singular como para o plural: ***the man***, ***the men***, ***the woman***, ***the women***, ***the children***, ***the earth***, ***the sea***. Sua pronúncia é [ðə], mas diante das palavras que começam por um som vocálico pronuncia-se [ðɪ].

O substantivo

Gênero

Em inglês, diferentemente do que ocorre em português, os substantivos não têm gênero gramatical e os artigos e adjetivos são invariáveis. Só alguns nomes referentes a pessoas têm forma feminina, e em alguns casos existem palavras diferentes para designar o masculino e o feminino:

actor	–	***actress***	***prince***	–	***princess***	***host***	–	***hostess***
king	–	***queen***	***boy***	–	***girl***	***son***	–	***daughter***
cock	–	***hen***	***bull***	–	***cow***	***ram***	–	***ewe***

O genitivo saxão

Para indicar a relação de possuidor/possuído em inglês usa-se o chamado genitivo saxão, que consiste em acrescentar **'s** ao possuidor e colocá-lo diante do que é possuído. Funciona para pessoas e também para animais:

Lawrence's mother	a mãe de Lawrence
the boy's bicycle	a bicicleta do menino
my teacher's glasses	os óculos do meu professor
the government's policies	a política do governo
our dog's tail	o rabo do nosso cachorro

Quando o possuidor está no plural e termina em **-s**, em vez de acrescentar **'s** acrescenta-se apenas o apóstrofo; mas, quando se trata de um plural irregular que não termina em **-s**, acrescenta-se **'s**:

the boys' bicycles	as bicicletas dos meninos
my parents' car	o carro de meus pais
your children's toys	os brinquedos de seus filhos
men's trousers	calças de homens

Quando o possuidor termina em **-s** no singular, geralmente se acrescenta **'s**, mas a alguns nomes estrangeiros, antigos ou clássicos, acrescenta-se apenas o apóstrofo:

Charles's wife	a mulher de Charles
Mrs Jones's house	a casa da sra. Jones
Cervantes' novels	os romances de Cervantes
Aristophanes' plays	as obras de Aristófanes

Substantivos contáveis e não contáveis

Em inglês os substantivos podem ser classificados em contáveis ou não contáveis. Os primeiros podem ser contados e, como tais, podem ter singular e plural: ***boy, boys***; ***knife, knives***; ***pencil, pencils*** – é evidente que meninos, fa-

cas e lápis podem ser contados. No entanto, ***electricity*** não é contável, não se pode contar a eletricidade.
Enquanto os contáveis podem ter singular e plural, os não contáveis só têm a forma singular: ***furniture***, ***advice***, ***news***, ***information***, ***health***, ***chaos***, ***honesty***, ***peace***. No entanto, alguns desses substantivos não contáveis podem ser contados mediante o uso de ***a piece of***:

furniture	móveis	***a piece of furniture***	um móvel
advice	conselhos	***two pieces of advice***	dois conselhos
news	notícias	***three pieces of news***	três notícias

Plurais irregulares

Os substantivos em inglês são regulares em sua maioria e seu plural se forma com o acréscimo de **-s** (ou ***-es*** – veja-se o item 1 da parte de ortografia) à forma do singular. Existem plurais irregulares e formas invariáveis, que constam no dicionário.
Os substantivos terminados em ***-o*** podem formar o plural pelo acréscimo de ***-s***, ***-es***, ou ainda qualquer um dos dois. Para verificar a forma correta, veja-se a entrada.
Os substantivos que terminam em ***-f*** podem formar o plural pelo acréscimo de ***-s***, transformando o ***f*** em ***v*** e acrescentando ***-es***, ou de qualquer uma das duas maneiras. Os que terminam em ***-ff*** sempre (com exceção de ***staff***, que também tem plural irregular) formam o plural pelo acréscimo de apenas um **s**. Para verificar a forma correta, veja-se a entrada.
Os substantivos terminados em ***-fe*** geralmente formam o plural em ***-ves***, enquanto ***safe*** e os terminados em ***-ffe*** só pelo acréscimo de **-s**.

O pronome

Quadro de pronomes e adjetivos possessivos

pronome sujeito	pronome o. dir./indir.	adjetivo possessivo	pronome possessivo	pronome reflexivo
I	me	my	mine	myself
you	you	your	yours	yourself
he	him	his	his	himself
she	her	her	hers	herself
it	it	its	–	itself
we	us	our	ours	ourselves
you	you	your	yours	youselves
they	them	their	theirs	themselves

Os pronomes sujeito

Em inglês o pronome sujeito deve sempre estar presente:

I was very pleased to see him there,

mas numa mesma frase não é preciso repetir o pronome quando o sujeito é o mesmo:

She locked the door and then put the key in her pocket.

Os pronomes objeto direto/indireto

O pronome objeto direto coloca-se depois do verbo que ele complementa:

> ***She shot him; I washed and dried it.***

O pronome objeto indireto, quando acompanha um objeto direto que é substantivo, também se coloca depois do verbo que ele complementa:

> ***She made me a cake; I gave him the keys,***

mas, quando acompanha um objeto direto que é pronome, é mais corrente usar as preposições ***to*** ou ***for.*** Observe-se também a mudança de ordem:

> ***She made it for me; I gave them to him.***

O pronome com função de objeto também é usado:

> 1 – depois de uma preposição:
> ***She goes out with him; Look at them.***
>
> 2 – depois de ***than*** e ***as ... as ...*** nos comparativos:
> ***He's taller than her; She's as quick as him.***
>
> 3 – em inglês informal, depois do verbo ***to be***:
> ***It's me, John; It wasn't me, it was him.***
>
> 4 – para respostas curtas como:
> ***Who's got my pencil? – Me!***

Os adjetivos possessivos

Os adjetivos possessivos variam de acordo com o possuidor e não com o que é possuído:

> ***my sister, my sisters; their friend, their friends.***

Os pronomes possessivos

Os pronomes possessivos são usados para substituir a estrutura adjetivo possessivo + nome:

> ***This is my car. Where's yours?*** (= *your car*); ***His family is bigger than mine*** (= *my family*).

Os pronomes reflexivos

Os pronomes reflexivos são usados:

> 1 – quando o sujeito e o objeto do verbo são o mesmo:
> ***I've hurt myself; Please help yourselves!***
>
> 2 – quando se quer destacar que é uma pessoa e não outra que realiza a ação:
> ***If nobody will do it for me, I'll have to do it myself.***

O pronome impessoal

Como pronome impessoal em inglês coloquial se usa ***you***, ao passo que em inglês formal se usa ***one***:

You push this button if you want tea; You can't drive if you're under 17. One must be sure before one makes such serious accusations.

O adjetivo

Geral

Os adjetivos em inglês são invariáveis e quase sempre vão antes dos substantivos: ***an old man***, ***an old woman***; ***old men***, ***old women***.
Podem ir depois dos seguintes verbos: ***be***, ***look***, ***seem***, ***appear***, ***feel***, ***taste***, ***smell***, ***sound***.
Quando um substantivo numa expressão numérica é usado como adjetivo, sempre vai no singular: ***a two-mile walk; an eight-hour day.***

O comparativo e o superlativo

Os comparativos são usados para comparar uma ou mais pessoas, coisas etc. com outra ou outras. Os superlativos são usados para comparar uma pessoa ou coisa de um grupo com duas ou mais pessoas ou coisas do mesmo grupo. Para formar o comparativo acrescenta-se ***-er***; para formar o superlativo acrescenta-se ***-est*** à raiz:

– dos adjetivos de uma sílaba:

big	***bigger***	***biggest***
cold	***colder***	***coldest.***

– dos adjetivos de duas sílabas que terminam em ***-e***:

pretty	***prettier***	***prettiest.***

Formam o comparativo com ***more*** *e* o superlativo com ***most***:

– a maioria dos outros adjetivos de duas sílabas:

boring	***more boring***	***the most boring.***

– os de três ou mais sílabas:

beautiful	***more beautiful***	***the most beautiful.***

Podem formar o comparativo e o ***superlativo*** de qualquer uma das duas maneiras os adjetivos de duas sílabas terminados em ***-er***, ***-ure***, ***-le*** e ***-ow*** assim como, entre outros, ***common***, ***quiet***, ***tired***, ***pleasant***, ***handsome***, ***stupid***, ***cruel***, ***wicked*** e ***polite***, embora seja mais comum a forma com ***more*** e ***most.***

São irregulares os seguintes:

good	***better***	***best***
bad	***worse***	***worst***
far	***farther/further***	***farther/furthest.***

O advérbio

Geral

Os advérbios muito frequentemente podem se formar a partir dos adjetivos, pelo acréscimo de ***-ly***: ***sad – sadly***, ***quick – quickly***, ***happy – happily***, ***beautiful – beautifully***.

Quando o adjetivo termina em *-ly*, isso se torna impossível: os adjetivos ***lovely, friendly***, ***ugly***, ***lonely*** e ***silly***, entre outros, não têm advérbio correspondente. Em alguns casos essa formação do advérbio implica mudanças ortográficas. Veja-se o item sobre ortografia.
Alguns advérbios têm a mesma forma que o adjetivo correspondente: ***hard***, ***late***, ***early***, ***fast***, ***far***, ***much***, ***little***, ***high***, ***low***, ***near***.
Alguns advérbios mudam de sentido com relação ao adjetivo a que correspondem:

hard = duro; duramente	***hardly*** = apenas
late = tarde	***lately*** = ultimamente
near = perto	***nearly*** = quase
high = alto	***highly*** = muito

Posição

Embora os advérbios possam colocar-se no início da frase, sua posição mais frequente é depois do verbo e do objeto. No entanto, há advérbios que geralmente são colocados diante do verbo (depois do primeiro auxiliar, quando se trata de um tempo composto) e depois do verbo ***to be***. Os mais frequentes desse grupo são ***always***, ***usually***, ***generally***, ***normally***, ***often***, ***sometimes***, ***occasionally***, ***seldom***, ***rarely***, ***never***, ***almost***, ***just***, ***still***, ***already*** e ***only***.

O comparativo e o superlativo

A regra geral é semelhante à que vale para os adjetivos: aos advérbios de duas ou mais sílabas sempre se antepõe ***more*** para a comparação e ***most*** para o superlativo, e aos de uma única sílaba acrescentam-se os sufixos ***-er*** para formar o comparativo e ***-est*** para o superlativo:

quickly	***more quickly***	***most quickly***
beautifully	***more beautifully***	***most beautifully***
fast	***faster***	***fastest***
hard	***harder***	***hardest***
near	***nearer***	***nearest***

mas

early	***earlier***	***earliest***

São irregulares:

well	***better***	***best***
badly	***worse***	***worst***
little	***less***	***least***
much	***more***	***most***
far	***farther/further***	***farthest/furthest***
late	***later***	***last***

O verbo

Conjugação

A conjugação do verbo inglês é simples. Os verbos ingleses são regulares em sua maioria, e o passado simples e o particípio passado são formados pelo acréscimo de ***-ed*** à raiz e de apenas ***-d*** quando a raiz já tem ***-e*** final. O particípio presente se forma pelo acréscimo de ***-ing*** à raiz. Veja-se também o item sobre ortografia.

Infinitivo	Passado simples	Particípio passado	Particípio presente
sail	***sailed***	***sailed***	***sailing***
grab	***grabbed***	***grabbed***	***grabbing***
kiss	***kissed***	***kissed***	***kissing***
waste	***wasted***	***wasted***	***wasting***

Pronúncia do passado e particípio passado regulares

O sufixo ***-ed*** sempre se escreve do mesmo modo, mas se pronuncia de três maneiras diferentes, conforme a pronúncia da raiz à qual é acrescentado (observe a transcrição fonética).

Pronuncia-se [d] quando a raiz termina em consoante sonora [b], [g], [dʒ], [v], [ð], [z], [ʒ], [m], [n] e [l] ou qualquer vogal:
– ***stabbed*** [stæbd], ***begged*** [begd], ***opened*** ['əʊpənd], ***filled*** [fıld], ***vetoed*** ['viːtəʊd].

Pronuncia-se [t] quando a raiz termina em consoante surda [p], [k], [tʃ], [f], [θ], [s], [ʃ]:
– ***clapped*** [klæpt], ***licked*** [lıkt], ***kissed*** [kıst], ***wished*** [wıʃt].

Pronuncia-se [id] quando a raiz termina em [t] ou [d]:
– ***tasted*** ['teıstıd], ***defended*** [dı'fendıd].

Para os verbos irregulares, vejam-se a tabela no final deste capítulo e as respectivas entradas.

Phrasal verbs

Os *phrasal verbs* ou verbos preposicionais são muito numerosos em inglês. Ao acrescentar uma partícula adverbial ou preposição a um verbo, altera-se parcial ou totalmente o significado do verbo original:

put (pôr)	***put out*** (apagar)
turn (girar)	***turn on*** (acender)

Neste dicionário os *phrasal verbs* aparecem dentro do verbete correspondente ao verbo básico.

A formação dos tempos verbais

Presente simples

Tem a mesma forma que o infinitivo do verbo em todas as pessoas exceto na terceira pessoa do singular, na qual se acrescenta a terminação ***-s*** ou ***-es*** (veja-se o item sobre ortografia):

I sail	***we sail***
you sail	***you sail***
he/she/it sails	***they sail***

Os verbos ***to be*** e ***to have*** são irregulares:

I am	***we are***	***I have***	***we have***
you are	***you are***	***you have***	***you have***
he/she/it is	***they are***	***he/she/it has***	***they have***

Presente contínuo

Forma-se com o presente do verbo ***to be*** + o particípio presente:

I am resting, you are painting etc.

Pretérito perfeito

Forma-se com o presente do verbo ***to have*** + o particípio passado:

He has arrived, they have just left etc.

Pretérito perfeito contínuo

Forma-se com o presente do verbo ***to have*** + ***been*** + o particípio presente:

I have been dreaming, we have been riding etc.

Passado simples

Vejam-se o início deste item e a tabela dos verbos irregulares. O verbo ***to be*** é irregular:

I was	*we were*
you were	*you were*
he/she/it was	*they were*

Passado contínuo

Forma-se com o passado simples de ***to be*** + o particípio presente:

It was raining, they were laughing etc.

Mais que perfeito

Forma-se com o passado simples de ***to have*** + o particípio passado:

I had lost my slippers, the dog had taken them etc.

Mais que perfeito contínuo

Forma-se com o passado simples de ***to have*** + ***been*** + o particípio passado:

He had been repairing his motorbike etc.

Futuro

Forma-se com ***will/shall*** + o infinitivo. (Como regra geral, ***will*** é usado para todas as pessoas, embora na longuagem formal seja substituído por ***shall*** na primeira pessoa tanto do singular como do plural:

It will be here next week etc.

Futuro contínuo

Forma-se com ***will/shall*** + ***be*** + o particípio presente:

They will be lying on the beach etc.

Futuro perfeito

Forma-se com ***will/shall*** + ***have*** + particípio passado:

I will have finished in ten minutes etc.

Futuro perfeito contínuo

Forma-se com ***will/shall*** + ***have*** + ***been*** + particípio presente:

We will have been living here for forty years etc.

As orações condicionais

Há três tipos básicos de orações condicionais no inglês: as reais, as irreais e as impossíveis. As construções 1) e 2) referem-se ao presente e ao futuro; a construção 3) refere-se a situações no passado.

1) Condicional real (*first conditional*)

If + presente simples	***will/shall*** + infinitivo
If it snows this week,	***we will go skiing on Saturday.***

2) Condicional irreal (*second conditional*)

If + passado simples	***would*** + infinitivo
If we had a corkscrew,	***we would be able to open the bottle.***

3) Condicional impossível (*third conditional*)

If + mais que perfeito	***would have*** + particípio passado
If you had run a little faster,	***you would have caught the train.***

A voz passiva

A voz passiva é frequente em inglês. Forma-se da seguinte maneira: inverte-se a ordem entre o sujeito e o objeto direto, coloca-se o verbo ***to be*** no mesmo tempo que o verbo da frase na ativa seguido do particípio passado do verbo, e coloca-se a partícula ***by*** antes do sujeito da ativa, quando ele está presente.

John broke the window	***– The window was broken by John***
Leeds United have beaten Stoke City	***– Stoke City have been beaten by Leeds United***

Em geral a voz passiva é empregada para dar mais ênfase ao objeto direto ou quando o sujeito é desconhecido ou não tem muita importância:

The police will tow away your car	***– Your car will be towed away (by the police)***
Someone has stolen my pen	***– My pen has been stolen.***

O imperativo

Tanto no singular como no plural, o imperativo é formado com o infinitivo sem ***to***:

Shut up!; ***Open this door!***; ***Give me my umbrella!***

As orações negativas no imperativo são formadas com ***do not (don't)*** + infinitivo:

Do not feed the animals!; ***Don't put your feet on the chair!***

Usa-se ***let's*** (***let us***) + infinitivo (sem ***to***) como imperativo para a primeira pessoa do plural ou para sugerir:

Let's watch the other channel; ***Let's not quarrel*** ou ***Don't let's quarrel***.

As formas negativas e interrogativas

Negativas

Na forma negativa dos tempos compostos de verbos coloca-se ***not*** depois do verbo auxiliar:

He has finished – ***He has not finished***
It is raining – ***It is not raining***
She will see you later – ***She will not see you later***

No presente simples forma-se a negação empregando o infinitivo do verbo (que é invariável) junto com o verbo auxiliar ***do*** (***does*** para a terceira pessoa do singular) seguido de ***not***:

He works on Saturdays – ***He does not work on Saturdays***
You make a lot of mistakes – ***You do not make a lot of mistakes***

Na forma negativa do passado simples emprega-se o auxiliar ***to do*** no passado (***did***) ao passo que o verbo principal se mantém no infinitivo:

He worked last Saturday – ***He did not work last Saturday***
You made a lot of mistakes – ***You did not make a lot of mistakes***

Interrogativas

Nos tempos compostos, para chegar à forma interrogativa antepõe-se o verbo auxiliar ao sujeito:

She is having a shower – ***Is she having a shower?***
We shall come to help you – ***Shall we come to help you?***

No presente simples forma-se a interrogação empregando o infinitivo do verbo (que é invariável) junto com o verbo auxiliar ***do*** (***does*** para a terceira pessoa singular) que se coloca antes do sujeito:

He works on Saturdays – ***Does he work on Saturdays?***
They eat fish – ***Do they eat fish?***

Na forma interrogativa do passado simples emprega-se o auxiliar ***to do*** no passado (***did***) ao passo que o verbo principal se mantém no infinitivo.

He worked last Saturday – ***Did he work last Saturday?***
They ate all of it – ***Did they eat all of it?***

TABELA DE VERBOS IRREGULARES

Infinitivo	Passado simples	Particípio passado
arise	arose	arisen
awake	awoke	awaked/awoken
be	was/were	been
bear	bore	borne/born
beat	beat	beaten
become	became	become
begin	began	begun
behold	beheld	beheld
bend	bent	bent
beseech	besought/beseeched	besought/beseeched
beset	beset	beset
bet	bet/betted	bet/betted
bid	bid/bade	bid/bidden
bide	bode/bided	bided
bind	bound	bound
bite	bit	bitten
bleed	bled	bled
blow	blew	blown
break	broke	broken
breed	bred	bred
bring	brought	brought
broadcast	broadcast	broadcast
build	built	built
bum	burnt/burned	burnt/burned
burst	burst	burst
buy	bought	bought
cast	cast	cast
catch	caught	caught
choose	chose	chosen
cling	clung	clung
clothe	clothed/clad	clothed/clad
come	came	come
cost	cost	cost
creep	crept	crept
crow	crowed/crew	crowed
cut	cut	cut
deal	dealt	dealt
dig	dug	dug
dive	dived, US dove	dived
do	did	done
draw	drew	drawn

dream	dreamed/dreamt	dreamed/dreamt
drink	drank	drunk
drive	drove	driven
dwell	dwelt/dwelled	dwelt/dwelled
eat	ate	eaten
fall	fell	fallen
feed	fed	fed
feel	felt	felt
fight	fought	fought
find	found	found
flee	fled	fled
fling	flung	flung
fly	flew	flown
forbid	forbade/forbad	forbidden
forecast	forecast/forecasted	forecast/forecasted
forego	forewent	foregone
foresee	foresaw	foreseen
foretell	foretold	foretold
forget	forgot	forgotten
forgive	forgave	forgiven
forgo	forwent	forgone
forsake	forsook	forsaken
freeze	froze	frozen
get	got	got, US gotten
give	gave	given
go	went	gone
grind	ground	ground
grow	grew	grown
hang	hung/hanged[1]	hung/hanged[1]
have	had	had
hear	heard	heard
hew	hewed	hewed/hewn
hide	hid	hidden/hid
hit	hit	hit
hold	held	held
hurt	hurt	hurt
input	input	input
keep	kept	kept
kneel	knelt, US kneeled	knelt, US kneeled
knit	knit/knitted	knit/knitted
know	knew	known
lay	laid	laid
lead	led	led
lean	leant/leaned	leant/leaned
leap	leapt/leaped	leapt/leaped
learn	learnt/learned	learnt/learned

[1] Para saber a diferença entre as duas formas, consultar o dicionário.

leave	left	left
lend	lent	lent
let	let	let
light	lighted/lit	lighted/lit
lose	lost	lost
make	made	made
mean	meant	meant
meet	met	met
mislay	mislaid	mislaid
mislead	misled	misled
mistake	mistook	mistaken
misunderstand	misunderstood	misunderstood
mow	mowed	mowed/mown
offset	offset	offset
outdo	outdid	outdone
outgrow	outgrew	outgrown
outrun	outran	outrun
overcome	overcame	overcome
overdo	overdid	overdone
overhear	overheard	overheard
override	overrode	overridden
overrun	overran	overrun
oversee	oversaw	overseen
oversleep	overslept	overslept
overtake	overtook	overtaken
overthrow	overthrew	overthrown
pay	paid	paid
prove	proved	proved/proven
put	put	put
read	read	read
rebuild	rebuilt	rebuilt
remake	remade	remade
rend	rent	rent
repay	repaid	repaid
rerun	reran	rerun
reset	reset	reset
retell	retold	retold
rewind	rewound	rewound
rewrite	rewrote	rewritten
rid	rid/ridded	rid/ridded
ride	rode	ridden
ring	rang	rung
rise	rose	risen
run	ran	run
saw	sawed	sawed/sawn
say	said	said
see	saw	seen
seek	sought	sought

sell	sold	sold
send	sent	sent
set	set	set
sew	sewed	sewed/sewn
shake	shook	shaken
shear	sheared	sheared/shom
shed	shed	shed
shine	shone	shone
shoe	shod	shod
shoot	shot	shot
show	showed	shown/showed
shrink	shrank	shrunk
shut	shut	shut
sing	sang	sung
sink	sank	sunk
sit	sat	sat
slay	slew	slain
sleep	slept	slept
slide	slid	slid
sling	slung	slung
slink	slunk	slunk
slit	slit	slit
smell	smelled/smelt	smelled/smelt
sow	sowed	sowed/sown
speak	spoke	spoken
speed	speeded/sped	speeded/sped
spell	spelled/spelt	spelled/spelt
spend	spent	spent
spill	spilled/spilt	spilled/spilt
spin	spun/span	spun
spic	spat	spat
split	split	split
spoil	spoiled/spoilt	spoiled/spoilt
spread	spread	spread
spring	sprang	sprung
stand	stood	stood
steal	stole	stolen
stick	stuck	stuck
sting	stung	stung
stink	stank/stunk	stunk
stride	strode	stridden
strike	struck	struck
string	strung	strung
strive	strove	striven
sublet	sublet	sublet
swear	swore	swom
sweep	swept	swept
swell	swelled	swollen

swim	swam	swum
swing	swung	swung
take	took	taken
teach	taught	taught
tear	tore	torn
tell	told	told
think	thought	thought
thrive	throve/thrived	thrived/thriven
throw	threw	thrown
thrust	thrust	thrust
tread	trod	trodden/trod
undergo	underwent	undergone
understand	understood	understood
undertake	undertook	undertaken
underwrite	underwrote	underwritten
undo	undid	undone
unwind	unwound	unwound
uphold	upheld	upheld
upset	upset	upset
wake	woke	woken
wear	wore	won
weave	wove	woven
wed	wedded/wed	wedded/wed
weep	wept	wept
wet	wetted/wet	wetted/wet
win	won	won
wind	wound	wound
withdraw	withdrew	withdrawn
withhold	withheld	withheld
withstand	withstood	withstood
wring	wrung	wrung
write	wrote	written

Dicionário
Inglês – Português

A

a [eɪ, ə] *det* **1** um, uma **2** cada, por: ***three times a week*** três vezes por semana; ***it's $ 10 a kilo*** custa 10 dólares o quilo

Usa-se antes de consoantes e palavras começadas por som consonantal. Ver também **an**.

A [eɪ] *abbr (music)* lá *(nota musical)*

AA¹ ['eɪ'eɪ] *abbr (**Alcoholics Anonymous**)* Alcoólicos Anônimos, AA

AA² ['eɪ'eɪ] *abbr* GB *(**Automobile Association**)* Automóvel Clube britânico

AB ['eɪ'bi:] *abbr* US *(Bachelor of Arts)* bacharel em Humanidades

aback [ə'bæk] *adv*
• **to be taken aback** espantar-se, ficar atônito

abandon [ə'bændən] *vt* abandonar

abattoir ['æbətwɑ:ʳ] *n* matadouro

abbess ['æbes] *n* (*pl* **-es**) abadessa

abbey ['æbɪ] *n* abadia

abbot ['æbət] *n* abade

abbreviate [ə'bri:vɪeɪt] *vt* abreviar

abbreviation [əbri:vɪ'eɪʃən] *n* abreviatura

ABC ['eɪ'bi:'si:] *abbr* **1** *(alphabet)* alfabeto **2** *(basic)* á-bê-cê; bê-á-bá

abdicate ['æbdɪkeɪt] *vt-vi* abdicar

abdication [æbdɪ'keɪʃən] *n* abdicação

abdomen ['æbdəmən] *n* abdome

abdominal [æb'dɒmɪnəl] *adj* abdominal

abduct [æb'dʌkt] *vt* **1** raptar, sequestrar **2** MED abduzir

abduction [æb'dʌkʃən] *n* **1** rapto, sequestro **2** MED abdução

abductor [æb'dʌktəʳ] *n* **1** raptor, sequestrador **2** MED abdutor

aberration [æbə'reɪʃən] *n* aberração

abhor [əb'hɔ:ʳ] *vt* (*pt & pp* **abhorred**, *ger* **abhorring**) detestar, abominar

abhorrent [əb'hɒrənt] *adj* detestável, odioso

abide [ə'baɪd] *vt* suportar, aguentar: ***I can't abide her*** não a suporto
• **to abide by** *vt* cumprir, acatar

abiding [ə'baɪdɪŋ] *adj* duradouro

ability [ə'bɪlɪtɪ] *n* (*pl* **-ies**) habilidade, capacidade, aptidão

ablaze [ə'bleɪz] *adj* em chamas
• **ablaze with light** resplandecente

able ['eɪbəl] *adj* (*comp* **abler**, *superl* **ablest**) hábil, capaz
• **to be able to 1** poder: ***will you be able to come?*** você poderá vir? **2** saber: ***he was able to drive when he was sixteen*** ele sabia dirigir aos dezesseis anos

ably ['eɪblɪ] *adv* habilmente

abnormal [æb'nɔ:məl] *adj* anormal

abnormality [æbnɔ:'mælɪtɪ] *n* (*pl* **-ies**) anormalidade

aboard [ə'bɔ:d] *adv* a bordo: ***welcome aboard*** bem-vindo(s) a bordo

abolish [ə'bɒlɪʃ] *vt* abolir

abolition [æbə'lɪʃən] *n* abolição

abominable [ə'bɒmɪnəbəl] *adj* abominável, horrível

aborigine [æbə'rɪdʒɪnɪ] *n* aborígine

abort [ə'bɔ:t] *vi* abortar

abortion [ə'bɔ:ʃən] *n* aborto *(provocado)*
• **to have an abortion** abortar

■ **abortion pill** pílula abortiva

abound [ə'baʊnd] *vi* abundar

about [ə'baʊt] *prep* **1** de, sobre, acerca de: ***to speak about...*** falar de/sobre...; ***what is the book about?*** o livro é sobre o quê?; ***what did you do about...?*** o que você fez a respeito de...? **2** em: ***he's somewhere about the house*** ele está em algum lugar da casa

▸ *adv* **1** cerca de, mais ou menos: ***about £500*** cerca de 500 libras; ***at about three o'clock*** mais ou menos às três horas **2** por perto, ali: ***there was nobody about*** não havia ninguém ali

• **to be about to...** estar prestes a...

• **how about...?/what about...?** que tal...?: ***how about a drink?*** que tal uma bebida?; ***how about going to Paris?*** o que você acha de ir a Paris?

above [ə'bʌv] *prep* **1** acima de: ***above our heads*** acima de nossas cabeças; ***above suspicion*** acima de qualquer suspeita; ***only the manager is above him*** só o gerente está acima dele **2** mais de, mais que: ***above 5,000 people*** mais de 5.000 pessoas; ***those above the age of 65*** pessoas com mais de 65 anos

▸ *adv* **1** acima, de cima: ***the flat above*** o apartamento de cima **2** acima: ***see above*** ver acima

• **above all** sobretudo; mais importante que tudo

above-board [əbʌv'bɔ:d] *adj* franco, honesto

above-mentioned [əbʌv'menʃənd] *adj* mencionado, anteriormente; supracitado

abreast [ə'brest] *adv* lado a lado

• **to walk four abreast** andar em formação de quatro filas

• **to keep abreast with** ficar a par de

abridged [ə'brɪdʒd] *adj* resumido

abroad [ə'brɔ:d] *adv* ao exterior, no estrangeiro; fora: ***they went abroad*** foram ao exterior; ***she lives abroad*** ela mora no estrangeiro

abrupt [ə'brʌpt] *adj* **ab-rupto, abrupto** repentino, brusco

abscess ['æbses] *n* (*pl* **-es**) MED abscesso

abscond [əb'skɒnd] *vi* **1** *(go away)* fugir **2** *(hide)* esconder-se

abseil ['æbseɪl] *vi* fazer *rapel*

abseiling ['æbseɪlɪŋ] *n rapel*

absence ['æbsəns] *n* ausência

absent [(*adj*) 'æbsənt; (*v*) æb'sent] *adj* ausente

▸ *vt* **to absent oneself** ausentar-se

absentee [æbsən'ti:] *n* ausente

absenteeism [æbsən'ti:ɪzəm] *n* absenteísmo

absent-minded [æbsənt'maɪndɪd] *adj* distraído

absolute ['æbsəlu:t] *n* absoluto, completo: ***it's absolute rubbish*** é uma completa bobagem

absolutely [æbsə'lu:tlɪ] *adv* totalmente; completamente

▸ *interj* claro que sim!, certamente!

absolution [æbsə'lu:ʃən] *n* absolvição

absolve [əb'zɒlv] *vt* absolver

absorb [əb'zɔ:b] *vt* **1** *(water)* absorver **2** *fig (information)* assimilar

• **to be absorbed in something** estar absorto em algo

absorbent [əb'zɔ:bənt] *adj* absorvente

▸ *n* absorvente

absorbing [əb'zɔ:bɪŋ] *adj* absorvente, interessante

absorption [əb'zɔ:pʃən] *n* absorção

abstain [əb'steɪn] *vi* abster

■ **to abstain from** *vpr* abster-se de

abstention [æb'stenʃən] *n* abstenção

abstinence ['æbstɪnəns] *n* abstinência

abstract [(*adj-n*) 'æbstrækt; (*v*) æb'strækt] *adj* abstrato

▸ *n* resumo, sumário

▸ *vt* resumir, sintetizar

• **in the abstract** na teoria, por si só

abstraction [æb'strækʃən] *n* abstração

absurd [əb'sɜ:d] *adj* absurdo, ridículo: ***don't be absurd!*** não seja ridículo!

▸ *n* absurdo

absurdity [əb'sɜ:dɪtɪ] *n* (*pl* **-ies**) absurdo

abundance [ə'bʌndəns] *n* abundância

abundant [ə'bʌndənt] *adj* abundante

abuse [(*n*) ə'bju:s; (*v*) ə'bju:z] *n* **1** insulto: ***they shouted abuse at us*** insulta-

ram-nos aos gritos **2** *(cruel treatment)* maus-tratos **3** abuso: ***an abuse of power*** um abuso de poder **4** abuso, mau uso: ***drug abuse*** abuso de drogas
▸ *vt* **1** *(words)* insultar **2** *(treatment)* maltratar **3** abusar de: ***he abused his authority*** abusou de sua autoridade

abusive [ə'bju:sɪv] *adj* **1** injurioso; insultante **2** abusivo

abysmal [ə'bɪzməl] *adj* terrível; péssimo

abyss [ə'bɪs] *n* (*pl* **-es**) abismo

a/c [ə'kaʊnt] *abbr* *(**account**)* conta; conta corrente; conta bancária

AC ['eɪ'si:] *abbr* *(**alternating current**)* corrente alternada

academic [ækə'demɪk] *adj* acadêmico
▸ *n* professor universitário
▪ **academic year** ano letivo

academy [ə'kædəmɪ] *n* (*pl* **-ies**) academia

accede [æk'si:d] *vi fml* **1** concordar **2** *fml* subir *(ao trono)*

accelerate [æk'seləreɪt] *vt-vi* acelerar

acceleration [ækselə'reɪʃən] *n* aceleração

accelerator [ək'seləreɪtə^r] *n* acelerador

accent [(*n*) 'æksənt; (*v*) æk'sent] *n* **1** acento **2** sotaque
▸ *vt* acentuar

accentuate [æk'sentʃʊeɪt] *vt* acentuar; dar ênfase

accept [ək'sept] *vt* **1** aceitar **2** admitir; aprovar

acceptable [ək'septəbəl] *adj* aceitável

acceptance [ək'septəns] *n* **1** aceitação **2** aprovação

access ['ækses] *n* acesso
▸ *vt* COMPUT acessar
▪ **access code** código de acesso
▪ **access provider** provedor de acesso *(à internet)*
▪ **access road** estrada de acesso

accessible [æk'sesɪbəl] *adj* acessível

accessory [æk'sesərɪ] *n* (*pl* **-ies**) **1** acessório **2** cúmplice

accident ['æksɪdənt] *n* acidente: ***a car accident*** um acidente de carro; ***I'm sorry, it was an accident*** desculpe-me, foi sem querer
• **by accident** por acaso

accidental [æksɪ'dentəl] *adj* casual; por acaso: ***an accidental remark*** um comentário casual; ***it was accidental*** foi por acaso

accident-prone ['æksɪdəntprəʊn] *adj* propenso a acidentes

acclaim [ə'kleɪm] *n* aclamação; elogio
▸ *vt* aclamar; elogiar

acclimatize [ə'klaɪmətaɪz] *vt-vi* aclimatar(-se)

accommodate [ə'kɒmədeɪt] *vt* **1** acomodar **2** alojar; hospedar **3** ajustar; tornar conveniente

accommodation [əkɒmə'deɪʃən] *n* **1** acomodação **2** alojamento **3** ajuste **4** acordo
• **to reach an accommodation** chegar a um acordo

accompaniment [ə'kʌmpənɪmənt] *n* acompanhamento

accompany [ə'kʌmpənɪ] *vt* (*pt & pp* **-ied**) acompanhar

accomplice [ə'kɒmplɪs] *n* cúmplice

accomplish [ə'kɒmplɪʃ] *vt* **1** realizar; executar **2** completar; concluir

accomplishment [ə'kɒmplɪʃmənt] *n* **1** realização **2** proeza

accord [ə'kɔ:d] *vt* conceder; outorgar
▸ *vi* concordar
• **of one's own accord** por sua própria vontade
• **with one accord** por unanimidade

accordance [ə'kɔ:dəns] *n* acordo; conformidade
• **in accordance with** de acordo com

according to [ə'kɔ:dɪŋtʊ] *prep* **1** segundo: ***according to the paper/my watch*** segundo o jornal/pelo meu relógio **2** de acordo com; conforme; como: ***it went according to plan*** saiu como previsto; ***we were paid according to our experience*** fomos pagos de acordo com nossa experiência

accordingly [ə'kɔ:dɪŋlɪ] *adv* **1** de acordo; em conformidade: ***to act accordingly*** agir de acordo **2** por conseguinte

accordion [ə'kɔ:dɪən] *n* acordeão

account [ə'kaʊnt] *n* **1** conta: ***to open an account*** abrir uma conta **2** relato; descrição, versão: ***Paul's account of the events is different from yours*** a versão de Paul para os fatos difere da sua **3** importância: ***it is of no account*** não tem importância

• **on account** em conta: ***charged on account*** cobrado em conta

• **on account of** por causa de

• **on no account** de jeito nenhum, em hipótese alguma

• **there's no accounting for tastes** gosto não se discute

• **to call somebody to account** exigir uma explicação de alguém; tomar satisfações

• **to give an account of** descrever; contar; narrar

• **to take into account** levar em conta

• **to turn something to (good) account** tirar (*bom*) proveito de algo

▪ **to account for** *vi* **1** explicar; dar satisfações **2** responsabilizar-se por

accountable [ə'kaʊntəbəl] *adj* responsável: ***he was accountable for the damage*** ele foi responsável pelo estrago

accountant [ə'kaʊntənt] *n* contador

accounting [ə'kaʊntɪŋ] *n* contabilidade

acct. [ə'kaʊnt] *abbr (**account**)* c/ *(conta)*

accumulate [ə'kju:mjʊleɪt] *vt-vi* acumular

accumulation [əkju:mjʊ'leɪʃən] *n* acumulação; acúmulo

accuracy ['ækjʊrəsɪ] *n* exatidão; precisão

accurate ['ækjʊrət] *adj* exato; preciso

accusation [ækju:'zeɪʃən] *n* acusação

• **to bring an accusation against** apresentar uma denúncia contra

accuse [ə'kju:z] *vt* acusar

accused [ə'kju:zd] *n* acusado

accustom [ə'kʌstəm] *vt* acostumar

accustomed [ə'kʌstəmd] *adj* acostumado

• **to get accustomed to** acostumar-se a

ace [eɪs] *n* ás

• **within an ace of** a ponto de; prestes a; a um passo de

ache [eɪk] *n* dor

▸ *vi* doer: ***my head aches*** minha cabeça está doendo; tenho dor de cabeça

É comum a formação de palavras compostas como **headache** (*dor de cabeça*), **toothache** (*dor de dente*), **earache** (*dor de ouvido*) ou **stomach ache** (*dor de estômago*).

achieve [ə'tʃi:v] *vt* conseguir; conquistar

achievement [ə'tʃi:vmənt] *n* **1** realização **2** conquista

aching ['eɪkɪŋ] *adj* dolorido; doído

acid ['æsɪd] *n* ácido

▸ *adj* ácido

▪ **acid rain** chuva ácida

acidic [ə'sɪdɪk] *adj* ácido

acidity [ə'sɪdɪtɪ] *n* acidez

acknowledge [ək'nɒlɪdʒ] *vt* **1** reconhecer, admitir: ***to acknowledge defeat*** admitir a derrota **2** acusar recebimento: ***we acknowledge your claim*** acusamos o recebimento de sua reclamação **3** agradecer; manifestar agradecimento

acknowledged [ək'nɒlɪdʒɪd] *adj* reconhecido: ***he is an acknowledged expert*** ele é um técnico/especialista reconhecido

acknowledgement [ək'nɒlɪdʒmənt] *n* **1** reconhecimento **2** aviso de recebimento **3** agradecimentos

acne ['æknɪ] *n* acne

acorn ['eɪkɔ:n] *n* bolota *(fruto do carvalho)*

acoustic [ə'ku:stɪk] *adj* acústico

acoustics [ə'ku:stɪks] *n* acústica *(estudo do som)*

▸ *npl* acústica *(efeito de um som produzido em um ambiente fechado)*

No sentido de acústica é incontável e o verbo vai para o singular.

acquaint [ə'kweɪnt] *vt* **1** familiarizar **2** informar; pôr a par; inteirar

• **to acquaint oneself with** familiarizar-se com: ***I'll acquaint myself with the new rules*** vou me familiarizar com as novas regras

• **to be acquainted with somebody** conhecer alguém pessoalmente sem muita intimidade

• **to be acquainted with something** estar inteirado de algo; ter conhecimento de algo

acquaintance [ə'kweɪntəns] *n* **1** conhecimento; familiaridade **2** conhecido; pessoa conhecida

• **to make somebody's acquaintance** conhecer alguém

acquiesce [ækwɪ'es] *vi* consentir

acquire [ə'kwaɪəʳ] *vt* **1** adquirir *(posses)* **2** obter; conseguir *(informação)*

• **to acquire a taste for something** tomar gosto por algo

acquisition [ækwɪ'zɪʃən] *n* aquisição

acquit [ə'kwɪt] *vt* absolver; inocentar

acre ['eɪkəʳ] *n* acre

Um **acre** são 0,4047 hectares.

acrimonious [ækrɪ'məʊnɪəs] *adj* acrimonioso

acrimony ['ækrɪmənɪ] *n* acrimônia

acrobat ['ækrəbæt] *n* acrobata

acrobatics [ækrə'bætɪks] *npl* acrobacias

Também pode ser considerado incontável, sendo acompanhado, assim, de verbo no singular.

acronym ['ækrənɪm] *n* acrônimo

across [ə'krɒs] *prep* **1** através de: ***to go across the road*** atravessar a rua; ***to swim across a river*** atravessar um rio a nado; ***to fly across the Atlantic*** sobrevoar o Atlântico **2** do outro lado de: ***they live across the road*** eles moram do outro lado da rua; ***she looked across the room*** ela olhou para o outro lado da sala

▸ *adv* de um lado ao outro: ***it's 4 metres across*** mede 4 metros de lado a lado

Com verbos como **walk**, **run**, **swim** etc., costuma-se traduzir por *atravessar*: ***walk across the street*** atravessa a rua; ***he ran/swam across*** ele atravessou correndo/nadando; ***they sailed across the Atlantic*** atravessaram o Atlântico a vela.

act [ækt] *n* **1** ato, feito; ação: ***this is the act of a madman*** este é o ato de um louco; ***an act of terrorism*** uma ação terrorista; ***an act of war*** um ato de guerra **2** ato; número: ***tonight's first act is a clown*** o primeiro número da noite é um palhaço **3** ato: ***Hamlet, Act II, Scene 1*** *Hamlet*, Ato II, Cena 1 **4** *(Act of Parliament)* lei

▸ *vi* **1** agir: ***we must act quickly to save her*** temos de agir com rapidez para salvá-la; ***he acted as if nothing had happened*** ele agiu como se nada houvesse acontecido **2** comportar-se: ***she acted stupidly*** ela se comportou de forma estúpida **3** representar: ***who is acting for the accused?*** quem representa o acusado? **4** atuar; trabalhar: ***she's acted in over 50 films*** ela atuou em mais de 50 filmes

• **get your act together** organize-se!

• **to catch somebody in the act** surpreender/pegar alguém em flagrante

▪ **act of God** força maior

acting ['æktɪŋ] *n* **1** profissão de ator/atriz, interpretação **2** atuação: ***her acting was brilliant*** sua atuação foi brilhante

▸ *adj* interino, em exercício

▪ **acting manager** gerente interino

action ['ækʃən] *n* **1** ação **2** ato **3** atuação, intervenção: ***her prompt action saved our lives*** sua rápida atuação nos salvou a vida **4** medidas: ***we must take immediate action*** devemos tomar medidas imediatas **5** combate, ação: ***the troops are waiting to go into action*** as tropas estão esperando para entrar em combate

• **actions speak louder than words** as ações falam mais alto que as palavras

• **killed in action** morto em combate

• **out of action 1** fora de serviço; parado: ***I was out of action due to illness*** eu estava parado por motivo de doença **2** quebrado(a): ***my TV is out of action*** minha TV está quebrada

• **to bring an action against somebody** processar alguém

activate ['æktɪveɪt] *vt* ativar

active ['æktɪv] *adj* ativo

activity [æk'tɪvɪtɪ] *n* (*pl* **-ies**) atividade

actor ['æktəʳ] *n* ator

actress ['æktrəs] *n* (*pl* **-es**) atriz

actual ['æktʃʊəl] *adj* **1** real, verdadeiro: ***it's all conjecture, there's no actual evidence*** tudo não passa de conjectu-

ras, não há prova real **2** exato: ***it's a book about wine, but I don't know the actual title*** é um livro sobre vinho, mas não sei o título exato; ***those were her actual words*** essas foram suas palavras exatas **3** mesmo: ***this is the actual gun the murderer used*** esta é a mesma arma que o assassino utilizou **4** em si; propriamente dito: ***the actual plot was weak, but I liked the film*** o enredo em si era fraco, mas gostei do filme
• **in actual fact** em realidade

Actual não significa o mesmo que *atual* em português.

actually ['æktjʊəlɪ] *adv* **1** na realidade; na verdade: ***actually, my name isn't John, it's Jonathan*** na realidade, meu nome não é John, é Jonathan; ***actually, I don't know*** na verdade, não sei **2** de fato; mesmo: ***have you actually seen a ghost?*** você já viu mesmo um fantasma?

actuate ['æktjʊeɪt] *vt* acionar; mover

acute [ə'kju:t] *adj* **1** agudo; muito fino **2** perspicaz

acutely [ə'kju:tlɪ] *adv* extremamente

ad [æd] *n fam* anúncio

É uma forma abreviada de **advertisement**.

AD ['eɪ'di:] *abbr* (**Anno Domini**) depois de Cristo, d.C.

Adam ['ædəm] *n* Adão
▪ **Adam's apple** pomo de adão

adamant ['ædəmənt] *adj* firme; inflexível

adapt [ə'dæpt] *vt-vi* adaptar(-se)

adaptable [ə'dæptəbəl] *adj* adaptável

adaptor [ə'dæptə^r] *n* adaptador

add [æd] *vt* adicionar; acrescentar: ***add the milk and stir well*** adicione o leite e mexa bem; ***do you have anything to add?*** você tem algo a acrescentar?
▸ *vt-vi* somar: ***add these figures together*** some estes números
▪ **to add to** *vt* aumentar: ***the rain only added to our problems*** a chuva só aumentou nossos problemas
▪ **to add up** *vt-vi* chegar a, perfazer: ***it adds up to a total of 2,500 euros*** chega a um total de 2.500 euros
▸ *vi fig* sustentar-se; fazer sentido: ***his version doesn't add up*** a versão dele não se sustenta

adder ['ædə^r] *n* víbora; cobra

addict ['ædɪkt] *n* viciado: ***they are drug addicts*** eles são viciados em droga

addicted [ə'dɪktɪd] *adj* viciado: ***he's addicted to gambling*** ele é viciado em jogos de azar

addiction [ə'dɪkʃən] *n* vício

addictive [ə'dɪktɪv] *adj* viciante
• **to be addictive** causar vício

addition [ə'dɪʃən] *n* **1** adição **2** soma
• **in addition to** além de

additional [ə'dɪʃənəl] *adj* adicional

additive ['ædɪtɪv] *n* aditivo

address [ə'dres] *n* (*pl* **-es**) **1** endereço **2** discurso
▸ *vt* **1** endereçar: ***the letter was addressed to her*** a carta estava endereçada a ela **2** dirigir-se a: ***she addressed him as 'sir'*** ela se dirigiu a ele como "senhor" **3** discursar para: ***the scientist addressed the audience*** o cientista discursou para o público **4** tratar: ***these problems should be addressed immediately*** esses problemas devem ser tratados imediatamente
▪ **address book** agenda de endereços

adenoids ['ædənɔɪdz] *npl* adenoides

adept [ə'dept] *adj* perito; conhecedor

adequate ['ædɪkwət] *adj* adequado; apropriado

adhere [əd'hɪə^r] *vi* **1** aderir **2** observar; acatar *(uma decisão)*

adhesive [əd'hi:sɪv] *adj* adesivo; aderente; pegajoso
▸ *n* adesivo; cola

adjacent [ə'dʒeɪsənt] *adj* adjacente

adjective ['ædʒɪktɪv] *n* adjetivo

adjoin [ə'dʒɔɪn] *vt* juntar, adicionar

adjoining [ə'dʒɔɪnɪŋ] *adj* contíguo; vizinho

adjourn [ə'dʒɜ:n] *vt* **1** adiar; transferir **2** suspender: ***the court is adjourned*** a sessão está suspensa

adjournment [ə'dʒɜ:nmənt] *n* adiamento; suspensão

adjust [ə'dʒʌst] *vt* 1 ajustar; regular *(temperatura, roupa, equipamento)* 2 regularizar; pôr em ordem 3 liquidar: ***please adjust your overdue account*** por favor, liquide sua conta vencida
▸ *vi* adaptar-se; moldar-se: ***she'll never adjust adequately*** ela nunca vai se adaptar adequadamente

adjustable [ə'dʒʌstəbəl] *adj* ajustável; regulável; graduável
▪ **adjustable spanner** chave-inglesa

adjustment [ə'dʒʌstmənt] *n* 1 ajuste; modificação 2 adaptação; retificação

administer [əd'mɪnɪstəʳ] *vt* 1 administrar; dirigir *(organização)* 2 administrar *(medicamento)* 3 aplicar *(castigo)*

administration [ədmɪnɪs'treɪʃən] *n* administração

administrator [əd'mɪnɪstreɪtəʳ] *n* administrador

admirable ['ædmɪrəbəl] *adj* admirável

admiral ['ædmərəl] *n* almirante

admiration [ædmɪ'reɪʃən] *n* admiração

admire [əd'maɪəʳ] *vt* admirar

admirer [əd'maɪərəʳ] *n* admirador

admissible [əd'mɪsɪbəl] *adj* 1 admissível 2 aceitável *(como prova)*

admission [əd'mɪʃən] *n* 1 ingresso/internação *(em hospital, instituição)* 2 entrada: ***"Admission free"*** "Entrada gratuita" 3 admissão; reconhecimento: ***an admission of guilt*** uma admissão de culpa

admit [əd'mɪt] *vt* (*pt & pp* ***admitted***, *ger* ***admitting***) 1 admitir; deixar entrar: ***women are not admitted to this club*** neste clube não se admitem mulheres 2 ingressar; internar *(em hospital)* 3 admitir(-se); confessar; reconhecer: ***she admitted the theft*** ela admitiu o roubo

admittance [əd'mɪtəns] *n* entrada
• **"No admittance"** "Proibida a entrada"

admittedly [əd'mɪtɪdlɪ] *adv* reconhecidamente

admonish [əd'mɒnɪʃ] *vt* admoestar

ado [ə'du:] *n* barulho; confusão
• **without further ado** sem mais delongas
• **much ado about nothing** muito barulho por nada

adolescence [ædə'lesəns] *n* adolescência

adolescent [ædə'lesənt] *adj* adolescente
▸ *n* adolescente

adopt [ə'dɒpt] *vt* adotar

adoption [ə'dɒpʃən] *n* adoção

adorable [ə'dɔ:rəbəl] *adj* adorável

adore [ə'dɔ:ʳ] *vt* adorar

adorn [ə'dɔ:n] *vt* adornar, enfeitar

adrenalin [ə'drenəlɪn] *n* adrenalina

Adriatic [eɪdrɪ'ætɪk] *adj* adriático
▪ **the Adriatic Sea** o mar Adriático

adrift [ə'drɪft] *adj* à deriva
▸ *adv* à deriva

adult ['ædʌlt] *adj* adulto
▸ *n* adulto

adulterate [ə'dʌltəreɪt] *vt* adulterar

adultery [ə'dʌltərɪ] *n* adultério

advance [əd'vɑ:ns] *n* 1 avanço: ***the army's advance*** o avanço do exército 2 progresso; adiantamento; avanço: ***an advance in science*** um avanço científico 3 antecipação; adiantamento *(de dinheiro)*
▸ *npl* **advances** avanços; insinuações *(amorosas)*
▸ *vt* 1 adiantar; avançar *(tropas)* 2 promover *(empregado)* 3 trazer à baila; apresentar *(argumento)* 4 antecipar; adiantar *(dinheiro)*
▸ *vi* 1 avançar, atacar 2 melhorar; progredir 3 ascender
• **in advance** adiantado; em antecipação

advanced [əd'vɑ:nst] *adj* 1 avançado, 2 superior
• **of advanced years** avançado em anos; velho

advantage [əd'vɑ:ntɪdʒ] *n* vantagem
• **to take advantage of** aproveitar(-se)

advantageous [ædvən'teɪdʒəs] *adj* vantajoso; proveitoso

adventure [əd'ventʃəʳ] *n* aventura
▪ **adventure playground** parque infantil

adventurer [əd'ventʃərəʳ] *n* aventureiro

adventurous [əd'ventʃərəs] *adj* 1 aventureiro 2 ousado

adverb ['ædvɜːb] *n* advérbio

adversary ['ædvəsərɪ] *n* (*pl* **-ies**) adversário

adverse ['ædvɜːs] *adj* adverso

adversity [əd'vɜːsɪtɪ] *n* (*pl* **-ies**) adversidade

advert ['ædvɜːt] *n fam* anúncio

É uma forma abreviada de **advertisement**.

advertise ['ædvətaɪz] *vt* anunciar
▸ *vi* fazer publicidade; fazer propaganda

advertisement [əd'vɜːtɪsmənt] *n* anúncio; propaganda

advertiser ['ædvətaɪzəʳ] *n* anunciante

advertising ['ædvətaɪzɪŋ] *n* publicidade; propaganda: ***advertising campaign*** campanha publicitária

advice [əd'vaɪs] *n* **1** conselhos: ***a piece of advice*** um conselho **2** assessoria
• **to give advice** aconselhar

advisable [əd'vaɪzəbəl] *adj* aconselhável; recomendável

advise [əd'vaɪz] *vt* **1** aconselhar **2** recomendar
• **to advise against something** desaconselhar algo

adviser [əd'vaɪzəʳ] *n* conselheiro; assessor

advocate [(*n*) 'ædvəkət; (*v*) 'ædvəkeɪt] *n* partidário
▸ *vt* advogar; defender

Aegean [ɪ'dʒiːən] *adj* egeu
▪ **the Aegean Sea** o mar Egeu

aerial ['eərɪəl] *n* antena
▸ *adj* aéreo

aerobics [eə'rəʊbɪks] *n* aeróbica

É incontável, e o verbo vai para o singular.

aerodrome ['eərədrəʊm] *n* aeródromo

aerodynamic [eərəʊdaɪ'næmɪk] *adj* aerodinâmico

aerodynamics [eərəʊdaɪ'næmɪks] *n* aerodinâmica

aeronautics [eərə'nɔːtɪks] *n* aeronáutica

É incontável, e o verbo vai para o singular.

aeroplane ['eərəpleɪn] *n* GB avião

aerosol ['eərəsɒl] *n* aerossol

aesthetic [iːs'θetɪk] *adj* estético

aesthetics [iːs'θetɪks] *n* estética

É incontável, e o verbo vai para o singular.

affable ['æfəbəl] *adj* afável

affair [ə'feəʳ] *n* **1** assunto **2** caso: ***the Watergate affair*** o caso Watergate **3** caso; romance; aventura *(amorosa)*
▪ **foreign affairs** relações exteriores; negócios estrangeiros

affect [ə'fekt] *vt* **1** afetar; influir em **2** comover; impressionar **3** afetar; atacar *(como uma doença)*

affected [ə'fektɪd] *adj* **1** afetado; atacado; modificado; influenciado **2** afetado *(que demonstra falsidade ou falta de naturalidade)*

affection [ə'fekʃən] *n* afeto; afeição; carinho

affectionate [ə'fekʃənət] *adj* afetuoso; carinhoso

affiliated [ə'fɪlɪeɪtɪd] *adj* afiliado

affiliation [əfɪlɪ'eɪʃən] *n* afiliação

affinity [ə'fɪnɪtɪ] *n* (*pl* **-ies**) afinidade

affirm [ə'fɜːm] *vt* afirmar

affirmative [ə'fɜːmətɪv] *adj* afirmativo
▸ *n* afirmativa

afflict [ə'flɪkt] *vt* afligir
• **to be afflicted with** estar afligido de; sofrer de

affluence ['æflʊəns] *n* **1** afluência **2** afluxo

affluent ['æflʊənt] *adj* afluente
▸ *n* afluente *(rio)*

afford [ə'fɔːd] *vt* **1** dispor de; poder gastar; ter condições de: ***I can't afford to pay £750 for a coat*** não posso pagar 750 libras por um casaco; ***how does she afford it?*** como ela tem dinheiro para isso?; ***can you afford to reject his offer?*** você tem condições de recusar a oferta dele? **2** *fml* propiciar; proporcionar: ***the new job afforded him the opportunity to buy a car*** o novo emprego lhe proporcionou a oportunidade de comprar um carro

affordable [ə'fɔːdəbəl] *adj* razoável; de preço acessível

Afghan ['æfgæn] *adj* afegão
▸ *n* afegão

Afghanistan [æfgænɪ'stæn] *n* Afeganistão

afield [ə'fi:ld] *adv* longe
• **far afield** bem longe
• **further afield** mais longe

afloat [ə'fləʊt] *adj* flutuante; flutuando
▸ *adv* à tona

afoot [ə'fʊt] *adv* em progresso; por acontecer

afraid [ə'freɪd] *adj* temeroso; com medo
• **to be afraid** ter medo: ***to be afraid to do something*** ter medo de fazer algo
• **to be afraid that...** temer/recear que... ***I'm afraid he's not here*** receio que ele não esteja aqui
• **I'm afraid so/not** temo/receio que sim/não

afresh [ə'freʃ] *adv* de novo

Africa ['æfrɪkə] *n* África
▪ **South Africa** África do Sul

African ['æfrɪkən] *adj* africano
▸ *n* africano
▪ **South African** sul-africano

after ['ɑ:ftəʳ] *prep* **1** depois de: ***after class*** depois da aula **2** atrás de: ***we all went after the thief*** todos fomos atrás do ladrão; ***the police are after us*** a polícia está atrás de nós
▸ *adv* depois: ***two hours after*** duas horas depois; ***the day after*** o dia seguinte
▸ *conj* depois que/de: ***after he left, I went to bed*** depois que ele foi embora, fui dormir
• **after all** afinal
▪ **after hours** fora do expediente; depois do trabalho

after-effect ['ɑ:ftərɪfekt] *n* efeito colateral; efeito secundário

afterlife ['ɑ:ftəlaɪf] *n* vida depois da morte

aftermath ['ɑ:ftəmɑ:θ] *n* **1** consequência, repercussão (*de algo ruim*) **2** período (*após algo ruim*)

afternoon [ɑ:ftə'nu:n] *n* tarde: ***good afternoon*** boa tarde; ***in the afternoon*** à tarde

afters ['ɑ:ftəz] *npl fam* sobremesa

after-sales ['ɑ:ftə'seɪlz] *adj* pós-venda

aftershave ['ɑ:ftəʃeɪv] *n* loção pós-barba

afterwards ['ɑ:ftəwədz] *adv* depois; mais tarde

again [ə'gen, ə'geɪn] *prep* de novo; outra vez
• **again and again** repetidamente
• **now and again** de vez em quando

against [ə'genst, ə'geɪnst] *prep* **1** contra: ***against the wall*** contra a parede **2** contra; contrário a: ***it's against the law*** é contra a lei; ***I am against the plan*** oponho-me ao plano/sou contra o plano

age [eɪdʒ] *n* **1** idade: ***what is your age?*** qual é a sua idade? **2** era; período histórico: ***the age of Aquarius*** a era de Aquário; ***the Middle Ages*** a Idade Média
▸ *vi-vt* envelhecer
• **for ages** há muito tempo
• **it's ages** faz muito tempo; faz séculos: ***it's ages since she left*** faz muito tempo que ela se foi
• **of age** maior de idade
• **under age** menor de idade
▪ **age of consent** maioridade

aged¹ [eɪdʒd] *adj* **1** de... anos: ***a boy aged ten*** um menino de dez anos **2** velho; ancião: ***the aged*** os anciãos, os idosos

agency ['eɪdʒənsɪ] *n* (*pl* **-ies**) **1** agência: ***an employment agency*** uma agência de emprego; ***a travel agency*** uma agência de viagem **2** agência; delegação: ***governamental agencies*** agências governamentais

agenda [ə'dʒendə] *n* agenda; pauta do dia; lista de compromissos

> Agenda no sentido de livro de anotações é *notebook* ou *diary*.

agent ['eɪdʒənt] *n* agente

aggravate ['ægrəveɪt] *vt* agravar; piorar

aggression [ə'greʃən] *n* agressão; agressividade

aggressive [ə'gresɪv] *adj* agressivo

aggressor [ə'gresəʳ] *n* agressor

aghast [ə'gɑ:st] *adj* horrorizado

agile ['ædʒaɪl] *adj* ágil

agility [ə'dʒɪlɪtɪ] *n* agilidade

agitate ['ædʒɪteɪt] *vt* 1 agitar *(líquido)* 2 preocupar; inquietar
• **to agitate for** fazer campanha a favor de
• **to agitate against** fazer campanha contra
• **to agitate oneself** ficar nervoso, inquieto

agitated ['ædʒɪteɪtɪd] *adj* agitado; inquieto(a): ***to get agitated*** inquietar-se

ago [ə'gəʊ] *adv* há; atrás: ***two years ago*** há dois anos; dois anos atrás; ***a long time ago*** há muito tempo; muito tempo atrás

agonize ['ægənaɪz] *vi* agonizar

agony ['ægənɪ] *n* (*pl* **-ies**) agonia

agree [ə'gri:] *vi-vt* 1 estar de acordo; concordar: ***I agree with you*** estou de acordo com você 2 firmar acordo; acordar, concordar: ***we agreed not to say anything*** concordamos em não dizer nada 3 concordar, consentir: ***will he agree to our request?*** ele concordará com o nosso pedido? 4 combinar: ***the two men's stories don't agree*** as histórias dos dois homens não combinam 5 fazer bem: ***the prawns didn't agree with me*** os camarões não me fizeram bem 6 concordar *(gramaticalmente)*

agreeable [ə'gri:əbəl] *adj* 1 agradável 2 em conformidade com

agreement [ə'gri:mənt] *n* 1 acordo; conformidade 2 acordo; convênio 3 concordância *(gramatical)*
• **to be in agreement** estar de acordo

agricultural [ægrɪ'kʌltʃərəl] *adj* agrícola; agrário

agriculture ['ægrɪkʌltʃəʳ] *n* agricultura

ahead [ə'hed] *adv* adiante; à frente: ***there's a police checkpoint ahead*** há um posto de controle policial logo adiante; ***Tom went on ahead to look for water*** Tom foi à frente procurar água; ***we are ahead of the others*** levamos vantagem sobre os outros
• **ahead of time** antes da hora prevista
• **go ahead!** vá adiante!
• **to plan ahead** planejar para o futuro
• **to think ahead** pensar no futuro

aid [eɪd] *n* ajuda, auxílio
▸ *vt* ajudar, auxiliar
• **in aid of** em benefício de

Aids [eɪdz] *abbr* Aids

ailing ['eɪlɪŋ] *adj* doente; adoentado

ailment ['eɪlmənt] *n* doença; indisposição

aim [eɪm] *n* 1 pontaria; alvo 2 meta; objetivo
▸ *vt* mirar; fazer pontaria
▸ *vi* 1 mirar 2 objetivar; visar: ***the company aims for better results*** a empresa visa melhores resultados
• **to take aim** apontar
• **to miss one's aim** errar o alvo
▪ **to aim at** *vt* apontar para
▪ **to aim to** *vt* ter a intenção de; propor-se

air [eəʳ] *n* 1 ar 2 ar; aspecto
▸ *vt* arejar; ventilar
▸ *vi* ir ao ar; ser transmitido *(pelo rádio ou TV)*: ***the soccer game will air at 9 p.m.*** o jogo de futebol será transmitido às 21h
• **to put on airs** dar-se ares de
• **to be in the air** estar no ar; incerto
• **to be on the air** estar sendo transmitido ao vivo
• **by air** 1 *(enviar)* por via aérea 2 de avião *(viajar)*
• **in the open air** ao ar livre
▪ **air conditioning** ar-condicionado
▪ **air force** força aérea; aeronáutica
▪ **air gun** pistola de ar comprimido
▪ **air hostess** aeromoça; comissária de bordo
▪ **air mail** correio aéreo
▪ **air raid** ataque aéreo

airbag ['eəbæg] *n airbag*

air-conditioned [eəkən'dɪʃənd] *adj* com ar-condicionado; climatizado

aircraft ['eəkrɑ:ft] *n* (*pl* **aircraft**) avião; aeronave
▪ **aircraft carrier** porta-aviões

airline ['eəlaɪn] *n* companhia aérea

airman ['eəmən] *n* (*pl* **airmen**) aviador; piloto

airplane ['eəpleɪn] *n* US avião

airport ['eəpɔ:t] *n* aeroporto

airship ['eəʃɪp] *n* dirigível

airsick ['eəsɪk] *adj* enjoado *(no avião)*

airspace ['eəspeɪs] *n* espaço aéreo

airstrip ['eəstrɪp] *n* pista improvisada de pouso e decolagem

airtight ['eətaɪt] *adj* hermético

airway ['eəweɪ] *n* **1** linha; rota aérea **2** duto de ar

airy ['eərɪ] *adj* (**-ier**, **-iest**) **1** bem ventilado **2** com desdém; despreocupado: ***she dismissed us with an airy wave of the hand*** ela nos demitiu com um gesto de quem não está nem aí

aisle [aɪl] *n* **1** nave de igreja **2** corredor *(avião, supermercado)*; galeria

ajar [ə'dʒɑːʳ] *adj* entreaberto

aka [eɪkeɪ'eɪ] *abbr* (***also known as***) pseudônimo; também chamado

akin [ə'kɪn] *adj* **1** aparentado **2** semelhante

alabaster ['æləbɑːstəʳ] *n* alabastro

alarm [ə'lɑːm] *n* **1** alarme **2** temor; alarme

▸ *vt* alarmar; assustar

▪ **alarm clock** despertador

alarming [ə'lɑːmɪŋ] *adj* alarmante

alas [ə'lɑːs] *interj* ai de mim!; meu Deus!

Albania [æl'beɪnɪə] *n* Albânia

Albanian [æl'beɪnɪən] *adj* albanês

▸ *n* albanês

albeit [ɔːl'biːɪt] *conj fml* embora; ainda que

albino [æl'biːnəʊ] *adj-n* albino

album ['ælbəm] *n* **1** álbum *(de fotos)* **2** álbum *(disco ou CD de música)*

alcohol ['ælkəhɒl] *n* álcool

alcoholic [ælkə'hɒlɪk] *adj* alcoólico

▸ *n* alcoólatra

ale [eɪl] *n* cerveja *(de malte)*

alert [ə'lɜːt] *adj* alerta; vigilante

▸ *n* alerta; aviso: ***bomb alert*** aviso de bomba

▸ *vt* alertar, avisar

• **on the alert** alerta; de sobreaviso

algae ['ældʒiː] *npl* algas

algebra ['ældʒɪbrə] *n* álgebra

Algeria [æl'dʒɪərɪə] *n* Argélia

Algerian [æl'dʒɪərɪən] *adj* argelino

▸ *n* argelino

Algiers [æl'dʒɪəz] *n* Argel

algorithm ['ælgərɪðəm] *n* algoritmo

alias ['eɪlɪəs] *adv* **1** também conhecido como; também chamado **2** de outro modo

▸ *n* (*pl* **aliases**) codinome; pseudônimo: ***under an alias***, sob um pseudônimo

alibi ['ælɪbaɪ] *n* álibi

alien ['eɪlɪən] *adj* **1** estrangeiro **2** estranho; alheio: ***his ideas are alien to me*** suas ideias me são estranhas

▸ *n* **1** estrangeiro: ***an illegal alien*** um imigrante ilegal **2** alienígena

alienate ['eɪlɪəneɪt] *vt* **1** ganhar a antipatia de **2** alienar; transferir propriedade

alight [ə'laɪt] *adj* aceso; ardendo; em chamas

▸ *vi fml* **1** desmontar; descer *(de veículo)* **2** pousar *(inseto, avião)* **3** deparar-se

align [ə'laɪn] *vt-vi* alinhar-se

alike [ə'laɪk] *adj* igual: ***you men are all alike!*** vocês homens são todos iguais!

▸ *adv* igual; da mesma forma, igualmente: ***dressed alike*** vestidos iguais; ***men and women alike*** tanto homens como mulheres

• **to look alike** parecer-se

alimony ['ælɪmənɪ] *n* pensão alimentícia

alive [ə'laɪv] *adj* vivo

• **alive to** sensível a

• **alive with** cheio de

alkali ['ælkəlaɪ] *n* álcali

alkaline ['ælkəlaɪn] *adj* alcalino

all [ɔːl] *adj* todo, todos: ***all the money*** todo o dinheiro; ***all the ink*** toda a tinta; ***all the books*** todos os livros; ***all the chairs*** todas as cadeiras; ***all kinds of...*** todo tipo de...

▸ *pron* **1** tudo; a totalidade: ***we did all we could*** fizemos tudo o que pudemos **2** tudo; só: ***all you need is a bit of luck*** tudo o que você precisa é de um pouco de sorte, você só necessita de um pouco de sorte **3** todos, todo o mundo: ***all were invited*** todos foram convidados

▸ *adv* **1** completamente; muito; todo: ***you're all dirty!*** você está todo sujo! **2** cada: ***the score was three all*** três pontos para cada

• **after all** afinal
• **all but** tudo exceto
• **all of a sudden** de repente
• **all over** em toda parte, por todos os lados; por tudo
• **all right** bem: ***are you all right?*** você está bem?
• **all the better** tanto melhor
• **all the same** igualmente; apesar de tudo
• **at all** em absoluto: ***he didn't like it at all*** ele não gostou nada disso
• **it's all the same to me** dá no mesmo para mim; para mim tanto faz
• **not at all** 1 em absoluto: ***"Were you frightened?" – "Not at all"*** "Você teve medo?" – "Em absoluto" 2 não há de quê, de nada: ***"Thank you very much." – "Not at all"*** "Muito obrigado." – "De nada"

allegation [ælə'geɪʃən] *n* alegação

allege [ə'ledʒ] *vt* alegar

alleged [ə'ledʒd] *adj* alegado; suposto

allegiance [ə'li:dʒəns] *n* lealdade

allegory ['ælɪgərɪ] *n* (*pl* **-ies**) alegoria

allergic [ə'lɜ:dʒɪk] *adj* alérgico

allergy ['ælədʒɪ] *n* (*pl* **-ies**) alergia

alleviate [ə'li:vɪeɪt] *vt* aliviar

alley ['ælɪ] *n* viela; beco

alliance [ə'laɪəns] *n* aliança

allied ['ælaɪd] *adj* 1 aliado, 2 relacionado; afim

alligator ['ælɪgeɪtə^r] *n* espécie de jacaré; aligátor

allocate ['æləkeɪt] *vt* alocar; destinar

allocation [ælə'keɪʃən] *n* 1 alocação; designação 2 distribuição

allot [ə'lɒt] *vt* (*pt & pp* ***allotted***, *ger* ***allotting***) 1 alocar 2 distribuir; lotear

allotment [ə'lɒtmənt] *n* 1 distribuição 2 lote; parcela

allow [ə'laʊ] *vt* 1 permitir; deixar: ***to allow somebody to do something*** deixar que alguém faça algo 2 permitir: ***dogs are not allowed in*** não se permitem cachorros 3 conceder; possibilitar; dar: ***they allowed us an hour to do the test*** eles nos deram uma hora para fazer a prova

■ **to allow for** *vt* fazer uma reserva de tempo ou dinheiro: ***if you are going to visit them allow for some presents*** se você vai visitá-los, reserve um dinheiro para comprar alguns presentes

allowance [ə'laʊəns] *n* 1 mesada; subsídio; auxílio: ***disability allowance*** auxílio por invalidez 2 US mesada semanal
• **to make allowances for** levar em conta; dar um desconto

alloy ['ælɔɪ] *n* liga *(de metal)*

allude [ə'lu:d] *vi* aludir

alluring [ə'ljʊərɪŋ] *adj* sedutor

allusion [ə'lu:ʒən] *n* alusão

ally ['ælaɪ] *n* (*pl* **-ies**) aliado
▸ *vt-vi* (*pt & pp* **-ied**) aliar-se

almighty [ɔ:l'maɪtɪ] *adj* 1 todo-poderoso 2 *fam* grande; poderoso
■ **the Almight** o Todo-Poderoso; Deus

almond ['ɑ:mənd] *n* amêndoa
■ **almond tree** amendoeira

almost ['ɔ:lməʊst] *adv* quase

alone [ə'ləʊn] *adj* só
• **leave me alone!** deixe-me em paz!

along [ə'lɒŋ] *prep* ao longo de; por: ***they walked along the street*** caminharam pela rua
▸ *adv* 1 mais adiante: ***their house is a bit further along*** a casa deles está um pouco mais adiante 2 ao longo de; por: ***she was walking along the corridor*** ela caminhava pelo corredor 3 junto; com: ***bring some friends along*** traga alguns amigos com você
• **all along** desde o começo
• **along with** junto com
• **come along!** vem!

alongside [əlɒŋ'saɪd] *prep* ao lado de
▸ *adv* ao lado

aloof [ə'lu:f] *adv* a distância: ***to remain aloof*** manter-se a distância
▸ *adj* indiferente

aloud [ə'laʊd] *adv* em voz alta

alphabet ['ælfəbet] *n* alfabeto

alphabetical [ælfə'betɪkəl] *adj* alfabético

Alps [ælps] *npl* **the Alps** os Alpes

already [ɔ:l'redɪ] *adv* já: ***they have already left*** eles já se foram

also ['ɔːlsəʊ] *adv* também

altar ['ɔːltəʳ] *n* altar

alter ['ɔːltəʳ] *vt* **1** alterar; mudar; modificar **2** consertar *(roupa)*

alteration [ɔːltə'reɪʃən] *n* **1** alteração; mudança **2** reforma **3** rasura

alternate [(*adj*) ɔː'lɜːnət; (*v*) 'ɔːltɜːneɪt] *adj* alternado: ***he works alternate weekends*** ele trabalha em fins de semana alternados

▸ *vt-vi* alternar(-se)

alternating current ['ɔːltɜːneɪtɪŋ'kʌrənt] *n* corrente alternada

alternative [ɔːl'tɜːnətɪv] *adj* alternativo

▸ *n* alternativa

although [ɔːl'ðəʊ] *conj* embora; apesar de

altitude ['æltɪtjuːd] *n* altitude; altura

altogether [ɔːltə'geðəʳ] *adv* **1** ao todo; no total: ***there were ten people altogether*** havia dez pessoas ao todo **2** completamente; totalmente; de todo: ***the plane had stopped altogether*** o avião tinha parado completamente **3** em conjunto; de modo geral: ***altogether, they are very well*** de modo geral, eles estão muito bem

• **in the altogether** sem roupas; nu

altruism ['æltrʊɪzəm] *n* altruísmo

altruist ['æltrʊɪst] *n* altruísta

aluminium [æljʊ'mɪnɪəm] *n* GB alumínio

aluminum [ə'luːmɪnəm] *n* US alumínio

always ['ɔːlweɪz] *adv* sempre

a.m. ['eɪ'em] *abbr (**ante meridiem**)* período que vai da meia-noite ao meio-dia

AM[1] ['eɪ'em] *abbr (**amplitude modulation**)* AM (amplitude modulada)

amalgam [ə'mælgəm] *n* amálgama

amalgamate [ə'mælgəmeɪt] *vt-vi* **1** amalgamar **2** unir

amass [ə'mæs] *vt* acumular; reunir

amateur ['æmətəʳ] *adj-n* amador

amaze [ə'meɪz] *vt* assombrar; pasmar; maravilhar

amazement [ə'meɪzmənt] *n* assombro; espanto; surpresa: ***to my amazement*** para minha grande surpresa

amazing [ə'meɪzɪŋ] *adj* assombroso; incrível; surpreendente

Amazon ['æməzən] *n* **the Amazon** o Amazonas

ambassador [æm'bæsədəʳ] *n* embaixador

amber ['æmbəʳ] *adj-n* âmbar

ambience ['æmbɪəns] *n* ambiente

ambiguity [æmbɪ'gjuːɪtɪ] *n* (*pl* **-ies**) ambiguidade

ambiguous [æm'bɪgjʊəs] *adj* ambíguo

ambition [æm'bɪʃən] *n* ambição

ambitious [æm'bɪʃəs] *adj* ambicioso

ambivalent [æm'bɪvələnt] *adj* ambivalente

ambulance ['æmbjʊləns] *n* ambulância

ambush ['æmbʊʃ] *n* (*pl* **-es**) emboscada

▸ *vt* emboscar; tocaiar; armar uma emboscada

amen [ɑː'men] *interj* amém!

amenable [ə'miːnəbəl] *adj* receptivo: ***she's amenable to reason*** atende à razão

amend [ə'mend] *vt* **1** emendar **2** corrigir

amendment [ə'mendmənt] *n* emenda; alteração *(contrato)*

amends [ə'mendz] *npl* recuperação; compensação: ***to make amends to somebody for something*** compensar alguém por algo

amenities [ə'miːnɪtɪz] *npl* serviços; instalações; comodidades

America [ə'merɪkə] *n* **1** América **2** Estados Unidos

▪ **Central America** América Central

▪ **Latin America** América Latina

▪ **North America** América do Norte

▪ **South America** América do Sul

American [ə'merɪkən] *adj* **1** americano **2** estadunidense

▸ *n* **1** americano **2** estadunidense

▪ **Latin American** latino-americano

▪ **North American** norte-americano

▪ **South American** sul-americano

amiable ['eɪmɪəbəl] *adj* amável

amicable ['æmɪkəbəl] *adj* amistoso; amigável

amid [ə'mɪd] *prep* em meio a; entre

amidst [ə'mɪdst] *prep* no meio de; entre

amiss [ə'mɪs] *adj-adv* mal; impróprio
• **to take amiss** levar a mal

ammonia [ə'məʊnɪ] *n* amônia

ammunition [æmjʊ'nɪʃən] *n* munição

amnesia [əm'ni:zɪə] *n* amnésia

amnesty ['æmnəstɪ] *n* (*pl* **-ies**) anistia

amoeba [æ'mi:bə] *n* (*pl* **-s** ou **amoebae** [ə'mi:bi:]) ameba

amok [ə'mɒk] *adv* furiosamente
• **to run amok** atacar com fúria cega

among [ə'mʌŋ] *prep* entre: ***you're among my friends*** você está entre meus amigos

amongst [ə'mʌŋst] *prep* entre

amoral [eɪ'mɒrəl] *adj* amoral

amount [ə'maʊnt] *n* **1** quantidade; soma *(de dinheiro)* **2** quantidade: ***she's got an enormous amount of energy*** ela tem uma grande quantidade de energia
▪ **to amount to** *vt* **1** chegar a **2** *fig* equivaler a: ***it amounts to the same thing*** vem a ser o mesmo

amp [æmp] *n* amperagem; ampere

ampere ['æmpeəʳ] *n* ampère

amphetamine [æm'fetəmi:n] *n* anfetamina

amphibian [æm'fɪbɪən] *n* anfíbio

amphibious [æm'fɪbɪəs] *adj* anfíbio

amphitheatre ['æmfɪθɪətəʳ] (US **amphitheater**) *n* anfiteatro

ample ['æmpəl] *adj* amplo *(em tamanho, quantidade, extensão, capacidade)*: ***an ample room*** uma sala ampla; ***ample time*** tempo suficiente

amplifier ['æmplɪfaɪəʳ] *n* amplificador

amplify ['æmplɪfaɪ] *vt* (*pt & pp* **-ied**) amplificar

amputate ['æmpjʊteɪt] *vt* amputar

amputation [æmpjʊ'teɪʃən] *n* amputação

amuck [ə'mʌk] *adv* → **amok**

amuse [ə'mju:z] *vt* entreter; divertir
• **to amuse oneself** entreter-se; divertir-se

amusement [ə'mju:zmənt] *n* **1** diversão; entretenimento **2** passatempo **3** atração
▪ **amusement park** parque de diversões

amusing [ə'mju:zɪŋ] *adj* divertido

an [ən, æn] *det* **1** um: ***an orange*** uma laranja **2** por; a: ***50 kilometers an hour*** 50 quilômetros por hora

> Usa-se diante das palavras que começam por um som vocálico. Ver também **a**.

anaemia [ə'ni:mɪə] *n* GB anemia

anaemic [ə'ni:mɪk] *adj* GB anêmico

anaesthesia [ænəs'θi:zɪə] *n* GB anestesia

anaesthetic [ænəs'θetɪk] *n* GB anestésico
• **to be under anaesthetic** estar anestesiado

anaesthetist [ə'ni:sθətɪst] *n* GB anestesista

anaesthetize [ə'ni:sθətaɪz] *vt* GB anestesiar

anagram ['ænəgræm] *n* anagrama

anal ['eɪnəl] *adj* anal

analgesic [ænəl'dʒi:zɪk] *adj* analgésico
▸ *n* analgésico

analog ['ænəlɒg] *adj* US analógico

analogue ['ænəlɒg] *adj* GB analógico

analogy [ə'nælədʒɪ] *n* (*pl* **-ies**) analogia; semelhança

analyse ['ænəlaɪz] *vt* GB analisar

analysis [ə'nælɪsɪs] *n* (*pl* **analyses** [ə'nælɪsi:z]) análise

analyst ['ænəlɪst] *n* analista

analyze ['ænəlaɪz] *vt* US analisar

anarchism ['ænəkɪzəm] *n* anarquismo

anarchist ['ænəkɪst] *n* anarquista

anarchy ['ænəkɪ] *n* (*pl* **-ies**) anarquia

anatomy [ə'nætəmɪ] *n* anatomia

ancestor ['ænsəstəʳ] *n* **1** ancestral; antepassado **2** antecessor

anchor ['æŋkəʳ] *n* âncora
▸ *vt-vi* ancorar

anchovy ['æntʃəvɪ] *n* (*pl* **-ies**) anchova; enchova

ancient ['eɪnʃənt] *adj* **1** antigo; histórico **2** *fam* velhíssimo

and [ænd, ənd] *conj* e: ***one and a half*** um e meio; ***try and finish it*** tente acabá-lo

Andalusia [ændə'lu:zɪə] *n* Andaluzia

Andalusian [ændə'lu:zɪən] *adj* andaluz

▸ *n* andaluz

Andes ['ændi:z] *npl* **the Andes** os Andes

Andorra [æn'dɔ:rə] *n* Andorra

Andorran [æn'dɔ:rən] *adj* andorrano; andorrense

▸ *n* andorrano; andorrense

anecdote ['ænɪkdəʊt] *n* anedota

anemia [ə'ni:mɪə] *n* US anemia

anemic [ə'ni:mɪk] *adj* US anêmico

anemone [ə'nemənɪ] *n* anêmona

anesthesia [ænəs'θi:zɪə] *n* US anestesia

anesthetic [ænəs'θetɪk] *n* US anestésico

• **to be under anesthetic** estar anestesiado

anesthetist [ə'ni:sθətɪst] *n* US anestesista

anesthetize [ə'ni:sθətaɪz] *vt* US anestesiar

angel ['eɪndʒəl] *n* anjo

anger ['æŋgəʳ] *n* raiva; cólera; ira

angle¹ ['æŋgəl] *n* **1** GEOM ângulo **2** ângulo; ponto de vista

angle² ['æŋgəl] *vi* pescar *(com linha e anzol)*

angler ['æŋgləʳ] *n* pescador *(de linha e anzol)*

▪ **angler fish** diabo-marinho; peixe-pescador

Anglican ['æŋglɪkən] *adj-n* anglicano

angling ['æŋglɪŋ] *n* pesca *(com linha e anzol)*

Anglo-Saxon [æŋgləʊ'sæksən] *adj* anglo-saxão

▸ *n* anglo-saxão

Angola [æŋ'gəʊlə] *n* Angola

Angolan [æŋ'gəʊlən] *adj-n* angolano

angry ['æŋgrɪ] *adj* (**-ier**, **-iest**) com raiva; enraivecido

• **to get angry** irritar-se; ficar com raiva

anguish ['æŋgwɪʃ] *n* angústia

▸ *vt* angustiar

▸ *vi* angustiar-se

animal ['ænɪməl] *n* animal

animate [(*adj*) 'ænɪmət; (*v*) 'ænɪmeɪt] *adj* animado; vivo

▸ *vt* animar

animated ['ænɪmeɪtɪd] *adj* animado

ankle ['æŋkəl] *n* tornozelo

annex [(*v*) ə'neks; (*n*) 'aneks] *vt* **1** anexar **2** juntar

▸ *n* (*pl* **annexes**) US anexo

annexe ['ænəks] *n* GB anexo

annihilate [ə'naɪəleɪt] *vt* aniquilar

annihilation [ənaɪə'leɪʃən] *n* aniquilação

anniversary [ænɪ'vɜ:sərɪ] *n* (*pl* **-ies**) aniversário

announce [ə'naʊns] *vt* anunciar

announcement [ə'naʊnsmənt] *n* anúncio

announcer [ə'naʊnsəʳ] *n* apresentador; locutor

annoy [ə'nɔɪ] *vt* chatear; aborrecer

annoyance [ə'nɔɪəns] *n* aborrecimento; amolação

annoyed [ə'nɔɪd] *adj* aborrecido

• **to get annoyed** aborrecer-se

annoying [ə'nɔɪɪŋ] *adj* chato; irritante

annual ['ænjʊəl] *adj* anual

annul [ə'nʌl] *vt* (*pt & pp* ***annulled***, *ger* ***annulling***) anular

anomaly [ə'nɒməlɪ] *n* (*pl* **-ies**) anomalia

anonymous [ə'nɒnɪməs] *adj* anônimo

anorak ['ænəræk] *n* parca *(peça do vestuário)*

anorexia [ænə'reksɪə] *n* anorexia

anorexic [ænə'reksɪk] *adj* anoréxico

another [ə'nʌðəʳ] *adj* outro: ***another one*** outro; ***I want another three books*** quero mais três livros

▸ *pron* um outro: ***I'll make a drink for me and another for you*** prepararei uma bebida para mim e outra para você

answer ['ɑ:nsəʳ] *n* **1** resposta: ***the correct answer*** a resposta certa **2** solução:

there's no answer to this problem este problema não tem solução
▸ *vt-vi* responder, atender
• **to answer the door** atender à porta
• **to answer the phone** atender ao telefone
▪ **to answer back** *vt-vi* retrucar; rebater; responder *(com insolência)*
▪ **to answer for** *vt* responder por

answering machine ['ɑ:nsərɪŋməʃi:n] *n* secretária eletrônica

ant [ænt] *n* formiga
▪ **ant hill** formigueiro

antagonize [æn'təgənaɪz] *vt* antagonizar

Antarctic [ænt'ɑ:ktɪk] *adj* antártico
▸ *n* o Antártico
▪ **the Antarctic Ocean** o oceano Antártico

Antarctica [ænt'ɑ:ktɪkə] *n* Antártica

antelope ['æntɪləʊp] *n* antílope

antenna [æn'tenə] *n* (*pl* **-s** ou **antennae** [æn'teni:]) antena *(de inseto, rádio etc.)*

anthem ['ænθəm] *n* hino

anthology [æn'θɒlədʒɪ] *n* (*pl* **-ies**) antologia

anthracite ['ænθrəsaɪt] *n* antracito *(tipo de carvão muito duro que queima lentamente)*

anthropologist [ænθrə'pɒədʒɪst] *n* antropólogo

anthropology [ænθrə'pɒlədʒɪ] *n* antropologia

anti-aircraft [æntɪ'eəkrɑ:ft] *adj* antiaéreo

antibiotic [æntɪbaɪ'ɒtɪk] *n* antibiótico
▸ *adj* antibiótico

antibody ['æntɪbɒdɪ] *n* (*pl* **-ies**) anticorpo

anticipate [æn'tɪsɪpeɪt] *vt* **1** esperar; antecipar: ***we anticipate problems*** esperamos problemas **2** prever: ***as anticipated*** de acordo com o previsto
▸ *vi* antecipar-se a; adiantar-se a

anticipation [æntɪsɪ'peɪʃən] *n* **1** antecipação **2** previsão

anticlockwise [æntɪ'klɒkwaɪz] *adj-adv* no sentido anti-horário

antic ['æntɪks] *n* palhaçada; travessura

antidote ['æntɪdəʊt] *n* antídoto

antifreeze ['æntɪfri:z] *n* anticongelante

antiquated ['æntɪkweɪtɪd] *adj* antiquado

antique [æn'ti:k] *adj* antigo
▸ *n* antiguidade *(objeto)*
▪ **antique shop** antiquário; loja de antiguidades

antiseptic [æntɪ'septɪk] *adj* antisséptico
▸ *n* antisséptico

antithesis [æn'tɪθəsɪs] *n* (*pl* **antitheses**) antítese

antivirus [æntɪ'vaɪrəs] *adj* antivírus
▪ **antivirus software** programa antivírus

antlers ['æntlə^r] *npl* galhada *(de cervos)*

anus ['eɪnəs] *n* (*pl* **anuses**) ânus

anvil ['ænvɪl] *n* bigorna

anxiety [æŋ'zaɪətɪ] *n* (*pl* **-ies**) ansiedade; preocupação

anxious ['æŋkʃəs] *adj* **1** ansioso; preocupado: ***I'm anxious about the test*** estou preocupado com a prova **2** ansioso; desejoso: ***I'm anxious to meet him*** estou ansioso por conhecê-lo

any ['enɪ] *adj* **1** algum *(com o verbo na interrogativa)* **2** nenhum *(com o verbo na negativa)* **3** qualquer; todo *(com o verbo na afirmativa)* ***have you got any money?*** você tem algum dinheiro?; ***he hasn't bought any biscuits*** ele não comprou nenhum biscoito; ***any fool knows that*** qualquer idiota sabe isso; ***without any difficulty*** sem qualquer dificuldade; ***any old rag will do*** qualquer trapo serve
▸ *pron* **1** algum *(com o verbo na interrogativa)* **2** nenhum *(com o verbo na negativa)* **3** qualquer *(com o verbo na afirmativa)*: ***those biscuits were delicious, are there any left?*** esses biscoitos estavam deliciosos, sobrou algum?; ***I asked for some records, but they hadn't got any left*** pedi uns discos, mas já não restava nenhum; ***any of those computers will do*** qualquer desses computadores serve
▸ *adv*: ***I don't work there any more*** já não trabalho lá; ***do you want any more?***

você quer mais?; ***she can't walk any faster*** ela não consegue caminhar mais rápido

anybody ['enɪbɒdɪ] *pron* **1** alguém; algum *(com o verbo na interrogativa)* **2** ninguém *(com o verbo na negativa)* **3** qualquer um *(com o verbo na afirmativa)*: ***is anybody home?*** há alguém em casa?; ***don't tell anybody*** não diga a ninguém; ***ask anybody*** pergunte a qualquer um

anyhow ['enɪhaʊ] *adv* de qualquer forma; de qualquer modo

anyone ['enɪwʌn] *pron* → **anybody**

anything ['enɪθɪŋ] *pron* **1** algo; alguma coisa *(com o verbo na interrogativa)* **2** nada *(com o verbo na negativa)* **3** qualquer coisa *(com o verbo na afirmativa)*: ***do you want anything else?*** você quer mais alguma coisa?; ***she didn't say anything*** ela não disse nada; ***I'll try anything*** vou tentar qualquer coisa

anyway ['enɪweɪ] *adv* → **anyhow**

anywhere ['enɪweəʳ] *adv* **1** em algum lugar; para/a algum lugar *(com o verbo na interrogativa)*: ***is there anywhere I can buy a film?*** há algum lugar onde eu possa comprar um filme?; ***have you seen my watch anywhere?*** você viu o meu relógio em algum lugar? **2** (em) nenhum lugar, para nenhum lugar *(com o verbo na negativa)*: ***they haven't got anywhere to sleep*** eles não têm nenhum lugar para dormir; ***I'm not going anywhere*** não vou a lugar algum/nenhum **3** em qualquer lugar; a qualquer lugar *(com o verbo na afirmativa)*: ***I'd go anywhere with you*** eu iria a qualquer lugar com você

aorta [eɪ'ɔːtə] *n* aorta

apart [ə'pɑːt] *adv* separado: ***these nails are too far apart*** esses pregos estão separados demais

• **apart from** à parte de; exceto; não considerando

• **to take apart** desmontar; desarmar

• **to fall apart** desmanchar; desfazer-se

apartment [ə'pɑːtmənt] *n* apartamento

apathetic [æpə'θetɪk] *adj* apático

apathy ['æpəθɪ] *n* apatia

ape [eɪp] *n* macaco

▸ *vt* imitar

Apennines ['æpənaɪnz] *npl* **the Apennines** os Apeninos

aperitif [əperɪ'tiːf] *n* (*pl* **aperitifs**) aperitivo

apex ['eɪpeks] *n* (*pl* **apexes**) ápice; vértice

aphrodisiac [æfrə'dɪzɪæk] *n* afrodisíaco

▸ *adj* afrodisíaco

apiece [ə'piːs] *adv* cada um

apologetic [əpɒlə'dʒetɪk] *adj* apologético; arrependido; compungido

apologetically [əpɒlə'dʒetɪklɪ] *adv* apologeticamente; desculpando-se

apologize [ə'pɒlədʒaɪz] *vi* desculpar-se; pedir perdão

apology [ə'pɒlədʒɪ] *n* (*pl* **-ies**) apologia; pedido de desculpa

apoplexy ['æpəpleksɪ] *n* (*pl* **-ies**) apoplexia

apostle [ə'pɒsl] *n* apóstolo

apostrophe [ə'pɒstrəfɪ] *n* **1** apóstrofo **2** apóstrofe

appal [ə'pɔːl] *vt* (*pt & pp* ***appalled***, *ger* ***appalling***) GB intimidar; horrorizar

appall [ə'pɔːl] *vt* (*pt & pp* ***appalled***, *ger* ***appalling***) US intimidar; horrorizar

appalling [ə'pɔːlɪŋ] *adj* apavorante; horroroso; terrível

apparatus [æpə'reɪtəs] *n* aparelho; instrumento; equipamento; aparato

É incontável, e o verbo vai para o singular.

apparent [ə'pærənt] *adj* **1** evidente; visível **2** aparente: ***an apparent advantage*** uma aparente vantagem

apparently [ə'pærəntlɪ] *adv* **1** pelo visto; segundo parece **2** aparentemente: ***an apparently easy victory*** uma vitória aparentemente fácil

appeal [ə'piːl] *n* **1** apelo: ***an appeal for peace*** um apelo à paz **2** pedido; súplica **3** atração **4** apelação *(contra sentença judicial)*; pedido

▸ *vi* **1** pedir, solicitar, suplicar: ***to appeal for help*** suplicar ajuda **2** atrair: ***it doesn't appeal to me*** não me atrai **3** apelar *(contra sentença judicial)*

appealing [ə'pi:lɪŋ] *adj* **1** atraente **2** simpático

appear [ə'pɪəʳ] *vi* **1** aparecer **2** sair; aparecer: ***he has appeared in many films*** ele apareceu em muitos filmes **3** parecer: ***this appears to be a mistake*** isso parece ser um erro

• **to appear on television** sair na televisão

appearance [ə'pɪərəns] *n* **1** aparecimento: ***the appearance of cholera in Mexico*** o aparecimento do cólera no México **2** aparência; aspecto **3** impressão: ***he gave the appearance of being self-confident*** ele dava a impressão de ser autoconfiante

appendicitis [əpendɪ'saɪtɪs] *n* apendicite

appendix [ə'pendɪks] (quando **appendix** se refere ao órgão do corpo, o plural é **appendixes**; quando se refere ao apêndice de um livro, é **appendices**) *n* apêndice

appetite ['æpɪtaɪt] *n* **1** apetite **2** desejo

appetizer ['æpɪtaɪzəʳ] *n* aperitivo

appetizing ['æpɪtaɪzɪŋ] *adj* apetitoso

applaud [ə'plɔ:d] *vt-vi* aplaudir

▸ *vt* louvar; elogiar

applause [ə'plɔ:z] *n* aplausos

É incontável, e o verbo vai para o singular.

apple ['æpəl] *n* maçã

▪ **Adam's apple** pomo de adão

▪ **apple of one's eye** *fig* a menina dos olhos: ***she is the apple of her father's eye*** ela é a menina dos olhos do seu pai

▪ **apple pie** torta de maçã

▪ **apple tree** macieira

appliance [ə'plaɪəns] *n* utensílio: ***electrical appliance*** eletrodoméstico

applicable ['æplɪkəbəl] *adj* aplicável; pertinente

applicant ['æplɪkənt] *n* candidato; solicitante

application [æplɪ'keɪʃən] *n* **1** pedido **2** aplicação

▪ **application form** formulário

apply [ə'plaɪ] *vt* (*pt & pp* **-ied**) aplicar: ***apply the paint evenly*** aplique a tinta uniformemente

▸ *vi* **1** aplicar-se; ser aplicável **2** candidatar-se; dirigir-se; apresentar-se; solicitar: ***to apply for a job*** candidatar-se a um emprego

appoint [ə'pɔɪnt] *vt* **1** designar; indicar **2** estabelecer; destinar

appointment [ə'pɔɪntmənt] *n* **1** compromisso; hora marcada; consulta: ***I've got an appointment with the doctor*** tenho uma consulta médica **2** nomeação

appraisal [ə'preɪzəl] *n* estimativa; avaliação

appraise [ə'preɪz] *vt* avaliar; estimar

appreciate [ə'pri:ʃɪeɪt] *vt* **1** apreciar; gostar **2** ter em apreço; dar valor **3** ficar grato por **4** entender; compreender

▸ *vi* valorizar-se

appreciation [əpri:ʃɪ'eɪʃən] *n* **1** agradecimento; estima; gratidão **2** compreensão **3** avaliação **4** consideração; reconhecimento

apprehend [æprɪ'hend] *vt* **1** apreender **2** prender; capturar **3** compreender; perceber

apprehension [æprɪ'henʃən] *n* **1** apreensão **2** captura **3** compreensão **4** preocupação

apprehensive [æprɪ'hensɪv] *adj* apreensivo; receoso: ***to be aprehensive about something*** estar apreensivo em relação a algo

apprentice [ə'prentɪs] *n* aprendiz

apprenticeship [ə'prentɪsʃɪp] *n* aprendizagem

approach [ə'prəʊtʃ] *n* (*pl* **-es**) **1** aproximação **2** entrada, acesso *(a um lugar)* **3** enfoque; abordagem *(de um problema)*

▸ *vi* acercar-se; aproximar-se

▸ *vt* **1** acercar-se a, de; aproximar-se de: ***she is approaching 40*** ela se aproxima dos 40 anos **2** enfocar; abordar; dirigir-se *(a um problema)*

▪ **approach road** via de acesso

approbation [æprə'beɪʃən] *n* aprovação

appropriate [(*adj*) ə'prəʊprɪət; (*v*) ə'prəʊprɪeɪt] *adj* apropriado; adequado

▸ *vt* apropriar-se de

• **at the appropriate time** no momento oportuno

appropriation [əprəʊprɪ'eɪʃən] *n* **1** apropriação **2** verba

approval [ə'pru:vəl] *n* 1 aprovação; aplauso 2 adesão; acordo
• **on approval** em consignação

approve [ə'pru:v] *vt* aprovar; aceitar

approx [ə'prɒx] *abbr* 1 *(approximate)* aproximado 2 *(approximately)* aproximadamente

approximate [*(adj)* ə'prɒksɪmət; *(v)* ə'prɒksɪmeɪt] *adj* aproximado
▸ *vi* aproximar-se

approximately [ə'prɒksɪmətlɪ] *adv* aproximadamente

apricot ['eɪprɪkɒt] *n* damasco
▪ **apricot tree** damasqueiro

April ['eɪprɪl] *n* abril
▪ **April Fool's day** 1º de abril; dia da mentira

apron ['eɪprən] *n* avental

apt [æpt] *adj* 1 apropriado; acertado 2 inclinado; propenso: ***to be apt to do something*** estar inclinado a fazer algo

APT ['eɪ'pi:'ti:] *abbr* GB *(Advanced Passenger Train)* Trem de alta velocidade

aptitude ['æptɪtju:d] *n* aptidão

aquarium [ə'kweərɪəm] *n* (*pl* -s ou **aquaria** [ə'kweərɪə]) aquário

Aquarius [ə'kweərɪəs] *n* ASTROL-ASTRON Aquário

aquatic [ə'kwætɪk] *adj* aquático

aqueduct ['ækwɪdʌkt] *n* aqueduto

Arab ['ærəb] *adj* árabe
▸ *n* árabe

Arabia [ə'reɪbɪə] *n* Arábia

Arabian [ə'reɪbɪən] *adj* árabe; arábico
▸ *n* árabe
▪ **Arabian Sea** Mar Arábico

Arabic ['ærəbɪk] *adj* arábico; árabe: ***Arabic numerals*** algarismos arábicos
▸ *n* árabe *(idioma)*

arable ['ærəbəl] *adj* cultivável: ***arable land*** terra arável

arbitrary ['ɑ:bɪtrərɪ] *adj* arbitrário

arbitrate ['ɑ:bɪtreɪt] *vt-vi* arbitrar

arc [ɑ:k] *n* arco

arcade [ɑ:'keɪd] *n* 1 arcada; galeria 2 fliperama
▪ **arcade game** máquina de fliperama

arch [ɑ:tʃ] *n* (*pl* **-es**) arco; abóbada
▸ *vt* 1 arquear 2 cobrir de arcos
▸ *vi* 1 arquear(-se) 2 formar abóbadas

archaeological [ɑ:kɪə'lɒdʒɪkəl] *adj* arqueológico

archaeologist [ɑ:kɪ'ɒlədʒɪst] *n* arqueólogo

archaeology [ɑ:kɪ'ɒlədʒɪ] *n* arqueologia

archaic [ɑ:'keɪɪk] *adj* arcaico

archbishop [ɑ:tʃ'bɪʃəp] *n* arcebispo

archer ['ɑ:tʃə^r^] *n* arqueiro

archery ['ɑ:tʃərɪ] *n* arco e flecha

archetypal [ɑ:kɪ'taɪpəl] *n* arquetípico

archipelago [ɑ:kɪ'pelɪgəʊ] *n* (*pl* **-s** ou **-es**) arquipélago

architect ['ɑ:kɪtekt] *n* arquiteto

architecture ['ɑ:kɪtektʃə^r^] *n* arquitetura

archive ['ɑ:kaɪvz] *npl* arquivo

Arctic ['ɑ:ktɪk] *adj* ártico
▸ *n* o Ártico
▪ **the Arctic Circle** o Círculo Polar Ártico
▪ **the Arctic Ocean** o oceano Ártico

ardent ['ɑ:dənt] *adj* ardente; apaixonado; fervoroso

ardour ['ɑ:də^r^] (US **ardor**) *n* ardor

arduous ['ɑ:djʊəs] *adj* árduo

are [ɑ:^r^, ə^r^] *pres* → **be**

area ['eərɪə] *n* 1 área; superfície 2 região; zona 3 área; campo *(de conhecimentos)*

arena [ə'ri:nə] *n* 1 estádio 2 arena *(de praça de touros)* 3 *fig* âmbito

Argentina [ɑ:dʒən'ti:nə] *n* Argentina

Argentine ['ɑ:dʒəntaɪn] *adj-n* argentino; argênteo *(relativo a prata)*

Argentinian [ɑ:dʒən'tɪnɪən] *adj* argentino
▸ *n* argentino

argue ['ɑ:gju:] *vi* 1 discutir 2 argumentar

argument ['ɑ:gjʊmənt] *n* 1 discussão; disputa: ***to have an argument with somebody*** discutir com alguém 2 argumento:

I have strong arguments against the changes tenho fortes argumentos contra as mudanças

argumentative [ɑːgjʊ'mentətɪv] *adj* **1** argumentativo **2** temperamental; pronto para iniciar uma discussão; que gosta de replicar

arid ['ærɪd] *adj* árido

Aries ['eəriːz] *n* ASTROL Áries

arise [ə'raɪz] *vi* (*pt* ***arose*** [ə'rəʊz], *pp* ***arisen*** [ə'rɪzən]) **1** levantar-se; surgir; originar-se **2** sublevar-se

aristocracy [ærɪs'tɒkrəsɪ] *n* aristocracia

aristocrat ['ærɪstəkræt] *n* aristocrata

aristocratic [ærɪstə'krætɪk] *adj* aristocrático

arithmetic [ə'rɪθmətɪk] *n* aritmética

ark [ɑːk] *n* arca

▪ **Noah's ark** arca de Noé

arm [ɑːm] *n* **1** braço **2** galho **3** arma

▸ *vt* armar

▸ *vi* armar-se

▸ *npl* **arms** armas

• **arm in arm** de braços dados

• **with open arms** com os braços abertos

• **to keep somebody at arm's length** manter alguém a distância

▪ **arms race** corrida armamentista

armaments ['ɑːməmənts] *npl* armamento

armchair [ɑːm'tʃeəʳ] *n* poltrona; cadeira de braços

armistice ['ɑːmɪstɪs] *n* armistício

armour ['ɑːməʳ] (US **armor**) *n* **1** armadura **2** blindagem

armpit ['ɑːmpɪt] *n* axila

army ['ɑːmɪ] *n* (*pl* **-ies**) exército

aroma [ə'rəʊmə] *n* aroma

aromatic [ærə'mætɪk] *adj* aromático

arose [ə'rəʊz] *pt* → **arise**

around [ə'raʊnd] *adv* **1** ao redor; por perto; por aí: ***is there anybody around?*** tem alguém aí?; ***don't leave your money around, put it away*** não deixe seu dinheiro por aí, guarde-o **2** em vários lugares; em várias direções: ***they cycle around together*** eles andam de bicicleta juntos **3** ***£1 coins have been around for some time*** faz tempo que circulam as moedas de uma libra; ***there isn't much fresh fruit around*** tem pouca fruta fresca **4** ***turn around please*** vire-se, por favor

▸ *prep* **1** ao redor de: ***they sat around the table*** estavam sentados ao redor da mesa **2** mais ou menos; perto de; aproximadamente; cerca de; por volta de: ***around 100 people*** cerca de 100 pessoas; ***around 3 o'clock*** por volta das 3 horas; ***it costs around £5,000*** custa umas 5.000 libras **3** por aqui: ***there aren't many shops around here*** há poucas lojas por aqui **4** por todo o lado: ***there were clothes all around the room*** havia roupa por todo o quarto/aposento **5** em volta de: ***he put his arms around her*** ele pôs os braços em volta dela

• **around the corner** ali na esquina; pertinho

arouse [ə'raʊz] *vt* **1** despertar; suscitar **2** excitar

arrange [ə'reɪndʒ] *vt* **1** arranjar; colocar; ordenar: ***to cards are arranged in alphabetical order*** os cartões estão dispostos em ordem alfabética **2** planejar; organizar; combinar: ***to arrange a meeting*** planejar uma reunião **3** providenciar: ***we'll arrange de delivery for tomorrow*** providenciaremos a entrega para amanhã

• **to arrange to do something** combinar em fazer algo

arrangement [ə'reɪndʒmənt] *n* **1** arranjo *(floral)* **2** acordo; combinação: ***to reach an arrangement*** chegar a um acordo **3** arranjo *(musical)*

▸ *npl* **arrangements** planos; preparativos: ***all the arrangements for the party have already been made*** todos os preparativos para a festa já foram feitos

arrears [ə'rɪəz] *npl* dívidas

arrest [ə'rest] *n* prisão; detenção

▸ *vt* prender; deter

• **to be under arrest** estar detido; estar preso

arrival [ə'raɪvəl] *n* chegada

• **on arrival** ao chegar

arrive [ə'raɪv] *vi* chegar

arrogance ['ærəgəns] *n* arrogância

arrogant ['ærəgənt] *adj* arrogante

arrow ['ærəʊ] *n* flecha

arse [ɑːs] *n vulg* GB traseiro; nádegas

arsenal ['ɑːsənəl] *n* arsenal

arsenic ['ɑːsənɪk] *n* arsênico

arson ['ɑːsən] *n* incêndio criminoso

art [ɑːt] *n* arte
▸ *npl* **arts** letras: ***faculty of Arts*** Faculdade de Filosofia e Letras
■ **arts and crafts** artes e ofícios
■ **art gallery** galeria de arte
■ **martial arts** artes marciais
■ **the fine arts** as belas-artes

artery ['ɑːterɪ] *n* (*pl* **-ies**) artéria

arthritic [ɑː'θrɪtɪk] *adj* artrítico

arthritis [ɑː'θraɪtəs] *n* artrite

artichoke ['ɑːtɪtʃəʊk] *n* alcachofra

article ['ɑːtɪkəl] *n* **1** artigo **2** artigo (*jornal, revista*) **3** item; peça **4** mercadoria **5** cláusula
■ **article of clothing** peça de roupa
■ **leading article** editorial

articulate [(*adj*) ɑː'tɪkjʊlət; (*v*) ɑː'tɪkjʊleɪt] *adj* articulado; que se expressa bem
▸ *vt* **1** articular **2** expressar com clareza

artificial [ɑːtɪ'fɪʃəl] *adj* artificial
■ **artificial flavouring** aroma artificial

artillery [ɑː'tɪlərɪ] *n* artilharia

artisan ['ɑːtɪzæn] *n* artesão

artist ['ɑːtɪst] *n* artista

artistic [ɑː'tɪstɪk] *adj* artístico

as [æz, əz] *prep* como: ***he works as a clerk*** ele trabalha como escriturário; ***dressed as a monkey*** vestido de macaco
▸ *conj* **1** enquanto; quando: ***she sang as she painted*** ela cantava enquanto pintava **2** como; já que; visto que: ***as the hotel was full, we had to look for another*** como o hotel estava cheio, tivemos de procurar outro **3** como: ***leave everything as it is*** deixa tudo como está; ***as you know*** como você sabe
• **as... as** **1** tão... como: ***as big as an elephant*** tão grande como um elefante **2** tanto quanto: ***eat as much as you like*** coma quanto quiser; ***he works as little as possible*** ele trabalha o mínimo possível
• **as a rule** via de regra
• **as far as** até
• **as far as I know** que eu saiba
• **as far as I'm concerned** no que me diz respeito
• **as for** quanto a
• **as regards** no que concerne a
• **as if** como se
• **as long as** enquanto, desde que
• **as of** desde
• **as soon as** tão logo
• **as soon as possible** quanto antes
• **as though** como se
• **as well as** além de
• **as yet** até agora

a.s.a.p. ['eɪ'es'eɪ'piː] *abbr* (***as soon as possible***) o mais rápido possível; quanto antes

asbestos [æs'bestəs] *n* amianto

ascend [ə'send] *vt-vi* ascender; subir

ascendancy [ə'sendənsɪ] *n* ascendência; domínio; superioridade

ascendant [ə'sendənt] *n* ascendente; superior
• **to be in the ascendant** estar em alta

ascent [ə'sent] *n* **1** subida; escalada **2** encosta; rampa; aclive

ascertain [æsə'teɪn] *vt* averiguar

ASCII ['æskiː] *abbr* (***American Standard Code for Information Interchange***) ASCII

ascribe [əs'kraɪb] *vt* atribuir

ash[1] [æʃ] *n* (*pl* **-es**) cinza
■ **Ash Wednesday** Quarta-feira de Cinzas

ash[2] [æʃ] *n* (*pl* **-es**) BOT freixo

ashamed [ə'ʃeɪmd] *adj* envergonhado
• **to be ashamed of** envergonhar-se de; ter vergonha de

ashore [ə'ʃɔːʳ] *adv* em terra firme
• **to go ashore** desembarcar

ashtray ['æʃtreɪ] *n* cinzeiro

Asia ['eɪʃə, 'eɪʒə] *n* Ásia

Asian ['eɪʃən, 'eɪʒən] *adj* asiático
▸ *n* asiático

aside [ə'saɪd] *adv* ao lado; por um lado
▸ *n* THEATRE aparte
• **to set aside** colocar de lado; reservar
• **to step aside** afastar-se

• **to take somebody aside** dirigir-se a alguém em separado para confidenciar algo; chamar alguém de lado

ask [ɑ:sk] *vt* **1** perguntar: ***to ask a question*** fazer uma pergunta; perguntar **2** pedir **3** convidar: ***they asked me to dinner*** eles me convidaram para jantar
▪ **to ask after** *vt* perguntar por
▪ **to ask back** *vt* **1** convidar como reciprocidade **2** voltar a convidar
▪ **to ask for** *vt* pedir
▪ **to ask out** *vt* convidar para sair

asleep [ə'sli:p] *adj-adv* adormecido
• **to fall asleep** adormecer

asparagus [æs'pærəgəs] *n* aspargo

É incontável, e o verbo vai para o singular.

aspect ['æspekt] *n* aspecto; aparência

asphalt ['æsfælt] *n* asfalto

asphyxiate [əs'fɪksɪeɪt] *vt* asfixiar
▸ *vi* asfixiar-se

aspiration [æspə'reɪʃən] *n* aspiração; ambição

aspire [əs'paɪəʳ] *vi* aspirar a

aspirin ['æspɪrɪn] *n* aspirina

ass¹ [æs] *n (pl* **-es***)* burro, asno

ass² [æs] *n (pl* **-es***)* US *vulg* traseiro; nádegas

assailant [ə'seɪlənt] *n* atacante; agressor

assassin [ə'sæsɪn] *n* assassino

Só se usa quando a vítima é um personagem importante; **murderer** é de uso mais geral.

assassinate [ə'sæsɪneɪt] *vt* assassinar

Só se usa quando a vítima é um personagem importante; **murder** é de uso mais geral.

assassination [əsæsɪ'neɪʃən] *n* assassinato

Só se usa quando a vítima é um personagem importante; **murder** é de uso mais geral.

assault [ə'sɔ:lt] *n* **1** assalto *(militar)* **2** agressão *(a uma pessoa)*
▸ *vt* **1** assaltar *(militar)* **2** agredir *(uma pessoa)*

assemble [ə'sembəl] *vt* **1** reunir **2** montar; armar
▸ *vi* reunir-se

assembly [ə'semblɪ] *n (pl* **-ies***)* **1** reunião; assembleia; sessão **2** montagem; construção
▪ **assembly hall** salão de reunião
▪ **assembly line** linha de montagem

assent [ə'sent] *n* assentimento
▸ *vi* assentir

assert [ə'sɜ:t] *vt* **1** asseverar; afirmar **2** impor *(autoridade)*
• **to assert oneself** impor-se

assertion [ə'sɜ:ʃən] *n* afirmação; declaração; asserção

assess [ə'ses] *vt* **1** avaliar; estimar **2** calcular

assessment [ə'sesmənt] *n* **1** avaliação **2** cálculo

asset ['æset] *n* ativo; bem
▸ *npl* **assets** bens

assign [ə'saɪn] *vt* **1** atribuir **2** designar **3** destinar

assignment [ə'saɪnmənt] *n* **1** atribuição **2** tarefa; trabalho; incumbência

assimilate [ə'sɪmɪleɪt] *vt-vi* assimilar

assimilation [əsɪmɪ'leɪʃən] *n* assimilação

assist [ə'sɪst] *vt* ajudar; assistir

assistance [ə'sɪstəns] *n* ajuda; assistência

assistant [ə'sɪstənt] *n* assistente; ajudante; auxiliar
▪ **assistant manager** subdiretor

associate [*(adj-n)* ə'səʊʃɪət; *(v)* ə'səʊʃɪeɪt] *adj* associado
▸ *n* sócio
▸ *vt-vi* associar(-se)
• **to associate with somebody** relacionar-se/associar-se a alguém

association [əsəʊsɪ'eɪʃən] *n* associação

assorted [ə'sɔ:tɪd] *adj* sortido; variado

assortment [ə'sɔ:tmənt] *n* sortimento; variedade

assume [ə'sju:m] *vt* **1** supor **2** tomar; assumir *(responsabilidade)* **3** adotar *(atitude)*

assumption [ə'sʌmpʃən] *n* **1** suposição **2** pretensão; arrogância

assurance [ə'ʃʊərəns] *n* **1** garantia **2** confiança **3** certeza **4** promessa

assure [ə'ʃʊə^r] *vt* assegurar; garantir

assured [ə'ʃʊəd] *adj* seguro; garantido

asterisk ['æstərɪsk] *n* asterisco

asthma ['æsmə] *n* asma

asthmatic [æs'mætɪk] *adj-n* asmático

astonish [əs'tɒnɪʃ] *vt* assombrar; surpreender; deixar atônito

astonishing [əs'tɒnɪʃɪŋ] *adj* assombroso; surpreendente

astonishment [əs'tɒnɪʃmənt] *n* assombro; perplexidade

astound [əs'taʊnd] *vt* pasmar; assombrar; surpreender

astray [ə'streɪ] *adj-adv* extraviado
• **to go astray** extraviar-se; perder-se

astride [ə'straɪd] *prep* a cavalo; montado

astrologer [əs'trɒlədʒə^r] *n* astrólogo

astrology [əs'trɒlədʒɪ] *n* astrologia

astronaut ['æstrənɔːt] *n* astronauta

astronomer [əs'trɒnəmə^r] *n* astrônomo

astronomical [æstrə'nɒmɪkəl] *n* astronômico

astronomy [əs'trɒnəmɪ] *n* astronomia

astute [əs'tjuːt] *adj* astuto; sagaz; perspicaz

asylum [ə'saɪləm] *n* **1** asilo; refúgio *(político)* **2** manicômio; hospício

at [æt, ət] *prep* **1** em; a: ***at the door*** à porta; ***at home*** em casa; ***at school*** na escola; ***at work*** no trabalho **2** a: ***at two o'clock*** às duas horas; ***at night*** à noite; ***at Christmas*** no Natal; ***at the beginning/end*** no princípio/final **3** para; contra: ***to look at somebody*** olhar para alguém; ***to shoot at*** disparar contra; ***to throw a stone at*** atirar uma pedra em; ***to shout at somebody*** gritar com alguém **4** a: ***at 50 miles an hour*** a 50 milhas por hora; ***at £1000 a ton*** a mil libras por tonelada; ***three at a time*** de três em três **5** por; de: ***three at a time*** de três em três; três por vez **6** em: ***he's good at French*** ele é bom em francês; ***he's good at painting*** ele pinta bem
• **at first** no princípio
• **at last!** afinal; finalmente!
• **at least** ao menos
• **at once** imediatamente

ate [et, eɪt] *pt* → **eat**

atheism ['eɪθɪɪzəm] *n* ateísmo

atheist ['eɪθɪɪst] *n* ateu

athlete ['æθliːt] *n* atleta

athletic [æθ'letɪk] *adj* atlético

athletics [æθ'letɪks] *n* atletismo

É incontável, e o verbo vai para o singular.

Atlantic [ət'læntɪk] *adj* atlântico
▪ **the Atlantic Ocean** o oceano Atlântico

atlas ['ætləs] *n* (*pl* **atlases**) atlas

atmosphere ['ætməsfɪə^r] *n* **1** atmosfera **2** ambiente

atom ['ætəm] *n* átomo
▪ **atom bomb** bomba atômica

atomic [ə'tɒmɪk] *adj* atômico

atrocious [ə'trəʊʃəs] *adj* atroz

atrocity [ə'trɒsɪtɪ] *n* (*pl* **-ies**) atrocidade

attach [ə'tætʃ] *vt* **1** anexar **2** pegar **3** juntar: ***please see the attached letter*** vide a carta anexa
• **to attach importance to something** considerar algo importante
• **to be attached to** ser afeiçoado a

attachment [ə'tætʃmənt] *n* **1** acessório **2** arquivo anexo **3** afeto, apego

attack [ə'tæk] *n* **1** ataque **2** atentado
▸ *vt* **1** atacar **2** combater

attain [ə'teɪn] *vt* conseguir; lograr; alcançar

attempt [ə'tempt] *n* tentativa; esforço
▸ *vt* tentar
• **to make an attempt on somebody's life** atentar contra a vida de alguém
• **to make an attempt to do something** tentar fazer algo

attend [ə'tend] *vt* **1** assistir a; presenciar: ***she attend Mass everyday*** ela assiste à missa todos os dias **2** comparecer a: ***to attend a meeting*** comparecer a uma reunião **3** frequentar: ***the course was well attended*** o curso teve uma frequência alta **4** atender; cuidar; ocupar-se de: ***the doctor attended his patients*** o médico atendeu seus pacientes

▸ *vi* assistir
■ **to attend to** *vt* 1 encarregar-se de: ***I have an urgent matter to attend to*** tenho de encarregar-me de um assunto urgente 2 prestar atenção a: ***I must attend to my work*** tenho de dar atenção ao meu trabalho

attendance [ə'tendəns] *n* 1 assistência 2 comparecimento; frequência

attendant [ə'tendənt] *n* encarregado; atendente

attention [ə'tenʃən] *n* atenção
• **attention!** atenção!
• **to pay attention** prestar atenção
• **to stand to attention** ficar de pé em posição de sentido

attentive [ə'tentɪv] *adj* atento

attic ['ætɪk] *n* sótão

attire [ə'taɪəʳ] *n* traje; vestuário

attitude ['ætɪtju:d] *n* 1 atitude 2 postura

attn [fɔ:ðɪə'tenʃənɒv] *abbr (for the attention of)* aos cuidados de

attorney [ə'tɜ:nɪ] *n* US advogado
■ **Attorney General** GB Procurador-geral

attract [ə'trækt] *vt* atrair
• **to attract attention** chamar a atenção

attraction [ə'trækʃən] *n* 1 atração 2 encanto

attractive [ə'træktɪv] *adj* atraente

attribute [(*n*) 'ætrɪbju:t; (*v*) ə'trɪbju:t] *n* atributo
▸ *vt* atribuir

au pair [əʊ'peəʳ] *n* moça, geralmente estrangeira, que ajuda nos trabalhos domésticos e cuida das crianças, em troca de casa, comida e remuneração e tem a oportunidade de aprender o idioma local

aubergine ['əʊbəʒi:n] *n* berinjela

auction ['ɔ:kʃən] *n* leilão
▸ *vt* leiloar

audacity [ɔ:'dæsɪtɪ] *n* audácia

audible ['ɔ:dɪbəl] *adj* audível; perceptível

audience ['ɔ:dɪəns] *n* 1 público; espectadores 2 audiência *(de TV)*

audio-visual [ɔ:dɪəʊ'vɪzjʊəl] *adj* audiovisual

audit ['ɔ:dɪt] *n* auditoria
▸ *vt* auditar

audition [ɔ:'dɪʃən] *n* 1 teste para avaliação de um artista; audição 2 apresentação única

auditor ['ɔ:dɪtəʳ] *n* auditor

auditorium [ɔ:dɪ'tɔ:rɪəm] *n* (*pl* **auditoria**) auditório; sala de concertos

augment [ɔ:g'ment] *vt-vi* aumentar

august [ɔ:'gʌst] *adj* augusto; venerável

August ['ɔ:gəst] *n* agosto

aunt [ɑ:nt] *n* tia

auntie ['ɑ:ntɪ] *n fam* titia

aura ['ɔ:rə] *n* aura

auspices ['ɔ:spɪsɪz] *npl* auspícios
• **under the auspices of** sob os auspícios de

austere [ɒs'tɪəʳ] *adj* austero

austerity [ɒs'terɪtɪ] *n* (*pl* **-ies**) austeridade

Australia [ɒ'streɪlɪə] *n* 1 Austrália 2 Oceania

Australian [ɒ'streɪlɪən] *adj* australiano
▸ *n* australiano

Austria ['ɒstrɪə] *n* Áustria

Austrian ['ɒstrɪən] *adj* austríaco
▸ *n* austríaco

authentic [ɔ:'θentɪk] *adj* autêntico

authenticity [ɔ:θen'tɪsɪtɪ] *n* autenticidade

author ['ɔ:θəʳ] *n* autor; escritor

authoritarian [ɔ:θɒrɪ'teərɪən] *adj* autoritário

authoritative [ɔ:'θɒrɪtətɪv] *adj* 1 autorizado; fidedigno *(fonte)* 2 autoritário *(pessoa)*

authority [ɔ:'θɒrɪtɪ] *n* (*pl* **-ies**) autoridade
• **on good authority** de boa fonte

authorization [ɔ:θəraɪ'zeɪʃən] *n* autorização

authorize ['ɔ:θəraɪz] *vt* autorizar

autobiographical [ɔ:təbaɪə'græfɪkəl] *adj* autobiográfico

autobiography [ɔ:təbaɪ'ɒgrəfɪ] *n* (*pl* **-ies**) autobiografia

autograph ['ɔ:təgrɑ:f] *n* autógrafo

automatic [ɔ:tə'mætɪk] *adj* automático

automaton [ɔ:'tɒmətən] *n* autômato

automobile ['ɔ:təməbi:l] *n* automóvel

autonomous [ɔ:'tɒnəməs] *adj* autônomo

autonomy [ɔ:'tɒnəmɪ] *n* autonomia

autopsy ['ɔ:tɒpsɪ] *n* (*pl* **-ies**) autópsia

autoteller ['ɔ:təʊtələʳ] *n* caixa automático

autumn ['ɔ:təm] *n* outono

auxiliary [ɔ:g'zɪljərɪ] *adj* auxiliar
▪ **auxiliary verb** verbo auxiliar

avail [ə'veɪl] *n* vantagem; proveito; benefício; utilidade: ***what avail is it?*** qual é a vantagem disso?
• **of/to no avail** em vão; sem nenhuma serventia
• **to avail oneself of** servir-se de

available [ə'veɪləbəl] *adj* disponível: ***it's available in four colours*** está disponível em quatro cores

avalanche ['ævəlɑ:nʃ] *n* avalanche

Ave ['ævənju:] *abbr* (*Avenue*) Av.

avenge [ə'vendʒ] *vt* vingar

avenue ['ævənju:] *n* avenida

average ['ævərɪdʒ] *n* média
▸ *adj* **1** médio: ***average temperature*** temperatura média **2** corrente; regular, normal
▸ *vt* fazer uma média de: ***I average 10 cigarettes a day*** fumo uma média de meio maço por dia
• **above average** acima da média
• **below average** abaixo da média
• **on average** em média; na média

aversion [ə'vɜ:ʒən] *n* aversão

avert [ə'vɜ:t] *vt* evitar
• **to avert one's eyes** desviar os olhos

aviary ['eɪvjərɪ] *n* (*pl* **-ies**) viveiro de aves

aviation [eɪvɪ'eɪʃən] *n* aviação

aviator ['eɪvɪeɪtəʳ] *n* aviador

avid ['ævɪd] *adj* ávido

avocado [ævə'kɑ:dəʊ] (também **avocado pear**) *n* (*pl* **avocados**) abacate

avoid [ə'vɔɪd] *vt* evitar

await [ə'weɪt] *vt fml* aguardar; esperar

awake [ə'weɪk] *adj* desperto; acordado
▸ *vt-vi* (*pt* ***awoke*** [ə'wəʊk] *pp* ***awoken*** [ə'wəʊkən]) despertar(-se)

awaken [ə'weɪkən] *vt-vi* → **awake**

award [ə'wɔ:d] *n* **1** prêmio **2** bolsa de estudos **3** indenização
▸ *vt* **1** outorgar; conceder **2** adjudicar

aware [ə'weəʳ] *adj* consciente
• **to be aware of** estar consciente de
• **to become aware of** dar-se conta de

away [ə'weɪ] *adv* **1** longe; distante: ***he lives 4 km away*** mora a 4 km daqui **2** fora; fora de casa: ***they worked away all day*** trabalharam fora o dia todo **3** no futuro: ***the wedding is 6 weeks away*** faltam 6 semanas para o casamento; o casamento será daqui a 6 semanas
• **to be away** estar fora; estar ausente
• **to go away** ir-se; ir embora
• **to play away** jogar fora de casa (*equipe esportiva*)
• **to run away** sair correndo

> Away também se combina com muitos verbos, por exemplo: ***to give away*** dar; presentear; ***to go away*** ir embora; ***to keep away*** manter distante; ***to look away*** desviar os olhos.

awe [ɔ:] *n* grande medo e respeito: ***he stood in awe of his father*** morria de respeito pelo pai

awful ['ɔ:fʊl] *adj* **1** terrível; horrível **2** tremendo

awfully ['ɔ:fʊlɪ] *adv fam* **1** terrivelmente **2** muito

awkward ['ɔ:kwəd] *adj* **1** desajeitado **2** difícil, complicado **3** embaraçoso; delicado (*situação*) **4** inconveniente; inoportuno **5** incômodo (*silêncio*)
• **to feel awkward** sentir-se mal/incomodado

awning ['ɔ:nɪŋ] *n* toldo

awoke [ə'wəʊk] *pt* → **awake**

awoken [ə'wəʊkən] *pp* → **awake**

ax [æks] *n* (*pl* **axes** ['æksɪz]) US machado

axe [æks] *n* (*pl* **axes** ['æksɪz]) GB machado

axis ['æksɪs] *n* (*pl* **axes** ['æksi:z]) eixo (*linha imaginária*)

axle ['æksəl] *n* eixo (*de roda*)

azure ['eɪʒəʳ] *adj-n* azul-celeste

B

b [bɔːn] *abbr (**born**)* nascido em

B & B ['biːən'biː] *abbr (bed and breakfast)* alojamento familiar que oferece pernoite e café da manhã

BA ['biː'eɪ] *abbr (**Bachelor of Arts**)* bacharel em Humanas

baa [bɑː] *vi* balir

babble ['bæbəl] *vt-vi* balbuciar
▸ *vi* tagarelar
▸ *n* burburinho

baboon [bə'buːn] *n* babuíno

baby ['beɪbɪ] *n* (*pl* **-ies**) bebê, neném: ***a newborn baby*** um bebê recém-nascido

babyish ['beɪbɪɪʃ] *adj* infantil, pueril

baby-sit ['beɪbɪsɪt] *vi* (*pt & pp **baby-sat**, ger **baby-sitting***) cuidar de criança

baby-sitter ['beɪbɪsɪtə^r] *n* babá, pessoa encarregada de cuidar de criança

bachelor ['bætʃələ^r] *n* solteiro
▪ **Bachelor of Arts** Bacharel em Humanas
▪ **Bachelor of Science** Bacharel em Ciências

back [bæk] *adj* traseiro, posterior: ***the back seat*** o assento traseiro
▸ *n* **1** costas: ***I turned my back to her*** virei as costas para ela **2** *(of an animal)* lombo **3** *(of a chair)* espaldar, encosto **4** dorso, verso: ***it's written on the back of the photo*** está escrito no verso da foto **5** fundo, parte de trás: ***can you hear me at the back?*** vocês conseguem me ouvir aí atrás? **6** SPORT zagueiro, beque
▸ *adv* **1** atrás: ***several years back*** vários anos atrás **2** de volta: ***on the way back home*** no caminho de volta para casa
▸ *vt* **1** *(strengthen)* apoiar, respaldar **2** *(support)* financiar **3** *(bet)* apostar em **4** *(move backward)* dar marcha a ré
▸ *vi* **1** *(Shift to a counterclockwise direction)* retroceder **2** *(move backward)* recuar
• **back to front** ao contrário, de trás para a frente
• **behind somebody's back** nas costas de alguém
• **to answer back** retrucar, replicar
• **to be back** estar de volta
• **to come/go back** voltar
• **to hit back** revidar, contra-atacar
• **to have one's back to the wall** estar encurralado, não ter alternativa
• **to put/give back** devolver
• **to phone back** retornar uma ligação
• **to stand back** recuar, afastar-se
• **to turn one's back on** dar as costas a
▪ **back door** porta dos fundos, porta de serviço
▪ **back number** número atrasado *(de uma edição)*
▪ **back pay** salário atrasado
▪ **back seat 1** *(in a vehicle)* assento traseiro **2** *fig (subordinate position)* posição secundária
▪ **back street** ruela
▪ **back wheel** roda traseira
▪ **to back away** *vi* retroceder
▪ **to back down** *vi* abandonar, desistir, capitular
▪ **to back out** *vi* voltar atrás, quebrar uma promessa
▪ **to back up** *vt* **1** COMPUT fazer uma cópia de segurança **2** *(support)* apoiar

backache ['bækeɪk] *n* dor lombar

backbone ['bækbəʊn] *n* **1** ANAT coluna vertebral, espinha dorsal **2** *fig (a main support)* espinha dorsal, parte mais importante **3** *fig (determination)* força de caráter, firmeza

backdated [bæk'deɪtɪd] *adj* com efeito retroativo

backer ['bækəʳ] *n* patrocinador, financiador

backfire [bæk'faɪəʳ] *vt* falhar, sair pela culatra

background ['bækgraʊnd] *n* **1** *(of an image)* fundo, segundo plano **2** origem: ***he comes from a humble background*** ele é de origem humilde **3** formação: ***I have no background in arts*** não tenho nenhuma formação em Artes

▪ **background music** música incidental

backhand ['bækhænd] *n* SPORT revés, cortada

backing ['bækɪŋ] *n* **1** *(support)* apoio, respaldo **2** MUS acompanhamento

backlash ['bæklæʃ] *n* (*pl* **-es**) **1** *(sudden backwards motion)* recuo repentino **2** *fig* forte reação: ***a backlash against tax rising*** uma forte reação contra o aumento dos impostos **3** MECH folga entre engrenagens

backlog ['bæklɒg] *n* **1** *(reserve)* reserva, provisão **2** *(accumulation)* acúmulo

backpack ['bækpæk] *n* mochila

backside [bæk'saɪd] *n inf* traseiro, nádegas

backstroke ['bækstrəʊk] *n* nado de costas

• **to do the backstroke** nadar de costas

backup ['bækʌp] *n* apoio

▪ **backup copy** cópia de segurança

backward ['bækwəd] *adj* **1** para trás: ***he took a backward step*** ele deu um passo para trás **2** atrasado, retrógrado: ***the technology was backward but the system worked*** a tecnologia era retrógrada mas o sistema funcionou **3** subdesenvolvido: ***backward communities*** comunidades subdesenvolvidas

▸ *adv* → **backwards**

backwards ['bækwədz] *adv* **1** para trás, de costas: ***he was walking backwards*** ele caminhava de costas **2** às avessas, em ordem inversa: ***you're doing it backwards*** você está fazendo isto às avessas

• **backwards and forwards** de um lado para o outro, de lá para cá

• **to know backwards and forwards** saber de cor e salteado

bacon ['beɪkən] *n bacon*, toucinho defumado

bacterium [bæk'tɪərɪəm] *n* (*pl* **bacteria** [bæk'tɪərɪə]) bactéria

bad [bæd] *adj* (*comp* ***worse***, *superl* ***worst***) **1** mau, ruim: ***bad habits*** maus hábitos **2** podre, estragado: ***bad meat*** carne estragada **3** grave: ***a bad accident*** um acidente grave **4** nocivo, prejudicial: ***a bad behavior*** um comportamento nocivo **5** desobediente, levado: ***a bad child*** uma criança levada **6** forte, intenso: ***a bad headache*** uma forte dor de cabeça

• **to be bad at something** ser mal em algo, não ser capaz de fazer algo perfeitamente

• **to come to a bad end** acabar mal

• **to go bad** apodrecer

• **to go from bad to worse** ir de mal a pior

baddie ['bædɪ] *n inf* vilão *(em filmes ou obras de ficção)*

baddy ['bædɪ] *n* (*pl* **-ies**) → **baddie**

bade [beɪd] *pt* → **bid**

badge [bædʒ] *n* **1** *(emblem)* insígnia, distintivo, emblema **2** crachá: ***you need to wear a badge to go around the building*** você precisa usar um crachá para circular pelo prédio

badger ['bædʒəʳ] *n* texugo

badly ['bædlɪ] *adv* **1** mal: ***they behaved badly*** eles se comportaram mal **2** gravemente: ***people were badly injuried*** as pessoas estavam gravemente feridas **3** muito, ardentemente: ***we badly need the money*** precisamos muito do dinheiro

badminton ['bædmɪntən] *n badminton (jogo de peteca com raquetes)*

bad-tempered [bæd'tempəd] *adj* mal-humorado, ranzinza, intratável

baffle ['bæfəl] *vt* confundir, deixar perplexo, desconcertar

BAFTA ['bæftə] *abbr* (***British Academy of Film and Television Arts***) Academia Britânica de Artes Cinematográficas e Televisivas

bag [bæg] *n* bolsa, saco, sacola

• **bags of** grande quantidade de

baggage ['bægɪdʒ] *n* bagagem, malas

baggy ['bægɪ] *adj* (**-ier**, **-iest**) folgado, largo

bagpipes ['bægpaɪps] *npl* gaita de foles

bail [beɪl] *n* fiança
■ **to bail out** *vt* **1** conseguir a liberdade de um prisioneiro mediante pagamento de fiança: ***his family paid $10,000 to bail him out*** sua família pagou US$10.000 de fiança para libertá-lo **2** *fig* tirar alguém de um apuro: ***she is always bailing him out*** ela está sempre o tirando de apuros **3** *(to remove water from a boat)* baldear a água de

bailiff ['beɪlɪf] *n* (*pl* **bailiffs**) oficial de justiça

bait [beɪt] *n* **1** isca: ***I use worms for bait*** uso minhocas como isca **2** *(temptation)* engodo
▸ *vt* **1** iscar, colocar isca: ***he baited the hook*** ele colocou a isca no anzol **2** *(entice)* engodar **3** atormentar: ***stop baiting your brother!*** pare de atormentar seu irmão!

bake [beɪk] *vt* cozer no forno, assar
■ **baked beans** feijão cozido com molho de tomate

baker ['beɪkəʳ] *n* padeiro

baker's ['beɪkəʳz] *n* padaria

bakery ['beɪkərɪ] *n* (*pl* **-ies**) padaria, confeitaria

balance ['bæləns] *n* **1** equilíbrio: ***to lose balance*** perder o equilíbrio **2** *(scales)* balança **3** ACCOUNT saldo, balanço **4** *(rest)* resto, sobra
▸ *vt* **1** *(bring into equilibrium)* equilibrar, manter em equilíbrio **2** ACCOUNT equilibrar, saldar
▸ *vi* **1** *(counterbalance)* contrabalançar, ponderar **2** ACCOUNT fazer balanço

balcony ['bælkənɪ] *n* (*pl* **-ies**) **1** varanda, sacada: ***Romeo kissed Juliet on the balcony*** Romeu beijou Julieta na sacada **2** THEATRE balcão, galeria

bald [bɔ:ld] *adj* **1** *(lacking hair on the head)* calvo, careca **2** *(tire)* gasto, careca **3** *(unadorned)* simples, pobre

baldly ['bɔ:ldlɪ] *adv* sem rodeios, grosseiramente

baldness ['bɔ:ldnəs] *n* calvície

Balearic [bælɪ'ærɪk] *adj* baleárico
■ **the Balearic Islands** as Ilhas Baleares

balk [bɔ:k] *vt* pôr obstáculos a, frustrar
▸ *vi* empacar, negar-se a

Balkan ['bɔ:lkən] *adj* balcânico
■ **the Balkans** os Bálcãs

ball [bɔ:l] *n* **1** bola, esfera: ***kick the ball to the goal*** chute a bola para o gol **2** novelo: ***the cat is playing with the ball of wool*** o gato está brincando com o novelo de lã **3** baile: ***he is going to be Mary's partner at the ball*** ele vai ser o par de Mary no baile
▸ *npl* **balls** *vulg* testículos

ballad ['bæləd] *n* MUS balada

ballerina [bælə'ri:nə] *n* bailarina

ballet [bæ'leɪ] *n* balé, bailado
■ **ballet dancer** bailarina

ballistics [bə'lɪstɪks] *n* balística

É incontável, e o verbo fica no singular.

balloon [bə'lu:n] *n* **1** balão: ***he plans to travel round the world in a balloon*** ele planeja dar a volta no mundo em um balão **2** bexiga: ***the ballroom was decorated with colored balloons*** o salão estava decorado com bexigas coloridas

ballot ['bælət] *n* **1** votação, turno: ***she was elected on the first ballot*** ela foi eleita no primeiro turno **2** voto: ***how many ballots were null?*** quantos votos foram nulos?
■ **ballot box** urna

ballpoint pen ['bɔ:lpɔɪnt pen] *n* caneta esferográfica

ballroom ['bɔ:lru:m] *n* salão de baile

balm [bɑ:m] *n* bálsamo

balmy ['bɑ:mɪ] *adj* (**-ier**, **-iest**) balsâmico

balsam ['bɔ:lsəm] *n* → **balm**

Baltic ['bɔ:ltɪk] *adj* báltico
■ **the Baltic Sea** o mar Báltico

balustrade [bælə'streɪd] *n* balaustrada

bamboo [bæm'bu:] *n* (*pl* **bamboos**) bambu

ban [bæn] *n* proibição
▸ *vt* (*pt & pp* ***banned***, *ger* ***banning***) proibir

banal [bə'nɑ:l] *adj* banal

banana [bə'nɑ:nə] *n* banana

band [bænd] *n* **1** banda, conjunto: ***a rock band*** uma banda de *rock* **2** faixa, tira: ***a hair band*** uma faixa para o cabelo **3** listra, faixa: ***a jersey with a red band*** uma camisa com uma listra vermelha **4** bando, quadrilha
• **to band together** associar-se, formar quadrilha, conspirar

bandage ['bændɪdʒ] *n* atadura
▸ *vt* enfaixar, envolver com atadura

bandit ['bændɪt] *n* bandido

bandstand ['bændstænd] *n* coreto

bandwagon ['bændwægən] *n* **1** carro alegórico: ***two bandwagons broke during the parade*** dois carros alegóricos quebraram durante a parada **2** onda, tendência: ***people are jumping on the veggie bandwagon*** as pessoas estão entrando na onda vegetariana
• **to jump on the bandwagon** aderir a uma moda, entrar na onda

bandy ['bændɪ] *n* jogo semelhante ao hóquei
▸ *adj* arqueado
▸ *vt* trocar
• **to bandy words with** discutir com, bater boca
▪ **to bandy about** *vt* alardear, opinar de maneira inconsequente

bandy-legged ['bændɪ'legd] *adj* cambado, de pernas arqueadas

bang [bæŋ] *n* **1** golpe, pancada: ***a bang on the nose*** um golpe no nariz **2** *(loud noise)* estampido, estrondo
▸ *vt* golpear, desferir um golpe em
▸ *vi* bater com violência, produzir estrondo: ***the window banged shut*** a janela se fechou com estrondo
▸ *adv inf* exatamente: ***bang in the middle*** bem no meio
• **to bang the door** bater a porta

banger ['bæŋəʳ] *n* GB **1** *(firework)* rojão **2** *(sausage)* salsicha, linguiça **3** *(an old car)* calhambeque

bangle ['bæŋgəl] *n* pulseira, bracelete

banish ['bænɪʃ] *vt* banir

banister ['bænɪstəʳ] *n* corrimão

banjo ['bændʒəʊ] *n* (*pl* **-s** ou **-es**) banjo

bank¹ [bæŋk] *n* banco, estabelecimento bancário
▸ *vt* manter conta bancária, depositar dinheiro em banco
▪ **bank account** conta bancária
▪ **bank holiday** feriado bancário

bank² [bæŋk] *n* **1** banco, estoque: ***data bank*** banco de dados; ***blood bank*** banco de sangue **2** *(of a river, lake)* banco, margem **3** *(natural incline)* rampa de terra **4** *(artificial embankment)* barragem
▪ **to bank on** *vt* confiar em, contar com

banker ['bæŋkəʳ] *n* banqueiro

banking ['bæŋkɪŋ] *n* transações bancárias

banknote ['bæŋknəʊt] *n* nota, cédula, papel-moeda

bankrupt ['bæŋkrʌpt] *adj* falido, em bancarrota
• **to go bankrupt** falir

bankruptcy ['bæŋkrʌptsɪ] *n* (*pl* **-ies**) bancarrota, falência

banner ['bænəʳ] *n* **1** *(flag)* estandarte **2** faixa: ***people on streets carried banners in protest*** as pessoas nas ruas carregavam faixas em protesto

banquet ['bæŋkwɪt] *n* banquete

banter ['bæntəʳ] *n* gracejo, brincadeira
▸ *vi* caçoar, zombar

baptism ['bæptɪzəm] *n* batismo

baptize [bæp'taɪz] *vt* batizar

bar [bɑːʳ] *n* **1** barra, vergalhão: ***a chocolate bar*** uma barra de chocolate **2** *(obstacle)* barreira **3** MUS compasso, traço na pauta para indicar o compasso **3** bar: ***let's meet at the bar*** vamos nos encontrar no bar **4** *(counter)* balcão de bar
▸ *vt* (*pt & pp* **barred**, *ger* **barring**) **1** trancar, passar a tranca: ***don't bar the door*** não passe a tranca na porta **2** *(prohibit)* barrar **3** *(exclude)* excluir
▸ *prep* exceto
• **behind bars** atrás das grades
▪ **the Bar** GB o corpo de advogados, Ordem dos Advogados

barb [bɑːb] *n* farpa

barbarian [bɑː'beərɪən] *adj-n* bárbaro

barbaric [bɑː'bærɪk] *adj* bárbaro

barbecue ['bɑːbəkjuː] *n* churrasco

barbed [bɑːbd] *adj* **1** farpado: ***barbed wire*** arame farpado **2** *fig* mordaz

barber ['bɑ:bəʳ] *n* barbeiro

barber's ['bɑ:bəʳs] *n* barbearia

barbiturate [bɑ:'bɪtʃərət] *n* barbitúrico

bare [beəʳ] *adj* **1** *(naked)* nu **2** vazio, desprovido, desguarnecido: ***the shelves were bare*** as prateleiras estavam vazias **3** mero, simples: ***the bare idea*** a simples ideia **4** só o suficiente, estrito: ***the bare minimum*** só o mínimo suficiente, ***the bare necessities*** o estritamente necessário
▸ *vt* desnudar, descobrir
• **in bare feet** descalço
• **with my bare hands** com minhas próprias mãos, sem a ajuda de nada ou de ninguém

barefaced ['beəfeɪst] *adj* descarado

barefoot ['beəfʊt] *adj* descalço

bareheaded [beə'hedɪd] *adj* com a cabeça descoberta, sem chapéu

barely ['beəlɪ] *adv* apenas, mal

bargain ['bɑ:gən] *n* **1** *(agreement) negociação* **2** pechincha: ***this house was a real bargain*** esta casa foi uma verdadeira pechincha
▸ *vi* **1** *(negociate)* negociar **2** *(ask a price down)* pechinchar, regatear
▪ **to bargain for** *vt* esperar, estar preparado para

barge [bɑ:dʒ] *n* chata, barcaça
▸ *vi* entrar de repente e sem cerimônias, invadir

baritone ['bærɪtəʊn] *n* barítono

bark¹ [bɑ:k] *n* ladrido, latido
▸ *vi* ladrar, latir
• **to bark up the wrong tree** desperdiçar esforços

bark² [bɑ:k] *n* casca *(de árvore)*

barley ['bɑ:lɪ] *n* cevada

barmaid ['bɑ:meɪd] *n* garçonete

barman ['bɑ:mən] *n (pl* **barmen** ['bɑ:men]) *barman*, balconista de bar

barmy ['bɑ:mɪ] *adj* (**-ier**, **-iest**) *inf* maluco

barn [bɑ:n] *n* celeiro

barnacle ['bɑ:nəkəl] *n* ZOOL craca

barometer [bə'rɒmɪtəʳ] *n* barômetro

baron ['bærən] *n* barão

baroness ['bærənəs] *n (pl* **-es**) baronesa

baroque [bə'rɒk] *adj* barroco

barrack ['bærək] *vt* GB vaiar

barracks ['bærəks] *n pl* quartel, caserna

barrage ['bærɑ:ʒ] *n* **1** *(artificial obstruction)* barragem, dique **2** MIL fogo de barragem
• **a barrage of** uma saraivada de, uma onda de: ***a barrage of complaints*** uma saraivada de reclamações

barrel ['bærəl] *n* **1** *(container)* barril, barrica, tonel **2** *(of a firearm)* cano

barren ['bærən] *adj* estéril, árido

barricade [bærɪ'keɪd] *n* barricada
▸ *vt* bloquear com barricadas, obstruir

barrier ['bærɪəʳ] *n* barreira

barrister ['bærɪstəʳ] *n* GB advogado *(capacitado a atuar em todas as instâncias)*

barrow ['bærəʊ] *n* carrinho de mão

barter ['bɑ:təʳ] *n* troca, permuta
▸ *vt* trocar, permutar

basalt ['bæsɔ:lt] *n* basalto

base¹ [beɪs] *n* **1** *(the bottom part)* base **2** *(headquarters)* sede **3** MIL base
▸ *vt* basear

base² [beɪs] *adj* baixo, vil, abjeto
▪ **base metal** metal não precioso

baseball ['beɪsbɔ:l] *n* beisebol

basement ['beɪsmənt] *n* porão

bash [bæʃ] *n (pl* **-es**) *inf* **1** soco: ***a bash on the nose*** um soco no nariz **2** *inf* farra, festa: ***they all were present at Mary's bash*** todos estavam presentes na festa de Mary
▸ *vt inf* golpear
▸ *vi* criticar severamente
• **to have a bash at something** tentar algo pela primeira vez

bashful ['bæʃfʊl] *adj* acanhado, tímido

basic ['beɪsɪk] *adj* básico
▸ *npl* **the basics** o essencial, o básico

basically ['beɪsɪklɪ] *adv* basicamente

basin ['beɪsən] *n* **1** *(container)* bacia **2** *(sink)* pia **3** GEO bacia

basis ['beɪsɪs] *n (pl* **bases** ['beɪsi:z]) base

bask [bɑ:sk] *vi* expor-se ao sol

basket ['bɑ:skɪt] *n* cesta, cesto

basketball ['bɑ:skɪtbɔ:l] *n* basquetebol

Basque [bɑ:sk] *adj-n* basco
▪ **the Basque Country** o País Basco

bass¹ [bæs] *n* (*pl* **bass**) perca

bass² [beɪs] *adj* MUS baixo, grave
▸ *n* (*pl* **-es**) **1** *(singer)* baixo **2** *(instrument)* contrabaixo

bassoon [bə'su:n] *n* fagote

bastard ['bɑ:stəd] *adj-n* bastardo

baste [beɪst] *vt* **1** alinhavar: ***can you baste this shirt for me, please?*** você poderia alinhavar esta camisa para mim? **2** COOK regar

bat¹ [bæt] *n* morcego

bat² [bæt] *n* **1** *(baseball)* bastão, taco **2** *(table tennis)* raquete
▸ *vi* (*pt & pp* ***batted***, *ger* ***batting***) rebater (com bastão ou raquete)
• **without batting an eyelid** sem pestanejar, sem hesitar

batch [bætʃ] *n* (*pl* **-es**) lote
▪ **batch processing** COMPUT processamento em lotes

bath [bɑ:θ] *n* **1** banho: ***she's preparing her bubble bath*** ela está preparando seu banho de espuma **2** *(bathtube)* banheira **3** *(bathroom)* banheiro
▸ *vi* banhar(-se)
▸ *vt* dar banho
▸ *npl* **baths** balneário, termas
• **to have/take a bath** tomar banho

bathe [beɪð] *vi* banhar-(se), tomar banho
▸ *vt* lavar, embeber

bather ['beɪðə^r] *n* banhista

bathing ['beɪðɪŋ] *n* banho
▪ **bathing suit/costume** traje de banho, maiô, sunga

bathrobe ['bɑ:θrəʊb] *n* roupão de banho

bathroom ['bɑ:θru:m] *n* banheiro

bathtub ['bɑ:θtʌb] *n* banheira

baton ['bætən] *n* **1** *(club)* cassetete **2** SPORT bastão **3** MUS batuta

batsman ['bætsmən] *n* (*pl* **batsmen** ['bætsmən]) SPORT batedor, rebatedor

battalion [bə'tæljən] *n* batalhão

batter¹ ['bætə^r] *n* massa de farinha, ovos e leite
▸ *vt* COOK empanar
• **in batter** COOK empanado

batter² ['bætə^r] *vt* espancar, bater

batter³ ['bætə^r] *n* SPORT batedor

battery ['bætərɪ] *n* (*pl* **-ies**) **1** ELECTR bateria, pilha **2** MIL bateria

battle ['bætəl] *n* batalha
▸ *vi* lutar (***with/against***, *com/contra*)

battlefield ['bætəlfi:ld] *n* campo de batalha

battlements ['bætəlmənts] *npl* ameias, muralhas defensivas

battleship ['bætəlʃɪp] *n* couraçado, navio de guerra

bauble ['bɔ:bəl] *n* bugiganga

baulk [bɔ:k] *vt* → **balk**

bawdy ['bɔ:dɪ] *adj* (**-ier**, **-iest**) indecente, *fig* picante

bawl [bɔ:l] *vi* vociferar

bay¹ [beɪ] *n* baía, enseada

bay² [beɪ] *n* loureiro, louro
▪ **bay leaf** folha de louro

bay³ [beɪ] *vi* uivar

bay⁴ [beɪ] *n* baia, vão
▪ **bay window** janela de sacada
▪ **loading bay** área de carga e descarga
▪ **parking bay** área de estacionamento, vaga
• **to keep at bay** manter distância, impedir que algo/alguém se aproxime ou se manifeste

bayonet ['beɪənət] *n* baioneta

bazaar [bə'zɑ:^r] *n* bazar

BBC ['bi:'bi:'si:] *abbr* (***British Broadcasting Corporation***) BBC

BC ['bi:'si:] *abbr* (***before Christ***) antes de Cristo, a.C.

be [bi:] (Presente singular, 1ª **am**, 2ª **are**, 3ª **is**, plural **are**. Passado, 1ª e 3ª pess sing **was**, 2ª pes sing e pl **were**. Particípio passado, **been**) *vi* **1** ser: ***she's clever*** ela é inteligente, ***John's English*** John é inglês, ***we are teachers*** nós somos professores, ***they are from Manchester*** eles são de Manchester, ***this house was ours*** esta casa era nossa **2** estar: ***your supper is in the oven*** seu jantar está no forno ***I'm cold*** estou com frio; ***they are busy*** eles estão ocupados; ***you were right*** você estava certo; ***where have you been?*** onde você estava?; ***how are you?*** como vai você? **3** ter: ***Philip is 17*** Philip tem 17 anos **4** custar, valer: ***How much is this car?*** Quanto custa este carro? **5** fazer: ***it was sunny yesterday*** ontem fez sol

▸ *aux* **be +** ***pres participle*** **1** estar: ***it is raining*** está chovendo; ***the train is coming*** o trem está chegando; ***I am going tomorrow*** vou amanhã **2 be +** ***past participle*** ser: ***he was sacked*** ele foi despedido; ***it has been sold*** foi vendido; ***he will be invited to the reception*** ele será convidado para a recepção **3 be +** ***infinitive*** dever, ter de: ***you are not to come here again*** você não deve voltar aqui; ***you are to do as I say*** você tem de fazer o que eu digo

• **there is/are** há

• **there was/were** havia

• **there will be** haverá

• **there would be** haveria

beach [bi:tʃ] *n* (*pl* **-es**) praia

▸ *vt* puxar para a praia

▪ **beach umbrella** guarda-sol

beacon ['bi:kən] *n* **1** *(lighthouse)* farol **2** *(marker)* baliza

bead [bi:d] *n* **1** *(of necklace)* conta **2** *(of sweat)* gota

beak [bi:k] *n* bico

beaker ['bi:kə^r] *n* **1** *(large cup)* copo grande com bico e de boca larga **2** CHEM béquer

beam [bi:m] *n* **1** ARCHIT viga, trave **2** *(of light)* raio

▸ *vi* **1** *(radiate light)* irradiar **2** *(smile)* sorrir

▸ *vt* transmitir, emitir

bean [bi:n] *n* **1** feijão, fava, vagem: ***Brazilians love rice and beans*** os brasileiros adoram arroz com feijão **2** *(of coffee)* grão

• **to be full of beans** transbordar vitalidade

• **to spill the beans** dar com a língua nos dentes, revelar segredo

bear¹ [beə^r] *n* urso

bear² [beə^r] *vt* (*pt* ***bore*** [bɔ:^r], *pp* ***borne*** [bɔ:n]) **1** *(carry)* levar, transportar **2** suportar, aguentar: ***I can't bear this noise*** não consigo suportar este barulho **3** produzir, dar: ***this tree doesn't bear fruit*** esta árvore não dá frutos **4** parir, dar à luz: ***she bore twins*** ela deu à luz gêmeos **5** arcar com, assumir: ***he bore responsability for any trouble*** ele assumiu a responsabilidade por qualquer problema

• **to bear in mind** ter em mente

• **to bear a grudge** guardar rancor

• **to bear a resemblance to** parecer-se com

▪ **to bear out** *vt* confirmar

▪ **to bear up** *vi* resistir

▪ **to bear with** *vt* ser paciente, tolerar

bearable ['beərəbəl] *adj* suportável

beard [bɪəd] *n* barba

bearded ['bɪədɪd] *adj* barbudo, barbado

bearer ['beərə^r] *n* portador

bearing ['beərɪŋ] *n* **1** relação, conexão: ***this case has no bearing with our situation*** este caso não tem relação com nossa situação **2** *(manner)* comportamento, conduta, postura **3** MECH mancal, rolamento **4** *(direction)* rumo

• **to lose one's bearings** desorientar-se, perder-se

beast [bi:st] *n* besta, fera, animal

beastly ['bi:stlɪ] *adj* (**-ier**, **-iest**) brutal, horrível, bestial

beat [bi:t] *vt* (*pt* ***beat*** [bi:t], *pp* ***beaten*** ['bi:tən]) **1** bater: ***she beat the dog with a stick*** ela bateu no cachorro com uma vara; ***beat the eggs separately*** bata os ovos separadamente; ***the runner beat the national record*** o corredor bateu o recorde nacional **2** *(defeat)* vencer, derrotar

▸ *vi* bater

▸ *n* **1** *(stroke)* batimento, batida **2** *(pulsation)* pulsação **3** MUS ritmo

▸ *adj inf* exausto

• **to beat about the bush** fazer rodeios

• **to beat time** marcar o compasso

▪ **to beat up** *vt* espancar

beater ['bi:tə^r] *n* batedor, misturador

beating ['bi:tɪŋ] *n* **1** surra: ***he was giving a terrible beating*** ele levou uma tremenda surra **2** *(defeat)* derrota **3** *(pulsation)* batimentos

beautician [bju:'tɪʃən] *n* esteticista

beautiful ['bju:tɪfʊl] *adj* bonito, belo, lindo

beauty ['bju:tɪ] *n* (*pl* **-ies**) **1** beleza, formosura: ***beauty is in the eye of the beholder*** a beleza está nos olhos de quem vê **2** beldade, bela: ***she is a real beauty*** ela é uma verdadeira beldade; ***the Beauty and the Best*** a Bela e a Fera

■ **beauty parlour** salão de beleza

■ **beauty spot 1** pinta, sinal: ***she has a beauty spot on her chin*** ela tem uma pinta no queixo **2** GB lugar pitoresco: ***this castle is a beauty spot*** este castelo é um lugar pitoresco

beaver ['bi:vəʳ] *n* castor

became [bɪ'keɪm] *pt* → **become**

because [bɪ'kɒz] *conj* porque

▸ *prep* **because of** por causa de

beckon ['bekən] *vt* acenar

▸ *vi* chamar com sinais

become [bɪ'kʌm] *vi* (*pt* ***became*** [bɪ'keɪm], *pp* ***become*** [bɪ'kʌm]) **1** tornar-se, fazer-se, chegar a ser: ***she became a teacher*** ela se tornou professora; ***he never became president*** ele nunca chegou a ser presidente **2** ficar: ***to become angry*** ficar com raiva; ***to become sad*** ficar triste **3** favorecer, cair bem: ***this color becomes you*** esta cor lhe cai bem

• **to become of** ser feito de: ***what has become of Peter?*** o que foi feito do Peter?

becoming [bɪ'kʌmɪŋ] *adj* **1** que cai bem, elegante: ***this dress is very becoming to you*** este vestido fica muito bem em você **2** apropriado, adequado: ***his behavior was not becoming*** seu comportamento não foi adequado

bed [bed] *n* **1** *(piece of furniture)* cama **2** *(of flowers)* canteiro **3** *(of a river)* leito **4** *(of sea, lake)* fundo **5** *(of clay)* manto, camada

• **to go to bed** deitar-se

• **to go to bed with someone** ir para a cama com alguém, ter relações com alguém

• **to make the bed** fazer a cama

• **to get out of bed on the wrong side** levantar da cama com o pé esquerdo, começar mal

bed and breakfast [bedən'brekfəst] *n* pensão, hotel, alojamento familiar que oferece pernoite e café da manhã

bedbug ['bedbʌg] *n* percevejo

bedclothes ['bedkləʊðz] *npl* roupa de cama

bedding ['bedɪŋ] *n* roupa de cama

bedpan ['bedpæn] *n* comadre (*urinol para pessoas acamadas*)

bedridden ['bedrɪdən] *adj* acamado

bedroom ['bedru:m] *n* quarto de dormir

bedside ['bedsaɪd] *n* cabeceira

■ **bedside table** mesa de cabeceira, criado-mudo

bedsitter [bed'sɪtəʳ] *n* conjugado mobiliado

bedspread ['bedspred] *n* colcha

bedtime ['bedtaɪm] *n* hora de dormir

bee [bi:] *n* abelha

• **to have a bee in one's bonnet** estar obcecado por alguma coisa

beech [bi:tʃ] *n* (*pl* **-es**) BOT faia

beef [bi:f] *n* carne de vaca

beefburger ['bi:fbɜ:gəʳ] *n* hambúrguer

beefsteak ['bi:fsteɪk] *n* bife

beehive ['bi:haɪv] *n* colmeia

beeline ['bi:laɪn] *n* linha reta

been [bi:n, bɪn] *pp* → **be**

beer [bɪəʳ] *n* cerveja

beetle ['bi:təl] *n* besouro

beetroot ['bi:tru:t] *n* beterraba

before [bɪ'fɔ:ʳ] *prep* ante, na presença de, diante de, perante: ***before God*** perante Deus

▸ *conj* antes de + *inf* ***before you go*** antes de você ir; antes que + *subj*: ***before it's too late*** antes que seja tarde demais

▸ *adv* **1** antes, em tempo anterior: ***I told you before*** eu lhe disse antes **2** já: ***I've seen this film before*** já vi este filme

▸ *adj* anterior: ***the day before*** o dia anterior

• **the day before yesterday** anteontem

beforehand [bɪ'fɔːhænd] *adv* antes, de antemão, com antecedência

befriend [bɪ'frend] *vt* ser solícito, ser prestativo

beg [beg] *vi* (*pt & pp* ***begged***, *ger* ***begging***) mendigar
▸ *vt* pedir, suplicar, rogar
• **I beg your pardon?** Como disse?
• **I beg your pardon!** Desculpe(-me)!

began [bɪ'gæn] *pt* → **begin**

beggar ['begəʳ] *n* mendigo

begin [bɪ'gɪn] *vt-vi* (*pt* ***began*** [bɪ'gæn], *pp* ***begun*** [bɪ'gʌn]) iniciar, começar
• **to begin with** antes de tudo, em primeiro lugar, para começar: ***I didn't like the film to begin with*** para começar, não gostei do filme

beginner [bɪ'gɪnəʳ] *n* principiante

beginning [bɪ'gɪnɪŋ] *n* princípio: ***at the beginning of the month*** no princípio do mês

beguile [bɪ'gaɪl] *vt* **1** *(deceive)* enganar **2** *(enchant)* seduzir, atrair

begun [bɪ'gʌn] *pp* → **begin**

behalf [bɪ'hɑːf] *n*
• **on behalf of** em nome de, em favor de

behave [bɪ'heɪv] *vi* comportar-se, portar-se
• **to behave oneself** portar-se bem

behaviour [bɪ'heɪvjəʳ] (US **behavior**) *n* comportamento, conduta
• **to be on your best behaviour** comportar-se da melhor maneira possível

behead [bɪ'hed] *vt* decapitar

beheld [bɪ'held] *pt-pp* → **behold**

behind [bɪ'haɪnd] *prep* atrás de: ***he hid behind a car*** ele se escondeu atrás de um carro
▸ *adv* **1** atrás: ***the children went on ahead and the grown-ups walked behind*** as crianças seguiam na frente e os adultos iam atrás **2** atrasado: ***he's behind with his work*** ele está atrasado com o trabalho
▸ *n inf* traseiro
• **behind somebody's back** pelas costas de alguém, de forma traiçoeira
• **behind schedule** atrasado
• **behind the scenes** nos bastidores
• **to leave something behind** esquecer algo, deixar para trás

behindhand [bɪ'haɪndhænd] *adj* tardio
▸ *adv* em atraso

behold [bɪ'həʊld] *vt* (*pt & pp* ***beheld*** [bɪ'held]) contemplar

beige [beɪʒ] *adj-n* bege

being ['biːɪŋ] *n* **1** ser: ***the human being*** o ser humano **2** *(existence)* existência
• **for the time being** por enquanto

belated [bɪ'leɪtɪd] *adj* atrasado, tardio

belch [beltʃ] *n* (*pl* **-es**) arroto
▸ *vi* arrotar

Belgian ['beldʒən] *adj-n* belga

Belgium ['beldʒəm] *n* Bélgica

belief [bɪ'liːf] *n* (*pl* **beliefs**) **1** *(acceptance as true)* crença **2** *(faith)* fé

believe [bɪ'liːv] *vt* **1** crer, acreditar: ***believe me*** acredite em mim **2** crer, supor: ***he is believed to be dead*** acredita-se que ele esteja morto
▸ *vi* crer: ***we believe in God*** cremos em Deus **2** acreditar: ***I believe in your ability*** acredito na sua capacidade

believer [bɪ'liːvəʳ] *n* crente, fiel

belittle [bɪ'lɪtəl] *vt* depreciar, subestimar

bell [bel] *n* **1** sino, sineta: ***the church bell rings every hour*** o sino da igreja toca a cada hora **2** campainha: ***she rang the bell*** ela tocou a campainha **3** guizo: ***a dog with a bell around its neck*** um cachorro com um guizo no pescoço
• **to be saved by the bell** ser salvo pelo gongo
• **that rings a bell** isto parece familiar, faz recordar algo

bellboy ['belbɔɪ] *n* GB mensageiro (*de hotel*)

bellhop ['belhɒp] *n* US mensageiro (*de hotel*)

bellow ['beləʊ] *n* bramido, berro
▸ *vi* bramir, berrar

bellows ['beləʊz] *npl* fole

belly ['belɪ] *n* (*pl* **-ies**) ventre, barriga, *inf* pança
■ **belly button** *inf* umbigo
■ **belly laugh** gargalhada

bellyache ['belɪeɪk] *n inf* dor de barriga
▸ *vi inf* queixar-se

belong [bɪ'lɒŋ] *vi* **1** pertencer: ***who does this book belong to?*** a quem pertence este livro? **2** ser ou fazer parte de: ***I don't belong this group*** não faço parte desta turma

belongings [bɪ'lɒŋɪŋz] *npl* pertences

beloved [*(adj)* bɪ'lʌvd; *(n)* bɪ'lʌvɪd] *adj-n* querido, amado

below [bɪ'ləʊ] *prep* debaixo de, abaixo de: ***the flat below ours*** o apartamento abaixo do nosso
▸ *adv* sob, abaixo, embaixo, debaixo: ***who lives on the floor below?*** quem mora no apartamento de baixo?
• **below zero** abaixo de zero
• **see below** vide abaixo

belt [belt] *n* **1** cinto, cinturão: ***a leather belt*** um cinto de couro **2** MECH correia, tira **3** *(area)* zona, região
▸ *vt* **1** *(fasten with a belt)* cintar **2** bater *(com cinto)*: ***you must not belt him*** você não pode bater nele
▪ **to belt along** *vi* ir a toda, correr
▪ **to belt up** *vi* GB *inf* calar-se

bemused [bɪ'mju:zd] *adj* perplexo, atônito

bench [bentʃ] *n* (*pl* **-es**) **1** banco: ***a park bench*** um banco de parque **2** bancada: ***the tools are on the bench*** as ferramentas estão sobre a bancada **3** LAW corpo de magistrados

bend [bend] *n* curva
▸ *vt* (*pt & pp* ***bent***) dobrar, curvar, vergar, inclinar
▸ *vi* dobrar-se, inclinar-se
• **to be/go round the bend** estar ou ficar louco
▪ **to bend down** *vi* agachar-se
▪ **to bend over** *vi* inclinar-se

beneath [bɪ'ni:θ] *prep* abaixo, debaixo, sob
▸ *adv* abaixo, debaixo: ***we looked down at the village beneath*** olhamos para o vilarejo abaixo

benefactor ['benɪfæktəʳ] *n* benfeitor

benefactress ['benɪfæktrəs] *n* (*pl* **-es**) benfeitora

beneficial [benɪ'fɪʃəl] *adj* benéfico, proveitoso, vantajoso

beneficiary [benɪ'fɪʃərɪ] *n* (*pl* **-ies**) beneficiário

benefit ['benɪfɪt] *n* benefício, proveito
▸ *vt-vi* (*pt & pp* ***benefited*** ou ***benefitted***, *ger* ***benefiting*** ou ***benefitting***) beneficiar-(se)

benevolence [bɪ'nevələns] *n* benevolência

benevolent [bɪ'nevələnt] *adj* benevolente

benign [bɪ'naɪn] *adj* benigno

bent [bent] *pt-pp* → **bend**
▸ *adj* **1** torcido, dobrado: ***bent wires*** fios torcidos **2** *inf* corrupto **3** *sl* homossexual
▸ *n* inclinação *(for, por)*, propensão
• **bent on** empenhado em

benzine ['benzi:n] *n* benzina

bequeath [bɪ'kwi:ð] *vt* legar

bequest [bɪ'kwest] *n* legado

bereaved [bɪ'ri:vd] *adj* enlutado

bereavement [bɪ'ri:vmənt] *n* luto

beret ['bereɪ] *n* boina

berry ['berɪ] *n* (*pl* **-ies**) baga

berserk [bə'zɜ:k] *adj* enlouquecido, furioso
• **to go berserk** ficar furioso; enlouquecer

berth [bɜ:θ] *n* **1** *(for ship)* ancoradouro **2** *(on ship)* cabina, beliche
▸ *vi* atracar

beseech [bɪ'si:tʃ] *vt* (*pt & pp* ***besought*** [bɪ'sɔ:t] ou ***beseeched***) implorar, suplicar

beset [bɪ'set] *vt* (*pt & pp* ***beset***, *ger* ***besetting***) acossar

beside [bɪ'saɪd] *prep* ao lado de, junto a
• **beside oneself** fora de si
• **that's beside the point** isto é irrelevante

besides [bɪ'saɪdz] *prep* **1** além de: ***besides you, your brother also came*** além de você, seu irmão também veio **2** exceto: ***no one came besides you*** ninguém veio, exceto você
▸ *adv* ademais, além disso

besiege [bɪ'siːdʒ] *vt* **1** *(town)* sitiar **2** *fig* assediar

besought [bɪ'sɔːt] *pt-pp* → **beseech**

best [best] *adj* melhor
▸ *adv* melhor
▸ *n* o melhor
• **all the best!** tudo de bom!
• **as best you can** o melhor que puder
• **at best** na melhor das hipóteses
• **the best part of** a maior parte de
• **to do one's best** esmerar-se
• **to make the best of** tirar o melhor partido de uma situação
■ **best man** padrinho de casamento

best-seller [best'seləʳ] *n best-seller*, campeão de vendas

bet [bet] *n* aposta
▸ *vt-vi (pt & pp* **bet**, *ger* **betting***)* apostar

betray [bɪ'treɪ] *vt* trair

betrayal [bɪ'treɪəl] *n* traição

better ['betəʳ] *adj* melhor
▸ *adv* melhor
▸ *vt* **1** *(improve)* melhorar **2** *(surpass)* superar
▸ *npl* **betters** superiores, chefes
• **better late than never** antes tarde do que nunca
• **better off 1** em melhor situação: ***you would be better off in the country*** você estaria em melhor situação no campo **2** em melhores condições financeiras: ***when I'm better off, I'll buy a new car*** quando eu estiver em melhores condições financeiras, comprarei um carro novo
• **had better** ser melhor, ser mais aconselhável: ***we'd better be going*** é melhor irmos embora
• **so much the better** tanto melhor
• **to get better** melhorar, ficar melhor
■ **better half** cara-metade

betting ['betɪŋ] *n* aposta
• **what's the betting that...?** quer apostar que...?

bettor ['betəʳ] *n* apostador

between [bɪ'twiːn] *prep* entre
▸ *adv* no meio de, no intervalo
• **between the lines** nas entrelinhas
• **between you and me** cá entre nós, que ninguém nos ouça

bevel ['bevəl] *n* **1** *(chamfer)* bisel **2** esquadro: ***he used a bevel to draw the right angle*** ele usou um esquadro para traçar o ângulo correto
▸ *vt* (GB *pt & pp* **bevelled**, *ger* **bevelling**, US *pt & pp* **beveled**, *ger* **beveling**) biselar, chanfrar

beverage ['bevərɪdʒ] *n* bebida

beware [bɪ'weəʳ] *vi* ter cuidado: ***beware of the dog*** cuidado com o cão

bewilder [bɪ'wɪldəʳ] *vt* confundir, atordoar

bewitch [bɪ'wɪtʃ] *vt* enfeitiçar, fascinar

beyond [bɪ'jɒnd] *prep* além de
▸ *adv* mais adiante
▸ *n* **the beyond** o além, o outro mundo
• **beyond belief** inacreditável
• **beyond doubt** indubitável
• **it's beyond me** não entendo, está além da minha capacidade

bias ['baɪəs] *n (pl* **biases***)* **1** preconceito: ***a bias against muslims*** um preconceito contra muçulmanos **2** tendência: ***an artistic bias*** uma tendência artística
▸ *vt* influenciar *(desfavoravelmente)*

biased ['baɪəst] *adj* parcial, tendencioso

bib [bɪb] *n* babador

Bible ['baɪbəl] *n* Bíblia

bibliography [bɪblɪ'ɒgrəfɪ] *n (pl* **-ies***)* bibliografia

biceps ['baɪsəps] *n* bíceps

bicker ['bɪkəʳ] *vi* altercar

bicycle ['baɪsɪkəl] *n* bicicleta

bid [bɪd] *n* **1** *(attempt)* tentativa **2** licitação, lance, oferta: ***to make a bid*** fazer uma oferta
▸ *vt (pt* ***bid*** ou ***bade*** [beɪd], *pp* ***bid*** ou ***bidden*** ['bɪdən], *ger* ***bidding****)*

> As formas **bade** e **bidden** são usadas quando o verbo significa *ordenar, mandar.*

1 dar lance: ***she bid $1,000 for the painting*** ela deu um lance de 1.000 dólares pelo quadro **2** dizer: ***to bid farewell*** dizer adeus **3** ordenar, mandar: ***do as you are bidden*** faça o que lhe ordenam
▸ *vi* licitar, fazer ofertas

bidder ['bɪdəʳ] *n* licitante, arrematante

bidding ['bɪdɪŋ] *n* licitação

bide [baɪd] *vt-vi (pt* ***bode*** [bəʊd] ou ***bided***, *pp* ***bided****)* esperar, aguardar

• **to bide one's time** esperar o momento oportuno

bidet ['bi:deɪ] *n* bidê

biennial [baɪ'enɪəl] *adj* bienal

bifocal [baɪ'fəʊkəl] *adj* bifocal
▸ *npl* **bifocals** lentes bifocais

big [bɪg] *adj* (*comp* ***bigger***, *superl* ***biggest***) grande *(em tamanho ou extensão)*: ***a big car*** um carro grande; ***a big day*** um grande dia
• **too big for one's boots** cheio de si
▪ **big brother** irmão mais velho (*com iniciais maiúsculas*) governo totalitário que exerce vigilância sobre todos, pessoa autoritária que não respeita a privacidade alheia
▪ **big game** caça grossa, animais de grande porte caçados por esporte
▪ **big noise** mandachuva, figurão
▪ **big shot** mandachuva, figurão
▪ **big sister** irmã mais velha

bigamy ['bɪgəmɪ] *n* bigamia

bighead ['bɪghed] *n* sabichão, vaidoso, convencido

bigheaded [bɪg'hedɪd] *adj* convencido

big-hearted [bɪg'hɑ:tɪd] *adj* magnânimo

bigmouth ['bɪgmaʊθ] *n* linguarudo

bigot ['bɪgət] *n* fanático

bigotry ['bɪgətrɪ] *n* fanatismo

bigwig ['bɪgwɪg] *n inf* mandachuva, figurão

bike [baɪk] *n inf* bicicleta

bikini [bɪ'ki:nɪ] *n* biquíni

bilateral [baɪ'lætərəl] *adj* bilateral

bile [baɪl] *n* bílis

bilingual [baɪ'lɪŋgwəl] *adj* bilíngue

bill[1] [bɪl] *n* **1** fatura, conta: ***credit-card bill*** fatura do cartão de crédito; ***telephone bill*** conta telefônica **2** POL projeto de lei **3** US *(banknote)* cédula, nota, papel-moeda **4** *(in restaurant)* conta **5** cartaz, pôster: ***post no bills*** é proibido afixar cartazes
▸ *vt* **1** *(invoice)* faturar **2** *(proclaim)* anunciar
• **to fit the bill** cumprir os requisitos
• **to top the bill** encabeçar a lista
▪ **bill of exchange** letra de câmbio

bill[2] [bɪl] *n* bico (*de ave*)

billboard ['bɪlbɔ:d] *n* US quadro onde se afixam cartazes

billiards ['bɪlɪədz] *n* bilhar, jogo de bilhar

billion ['bɪlɪən] *n* bilhão

> Atualmente, tanto nos Estados Unidos como na Grã-Bretanha, **a billion** são mil milhões (1.000.000.000), mas antigamente, na Grã-Bretanha, o termo designava um milhão de milhões.

billow ['bɪləʊ] *n* bulcão
▸ *vi* redemoinhar

billy goat ['bɪlɪgəʊt] *n* bode

bin [bɪn] *n* lata de lixo

binary ['baɪnərɪ] *adj* binário

bind [baɪnd] *vt* (*pt & pp* ***bound*** [baʊnd]) **1** *(fasten)* atar **2** *(join)* ligar, aglutinar **3** *(wound)* enfaixar **4** LAW obrigar **5** *(book)* encadernar
▸ *n inf* chateação

binder ['baɪndə'] *n* **1** *(file)* pasta, fichário **2** aglutinante: ***cement is an excellent bindel*** o cimento é um excelente aglutinante **3** *(person or machine)* encadernador **4** sinal, garantia: ***we put down a binder on the house*** demos um sinal para segurar a casa

binding ['baɪndɪŋ] *n* **1** *(fabric)* debrum **2** *(book)* encadernação, capa
▸ *adj* obrigatório

binge [bɪndʒ] *n* bebedeira

bingo ['bɪŋgəʊ] *n* bingo

binoculars [bɪ'nɒkjʊləz] *npl* binóculo

biographer [baɪ'ɒgrəfə'] *n* biógrafo

biographical [baɪə'græfɪkəl] *adj* biográfico

biography [baɪ'ɒgrəfɪ] *n* (*pl* **-ies**) biografia

biological [baɪə'lɒdʒɪkəl] *adj* biológico

biologist [baɪ'ɒlədʒɪst] *n* biólogo

biology [baɪ'ɒlədʒɪ] *n* biologia

biopsy ['baɪɒpsɪ] *n* (*pl* **-ies**) biópsia

biorhythm ['baɪərɪðəm] *n* biorritmo

biosphere ['baɪəsfɪə'] *n* biosfera

birch [bɜːtʃ] *n* (*pl* **-es**) **1** BOT bétula **2** *(rod for whipping)* vara
▸ *vt* açoitar

bird [bɜːd] *n* **1** ZOOL ave, pássaro, passarinho **2** GB cara, sujeito
• **a bird in the hand is worth two in the bush** mais vale um pássaro na mão do que dois voando
• **to kill two birds with one stone** matar dois coelhos com uma só cajadada
▪ **bird of prey** ave de rapina

birdie ['bɜːdɪ] *n* **1** *inf* passarinho **2** SPORT *(golf) birdie*

birdseed ['bɜːdsiːd] *n* alpiste

bird's-eye view [bɜːdzˌɪ'vjuː] *n* vista aérea

bird-watcher ['bɜːdwɒtʃəʳ] *n* observador de aves

Biro® ['baɪrəʊ] *n* GB tipo de caneta esferográfica

birth [bɜːθ] *n* **1** nascimento: ***in the year of his birth*** no ano de seu nascimento **2** MED parto **3** *(origin)* origem, linhagem
• **to give birth to** dar à luz
▪ **birth certificate** certidão de nascimento
▪ **birth control** controle de natalidade

birthday ['bɜːθdeɪ] *n* **1** data de nascimento: ***inform your birthday*** informe sua data de nascimento **2** aniversário: ***her 18th birthday*** seu aniversário de 18 anos

birthmark ['bɜːθmɑːk] *n* marca de nascença

birthplace ['bɜːθpleɪs] *n* lugar de nascimento

biscuit ['bɪskɪt] *n* **1** biscoito **2** GB bolacha *biscuit (tipo de porcelana)*

bisect [baɪ'sekt] *vt* seccionar

bisexual [baɪ'seksjʊəl] *adj* bissexual

bishop ['bɪʃəp] *n* bispo (*também no xadrez*)

bison ['baɪsən] *n* bisão

bit¹ [bɪt] *n* **1** bocado, pedaço pequeno: ***a bit of cake*** um pedaço de bolo **2** um pouco: ***I have a bit of money left*** sobrou-me um pouco de dinheiro
• **a bit** um tanto, um pouco: ***it's a bit expensive*** é um tanto caro; ***could you turn the volume up a bit?*** você pode aumentar um pouco o volume?
• **bit by bit** pouco a pouco, aos poucos
• **to come to bits** quebrar-se, cair aos pedaços
• **to take to bits** desmontar(-se)
• **to go to bits** ficar histérico
▪ **bits and pieces** bugigangas

bit² [bɪt] *n bit (computação)*

bit³ [bɪt] *n* broca, verruma

bit⁴ [bɪt] *pt* → **bite**

bitch [bɪtʃ] *n* (*pl* **-es**) **1** ZOOL cadela **2** *pej* meretriz
▸ *vi inf* queixar-se, falar mal: ***she's always bitching about her ex-husband*** está sempre falando mal do ex-marido

bite [baɪt] *n* **1** mordida: ***she took a biteout of the apple*** ela deu uma mordida na maçã **2** picada: ***I'm allergic to mosquito bites*** sou alérgico a picadas de mosquito
▸ *vt-vi* (*pt* **bit** [bɪt], *pp* **bitten** ['bɪtən]) **1** morder: ***does this dog bite?*** este cachorro morde? **2** picar: ***I was bitten by a flea*** fui picado por uma pulga **3** roer: ***she is always biting her nails*** ela está sempre roendo as unhas

biting ['baɪtɪŋ] *adj* **1** *(wind)* cortante **2** *(caustic)* mordaz

bitten ['bɪtən] *pp* → **bite**

bitter ['bɪtəʳ] *adj* (*comp* **bitterer**, *superl* **bitterest**) **1** *(taste)* amargo **2** *(wind)* cortante, penetrante **3** *(resentful)* amargo, amargurado **4** *(hard)* doloroso, implacável, cruento
▸ *n* cerveja amarga
▸ *npl* **bitters** *bitter (tipo de bebida alcoólica feita de ervas e raízes amargas)*

bitterly ['bɪtəlɪ] *adv* amargamente, extremamente: ***bitterly disappointed*** extremamente decepcionado; ***it's bitterly cold*** está extremamente frio

bitterness ['bɪtənəs] *n* amargura

bizarre [bɪ'zɑːʳ] *adj* bizarro

blab [blæb] *vi* (*pt & pp* **blabbed**, *ger* **blabbing**) *inf* dar com a língua nos dentes

black [blæk] *adj-n* negro, preto
• **black and white** preto e branco
• **to put down something in black and white** colocar o preto no branco
▪ **black coffee** café puro, café preto

▪ **black eye** olho roxo
▪ **black hole** buraco negro
▪ **black market** mercado negro
▪ **black sheep** ovelha negra
▪ **to black out** *vt* escurecer
▸ *vi* desmaiar

black-and-blue [blækən'blu:] *adj* arroxeado

blackberry ['blækbərɪ] *n* (*pl* **-ies**) **1** amora **2**® tipo de celular com várias funções *(acesso à internet, editor de textos, etc.)*

blackbird ['blækbɜ:d] *n* melro

blackboard ['blækbɔ:d] *n* quadro-negro

blackcurrant [blæk'kʌrənt] *n* groselha preta

blacken ['blækən] *vt* **1** *(make black)* enegrecer **2** *fig* denegrir

blackhead ['blækhed] *n* MED cravo

blackish ['blækɪʃ] *adj* enegrecido

blackleg ['blækleg] *n* trapaceiro

blackmail ['blækmeɪl] *n* chantagem
▸ *vt* chantagear

blackmailer ['blækmeɪlə[r]] *n* chantagista

blackness ['blæknəs] *n* negrume, escuridão

blackout ['blækaʊt] *n* **1** blecaute: ***the storm caused a blackout*** a tempestade causou um blecaute **2** *(faint)* perda de consciência, desmaio

blacksmith ['blæksmɪθ] *n* ferreiro

bladder ['blædə[r]] *n* bexiga

blade [bleɪd] *n* **1** lâmina: ***razor blade*** lâmina de barbear **2** *(of oar, fan)* pá **3** *(of grass)* folha
▪ **shoulder blade** omoplata, escápula

blame [bleɪm] *n* culpa
▸ *vt* culpar, atribuir culpa a
• **to be to blame** ter culpa, ser culpado
• **to put the blame on** culpar, pôr a culpa em
• **to take the blame for something** assumir a responsabilidade por algo

blanch [blɑ:ntʃ] *vt* **1** COOK escaldar **2** *(bleach)* descorar, alvejar
▸ *vi* empalidecer

bland [blænd] *adj* insípido

blank [blæŋk] *adj* **1** *(page)* em branco **2** *(look)* vazio, vago **3** *(tape)* virgem
▸ *n* espaço em branco
• **my mind went blank** me deu um branco, fiquei incapaz de raciocinar
• **to draw a blank** ser mal-sucedido
▪ **blank cartridge** bala de festim
▪ **blank cheque** cheque em branco

blanket ['blæŋkɪt] *n* manta, cobertor
▸ *adj* geral, abrangente

blare [bleə[r]] *n* estrondo
▪ **to blare out** *vi* produzir um som muito alto

blaspheme [blæs'fi:m] *vi* blasfemar

blasphemous ['blæsfəməs] *adj* blasfemo

blasphemy ['blæsfəmɪ] *n* (*pl* **-ies**) blasfêmia

blast [blɑ:st] *n* **1** *(wind)* rajada **2** *(air, water, steam)* jato **3** *(sound)* toque **4** *(explosion)* explosão
▸ *vt* **1** *(blow up)* voar pelos ares, fazer voar **2** *(criticize)* criticar
▸ *interj* maldição!
• **at full blast 1** *(play music)* a todo volume **2** *fig* a todo vapor
▪ **blast furnace** alto-forno

blasted ['blɑ:stɪd] *adj* maldito

blast-off ['blɑ:stɒf] *n* (*pl* **blast-offs**) decolagem (*de espaçonave*), disparo (*de foguete*)

blatant ['bleɪtənt] *adj* **1** *(shameless)* desavergonhado, descarado **2** *(noisy)* barulhento, espalhafatoso

blaze [bleɪz] *n* **1** *(destructive fire)* incêndio **2** *(flames)* chama, labareda, fogueira **3** *(glare)* esplendor
▸ *vi* **1** *(fire)* arder em chamas **2** *(shine brightly)* resplandecer
• **like blazes** como louco
• **to blaze a trail** abrir caminho

blazer ['bleɪzə[r]] *n* *blazer*

bleach [bli:tʃ] *n* (*pl* **-es**) alvejante
▸ *vt* branquear, alvejar, descorar

bleak [bli:k] *adj* **1** *(desolate)* desolado, deserto **2** *(cold)* gélido **3** *(depressing)* desanimador

bleary ['blɪərɪ] *adj* (**-ier**, **-iest**) **1** *(blurred)* turvo, embaçado **2** *(indistinct)* indefinido

bleat [bli:t] *n* balido
▸ *vi* balir

bled [bled] *pt-pp* → **bleed**

bleed [bli:d] *vi* (*pt & pp* **bled** [bled]) sangrar

• **to bleed somebody dry** extorquir alguém

• **to bleed to death** sangrar até a morte

bleeding ['bli:dɪŋ] *adj vulg* safado,

▸ *n* hemorragia, sangramento

bleep [bli:p] *n* bipe *(som)*

▸ *vi* emitir bipe

▸ *vt* localizar *(com uma busca)*

bleeper ['bli:pəʳ] *n* bipe *(aparelho)*

blemish ['blemɪʃ] *n* (*pl* -**es**) imperfeição, defeito, *fig* mancha

blend [blend] *n* mistura

▸ *vt-vi* misturar(-se)

blender ['blendəʳ] *n* liquidificador

bless [bles] *vt* benzer, abençoar

• **bless you!** saúde!

blessed ['blesɪd] *adj* **1** *(holy)* bendito, abençoado **2** *(beatified)* beatificado

blessing ['blesɪŋ] *n* bênção

blew [blu:] *pt* → **blow**

blight [blaɪt] *n fig* praga

blind [blaɪnd] *adj* cego

▸ *n* persiana

▸ *vt* **1** cegar, ofuscar: ***the sun blinded the pilot*** o sol cegou o piloto **2** *(dazzle)* deslumbrar

• **to be blind** estar cego

• **to go blind** ficar cego

• **blind date** encontro às escuras

blinders ['blaɪndəz] *npl* US antolhos

blindfold ['blaɪndfəʊld] *n* venda (*de olhos*)

▸ *vt* vendar os olhos de

▸ *adj-adv* de olhos vendados, às cegas

blindly ['blaɪndlɪ] *adv* cegamente, às cegas

blindness ['blaɪndnəs] *n* cegueira

blink [blɪŋk] *n* piscadela

▸ *vi* piscar, pestanejar

• **on the blink** avariado

blinkers ['blɪŋkəz] *npl* antolhos

bliss [blɪs] *n* felicidade, contentamento

blister ['blɪstəʳ] *n* bolha, empola

blizzard ['blɪzəd] *n* nevasca

bloated ['bləʊtɪd] *adj* inchado

blob [blɒb] *n* **1** *(drop)* gota **2** *(stain)* mancha

bloc [blɒk] *n* POL bloco

block [blɒk] *n* **1** bloco: ***an ice block*** um bloco de gelo **2** quarteirão: ***we walked round the block*** demos a volta no quarteirão **3** bloqueio: ***a mental block*** um bloqueio mental **4** barreira: ***a road block*** uma barreira policial na estrada

▸ *vt* bloquear

▪ **block letters** maiúsculas, letras de imprensa

blockade [blɒ'keɪd] *n* bloqueio

▸ *vt* bloquear

blockage ['blɒkɪdʒ] *n* obstrução

blockhead ['blɒkhed] *n* imbecil

bloke [bləʊk] *n* GB *inf* sujeito, cara

blond [blɒnd] *adj-n* loiro

Escreve-se **blonde** quando se refere a uma mulher.

blood [blʌd] *n* sangue

▪ **blood group** grupo sanguíneo

▪ **blood pressure** pressão sanguínea: ***high/low blood pressure*** pressão sanguínea alta/baixa

bloodcurdling ['blʌdkɜ:dəlɪŋ] *adj* horripilante

bloodhound ['blʌdhaʊnd] *n* sabujo, cão de caça grossa

bloodless ['blʌdləs] *adj* incruento

bloodshed ['blʌdʃed] *n* derramamento de sangue

bloodshot ['blʌdʃɒt] *adj* injetado: ***bloodshot eyes*** olhos injetados

bloodstream ['blʌdstri:m] *n* circulação sanguínea

bloodthirsty ['blʌdθɜ:stɪ] *adj* (-**ier**, -**iest**) sanguinário

bloody ['blʌdɪ] *adj* (-**ier**, -**iest**) **1** sangrento, sanguinolento: ***a bloody battle*** uma batalha sangrenta **2** *inf* maldito, infame: ***this bloody dog*** esse maldito cachorro

bloody-minded [blʌdɪ'maɪndɪd] *adj* ranzinza

bloom [blu:m] *n* flor

▸ *vi* florescer, florir

bloomer ['blu:məʳ] *n* GB *inf* gafe, erro crasso

bloomers ['blu:məz] *npl* calções femininos

blooper ['blu:pəʳ] *n* US *inf* gafe, mancada

blossom ['blɒsəm] *n* flor: ***orange blossom*** flor de laranjeira
▸ *vi* florescer, florir

Refere-se especialmente às flores das árvores frutíferas.

blot [blɒt] *n* borrão
▸ *vt* (*pt & pp* **blotted**, *ger* **blotting**) **1** *(stain)* borrar, manchar **2** *(ink with a blotter)* secar, absorver
• **to blot one's copybook** *fig* manchar sua reputação
▪ **to blot out** *vt* **1** *(view)* ocultar, encobrir **2** *(memory)* apagar

blotch [blɒtʃ] *n* (*pl* **-es**) **1** *(spot)* mancha **2** *(blot)* borrão

blotter ['blɒtəʳ] *n* **1** mata-borrão: ***she used a blotter to blot the ink*** ela usou um mata-borrão para absorver a tinta **2** US registro de ocorrências: ***a police blotter*** um registro de ocorrências policiais

blotting-paper ['blɒtɪŋpeɪpəʳ] *n* mata-borrão

blouse [blaʊz] *n* blusa

blow[1] [bləʊ] *n* golpe
▪ **blow below the belt** golpe baixo

blow[2] [bləʊ] *vi* (*pt* **blew** [blu:], *pp* **blown** [bləʊn]) **1** *(wind)* soprar **2** *(fuse)* queimar **3** estourar: ***the tire blew*** o pneu estourou
▸ *vt* **1** *(instrument, horn)* tocar, fazer soar **2** *(nose)* assoar **3** *inf* dilapidar, esbanjar dinheiro: ***he blew all his savings on a car*** ele dilapidou todas as suas economias em um carro
• **blow you!** vá para o inferno!
• **to blow one's top** perder as estribeiras, irritar-se
▪ **to blow away** *vt* levar, arrancar
▸ *vi* ser levado pelo vento
▪ **to blow off** *vt* levar
▸ *vi* ser levado
▪ **to blow out** *vt-vi* apagar(-se)
▪ **to blow over** *vi* **1** amainar **2** ser esquecido
▪ **to blow up** *vt* **1** *(explode)* fazer explodir **2** *(tire)* encher, inflar **3** *(photo)* ampliar
▸ *vi* **1** explodir: ***the bombs blew up*** as bombas explodiram **2** perder a paciência: ***my mom is always blowing up*** minha mãe está sempre perdendo a paciência

blowlamp ['bləʊlæmp] *n* GB maçarico

blowout ['bləʊaʊt] *n* **1** *(tire)* estouro, furo **2** *inf* comilança, rega-bofe

blowpipe ['bləʊpaɪp] *n* zarabatana

blowtorch ['bləʊtɔ:tʃ] *n* (*pl* **-es**) US maçarico

blue [blu:] *adj* **1** *(color)* azul **2** *(depressed)* triste, deprimido
▸ *n* azul
• **once in a blue moon** esporadicamente
• **out of the blue** de forma inesperada
▪ **the blues** **1** *(feeling)* melancolia, depressão **2** MUS o *blues*

blueberry ['blu:bərɪ] *n* (*pl* **-ies**) mirtilo

blue-eyed ['blu:aɪd] *adj* de olhos azuis
▪ **blue-eyed boy** menino mimado

blueprint ['blu:prɪnt] *n* **1** PRINT cópia heliográfica **2** *(plan)* anteprojeto

bluetit ['blu:tɪt] *n* tipo de pássaro

bluff [blʌf] *n* **1** blefe: ***I think this is a bluff*** acho que é um blefe **2** *(crag)* penhasco, barranco
▸ *vi* blefar

bluish ['blu:ɪʃ] *adj* azulado

blunder ['blʌndəʳ] *n* disparate, gafe
▸ *vi* cometer uma gafe

blunt [blʌnt] *adj* **1** *(blade)* cego, sem corte, embotado **2** *(pencil)* rombudo **3** *(straightforward)* franco, curto e grosso
▸ *vt* **1** *(dull de edge)* embotar, perder o corte, perder o gume **2** *(weaken)* abrandar, enfraquecer

bluntly ['blʌntlɪ] *adv* abruptamente, sem rodeios

blur [blɜ:ʳ] *n* **1** *(blot)* mancha, névoa

blurred [blɜ:d] *adj* indistinto

blurt out ['blɜ:t'aʊt] *vt* deixar escapar, revelar

blush [blʌʃ] *n* (*pl* **-es**) rubor, vermelhidão
▸ *vi* ruborizar-se, enrubescer

bluster ['blʌstəʳ] *n* fanfarronada, tumulto
▸ *vt* fanfarronear, tumultuar

blustery ['blʌstərɪ] *adj* tempestuoso

boa ['bəʊə] *n* boa, jiboia

boar [bɔːʳ] *n* varrão
▪ **wild boar** javali

board [bɔːd] *n* **1** *(plank)* tábua, prancha **2** *(games)* tabuleiro **3** *(meals)* refeição, pensão **4** *(on wall)* quadro de avisos **5** COMPUT placa **6** *(committee)* junta, conselho
▸ *vt* embarcar
▸ *vi* alojar em pensão, dar pensão a
• **on board** a bordo
• **above board** legal, transparente, limpo
• **across the board** geral
▪ **board of directors** conselho administrativo
▪ **full board** pensão completa
▪ **half board** meia pensão

boarder ['bɔːdəʳ] *n* hóspede, pensionista

boarding ['bɔːdɪŋ] *n* **1** *(embarkment)* embarque **2** *(pension)* pensão, alojamento
▪ **boarding card** cartão de embarque
▪ **boarding house** pensão *(de hóspedes)*
▪ **boarding school** internato, pensionato

boast [bəʊst] *n* jactância
▸ *vi* jactar-se, gabar-se
▸ *vt* ostentar

boastful ['bəʊstfʊl] *adj* orgulhoso, pretensioso

boat [bəʊt] *n* barco, barca, bote, embarcação

boating ['bəʊtɪŋ] *n* passeio de barco
• **to go boating** dar um passeio de barco

boatload ['bəʊtləʊd] *n* capacidade de carga e de passageiros de uma embarcação

boatswain ['bəʊsən] *n* contramestre de navio

bob¹ [bɒb] *n* mecha de cabelos
▸ *vt (pt & pp* ***bobbed****, ger* ***bobbing****)* cortar o cabelo curto
• **to bob up and down** balançar-se

bob² [bɒb] *n* GB *inf* xelim

bobbin ['bɒbɪn] *n* bobina, carretel

bobby ['bɒbɪ] *n (pl* **-ies***)* GB *inf* policial

bode [bəʊd] *pt* → **bide**
▸ *vt-vi* pressagiar
• **to bode ill/well** fazer mau/bom agouro

bodice ['bɒdɪs] *n* corpete

bodily ['bɒdɪlɪ] *adj* **1** *(corporal)* corpóreo, corporal **2** *(needs)* material **3** *(pain)* físico
▸ *adv* **1** *(in the flesh, in person)* fisicamente, em pessoa **2** *(altogether)* como um todo

body ['bɒdɪ] *n (pl* **-ies***)* **1** corpo: ***the human body*** o corpo humano **2** *(corpse)* cadáver **3** *(society)* organismo, corpo, entidade, sociedade, órgão, conjunto **4** *(of a car, plane)* carroceria, fuselagem

body-building ['bɒdɪbɪldɪŋ] *n* fisiculturismo, musculação

bodyguard ['bɒdɪgɑːd] *n* guarda-costas

bodywork ['bɒdɪwɜːk] *n* carroceria, lataria

bog [bɒg] *n* pântano, lodaçal, atoleiro
• **to get bogged down** *fig* atolar-se

bogey¹ ['bəʊgɪ] *n sl* **1** espectro, fantasma: ***the threat of war was a bogey for everyone*** a ameaça de guerra era um fantasma para todos **2** *inf* meleca

bogey² ['bəʊgɪ] *n* tipo de tacada *(no golfe)*

bogeyman¹ ['bəʊgɪmæn] *n* bicho-papão

bogus ['bəʊgəs] *adj* falso, falsificado

bohemian [bəʊ'hiːmɪən] *adj-n* boêmio

boil¹ [bɔɪl] *n* **1** MED furúnculo **2** fervura

boil² [bɔɪl] *vt-vi* ferver, aferventar
• **to come to the boil** começar a ferver
▪ **to boil down to** *vt fig* reduzir-se a

boiler ['bɔɪləʳ] *n boiler*, caldeira

boiling ['bɔɪlɪn] *adj* **1** fervente, tórrido, ardente: ***a boiling sun*** um sol ardente **2** muito agitado: ***a boiling sea*** um mar muito agitado
▪ **boiling point** ponto de ebulição

boisterous ['bɔɪstərəs] *adj* turbulento, impetuoso

bold [bəʊld] *adj* **1** *(fearless)* corajoso **2** insolente, atrevido: ***a bold chid*** uma criança insolente **3** *(color)* nítido
■ **bold type** negrito

boldness ['bəʊldnəs] *n* audácia, ousadia

Bolivia [bə'lɪvɪə] *n* Bolívia

Bolivian [bə'lɪvɪən] *adj-n* boliviano

bolshie ['bɒlʃɪ] *adj* GB *inf* radical (*de bolchevique*)

bolshy ['bɒlʃɪ] *adj* (**-ier**, **-iest**) GB o mesmo que *bolshie*

bolster ['bəʊlstəʳ] *n* **1** *(cushion)* travesseiro, almofada **2** *(part)* calço
▸ *vt* apoiar com almofada

bolt [bəʊlt] *n* **1** *(lock)* trinco, ferrolho **2** *(with nut)* parafuso **3** *(lightning)* raio
▸ *vt* **1** *(lock)* trancar, fechar com ferrolho **2** aparafusar: ***he bolted the loose end*** ele aparafusou a extremidade solta **3** *inf* engolir às pressas
▸ *vi* sair em disparada
• **bolt upright** teso, retesado
• **to make a bolt for it** tentar escapar em direção a

bomb [bɒm] *n* bomba
▸ *vt* **1** *(bombard)* bombardear, colocar uma bomba em **2** *inf* levar bomba, ir mal: ***I bombed my math test*** levei bomba na prova de matemática
■ **bomb scare** ameaça de bomba

bombard [bɒm'bɑ:d] *vt* bombardear

bombastic [bɒm'bæstɪk] *adj* bombástico

bomber ['bɒməʳ] *n* **1** *(aircraft)* bombardeiro **2** *(terrorist)* terrorista que coloca bombas

bombing ['bɒmɪŋ] *n* **1** *(by aircraft)* bombardeio **2** *(by terrorists)* atentado a bomba

bombproof ['bɒmpru:f] *adj* à prova de bombas

bombshell ['bɒmʃel] *n* **1** *(explosive)* granada de artilharia **2** *fig* bomba: ***the news fell as a bombshell*** a notícia caiu como uma bomba **3** *inf* mulher muito bonita

bona fide [bəʊnə'faɪdɪ] *adj* **1** legítimo, autêntico: ***a bona fide Renoir*** um autêntico Renoir **2** de boa-fé: ***a bona fide offer*** uma oferta de boa-fé

bond [bɒnd] *n* **1** *(link)* laço, vínculo **2** FIN título, bônus, obrigação **3** LAW fiança **4** *(promisse)* compromisso
▸ *vt-vi* ligar, unir

bondage ['bɒndɪdʒ] *n* servidão, escravidão

bone [bəʊn] *n* **1** *(vertebrate)* osso **2** *(fish)* espinha
▸ *vt* **1** *(meat)* desossar **2** *(fish)* tirar as espinhas
■ **bone of contention** pomo de discórdia

bone-idle [bəʊn'aɪdəl] *adj* boa-vida, preguiçoso

bonfire ['bɒnfaɪəʳ] *n* fogueira

Na Grã-Bretanha, **Bonfire night** é a noite de 5 de novembro, comemorada com fogueiras e fogos de artifício.

bonkers ['bɒŋkəz] *adj* GB *inf* bobo, estúpido

bonnet ['bɒnɪt] *n* **1** *(hat)* gorro, touca, capuz **2** *(of car)* capô

bonny ['bɒnɪ] *adj* (**-ier**, **-iest**) bonito

bonus ['bəʊnəs] *n* (*pl* **bonuses**) bônus, bonificação

bony ['bəʊnɪ] *adj* (**-ier**, **-iest**) **1** *(vertebrate)* ossudo **2** *(fish)* cheio de espinhas

boo [bu:] *interj* uh!
▸ *n* (*pl* ***boos***) vaia
▸ *vt-vi* (*pt & pp* ***booed***) vaiar

boob[1] [bu:b] *n inf* gafe, mancada
▸ *vi inf* cometer uma gafe

boob[2] [bu:b] *n inf* seio

booby prize ['bu:bɪpraɪz] *n* prêmio de consolação

booby trap ['bu:bɪtræp] *n* mina explosiva
▸ *vt* **booby-trap** pôr uma bomba em

book [bʊk] *n* livro
▸ *vt* **1** *(register)* reservar **2** *(driver)* autuar
▸ *npl* **books** livro comercial, livro contábil

bookcase ['bʊkkeɪs] *n* estante

booking ['bʊkɪŋ] *n* reserva
■ **booking office** bilheteria

bookkeeping ['bʊkki:pɪŋ] *n* escrituração, contabilidade

booklet ['bʊklət] *n* livreto, folheto

bookmaker ['bʊkmeɪkəʳ] *n* GB *bookmaker*, corretor de apostas

bookmark ['bʊkmɑ:kʳ] *n* **1** *(marker)* marcador de página **2** COMPUT favorito

bookseller ['bʊkseləʳ] *n* livreiro

bookshelf ['bʊkʃelf] *n* (*pl* **book-shelves**) estante de livros

bookshop ['bʊkʃɒp] *n* GB livraria

bookstore ['bʊkstɔ:ʳ] *n* US livraria

bookworm ['bʊkwɜ:m] *n* **1** ZOOL traça de livros **2** *fig* rato de biblioteca

boom¹ [bu:m] *n* **1** *(noise)* estrondo **2** ECON rápida expansão, *boom*
▸ *vi* estrondar
▸ *interj* **boom!** bum!

boom² [bu:m] *n fig boom*, auge
▸ *vi* estar no auge

boomerang ['bu:məræŋ] *n* bumerangue

boor [bʊəʳ] *n* campônio, pessoa rude

boorish ['bʊərɪʃ] *adj* tosco, rústico, rude

boost [bu:st] *n* **1** *(push)* empurrão **2** *fig* estímulo
▸ *vt* **1** *(raise)* aumentar, incrementar **2** *(promote)* estimular, impulsionar

boot [bu:t] *n* **1** *(footwear)* bota **2** GB *(trunk) porta*-malas **3** *(kick)* pontapé
▸ *vt-vi* **1** *(kick)* chutar **2** *inf* botar alguém na rua
• **to boot** ademais
▪ **to boot out** *vt* demitir

booth [bu:ð] *n* **1** cabina: ***telephone booth*** cabina telefônica; ***voting booth*** cabina de votação **2** *(fair)* barraca

bootlegger ['bu:tlegəʳ] *n* contrabandista

booty ['bu:tɪ] *n* butim, roubo, pilhagem

booze [bu:z] *n inf* bebida alcoólica
▸ *vi inf* embebedar-se

boozer ['bu:zəʳ] *n inf* **1** *(person) beberrão* **2** *inf* taberna

bop¹ [bɒp] *n* soco, murro
▸ *vt* (*pt & pp* **bopped**, *ger* **bopping**) socar, esmurrar

bop² [bɒp] *n (short for bebop)* tipo de *jazz*
▸ *vi* (*pt & pp* **bopped**, *ger* **bopping**) dançar o *bebop*

border ['bɔ:dəʳ] *n* **1** *(boundary)* fronteira **2** *(edge)* borda, margem **3** *(strip)* debrum
▪ **to border on** *vt* **1** limitar-se com: ***our garden borders on the park*** nosso jardim limita-se com o parque **2** *fig* beirar, chegar às raias de: ***his behavior borders on insolence*** seu comportamento beira a insolência

bore¹ [bɔ:ʳ] *pt* → **bear**

bore² [bɔ:ʳ] *n* **1** *(hole)* perfuração **2** *(caliber)* calibre
▸ *vt* perfurar
• **to bore a hole** abrir um buraco

bore³ [bɔ:ʳ] *n* chato
▸ *adj* maçante, entediante
▸ *vt* entediar

bored [bɔ:d] *adj* entediado
• **to get bored** entediar-se

boredom ['bɔ:dəm] *n* tédio, aborrecimento

boring ['bɔ:rɪŋ] *adj* tedioso, enfadonho

born [bɔ:n] *pp* → **bear**
▪ *adj* nato: ***he's a born loser*** ele é um perdedor nato
• **to be born** nascer: ***he was born in London*** ele nasceu em Londres

borne [bɔ:n] *pp* → **bear**

borough ['bʌrə] *n* **1** distrito **2** GB município

borrow ['bɒrəʊ] *vt* tomar emprestado, pedir emprestado

borrower ['bɒrəʊəʳ] *n* aquele que pede ou toma emprestado

bosom ['bʊzəm] *n* **1** *(chest)* peito **2** *(breast)* seio
▪ **bosom friend** amigo do peito

boss [bɒs] *n* (*pl* **-es**) chefe, patrão
▪ **to boss around** *vt* mandar, dar ordens

bossy ['bɒsɪ] *adj* (**-ier**, **-iest**) mandão, déspota

botanical [bə'tænɪkəl] *adj* botânico

botanist ['bɒtənɪst] *n* botânico

botany ['bɒtənɪ] *n* botânica

botch [bɒtʃ] *n* (*pl* **-es**) remendo
▸ *vt* remendar

both [bəʊθ] *adj, pron* ambos, um e outro, os dois

▸ *conj* ao mesmo tempo: ***it's both cheap and good*** é ao mesmo tempo bom e barato

• **both... and** tanto... como: ***both his father and his mother are doctors*** tanto o pai como a mãe são médicos

bother ['bɒðəʳ] *n* aborrecimento, amolação

▸ *vt* **1** *(irritate)* importunar, incomodar **2** *(worry)* preocupar

▸ *vi* dar-se ao trabalho, preocupar-se: ***he didn't even bother to ring*** ele sequer se preocupou em telefonar

• **not to be bothered** não ter vontade: ***I can't be bothered to go out*** não tenho vontade de sair

bottle ['bɒtəl] *n* **1** garrafa, frasco: ***a wine bottle*** uma garrafa de vinho; ***a perfume bottle*** um frasco de perfume **2** mamadeira: ***the baby took all the bottle*** o bebê tomou toda a mamadeira

▸ *vt* engarrafar

■ **bottle bank** contêiner para guardar recipientes de vidro para reciclagem

■ **bottle opener** abridor de garrafas

bottleneck ['bɒtəlnek] *n* gargalo

bottom ['bɒtəm] *n* **1** *(of box, sea)* fundo **2** *(of page, list)* pé **3** *(of mountain, hill)* sopé, base **4** *(the lowest part)* parte mais baixa, parte inferior **5** origem, fonte: ***the bottom of the problem*** a origem do problema **6** *(buttocks)* traseiro

▸ *adj* último

• **to get to the bottom of something** esclarecer, chegar ao fundo de alguma coisa

bottomless ['bɒtəmləs] *adj* **1** *(with no bottom)* sem fundo **2** inesgotável, sem limites: ***bottomless funds*** fundos inesgotáveis **3** *fig* insondável: ***one of the bottomless mysteries of life*** um dos mistérios insondáveis da vida

bough [baʊ] *n* ramo, galho de árvore

bought [bɔːt] *pt-pp* → **buy**

boulder ['bəʊldəʳ] *n* matacão

bounce [baʊns] *n* pulo, salto

▸ *vi* **1** *(rebound)* quicar **2** *(check)* ser devolvido *(por insuficiência de fundos)*

▸ *vt* fazer saltar

bouncer ['baʊnsəʳ] *n inf* leão de chácara

bound¹ [baʊnd] *pt-pp* → **bind**

▸ *adj* **1** *(tied)* amarrado, preso **2** *(legally or morally)* obrigado **3** encadernado: ***bound volumes*** volumes encadernados

bound² [baʊnd] *adj* certo, com certeza: ***Sue's bound to win*** Sue está certa de que ganhará

• **bound for** com destino a

bound³ [baʊnd] *n* salto, pulo

▸ *vi* saltar

boundary ['baʊndərɪ] *n* (*pl* **-ies**) limite, fronteira

bounds [baʊndz] *npl* limites

bouquet [buː'keɪ] *n* buquê

bourgeois ['bʊəʒwɑːʳ] *adj-n* burguês

bourgeoisie [bʊəʒwɑː'ziː] *n* burguesia

bout [baʊt] *n* **1** *(spell)* período, sessão **2** surto: ***a bout of flu*** um surto de gripe **3** *(contest)* combate, peleja

boutique [buː'tiːk] *n* butique, loja

bow¹ [baʊ] *n* reverência

▸ *vi* inclinar-se, fazer uma reverência

bow² [bəʊ] *n* **1** *(weapon)* arco **2** MUS arco **3** *(knot)* laço

■ **bow tie** gravata-borboleta

bow³ [baʊ] *n* proa

bowel ['baʊəl] *n* intestino

▸ *npl* **bowels** entranhas, vísceras

bowl¹ [bəʊl] *n* **1** *(vessel)* tigela, vaso **2** *(for washing)* bacia, tina **3** *(goblet)* taça **4** US estádio

bowl² [bəʊl] *vi* jogar boliche, arremessar a bola de boliche

▸ *n* bola *(de boliche, bocha, críquete etc.)*

bow-legged ['bəʊlegd] *adj* cambaio, de pernas arqueadas

bowler¹ ['bəʊləʳ] (também **bowler hat**) *n* chapéu-coco

bowler² ['bəʊləʳ] *n* **1** *(bowling)* jogador **2** *(cricket)* lançador

bowling ['bəʊlɪŋ] *n* boliche

• **to go bowling** jogar boliche

■ **bowling alley** pista de boliche

bowls [bəʊlz] *npl* jogo de bocha

box¹ [bɒks] *n* (*pl* **boxes**) **1** *(conteiner)* caixa **2** *(crate)* caixote **3** *(for jewels)* estojo **4** THEATRE camarote **5** GB *inf* televisão

▸ *vt* pôr em caixas, encaixotar

■ **box office** bilheteria

box² [bɒks] *vi* boxear

box³ [bɒks] *n* (*pl* **boxes**) BOT buxo

boxer ['bɒksəʳ] *n* **1** boxeador, pugilista: ***Muhammad Ali was a great boxer*** Muhammad Ali foi um grande pugilista **2** *(dog)* bóxer

boxing ['bɒksɪŋ] *n* boxe, pugilismo
▪ **Boxing Day** GB Dia de Santo Estêvão (*primeiro dia útil após o Natal, quando o comércio entra em liquidação*)

boy [bɔɪ] *n* menino, garoto, jovem
▪ **boy scout** escoteiro

boycott ['bɔɪkɒt] *n* boicote
▸ *vt* boicotar

boyfriend ['bɔɪfrend] *n* namorado, amigo

boyhood ['bɔɪhʊd] *n* meninice

boyish ['bɔɪɪʃ] *adj* infantil, pueril

bps ['biː'piː'es] *abbr* (***bits per second***) *bits* por segundo, bps

bra [brɑː] *n* → **sutiã**

brace [breɪs] *n* **1** *(support)* braçadeira **2** *(on teeth)* aparelho ortodôntico **3** *(mark)* chave
▸ *vt* reforçar
▸ *npl* **braces** tirantes
• **to brace oneself for something** preparar-se para algo

bracelet ['breɪslət] *n* pulseira, bracelete

bracing ['breɪsɪŋ] *adj* revigorante, tonificante

bracket ['brækɪt] *n* **1** parêntese: ***in brackets*** entre parênteses **2** *(brace)* suporte **3** *(clamp)* forquilha, grampo
▪ **square brackets** colchetes

brag [bræg] *vi* (*pt & pp* ***bragged***, *ger* ***bragging***) gabar-se

braid [breɪd] *n* US trança

Braille [breɪl] *n* Braille

brain [breɪn] *n* cérebro
▸ *npl* **brains** inteligência
▪ **brain wave** **1** MED onda cerebral **2** *fig* ideia genial: ***what a brain wave you've had!*** que ideia genial você teve!

brainy ['breɪnɪ] *adj* (**-ier**, **-iest**) *inf* inteligente

brake [breɪk] *n* freio
▸ *vt-vi* frear

bramble ['bræmbəl] *n* silva, sarça

bran [bræn] *n* farelo

branch [brɑːntʃ] *n* (*pl* **-es**) **1** *(limb)* galho, ramo **2** *(road)* ramal **3** COMM filial, sucursal
▸ *vi* bifurcar-se, ramificar-se

brand [brænd] *n* marca
▸ *vt* marcar, estigmatizar
▪ **brand name** nome comercial, marca

brandish ['brændɪʃ] *vt* brandir

brand-new [bræn'njuː] *adj* novo em folha

brandy ['brændɪ] *n* (*pl* **-ies**) conhaque

brass [brɑːs] *n* (*pl* **-es**) **1** *(alloy)* latão **2** MUS metais

brassiere ['bræzɪəʳ] *n* sutiã

brat [bræt] *n inf* pirralho

brave [breɪv] *adj* valente
▸ *vt* **1** *(challenge)* desafiar **2** *(resist)* enfrentar, encarar

bravery ['breɪvərɪ] *n* bravura, valentia

bravo [brɑː'vəʊ] *interj* bravo!

brawl [brɔːl] *n* briga, alvoroço

Brazil [brə'zɪl] *n* Brasil

Brazilian [brə'zɪlɪən] *adj-n* brasileiro

breach [briːtʃ] *n* (*pl* **-es**) **1** *(gap)* brecha, abertura **2** *(of a contract)* descumprimento **3** *(breaking)* ruptura

bread [bred] *n* **1** *(loaf)* pão **2** *sl* grana

breadth [bredθ] *n* largura

break [breɪk] *n* **1** *(crack, split)* quebra **2** *(rest)* descanso **3** *(pause)* interrupção, pausa, intervalo **4** *(chance)* oportunidade
▸ *vt* (*pt* ***broke*** [brəʊk], *pp* ***broken*** ['brəʊkən]) **1** *(smash)* quebrar **2** *(record)* bater **3** *(promise, contract)* descumprir, infringir **4** *(news)* comunicar **5** *(code)* decifrar **6** *(journey)* interromper **7** *(fall)* amortecer
▸ *vi* **1** quebrar-se, partir-se: ***the vase you gave me broke*** o vaso que você me deu se quebrou **2** quebrar, parar de funcionar: ***my TV broke*** minha TV quebrou **3** *(burst)* irromper **4** *(bankrupt)* falir
▪ **to break down** *vt* **1** *(destroy)* derrubar, demolir **2** *(figures)* separar, decompor

▸ vi 1 avariar: ***my car has broken down*** meu carro foi avariado 2 ter um colapso nervoso: ***she broke down when she was told about the bad news*** ela teve um colapso nervoso quando lhe deram a má notícia
▪ **to break in** *vt* irromper
▸ vi forçar uma entrada
▪ **to break into** *vt* arrombar
▪ **to break out** *vi* 1 *(prisoners)* escapar 2 *(war)* estourar
▪ **to break up** *vt* dissolver, dissipar (multidão)
▸ vi 1 despedaçar(-se) 2 *(marriage, romance)* separar-se, desmanchar, acabar

breakdown ['breɪkdaʊn] *n* 1 *(communication)* interrupção 2 MUS colapso nervoso 3 *(machine)* enguiço, avaria 4 *(figures)* análise, decomposição

breakfast ['brekfəst] *n* café da manhã, desjejum
▸ vi tomar o café da manhã
• **to have breakfast** tomar o café da manhã

break-in ['breɪkɪn] *n* assalto, arrombamento

breakthrough ['breɪkθru:] *n* 1 MIL invasão 2 *(achievement)* descoberta importante, avanço

breakwater ['breɪkwɔ:təʳ] *n* quebra--mar

breast [brest] *n* 1 *(chest)* peito 2 *(of woman)* seios

breast-feed ['brestfi:d] *vt* amamentar

breaststroke ['breststrəʊk] *n* nado de peito

breath [breθ] *n* respiração, fôlego
• **out of breath** sem fôlego
• **to hold your breath** prender a respiração
• **to take a deep breath** respirar fundo
▪ **a breath of fresh air** um pouco de ar fresco

breathalyse ['breθəlaɪz] *vt* testar com bafômetro

Breathalyser® ['breθəlaɪzəʳ] *n* bafômetro

breathe [bri:ð] *vt-vi* respirar

breathing ['bri:ðɪŋ] *n* respiração

breathless ['breθləs] *adj* sem fôlego

bred [bred] *pt-pp* → **breed**

breeches ['brɪtʃɪz] *npl* calções

breed [bri:d] *n* raça
▸ *vt* (*pt & pp* ***bred*** [bred]) criar
▸ *vi* reproduzir(-se)

breeding ['bri:dɪŋ] *n* 1 procriação, criação: ***cattle breeding*** criação de gado 2 ascendência, linhagem: ***a person of noble breeding*** uma pessoa de linhagem nobre 3 educação, maneiras, modos: ***a man of good breeding*** um homem de boas maneiras

breeze [bri:z] *n* brisa

brew [bru:] *n* 1 *(beer)* fermentação 2 *(tea)* infusão
▸ *vt* 1 *(beer)* fermentar 2 *(tea)* preparar, fazer 3 *(devise)* armar, tramar
▸ *vi* fermentar

brewery ['brʊərɪ] *n* (*pl* **-ies**) cervejaria

bribe [braɪb] *n* suborno
▸ *vt* subornar

bribery ['braɪbərɪ] *n* suborno

bric-a-brac ['brɪkəbræk] *n* bricabraque

brick [brɪk] *n* tijolo
• **to drop a brick** GB *inf* dizer uma asneira

bricklayer ['brɪkleɪəʳ] *n* pedreiro

bride [braɪd] *n* noiva (no dia do casamento)

bridegroom ['braɪdgru:m] *n* noivo (no dia do casamento)

bridesmaid ['braɪdzmeɪd] *n* dama de honra

bridge [brɪdʒ] *n* 1 *(pathway, dentistry)* ponte 2 *(nose)* dorso, cavalete 3 NAUT ponte de comando 4 GAME *bridge*
▸ *vt* 1 *(build a bridge)* construir ponte sobre 2 *(gap)* transpor

bridle ['braɪdəl] *n* brida, freio
▸ *vt* frear
▸ *vi* restringir

brief [bri:f] *adj* breve
▸ *n* (*pl* **briefs**) 1 *(official letter)* informe 2 *(summary)* síntese, resumo 3 LAW causa
▸ *vt* 1 *(inform)* informar 2 *(instruct)* dar instruções
• **in brief** em resumo

briefcase ['bri:fkeɪs] *n* pasta, valise

briefs [bri:fs] *npl* 1 *(for men)* cuecas 2 *(for women)* calcinhas

brigade [brɪ'geɪd] *n* brigada

bright [braɪt] *adj* 1 *(shining)* brilhante 2 *(color)* vivo 3 *(auspicious)* promissor 4 *(clever)* inteligente 5 *(happy)* alegre, animado 6 *(idea)* brilhante, genial

• **to get up bright and early** madrugar

brighten ['braɪtən] *vi* animar(-se), alegrar(-se)

▸ abrilhantar, tornar brilhante

▪ **to brighten up** *vi* animar(-se), tornar mais alegre

brightness ['braɪtnəs] *n* 1 *(luminance)* luminosidade, brilho 2 brilhantismo: ***she is recognized for her brightness*** ela é reconhecida por seu brilhantismo

brilliant ['brɪljənt] *adj* brilhante

brim [brɪm] *n* 1 *(edge)* borda 2 *(hat)* aba

▸ *vi (pt & pp* ***brimmed****, ger* ***brimming****)* encher até a borda

bring [brɪŋ] *vt (pt & pp* ***brought*** [brɔ:t]) trazer, levar, conduzir: ***he brought his sister to the party*** ele trouxe a irmã para a festa; ***he was brought before the court*** ele foi conduzido ao tribunal; ***this path brings you to the church*** este caminho leva à igreja

• **to bring a charge against somebody** LAW acusar alguém

▪ **to bring about** *vt* provocar, causar

▪ **to bring back** *vt* devolver, trazer de volta: ***to bring back memories of*** trazer de volta lembranças de

▪ **to bring down** *vt* 1 *(government)* derrubar 2 *(lower)* abaixar

▪ **to bring forward** *vt* adiantar

▪ **to bring in** *vt* 1 *(legislation)* introduzir 2 *(income)* produzir, render 3 *(verdict)* pronunciar

▪ **to bring off** *vt* 1 *(deal)* fechar 2 *(task, plan)* levar a cabo

▪ **to bring on** *vt* provocar, ocasionar

▪ **to bring out** *vt* 1 *(object)* tirar 2 *(book, product)* lançar

▪ **to bring round** *vt* 1 *(convince)* persuadir, convencer 2 *(unconscious person)* fazer recobrar a consciência

▪ **to bring to** *vt* fazer recobrar a consciência

▪ **to bring up** *vt* 1 *(person)* criar, educar 2 *(question)* introduzir 3 *(food)* vomitar

brink [brɪŋk] *n* beira

• **on the brink of** a ponto de, à beira de: ***on the brink of ruin*** à beira da ruína

brisk [brɪsk] *adj* 1 *(vigorous)* vigoroso, enérgico 2 *(speedy)* rápido

• **to go for a brisk walk** sair para uma caminhada rápida

bristle ['brɪsəl] *n* cerda

▸ *vi* eriçar-se

▪ **to bristle with** *vt fig* estar cheio de

Britain ['brɪtən] *n* Bretanha

▪ **Great Britain** Grã-Bretanha

British ['brɪtɪʃ] *adj* britânico

▸ *npl* **the British** os britânicos

brittle ['brɪtəl] *adj* (*comp* ***brittler****, superl* ***brittlest***) quebradiço, frágil

broad [brɔ:d] *adj* 1 *(wide)* largo, amplo, extenso, vasto 2 geral: ***a broad rule*** uma lei geral 3 carregado: ***he has a broad accent*** ele tem um sotaque carregado 4 aberto, liberal: ***he has broad views regarding politics*** ele tem visões liberais relacionadas à política

• **in broad daylight** em pleno dia

▪ **broad bean** fava

broadcast ['brɔ:dkɑ:st] *n (radio, TV)* transmissão

▸ *vt (pt & pp* ***broadcast****)* transmitir

broadcasting ['brɔ:dkɑ:stɪŋ] *n* 1 *(radio)* radiodifusão 2 *(TV)* transmissão

broaden ['brɔ:dən] *vt-vi* alargar(-se)

• **to broaden the mind** ampliar os horizontes

broadly ['brɔ:dlɪ] *adv* em geral

broad-minded [brɔ:d'maɪndɪd] *adj* liberal, tolerante

broccoli ['brɒkəlɪ] *n* brócolis

brochure ['brəʊʃə^r^] *n* folheto, brochura

broil [brɔɪl] *vt* US grelhar

broiler ['brɔɪlə^r^] *n* ave a ser grelhada

broke [brəʊk] *pt* → **break**

▸ *adj inf* sem dinheiro

• **to go broke** arruinar-se

broken ['brəʊkən] *pp* → **break**

▸ *adj* 1 quebrado: ***a broken glass*** um copo quebrado; ***a broken leg*** uma perna quebrada; ***a broken radio*** um rádio quebrado; ***a broken firm*** uma firma quebrada 2 incompleto; ***a broken set of books*** uma coleção incompleta de livros 3 imperfeito, incorreto: ***a broken English*** um inglês imperfeito

broker ['brəʊkə^r] *n* corretor

brolly ['brɒlɪ] *n* (*pl* **-ies**) GB *inf* guarda--chuva

bromide ['brəʊmaɪd] *n* brometo

bromine ['brəʊmaɪn] *n* bromo

bronchitis [brɒŋ'kaɪtəs] *n* bronquite

bronze [brɒnz] *n* bronze
▸ *adj* de bronze

brooch [brəʊtʃ] *n* (*pl* **-es**) broche

brood [bru:d] *vi* 1 *(meditate)* cismar, matutar, ruminar 2 *(eggs)* chocar

brook [brʊk] *n* riacho

broom [bru:m] *n* vassoura

broomstick ['bru:mstɪk] *n* cabo de vassoura

Bros [brɒs] *abbr* (***Brothers***) COMM Irmãos

broth [brɒθ] *n* caldo

brothel ['brɒθəl] *n* bordel

brother ['brʌðə^r] *n* irmão

brotherhood ['brʌðəhʊd] *n* irmandade, fraternidade

brother-in-law ['brʌðərɪnlɔ:] *n* cunhado

brotherly ['brʌdəlɪ] *adj* fraternal, fraterno

brought [brɔ:t] *pt-pp* → **bring**

brow [braʊ] *n* 1 *(forehead)* testa, fronte 2 *(eyebrow)* sobrancelha 3 *(hill)* cume

browbeat ['braʊbi:t] *vt* (*pt* ***browbeat*** ['braʊbi:t], *pp* ***browbeaten*** ['braʊbi:tən]) intimidar

brown [braʊn] *adj* 1 *(color)* marrom, castanho 2 *(dark complexion)* moreno 3 *(rice, bread, flour)* integral
▸ *vt* dourar

browse [braʊz] *vi* 1 *(animal)* pastar 2 *(books, magazine)* passar os olhos, folhear
• **to browse the Web** navegar na internet

browser ['braʊzə^r] *n* COMPUT navegador

bruise [bru:z] *n* hematoma, contusão
▸ *vt-vi* contundir(-se)

brunette [bru:'net] *n* morena, mulher de cabelos escuros
▸ *adj (hair color)* castanho, escuro

brush [brʌʃ] *n* (*pl* **-es**) 1 *(for scrubbing)* escova 2 *(for painting)* pincel, broxa 3 BOT mato, erva daninha
▸ *vt* 1 escovar 2 roçar
▪ **to brush up** *vt* revisar, repassar

brush-off ['brʌʃɒf] *n* (*pl* **brush-offs**)
• **to give somebody the brush-off** dar o fora em alguém

brusque [bru:sk] *adj* brusco, áspero

Brussels ['brʌsəlz] *n* Bruxelas
▪ **Brussels sprout** couve-de-bruxelas

brutal ['bru:təl] *adj* brutal

brutality [bru:'tælɪtɪ] *n* brutalidade

brute [bru:t] *adj-n* bruto

brutish ['bru:tɪʃ] *adj* animalesco, bestial

BSc ['bi:'es'si:] *abbr* (***Bachelor of Science***) bacharel em Ciências

Bt ['bærənət] *abbr* (***Baronet***) baronete

BTA ['bi:'ti:'eɪ] *abbr (British Tourist Authority) orgão britânico que regula o turismo*

bubble ['bʌbəl] *n* bolha
▸ *vi* borbulhar
▪ **bubble bath** banho de espuma
▪ **bubble gum** goma de mascar, chiclete

bubbly ['bʌblɪ] *adj* (*-**ier**, -**iest***) borbulhante, efervescente

buck¹ [bʌk] *n* US *inf* dólar
• **to pass the buck to somebody** *inf* passar a bola para alguém, fazer o jogo de empurra

buck² [bʌk] *n* 1 *(deer, antelope, rabbit)* macho 2 *(dandy)* janota
▸ *vi* corcovear
▪ **to buck up** *vt inf*: ***buck your ideas up!*** tome jeito!
▸ *vi* animar-se

bucket ['bʌkɪt] *n* balde

buckle ['bʌkəl] *n* fivela
▸ *vt* afivelar
▸ *vi (wrap)* dobrar, curvar
▪ **to buckle down** *vi* empenhar-se, aplicar-se com afinco

bucolic [bju:'kɒlɪk] *adj* bucólico

bud [bʌd] *n* botão, broto

Buddhism ['bʊdɪzəm] *n* budismo

Buddhist ['bʊdɪst] *adj-n* budista

budding ['bʌdɪŋ] *adj* em botão, em ascensão

buddy ['bʌdɪ] *n* (*pl* **-ies**) US *inf* colega, camarada

budge [bʌdʒ] *vt-vi* mover(-se), mexer-se (em frases negativas)

budget ['bʌdʒɪt] *n* orçamento
▸ *vt-vi* orçar, fazer orçamento

buff[1] [bʌf] *n* cor de camurça
▸ *adj* da cor de camurça

buff[2] [bʌf] *n inf* aficionado

buffalo ['bʌfələʊ] *n* (*pl* **buffaloes**) búfalo

buffer ['bʌfə^r] *n* **1** (*device*) amortecedor **2** COMPUT *buffer*

buffet ['bʌfeɪ] *n* **1** (*counter*) aparador, balcão de bar **2** (*food*) bufê
▪ **buffet car** vagão-restaurante

bug [bʌg] *n* **1** (*insect*) percevejo, bicho **2** *inf* micróbio **3** (*wiretap*) microfone oculto **4** COMPUT erro de programação **5** (*system, design*) defeito
▸ *vt* (*pt & pp* ***bugged***, *ger* ***bugging***) *inf* **1** (*wiretap*) pôr um microfone oculto em **2** *inf* apoquentar

bugger ['bʌgə^r] *n* **1** (*sodomite*) sodomita **2** *vulg* malandro, patife **3** *vulg* pessoa irritante
▸ *interj* **bugger!** *vulg* sacana!
▪ **to bugger about** *vi vulg* vagabundear, zonear
▪ **to bugger off** *vi vulg* sair imediatamente, cair fora
▪ **to bugger up** *vt vulg* estragar, arruinar

bugle ['bju:gəl] *n* corneta

build [bɪld] *n* talhe, constituição, compleição: ***a woman of slim build*** uma mulher de talhe esbelto
▸ *vt* (*pt & pp* ***built*** [bɪlt]) construir
▪ **to build up** *vt-vi* **1** (*stocks*) acumular **2** (*business*) desenvolver **3** (*reputation*) estabelecer **4** MED fortalecer

builder ['bɪldə^r] *n* construtor, empreiteiro

building ['bɪldɪŋ] *n* **1** edifício, prédio: ***a residencial building*** um prédio residencial **2** (*act*) construção, edificação
▪ **building site** canteiro de obras, terreno de construção
▪ **building society** sociedade de crédito imobiliário

build-up ['bɪldʌp] *n* acumulação, acúmulo

built [bɪlt] *pt-pp* → **build**

built-in [bɪlt'ɪn] *adj* **1** embutido: ***a built-in cupboard*** um armário embutido **2** incorporado: ***a built-in feature*** um recurso incorporado

built-up [bɪlt'ʌp] *adj* urbanizado

bulb [bʌlb] *n* **1** BOT bulbo **2** (*lamp*) lâmpada

Bulgaria [bʌl'geərɪə] *n* Bulgária

Bulgarian [bʌl'geərɪən] *adj* búlgaro
▸ *n* **1** (*person*) búlgaro **2** (*language*) búlgaro

bulge [bʌldʒ] *n* protuberância, bojo
▸ *vi* tornar-se protuberante, inchar-se

bulk [bʌlk] *n* volume, massa
• **in bulk** a granel
• **the bulk of** a maior parte de

bulky ['bʌlkɪ] *adj* (***-ier, -iest***) **1** volumoso: ***a bulky box*** uma caixa volumosa **2** (*corpulent*) corpulento

bull [bʊl] *n* touro

bulldog ['bʊldɒg] *n* buldogue

bulldozer ['bʊldəʊzə^r] *n* **1** buldôzer **2** *gir* pessoa intimidadora

bullet ['bʊlɪt] *n* bala

bulletin ['bʊlɪtɪn] *n* boletim

bulletproof ['bʊlɪtpru:f] *adj* à prova de bala

bullfight ['bʊlfaɪt] *n* tourada

bullfighter ['bʊlfaɪtə^r] *n* toureiro

bullfighting ['bʊlfaɪtɪŋ] *n* tauromaquia

bullion ['bʊljən] *n* lingote (*de ouro ou prata*)

bullock ['bʊlək] *n* novilho

bullring ['bʊlrɪŋ] *n* praça de touros

bull's-eye ['bʊlzaɪ] *n* mosca, centro do alvo
• **to score a bull's-eye** acertar em cheio

bullshit ['bʊlʃɪt] *n vulg* disparate, papo furado

bully ['bʊlɪ] *n* (*pl* **-ies**) valentão, pessoa que gosta de intimidar e tiranizar os outros
▸ *vt* (*pt & pp* **-ied**) intimidar, atemorizar

bum¹ [bʌm] *n* GB *inf* nádegas

bum² [bʌm] *n* US *inf* **1** (*tramp*) vagabundo, vadio **2** *inf* farra, bebedeira
▸ *vt* (*pt & pp* **bummed**, *ger* **bumming**) *inf* **1** (*cadge*) filar, mendigar **2** (*loaf*) vadiar

bumblebee ['bʌmbəlbiː] *n* mangangaba

bumbling ['bʌmblɪŋ] *adj* estabanado, desastrado

bump [bʌmp] *n* **1** (*blow*) choque, colisão, batida **2** (*jolt*) sacudida **3** (*sound*) baque **4** (*on head*) galo, inchaço
▸ *vt-vi* chocar(-se)
▪ **to bump into** *vt* encontrar por acaso, esbarrar em
▪ **to bump off** *vt* matar, eliminar

bumper ['bʌmpəʳ] *adj* extraordinariamente abundante
▸ *n* para-choque

bumpkin ['bʌmpkɪn] *n* tosco, bronco

bumpy ['bʌmpɪ] *adj* (*-ier, -iest*) acidentado, esburacado

bun [bʌn] *n* **1** (*bread*) pãozinho **2** (*hair*) coque

bunch [bʌntʃ] *n* (*pl* **-es**) **1** (*things*) punhado **2** (*keys*) molho **3** (*fruit*) cacho **4** (*flowers*) ramalhete **5** (*people*) grupo

bundle ['bʌndəl] *n* **1** (*package*) fardo **2** trouxa: ***he left with a bundle on his back*** ele partiu com uma trouxa nas costas **3** (*of nerves, sticks*) feixe

bung [bʌŋ] *n* tampão
▸ *vt inf* **1** (*pipe, hole*) tapar **2** GB *inf* lançar, jogar

bungalow ['bʌŋgələʊ] *n* bangalô

bungle ['bʌŋgəl] *vt* fazer trabalho malfeito

bungler ['bʌŋgələʳ] *n* aquele que não se esmera no trabalho

bunion ['bʌnjən] *n* joanete

bunk [bʌŋk] *n* beliche (*em navio ou carro-dormitório*)
▪ **bunk bed** cama-beliche

bunker ['bʌŋkəʳ] *n* **1** (*in ships*) carvoeira **2** (*golf*) *bunker* **3** MIL *bunker*, abrigo, casamata

bunny ['bʌnɪ] *n* (*pl* **-ies**) *inf* coelhinho

buoy [bɔɪ] *n* boia

buoyant ['bɔɪənt] *adj* **1** (*object*) flutuante **2** (*person*) animado

burden ['bɜːdən] *n* carga
▸ *vt* carregar

bureau ['bjʊərəʊ] *n* (*pl* **-s** ou **bureaux**) **1** (*office*) agência, repartição, escritório **2** US cômoda **3** GB escrivaninha

bureaucracy [bjʊə'rɒkrəsɪ] *n* (*pl* **-ies**) burocracia

bureaucrat ['bjʊərəkræt] *n* burocrata

bureaucratic [bjʊərə'krætɪk] *adj* burocrático

burger ['bɜːgəʳ] *n* hambúrguer

burglar ['bɜːgləʳ] *n* ladrão, arrombador

burglary ['bɜːglərɪ] *n* (*pl* **-ies**) furto (*com arrombamento*)

burgle ['bɜːgəl] *vt* furtar, arrombar para furtar

burial ['berɪəl] *n* enterro

burly ['bɜːlɪ] *adj* (*-ier, -iest*) corpulento

burn [bɜːn] *n* queimadura
▸ *vt* (*pt & pp* ***burnt*** [bɜːnt]) queimar
▸ *vi* arder, queimar-se
• **to be burning hot** estar muito quente
• **to burn oneself out** consumir-se, acabar-se, esgotar-se pelo trabalho: ***he burnt himself out working to pay his debts*** ele se acabou de trabalhar para pagar suas dívidas
• **to smell burning** cheirar a queimado
▪ **to burn down** *vt-vi* incendiar
▪ **to burn out** *vi* (*fire*) extinguir-se

burner ['bɜːnəʳ] *n* bico de gás

burning ['bɜːnɪŋ] *adj* **1** ardente, intenso: ***a burning sun*** um sol ardente; ***a burning desire*** um desejo intenso **2** urgente, importante: ***a burning issue*** um assunto urgente
▪ **burning question** pergunta picante, assunto urgente

burnt [bɜːnt] *pt-pp* → **burn**

burp [bɜːp] *n inf* arroto
▸ *vi inf* arrotar

burrow ['bʌrəʊ] *n* toca
▸ *vi* escavar uma toca, entocar-se

burst [bɜːst] *n* **1** *(outburst)* explosão, estouro **2** *(bullets fired)* rajada
▸ *vt-vi* (*pt & pp* **burst**) estourar
• **to burst into tears** irromper em lágrimas
• **to burst out crying/laughing** desandar a chorar/rir
• **to burst its banks** transbordar (um rio)

bury ['berɪ] *vt* (*pt & pp* **-ied**) enterrar

bus [bʌs] *n* (*pl* **buses**) ônibus
▪ **bus stop** ponto de ônibus

bush [bʊʃ] *n* (*pl* **-es**) arbusto, moita

bushy ['bʊʃɪ] *adj* (**-ier**, **-iest**) espesso, cerrado

business ['bɪznəs] *n* (*pl* **-es**) **1** *(trading)* negócios **2** *(firm)* negócio, empresa **3** assunto: ***let's not proceed in this business*** não vamos continuar com este assunto
• **it's none of your business** não é da sua conta
• **to be in business** dedicar-se aos negócios, estabelecer-se

businesslike ['bɪznəslaɪk] *adj* formal, sério

businessman ['bɪznəsmən] *n* (*pl* **businessmen**) homem de negócios, empresário

businesswoman ['bɪznəswʊmən] *n* (*pl* **businesswomen**) mulher de negócios, empresária

busker ['bʌskəʳ] *n* GB músico que toca ao ar livre, artista de rua

bust¹ [bʌst] *n* busto

bust² [bʌst] *vt-vi inf* fracassar, falir
▸ *adj inf* quebrado, falido
• **to go bust** quebrar, falir

bustle ['bʌsəl] *n* alvoroço, azáfama
▪ **to bustle about** *vi* azafamar-se

busy ['bɪzɪ] *adj* (**-ier**, **-iest**) **1** ocupado, atarefado: ***sorry, I'm very busy today*** desculpe, estou muito ocupado hoje **2** *(street, shop)* movimentado **3** buliçoso, agitado: ***a busy morning*** uma manhã agitada **4** *(telephone)* ocupado
• **to busy oneself doing something** ocupar-se em algo

busybody ['bɪzɪbɒdɪ] *n* (*pl* **-ies**) intrometido

but [bʌt] *conj* mas: ***it's cold, but dry*** faz frio, mas não está chovendo; ***I'd like to, but I can't*** eu gostaria, mas não posso
▸ *adv* apenas, ao menos: ***had I but known...*** se eu ao menos tivesse sabido...; ***she is but a child*** ela é apenas uma criança
▸ *prep* exceto, salvo, menos: ***all but me*** todos menos eu
• **but for** sem, se não fosse por: ***but for his help, we would have failed*** se não fosse por sua ajuda, teríamos fracassado

butane ['bjuːteɪn] *n* butano

butcher ['bʊtʃəʳ] *n* açougueiro

butler ['bʌtləʳ] *n* mordomo

butt¹ [bʌt] *n* **1** *(cigarette)* guimba, bituca **2** *(rifle)* coronha **3** US *inf* nádegas, traseiro

butt² [bʌt] *n* alvo, objetivo

butt³ [bʌt] *n* tonel, pipa

butt⁴ [bʌt] *n* cabeçada
▸ *vt* dar cabeçada ou chifrada
▪ **to butt in** *vi* intrometer-se

butter ['bʌtəʳ] *n* manteiga
▸ *vt* passar manteiga
• **to look as if butter wouldn't melt in one's mouth** parecer um mosca-morta
▪ **to butter up** *vt inf* adular

butterfingers ['bʌtəfɪŋgəz] *n* desastrado

butterfly ['bʌtəflaɪ] *n* (*pl* **-ies**) borboleta

buttock ['bʌtək] *n* nádegas

button ['bʌtən] *n* botão
▸ *vt-vi* abotoar

buttonhole ['bʌtənhəʊl] *n* casa, botoeira

buttress ['bʌtrəs] *n* (*pl* **-es**) contraforte

buy [baɪ] *vt* (*pt & pp* **bought** [bɔːt]) **1** comprar: ***let's buy some clothes*** vamos comprar algumas roupas; ***they tried to buy the judge*** tentaram comprar o juiz **2** *inf* engolir, aceitar como verdade: ***I don't buy it!*** não engulo isso!

buyer ['baɪəʳ] *n* comprador

buzz [bʌz] *n* **1** *(drone)* zumbido **2** *(gossip)* rumor, boato

▸ *vi* **1** *(drone)* zumbir **2** *(gossip)* espalhar boatos

▸ *vt* voar baixo

• **to give somebody a buzz** telefonar para alguém

buzzer ['bʌzəʳ] *n* campainha, cigarra

by [baɪ] *prep* **1** por: ***painted by Fraser*** pintado por Fraser; ***by air/road*** por avião/terra; ***I won by 3 points*** ganhei por 3 pontos; ***6 metres by 4*** 6 metros por 4; ***paid by the hour*** pago por hora; ***he's a journalist by profession*** ele é jornalista por profissão **2** de: ***we went by train*** fomos de trem; ***two by two*** de dois em dois **3** a: ***by hand*** à mão **4** até, antes de: ***I need it by ten*** preciso disto antes das dez horas **5** de: ***a film by Woody Allen*** um filme de Woody Allen; ***by day/night*** de dia/noite; ***by heart*** de cor **6** junto a, ao lado de, perto: ***sit by me*** sente-se a meu lado **7** segundo, de acordo com: ***by the rules*** segundo as regras **8** com: ***can I pay by credit card?*** posso pagar com cartão de crédito?

▸ *adv* de largo: ***he passed by, he didn't stop*** passou ao largo, não se deteve

• **better by far** muitíssimo melhor

• **by and by** após um curto tempo, logo

• **by oneself** sozinho, por conta própria

bye [baɪ] *interj inf* adeus!, até logo!, tchau!

bylaw ['baɪlɔː] *n* estatuto, regulamento, lei orgânica

bypass ['baɪpɑːs] *n* (*pl* **-es**) desvio

by-product ['baɪprɒdʌkt] *n* subproduto, produto derivado

bystander ['baɪstændəʳ] *n* espectador, circunstante

byte [baɪt] *n byte*

C

c¹ ['sɜːkə] *abbr* (***circa***) aproximadamente

c² ['sent] *abbr* (***cent***) centavo

c³ ['kɒpɪraɪt] *abbr* (***copyright***) direitos autorais, *copyright*

c. ['sentʃərɪ] *abbr* século: ***C18 literature*** a literatura do século XVIII

C of E ['siːəv'iː] *abbr* (***Church of England***) Igreja Anglicana

c/a [kərəntə'kaʊnt] *abbr* (***current account***) c/c (*conta corrente*)

cab [kæb] *n* **1** (*taxi*) táxi **2** (*of truck or train*) boleia, cabina de maquinista

cabbage ['kæbɪdʒ] *n* repolho

cabin ['kæbɪn] *n* **1** (*cottage*) cabana **2** (*on ship*) camarote **3** (*enclosed compartment*) cabina

cabinet ['kæbɪnət] *n* **1** POL gabinete **2** (*furniture*) armário

cable ['keɪbəl] *n* **1** ELECTR cabo **2** (*telegram*) telegrama

▸ *vt* telegrafar

▪ **cable car** teleférico

▪ **cable television** televisão a cabo

cache [kæʃ] *n* **1** (*hiding place*) esconderijo **2** COMPUT pequena área de memória rápida

▪ **cache memory** memória cache

cackle ['kækəl] *n* **1** (*of a hen*) cacarejo **2** gargalhada: ***she gave a cackle at the joke*** ela soltou uma gargalhada com a piada

▸ *vi* **1** (*cluck*) cacarejar **2** (*laugh*) gargalhar

cactus ['kæktəs] *n* (*pl* **cacti** ['kæktaɪ] ou **cactuses**) cacto

CAD [kæd] *abbr* (***computer-aided design***) desenho com ajuda do computador, programas de computador para a realização de projetos de arquitetura ou de engenharia

caddie ['kædɪ] *n* *caddie*, atendente de golfista

caddy ['kædɪ] *n* (*pl* **-ies**) caixa ou lata pequena (*para chá, lápis etc.*)

cadet [kə'det] *n* cadete

cadger ['kædʒəʳ] *n* *inf* mendigo

café ['kæfeɪ] *n* café, bar

cafeteria [kæfə'tɪərɪə] *n* cantina, lanchonete com autosserviço

caffeine ['kæfiːn] *n* cafeína

cage [keɪdʒ] *n* jaula

▸ *vt* enjaular

cagey ['keɪdʒɪ] *adj* (**-ier**, **-iest**) *inf* cauteloso, reservado

cagoule [kə'guːl] *n* capa leve de chuva com capuz

cake [keɪk] *n* bolo, torta

• **to sell like hot cakes** vender muito, ter muita saída

• **it's a piece of cake** é facílimo

calamity [kə'læmɪtɪ] *n* (*pl* **-ies**) calamidade

calcium ['kælsɪəm] *n* cálcio

calculate ['kælkjəleɪt] *vt-vi* calcular

calculating ['kælkjəleɪtɪŋ] *adj* calculador

▪ **calculating machine** calculadora

calculation [kælkjə'leɪʃən] *n* MATH cálculo

calculator ['kælkjəleɪtəʳ] *n* calculadora

calculus ['kælkjələs] (*pl* **calculi** ['kælkjəlaɪ] ou **calculuses**) *n* MATH, MED cálculo

calendar ['kælɪndəʳ] *n* calendário

calf¹ [kɑ:f] *n* (*pl* **calves**) bezerro, vitelo

calf² [kɑ:f] *n* (*pl calves*) panturrilha

calibre ['kælɪbəʳ] (US **caliber**) *n* calibre

call [kɔ:l] *n* **1** grito: ***nobody heard her calls*** ninguém ouviu seus gritos **2** chamada, telefonema: ***there's a call for you*** há uma chamada para você **3** aviso, chamada: ***last call for flight CH354*** última chamada para o voo CH354 **4** demanda: ***there's not much call for it*** não há muita demanda por isso **5** pedido: ***a call for calm*** um pedido de calma **6** visita: ***we had a call from the police*** recebemos uma visita da polícia

▸ *vt* **1** chamar: ***he called me into his office*** ele me chamou ao seu escritório; ***what is he called?*** como ele se chama?; ***he called me a liar*** ele me chamou de mentiroso **2** chamar, telefonar: ***call your mother*** telefone para a sua mãe **3** convocar, anunciar: ***the boss called a meeting*** o chefe convocou uma reunião

▸ *vi* telefonar: ***has anybody called?*** alguém telefonou?

• **on call** de plantão

• **to call into question** pôr em dúvida, duvidar

• **to call to mind** trazer à memória

• **to pay a call on** visitar; fazer uma visita

• **let's call it a day** vamos dar por encerrado

▪ **call box** GB cabine telefônica

▪ **call girl** prostituta

▪ **to call at** *vt* fazer uma parada: ***this train calls at York*** este trem faz uma parada em York

▪ **to call for** *vt* pedir, exigir: ***this calls for a celebration*** isso exige uma comemoração

▪ **to call off** *vt* suspender, cancelar

▪ **to call on** *vt* **1** fazer uma visita rápida, passar: ***she called on her way to work*** ela passou por aqui a caminho do trabalho **2** *fml* apelar: ***he called on them to negotiate*** ele apelou a eles para negociar

▪ **to call out** *vt,vi* **1** *(shout loudly)* gritar, berrar **2** *(challenge)* desafiar, provocar **3** chamar, convocar: ***the troops were called out to fight*** as tropas foram convocadas para lutar

▪ **to call up** *vt* telefonar

caller ['kɔ:ləʳ] *n* **1** visita, visitante: ***while he was in hospital, he had a lot of callers*** enquanto esteve no hospital, ele recebeu muitas visitas **2** TEL chamador, pessoa que chama

callipers ['kælɪpəz] *npl* **1** MATH calibrador, compasso de calibre **2** MED aparelho ortopédico

callous ['kæləs] *adj* duro, insensível

calm [kɑ:m] *adj* calmo, sereno, tranquilo, sossegado

▸ *n* calma, tranquilidade, serenidade

▸ *vt* tranquilizar, acalmar

▪ **to calm down** *vt* tranquilizar, acalmar, acalmar-se

calorie ['kælərɪ] *n* caloria

camcorder ['kæmkɔ:dəʳ] *n camcorder*, filmadora portátil

came [keɪm] *pt* → **come**

camel ['kæməl] *n* camelo

camera ['kæmərə] *n* câmara, máquina fotográfica, máquina cinematográfica

• **in camera** no gabinete privado do juiz

cameraman ['kæmərəmən] *n* (*pl* **cameramen**) operador cinematográfico, operador de vídeo

Cameroon [kæmə'ru:n] *n* Camarões

camomile ['kæməmaɪl] *n* camomila

camouflage ['kæməflɑ:ʒ] *n* camuflagem

▸ *vt* camuflar

camp [kæmp] *n* acampamento

▸ *vi* acampar

▪ **camp bed** cama de armar

▪ **camp site** *camping*, acampamento

campaign [kæm'peɪn] *n* campanha

▸ *vi* fazer campanha

camper ['kæmpəʳ] *n* **1** *(person)* campista **2** *(vehicle)* reboque, *trailer*

camping ['kæmpɪŋ] *n camping*, campismo

• **to go camping** ir acampar

▪ **camping site** *camping*, área de acampamento

campus ['kæmpəs] *n* (*pl* **campuses**) *campus* universitário

can¹ [kæn] *aux* (*pt & cond* ***could***) **1** poder: ***can you come tomorrow?*** você pode vir amanhã? **2** saber: ***he can swim*** ele sabe nadar; ***can you speak Chinese?*** você sabe falar chinês?

can² [kæn] *n* lata
▸ *vt* (*pt & pp* ***canned***, *ger* ***canning***) enlatar

Canada ['kænədə] *n* Canadá

Canadian [kə'neɪdɪən] *adj-n* canadense

canal [kə'næl] *n* canal

canary [kə'neərɪ] *n* (*pl* **-ies**) canário

Canary Islands [kə'neərɪaɪləndz] *npl* Ilhas Canárias

cancel ['kænsəl] *vt* (GB *pt & pp* ***cancelled***, *ger* ***cancelling***, US *pt & pp* ***canceled***, *ger* ***canceling***) cancelar

cancellation [kænsə'leɪʃən] *n* cancelamento

cancer ['kænsəʳ] *n* **1** MED câncer **2** ASTROL-ASTRON **Cancer** Câncer

candid ['kændɪd] *adj* franco, sincero

candidate ['kændɪdət] *n* candidato

candle ['kændəl] *n* vela

candlestick ['kændəlstɪk] *n* castiçal

candy ['kændɪ] *n* (*pl* **-ies**) US bala, doce

cane [keɪn] *n* **1** BOT cana **2** (*stick*) bengala
▸ *vt* dar uma surra com bengala

canine ['keɪnaɪn] *adj* canino

canister ['kænɪstəʳ] *n* lata, vasilha

canned [kænd] *adj* enlatado

cannibal ['kænɪbəl] *adj-n* canibal

cannon ['kænən] *n* canhão

cannot ['kænɒt] *aux* → forma composta de **can** + **not**

canoe [kə'nu:] *n* canoa
▸ *vi* ir de canoa

canon¹ ['kænən] *n* cânone, cânon

canon² ['kænən] *n* clérigo

canopy ['kænəpɪ] *n* (*pl* **-ies**) **1** (*bed*) dossel **2** (*tree*) copa

can't [kɑ:nt] *aux* contração de *can* + *not*

canteen [kæn'ti:n] *n* **1** (*snack bar*) cantina **2** (*bottle*) cantil

canter ['kæntəʳ] *n* meio-galope
▸ *vi* ir a meio-galope

canvas ['kænvəs] *n* (*pl* **canvases**) **1** (*material*) lona **2** (*for camping*) tenda, barraca de lona **3** (*for painting*) tela

canvass ['kænvəs] *vi* **1** angariar votos, fazer campanha: ***they are canvassing for the Socialist party*** eles estão fazendo campanha para o Partido Socialista **2** (*examine*) verificar os votos

canyon ['kænjən] *n* cânion

cap [kæp] *n* **1** gorro, boné, boina: ***he always wears a cap*** ele sempre usa um boné **2** (*of bottle, pen*) tampa
▸ *vt* (*pt & pp* ***capped***, *ger* ***capping***) **1** (*cover with a cap*) cobrir a cabeça **2** (*complete*) rematar
• **to cap it all** para completar (*todas as desgraças*)

capability [keɪpə'bɪlɪtɪ] *n* capacidade, aptidão, competência

capable ['keɪpəbəl] *adj* capaz: ***he's a capable manager*** ele é um gerente capaz

capacity [kə'pæsɪtɪ] *n* (*pl* **-ies**) **1** (*container*) capacidade, volume **2** THEATRE lotação **3** (*ability*) capacidade **4** condição, qualidade: ***in his capacity as a judge*** na sua qualidade de juiz
• **to be filled to capacity** totalmente repleto

cape¹ [keɪp] *n* capa

cape² [keɪp] *n* GEO cabo

caper¹ ['keɪpəʳ] *n* alcaparra

caper² ['keɪpəʳ] *n* cambalhota

capital ['kæpɪtəl] *adj* **1** maiúscula: ***it's written with a capital A*** escreve-se com A maiúsculo **2** capital: ***the capital city*** a capital
▸ *n* **1** capital: ***the provincial capital*** a capital da província **2** (*money*) capital **3** maiúscula: ***in capitals*** em maiúsculas
▪ **capital letter** maiúscula
▪ **capital punishment** pena capital

capitalism ['kæpɪtəlɪzəm] *n* capitalismo

capitalist ['kæpɪtəlɪst] *adj-n* capitalista

capitulate [kə'pɪtjəleɪt] *vi* capitular

capricious [kə'prɪʃəs] *adj* caprichoso, excêntrico

Capricorn ['kæprɪkɔ:n] *n* Capricórnio

capsize [kæp'saɪz] *vi* capotar, virar de cabeça para baixo
▸ *vt* fazer capotar

capsule ['kæpsju:l] *n* cápsula

captain ['kæptɪn] *n* capitão, comandante

caption ['kæpʃən] *n* **1** *(subtitle)* legenda **2** *(heading)* título

captivate ['kæptɪveɪt] *vt* cativar, fascinar, atrair

captive ['kæptɪv] *adj-n* cativo, va, prisioneiro

captivity [kæp'tɪvɪtɪ] *n* cativeiro, prisão
• **in captivitity** na prisão, preso

capture ['kæptʃəʳ] *n* **1** *(catch)* captura, aprisionamento **2** *(thing taken)* presa
▸ *vt* **1** *(catch)* capturar, prender, tomar **2** *(attention)* captar, chamar

car [kɑ:ʳ] *n* **1** *(vehicle)* carro, automóvel **2** *(train)* vagão
▪ **car bomb** carro-bomba
▪ **car park** estacionamento
▪ **car wash** lavagem de carros, lugar onde se lavam carros, lava a jato

caramel ['kærəmel] *n* caramelo

carat ['kærət] *n* quilate

caravan [kærə'væn] *n* caravana

carbohydrate [kɑ:bəʊ'haɪdreɪt] *n* carboidrato

carbon ['kɑ:bən] *n* carbono
▪ **carbon dioxide** dióxido de carbono
▪ **carbon monoxide** monóxido de carbono
▪ **carbon paper** papel-carbono

carburettor [kɑ:bə'retəʳ] *n* carburador

carcass ['kɑ:kəs] *n* (*pl* **-es**) carcaça

card [kɑ:d] *n* **1** *(games)* carta de baralho **2** cartão: ***post card*** cartão-postal; ***credit card*** cartão de crédito **3** *(thin cardboard)* cartolina
• **to play cards** jogar cartas

cardboard ['kɑ:dbɔ:d] *n* papelão

cardiac ['kɑ:dɪæk] *adj* cardíaco
▪ **cardiac arrest** parada cardíaca

cardigan ['kɑ:dɪgən] *n* cardigã

cardinal ['kɑ:dɪnəl] *adj* cardeal, principal
▸ *n* REL cardeal
▪ **cardinal number** número cardinal

cardphone ['kɑ:dfəʊn] *n* telefone de cartão

care [keəʳ] *n* **1** cuidado: ***she did it with great care*** ela fez isso com muito cuidado **2** assistência: ***health care*** assistência médica **3** preocupação: ***she was free of all cares*** ela não tinha preocupações
▸ *vi* **1** preocupar-se, importar-se: ***he doesn't care about others*** ele não se preocupa com os outros; ***I don't care*** não me importa **2** *fml* querer: ***would you care to dance?*** você quer dançar?
▸ *vt* importar: ***I don't care what she says*** não me importa o que ela diz/diga
• **take care!** cuidado!
• **to take care of** **1** cuidar de: ***take care of these books for me, please*** cuide desses livros para mim, por favor **2** ocupar-se de, tomar conta de: ***could you take care of the children, please?*** você poderia tomar conta das crianças?
• **to take care to do something** assegurar-se de que vai fazer algo
• **to take care not to do something** ter cuidado em não fazer algo
▪ **to care for** *vt* **1** *(provide assistance)* cuidar **2** *(have a liking)* interessar-se por **3** *(have a wish)* querer

career [kə'rɪəʳ] *n* carreira

careful ['keəfʊl] *adj* cuidadoso
• **to be careful** ter cuidado

carefully ['keəfʊlɪ] *adv* cuidadosamente, com cuidado: ***drive carefully*** dirigir com cuidado

careless ['keələs] *adj* descuidado

caress [kə'res] *n* (*pl* **-es**) carícia
▸ *vt* acariciar

caretaker ['keəteɪkəʳ] *n* zelador

cargo ['kɑ:gəʊ] *n* (*pl* **-s** ou **-es**) carga, carregamento

Caribbean [kærɪ'bɪən]; US [kə'rɪbɪən] *adj* caribenho
▪ **the Caribbean** o Caribe

caricature ['kærɪkətjʊəʳ] *n* caricatura
▸ *vt* caricaturar

caries ['keərɪz] *n* cáries

carnation [kɑ:'neɪʃən] *n* BOT cravo

carnival ['kɑ:nɪvəl] *n* carnaval

carol ['kærəl] *n* canção natalina

carp[1] [kɑ:p] *n* carpa

carp² [kɑ:p] *vi* queixar-se

carpenter ['kɑ:pɪntəʳ] *n* carpinteiro

carpentry ['kɑ:pɪntrɪ] *n* carpintaria

carpet ['kɑ:pɪt] *n* tapete
▸ *vt* atapetar

carriage ['kærɪdʒ] *n* **1** *(vehicle)* carruagem **2** *(of train)* vagão **3** *(of goods)* transporte
▪ **carriage paid** porte/carreto pago

carriageway ['kærɪdʒweɪ] *n* GB pista de uma rodovia

carrier ['kærɪəʳ] *n* **1** *(device)* transportador **2** *(company)* transportadora **3** MED portador
▪ **carrier bag** sacola
▪ **carrier pigeon** pombo-correio

carrot ['kærət] *n* cenoura

carry ['kærɪ] *vt* (*pt & pp* **-ied**) **1** *(bear)* carregar, levar **2** *(transport)* transportar **3** *(offer for sale)* vender **4** *(support)* sustentar **5** *(seize)* capturar **6** MED ser portador
▸ *vi* comportar-se
• **to get carried away 1** exaltar-se: ***he got carried away by his daughter's performance*** ele se exaltou com a apresentação de sua filha **2** deixar-se levar: ***she got carried away by his fine words*** ela se deixou levar por suas belas palavras
▪ **to carry forward** *vt* ACCOUNT transportar à coluna, página, livro seguinte
▪ **to carry off** *vt* **1** ter êxito, conseguir: ***it was hard but he carried off*** foi difícil mas ele conseguiu **2** levar, ganhar: ***she carried off all the prizes at the races*** ela levou todos os prêmios no atletismo
▪ **to carry on** *vt* seguir, continuar
▪ **to carry on with** *vt* ter um caso amoroso com
▪ **to carry out** *vt* levar a cabo, realizar, cumprir

carsick ['kɑ:sɪk] *adj* enjoado
• **to get carsick** ficar enjoado *(em um carro)*

cart [kɑ:t] *n* **1** carroça: ***formerly goods were carried in carts*** antigamente as mercadorias eram transportadas em carroças **2** US carrinho: ***shopping cart*** carrinho de compras; ***golf cart*** carrinho de golfe

cartel [kɑ:'tel] *n* cartel

cartilage ['kɑ:tɪlɪdʒ] *n* cartilagem

carton ['kɑ:tən] *n* **1** caixa de papelão: ***cans packed in cartons*** latas acondicionadas em caixas de papelão **2** embalagem longa-vida: ***a milk carton*** uma embalagem de leite longa-vida

cartoon [kɑ:'tu:n] *n* **1** *(satirical)* caricatura **2** *(film)* desenho animado **3** PRESS charge cômica

cartridge ['kɑ:trɪdʒ] *n* **1** *(for firearms, printers, typewriters)* cartucho **2** *(magnectic tape, photografic film)* rolo de filme

cartwheel ['kɑ:twi:l] *n* pirueta

carve [kɑ:v] *vt* **1** *(wood)* entalhar **2** *(stone)* esculpir **3** *(meat)* cortar, trinchar

carving ['kɑ:vɪŋ] *n* **1** *(wood)* entalhe **2** *(stone)* escultura
▪ **carving knife** trinchante, faca de trinchar

cascade [kæs'keɪd] *n* cascata

case¹ [keɪs] *n* **1** *(instance, affair)* caso **2** LAW causa, processo **3** MED caso, paciente
• **in any case** em todo caso, em qualquer caso
• **in case** para o caso de: ***take your umbrella in case it rains*** leve o guarda-chuva para o caso de chover
• **in case of** em caso de
• **just in case** se por acaso

case² [keɪs] *n* **1** *(for jewels etc.)* caixa, estojo **2** *(suitcase)* mala

cash [kæʃ] *n* dinheiro
▸ *vt* descontar ou sacar em dinheiro
• **cash down** dinheiro contado
• **cash on delivery** pagamento na entrega
• **to pay (in) cash** pagar em dinheiro
▪ **cash desk** caixa
▪ **cash dispenser** caixa automático
▪ **cash register** caixa registradora

cash-and-carry [kæʃən'kærɪ] *n* (*pl* **-ies**) loja de atacado

cashew [kə'ʃu:] *n* **1** *(tree)* cajueiro **2** *(fruit)* caju

cashier [kæ'ʃɪəʳ] *n* caixa: ***you need to go to the cashier to cash a check*** é necessário dirigir-se ao caixa para sacar um cheque

cashmere [kæʃ'mɪəʳ] *n* caxemira

casino [kə'si:nəʊ] *n* (*pl* **casinos**) cassino

cask [kɑ:sk] *n* tonel, barril

casket ['kɑ:skɪt] *n* esquife

casserole ['kæsərəʊl] *n* **1** *(pan)* caçarola **2** *(food)* guisado de forno

cassette [kə'set] *n* cassete

■ **cassette player** toca-fitas

■ **cassette recorder** gravador de fita cassete

cast [kɑ:st] *n* **1** THEATRE elenco **2** *(mould)* molde **3** *(plaster)* gesso

▸ *vt* (*pt & pp* ***cast***) **1** *(throw)* lançar **2** dar o papel de: ***he was cast as Hamlet*** ele recebeu o papel de Hamlet **3** *(mould)* moldar

• **to be cast away** naufragar

• **to cast a shadow** projetar uma sombra

• **to cast a spell on** enfeitiçar

• **to cast a vote** votar

• **to cast doubts on** pôr em dúvida

• **to cast suspicion on** levantar suspeitas sobre

■ **cast iron** ferro fundido

■ **to cast off** *vt* **1** *(boat)* desamarrar **2** *(knitting)* rematar

castaway ['kɑ:stəweɪ] *n* náufrago

caste [kɑ:st] *n* casta

caster ['kɑ:stə[r]] *n* **1** lançador: ***a caster of nets*** um lançador de redes **2** escalador: ***a caster of actors*** um escalador de atores **3** *(small wheel)* rodízio

■ **caster sugar** açúcar glacê

Castile [kæ'sti:l] *n* Castilha

Castilian [kæ'stɪlɪən] *adj* castelhano

▸ *n* **1** *(person)* castelhano **2** *(language)* castelhano

castle ['kɑ:səl] *n* **1** *(building)* castelo **2** *(chess)* torre

castrate [kæ'streɪt] *vt* castrar

casual ['kæʒjʊəl] *adj* **1** *(meeting)* casual **2** *(clothes)* informal **3** superficial: ***a casual glance*** uma olhada superficial **4** *(worker)* ocasional **5** *(unconcerned)* despreocupado

casually ['kæʒjʊəlɪ] *adv* sem dar importância, com ar despreocupado

casualty ['kæʒjʊəltɪ] *n* (*pl* **-ies**) **1** *(victim)* ferido, vítima **2** *(fatality)* baixa

■ **casualty department** pronto-socorro

cat [kæt] *n* gato

• **to let the cat out of the bag** revelar o segredo

• **to put the cat among the pigeons** causar confusão

Catalan ['kætəlæn] *adj* catalão

▸ *n* **1** *(person)* catalão **2** *(language)* catalão

catalogue ['kætəlɒg] (US **catalog**) *n* GB catálogo

▸ *vt* GB catalogar

Catalonia [kætə'ləʊnɪə] *n* Catalunha

catalyst ['kætəlɪst] *n* catalisador

catapult ['kætəpʌlt] *n* **1** MIL catapulta **2** *(slingshot)* funda, estilingue

▸ *vt* catapultar

cataract ['kætərækt] *n* catarata

catarrh [kə'tɑ:[r]] *n* catarro

catastrophe [kə'tæstrəfɪ] *n* catástrofe

catch [kætʃ] *vt* (*pt & pp* ***caught***) **1** pegar, apanhar: ***the goalkeeper caught the ball*** o goleiro apanhou a bola **2** *(train)* tomar **3** surpreender, pegar de surpresa: ***the student was caught cheating*** o aluno foi surpreendido colando **4** alcançar: ***I ran and caught him*** corri e o alcancei **5** apanhar, pegar, contrair, contagiar-se: ***to catch a cold*** apanhar um resfriado **6** compreender, entender: ***I didn't catch it*** não entendi **6** deter, prender: ***the police caught the thief*** a polícia prendeu o ladrão

▸ *vi (in branches, clothes etc.)* prender-se, enganchar-se

▸ *n* (*pl* **-es**) **1** *(of a ball)* pegada **2** *(fish)* pesca **3** *(of lock)* trava, trinco

• **to catch fire** pegar fogo, incendiar-se

• **to catch hold of** agarrar, apoderar-se

• **to catch somebody's eye** atrair a atenção de alguém

• **to catch sight of** ver de repente

■ **to catch on** *vi* **1** *(understand)* dar-se conta, perceber **2** *(grow popular)* tornar-se popular

■ **to catch out** *vt* pegar, surpreender

■ **to catch up** *vt* **1** *(reach)* pegar, alcançar **2** equiparar-se: ***we need to work hard if we want to catch them up*** temos de trabalhar duro se queremos nos equiparar a eles

catching ['kætʃɪŋ] *adj* contagioso

catchy ['kætʃɪ] *adj* (**-ier**, **-iest**) cativante

catechism ['kætəkɪzəm] *n* catecismo

categorical [kætə'gɒrɪkəl] *adj* categórico

category ['kætəgərɪ] *n* (*pl* **-ies**) categoria

cater ['kəɪtəʳ] *vt* **1** (*food or entertainment*) prover **2** atender: ***to cater for somebody's needs*** atender às necessidades de alguém

caterer ['keɪtərəʳ] *n* serviço de bufê

caterpillar ['kætəpɪləʳ] *n* **1** ZOOL lagarta **2** (*vehicle*) trator esteira

cathedral [kə'θi:drəl] *n* catedral

Catholic ['kæθəlɪk] *adj-n* católico

Catholicism [kə'θɒlɪsɪzəm] *n* catolicismo

cattle ['kætəl] *n* gado (*especialmente bovino*)

caught [kɔ:t] *pt-pp* → **catch**

cauliflower ['kɒlɪflaʊəʳ] *n* couve-flor

cause [kɔ:z] *n* causa

▸ *vt* causar

• **to cause somebody to do something** fazer com que alguém faça algo

caustic ['kɔ:stɪk] *adj* cáustico

caution ['kɔ:ʃən] *n* **1** (*prudence*) cautela, cuidado, precaução **2** (*warning*) aviso, advertência

▸ *vt* advertir, admoestar

cautious ['kɔ:ʃəs] *adj* cauteloso, prudente

cavalry ['kævəlrɪ] *n* cavalaria

cave [keɪv] *n* caverna

▪ **cave painting** pintura rupestre

▪ **to cave in** *vi* desmoronar

caveman ['keɪvmæn] *n* (*pl* **cavemen**) homem das cavernas, troglodita

cavern ['kævən] *n* caverna

caviar ['kævɪɑ:ʳ] *n* caviar

cavity ['kævɪtɪ] *n* (*pl* **-ies**) **1** (*hole*) cavidade **2** (*dental caries*) cárie

CBI ['si:'bi:'aɪ] *abbr* GB (***Confederation of British Industry***) Confederação da Indústria britânica

cc¹ ['si:'si:] *abbr* (***cubic centimetre***) centímetro cúbico

cc² ['si:'si:] *abbr* (***carbon copy***) cópia carbono

CD ['si:'di:] *abbr* (***compact disc***) disco compacto, CD

▪ **CD player** tocador de CD

CE ['si:əv'i:] *abbr* (***Church of England***) Igreja Anglicana

cease [si:s] *vt-vi* cessar

• **to cease fire** apagar o fogo

cease-fire [si:s'faɪəʳ] *n* cessar-fogo

ceaseless ['si:sləs] *adj* incessante

cedar ['si:dəʳ] *n* cedro

ceiling ['si:lɪŋ] *n* teto

• **to hit the ceiling** ficar histérico, tornar-se violento

celebrate ['selɪbreɪt] *vt-vi* celebrar

celebrated ['selɪbreɪtɪd] *adj* célebre

celebration [selɪ'breɪʃən] *n* celebração

▸ *npl* **celebrations** festejos

• **in celebration of** em comemoração a

celebrity [sə'lebrɪtɪ] *n* (*pl* **-ies**) celebridade

celery ['selərɪ] *n* aipo

cell [sel] *n* célula

cellar ['seləʳ] *n* **1** (*basement*) porão **2** (*for wine*) adega

cellist ['tʃelɪst] *n* violoncelista

cello ['tʃeləʊ] *n* (*pl* **cellos**) violoncelo

cellophane® ['seləfeɪn] *n* celofane®

cellphone ['selfəʊn] *n* telefone celular

celluloid ['seljəlɔɪd] *n* celuloide

cellulose ['seljələʊs] *n* celulose

Celt [kelt] *n* celta

Celtic ['keltɪk] *adj* celta

cement [sɪ'ment] *n* cimento

▸ *vt* cimentar

▪ **cement mixer** betoneira

cemetery ['semətrɪ] *n* (*pl* **-ies**) cemitério

censor ['sensəʳ] *n* censor

▸ *vt* censurar

censorship ['sensəʃɪp] *n* censura: ***her works were forbidden by the censorship*** suas obras foram proibidas pela censura

censure ['senʃəʳ] *n* censura

▸ *vt* censurar

census ['sensəs] *n* (*pl* **censuses**) censo, recenseamento

cent [sent] *n* centésima parte de um dólar, centavo de dólar

• **per cent** por cento

centenary [sen'ti:nərɪ] *n* (*pl* **-ies**) centenário

centennial [sen'tenɪəl] *adj* centenário

centigrade ['sentɪgreɪd] *adj* centígrado

centimetre ['sentɪmi:təʳ] (US **centimeter**) *n* centímetro

centipede ['sentɪpi:d] *n* centopeia

central ['sentrəl] *adj* central

■ **central heating** calefação central

■ **central processing unit** COMPUT CPU *(unidade de processamento central)*

centralize ['sentrəlaɪz] *vt* centralizar

centre ['sentəʳ] (US **center**) *n* centro

▸ *vt, vi* centrar

■ **centre forward** centroavante

■ **centre of gravity** centro de gravidade

century ['sentʃərɪ] *n* (*pl* **-ies**) século

ceramic [sə'ræmɪk] *adj* de cerâmica

▸ *npl* **ceramics** *(art or technique)* cerâmica

cereal ['sɪərɪəl] *n* cereal

cerebral ['serɪbrəl] *adj* cerebral

ceremonial [serɪ'məʊnɪəl] *adj* cerimonial

ceremony ['serɪmənɪ] *n* (*pl* **-ies**) cerimônia

certain ['sɜ:tən] *adj* certo: ***she's certain to pass*** é certo que ela vai passar; ***in certain countries they drive on the left*** em certos países se dirige à esquerda; ***a certain Mr Buck*** um certo sr. Buck

• **for certain** com toda certeza

• **to a certain extent** até certo ponto

• **to make certain of** assegurar-se de

certainly ['sɜ:tənlɪ] *adv* certamente, com certeza

certainty ['sɜ:təntɪ] *n* (*pl* **-ies**) certeza

• **it's a certainty that...** é certeza que..., é seguro que...

certificate [sə'tɪfɪkət] *n* certificado

certify ['sɜ:tɪfaɪ] *vt* (*pt & pp* **-ied**) certificar

cervix ['sɜ:vɪks] *n* (*pl* **-es** ou **cervices**) cérvice

cesspit ['sespɪt] *n* cloaca, fossa

Ceylon [sɪ'lɒn] *n* Ceilão

cf. ['si:'ef] *abbr* (***confer***) veja, confronte, confira, cf.

CFC ['si:'ef'si:] *abbr* (***chlorofluorocarbon***) clorofluorcarboneto, CFC

chafe [tʃeɪf] *vt* esfolar, desgastar

▸ *vi* irritar-se

chain [tʃeɪn] *n* **1** corrente: ***she was wearing a gold chain*** ela estava usando uma corrente de ouro **2** *(of shops)* cadeia, rede **3** *(of mountains)* cadeia, cordilheira **4** série, sequência: ***a chain of coincidences*** uma série de coincidências

▸ *vt* acorrentar

• **in chains** acorrentado

• **to chain smoke** fumar um cigarro atrás do outro

■ **chain reaction** reação em cadeia

chair [tʃeəʳ] *n* **1** *(piece of furniture)* cadeira **2** *(armchair)* poltrona **3** *(of a committee or organization)* presidência **4** *(of university)* cátedra

▸ *vt* presidir

■ **chair lift** teleférico

chairman ['tʃeəmən] *n* (*pl* **chairmen**) *(of a committee or organization)* presidente

chairmanship ['tʃeəmənʃɪp] *n* *(of a committee or organization)* presidência

chairperson ['tʃeəpɜ:sən] *n* (*pl* **chairpeople**) *(of a committee or organization)* presidente

chairwoman ['tʃeəwʊmən] *n* (*pl* **chairwomen**) *(of a committee or organization)* presidenta

chalet ['ʃæleɪ] *n* chalé

chalice ['tʃælɪs] *n* taça

chalk [tʃɔ:k] *n* giz

■ **to chalk up** *vt inf (score)* anotar

challenge ['tʃælɪndʒ] *n* desafio, objeção

▸ *vt* **1** *(defy)* desafiar, provocar **2** *(contest)* pôr em dúvida, questionar

challenger ['tʃælɪndʒəʳ] *n* desafiante

chamber ['tʃeɪmbəʳ] *n* câmara

■ **chamber music** música de câmara

■ **chamber of commerce** câmara de comércio

chambermaid ['tʃeɪmbəmeɪd] *n* camareira

chameleon [kə'miːlɪən] *n* camaleão

champagne [ʃæm'peɪn] *n* champanha

champion ['tʃæmpɪən] *n* campeão
▸ *vt fig* defender, lutar por

championship ['tʃæmpɪənʃɪp] *n* campeonato

chance [tʃɑːns] *n* chance: ***give me a chance; I won't disappoint you*** dê-me uma chance; não irei decepcioná-lo; ***you have no chance of winning*** você não tem nenhuma chance de ganhar
▸ *vt* arriscar
• **by chance** por acaso
• **on the chance** caso: ***on the chance that we have time to chat*** caso tenhamos tempo para bater um papo
• **to chance on something** encontrar algo inesperadamente, por acaso
• **to chance to do something** fazer algo por acaso
• **to have a good chance of doing something** ter boas possibilidades de fazer algo
• **to take a chance** arriscar-se

chancellor ['tʃɑːnsələʳ] *n* **1** chanceler: ***the Chancellor of Germany is the head of the German government*** o Chanceler da Alemanha é o chefe do governo alemão; ***Brazil's Foreign Minister is also called the chancellor*** o Ministro de Relações Exteriores do Brasil também é chamado de chanceler **2** GB *(of university)* reitor
▪ **Chancellor of the Exchequer** GB Ministro da Fazenda

chancy ['tsɑːnsɪ] *adj* (**-ier**, **-iest**) *inf* arriscado, incerto

chandelier [ʃændə'lɪəʳ] *n* lustre, candelabro

change [tʃeɪndʒ] *n* **1** mudança: ***we had radical changes in the company last year*** tivemos mudanças radicais na empresa no último ano **2** troca: ***your car needs an oil change*** seu carro precisa de uma troca de óleo **3** troco: ***sorry, I have no change*** desculpe, não tenho troco
▸ *vt* trocar: ***he's changed jobs*** ele trocou de emprego
▸ *vi* **1** mudar: ***things never change*** as coisas não mudam **2** trocar de roupa: ***he showered and changed*** ele tomou banho e trocou de roupa
• **for a change** para variar
• **to change one's mind** mudar de opinião/de ideia
• **to change into** converter-se em, transformar-se em
• **to change hands** mudar de dono
▪ **change of clothes** muda de roupa
▪ **change of heart** mudança de opinião

changeable ['tʃeɪndʒəbəl] *adj* variável, instável

changing ['tʃeɪndʒɪŋ] *adj* variável
▪ **changing room** vestuário, provador

channel ['tʃænəl] *n* canal
▸ *vt* (GB *pt & pp* ***channelled***, *ger* ***channelling***, US *pt & pp* ***channeled***, *ger* ***channeling***) canalizar, transportar em/por canais
▪ **the English Channel** o canal da Mancha

chant [tʃɑːnt] *n* cântico
▸ *vt,vi* entoar como um salmo, celebrar

chaos ['keɪɒs] *n* caos

chaotic [keɪ'ɒtɪk] *adj* caótico

chap [tʃæp] *n* **1** *inf* sujeito, camarada **2** *(in skin caused by cold)* fenda, rachadura

chapel ['tʃæpəl] *n* capela

chaplain ['tʃæplɪn] *n* capelão

chapter ['tʃæptəʳ] *n* capítulo

char[1] [tʃɑːʳ] *vt-vi* carbonizar, torrar

char[2] [tʃɑːʳ] *n* GB *inf* biscate, bico, serviço doméstico

character ['kærəktəʳ] *n* **1** caráter, personalidade, maneira de ser: ***she has a strong character*** ela tem uma personalidade forte **2** personagem: ***the main character of the play*** a personagem principal da obra **3** *inf* tipo: ***he's a nasty character*** ele é um tipo detestável **4** caractere: ***a password of six characters*** uma senha com seis caracteres

characteristic [kærəktə'rɪstɪk] *adj* característico
▸ *n* característica

characterize ['kærəktəraɪz] *vt* caracterizar

charade [ʃə'rɑːd] *n* farsa
▸ *npl* **charades** charada

charcoal ['tʃɑːkəʊl] *n* **1** *(material)* carvão vegetal **2** *(pencil)* lápis de carvão

charge [tʃɑːdʒ] *n* **1** *(of gun, electrical,* MIL, *attack)* carga **2** *(cost)* preço, custo **3** LAW acusação **4** encargo, responsabilidade: ***the children are under my charge*** as crianças estão sob minha responsabilidade
▸ *vt* **1** cobrar: ***they will charge you a fortune for this dress*** vão lhe cobrar uma fortuna por este vestido **2** LAW acusar **3** *(gun, battery)* carregar **4** *(troops)* atacar **5** encarregar: ***he charged me with this task*** ele me encarregou desta tarefa
▸ *vi* **1** *(troops)* atacar **2** *(bull)* investir, arremeter **3** *(rush)* assaltar, entrar ou sair correndo
• **to be in charge of** estar a cargo de
• **to bring a charge against somebody** formular uma acusação contra alguém
• **to charge somebody with murder** acusar alguém de assassinato
• **to take charge of** tomar conta de

charger ['tʃɑːdʒəʳ] *n (of battery)* carregador

chariot ['tʃærɪət] *n* biga

charisma [kə'rɪzmə] *n* carisma

charismatic [kærɪz'mætɪk] *adj* carismático

charitable ['tʃærɪtəbəl] *adj* **1** *(person)* caridoso **2** *(organization) beneficente*

charity ['tʃærɪtɪ] *n (pl* **-ies)** **1** caridade: ***they live on people's charity*** eles vivem da caridade das pessoas **2** *(organization)* instituição de caridade

charm [tʃɑːm] *n* **1** *(quality)* charme, encanto **2** *(object)* amuleto **3** *(spell)* feitiço
▸ *vt* cativar, encantar
• **to work like a charm** funcionar às mil maravilhas

charming ['tʃɑːmɪŋ] *adj* encantador

chart [tʃɑːt] *n* **1** *(table)* tabela, gráfico, diagrama **2** *(map)* carta de navegação
▸ *vt* fazer um mapa de, descrever: ***this book charts her rise to fame*** este livro descreve sua ascensão à fama
▪ **the charts** parada de sucessos

charter ['tʃɑːtəʳ] *n* **1** *(document)* escritura **2** *(document)* alvará
▸ *vt* fretar
▪ **charter flight** voo fretado

charwoman ['tʃɑːwʊmən] *n (pl* **charwomen)** faxineira

chase [tʃeɪs] *n* perseguição
▸ *vt* perseguir

chasm ['kæzəm] *n* hiato, abismo

chassis ['ʃæsɪ] *n (pl* **chassis** ['ʃæsɪz]) chassi

chaste [tʃeɪst] *adj* casto

chastise [tʃæs'taɪz] *vt* punir, castigar

chastity ['tʃæstɪtɪ] *n* castidade

chat [tʃæt] *n* papo
▸ *vi (pt & pp* **chatted**, *ger* **chatting)** papear, bater papo, prosear
▪ **chat room** sala de bate-papo
▪ **chat show** programa de entrevistas
▪ **to chat up** *vt inf* passar uma cantada

chatter ['tʃætəʳ] *n* **1** conversa rápida e fiada **2** bater os dentes
▸ *vi* **1** *(jabber)* tagarelar **2** *(teeth)* tiritar, bater

chatterbox ['tʃætəbɒks] *n (pl* **chatterboxes)** tagarela

chatty ['tʃætɪ] *adj* (**-ier**, **-iest**) falador, tagarela

chauffeur ['ʃəʊfəʳ] *n* chofer, motorista

chauvinism ['ʃəʊvɪnɪzəm] *n* chauvinismo

chauvinist ['ʃəʊvɪnɪst] *adj-n* chauvinista

cheap [tʃiːp] *adj* barato
• **to feel cheap** sentir vergonha

cheapen ['tʃiːpən] *vt* **1** baratear: ***all products have been cheapened*** todos os produtos estão barateados **2** rebaixar: ***her biography cheapened her a lot*** sua biografia a rebaixou muito

cheat [tʃiːt] *n* impostor, trapaceiro
▸ *vi* **1** trapacear: ***he is used to cheat at cards*** ele costuma trapacear no baralho **2** colar: ***the teacher caught him cheating*** o professor o pegou colando
▸ *vt* enganar

check [tʃek] *n* **1** *(inspection)* comprovação, verificação **2** US → **cheque** **3** US *(bill)* nota, conta **4** *(chess)* xeque **5** xadrez: ***a check shirt*** uma camisa xadrez
▸ *vt* **1** *(examine)* comprovar, revisar, verificar **2** *(halt)* deter **3** *(restrain)* conter, refrear **4** *(in chess)* dar xeque em
• **to keep in check** manter sob controle

■ **to check in** *vi* **1** *(in airport)* apresentar-se **2** *(in hotel)* registrar-se

checkbook ['tʃekbʊk] *n* US talão de cheques

checked [tʃekt] *adj* axadrezado, xadrez

checkers ['tʃekəz] *npl* US damas

checkmate ['tʃekmeɪt] *n* xeque-mate
▸ *vt* dar xeque-mate em

checkout ['tʃekaʊt] *n* caixa de supermercado

checkup ['tʃekʌp] *n* exame minucioso, exame médico completo

cheek [tʃi:k] *n* **1** ANAT bochecha **2** *fig* descaramento, folga, audácia: ***what a cheek!*** que audácia!
• **to dance cheek to cheek** dançar de rosto colado

cheekbone ['tʃi:kbəʊn] *n* osso molar

cheeky ['tʃi:kɪ] *adj* (**-ier**, **-iest**) descarado, audacioso

cheer [tʃɪə^r^] *n* alegria, ânimo
▸ *vt-vi* aplaudir, animar, encorajar
■ **to cheer up** *vt-vi* animar-se, alegrar-se

cheerful ['tʃɪəfʊl] *adj* alegre

cheers [tʃɪəz] *interj* saúde!

cheese [tʃi:z] *n* queijo

cheesecake ['tʃi:zkeɪk] *n* bolo de queijo

cheesed off [tʃi:zd'ɒf] *adj* GB *inf* aborrecido, irritado

cheetah ['tʃi:tə] *n* chita, guepardo

chef [ʃef] *n* (*pl* **chefs**) cozinheiro-chefe

chemical ['kemɪkəl] *adj* químico
▸ *n* produto químico

chemist ['kemɪst] *n* **1** *(scientist)* químico **2** GB *(pharmacist)* farmacêutico

chemistry ['kemɪstrɪ] *n* química

chemist's ['kemɪsts] *n* farmácia

cheque [tʃek] *n* GB cheque

chequebook ['tʃekbʊk] *n* GB talão de cheques

cherish ['tʃerɪʃ] *vt* **1** *(appreciate)* apreciar, valorizar **2** *(hope)* acalentar, nutrir **3** ter muito carinho por: ***she cherished all her students*** ela tinha muito carinho por todos os seus alunos

cherry ['tʃerɪ] *n* (*pl* **-ies**) cereja
■ **cherry tree** cerejeira

cherub ['tʃerəb] *n* (*pl* **-s** ou **cherubim**) querubim, anjo

chess [tʃes] *n* *(game)* xadrez

chessboard ['tʃesbɔ:d] *n* tabuleiro de xadrez

chesspiece ['tʃespi:s] *n* peça de xadrez

chest [tʃest] *n* **1** ANAT peito **2** *(box)* cofre, arca
• **to get something off one's chest** desabafar
■ **chest of drawers** cômoda

chestnut ['tʃesnʌt] *n* **1** *(fruit)* castanha **2** *(color)* castanho
▸ *adj* castanho, alazão
■ **chestnut tree** castanheiro

chew [tʃu:] *vt* mascar, mastigar
• **to chew something over** pensar cuidadosamente a respeito de algo

chewing gum ['tʃu:ɪŋgʌm] *n* goma de mascar, chiclete

chewy ['tʃu:ɪ] *adj* (**-ier**, **-iest**) difícil de mastigar, duro

chic [ʃi:k] *adj* chique, elegante

chick [tʃɪk] *n* **1** pintinho: ***a two-day chick*** um pintinho de dois dias **2** *sl* moça, broto

chicken ['tʃɪkɪn] *n* galinha
■ **to chicken out** *vi inf* acovardar-se

chickenpox ['tʃɪkɪnpɒks] *n* varicela, catapora

chickpea ['tʃɪkpi:] *n* grão-de-bico

chicory ['tʃɪkərɪ] *n* chicória

chief [tʃi:f] *adj* principal, mais importante
▸ *n* (*pl* **chiefs**) chefe

chiefly ['tʃi:flɪ] *adv* principalmente, sobretudo

chieftain ['tʃi:ftən] *n* cacique

chilblain ['tʃɪlbleɪn] *n* frieira

child [tʃaɪld] *n* (*pl* **children**) **1** criança: ***children under 3 do not pay*** crianças abaixo dos 3 anos não pagam **2** filho: ***they have only one child*** eles só têm um filho
■ **child minder** GB babá
■ **only child** filho único

childbirth ['tʃaɪldbɜ:θ] *n* parto

childhood ['tʃaɪldhʊd] *n* infância

childish ['tʃaɪldɪʃ] *adj* infantil

childlike ['tʃaɪldlaɪk] *adj* infantil, inocente

children ['tʃɪldrən] *npl* → **child**

Chile ['tʃɪlɪ] *n* Chile

Chilean ['tʃɪlɪən] *adj-n* chileno

chill [tʃɪl] *adj* frio, fresco

▸ *n* **1** *(cold)* resfriado **2** calafrio, frio: ***the news gave me a chill on my spine*** a notícia me deu um frio na espinha

▸ *vt-vi* esfriar

• **to catch/get a chill** resfriar-se

chilly ['tʃɪlɪ] *adj* (-**ier**, -**iest**) frio, friorento

• **to feel chilly** ter frio, estar friorento

chime [tʃaɪm] *n* repique, toque

▸ *vi* soar, repicar, bater a hora

chimney ['tʃɪmnɪ] *n* chaminé

■ **chimney sweep** limpador de chaminé

chimpanzee [tʃɪmpæn'ziː] *n* chimpanzé

chin [tʃɪn] *n* queixo

china ['tʃaɪnə] *n* louça, porcelana

China ['tʃaɪnə] *n* China

Chinese [tʃaɪ'niːz] *adj-n* chinês

▸ *npl* **the Chinese** os chineses

chink¹ [tʃɪŋk] *n* fenda

chink² [tʃɪŋk] *n* tinido

▸ *vi* tinir, tilintar

chip [tʃɪp] *n* **1** GB-COOK batata frita **2** COOK batatinha frita **3** *(of wood)* lasca **4** *(of glass, vase)* lasca, pedaço **5** *(at poker)* ficha **6** COMPUT *chip*

▸ *vt-vi* (*pt & pp* ***chipped***, *ger* ***chipping***) **1** *(wood)* lascar **2** *(stone)* estilhaçar **3** *(glass, vase)* lascar, quebrar **4** *(paint)* descascar

chiropodist [kɪ'rɒpədɪst] *n* quiropodista, pedicuro, calista

chirp [tʃɜːp] *vi* **1** *(bird)* gorjear, trinar **2** *(cricket)* cricrilar

chisel ['tʃɪzəl] *n* **1** *(for wood)* formão, talhadeira **2** *(for stone)* cinzel

▸ *vt* (GB *pt & pp* ***chiselled***, *ger* ***chiselling***, US *pt & pp* ***chiseled***, *ger* ***chiseling***) **1** *(wood)* talhar **2** *(stone)* esculpir

chit [tʃɪt] *n* nota, bilhete

chitchat ['tʃɪttʃæt] *n inf* bate-papo

chloride ['klɔːraɪd] *n* cloreto

chlorine ['klɔːriːn] *n* cloro

chloroform ['klɒrəfɔːm] *n* clorofórmio

chock [tʃɒk] *n* cunha

chock-a-block [tʃɒkə'blɒk] *adj inf* abarrotado, apinhado

chock-full [tʃɒk'fʊl] *adj inf* completamente cheio, até o topo

chocolate ['tʃɒkələt] *n* chocolate

choice [tʃɔɪs] *n* escolha

▸ *adj* escolhido

• **to have no choice** não ter mais remédio, não ter escolha

• **to make a choice** escolher

choir ['kwaɪəʳ] *n* coro

choke [tʃəʊk] *n* asfixia

▸ *vt* **1** *(suffocate)* sufocar **2** *(strangle)* asfixiar, estrangular

▸ *vi* **1** *(suffocate)* sufocar-se **2** *(on food)* engasgar-se

■ **to choke back** *vt* conter, prender: ***he choked back his tears*** ele conteve as lágrimas

cholera ['kɒlərə] *n* cólera

choose [tʃuːz] *vt* (*pt* ***chose*** [tʃəʊz], *pp* ***chosen*** ['tʃəʊzən]) escolher

choosy ['tʃuːzɪ] *adj* (-**ier**, -**iest**) *inf* exigente

chop [tʃɒp] *n* **1** golpe, machadada: ***the tree fell at the first chops*** a árvore caiu nos primeiros golpes **2** COOK costeleta

▸ *vt* (*pt & pp* ***chopped***, *ger* ***chopping***) cortar

■ **to chop down** *vt* derrubar, abater a machadadas

■ **to chop up** *vt* cortar em pedaços, picar

• **to get the chop** ser posto na rua, ser despedido do emprego

choppy ['tʃɒpɪ] *adj* (-**ier**, -**iest**) agitado: ***the sea is very choppy*** o mar está muito agitado

chopsticks ['tʃɒpstɪks] *npl hashi*

choral ['kɔːrəl] *adj* coral

chord¹ [kɔːd] *n* GEOM corda

chord² [kɔːd] *n* MUS acorde

chore [tʃɔːʳ] *n* tarefa, trabalho doméstico

chorus ['kɔːrəs] *n* (*pl* **choruses**) **1** coro: ***they sing in the school chorus*** eles cantam no coral da escola **2** estribilho, refrão: ***everybody sang the national an-***

them chorus todos cantaram o refrão do hino nacional

■ **chorus girl** dançarina e cantora de musical

chose [tʃəʊz] *pt* → **choose**

chosen ['tʃəʊzən] *pp* → **choose**

Christ [kraɪst] *n* Cristo

christen ['krɪsən] *vt* batizar

christening ['krɪsənɪŋ] *n* batismo

Christian ['krɪstɪən] *adj-n* cristão

■ **Christian name** nome de batismo, prenome

Christmas ['krɪsməs] *n* (*pl* **Christmases**) Natal

• **Merry Christmas!** Feliz Natal!

■ **Christmas card** cartão de Natal

■ **Christmas carol** cântico de Natal

■ **Christmas Eve** véspera de Natal

chrome [krəʊm] *n* cromo

chromium ['krəʊmɪəm] *n* cromo

chromosome ['krəʊməsəʊm] *n* cromossomo

chronic ['krɒnɪk] *adj* crônico

chronicle ['krɒnɪkəl] *n* crônica

chronological [krɒnə'lɒdʒɪkəl] *adj* cronológico

chronology [krə'nɒlədʒɪ] *n* (*pl* **-ies**) cronologia

chrysalis ['krɪsəlɪs] *n* (*pl* **chrysalises**) crisálida

chrysanthemum [krɪ'sænθəməm] *n* crisântemo

chubby ['tʃʌbɪ] *adj* (**-ier**, **-iest**) gorducho, bochechudo

chuck [tʃʌk] *vt* **1** acariciar, afagar: ***she chucked the boy's chin trying to calm him down*** ela acariciou o queixo do menino tentando acalmá-lo **2** largar, abandonar: ***he chucked his job*** ele largou o emprego

■ **to chuck out** *vt* mandar embora, expulsar

chuckle ['tʃʌkəl] *vi* rir baixo, cacarejar

▸ *n* risada, cacarejo

chum [tʃʌm] *n inf* amigo íntimo, cupincha

chunk [tʃʌŋk] *n inf* naco, pedaço grande

church [tʃɜ:tʃ] *n* (*pl* **-es**) igreja

churchyard ['tʃɜ:tʃjɑ:d] *n* cemitério

churn [tʃɜ:n] *n* (*for butter*) batedeira

▸ *vt* fazer manteiga, agitar

■ **to churn out** *vt* produzir em série

chute [ʃu:t] *n* rampa

CIA ['si:'ai:'eɪ] *abbr* (***Central Intelligence Agency***) Agência Central de Inteligência

cider ['saɪdəʳ] *n* sidra

cig [sɪg] *n inf* cigarro

cigar [sɪ'gɑ:ʳ] *n* charuto

cigarette [sɪgə'ret] *n* cigarro

■ **cigarette case** cigarreira

■ **cigarette holder** piteira

■ **cigarette lighter** isqueiro

cinch [sɪntʃ] *n* (*pl* **-es**) cilha

• **it's a cinch** é moleza, é café pequeno (*gíria*)

cinder ['sɪndəʳ] *n* cinza

cinema ['sɪnəmə] *n* cinema

cinnamon ['sɪnəmən] *n* canela

cipher ['saɪfəʳ] *n* cifra, criptograma

circle ['sɜ:kəl] *n* círculo

▸ *vt* **1** (*surround*) rodear **2** (*enclose*) fazer um círculo ao redor de

▸ *vi* (*move in a circle*) dar voltas, circundar

• **to come full circle** completar um ciclo

• **to go round in circles** dar voltas

circuit ['sɜ:kɪt] *n* circuito

circular ['sɜ:kjələʳ] *adj-n* circular

circulate ['sɜ:kjəleɪt] *vi* circular

▸ *vt* fazer circular

circulation [sɜ:kjə'leɪʃən] *n* circulação

circumcise ['sɜ:kəmsaɪz] *vt* circuncidar

circumcision [sɜ:kəm'sɪʒən] *n* circuncisão

circumference [sə'kʌmfərəns] *n* circunferência

circumflex ['sɜ:kəmfleks] *adj* circunflexo

circumstance ['sɜ:kəmstəns] *n* circunstância

• **in/under the circumstances** dadas as circunstâncias

• **under no circumstances** de jeito nenhum

circumstantial [sɜ:kəm'stænʃəl] *adj* circunstancial

circus ['sɜ:kəs] *n* (*pl* **circuses**) **1** circo: ***when I was a child, I loved to see acrobats at the circus*** quando eu era criança, adorava ver os acrobatas no circo **2** GB balão, rotunda: ***come back at the circus and then turn to left at the second traffic light*** faça o retorno no balão e, depois, vire à esquerda no segundo farol

cirrhosis [sɪ'rəʊsɪs] *n* cirrose

cistern ['sɪstən] *n* cisterna

cite [saɪt] *vt* citar

citizen ['sɪtɪzən] *n* cidadão

citizenship ['sɪtɪzənʃɪp] *n* cidadania

citric ['sɪtrɪk] *adj* cítrico

citrus fruit ['sɪtrəsfru:t] *n* fruta cítrica

city ['sɪtɪ] *n* (*pl* **-ies**) cidade
▪ **the City** a City, o centro financeiro de Londres

civic ['sɪvɪk] *adj* cívico
▪ **civic centre** centro municipal

civil ['sɪvəl] *adj* civil
▪ **civil law** direito civil
▪ **civil rights** direitos civis
▪ **civil servant** funcionário público
▪ **civil service** administração pública
▪ **civil war** guerra civil

civilian [sɪ'vɪljən] *adj-n* civil

civilization [sɪvɪlaɪ'zeɪʃən] *n* civilização

civilize ['sɪvɪlaɪz] *vt* civilizar

clad [klæd] *pt-pp* → **clothe**
▸ *adj* vestido

claim [kleɪm] *n* **1** *(demand)* reclamação, reivindicação **2** LAW direito **3** *(assertion)* afirmação, declaração **4** *(pretension)* pretensão
▸ *vt* **1** *(assert)* afirmar, manter **2** *(demand)* reclamar
• **to lay claim to** reclamar o direito a

clam [klæm] *n* marisco

clam up ['klæm'ʌp] *vi* (*pt & pp* ***clammed***, *ger* ***clamming***) *inf* perder a fala

clamber ['klæmbəʳ] *vi* escalar com dificuldade

clammy ['klæmɪ] *adj* (**-ier**, **-iest**) **1** *(cold)* frio e úmido **2** *(sticky)* pegajoso, viscoso

clamour ['klæməʳ] (US **clamor**) *n* clamor
▸ *vi* clamar

clamp [klæmp] *n* braçadeira
▸ *vt* apertar
▪ **to clamp down on** *vt* ser severo com

clampdown ['klæmpdaʊn] *n* restrição governamental

clan [klæn] *n* clã

clandestine [klæn'destɪn] *adj* clandestino

clang [klæŋ] *n* som metálico forte, estrondo
▸ *vi* soar
▸ *vt* fazer soar

clap [klæp] *n* **1** aplauso, salva de palmas: ***the audience gave a big clap*** a plateia deu uma grande salva de palmas **2** palmada, tapinha: ***the boss thanked him with a clap on his back*** o chefe o agradeceu com um tapinha nas costas **3** *(loud sound)* estrondo
▸ *vt-vi* (*pt & pp* ***clapped***, *ger* ***clapping***) aplaudir
• **to clap eyes on** cravar os olhos em
• **to clap one's hands** bater palmas
▪ **a clap of thunder** uma trovoada

clapping ['klæpɪŋ] *n* aplausos

clarify ['klærɪfaɪ] *vt-vi* (*pt & pp* **-ied**) esclarecer

clarinet [klærɪ'net] *n* clarineta

clarity ['klærɪtɪ] *n* clareza

clash [klæʃ] *n* (*pl* **-es**) **1** *(harsh sound)* estridor, estrondo **2** choque, conflito: ***a clash of interests*** um conflito de interesses
▸ *vi* **1** *(collide)* chocar-se **2** *(disagree)* entrar em conflito, ter uma desavença **3** *(dates, events)* coincidir **4** *(colors)* destoar **5** *(strike together with a metalic noise)* emitir som metálico

clasp [klɑ:sp] *n* **1** *(hook, buckle)* gancho, fecho **2** *(hug)* abraço **3** *(grasp)* aperto de mão
▸ *vt* **1** *(grasp)* apertar as mãos **2** enganchar, prender: ***she clasped a chain around her*** ela prendeu uma corrente no pescoço **3** *(embrance)* abraçar

class [klɑ:s] *n* (*pl* **-es**) classe
▸ *vt* classificar

classic ['klæsɪk] *adj* clássico
▸ *n* clássico

classical ['klæsɪkəl] *adj* clássico
▪ **classical music** música clássica

classification [klæsɪfɪ'keɪʃən] *n* classificação

classified ['klæsɪfaɪd] *adj* **1** *(categorized)* classificado **2** secreto, confidencial: ***classified information*** informações confidenciais
▪ **classified advertisements** anúncios classificados

classify ['klæsɪfaɪ] *vt* (*pt & pp* **-ied**) classificar

classmate ['klɑ:smeɪt] *n* companheiro de classe

classroom ['klɑ:sru:m] *n* sala de aula, classe

classy ['klɑ:sɪ] *adj* (**-ier**, **-iest**) *inf* classudo

clatter ['klætə^r] *n* ruído, tropel
▸ *vi* fazer som retumbante

clause [klɔ:z] *n* **1** *(in a contract)* cláusula **2** GRAMM oração

claustrophobia [klɔ:strə'fəʊbɪə] *n* claustrofobia

claustrophobic [klɔ:strə'fəʊbɪk] *adj* claustrofóbico

clavicle ['klævɪkəl] *n* clavícula

claw [klɔ:] *n* garra
▸ *vt-vi* rasgar ou arranhar com as garras

clay [kleɪ] *n* argila, barro

clean [kli:n] *adj* limpo
▸ *vt* limpar
▪ **to clean out** *vt* **1** limpar ou arrumar esvaziando: ***I asked the children to clean up their drawers*** pedi às crianças que arrumassem as gavetas **2** *inf* limpar, roubar tudo: ***the thieves cleaned up the store*** os ladrões limparam a loja
▪ **to clean up** *vt* limpar, livrar da corrupção

clean-cut [kli:n'kʌt] *adj* definido, nítido

cleaner ['kli:nə^r] *n* **1** *(person)* encarregado da limpeza, faxineiro **2** *(product)* detergente

cleaner's ['kli:nəz] *n* lavanderia
• **to take somebody to the cleaner's** arruinar alguém

cleanliness ['klenlɪnəs] *n* limpeza, asseio

cleanse [klenz] *vt* limpar, purificar

clear [klɪə^r] *adj* **1** *(explanation)* claro, patente **2** *(glass)* transparente **3** *(sky, view)* límpido **4** *(voice, handwriting)* claro **5** *(image)* nítido **6** *(thought, mind)* lúcido, da
▸ *vt* **1** *(brighten)* aclarar, iluminar **2** tirar, limpar: ***let's clear the table*** vamos tirar a mesa **3** LAW absolver **4** *(obstacle)* saltar, passar sobre
▸ *vi* sumir, fugir
• **to be clear about something** ter certeza de algo
• **to clear one's throat** pigarrear
• **to have a clear conscience** ter a consciência tranquila
• **to make oneself clear** explicar-se com clareza
• **in the clear** **1** fora de perigo: ***her family was in the clear*** sua família estava fora de perigo **2** livre de qualquer suspeita: ***the prisoner was in the clear*** o prisioneiro estava livre de qualquer suspeita
▪ **to clear away** *vt* vencer uma dificuldade
▪ **to clear off** *vi inf* retirar-se
▪ **to clear out** *vi* desocupar, evacuar
▸ *vt* **1** esvaziar: ***the police cleared out the hotel*** a polícia esvaziou o hotel **2** livrar-se: ***I'll clear out all these old shoes in my wardrobe*** vou me livrar de todos esses sapatos velhos em meu guarda-roupa
▪ **to clear up** *vt* **1** *(brighten)* aclarar, desanuviar **2** *(tidy)* ordenar, arrumar
▸ *vi* *(weather)* melhorar

clearance ['klɪərəns] *n* **1** remoção, limpeza: ***a slum clearance program*** um programa de remoção de favelas **2** *(clearing)* espaço livre **3** permissão, liberação: ***the plane was given clearance to land*** o avião recebeu liberação para pousar **4** *(banking)* compensação
▪ **clearance sale** liquidação

clear-cut [klɪə'kʌt] *adj* bem definido

clear-headed ['klɪə'hedɪd] *adj* lúcido

clearing ['klɪərɪŋ] *n* *(in wood)* clareira

clearly ['klɪəlɪ] *adv* claramente

clear-sighted [klɪə'saɪtɪd] *adj* clarividente

cleavage ['kli:vɪdʒ] *n inf* decote

clef [klef] *n* (*pl* **clefs**) clave

cleft [kleft] *n* fenda, fissura

clench [klentʃ] *vt* cerrar, apertar

clergy ['klɜ:dʒɪ] *n* clero

clergyman ['klɜ:dʒɪmən] *n* (*pl* **clergymen**) clérigo

clerical ['klerɪkəl] *adj* **1** REL eclesiástico **2** de escritório, administrativo: ***the clerical staff*** os funcionários do escritório

clerk [klɑ:k]; US [klɜ:rk] *n* **1** (*in an office*) auxiliar de escritório, auxiliar administrativo **2** US (*at a sales counter or a service desk*) balconista

▪ **clerk of the court** escrivão

clever ['klevəʳ] *adj* (*comp* **cleverer**, *superl* **cleverest**) **1** (*mentally*) inteligente, esperto **2** (*deft*) talentoso **3** (*device*) engenhoso

▪ **clever Dick** sabe-tudo

cleverness ['klevənəs] *n* **1** (*smartness*) inteligência **2** (*deftness*) habilidade

cliché ['kli:ʃeɪ] *n* clichê, lugar-comum

click [klɪk] *n* clique

▸ *vt* fazer estalido, estalar

▸ *vi* **1** clicar: ***click on the red icon to quit the program*** clique no ícone vermelho para sair do programa **2** (*camera*) fazer clique **3** dar um estalo, ficar claro: ***suddenly, it clicked!*** de repente, deu um estalo!

client ['klaɪənt] *n* cliente

cliff [klɪf] *n* (*pl* **cliffs**) rochedo, despenhadeiro

cliffhanger ['klɪfhæŋəʳ] *n* seriado de TV que termina com um momento de suspense no final de cada episódio; este momento de suspense

climate ['klaɪmət] *n* clima

climatic [klaɪ'mætɪk] *adj* climático

climax ['klaɪmæks] *n* (*pl* **climaxes**) **1** (*high point*) clímax, ponto culminante **2** (*orgasm*) orgasmo

climb [klaɪm] *n* subida, escalada

▸ *vt* **1** (*stairs*) subir **2** (*tree*) trepar em **3** (*hill*) escalar

▸ *vi* **1** subir: ***the road climbs steeply*** a estrada sobe acentuadamente **2** (*plant*) trepar

▪ **to climb down** *vi* **1** (*tree, hill*) descer **2** *fig* ceder, recuar

climber ['klaɪməʳ] *n* alpinista, escalador

clinch [klɪntʃ] *vt* **1** (*deal*) fechar **2** (*argument*) encerrar

cling [klɪŋ] *vi* (*pt & pp* **clung**) agarrar, apegar-se

clinic ['klɪnɪk] *n* clínica

clinical ['klɪnɪkəl] *adj* clínico

clink [klɪŋk] *n* tinido

▸ *vi* tinir

clip¹ [klɪp] *n* (*film or videotape*) clipe, corte

▸ *vt* (*pt & pp* **clipped**, *ger* **clipping**) **1** (*beard*) aparar **2** (*animal*) tosquiar

clip² [klɪp] *n* **1** (*for papers*) clipe **2** (*for hair*) grampo

▸ *vt* (*pt & pp* **clipped**, *ger* **clipping**) segurar com um clipe

clippers ['klɪpəz] *npl* cortador de unhas

clipping ['klɪpɪŋ] *n* recorte de jornal

clique [kli:k] *n* panelinha, grupo exclusivo

clitoris ['klɪtərɪs] *n* (*pl* **clitorises**) clitóris

cloak [kləʊk] *n* capote, manto

cloakroom ['kləʊkru:m] *n* **1** (*in a theater*) chapelaria **2** GB lavabo

clock [klɒk] *n* **1** relógio: ***the clock struck midnight*** o relógio bateu meia-noite **2** *inf* taxímetro

• **against the clock** contra o relógio

• **round the clock** dia e noite

• **to put the clock back** atrasar o relógio

• **to put the clock forward** adiantar o relógio

▪ **to clock in/on** *vi* GB bater ponto na entrada do trabalho

▪ **to clock out/off** *vi* GB bater ponto na saída do trabalho

▪ **to clock up** *vt* registrar distância percorrida

clockwise ['klɒkwaɪz] *adj-adv* no sentido horário

clockwork ['klɒkwɜ:k] *n* mecanismo de relógio, ou semelhante

• **like clockwork** com grande precisão, com perfeição

clod [klɒd] *n* torrão de terra

clog [klɒg] *n* tamanco

▸ *vt-vi* (*pt & pp* ***clogged***, *ger* ***clogging***) obstruir

cloister ['klɔɪstəʳ] *n* claustro

clone [kləʊn] *n* clone

close¹ [kləʊs] *adj* **1** *(distance)* perto **2** *(friend)* íntimo **3** *(relative)* próximo **4** *(exam)* detalhado

▸ *adv* perto

• **to keep a close watch on** vigiar de perto

close² [kləʊz] *vt* fechar: ***close your eyes*** feche os olhos

▸ *vi* fechar: ***the shop closes at five*** a loja fecha às cinco

▸ *n* fim, final, conclusão: ***at the close of the day*** no final do dia

• **to bring to a close** concluir

• **to close ranks** cerrar fileiras

• **to draw to a close** chegar ao fim

▪ **close season** temporada de caça

▪ **to close down** *vt,vi* encerrar as atividades

▪ **to close in** *vi* **1** *(days)* encurtar **2** *(night, fog)* cair **3** aproximar-se: ***the fox closed in*** as raposas se aproximaram

closed [kləʊzd] *adj* cerrado, fechado

▪ **closed circuit television** televisão em circuito fechado

close-fitting [kləʊs'fɪtɪŋ] *adj* *(clothes)* justo

close-knit [kləʊs'nɪt] *adj* unido, estreitamente ligado ou organizado

closely ['kləʊslɪ] *adv* **1** intimamente: ***to be closely involved in something*** estar intimamente envolvido em algo **2** de perto, atentamente: ***to follow something closely*** seguir algo de perto

closet ['klɒzɪt] *n* **1** armário: ***bathroom cabinet*** armário de banheiro **2** gabinete: ***he is studying at the closet*** ele está estudando no gabinete

• **to come out of the closet** *sl* sair do armário

close-up ['kləʊsʌp] *n* PHOTO *close*

closing ['kləʊzɪŋ] *n* conclusão, encerramento

▪ **closing ceremony** cerimônia de encerramento

▪ **closing date** data-limite, final do prazo

▪ **closing time** hora de encerramento

closure ['kləʊʒəʳ] *n* fechamento

clot [klɒt] *n* **1** MED coágulo **2** GB *inf* idiota

▸ *vi* (*pt & pp* ***clotted***, *ger* ***clotting***) coagular

cloth [klɒθ] *n* **1** *(rag)* pano **2** *(material)* tecido

clothe [kləʊð] *vt* (*pt & pp* ***clothed*** ou ***clad***) vestir

clothes [kləʊðz] *npl* roupa: ***these clothes are new*** esta roupa é nova

• **in plain clothes** à paisana

• **to put one's clothes on** vestir-se

• **to take one's clothes off** tirar a roupa

▪ **clothes hanger** cabide

▪ **clothes peg** pregador de roupa

clothesline ['kləʊðzlaɪn] *n* corda de roupa, varal

clothing ['kləʊðɪŋ] *n* vestuário

cloud [klaʊd] *n* nuvem

• **every cloud has a silver lining** não há mal que não venha para o bem

• **under a cloud** sob suspeita

▪ **to cloud over** *vi* ficar nublado, fechar o tempo

cloudy ['klaʊdɪ] *adj* (**-ier**, **-iest**) **1** nublado: ***the sky is cloudy today*** o céu está nublado hoje **2** *(liquid)* turvo

clout [klaʊt] *n* **1** *(blow)* bofetada, *inf* remendo **2** *inf* influência

▸ *vt inf* dar um bofetão

clove¹ [kləʊv] *n* BOT cravo

clove² [kləʊv] *n* dente: ***clove of garlic*** dente de alho

clover ['kləʊvəʳ] *n* trevo

clown [klaʊn] *n* palhaço

▸ *vi* fazer-se de palhaço, fazer palhaçada

club [klʌb] *n* **1** *(society)* clube, grêmio **2** *(weapon)* cacete, porrete **3** *(golf)* taco **4** *(cards)* paus

▸ *vt* (*pt & pp* ***clubbed***, *ger* ***clubbing***) bater

▪ **to club together** *vi* cotizar-se, *sl* fazer vaquinha

cluck [klʌk] *vi* cacarejar

clue [klu:] *n* pista, indício

clump [klʌmp] *n* **1** *(trees)* arvoredo **2** *(plants)* moita **3** *(soil)* torrão
▸ *vi* andar pesada e ruidosamente

clumsiness ['klʌmzɪnəs] *n* falta de jeito ou de graça

clumsy ['klʌmzɪ] *adj* (**-ier**, **-iest**) desajeitado

clung [klʌŋ] *pt-pp* → **cling**

cluster ['klʌstəʳ] *n* **1** grupo: ***a cluster of stars*** um grupo de estrelas **2** BOT cacho
▸ *vi* apinhar-se

clutch [klʌtʃ] *n* (*pl* **-es**) **1** *(grip)* garra **2** AUT embreagem
▸ *vt* **1** *(grasp)* agarrar com força **2** MED aplicar a embreagem
• **in somebody's clutches** nas garras de alguém
▪ **to clutch at** *vt* agarrar-se a

clutter ['klʌtəʳ] *n* desordem, confusão
▸ *vt* encher, atravancar

c/o ['keərɒv] *abbr* ***(care of)*** aos cuidados de, a/c

Co¹ [kəʊ] *abbr* ***(Company)*** Companhia, Cia.

Co² [kəʊ] *abbr* ***(County)*** condado

coach [kəʊtʃ] *n* (*pl* **-es**) **1** *(bus)* ônibus **2** *(horse-drawn)* carruagem, carruagem de cavalos **3** *(train)* vagão **4** professor particular: ***a vocal coach*** uma professora particular de voz **5** SPORT treinador
▸ *vt* preparar, treinar
▪ **coach station** rodoviária

coagulate [kəʊ'ægjəleɪt] *vi* coagular

coal [kəʊl] *n* carvão
• **to haul somebody over the coals** repreender alguém
▪ **coal mine** mina de carvão
▪ **coal mining** mineração de carvão

coalition [kəʊə'lɪʃən] *n* coalizão

coarse [kɔ:s] *adj* **1** *(material)* grosso **2** *(person)* grosseiro, vulgar

coast [kəʊst] *n* costa, litoral
▸ *vi* **1** AUT conduzir em ponto morto **2** *(bike)* andar sem pedalar
• **the coast is clear** passou o perigo

coastal ['kəʊstəl] *adj* costeiro

coastguard ['kəʊstgɑ:d] *n* guarda costeira

coastline ['kəʊstlaɪn] *n* litoral

coat [kəʊt] *n* **1** *(jacket)* casaco **2** *(of paint)* demão, camada **3** *(of animal)* plumagem, pelo, lã
▸ *vt* cobrir, revestir
▪ **coat hanger** cabide
▪ **coat hook** gancho de cabideiro
▪ **coat of arms** brasão

coating ['kəʊtɪŋ] *n* camada de pintura, revestimento

coax [kəʊks] *vt* persuadir
• **to coax something out of somebody** levar no bico, obter com lisonja

cob [kɒb] *n* sabugo, espiga de milho

cobalt ['kəʊbɔ:lt] *n* cobalto

cobble¹ ['kɒbəl] *n* pedra arredondada para pavimentação

cobble² *vt* remendar: ***cobble shoes*** remendar sapatos
▪ **to cobble together** *vt* ajeitar grosseiramente: ***he cobbled a plan together at the last minute*** ele ajeitou grosseiramente um plano no último minuto

cobbled ['kɒbəld] *adj* pavimentado com pedras redondas

cobbler ['kɒbləʳ] *n* sapateiro

cobweb ['kɒbweb] *n* teia de aranha

cocaine [kə'keɪn] *n* cocaína

cock [kɒk] *n* **1** *(rooster)* galo **2** *(male bird)* macho **3** *vulg* pênis
▸ *vt* **1** *(gun)* engatilhar **2** levantar: ***the dog cocked its ears in alert*** o cachorro levantou as orelhas em alerta
▪ **to cock up** *vt* GB *inf* estragar, arruinar

cock-a-doodle-doo [kɒkədu:dl'du:] *interj* cocoricó!

cockatoo [kɒkə'tu:] *n* (*pl* **cockatoos**) cacatua

cockerel ['kɒkərəl] *n* frango

cockney ['kɒknɪ] *adj* (**-ier**, **-iest**) *cockney*, relativo aos nativos dos bairros populares do leste de Londres e a seu dialeto
▸ *n* **1** *(person)* nativo dos bairros populares do leste de Londres **2** *(dialect)* dialeto desses bairros

cockpit ['kɒkpɪt] *n* cabina ou lugar do piloto

cockroach ['kɒkrəʊtʃ] *n* (*pl* **-es**) barata

cocktail ['kɒkteɪl] *n* coquetel
■ **cocktail shaker** coqueteleira

cockup ['kɒkʌp] *n* GB *vulg* erro estúpido, confusão

cocky ['kɒkɪ] *adj* (**-ier**, **-iest**) *inf* arrogante, convencido

cocoa ['kəʊkəʊ] *n* cacau

coconut ['kəʊkənʌt] *n* coco

cocoon [kə'ku:n] *n* casulo

cod [kɒd] *n* bacalhau

COD ['si:'əʊ'di:] *abbr* pagamento contra entrega

Na Grã-Bretanha significa **cash on delivery**, nos EUA **collect on delivery**.

code [kəʊd] *n* código
▸ *vt* pôr em código, codificar
■ **code name** codinome
■ **code of practice** código de ética

coeducation [kəʊedjə'keɪʃən] *n* coeducação

coffee ['kɒfɪ] *n* café
■ **coffee cup** xícara de café
■ **coffee grinder** moedor de café
■ **coffee shop** cafeteria
■ **coffee table** mesa de centro

coffeepot ['kɒfɪpɒt] *n* cafeteira

coffer ['kɒfəʳ] *n* cofre

coffin ['kɒfɪn] *n* ataúde, caixão de defunto

cog [kɒg] *n* **1** *(of a gear)* dente de roda dentada, dente de engrenagem **2** *fig* ser uma peça (na engrenagem)

cogent ['kəʊdʒənt] *adj* convincente

cogwheel ['kɒgwi:l] *n* roda dentada

coherence [kəʊ'hɪərəns] *n* coerência

coherent [kəʊ'hɪərənt] *adj* coerente

cohesion [kəʊ'hi:ʒən] *n* coesão

cohesive [kəʊ'hi:sɪv] *adj* coesivo

coil [kɔɪl] *n* **1** *(of rope)* rolo **2** *(of hair)* caracol, anel enrolado **3** ELECTR bobina **4** *(of pipes)* serpentina **5** *(contraceptive)* DIU *(dispositivo intrauterino)*
▸ *vt-vi* enrolar, serpentear, mover-se em espiral

coin [kɔɪn] *n* moeda
▸ *vt* cunhar

coincide [kəʊɪn'saɪd] *vi* coincidir

coincidence [kəʊ'ɪnsɪdəns] *n* coincidência

coke [kəʊk] *n sl* coca

Coke® [kəʊk] *n* Coca-Cola®

colander ['kʌləndəʳ] *n* escorredor de macarrão

cold [kəʊld] *adj* frio
▸ *n* **1** frio: ***come out of the cold*** saia do frio **2** MED resfriado
• **to be cold 1** sentir frio, estar com frio: ***I'm cold*** estou com frio **2** estar frio: ***the coffee is cold*** o café está frio **3** fazer frio: ***it's cold today*** faz frio hoje
• **to catch a cold** resfriar-se, pegar uma gripe
• **to feel the cold** ser friorento
• **to get cold** esfriar, ficar frio
• **to give somebody the cold shoulder** esnobar alguém
• **to have a cold** estar resfriado
• **to knock somebody out cold** deixar alguém inconsciente
■ **cold sore** herpes labial
■ **cold war** guerra fria

cold-blooded [kəʊld'blʌdɪd] *adj* **1** *(person)* cruel, insensível **2** ZOOL sangue-frio *(répteis etc.)* **3** *(murder)* a sangue--frio

cold-hearted [kəʊld'hɑ:tɪd] *adj* insensível, sem piedade, cruel

coldness ['kəʊldnəs] *n* frieza, indiferença

coleslaw ['kəʊlslɔ:] *n* salada de repolho

collaboration [kəlæbə'reɪʃən] *n* colaboração

collapse [kə'læps] *n* **1** *(building)* desmoronamento **2** *(soil)* afundamento **3** *(plan)* fracasso **4** MED colapso, desmaio, desfalecimento
▸ *vi* **1** *(building)* desmoronar **2** *(soil)* afundar **3** MED desfalecer **4** *(plan)* vir abaixo

collapsible [kə'læpsəbəl] *adj* desmontável, dobrável

collar ['kɒləʳ] *n* **1** *(shirt)* colarinho, gola **2** *(dog)* coleira
▸ *vt inf* pôr coleira, prender

collarbone ['kɒləbəʊn] *n* clavícula

collateral [kə'lætərəl] *adj* colateral
▸ *n* garantia, caução

colleague ['kɒli:g] *n* colega, companheiro de trabalho

collect [kə'lekt] *vt* 1 *(objects)* reunir, juntar 2 *(as a hobby)* colecionar 3 *(taxes)* arrecadar 4 *(recover control)* recuperar-se 5 *(pick up)* ir buscar, apanhar
▸ *vi* 1 *(people)* congregar-se 2 *(dust)* acumular-se
• **to call collect** US chamar a cobrar
• **to collect oneself** recompor-se, controlar-se

collected [kə'lektɪd] *adj* calmo, sereno, tranquilo, dono de si mesmo

collection [kə'lekʃən] *n* 1 coleção: ***a collection of stamps*** uma coleção de selos 2 *(of people)* reunião, grupo 3 acúmulo, ajuntamento: ***a collection of dust on the table*** um acúmulo de poeira sobre a mesa 4 *(of taxes, donations)* arrecadação, coleta

collective [kə'lektɪv] *adj* coletivo
▸ *n* 1 GRAMM coletivo 2 *(of workers)* cooperativa

collector [kə'lektəʳ] *n* 1 colecionador: ***a toy collector*** um colecionador de brinquedos 2 coletor, cobrador: ***a tax collector*** um cobrador de impostos

college ['kɒlɪdʒ] *n* 1 faculdade: ***the volleyball college team*** o time de vôlei da faculdade 2 escola técnica: ***college of engineering*** escola técnica de engenharia

Colégio: **high-school.**

collide [kə'laɪd] *vi* colidir

colliery ['kɒljərɪ] *n* (*pl* **-ies**) mina de carvão, incluindo os prédios

collision [kə'lɪʒən] *n* colisão, choque

colloquial [kə'ləʊkwɪəl] *adj* coloquial

cologne [kə'ləʊn] *n* água-de-colônia

Colombia [kə'lʌmbɪə] *n* Colômbia

Colombian [kə'lʌmbɪən] *adj-n* colombiano

colon[1] ['kəʊlən] *n* cólon

colon[2] ['kəʊlən] *n* dois-pontos

colonel ['kɜ:nəl] *n* coronel

colonial [kə'ləʊnɪəl] *adj* colonial

colonialism [kə'ləʊnɪəlɪzəm] *n* colonialismo

colonist ['kɒlənɪst] *n* colono, colonizador

colonize ['kɒlənaɪz] *vt* colonizar

colony ['kɒlənɪ] *n* (*pl* **-ies**) colônia

color ['kʌləʳ] *n-vt-vi* US → **colour**

colossal [kə'lɒsəl] *adj* colossal

colour ['kʌləʳ] (US **color**) *n* cor
▸ *vt* 1 colorir, pintar: ***colour the figures*** pinte os números 2 *fig* disfarçar, alterar
▸ *vi* ruborizar-se, corar
▸ *npl* **colours** cores, bandeira, estandarte
• **in full colour** em cores vivas
• **to be off colour** estar indisposto
• **to lose colour** empalidecer
▪ **colour bar** discriminação racial
▪ **colour blindness** daltonismo
▪ **colour film** filme colorido
▪ **colour television** televisão colorida
▪ **to stick to one's colours** permanecer fiel a uma causa

colour-blind ['kʌləblaɪnd] *adj* daltônico

coloured ['kʌləd] *adj pej* de cor, de raça negra

colourful ['kʌləfʊl] *adj* 1 cheio de cor, abundante em cores: ***a colourful shirt*** uma camisa colorida 2 vivo, animado: ***a colourful girl*** uma garota animada 3 pitoresco: ***a colourful story*** uma história pitoresca

colouring ['kʌlərɪŋ] *n* 1 *(substance)* corante 2 colorido: ***I like the colouring of this picture*** gosto do colorido deste quadro 3 *(complextion)* tez

colt [kəʊlt] *n* potro

column ['kɒləm] *n* coluna

coma ['kəʊmə] *n* coma

comb [kəʊm] *n* pente
▸ *vt* 1 *(hair)* pentear 2 *(area)* rastrear, vasculhar

combat ['kɒmbæt] *n* combate
▸ *vt-vi* combater

combatant ['kɒmbətənt] *n* combatente

combination [kɒmbɪ'neɪʃən] *n* combinação

combine [*(v)* kəm'baɪn; *(n)* 'kɒmbaɪn] *vt* combinar
▸ *vi* 1 combinar-se: ***these substances don't combine*** essas substâncias não se combinam 2 associar-se, unir-se: ***the***

two opposite parties combined os dois partidos de oposição se uniram **3** *(companies)* fundir
▸ *n* grupo de empresas

combustible [kəm'bʌstɪbəl] *adj* combustível

combustion [kəm'bʌstʃən] *n* combustão
▪ **combustion engine** motor de combustão

come [kʌm] *vi* (*pt* ***came*** [keɪm], *pp* ***come*** [kʌm]) **1** vir: ***are you coming to the party?*** você vem à festa?; ***come here*** venha aqui **2** chegar: ***what time did you come home?*** a que horas você chegou em casa? **3** *vulg* gozar, ter um orgasmo
• **come what may** aconteça o que acontecer
• **to come down in the world** baixar o nível de vida
• **to come in handy** ser útil, vir em boa hora
• **to come into fashion** virar moda
• **to come into force** entrar em vigor
• **to come of age** alcançar a maioridade
• **to come out in favour of** declarar-se a favor de
• **to come out against** opor-se, colocar-se contra
• **to come to an end** acabar, terminar, chegar ao fim
• **to come together** reunir-se, juntar-se
• **to come to one's senses** **1** voltar a si: ***she came to her senses when he threw water on her face*** ela voltou a si quando ele jogou água no seu rosto **2** recobrar a razão: ***after being so silly, he came to his senses*** depois de tantas bobagens, ele recobrou a razão
• **to come to pass** acontecer
• **to come true** realizar-se, tornar-se realidade
• **to come under attack** ser atacado
• **come again?** como?; pode repetir?
▪ **to come about** *vi* ocorrer, acontecer
▪ **to come across** *vt* encontrar por acaso
▸ *vi* causar uma impressão; ***to come across badly*** causar má impressão; ***to come across well*** causar boa impressão
▪ **to come along** *vi* **1** prosseguir, avançar: ***how is your work coming along?*** como o seu trabalho está avançando? **2** apresentar-se, aparecer: ***trouble comes along when you least expect it*** os problemas aparecem quando você menos espera
▪ **to come apart** *vi* romper-se, partir-se, desintegrar-se
▪ **to come at** *vt* atacar
▪ **to come back** *vi* voltar, regressar
▪ **to come before** *vt* **1** preceder: ***the invention of the electric battery come before the invention of the lighbulb*** a invenção da pilha elétrica precedeu a invenção da lâmpada **2** *fig* ser mais importante que
▪ **to come by** *vt* conseguir
▪ **to come down** *vi* **1** ser derrubado, ser destruído: ***the planes came down in the battle*** os aviões foram derrubados na batalha **2** *(prices)* baixar
▪ **to come down with** *vt inf* contrair: ***Paul has come down with a bad cold*** Paul contraiu um forte resfriado
▪ **to come forward** *vi* **1** adiantar-se: ***the culprit came foward*** o culpado se adiantou **2** oferecer-se, apresentar-se como voluntário: ***I'll come forward to the committee*** vou me apresentar como voluntário para o comitê
▪ **to come from** *vt* ser de, vir de: ***I come from Spain*** sou da Espanha, venho da Espanha
▪ **to come in** *vi* **1** entrar: ***come in!*** pode entrar! **2** *(arrive)* chegar
▪ **to come in for** *vt* tornar-se sujeito a: ***he has come in for criticism*** ele tem se tornado sujeito a críticas
▪ **to come into** *vt* herdar, tomar posse de
▪ **to come off** *vi* **1** *(succeed)* ter êxito **2** desprender-se, soltar-se: ***the bucket handle came off in my hand*** a alça do balde desprendeu-se na minha mão **3** sair: ***this dirty mark won't come off*** esta mancha de sujeira não vai sair
▪ **to come on** *vi* **1** avançar: ***the troops came on*** as tropas avançaram **2** *inf* começar
▪ **to come out** *vi* **1** sair: ***when the sun comes out*** quando sair o sol **2** sair: ***this dirty mark won't come off*** esta mancha de sujeira não vai sair **3** GB declarar-se em greve **4** sair: ***she always comes out well in her photos/tests*** ela sempre sai bem nas fotos/nos testes

■ **to come out with** *vt* sair-se com: ***he came out with a strange remark*** ele se saiu com uma observação estranha
■ **to come round** *vi* **1** voltar a si: ***the girl fainted but soon she came round*** a garota desmaiou mas logo voltou a si **2** deixar-se convencer, ceder: ***don't worry about his opinion, he'll soon come round*** não se preocupe com a opinião dele, ele logo vai ceder **3** vir visitar: ***come round and see us tonight*** venha nos visitar esta noite
■ **to come through** *vi* chegar conforme o esperado
▸ *vt* superar, sobreviver, ter sucesso
■ **to come to** *vi* voltar a si, chegar, alcançar
■ **to come up** *vi* **1** surgir: ***a chance can come up soon*** pode surgir uma oportunidade em breve **2** aproximar-se: ***a man came up and started to ask questions*** um homem se aproximou e começou a fazer perguntas **3** sair: ***I think the sun won't come up today*** acho que o sol não vai sair hoje
■ **to come up against** *vt* enfrentar
■ **to come up to** *vt* chegar a: ***the water came up to my waist*** a água chegou à minha cintura
■ **to come up with** *vt* ter, encontrar: ***I'm sure she'll come up with a better plan*** tenho certeza de que ela vai ter um plano melhor
■ **to come upon** *vt* descobrir

comeback ['kʌmbæk] *n* **1** retorno, volta: ***a comeback to the 30's*** uma volta aos anos 30 **2** réplica mordaz: ***his opponent made a comeback*** seu oponente fez uma réplica mordaz

comedian [kə'mi:dɪən] *nm* comediante

comedienne [kəmi:dɪ'en] *nf* comediante

comedy ['kɒmədɪ] *n* (*pl* **-ies**) comédia

comet ['kɒmɪt] *n* cometa

comfort ['kʌmfət] *n* conforto
▸ *vt* confortar

comfortable ['kʌmfətəbəl] *adj* confortável
• **to make oneself comfortable** pôr-se à vontade

comforting ['kʌmfətɪŋ] *adj* confortante

comfy ['kʌmfɪ] *adj* (**-ier**, **-iest**) *inf* cômodo

comic ['kɒmɪk] *adj-n* cômico
▸ *n* gibi
■ **comic strip** história em quadrinhos

comical ['kɒmɪkəl] *adj* cômico

coming ['kʌmɪŋ] *n* vinda, chegada, advento
▸ *adj* **1** próximo: ***this coming Sunday*** no próximo domingo **2** vindouro: ***the coming year*** o ano vindouro
■ **comings and goings** idas e vindas

comma ['kɒmə] *n* vírgula

command [kə'mɑ:nd] *n* **1** (*order*) comando **2** autoridade: ***under the command of the king*** sob a autoridade do rei **3** COMPUT instrução **4** domínio: ***he has a good command of Greek*** ele tem um bom domínio do grego
▸ *vt,vi* comandar

commander [kə'mɑ:ndəʳ] *n* comandante

commandment [kə'mɑ:ndmənt] *n* mandamento

commando [kə'mɑ:ndəʊ] *n* (*pl* **-s** ou **-es**) MIL comando, destacamento de soldados

commemorate [kə'meməreɪt] *vt* comemorar

commemoration [kəmemə'reɪʃən] *n* comemoração

commemorative [kə'memərətɪv] *adj* comemorativo

commend [kə'mend] *vt* **1** (*praise*) elogiar **2** (*recommend*) recomendar

comment ['kɒment] *n* comentário: ***no comment*** sem comentários
▸ *vi* comentar

commentary ['kɒməntərɪ] *n* (*pl* **-ies**) comentário

commentator ['kɒmənteɪtəʳ] *n* comentarista

commerce ['kɒmɜ:s] *n* comércio

commercial [kə'mɜ:ʃəl] *adj* comercial
▸ *n* comercial, anúncio

commercialize [kə'mɜ:ʃəlaɪz] *vt* comercializar

commission [kə'mɪʃən] *n* **1** comissão: ***he gets paid by commission*** ele recebe

por comissão; ***a peace commission*** uma comissão de paz 2 *(order)* empreitada, encomenda
▸ *vt* encarregar, comissionar, incumbir

commissioner [kə'mɪʃənəʳ] *n* comissário

commit [kə'mɪt] *vt (pt & pp **committed**, ger **committing**)* confiar
• **to commit oneself** comprometer-se
• **to commit suicide** suicidar-se
• **to commit to memory** memorizar, decorar
• **to commit to prison** encarcerar

commitment [kə'mɪtmənt] *n* comprometimento

committee [kə'mɪtɪ] *n* comitê, comissão; delegação

commodity [kə'mɒdɪtɪ] *n (pl* **-ies***)* artigo, mercadoria

common ['kɒmən] *adj (comp **commoner**, superl **commonest**)* 1 comum: ***common interests*** interesses comuns; ***this is commoner than we can imagine*** isso é mais comum do que podemos imaginar 2 *pej* vulgar, baixo, ordinário
▸ *n* comum
• **in common** em comum
• **to be common knowledge** ser de domínio público
▪ **common denominator** denominador comum
▪ **common factor** mínimo múltiplo comum
▪ **Common Market** Mercado Comum *(Europeu)*
▪ **common sense** senso comum

commonplace ['kɒmənpleɪs] *adj* comum, corriqueiro
▸ *n* lugar-comum

commotion [kə'məʊʃən] *n* comoção

communal ['kɒmjənəl] *adj* comunal

commune[1] ['kɒmju:n] *n* comuna

commune[2] [kə'mju:n] *vi* comungar

communicate [kə'mju:nɪkeɪt] *vt-vi* comunicar(-se)

communication [kəmju:nɪ'keɪʃən] *n* comunicação

communicative [kə'mju:nɪkətɪv] *adj* comunicativo

communion [kə'mju:njən] *n* comunhão

communiqué [kə'mju:nɪkeɪ] *n* comunicado oficial

communism ['kɒmjənɪzəm] *n* comunismo

communist ['kɒmjənɪst] *adj-n* comunista

community [kə'mju:nɪtɪ] *n (pl* **-ies***)* comunidade
▪ **community centre** centro comunitário
▪ **community spirit** civismo

commute [kə'mju:t] *vi* 1 *(exchange)* comutar 2 viajar diariamente entre a casa e o trabalho, ir trabalhar de: ***a lot of people commute by train*** muitas pessoas vão trabalhar de trem
▸ *vt* comutar, atenuar

commuter [kə'mju:təʳ] *n* pessoa que viaja diariamente entre a casa e o trabalho

compact [kəm'pækt] *adj* compacto
▸ *n* caixa ou estojo de pó de arroz
▪ **compact disc** disco a *laser,* CD

companion [kəm'pænjən] *n* companheiro

company ['kʌmpənɪ] *n (pl* **-ies***)* 1 companhia: ***he's a good company*** ele é uma boa companhia 2 companhia, empresa: ***she works to this company*** ela trabalha para esta empresa 3 *inf* visita: ***we have company*** temos visita
• **to keep somebody company** fazer companhia a alguém
• **to part company** separar-se

comparable ['kɒmpərəbəl] *adj* comparável

comparative [kəm'pærətɪv] *adj* comparativo

comparatively [kəm'pærətɪvlɪ] *adv* relativamente

compare [kəm'peəʳ] *vt* comparar
▸ *vi* comparar-se
• **beyond compare** sem comparação

comparison [kəm'pærɪsən] *n* comparação
• **in comparison with/to** em comparação com
• **there's no comparison** não há comparação

compartment [kəm'pɑ:tmənt] *n* compartimento

compass ['kʌmpəs] *n* (*pl* **-es**) bússola

compasses ['kʌmpəsɪz] *npl* bússola

compassion [kəm'pæʃən] *n* compaixão

compassionate [kəm'pæʃənət] *adj* compassivo

compatible [kəm'pætɪbəl] *adj* compatível

compel [kəm'pel] *vt* (GB *pt & pp* ***compelled***, *ger* ***compelling***, US *pt & pp* ***compeled***, *ger* ***compeling***) compelir

compensate ['kɒmpənseɪt] *vt* compensar

compensation [kɒmpən'seɪʃən] *n* compensação

compere ['kɒmpeəʳ] *n* GB mestre de cerimônias

▸ *vt* GB atuar como mestre de cerimônias

compete [kəm'pi:t] *vi* competir

competence ['kɒmpɪtəns] *n* competência

competent ['kɒmpɪtənt] *adj* competente

competition [kɒmpə'tɪʃən] *n* **1** (*contest*) competição **2** ECON concorrência, disputa

competitive [kəm'petɪtɪv] *adj* **1** (*spirit*) competitivo, competidor **2** ECON, SPORT competitivo

competitor [kəm'petɪtəʳ] *n* **1** (*rival*) competidor **2** ECON concorrente

complacent [kəm'pleɪsənt] *adj* complacente

complain [kəm'pleɪn] *vt* queixar-se

complaint [kəm'pleɪnt] *n* **1** (*grievance*) queixa **2** (*in shop*) reclamação **3** JUR querela **4** MED achaque, doença

• **to lodge a complaint** apresentar uma queixa

complement ['kɒmplɪmənt] *n* complemento

complementary [kɒmplɪ'mentərɪ] *adj* complementar

complete [kəm'pli:t] *adj* **1** (*full*) completo **2** (*finished*) acabado, terminado

▸ *vt* **1** (*fulfil*) completar **2** (*finish*) acabar, terminar

completely [kəm'pli:tlɪ] *adv* completamente

completion [kəm'pli:ʃən] *n* conclusão, término

complex ['kɒmpleks] *adj* complexo

▸ *n* (*pl* **complexes**) complexo

complexion [kəm'plekʃən] *n* cor, tez, aparência

complexity [kəm'pleksɪtɪ] *n* (*pl* **-ies**) complexidade

complicate ['kɒmplɪkeɪt] *vt* complicar

complicated ['kɒmplɪkeɪtɪd] *adj* complicado

complication [kɒmplɪ'keɪʃən] *n* complicação

compliment [(*n*) 'kɒmplɪmənt; (*v*) 'kɒmplɪment] *n* cumprimento

▸ *vt* cumprimentar, saudar

▸ *npl* **compliments** cumprimentos, saudações: ***my compliments to the chef*** meus cumprimentos ao *chef*

• **with the compliments of...** com os cumprimentos de...

comply [kəm'plaɪ] *vi* (*pt & pp* **-ied**) obedecer, sujeitar-se: ***it complies with European standards*** obedece aos padrões europeus

component [kəm'pəʊnənt] *adj-n* componente

compose [kəm'pəʊz] *vt* compor

• **to be composed of** compor-se de

• **to compose oneself** compor-se, acalmar-se

composed [kəm'pəʊzd] *adj* calmo, tranquilo, sereno, sossegado

composer [kəm'pəʊzəʳ] *n* compositor

composite ['kɒmpəzɪt] *adj* composto

composition [kɒmpə'zɪʃən] *n* composição

compost ['kɒmpɒst] *n* adubo, composto

composure [kəm'pəʊʒəʳ] *n* compostura

compound[1] [(*adj-n*) 'kɒmpaʊnd; (*v*) kəm'paʊnd] *adj* composto

▸ *n* composto

▸ *vt* compor, misturar

compound[2] ['kɒmpaʊnd] *n* área cercada contendo prédios e residências

comprehend [kɒmprɪ'hend] *vt* compreender

comprehension [kɒmprɪ'henʃən] *n* compreensão

comprehensive [kɒmprɪ'hensɪv] *adj* abrangente

■ **comprehensive insurance** seguro total

■ **comprehensive school** GB instituição de ensino secundária de amplo programa

compress ['kɒmpres] *n* (*pl* **compresses** [kəm'pres]) compressa
▸ *vt* comprimir

compression [kəm'preʃən] *n* compressão

comprise [kəm'praɪz] *vt* consistir em, conter

compromise ['kɒmprəmaɪz] *n* compromisso, acordo, meio-termo
▸ *vi* entrar em um acordo fazendo concessões, chegar a um meio-termo
▸ *vt* comprometer(-se)

compulsive [kəm'pʌlsɪv] *adj* compulsivo

compulsory [kəm'pʌlsərɪ] *adj* obrigatório, coercivo

computer [kəm'pju:təʳ] *n* computador
■ **computer game** jogo de computador
■ **computer programmer** programador
■ **computer science** ciência da computação, informática

computerize [kəm'pju:təraɪz] *vt* informatizar

computing [kəm'pju:tɪŋ] *n* computação, informática

comrade ['kɒmreɪd] *n* companheiro, camarada

con [kɒn] *n* contra: ***the pros and cons*** os prós e os contras
▸ *vt* (*pt & pp* ***conned***, *ger* ***conning***) *inf* trapacear, enganar
■ **con man** *inf* trapaceiro, vigarista

conceal [kən'si:l] *vt* ocultar, esconder

concede [kən'si:d] *vt* **1** *(grant)* conceder **2** *(acknowledge)* reconhecer, admitir
▸ *vt-vi* render-se, admitir a derrota

conceit [kən'si:t] *n* presunção

conceited [kən'si:tɪd] *adj* convencido, vaidoso

conceivable [kən'si:vəbəl] *adj* concebível

conceivably [kən'si:vəblɪ] *adv* possivelmente

conceive [kən'si:v] *vt-vi* conceber

concentrate ['kɒnsəntreɪt] *vt-vi* concentrar(-se)

concentrated ['kɒnsəntreɪtɪd] *adj* **1** *(juice)* concentrado **2** *(effort)* intenso

concentration [kɒnsən'treɪʃən] *n* concentração
■ **concentration camp** campo de concentração

concept ['kɒnsept] *n* conceito

conception [kən'sepʃən] *n* concepção

concern [kən'sɜ:n] *n* **1** *(anxiety)* preocupação **2** interesse: ***her major concern is literature*** seu principal interesse é a literatura
▸ *vt* **1** concernir, dizer respeito, interessar a: ***this problem does not concern me*** esse problema não me diz respeito **2** *(worry)* preocupar
• **as far as I'm concerned** no que me diz respeito
• **it's no concern of mine** não é da minha conta
• **there's no cause for concern** não há por que se preocupar
• **to be concerned with** **1** *(involved with)* ocupar-se de **2** tratar de: ***her book is concerned with the species evolution*** seu livro trata da evolução das espécies
• **to whom it may concern** a quem interessar possa

concerned [kən'sɜ:nd] *adj* preocupado, aflito

concerning [kən'sɜ:nɪŋ] *prep* referente a, sobre, acerca de

concert ['kɒnsət] *n* concerto
• **to act in concert** agir em comum acordo
■ **concert house** sala de concertos

concerted [kən'sɜ:tɪd] *adj* em conjunto, combinado

concerto [kən'tʃeətəʊ] *n* (*pl* **concertos**) concerto

concession [kən'seʃən] *n* concessão

conciliation [kənsɪlɪ'eɪʃən] *n* conciliação

concise [kən'saɪs] *adj* conciso

conclude [kən'klu:d] *vt-vi* concluir

conclusion [kən'klu:ʒən] *n* conclusão

conclusive [kən'klu:sɪv] *adj* conclusivo

concoct [kən'kɒkt] *vt* **1** *(prepare)* preparar, confeccionar **2** *(invent)* inventar **3** *(devise)* tramar

concourse ['kɒŋkɔːs] *n* afluência

concrete ['kɒŋkriːt] *adj* concreto
■ *n* concreto, cimento armado
■ **concrete mixer** betoneira

concur [kən'kɜːʳ] *vi* (*pt & pp* ***concurred***, *ger* ***concurring***) concordar

condemn [kən'dem] *vt* condenar

condemnation [kɒndem'neɪʃən] *n* condenação

condensation [kɒnden'seɪʃən] *n* condensação

condense [kən'dens] *vt* condensar
▸ *vi* condensar-se
■ **condensed milk** leite condensado

condescend [kɒndɪ'send] *vi* condescender, dignar-se

condescending [kɒndɪ'sendɪŋ] *adj* condescendente

condescension [kɒndɪ'senʃən] *n* condescendência

condiment ['kɒndɪmənt] *n* condimento

condition [kən'dɪʃən] *n* condição
▸ *vt* condicionar
• **in bad condition** em mau estado
• **in good condition** em bom estado
• **on condition that** com a condição de que
• **to be out of condition** estar fora de forma

conditional [kən'dɪʃənəl] *adj-n* condicional
• **to be conditional on/upon** depender de

conditioner [kən'dɪʃənəʳ] *n* condicionador

condolences [kən'dəʊlənsɪz] *npl* condolências, pêsames
• **please accept my condolences** meus sinceros pêsames/sentimentos
• **to offer one's condolences** dar os pêsames

condom ['kɒndəm] *n* preservativo, camisinha

condone [kən'dəʊn] *vt* perdoar, fechar os olhos a

condor ['kɒndɔːʳ] *n* condor

conducive [kən'djuːsɪv] *adj* conducente

conduct [(*n*) 'kɒndəkt; (*v*) kɒn'dʌkt] *n* **1** *(behavior)* conduta, comportamento **2** *(management)* direção, gestão
▸ *vt* **1** conduzir, dirigir, levar a cabo: ***to conduct a survey*** conduzir um levantamento de opinião **2** comportar-se, portar-se: ***to conduct oneself badly*** portar-se mal **3** PHYS ser condutor de
▸ *vt-vi* MUS reger

conductor [kən'dʌktəʳ] *n* **1** MUS regente **2** *(on a bus, train)* cobrador **3** PHYS condutor

conductress [kən'dʌktrəs] *n* (*pl* **-es**) *(on a bus, train)* cobradora

cone [kəʊn] *n* **1** MATH cone **2** BOT pinha
■ **ice-cream cone** sorvete de casquinha

confectionery [kən'fekʃənərɪ] *n* confeitos, doces

confederacy [kən'fedərəsɪ] *n* (*pl* **-ies**) confederação

confederation [kənfedə'reɪʃən] *n* confederação

confer [kən'fɜːʳ] *vt* (*pt & pp* ***conferred***) conferir, conceder, outorgar
▸ *vi* conferir, tratar, discutir

conference ['kɒnfərəns] *n* **1** conferência, congresso: ***climate conference*** conferência sobre o clima **2** reunião: ***a sales department conference*** uma reunião do departamento de vendas
• **to be in conference** estar em reunião
■ **conference call** teleconferência

confess [kən'fes] *vt-vi* confessar

confession [kən'feʃən] *n* confissão

confessional [kən'feʃənəl] *n* confessionário

confidant ['kɒnfɪdænt] *n* confidente, amigo íntimo

confidante ['kɒnfɪdænt] *nf* confidente, amiga íntima

confide [kən'faɪd] *vt-vi* confiar

confidence ['kɒnfɪdəns] *n* **1** confiança: ***I have confidence in him*** tenho confiança nele **2** confidência: ***they were used to exchange confidences*** elas costumavam trocar confidências

confident ['kɒnfɪdənt] *adj* confiante, seguro

• **to be confident that...** estar seguro de que..., confiar em que...

confidential [kɒnfɪ'denʃəl] *adj* confidencial

confidently ['kɒnfɪdəntlɪ] *adv* com segurança

confine [kən'faɪn] *vt* confinar

confinement [kən'faɪnmənt] *n* confinamento

• **to be in solitary confinement** estar na solitária

confines ['kɒnfaɪnz] *npl* confins

confirm [kən'fɜ:m] *vt* confirmar

confirmation [kɒnfə'meɪʃən] *n* confirmação

confirmed [kən'fɜ:md] *adj* confirmado, comprovado

confiscate ['kɒnfɪskeɪt] *vt* confiscar

conflict [(*n*) 'kɒnflɪkt; (*v*) kən'flɪkt] *n* conflito

▸ *vi* conflitar

conflicting [kən'flɪktɪŋ] *adj* conflitante

conform [kən'fɔ:m] *vi* conformar(-se)

conformity [kən'fɔ:mɪtɪ] *n* conformidade

• **in conformity with** de acordo com

confront [kən'frʌnt] *vt* confrontar

confuse [kən'fju:z] *vt* confundir

confused [kən'fju:zd] *adj* confuso

• **to get confused** confundir-se

confusing [kən'fju:zɪŋ] *adj* confuso

confusion [kən'fju:ʒən] *n* confusão

congeal [kən'dʒi:l] *vi* congelar(-se)

congenial [kən'dʒi:nɪəl] *adj* agradável, simpático

congenital [kən'dʒenɪtəl] *adj* congênito, inato

congested [kən'dʒestɪd] *adj* congestionado

congestion [kən'dʒestʃən] *n* **1** MED congestão **2** *(traffic)* congestionamento

conglomerate [kən'glɒmərət] *n* conglomerado

congratulate [kən'grætjəleɪt] *vt* congratular, felicitar, parabenizar

congratulations [kəngrætjə'leɪʃəns] *npl* felicidades, parabéns

congregate ['kɒŋgrɪgeɪt] *vi* congregar(-se)

congregation [kɒŋgrɪ'geɪʃən] *n* congregação

congress ['kɒŋgres] *n* (*pl* **-es**) congresso

conical ['kɒnɪkəl] *adj* cônico

conifer ['kɒnɪfə^r] *n* conífera

conjecture [kən'dʒektʃə^r] *n* conjectura

▸ *vt* conjecturar

conjunction [kən'dʒʌŋkʃən] *n* conjunção

• **in conjunction with** em combinação com

conjure ['kʌndʒə^r] *vi* invocar espíritos, praticar magia

▸ *vt* fazer aparecer por mágica

▪ **to conjure up** *vt* invocar espíritos

conjurer ['kʌndʒərə^r] *n (var* **conjuror***)* mágico, prestidigitador

connect [kə'nekt] *vt* conectar(-se)

▸ *vi* fazer conexões: ***this bus connects with a ferryboat to cross the channel*** este ônibus faz conexão com uma balsa para cruzar o canal

connection [kə'nekʃən] *n (var* GB **connexion***)* conexão

connoisseur [kɒnə'sɜ:^r] *n* conhecedor, perito

connotation [kɒnə'teɪʃən] *n* conotação

conquer ['kɒŋkə^r] *vt* conquistar

conqueror ['kɒŋkərə^r] *n* conquistador

conquest ['kɒŋkwest] *n* conquista

conscience ['kɒnʃəns] *n* consciência

conscientious [kɒnʃɪ'enʃəs] *adj* consciencioso

▪ **conscientious objector** objector consciencioso

conscious ['kɒnʃəs] *adj* consciente

consciousness ['kɒnʃəsnəs] *n* consciência

• **to lose consciousness** perder a consciência

• **to regain consciousness** recobrar a consciência

conscript [(*n*) 'kɒnskrɪpt; (*v*) kən'skrɪpt] *n* recruta

▸ *vt* recrutar, alistar

conscription [kən'skrɪpʃən] *n* serviço militar obrigatório

consecutive [kən'sekjətɪv] *adj* consecutivo

consent [kən'sent] *n* consentimento
▸ *vi* consentir

consequence ['kɒnsɪkwəns] *n* consequência
• **it is of no consequence** não tem importância

consequent ['kɒnsɪkwənt] *adj* consequente

consequently ['kɒnsɪkwəntlɪ] *adv* consequentemente

conservation [kɒnsə'veɪʃən] *n* conservação

conservationist [kɒnsə'veɪʃənɪst] *n* conservacionista

conservatism [kən'sɜːvətɪzəm] *n* conservantismo, conservadorismo

conservative [kən'sɜːvətɪv] *adj-n* conservador

conservatory [kən'sɜːvətrɪ] *n* (*pl* -ies) 1 MUS conservatório 2 *(greenhouse)* estufa

conserve [kən'sɜːv] *vt* conservar
▸ *n* conserva, doce de frutas

consider [kən'sɪdə'] *vt* considerar

considerable [kən'sɪdərəbəl] *adj* considerável

considerably [kən'sɪdərəblɪ] *adv* consideravelmente

considerate [kən'sɪdərət] *adj* 1 *(thoughtful)* atencioso, que mostra consideração 2 *(deliberate)* ponderado

consideration [kənsɪdə'reɪʃən] *n* consideração
• **to take into consideration** levar em consideração

considering [kən'sɪdərɪŋ] *prep* em vista de, considerando que
▸ *conj* levando em consideração que

consign [kən'saɪn] *vt* consignar
• **consigned to oblivion** relegado ao esquecimento

consist (of) [kən'sɪst] *vi* consistir (em)

consistency [kən'sɪstənsɪ] *n* consistência

consistent [kən'sɪstənt] *adj* consistente

consolation [kɒnsə'leɪʃən] *n* consolação, consolo

console¹ ['kɒnsəʊl] *n* (MUS, COMPUT, *furniture)* consolo

console² [kən'səʊl] *vt* consolar

consolidate [kən'sɒlɪdeɪt] *vt-vi* consolidar

consonant ['kɒnsənənt] *n* consoante

conspicuous [kəns'pɪkjʊəs] *adj* conspícuo

conspiracy [kən'spɪrəsɪ] *n* (*pl* -ies) conspiração

conspire [kən'spaɪə'] *vi* conspirar

constable ['kʌnstəbəl] *n* GB policial, guarda

constant ['kɒnstənt] *adj* 1 *(invariable)* constante 2 *(faithful)* fiel, leal
▸ *n* constante

constellation [kɒnstə'leɪʃən] *n* constelação

constipated ['kɒnstɪpeɪtɪd] *adj* constipado

constipation [kɒnstɪ'peɪʃən] *n* constipação

constituency [kən'stɪtjʊənsɪ] *n* (*pl* -ies) 1 *(people)* eleitorado de um distrito 2 POL distrito eleitoral

constituent [kəns'tɪtjʊənt] *adj* 1 *(part)* componente 2 POL constituinte
▸ *n* componente

constitute ['kɒnstɪtjuːt] *vt* constituir

constitution [kɒnstɪ'tjuːʃən] *n* constituição

constitutional [kɒnstɪ'tjuːʃənəl] *adj* constitucional

constrain [kəns'treɪn] *vt* constranger

constraint [kən'streɪnt] *n* 1 *(force)* força, coação 2 *(restraint)* limitação 3 *(shyness)* constrangimento

constrict [kən'strɪkt] *vt* constringir, contrair, comprimir

construct [kəns'trʌkt] *vt* construir, edificar

construction [kən'strʌkʃən] *n* construção

constructive [kən'strʌktɪv] *adj* construtivo

construe [kən'struː] *vt* explicar, interpretar

consul ['kɒnsəl] *n* cônsul

consulate ['kɒnsjələt] *n* consulado

consult [kən'sʌlt] *vt-vi* consultar

consultant [kən'sʌltənt] *n* consultor

consultation [kɒnsəl'teɪʃən] *n* consulta

Consulta médica é **appointment**.

consume [kən'sju:m] *vt* consumir

consumer [kən'sju:mə^r] *n* consumidor

■ **consumer goods** bens de consumo

■ **consumer society** sociedade de consumo

consummate [(*adj*) 'kɒnsəmət; (*v*) 'kɒnsəmeɪt] *adj* consumado

▸ *vt* consumar

consumption [kən'sʌmpʃən] *n* **1** consumo: ***not fit for human consumption*** inapropriado ao consumo humano **2** MED tuberculose

contact ['kɒntækt] *n* contato

▸ *vt* contactar

■ **contact lens** lente de contato

contagious [kən'teɪdʒəs] *adj* contagioso

contain [kən'teɪn] *vt* conter

container [kən'teɪnə^r] *n* contêiner, recipiente, receptáculo

contaminate [kən'tæmɪneɪt] *vt* contaminar

contamination [kəntæmɪ'neɪʃən] *n* contaminação

contemplate ['kɒntempleɪt] *vt* contemplar

contemporary [kən'tempərərɪ] *adj-n* contemporâneo

contempt [kən'tempt] *n* desprezo, desdém

• **to hold in contempt** menosprezar

■ **contempt of court** desacato à autoridade, contumácia

contend [kən'tend] *vi* **1** *(struggle)* competir, lutar **2** *(argue)* argumentar

▸ *vt* sustentar, afirmar

content[1] ['kɒntent] *n* conteúdo

content[2] [kən'tent] *adj* contente

▸ *vt* contentar

• **to content oneself with** contentar-se com

contented [kən'tentɪd] *adj* contente

contention [kən'tenʃən] *n* **1** *(conflict)* controvérsia, contenda **2** *(declaration)* afirmação

contentious [kən'tenʃəs] *adj* **1** *(quarrelsome)* contencioso **2** *(controversial)* controverso

contents ['kɒntents] *npl* conteúdo

contest [(*n*) 'kɒntest; (*v*) kən'test] *n* **1** *(competition)* competição, torneio **2** *(struggle)* contenda, luta

▸ *vt* **1** *(oppose)* contestar, contrariar **2** *(compete)* concorrer

contestant [kən'testənt] *n* **1** *(competitor)* competidor, concorrente **2** candidato: ***she is a strong contestant for governor*** ela é uma forte candidata a governadora

context ['kɒntekst] *n* contexto

continent ['kɒntɪnənt] *n* continente

continental [kɒntɪ'nentəl] *adj* continental

■ **continental breakfast** café da manhã continental

contingency [kən'tɪndʒənsɪ] *n* (*pl* **-ies**) contingência

■ **contingency plan** plano de contingência

contingent [kən'tɪndʒənt] *adj* contingente

▸ *n* **1** MIL contingente **2** *(eventuality)* acontecimento inesperado

continual [kən'tɪnjʊəl] *adj* contínuo

continuation [kəntɪnjʊ'eɪʃən] *n* continuação

continue [kən'tɪnju:] *vt-vi* continuar

continuity [kɒntɪ'nju:ɪtɪ] *n* continuidade

continuous [kən'tɪnjʊəs] *adj* contínuo

contort [kən'tɔ:t] *vt-vi* contorcer, torcer, distorcer

contour ['kɒntʊə^r] *n* contorno

■ **contour line** curva de nível

contraband ['kɒntrəbænd] *n* contrabando

contraception [kɒntrə'sepʃən] *n* contracepção

contraceptive [kɒntrə'septɪv] *adj* contraceptivo

▸ *n* contraceptivo

contract [(*n*) 'kɒntrækt; (*v*) kən'trækt] *n* contrato
▸ *vi* contrair-se
▸ *vt* **1** *(illness, marriage)* contrair **2** COMM firmar contrato

contraction [kən'trækʃən] *n* contração

contractor [kən'træktəʳ] *n* contratante

contradict [kɒntrə'dɪkt] *vt* contradizer

contradiction [kɒntrə'dɪkʃən] *n* contradição

contradictory [kɒntrə'dɪktərɪ] *adj* contraditório

contrary [*(adj)* 'kɒntrərɪ; *(n)* kɒn'treərɪ] *adj* contrário
▸ *n* contrário
• **contrary to** ao contrário de: ***contrary to what we expected*** ao contrário do que esperávamos
• **on the contrary** ao contrário

contrast [(*n*) 'kɒntræst; (*v*) kɒn'træst] *n* contraste
▸ *vt-vi* contrastar
• **in contrast to** em contraste com, em oposição a

contribute [kən'trɪbju:t] *vt-vi* contribuir
▸ *vi* colaborar: ***she contributes to this magazine*** ela colabora para esta revista

contribution [kɒntrɪ'bju:ʃən] *n* **1** *(donation, payment)* contribuição **2** *(newspaper, magazine)* colaboração

contributor [kən'trɪbjətəʳ] *n* colaborador

contrive [kən'traɪv] *vt* **1** *(invent)* idealizar **2** *(plot)* tramar
• **to contrive to do something** conseguir fazer algo

contrived [kən'traɪvd] *adj* elaborado, trabalhado

control [kən'trəʊl] *n* controle
▸ *vt* (GB *pt & pp* ***controlled***, *ger* ***controlling***, US *pt & pp* ***controled***, *ger* ***controling***) controlar
• **out of control** fora de controle
• **to be in control** estar em controle
• **to bring under control** conseguir controlar
• **to go out of control** descontrolar-se
• **to lose control** perder o controle
• **under control** sob controle
▪ **control tower** torre de controle

controller [kən'trəʊləʳ] *n* controlador

controversial [kɒntrə'vɜ:ʃəl] *adj* controverso

controversy [kən'trɒvəsɪ] *n* (*pl* **-ies**) controvérsia

convene [kən'vi:n] *vt* convocar
▸ *vi* reunir-se

convenience [kən'vi:nɪəns] *n* conveniência
▪ **convenience food** alimento de preparo fácil

convenient [kən'vi:nɪənt] *adj* conveniente

convent ['kɒnvənt] *n* convento

convention [kən'venʃən] *n* convenção

conventional [kən'venʃənəl] *adj* convencional

converge [kən'vɜ:dʒ] *vi* convergir

conversant [kən'vɜ:sənt] *adj* familiarizado, conhecedor, versado

conversation [kɒnvə'seɪʃən] *n* conversação

converse ['kɒnvɜ:s] *adj* oposto, contrário
▸ *n* oposto, contrário

conversion [kən'vɜ:ʃən] *n* conversão

convert [(*n*) 'kɒnvɜ:t; (*v*) kən'vɜ:t] *n* convertido
▸ *vt* converter
▸ *vi* converter-se

convertible [kən'vɜ:təbəl] *adj-n* conversível

convex ['kɒnveks] *adj* convexo

convey [kən'veɪ] *vt* **1** *(take)* carregar, transportar **2** *(communicate)* comunicar, transmitir

conveyor belt [kən'veɪəbelt] *n* esteira transportadora

convict [(*n*) 'kɒnvɪkt; (*v*) kən'vɪkt] *n* **1** LAW condenado, sentenciado **2** *(prisoner)* prisioneiro
▸ *vt* condenar, declarar culpado

conviction [kən'vɪkʃən] *n* **1** convicção: ***she is firm in her convictions*** ela é firme em suas convicções **2** LAW condenação

convince [kən'vɪns] *vt* convencer

convincing [kən'vɪnsɪŋ] *adj* convincente

convoy ['kɒnvɔɪ] *n* escolta, comboio

convulsion [kən'vʌlʃən] *n* convulsão

cook [kʊk] *n* cozinheiro
▸ *vt* cozinhar
▸ *vi* ser cozido, sofrer cozimento
■ **to cook up** *vt* **1** armar, bolar: ***they cooked up a fantastic plan*** eles bolaram um plano fantástico **2** inventar: ***he is always cooking up excuses*** ele está sempre inventando desculpas

cooker ['kʊkəʳ] *n* fogão: ***an electric cooker*** um fogão elétrico

cookery ['kʊkərɪ] *n* culinária: ***the Spanish cookery*** a culinária espanhola
■ **cookery book** livro de receitas culinárias

cookie ['kʊkɪ] *n* US biscoito

cooking ['kʊkɪŋ] *n* cozinha: ***Spanish cooking*** cozinha espanhola
• **to do the cooking** cozinhar

cool [ku:l] *adj* **1** *(drink, weather)* fresco **2** *(person)* tranquilo **3** frio: ***a cool greeting*** uma recepção fria **4** *sl* legal: ***this bar is very cool!*** este bar é muito legal!
▸ *vt* esfriar, refrigerar
▸ *vi* resfriar-se, ficar frio
• **to keep one's cool** manter a calma
• **to lose one's cool** perder a calma
■ **to cool down** *vt-vi* **1** *(food)* esfriar **2** *(person)* acalmar-se

coolness ['ku:lnəs] *n* **1** *(coldness)* frescor **2** *(in manner)* frieza **3** *(person)* serenidade

coop [ku:p] *n* gaiola
■ **to coop up** *vt* confinar

cooperate [kəʊ'ɒpəreɪt] *vi* cooperar

cooperation [kəʊɒpə'reɪʃən] *n* cooperação

cooperative [kəʊ'ɒpərətɪv] *adj* cooperativo
▸ *n* cooperativa

coordinate [kəʊ'ɔ:dɪmeɪt] *vt* coordenar

coordination [kəʊɔ:dɪ'neɪʃən] *n* coordenação

cop [kɒp] *n inf* policial, tira
• **it's not much cop** não é grande coisa
■ **to cop out** *vi inf* esquivar-se de responsabilidades

cope [kəʊp] *vi* combater, enfrentar: ***I just can't cope!*** simplesmente não consigo enfrentar!
■ **to cope with** *vt* poder com, fazer frente a, lidar com

copious ['kəʊpɪəs] *adj* copioso

copper ['kɒpəʳ] *n* **1** *(metal)* cobre **2** *inf* policial, tira
• **coppers** GB *inf* moedas

copy ['kɒpɪ] *n* (*pl* **-ies**) **1** cópia: ***the copy of a painting*** a cópia de um quadro **2** *(book, magazine, newspaper)* exemplar
▸ *vt-vi* (*pt & pp* **-ied**) copiar

copycat ['kɒpɪkæt] *n inf* imitador

copyright ['kɒpɪraɪt] *n* direitos autorais

coral ['kɒrəl] *n* coral
■ **coral reef** recife de coral

cord [kɔ:d] *n* **1** *(rope)* corda **2** ELECTR fio, cabo

cordon ['kɔ:dən] *n* cordão, cordão de isolamento
▸ *vt* passar uma corda
■ **to cordon off** isolar com corda

corduroy ['kɔ:dərɔɪ] *n* veludo cotelê

core [kɔ:ʳ] *n* **1** *(centre)* núcleo, centro **2** *(of fruit)* caroço **3** *(of problem)* âmago
• **to the core** até a medula, completamente

cork [kɔ:k] *n* **1** BOT cortiça **2** *(of bottle)* rolha de cortiça
■ **cork oak** carvalho-corticeiro, sobreiro

corkscrew ['kɔ:kskru:] *n* saca-rolhas

corn¹ [kɔ:n] *n* **1** *(cereal)* cereal **2** BOT milho
■ **corn on the cob** espiga de milho

corn² [kɔ:n] *n* calo, calosidade

cornea ['kɔ:nɪə] *n* córnea

corner ['kɔ:nəʳ] *n* **1** *(outside)* esquina **2** *(inside)* canto
▸ *vt* encostar na parede
• **in a tight corner** em apuros
• **just round the corner** ali pertinho, dobrando a esquina
• **to corner the market** monopolizar o mercado
■ **corner kick** escanteio, córner

cornerstone ['kɔ:nəstəʊn] *n* pedra angular, pedra fundamental

cornet ['kɔ:nɪt] *n* **1** MUS cornetim **2** *(of ice cream)* casquinha

cornflakes ['kɔ:nfleɪks] *npl* flocos de milho

cornflour ['kɔ:nflaʊə'] *n* amido de milho, maisena

cornstarch ['kɔ:nstɑ:tʃ] *n* amido de milho, maisena

corny ['kɔ:nɪ] *adj* (**-ier**, **-iest**) *inf* brega, cafona

corollary [kə'rɒlərɪ] *n* (*pl* **-ies**) corolário

coronation [kɒrə'neɪʃən] *n* coroação

coroner ['kɒrənə'] *n* médico-legista, juiz investigador de casos de morte suspeita

corp ['kɔ:pərəl] *abbr* (*corporal*) MIL cabo

corporal ['kɔ:pərəl] *n* MIL cabo
▸ *adj* corporal, corpóreo

corporation [kɔ:pə'reɪʃən] *n* corporação

corps [kɔ:'] *n* (*pl* **corps** [kɔ:z]) corpo de exército, unidade militar

corpse [kɔ:ps] *n* cadáver

corpuscle ['kɔ:pəsəl] *n* glóbulo, corpúsculo
▪ **red corpuscle** glóbulo vermelho
▪ **white corpuscle** glóbulo branco

correct [kə'rekt] *adj* correto
▸ *vt* corrigir

correction [kə'rekʃən] *n* correção

correlation [kɒrə'leɪʃən] *n* correlação

correspond [kɒrɪs'pɒnd] *vi* **1** (*match*) corresponder, concordar **2** (*write*) corresponder-se

correspondence [kɒrɪs'pɒndəns] *n* correspondência
▪ **correspondence course** curso por correspondência

correspondent [kɒrɪs'pɒndənt] *n* correspondente

corresponding [kɒrɪs'pɒndɪŋ] *adj* correspondente

corridor ['kɒrɪdɔ:'] *n* corredor

corrode [kə'rəʊd] *vt* corroer, carcomer

corrosion [kə'rəʊʒən] *n* corrosão

corrosive [kə'rəʊsɪv] *adj* corrosivo

corrugated ['kɒrəgeɪtɪd] *adj* corrugado, ondulado

corrupt [kə'rʌpt] *adj* corrupto, corrompido
▸ *vt-vi* corromper(-se)

corruption [kə'rʌpʃən] *n* corrupção

corset ['kɔ:sɪt] *n* espartilho

Corsica ['kɔ:sɪkə] *n* Córsega

Corsican ['kɔ:sɪkən] *adj-n* córsico

cortisone ['kɔ:tɪzəʊn] *n* cortisona

cosh [kɒʃ] *n* (*pl* **coshes**) GB cassetete usado pelos policiais britânicos
▸ *vt* GB bater com o cassetete

cosmetic [kɒz'metɪk] *n* cosmético
▪ **cosmetic surgery** cirurgia plástica

cosmetics [kɒz'metɪks] *npl* produtos de beleza

cosmic ['kɒzmɪk] *adj* cósmico

cosmopolitan [kɒzmə'pɒlɪtən] *adj* cosmopolita

cosmos ['kɒzmɒs] *n* cosmo

cost [kɒst] *n* custo
▸ *vi* (*pt & pp* **cost**) custar, valer, ter o preço de
▸ *npl* **costs** custas, despesas
• **at all costs** a qualquer custo, a qualquer preço
• **at the cost of** ao custo de, ao preço de
• **whatever the cost** custe o que custar
▪ **cost of living** custo de vida

Costa Rica [kɒstə'ri:kə] *n* Costa Rica

Costa Rican [kɒstə'ri:kən] *adj-n* costarriquenho

costly ['kɒstlɪ] *adj* (**-ier**, **-iest**) caro, custoso, dispendioso

costume ['kɒstju:m] *n* costume, traje: ***the national costume*** o traje típico do país
▪ **costume jewellery** bijuteria

cosy ['kəʊzɪ] *adj* (**-ier**, **-iest**) aconchegante

cot [kɒt] *n* berço

cottage ['kɒtɪdʒ] *n* cabana, casa de campo
▪ **cottage cheese** queijo *cottage*

cotton ['kɒtən] *n* **1** BOT algodão **2** (*thread*) fio de algodão
▪ **cotton plant** algodoeiro
▪ **cotton wool** algodão hidrófilo
▪ **to cotton on** *vi* dar-se conta de, começar a entender

couch [kaʊtʃ] *n* (*pl* **-es**) divã, sofá

couchette [ku:'ʃet] *n* cama em compartimentos de trem

cough [kɒf] *n* tosse
▸ *vi* tossir
▪ **cough mixture** xarope contra a tosse
▪ **to cough up** *vt inf* soltar (*dinheiro, informações*) com relutância
▸ *vi inf* desembolsar

could [kʊd; kəd] *pt* → **can**

couldn't [kʊd; kəd] *pt* → forma contrata de **could not**

council ['kaʊnsəl] *n* conselho, assembleia

councillor ['kaʊnsələʳ] *n* conselheiro

counsel ['kaʊnsəl] *n* **1** (*deliberation*) deliberação **2** (*advice*) opinião, parecer
▸ *vt* (GB *pt & pp* ***counselled***, *ger* ***counselling***, US *pt & pp* ***counseled***, *ger* ***counseling***) aconselhar

count¹ [kaʊnt] *n* conde

count² [kaʊnt] *n* conta
▸ *vt* **1** contar: ***three counting him*** três contando com ele; ***it counts for very little*** isso conta muito pouco **2** considerar: ***count yourself lucky you weren't fined*** considere-se sortudo por não ter sido multado
▸ *vi* contar
• **to keep count** manter um cálculo atualizado de
• **to lose count** perder a conta
▪ **to count in** *vt inf* incluir, contar com
▪ **to count on** *vt* contar com: ***count on me*** conte comigo
▪ **to count out** *vt inf* não contar com; ***count me out!*** não conte comigo!

countable ['kaʊntəbəl] *adj* contável

countdown ['kaʊntdaʊn] *n* contagem regressiva

countenance ['kaʊntənəns] *n fml* rosto, semblante
▸ *vt fml* aprovar, encorajar

counter ['kaʊntəʳ] *n* **1** (*in shop*) balcão **2** (*in an office*) guichê **3** (*games*) ficha
▸ *vt* **1** (*oppose*) contrariar, opor **2** (*blow*) dar contragolpe
▸ *vi* opor-se
▸ *adv* contra

counteract [kaʊntə'rækt] *vt* neutralizar

counterattack ['kaʊntərətæk] *n* contra-ataque
▸ *vt, vi* contra-atacar

counterbalance ['kaʊntəbæləns] *n* contrapeso
▸ *vt* contrabalançar

counterclockwise [kaʊntə'klɒkwaɪz] *adj-adv* em sentido inverso ao dos ponteiros do relógio, à esquerda

counterespionage [kaʊntər'espɪənɑːʒ] *n* contraespionagem

counterfeit ['kaʊntəfɪt] *adj* falso, falsificado
▸ *n* falsificação, imitação
▸ *vt* falsificar

counterfoil ['kaʊntəfɔɪl] *n* (*of a check*) canhoto

counterpane ['kaʊntəpeɪn] *n* colcha

counterpart ['kaʊntəpɑːt] *n* **1** COMM duplicata **2** (*opposite number*) contraparte **3** (*of person*) sósia

counterproductive [kaʊntəprə'dʌktɪv] *adj* contraproducente

countess ['kaʊntəs] *n* (*pl* **-es**) condessa

countless ['kaʊntləs] *adj* incontável, inúmero

country ['kʌntrɪ] *n* (*pl* **-ies**) **1** país, pátria: ***developed countries*** países desenvolvidos **2** campo: ***in the country*** no campo **3** terra, região: ***mountainous country*** região montanhosa

countryman ['kʌntrɪmən] *n* (*pl* **countrymen** ['kʌntrɪmən]) **1** (*rural*) campesino **2** (*national*) compatriota

countryside ['kʌntrɪsaɪd] *n* campo

countrywoman ['kʌntrɪwʊmən] *n* (*pl* **countrywomen** ['kʌntrɪwɪmɪn]) **1** (*rural*) camponesa **2** (*national*) compatriota

county ['kaʊntɪ] *n* (*pl* **-ies**) condado, US município, comarca

coup [kuː] *n* golpe
▪ **coup d'état** golpe de Estado

couple ['kʌpəl] *n* **1** (*pair*) par **2** alguns, poucos: ***a couple of days*** alguns dias
▸ *vt* juntar, unir, ligar
▸ *vi* copular
▪ **married couple** casal

coupon ['kuːpɒn] *n* **1** cupom, bilhete: ***a lottery coupon*** um bilhete de loteria **2** vale: ***a food coupon*** um vale-refeição

courage ['kʌrɪdʒ] *n* coragem

courageous [kə'reɪdʒəs] *adj* corajoso

courgette [kʊə'ʒet] *n* abobrinha

courier ['kʊərɪəʳ] *n* **1** *(diplomatic)* mensageiro **2** GB *(for tourists)* guia turístico

course [kɔːs] *n* **1** *(ship, plane)* rota **2** *(river)* curso **3** *(school)* série, ciclo **4** curso: ***in the course of a year*** no curso de um ano **5** *(part of meal)* prato **6** *(golf)* campo
• **during the course of** durante o curso de
• **in due course** a seu devido tempo
• **in the course of time** no decorrer do tempo
• **of course** naturalmente, é lógico
▪ **first course** primeiro prato
▪ **main course** prato principal

court [kɔːt] *n* **1** LAW tribunal, corte de justiça **2** SPORT quadra **3** *(yard)* pátio **4** *(royal)* corte
▸ *vt* cortejar, namorar
• **to take somebody to court** LAW levar alguém a juízo

courteous ['kɜːtɪəs] *adj* cortês

courtesy ['kɜːtəsɪ] *n* (*pl* **-ies**) cortesia

court-martial [kɔːt'mɑːʃəl] *n* (*pl* **courts martial**) corte marcial

courtship ['kɔːtʃɪp] *n* corte, galanteio

courtyard ['kɔːtjɑːd] *n* pátio, quintal

cousin ['kʌzən] *n* primo

cove [kəʊv] *n* angra, enseada

covenant ['kʌvənənt] *n* convênio

cover ['kʌvəʳ] *n* **1** *(something that covers)* coberta, cobertura **2** *(lid)* tampa **3** *(of book)* capa **4** *(insurance)* cobertura **5** *(shelter)* abrigo, proteção
▸ *vt* **1** *(place over)* cobrir **2** *(with lid)* tampar **3** *(insurance)* cobrir perdas **4** *(include)* abranger **5** *(press)* cobrir, informar sobre
▸ *vi* ocultar-se, encobrir-se
• **to take cover** refugiar-se, procurar abrigo
• **under cover of** sob a cobertura/proteção de
• **under separate cover** anexo, apenso
▪ **cover charge** *couvert (cobrado em restaurantes)*
▪ **cover girl** moça de capa de revista
▪ **cover note** GB recibo de cobertura de seguro
▪ **to cover up** *vt* **1** *(hide)* ocultar **2** *(truth, facts)* encobrir

coverage ['kʌvərɪdʒ] *n (press, insurance)* cobertura

covering ['kʌvərɪŋ] *n* cobertura, capa

covert ['kʌvət] *adj* **1** *(threat)* velado **2** *(action)* oculto, secreto

cover-up ['kʌvərʌp] *n (truth, facts)* encobrimento

covet ['kʌvət] *vt* cobiçar

cow [kaʊ] *n* vaca

coward ['kaʊəd] *n* covarde

cowardice ['kaʊədɪs] *n* covardia

cowardly ['kaʊədlɪ] *adj* covarde
▸ *adv* covardemente

cowboy ['kaʊbɔɪ] *n* vaqueiro, boiadeiro

cowshed ['kaʊʃed] *n* estábulo

coy [kɔɪ] *adj* (*comp* ***coyer***, *superl* ***coyest***) tímido, reservado

CPU ['siː'piː'juː] *abbr* ***(central processing unit)*** COMPUT CPU *(unidade central de processamento)*

crab [kræb] *n* caranguejo
▪ **crab apple** maçã silvestre

crack [kræk] *vt* **1** *(soil)* rachar, fender-se **2** *(safe)* arrombar **3** *(egg, nut)* quebrar **4** *(knuckles, whip)* estalar **5** golpear-se, bater: ***he cracked his head against the wall*** ele bateu a cabeça contra a parede **6** *(joke)* contar **7** *(mystery, code)* decifrar
▸ *vi* **1** *(fail)* entregar-se **2** *(voice)* mudar **3** *(collapse)* sofrer um colapso, despedaçar-se **4** *(make a sharp sound)* estalar
▸ *n* **1** *(split)* rachadura, trincado **2** *(fissure)* greta **3** *(noise)* estalido **4** *inf* tentativa: ***I've never done this before, but I'll take a crack*** nunca fiz isto antes, mas vou fazer uma tentativa **5** *(blow)* golpe **6** *(drugs) crack*
▸ *adj inf* craque, excelente
• **to get cracking** pôr mãos à obra

cracker ['krækəʳ] *n* **1** *(biscuit)* bolacha fina **2** COMPUT *hacker*

crackle ['krækəl] *n* estalido, crepitação
▸ *vi* crepitar

cradle ['kreɪdəl] *n* berço
▸ *vt* embalar no berço

craft [krɑ:ft] *n* **1** *(skill)* arte, habilidade, destreza **2** *(trade)* ofício **3** *(boat)* embarcação **4** *(cunning)* astúcia
▪ **a pleasure craft** um barco de recreio

craftsman ['krɑ:ftsmən] *n* (*pl* **craftsmen**) artesão, artífice

crafty ['krɑ:ftɪ] *adj* (**-ier**, **-iest**) astuto, esperto

crag [kræg] *n* rochedo, penhasco

cram [kræm] *vt* (*pt & pp* ***crammed***, *ger* ***cramming***) **1** *(crush)* abarrotar **2** *inf* estudar com afinco para um exame iminente
▸ *vi inf* empanturrar-se

cramp [kræmp] *n* cãibra
▸ *vt* provocar cãibras
• **to cramp somebody's style** ser um estorvo para alguém
▪ **cramps** cólicas menstruais

crane [kreɪn] *n* **1** *(machine)* guindaste **2** ZOOL grou
▸ *vt-vi* içar

crank [kræŋk] *n* manivela

cranky ['kræŋkɪ] *adj* (**-ier**, **-iest**) **1** sinuoso: ***a cranky road*** uma estrada sinuosa **2** *(eccentric)* excêntrico **3** *(bad-tempered)* irritadiço

crap [kræp] *n* **1** *vulg* merda, bosta **2** *(nonsense)* papo-furado
▸ *vi* (*pt & pp* ***crapped***, *ger* ***crapping***) *vulg* cagar

crash [kræʃ] *vi* **1** *(vehicle)* colidir **2** *(plane)* cair
▸ *n* (*pl* **-es**) **1** *(noise)* estampido, estrondo **2** choque, batida, colisão, acidente, desastre: ***a car crash*** uma batida de carro; ***a plane crash*** um desastre de avião **3** COMM falência, quebra
▪ **a crash helmet** capacete
▪ **a crash course** curso intensivo

crass [kræs] *adj* crasso

crate [kreɪt] *n* **1** *(container)* caixote, engradado **2** *inf* lata-velha

crater ['kreɪtəʳ] *n* cratera

crave [kreɪv] *vi* ansiar, almejar

craving ['kreɪvɪŋ] *n* ânsia, desejo ardente

crawfish ['krɔ:fɪʃ] *n* (*pl* **-es**) lagostim

crawl [krɔ:l] *vi* **1** *(creep)* rastejar **2** *(baby)* engatinhar **3** *(vehicle)* avançar lentamente
▸ *n* rastejo
• **to crawl with** fervilhar
• **to make somebody's flesh crawl** dar arrepios

crayfish ['kreɪfɪʃ] *n* (*pl* **-es**) lagostim

crayon ['kreɪɒn] *n* pastel, giz de cera

craze [kreɪz] *n* moda, mania

crazy ['kreɪzɪ] *adj* (**-ier**, **-iest**) *inf* louco, maluco, doido
• **to drive somebody crazy** enlouquecer alguém, deixar alguém doido

creak [kri:k] *vi* ranger, chiar
▸ *n* rangido, chiado

cream [kri:m] *n* **1** *(of milk)* nata, creme de leite **2** creme: ***hand cream*** creme para as mãos
▪ **cream cheese** queijo cremoso, requeijão
▪ **the cream** *fig* a nata, o que há de melhor

crease [kri:s] *n* **1** *(fold)* dobra, vinco **2** *(trousers)* vinco **3** *(wrinkle)* ruga
▸ *vt,vi* **1** *(fold)* dobrar, vincar **2** *(wrinkle)* enrugar-se, amassar

create [kri:'eɪt] *vt* criar

creation [kri:'eɪʃən] *n* criação

creative [kri:'eɪtɪv] *adj* criativo

creature ['kri:tʃəʳ] *n* criatura

crèche [kreʃ] *n* GB creche

credentials [krɪ'denʃəlz] *npl* credenciais

credibility [kredɪ'bɪlətɪ] *n* credibilidade

credible ['kredɪbəl] *adj* crível

credit ['kredɪt] *n* crédito
▸ *vt* **1** *(believe)* crer, acreditar **2** COMM creditar
• **on credit** a crédito
• **to be in credit** ter um saldo positivo
• **to do somebody credit** reconhecer o mérito de alguém
• **to take credit for something** atribuir-se o mérito de algo
▪ **credit card** cartão de crédito
▪ **credits** *(of a film, book)* créditos

creditor ['kredɪtəʳ] *n* credor

creed [kri:d] *n* credo

creek [kri:k] *n* **1** GB enseada **2** US riacho

creep [kri:p] *vi* (*pt & pp* ***crept***) **1** *(animal)* arrastar-se **2** *(person)* deslizar **3** *(plant)* trepar **4** mover-se lenta e silen-

ciosamente: ***he crept out of the room so as not to wake the baby*** ele saiu silenciosamente do aposento para não acordar o bebê
▸ *n inf* homem desagradável
• **to give somebody the creeps** causar arrepios a alguém, assustar

creeper ['kri:pəʳ] *n* trepadeira ou planta rasteira

cremation [krɪ'meɪʃən] *n* cremação

crematorium [kremə'tɔ:rɪəm] *n* (*pl* **crematoria**) crematório

crème caramel [kremkærə'mel] *n* pudim de leite, flã

crept [krept] *pt-pp* → **creep**

crescent ['kresənt] *adj* crescente
▸ *n* quarto crescente da lua

crest [krest] *n* **1** *(of bird)* crista **2** *(of hill)* topo, cume **3** *(of horse)* crina

crestfallen ['krestfɔ:lən] *adj* abatido, desanimado

crevice ['krevɪs] *n* fenda, racha, fresta

crew [kru:] *n* **1** *(of ship etc.)* tripulação **2** *(gang)* grupo de trabalhadores
▪ **crew cut** corte à escovinha

crib [krɪb] *n* berço com grades altas
▸ *vt* (*pt & pp* ***cribbed***, *ger* ***cribbing***) *inf (in an exam)* colar

crick [krɪk] *n* cãibra
▪ **crick in the neck** torcicolo

cricket¹ ['krɪkɪt] *n* ZOOL grilo

cricket² ['krɪkɪt] *n* críquete

crime [kraɪm] *n* crime, delito

criminal ['krɪmɪnəl] *adj* criminoso, criminal
▸ *n* criminoso, malfeitor
▪ **criminal record** antecedentes criminais

crimson ['krɪmzən] *adj-n* carmesim

cringe [krɪndʒ] *vi* encolher-se *(de medo)*

crinkle ['krɪŋkəl] *vt-vi* enrugar-se, amassar

cripple ['krɪpəl] *n* aleijado
▸ *vt* **1** *(person)* aleijar **2** *(industry, exports)* paralisar

crisis ['kraɪsɪs] *n* (*pl* **crises** ['kraɪsi:z]) crise

crisp [krɪsp] *adj* **1** *(cooked)* torrado *(pão)* **2** *(crunchy)* crocante **3** *(vegetable, air)* fresco **4** *(sea)* encrespado, crespo
▸ *n* GB batata frita *(de pacote)*

crisscross ['krɪskrɒs] *vt-vi* entrecruzar, cobrir com linhas cruzadas

criterion [kraɪ'tɪərɪən] *n* (*pl* **criteria** [kraɪ'tɪərɪə]) critério

critic ['krɪtɪk] *n* crítico

critical ['krɪtɪkəl] *adj* crítico
• **in critical condition** em estado crítico
• **mission critical** crucial, essencial
• **to be critical of something** criticar algo

criticism ['krɪtɪsɪzəm] *n* crítica

criticize ['krɪtɪsaɪz] *vt-vi* criticar

croak [krəʊk] *n* **1** *(of raven)* crocito **2** *(of frog)* coaxo **3** *(hoarse voice)* voz baixa e áspera
▸ *vi* **1** *(raven)* crocitar, corvejar **2** *(frog)* coaxar **3** *(speak with a hoarse voice)* falar com voz baixa e áspera

Croat ['krəʊæt] *n* croata

Croatia [krəʊ'eɪʃə] *n* Croácia

Croatian [krəʊ'eɪʃən] *adj-n* croata

crochet ['krəʊʃeɪ] *n* crochê
▸ *vi* fazer crochê

crockery ['krɒkərɪ] *n* louça de barro

crocodile ['krɒkədaɪl] *n* crocodilo

crocus ['krəʊkəs] *n* (*pl* **crocuses**) açafrão

crony ['krəʊnɪ] *n* (*pl* **-ies**) camarada, compadre

crook [krʊk] *n* **1** *(hook)* gancho **2** *(bend)* curva **3** *(of shepherd)* cajado **4** *inf* trapaceiro, vigarista

crooked ['krʊkɪd] *adj* **1** *(curved)* curvo **2** *(path)* tortuoso **3** *inf* trapaceiro

crop [krɒp] *n* **1** *(harvest)* colheita, safra **2** *(haircut)* cabelo curto
▸ *vt* (*pt & pp* ***cropped***, *ger* ***cropping***) **1** *(harvest)* semear **2** *(trim)* aparar
▪ **to crop up** *vi inf* surgir, brotar, aparecer

croquet ['krəʊkeɪ] *n* croqué

cross [krɒs] *adj* rabugento, mal-humorado
▸ *n* (*pl* **-es**) **1** *(general,* REL*)* cruz **2** BIOL cruzamento
▸ *vt-vi* cruzar
• **it crossed my mind that...** ocorreu-me que...
• **to cross oneself** fazer o sinal da cruz

■ **to cross off/out** *vt* riscar
■ **to cross over** *vt* atravessar

crossbar ['krɒsbɑːʳ] *n* SPORT travessão, trave

crossbred ['krɒsbred] *adj-n* híbrido

cross-country [krɒs'kʌntrɪ] *adj-adv* através de bosques, campos e trilhas
■ **cross-country race** corrida através de bosques, campos e trilhas, *cross-country*

cross-examine [krɒsɪg'zæmɪn] *vt* LAW interrogar

cross-eyed ['krɒsaɪd] *adj* vesgo

crossing ['krɒsɪŋ] *n* **1** *(road)* cruzamento **2** *(rail)* interseção, passagem de nível **3** *(pedestrian)* faixa **4** *(sea)* travessia

cross-reference [krɒs'refərəns] *n* referência cruzada

crossroads ['krɒsrəʊdz] *n* encruzilhada, cruzamento

crosswise ['krɒswaɪz] *adv* transversalmente

crossword (puzzle) ['krɒswɜːd] *n* palavras cruzadas

crotch [krɒtʃ] *n* (*pl* **-es**) forquilha, gancho, bifurcação

crotchet ['krɒtʃɪt] *n* **1** *(odd notion)* mania, ideia esquisita **2** MUS semínima

crouch [kraʊtʃ] *vi* agachar-se

crow [krəʊ] *n* corvo
▸ *vi* (*pt* ***crowed*** ou ***crew***) **1** *(cock)* cocoricar, cacarejar, cantar **2** *inf* contar vantagem
■ **crow's-feet** pés de galinha

crowbar ['krəʊbɑːʳ] *n* pé de cabra

crowd [kraʊd] *n* multidão
▸ *vt* **1** *(fill)* abarrotar, apinhar **2** *(shove)* empurrar
▸ *vi* aglomerar-se

crowded ['kraʊdɪd] *adj* cheio de gente, apinhado, abarrotado

crown [kraʊn] *n* **1** *(monarch)* coroa **2** *(tree)* copa **3** *(tooth)* coroa
▸ *vt* coroar

crucial ['kruːʃəl] *adj* crucial

crucifix ['kruːsɪfɪks] *n* (*pl* **crucifixes**) crucifixo

crude [kruːd] *n* **1** *(materials)* cru, bruto **2** *(person)* rude, grosseiro

cruel ['kruːəl] *adj* (*comp* ***crueller***, *superl* ***cruellest***) cruel

cruelty ['kruːəltɪ] *n* (*pl* **-ies**) crueldade

cruet ['kruːɪt] *n* galheta

cruise [kruːz] *vi* fazer um cruzeiro
▸ *n (voyage)* cruzeiro

cruiser ['kruːzəʳ] *n* **1** MAR cruzador **2** navio de cruzeiro: ***they spent their honeymoon aboard a cruiser*** eles passaram sua lua de mel a bordo de um navio de cruzeiro

crumb [krʌm] *n* migalha

crumble ['krʌmbəl] *vt* esmigalhar, desintegrar
▸ *vi* esmigalhar-se, desintegrar-se

crumple ['krʌmpəl] *vt, vi* amarrotar, amassar, enrugar

crunch [krʌntʃ] *vt* **1** *(chew)* mastigar **2** *(grind)* moer, triturar
▸ *vi* mastigar ruidosamente
▸ *n* (*pl* **-es**) **1** *(noisy chewing)* mastigação ruidosa **2** *(noisy grinding)* trituração audível

crusade [kruː'seɪd] *n* cruzada

crush [krʌʃ] *n* (*pl* **-es**) **1** *(people)* esmagamento **2** *inf* paixão intensa e passageira
▸ *vt* **1** *(press)* esmagar **2** *(grind)* triturar

crust [krʌst] *n* **1** *(general,* GEOL*,* MED*)* crosta **2** *(bread)* casca

crustacean [krʌ'steɪʃən] *n* crustáceo

crutch [krʌtʃ] *n* (*pl* **-es**) muleta
• **to be on crutches** andar de muletas

crux [krʌks] *n* (*pl* **cruxes**) ponto crucial

cry [kraɪ] *vt-vi* (*pt & pp* **-ied**) gritar
▸ *vi* chorar
▸ *n* (*pl* **-ies**) **1** *(shout)* grito **2** *(weep)* choro, pranto

crybaby ['kraɪbeɪbɪ] *n* (*pl* **-ies**) chorão
■ **to cry out** *vi* gritar alto: ***to cry out for something*** pedir algo aos gritos

crying ['kraɪɪŋ] *n* pranto, choro
▸ *adj fig* gritante, flagrante: ***there's a crying need for...*** há uma necessidade gritante de...

crypt [krɪpt] *n* cripta

cryptic ['krɪptɪk] *adj* críptico

crystal ['krɪstəl] *n* cristal

crystallize ['krɪstəlaɪz] *vt-vi* cristalizar(-se)

cub [kʌb] *n* filhote
■ **bear cub** filhote de urso
■ **wolf cub** filhote de lobo

Cuba ['kju:bə] *n* Cuba

Cuban ['kju:bən] *adj-n* cubano

cube [kju:b] *n* cubo
▸ *vt* elevar ao cubo
■ **cube root** raiz cúbica

cubic ['kju:bɪk] *adj* cúbico

cubicle ['kju:bɪkəl] *n* cubículo

cuckoo ['kʊku:] *n* (*pl* **cuckoos**) ZOOL cuco
■ **cuckoo clock** cuco

cucumber ['kju:kʌmbəʳ] *n* BOT pepino

cuddle ['kʌdəl] *vt,vi* abraçar
▸ *n* abraço

cue¹ [kju:] *n* **1** *(hint)* dica, sugestão **2** THEATRE deixa

cue² [kju:] *n* *(snooker)* taco

cuff¹ [kʌf] *n* (*pl* **cuffs**) **1** *(shirt, coat)* punho **2** US *(trousers)* bainha
■ **cuff links** abotoaduras

cuff² [kʌf] *vt* esbofetear
▸ *n* bofetada

cul-de-sac ['kʌldəsæk] *n* beco sem saída

culminate ['kʌlmɪneɪt] *vt* culminar

culprit ['kʌlprɪt] *n* culpado

cult [kʌlt] *n* culto

cultivate ['kʌltɪveɪt] *vt* cultivar

cultivated ['kʌltɪveɪtɪd] *adj* **1** *(land)* cultivado **2** *(person)* educado, refinado

cultivation [kʌltɪ'veɪʃən] *n* cultivo

culture ['kʌltʃəʳ] *n* cultura

cultured ['kʌltʃəd] *adj* culto

cumbersome ['kʌmbəsəm] *adj* embaraçoso, incômodo

cumin ['kʌmɪn] *n* cominho

cunning ['kʌnɪŋ] *adj* astuto, esperto
▸ *n* astúcia, esperteza

cup [kʌp] *n* **1** xícara: ***a cup of coffee*** uma xícara de café **2** copa, taça: ***the world cup*** a copa mundial
• **it is not my cup of tea** não é o meu preferido, não é o de que mais gosto

cupboard ['kʌbəd] *n* armário

curable ['kjʊərəbəl] *adj* curável

curate ['kjʊərət] *n* REL cura

curator [kjʊ'reɪtəʳ] *n* *(arts)* curador

curb [kɜ:b] *n* **1** *(restraint)* freio **2** *(along a street)* meio-fio, guia
▸ *vt* refrear, restringir

curd [kɜ:d] *n* coalho, coágulo
■ **curd cheese** queijo de coalho

curdle ['kɜ:dəl] *vt-vi* **1** *(milk)* coalhar **2** *(blood)* coagular

cure [kjʊəʳ] *vt* curar
▸ *n* cura

curfew ['kɜ:fju:] *n* toque de recolher

curiosity [kjʊərɪ'ɒsətɪ] *n* (*pl* **-ies**) curiosidade

curious ['kjʊərɪəs] *adj* curioso

curl [kɜ:l] *vt-vi* enrolar, torcer
▸ *n* **1** *(of hair)* cacho **2** *(coil)* caracol, espiral

curly ['kɜ:lɪ] *adj* (**-ier**, **-iest**) encaracolado

currency ['kʌrənsɪ] *n* (*pl* **-ies**) moeda corrente, dinheiro em circulação
■ **foreign currency** moeda estrangeira

current ['kʌrənt] *adj* corrente
▸ *n* corrente, fluxo
■ **current account** conta corrente
■ **current affairs** temas da atualidade

curriculum [kə'rɪkjələm] *n* (*pl* **curriculums** *ou* **curricula**) currículo

curry ['kʌrɪ] *n* (*pl* **-ies**) caril

curse [kɜ:s] *n* maldição, praga
▸ *vt-vi* maldizer, amaldiçoar, praguejar
• **to put a curse on somebody** amaldiçoar alguém, praguejar contra alguém

cursor ['kɜ:səʳ] *n* cursor

cursory ['kɜ:sərɪ] *adj* superficial, apressado

curt [kɜ:t] *adj* curto e grosso, rude, grosseiro

curtail [kɜ:'teɪl] *vt* reduzir

curtain ['kɜ:tən] *n* cortina
• **to draw the curtains** fechar as cortinas
• **to drop the curtain** baixar a cortina
• **to raise the curtain** levantar a cortina

curve [kɜ:v] *n* curva
▸ *vi* curvar-se, fazer uma curva

cushion ['kʊʃən] *n* almofada
▸ *vt fig* amortecer, proteger contra choques

custard ['kʌstəd] *n* manjar, pudim

custody ['kʌstədɪ] *n* custódia

• **in custody** sob custódia

• **to take into custody** prender, encarcerar

custom ['kʌstəm] *n* costume

customary ['kʌstəmərɪ] *adj* habitual, costumeiro

customer ['kʌstəmə^r] *n* freguês, cliente

■ **customer services** serviço de atendimento ao cliente

customs ['kʌstəmz] *n* alfândega

■ **customs duties** direitos aduaneiros

Customs é usado com verbo no singular.

cut [kʌt] *vt* (*pt & pp* **cut**, *ger* **cutting**) **1** cortar: ***he cut the bread in half*** ele cortou o pão ao meio **2** (*stone*) entalhar **3** (*split*) dividir **4** reduzir, cortar: ***they want to cut arms spending*** querem cortar os gastos com armamento

▸ *n* corte: ***a transversal cut*** um corte transversal; ***a wage cut*** um corte salarial

▸ *adj* cortado

• **to cut corners** simplificar para reduzir gastos

■ **cold cuts** frios: ***he bought 250 grams of cold cuts to make some sandwiches*** ele comprou 250 gramas de frios para fazer uns sanduíches

■ **to cut down** *vt* **1** (*trees*) cortar **2** *fig* reduzir: ***to cut down on smoking*** fumar menos

■ **to cut in** *vi* interromper

■ **to cut off** *vt* **1** cortar: ***the water supply was cut off*** o fornecimento de água foi cortado **2** ilhar: ***after the storm, the town was cut off*** depois da tempestade, a cidade ficou ilhada

■ **to cut out** *vt* **1** (*remove*) cortar, tirar **2** (*power off*) desligar **3** (*depart*) abandonar, partir

■ **to cut up** *vt* cortar em pedaços, retalhar

cute [kju:t] *adj* **1** (*pretty*) gracioso, bonito, lindo: ***the baby is so cute*** o bebê é muito lindo **2** (*clever*) esperto

cutlery ['kʌtlərɪ] *n* talheres

cutlet ['kʌtlət] *n* (*meat*) costeleta

cutting ['kʌtɪŋ] *n* corte, talho

▸ *adj* cortante

cuttlefish ['kʌtəlfɪʃ] *n* (*pl* **-es**) siba

cv ['si:'vi:] *abbr* (**curriculum vitae**) *curriculum vitae*

cyanide ['saɪənaɪd] *n* cianureto

cybercafé ['saɪbəkæfeɪ] *n* cibercafé

cyberspace ['saɪbəspeɪs] *n* ciberespaço

cycle ['saɪkəl] *n* ciclo

▸ *vi* andar de bicicleta

cycling ['saɪklɪŋ] *n* ciclismo

cyclist ['saɪklɪst] *n* ciclista

cyclone ['saɪkləʊn] *n* ciclone

cylinder ['sɪlɪndə^r] *n* cilindro

cymbal ['sɪmbəl] *n* címbalo

cynic ['sɪnɪk] *n* cínico

cynical ['sɪnɪkəl] *adj* cínico

cynicism ['sɪnɪsɪzəm] *n* cinismo

cypress ['saɪprəs] *n* (*pl* **-es**) cipreste

Cypriot ['sɪprɪət] *adj-n* cipriota

Cyprus ['saɪprəs] *n* Chipre

cyst [sɪst] *n* cisto

czar [zɑ:^r] *n* czar, tzar

Czech [tʃek] *adj* tcheco

▸ *n* **1** (*person*) tcheco **2** (*language*) tcheco

■ **Czech Republic** República Tcheca

Czechoslovak [tʃekə'sləʊvæk] *adj-n* tcheco-eslovaco (*também "tchecoslovaco"*)

Czechoslovakia [tʃekəʊslə'vækɪə] *n* Tcheco-Eslováquia (*também "Tchecoslováquia"*)

D

DA ['di:'eɪ] *abbr* US *(**District Attorney**)* Procurador *(do Estado ou União)*; Promotor público

dab [dæb] *n* **1** *(tap)* toque leve **2** *(bit)* pequena quantidade, punhado
▸ *vt (pt & pp **dabbed**, ger **dabbing**)* **1** *(pat lightly)* tocar de leve **2** *(apply)* dar pinceladas, aplicar de leve

dabble ['dæbəl] *vi* interessar-se por *(como amador)*

dad [dæd] *n inf* papai

daddy ['dædɪ] *n (pl* **-ies***) inf* papai

daffodil ['dæfədɪl] *n* narciso

daft [dɑ:ft] *adj inf* bobo

dagger ['dægəʳ] *n* adaga; punhal

daily ['deɪlɪ] *adj* diário, cotidiano
▸ *adv* diariamente
▸ *n (pl* **-ies***)* diário *(jornal)*

dainty ['deɪntɪ] *adj (***-ier**, **-iest***)* **1** *(delicate)* delicado **2** *(elegant)* refinado

dairy ['deərɪ] *n (pl* **-ies***)* **1** *(place on a farm)* leiteria; vacaria **2** *(shop)* venda de laticínios
▪ **dairy farming** indústria de laticínios

daisy ['deɪzɪ] *n (pl* **-ies***)* margarida

dam [dæm] *n* represa
▸ *vt (pt & pp **dammed**, ger **damming**)* represar; construir represa

damage ['dæmɪdʒ] *vt* **1** *(harm)* danificar **2** *fig (injure)* prejudicar
▸ *n* **1** *(harm)* dano, avaria **2** *(loss)* prejuízo, perda
▸ *npl* **damages** indenização

damaging ['dæmɪdʒɪŋ] *adj* prejudicial; nocivo

dame [deɪm] *n* **1** *(elderly woman)* dama, senhora **2** *(title)* título honorífico dado a uma mulher pertencente à Ordem do Império Britânico **3** US *inf (woman)* dona; mulher

damn [dæm] *interj inf* maldição!; droga!
▸ *adj inf* maldito, amaldiçoado
▸ *vt* censurar; maldizer
▸ *adv* extremamente, muito
• **I don't give a damn** não dou a mínima; pouco me importa

damned [dæmd] *adj* maldito, detestável

damp [dæmp] *adj* úmido
▸ *n* umidade

dampen ['dæmpən] *vt* **1** *(moisten)* umedecer **2** *fig (lessen)* diminuir, desencorajar

dance [dɑ:ns] *n* baile; dança
▸ *vt-vi* bailar; dançar

dancer ['dɑ:nsəʳ] *n* **1** *(ballet dancer)* bailarino **2** *(performer who dances)* dançarino

dandelion ['dændɪlaɪən] *n* BOT dente-de-leão

dandruff ['dændrəf] *n* caspa

dane [deɪn] *n* dinamarquês

danger ['deɪndʒəʳ] *n* perigo
• **to be in danger of** correr o risco de

dangerous ['deɪndʒərəs] *adj* perigoso

dangle ['dæŋgəl] *vt-vi* pender, balançar

danish ['deɪnɪʃ] *adj* dinamarquês
▸ *n* dinamarquês
▸ *npl* **the Danish** os dinamarqueses

dank [dæŋk] *adj* úmido *(com sensação desagradável)*

danube ['dænju:b] *n* Danúbio

dare [deəʳ] *vi* atrever-se, ousar
▸ *vt* desafiar

▸ *n* ousadia, desafio
• **I dare say...** ouso afirmar...
• **don't you dare!** não se atreva!

daring ['deərɪŋ] *adj* audaz, audacioso, ousado
n ousadia, atrevimento

dark [dɑ:k] *adj* 1 (*not light*) escuro 2 (*brunette*) moreno 3 *fig* (*gloomy*) melancólico; sombrio 4 *fig* (*mysterious*) misterioso
▸ *n* 1 (*darkness*) escuridão 2 (*nightfall*) anoitecer; noite; trevas
• **to be in the dark** estar às escuras; ficar no ar, não entender
• **to grow dark** anoitecer

darken ['dɑ:kən] *vt-vi* escurecer(-se)

darkness ['dɑ:knəs] *n* escuridão; trevas
• **in darkness** no escuro

darling ['dɑ:lɪŋ] *n* querido, querida
▸ *adj* querido

darn[1] [dɑ:n] *n* remendo; cerzidura
▸ *vt* cerzir

darn[2] [dɑ:n] *interj inf* droga!

dart [dɑ:t] *n* 1 (*sharp pointed object*) dardo; flecha 2 (*quick movement*) movimento rápido
▸ *vi* lançar(-se); arremessar(-se); mover(-se) rápida e bruscamente

dartboard ['dɑ:tbɔ:d] *n* alvo para dardos ou flechas

dash [dæʃ] *n* (*pl* **-es**) 1 COOK pitada 2 (*rush*) movimento rápido 3 (*punctuation mark*) travessão
▸ *vt* 1 (*crash*) quebrar; espatifar 2 *fig* (*frustrate*) desanimar
▸ *vi* correr; ir depressa
• **to make a dash for something** precipitar-se para fazer algo
▪ **to dash off** *vt* escrever às pressas
▸ *vi* partir depressa

dashboard ['dæʃbɔ:d] *n* painel de instrumentos; para-lama

data ['deɪtə] *npl* dados
▪ **data base** base de dados
▪ **data processing** processamento de dados

date[1] [deɪt] *n* 1 (*specified day*) data 2 (*appointment*) encontro marcado; compromisso 3 (*partner*) namorado
▸ *vt* 1 (*mark with a date*) datar; marcar (data) 2 (*become old-fashioned*) ficar fora de moda, envelhecer 3 US *inf* (*go out with*) marcar encontro; namorar
• **out of date** 1 (*old-fashioned*) antiquado, fora de moda 2 (*technology*) defasado 3 (*outdated*) caduco, passado
• **up to date** atualizado; moderno
• **to be up to date on something** estar a par de algo
▪ **date of birth** data de nascimento

date[2] [deɪt] *n* BOT tâmara

dated ['deɪtɪd] *adj* antiquado; obsoleto

daub [dɔ:b] *n* reboco
▸ *vt* rebocar; revestir de reboco
▸ *vi inf* borrar; pintar mal; emplastrar

daughter ['dɔ:tə[r]] *n* filha

daughter-in-law ['dɔ:tərɪnlɔ:] *n* (*pl* **daughters-in-law**) nora

daunt [dɔ:nt] *vt* intimidar

dawn [dɔ:n] *n* amanhecer; alvorada; aurora; raiar do dia
▸ *vi* 1 (*grow light*) amanhecer 2 *fig* (*emerge*) vir à tona
• **it dawned on me that...** percebi que...

day [deɪ] *n* 1 (*period of 24 hours*) dia 2 (*daylight*) dia 3 (*work*) jornada 4 (*period*) época; período, tempo
• **by day** de dia
• **the day after tomorrow** depois de amanhã
• **the day before yesterday** anteontem
• **the following day** no dia seguinte
• **these days** hoje em dia
▪ **day off** dia livre

daybreak ['deɪbreɪk] *n* amanhecer; romper do dia; alvorada

daydream ['deɪdri:m] *n* sonho; devaneio
▸ *vi* sonhar acordado

daylight ['deɪlaɪt] *n* luz do dia

daytime *n* dia: ***in the daytime*** de dia

daze [deɪz] *n* aturdimento; deslumbramento; atordoamento
▸ *vt* aturdir; atordoar

dazzle ['dæzəl] *n* deslumbramento
▸ *vt* deslumbrar

DEA ['di:'i:'eɪ] *abbr* US (***Drug Enforcement Administration***) agência norte-americana antidrogas, DEA

dead [ded] *adj* 1 (*deceased*) morto 2 (*numb*) dormente 3 (*sound*) surdo, da 4 total; absoluto: ***dead silence*** silêncio absoluto 5 (*exhausted*) exausto
▸ *n* ***in the dead of night/winter*** em plena noite; no rigor do inverno
▸ *npl* **the dead** os mortos
▸ *adv* totalmente
• **to stop dead** parar repentinamente
■ **dead end** 1 (*road*) beco sem saída 2 (*impasse*) impasse

deadline ['dedlaɪn] *n* data-limite, prazo

deadlock ['dedlɒk] *n* (*stalemate*) impasse, beco sem saída

deadly ['dedlɪ] *adj* (**-ier**, **-iest**) 1 (*mortal*) fatal, mortal 2 (*weapon*) mortífero

deaf [def] *adj* surdo
• **to turn a deaf ear** fazer-se de surdo; fazer ouvidos moucos

deaf-and-dumb [defən'dʌm] *adj* surdo-mudo, surda-muda

deafen ['defən] *vt* ensurdecer

deafness ['defnəs] *n* surdez

deal [di:l] *n* 1 (*agreement*) trato, pacto, acordo 2 quantidade: ***a great deal of noise*** muito barulho 3 (*playing cards*) ato de dar as cartas
▸ *vt* (*pt & pp* ***dealt***) 1 (*strike*) dar, acertar (golpe) 2 (*playing cards*) dar (*cartas*)
▸ *vi* negociar; tratar
■ **to deal with** *vt* 1 (*handle*) lidar com 2 (*be concerned with*) ocupar-se de 3 (*treat*) tratar de (*tema*), abordar

dealer ['di:ləʳ] *n* 1 (*trader*) comerciante, revendedor 2 (*illegal drugs*) traficante

dealings ['di:lɪŋz] *npl* 1 (*transactions*) negociação; transação 2 (*business relations*) negócios; relações comerciais; intercâmbio 3 (*behaviour*) conduta; procedimento

dealt [delt] *pt-pp* → **deal**

dean [di:n] *n* 1 (*head of an university*) reitor 2 (*head of a cathedral*) decano

dear [dɪəʳ] *adj* 1 (*beloved*) querido, estimado 2 (*expensive*) caro
▸ *n* querido
• **dear me!** caramba!; meu Deus!
• **Dear Sir** Prezado senhor
• **oh dear!** caramba!; ai meu Deus!

dearly ['dɪəlɪ] *adv* 1 (*at great cost*) caro, de preço elevado 2 (*very much*) muito

death [deθ] *n* morte, óbito
• **on pain of death** sob pena de morte
■ **death certificate** atestado de óbito
■ **death penalty** pena de morte

deathly ['deθlɪ] *adj* mortal, fatal

deathtrap ['deθtræp] *n* (*unsafe place*) armadilha mortal, lugar perigoso

debate [dɪ'beɪt] *n* debate; discussão
▸ *vt-vi* debater; discutir

debit ['debɪt] *n* débito
▸ *vt* debitar
■ **debit balance** saldo devedor

debris ['deɪbri:] *n* escombros

debt [det] *n* dívida, débito
• **to get into debt** endividar-se, contrair dívidas
• **to pay off a debt** quitar uma dívida
• **to run up debts** endividar-se, contrair dívidas

debtor ['detəʳ] *n* devedor(a)

debug [di:'bʌg] *vt* 1 COMPUT depurar; eliminar erros de um programa 2 (*remove microphones*) eliminar escutas

debunk [di:'bʌŋk] *vt inf* desmitificar; desmascarar

debut ['deɪbju:] *n* estreia

decade ['dekeɪd] *n* década; decênio

decadence ['dekədəns] *n* decadência

decadent ['dekədənt] *adj* decadente

decaffeinated [dɪ'kæfɪneɪtɪd] *adj* descafeinado

decay [dɪ'keɪ] *n* 1 (*decomposition*) decomposição 2 (*deterioration*) deterioração 3 (*teeth*) cáries 4 *fig* (*decadence*) decadência
▸ *vi* 1 (*decompose*) decompor-se 2 (*deteriorate*) deteriorar-se 3 (*teeth*) cariar 4 *fig* (*corrupt*) corromper-se

deceased [dɪ'si:st] *adj-n* defunto; falecido

deceit [dɪ'si:t] *n* engano; falsidade

deceitful [dɪ'si:tfʊl] *adj* falso; mentiroso; ilusório

deceive [dɪ'si:v] *vt* enganar

december [dɪ'sembəʳ] *n* dezembro

decency ['di:sənsɪ] *n* decência

decent ['di:sənt] *adj* 1 (*decorous*) decente 2 (*appropriate*) adequado, razoável

deception [dɪ'sepʃən] *n* engano; trapaça

deceptive [dɪ'septɪv] *adj* enganoso, ilusório

decibel ['desɪbel] *n* decibel

decide [dɪ'saɪd] *vt-vi* decidir
• **to decide on** optar por

decided [dɪ'saɪdɪd] *adj* decidido, determinado

decidedly [dɪ'saɪdɪdlɪ] *adv* decididamente, sem dúvida

deciding [dɪ'saɪdɪŋ] *adj* decisivo; conclusivo; determinante

decimal ['desɪməl] *adj* decimal
▸ *n* decimal
▪ **decimal place** casa decimal
▪ **decimal point** vírgula decimal

decipher [dɪ'saɪfə^r] *vt* decifrar

decision [dɪ'sɪʒən] *n* decisão

decisive [dɪ'saɪsɪv] *adj* **1** (*definitive*) decisivo **2** (*resolute*) decidido, resoluto

deck [dek] *n* **1** (*floor of a ship*) convés; deque **2** (*floor of a bus*) piso **3** US (*pack of cards*) baralho

deckchair ['dektʃeə^r] *n* espreguiçadeira; cadeira de praia

declaration [deklə'reɪʃən] *n* declaração

declare [dɪ'kleə^r] *vt* declarar
▸ *vi* pronunciar-se; proclamar
• **to declare war on** declarar guerra a

decline [dɪ'klaɪn] *n* **1** (*gradual weakening*) declínio; decadência **2** (*deterioration*) deterioração
▸ *vi* **1** (*lessen*) declinar **2** (*deteriorate*) deteriorar-se, piorar (saúde)
▸ *vt* recusar; rejeitar; declinar

decorate ['dekəreɪt] *vt* decorar; adornar
▸ *vt-vi* condecorar

decoration [dekə'reɪʃən] *n* **1** (*adornment*) decoração **2** (*award*) condecoração

decorative ['dekərətɪv] *adj* decorativo

decoy ['di:kɔɪ] *n* chamariz
▸ *vt* atrair com chamariz; seduzir

decrease [dɪ'kri:s] *n* diminuição; redução
▸ *vt-vi* diminuir; reduzir

decree [dɪ'kri:] *n* decreto
▸ *vt* decretar

dedicate ['dedɪkeɪt] *vt* dedicar; consagrar

dedication [dedɪ'keɪʃən] *n* **1** (*devotion*) dedicação **2** (*inscription*) dedicatória

deduce [dɪ'dju:s] *vt* deduzir; inferir

deduct [dɪ'dʌkt] *vt* abater; descontar; deduzir

deduction [dɪ'dʌkʃən] *n* dedução; diminuição

deed [di:d] *n* **1** (*action*) ato; ação **2** (*performance*) façanha **3** (*contract*) escritura (de propriedade)

deem [di:m] *vt* julgar; considerar

deep [di:p] *adj* **1** fundo, profundo: ***it's ten metres deep*** tem dez metros de profundidade **2** (*low in pitch*) grave **3** (*dark*) escuro **4** (*intense*) intenso
▸ *adv* profundamente
▸ *n* profundidade
• **deep down** no fundo
• **to be deep in thought** estar absorto

deepen ['di:pən] *vt* afundar; aprofundar
▸ *vi* (*intensify*) intensificar-se

deeply ['di:plɪ] *adv* profundamente

deer [dɪə^r] *n* (*pl* **deer**) ZOOL cervo; veado

default [dɪ'fɔ:lt] *n* **1** (*negligence*) negligência **2** (*nonpayment*) inadimplemento; descumprimento (*de pagamento*) **3** (*absence*) falta; ausência
▸ *vi* **1** (*fail*) faltar a um compromisso; descumprir **2** (*fail to pay*) não pagar (*uma dívida*) **3** (*evade*) não comparecer
▪ **default settings** valores por *default*

defeat [dɪ'fi:t] *n* derrota
▸ *vt* **1** (*beat*) derrotar; vencer **2** *fig* (*frustrate*) frustrar
• **to admit defeat** dar-se por vencido

defect [(*n*) 'di:fekt; (*v*) dɪ'fekt] *n* defeito, imperfeição
▸ *vi* desertar

defective [dɪ'fektɪv] *adj* **1** (*faulty*) defeituoso **2** (*verb*) defectivo

defence [dɪ'fens] *n* defesa

defenceless [dɪ'fensləs] *adj* indefeso

defend [dɪ'fend] *vt* defender

defendant [dɪ'fendənt] *n* réu; acusado

defender [dɪ'fendə^r] *n* **1** (*supporter*) defensor **2** SPORT defesa

defending [dɪ'fendɪŋ] *adj* que tenta defender
▪ **defending counsel** advogado de defesa
defensive [dɪ'fensɪv] *adj* defensivo
▸ *n* defensiva
defer¹ [dɪ'fɜːʳ] *vt* (*pt & pp* ***deferred***, *ger* ***deferring***) adiar; retardar; protelar
defer² [dɪ'fɜːʳ] *vi* (*pt & pp* ***deferred***, *ger* ***deferring***) deferir; condescender
defiance [dɪ'faɪəns] *n* desafio
• **in defiance of** a despeito de
defiant [dɪ'faɪənt] *adj* desafiante; provocante
deficiency [dɪ'fɪʃənsɪ] *n* deficiência
deficient [dɪ'fɪʃənt] *adj* deficiente
• **to be deficient in something** ser carente de
deficit ['defɪsɪt] *n* déficit
define [dɪ'faɪn] *vt* definir
definite ['defɪnət] *adj* **1** (*having precise limits*) definido **2** (*decided*) definitivo; decisivo **3** (*exact*) claro; preciso; exato
▪ **definite article** artigo definido
definitely ['defɪnətlɪ] *adv* definitivamente
definition [defɪ'nɪʃən] *n* **1** (*explanation*) definição **2** (*clarity*) nitidez
definitive [dɪ'fɪnɪtɪv] *adj* definitivo
deflate [dɪ'fleɪt] *vt-vi* **1** FIN deflacionar **2** (*empty*) esvaziar(-se)
deflect [dɪ'flekt] *vt-vi* desviar(-se)
deform [dɪ'fɔːm] *vt* deformar; desfigurar
deformed [dɪ'fɔːmd] *adj* disforme
defrost [diː'frɒst] *vt-vi* descongelar(-se)
deft [deft] *adj* destro; hábil
defunct [dɪ'fʌŋkt] *adj* defunto; falecido
defy [dɪ'faɪ] *vt* **1** (*confront*) desafiar **2** (*disobey*) desacatar; desobedecer (*lei*) **3** (*challenge*) provocar
degenerate [(*adj-n*) dɪ'dʒenərət; (*v*) dɪ'dʒenəreɪt] *adj-n* degenerado
▸ *vi* degenerar
degeneration [dɪdʒenə'reɪʃən] *n* degeneração
degrade [dɪ'greɪd] *vt* degradar; rebaixar
degrading [dɪ'greɪdɪŋ] *adj* degradante
degree [dɪ'griː] *n* **1** (*level*) grau **2** (*extent*) intensidade; extensão **3** (*academic award*) título acadêmico
• **by degrees** pouco a pouco
• **to some degree** até certo ponto
• **to take a degree in something** colar grau
▪ **honorary degree** título *honoris causa*
dehydrate [diːhaɪ'dreɪt] *vt* desidratar
dejected [dɪ'dʒektɪd] *adj* abatido; desanimado
delay [dɪ'leɪ] *n* atraso; adiamento
▸ *vt* adiar
▸ *vt-vi* (*train, bus*) atrasar(-se)
delegate [(*adj-n*) 'delɪgət; (*v*) 'delɪgeɪt] *adj-n* delegado; representante
▸ *vt* delegar
delegation [delɪ'geɪʃən] *n* delegação
delete [dɪ'liːt] *vt* apagar; suprimir
deliberate [(*adj*) dɪ'lɪbərət; (*v*) dɪ'lɪbəreɪt] *adj* deliberado; premeditado
▸ *vt-vi* deliberar; considerar
delicacy ['delɪkəsɪ] *n* (*pl* **-ies**) **1** (*fineness*) delicadeza; fragilidade **2** (*food*) iguaria
delicate ['delɪkət] *adj* **1** (*fine*) delicado; fino **2** (*fragile*) frágil **3** (*savoury*) saboroso
delicatessen [delɪkə'tesən] *n* *delicatessen*; loja de conveniência
delicious [dɪ'lɪʃəs] *adj* delicioso
delight [dɪ'laɪt] *n* **1** (*great pleasure*) prazer **2** (*joy*) encanto; alegria
▸ *vt* deleitar; encantar
▸ *vi* deleitar(-se)
delighted [dɪ'laɪtɪd] *adj* encantado; muito feliz: ***I am delighted to see you*** estou muito feliz em ver você
delightful [dɪ'laɪtfʊl] *adj* encantador; agradável
delinquency [dɪ'lɪŋkwənsɪ] *n* delinquência
delinquent [dɪ'lɪŋkwənt] *adj* delinquente
▸ *n* delinquente
deliver [dɪ'lɪvəʳ] *vt* **1** (*carry*) entregar; distribuir (mercadoria) **2** (*inflict*) golpear **3** (*announce*) proferir **4** (*aid in the birth of*) assistir ao parto; fazer o parto de; dar à luz **5** *fml* (*release*) livrar

delivery [dɪ'lɪvərɪ] *n* (*pl* **-ies**) **1** (*conveyance*) entrega; distribuição; remessa (de mercadoria) **2** (*liberation*) liberação **3** (*elocution*) elocução; dicção **4** (*birth*) parto
• **cash on delivery** entrega de mercadoria contra pagamento
▪ **delivery man** entregador
▪ **delivery note** nota de entrega; guia
▪ **delivery room** sala de partos
▪ **delivery van** GB furgão de entrega

delta ['deltə] *n* delta

delude [dɪ'lu:d] *vt* enganar

deluge ['delju:dʒ] *n* **1** (*flood*) dilúvio **2** *fig* (*avalanche*) avalanche
▸ *vt* inundar

delusion [dɪ'lu:ʒən] *n* **1** (*misconception*) ilusão; engano **2** (*hallucination*) alucinação
▪ **delusions of grandeur** delírios de grandeza

de luxe [də'lʌks] *adj* de luxo

demand [dɪ'mɑ:nd] *n* **1** demanda; procura: ***there's a big demand for computers*** há grande demanda por computadores **2** (*claim*) exigência; reclamação **3** (*requirement*) petição; requerimento
▸ *vt* exigir; reclamar
• **on demand** à vista; contra entrega; por encomenda: ***VOD (video on demand)*** vídeo por encomenda

demanding [dɪ'mɑ:ndɪŋ] *adj* exigente

demented [dɪ'mentɪd] *adj* demente

demise [dɪ'maɪz] *n* falecimento; morte; fim

demist [di:'mɪst] *vt* desembaçar

democracy [dɪ'mɒkrəsɪ] *n* (*pl* **-ies**) democracia

democrat ['deməkræt] *n* democrata

democratic [demə'krætɪk] *adj* democrático
▪ **Democratic party** US Partido Democrata

demolish [dɪ'mɒlɪʃ] *vt* demolir; derrubar

demolition [demə'lɪʃən] *n* demolição

demon ['di:mən] *n* demônio; diabo

demonstrate ['demənstreɪt] *vt* demonstrar; mostrar; provar
▸ *vi* manifestar(-se); protestar

demonstration [demən'streɪʃən] *n* **1** (*proof*) demonstração **2** (*manifestation*) manifestação

demonstrative [dɪ'mɒnstrətɪv] *adj* **1** (*expressive*) efusivo **2** (*indicative*) demonstrativo

demonstrator ['demənstreɪtə^r^] *n* manifestante

demoralize [dɪ'mɒrəlaɪz] *vt* desmoralizar

den [den] *n* **1** (*lair*) toca; covil; recinto pequeno **2** (*haunt*) espelunca

denial [dɪ'naɪəl] *n* **1** (*refusal*) recusa, rejeição **2** (*negation*) negação; negativa

denim ['denɪm] *n* brim; zuarte; tecido resistente de algodão
▸ *adj* vaqueiro, tejano

denmark ['denmɑ:k] *n* Dinamarca

denomination [dɪnɒmɪ'neɪʃən] *n* **1** (*religious group*) grupo religioso **2** (*value*) valor (*de moeda*)

denominator [dɪ'nɒmɪneɪtə^r^] *n* denominador

denounce [dɪ'naʊns] *vt* **1** (*expose*) denunciar **2** (*censure*) censurar

dense [dens] *adj* **1** (*thick*) denso; espesso **2** *inf* (*stupid*) obtuso

density ['densɪtɪ] *n* densidade

dent [dent] *n* **1** (*hollow made by a blow*) mossa **2** (*indentation*) dente de engrenagem
▸ *vt* amassar; indentar

dental ['dentəl] *adj* dental
▪ **dental surgeon** cirurgião-dentista

dentist ['dentɪst] *n* dentista

dentures ['dentʃəz] *npl* dentadura postiça

deny [dɪ'naɪ] *vt* **1** (*contradict*) negar; desmentir **2** (*refuse*) recusar, vetar

deodorant [di:'əʊdərənt] *n* desodorante

depart [dɪ'pɑ:t] *vi fml* **1** (*leave*) partir; sair **2** *fig* (*deviate*) desviar-se

department [dɪ'pɑ:tmənt] *n* **1** (*division*) departamento; repartição; seção **2** (*ministry*) ministério
▪ **department store** loja de departamentos

departure [dɪ'pɑ:tʃəʳ] *n* **1** (*leaving*) partida **2** (*exit*) saída (de trem, avião) **3** *fig* (*deviation*) desvio

depend [dɪ'pend] *vi* depender
• **that depends/it all depends** (*isso*) depende; talvez
▪ **to depend on** *vt* **1** (*rely on*) confiar em **2** (*be dependent on*) depender de

dependable [dɪ'pendəbəl] *adj* confiável

dependence [dɪ'pəndəns] *n* dependência

dependent [dɪ'pendənt] *adj* dependente
• **to be dependent on** depender de

depict [dɪ'pɪkt] *vt* **1** (*portray*) pintar; representar; retratar **2** *fig* (*describe*) descrever

depilatory [dɪ'pɪlətərɪ] *n* depilatório

deplore [dɪ'plɔ:ʳ] *vt* deplorar; lamentar

deploy [dɪ'plɔɪ] *vt* **1** (*use*) implementar; utilizar de maneira eficaz **2** MIL dispor tropa em formação de combate

deport [dɪ'pɔ:t] *vt* deportar

deportation [di:pɔ:'teɪʃən] *n* deportação

depose [dɪ'pəʊz] *vt* depor; destituir

deposit [dɪ'pɒzɪt] *n* **1** (*accumulation*) depósito; sedimento **2** (*seam*) jazida **3** FIN depósito
▸ *vt* depositar
▪ **deposit account** FIN conta corrente

depot ['depəʊ] *n* **1** (*storehouse*) depósito; armazém **2** (*garage*) garagem **3** US (*terminal*) estação ferroviária

depress [dɪ'pres] *vt* **1** (*sadden*) deprimir **2** (*devalue*) reduzir; desvalorizar

depressing [dɪ'presɪŋ] *adj* deprimente

depression [dɪ'preʃən] *n* depressão

depressive [dɪ'presɪv] *adj* depressivo; deprimente

deprivation [deprɪ'veɪʃən] *n* privação

deprive [dɪ'praɪv] *vt* privar

depth [depθ] *n* **1** (*profundity*) profundidade **2** (*intensity*) intensidade
• **in depth** a fundo
• **to be out of one's depth** estar perdido; estar além do limite

deputation [depjʊ'teɪʃən] *n* delegação

deputy ['depjətɪ] *n* (*pl* **-ies**) **1** (*substitute*) substituto; suplente **2** (*representative*) deputado
▪ **deputy chairman** vice-presidente

deranged [dɪ'reɪndʒd] *adj fml* transtornado; enlouquecido

derelict ['derɪlɪkt] *adj* abandonado

derivative [dɪ'rɪvətɪv] *adj* derivado; secundário; pouco original
▸ *n* derivado

derive [dɪ'raɪv] *vt* derivar; deduzir
▸ *vi* derivar(-se)

derogatory [dɪ'rɒgətərɪ] *adj* depreciativo, pejorativo

derrick ['derɪk] *n* **1** (*crane*) guindaste **2** (*framework*) torre de perfuração

descend [dɪ'send] *vt-vi* descer; baixar
▪ **to descend on/upon** *vt* **1** (*move down*) atacar; cair; abater-se (*sobre*) **2** *fig* visitar: ***they descended on us at dinner time*** visitas invadiram nossa casa na hora do jantar
▪ **to descend from** *vi* (*come from*) descender de
▪ **to descend to** *vt* (*lower oneself*) rebaixar-se

descendant [dɪ'sendənt] *n* descendente

descent [dɪ'sent] *n* **1** (*drop*) descida; queda **2** (*slope*) declive **3** (*ancestry*) descendência

describe [dɪ'skraɪb] *vt* descrever

description [dɪ'skrɪpʃən] *n* **1** (*explanation*) descrição **2** (*sort*) espécie; tipo
• **of some description** de um determinado tipo

descriptive [dɪ'skrɪptɪv] *adj* descritivo

desert[1] ['dezət] *n* deserto

desert[2] [dɪ'zɜ:t] *vt* abandonar
▸ *vi* desertar

deserve [dɪ'zɜ:v] *vt* merecer: ***you deserve a rest*** você merece um descanso

deservedly [dɪ'zɜ:vədlɪ] *adv* merecidamente

deserving [dɪ'zɜ:vɪŋ] *adj* **1** (*worthy*) digno **2** (*meriting*) meritório

design [dɪ'zaɪn] *n* **1** (*outline*) *design* **2** (*plan*) desenho; motivo; plano; concepção de um projeto

▸ *vt* **1** (*outline*) desenhar; projetar; criar **2** (*invent*) conceber

designate [(*v*) 'dezɪgneɪt; (*adj*) 'dezɪgnət] *vt fml* **1** (*label*) indicar, assinalar **2** (*appoint*) designar; nomear
▸ *adj* designado; nomeado

designer [dɪ'zaɪnəʳ] *n designer*; desenhista

desirable [dɪ'zaɪərəbəl] *adj* desejável

desire [dɪ'zaɪəʳ] *n* desejo
▸ *vt* desejar

desk [desk] *n* **1** (*writing table*) escrivaninha **2** (*at school*) carteira escolar **3** (*at church*) púlpito **4** (*service counter*) balcão; recepção
▪ **desk work** trabalho burocrático

desktop ['desktɒp] *n desktop*; área de trabalho
▪ **desktop computer** computador de mesa
▪ **desktop publishing** editoração eletrônica

desolate ['desələt] *adj* **1** (*uninhabited*) ermo; deserto *(lugar)* **2** (*very sad*) triste, desconsolado

desolation [desə'leɪʃən] *n* **1** (*bleakness*) desolação **2** (*sadness*) pesar

despair [dɪs'peəʳ] *n* desespero
▸ *vi* desesperar-se; perder a esperança

despatch [dɪs'pætʃ] *vt-n* → **dispatch**

desperate ['despərət] *adj* desesperado
• **to be desperate for** necessitar desesperadamente

desperately ['desprətlɪ] *adv* desesperadamente

desperation [despə'reɪʃən] *n* desesperação; desespero

despicable [dɪ'spɪkəbəl] *adj* desprezível; vil

despise [dɪ'spaɪz] *vt* menosprezar; desprezar

despite [dɪ'spaɪt] *prep* apesar de

despondent [dɪ'spɒndənt] *adj* desanimado

despot ['despɒt] *n* déspota

despotism ['despətɪzəm] *n* despotismo

dessert [dɪ'zɜːt] *n* sobremesa

dessertspoon [dɪ'zɜːtspuːn] *n* colher de sobremesa

destination [destɪ'neɪʃən] *n* destino; lugar para onde se vai

destined ['destɪnd] *adj* **1** (*fated*) destinado **2** *fig* condenado: ***destined to fail*** condenado ao fracasso **3** (*en route*) com destino

destiny ['destɪnɪ] *n* (*pl* **-ies**) destino

destitute ['destɪtjuːt] *adj* indigente; destituído
• **destitute of** destituído de; desprovido de

destroy [dɪ'strɔɪ] *vt* destruir

destroyer [dɪ'strɔɪəʳ] *n* **1** (*person or thing that destroys*) destruidor **2** (*armed warship*) destroier; contratorpedeiro

destruction [dɪ'strʌkʃən] *n* destruição

destructive [dɪ'strʌktɪv] *adj* destruidor; destrutivo

detach [dɪ'tætʃ] *vt* separar

detached [dɪ'tætʃt] *adj* **1** (*not joined*) separado; isolado **2** (*impartial*) imparcial
▪ **detached house** casa independente; casa sem parede-meia com outra construção
▪ **detached retina** descolamento de retina

detachment [dɪ'tætʃmənt] *n* **1** (*separation*) separação; isolamento **2** (*indifference*) desapego; indiferença **3** (*task force*) destacamento

detail ['diːteɪl] *n* detalhe; pormenor
▸ *vt* **1** (*explain*) detalhar, enumerar **2** MIL destacar (tropas)
• **in detail** em detalhe, detalhadamente
• **to go into detail** entrar em detalhes

detain [dɪ'teɪn] *vt* **1** (*delay*) deter; reter, retardar **2** (*take into custody*) manter sob custódia; hospitalizar

detect [dɪ'tekt] *vt* detectar; descobrir

detective [dɪ'tektɪv] *n* detetive
▪ **detective story** romance policial

detector [dɪ'tektəʳ] *n* detector

detention [dɪ'tenʃən] *n* **1** (*imprisonment*) detenção; prisão; apreensão **2** (*impediment*) embargo
• **to get detention** (*at school*) ficar depois da hora

deter [dɪ'tɜːʳ] *vt* (*pt & pp* ***deterred***, *ger* ***deterring***) dissuadir

detergent [dɪ'tɜːdʒənt] *n* detergente

deteriorate [dɪ'tɪərɪəreɪt] *vi* deteriorar-se; agravar-se

determination [dɪtɜːmɪ'neɪʃən] *n* determinação; decisão; firmeza de propósito

determine [dɪ'tɜːmɪn] *vt* determinar; decidir

determined [dɪ'tɜːmɪnd] *adj* decidido; determinado; resoluto

deterrent [dɪ'terənt] *adj* dissuasivo; dissuasório

▸ *n* dissuação; força dissuasiva

detest [dɪ'test] *vt* detestar; odiar

detonate ['detəneɪt] *vi* explodir; detonar

▸ *vt* fazer explodir

detonator ['detəneɪtə'] *n* detonador

detour ['diːtʊə'] *n* desvio

detract [dɪ'trækt] *vt* detrair; denegrir

devaluation [diːvæljuː'eɪʃən] *n* FIN desvalorização (monetária)

devalue [diː'væljuː] *vt-vi* desvalorizar(-se)

devastate ['devəsteɪt] *vt* devastar; assolar

devastating ['devəsteɪtɪŋ] *adj* devastador

develop [dɪ'veləp] *vt* **1** (*expand*) desenvolver **2** (*initiate*) iniciar, estabelecer **3** (*resources*) explorar **4** (*urbanize*) urbanizar **5** (*photograph*) revelar **6** (*elaborate*) elaborar

▸ *vi* desenvolver-se

■ **developing country** país em desenvolvimento

development [dɪ'veləpmənt] *n* **1** (*growth*) desenvolvimento **2** (*evolution*) evolução gradual; crescimento **3** exploração (*de recursos*) **4** (*progress*) urbanização **5** (*photograph*) revelação (*de filme*) **6** (*elaboration*) elaboração

deviate ['diːvɪeɪt] *vi* desviar-se

device [dɪ'vaɪs] *n* **1** (*implement*) mecanismo; dispositivo **2** (*stratagem*) ardil; estratagema

devil ['devəl] *n* diabo; demônio

devious ['diːvɪəs] *adj* **1** (*indirect*) tortuoso; indireto **2** (*dishonest*) desonesto

devise [dɪ'vaɪz] *vt* idealizar; conceber

devoid [dɪ'vɔɪd] *adj* desprovido; destituído; livre de

devote [dɪ'vəʊt] *vt* devotar; consagrar; dedicar

devoted [dɪ'vəʊtɪd] *adj* devotado; leal

devotion [dɪ'vəʊʃən] *n* **1** (*fidelity*) devoção; consagração; dedicação **2** (*affection*) afeto; carinho

devour [dɪ'vaʊə'] *vt* devorar

devout [dɪ'vaʊt] *adj* **1** (*pious*) devoto; piedoso **2** (*sincere*) sincero

dew [djuː] *n* orvalho

dexterity [dek'sterɪtɪ] *n* destreza; habilidade

dexterous ['dekstrəs] *adj* destro; hábil

diabetes [daɪə'biːtiːz] *n* MED diabetes

diabetic [daɪə'betɪk] *adj-n* diabético

diabolical [daɪə'bɒlɪkəl] *adj* diabólico

diagnose ['daɪəgnəʊz] *vt* diagnosticar

diagnosis [daɪəg'nəʊsɪs] *n* (*pl* **diagnoses** [daɪəg'nəʊsiːz]) diagnóstico

diagnostic [daɪəg'nɒstɪk] *adj* diagnóstico

diagonal [daɪ'ægənəl] *adj* diagonal

▸ *n* diagonal

diagonally [daɪ'ægənəlɪ] *adv* em diagonal

diagram ['daɪəgræm] *n* diagrama; esquema; gráfico

dial ['daɪəl] *n* **1** (*clock*) mostrador **2** (*radio*) dial **3** (*telephone*) teclado

▸ *vt* sintonizar; discar: ***she dialled a wrong number*** ela discou um número errado

■ **dialling code** código de discagem

■ **dialling tone** sinal; linha (*de discagem*)

dialect ['daɪəlekt] *n* dialeto

dialogue ['daɪəlɒg] (US **dialog**) *n* diálogo

diameter [daɪ'æmɪtə'] *n* diâmetro

diamond ['daɪəmənd] *n* diamante

diaper ['daɪəpə'] *n* US fralda

diaphragm ['daɪəfræm] *n* ANAT diafragma

diarrhoea [daɪə'rɪə] *n* MED diarreia

diary ['daɪərɪ] *n* **1** (*daily record*) diário **2** (*appointment book*) agenda

dice [daɪs] *n* (*pl* **dice**) dado
▸ *vt* cortar em cubos

dictate [dɪk'teɪt] *vt* **1** (*read out*) ditar **2** (*order*) ditar; mandar
▸ *vi* ditar; determinar
▸ *n* ditame; injunção; preceito

dictation [dɪk'teɪʃən] *n* ditado

dictator [dɪk'teɪtəʳ] *n* ditador

dictatorial [dɪktə'tɔːrɪəl] *adj* ditatorial

dictatorship [dɪk'teɪtəʃɪp] *n* ditadura

dictionary ['dɪkʃənərɪ] *n* (*pl* **-ies**) dicionário

did [dɪd] *pt* → **do**

didactic [dɪ'dæktɪk] *adj* didático

diddle ['dɪdəl] *vi* trapacear

didn't ['dɪdənt] *aux* contração de **did** + **not**

die [daɪ] *vi* (*ger* ***dying***) morrer
• **to be dying for/to** *inf* estar morrendo de vontade de
▪ **to die away** *vi* definhar; evaporar-se
▪ **to die down** *vi* **1** (*extinguish*) extinguir-se **2** *fig* (*decline*) diminuir
▪ **to die off** *vi* morrer em massa
▪ **to die out** *vi* desaparecer; findar; extinguir(-se)

diesel ['diːzəl] *n* gasóleo; óleo diesel
▪ **diesel engine** motor diesel

diet ['daɪət] *n* dieta; regime
• **to be on a diet** estar de dieta
• **to go on a diet** fazer dieta

differ ['dɪfəʳ] *vi* **1** (*be unlike*) diferir; diferençar **2** (*disagree*) discordar

difference ['dɪfərəns] *n* **1** (*dissimilarity*) diferença **2** (*disagreement*) divergência
• **to make no difference** dar no mesmo
• **what difference does it make?** que diferença faz?

different ['dɪfərənt] *adj* diferente; distinto

differentiate [dɪfə'renʃɪeɪt] *vt-vi* diferençar(-se); distinguir(-se)

differently ['dɪfrəntlɪ] *adv* de uma maneira diferente

difficult ['dɪfɪkəlt] *adj* difícil

difficulty ['dɪfɪkəltɪ] *n* (*pl* **-ies**) **1** (*trouble*) dificuldade **2** (*tribulation*) apuro; aperto

diffident ['dɪfɪdənt] *adj* retraído; tímido

diffuse [(*adj*) dɪ'fjuːs; (*v*) dɪ'fjuːz] *adj* difuso
▸ *vt-vi* difundir(-se)

dig [dɪg] *vt* (*pt & pp* ***dug***) **1** (*excavate*) cavar (*buraco*), escavar (*túnel*) **2** (*poke*) cravar; fincar (*unhas*)
▸ *n inf* (*cutting remark*) alfinetada, provocação
▸ *npl* **digs** GB alojamento
▪ **to dig out/up** *vt* desenterrar; desencavar

digest [(*n*) 'daɪdʒest; (*v*) dɪ'dʒest] *n* resumo; compêndio
▸ *vt-vi* digerir
▸ *vt* resumir

digestion [dɪ'dʒestʃən] *n* digestão

digestive [daɪ'dʒestɪv] *adj* digestivo
▪ **digestive tract** ANAT aparelho digestivo

digger ['dɪgəʳ] *n* escavadeira

digit ['dɪdʒɪt] *n* dígito

dignified ['dɪgnɪfaɪd] *adj* digno; honrado

dignify ['dɪgnɪfaɪ] *vt* (*pt & pp* **-ied**) dignificar; enaltecer

dignitary ['dɪgnɪtərɪ] *n* dignatário

dignity ['dɪgnɪtɪ] *n* dignidade

dike [daɪk] *n* US → **dyke**

dilapidated [dɪ'læpɪdeɪtɪd] *adj* **1** (*ruined*) em péssimo estado; em estado deplorável (*carros; móveis etc.*) **2** (*shabby*) desconjuntado

dilate [daɪ'leɪt] *vt-vi* dilatar(-se)

dilemma [dɪ'lemə] *n* dilema

diligence ['dɪlɪdʒəns] *n* diligência; zelo

diligent ['dɪlɪdʒənt] *adj* diligente; zeloso

dilute [daɪ'luːt] *vt* **1** (*water down*) diluir **2** *fig* (*attenuate*) atenuar; suavizar

dim [dɪm] *adj* **1** (*indistinct*) débil, difuso, tênue **2** (*dark*) escuro **3** (*blurred*) borrado **4** *inf* (*faint*) tonto
▸ *vt* **1** (*attenuate*) atenuar **2** (*fade*) embaçar **3** *fig* (*blur*) borrar; esfumaçar

dime [daɪm] *n* US moeda de dez centavos

dimension [dɪ'menʃən] *n* dimensão

diminish [dɪ'mɪnɪʃ] *vt* diminuir; reduzir
▸ *vi* diminuir; minguar

diminutive [dɪ'mɪnjətɪv] *adj* diminuto
▸ *n* diminutivo

dimple ['dɪmpəl] *n* covinha

din [dɪn] *n* barulhada; estrondo

dine [daɪn] *vi* jantar

diner ['daɪnəʳ] *n* **1** (*person*) comensal **2** US (*restaurant*) lanchonete

dinghy ['dɪŋgɪ] *n* (*pl* **-ies**) bote

dingy ['dɪndʒɪ] *adj* (**-ier**, **-iest**) **1** (*dirty*) sujo; encardido **2** (*sombre*) sombrio

dining car ['daɪnɪŋkɑːʳ] *n* vagão-restaurante

dining room ['daɪnɪŋruːm] *n* sala de jantar

dinner ['dɪnəʳ] *n* jantar
• **to have dinner** jantar
▪ **dinner jacket** *smoking*
▪ **dinner table** mesa de jantar
▪ **dinner service** **1** (*dinner set*) aparelho de jantar **2** (*service*) serviço de mesa

dinosaur ['daɪnəsɔːʳ] *n* dinossauro

diocese ['daɪəsɪs] *n* diocese

dioxide [daɪ'ɒksaɪd] *n* CHEM dióxido

dip [dɪp] *n* **1** (*immersion*) mergulho; imersão breve **2** (*slope*) inclinação; declive **3** (*food*) pasta; patê
▸ *vt* (*pt & pp* ***dipped***, *ger* ***dipping***) mergulhar; banhar; molhar; imergir
▸ *vi* baixar
• **to dip the lights** diminuir a intensidade da luz
▪ **to dip into** *vt* **1** (*read small parts of a book*) folhear **2** (*spend part of a supply of money*) gastar parcialmente

diphthong ['dɪfθɒŋ] *n* ditongo

diploma [dɪ'pləʊmə] *n* diploma

diplomacy [dɪ'pləʊməsɪ] *n* diplomacia

diplomat ['dɪpləmæt] *n* diplomata

diplomatic [dɪplə'mætɪk] *adj* diplomático

dire ['daɪəʳ] *adj* **1** (*urgent*) urgente, desesperado **2** (*terrible*) terrível; medonho; lúgubre

direct [dɪ'rekt, daɪ'rekt] *adj* **1** (*straight*) direto **2** (*frank*) franco; sincero
▸ *adv* direto, diretamente: ***does this train go direct to London?*** este trem vai direto para Londres?
▸ *vt* **1** (*conduct*) dirigir; indicar **2** *fml* (*order*) mandar; ordenar
▸ *vi* dar instruções; dar ordens
▪ **direct object** objeto direto

direction [dɪ'rekʃən, daɪ'rekʃən] *n* **1** (*orientation*) direção; sentido **2** (*administration*) diretoria **3** (*instruction*) norma; regra
▸ *npl* **directions** instruções (*como chegar, como usar algo*)
• **to ask for directions** informar-se sobre determinado rumo

directly [dɪ'rektlɪ, daɪ'rektlɪ] *adv* **1** (*straightaway*) diretamente **2** (*frankly*) francamente

directness [dɪ'rektnəs, daɪ'rektnəs] *n* franqueza

director [dɪ'rektəʳ, daɪ'rektəʳ] *n* diretor, diretora
▪ **managing director** diretor superintendente

directory [dɪ'rektərɪ, daɪ'rektərɪ] *n* (*pl* **-ies**) **1** (*index*) lista telefônica; livro de endereços **2** COMPUT diretório

dirt [dɜːt] *n* **1** (*filth*) sujeira **2** (*earth*) terra batida **3** (*obscene speech*) maledicência
• **to treat somebody like dirt** tratar alguém com descaso

dirty ['dɜːtɪ] *adj* (**-ier**, **-iest**) **1** (*filthy*) sujo **2** (*obscene*) indecente; picante **3** *inf* (*unfair*) sórdido
▸ *vt-vi* (*pt & pp* **-ied**) sujar(-se)
• **to get dirty** sujar-se
• **to give somebody a dirty look** lançar um olhar de censura a alguém
▪ **dirty trick** brincadeira de mau gosto
▪ **dirty word** palavrão

disability [dɪsə'bɪlɪtɪ] *n* (*pl* **-ies**) incapacidade; inabilidade; inaptidão; deficiência; invalidez

disabled [dɪs'eɪbəld] *adj* inválido; incapacitado

disadvantage [dɪsəd'vɑːntɪdʒ] *n* desvantagem

disadvantageous [dɪsædvɑːn'teɪdʒəs] *adj* desvantajoso

disagree [dɪsə'griː] *vi* **1** (*differ in opinion*) discordar; divergir **2** (*make ill*) cair mal (*comida*)

disagreeable [dɪsə'grɪəbəl] *adj* desagradável; enfadonho

disagreement [dɪsə'gri:mənt] *n* desacordo; divergência
• **to have a disagreement** discutir

disappear [dɪsə'pɪəʳ] *vi* desaparecer

disappearance [dɪsə'pɪərəns] *n* desaparecimento

disappoint [dɪsə'pɔɪnt] *vt* decepcionar; desapontar

disappointed [dɪsə'pɔɪntɪd] *adj* decepcionado; desapontado

disappointing [dɪsə'pɒɪntɪŋ] *adj* decepcionante

disappointment [dɪsə'pɔɪntmənt] *n* decepção; desapontamento

disapproval [dɪsə'pru:vəl] *n* desaprovação

disapprove [dɪsə'pru:v] *vt* desaprovar

disarm [dɪs'ɑ:m] *vt-vi* desarmar(-se)

disarmament [dɪs'ɑ:məmənt] *n* desarmamento

disaster [dɪ'zɑ:stəʳ] *n* desastre

disastrous [dɪ'zɑ:strəs] *adj* desastroso; catastrófico

disbelief [dɪsbɪ'li:f] *n* incredulidade; descrença

disc [dɪsk] *n* **1** (*flat circular object*) disco **2** COMPUT disquete
■ **disc jockey** disc-jóquei

discard [dɪs'kɑ:d] *vt* descartar

discern [dɪ'sɜ:n] *vt* discernir

discerning [dɪ'sɜ:nɪŋ] *adj* perspicaz; sagaz

discharge [(*n*) 'dɪstʃɑ:dʒ; (*v*) dɪs'tʃɑ:dʒ] *n* **1** (*emission*) descarga; emissão; saída; ejeção; escoamento **2** (*payment*) quitação (*débito*) **3** (*of gas*) escape **4** (*from prison*) liberação **5** (*liberation*) alta (*de paciente*) **6** (*release*) baixa (*de soldado*) **7** (*dismiss*) demissão
▸ *vt-vi* **1** (*pour*) escoar; verter **2** (*unload*) descarregar
▸ *vt* **1** (*release*) liberar; soltar **2** (*release from care*) dar alta **3** (*soldier*) dar baixa **4** (*dismiss*) despedir **5** (*get rid of*) saldar (*dívida*)

disciple [dɪ'saɪpəl] *n* discípulo

discipline ['dɪsɪplɪn] *n* disciplina
▸ *vt* disciplinar

disclose [dɪs'kləʊz] *vt* revelar; divulgar

disco ['dɪskəʊ] *n* (*pl* **discos**) *inf* discoteca (*boate*)

discolour [dɪs'kʌləʳ] (US **discolor**) *vt-vi* descolorar(-se); descorar

discomfort [dɪs'kʌmfət] *n* **1** (*uneasiness*) incômodo **2** (*pain*) desconforto

disconnect [dɪskə'nekt] *vt* desconectar

disconnected [dɪskə'nektɪd] *adj* **1** (*not connected*) desconectado **2** *fig* (*incoherent*) desconexo

discontent [dɪskən'tent] *n* descontentamento

discontinue [dɪskən'tɪnju:] *vt* suspender; interromper

discotheque ['dɪskətek] *n* discoteca (*boate*)

discount [(*n*) 'dɪskaʊnt; (*v*) dɪs'kaʊnt] *n* desconto
▸ *vt* **1** (*deduct*) descontar; abater **2** (*leave out*) não levar em conta

discourage [dɪs'kʌrɪdʒ] *vt* **1** (*dishearten*) desencorajar; desanimar **2** (*dissuade*) dissuadir

discouragement [dɪs'kʌrɪdʒmənt] *n* **1** (*loss of confidence*) desencorajamento; desânimo **2** (*disincentive*) dissuasão

discouraging [dɪs'kʌrɪdʒɪŋ] *adj* desencorajador; desanimador

discover [dɪ'skʌvəʳ] *vt* descobrir

discovery [dɪ'skʌvərɪ] *n* (*pl* **-ies**) descobrimento

discreet [dɪ'skri:t] *adj* discreto

discrepancy [dɪ'skrepənsɪ] *n* (*pl* **-ies**) discrepância

discretion [dɪ'skreʃən] *n* discrição
• **at the discretion of** a critério de

discriminate [dɪ'skrɪmɪneɪt] *vi* **1** (*treat differently*) discriminar **2** (*differentiate*) distinguir

discrimination [dɪskrɪmɪ'neɪʃən] *n* discriminação

discus ['dɪskəs] *n* disco

discuss [dɪ'skʌs] *vt-vi* discutir
▸ *vt* debater

discussion [dɪ'skʌʃən] *n* discussão; debate

disdain [dɪs'deɪn] *n* desdém; menosprezo
▸ *vt* desdenhar; menosprezar

disdainful [dɪs'deɪnfʊl] *adj* desdenhoso

disease [dɪ'zi:z] *n* enfermidade; doença

disembark [dɪsɪm'bɑ:k] *vt-vi* desembarcar

disenchanted [dɪsɪn'tʃɑ:ntɪd] *adj* desencantado

disentangle [dɪsɪn'tæŋgəl] *vt* desenredar; desemaranhar

disfigure [dɪs'fɪgəʳ] *vt* desfigurar

disgrace [dɪs'greɪs] *n* **1** (*infamy*) infâmia, desgraça **2** (*shame*) vergonha; desonra
▸ *vt* desonrar

disgraceful [dɪs'greɪsfʊl] *adj* vergonhoso; desonroso

disguise [dɪs'gaɪz] *n* disfarce
▸ *vt* **1** (*conceal*) disfarçar **2** *fig* (*dissimulate*) dissimular
• **in disguise** disfarçado

disgust [dɪs'gʌst] *n* asco; repugnância
▸ *vt* repugnar; enojar

disgusting [dɪs'gʌstɪŋ] *adj* **1** (*repugnant*) asqueroso; repulsivo repugnante **2** (*revolting*) intolerável; revoltante

dish [dɪʃ] *n* **1** (*bowl*) prato **2** (*food*) prato (*a comida em si*)
• **to do the dishes** lavar os pratos; lavar a louça
■ **to dish out** *vt inf* **1** (*give or say things to people without thinking*) dar ou dizer coisas sem refletir **2** (*serve*) servir comida
■ **to dish up** *vt* **1** (*serve*) servir (*comida*) **2** (*offer*) oferecer

dishcloth ['dɪʃklɒθ] *n* pano de prato

dishearten [dɪs'hɑ:tən] *vt* desanimar; desencorajar

dishevelled [dɪ'ʃevəld] *adj* **1** (*untidy*) despenteado; desgrenhado **2** (*disordered*) desalinhado

dishonest [dɪs'ɒnɪst] *adj* **1** (*not honest*) desonesto **2** (*fraudulent*) fraudulento

dishonesty [dɪs'ɒnɪstɪ] *n* **1** (*corruption*) desonestidade **2** (*fraudulence*) fraude

dishonour [dɪs'ɒnəʳ] (US **dishonor**) *n* desonra
▸ *vt* desonrar

dishwasher ['dɪʃwɒʃəʳ] *n* máquina de lavar louça

disillusion [dɪsɪ'lu:ʒən] *vt* desiludir

disinfect [dɪsɪn'fekt] *vt* desinfetar

disinfectant [dɪsɪn'fektənt] *n* desinfetante

disinherit [dɪsɪn'herɪt] *vt* deserdar

disintegrate [dɪs'ɪntɪgreɪt] *vt-vi* desintegrar(-se)

disintegration [dɪsɪntɪ'greɪʃən] *n* desintegração

disinterested [dɪs'ɪntrəstɪd] *adj* desinteressado; imparcial

disjointed [dɪs'dʒɔɪntɪd] *adj* **1** (*disconnected*) desarticulado **2** (*incoherent*) incoerente

disk [dɪsk] *n* disco
■ **disk drive** COMPUT drive

diskette [dɪs'ket] *n* disquete

dislike [dɪs'laɪk] *n* aversão; antipatia
▸ *vt* não gostar; antipatizar

dislocate ['dɪsləkeɪt] *vt* deslocar

dislodge [dɪs'lɒdʒ] *vt* desalojar; tirar

disloyal [dɪs'lɔɪəl] *adj* desleal

dismal ['dɪzməl] *adj* triste; sombrio; deprimente

dismantle [dɪs'mæntəl] *vt-vi* desmantelar(-se); desmontar(-se); demolir

dismay [dɪs'meɪ] *n* **1** (*consternation*) consternação; desalento **2** (*horror*) assombro
▸ *vt* consternar; assombrar

dismiss [dɪs'mɪs] *vt* **1** (*lay off*) despedir; demitir **2** (*send away*) dispensar **3** (*reject*) descartar, rejeitar **4** (*repudiate*) repudiar

dismissal [dɪs'mɪsəl] *n* **1** (*discharge*) demissão **2** (*release*) dispensa **3** (*rejection*) rechaço **4** (*repudiation*) repúdio

dismount [dɪs'maʊnt] *vi* apear

disobedience [dɪsə'bi:dɪəns] *n* desobediência

disobedient [dɪsə'bi:dɪənt] *adj* desobediente

disobey [dɪsə'beɪ] *vt-vi* desobedecer

disorder [dɪs'ɔ:dəʳ] *n* **1** (*confusion*) desordem **2** (*illness*) distúrbio

disorderly [dɪs'ɔ:dəlɪ] *adj* **1** (*untidy*) desordenado **2** (*unruly*) desregrado **3** (*lawless*) ilegal; irregular

disorganized [dɪs'ɔ:gənaɪzd] *adj* desorganizado

disorientate [dɪs'ɔ:rɪənteɪt] *vt* desorientar

disown [dɪs'əʊn] *vt* renegar

dispatch [dɪ'spætʃ] *n* (*pl* **-es**) **1** (*official communication*) despacho; expedição **2** (*promptness*) presteza **3** (*killing*) eliminação
▸ *vt* **1** (*send*) enviar; expedir; despachar **2** (*carry out*) resolver rapidamente **3** (*kill*) eliminar; matar
▪ **dispatch rider** mensageiro

dispel [dɪ'spel] *vt* **1** (*disperse*) dispersar **2** (*relieve*) dissipar (dúvidas)

dispensary [dɪ'spensərɪ] *n* dispensário

dispense [dɪ'spens] *vt* **1** (*distribute*) distribuir, alocar **2** (*medicine*) administrar
▪ **to dispense with** *vt* prescindir de

dispenser [dɪ'spensəʳ] *n* **1** (*machine*) máquina distribuidora **2** (*person*) distribuidor de medicamentos (*farmacêutico*)

disperse [dɪ'spɜ:s] *vt-vi* **1** (*scatter*) dispersar(-se); dissipar(-se) **2** (*diffuse*) difundir

displace [dɪs'pleɪs] *vt* **1** (*move*) deslocar; forçar a sair **2** (*succeed*) assumir o lugar de
▪ **to displaced person** expatriado

display [dɪ'spleɪ] *n* **1** (*exhibition*) exposição; exibição; mostruário **2** (*demonstration*) demonstração **3** (*electronic device*) tela
▸ *vt* **1** (*exhibit*) exibir; mostrar; expor **2** (*show*) visualizar (*em tela*)

displease [dɪs'pli:z] *vt fml* desagradar

disposable [dɪ'spəʊzəbəl] *adj* **1** (*available*) disponível **2** (*throwaway*) descartável

disposal [dɪ'spəʊzəl] *n* **1** (*arrangement*) disposição; arranjo **2** (*throwing away*) eliminação; descarte
• **at somebody's disposal** à disposição de alguém

dispose [dɪ'spəʊz] *vt* dispor; ordenar
▪ **to dispose of** *vt* **1** (*throw away*) jogar fora **2** (*give away*) desfazer-se de (*objetos*)

disposition [dɪspə'zɪʃən] *n* **1** (*arrangement*) disposição; arranjo **2** (*inclination*) propensão **3** *fml* (*temperament*) caráter; temperamento; índole

dispossess [dɪspə'zes] *vt* **1** (*divest*) desapropriar; desalojar **2** (*deprive*) privar de

disproportionate [dɪsprə'pɔ:ʃənət] *adj* desproporcional

disprove [dɪs'pru:v] *vt* refutar

dispute [(*n*) 'dɪspju:t; (*v*) dɪ'spju:t] *n* discussão; disputa
▸ *vt* questionar
▸ *vt-vi* disputar; discutir
• **beyond dispute** indiscutivelmente

disqualification [dɪskwɒlɪfɪ'keɪʃən] *n* desqualificação; incapacitação; inabilitação

disqualify [dɪs'kwɒlɪfaɪ] *vt* (*pt & pp* **-ied**) **1** (*invalidate*) desqualificar **2** (*incapacitate*) incapacitar; inabilitar

disregard [dɪsrɪ'gɑ:d] *n* **1** (*inattention*) indiferença; desatenção **2** (*negligence*) negligência
▸ *vt* negligenciar

disrespect [dɪsrɪ'spekt] *n* desrespeito; desacato

disrespectful [dɪsrɪ'spektfʊl] *adj* desrespeitoso

disrupt [dɪs'rʌpt] *vt* **1** (*interrupt*) romper **2** (*disturb*) transtornar; desbaratar; desorganizar

disruption [dɪs'rʌpʃən] *n* **1** (*rupture*) rompimento; ruptura **2** (*disturbance*) transtorno

disruptive [dɪs'rʌptɪv] *adj* **1** (*troubled*) prejudicial **2** (*troublesome*) rebelde (*criança*)

dissatisfaction [dɪssætɪs'fækʃən] *n* insatisfação

dissatisfied [dɪs'sætɪsfaɪd] *adj* insatisfeito

dissect [dɪ'sekt, daɪ'sekt] *vt* dissecar

disseminate [dɪ'semɪneɪt] *vt fml* disseminar

dissent [dɪ'sent] *n* dissenção
▸ *vi* dissentir

dissertation [dɪsə'teɪʃən] *n* dissertação

dissident ['dɪsɪdənt] *adj-n* dissidente

dissimilar [dɪ'sɪmɪləʳ] *adj* diferente

dissociate [dɪ'səʊʃɪeɪt] *vt* dissociar

dissolution [dɪsə'lu:ʃən] *n* dissolução; rescisão

dissolve [dɪ'zɒlv] *vt* dissolver
▸ *vi* **1** (*desintegrate*) dissolver(-se) **2** *fig* desfazer-se: ***to dissolve into tears/laughter*** debulhar-se em lágrimas/cair na gargalhada

dissuade [dɪ'sweɪd] *vt* dissuadir

dissuasion [dɪ'sweɪʒən] *n* dissuasão

distance ['dɪstəns] *n* distância
▸ *vt* distanciar
• **from a distance** de longe
• **in the distance** ao longe
• **to keep one's distance** manter distância

distant ['dɪstənt] *adj* **1** (*far*) distante **2** (*reserved*) distante; reservado

distaste [dɪs'teɪst] *n* aversão

distasteful [dɪs'teɪstfʊl] *adj* desagradável

distend [dɪ'stend] *vt-vi* distender(-se)

distil [dɪs'tɪl] *vt* destilar

distillery [dɪ'stɪlərɪ] *n* destilaria

distinct [dɪ'stɪŋkt] *adj* **1** (*different*) distinto; diferente **2** (*clear*) distinto; claro; inconfundível

distinction [dɪ'stɪŋkʃən] *n* **1** (*differentiation*) diferença; distinção **2** (*honour*) distinção; honra **3** (*particularity*) destaque

distinctive [dɪ'stɪŋktɪv] *adj* característico; distintivo

distinguish [dɪ'stɪŋgwɪʃ] *vt-vi* distinguir(-se)

distort [dɪ'stɔ:t] *vt* alterar; deformar; distorcer; deturpar

distortion [dɪ'stɔ:ʃən] *n* deformação; distorção; deturpação

distract [dɪ'strækt] *vt* distrair

distracted [dɪ'stræktɪd] *adj* distraído

distraction [dɪ'strækʃən] *n* **1** (*diversion*) distração **2** (*confusion*) aturdimento **3** (*entertainment*) entretenimento, diversão
• **to drive somebody to distraction** deixar alguém aturdido

distraught [dɪ'strɔ:t] *adj* angustiado; aflito

distress [dɪ'stres] *n* angústia; aflição
▸ *vt* afligir
■ **distress call/signal** sinal de socorro

distressing [dɪ'stresɪŋ] *adj* aflitivo

distribute [dɪ'strɪbju:t] *vt* distribuir

distribution [dɪstrɪ'bju:ʃən] *n* distribuição

district ['dɪstrɪkt] *n* distrito; bairro; região
■ **district council** município

distrust [dɪs'trʌst] *n* desconfiança
▸ *vt* desconfiar

disturb [dɪ'stɜ:b] *vt* perturbar; incomodar

disturbance [dɪ'stɜ:bəns] *n* perturbação; distúrbio *(da ordem)*

disturbed [dɪ'stɜ:bd] *adj* desequilibrado; transtornado

disuse [dɪs'ju:s] *n* desuso

ditch [dɪtʃ] *n* (*pl* **-es**) **1** (*channel*) fosso **2** (*small natural waterway*) rego
▸ *vt inf* desfazer-se de

dither ['dɪðər] *vi* vacilar

ditto ['dɪtəʊ] *adv* idem

dive [daɪv] *n* **1** (*plunge*) salto; mergulho **2** (*bird, plane*) picada **3** *inf* (*sleazy bar*) espelunca
▸ *vi* (GB *pt & pp* ***dived***; US *pt & pp* ***dove*** [dəʊv]) **1** (*plunge*) saltar; mergulhar **2** (*plane*) picar **3** mover-se rapidamente: ***she dived for the phone*** ela correu em direção ao telefone

diver ['daɪvər] *n* saltador; mergulhador

diverge [daɪ'vɜ:dʒ] *vi* divergir

diverse [daɪ'vɜ:s] *adj fml* diverso; heterogêneo

diversify [daɪ'vɜ:sɪfaɪ] *vt-vi* (*pt & pp* **-ied**) diversificar(-se)

diversion [daɪ'vɜ:ʃən] *n* **1** (*redirection*) desvio **2** (*distraction*) distração **3** (*entertainment*) entretenimento, diversão

diversity [daɪ'vɜ:sɪtɪ] *n* diversidade

divert [daɪ'vɜ:t] *vt* **1** (*redirect*) desviar **2** (*amuse*) divertir

divide [dɪ'vaɪd] *vt* **1** dividir, separar: ***divide the dough into three different parts*** dividir a massa em três partes **2** dividir: ***32 divided by 8 is 4*** 32 divididos por 8 são 4 **3** (*distribute*) repartir
▸ *vi* dividir(-se); separar(-se)

dividend ['dɪvɪdend] *n* **1** (*share*) dividendo **2** *fig* (*benefit*) benefício

divine[1] [dɪ'vaɪn] *adj* divino

divine[2] [dɪ'vaɪn] *vt-vi* adivinhar

diving ['daɪvɪŋ] *n* **1** (*plunge*) mergulho **2** (*athletic competition*) saltos de trampolim

■ **diving board** trampolim

division [dɪ'vɪʒən] *n* divisão

divisor [dɪ'vaɪzəʳ] *n* divisor

divorce [dɪ'vɔːs] *n* divórcio

▸ *vt-vi* divorciar(-se): ***he divorced her*** ele se divorciou dela

divorcé [dɪ'vɔːseɪ] *n* divorciado

divorcée [dɪvɔː'siː] *n* divorciada

divulge [daɪ'vʌldʒ] *vt* divulgar; revelar

DIY ['diː'aɪ'waɪ] *abbr* GB (***do-it-your-self***) bricolagem

dizziness ['dɪzɪnəs] *n* tonteira; vertigem

dizzy ['dɪzɪ] *adj* (**-ier**, **-iest**) tonto

dJ[1] ['diː'dʒeɪ] *abbr* GB *inf* (***dinner jacket***) *smoking*

dJ[2] ['diː'dʒeɪ] *abbr inf* (***disc jockey***) disc-jóquei

dNA ['diː'en'eɪ] *abbr* (***deoxyribonucleic acid***) DNA

do [duː] *aux* (*pt* ***did***, *pp* ***done***, *ger* ***doing***) **1** ***do you smoke?*** você fuma?; ***I don't want to dance*** não quero dançar **2** ***do come with us!*** ande, venha conosco! **3** ***he likes them and so do I*** ele gosta deles e eu também; ***who went to the concert? I did*** quem foi ao concerto? eu (*fui*). **4** ***you don't smoke, do you?*** você não fuma, não é?

▸ *vt* **1** fazer; realizar: ***what are you doing?*** o que você está fazendo? **2** ser suficiente: ***ten packets will do us*** dez pacotes nos serão suficientes

▸ *vi* **1** fazer: ***do as I tell you*** faça como lhe digo **2** ***how are you doing?*** como vai?; ***she did badly in the exams*** ela saiu-se mal nas provas **3** bastar, servir: ***that will do*** será suficiente, bastará; ***this cushion will do as/for a pillow*** esta almofada servirá de travesseiro

• **how do you do?** **1** muito prazer **2** (*answer*) muito prazer

• **to do one's best** fazer o melhor possível

• **to do one's hair** pentear-se

• **to do the cleaning** limpar

• **to do the cooking** cozinhar

• **to do you good** fazer bem à você

• **well done!** *inf* bem-feito!

• **to do well** sair-se bem; ter êxito

■ **do's and don'ts** o que se deve e o que não se deve fazer

■ **to do away with** *vt* **1** (*get rid of*) abolir; suprimir **2** (*give up*) pôr de lado

■ **to do in** *vt inf* **1** (*kill*) matar; exaurir **2** esgotar: ***I'm done in*** estou exausto

■ **to do up** *vt inf* **1** (*fasten*) amarrar; atar **2** (*repair*) consertar; renovar; restaurar

■ **to do with** *vt* **1** necessitar: ***I could do with a rest*** preciso de um descanso **2** ter a ver: ***it's nothing to do with me*** não tem nada a ver comigo

■ **to do without** *vt* passar sem; dispensar

docile ['dəʊsaɪl] *adj* (*animal*) dócil; manso

dock[1] [dɒk] *n* **1** (*harbour*) doca; cais **2** (*enclosure in a court of law*) banco de réus

▸ *vt-vi* **1** (*moor*) atracar (*barco*) **2** (*spacecraft*) acoplar

dock[2] [dɒk] *vt* **1** (*cut off*) cortar; decepar **2** (*deduct*) descontar (*de salário*)

docker ['dɒkəʳ] *n* estivador

dockyard ['dɒkjɑːd] *n* estaleiro

doctor ['dɒktəʳ] *n* doutor, doutora

▸ *vt* **1** (*adulterate*) falsificar; adulterar **2** (*animals*) castrar

doctrine ['dɒktrɪn] *n* doutrina

document ['dɒkjəmənt] *n* documento

▸ *vt* documentar

documentary [dɒkjə'mentərɪ] *adj* (**-ier**, **-iest**) documental; documentário

▸ *n* (*pl* **-ies**) documentário

doddery ['dɒdərɪ] *adj inf* caduco, senil

doddle ['dɒdəl] *n inf* moleza; tarefa muito fácil

dodge [dɒdʒ] *n* **1** (*dart*) esquiva **2** *inf* (*trick*) trapaça; artimanha

▸ *vt-vi* esquivar(-se); desviar(-se)

▸ *vt* **1** (*elude*) despistar **2** (*evade*) evadir; evitar

▸ *vi* ziguezaguear

dodgy ['dɒdʒɪ] *adj* (**-ier**, **-iest**) **1** (*dishonest*) desonesto **2** (*terrible*) temerário

doe [dəʊ] *n* corça

does [dʌz] *3rd pers sing pres* → **do**

dog [dɒg] *n* cão; cachorro
▸ *vt* (*pt & pp* **dogged**, *ger* **dogging**) acossar; perseguir

dogged ['dɒgɪd] *adj* teimoso; obstinado

doggy ['dɒgɪ] *n* (*pl* **-ies**) cãozinho; cadelinha

dogma ['dɒgmə] *n* dogma

dogmatic [dɒg'mætɪk] *adj* dogmático

dogsbody ['dɒgzbɒdɪ] *n* (*pl* **-ies**) GB *inf* burro de carga

do-it-yourself [du:ɪtjɔ:'self] *n* bricolagem

doldrums ['dɒldrəmz] *npl* depressão; desânimo
• **in the doldrums** deprimido

dole [dəʊl] *n* GB *inf* **1** (*unemployment benefit*) subsídio (*desemprego*) **2** (*grant*) doação
• **to be on the dole** receber auxílio-desemprego
▪ **to dole out** *vt* distribuir (*especialmente dinheiro*)

doll [dɒl] *n* boneca
• **to get dolled up** embonecar-se

dollar ['dɒlə^r] *n* dólar

dolly ['dɒlɪ] *n* (*pl* **-ies**) boneca

dolphin ['dɒlfɪn] *n* golfinho

domain [də'meɪn] *n* **1** (*realm*) domínio; propriedade **2** (*field*) âmbito; esfera de ação
▪ **domain name** nome de domínio

dome [dəʊm] *n* domo; cúpula (*de edifício*)

domestic [də'mestɪk] *adj* **1** (*family*) doméstico **2** (*national*) nacional; interno

dominant ['dɒmɪnənt] *adj* dominante

dominate ['dɒmɪneɪt] *vt-vi* dominar

domination [dɒmɪ'neɪʃən] *n* dominação

domineering [dɒmɪ'nɪərɪŋ] *adj pej* dominador; dominante; tirânico

dominica [dɒmɪ'ni:kə] *n* Dominica

dominican [də'mɪnɪkən] *adj-n* dominicano
▪ **Dominican Republic** República Dominicana

domino ['dɒmɪnəʊ] *n* (*pl* **dominoes**) dominó

donate [dəʊ'neɪt] *vt* doar; dar

donation [dəʊ'neɪʃən] *n* **1** (*offering*) doação **2** (*grant*) donativo

done [dʌn] *pp* → **do**
▸ *adj* **1** terminado; acabado: ***the job is done*** o trabalho está terminado **2** *inf* (*exhausted*) esgotado **3** (*cooked*) no ponto
• **done!** feito!; combinado!
• **it isn't done to...** não é de bom-tom...

donkey ['dɒŋkɪ] *n* asno; burro

donor ['dəʊnə^r] *n* doador

don't [dəʊnt] *aux* contração de **do** + **not**

doodle ['du:dəl] *vi* rabiscar
▸ *n* rabisco; garatuja

doom [du:m] *n* destino; sina
▸ *vt* condenar; fadar

door [dɔ:^r] *n* porta
• **(from) door to door** de porta em porta
• **next door** a casa ao lado; a casa vizinha
• **by the back door** por meios ilícitos
• **out of doors** ao ar livre
• **to answer the door** atender a porta
• **to be on the door** *inf* fazer-se de porteiro

doorbell ['dɔ:bel] *n* campainha da porta: ***to ring the doorbell*** tocar a campainha

doorman ['dɔ:mən] *n* (*pl* **doormen**) porteiro

doorstep ['dɔ:step] *n* soleira
• **on your doorstep** muito perto de casa

door-to-door [dɔ:tə'dɔ:] *adj* **1** (*of a journey*) direto **2** (*of selling*) de porta em porta

doorway ['dɔ:weɪ] *n* entrada; vão da porta

dope [dəʊp] *n sl* **1** (*illegal drug*) droga; entorpecente **2** *inf* (*idiot*) tolo
▸ *vt inf* **1** (*drug*) drogar **2** (*sedate*) dopar

dopey ['dəʊpɪ] *adj* **1** (*silly*) estúpido; apático **2** *inf* (*drowsy*) grogue

dormitory ['dɔ:mɪtərɪ] *n* (*pl* **-ies**) **1** (*room*) dormitório **2** US (*school, university*) alojamento estudantil

dosage ['dəʊsɪdʒ] *n* dosagem; posologia

dose [dəʊs] *n* dose

doss down ['dɒs'daʊn] *vi* GB *sl* dormir no chão por falta de cama

dossier ['dɒsɪeɪ] *n* dossiê

dot [dɒt] *n* ponto
▸ *vt* (*pt & pp* ***dotted***, *ger* ***dotting***) **1** (*spot*) pontilhar **2** (*scatter*) espalhar
• **on the dot** *inf* em ponto; na hora exata

dote [dəʊt] *vi* estar caduco ou senil; adorar

double ['dʌbəl] *adj-adv* dobro; duplo: ***a double whisky*** um uísque duplo
▸ *n* **1** dobro: ***to earn double*** ganhar em dobro **2** (*stand-in*) sósia; dublê
▸ *vt-vi* dobrar(-se), duplicar(-se)
▸ *npl* **doubles** partida de duplas (*tênis*)
• **to double as** fazer as vezes de
• **on the double** rapidamente
▪ **double agent** agente duplo
▪ **double bass** contrabaixo
▪ **double bed** cama de casal
▪ **double cream** creme de leite
▪ **double chin** papada
▪ **double meaning** duplo sentido
▪ **double room** quarto duplo
▪ **double talk** **1** (*ambiguous talk*) fala com sentido duplo **2** (*nonsense talk*) fala sem sentido
▪ **to double up** *vt* **1** (*a room*) dividir **2** *vi* dobrar-se: ***to be doubled up with laughter*** dobrar-se de tanto rir

double-cross [dʌbəl'krɒs] *vt* enganar; trair

double-decker [dʌbəl'dekəʳ] *n* GB ônibus de dois andares

doubly ['dʌblɪ] *adv* duplamente

doubt [daʊt] *n* dúvida; incerteza
▸ *vt* duvidar/desconfiar de: ***I doubt if she'll come*** acho que ela não vem
• **beyond doubt** sem dúvida alguma
• **no doubt** sem dúvida

doubtful ['daʊtfʊl] *adj* **1** (*uncertain*) duvidoso; obscuro **2** (*unlikely*) improvável

doubtless ['daʊtləs] *adv* sem dúvida; indubitavelmente

dough [dəʊ] *n* **1** COOK massa (*de pão ou bolo*) **2** *inf* (*money*) grana

doughnut ['dəʊnʌt] *n* (*small cake*) sonho; rosca doce

douse [daʊs] *vt* **1** (*extinguish*) apagar **2** (*drench*) encharcar

dove¹ [dʌv] *n* pomba

dove² [dəʊv] *pt* US → **dive**

dowdy ['daʊdɪ] *adj* (**-ier**, **-iest**) *pej* deselegante; desalinhado

down¹ [daʊn] *prep* **1** abaixo; para baixo; ao longo de: ***down the street*** rua abaixo; ***they ran down the hill*** eles correram pela encosta abaixo **2** por: ***cut it down the middle*** corte-o pelo meio
▸ *adv* **1** abaixo; para baixo; em terra; em direção ao solo: ***she fell down and broke her leg*** ela caiu e quebrou a perna **2** abaixo: ***down here/there*** aqui/ali abaixo **3** reduzido; inferior: ***sales are down this year*** as vendas estão reduzidas este ano **4** *adj* inoperante: ***the computer is down*** o computador está inoperante
▸ *adj inf* deprimido
▸ *vt* **1** (*knock down*) derrubar; abater **2** (*subdue*) sujeitar **3** *inf* (*drink quickly*) beber de um só gole
• **down with...!** abaixo...!
• **face down** intimidar
• **face the music** enfrentar as consequências de uma situação difícil
▪ **down payment** entrada; sinal

down² [daʊn] *n* **1** (*fine feathers*) plumagem **2** (*furr*) penugem

downcast ['daʊnkɑːst] *adj* abatido

downfall ['daʊnfɔːl] *n* ruína; decadência

downgrade [daʊn'greɪd] *vt* desvalorizar; depreciar

downhearted [daʊn'hɑːtɪd] *adj* desanimado

downhill [daʊn'hɪl] *adv* para baixo
▸ *adj* decadente; íngreme
• **to go downhill** declinar; piorar; degringolar

download ['daʊn'ləʊd] *vt* COMPUT baixar (programas; arquivos eletrônicos)

downpour ['daʊnpɔːʳ] *n* aguaceiro

downright ['daʊnraɪt] *adj* total; absoluto: ***downright liar*** mentiroso consumado

downstairs [daʊn'steəz] *adv* no andar inferior; no térreo; embaixo; para baixo: ***to go downstairs*** descer; ir para o andar de baixo

▸ *adj* no andar inferior; embaixo

downstream [daʊn'stri:m] *adv* rio abaixo

downtown [daʊn'taʊn] *adv* US **1** em direção ao centro comercial da cidade **2** no centro comercial da cidade

▸ *adj* US do centro comercial da cidade

downward ['daʊnwəd] *adj* **1** (*descending*) descendente **2** (*down*) para baixo

downwards ['daʊnwədz] *adv* para baixo: ***face downwards*** virado para baixo

dowry ['daʊərɪ] *n* (*pl* **-ies**) dote

dowse [daʊs] *vt* → **douse**

doz ['dʌzən] *abbr* (*dozen*) dúzia

doze [dəʊz] *n* cochilo

▸ *vi* cochilar

▪ **to doze off** *vi* cochilar

dozen ['dʌzən] *n* dúzia

dozy ['dəʊzɪ] *adj* (**-ier**, **-iest**) **1** (*sleepy*) sonolento **2** (*idiot*) idiota

dPP ['di:'pi:'pi:] *abbr* GB (***Director of Public Prosecutions***) Procurador da República

dr ['dɒktəʳ] *abbr* (**Doctor**) dr., dra.

drab [dræb] *adj* (*comp* ***drabber***, *superl* ***drabbest***) **1** (*uninteresting*) monótono **2** (*gloomy*) sombrio

draft [drɑ:ft] *n* **1** (*outline*) rascunho; minuta; esboço **2** (*money order*) letra de câmbio; ordem de pagamento; saque **3** US (*compulsory military service*) serviço militar obrigatório **4** US → **draught**

▸ *vt* **1** (*outline*) fazer um rascunho/minuta; esboçar **2** US (*select for compulsory military service*) recrutar

draftsman ['drɑ:ftsmən] *n* US → **draughtsman**

drafty ['drɑ:ftɪ] *adj* US → **draughty**

drag [dræg] *n* **1** (*device*) draga **2** (*resistence*) resistência **3** *fig* (*nuisance*) estorvo **4** *inf* (*annoyance*) chatice **5** *inf* (*slow inhalation*) tragada

▸ *vt* (*pt & pp* ***dragged***, *ger* ***dragging***) **1** (*draw*) arrastar **2** (*haul*) dragar

▸ *vi* **1** (*crawl*) arrastar-se **2** (*hang behind*) ficar para trás

• **in drag** travestido

▪ **to drag on** *vi* prolongar-se

▪ **to drag out** *vt* alongar; prolongar

▪ **to drag up** *vt inf* trazer à baila um assunto desagradável

dragon ['drægən] *n* dragão

drain [dreɪn] *n* **1** (*act of draining*) drenagem; dreno **2** (*ditch*) sorvedouro, bueiro **3** *fig* desgaste, debilitamento: ***the boys are a drain on her*** os meninos a deixam debilitada

▸ *vt* **1** (*pump out*) drenar **2** (*empty*) esvaziar **3** (*flow out*) escoar; escorrer; coar

• **to go down the drain** descer pelo ralo; desperdiçar; arruinar

drainpipe ['dreɪnpaɪp] *n* cano de esgoto

drama ['drɑ:mə] *n* **1** (*play*) obra de teatro; drama **2** (*the theatre*) teatro; arte dramática **3** *fig* (*commotion*) drama

dramatic [drə'mætɪk] *adj* **1** (*theatrical*) dramático **2** (*exciting*) emocionante; espetacular

dramatist ['dræmətɪst] *n* dramaturgo, dramaturga

drank [dræŋk] *pt* → **drink**

drape [dreɪp] *vt* cobrir

▸ *npl* **drapes** US cortinas

drastic ['dræstɪk] *adj* drástico

draught [drɑ:ft] *n* US → **draft 1** (*current of air*) corrente de ar **2** (*gulp*) trago

▸ *npl* **draughts** GB jogo de damas

• **on draught** chope

draughtsman ['drɑ:ftsmən] *n* desenhista industrial

draw [drɔ:] *n* **1** (*raffle*) sorteio **2** SPORT empate **3** (*attraction*) chamariz

▸ *vt* (*pt* ***drew*** [dru:], *pp* ***drawn*** [drɔ:n]) **1** (*sketch*) desenhar; traçar **2** (*pull*) arrastar; arrancar **3** (*close*) correr; cerrar (cortinas) **4** (*pull out*) sacar **5** (*get*) receber (prêmio; dinheiro) **6** (*attract*) atrair **7** (*breath in*) aspirar (ar) **8** (*deduce*) deduzir, concluir

▸ *vi* **1** (*sketch*) desenhar **2** mover-se: ***the train drew into/out of the station*** o trem entrou/saiu da estação **3** empatar: ***they drew two all*** eles empataram por dois a dois

• **to draw apart** separar-se

• **to draw attention to** chamar a atenção para

• **to draw blood** fazer sangrar

• **to draw near** aproximar-se

• **it's the luck of the draw** depende de sorte
• **to draw the line** impor um limite
▪ **to draw back** *vi* 1 (*recoil*) recuar 2 (*withdraw*) retirar(-se)
▪ **to draw in** *vi* 1 (*close in*) ter poucas horas de luz do dia 2 (*become more cautious*) acautelar-se
▪ **to draw on** *vt* recorrer a; fazer uso de
▪ **to draw out** *vt* 1 (*remove*) remover 2 (*lengthen*) esticar, alargar 3 (*money*) sacar 4 (*bring out*) arrancar (confissão)
▪ **to draw up** *vt* 1 (*compose*) preparar; redigir 2 (*draft*) esboçar
▸ *vi* chegar

drawback ['drɔ:bæk] *n* inconveniente; desvantagem

drawbridge ['drɔ:brɪdʒ] *n* ponte levadiça

drawer ['drɔ:əʳ] *n* gaveta

drawing ['drɔ:ɪŋ] *n* desenho
▪ **drawing pin** GB (*pin*) percevejo
▪ **drawing room** sala de estar

drawl [drɔ:l] *n* fala arrastada
▸ *vi* arrastar as palavras ao falar

drawn [drɔ:n] *pp* → **draw**
▸ *adj* 1 SPORT empatado 2 (*tense*) tenso (*expressão facial*)

dread [dred] *n* temor; pavor
▸ *vt-vi* temer

dreadful ['dredfʊl] *adj* 1 (*fearful*) terrível; pavoroso 2 *inf* horrível: ***how dreadful!*** que horror!

dreadfully ['dredfʊlɪ] *adv* 1 (*terribly*) horrivelmente; terrivelmente 2 *inf* muito, enormemente: ***he's dreadfully tired*** ele está muito cansado

dream [dri:m] *n* 1 (*fantasy*) sonho 2 *inf* (*marvel*) maravilha
▸ *vt-vi* (*pt & pp* ***dreamed*** *ou* ***dreamt***) sonhar
▪ **to dream up** *vt inf* planejar; inventar

dreamer ['dri:məʳ] *n* sonhador, sonhadora

dreamt [dremt] *pt-pp* → **dream**

dreary ['drɪərɪ] *adj* (-ier, -iest) 1 (*sad*) triste; deprimente 2 *inf* (*uninteresting*) monótono

dredge [dredʒ] *vt-vi* dragar; rastrear

drench [drentʃ] *vt* molhar; empapar

dress [dres] *n* 1 (*frock*) vestido 2 (*clothes*) traje; vestimenta
▸ *vt* 1 (*put on clothes*) vestir 2 (*bandage*) fazer curativo 3 COOK guisar; temperar (*salada*)
▸ *vi* vestir-se
▪ **dress rehearsal** ensaio geral (*com figurinos*)
▪ **to get dressed** vestir-se
▪ **to dress down** *vt* repreender
▪ **to dress up** *vi* arrumar-se; disfarçar-se
▸ *vt fig* disfarçar

dresser ['dresəʳ] *n* 1 GB (*cupboard to hold dishes*) aparador 2 US (*chest of drawers*) tocador

dressing ['dresɪŋ] *n* 1 (*bandage*) curativo 2 (*condiment*) tempero; condimento; molho
▪ **dressing gown** roupão; penhoar
▪ **dressing table** penteadeira

drew [dru:] *pt* → **draw**

dribble ['drɪbəl] *n* 1 (*trickle*) gota; pingo; filete 2 (*saliva*) baba
▸ *vi* 1 (*trickle*) gotejar 2 (*drool*) babar (*bebê*)
▸ *vt* SPORT driblar

drier ['draɪəʳ] *n* → **dryer**

drift [drɪft] *n* 1 (*mass of something blown together*) tudo o que flutua ao sabor do vento, das correntes etc. 2 (*course*) força do vento; correnteza; curso; direção 3 (*pile*) monte; duna 4 *fig* (*meaning*) significado
▸ *vi* 1 (*accumulate*) amontoar-se (areia; neve) 2 (*boat*) ir à deriva 3 *fig* (*become carried*) ser levado pelas circunstâncias

drill[1] [drɪl] *n* 1 (*rotary tool*) furadeira; broca 2 (*instruction*) instrução; treinamento (militar) 3 (*practice*) exercício 4 (*dentist*) fresa
▸ *vt* 1 (*bore a hole*) furar; perfurar 2 (*train*) exercitar; treinar (*tropas*)
▸ *vi* exercitar-se

drill[2] [drɪl] *n* dril (*tela*)

drink [drɪŋk] *n* bebida
▸ *vt-vi* (*pt* ***drank*** [dræŋk], *pp* ***drunk*** [drʌŋk]) beber
• **to drink to something/somebody** brindar a algo/alguém
• **to have something to drink** tomar algo; tomar alguma coisa

■ **to drink in** *vt* (*pay close attention to*) absorver

drinking ['drɪŋkɪŋ] *n*
■ **drinking fountain** bebedouro
■ **drinking water** água potável

drip [drɪp] *n* **1** (*falling of drops*) gotejamento; gota **2** *inf* (*weak dull person*) insosso
▸ *vi* (*pt & pp* ***dripped***, *ger* ***dripping***) gotejar
▸ *vt* deixar cair gota a gota

drive [draɪv] *n* **1** (*journey by car*) passeio de automóvel **2** (*access road*) caminho de entrada **3** (*driveway*) trajeto; percurso **4** (*psychology*) impulso **5** (*energy*) energia; ímpeto **6** COMPUT unidade de disco
▸ *vt* (*pt* ***drove*** [drəʊv], *pp* ***driven*** ['drɪvən]) **1** (*travel by car*) dirigir **2** levar; acompanhar: ***I'll drive you home*** eu levo você em casa **3** (*power*) impelir **4** levar: ***you drive me mad*** você me leva à loucura; você me irrita
■ **to drive at** *vt inf* insinuar

drivel ['drɪvəl] *n* bobagem

driven ['drɪvən] *pp* → **drive**

driver ['draɪvəʳ] *n* motorista: ***truck driver*** caminhoneiro

driving ['draɪvɪŋ] *adj*
■ **driving licence** carteira de motorista
■ **driving school** autoescola

drizzle ['drɪzəl] *n* chuvisco
▸ *vi* chuviscar

droll [drəʊl] *adj* gracioso, curioso

dromedary ['drɒmədərɪ] *n* ZOOL dromedário

drone¹ [drəʊn] *n* ZOOL zangão

drone² [drəʊn] *n* zumbido
▸ *vi* zumbir

drool [dru:l] *n* **1** (*saliva*) baba **2** (*nonsense*) conversa fiada
▸ *vi* **1** (*salivate*) babar **2** (*talk nonsense*) falar bobagens

droop [dru:p] *n* inclinação
▸ *vi* **1** (*hang down*) inclinar-se **2** (*become depressed*) entristecer-se

drop [drɒp] *n* **1** (*amount of liquid*) gota **2** *npl* (*round sweet*) pastilhas **3** (*pendent ornament*) pingente **4** (*decline*) declínio **5** (*fall*) queda (*ações*)
▸ *vt* (*pt & pp* ***dropped***, *ger* ***dropping***) **1** deixar cair; derrubar: ***he dropped the glass*** ele deixou cair o copo **2** (*abandon*) abandonar (*hábito*) **3** (*write*) rascunhar **4** (*mention in a casual way*) deixar escapar (*um comentário etc.*)
▸ *vi* **1** (*deliver*) deixar descer (*de carro etc.*) **2** (*reduce*) baixar; cair **3** (*wind*) acalmar
• **to drop somebody a line** escrever algumas linhas a alguém
■ **to drop away** *vi* afastar-se; diminuir aos poucos
■ **to drop by/in/round** *vi* fazer uma visita informal
■ **to drop off** *vi inf* **1** (*fall asleep*) adormecer **2** (*decrease*) diminuir
▸ *vt* deixar alguém em algum lugar
■ **to drop out** *vi* **1** (*withdraw from*) abandonar os estudos **2** (*quit*) desligar-se (*de um partido*)

dropper ['drɒpəʳ] *n* conta-gotas

droppings ['drɒpɪŋz] *npl* excrementos

drought [draʊt] *n* seca; estiagem

drove [drəʊv] *pt* → **drive**
▸ *n* **1** (*herd*) manada **2** (*crowd*) multidão

drown [draʊn] *vt-vi* afogar(-se)

drowse [draʊz] *vi* dormitar; cochilar

drowsiness ['draʊzɪnəs] *n* sonolência

drowsy ['draʊzɪ] *adj* (**-ier**, **-iest**) sonolento
• **to feel drowsy** sentir-se sonolento

drug [drʌg] *n* **1** (*medicine*) medicamento; droga **2** (*narcotic*) droga; narcótico
▸ *vt* (*pt & pp* ***drugged***, *ger* ***drugging***) drogar
• **to be on/take drugs** drogar-se
■ **drug addict** viciado em drogas; toxicômano
■ **drug pusher** traficante de drogas
■ **drug squad** esquadrão antidrogas

drugstore ['drʌgstɔ:ʳ] *n* US drogaria

drum [drʌm] *n* **1** (*musical instrument*) tambor **2** (*barrel*) barril **3** (*of a machine*) tambor
▸ *vi* (*pt & pp* ***drummed***, *ger* ***drumming***) **1** (*play music on a drum*) tocar tambor **2** (*beat*) tamborilar
▸ *npl* **drums** bateria

drummer ['drʌməʳ] *n* **1** (*person who plays a drum*) tambor **2** (*drums*) baterista

drumstick ['drʌmstɪk] *n* **1** (*stick*) baqueta **2** (*leg of a cooked chicken*) coxa assada

drunk [drʌŋk] *pp* → **drink**
▸ *adj-n* bêbado
• **to get drunk** embebedar-se

drunkard ['drʌŋkəd] *n* bêbado

drunken ['drʌŋkən] *adj* bêbado

dry [draɪ] *adj* (**-ier**, **-iest**) **1** (*lacking moisture*) seco; ressecado **2** (*sarcastic*) irônico **3** (*boring*) árido; monótono
▸ *vt-vi* (**-ier**, **-iest**) secar(-se)

dry-clean [draɪ'kli:n] *vt* lavar a seco

dry-cleaners [draɪ'kli:nəz] *n* tinturaria

dryer ['draɪə^r] *n* secador

dryness ['draɪnəs] *n* secura

dual ['dju:əl] *adj* dual; duplo
▪ **dual carriageway** rodovia duplicada *(com canteiro divisório)*

dub [dʌb] *vt* (*pt & pp* **dubbed**, *ger* **dubbing**) **1** (*film*) dublar **2** (*name*) apelidar

dubious ['dju:bɪəs] *adj* duvidoso

dublin ['dʌblɪn] *n* Dublin

dubliner ['dʌblɪnə^r] *n* dublinense

duchess ['dʌtʃəs] *n* duquesa

duck¹ [dʌk] *n* pato

duck² [dʌk] *vt-vi* abaixar(-se)

duckling ['dʌklɪŋ] *n* patinho

duct [dʌkt] *n* conduto; ducto

dud [dʌd] *adj inf* **1** (*person*) fracassado (*pessoa*) **2** (*failed to work*) sem carga **3** *inf* (*cheque*) sem fundos
▸ *n* **1** (*bomb that fails to explode*) qualquer explosão que não ocorre **2** (*failure*) fracasso **3** (*something that has no value or use*) coisa sem valor ou utilidade

due [dju:] *adj* **1** (*money*) devido **2** (*payable*) pagável **3** esperado; previsto: ***I'm due for a rise*** eu tenho direito a um aumento; ***she's due to arrive tomorrow*** a chegada dela está prevista para amanhã; ***the train is due at five*** o trem deve chegar às cinco
▸ *n* devido: ***to give somebody his/her due*** dar a alguém o devido
▸ *adv* diretamente
▸ *npl* **dues** cota
• **in due course/time** no devido tempo
• **to be due to** ser devido; vencer
▪ **due date** data de vencimento

duel ['dju:əl] *n* duelo
▸ *vi* bater-se em duelo

duet [dju:'et] *n* duo

duffle coat ['dʌfəlkəʊt] *n* casaco de baeta

dug [dʌg] *pt-pp* → **dig**

duke [dju:k] *n* duque

dull [dʌl] *adj* **1** (*colour*) fosco **2** (*cloudy*) nublado **3** (*sound*) surdo **4** (*lacking in spirit*) insensível **5** (*apathetic*) desanimado; monótono **6** (*boring*) desinteressante *(filme, peça, livro etc.)* **7** (*not sharp*) cego *(gume)*
▸ *vt* **1** (*relieve*) atenuar (dor) **2** (*fade*) desbotar

duly ['dju:lɪ] *adv* devidamente

dumb [dʌm] *adj* **1** (*mute*) mudo **2** *inf* (*stupid*) pateta
• **to be deaf and dumb** ser surdo-mudo

dumbfound [dʌm'faʊnd] *vt* confundir; aturdir

dumbfounded [dʌm'faʊndɪd] *adj* pasmado; mudo de assombro

dumbly ['dʌmlɪ] *adv* em silêncio

dummy ['dʌmɪ] *n* (*pl* **-ies**) **1** (*imitation*) simulacro; imitação **2** (*mannequin*) manequim **3** GB (*rubber teat*) chupeta **4** *inf* (*stupid person*) pateta; néscio

dump [dʌmp] *n* **1** (*rubbish tip*) lixeira; depósito de lixo **2** COMPUT *dump* (descarga de memória) **3** *inf* (*hovel*) antro; espelunca
▸ *vt* **1** jogar fora; livrar-se de coisas indesejadas: ***"No dumping"*** "Proibido jogar lixo" **2** (*abandon*) abandonar **3** COMPUT copiar de memória interna
• **down in the dumps** infeliz; deprimido

dumpling ['dʌmplɪŋ] *n* **1** (*ball of dough*) bolinho cozido **2** (*pastry*) doce de massa folhada recheada de frutas

dumpy ['dʌmpɪ] *adj* (**-ier**, **-iest**) *inf* gorducho e atarracado

dune [dju:n] *n* duna

dung [dʌŋ] *n* esterco

dungarees [dʌngə'ri:z] *n* macacão de *jeans*

dungeon ['dʌndʒən] *n* calabouço

duo ['dju:əʊ] *n* (*pl* **duos**) duo; dueto; dupla

dupe [dju:p] *n* ingênuo
▸ *vt* enganar

duplicate [(*adj*) 'dju:plɪkət; (*n*) 'dju:plɪkeɪt] *adj* duplicado
▸ *n* duplicata
▸ *vt* duplicar

durable ['djʊərəbəl] *adj* durável; duradouro

duration [djʊə'reɪʃən] *n* duração

during ['djʊərɪŋ] *prep* durante

dusk [dʌsk] *n* anoitecer; crepúsculo: ***at dusk*** ao anoitecer

dust [dʌst] *n* pó; poeira
▸ *vt* **1** (*remove dust*) espanar; tirar o pó **2** (*sprinkle*) polvilhar

dustbin ['dʌstbɪn] *n* GB lata de lixo

duster ['dʌstəʳ] *n* **1** (*something for removing dust*) espanador **2** (*light coat*) guarda-pó

dustman ['dʌstmən] *n* (*pl* **dustmen**) GB lixeiro

dustpan ['dʌstpæn] *n* pá de lixo

dusty ['dʌstɪ] *adj* (**-ier**, **-iest**) empoeirado

dutch [dʌtʃ] *adj* holandês
▸ *n* (*language*) holandês
▸ *npl* **the Dutch** os holandeses
▪ **Dutch cap** (*contraceptive*) diafragma

duty ['dju:tɪ] *n* (*pl* **-ies**) **1** (*obligation*) dever; obrigação **2** (*responsability*) atribuição; responsabilidade **3** (*tax*) imposto; taxa **4** (*function*) função; ocupação
• **to be on/off duty** estar de serviço (*ou plantão*); estar de folga
• **to do one's duty** cumprir seu dever

duty-free ['dju:tɪfri:] *adj* livre de impostos
▸ *adv* sem pagar impostos
▸ *n* lojas *duty-free* (*lojas em aeroportos internacionais onde se encontram à venda produtos livres de impostos*)

duvet ['du:veɪ] *n* edredom

DVD ['di:'vi:'di:] *abbr* (***Digital Versatile Disk***) DVD

dwarf [dwɔ:f] *n* (*pl* **-s** ou **dwarves**) anão
▸ *vt* fazer parecer menor por comparação; apequenar; diminuir

dwell [dwel] *vi* (*pt & pp* ***dwelt***) *fml* habitar; morar; viver
▪ **to dwell on/upon** *vt* **1** (*keep the attention directed*) insistir em **2** (*speak insistently*) estender-se

dwelling ['dwelɪŋ] *n* morada; habitação; residência

dwelt [dwelt] *pt-pp* → **dwell**

dwindle ['dwɪndəl] *vi* minguar; diminuir

dye [daɪ] *n* tintura; tinta
▸ *vt-vi* tingir(-se)

dyke [daɪk] *n* **1** (*wall to prevent flooding*) dique; represa **2** *sl* (*lesbian*) lésbica; sapatão

dynamic [daɪ'næmɪk] *adj* dinâmico

dynamics [daɪ'næmɪks] *n* dinâmica

dynamite ['daɪnəmaɪt] *n* dinamite

dynamo ['daɪnəməʊ] *n* (*pl* **dynamos**) dínamo

dynasty ['dɪnəstɪ] *n* (*pl* **-ies**) dinastia

dysentery ['dɪsəntrɪ] *n* MED disenteria

dyslexia [dɪs'leksɪə] *n* MED dislexia

E

E [iː] *abbr* (*east*) **1** GEO E (*este*) ou L (*leste*) **2** MUS mi

each [iːtʃ] *adj* cada, cada qual, todos: ***each day*** cada dia, todos os dias

▸ *pron* cada um, uma: ***each one with his wife*** cada um com sua esposa

▸ *adv* cada um, uma: ***the apples cost 15p each*** as maçãs custam 15 pence cada uma

• **each other** um, uma ao outro/à outra: ***they love each other*** eles amam um ao outro, eles se amam

eager [ˈiːgəʳ] *adj* ávido, ansioso, impaciente

• **to be eager for somebody to do something** estar ansioso para que alguém faça algo

eagerly [ˈiːgəlɪ] *adv* ansiosamente, impacientemente

eagle [ˈiːgəl] *n* ZOOL águia

ear[1] [ɪəʳ] *n* **1** (*organ*) orelha **2** (*sense*) ouvido

ear[2] [ɪəʳ] *n* espiga *(de milho, de trigo)*

earache [ˈɪəreɪk] *n* dor de ouvido

eardrum [ˈɪədrʌm] *n* ANAT tímpano

early [ˈɜːlɪ] *adj* (**-ier**, **-iest**) **1** adiantado: ***you're early today!*** você está adiantado hoje! **2** precoce, prematuro: ***early retirement*** aposentadoria precoce **3** rápido: ***we would like an early reply*** gostaríamos de uma resposta rápida **4** primitivo, antigo: ***the early inhabitants of this island*** os habitantes primitivos desta ilha

▸ *adv* cedo ***we arrived early*** chegamos cedo

• **in the early morning** de madrugada

earmark [ˈɪəmɑːk] *vt* **1** (*money, time*) destinar **2** (*livestock*) marcar **3** (*indicate*) assinalar

earn [ɜːn] *vt* **1** (*money*) ganhar **2** *fig* merecer

earnest [ˈɜːnɪst] *adj* sério, severo

• **in earnest** a sério

earnings [ˈɜːnɪŋz] *npl* **1** (*salary*) salário **2** FIN lucro

earphones [ˈɪəfəʊnz] *npl* fones de ouvido

earplug [ˈɪəplʌg] *n* tampão de ouvido

earring [ˈɪərɪŋ] *n* brinco

earth [ɜːθ] *n* terra

• **what/where on earth...?** o que/onde, afinal...?

■ **the Earth** a Terra

earthly [ˈɜːθlɪ] *adj* terrestre, mundano

• **not to have an earthly** não ter a mínima possibilidade

earthquake [ˈɜːθkweɪk] *n* terremoto

earthworm [ˈɜːθwɜːm] *n* ZOOL minhoca

earwig [ˈɪəwɪg] *n* ZOOL lacrainha

ease [iːz] *n* **1** (*contentment*) bem-estar físico ou espiritual, tranquilidade **2** (*comfort*) comodidade

▸ *vt* aliviar, livrar da dor ou preocupação

▸ *vi* diminuir

• **at ease** à vontade

• **to set somebody's mind at ease** tranquilizar alguém

■ **to ease off** *vi* abrandar

easel [ˈiːzəl] *n* cavalete

easily [ˈiːzɪlɪ] *adv* facilmente

east [iːst] *n* este, leste, oriente

▸ *adj* oriental, oriundo do leste

▸ *adv* rumo ao leste

Easter ['iːstəʳ] *n* Páscoa

easterly ['iːstəlɪ] *adj* oriental

eastern ['iːstən] *adj* oriental, relativo ao Oriente

eastward ['iːstwəd] *adj* **1** em direção ao Oriente **2** para o leste

eastwards ['iːstwədz] *adv* o mesmo que **eastward**

easy ['iːzɪ] *adj* (*-ier*, *-iest*) **1** (*effortless*) fácil, cômodo **2** (*relaxed*) folgado
• **take it easy!** calma!
• **to take things easy** levar as coisas com calma
• **I'm easy** *inf* para mim tanto faz
▪ **easy chair** poltrona, espreguiçadeira
▪ **on easy terms** com pagamento facilitado

easy-going [iːzɪ'gəʊɪŋ] *adj* **1** (*calm*) calmo, tranquilo **2** (*carefree*) despreocupado

eat [iːt] *vt-vi* (*pt* ***ate*** [eɪt, et], *pp* ***eaten*** ['iːtən]) comer
▪ **to eat away** *vt* **1** (*corrode away*) corroer, desgastar **2** (*food*) comer continuamente
▪ **to eat into** *vt fig* consumir
▪ **to eat out** *vi* comer fora de casa
▪ **to eat up** *vt* comer tudo

eaten ['iːtən] *pp* → **eat**

eavesdrop ['iːvzdrɒp] *vi* bisbilhotar, escutar às escondidas

ebb [eb] *n* **1** (*of tide*) maré baixa **2** *fig* decadência
▸ *vi* vazar, diminuir
• **at a low ebb** estar numa situação ou período ruim
▪ **ebb and flow** fluxo e refluxo (*da maré*)
▪ **ebb-tide** maré vazante

ebony ['ebənɪ] *n* BOT ébano

eccentric [ɪk'sentrɪk] *adj-n* excêntrico, extravagante

echo ['ekəʊ] *n* (*pl* ***echoes***) eco
▸ *vt, vi* ecoar

eclipse [ɪ'klɪps] *n* eclipse
▸ *vt* eclipsar, escurecer, ocultar

ecological [iːkə'lɒdʒɪkəl] *adj* ecológico

ecologist [ɪ'kɒlədʒɪst] *n* ecologista

ecology [ɪ'kɒlədʒɪ] *n* ecologia

economic [iːkə'nɒmɪk] *adj* **1** (*concerned with economy*) econômico **2** FIN lucrativo, rentável

economical [iːkə'nɒmɪkəl] *adj* **1** (*cost-effective*) econômico **2** (*prudent*) previdente

economics [iːkə'nɒmɪks] *n* (*study*) economia

É incontável, e o verbo vai para o singular.

economist [ɪ'kɒnəmɪst] *n* economista

economize [ɪ'kɒnəmaɪz] *vi* economizar, poupar

economy [ɪ'kɒnəmɪ] *n* (*pl* *-ies*) economia

ecosystem ['iːkəʊsɪstəm] *n* ecossistema

ecstasy ['ekstəsɪ] *n* (*pl* *-ies*) **1** (*delight*) êxtase **2** (*drug*) ecstasy

Ecuador ['ekwədɔːʳ] *n* Equador

Ecuadorian [ekwə'dɔːrɪən] *adj-n* equatoriano

eczema ['eksɪmə] *n* MED eczema

edge [edʒ] *n* **1** (*outer limit*) borda, canto **2** (*of blade*) fio **3** (*of lake*) margem **4** *fig* vantagem
▸ *vt* afiar
• **on edge** nervoso
• **to have the edge on/over somebody** ter vantagem sobre alguém
▪ **to edge forward** *vi* avançar lentamente

edgy ['edʒɪ] *adj* (*-ier*, *-iest*) (*nervous*) nervoso, impaciente

edible ['edɪbəl] *adj* comestível

edict ['iːdɪkt] *n* edital

Edinburgh ['edɪnbərə] *n* Edimburgo

edit ['edɪt] *vt* **1** (*newspaper*) editar, preparar para a impressão **2** (*text*) corrigir **3** (*movie*) montar, editar

edition [ɪ'dɪʃən] *n* edição

editor ['edɪtəʳ] *n* **1** (*book*) editor **2** (*magazine*) diretor **3** (*movie*) montador **4** COMPUT editor

editorial [edɪ'tɔːrɪəl] *adj* editorial
▸ *n* (*article*) editorial
▪ **editorial staff** redação, equipe editorial

educate ['edjʊkeɪt] *vt* educar, ensinar

educated ['edjʊkeɪtɪd] *adj* culto

education [edjʊ'keɪʃən] *n* 1 (*schooling*) educação, ensino 2 (*learning*) estudo 3 (*culture*) cultura

educational [edjʊ'keɪʃənəl] *adj* educativo

eel [i:l] *n* ZOOL enguia

eerie ['ɪərɪ] *adj* 1 (*mysterious*) misterioso 2 (*ghostly*) lúgubre

effect [ɪ'fekt] *n* efeito
▸ *vt* efetuar
▸ *npl* **effects** bens móveis
• **in effect** de fato, em verdade
• **to come into effect** entrar em vigor
• **to take effect** 1 (*law*) entrar em vigor 2 (*drug*) fazer efeito

effective [ɪ'fektɪv] *adj* 1 (*drug*) eficaz 2 (*real*) efetivo, real 3 (*in operation*) em operação

effeminate [ɪ'femɪnət] *adj* afeminado

effervescent [efə'vesənt] *adj* efervescente

efficiency [ɪ'fɪʃənsɪ] *n* 1 (*of person*) eficiência, competência 2 (*of product*) eficácia 3 (*of machine*) rendimento

efficient [ɪ'fɪʃənt] *adj* 1 (*person*) eficiente, competente 2 (*product*) eficaz 3 (*machine*) com bom rendimento

effort ['efət] *n* 1 (*exertion*) esforço 2 (*attempt*) empenho

EFL ['i:'ef'el] *abbr* (***English as a foreign language***) inglês como língua estrangeira

egg [eg] *n* ovo
▪ **boiled egg** ovo cozido
▪ **egg cup** taça para ovo quente
▪ **fried egg** ovo frito
▪ **hard-boiled egg** ovo cozido
▪ **to egg on** *vt* animar

eggplant ['egplɑ:nt] *n* berinjela

ego ['i:gəʊ] *n* (*pl* **egos**) eu, ego

egocentric [i:gəʊ'sentrɪk] *adj* egocêntrico

egoism ['i:gəʊɪzəm] *n* egoísmo

egoist ['i:gəʊɪst] *n* egoísta

Egypt ['i:dʒɪpt] *n* Egito

Egyptian [ɪ'dʒɪpʃən] *adj* egípcio
▸ *n* (*person*) egípcio 2 (*language*) egípcio

eiderdown ['aɪdədaʊn] *n* edredom

eight [eɪt] *num* oito

eighteen [eɪ'ti:n] *num* dezoito

eighteenth [eɪ'ti:nθ] *adj* décimo oitavo
▸ *n* décimo oitavo 1 (*fraction*) décima oitava parte 2 (*in dates*) dia dezoito

eighth [eɪtθ] *adj* oitavo
▸ *n* oitavo 1 (*fraction*) oitava parte 2 (*in dates*) dia oito

eightieth ['eɪtɪɪθ] *adj* octogésimo
▸ *n* (*fraction*) octogésima parte

eighty ['eɪtɪ] *num* oitenta

Eire ['eərə] *n* Eire, Irlanda

either ['aɪðə^r, 'i:ðə^r] *adj* 1 um ou outro, qualquer um dos dois: ***either of them*** qualquer um dos dois 2 nem um, uma nem outro, nenhum (com o verbo na forma negativa): ***I don't like either of them*** não gosto de nenhum dos dois 3 cada, ambos: ***with a gun in either hand*** com uma arma em cada mão
▸ *conj* ou: ***either red or green*** ou vermelho ou verde
▸ *adv* também (*com o verbo na forma negativa*): ***Ann didn't come either*** Ana também não veio
▸ *pron* qualquer um dos dois: ***there's juice or milk- you can have either*** tem suco ou leite, você pode tomar qualquer um dos dois

eject [ɪ'dʒekt] *vt* 1 (*expel*) expulsar, expelir, ejetar 2 (*discharge*) dispensar
▸ *vi* ejetar-se

El Salvador [el'sælvədɔ:^r] *n* El Salvador

elaborate [(*adj*) ɪ'læbərət; (*v*) ɪ'læbəreɪt] *adj* 1 (*laboured*) elaborado 2 (*complicated*) complicado, intrincado 3 (*detailed*) detalhado
▸ *vi* (*develop*) elaborar

elastic [ɪ'læstɪk] *adj* elástico
▸ *n* elástico
▪ **elastic band** fita elástica

elbow ['elbəʊ] *n* 1 ANAT cotovelo 2 (*corner*) canto, esquina
▸ *vt* (*shoulder*) acotovelar, abrir caminho com os cotovelos

elder[1] ['eldə^r] *adj* mais velho: ***he's my elder brother*** ele é meu irmão mais velho
▸ *n* primogênito

elder[2] ['eldə^r] *n* BOT sabugueiro

elderly ['eldəlɪ] *adj* pessoa idosa, ancião: ***the elderly*** os anciãos

eldest ['eldɪst] *adj* o mais velho: ***my eldest sister*** minha irmã mais velha

elect [ɪ'lekt] *adj* eleito
▸ *vt* eleger

election [ɪ'lekʃən] *n* eleição

electorate [ɪ'lektərət] *n* eleitorado

electric [ɪ'lektrɪk] *adj* elétrico: ***electric current*** corrente elétrica
▪ **electric chair** cadeira elétrica
▪ **electric shock** eletrochoque

electrical [ɪ'lektrɪkəl] *adj* elétrico: ***electrical fault*** falha elétrica
▪ **electrical appliance** eletrodoméstico

electrician [ɪlek'trɪʃən] *n* eletricista

electricity [ɪlek'trɪsɪtɪ] *n* eletricidade

electrocute [ɪ'lektrəkju:t] *vt* eletrocutar

electrode [ɪ'lektrəʊd] *n* eletrodo

electron [ɪ'lektrɒn] *n* elétron

electronic [ɪlek'trɒnɪk] *adj* eletrônico
▪ **electronic mail** correio eletrônico

electronics [ɪlek'trɒnɪks] *n* eletrônica

É incontável, e o verbo vai para o singular.

elegance ['elɪgəns] *n* elegância

elegant ['elɪgənt] *adj* elegante

element ['elɪmənt] *n* **1** (*unit*) elemento **2** (*component*) componente **3** (*environment*) ambiente, meio
▸ *npl* **elements** fenômenos atmosféricos

elementary [elɪ'mentərɪ] *adj* elementar
▪ **elementary education** ensino fundamental

elephant ['elɪfənt] *n* elefante

elevate ['elɪveɪt] *vt* **1** (*raise*) elevar, levantar **2** (*promote*) melhorar

elevation [elɪ'veɪʃən] *n* **1** (*height*) elevação, altura **2** (*promotion*) ascensão

elevator ['elɪveɪtə^r] *n* US elevador

eleven [ɪ'levən] *num* onze
▸ *n* equipe formada de onze jogadores

eleventh [ɪ'levənθ] *adj* décimo primeiro
▸ *n* **1** décimo primeiro **2** (*fraction*) um onze avos **3** (*in dates*) dia onze

elf [elf] *n* (*pl* **elves**) elfo, silfo, duende

elicit [ɪ'lɪsɪt] *vt* **1** (*bring forth*) trazer à tona **2** (*extract*) obter, extrair **3** (*evoke*) deduzir

eligible ['elɪdʒəbəl] *adj* elegível

eliminate [ɪ'lɪmɪneɪt] *vt* eliminar

elk [elk] *n* ZOOL alce

elm [elm] *n* BOT olmo

eloquent ['eləkwənt] *adj* eloquente

else [els] *adv* outro, mais: ***let's do something else*** façamos outra coisa; ***anything else?*** algo mais?; ***nobody else*** ninguém mais; ***someone else*** outra pessoa
• **or else** ou então: ***behave yourself or else...*** comporte-se, ou então...; ***hurry up or else you'll be late*** apresse-se, ou você se atrasará

elsewhere [els'weə^r] *adv* em outro lugar

elude [ɪ'lu:d] *vt* iludir

e-mail ['i:meɪl] *n* COMPUT correio eletrônico
▸ *vt* enviar um correio eletrônico
▪ **e-mail address** endereço de correio eletrônico

embankment [ɪm'bæŋkmənt] *n* terraplenagem, aterro

embargo [em'bɑ:gəʊ] *n* (*pl* **embargoes**) embargo
▸ *vt* embargar, interditar

embark [ɪm'bɑ:k] *vt-vi* embarcar
• **to embark on something** empreender algo, envolver-se em algo

embarrass [ɪm'bærəs] *vt* **1** (*shame*) constranger, embaraçar **2** (*impede*) atrapalhar, complicar
• **to be embarrassed** sentir vergonha, sentir-se constrangido

embarrassing [ɪm'bærəsɪŋ] *adj* **1** (*shameful*) embaraçoso **2** (*inopportune*) inoportuno

embarrassment [ɪm'bærəsmənt] *n* **1** (*shame*) vergonha **2** (*difficulty*) estorvo

embassy ['embəsɪ] *n* (*pl* **-ies**) embaixada

ember ['embə^r] *n* brasa, tição

embrace [ɪm'breɪs] *n* abraço
▸ *vt* **1** (*hold*) abraçar **2** (*accept*) adotar **3** (*include*) incluir
▸ *vi* abraçar-se

embroider [ɪm'brɔɪdə^r] *vt* bordar

embroidery [ɪm'brɔɪdərɪ] *n* bordado

embryo ['embrɪəʊ] *n* (*pl* **embryos**) embrião, feto

embryonic [embrɪ'ɒnɪk] *adj* embrionário

emerald ['emərəld] *n* MIN esmeralda
▸ *adj* verde-esmeralda

emerge [ɪ'mɜ:dʒ] *vi* **1** (*appear*) emergir, aparecer **2** (*become known*) vir à tona

emergency [ɪ'mɜ:dʒənsɪ] *n* (*pl -ies*) emergência
▪ **emergency exit** saída de emergência

emery ['emərɪ] *n* esmeril
▪ **emery board** lixa de unhas

emigrate ['emɪgreɪt] *vi* emigrar

emigration [emɪ'greɪʃən] *n* emigração

eminence ['emɪnəns] *n* eminência

emirate ['emɪrət] *n* emirado
▪ **United Arab Emirates** Emirados Árabes Unidos

emission [ɪ'mɪʃən] *n* emissão

emit [ɪ'mɪt] *vt* (*pt & pp* **emitted**, *ger* ***emitting***) emitir

emotion [ɪ'məʊʃən] *n* emoção

emotional [ɪ'məʊʃənəl] *adj* **1** (*charged with emotion*) emocional **2** (*easily moved*) emotivo, sensível
• **emotional intelligence** inteligência emocional

emperor ['empərəʳ] *n* imperador

emphasis ['emfəsɪs] *n* (*pl* **emphases**) ênfase
• **to place emphasis on** enfatizar

emphasize ['emfəsaɪz] *vt* enfatizar, acentuar

emphatic [em'fætɪk] *adj* enfático, expressivo

empire ['empaɪəʳ] *n* império

employ [ɪm'plɔɪ] *vt* **1** (*make use of*) empregar, utilizar **2** (*enrol*) empregar, dar um emprego a

employee [em'plɔɪi:, emplɔɪ'i:] *n* empregado, trabalhador

employer [em'plɔɪəʳ] *n* empregador, patrão

employment [em'plɔɪmənt] *n* emprego, trabalho

empress ['emprəs] *n* (*pl* **-es**) imperatriz

emptiness ['emptɪnəs] *n* vazio

empty ['emptɪ] *adj* (**-ier**, **-iest**) **1** (*void*) vazio **2** (*useless*) nulo, inútil
▸ *vt-vi* (*pt & pp* **-ied**) esvaziar

enable [ɪ'neɪbəl] *vt* possibilitar

enact [ɪ'nækt] *vt* **1** LAW decretar **2** (*perform*) representar

enamel [ɪ'næməl] *n* esmalte
▸ *vt* (GB *pt & pp* **enamelled**, *ger* **enamelling**; US *pt & pp* **enameled**, *ger* **enameling**) esmaltar, laquear

enchanting [ɪn'tʃɑ:ntɪŋ] *adj* encantador

enchantment [ɪn'tʃɑ:ntmənt] *n* encantamento, feitiço

encircle [ɪn'sɜ:kəl] *vt* rodear, cercar

enclose [ɪn'kləʊz] *vt* **1** (*surround*) circundar, rodear **2** (*put in envelope*) anexar, enviar junto a: ***please find enclosed...*** segue anexo

enclosure [ɪn'kləʊʒəʳ] *n* **1** (*place*) cerco, área cercada **2** (*in letter*) anexo

encore ['ɒŋkɔ:ʳ] *interj* bis!
▸ *n* repetição de número musical

encounter [ɪn'kaʊntəʳ] *n* encontro
▸ *vt* encontrar, encontrar-se com

encourage [ɪn'kʌrɪdʒ] *vt* **1** (*give confidence to*) encorajar, animar **2** (*support*) apoiar

encouragement [ɪn'kʌrɪdʒmənt] *n* encorajamento, ânimo, fomento

encouraging [ɪn'kʌrɪdʒɪŋ] *adj* encorajador, animador

encyclopaedia [ensaɪklə'pi:dɪə] *n* enciclopédia

end [end] *n* **1** (*finish*) fim **2** (*conclusion*) termo, conclusão **3** (*aim*) objetivo **4** (*ruin*) destruição **5** (*death*) morte
▸ *vt-vi* acabar(-se), terminar(-se), concluir(-se)
• **at the end of** no final de
• **in the end** no fim
• **to come to an end** chegar ao fim, terminar
▪ **to end up** *vi* acabar: ***we ended up phoning for a taxi*** acabamos chamando um táxi

endanger [ɪn'deɪndʒəʳ] *vt* pôr em perigo

endearing [ɪn'dɪərɪŋ] *adj* amável, terno, afetuoso

endeavour [ɪn'devəʳ] (US **endeavor**) *n* diligência, esforço, empenho
▸ *vi* esforçar-se

ending ['endɪŋ] *n* fim

endive ['endaɪv] *n* BOT endívia

endless ['endləs] *adj* **1** (*unlimited*) infinito, interminável **2** (*continuous*) contínuo

endorse [ɪn'dɔ:s] *vt* **1** (*approve*) endossar **2** (*support*) apoiar

endow [ɪn'daʊ] *vt* dotar, doar

endurance [ɪn'djʊərəns] *n* resistência, paciência

endure [ɪn'djʊəʳ] *vt* aturar, suportar
▸ *vi* resistir, durar

enemy ['enəmɪ] *n* (*pl* **-ies**) inimigo

energetic [enə'dʒetɪk] *adj* enérgico

energy ['enədʒɪ] *n* (*pl* **-ies**) energia

enforce [ɪn'fɔ:s] *vt* LAW fazer cumprir

engage [ɪn'geɪdʒ] *vt* **1** (*commit*) empenhar, dar a palavra, comprometer-se **2** (*attract*) atrair **3** (*enrol*) empregar
• **to engage somebody in conversation** travar conversa com alguém

engaged [ɪn'geɪdʒd] *adj* **1** (*commited*) comprometido **2** (*busy*) ocupado **3** (*phone*) ocupada **4** (*couple*) noivo
• **to get engaged** ficar noivo

engagement [ɪn'geɪdʒmənt] *n* **1** (*commitment*) compromisso, obrigação, promessa **2** (*of couple*) noivado

engine ['endʒɪn] *n* **1** (*of car, plane*) motor **2** (*locomotive*) locomotiva
▪ **engine driver** maquinista
▪ **engine room** sala de máquinas

engineer [endʒɪ'nɪəʳ] *n* **1** (*of bridges, machines*) engenheiro **2** US (*engine driver*) maquinista
▸ *vt fig* construir, executar

engineering [endʒɪ'nɪərɪŋ] *n* engenharia

England ['ɪŋglənd] *n* Inglaterra

English ['ɪŋglɪʃ] *adj* inglês
▸ *n* **1** (*person*) inglês **2** (*language*) inglês
▸ *npl* **the English** os ingleses
▪ **English Channel** canal da Mancha

Englishman ['ɪŋglɪʃmən] *n* (*pl* **Englishmen**) inglês

Englishwoman ['ɪŋglɪʃwʊmən] *n* (*pl* **Englishwomen**) inglesa

engrave [ɪn'greɪv] *vt* gravar

engrossed [ɪn'grəʊst] *adj* absorto

engulf [ɪn'gʌlf] *vt* **1** (*immerse*) engolfar, tragar **2** (*submerge*) afundar

enhance [ɪn'hɑ:ns] *vt* **1** (*improve*) aprimorar **2** (*increase*) aumentar

enigma [ɪ'nɪgmə] *n* enigma

enigmatic [enɪg'mætɪk] *adj* enigmático

enjoy [ɪn'dʒɔɪ] *vt* gostar, desfrutar: ***did you enjoy the show?*** você gostou do espetáculo?
• **to enjoy oneself** divertir-se

enjoyable [ɪn'dʒɔɪəbəl] *adj* agradável, divertido

enjoyment [ɪn'dʒɔɪmənt] *n* divertimento, prazer, alegria

enlarge [ɪn'lɑ:dʒ] *vt-vi* **1** (*increase*) aumentar **2** (*expand*) alargar(-se), estender(-se) **3** (*photo*) ampliar
▪ **to enlarge upon** *vt* estender-se, dar detalhes

enlargement [ɪn'lɑ:dʒmənt] *n* **1** (*increase*) aumento, expansão **2** (*amplification*) ampliação

enlighten [ɪn'laɪtən] *vt* **1** (*inform*) esclarecer, instruir **2** (*counsel*) aconselhar
• **to enlighten somebody on something** esclarecer algo a alguém

enlist [ɪn'lɪst] *vt-vi* **1** (*enrol*) alistar-se **2** (*recruit*) recrutar

enormous [ɪ'nɔ:məs] *adj* enorme

enough [ɪ'nʌf] *adj* bastante, suficiente: ***there's enough food for everyone*** tem comida suficiente para todos
▸ *adv* bastante, suficiente: ***you are not tall enough to play basketball*** você não é alto o suficiente para jogar basquete
▸ *pron* suficiente: ***more than enough*** mais do que suficiente
• **that's enough!** basta!; chega!

enquire [ɪŋ'kwaɪəʳ] *vi* *1* (*question*) inquirir, perguntar **2** (*investigate*) investigar

enquiry [ɪŋ'kwaɪərɪ] *n* (*pl* **-ies**) **1** (*question*) pergunta **2** (*investigation*) investigação
• **to make an enquiry** pedir informações

enrage [ɪn'reɪdʒ] *vt* enfurecer, encolerizar

enrich [ɪn'rɪtʃ] *vt* enriquecer

enrol [ɪn'rəʊl] *vt-vi* (GB *pt & pp* **enrolled**, *ger* **enrolling**; US *pt & pp* **enroled**, *ger* **enroling**) matricular(-se), inscrever(-se)

enrolment [ɪn'rəʊlmənt] *n* matrícula, inscrição

ensue [ɪn'sju:] *vi* **1** (*follow*) seguir(-se) **2** (*result*) resultar

ensure [ɪn'ʃʊəʳ] *vt* assegurar

entail [ɪn'teɪl] *vt* **1** (*involve*) implicar, acarretar **2** LAW vincular

entangle [ɪn'tæŋgəl] *vt* emaranhar, enredar

enter ['entəʳ] *vt* **1** (*go into*) entrar **2** (*join*) ingressar **3** (*start*) envolver-se, tomar parte em: ***three candidates have entered for the presidential race*** três candidatos envolveram-se na corrida presidencial **4** COMPUT inserir (*dados, texto*)
▸ *vi* entrar
▪ **to enter into** *vt* **1** (*negotiation*) iniciar **2** (*contract*) firmar **3** (*conversation*) entabular

enterprise ['entəpraɪz] *n* **1** (*project*) empreendimento, empresa **2** (*iniciative*) iniciativa, aventura

entertain [entə'teɪn] *vt* **1** (*amuse*) entreter, divertir **2** (*be host to*) receber, convidar **3** (*consider*) considerar

entertainer [entə'teɪnəʳ] *n* anfitrião, hóspede

entertaining [entə'teɪnɪŋ] *adj* interessante, alegre, divertido

entertainment [entə'teɪnmənt] *n* entretenimento, diversão

enthral [ɪn'θrɔ:l] *vt* (GB *pt & pp* **enthralled**, *ger* **enthralling**; US *pt & pp* **enthraled**, *ger* **enthraling**) encantar

enthralling [ɪn'θrɔ:lɪŋ] *adj* cativante, encantador

enthusiasm [ɪn'θju:zɪæzəm] *n* entusiasmo

enthusiast [ɪn'θju:zɪæst] *n* entusiasta

enthusiastic [ɪnθju:zɪ'æstɪk] *adj* entusiástico

enthusiastically [ɪnθju:zɪ'æstɪklɪ] *adv* com entusiasmo

entice [ɪn'taɪs] *vt* atrair, seduzir

entire [ɪn'taɪəʳ] *adj* inteiro, completo, íntegro

entirely [ɪn'taɪəlɪ] *adv* completamente, totalmente

entitle [ɪn'taɪtəl] *vt* intitular, dar um direito, habilitar
• **to be entitled** ter direito: ***you are entitled to a discount*** você tem direito a um desconto

entity ['entɪtɪ] *n* (*pl* **-ies**) entidade

entrails ['entreɪlz] *npl* entranhas, vísceras, intestinos

entrance[1] ['entrəns] *n* **1** (*way in*) entrada **2** (*appearance*) entrada em cena
• **"No entrance"** "Proibida a entrada"
▪ **entrance examination** prova de ingresso

entrance[2] [en'trɑ:ns] *vt* arrebatar, extasiar

entrant ['entrənt] *n* estreante, principiante

entrepreneur [ɒntrəprə'nɜ:ʳ] *n* empresário

entrust [ɪn'trʌst] *vt* confiar a, incumbir

entry ['entrɪ] *n* (*pl* **-ies**) **1** (*access*) entrada **2** (*note, record*) lançamento, anotação
• **"No entry"** "Proibida a entrada"

enunciate [ɪ'nʌnsɪeɪt] *vt* enunciar, pronunciar, articular

envelop [ɪn'veləp] *vt* envolver

envelope ['envələʊp] *n* envelope, invólucro

envious ['envɪəs] *adj* invejoso
• **to be envious** ter inveja

environment [ɪn'vaɪrənmənt] *n* **1** (*surroundings*) ambiente **2** (*natural world*) meio ambiente

environmental [ɪnvaɪərən'mentəl] *adj* ambiental, relativo ao meio ambiente

envisage [ɪn'vɪzɪdʒ] *vt* **1** (*foresee*) prever **2** (*conceive*) conceber, imaginar **3** (*contemplate*) contemplar

envoy ['envɔɪ] *n* enviado

envy ['envɪ] *n* (*pl* **-ies**) inveja, cobiça
▸ *vt* (*pt & pp* **-ied**) invejar

enzyme ['enzaɪm] *n* CHIM enzima

ephemeral [ɪ'femərəl] *adj* efêmero

epic ['epɪk] *adj* épico
▸ *n* epopeia

epidemic [epɪ'demɪk] *n* epidemia, peste, praga

epilepsy ['epɪlepsɪ] *n* MED epilepsia

epileptic [epɪ'leptɪk] *adj-n* MED epilético

episode ['epɪsəʊd] *n* episódio

epitaph ['epɪtɑːf] *n* epitáfio

epoch ['iːpɒk] *n* (*pl* **epochs**) época, era, período

equal ['iːkwəl] *adj* igual
▸ *n* igual: ***he has no equal*** ele não tem igual
▸ *vt* (GB *pt & pp* **equalled**, *ger* **equalling**; US *pt & pp* **equaled**, *ger* **equaling**) **1** ser (igual a), equivaler a: ***2 plus 2 equals 4*** 2 mais 2 são 4 **2** (*balance*) igualar
• **all things being equal** em igualdade de condições
• **to be equal to 1** (*capable of*) estar à altura de **2** (*fit for*) sentir-se com forças para *(uma tarefa)*
▪ **equal rights** igualdade de direitos

equality [ɪ'kwɒlɪtɪ] *n* (*pl* **-ies**) igualdade

equalize ['iːkwəlaɪz] *vi* igualar o marcador, empatar

equally ['iːkwəlɪ] *adv* igualmente, por igual, uniformemente

equate [ɪ'kweɪt] *vt* igualar, equiparar, comparar

equation [ɪ'kweɪʒən] *n* equação

equator [ɪ'kweɪtəʳ] *n* equador

equilibrium [iːkwɪ'lɪbrɪəm] *n* equilíbrio

equip [ɪ'kwɪp] *vt* (*pt & pp* **equipped**, *ger* **equipping**) equipar, prover, guarnecer

equipment [ɪ'kwɪpmənt] *n* equipamento, material, aparelhamento

equitable ['ekwɪtəbəl] *adj* equitativo

equivalence [ɪ'kwɪvələns] *n* equivalência

equivalent [ɪ'kwɪvələnt] *adj* equivalente
▸ *n* equivalente
• **to be equivalent to** equivaler a

era ['ɪərə] *n* era

eradicate [ɪ'rædɪkeɪt] *vt* exterminar, erradicar, extirpar

erase [ɪ'reɪz] *vt* apagar

eraser [ɪ'reɪzəʳ] *n* US borracha de apagar

erect [ɪ'rekt] *adj* (*upright*) ereto, reto, direito, em pé, aprumado
▸ *vt* **1** (*build*) erigir, levantar **2** (*set upright*) armar, montar

erection [ɪ'rekʃən] *n* **1** (*penis*) ereção **2** (*building*) construção

erode [ɪ'rəʊd] *vt* **1** (*soil, rock*) sofrer erosão **2** (*metal*) corroer, desgastar(-se)

erosion [ɪ'rəʊʒən] *n* **1** (*desintegration*) erosão **2** (*abrasion*) corrosão, desgaste

erotic [ɪ'rɒtɪk] *adj* erótico

errand ['erənd] *n* **1** (*message*) mensagem, recado **2** (*mission*) incumbência, missão
• **to run errands** encarregar-se de pequenos serviços *(compras, recados etc.)*

erratic [ɪ'rætɪk] *adj* irregular, inconstante

error ['erəʳ] *n* erro, engano, equívoco

erupt [ɪ'rʌpt] *vi* **1** (*volcano*) entrar em erupção **2** (*burst out*) estourar

eruption [ɪ'rʌpʃən] *n* **1** (*of volcano*) erupção **2** (*of war, of violence*) explosão **3** MED erupção cutânea

escalate ['eskəleɪt] *vi* **1** (*war*) intensificar-se **2** (*prices*) aumentar

escalation [eskə'leɪʃən] *n* **1** (*of war*) escalada **2** (*of prices*) subida, aumento

escalator ['eskəleɪtəʳ] *n* escada rolante

escapade ['eskəpeɪd, eskə'peɪd] *n* (*adventurous act*) escapada, fugida

escape [ɪ'skeɪp] *n* **1** (*release*) fuga **2** (*of gas*) escape
▸ *vi* **1** (*get away*) escapar, evadir-se, fugir **2** (*gas*) escapar
▸ *vt* escapar de
• **to make one's escape** escapar

escort [(*n*) e'skɔːt; (*v*) ɪ'skɔːt] *n* **1** (*partner*) acompanhante **2** (*bodyguard*) escolta, cobertura
▸ *vt* **1** (*accompany*) acompanhar **2** (*protect*) escoltar

ESP¹ ['iː'es'piː] *abbr* (***extrasensory perception***) percepção extrassensorial

ESP² ['iː'es'piː] *abbr* (***English for Specific Purposes***) inglês instrumental

especial [ɪ'speʃəl] *adj* especial, particular, principal

especially [ɪ'speʃəlɪ] *adv* especialmente, principalmente

espionage ['espɪənɑːʒ] *n* espionagem

esq. [ɪ'skwaɪəʳ] *abbr* GB Ilmo. Sr.

essay ['eseɪ] *n* 1 (*article, piece*) ensaio, peça literária 2 (*composition*) redação, composição

essence ['esəns] *n* essência

essential [ɪ'senʃəl] *adj* 1 (*basic*) fundamental, principal 2 (*necessary*) vital, indispensável

essentially [ɪ'senʃəlɪ] *adv* essencialmente

EST ['iː'es'tiː] *abbr* US (***Eastern Standard Time***) horário da costa leste dos EUA e do Canadá

establish [ɪ'stæblɪʃ] *vt* 1 (*start*) estabelecer, fundar, instituir 2 (*certify*) provar

establishment [ɪ'stæblɪʃmənt] *n* estabelecimento, instituição

the Establishment as autoridades estabelecidas, o sistema governante

estate [ɪ'steɪt] *n* 1 (*lands*) propriedade rural 2 (*status*) posição, situação 3 (*wealth*) bens, espólio

▪ **estate agent** corretor de imóveis

▪ **estate agent's** agência imobiliária

▪ **estate car** GB caminhoneta, *van*

esteem [ɪ'stiːm] *vt* 1 (*value*) estimar 2 (*judge*) avaliar

▸ *n* estima, consideração

• **to hold somebody in high esteem** apreciar muito alguém

• **to boost somebody's self-esteem** aumentar a autoestima de alguém

estimate [(*n*) 'estɪmət; (*v*) 'estɪmeɪt] *n* 1 (*calculate*) cálculo 2 (*evaluate*) estimativa, avaliação

▸ *vt* calcular

estimation [estɪ'meɪʃən] *n* estimativa, avaliação

Estonia [e'stəʊnɪə] *n* Estônia

Estonian [e'stəʊnɪən] *adj* estoniano

▸ *n* 1 (*person*) estoniano 2 (*language*) estoniano

estuary ['estjʊərɪ] *n* (*pl* **-ies**) estuário

ETA ['iː'tiː'eɪ] *abbr* (***estimated time of arrival***) hora prevista de chegada

etch [etʃ] *vt* 1 (*impress*) gravar com água-forte 2 (*engrave*) entalhar

etching ['etʃɪŋ] *n* 1 (*impress*) água-forte 2 (*engrave*) entalhe

eternal [ɪ'tɜːnəl] *adj* eterno

eternity [ɪ'tɜːnətɪ] *n* eternidade

ether ['iːθəʳ] *n* éter

ethic ['eθɪk] *n* ética

ethical ['eθɪkəl] *adj* ético

Ethiopia [iːθɪ'əʊpɪə] *n* Etiópia

ethiopian [iːθɪ'əʊpɪən] *adj* etíope

▸ *n* etíope

ethnic ['eθnɪk] *adj* étnico

ethyl ['iːθaɪl, 'eθɪl] *n* CHEM etilo

▪ **ethyl alcohol** álcool etílico

etiquette ['etɪket] *n* protocolo, etiqueta

eucalyptus [juːkə'lɪptəs] *n* (*pl* ***eucalyptuses***) eucalipto

euphemism ['juːfəmɪzəm] *n* eufemismo

euphemistic [juːfɪ'mɪstɪk] *adj* eufemístico

euro ['jʊərəʊ] *n* euro

europe ['jʊərəp] *n* Europa

european [jʊərə'pɪən] *adj-n* europeu

▪ **European Community** Comunidade Europeia

▪ **European Union** União Europeia

euthanasia [juːθə'neɪzɪə] *n* eutanásia

evacuate [ɪ'vækjʊeɪt] *vt* 1 (*defecate*) evacuar 2 (*abandon*) desocupar, abandonar

evade [ɪ'veɪd] *vt* + *vi* 1 (*escape*) evadir(-se), escapar 2 (*elude*) eludir

evaluate [ɪ'væljʊeɪt] *vt* 1 (*estimate*) avaliar, estimar o valor 2 (*calculate*) calcular

evangelical [iːvæn'dʒelɪkəl] *adj* evangélico

evangelism [ɪ'vændʒəlɪzəm] *n* evangelismo

evangelist [ɪ'vændʒəlɪst] *n* evangelista

evaporate [ɪ'væpəreɪt] *vt-vi* evaporar-(se)

evasion [ɪ'veɪʒən] *n* evasão

evasive [ɪ'veɪsɪv] *adj* evasivo, ambíguo

eve [iːv] *n* 1 (*day before*) véspera: ***Christmas Eve*** véspera de Natal 2 (*evening*) noite

even ['iːvən] *adj* 1 (*level*) plano, chato 2 (*regular*) uniforme, regular 3 (*number*) par

▸ *adv* 1 até, inclusive: ***even John was there*** até John estava lá 2 mesmo: ***not***

even John was there nem mesmo John estava lá 3 ainda, todavia: ***Monday was cold, but today it's even colder*** na segunda-feira fez frio, mas hoje faz ainda mais frio
▸ *vt-vi* igualar-(se)
• **even as** enquanto
• **even if** mesmo se
• **even so** mesmo assim
• **even though** embora, ainda que
• **to break even** terminar empatado
• **to get even with somebody** vingar-se de alguém
▪ **to even out** *vt-vi* igualar, equilibrar

evening ['iːvənɪŋ] *n* **1** (*sunset*) entardecer **2** (*crepuscule*) final da tarde **3** (*nightfall*) anoitecer **4** (*night*) noite: ***yesterday evening*** ontem à tarde/noite; ***tomorrow evening*** amanhã ao anoitecer/à noite
• **good evening!** boa tarde!, boa noite!
▪ **evening dress 1** vestido de baile **2** traje a rigor

evenly ['iːvənlɪ] *adv* exatamente, uniformemente, regularmente

event [ɪ'vent] *n* **1** (*incident*) evento, acontecimento **2** (*sports*) prova
• **at all events** em todo o caso
• **in any event** aconteça o que acontecer
• **in the event of** em caso de

eventful [ɪ'ventfʊl] *adj* **1** (*full, lively*) acidentado, agitado **2** (*memorable*) memorável, significativo

eventual [ɪ'ventʃʊəl] *adj* final, definitivo ***Liverpool was the eventual winner of the championship*** o Liverpool foi o vencedor final do campeonato; ***the eventual cost of the project will be very high*** o custo final do projeto será muito alto

eventuality [ɪventʃʊ'ælɪtɪ] *n* (*pl* **-ies**) eventualidade

eventually [ɪ'ventʃʊəlɪ] *adv* finalmente

ever ['evəʳ] *adv* **1** alguma vez: ***have you ever seen her?*** você já a viu alguma vez? **2** nunca, jamais: ***nobody ever comes here*** ninguém nunca vem aqui; ***better than ever*** melhor do que nunca; ***the best ever*** o melhor que jamais se viu
• **ever since** desde então: ***they met 5 years ago and they've been friends ever since*** eles se conheceram há 5 anos e são amigos desde então
• **ever so** tão: ***she's ever so kind*** ela é tão bondosa
• **for ever (and ever)** para sempre
• **hardly ever** quase nunca
• **what/who ever...?** (*para dar ênfase ao pronome*) ***what ever shall I do?*** que diabos vou fazer?; ***who ever could the murderer be?*** quem poderia ser o assassino?

evergreen ['evəgriːn] *adj* perene
▪ **evergreen oak** BOT azinheira, carvalho

everlasting [evə'lɑːstɪŋ] *adj* eterno, perpétuo

every ['evrɪ] *adj* cada, todos: ***every day*** cada dia, todos os dias; ***every other day*** dia sim, dia não
• **every now and then** de vez em quando

everybody ['evrɪbɒdɪ] *pron* todos, todo o mundo

everyday ['evrɪdeɪ] *adj* diário, cotidiano

everyone ['evrɪwʌn] *pron* → **everybody**

everything ['evrɪθɪŋ] *pron* tudo

everywhere ['evrɪweəʳ] *adv* em toda parte, em todo lugar

evict [ɪ'vɪkt] *vt* desapropriar judicialmente, despejar

eviction [ɪ'vɪkʃən] *n* despejo

evidence ['evɪdəns] *n* **1** (*proof*) evidência, prova **2** (*sign*) indício
• **to give evidence** testemunhar

evident ['evɪdənt] *adj* evidente, claro, manifesto

evidently ['evɪdəntlɪ] *adv* evidentemente, obviamente, claramente

evil ['iːvəl] *adj* (*comp* **eviller** ou **more evil**, *superl* **evillest** ou **most evil**) **1** (*malefic*) mau, malvado **2** (*pernicious*) infeliz, prejudicial, nocivo
▸ *n* mal

evocative [ɪ'vɒkətɪv] *adj* evocativo

evoke [ɪ'vəʊk] *vt* evocar, despertar

evolution [iːvə'luːʃən] *n* evolução

evolve [ɪ'vɒlv] *vt* **1** (*develop*) desenvolver, evoluir **2** (*enlarge*) expandir
▸ *vi* desenvolver-se

ewe [juː] *n* ZOOL ovelha

exact [ɪg'zækt] *adj* exato
▸ *vt* extorquir, cobrar, arrecadar

exacting [ɪg'zæktɪŋ] *adj* exigente, minucioso

exactly [ɪg'zæktlɪ] *adv* exatamente

exaggerate [ɪg'zædʒəreɪt] *vt-vi* exagerar

exaggeration [ɪgzædʒə'reɪʃən] *n* exagero

exalt [ɪg'zɔ:lt] *vt* exaltar, engrandecer, enaltecer

exam [ɪg'zæm] *n inf* exame

examination [ɪgzæmɪ'neɪʃən] *n* **1** (*check*) exame, prova, teste **2** (*investigation*) investigação **3** (*inquiry*) interrogatório

examine [ɪg'zæmɪn] *vt* **1** (*analyse*) examinar, averiguar, inspecionar **2** (*consider*) considerar **3** (*inquire*) interrogar

examiner [ɪg'zæmɪnə^r] *n* examinador

example [ɪg'zɑ:mpəl] *n* exemplo
• **for example** por exemplo

exasperate [ɪg'zɑ:spəreɪt] *vt* exasperar, irritar

excavate ['ekskəveɪt] *vt* escavar

excavation [ekskə'veɪʃən] *n* escavação

excavator ['ekskəveɪtə^r] *n* escavadora, draga

exceed [ɪk'si:d] *vt* exceder, sobrepujar, superar, exceder

exceedingly [ɪk'si:dɪŋlɪ] *adv* excessivamente, extraordinariamente

excel [ɪk'sel] *vt* (GB *pt & pp* **excelled**, *ger* **excelling**; US *pt & pp* **exceled**, *ger* **exceling**) exceder, sobrepujar
▸ *vi* distinguir-se
• **to excel oneself** distinguir-se

excellence ['eksələns] *n* excelência, qualidade superior

excellent ['eksələnt] *adj* excelente

except [ɪk'sept] *prep* exceto, salvo, à exceção de
▸ *vt* executar, omitir

exception [ɪk'sepʃən] *n* exceção
• **to take exception to something** objetar, criticar
• **with the exception of** com exceção de

exceptional [ɪk'sepʃənəl] *adj* excepcional

excerpt ['eksɜ:pt] *n* excerto, trecho, extrato

excess [ɪk'ses] *n* (*pl* **-es**) excesso
• **in excess of** mais que, superior a

excessive [ɪk'sesɪv] *adj* excessivo

exchange [ɪks'tʃeɪndʒ] *n* **1** (*trade*) câmbio **2** (*interchange*) troca **3** (*commute*) permuta
▸ *vt* trocar, cambiar, permutar
• **in exchange for** em troca de
▪ **exchange rate** taxa de câmbio

exchequer [ɪks'tʃekə^r] *n* tesouro público

excitable [ɪk'saɪtəbəl] *adj* excitável

excite [ɪk'saɪt] *vt* **1** (*person*) animar, entusiasmar **2** (*arouse sexually*) excitar **3** (*interest*) provocar, despertar

excited [ɪk'saɪtɪd] *adj* **1** (*agitated*) animado, entusiasmado **2** (*ardent*) excitado

excitement [ɪk'saɪtmənt] *n* **1** (*enthusiasm*) animação, emoção **2** (*stimulation*) excitação **3** (*tumult*) alvoroço

exciting [ɪk'saɪtɪŋ] *adj* **1** (*enchanting*) apaixonante, empolgante **2** (*provocative*) excitante

exclaim [ɪk'skleɪm] *vt-vi* exclamar, chamar, gritar

exclamation [eksklə'meɪʃən] *n* exclamação
▪ **exclamation mark** ponto de exclamação

exclude [ɪk'sklu:d] *vt* excluir

excluding [ɪk'sklu:dɪŋ] *prep* exceto, menos

exclusive [ɪk'sklu:sɪv] *adj* **1** (*sole*) exclusivo **2** (*select*) seleto
• **exclusive of** com a exclusão de, sem incluir: ***these prices are exclusive of taxes*** esses preços não incluem os impostos

exclusively [ɪk'sklu:sɪvlɪ] *adv* exclusivamente

excommunicate [ekskə'mju:nɪkeɪt] *vt* excomungar

excommunication [ekskəmju:nɪ'keɪʃən] *n* excomunhão

excrement ['ekskrɪmənt] *n* excremento, fezes

excrete [ɪk'skri:t] *vt* excretar, evacuar, expelir

excretion [ɪk'skriːʃən] *n* excreção, evacuação

excruciating [ɪk'skruːʃɪeɪtɪŋ] *adj* excruciante, penoso, doloroso

excursion [ɪk'skɜːʒən] *n* excursão

excusable [ɪk'skjuːzəbəl] *adj* desculpável, perdoável

excuse [(*n*) ɪk'skjuːs; (*v*) ɪk'skjuːz] *n* **1** (*apology*) desculpa **2** (*justification*) justificativa **3** (*pretext*) pretexto

▸ *vt* **1** (*apology for*) perdoar, desculpar **2** (*justify*) justificar

• **excuse me!** (*forgive*) desculpe-me!, (*permission*) com licença!

• **to excuse somebody from doing something** eximir alguém de fazer algo

execute ['eksɪkjuːt] *vt* **1** (*prisoner*) executar **2** (*plan*) executar **3** (*music*) executar **4** COMPUT executar **5** LAW cumprir; assinar

execution [eksɪ'kjuːʃən] *n* **1** (*capital punishment*) execução **2** (*accomplishment*) realização, execução **3** (*interpretation*) execução **4** LAW cumprimento; assinatura

executioner [eksɪ'kjuːʃənəʳ] *n* executor, carrasco, algoz

executive [ɪg'zekjətɪv] *adj-n* executivo

executor [ɪg'zekjətəʳ] *n* testamenteiro

exemplify [ɪg'zemplɪfaɪ] *vt* (*pt & pp* **-ied**) exemplificar

exempt [ɪg'zempt] *adj* isento, livre

▸ *vt* isentar, eximir

exemption [ɪg'zempʃən] *n* isenção, dispensa

exercise ['eksəsaɪz] *n* exercício

▸ *vt* **1** (*skill*) exercitar **2** (*dog*) levar para um passeio

▸ *vi* fazer exercício

▪ **exercise book** caderno

exert [ɪg'zɜːt] *vt* exercer

• **to exert oneself** esforçar-se

exhale [eks'heɪl] *vt-vi* expirar

exhaust [ɪg'zɔːst] *n* gases de combustão

▸ *vt* esgotar

▪ **exhaust pipe** cano de descarga

exhausted [ɪg'zɔːstɪd] *adj* exausto, esgotado

exhausting [ɪg'zɔːstɪŋ] *adj* exaustivo, fatigante

exhaustion [ɪg'zɔːstʃən] *n* exaustão, esgotamento

exhibit [ɪg'zɪbɪt] *n* exibição, exposição, apresentação

▸ *vt* **1** (*show*) expor **2** (*evidence*) mostrar, apresentar

exhibition [eksɪ'bɪʃən] *n* exposição, mostra

• **to make an exhibition of oneself** tornar-se ridículo em público

exhibitor [ɪg'zɪbɪtəʳ] *n* expositor

exhilarating [ɪg'zɪləreɪtɪŋ] *adj* divertido, estimulante, emocionante

exile ['eksaɪl] *n* **1** (*banishment*) desterro, exílio **2** (*expatriate, refugee*) desterrado, exilado

▸ *vt* desterrar, exilar

exist [ɪg'zɪst] *vi* **1** (*be*) existir **2** (*survive*) subsistir, sobreviver

existence [ɪg'zɪstəns] *n* existência

• **to come into existence** nascer, criar-se, fundar-se

existential [egzɪ'stenʃəl] *adj* existencial

existing [egzɪ'stɪŋ] *adj* existente, atual, presente

exit ['eksɪt] *n* **1** (*doorway*) saída, lugar por onde se sai **2** (*departure*) ato ou efeito de sair

▸ *vi* (*depart*) sair, ir embora, sair de cena

exorbitant [ɪg'zɔːbɪtənt] *adj* exorbitante, excessivo

exotic [eg'zɒtɪk] *adj* exótico

expand [ɪk'spænd] *vt-vi* **1** (*spread out*) expandir(-se) **2** (*business*) ampliar **3** (*metal*) dilatar(-se) **4** COMM desenvolver(-se)

▪ **to expand on** *vt* dar mais detalhes, elaborar

expanse [ɪk'spæns] *n* expansão, extensão

expansion [ɪk'spænʃən] *n* **1** (*enlargement*) expansão, ampliação **2** (*of metal*) dilatação (*de metal*) **3** COMM desenvolvimento

expatriate [(*adj-n*) ek'spætrɪət; (*v*) eks'pætrɪeɪt] *adj-n* expatriado, deportado

▸ *vt* desterrar, expatriar, exilar

expect [ɪk'spekt] *vt* **1** (*look forward*) esperar **2** (*suppose*) contar com, supor, imaginar

• **to be expecting** *fam* estar grávida

expectancy [ɪk'spektənsɪ] *n* expectativa, espera

expectant [ɪk'spektənt] *adj* expectante
■ **expectant mother** gestante

expectation [ekspek'teɪʃən] *n* expectativa
• **contrary to expectations** ao contrário do que se esperava, contrariando as expectativas

expedient [ɪk'spi:dɪənt] *adj* conveniente, expediente
▸ *n* expediente, recurso, meio

expedition [ekspɪ'dɪʃən] *n* **1** (*journay*) expedição, viagem de exploração **2** (*hurry*) pressa, urgência **3** (*readiness*) presteza

expel [ɪk'spel] *vt* (*pt & pp* **expelled**, *ger* **expelling**) expulsar, expelir

expend [ɪk'spend] *vt* **1** (*money*) gastar **2** (*resources*) consumir, esgotar **3** (*effort*) investir

expendable [ɪk'spendəbəl] *adj* supérfluo, descartável

expenditure [ɪk'spendɪtʃə^r] *n* gasto, despesa, custo

expense [ɪk'spens] *n* gasto, despesa, desembolso
▸ *npl* **expenses** gastos, custos
• **to spare no expense** não poupar gastos
• **at the expense of** à custa de

expensive [ɪk'spensɪv] *adj* caro, dispendioso

experience [ɪk'spɪərɪəns] *n* experiência
▸ *vt* experimentar, ter (*dificuldades*)

experienced [ɪk'spɪərɪənst] *adj* experimentado, experiente

experiment [ɪk'sperɪmənt] *n* experiência, experimento, ensaio
▸ *vi* experimentar

experimental [ɪksperɪ'mentəl] *adj* experimental

expert ['ekspɜ:t] *adj-n* perito, técnico, especialista, experto

expertise [ekspɜ:'ti:z] *n expertise*, perícia, habilidade

expire [ɪk'spaɪə^r] *vi* **1** (*licence*) vencer **2** (*passport*) caducar

expiry [ɪk'spaɪərɪ] *n* vencimento
■ **expiry date** data de vencimento

explain [ɪk'spleɪn] *vt-vi* explicar, esclarecer, elucidar
• **to explain oneself** explicar-se

explanation [eksplə'neɪʃən] *n* **1** (*exposition*) explicação **2** (*justification*) desculpa

explanatory [ɪk'splænətərɪ] *adj* explicativo

explicit [ɪk'splɪsɪt] *adj* explícito

explode [ɪk'spləʊd] *vt-vi* explodir, detonar, demolir, destruir

exploit [(*n*) 'eksplɔɪt; (*v*) ɪk'splɔɪt] *n* bravura, ato de heroísmo, proeza
▸ *vt* explorar, tirar partido

exploitation [eksplɔɪ'teɪʃən] *n* **1** (*of countries, workers*) exploração **2** (*of resources*) utilização

exploration [eksplə'reɪʃən] *n* exploração, investigação

explore [ɪk'splɔ:^r] *vt* explorar, investigar, examinar

explorer [ɪk'splɔ:rə^r] *n* explorador

explosion [ɪk'spləʊʒən] *n* explosão, estouro

explosive [ɪk'spləʊsɪv] *adj* explosivo
▸ *n* substância explosiva
■ **explosive device** artefato explosivo

export [(*n*) 'ekspɔ:t; (*v*) ɪk'spɔ:t] *n* **1** (*trade*) exportação **2** (*commodity*) artigo de exportação
▸ *vt* exportar

exporter [ek'spɔ:tə^r] *n* exportador

expose [ɪk'spəʊz] *vt* **1** (*exhibit*) expor, exibir **2** (*disclose*) desmascarar, evidenciar, pôr a descoberto

exposure [ɪk'spəʊʒə^r] *n* **1** (*exposition*) exposição, exibição **2** (*disclosure*) descobrimento **3** (*photo*) exposição
• **to die of exposure** morrer de frio

express [ɪk'spres] *adj* **1** (*transport*) expresso **2** (*mail*) urgente
▸ *n* (*pl* **-es**) **1** (*fast train*) trem expresso **2** GB (*letter*) mensagem urgente
▸ *vt* **1** (*state*) expressar, exprimir **2** (*represent*) indicar
▸ *adv* **1** (*explicit*) claro, explícito **2** (*fast*) *speedy*, urgente

expression [ɪk'spreʃən] *n* **1** (*look*) expressão, manifestação **2** (*locution*) locução

expressive [ɪk'spresɪv] *adj* 1 (*eloquent*) expressivo 2 (*energic*) enérgico

expulsion [ɪk'spʌlʃən] *n* expulsão

exquisite [ek'skwɪzɪt, 'ekskwɪzɪt] *adj* 1 (*select*) seleto, escolhido 2 (*fine, delicate*) raro, requintado

extend [ɪk'stend] *vt* 1 (*enlarge, broaden*) estender 2 (*house*) ampliar 3 (*street*) alargar (*rua*) 4 (*in time*) prorrogar 5 (*help*) ajudar
▸ *vi* 1 (*prolong*) estender-se 2 (*stretch*) alongar-se
• **to extend an invitation to somebody** convidar alguém

extension [ɪk'stenʃən] *n* 1 (*added part*) extensão, ampliação 2 (*delay*) prorrogação 3 TELEC extensão, ramal: ***my extension number is 764*** meu ramal é 764

extensive [ɪk'stensɪv] *adj* extensivo, extenso, amplo, espaçoso

extensively [ɪk'stensɪvlɪ] *adv* extensamente

extent [ɪk'stent] *n* (*amount, degree*) extensão, alcance
• **to a certain extent** até certo ponto
• **to a greater or lesser extent** em maior ou menor grau
• **to a large extent** em grande parte
• **to what extent?** até que ponto?

extenuate [ɪk'stenjʊeɪt] *vt* extenuar, enfraquecer, diminuir

exterior [ɪk'stɪərɪəʳ] *adj* exterior
▸ *n* exterior

exterminate [ɪk'stɜːmɪneɪt] *vt* exterminar

extermination [ɪkstɜːmɪ'neɪʃən] *n* extermínio

external [ek'stɜːnəl] *adj* externo, exterior, estranho

extinct [ɪk'stɪŋkt] *adj* extinto, apagado, morto
• **to become extinct** extinguir-se

extinction [ɪk'stɪŋkʃən] *n* extinção

extinguish [ɪk'stɪŋgwɪʃ] *vt* 1 (*abolish*) extinguir, apagar 2 (*destroy*) aniquilar, destruir

extort [ɪk'stɔːt] *vt* 1 (*blackmail*) extorquir 2 (*coerce*) extrair à força: ***the policemen extorted a confession from the criminal*** os policiais extraíram à força uma confissão do criminoso

extortion [ɪk'stɔːʃən] *n* extorsão

extortionate [ɪk'stɔːʃənət] *adj* (*price*) extorsivo

extra ['ekstrə] *adj* 1 (*additional*) extra, extraordinário, especial, mais: ***two extra plates*** mais dois pratos 2 (*supplemental*) de sobra: ***have you got an extra pen?*** você tem uma caneta de sobra?
▸ *adv* extra: ***we paid extra*** pagamos a mais
▸ *n* 1 (*addition*) extraordinário, acréscimo, aumento 2 CINE figurante
▪ **extra charge** taxa suplementar
▪ **extra time** prorrogação

extract [(*n*) 'ekstrækt; (*v*) ɪk'strækt] *n* 1 (*exerpt*) extrato 2 (*essence*) essência
▸ *vt* extrair

extractor [ɪk'stræktəʳ] *n* extrator, centrífuga

extradition [ekstrə'dɪʃən] *n* extradição

extramarital [ekstrə'mærɪtəl] *adj* extraconjugal

extraordinary [ɪk'strɔːdənrɪ] *adj* extraordinário

extraterrestrial [ekstrətə'restrɪəl] *adj-n* extraterrestre

extravagance [ɪk'strævəgəns] *n* 1 (*excess*) extravagância 2 (*wastefulness*) gasto excessivo

extravagant [ɪk'strævəgənt] *adj* 1 (*wasteful*) extravagante 2 (*excessive*) exagerado, excessivo

extreme [ɪk'striːm] *adj* 1 (*intense*) extremo, intenso 2 (*exceptional*) excepcional
▸ *n* extremo

extremely [ɪk'striːmlɪ] *adv* extremamente

extremist [ɪk'striːmɪst] *n* extremista

extremity [ɪk'stremɪtɪ] *n* (*pl* **-ies**) extremidade

extricate ['ekstrɪkeɪt] *vt* livrar, desembaraçar

extrovert ['ekstrəvɜːt] *adj-n* extrovertido

exuberant [ɪg'zjuːbərənt] *adj* 1 (*effusive*) exuberante, eufórico 2 (*abundant*) abundante

exude [ɪg'zju:d] *vt-vi* 1 (*show strongly*) emanar 2 (*sweat*) transpirar

exultant [ɪg'zʌltənt] *adj* exultante, triunfante, jubilante

eye [aɪ] *n* olho

▸ *vt* observar, mirar, examinar

• **to keep an eye on** vigiar

• **to see eye to eye** estar de acordo

• **to turn a blind eye to** fazer vista grossa

eyeball ['aɪbɔ:l] *n* globo ocular

eyebrow ['aɪbraʊ] *n* sobrancelha

eyelash ['aɪlæʃ] *n* (*pl* **-es**) pestana

eyelid ['aɪlɪd] *n* pálpebra

eyeshadow ['aɪʃædəʊ] *n* (*make-up*) sombra para os olhos

eyesight ['aɪsaɪt] *n* vista, visão

eyesore ['aɪsɔ:ʳ] *n* algo feio, desagradável ao olhar

eyewitness ['aɪ'wɪtnəs] *n* (*pl* **-es**) testemunha ocular

F

f ['femɪnɪn] *abbr* MUS fá

f [ˌfærənhaɪt] *abbr* (***Fahrenheit***) símbolo de grau *Fahrenheit*, °F

FA ['efˈeɪ] *abbr* GB (***Football Association***) Federação de Futebol

fable ['feɪbəl] *n* fábula

fabric ['fæbrɪk] *n* **1** (*cloth*) tecido, pano **2** *fig* (*framework*) estrutura

fabulous ['fæbjələs] *adj* fabuloso

facade [fə'sɑːd] *n* fachada

façade [fə'sɑːd] *n* fachada

face [feɪs] *n* **1** cara, rosto, semblante: ***she's got a pretty face*** ela tem um rosto bonito **2** superfície **3** face: ***the face of the moon*** a face da lua **4** mostrador: ***a clock face*** um mostrador de relógio **5** *fig* (*look*) aspecto, aparência

▸ *vt* **1** dar para, ter a fachada voltada para: ***the house faces west*** a casa dá para o oeste **2** fazer face a, opor-se, enfrentar: ***they're facing serious problems*** eles estão enfrentando sérios problemas

▸ *vi* virar-se, estar diante de: ***he sat down facing the door*** ele sentou-se diante da porta

• **in the face of** diante de, em face de

• **to face the facts** enfrentar a realidade, enfrentar os fatos

• **to lose face** desprestigiar-se

• **to pull faces** fazer careta, demonstrar desagrado

• **to save face** salvar as aparências

▪ **face cream** creme facial

▪ **face value** valor nominal

▪ **face down** de bruços, com a superfície voltada para baixo

▪ **face up** em decúbito dorsal, de costas, com a superfície voltada para cima

▪ **to face up to** *vt* aceitar a existência de uma situação difícil, enfrentar corajosamente

faceless ['feɪsləs] *adj* **1** obscuro **2** (*anonymous*) anônimo

facelift ['feɪslɪft] *n* **1** (*on face*) *lifting*, plástica facial **2** *fig* reforma

facet ['fæsɪt] *n* faceta

facial ['feɪʃəl] *adj* facial

facilitate [fə'sɪlɪteɪt] *vt* facilitar

facility [fə'sɪlɪtɪ] *n* (*pl* **-ies**) **1** (*resource*) recurso **2** (*ability*) facilidade

▸ *npl* **facilities** **1** (*resources*) recursos **2** (*equipment*) instalações: ***sports facilities*** instalações esportivas

facsimile [fæk'sɪmɪlɪ] *n* fac-símile

fact [fækt] *n* fato

• **as a matter of fact** na realidade, em verdade

• **in fact** de fato

▪ **basic facts** MATH as quatro operações

▪ **the facts of life** os mistérios da vida, fatos relativos a sexo e reprodução

faction ['fækʃən] *n* facção

factor ['fæktəʳ] *n* fator

factory ['fæktərɪ] *n* (*pl* **-ies**) fábrica

factual ['fækʃʊəl] *adj* factual

faculty ['fækəltɪ] *n* (*pl* **-ies**) **1** (*ability*) faculdade, capacidade **2** US faculdade(s) de uma universidade

fad [fæd] *n* **1** (*whim*) capricho **2** (*fashion*) moda

fade [feɪd] *vt* desbotar

▸ *vi* **1** (*pale*) desbotar-se, perder a cor **2** (*vanish*) apagar-se

▪ **to fade away** *vi* desvanecer-se

faeces ['fiːsiːz] *npl* fezes

fag [fæg] *n* **1** *inf* (*boring task*) chatice, canseira **2** GB *sl* cigarro **3** US *pej* maricas

fail [feɪl] *n* (*school*) nota de reprovação

▸ *vt-vi* **1** falhar, fracassar: ***he failed in his attempt to make peace*** ele fracassou em sua tentativa de fazer as pazes **2** fracassar, não ser aprovado: ***he failed his driving test*** ele não foi aprovado no exame para motorista

▸ *vi* fracassar, não ter êxito: ***their attempt to climb the mountain failed*** sua tentativa de escalar a montanha fracassou **2** (*go bankrupt*) falir, ir à bancarrota

▸ *vt* desapontar, abandonar: ***to fail a friend*** abandonar um amigo

• **to fail to** deixar de: ***the alarm failed to go off*** o alarme deixou de tocar, o alarme não disparou

• **without fail** sem falta

failing ['feɪlɪŋ] *n* defeito, imperfeição

▸ *prep* na falta de, se tal não for possível: ***please do it; failing that, ask John if he knows how to do it*** faça isto; se não for possível, pergunte a John se ele sabe fazer

failure ['feɪljəʳ] *n* **1** (*lack of success*) fracasso **2** (*bankrupty*) falência **3** falha, avaria: ***engine failure*** falha do motor **4** falta de execução, omissão: ***her failure to answer*** sua omissão em responder

faint [feɪnt] *adj* **1** débil: ***a faint sound*** um som débil **2** (*dizzy*) tonto, pálido **3** vago: ***a faint recollection*** uma vaga recordação

▸ *vi* desmaiar

fair¹ [feəʳ] *adj* **1** justo: ***it's not fair!*** não é justo! **2** bastante, abundante, considerável: ***he has a fair chance of getting the job*** ele tem bastantes possibilidades de conseguir o emprego **3** louro, claro: ***fair hair*** cabelo louro; ***fair skin*** pele clara **4** *fml* belo: ***the fair sex*** o belo sexo, o sexo frágil, o sexo feminino

• **fair and square 1** (*honestly*) de maneira honesta e inquestionável **2** (*straight*) exatamente

• **fair enough** de acordo

■ **fair copy** cópia passada a limpo, versão definitiva

■ **fair play** *fair-play*, jogo limpo

fair² [feəʳ] *n* feira, exposição

fairground ['feəgraʊnd] *n* área ao ar livre para feiras, exposições, parques etc.

fairly ['feəlɪ] *adv* **1** (*justly*) justamente **2** (*reasonably*) razoavelmente, bastante: ***it's fairly good*** é razoavelmente bom

fairness ['feənəs] *n* **1** justiça, imparcialidade: ***in fairness*** em nome da justiça, justiça seja feita **2** (*of skin*) o tom louro, palidez, alvura

fairy ['feərɪ] *n* (*pl* **-ies**) **1** (*sprite*) fada **2** *inf* maricas

■ **fairy tale** conto de fadas

faith [feɪθ] *n* **1** fé: ***the Christian faith*** a fé cristã **2** crença, confiança: ***you must have faith in yourself*** você deve ter confiança em si mesmo

• **in bad faith** de má-fé

• **in good faith** de boa-fé

faithful ['feɪθfʊl] *adj* **1** (*loyal*) fiel, leal **2** (*accurate*) preciso

faithfully ['feɪθfʊlɪ] *adv* fielmente

• **yours faithfully** atenciosamente, sinceramente (*saudação final dirigida a destinatários de cartas formais*)

faithfulness ['feɪθfʊlnəs] *n* **1** (*loyalty*) fidelidade **2** (*accuracy*) exatidão

fake [feɪk] *n* **1** (*fraud*) falsificação, fraude **2** (*charlatan*) impostor, farsante

▸ *adj* falso, falsificado

▸ *vt* **1** falsificar **2** fingir

falcon ['fɔːlkən] *n* falcão

fall [fɔːl] *n* **1** tombo, queda: ***a fall from that height could be fatal*** uma queda daquela altura poderia ser fatal; ***a fall in the temperature*** uma queda na temperatura **2** (*decrease*) decadência, declínio **3** (*of prices*) baixa de preços **4** US outono

▸ *vi* (*pt* **fell** [fel], *pp* **fallen** ['fɔːlən]) cair: ***the leaves fall from the trees in autumn*** as folhas caem das árvores no outono **2** baixar: ***the price of fruit falls in summer*** o preço das frutas baixa no verão

▸ *npl* **falls** catarata, queda-d'água

• **to fall asleep** adormecer

• **to fall in love** enamorar-se, apaixonar-se

• **to fall short** ser insuficiente

• **to fall flat** falhar por completo, não produzir efeito

• **to fall to pieces** cair aos pedaços, desmoronar

■ **to fall back** *vi* retroceder, recuar

■ **to fall back on** *vt* recorrer a

■ **to fall behind** *vi* ficar para trás, perder terreno

■ **to fall down** *vt-vi* cair: ***she stumbled and fell down the stairs*** ela tropeçou e caiu da escada

■ **to fall for** *vt* **1** (*be deceived by*) deixar-se seduzir ou enganar por **2** *inf* apaixonar-se

■ **to fall off** *vt-vi* cair: ***he fell off his chair*** ele caiu da cadeira; ***the button fell off*** o botão caiu

■ **to fall out** *vi* aborrecer-se a ponto de cortar relações com alguém

■ **to fall through** *vi* fracassar: ***my plans fell through*** meus planos fracassaram

fallacy ['fæləsɪ] *n* (*pl* **-ies**) falácia

fallen ['fɔːlən] *pp* → **fall**

fallible ['fælɪbəl] *adj* falível

fall-out ['fɔːlaʊt] *n* precipitação radioativa

■ **fall-out shelter** refúgio atômico

fallow ['fæləʊ] *adj* terra sem cultivo

false [fɔːls] *adj* falso

■ **false alarm** alarme falso

■ **false bottom** fundo falso

■ **false start** **1** (*sports*) partida falsa **2** problema, tentativa prematura ou malsucedida: ***we've had a couple of false starts, but now I'm sure the project will take off*** tivemos algumas tentativas malsucedidas, mas agora tenho certeza de que o projeto tomará forma

■ **false teeth** dentadura postiça, prótese dentária

falsehood ['fɔːlshʊd] *n* falsidade

falsely ['fɔːlslɪ] *adv* falsamente

falsify ['fɔːlsɪfaɪ] *vt* (*pt & pp* **-ied**) falsificar

falter ['fɔːltəʳ] *vi* vacilar, titubear

fame [feɪm] *n* fama

familiar [fə'mɪlɪəʳ] *adj* **1** familiar: ***the name sounds familiar*** o nome soa familiar **2** (*accustomed*) familiarizado **3** (*intimate*) íntimo

familiarity [fəmɪlɪ'ærɪtɪ] *n* **1** (*intimacy*) familiaridade **2** (*acquaintance*) conhecimento profundo, intimidade: ***his familiarity with the problem will be of great help*** seu conhecimento profundo do problema será de grande ajuda

familiarize [fə'mɪlɪəraɪz] *vt* familiarizar

family ['fæmɪlɪ] *n* (*pl* **-ies**) família, linhagem

• **to run in the family** estar no sangue, ser hereditário

■ **family doctor** médico da família

■ **family film** filme recomendado para todas as idades

■ **family name** sobrenome

■ **family planning** planejamento familiar

■ **family tree** árvore genealógica

famine ['fæmɪn] *n* fome, escassez de alimentos

famished ['fæmɪʃt] *adj* esfaimado, esfomeado

famous ['feɪməs] *adj* famoso, célebre

famously ['feɪməslɪ] *adv inf* esplendidamente

fan [fæn] *n* **1** (*blower*) leque, abanador **2** (*ventilator*) ventilador **3** aficionado, admirador, fã: ***thousands of fans went to the concert*** milhares de fãs foram ao concerto; ***a football fan*** um torcedor

▸ *vt* (*pt & pp* **fanned**, *ger* **fanning**) **1** abanar, ventilar: ***he fanned himself with his hat*** ele abanou-se com o chapéu **2** *fig* avivar, atiçar: ***to fan the flames*** atiçar as chamas

■ **to fan out** *vi* abrir-se em leque

fanatic [fə'nætɪk] *adj-n* fanático

fanciful ['fænsɪfʊl] *adj* **1** (*fantastic*) fantástico: ***he always has fanciful ideas*** ele sempre tem ideias fantásticas **2** (*imaginative*) imaginativo, fantasioso

fancy ['fænsɪ] *n* (*pl* **-ies**) **1** (*fantasy*) fantasia, imaginação **2** (*whim*) capricho, desejo

▸ *adj* (**-ier**, **-iest**) elegante: ***a fancy hotel*** um hotel luxuoso

▸ *vt* (*pt & pp* **-ied**) **1** (*suppose*) imaginar, supor **2** desejar, apetecer: ***I fancy an ice cream*** eu estou com vontade de tomar um sorvete **3** gostar, sentir-se atraído, estar interessado em: ***my friend fancies you*** meu/minha amigo está interessado em você

• **fancy that!** imagine só!

• **to take a fancy to something** tomar gosto por

■ **fancy dress** (*party costume*) fantasia: ***a fancy dress party*** uma festa à fantasia

fancy-free [fænsɪ'friː] *adj* sem compromissos amorosos, desimpedido

fanfare ['fænfeəʳ] *n* MUS fanfarra

fang [fæŋ] *n* dente canino, presa

fantastic [fæn'tæstɪk] *adj* fantástico

fantasy ['fæntəsɪ] *n* (*pl* **-ies**) fantasia

FAO ['ef'eɪ'əʊ] *abbr* (***Food and Agriculture Organization***) Organização para a Agricultura e a Alimentação (*abreviatura*) FAO

far [fɑːʳ] *adj* (*comp* **farther** *ou* **further**, *superl* **farthest** *ou* **furthest**) **1** longe, distante: ***in a far country*** em um país distante **2** oposto, extremo: ***at the far end of the stadium*** no lado oposto do estádio, no outro extremo

▸ *adv* **1** longe: ***my sister lives far from here*** minha irmã mora longe daqui **2** muito, demasiado, em alto grau: ***far better*** muito melhor; ***it's far too expensive*** é demasiado caro

• **as far as** até: ***he ran as far as the church and came back*** ele correu até a igreja e voltou

• **as/so far as I know** que eu saiba, até onde sei

• **by far** de longe, por grande diferença

• **far and wide** por toda parte

• **far away** distante

• **in so far as...** na medida em que...

• **so far 1** até o momento, por enquanto: ***so far, everything's going well*** até o momento, tudo vai bem **2** até certo ponto: ***he can only help so far*** ele só pode ajudar até certo ponto

faraway ['fɑːrəweɪ] *adj* distante, remoto, longínquo

farce [fɑːs] *n* farsa

farcical ['fɑːsɪkəl] *adj* absurdo, ridículo, risível

fare [feəʳ] *n* tarifa, preço do bilhete/passagem (ônibus, avião etc.): ***have you got the bus fare?*** você tem a passagem do ônibus?

▸ *vi* sair-se (bem ou mal): ***he fared well in the exam*** ele saiu-se bem no exame

farewell [feə'wel] *interj* adeus!

▸ *n* despedida

• **to bid/say farewell** despedir-se

far-fetched [fɑː'fetʃt] *adj* inverossímil

farm [fɑːm] *n* fazenda, granja

▸ *vt* cultivar, lavrar

▸ *vi* cultivar o solo

■ **farm labourer** agricultor, lavrador

farmer ['fɑːməʳ] *n* fazendeiro

farmhouse ['fɑːmhaʊs] *n* fazenda, granja (*casa*)

farming ['fɑːmɪŋ] *n* lavoura, agricultura, cultivo

■ **farming industry** indústria agropecuária

farmyard ['fɑːmjɑːd] *n* terreiro da fazenda

far-reaching [fɑː'riːtʃɪŋ] *adj* de longo alcance, abrangente

far-sighted [fɑː'saɪtɪd] *adj* **1** (*cautious*) perspicaz, previdente **2** MED hipermetrope, presbita

fart [fɑːt] *n inf* pum

▸ *vi inf* soltar um pum

farther ['fɑːðəʳ] *adj-adv* → **far**

farthest ['fɑːðɪst] *adj-adv* → **far**

fascinate ['fæsɪneɪt] *vt* fascinar

fascinating ['fæsɪneɪtɪŋ] *adj* fascinante

fascination [fæsɪ'neɪʃən] *n* fascinação

fascism ['fæʃɪzəm] *n* fascismo

fascist ['fæʃɪst] *adj* fascista

▸ *n* fascista

fashion ['fæʃən] *n* **1** (*style*) moda **2** (*method*) uso, costume, maneira

▸ *vt* formar, dar feitio

• **in fashion** na moda

• **out of fashion** fora de moda

fashionable ['fæʃənəbəl] *adj* da moda, elegante

fashionably ['fæʃənəblɪ] *adv* conforme a moda

fast¹ [fɑːst] *adj* **1** rápido, veloz: ***a fast train*** um trem veloz **2** firme, fixo: ***fast colours*** cores firmes **3** adiantado: ***my watch is fast*** meu relógio está adiantado

▸ *adv* **1** rapidamente, depressa: ***she was driving very fast*** ela dirigia muito depressa **2** firmemente, profundamente: ***fast asleep*** profundamente adormecido

• **to stand fast** manter-se firme, insistir

• **not so fast!** *inf* um momento!, mais devagar!

■ **fast food** *fast-food*

fast² [fɑ:st] *vi* jejuar
▸ *n* jejum

fasten ['fɑ:sən] *vt* **1** (*affix*) fixar, prender **2** atar: ***he didn't fasten his tie*** ele não atou a gravata **3** afivelar, abotoar: ***he fastened his coat*** ele abotoou o casaco
▸ *vi* fechar, prender-se, abotoar-se: **the window is hard to fast** a janela é difícil de fechar

fastener ['fɑ:sənəʳ] *n* **1** (*dress*) fecho **2** (*necklace*) prendedor **3** (*door*) tranca

fastidious [fæ'stɪdɪəs] *adj* fastidioso

fat [fæt] *adj* (*comp* **fatter**, *superl* **fattest**) gordo
▸ *n* gordura
• **to get fat** engordar

fatal ['feɪtəl] *adj* **1** inevitável: ***a fatal mistake*** um erro inevitável **2** fatal, mortal: ***a fatal wound*** uma ferida mortal

fatality [fə'tælɪtɪ] *n* (*pl* **-ies**) **1** (*accident victim*) vítima fatal **2** (*casualty*) fatalidade

fate [feɪt] *n* destino, sorte: ***to tempt fate*** arriscar a sorte

fated ['feɪtɪd] *adj* predestinado, fadado

fateful ['feɪtfʊl] *adj* fatídico: ***the fateful day*** o dia fatídico

father ['fɑ:ðəʳ] *n* **1** (*male parent*) pai **2** (*priest, pastor*) padre
▸ *vt* criar, fundar
• **like father, like son** tal pai, tal filho
▪ **Father Christmas** Papai Noel
▪ **Our Father** Deus

father-in-law ['fɑ:ðərɪnlɔ:] *n* (*pl* **fathers-in-law**) sogro

fatherland ['fɑ:ðəlænd] *n* pátria

fatherly ['fɑ:ðəlɪ] *adj* paternal, paterno

fathom ['fæðəm] *n* braça
▸ *vt* penetrar em, compreender

fatigue [fə'ti:g] *n* fatiga, cansaço
▸ *vt fml* fatigar, cansar

fatten ['fætən] *vt* cevar, engordar

fatty ['fætɪ] *adj* (**-ier**, **-iest**) **1** (*greasy*) gorduroso **2** *pej* (*fat person*) gorducho

fatuous ['fætjʊəs] *adj* fátuo

faucet ['fɔ:sɪt] *n* US torneira

fault [fɔ:lt] *n* **1** defeito, falha: ***a technical fault*** uma falha técnica **2** culpa: ***it's his fault*** a culpa é dele **3** erro: ***there's a fault in the invoice*** há um erro na fatura **4** GEOL falha **5** SPORT falta
▸ *vt* criticar
• **to be at fault** ser culpado
• **to find fault with** criticar, queixar-se de

fault-finding ['fɔ:ltfaɪndɪŋ] *adj* criticador

faultless ['fɔ:ltləs] *adj* impecável, irrepreensível

faulty ['fɔ:ltɪ] *adj* (**-ier**, **-iest**) defeituoso

fauna ['fɔ:nə] *n* fauna

faux pas [fəʊ'pɑ:] *n* (*pl* **faux pas**) gafe

favour ['feɪvəʳ] (US **favor**) *n* favor: ***will you do me a favour?*** você pode me fazer um favor?
▸ *vt* **1** (*benefit*) favorecer **2** (*support*) ser/estar a favor de
• **in favour of** partidário de

favourable ['feɪvərəbəl] (US **favorable**) *adj* favorável

favourite ['feɪvərɪt] (US **favorite**) *adj-n* preferido

favouritism ['feɪvərɪtɪzəm] (US **favoritism**) *n* favoritismo

fawn [fɔ:n] *n* corço novo
▸ *adj-n* bege
▪ **to fawn on** *vt* adular, bajular

fax [fæks] *n* (*pl* **faxes**) fax
▸ *vt* enviar por fax

FBI ['ef'bi:'aɪ] *abbr* (***Federal Bureau of Investigation***) FBI

FC ['ef'si:] *abbr* GB (***Football Club***) Futebol Clube

fear [fɪəʳ] *n* medo, temor: ***he has a fear of snakes*** ele tem medo de cobra; ***my fears were confirmed*** meus temores se confirmaram
▸ *vt-vi* temer, ter medo: ***I feared that something had happened to you*** tive medo de que alguma coisa tivesse acontecido com você

fearful ['fɪəfʊl] *adj* **1** medroso: ***he's so fearful he won't get near a dog*** ele é tão medroso que nunca se aproxima de cachorros **2** terrível, tremendo: ***he's a fearful liar*** ele é um tremendo mentiroso

fearless ['fɪələs] *adj* intrépido, destemido

fearsome ['fɪəsəm] *adj* aterrador, espantoso

feasible ['fi:zəbəl] *adj* viável, exequível

feast [fi:st] *n* festa, banquete

• **to feast your eyes on something** banquetear-se, deleitar-se

feat [fi:t] *n* feito, proeza

feather ['feðəʳ] *n* pluma, pena

feature ['fi:tʃəʳ] *n* **1** (*part of the face*) feição, traço **2** (*aspect*) aspecto, característica **3** (*article*) artigo de fundo

▸ *vt* **1** (*highlight*) pôr em destaque **2** (*present*) ter como protagonista

▸ *vi* **1** (*appear*) figurar, constar **2** (*emphasize*) caracterizar

▪ **feature film** longa-metragem

feb [feb] *abbr* (**February**) abreviatura de fevereiro

February ['febrʊərɪ] *n* fevereiro

fed [fed] *pt-pp* → **feed**

federal ['fedərəl] *adj* federal

federation [fedə'reɪʃən] *n* federação

fed up [fed'ʌp] *adj inf* farto: ***I'm fed up of being criticized*** estou farto de ser criticado

fee [fi:] *n* **1** (*payment*) honorários, remuneração **2** (*charge*) taxa

feeble ['fi:bəl] *adj* débil

feed [fi:d] *n* comida, ração

▸ *vt* (*pt & pp* **fed**) **1** alimentar, dar de comer a: ***what do you feed your dog?*** o que você dá de comer a seu cachorro? **2** introduzir: ***to feed data*** introduzir dados

▸ *vi* alimentar-se: ***he fed on the vegetables from his garden*** ele alimentava-se das verduras e legumes de seu quintal/pomar

feedback ['fi:dbæk] *n* realimentação, *feedback*

feel [fi:l] *n* tato, sensação

▸ *vt* (*pt & pp* **felt**) **1** tocar, apalpar: ***she felt his forehead*** ela tocou a fronte **2** sentir, perceber: ***I can feel your heart beating*** consigo sentir seu coração batendo; ***I felt myself blushing*** senti que estava ruborizado **3** crer, supor: ***I feel I ought to tell her*** suponho que devo contar a ela

▸ *vi* **1** sentir(-se): ***do you feel ill?*** você se sente doente? **2** (*touch*) parecer: ***it feels like leather*** parece couro **3** julgar: ***how do you feel about the new project?*** o que você acha do novo projeto?

• **to feel like** apetecer, ter vontade de: ***I feel like an ice cream*** estou com vontade de tomar um sorvete

• **to feel like doing something** estar com vontade de fazer algo

▪ **to feel for** *vt* compadecer-se de, ter pena de

feeler ['fi:ləʳ] *n* **1** ZOOL antena de inseto, tentáculo **2** (*survey*) sondagem, balão de ensaio

feeling ['fi:lɪŋ] *n* **1** sentimento: ***a feeling of guilt*** um sentimento de culpa **2** sensação: ***a feeling of tiredness*** uma sensação de cansaço **3** impressão: ***I have the feeling that something will happen*** tenho a impressão de que alguma coisa vai acontecer **4** opinião: ***what are your feelings on that project?*** qual é a sua opinião sobre aquele projeto?

▸ *adj* sensível, compassivo: ***a feeling glance*** um olhar compassivo

• **no hard feelings** *inf* sem rancores

• **to hurt somebody's feelings** ferir os sentimentos de alguém, magoar

feet [fi:t] *npl* → **foot**

feign [feɪn] *vt* fingir, aparentar

feint [feɪnt] *n fml* engano, logro

feline ['fi:laɪn] *adj-n* felino

fell[1] [fel] *vt* **1** (*prune*) podar **2** (*cut down*) derrubar

fell[2] [fel] *pt* → **fall**

fellow ['feləʊ] *n* **1** (*peer, associate*) colega, sócio, associado **2** *inf* (*guy*) companheiro, camarada, cara: ***he's a nice fellow*** ele é um cara legal

▸ *adj* pertencente à mesma condição, classe etc.: ***fellow citizen*** concidadão; ***fellow student*** colega; ***fellow worker*** colega de trabalho

fellowship ['feləʊʃɪp] *n* **1** (*camaraderie*) associação, sociedade, corporação, irmandade **2** (*friendliness*) companheirismo **3** (*college, university*) bolsa (*de estudos*)

felony ['felənɪ] *n* (*pl* **-ies**) crime, delito grave

felt[1] [felt] *pt-pp* → **feel**

felt[2] [felt] *n* feltro

felt-tip pen ['feltɪp'pen] *n* caneta hidrográfica

female ['fi:meɪl] *n* **1** (*animal*) fêmea **2** mulher: ***a white female*** uma mulher branca

▸ *adj* **1** feminino, do sexo feminino: ***the female sex*** o sexo feminino; ***a female singer*** uma cantora **2** fêmea: ***a female elephant*** elefante fêmea

feminine ['femɪnɪn] *adj* feminino

▸ *n* GRAMM feminino

feminism ['femɪnɪzəm] *n* feminismo

feminist ['femɪnɪst] *adj* feminista

▸ *n* feminista

fence [fens] *n* cerca, cercado, grade

▸ *vi* esgrimir

▸ *vt* cercar: ***they fenced the garden with wire*** eles cercaram o jardim com arame

• **to sit on the fence** hesitar

▪ **to fence off** *vt* isolar uma área com uma cerca

fencing ['fensɪŋ] *n* **1** SPORT esgrima **2** (*material*) material para cercas

fend [fend] *vi* **to fend for oneself** arranjar-se por si próprio

▪ **to fend off** *vt fig* esquivar-se

fender ['fendəʳ] *n* **1** (*on fireplace*) guarda-fogo **2** US (*on car*) para-lama

fennel ['fenəl] *n* funcho, erva-doce

ferment [(*n*) 'fɜ:mənt, (*v*) fə'ment] *n* fermento

▸ *vt-vi* fermentar

fermentation [fɜ:men'teɪʃən] *n* fermentação

fern [fɜ:n] *n* BOT samambaia

ferocious [fə'rəʊʃəs] *adj* feroz

ferocity [fə'rɒsɪtɪ] *n* ferocidade

ferret ['ferɪt] *n* ZOOL furão, doninha

▪ **to ferret out** *vt* descobrir, deslindar

ferrous ['ferəs] *adj* ferroso

ferry ['ferɪ] *n* (*pl* **-ies**) *ferry*, barca, balsa

▸ *vt-vi* (*pt & pp* **-ied**) transportar em *ferry*, barca ou balsa

fertile ['fɜ:taɪl] *adj* fértil, fecundo: ***fertile land*** terra fértil

fertility [fə'tɪlɪtɪ] *n* fertilidade

fertilize ['fɜ:tɪlaɪz] *vt* **1** (*soil*) fertilizar, adubar **2** BIOL fecundar

fertilizer ['fɜ:tɪlaɪzəʳ] *n* fertilizante, adubo

fervent ['fɜ:vənt] *adj* férvido, fervente, ardente

fervour ['fɜ:vəʳ] (US **fervor**) *n* fervor

fester ['festəʳ] *vi* infeccionar, inflamar: ***a festering sore*** uma ferida infeccionada

festival ['festɪvəl] *n* **1** festival: ***a film festival*** um festival de cinema **2** festa: ***Christmas is a religious festival*** o Natal é uma festa religiosa

fetch [fetʃ] *vt* ir buscar, trazer: ***will you fetch my slippers?*** traga-me meus chinelos, por favor; ***could you fetch the children from school?*** você pode ir buscar as crianças na escola?

fête [feɪt] *n* festa

▸ *vt* festejar

fetid ['fetɪd] *adj* fétido

fetish ['fetɪʃ] *n* (*pl* **-es**) fetiche

fetishist ['fetɪʃɪst] *n* fetichista

fetter ['fetəʳ] *vt* acorrentar

▸ *npl* **fetters** grilhões

feud [fju:d] *n* animosidade, hostilidade

feudal ['fju:dəl] *adj* feudal

feudalism ['fju:dəlɪzəm] *n* feudalismo

fever ['fi:vəʳ] *n* febre: ***she has a high fever*** ela está com febre alta

feverish ['fi:vərɪʃ] *adj* febril

few [fju:] *adj-pron* (*comp* **fewer**, *superl* **fewest**) **1** poucoss: ***there are few frogs in the lake*** há poucas rãs no lago; ***we saw fewer people than expected*** vimos menos gente do que esperávamos **2 a few** alguns/algumas: ***a few of them*** alguns deles; ***a few days*** alguns dias

• **as few as** somente

• **no fewer than** não menos de

• **quite a few** muitos, um bom número, uma grande quantidade: ***he wrote quite a few books*** ele escreveu muitos livros

fiancé [fɪ'ænseɪ] *n* noivo

fiancée [fɪ'ænseɪ] *n* noiva

fiasco [fɪ'æskəʊ] *n* (*pl* **-s** ou **-es**) fiasco, fracasso

fib [fɪb] *n inf* mentira, lorota

▸ *vi* (*pt & pp* **fibbed**, *ger* **fibbing**) *inf* contar lorotas

fibre ['faɪbəʳ] (US **fiber**) *n* fibra

fibreglass ['faɪbəglɑːs] (US **fiberglass**) *n* fibra de vidro

fibrous ['faɪbrəs] *adj* fibroso

fickle ['fɪkəl] *adj* inconstante, volúvel

fiction ['fɪkʃən] *n* **1** (*lie*) relato ou afirmação deliberadamente falsa **2** (*tale*) ficção, literatura de ficção: ***a work of fiction*** uma obra de ficção

fictional ['fɪkʃənəl] *adj* **1** (*related to a tale*) ficcional **2** (*invented*) fictício

fictitious [fɪk'tɪʃəs] *adj* fictício

fiddle ['fɪdəl] *n* **1** MUS rabeca, violino **2** *inf* (*fraud*) fraude, trapaça

▸ *vi inf* mexer desajeitadamente, bulir: ***don't fiddle with the stereo, you'll break it*** não mexa no aparelho de som, você vai quebrá-lo

▸ *vt inf* falsificar

▪ **to fiddle about/around** *vi inf* perder tempo: ***stop fiddling around and get down to work*** pare de perder tempo e comece a trabalhar

fiddler ['fɪdləʳ] *n inf* violinista

fidelity [fɪ'delɪtɪ] *n* fidelidade

fidget ['fɪdʒɪt] *n* inquietação

▸ *vi* ficar irrequieto, inquietar-se, agitar-se: ***stop fidgeting!*** pare de se agitar!

• **to fidget with** manusear algo nervosamente

fidgety ['fɪdʒɪtɪ] *adj* inquieto

field [fiːld] *n* **1** campo: ***a field of wheat*** um campo de trigo **2** campo, área, esfera de atuação: ***he's a major expert in his field*** ele é um grande especialista em sua área **3** campo, terreno, estádio: ***a football field*** um estádio de futebol **4** jazida: ***a coal field*** uma jazida de carvão

fiend [fiːnd] *n* **1** (*demon*) demônio, diabo **2** *inf* (*maniac*) fanático

fiendish ['fiːndɪʃ] *adj* diabólico

fierce [fɪəs] *adj* **1** feroz: ***a fierce lion*** um leão feroz **2** *fig* forte, intenso: ***a fierce wind*** um vento forte

fiery ['faɪərɪ] *adj* (**-ier**, **-iest**) **1** (*burning*) em chamas **2** *fig* (*excitable*) entusiasmado

fifteen [fɪf'tiːn] *num* quinze

fifteenth [fɪf'tiːnθ] *adj* décimo quinto

▸ *n* **1** décimo quinto **2** (*fraction*) décima quinta parte **3** (*in dates*) dia quinze

fifth [fɪfθ] *adj* quinto

▸ *n* **1** quinto **2** (*fraction*) quinta parte **3** (*in dates*) dia cinco

fiftieth ['fɪftɪəθ] *adj* quinquagésimo

▸ *n* **1** quinquagésimo **2** (*fraction*) quinquagésima parte

fifty ['fɪftɪ] *num* cinquenta

fifties ['fɪftɪz] *n* **the fifties** os anos cinquenta, a década de cinquenta, a casa dos cinquenta: ***England in the fifties*** a Inglaterra dos anos cinquenta; ***she's in her fifties*** ela está na casa dos cinquenta

fig [fɪg] *n* BOT figo

▪ **fig tree** figueira

fight [faɪt] *n* **1** luta: ***the fight for survival*** a luta pela sobrevivência **2** briga: ***they had a fight*** eles tiveram uma briga

▸ *vi* (*pt & pp* **fought**) brigar, discutir: ***two boys were fighting*** dois meninos estavam brigando

▸ *vt-vi* combater, lutar: ***our soldiers are fighting the enemy*** nossos soldados estão combatendo o inimigo

▪ **to fight back** *vi* resistir, defender-se

▪ **to fight off** *vt* rechaçar

fighter ['faɪtəʳ] *n* **1** (*combatent*) combatente **2** (*boxer*) boxeador, pugilista **3** *fig* (*determined person*) lutador

▪ **fighter plane** caça, avião de caça

figurative ['fɪgərətɪv] *adj* **1** figurado **2** figurativo

figure ['fɪgəʳ] *n* **1** imagem, figura: ***please refer to figure 8*** favor consultar a figura 8 **2** figura, talhe, aparência: ***she has a good figure*** ela tem uma boa aparência **3** figura, personagem: ***he's a public figure*** ele é uma figura pública **4** cifra, número, algarismo: ***a three-figure salary*** um salário de três cifras

▸ *vi* figurar, constar: ***the price doesn't figure in the list*** o preço não consta na lista

▸ *vt* US supor: ***I figure she'll come*** suponho que ela virá

• **that figures!** isto faz sentido!

▪ **figure of speech** figura de linguagem

▪ **figure skating** patinação artística

▪ **to figure out** *vt inf* compreender, decifrar, imaginar: ***I can't figure out why*** *she did it* não consigo entender por que ela fez isso

figurehead ['fɪgəhed] *n* 1 (*on ship*) figura de proa, carranca 2 (*person*) testa de ferro

filament ['fɪləmənt] *n* filamento

file [faɪl] *n* 1 (*tool*) lima, lixa 2 (*folder*) pasta *(de papéis)* 3 (*list*) lista, rol 4 COMPUT arquivo 5 (*report*) relatório 6 (*line*) fila
▸ *vt* 1 limar: ***she files her nails*** ela lixa as unhas 2 (*register*) arquivar, fichar 3 apresentar, propor: ***to file a demand*** propor uma demanda *(em juízo)*
▸ *vi* desfilar
▸ **to file out** *vi* enfileirar-se: ***the soldiers filed out*** os soldados enfileiraram-se
• **in single file** em fila indiana
• **to be on file** estar arquivado

filigree ['fɪlɪgriː] *n* filigrana

filing cabinet ['faɪlɪŋkæbɪnət] *n* arquivo, fichário

Filipino [fɪlɪ'piːnəʊ] *adj-n* filipino

fill [fɪl] *vt* 1 encher: ***please, fill the tank with fuel*** por favor, encha o tanque com combustível 2 (*saturate*) rechear, ocupar 3 (*tooth*) obturar
• **to have had one's fill** estar satisfeito, estar farto
▪ **to fill in** *vt* 1 preencher: ***to fill in a form*** preencher um formulário 2 informar, pôr a par: ***she filled him in on the latest events*** ela o pôs a par dos últimos acontecimentos
▪ **to fill in for** *vt* substituir
▪ **to fill out** *vi* 1 preencher: ***to fill out a form*** preencher um formulário 2 (*get fatter*) engordar
▪ **to fill up** *vt-vi* encher(-se), satisfazer-se: ***that pizza filled me up*** aquela pizza me empanturrou

fillet ['fɪlɪt] *n* 1 (*meat*) filé 2 faixa, atadura 3 ARCHIT friso, filete

filling ['fɪlɪŋ] *n* 1 (*tooth*) obturação 2 (*stuffing*) enchimento, recheio
▪ **filling station** posto de gasolina

filly ['fɪlɪ] *n* (*pl* **-ies**) poldra, potranca

film [fɪlm] *n* 1 (*movie*) película, filme 2 (*layer*) membrana
▸ *vt* filmar
▪ **film star** estrela de cinema

filter ['fɪltəʳ] *n* filtro
▸ *vt-vi* filtrar(-se): ***we have to filter the water*** temos de filtrar a água

filth [fɪlθ] *n* 1 (*dirt*) sujeira, imundície 2 *fig* obscenidades

filthy ['fɪlθɪ] *adj* (**-ier**, **-iest**) sujo, asqueroso

fin [fɪn] *n* nadadeira, barbatana

final ['faɪnəl] *adj* 1 final, último: ***the final scene of the play*** a última cena da peça 2 definitivo: ***this is the final copy*** esta é a cópia definitiva
▸ *n* final (*competição*)
▸ *npl* **finals** exames finais

finalist ['faɪnəlɪst] *n* finalista

finalize ['faɪnəlaɪz] *vt* ultimar, finalizar

finally ['faɪnəlɪ] *adv* 1 finalmente: ***we finally managed to catch the thief*** finalmente conseguimos pegar o ladrão 2 por último, em conclusão: ***finally, I must thank everybody for coming*** por último, devo agradecer a todos por terem vindo

finance ['faɪnæns] *vt* financiar
▸ *n* finanças: ***the Minister of Finance*** o Ministro da Fazenda
▸ *npl* **finances** fundos públicos

financial [faɪ'nænʃəl] *adj* financeiro: ***he has financial problems*** ele tem problemas financeiros

financier [faɪ'nænsɪəʳ] *n* 1 (*related to finance*) financeiro 2 (*person*) financista

find [faɪnd] *n* achado, descoberta
▸ *vt* (*pt & pp* **found**) 1 encontrar, achar: ***I can't find the exit*** não consigo achar a saída 2 declarar alguém culpado: ***he was found guilty*** ele foi declarado culpado
• **to find one's way** encontrar o (*seu*) caminho
▪ **to find out** *vt-vi* descobrir: ***we must find out who did it*** precisamos descobrir quem fez isso
▸ *vi* **to find out about** inteirar-se, tomar conhecimento: ***I didn't find out about the car accident until just a few hours ago*** só tomei conhecimento do acidente poucas horas atrás

finding ['faɪndɪŋ] *n (veredict) sentença, decisão*

findings ['faɪndɪŋz] *npl* conclusões, constatações

fine¹ [faɪn] *adj* **1** bem, em boa saúde: ***how are you? – fine, thanks*** como vai? – bem, obrigado **2** excelente, magnífico: ***that's a fine building*** é um edifício magnífico **3** bom/boa, agradável: ***it's a fine day*** o dia está agradável **4** fino, delgado, delicado: ***she's got fine features*** ela tem feições delicadas
▸ *adv inf* muito bem: ***everything's going fine*** tudo vai muito bem

fine² [faɪn] *n* multa
▸ *vt* multar, aplicar multa a: ***he was fined £50*** ele foi multado em 50 libras

finger ['fɪŋgəʳ] *n* dedo
▸ *vt* **1** (*touch*) tocar com os dedos, apalpar **2** MUS dedilhar

fingernail ['fɪŋgəneɪl] *n* unha

fingerprint ['fɪŋgəprɪnt] *n* impressão digital

fingertip ['fɪŋgətɪp] *n* ponta do dedo
• **to have something at one's fingertips** **1** (*by heart*) saber algo de cor, saber algo na ponta da língua **2** (*on hand*) ter algo à mão

finicky ['fɪnɪkɪ] *adj* (**-ier**, **-iest**) esmerado, meticuloso

finish ['fɪnɪʃ] *n* (*pl* **-es**) **1** fim, final, conclusão, desfecho: ***from start to finish*** do princípio ao fim **2** polimento, acabamento: ***a matt finish*** um acabamento fosco
▸ *vi* acabar, terminar
▸ *vt* acabar, terminar: ***the party finished at 4 in the morning*** a festa acabou às 4 da manhã; ***have you finished reading the paper?*** você terminou de ler o jornal?
• **to the finish** até o final
▪ **a close finish** SPORT um final muito disputado
▪ **to finish off** *vt* concluir, acabar, terminar, completar uma tarefa: ***I just want to finish off this letter*** quero apenas concluir esta carta
▪ **to finish with** *vt* **1** (*consume*) acabar com, usar até o fim **2** (*put na end*) liquidar, dar fim a

finishing ['fɪnɪʃɪŋ] *adj* final, derradeiro
▪ **finishing line** linha de chegada

finite ['faɪnaɪt] *adj* finito

Finland ['fɪnlənd] *n* Finlândia

Finn [fɪn] *n* finlandês

Finnish ['fɪnɪʃ] *adj* finlandês
▸ *n* finlandês
▸ *npl* **the Finnish** os finlandeses

fir [fɜːʳ] *n* BOT abeto

fire ['faɪəʳ] *n* **1** fogo, fogueira: ***come and sit near the fire*** venha sentar-se perto da fogueira **2** incêndio, fogo: ***a forest fire*** um incêndio florestal **3** aquecedor: ***an electric fire*** um aquecedor elétrico **4** tiroteio: ***open fire!*** abrir fogo!
▸ *vt* **1** atear fogo a, incendiar **2** disparar, lançar: ***he fired a shot at the thief*** ele disparou um tiro no ladrão **3** *inf* despedir, demitir: ***his boss fired him this morning*** seu chefe o despediu esta manhã
▸ *vi* disparar: ***the soldiers fired at the enemy*** os soldados dispararam contra o inimigo
▸ *interj* fogo!
• **to be on fire** estar incendiando, estar em chamas
• **to catch fire** incendiar-se
• **to set fire to something** atear fogo a algo, incendiar algo
▪ **fire engine** carro de bombeiro
▪ **fire escape** escada de incêndio
▪ **fire extinguisher** extintor de incêndio
▪ **fire station** posto de bombeiros
▪ **fire hydrant** hidrante

firearm ['faɪərɑːm] *n* arma de fogo

fireman ['faɪəmən] *n* (*pl* **firemen**) bombeiro

fireplace ['faɪəpleɪs] *n* lareira

fireproof ['faɪəpruːf] *adj* à prova de fogo

firewall ['faɪəwɔːl] *n* **1** (*wall*) guarda-fogo **2** COMPUT sistema de proteção contra acessos não autorizados via internet, *firewall*

firewood ['faɪəwʊd] *n* lenha

fireworks ['faɪəwɜːks] *npl* fogos de artifício

firing ['faɪərɪŋ] *n* **1** tiroteio **2** fuzilaria
▪ **firing squad** pelotão de fuzilamento
▪ **firing range** linha de tiro

firm¹ [fɜːm] *n* empresa, firma

firm² [fɜːm] *adj* **1** firme: ***a firm mattress*** um colchão firme **2** firme, sólido, bem fixado, bem estabelecido, estável: ***a firm position*** uma posição firme **3** definitivo, não sujeito a mudanças ou revisões: ***a firm contract*** um contrato definitivo

firmly ['fɜːmlɪ] *adv* firmemente

firmness ['fɜːmnəs] *n* firmeza

first [fɜːst] *adj* primeiro: ***it's the first time I come here*** é a primeira vez que venho aqui

▸ *adv* **1** primeiro, em primeiro lugar: ***he came first in the race*** ele chegou em primeiro lugar na corrida; ***you play later, first you must finish your lunch*** você pode brincar depois, primeiro tem que acabar de almoçar **2** pela primeira vez: ***I first saw her at university*** eu a vi pela primeira vez na universidade

▸ *n* **1** primeiro **2** (*beginning*) começo, princípio

• **at first** a princípio, no início

• **at first sight** à primeira vista

• **first of all** em primeiro lugar, antes de mais nada, em princípio

▪ **first aid** primeiros socorros

▪ **first aid kit** estojo de primeiros socorros

▪ **first floor 1** GB (*above ground level*) primeiro andar **2** US (*at ground level*) piso térreo

▪ **first name** prenome

▪ **first degree 1** (*college, university*) licenciatura **2** (*school*) ensino fundamental 1

▪ **first refusal** opção preferencial

first-class ['fɜːstklɑːs] *adj* **1** (*from highest class*) de primeira classe **2** *fig* (*excellent*) excelente

▸ *adv* de ou em primeira classe

firstly ['fɜːstlɪ] *adv* em primeiro lugar, antes de tudo

first-rate ['fɜːstreɪt] *adj* excelente, de primeira ordem

fiscal ['fɪskəl] *adj* fiscal

fish [fɪʃ] *n* (*pl* **-es**) **1** (*animal*) peixe **2** (*food*) pescado

▸ *vi* pescar

▪ **fish and chips** peixe com batatas

▪ **fish finger** filezinho de peixe empanado e frito

▪ **fish shop** peixaria

Quando significa **peixe**, *fish* é um substantivo contável cujo plural é *fish*, embora seja possível o emprego da forma menos frequente *fishes*. Quando significa **pescado**, é incontável e, portanto, não tem plural.

fisherman ['fɪʃəmən] *n* (*pl* **fishermen**) pescador

fishing ['fɪʃɪŋ] *n* pesca, pescaria

• **to go fishing** ir à pesca

▪ **fishing boat** barco de pesca

▪ **fishing rod** caniço

fishmonger ['fɪʃmʌŋgəʳ] *n* GB peixeiro

fishmonger's ['fɪʃmʌŋgəz] *n* peixaria

fishy ['fɪʃɪ] *adj* (**-ier**, **-iest**) **1** de peixe: ***it has a fishy taste*** tem gosto de peixe **2** suspeito: ***there's something fishy in that story*** há algo suspeito nessa história

fission ['fɪʃən] *n* fissão

fissure ['fɪʃəʳ] *n* fissura, greta

fist [fɪst] *n* punho

fistful ['fɪstfʊl] *n* punhado

fit¹ [fɪt] *n* ataque, acesso: ***a nervous fit*** um ataque de nervos; ***a fit of coughing*** um acesso de tosse

fit² [fɪt] *vt* (*pt & pp* **fitted**, *ger* **fitting**) **1** ajustar-se, assentar, caber: ***these shoes don't fit me, they're too big*** estes sapatos não me cabem, estão grandes **2** encaixar, ajustar, entrar: ***this box won't fit in the boot*** esta caixa não entra na mala do carro **3** pôr, colocar: ***the spy fitted a microphone under the table*** o espião colocou um microfone embaixo da mesa **4** habilitar, qualificar: ***her qualifications fit her for the job*** suas qualificações a habilitam para o trabalho

▸ *vi* **1** servir (em um espaço), caber: ***my clothes won't fit in the suitcase*** minhas roupas não cabem na mala **2** (*be suitable for*) convir a, ser conveniente

▸ *adj* (*comp* **fitter**, *superl* **fittest**) **1** apto, adequado: ***he isn't fit to drive*** ele não está apto a dirigir **2** em forma: ***he's very fit because he goes running every day*** está em boa forma porque corre todos os dias

• **by fits and starts** aos trancos e barrancos

• **to see fit** julgar oportuno

▪ **to fit in** *vi* **1** (*accomodate*) encaixar-se, adaptar-se **2** dar-se bem: ***I feel I don't fit in with these people*** sinto que não me dou bem com essa gente **3** enquadrar-se, ser compatível: ***the evidence fits in with the theory*** as provas são compatíveis com a teoria

▸ *vt* encontrar um espaço para

▪ **to fit out** *vt* equipar

fitness ['fɪtnəs] *n* **1** (*health*) boa forma física **2** (*competence*) aptidão

fitted ['fɪtɪd] *adj* embutido

fitting ['fɪtɪŋ] *adj fml* apropriado
▸ *n* (*for clothing*) prova
▸ *npl* **fittings** acessórios
▪ **fitting room** provador, cabina para prova de roupas

five [faɪv] *num* cinco

fix [fɪks] *vt* **1** fixar, prender: ***he fixed the cupboard to the wall*** ele fixou o armário na parede **2** consertar: ***the plumber has come to fix the tap*** o encanador veio consertar a torneira **3** estabelecer, fixar: ***have you fixed a price for the house?*** você estabeleceu um preço para a casa? **4** US preparar: ***let me fix you a drink*** deixe-me preparar uma bebida para você
▸ *n* (*pl* **fixes**) **1** *inf* (*difficulty*) apuro, dificuldade **2** *sl* (*narcotic, drug*) dose
• **to fix one's eyes on something** cravar os olhos em algo
▪ **to fix on** *vt* decidir, optar por
▪ **to fix up** *vt* **1** (*organize*) organizar (*festa, reunião etc.*) **2** (*repair*) consertar (*carro etc.*) **3** (*settle*) prover **4** (*find someone*) encontrar um par romântico para alguém

fixation [fɪk'seɪʃən] *n* fixação, obsessão

fixed [fɪkst] *adj* fixo

fixture ['fɪkstʃəʳ] *n* **1** SPORT encontro **2** (*in building*) instalação, acessório
▸ *npl* **fixtures** móveis embutidos

fizz [fɪz] *n* efervescência gasosa
▸ *vi* borbulhar

fizzle ['fɪzəl] *vi* crepitar, chiar
▪ **to fizzle out** *vi* **1** (*fail*) fracassar, falhar **2** esmorecer, perder a força gradualmente até extinguir-se: ***the fire fizzled out*** o fogo apagou-se lentamente

fizzy ['fɪzɪ] *adj* (**-ier**, **-iest**) efervescente, espumante

flabbergasted ['flæbəgɑːstɪd] *adj* pasmado, atônito

flabby ['flæbɪ] *adj* (**-ier**, **-iest**) frouxo, flácido

flaccid ['flæksɪd] *adj* flácido

flag[1] [flæg] *n* bandeira

flag[2] [flæg] (*pt & pp* **flagged**, *ger* **flagging**) *vi* enfraquecer, esmorecer: ***their interest in the project flagged at the end*** no final seu interesse no projeto esmoreceu

flagpole ['flægpəʊl] *n* mastro (*de bandeira*)

flagship ['flægʃɪp] *n* nau capitânia

flagstone ['flægstəʊn] *n* lousa, laje

flair [fleəʳ] *n* jeito, pendor, talento natural: ***he has a flair for languages*** ele tem pendor para os idiomas

flake [fleɪk] *n* **1** floco: ***a snow flake*** um floco de neve **2** escama: ***a flake of skin*** uma escama de pele
▸ *vi* **1** descamar(-se) **2** descascar(-se)

flamboyant [flæm'bɔɪənt] *adj* chamativo, extravagante

flame [fleɪm] *n* chama
• **in flames** em chamas

flamingo [flə'mɪŋgəʊ] *n* (*pl* **-s** ou **-es**) ZOOL flamingo

flan [flæn] *n* torta doce aberta recheada

flange [flændʒ] *n* flange

flank [flæŋk] *n* **1** (*of animal*) flanco **2** (*of army*) flanco
▸ *vt* flanquear, ladear

flannel ['flænəl] *n* flanela

flap [flæp] *n* **1** dobra: ***the flap on an envelope*** a dobra de um envelope **2** aba: ***the flap of a jacket*** a aba de um paletó **3** AERON *flap*
▸ *vt* (*pt & pp* **flapped**, *ger* **flapping**) bater: ***the bird flapped its wings*** o pássaro bateu asas
▸ *vi* **1** (*shake*) agitar-se **2** (*wave*) ondear, ondular

flare [fleəʳ] *n* **1** (*flame*) labareda **2** (*signal light*) sinal luminoso **3** (*radiance*) exaltação
▸ *vi* **1** chamejar: ***the candle flared*** a vela chamejava **2** exasperar-se, exaltar-se: ***tempers flared at the press conference*** os ânimos se exaltaram na coletiva à imprensa **3** (*broaden*) abrir em roda, tornar-se mais largo
▪ **to flare up** *vi* encolerizar-se, perder o controle

flared [fleəd] *adj* (*trousers, skirts*) mais largas na barra (*calças e saias*)

flash [flæʃ] *n* (*pl* **-es**) **1** raio, relâmpago, lampejo, clarão, jato de luz: ***a flash of light*** um clarão; ***like a flash*** como um raio **2** (*news*) *flash* **3** PHOTO *flash* **4** CINE, TV *flash*
▸ *vi* **1** brilhar, relampejar: ***the stars flashed in the sky*** as estrelas brilhavam no céu **2** passar como um raio
▸ *vt* (*light, torch*) dirigir, apontar: ***he flashed his torch at his face*** ele apontou o foco da lanterna para o rosto
■ **flash of lightning** relâmpago

flashback ['flæʃbæk] *n flashback*

flashlight ['flæʃlaɪt] *n* lanterna elétrica portátil

flashy ['flæʃɪ] *adj* (**-ier**, **-iest**) chamativo, espalhafatoso

flask [flæsk] *n* **1** CHEM frasco **2** (*to keep drinks hot*) garrafa térmica

flat[1] [flæt] *n* GB **1** (*apartment*) apartamento **2** (*level*) andar, pavimento **3** MUS bemol

flat[2] [flæt] *adj* (*comp* **flatter**, *superl* **flattest**) **1** chato, sem relevo, liso, nivelado, plano: ***flat land*** terreno plano **2** vazio, furado: ***a flat tyre*** um pneu furado **3** descarregado: ***a flat battery*** uma bateria descarregada **4** choco, sem gás: ***this beer's flat!*** esta cerveja está choca! **5** categórico, incisivo, explícito: ***a flat refusal*** uma recusa categórica **6** MUS bemol
▸ *n* **1** (*flat surface*) superfície plana **2** (*flatland*) planície
▸ *adv*: ***in ten seconds flat*** exatamente em dez segundos
■ **flat rate** preço fixo
■ **flat roof** terraço

flatly ['flætlɪ] *adv* terminantemente, categoricamente

flatten ['flætən] *vt* **1** (*compress*) aplanar **2** (*iron out*) alisar

flatter ['flætəʳ] *vt* **1** (*praise*) adular, lisonjear **2** (*do something for*) favorecer

flattering ['flætərɪŋ] *adj* **1** (*adulatory*) lisonjeiro, adulador **2** (*beneficial*) favorecedor

flattery ['flætərɪ] *n* adulação, lisonja

flatulence ['flætjələns] *n fml* flatulência

flaunt [flɔːnt] *vt* fazer alarde de, ostentar

flautist ['flɔːtɪst] *n* flautista

flavour ['fleɪvəʳ] (US **flavor**) *n* **1** (*taste*) sabor **2** *fig* (*atmosphere*) atmosfera, ambiência
▸ *vt* temperar, condimentar

flavouring ['fleɪvərɪŋ] (US **flavoring**) *n* condimento

flaw [flɔː] *n* defeito, imperfeição

flawless ['flɔːləs] *adj* impecável, perfeito

flea [fliː] *n* pulga

fleck [flek] *n* pinta, mancha, nódoa, salpico

flee [fliː] *vt* (*pt & pp* **fled** [fled]) fugir de
▸ *vi* fugir

fleece [fliːs] *n* lã, velo
▸ *vt* **1** (*sheep*) tosquiar **2** *inf* (*cheat*) espoliar, depenar, trapacear

fleet [fliːt] *n* armada, frota, esquadra

fleeting ['fliːtɪŋ] *adj* fugaz, efêmero

flesh [fleʃ] *n* **1** (*of body*) carne **2** (*of fruit*) polpa

fleshy ['fleʃɪ] *adj* (**-ier**, **-iest**) **1** (*beefy*) carnudo **2** (*chubby*) corpulento, gordo **3** (*juicy*) suculento, polpudo

flew [fluː] *pt* → **fly**

flex [fleks] *n* (*pl* **flexes**) GB fio elétrico
▸ *vt* dobrar, flexionar

flexible ['fleksəbəl] *adj* flexível

flick [flɪk] *n* **1** (*dab*) pancada leve e rápida, peteleco **2** (*quick movement*) movimento rápido, movimento brusco
▸ *vt* **1** (*strike*) bater de leve **2** (*move*) movimentar ligeira e rapidamente **3** (*pass quickly*) folhear rapidamente

flicker ['flɪkəʳ] *n* **1** (*glimmer*) pestanejo **2** *fig* indício, fio: ***a flicker of hope*** um fio de esperança
▸ *vi* **1** (*glimmer*) pestanejar, vacilar **2** (*flare*) pestanejar, tremeluzir: ***a flickering light*** uma luz tremeluzente

flight [flaɪt] *n* **1** (*journey*) voo **2** (*flock*) revoada **3** lance: ***flight of stairs*** lance de escada **4** (*escape*) fuga
• **to take flight** fugir

flighty ['flaɪtɪ] *adj* (**-ier**, **-iest**) *fig* frívolo, volúvel

flimsy ['flɪmzɪ] *adj* (**-ier**, **-iest**) **1** fino: ***a flimsy material*** um tecido fino **2** (*fragile*) pouco sólido, frágil, sem consistência **3** *fig* de pouca credibilidade, esfarrapado: ***what a flimsy excuse!*** que desculpa esfarrapada!

flinch [flɪntʃ] *vi* **1** (*shrink*) retrair-se, encolher-se **2** (*recoil*) retroceder, recuar, esquivar-se, fugir: ***he won't flinch from duty*** ele não fugirá ao dever

fling [flɪŋ] *n* **1** (*throw*) arremesso **2** (*party*) folia, farra **3** (*affair*) caso
▸ *vt* (*pt & pp* **flung**) arrojar, atirar, lançar: ***he flung himself to the ground*** ele atirou-se ao solo
• **to have a fling** ter um caso amoroso

flint [flɪnt] *n* **1** pederneira **2** pedra de isqueiro

flip [flɪp] *n* pirueta
▸ *vt* (*pt & pp* **flipped**, *ger* **flipping**) **1** atirar para o ar: ***to flip a coin*** atirar uma moeda para o ar, tirar cara ou coroa **2** (*turn*) dar a volta em
▸ *vi inf* perder as estribeiras
▸ *interj inf* droga!

flippant ['flɪpənt] *adj* irreverente

flipper ['flɪpəʳ] *n* nadadeira

flirt [flɜːt] *n* namorador, paquerador
▸ *vi* flertar, paquerar

flirtation [flɜː'teɪʃən] *n* flerte, paquera

float [fləʊt] *n* **1** (*on water*) boia, salva-vidas **2** (*cork*) cortiça **3** (*vehicle*) carro alegórico **4** FIN fundo de caixa
▸ *vi* flutuar
▸ *vt* **1** fazer flutuar **2** FIN (*stock market*) lançar, pôr títulos à venda

flock [flɒk] *n* **1** rebanho, manada, revoada: ***a flock of sheep*** um rebanho de ovelhas **2** *inf* tropel, multidão: ***people came in flocks*** as pessoas vinham em multidões **3** congregação, rebanho
▸ *vi* afluir em massa: ***the fans flocked to greet the football players*** os fãs afluíram em massa para saudar os jogadores de futebol
• **to flock together** congregar-se

flog [flɒg] *vt* (*pt & pp* **flogged**, *ger* **flogging**) **1** (*whip*) açoitar **2** GB *inf* (*sell*) vender

flood [flʌd] *n* **1** (*overflow of water*) inundação **2** *fig* torrente, avalanche: ***we received a flood of letters*** recebemos uma avalanche de cartas
▸ *vt* inundar
▸ *vi* transbordar

floodlight ['flʌdlaɪt] *n* holofote, refletor

floor [flɔːʳ] *n* **1** chão, piso, assoalho: ***there were carpets on the floor*** havia tapetes no assoalho **2** piso, andar: ***my flat is on the fourth floor*** meu apartamento é no quarto andar
▸ *vt* **1** (*knock down*) derrubar **2** *fig* (*disconcert*) deixar perplexo
• **to give/have the floor** dar/tomar a palavra

flop [flɒp] *n inf* fracasso
▸ *vi* (*pt & pp* **flopped**, *ger* **flopping**) *inf* deixar-se cair, jogar-se: ***he flopped down on the bed*** ele jogou-se na cama **2** *inf* fracassar: ***the show flopped*** o espetáculo fracassou

floppy ['flɒpɪ] *adj* (**-ier**, **-iest**) frouxo, mole
■ **floppy disk** disquete

flora ['flɔːrə] *n* flora

floral ['flɔːrəl] *adj* floral

florid ['flɒrɪd] *adj pej* floreado, rebuscado

florist ['flɒrɪst] *n* florista
■ **florist's** floricultura

flounce [flaʊns] *n* babado, debrum
■ **to flounce in/out** *vi* entrar/sair enfurecidamente

flounder ['flaʊndəʳ] *vi* **1** (*wallow*) caminhar com grande dificuldade **2** *fig* (*in conversation*) atrapalhar-se, confundir-se

flour [flaʊəʳ] *n* farinha

flourish ['flʌrɪʃ] *n* **1** (*waving*) aceno **2** MUS fanfarra **3** SPORT floreio (de espada) **4** (*ornamentation*) floreado, arabesco
▸ *vt* agitar, brandir: ***he was flourishing a knife*** ele brandia uma faca
▸ *vi* florescer

flourishing ['flʌrɪʃɪŋ] *adj* **1** (*growing well*) florescente, viçoso **2** (*successful*) próspero

flow [fləʊ] *n* **1** fluxo, circulação: ***the flow of blood*** a circulação do sangue **2** fluxo, curso: ***a flow of water*** curso d'água **3** tráfego, trânsito: ***the flow of traffic*** o trânsito
▸ *vi* **1** fluir: ***blood flows throughout veins*** o sangue flui pelas veias **2** circular: ***traffic is flowing*** o tráfico circula com fluidez **3** correr, fluir: ***the river***

flows through a beautiful valley o rio corre por um belo vale
• **to flow into** desembocar em
■ **flow chart** fluxograma

flower [flaʊəʳ] *n* flor
▸ *vi* florescer
■ **flower bed** canteiro

flowerpot ['flaʊəpɒt] *n* vaso

flowery ['flaʊərɪ] *adj* (**-ier**, **-iest**) florido

flowing ['fləʊɪŋ] *adj* **1** (*fluent*) fluente, corrente, que flui **2** (*abundant*) abundante

flown [fləʊn] *pp* → **fly**

flu [flu:] *n* gripe

fluctuate ['flʌktjʊeɪt] *vi* flutuar

fluency ['flu:ənsɪ] *n* domínio, fluência: ***his fluency in French helped him a lot*** sua fluência em francês o ajudou muito

fluent ['flu:ənt] *adj* fluente: ***she's fluent in French*** ela é fluente em francês

fluently ['flu:əntlɪ] *adv* fluentemente, com fluência, com desenvoltura: ***he speaks French fluently*** ele fala francês fluentemente

fluff [flʌf] *n* felpa, penugem
▸ *vt inf* sair-se mal, equivocar-se: ***I fluffed the exam*** eu me saí mal na prova
■ **to fluff out/up** *vt* encrespar, eriçar, arrepiar
▸ *vi* encrespar-se, eriçar-se, arrepiar-se

fluffy ['flʌfɪ] *adj* (**-ier**, **-iest**) fofo

fluid ['flu:ɪd] *adj* fluido: ***a fluid movement*** um movimento fluido
▸ *n* fluido, líquido

fluke [flu:k] *n inf* sorte

flung [flʌŋ] *pt-pp* → **fling**

fluorescent [flʊə'resənt] *adj* fluorescente
■ **fluorescent light** lâmpada fluorescente

flurry ['flʌrɪ] *n* (*pl* **-ies**) **1** (*shower*) rajada, pancada de chuva: ***a flurry of rain*** uma pancada de chuva **2** *fig* enxurrada: ***we received a flurry of objections to our plan*** recebemos uma enxurrada de objeções ao nosso plano

flush [flʌʃ] *n* (*pl* **-es**) **1** (*blush*) rubor **2** (*flood*) jato, esguicho **3** (*rinse out*) descarga de vaso sanitário
▸ *vt* **1** (*clean with water*) limpar com jato de água **2** *fig* (*elate*) animar, excitar
▸ *vi* ruborizar-se
• **to flush the lavatory** (*toilet*) dar descarga
• **to be flush** *inf* nadar em dinheiro

fluster ['flʌstəʳ] *vt* perturbar alguém, pôr alguém nervoso
• **to get in a fluster** ficar nervoso, agitar-se

flute [flu:t] *n* flauta

flutter ['flʌtəʳ] *n* **1** (*agitation*) agitação **2** adejo, ato de bater asas: ***I heard the flutter of wings*** ouvi um bater de asas **3** (*of eyelashes*) pestanejo **4** *inf* (*bet*) aposta
▸ *vi* **1** tremular, ondear: ***the flag fluttered in the breeze*** a bandeira tremulava ao sabor da brisa **2** esvoaçar: ***butterflies fluttered from flower to flower*** as borboletas esvoaçavam de flor em flor
• **to be in a flutter** estar nervoso
• **to flutter one's eyelashes** pestanejar

fly¹ [flaɪ] *vi* (*pt* **flew**, *pp* **flown**, *ger* **flying**) **1** voar: ***most birds can fly*** a maioria das aves voa **2** ir de avião: ***we flew from London to Edinburgh*** fomos de avião de Londres a Edimburgo **3** tremular, ondear: ***the flag is flying in the wind*** a bandeira tremula ao vento **4** despencar: ***he flew down the stairs*** ele despencou da escada
▸ *vt* **1** (*airplane*) pilotar **2** (*transport*) enviar por avião **3** (*wave*) hastear **4** (*kite*) soltar
▸ *npl* **flies** braguilha (*também no singular fly*)

fly² [flaɪ] *n* (*pl* **-ies**) mosca

flying ['flaɪɪŋ] *n* **1** (*operation of aircraft*) aviação **2** (*flight*) voo
▸ *adj* **1** (*able to fly*) voador, volante **2** (*fast*) rápido
• **to pass with flying colours** sair-se brilhantemente (*de uma prova etc.*)
■ **flying saucer** disco voador
■ **flying visit** visita relâmpago

flyover ['flaɪəʊvəʳ] *n* GB viaduto

FM ['ef'em] *abbr* (***Frequency Modulation***) FM (*frequência modulada*)

FO ['ef'əʊ] *abbr* GB (***Foreign Office***) Ministério das Relações Exteriores

foal [fəʊl] *n* potro

foam [fəʊm] *n* espuma: ***to foam at the mouth*** espumar pela boca
▸ *vi* espumar, fazer espuma
▪ **foam rubber** espuma de borracha

foamy ['fəʊmɪ] *adj* (**-ier**, **-iest**) espumante, espumoso

fob [fɒb] *vt* (*pt & pp* **fobbed**, *ger* **fobbing**)
• **to fob off** 1 (*cheat*) iludir, enganar 2 (*sell as valuable*) impingir algo a alguém de maneira fraudulenta
• **to fob somebody off with excuses** persuadir alguém com desculpas

focus ['fəʊkəs] *n* (*pl* **focuses**) foco
▸ *vt* (*pt & pp* **focussed**, *ger* **focussing**) focar, enfocar, focalizar, pôr em foco
▸ *vi* tomar por foco, concentrar a atenção em
• **in focus** em foco, distinto
• **out of focus** fora de foco, indistinto

foetus ['fi:təs] *n* (*pl* **foetuses**) feto

fog [fɒg] *n* nevoeiro, cerração, neblina
▸ *vt-vi* (*pt & pp* **fogged**, *ger* **fogging**) enevoar(-se)

foggy ['fɒgɪ] *adj* (**-ier**, **-iest**) nebuloso, nevoento, nublado: ***it's foggy*** está nublado; ***a foggy day*** um dia nublado

foglamp ['fɒglæmp] *n* farol de neblina

foible ['fɔɪbəl] *n* fraqueza, ponto fraco

foil¹ [fɔɪl] *vt fml* frustrar

foil² [fɔɪl] *n* papel-alumínio

fold¹ [fəʊld] *n* curral de ovelhas, aprisco

fold² [fəʊld] *n* dobra, vinco, prega: ***a skirt with folds*** uma saia de pregas
▸ *vt* dobrar, preguear: ***she folded the sheet of paper*** ela dobrou a folha de papel
▸ *vi* dobrar-se, preguear-se
• **to fold one's arms** cruzar os braços

folder ['fəʊldəʳ] *n* pasta, fichário, *folder*

folding ['fəʊldɪŋ] *adj* dobrável: ***a folding bed*** uma cama dobrável

foliage ['fəʊlɪɪdʒ] *n fml* folhagem

folk [fəʊk] *adj* popular, folclórico
▸ *npl* 1 pessoal, pessoas: ***country folk*** camponeses 2 **folks** *inf* família, parentes
▪ **folk music** música folclórica
▪ **folk song** canção folclórica

folklore ['fəʊklɔ:ʳ] *n* folclore

follow ['fɒləʊ] *vt-vi* 1 seguir: ***the detective followed the suspect*** o detetive seguiu o suspeito; ***follow the instructions*** siga as instruções 2 entender: ***I don't follow you*** não entendo o que você quer dizer
▸ *vt* perseguir
▸ *vi* inferir, concluir: ***it follows that he's innocent*** conclui-se que ele é inocente
▪ **to follow out** *vt* executar até o fim, finalizar, levar a cabo
▪ **to follow through** *vt* executar até o fim, finalizar, levar a cabo: ***he will follow through the project*** ele finalizará o projeto
▪ **to follow up** *vt* 1 (*pursue*) acompanhar de perto 2 *vt-vi* aprofundar(-se), dar prosseguimento, levar adiante: ***his boss said he would follow the case up*** seu chefe disse que levaria o caso adiante

follower ['fɒləʊəʳ] *n* seguidor, discípulo

following ['fɒləʊɪŋ] *adj* seguinte: ***the following day*** o dia seguinte
▸ *n* adeptos, seguidores
▸ *prep* após: ***following the elections*** após as eleições

follow-up ['fɒləʊʌp] *n* 1 (*further reation*) continuação 2 abordagem subsequente de assunto: ***a follow-up study*** um estudo subsequente

folly ['fɒlɪ] *n* (*pl* **-ies**) *fml* loucura, desatino

fond [fɒnd] *adj* carinhoso: ***a fond look*** um olhar carinhoso 2 aficionado: ***he's fond of photography*** ele é aficionado por fotografia
• **to be fond of somebody** ter carinho por alguém, gostar: ***she's very fond of Jim*** ela gosta muito de Jim

fondle ['fɒndəl] *vt* acariciar

fondly ['fɒndlɪ] *adv* 1 (*carefully*) carinhosamente 2 (*naively*) ingenuamente, piamente

fondness ['fɒndnəs] *n* afeto, afeição, carinho, predileção

font [fɒnt] *n* 1 (*in church*) pia batismal 2 COMPUT, TYPO tipo de letra

food [fu:d] *n* comida, alimento
▪ **food poisoning** intoxicação alimentar

foodstuffs ['fu:dstʌfs] *npl* alimentos, gêneros alimentícios

fool [fu:l] *n* tolo, parvo, imbecil, bobo: ***don't be a fool*** não seja bobo
▸ *vt* enganar: ***you can't fool me!*** você não me engana!
▸ *vi* brincar: ***it wasn't true, I was just fooling*** não era verdade, eu estava apenas brincando
• **to make a fool of** fazer (*alguém*) de tolo, ridicularizar
• **to play the fool** fazer papel de bobo
▪ **to fool about/around** *vi* **1** (*adultery*) prevaricar, perpetrar adultério **2** (*act irresponsibly*) comportar-se como tolo para despertar o riso **3** vadiar, andar a esmo: ***you shouldn't fool around with a knife*** você não deveria andar a esmo com uma faca

foolhardy ['fu:lhɑ:dɪ] *adj* (**-ier**, **-iest**) imprudente, temerário

foolish ['fu:lɪʃ] *adj* **1** (*unwise*) tolo, **2** (*senseless*) insensato, estúpido **3** (*silly*) inconveniente

foolishness ['fu:lɪʃnəs] *n* **1** (*folly*) tolice **2** (*irresponsibility*) insensatez, estupidez

foolproof ['fu:lpru:f] *adj* infalível

foot [fʊt] *n* (*pl* **feet**) **1** pé: ***he's got big feet*** ele tem pés grandes **2** pé, sopé: ***at the foot of the mountain*** ao pé da montanha **3** pé (*unidade de medida equivalente a 30,48 cm*): ***he's five feet tall*** ele tem cinco pés de altura **4** (*of animal*) pata
• **on foot** a pé: ***we went on foot*** fomos a pé
• **to set foot in** entrar em, pôr os pés
• **to get off on the wrong foot** *inf* começar (*algo*) com o pé esquerdo
• **to put one's foot down** **1** (*impose on*) impor-se, ser enérgico **2** (*crush*) pisar fundo
• **to put one's feet up** descansar, relaxar

Um pé equivale aproximadamente a 30 centímetros.

football ['fʊtbɔ:l] *n* **1** futebol: ***they play football every Saturday*** eles jogam futebol todos os sábados **2** (*soccer ball*) bola de futebol
▪ **football pools** loteria esportiva

En inglês norte-americano, *football* é futebol norte-americano, o futebol tal como se joga na Europa e no Brasil se chama *soccer*.

footballer ['fʊtbɔ:lə^r] *n* jogador de futebol, futebolista

footlights ['fʊtlaɪts] *npl* ribalta

footnote ['fʊtnəʊt] *n* nota de rodapé

footpath ['fʊtpɑ:θ] *n* trilha de pedestre

footprint ['fʊtprɪnt] *n* pegada

footstep ['fʊtstep] *n* passo, pisada

footwear ['fʊtweə^r] *n* calçados

for [fɔ:^{r}] *prep* **1** para, destinado a: ***it's for you*** isto é para você **2** para: ***what's this for?*** para que serve isto? **3** por, em prol de: ***do it for me*** faça isto por mim **4** por, devido a: ***he was fined for stealing*** ele foi multado por roubo **5** por, durante: ***for two weeks*** durante duas semanas **6** por (extensão): ***I walked for five miles*** caminhei por cinco milhas **7** para, em relação a: ***her feelings for him*** seus sentimentos para com ele **8** por, ao preço de: ***I got it for £500*** comprei isto por 500 libras **9** por, a favor de: ***are you for the plan, or against?*** você está a favor do plano, ou contra ele? **10** por, expressando duração (no sentido de "faz" ou "há"): ***I have lived in Spain for twenty years*** moro na Espanha há vinte anos **11** como, no lugar de: ***what do they use for fuel?*** o que eles utilizam como combustível? **12** de: ***"T" for Tony*** "T" de Tony **13** de **for + object +** *inf*: ***it's time for you to go*** está na hora de você ir embora **14** para, com destino a: ***the train for London starts from Platform 6*** o trem para Londres sai da plataforma 6 **15** para, em se tratando de: ***she is tall for a girl of ten*** ela é alta para uma menina de dez anos
▸ *conj* já que
• **as for me** da minha parte, quanto a mim
• **for all I know** que eu saiba
• **for good** para sempre
• **for sure** ao certo
• **for the time being** por enquanto
• **for one thing** para começar
• **what for?** para quê?

forage ['fɒrɪdʒ] *n* forragem
▸ *vt-vi* **1** coletar alimentos, conseguir: ***the fox foraged a chicken for lunch*** a raposa conseguiu uma galinha para o almoço **2** vagar à procura de alimentos:

he foraged in the woods for mushrooms ele vagou no bosque à procura de cogumelos

forbade [fɔː'beɪd] *pt* → **forbid**

forbid [fə'bɪd] *vt* (*pt* **forbade**, *pp* **forbidden**, *ger* **forbidding**) proibir: ***smoking is forbidden*** é proibido fumar

forbidding [fə'bɪdɪŋ] *adj* ameaçador

force [fɔːs] *n* **1** força: ***the force of an explosion*** a força de uma explosão **2** força, tropa: ***the armed forces*** as forças armadas
▸ *vt* **1** forçar: ***they forced a window open*** eles forçaram uma janela para abri-la **2** obrigar: ***he forced me to tell him*** ele me obrigou a contar-lhe
• **by force** à força
• **to come into force** entrar em vigor

forceful ['fɔːsfʊl] *adj* enérgico

forceps ['fɔːseps] *npl* fórceps

ford [fɔːd] *n* vau; trecho raso de um corpo d'água
▸ *vt* vadear, atravessar a vau

forearm ['fɔːrɑːm] *n* ANAT antebraço

foreboding [fɔː'bəʊdɪŋ] *n* pressentimento

forecast ['fɔːkɑːst] *n* previsão, prognóstico: ***the weather forecast*** previsão do tempo
▸ *vt* (*pt & pp* **forecast** *ou* **forecasted** ['fɔːkɑːstɪd]) prever, prognosticar

forefathers ['fɔːfɑːðəz] *npl* antepassados

forefinger ['fɔːfɪŋgəʳ] *n* dedo indicador

forefront ['fɔːfrʌnt] *n* vanguarda

forego [fɔː'gəʊ] *vt* (*pt* **forewent**, *pp* **foregone**) **1** (*give up*) privar-se de, renunciar a **2** (*precede*) preceder

foregoing [fɔː'gəʊɪŋ] *adj* precedente, anterior

foregone [fɔː'gɒn] *pp* → **forego**

foreground ['fɔːgraʊnd] *n* primeiro plano

forehead ['fɒrɪd, 'fɔːhed] *n* testa

foreign ['fɒrɪn] *adj* **1** estrangeiro: ***a foreign tourist*** um turista estrangeiro **2** exterior, externo: ***foreign policy*** política externa **3** estranho, alheio: ***that's completely foreign to his nature*** isto é totalmente alheio à sua natureza
▪ **foreign exchange** câmbio exterior
▪ **Foreign Office** GB Ministério das Relações Exteriores
▪ **foreign currency** moeda estrangeira

foreigner ['fɒrɪnəʳ] *n* estrangeiro

foreman ['fɔːmən] *n* (*pl* **foremen**) capataz

foremost ['fɔːməʊst] *adj* principal: ***he's one of the foremost artists of this century*** ele é um dos artistas principais deste século
▸ *adv* ***first and foremost***: em primeiro lugar, antes de mais nada

forensic [fə'rensɪk] *adj* forense

forerunner ['fɔːrʌnəʳ] *n* precursor

foresee [fɔː'siː] *vt* (*pt* **foresaw** [fɔː'sɔː], *pp* **foreseen** [fɔː'siːn]) prever

foresight ['fɔːsaɪt] *n* previsão

foreskin ['fɔːskɪn] *n* ANAT prepúcio

forest ['fɒrɪst] *n* floresta
▪ **forest fire** incêndio florestal

forestall [fɔː'stɔːl] *vt* antecipar-se a: ***to forestall a question*** antecipar-se a uma pergunta

forestry ['fɒrɪstrɪ] *n* silvicultura

foretell [fɔː'tel] *vt* (*pt & pp* **foretold** [fɔː'təʊld]) pressagiar, prognosticar

forethought ['fɔːθɔːt] *n* **1** (*anticipation*) previsão **2** (*foresight*) premeditação **3** (*prudence*) prevenção **4** (*far-sightedness*) previdência

foretold [fɔː'təʊld] *pt-pp* → **foretell**

forever [fə'revəʳ] *adv* **1** (*always*) sempre **2** (*all the time*) para sempre: ***he will live forever in my memory*** ele viverá para sempre em minhas lembranças

forewarn [fɔː'wɔːn] *vt* prevenir

forewent [fɔː'went] *pp* → **forego**

foreword ['fɔːwɜːd] *n* prefácio, prólogo, introdução

forfeit ['fɔːfɪt] *n* **1** (*penalty*) pena, multa **2** prenda: ***to play forfeits*** brincar de prendas **3** (*surrender*) perda de algo em decorrência de confisco causado por um erro etc.
▸ *vt* perder, renunciar a

forgave [fə'geɪv] *pt* → **forgive**

forge [fɔːdʒ] *n* forja, ferraria
▸ *vt* **1** falsificar: ***somebody forged my signature*** alguém falsificou minha assi-

natura **2** (*shape metal*) forjar **3** *fig* forjar: ***the two countries forged an alliance against the enemy*** os dois países forjaram uma aliança contra o inimigo

forgery ['fɔːdʒərɪ] *n* (*pl* **-ies**) falsificação: ***this painting is a forgery*** este quadro é uma falsificação

forget [fə'get] *vt* (*pt* **forgot**, *pp* **forgotten**, *ger* **forgetting**) esquecer: ***don't forget to send a postcard*** não se esqueça de enviar um postal; ***I've forgotten my swimming costume*** esqueci minha roupa de banho; ***sorry, I forgot*** desculpe, me esqueci

• **forget it!** esqueça!; não pense mais nisso!

• **to forget oneself** perder o controle

forgetful [fə'getfʊl] *adj* esquecido

forgive [fə'gɪv] *vt* (*pt* **forgave** [fə'geɪv], *pp* **forgiven** [fə'gɪvən]) perdoar: ***I'll never forgive you*** nunca o perdoarei

forgiveness [fə'gɪvnəs] *n* perdão

forgo [fɔː'gəʊ] *vt* → **forego**

forgone [fɔː'gɒn] *pp* → **forego**

forgot [fə'gɒt] *pt* → **forget**

forgotten [fə'gɒtən] *pp* → **forget**

fork [fɔːk] *n* **1** (*for food*) garfo **2** (*for gardening*) forquilha **3** bifurcação: ***there's a fork in the road*** há uma bifurcação na estrada

▸ *vi* bifurcar-se: ***when the road forks, turn right*** quando a estrada se bifurcar, vire à direita

▪ **to fork out** *vt inf* soltar dinheiro, pagar: ***I had to fork out a lot of money for it*** tive de lhe pagar muito dinheiro por isto

forlorn [fə'lɔːn] *adj* **1** (*lonely*) só e infeliz **2** desesperado: ***a forlorn attempt*** uma tentativa desesperada

▪ **forlorn hope** esperança vã

form [fɔːm] *n* **1** (*appearance*) forma **2** (*shape*) forma, feitio, formato: ***a cake in the form of a heart*** um bolo em formato de coração **3** método, prática, praxe, formalidade: ***as a matter of form*** uma formalidade **4** impresso, formulário: ***you have to fill in this application form*** você tem de preencher este formulário de inscrição **5** ano escolar: ***I'm in the third form*** estou no terceiro ano

▸ *vt* formar: ***the dancers formed a circle*** os bailarinos formaram um círculo; ***to form a club*** formar um clube

▸ *vi* formar-se: ***ice formed on the surface of the lake*** formou-se gelo na superfície do lago

• **off form** fora de forma

• **on form** em forma

• **good form** boas maneiras

▪ **true to form** como era de esperar: ***true to form, when the waiter gave us the bill, he said he had no money on him*** como era de esperar, quando o garçom trouxe a conta, ele disse que estava sem dinheiro

▪ **form of address** forma de tratamento

formal ['fɔːməl] *adj* **1** formal: ***a formal letter*** uma carta formal **2** a rigor: ***formal clothes*** traje a rigor **3** cerimonioso: ***formal person*** uma pessoa cerimoniosa

formality [fɔː'mælɪtɪ] *n* (*pl* **-ies**) formalidade

formally ['fɔːməlɪ] *adv* formalmente

format ['fɔːmæt] *n* formato

▸ *vt* (*pt & pp* **formatted**, *ger* **formatting**) formatar

formation [fɔː'meɪʃən] *n* formação

former ['fɔːmə[r]] *adj* **1** primeiro (*em oposição ao último*) **2** anterior, precedente: ***in the former case*** no caso precedente **3** antigo, ex: ***the former champion*** ex-campeão

▸ *n* **the former** o primeiro ***both Peter and Paul are engineers; the former graduated in Harvard and the latter in Yale*** Peter e Paul são engenheiros; o primeiro formou-se em Harvard e o último em Yale

• **in former times** antigamente

formerly ['fɔːməlɪ] *adv* antigamente, anteriormente, outrora

formidable ['fɔːmɪdəbəl] *adj* **1** (*intimidating*) que inspira temor, temível **2** (*very impressive*) impressionante

formula ['fɔːmjələ] *n* (*pl* **formulas** ou **formulae** ['fɔːmjʊliː]) fórmula

formulate ['fɔːmjəleɪt] *vt* formular

fornicate ['fɔːnɪkeɪt] *vi fml* fornicar

forsake [fə'seɪk] *vt* (*pt* **forsook** [fə'sʊk], *pp* **forsaken** [fə'seɪkən]) *fml* **1** (*abandon*) abandonar **2** (*renounce*) renunciar a

fort [fɔːt] *n* forte, fortaleza, fortificação

forte ['fɔːteɪ] *n* **1** (*speciality*) forte, ponto forte, especialidade **2** MUS forte

forth [fɔːθ] *adv* adiante; em diante: ***from that day forth*** daquele dia em diante
• **and so forth** e assim por diante; e assim sucessivamente

forthcoming [fɔːθ'kʌmɪŋ] *adj* **1** próximo: ***the forthcoming elections*** as próximas eleições **2** disponível, à mão: ***the funds were not forthcoming*** os recursos não estavam disponíveis **3** (*communicative*) descontraído, comunicativo **4** a ser publicado, no prelo: ***a forthcoming magazine*** uma revista no prelo

fortieth ['fɔːtɪəθ] *adj* quadragésimo
▸ *n* **1** quadragésimo **2** (*in fraction*) quadragésima parte **3** (*in dates*) quarenta

fortification [fɔːtɪfɪ'keɪʃən] *n* fortificação

fortify ['fɔːtɪfaɪ] *vt* (*pt & pp* **-ied**) **1** (*make defensible*) fortificar **2** *fig* (*strenghten*) fortalecer

fortnight ['fɔːtnaɪt] *n* GB quinzena, quinze dias, duas semanas: ***a fortnight's holiday*** férias de quinze dias

fortnightly ['fɔːtnaɪtlɪ] *adj* quinzenal
▸ *adv* a cada quinze dias

fortress ['fɔːtrəs] *n* (*pl* **-es**) fortaleza

fortunate ['fɔːtʃənət] *adj* **1** (*sucessful*) afortunado, feliz: ***a fortunate choice*** uma escolha feliz **2** (*lucky*) com sorte

fortunately ['fɔːtʃənətlɪ] *adv* felizmente

fortune ['fɔːtʃən] *n* **1** fortuna: ***he made a fortune and spent it all*** ele fez fortuna e gastou tudo **2** sorte: ***fortune smiled on her*** a sorte sorriu para ela
• **to tell somebody's fortune** ler a sorte de alguém

fortune-teller ['fɔːtʃəntelə^r^] *n* adivinho, adivinhador, cartomante

forty ['fɔːtɪ] *num* quarenta

forward ['fɔːwəd] *adv* **1** adiante, em frente, para a frente: ***to go forward*** ir adiante **2** em diante: ***from this day forward*** de hoje em diante, daqui para a frente
▸ *adj* **1** adiante: ***a forward step*** um passo adiante **2** frontal, dianteiro: ***a forward position*** uma posição dianteira **3** adiantado, antecipado, para o futuro: ***forward planning*** planejamento para o futuro **4** atrevido, petulante: ***it was forward of him to invite me to lunch*** ele foi petulante em me convidar para almoçar **5** avançado, à frente de seu tempo: ***a forward concept*** um conceito avançado
▸ *n* SPORT atacante
▸ *vt* **1** remeter, enviar: ***please forward*** favor remeter ao destinatário **2** *fml* (*advance*) adiantar
• **to bring something forward** apresentar algo, chamar a atenção para algo
• **to put the clock forward** adiantar o relógio

forwards ['fɔːwədz] *adv* → **forward**

forwent [fɔː'went] *pt* → **forego**

fossil ['fɒsəl] *n* fóssil

foster ['fɒstə^r^] *vt* adotar
▸ *adj* adotivo
▪ **foster child** filho adotivo
▪ **foster mother** mãe adotiva

fought [fɔːt] *pt-pp* → **fight**

foul [faʊl] *adj* **1** estragado, repugnante: ***a foul taste*** um gosto repugnante **2** fétido: ***a foul smell*** um cheiro fétido **3** *fml* vil, atroz: ***a foul crime*** um crime atroz
▸ *n* SPORT infração, falta
▸ *vt* sujar
▸ *vi* **1** (*dirty*) sujar-se **2** SPORT cometer uma falta contra
▪ **to foul up** *vt inf* estragar, pôr a perder: ***he fouled up my plans*** ele estragou meus planos

foul-mouthed [faʊl'maʊðd] *adj* desbocado

found[1] [faʊnd] *vt* fundar

found[2] [faʊnd] *pt-pp* → **find**

foundation [faʊn'deɪʃən] *n* **1** (*settlement*) fundação **2** (*basis*) fundamento, base
▸ *npl* **foundations** alicerce

founder[1] ['faʊndə^r^] *vi* ir a pique

founder[2] ['faʊndə^r^] *n* fundador

foundry ['faʊndrɪ] *n* (*pl* **-ies**) fundição

fountain ['faʊntən] *n* **1** (*source*) fonte, nascente **2** (*spring*) bebedouro
▪ **fountain pen** caneta-tinteiro

four [fɔː^r^] *num* quatro
• **on all fours** de quatro

fourteen [fɔː'tiːn] *num* quatorze

fourteenth [fɔːˈtiːnθ] *adj* décimo quarto
▸ *n* **1** décimo quarto **2** (*in fraction*) décima quarta parte **3** (*in dates*) dia quatorze

fourth [fɔːθ] *adj* quarto
▸ *n* **1** quarto **2** (*in fraction*) quarta parte **3** (*in dates*) dia quatro

fowl [faʊl] *n* (*pl* **fowl**) **1** (*food*) ave comestível **2** (*bird*) ave doméstica

fox [fɒks] *n* (*pl* **foxes**) ZOOL raposa
▸ *vt inf* enganar

foxy [ˈfɒksɪ] *adj* (**-ier**, **-iest**) *inf* astuto

foyer [ˈfɔɪeɪ, ˈfɔɪəʳ] *n foyer*, vestíbulo

fraction [ˈfrækʃən] *n* fração

fracture [ˈfræktʃəʳ] *n* fratura
▸ *vt-vi* fraturar: ***he fractured a rib*** ele fraturou uma costela

fragile [ˈfrædʒaɪl] *adj* **1** (*breakable*) frágil **2** *fig* (*delicate*) delicado

fragility [frəˈdʒɪlɪtɪ] *n* fragilidade

fragment [(*n*) ˈfrægmənt, (*v*) frægˈment] *n* fragmento
▸ *vi* fragmentar-se

fragrance [ˈfreɪgrəns] *n* fragância

frail [freɪl] *adj* frágil, delicado

frame [freɪm] *n* **1** armação, estrutura: ***a tent frame*** uma armação de tenda **2** quadro: ***a bicycle frame*** um quadro de bicicleta **3** armação, moldura, aro: ***glasses with a metal frame*** óculos com aro de metal; ***a picture frame*** uma moldura de quadro **4** caixilho: ***a window frame*** um caixilho de janela **5** PHOTO fotograma
▸ *vt* **1** emoldurar: ***she framed the photograph*** ela emoldurou a fotografia **2** *inf* armar uma cilada, produzir provas para incriminar alguém, tramar
▪ **frame of mind** estado de ânimo, disposição de espírito

framework [ˈfreɪmwɜːk] *n* **1** (*structure*) armação, estrutura **2** *fig* (*system*) quadro, sistema

franc [fræŋk] *n* franco

France [frɑːns] *n* França

franchise [ˈfræntʃaɪz] *n* **1** (*license*) concessão, licença, franquia **2** (*right to vote*) direito de voto

frank [fræŋk] *adj* franco

frankness [ˈfræŋknəs] *n* franqueza

frantic [ˈfræntɪk] *adj* frenético

fraternal [frəˈtɜːnəl] *adj* fraternal

fraternity [frəˈtɜːnɪtɪ] *n* (*pl* **-ies**) **1** (*brotherhood*) fraternidade **2** (*association*) associação, irmandade, confraria **3** US (*in university*) grêmio estudantil masculino

fraternize [ˈfrætənaɪz] *vi* confraternizar

fraud [frɔːd] *n* **1** (*trickery*) fraude **2** (*charlatan*) impostor

fraught [frɔːt] *adj* **1** cheio, carregado, repleto: ***the plan was fraught with danger*** o plano era repleto de perigos **2** *inf* (*anxious*) tenso

fray[1] [freɪ] *vi-vt* **1** esfiapar(-se), desfiar(-se), desgastar(-se) puir, desfiar: ***this cloth frays easily*** este tecido desfia-se com facilidade; ***she frayed the hem of her new denim shorts*** ela desfiou a bainha de seus *shorts* novos de brim **2** *fig* ficar tenso, ficar em frangalhos: ***the riot left everybody with frayed nerves*** o tumulto deixou todos com nervos em frangalhos

fray[2] [freɪ] *n* combate, motim, rixa

freak [friːk] *n* **1** (*aberrant*) aberração, monstro **2** (*whim*) extravagância, excentricidade **3** *sl* (*enthusiast*) entusiasta, fanático: ***a film freak*** um fanático por cinema
▸ *adj* insólito, exdrúxulo
▪ **to freak out** *vt-vi sl* ficar alucinado, agitar-se, emocionar-se, entrar em parafuso: ***she freaked out when her boss asked her to do some extra work*** ela entrou em parafuso quando o chefe lhe pediu que fizesse um trabalho extra
▪ **control freak** pessoa que tem um desejo compulsivo de manter tudo sob seu controle
▪ **freak show** circo de horrores, *show* de aberrações

freakish [ˈfriːkɪʃ] *adj* insólito, exdrúxulo

freckle [ˈfrekəl] *n* sarda

freckled [ˈfrekəld] *adj* sardento

free [friː] *adj* **1** livre: ***you are free to do what you want*** você é livre para fazer o que quer; ***I have lots of free time*** tenho muito tempo livre **2** (*without charge*) grátis, gratuito: ***free drinks will be ser-***

ved serão servidas bebidas grátis **3** (*at liberty*) solto, em liberdade

▸ *adv* **1** grátis, gratuitamente, de graça: ***they got in free*** eles entraram de graça **2** (*loosely*) solto, desprendido, desatado

▸ *vt* **1** pôr em liberdade, libertar: ***the hostages have been freed*** os reféns foram libertados **2** (*release*) soltar, desprender

• **feel free!** sinta-se à vontade!

• **free and easy** (*casual*) descontraído e informal

• **free of charge** gratuito, gratuitamente

• **to run free** andar solto

• **to set somebody free** liberar alguém, pôr alguém em liberdade

• **there's no such thing as a free lunch** nada é de graça, tudo tem seu preço

▪ **free speech** liberdade de expressão

▪ **free trade** livre comércio

▪ **free will** livre-arbítrio

▪ **free gift** brinde

▪ **duty-free** livre de taxas alfandegárias

freedom ['fri:dəm] *n* liberdade

free-for-all ['fri:fərɔ:l] *n inf* tumulto, quebra-pau

freelance ['fri:lɑ:ns] *adj* autônomo, independente: ***a freelance journalist*** um jornalista independente

▸ *n* profissional autônomo, *freelance*

freelancer ['fri:lɑ:nsəʳ] *n* profissional autônomo, *freelancer*

freely ['fri:lɪ] *adv* **1** (*willingly*) livremente **2** (*abundantly*) abundantemente, francamente

Freemason ['fri:meɪsən] *n* franco-maçom, maçom

free-range ['fri:'reɪndʒ] *adj* relativo a ou produzido de forma natural: ***free--range eggs*** ovos de galinha caipira

freestyle ['fri:staɪl] *n* estilo livre

freeway ['fri:weɪ] *n* US autoestrada

freeze [fri:z] *n* **1** (*cold weather*) geada **2** (*of prices, wages*) congelamento

▸ *vt-vi* (*pt* **froze** [frəʊz], *pp* **frozen** ['frʊzən]) congelar(-se): ***water freezes at nought degrees*** a água congela a zero grau

▸ *vi fig* ficar imóvel, petrificar-se: ***when he saw her, he froze*** quando a viu, ele ficou imóvel

freezer ['fri:zəʳ] *n* congelador, *freezer*

freezing ['fri:zɪŋ] *adj* glacial, gelado, congelado, com muito frio, de rachar: ***I'm freezing*** estou congelado; ***it's freezing cold*** está um frio de rachar, está um frio glacial

▸ *n* congelação, congelamento

▪ **freezing point** ponto de congelamento

freight [freɪt] *n* **1** (*transportation*) fretamento, afretamento **2** (*load*) carga, frete

▪ **freight train** trem de carga

French [frentʃ] *adj* francês

▸ *n* francês

▸ *npl* **the French** os franceses

▪ **French bean** vagem, feijão-verde

▪ **French fries** batatas fritas

frenzy ['frenzɪ] *n* (*pl* **-ies**) frenesi: ***a frenzy of activity*** uma atividade frenética

frequency ['fri:kwənsɪ] *n* (*pl* **-ies**) frequência

frequent [(*adj*) 'fri:kwənt, (*v*) frɪ'kwent] *adj* frequente

▸ *vt* frequentar

frequently ['fri:kwəntlɪ] *adv* frequentemente

fresco ['freskəʊ] *n* (*pl* **-s** ou **-es**) afresco

fresh [freʃ] *adj* **1** fresco: ***fresh fruit*** fruta fresca **2** *fig* fresco, recém-feito, recém-criado ou produzido: ***I'll make some fresh coffee*** vou fazer um café fresco **3** novo, recente: ***the police have found fresh evidence*** a polícia encontrou novas provas **4** insolente, abusivo, que toma liberdades: ***he's always getting fresh with her*** ele está sempre tomando liberdades com ela

• **in the fresh air** ao ar livre

• **to make a fresh start** começar de novo

▪ **fresh water** água doce

▪ **fresh air** ar fresco

freshen ['freʃən] *vt-vi* refrescar, refrescar(-se)

▪ **to freshen up** *vt-vi* lavar-se, refrescar-se

fresher ['freʃəʳ] *n* calouro

freshly ['freʃlɪ] *adv* recém, feito recentemente: ***freshly baked cake*** um bolo recém-saído do forno, um bolo que acabou de ser assado

freshman ['freʃmən] *n* (*pl* **freshmen**) calouro

freshness ['freʃnəs] *n* **1** (*quality of being fresh*) frescura, frescor **2** (*originality*) novidade **3** *inf* (*insolence*) impertinência, insolência

fret [fret] *vi* (*pt & pp* **fretted**, *ger* **fretting**) **1** (*be worried*) irritar-se **2** (*upset*) afligir-se, preocupar-se: ***he's always fretting for her*** ele está sempre preocupado com ela

fretful ['fretfʊl] *adj* **1** (*irritable*) irritável, irritadiço **2** (*edgy*) inquieto, preocupado

Fri ['fraɪdɪ] *abbr* (***Friday***) sex. (*sexta-feira*)

friar [fraɪəʳ] *n* frade, frei

friction ['frɪkʃən] *n* fricção

Friday ['fraɪdɪ] *n* sexta-feira

fridge [frɪdʒ] *n* geladeira

fried [fraɪd] *adj* frito: ***fried eggs*** ovos fritos

friend [frend] *n* amigo

• **to make friends** fazer amizade, tornar-se amigo

friendly ['frendlɪ] *adj* (**-ier**, **-iest**) **1** simpático: ***he's very friendly*** ele é muito simpático **2** (*amiable*) amável, afável, amistoso

• **to become friendly** tornar-se amigos

▪ **friendly game/match** partida amistosa

▪ **user-friendly** COMPUT fácil de entender ou usar: ***you should buy user-friendly software*** você deve comprar programas amigáveis

friendship ['frendʃɪp] *n* amizade

frieze [fri:z] *n* friso

frigate ['frɪgət] *n* fragata

fright [fraɪt] *n* **1** susto: ***he gave me a real fright*** ele me deu um susto de verdade **2** (*fear*) medo, pavor

• **to get a fright** levar um susto

• **to take fright** assustar-se

• **to look a fright** *inf* estar ridículo; estar com aparência não condizente

frighten ['fraɪtən] *vt* assustar, amedrontar: ***dogs frighten him*** cães o amedrontam

▪ **to frighten away/off** *vt* afugentar

frightened ['fraɪtənd] *adj* assustado, amedrontado

• **to be frightened** ter medo: ***he's frightened of spiders*** ele tem medo de aranhas

frightening ['fraɪtənɪŋ] *adj* espantoso, aterrador: ***it was really frightening experience*** foi de fato uma experiência aterradora

frightful ['fraɪtfʊl] *adj* espantoso, horroroso, medonho

frightfully ['fraɪtfʊlɪ] *adv inf* muito, tremendamente

frigid ['frɪdʒɪd] *adj* frígido

frill [frɪl] *n* **1** (*fabric*) babado **2** (*ornamentation*) adorno **3** (*extras*) serviços extras, geralmente supérfluos **4** (*ostentation*) ostentação, afetação

• **with no frills** simples, sem luxo, sem extras

fringe [frɪndʒ] *n* **1** franja: ***a tablecloth with a fringe*** uma toalha de mesa com franja **2** franja (de cabelo): ***she wears her hair in a fringe*** ela usa franja nos cabelos **3** (*outer edge*) borda

• **fringe benefits** benefícios adicionais

frisk [frɪsk] *vt* revistar

frisky ['frɪskɪ] *adj* (**-ier**, **-iest**) brincalhão

fritter ['frɪtəʳ] *n* bolinho frito

▪ **to fritter away** *vi pej* esbanjar: ***he frittered away his money on clothes*** ele esbanjou o dinheiro em roupas

frivolous ['frɪvələs] *adj* frívolo

frizzy ['frɪzɪ] *adj* (**-ier**, **-iest**) crespo, frisado: ***frizzy hair*** cabelo frisado

fro [frəʊ] *phr* **to and fro** de um lado para outro, para lá e para cá

frog [frɒg] *n* rã

frogman ['frɒgmən] *n* (*pl* **frogmen**) homem-rã

frolic ['frɒlɪk] *vi* (*pt & pp* **frolicked**, *ger* **frolicking**) brincar, divertir-se

from [frɒm] *prep* **1** de, proveniente de, desde... até, da parte de, a partir de: ***he's from Cardiff*** ele é de Cardiff; ***the train from London to Edinburgh*** o trem de Londres a Edimburgo; ***this letter is from my brother*** esta carta é do meu irmão; ***a town 10 miles from here*** uma cidade a 10 milhas daqui; ***I borrowed a***

book from the library tomei emprestado um livro da biblioteca **2** de, desde... até: ***from Monday to Friday*** de segunda a sexta; ***from January to June*** de janeiro a junho **3** de, com, a partir de, resultante de: ***butter is made from milk*** a manteiga é feita do leite; ***wine is made from grapes*** o vinho é obtido da uva **4** segundo, por: ***from experience*** por experiência

• **from now on** de agora em diante, a partir de agora

front [frʌnt] *n* **1** frente, dianteira, parte dianteira: ***the front of the car*** a frente do carro **2** frente, lado dianteiro: ***he sits at the front*** ele se senta na frente **3** princípio: ***the front of the queue*** o princípio da fila **4** (*of head*) fronte, testa **5** METEOROL frente: ***a cold front*** uma frente fria **6** (*facade*) fachada **7** (*battle line*) *front*, frente de batalha **8** *fig* (*mask*) fachada

▸ *adj* **1** dianteiro, da frente: ***children shouldn't sit in the front seat*** as crianças não devem se sentar no banco dianteiro **2** primeiro: ***we sat in the front row*** sentamos na primeira fila; ***the front page of the paper*** a primeira página do jornal

▸ *vi* dar, ter frente para: ***the window fronts onto the sea*** a janela dá para o mar

• **in front of** em frente a: ***I parked the car in front of the school*** estacionei o carro em frente à escola

▪ **front door** porta principal, porta da frente

frontal ['frʌntəl] *adj* frontal

frontier ['frʌntɪəʳ] *n* fronteira

frost [frɒst] *n* **1** (*process of freezing*) congelamento **2** (*freeze*) geada

▸ *vi* **to frost over** cobrir de gelo

frostbite ['frɒstbaɪt] *n* ulceração produzida pelo enregelamento

frosted ['frɒstɪd] *adj* **1** (*covered with freeze*) coberto de geada **2** (*opaque*) fosco **3** COOK glaçado

▪ **frosted glass** vidro fosco

frosty ['frɒstɪ] *adj* (**-ier**, **-iest**) **1** (*icy*) gelado **2** (*unfriendly*) hostil

froth [frɒθ] *n* espuma

▸ *vi* fazer espuma

frothy ['frɒθɪ] *adj* (**-ier**, **-iest**) espumoso

frown [fraʊn] *n* cenho

▸ *vi* franzir o cenho

▪ **to frown upon** *vt fig* desaprovar, censurar

froze [frəʊz] *pt* → **freeze**

frozen ['frəʊzən] *pp* → **freeze**

frugal ['fru:gəl] *adj* frugal

fruit [fru:t] *n* **1** fruta, fruto: ***here you can buy fruit and vegetables*** aqui você pode comprar frutas, legumes e verduras **2** (*result*) fruto, resultado

▸ *vi* dar fruto

▪ **fruit dish** fruteira: ***fruit juice*** sumo de frutas

▪ **fruit machine** máquina caça-níqueis

▪ **fruit salad** salada de frutas

fruitful ['fru:tfʊl] *adj* **1** (*productive*) frutífero **2** (*useful*) proveitoso

fruitless ['fru:tləs] *adj* **1** (*unsuccessful*) infrutífero **2** (*futile*) inútil, vão

frustrate [frʌ'streɪt] *vt* frustrar

frustration [frʌ'streɪʃən] *n* frustração

fry [fraɪ] *vt-vi* (*pt & pp* **fried**, *ger* **frying**) fritar, frigir

frying pan ['fraɪɪŋpæn] *n* frigideira

ft ['fʊt, 'fi:t] *abbr* (***foot, feet***) pé, pés

fuchsia ['fju:ʃə] *n* BOT fúcsia

fuck [fʌk] *vt-vi vulg* foder, trepar

• **fuck (it)!** *vulg* foda-se!

• **fuck off!** *vulg* caia fora!; vá à merda!

fucking ['fʌkɪŋ] *adj vulg* maldito (*a conotação de fucking nem sempre é negativa; geralmente é usado como ênfase apenas, adquirindo vários significados conforme o contexto*): ***you're a fucking idiot!*** você é um completo idiota!; ***this is fucking great!*** isto é simplesmente ótimo!

fudge [fʌdʒ] *n* (*food*) doce cremoso cujos ingredientes são leite, manteiga e açúcar

▸ *vt* (*equivocate*) evadir

fuel [fjʊəl] *n* combustível

▸ *vt* **1** abastecer (com combustível) **2** *fig* (*incite*) piorar **3** *fig* alimentar: ***to fuel speculation*** alimentar especulações

▸ *vi* abastecer-se com combustível

fugitive ['fju:dʒɪtɪv] *adj-n* fugitivo

fulfil [fʊl'fɪl] *vt* (GB *pt & pp* **fulfilled**, *ger* **fulfilling**, US *pt & pp* **fulfiled**, *ger* **fulfiling**) **1** cumprir: ***will the govern-***

ment fulfil its promises? o governo cumprirá suas promessas? **2** realizar: ***to fulfil an ambition*** realizar uma ambição **3** satisfazer: ***the hospital fulfils the need of its patients*** o hospital satisfaz as necessidades de seus pacientes

fulfilment [fʊl'fɪlmənt] *n* **1** (*accomplishment*) realização, cumprimento **2** (*satisfaction*) satisfação

full [fʊl] *adj* **1** cheio: ***one bottle is full, but the other is empty*** uma garrafa está cheia, mas a outra está vazia **2** lotado ***the hotel is full*** o hotel está lotado **3** satisfeito, saciado: ***I can't eat anymore, I'm full*** não consigo comer mais, estou satisfeito **4** completo: ***what's your full name?*** qual é o seu nome completo?
▸ *adv* diretamente, em cheio: ***the sun shone full in her face*** o sol brilhava em cheio em seu rosto
• **at full speed** a toda velocidade
• **full well** perfeitamente: ***you know full well that that's not true*** você sabe perfeitamente que isso não é verdade
• **in full** por extenso: ***write your address in full*** escreva seu endereço por extenso
• **to be full of oneself** ser/estar cheio de si
• **in full swing** *inf* em pleno auge
▪ **full house** lotação esgotada
▪ **full moon** lua cheia
▪ **full stop** GRAMM **1** ponto **2** ponto-final
▪ **full time** *full time*, tempo integral

full-grown [fʊl'grəʊn] *adj* **1** (*mature*) crescido **2** (*adult*) adulto

full-length [fʊl'leŋθ] *adj* **1** de corpo inteiro: ***a full-length mirror*** um espelho de corpo inteiro **2** comprido: ***a full--length coat*** um casaco comprido **3** (*movie*) de longa-metragem

full-scale [fʊl'skeɪl] *adj* **1** de tamanho natural: ***a full-scale model*** um manequim de tamanho natural **2** completo, em grande escala, profundo: ***a full--scale investigation*** uma investigação profunda

full-time [fʊl'taɪm] *adj full time*, de tempo integral
▸ *adv full time*, em tempo integral: ***he works full-time*** ele trabalha *full time*

fully ['fʊlɪ] *adv* **1** (*completely*) completamente, inteiramente **2** (*mostly*) o mais possível **3** pelo menos, no mínimo: ***I waited fully 30 minutes*** eu esperei no mínimo meia hora

fumble ['fʌmbəl] *vi* **1** (*botch*) fazer algo desajeitadamente **2** (*grope*) tatear desajeitadamente à procura de algo **3** (*say awkwardly*) falar descoordenadamente, tartamudear

fume [fju:m] *vi* **1** (*give out smoke*) fumigar **2** *fig* (*rage*) subir pelas paredes (sem demonstrar totalmente)
▸ *npl* **fumes** fumaça, vapores

fumigate ['fju:mɪgeɪt] *vt* fumigar

fun [fʌn] *n* **1** (*enterteinment*) diversão, divertimento **2** (*play*) brincadeira
▸ *adj* **1** (*amusing*) divertido **2** (*hilarious*) engraçado
• **in/for fun** por divertimento, de brincadeira: ***we just did it for fun*** fizemos isto apenas de brincadeira
• **to be fun** ser divertido: ***it was great fun at the fair*** foi muito divertido na feira
• **to have fun** divertir-se: ***we had a lot of fun*** nos divertimos muito
• **to make fun of** zombar de

function ['fʌŋkʃən] *n* **1** função: ***the function of the brain*** a função do cérebro **2** (*ceremony*) espetáculo, cerimônia, acontecimento social **3** (*role*) função, papel
▸ *vi* funcionar: ***his heart is functioning properly*** seu coração está funcionando apropriadamente

functional ['fʌŋkʃənəl] *adj* funcional

fund [fʌnd] *n* fundo
▸ *vt* patrocinar

fundamental [fʌndə'mentəl] *adj* fundamental
▸ *npl* **fundamentals** fundamentos

funeral ['fju:nərəl] *n* funeral, exéquias
▪ **funeral procession** cortejo fúnebre
▪ **funeral parlor** US casa funerária

funfair ['fʌnfeəʳ] *n* GB parque de diversões

fungus ['fʌŋgəs] *n* (*pl* **funguses** ou **fungi** ['fʌŋdʒaɪ]) fungo

funnel ['fʌnəl] *n* **1** (*tube*) funil **2** (*on ship*) chaminé
▸ *vt* (GB *pt & pp* **funnelled**, *ger* **funnelling**, US *pt & pp* **funneled**, *ger* **funneling**) **1** (*channel*) passar por um funil **2** *fig* (*convey*) canalizar, convergir

funny ['fʌnɪ] *adj* (**-ier**, **-iest**) **1** engraçado, divertido: ***that was a funny joke*** foi uma piada engraçada; ***a funny film*** um filme divertido **2** esquisito, estranho, curioso: ***I can hear a funny noise*** estou ouvindo um barulho estranho

fur [fɜːʳ] *n* **1** pele (de animal) **2** pelo: ***my cat has black fur*** meu gato tem pelo negro **3** sarro

▪ **fur coat** casaco de pele

furious ['fjʊərɪəs] *adj* furioso

furnace ['fɜːnəs] *n* fornalha, forno

furnish ['fɜːnɪʃ] *vt* **1** (*equip*) mobiliar **2** (*supply*) fornecer, suprir

furnishings ['fɜːnɪʃɪŋz] *npl* **1** (*furniture*) móveis, mobiliário, mobília **2** (*appliances*) acessórios

furniture ['fɜːnɪtʃəʳ] *n* móveis, mobiliário, mobília

• **a piece of furniture** um móvel, uma peça de mobiliário

▪ **furniture van** caminhão de mudanças

furrow ['fʌrəʊ] *n* sulco

furry ['fɜːrɪ] *adj* (**-ier**, **-iest**) peludo: ***a furry kitten*** um gatinho peludo

further ['fɜːðəʳ] *adj-adv* → **far**

▸ *adj* **1** (*more distant*) mais afastado, mais distante **2** (*additional*) ulterior, extra, a mais, adicional: ***we need further information*** necessitamos de informações adicionais

▸ *adv* **1** mais, mais além, mais adiante, além disso, ainda: ***we'll discuss this further tomorrow*** discutiremos mais a este respeito amanhã; ***we should further remember that*** devemos lembrar ainda que **2** *fml* (*besides*) ademais

▪ **until further notice** até segunda ordem

▪ **further to your letter of...** em resposta à sua carta do (*dia*)... (*fml*)

▸ *vt* fomentar, promover

furthermore [fɜːðə'mɔːʳ] *adv fml* ademais

furthest ['fɜːðɪst] *adj-adv* → **far**

furtive ['fɜːtɪv] *adj* furtivo

fury ['fjʊərɪ] *n* (*pl* **-ies**) fúria, furor

fuse [fjuːz] *n* **1** ELECTR fusível **2** (*of bomb*) rastilho, pavio, espoleta

▸ *vt-vi* **1** (*unit*) fusionar(-se) **2** (*blend*) fundir(-se)

▪ **fuse box** caixa de fusíveis

fusion ['fjuːʒən] *n* fusão

fuss [fʌs] *n* (*pl* **-es**) alvoroço, estardalhaço, rebuliço, espalhafato, barulho: ***a lot of fuss about nothing*** muito barulho por nada

▸ *vi* **1** preocupar-se (*exageradamente*): ***she's always fussing over the children*** ela está sempre se preocupando com os filhos **2** perturbar, aborrecer: ***don't fuss your dad, he's on the phone*** não perturbe seu pai, ele está no telefone

• **to kick up a fuss** armar um escândalo

• **to make a fuss** criar caso, exaltar-se

fussy ['fʌsɪ] *adj* (**-ier**, **-iest**) **1** (*hard to please*) delicado, suscetível **2** (*irritable*) irritável **3** (*overelaborate*) espalhafatoso

fusty ['fʌstɪ] *adj* (**-ier**, **-iest**) **1** (*rank*) rançoso **2** (*mouldy*) bolorento **3** (*old-fashioned*) antiquado

futile ['fjuːtaɪl] *adj* vão/vã, inútil

future ['fjuːtʃəʳ] *adj* futuro

▸ *n* **1** futuro **2** GRAMM futuro: ***the future tense*** o futuro

• **in the future** no futuro: ***be more careful in the future*** seja mais cuidadoso no futuro

• **in the near future** em futuro próximo

fuzz [fʌz] *n* penugem

▪ **the fuzz** *sl* os tiras, a polícia

fuzzy ['fʌzɪ] *adj* (**-ier**, **-iest**) **1** (*fluffy*) frisado, crespo **2** (*indistinct*) indistinto

fwd ['fɔːwəd] *abbr* (***forward***) adiante

FYI ['ef'waɪ'aɪ] *abbr* (***for your information***) para sua informação, para seu conhecimento

G

gab [gæb] *vi* (*pt & pp* **gabbed**, *ger* **gabbing**) tagarelar
• **to have the gift of the gab** ter boa lábia

gabardine ['gæbədiːn] *n* gabardine

gabble ['gæbəl] *n* tagarelice, conversa
▸ *vt* tagarelar, falar rapidamente

gadget ['gædʒɪt] *n* pequeno equipamento eletrônico

gaelic ['geɪlɪk] *adj* gaélico
▸ *n* gaélico

gaffe [gæf] *n* gafe
• **to make a gaffe** cometer uma gafe

gag [gæg] *n* **1** (*for mouth*) mordaça **2** (*joke*) piada, brincadeira
▸ *vt* (*pt & pp* **gagged**, *ger* **gagging**) amordaçar

gage [geɪdʒ] *n* US → **gauge**

gaily ['geɪlɪ] *adv* alegremente

gain [geɪn] *n* **1** (*profit*) ganho, benefício, proveito **2** (*increase*) aumento
▸ *vt* **1** ganhar, obter: ***he gained a lot of experience working abroad*** ele ganhou muita experiência ao trabalhar no exterior **2** ganhar, engordar: ***to gain 3 kilos*** engordar 3 quilos **3** ganhar, aumentar: ***the car gained speed*** o carro ganhou velocidade
▸ *vi* **1** (*of watch*) adiantar: ***this new watch gains at least five minutes every day*** este relógio novo adianta pelo menos cinco minutos todo dia **2** (*profit*) lucrar
• **to gain ground** ganhar terreno

gait [geɪt] *n* **1** maneira de andar: ***a clumsy gait*** um andar desajeitado **2** (*horse*) andadura **3** ritmo, compasso: ***the plans went forward at a slow gait*** os planos prosseguiram em um ritmo lento

gal [gæl] *abbr* (**gallon**) galão

galactic [gə'læktɪk] *adj* galáctico

galaxy ['gæləksɪ] *n* (*pl* **-ies**) galáxia

gale [geɪl] *n* **1** (*strong wind*) vendaval **2** (*storm*) temporal
▪ **gales of laughter** gargalhada

Galicia [gə'lɪsɪə] *n* Galícia

Galician [gə'lɪsɪən] *adj* galego
▸ *n* **1** (*person*) galego **2** (*language*) galego

gall[1] [gɔːl] *n fig* amargor, rancor

gall[2] [gɔːl] *vt* irritar

gallant ['gælənt] *adj* **1** (*courteous*) galante **2** (*brave*) garboso

gallantry ['gæləntrɪ] *n* **1** (*bravery*) galanteria **2** (*courtesy*) cavalheirismo

galleon ['gælɪən] *n* galeão

gallery ['gælərɪ] *n* (*pl* **-ies**) galeria

galley ['gælɪ] *n* **1** (*ship*) galera, navio a remo **2** (*kitchen of ship*) cozinha de navio

gallivant [gælɪ'vænt] *vi* vagabundear

gallon ['gælən] *n* galão

> Um *gallon* equivale a 4,5 litros aproximadamente.

gallop ['gæləp] *n* galope
▸ *vi* galopar
• **to go at a gallop** galopar, ir a galope

gallows ['gæləʊz] *n* forca, patíbulo

galore [gə'lɔːʳ] *adv* em abundância

galvanize ['gælvənaɪz] *vt* galvanizar

gamble ['gæmbəl] *n* **1** (*speculation*) jogada, empreendimento arriscado **2** (*chance*) aposta
▸ *vi* jogar jogos de azar apostando dinheiro
▸ *vt* apostar, jogar

gambler ['gæmbləʳ] *n* jogador

gambling ['gæmblɪŋ] *n* jogo
■ **gambling den** antro de jogatina

gambol ['gæmbəl] *vi* (GB *pt & pp* **gambolled**, *ger* **gambolling**; US *pt & pp* **gamboled**, *ger* **gamboling**) pular de alegria, cabriolar, dar saltos

game [geɪm] *n* **1** (*amusement*) jogo **2** (*match*) partida **3** caça: ***a restaurant that specializes in game*** um restaurante especializado em pratos de caça
▸ *adj* disposto, decidido, resoluto
▸ *npl* **games** jogos esportivos
■ **game reserve** reserva de caça

gamekeeper ['geɪmkiːpəʳ] *n* guarda-caça, couteiro

gammon ['gæmən] *n* presunto

gamut ['gæmət] *n* **1** (*range*) gama, série **2** MUS escala musical completa

gander ['gændəʳ] *n* ganso macho

gang [gæŋ] *n* **1** (*of criminals*) gangue **2** (*of friends*) grupo **3** (*of workers*) turma, equipe
■ **to gang up on** *vt* atacar em bando, unir-se contra

gangplank ['gæŋplæŋk] *n* prancha para embarque ou desembarque *(em navio)*

gangrene [ˌgæŋgriːn] *n* gangrena

gangster [ˌgæŋstəʳ] *n* gângster, bandido

gangway ['gæŋweɪ] *n* **1** (*passage*) passadiço **2** (*in ship*) escada do costado

gaol [dʒeɪl] *n* → **jail** cadeia

gap [gæp] *n* **1** espaço, fenda, brecha, vão: ***mind the gap*** cuidado com o vão entre o trem e a plataforma **2** vazio, lacuna: ***there are gaps in your employment record*** há lacunas em seu histórico de empregos **3** intervalo: ***after a gap of two years*** depois de um intervalo de dois anos **4** abismo, grande disparidade: ***the gap between the rich and the poor*** o abismo entre os ricos e os pobres

gape [geɪp] *vi* **1** (*open*) abrir-se muito **2** (*yawn*) bocejar **3** (*stare*) embasbacar-se

garage ['gærɑːʒ, 'gærɪdʒ] *n* garagem

garbage ['gɑːbɪdʒ] *n* lixo, refugo

garbled ['gɑːbəld] *adj* **1** (*confused*) confuso **2** (*distorted*) deturpado

garden ['gɑːdən] *n* jardim
▸ *vi* trabalhar no jardim, ajardinar

gardener ['gɑːdənəʳ] *n* jardineiro

gardening ['gɑːdənɪŋ] *n* jardinagem

gargle ['gɑːgəl] *vi* gargarejar

garish ['geərɪʃ] *adj* extravagante, pomposo

garlic ['gɑːlɪk] *n* alho

garment ['gɑːmənt] *n* artigo de vestuário

garnish ['gɑːnɪʃ] *n* (*pl* **-es**) guarnição, decoração
▸ *vt* guarnecer, decorar

garrison ['gærɪsən] *n* MIL guarnição, tropas
▸ *vt* guarnecer, dispor forças militares em, ocupar militarmente

garrulous ['gærələs] *adj* tagarela

garter ['gɑːtəʳ] *n* (*band round leg*) liga, jarreteira

gas [gæs] *n* (*pl* **gases**) **1** CHEM gás **2** US (*fuel*) gasolina
▸ *vt* (*pt & pp* **gassed**, *ger* **gassing**) asfixiar com gás, atacar com gás tóxico
■ **gas chamber** câmara de gás
■ **gas mask** máscara contra gases
■ **gas station** posto de gasolina

gaseous ['gæsɪəs] *adj* gasoso

gash [gæʃ] *n* (*pl* **-es**) ferida profunda, corte
▸ *vt* cortar, ferir profundamente

gasoline ['gæsəliːn] *n* US gasolina

gasp [gɑːsp] *vi* respirar com dificuldade, ofegar, arfar
• **to gasp for air** respirar com dificuldade

gassy ['gæsɪ] *adj* (**-ier**, **-iest**) cheio de gás

gastric ['gæstrɪk] *adj* gástrico

gastronomy [gæs'trɒnəmɪ] *n* gastronomia

gate [geɪt] *n* **1** (*in wall*) portão, barreira **2** (*at airport*) portão de embarque

gateau ['gætəʊ] *n* (*pl* **gateaux** ['gætəʊz]) bolo

gatecrash ['geɪtkræʃ] *vt-vi inf* entrar como penetra (*em uma festa*)

gateway ['geɪtweɪ] *n* porta, passagem

gather ['gæðəʳ] *vt* **1** (*assemble*) juntar, reunir **2** (*collect*) colher, catar **3** (*accumulate*) coletar **4** (*intensify*) ganhar **5** (*wrinkle*) franzir **6** (*deduce*) deduzir, inferir
▸ *vi* **1** (*come together*) reunir-se, acumular-se

gathering ['gæðərɪŋ] *n* reunião

gauche [gəʊʃ] *adj* desajeitado

gaudy ['gɔːdɪ] *adj* (**-ier**, **-iest**) enfeitado demais, desajeitado, espalhafatoso

gauge [geɪdʒ] *n* **1** (*instrument*) manômetro **2** (*standard measure*) medida padrão **3** (*calibre*) calibre
▸ *vt* **1** (*measure*) medir exatamente, calibrar **2** *fig* (*predict*) prever, avaliar

gaunt [gɔːnt] *adj* esquelético, magro, abatido

gauze [gɔːz] *n* **1** (*surgical dressing*) gaze **2** (*fabric*) gaze

gave [geɪv] *pt* → **give**

gawky ['gɔːkɪ] *adj* (**-ier**, **-iest**) **1** (*stupid*) estúpido **2** (*clumsy*) desajeitado

gawp [gɔːp] *vi* pasmar

gay [geɪ] *adj* **1** (*happy*) alegre **2** (*playful*) divertido **3** (*homosexual*) *gay*, homossexual
▸ *n gay*, homossexual

gaze [geɪz] *n* olhar fixo, atento ou pasmado
▸ *vi* olhar fixamente

gazelle [gə'zel] *n* gazela, antílope

gazette [gə'zet] *n* jornal, gazeta

GB ['dʒiː'biː] *abbr* GB (***Great Britain***) Grã-Bretanha

GCSE ['dʒiː'siː'es'iː] *abbr* GB (***General Certificate of Secondary Education***) Certificado de Ensino Secundário

GDP ['dʒiː'diːpiː] *abbr* (***gross domestic product***) PIB (*produto interno bruto*)

gear [gɪəʳ] *n* **1** (*mechanism*) engrenagem, roda dentada **2** marcha, velocidade: ***reverse gear*** marcha a ré **3** *inf* (*belongings*) bens pessoais, roupas, coisas, equipamento
▪ **gear lever** alavanca de câmbio

gearbox ['gɪəbɒks] *n* (*pl* **gearboxes**) caixa de câmbio

gee [dʒiː] *interj* US puxa!, nossa!, caramba!

geese [giːs] *npl* → **goose**

gelatine ['dʒelətiːn] *n* gelatina

gem [dʒem] *n* **1** (*precious stone*) pedra preciosa **2** (*jewel*) joia

Gemini ['dʒemɪnaɪ] *n* ASTRON/ASTROL Gêmeos

gen [dʒen] *n abbr* **1** (*gender*) gênero **2** (*general*) geral **3** (*genitive*) genitivo

gender ['dʒendəʳ] *n* **1** GRAMM gênero **2** (*being male or female*) sexo

gene [dʒiːn] *n* gene

genealogy [dʒiːnɪ'ælədʒɪ] *n* (*pl* **-ies**) genealogia

general ['dʒenərəl] *adj* geral
▸ *n* general
• **in general** em geral
▪ **general election** eleições gerais
▪ **general knowledge** conhecimentos gerais
▪ **general practitioner** clínico geral
▪ **the general public** o público

generalization [dʒenərəlaɪ'zeɪʃən] *n* generalização

generalize ['dʒenərəlaɪz] *vt-vi* generalizar

generally ['dʒenərəlɪ] *adv* geralmente, em geral

generate ['dʒenəreɪt] *vt* gerar, produzir

generation [dʒenə'reɪʃən] *n* geração
▪ **the generation gap** conflito de gerações

generator ['dʒenəreɪtəʳ] *n* gerador

generic [dʒə'nerɪk] *adj* genérico

generosity [dʒenə'rɒsətɪ] *n* generosidade

generous ['dʒenərəs] *adj* **1** (*charitable*) generoso, liberal, bondoso **2** (*plentiful*) abundante, copioso, fértil, rico

genetic [dʒə'netɪk] *adj* genético

genetics [dʒə'netɪks] *n* genética

É incontável, e o verbo vai para o singular.

genial ['dʒiːnɪəl] *adj* cordial, amável, simpático, afável

genital ['dʒenɪtəl] *adj* genital
▸ *npl* **genitals** órgãos genitais

genitive ['dʒenɪtɪv] *adj* genitivo
▸ *n* genitivo

genius ['dʒi:nɪəs] *n* (*pl* **geniuses**) gênio

genocide ['dʒenəsaɪd] *n* genocídio

genre ['ʒɑ:nrə] *n* gênero

gent [dʒent] *n* **1** *inf* (*person*) cavalheiro **2 gents** *inf* (*toilet*) banheiro masculino

genteel [dʒen'ti:l] *adj* da sociedade, fino, bem-educado, cavalheiresco

gentile ['dʒentaɪl] *adj-n* **1** (*not jew*) pessoa que não é judia, gentio **2** (*pagan*) pagão

gentle ['dʒentəl] *adj* (*comp* **gentler**, *superl* **gentlest**) **1** (*kind*) amável **2** (*soft*) suave **3** (*tractable*) manso

gentleman ['dʒentəlmən] *n* (*pl* **gentlemen**) cavalheiro

gently ['dʒentlɪ] *adv* **1** (*kindly*) suavemente **2** (*softly*) levemente

genuine ['dʒenjʊɪn] *adj* **1** (*authentic*) genuíno, autêntico **2** (*sincere*) sincero

genuinely ['dʒenjʊɪnlɪ] *adv* **1** (*truly*) verdadeiramente, realmente **2** (*sincerely*) sinceramente

genus ['dʒi:nəs] *n* (*pl* **genera** ['dʒenərə]) gênero

geographical [dʒɪə'græfɪkəl] *adj* geográfico

geography [dʒɪ'ɒgrəfɪ] *n* geografia

geological [dʒɪə'lɒdʒɪkəl] *adj* geológico

geology [dʒɪ'ɒlədʒɪ] *n* geologia

geometrical [dʒɪə'metrɪkəl] *adj* geométrico

geometry [dʒɪ'ɒmətrɪ] *n* geometria

geranium [dʒə'reɪnɪəm] *n* gerânio

geriatric [dʒerɪ'ætrɪk] *adj* geriátrico

geriatrics [dʒerɪ'ætrɪks] *n* geriatria

É incontável, e o verbo vai para o singular.

germ [dʒ3:m] *n* germe, micróbio

German ['dʒ3:mən] *adj* alemão

▸ *n* (*person*) alemão **2** (*language*) alemão

Germany ['dʒ3:mənɪ] *n* Alemanha

■ **East Germany** Alemanha Oriental

■ **West Germany** Alemanha Ocidental

germinate ['dʒ3:mɪneɪt] *vt-vi* germinar, brotar, desenvolver-se

gerund ['dʒerənd] *n* gerúndio

gesticulate [dʒes'tɪkjəleɪt] *vi* gesticular

gesticulation [dʒestɪkjə'leɪʃən] *n* gesticulação

gesture ['dʒestʃə^r] *n* gesto, movimento para exprimir ideias

▸ *vi* fazer gestos

• **as a gesture of** como sinal de

get [get] *vt* (*pt & pp* **got**, *ger* **getting**) **1** obter, conseguir: ***I need to get a job*** preciso conseguir um emprego; ***she got £2,000 for her car*** ela obteve 2.000 libras por seu carro **2** receber, ganhar: ***he got a prize for his painting*** ele recebeu um prêmio por seu quadro; ***I got a bike for my birthday*** ganhei uma bicicleta no meu aniversário **3** trazer: ***can you get my slippers for me?*** você pode me trazer os chinelos? **4** pegar: ***he got the flu*** ele pegou gripe **5** tomar, pegar: ***will you get the bus or the train?*** você vai pegar o ônibus ou o trem? **6** persuadir, convencer: ***can you get him to help us?*** você pode convencê-lo a nos ajudar? **7** preparar, fazer: ***can I get you a coffee?*** posso fazer um café para você? **8** *inf* entender: ***he told me a joke, but I didn't get it*** ele me contou uma piada, mas eu não entendi **9** incomodar: ***what gets me is that he never does any work!*** o que me incomoda é que ele nunca faz nada! **10** comprar: ***I'll get some cheese from the supermarket*** vou comprar queijo no supermercado **11** buscar, apanhar: ***I'm going to get the car from the garage*** vou apanhar o carro da garagem

▸ *vl* ficar, tornar-se: ***he got really angry*** ele ficou bem zangado; ***to get better*** ficar melhor, melhorar; ***to get dirty*** ficar sujo, sujar-se; ***to get tired*** ficar cansado, cansar-se; ***to get wet*** ficar molhado, molhar-se

▸ *vi* **1** ir: ***how do you get there?*** como se vai até lá? **2** chegar: ***we got to Edinburgh at six o'clock*** chegamos a Edimburgo às seis

• **to get on one's nerves** irritar, fazer ficar nervoso

• **to get ready** preparar, preparar-se

• **to get rid of** desfazer-se de, livrar-se de

• **to get to know somebody** (*chegar a*) conhecer alguém

• **to get to do something** acabar, chegar a: ***you'll get to like it in the end*** você vai acabar gostando; ***I never got to see that film*** nunca cheguei a ver esse filme

■ **to get about** *vi* viajar, locomover-se

■ **to get across** *vt* comunicar, transmitir

■ **to get ahead** *vi* prosperar, progredir

■ **to get along** *vi* continuar a fazer algo que se estava fazendo

■ **to get along with** *vt* dar-se bem com alguém

■ **to get around** *vi* viajar

■ **to get around to** *vt* encontrar tempo para

■ **to get at** *vt* **1** (*gain acess to*) alcançar, chegar a **2** insinuar, querer dizer: ***what are you getting at?*** o que você está querendo dizer? **3** (*criticize*) criticar, ofender

■ **to get away** *vi* escapar, fugir

■ **to get away with** *vt* sair impune de

■ **to get back** *vi* voltar, regressar

▸ *vt* recuperar

■ **to get behind** *vi* atrasar-se

■ **to get by** *vi* **1** (*survive*) conseguir sobreviver **2** (*cope*) virar-se

■ **to get down** *vt* anotar

▸ *vt* tornar infeliz, deprimir, abater o moral de: ***losing that important match has got the team down*** perder aquela partida importante abateu o moral do time

■ **to get down to** *vt* botar a mão na massa

■ **to get in** *vi* **1** chegar: ***I got in about ten*** cheguei cerca de dez horas **2** entrar: ***the burglar got in through the bedroom window*** o ladrão entrou pela janela do quarto

■ **to get into** *vt* (*car, bus*) entrar em

■ **to get off** *vt* **1** (*train, bus*) descer de **2** (*leave*) sair, partir, começar uma viagem

▸ *vi* **1** (*train, bus*) descer **2** (*leave*) sair (de viagem) **3** (*start*) começar **4** (*escape*) escapar, livrar-se

■ **to get off with** *vt* começar a namorar alguém: ***she got off with some guy at the party*** ela começou a namorar um cara na festa

■ **to get on** *vt* **1** (*bus, train*) subir em **2** (*bicycle*) montar

▸ *vi* **1** (*obtain*) progredir, proceder, avançar, ter êxito **2** (*realize*) prosperar **3** seguir: ***get on with your work!*** siga com o seu trabalho! **4** (*become old*) envelhecer

■ **to get on for** *vt* ser quase: ***it's getting on for five o'clock*** são quase cinco horas

■ **to get onto** *vt* **1** (*person*) entrar em contato com **2** (*subject*) começar a falar de **3** (*bus, train*) subir em

■ **to get out** *vt* **1** (*car, train*) sair **2** (*object*) tirar **3** (*book*) publicar, editar **4** (*dot*) sair

▸ *vi* **1** sair: ***get out of here!*** saia daqui! **2** (*escape*) escapar

■ **to get out of** *vt* **1** (*car, train*) sair de **2** (*free from*) livrar-se de

■ **to get over** *vt* **1** (*illness*) recuperar-se de, restabelecer-se **2** (*loss*) recuperar-se de **3** (*difficulty*) vencer **4** (*idea*) comunicar

■ **to get over with** *vt* acabar com

■ **to get round** *vt* **1** (*difficulty*) vencer **2** (*law*) driblar **3** (*person*) convencer

■ **to get round to** *vt* encontrar tempo para

■ **to get through** *vi* **1** (*phone*) conseguir falar **2** (*make oneself understood*) fazer-se entender **3** (*arrive*) chegar

▸ *vt* **1** (*food*) acabar, gastar **2** (*money*) gastar **3** (*test, exam*) superar, passar **4** (*idea*) fazer entender, comunicar

■ **to get together** *vi* reunir-se, juntar-se

■ **to get up** *vt-vi* levantar-se

■ **to get up to** *vt* aprontar: ***I wonder what they're getting up to*** pergunto-me o que eles estão aprontando

getaway ['getəweɪ] *n* fuga

get-together ['gettəgeðə^r] *n inf* **1** (*meeting*) reunião **2** *inf* (*party*) festa

getup ['getʌp] *n inf* arranjo, vestuário, enfeite

ghastly ['gɑːstlɪ] *adj* (-**ier**, -**iest**) horrível, horroroso

gherkin ['gɜːkɪn] *n* pepino em conserva

ghetto ['getəʊ] *n* (*pl* -**s** ou -**es**) gueto

ghost [gəʊst] *n* fantasma

■ **Holy Ghost** Espírito Santo

ghoul [guːl] *n* **1** (*demon*) demônio que ataca túmulos **2** (*person*) pessoa detestável

giant ['dʒaɪənt] *n* gigante

▸ *adj* gigante, gigantesco

gibberish ['dʒɪbərɪʃ] *n* linguagem inarticulada, tagarelice

gibe [dʒaɪb] *n* zombaria, escárnio

▸ *vi* zombar, escarnecer

Gibraltar [dʒɪ'brɔ:ltəʳ] *n* Gibraltar

giddy ['gɪdɪ] *adj* (**-ier**, **-iest**) tonto

gift [gɪft] *n* **1** (*present*) presente, donativo **2** (*talent*) dom, talento

gifted ['gɪftɪd] *adj* dotado, talentoso

gigantic [dʒaɪ'gæntɪk] *adj* gigantesco

giggle ['gɪgəl] *n* risadinha
▸ *vi* dar risadinhas
• **to have the giggles** rir sem parar

gild [gɪld] *vt* dourar
• **to gild the pill** dourar a pílula

gills [gɪlz] *npl* BIOL guelras

gilt [gɪlt] *adj* dourado
▸ *n* douradura, camada de ouro

gimmick ['gɪmɪk] *n* **1** (*device*) aparelho, dispositivo engenhoso **2** (*trick*) truque **3** (*publicity*) recurso publicitário para atrair a atenção do público

gin [dʒɪn] *n* gim

ginger ['dʒɪndʒəʳ] *n* gengibre
▸ *adj* ruivo, avermelhado

gingerly ['dʒɪndʒəlɪ] *adv* cautelosamente, cuidadosamente

gipsy ['dʒɪpsɪ] *n* (*pl* **-ies**) cigano

giraffe [dʒɪ'rɑ:f] *n* girafa

girdle ['gɜ:dəl] *n* cinta

girl [gɜ:l] *n* menina, moça, jovem

girlfriend ['gɜ:lfrend] *n* **1** (*female lover*) namorada **2** US (*female friend*) amiga

girlish ['gɜ:lɪʃ] *adj* como moça, próprio de moças

giro ['dʒaɪrəʊ] *n* (*pl* **giros**) sistema de transferência de crédito entre instituições públicas

gist [dʒɪst] *n* essência: ***I understood the gist of the message*** entendi a essência da mensagem

give [gɪv] *vt* (*pt* **gave** [geɪv], *pp* **given** ['gɪvən]) **1** dar: ***give this letter to your parents*** dê esta carta a seus pais **2** dar, presentear, doar: ***we gave her a mobile phone for her birthday*** demos a ela um celular de aniversário; ***they gave me a present*** eles me deram um presente **3** dar, pagar: ***how much did they give you for your car?*** quanto lhe deram pelo carro?
▸ *vi* ceder: ***the shoes are tight now, but they'll give*** os sapatos estão apertados agora, mas eles cederão
• **to give somebody to understand that** dar a entender a alguém que
• **to give somebody up for dead** dar alguém por morto
• **to give the game away** entregar o ouro ao bandido
• **to give way 1** (*collapse*) retirar-se, ceder **2** (*permit*) dar passagem
▪ **give and take** intercâmbio, permuta, relação recíproca
▪ **give or take** aproximadamente: ***it will be ready at five, give or take a few minutes*** estará pronto aproximadamente às cinco
▪ **to give away** *vt* **1** (*donate*) dar de presente **2** (*reveal*) delatar, trair
▪ **to give back** *vt* devolver
▪ **to give in** *vi* ceder, render-se
▸ *vt* entregar
▪ **to give off** *vt* (*odour*) desprender
▪ **to give out** *vt* repartir, distribuir
▸ *vi* (*come to an end*) acabar-se, esgotar-se
▪ **to give over** *vi* parar, chegar: ***give over!*** chega!, para!
▪ **to give up** *vt* deixar: ***to give up smoking*** deixar de fumar
▸ *vi* (*surrender*) render-se, entregar-se (*à polícia*)

glacial ['gleɪʃəl] *adj* glacial

glacier ['glæsɪəʳ, 'gleɪʃəʳ] *n* geleira

glad [glæd] *adj* (*comp* **gladder**, *superl* **gladdest**) feliz, contente
• **to be glad** alegrar-se: ***I'm glad to see you*** alegro-me em vê-lo
• **to be glad of** agradecer
• **to be glad to do something** gostar de fazer algo

gladden ['glædən] *vt* alegrar, ficar satisfeito

gladly ['glædlɪ] *adv* de boa vontade, com prazer

glamorize ['glæməraɪz] *vt* romancear

glamorous ['glæmərəs] *adj* **1** (*fascinating*) fascinante, deslumbrante **2** (*enchanting*) glamouroso, encantador

glamour ['glæməʳ] (US **glamor**) *n* **1** (*charm*) *glamour*, encanto pessoal **2** (*fascination*) fascínio

glance [glɑ:ns] *n* olhadela, golpe de vista
▸ *vi* lançar um olhar rápido

• **at first glance** à primeira vista
• **to take a glance** dar uma olhada

gland [glænd] *n* glândula

glare [gleəʳ] *n* **1** (*shine*) resplendor, luz deslumbrante, brilho **2** (*blaze*) ostentação **3** (*stare angrily*) olhar fixo, encolerizado
▸ *vi* **1** (*shine*) resplandecer, brilhar **2** (*frown*) olhar com raiva, encarar

glaring ['gleərɪŋ] *adj* **1** (*bright*) muito claro, brilhante **2** (*flagrant*) patente, evidente

glass [glɑːs] *n* (*pl* **-es**) **1** (*material*) vidro, cristal **2** (*object*) copo
▸ *npl* **glasses** óculos

glassware ['glɑːsweəʳ] *n* artigos de vidro

glassy ['glɑːsɪ] *adj* (**-ier**, **-iest**) vítreo, como vidro

glaze [gleɪz] *n* **1** (*enamel*) esmalte **2** COOK cobertura vitrificada
▸ *vt* **1** (*enamel*) envidraçar, esmaltar **2** COOK vitrificar
▪ **double glazing** isolamento térmico ou acústico

gleam [gliːm] *n* raio, brilho
▸ *vi* brilhar, reluzir
• **a gleam of hope** um raio de esperança

glean [gliːn] *vt* colher informações aos poucos e com dificuldade

glee [gliː] *n* regozijo, alegria, divertimento

glen [glen] *n* vale estreito e profundo

glib [glɪb] *adj* (*comp* **glibber**, *superl* **glibbest**) falastrão, insincero

glide [glaɪd] *vi* **1** (*fly*) planar **2** (*slide*) deslizar

glider ['glaɪdəʳ] *n* planador

glimmer ['glɪməʳ] *n* luz tênue
▸ *vi* brilhar com luz tênue
• **a glimmer of hope** um raio de esperança

glimpse [glɪmps] *n* vislumbre, relance
▸ *vt* vislumbrar
• **to catch a glimpse of** vislumbrar

glint [glɪnt] *n* raio de luz, centelha, lampejo, brilho
▸ *vi* brilhar, cintilar

glisten ['glɪsən] *vi* brilhar, reluzir, refletir luz

glitter ['glɪtəʳ] *n* **1** (*shine*) brilho **2** (*glamour*) resplendor **3** (*ornamentation*) purpurina
▸ *vi* brilhar, reluzir
• **all that glitters is not gold** nem tudo o que reluz é ouro

gloat [gləʊt] *vi* regozijar-se

global ['gləʊbəl] *adj* **1** (*spherical*) esférico, global **2** (*worldwide*) mundial
▪ **global warming** aquecimento global

globe [gləʊb] *n* **1** (*shape spherical*) globo **2** (*Earth*) globo terrestre
▪ **globe-trotter** *globe-trotter*, pessoa que viaja pelo mundo por prazer

globule ['glɒbjuːl] *n* glóbulo

gloom [gluːm] *n* **1** (*darkness*) escuridão **2** (*sadness*) tristeza, pessimismo

gloomy ['gluːmɪ] *adj* (**-ier**, **-iest**) **1** (*dark*) lúgubre, escuro **2** (*depressed*) triste, melancólico, sombrio

glorify ['glɔːrɪfaɪ] *vt* (*pt & pp* **-ied**) glorificar, honrar, exaltar

glorious ['glɔːrɪəs] *adj* **1** (*triumphant*) glorioso **2** (*splendid*) esplêndido, magnífico

glory ['glɔːrɪ] *n* (*pl* **-ies**) **1** (*praise*) glória **2** *fig* (*splendour*) esplendor
▸ *vi* (*pt & pp* **-ied**) jactar-se

gloss [glɒs] *n* (*pl* **-es**) **1** (*lustre*) lustro, brilho **2** (*comment*) glosa, explicação de uma palavra ou frase **3** (*appearance*) aparência ou impressão enganosa e superficialmente atraente; capa, verniz
▸ *vt* glosar
▪ **gloss paint** esmalte brilhante
▪ **lip gloss** brilho para os lábios
▪ **to gloss over** *vt* atenuar, minimizar

glossary ['glɒsərɪ] *n* (*pl* **-ies**) glossário

glossy ['glɒsɪ] *adj* (**-ier**, **-iest**) brilhante, lustroso, polido

glove [glʌv] *n* luva

glow [gləʊ] *n* **1** incandescência, luz suave, brilho suave: ***he walked down the street under the glow of neon lights*** ele caminhou pela rua sob o brilho das luzes de néon **2** (*ardour*) ardor **3** *fig* (*feeling of wellbeing*) sensação de bem-estar, sensação de satisfação
▸ *vi* **1** (*shine*) incandescer, brilhar **2** (*blush*) estar corado, irradiar saúde ou alegria

glower ['glaʊəʳ] *vi* olhar furiosamente

glowing ['gləʊɪŋ] *adj fig* **1** (*enthusiastic*) entusiasmado, excitado **2** muito elogioso: ***her latest film received glowing reviews*** seu último filme recebeu críticas muito elogiosas

glucose ['glu:kəʊz] *n* glicose

glue [glu:] *n* cola, grude
▸ *vt* colar, grudar

glum [glʌm] *adj* (*comp* **glummer**, *superl* **glummest**) taciturno

glut [glʌt] *n* fartura, abundância, excesso

glutton ['glʌtən] *n* glutão, comilão

gluttony ['glʌtənɪ] *n* glutonaria, gula

glycerine [glɪsə'rɪn] *n* glicerina

GMT ['dʒi:'em'di:] *abbr* (***Greenwich Mean Time***) Tempo universal

gnarled [nɑ:ld] *adj* áspero, nodoso

gnash [næʃ] *vi* ranger: ***to gnash one's teeth*** ranger os dentes

gnat [næt] *n* mosquito

gnaw [nɔ:] *vt* roer

GNP ['dʒi:'en'pi:] *abbr* (***gross national product***) PIB (*Produto Interno Bruto*)

go [gəʊ] *vi* (*pt* **went**, *pp* **gone**, *ger* **going**) **1** ir: ***I'm going to the cinema*** vou ao cinema; ***they've gone shopping*** eles foram fazer compras **2** sair, partir, ir embora: ***it's late, I'm going*** é tarde, já vou embora; ***we arrived late and the bus had gone*** chegamos tarde e o ônibus já tinha partido **3** desaparecer: ***where's my car? – it's gone*** onde está o meu carro? – desapareceu **4** funcionar: ***the car's old, but it still goes well*** o carro é velho, mas funciona bem **5** sair-se, correr: ***the exam went very well*** o exame correu muito bem **6** ficar: ***he's gone deaf*** ele ficou surdo **7** entrar, caber: ***the car won't go in the garage*** o carro não entra na garagem **8** quebrar, dar defeito: ***telly's gone again!*** a televisão quebrou outra vez! **9** guardar: ***where do the plates go?*** onde se guardam os pratos? **10** terminar, acabar: ***all the cheese has gone*** o queijo acabou todo **11** passar: ***time goes quickly when you're enjoying yourself*** o tempo passa rápido quando você está se divertindo
▸ *vt* fazer: ***it goes tick-tock*** faz tic-tac
▸ *n* (*pl* **gos**) **1** energia, animação: ***the kids are so full of go*** as crianças estão cheias de energia **2** vez: ***it's my go now*** agora é a minha vez **3** tentativa: ***let me have a go*** deixe-me fazer uma tentativa
• **to be going to...** ir... (*fazer/acontecer algo*): ***I am going to study*** vou estudar
• **to go about one's business** ocupar--se de seus assuntos
• **to go to sleep** ir dormir
• **to have a go at somebody** criticar alguém
• **to make a go of something** ter êxito em algo
▪ **to go after** *vt* perseguir
▪ **to go along with** *vt* estar de acordo com
▪ **to go around** *vi* → **go round**
▪ **to go away** *vi* ir embora
▪ **to go back** *vi* voltar
▪ **to go back on** *vt* (*break a promise*) não cumprir
▪ **to go by** *vi* (*time*) passar
▪ **to go down** *vi* **1** (*decrease*) abaixar **2** (*tire*) esvaziar
▪ **to go down with** *vt* contrair uma enfermidade
▪ **to go for** *vt* **1** (*attack*) atacar, ir atrás **2** (*work*) ir buscar **3** *inf* gostar: ***I don't go for flamenco much*** não gosto muito de flamenco **4** *inf* valer para: ***that goes for me too!*** isso vale para mim também!
▪ **to go in** *vi* entrar
▪ **to go in for** *vt* praticar, ter como profissão ou *hobby*: ***I don't go in for that sort of thing*** não pratico esse tipo de coisa
▪ **to go into** *vt* **1** (*discuss in detail*) entrar em **2** (*investigate*) investigar
▪ **to go off** *vi* **1** ir-se, ir embora: ***he went off with my girlfriend*** ele se foi com a minha namorada **2** (*bomb*) explodir **3** (*alarm*) soar **4** (*gun*) disparar **5** (*light*) apagar **6** (*food*) estragar
▸ *vt* deixar de gostar de, perder o interesse por
▪ **to go on** *vi* **1** continuar, prosseguir: ***go on with your work*** continue trabalhando **2** (*happen*) passar, durar, existir **3** (*light*) acender **4** (*complain*) queixar-se
▪ **to go out** *vi* **1** (*leave*) sair **2** (*light*) apagar
▪ **to go over** *vt* revisar, repassar
▪ **to go over to** *vt* mudar de opinião ou partido

■ **to go round** *vi* 1 (*turn*) dar voltas, girar 2 ter suficiente, ter bastante: ***I don't think the beer will go round*** não creio que tenha cerveja bastante para todos 3 sair, estar: ***he goes round with a funny crowd*** ele sai com uma turma estranha 4 (*rumour*) circular, correr
■ **to go through** *vt* 1 (*undergo*) passar por 2 (*suffer*) sofrer, padecer 3 (*search*) examinar, registrar, revisar
▸ *vi* (*law*) ser aprovada
■ **to go through with** *vt* levar a cabo
■ **to go under** *vi* 1 (*sink*) afundar 2 (*fail*) falhar
■ **to go up** *vi* 1 (*ascend*) subir, ascender 2 (*prices*) aumentar
■ **to go without** *vt* passar sem, prescindir de

goal [gəʊl] *n* 1 (*aim*) meta, fim, objetivo 2 SPORT gol, tento
• **to score a goal** marcar um gol

goalkeeper ['gəʊlki:pəʳ] *n* goleiro

goat [gəʊt] *n* cabra, bode

gobble ['gɒbəl] *vt* devorar

go-between ['gəʊbɪtwi:n] *n* intermediário

goblet ['gɒblət] *n* cálice, taça

god [gɒd] *n* deus
• **for God's sake!** pelo amor de Deus!
• **my God!** meu Deus do céu!
• **God willing** se Deus quiser
• **Thank God** graças a Deus

godchild ['gɒdtʃaɪld] *n* (*pl* **godchildren**) afilhado

goddaughter ['gɒddɔ:təʳ] *n* afilhada

goddess ['gɒdəs] *n* (*pl* **-es**) deusa

godfather ['gɒdfɑ:ðəʳ] *n* padrinho

godforsaken ['gɒdfəseɪkən] *adj* abandonado por Deus, desolado, ermo

godmother ['gɒdmʌðəʳ] *n* madrinha

godparents ['gɒdpeərənts] *npl* padrinhos

godsend ['gɒdsend] *n* dádiva de Deus, sorte

godson ['gɒdsʌn] *n* afilhado

goggle ['gɒgəl] *vi* esbugalhar os olhos
▸ *npl* **goggles** óculos de natação

going ['gəʊɪŋ] *n* 1 (*condition of the ground*) condições 2 (*progress*) progresso, avanço
▸ *adj* 1 (*available*) existente 2 bem-sucedido, em plena atividade: ***a going business*** um negócio em plena atividade 3 em vigor: ***what's the going rate for gold?*** qual é a taxa em vigor para o ouro?

going-over [gəʊɪŋ'əʊvəʳ] *n* 1 *inf* (*investigation*) exame completo 2 *inf* (*scolding*) reprimenda

goings-on [gəʊɪŋz'ɒn] *npl inf* atividades: ***there have been some strange goings-on next door*** tem havido algumas atividades estranhas na casa ao lado

gold [gəʊld] *n* ouro
▸ *adj* 1 (*made of gold*) de ouro 2 dourado: ***a gold car*** um carro dourado
■ **gold leaf** ouro em folha

golden ['gəʊldən] *adj* 1 (*made of gold*) de ouro 2 (*colour*) dourado
■ **golden jubilee** jubileu de ouro
■ **golden wedding** bodas de ouro

goldfish ['gəʊldfɪʃ] *n* (*pl* **-es**) peixe-vermelho, peixe-dourado

gold-plated ['gəʊld'pleɪtɪd] *adj* folheado a ouro

goldsmith ['gəʊldsmɪθ] *n* ourives

golf [gɒlf] *n* golfe
■ **golf club** 1 (*stick*) taco de golfe 2 (*association*) clube de golfe
■ **golf course** campo de golfe

golfer ['gɒlfəʳ] *n* jogador de golfe

gone [gɒn] *pp* → **go**

gong [gɒŋ] *n* gongo

good [gʊd] *adj* (*comp* **better**, *superl* **best**) 1 (*excellent*) bom 2 (*kind*) agradável
▸ *interj* bom!
▸ *n* bem: ***it's for your own good*** é para seu próprio bem
▸ *npl* **goods** 1 (*belongings*) bens, posses 2 (*wares*) mercadoria, carga
• **as good as** praticamente, como
• **a good deal** bastante
• **for good** para sempre
• **good afternoon** boa tarde
• **good evening** 1 (*close of the day*) boa tarde 2 (*early part of the night*) boa noite
• **good for you!** *interj* que bom!, parabéns!: ***you got a new job? Good for you!*** você conseguiu um novo emprego? Que bom!
• **Good Friday** Sexta-feira da Paixão
• **good morning** bom dia

• **good night** (*as goodbye*) boa noite
• **to be good at something** ter facilidade para alguma coisa, ser bom em alguma coisa
• **to do good** fazer bem: ***a walk will do you good*** um passeio fará bem a você

goodbye [gʊd'baɪ] *n* até logo
▸ *interj* adeus!
• **to say goodbye to** despedir-se de

good-for-nothing ['gʊdfənʌθɪŋ] *adj-n* inútil

good-humoured [gʊd'hju:məd] *adj* bem-humorado

good-looking [gʊd'lʊkɪŋ] *adj* (*comp* **better-looking**, *superl* **best-looking**) bem-apessoado, bonito

good-natured [gʊd'neɪtʃəd] *adj* bondoso, de bom coração

goodness ['gʊdnəs] *n* **1** (*benevolence*) bondade, afabilidade **2** (*virtue*) boa qualidade
• **for goodness' sake!** pelo amor de Deus!
• **my goodness!** meu Deus!, céus!

goodwill [gʊd'wɪl] *n* boa vontade

goody ['gʊdɪ] *n* (*pl* **-ies**) *inf* mocinho: ***he plays a goody in this film*** ele faz um papel de mocinho neste filme
▸ *npl* **goodies** *inf* gulodices, guloseimas: ***there were delicious goodies at the party*** na festa havia guloseimas

goody-goody ['gʊdɪgʊdɪ] *adj-n inf* bonzinho, santarrão, puxa-saco

goose [gu:s] *n* (*pl* **geese**) ganso
▪ **goose pimples** arrepios: ***he came out in goose pimples*** ele se arrepiou

gooseberry ['gʊzbrɪ, 'gu:sbərɪ] *n* (*pl* **-ies**) groselha

gooseflesh ['gu:sfleʃ] *n* pele arrepiada

gore[1] [gɔ:ʳ] *n* sangue coagulado

gore[2] [gɔ:ʳ] *vt* espetar com os chifres

gorge [gɔ:dʒ] *n* garganta, desfiladeiro
• **to gorge oneself** empanturrar-se, fartar-se

gorgeous ['gɔ:dʒəs] *adj* **1** (*splendid*) deslumbrante, esplêndido **2** (*beauttiful*) lindíssimo

gorilla [gə'rɪlə] *n* gorila

gory ['gɔ:rɪ] *adj* (**-ier**, **-iest**) ensanguentado, manchado de sangue

gosh [gɒʃ] *interj inf* caramba!

go-slow [gəʊ'sləʊ] *n* fazer operação tartaruga

gospel ['gɒspəl] *n* evangelho

gossip ['gɒsɪp] *n* bisbilhotice, tagarelice, fofoca, mexerico
▸ *vi* (*pt & pp* **gossipped**, *ger* **gossipping**) fofocar, mexericar
▪ **gossip column** coluna social

got [gɒt] *pt-pp* → **get**

gourmet ['gʊəmeɪ] *n* **gourmet**

gout [gaʊt] *n* MED gota

govern ['gʌvən] *vt* **1** (*rule*) governar **2** (*restrain*) controlar

governess ['gʌvənəs] *n* (*pl* **-es**) governanta

government ['gʌvənmənt] *n* governo

governmental [gʌvən'mentəl] *adj* governamental

governor ['gʌvənəʳ] *n* **1** (*ruler*) governador **2** (*of school*) diretor

gown [gaʊn] *n* **1** (*dress*) vestido **2** (*robe*) toga **3** (*surgeon's overall*) avental

GP ['dʒi:'pi:] *abbr* (*pl* **GPs**) (***general practioner***) clínico geral

GPO ['dʒi:'pi:'əʊ] *abbr* GB (***General Post Office***) Sede dos Correios

grab [græb] *vt* (*pt & pp* **grabbed**, *ger* **grabbing**) **1** agarrar, pegar, arrebatar, prender: ***the thief grabbed my bag and ran off*** o ladrão pegou a minha bolsa e saiu correndo **2** *inf* parecer: ***we could go to the beach. How does that grab you?*** nós podíamos ir à praia. O que te parece?

grace [greɪs] *n* **1** (*honour*) graça, elegância, encanto **2** prazo, demora: ***3 days' grace*** 3 dias de prazo
▸ *vt* **1** (*decorate*) adornar **2** (*honour*) honrar
• **to say grace** fazer oração à mesa

graceful ['greɪsfʊl] *adj* elegante, gracioso

gracious ['greɪʃəs] *adj* **1** (*kind*) cortês, afável **2** (*elegant*) elegante
▸ *interj* Deus!

grade [greɪd] *n* **1** (*level*) grau **2** (*category*) classe, categoria **3** (*gradient*) grau de subida ou descida, em estrada de rodagem ou de ferro, declive **4** US (*ranking*)

nota, classe de escola **5** US (*group at school*) classe de escola
▸ *vt* classificar, dar nota
• **to make the grade** alcançar o nível

gradient ['greɪdɪənt] *n* declive

gradual ['grædjʊəl] *adj* gradual

gradually ['grædjʊəlɪ] *adv* pouco a pouco, gradualmente

graduate [(*n*) 'grædjʊət; (*v*) 'grædjʊeɪt] *n* graduado, licenciado, diplomado
▸ *vt* graduar
▸ *vi* graduar-se

graduation [grædjʊ'eɪʃən] *n* **1** (*completion of course*) formatura, colação de grau **2** (*marked division*) marcação

graffiti [grə'fi:tɪ] *npl* grafite

É incontável, e o verbo vai para o singular.

graft¹ [grɑ:ft] *n* enxerto
▸ *vt* enxertar

graft² [grɑ:ft] *n* GB *inf* **1** (*hard work*) trabalho duro **2** US *inf* (*corruption*) corrupção, suborno
▸ *vt* GB *inf* trabalhar duro, labutar

grain [greɪn] *n* **1** (*sand*) grão **2** cereais: ***the grain harvest*** a colheita de cereais **3** (*bit*) pequena quantidade, traço **4** (*wood, stone*) veia

gram [græm] *n* grama (*unidade de medida de massa*)

grammar ['græmə^r] *n* gramática
▪ **grammar school** GB escola secundária

grammatical [grə'mætɪkəl] *adj* **1** (*related to grammar*) gramatical **2** (*according to the rules of grammar*) gramaticalmente correto

gramme [græm] *n* GB grama (unidade de medida de massa)

granary ['grænərɪ] *n* (*pl* **-ies**) silo de trigo, armazém, celeiro

grand [grænd] *adj* **1** (*wonderful*) grandioso, esplêndido **2** *inf* (*impressive*) fenomenal, estupendo, majestoso
▪ **grand piano** piano de cauda
▪ **grand total** total

grandchild ['græntʃaɪld] *n* (*pl* **grandchildren**) neto

granddad ['grændæd] *n inf* vovô

granddaughter ['grændɔ:tə^r] *n* neta

grandeur ['grændʒə^r] *n* grandeza, majestade

grandfather ['grændfɑ:ðə^r] *n* avô
▪ **grandfather clock** relógio de pêndulo

grandiose ['grændɪəʊs] *adj* grandioso

grandma ['grænmɑ:] *n inf* vovó

grandmother ['grænmʌðə^r] *n* avó

grandpa ['græmpɑ:] *n inf* avô

grandparents ['grændpeərənts] *npl* avós

grandson ['grændsʌn] *n* neto

grandstand ['grændstænd] *n* arquibancada

granite ['grænɪt] *n* granito

granny ['grænɪ] *n* (*pl* **-ies**) *inf* vovó

grant [grɑ:nt] *n* **1** (*for study*) bolsa de estudos **2** (*subsidy*) subvenção
▸ *vt* **1** (*agree*) conceder **2** (*accept*) reconhecer, admitir
• **to take somebody for granted** não dar o devido valor a alguém
• **to take something for granted** tomar algo por certo

granulated ['grænjʊleɪtɪd] *adj* granulado

grape [greɪp] *n* uva

grapefruit ['greɪpfru:t] *n* *grapefruit*, toranja

grapevine ['greɪpvaɪn] *n* videira
• **to hear something on the grapevine** ouvir um boato

graph [grɑ:f] *n* gráfico, diagrama, tabela
▪ **graph paper** papel quadriculado

graphic ['græfɪk] *adj* **1** (*vivid*) vívido, descritivo **2** (*related to graphics*) gráfico

graphics ['græfɪks] *npl* **1** (*pictures*) ilustrações **2** (*arts*) artes gráficas (o mesmo que *graphic arts*)

É incontável, e o verbo vai para o singular.

▸ *npl* artes gráficas
• **computer graphics** COMPUT computação gráfica

graphite ['græfaɪt] *n* grafite

grapple ['græpəl] *vi* agarrar
• **to grapple with** **1** (*struggle*) lutar com **2** (*deal with*) esforçar-se por resolver (*problema*)

grasp [grɑ:sp] *n* **1** (*grip*) aperto **2** alcance: ***it is in our grasp*** está a nosso alcance **3** (*comprehension*) compreensão

▸ *vt* **1** (*grip*) apertar, agarrar **2** (*comprehend*) compreender
• **to have a good grasp of** dominar, entender bem de

grass [grɑːs] *n* (*pl* **-es**) **1** (*plant*) capim, grama **2** (*pasture*) pasto **3** *sl* (*marijuana*) maconha **4** *sl* (*accuser*) dedo-duro
▸ *vi gíria* dedurar

■ **grassroots** *n* **1** POL bases (de um partido político) **2** fundamentos: ***the grassroots of capitalism*** *os fundamentos do capitalismo*
▸ *adj* **1** de base, relativo ao público, ao povo, aos militantes de um partido: ***a grassroots movement*** um movimento de base **2** (*essential*) fundamental

grasshopper [ˈgrɑːshɒpəʳ] *n* gafanhoto

grassland [ˈgrɑːslænd] *n* pasto, gramado

grassy [ˈgrɑːsɪ] *adj* (**-ier**, **-iest**) coberto de grama

grate¹ [greɪt] *vt* ralar: ***to grate cheese*** ralar queijo
▸ *vi* raspar ou esfregar, produzindo um som alto e irritante

grate² [greɪt] *n* **1** (*rub*) grelha, grade **2** (*fireplace*) lareira

grateful [ˈgreɪtfʊl] *adj* agradecido
• **to be grateful for** ficar agradecido por

grater [ˈgreɪtəʳ] *n* ralador

gratification [grætɪfɪˈkeɪʃən] *n* **1** (*satisfaction*) prazer, satisfação **2** (*reward*) gratificação

gratify [ˈgrætɪfaɪ] *vt* (*pt & pp* **-ied**) satisfazer, agradar

gratifying [ˈgrætɪfaɪɪŋ] *adj* agradável, gratificante

grating¹ [ˈgreɪtɪŋ] *n* grade, barra de ferro

grating² [ˈgreɪtɪŋ] *adj* (*sound*) dissonante, áspero, desagradável

gratis [ˈgrætɪs, ˈgrɑːtɪs] *adv* grátis

gratitude [ˈgrætɪtjuːd] *n* gratidão, agradecimento

gratuitous [grəˈtjuːɪtəs] *adj* gratuito, de graça

gratuity [grəˈtjuːɪtɪ] *n* (*pl* **-ies**) gorjeta, gratificação

grave¹ [greɪv] *n* sepultura, túmulo

grave² [greɪv] *adj* grave, sério

grave³ [grɑːv] *adj* (*stress*) grave

gravedigger [ˈgreɪvdɪgəʳ] *n* coveiro

gravel [ˈgrævəl] *n* cascalho, pedregulho

gravestone [ˈgreɪvstəʊn] *n* lápide

graveyard [ˈgreɪvjɑːd] *n* cemitério

gravitate [ˈgrævɪteɪt] *vi* gravitar
■ **to gravitate towards** *vt* sentir-se atraído por

gravity [ˈgrævɪtɪ] *n* gravidade, sobriedade

gravy [ˈgreɪvɪ] *n* (*of meat*) molho ou caldo

gray [greɪ] *adj* US → **grey**

graze [greɪz] *n* **1** (*pasture*) pasto **2** (*scratch*) esfoladura
▸ *vt* **1** pastorear: ***a local farmer grazed his cattle*** um fazendeiro local pastoreava o gado **2** esfolar, raspar: ***the boy fell down and grazed his knee*** o menino caiu e esfolou o joelho
▸ *vi* **1** pastar: ***the cows were grazing*** as vacas pastavam **2** US (*pick*) lambiscar

grease [griːs] *n* graxa
▸ *vt* engraxar

greasy [ˈgriːsɪ] *adj* (**-ier**, **-iest**) gorduroso, cheio de graxa

great [greɪt] *adj* **1** grande: ***a great crowd of people*** uma grande multidão **2** grande, importante: ***she's a great writer*** ela é uma grande escritora **3** *inf* estupendo, fantástico: ***we had a great holiday*** tivemos férias fantásticas

great-aunt [greɪtˈɑːnt] *n* tia-avó

great-grandchild [greɪtˈgræntʃaɪld] *n* (*pl* **great-grandchildren**) bisneto

great-granddaughter [greɪtˈgrændɔːtəʳ] *n* bisneta

great-grandfather [greɪtˈgrændfɑːðəʳ] *n* bisavô

great-grandmother [greɪtˈgrænmʌðəʳ] *n* bisavó

great-grandson [greɪtˈgrændsʌn] *n* bisneto

great-great-grandfather [greɪtgreɪtˈgrændfɑːðəʳ] *n* trisavô

great-great-grandmother [greɪtgreɪtˈgrænmʌðəʳ] *n* trisavó

greatly [ˈgreɪtlɪ] *adv* muito: ***I greatly enjoyed myself*** diverti-me muito

greatness [ˈgreɪtnəs] *n* grandeza

Greece [gri:s] *n* Grécia

greed [gri:d] *n* **1** (*avidity*) ganância **2** (*gluttony*) gula

greediness ['gri:dɪnəs] *n* **1** (*avidity*) ganância **2** (*gluttony*) gula

greedy ['gri:dɪ] *adj* (**-ier**, **-iest**) **1** (*avid*) ganancioso **2** (*gluttonous*) glutão, guloso

Greek [gri:k] *adj* grego
▸ *n* (*person*) grego (*pessoa*) **2** (*language*) grego

green [gri:n] *adj* **1** (*colour*) verde **2** (*inexperienced*) novato, ingênuo
▸ *n* **1** (*area*) gramado **2** SPORT campo de golfe
▸ *npl* **greens** verduras
• **to be green with envy** morrer de inveja
▪ **green bean** vagem

greenery ['gri:nərɪ] *n* verdura, hortaliças

greengrocer ['gri:ngrəʊsə^r] *n* verdureiro

greengrocer's ['gri:ngrəʊsə^r] *n* quitanda

greenhouse ['gri:nhaʊs] *n* estufa para plantas
▪ **greenhouse effect** efeito estufa

Greenland ['gri:nlənd] *n* Groenlândia

greet [gri:t] *vt* **1** (*person*) saudar, cumprimentar, receber **2** (*proposal*) acolher, receber

greeting ['gri:tɪŋ] *n* **1** (*salutation*) saudação **2** (*reception*) recebimento
▪ **greetings card** cartão de felicitações
▪ **greetings from...** lembranças de...

gregarious [gre'geərɪəs] *adj* gregário, sociável

gremlin ['gremlɪn] *n* tipo de duende

grenade [grə'neɪd] *n* granada

grew [gru:] *pt* → **grow**

grey [greɪ] *adj* **1** (*colour*) cinza **2** (*hair*) grisalho **3** (*gloomy*) escuro, triste
▸ *n* cinza

greyhound ['greɪhaʊnd] *n* galgo

grid [grɪd] *n* **1** (*network of bars*) grade, grelha **2** ELECTR rede de eletricidade **3** (*system of squares*) quadriculado

griddle ['grɪdəl] *n* forma redonda para bolo

grief [gri:f] *n* aflição, tristeza, dor, pesar
• **to come to grief 1** (*meet disaster*) ser prejudicado **2** (*fail*) fracassar
• **good grief!** meu Deus!

grievance ['gri:vəns] *n* **1** (*complaint*) queixa **2** *fig* (*injustice*) injustiça

grieve [gri:v] *vt* afligir, molestar, ofender
▸ *vi* chorar a perda de alguém; sofrer

grievous ['gri:vəs] *adj* **1** (*painful*) doloroso, penoso **2** (*severe*) muito grave, atroz

grill [grɪl] *n* **1** (*device*) grelha **2** assado: ***mixed grill*** assado misto
▸ *vt* **1** (*cook*) grelhar **2** *inf* (*question*) interrogar, atormentar

grille [grɪl] *n* grade

grim [grɪm] *adj* (*comp* **grimmer**, *superl* **grimmest**) **1** (*stern*) severo, rígido, austero **2** (*gloomy*) deprimente, triste **3** (*merciless*) inflexível
• **the grim truth** a realidade nua e crua

grimace ['grɪməs] *n* careta
▸ *vi* fazer uma careta

grime [graɪm] *n* sujeira, fuligem, encardimento

grimy ['graɪmɪ] *adj* (**-ier**, **-iest**) encardido, sujo

grin [grɪn] *n* sorriso largo
▸ *vi* (*pt & pp* **grinned**, *ger* **grinning**) **1** (*smile broadly*) sorrir de orelha a orelha, abrir um sorriso largo **2** (*smirk*) abrir um sorriso largo e forçado

grind [graɪnd] *vt* (*pt & pp* **ground**) **1** (coffee) moer **2** (*stone*) pulverizar **3** (*grain*) moer **4** (*knife*) afiar **5** (*teeth*) fazer ranger
▸ *n inf* trabalho pesado, trabalho maçante

grinder ['graɪndə^r] *n* amolador, moedor

grindstone ['graɪnstəʊn] *n* pedra amoladeira

grip [grɪp] *vt* (*pt & pp* **gripped**, *ger* **gripping**) agarrar, apanhar, apertar
▸ *n* **1** (*hold*) ação de agarrar, aperto **2** (*adhesion*) aderência **3** (*control*) domínio, controle
• **to get a grip on something** controlar algo
• **to come/get to grips with something** fazer um esforço para entender algo ou lidar com uma situação
• **to lose one's grip** perder o controle

gripe [graɪp] *vi inf* queixar-se
▸ *n* queixa

gripping ['grɪpɪŋ] *adj* fascinante, emocionante

grisly ['grɪzlɪ] *adj* (**-ier**, **-iest**) horrível, terrível

grit [grɪt] *n* **1** (*grain*) grão **2** (*pebble*) pedregulho **3** (*particle*) partícula fina **4** *inf* (*courage*) coragem
• **to grit one's teeth** cerrar os dentes

grizzly bear [grɪzlɪ'beəʳ] *n* urso-pardo

groan [grəʊn] *n* **1** (*moan*) gemido, suspiro **2** *inf* (*complaint*) grunhido
▸ *vi* **1** (*moan*) gemer, queixar-se **2** (*door*) ranger **3** *inf* (*complain*) queixar-se

grocer ['grəʊsəʳ] *n* dono de mercearia

grocer's ['grəʊsəz] *n* mercearia

groceries ['grəʊsərɪz] *npl* mantimentos

groggy ['grɒgɪ] *adj* (**-ier**, **-iest**) *inf* grogue, atordoado, embriagado

groin [grɔɪn] *n* ANAT virilha

groom [gru:m] *n* **1** (*bridegroom*) noivo **2** (*stableman*) cavalariço
▸ *vt* **1** (*coach*) enfeitar, tratar de cavalo **2** (*clean*) cuidar, arrumar **3** preparar, treinar: ***to groom an employee*** treinar um empregado
• **to groom** *vi* arrumar-se, enfeitar-se

groove [gru:v] *n* **1** (*in record*) ranhura, sulco **2** (*in metal, wood*) encaixe, entalhe

grope [grəʊp] *vi* andar às apalpadelas, tatear
▸ *vt* apalpar
• **to grope for** procurar às apalpadelas

gross [grəʊs] *adj* **1** (*obese*) obeso **2** (*vulgar*) grosseiro, tosco, vulgar **3** (*serious*) grave **4** (*total*) bruto
▸ *vt* receber salário (bruto)

grossly ['grəʊslɪ] *adv* enormemente

grotesque [grəʊ'tesk] *adj* grotesco

grotty ['grɒtɪ] *adj* (**-ier**, **-iest**) GB *inf* ofensivo, odioso

grouch [graʊtʃ] *n* (*pl* **-es**) **1** *inf* (*person*) pessoa que resmunga **2** *inf* (*complaint*) reclamação, queixa
▸ *vi inf* (*complain*) resmungar, queixar-se

grouchy ['graʊtʃɪ] *adj* (**-ier**, **-iest**) resmungão

ground¹ [graʊnd] *pt-pp* → **grind**
▸ *n* **1** (*soil*) terra, solo **2** (*land*) terreno **3** (*field*) campo
▸ *vt* **1** (*aircraft, ship*) obrigar a ficar em terra **2** (*base*) fundamentar, basear em **3** (*instruct*) instruir
▸ *npl* **grounds 1** (*reason*) razão, motivo **2** (*enclosed land*) jardins, terreno em volta de uma casa
• **on the grounds of** com o motivo de, a pretexto de
• **groundless** infundado, improcedente
▪ **ground floor** andar térreo

ground² [graʊnd] *pt-pp* → **grind**
▸ *adj* moído

grounding ['graʊndɪŋ] *n* base, conhecimentos básicos

groundnut ['graʊndnʌt] *n* GB amendoim

group [gru:p] *n* grupo, conjunto
▸ *vt* agrupar
▸ *vi* agrupar-se, juntar-se

grouse¹ [graʊs] *n* ZOOL tetraz

grouse² [graʊs] *vi inf* queixar-se
▸ *n* queixa

grove [grəʊv] *n* bosque, pomar de frutas cítricas

grovel ['grɒvəl] *vi* (GB *pt & pp* **grovelled**, *ger* **grovelling**; US *pt & pp* **groveled**, *ger* **groveling**) arrastrar-se, rastejar, rebaixar-se, humilhar-se

grow [grəʊ] *vi* (*pt* **grew** [gru:], *pp* **grown** [grəʊn]) **1** (*increase*) crescer **2** aumentar, tornar-se: ***to grow rich*** enriquecer
▸ *vt* **1** (*plant*) cultivar **2** (*hair*) deixar crescer
▪ **to grow into** *vt* converter-se em, tornar-se hábito
▪ **to grow on** *vt* gostar cada vez mais, crescer na estima
▪ **to grow up** *vi* criar-se, crescer, desenvolver-se

grower ['grəʊəʳ] *n* cultivador

growl [graʊl] *n* grunhido, rugido
▸ *vi* grunhir

grown [grəʊn] *pp* → **grow**

grown-up ['grəʊnʌp] *adj-n* adulto, maior de idade

growth [grəʊθ] *n* **1** (*increase*) crescimento, aumento **2** (*tumour*) tumor, neoplasma

grub [grʌb] *n* **1** (*larva*) larva **2** *inf* (*food*) comida, boia

grubby ['grʌbɪ] *adj* (**-ier**, **-iest**) sujo

grudge [grʌdʒ] *n* ressentimento, rancor
▸ *vt* **1** (*resent*) fazer ou dar com má vontade **2** (*envy*) invejar
• **to bear somebody a grudge** guardar rancor de alguém

grudgingly ['grʌdʒɪŋlɪ] *adv* de má vontade

gruelling ['gru:əlɪŋ] *adj* cansativo, irritante, duro

gruesome ['gru:səm] *adj* horrível, repulsivo

gruff [grʌf] *adj* **1** (*rough*) rude **2** (*hoarse*) rouco **3** (*unfriendly*) brusco, repulsivo

grumble ['grʌmbəl] *n* queixa
▸ *vi* resmungar, queixar-se

grumbler ['grʌmbləʳ] *n* resmungão, rabugento

grumpily ['grʌmpɪlɪ] *adv* de mau humor

grumpy ['grʌmpɪ] *adj* (-**ier**, -**iest**) amuado, irritável

grunt [grʌnt] *n* grunhido
▸ *vi* grunhir

guarantee [gærən'ti:] *n* garantia
▸ *vt* **1** (*promise*) garantir **2** (*assure*) assegurar

guarantor [gærən'tɔ:ʳ] *n* fiador, avalista

guard [gɑ:d] *n* **1** (*person*) guarda, vigia, sentinela **2** (*group*) guarda **3** (*conductor*) chefe de trem **4** (*machine*) dispositivo de segurança
▸ *vt* **1** (*protect*) guardar, proteger, defender **2** (*patrol*) vigiar, custodiar **3** (*preserve*) conservar **4** (*safeguard*) proteger-se
• **off one's guard** desprevenido
• **on guard** de guarda
• **on one's guard** prevenido
• **to stand guard** montar guarda
▪ **guard dog** cão de guarda

guarded ['gɑ:dɪd] *adj* cauteloso, cuidadoso

guardian ['gɑ:dɪən] *n* **1** (*protector*) guardião **2** (*of child*) tutor
▪ **guardian angel** anjo da guarda

Guatemala [gwəʊtə'mɑ:lə] *n* Guatemala

Guatemalan [gwætə'mɑ:lən] *adj-n* guatemalteco

guerrilla [gə'rɪlə] *n* guerrilheiro, guerrilha
▪ **guerrilla warfare** guerrilha

guess [ges] *vt-vi* **1** adivinhar: ***guess what happened to me today*** adivinha o que me aconteceu hoje **2** *inf* supor: ***I guess you're right*** suponho que você tem razão
▸ *n* (*pl* -**es**) **1** conjectura, oportunidade para adivinhar: ***have a guess!*** adivinha!; ***I'll give you three guesses*** dou três oportunidades para você adivinhar **2** (*estimate*) cálculo

guesswork ['geswɜ:k] *n* conjecturas (*pl*)

guest [gest] *n* **1** (*at hotel*) hóspede **2** (*visitor*) convidado

guesthouse ['gesthaʊs] *n* casa para hóspedes, pensão

guffaw [gʌ'fɔ:] *n* gargalhada
▸ *vi* rir às gargalhadas

guidance ['gaɪdəns] *n* **1** (*direction*) orientação **2** (*advice*) conselho

guide [gaɪd] *n* **1** (*person*) guia **2** (*book*) guia, manual
▸ *vt* guiar, orientar

guidebook ['gaɪdbʊk] *n* guia de viagem

guideline ['gaɪdlaɪn] *n* diretriz, norma de procedimento

guild [gɪld] *n* associação, corporação

guile [gaɪl] *n* fraude, logro

guileless ['gaɪlləs] *adj* sincero, honesto, sem malícia

guillotine ['gɪləti:n] *n* guilhotina
▸ *vt* guilhotinar, executar na guilhotina

guilt [gɪlt] *n* **1** (*regret*) culpa **2** (*culpability*) culpabilidade

guilty ['gɪltɪ] *adj* (-**ier**, -**iest**) culpado

guinea ['gɪnɪ] *n* (*former British monetary unit*) guinéu
▪ **guinea pig** porquinho-da-índia, cobaia

guise [gaɪz] *n* aparência externa, maneira, forma

guitar [gɪ'tɑ:ʳ] *n* violão

guitarist [gɪ'tɑ:rɪst] *n* violonista, guitarrista

gulf [gʌlf] *n* **1** (*bay*) golfo **2** *fig* (*gap*) abismo

gull [gʌl] *n* gaivota

gullible ['gʌlɪbəl] *adj* crédulo, ingênuo

gully ['gʌlɪ] *n* (*pl* -**ies**) canal, vala, sarjeta

gulp [gʌlp] *n* trago
▸ *vt* tragar
▸ *vi* tragar saliva

gum¹ [gʌm] *n* gengiva

gum² [gʌm] *n* látex, goma: ***chewing gum*** goma de mascar
▸ *vt* (*pt & pp* **gummed**, *ger* **gumming**) **1** (*stick*) colar **2** (*chew*) mastigar com as gengivas
• **to gum up the works** *infml* estragar tudo, tumultuar o bom andamento de alguma coisa

gumption ['gʌmpʃən] *n* iniciativa, presença de espírito

gun [gʌn] *n* **1** (*firearm*) arma de fogo **2** (*pistol*) pistola, revólver **3** (*rifle*) rifle, fuzil **4** (*cannon*) canhão
▪ **gun dog** cão de caça
▪ **to gun down** *vt* matar a tiros, acertar com um tiro

gunfire ['gʌnfaɪəʳ] *n* fogo de artilharia

gunman ['gʌnmən] *n* (*pl* **gunmen**) pistoleiro, matador profissional armado

gunner ['gʌnəʳ] *n* atirador

gunpoint ['gʌnpɔɪnt] *phr* **at gunpoint** sob a mira da arma

gunpowder ['gʌnpaʊdəʳ] *n* pólvora

gunrunner ['gʌnrʌnəʳ] *n* contrabandista de armas

gunrunning ['gʌnrʌnɪŋ] *n* contrabando de armas

gunshot ['gʌnʃɒt] *n* disparo, tiro

gurgle ['gɜːgəl] *n* **1** (*water*) gorgolejo **2** (*baby*) gorgolejo, murmúrio
▸ *vi* **1** (*water*) gorgolejar **2** (*baby*) murmurar

guru ['guːruː] *n* guru

gush [gʌʃ] *n* torrente, fluxo, jorro
▸ *vi* **1** (*flow out*) jorrar **2** (*enthuse*) ser efusivo ou afetadamente sentimental

gushing ['gʌʃɪŋ] *adj* **1** (*flowing*) que sai aos borbotões **2** (*effusive*) efusivo

gust [gʌst] *n* rajada de vento

gusto ['gʌstəʊ] *n* gosto, prazer

gusty ['gʌstɪ] *adj* (**-ier**, **-iest**) tempestuoso

gut [gʌt] *n* intestino, tripa
▸ *vt* (*pt & pp* **gutted**, *ger* **gutting**) **1** (*remove organs from*) destripar **2** (*destroy*) devastar, esvaziar
▸ *npl* **guts** **1** (*internal organs*) entranhas, vísceras **2** *inf* coragem: ***he didn't have the guts to tell her*** ele não teve coragem de dizer a ela
• **to hate somebody's guts** odiar alguém
▪ **gut feeling** intuição

gutter ['gʌtəʳ] *n* **1** (*ditch*) sarjeta **2** (*drain*) calha **3** *fig* (*misery*) miséria
▪ **gutter press** imprensa sensacionalista

guy [gaɪ] *n inf* rapaz, sujeito, cara

guzzle ['gʌzəl] *vt* beber avidamente

gym [dʒɪm] *n* **1** *inf* (*gymnasium*) ginásio de esportes **2** *inf* (*exercises*) academia de ginástica
▪ **gym shoes** sapatos de ginástica

gymkhana [dʒɪm'kɑːnə] *n* gincana

gymnasium [dʒɪm'neɪzɪəm] *n* ginásio de esportes

gymnast ['dʒɪmnæst] *n* ginasta

gymnastics [dʒɪm'næstɪks] *n* ginástica

É incontável, e o verbo vai para o singular.

gynaecological [gaɪnəkə'lɒdʒɪkəl] *adj* ginecológico

gynaecologist [gaɪnɪ'kɒlədʒɪst] *n* ginecologista

gynaecology [gaɪnɪ'kɒlədʒɪ] *n* ginecologia

gypsy ['dʒɪpsɪ] *adj-n* cigano

gyrate [dʒaɪ'reɪt] *vi* girar, rodar, revolver

H

habit ['hæbɪt] *n* **1** (*custom*) hábito, costume **2** (*costume*) hábito

habitable ['hæbɪtəbəl] *adj* habitável

habitat ['hæbɪtæt] *n* hábitat

habitual [hə'bɪtʃʊəl] *adj* **1** (*customary*) habitual, costumeiro **2** incorrigível, contumaz, inveterado: ***a habitual smoker*** um fumante inveterado

hack [hæk] *vt* **1** (*cut*) entalhar, cortar **2** (*lacerate*) dar golpes cortantes **3** COMPUT violar sistemas de computação

hacksaw ['hæksɔ:] *n* serra para metais

had [hæd] *pt-pp* → **have**

haddock ['hædək] *n* hadoque

haemorrhage ['hemərɪdʒ] *n* hemorragia

haemorrhoids ['hemərɔɪdz] *npl* MED hemorroidas

hag [hæg] *n* bruxa, megera

haggard ['hægəd] *adj* abatido, de aspecto extenuado

haggle ['hægəl] *vi* regatear

hail[1] [heɪl] *vt* **1** (*call out*) chamar **2** (*greet*) cumprimentar entusiasticamente, saudar **3** (*acclaim*) aclamar

• **to hail from** *fml* ser originário de: ***she hails from Montreal*** ela é de Montreal

■ **Hail Mary** ave-maria

hail[2] [heɪl] *n* granizo

▸ *vi* chover granizo

hailstone ['heɪlstəʊn] *n* granizo

hailstorm ['heɪlstɔ:m] *n* tempestade de granizo

hair [heə^{r}] *n* **1** (*on human head*) cabelo, pelo **2** (*on human skin*) pelo **3** (*on animal, insect, plant*) pelo

• **to do one's hair** pentear-se

hairbrush ['heəbrʌʃ] *n* (*pl* **-es**) escova de cabelo

haircut ['heəkʌt] *n* corte de cabelo

• **to have a haircut** cortar o cabelo

hairdo ['heədu:] *n* (*pl* **hairdos**) *inf* penteado

hairdresser ['heədresə^{r}] *n* cabeleireiro

■ **hairdresser's** salão de cabeleireiro

hairdryer ['heədraɪə^{r}] *n* secador de cabelo

hairpiece ['heəpi:s] *n* aplique de cabelos postiços

hairpin ['heəpɪn] *n* grampo de cabelo

hair-raising ['heəreɪzɪŋ] *adj* horripilante, de arrepiar os cabelos

hairspray ['heəspreɪ] *n* laquê

hairstyle ['heəstaɪl] *n* penteado

hairy ['heərɪ] *adj* (**-ier**, **-iest**) **1** (*hirsute*) cabeludo, peludo **2** *fig* (*dangerous*) arriscado

hake [heɪk] *n* ZOOL peixe marinho semelhante ao bacalhau; merluza

half [hɑ:f] *n* (*pl* **halves**) **1** (*equal part*) metade **2** meio: ***to cut in half*** cortar ao meio; ***kilo and a half*** um quilo e meio

▸ *adj* meio: ***half a dozen*** meia dúzia; ***half an hour*** meia hora

▸ *adv* meio: ***half dead*** meio morto

▸ *pron* metade: ***that's too much; I can only eat half*** é muito; só consigo comer a metade

• **to go halves on** repartir as despesas meio a meio

• **half past** e meia: ***it's half past two*** são duas e meia

• **the second half** **1** SPORT o segundo tempo **2** THEATRE o segundo ato

• **other half** cara-metade

half-brother ['hɑːfbrʌðəʳ] *n* meio-irmão

half-caste ['hɑːfkɑːst] *adj-n* mestiço

half-hearted [hɑːf'hɑːtɪd] *adj* indiferente, sem entusiasmo

halfpenny ['heɪpnɪ] *n* (*pl* **-ies**) (*coin*) meio pêni

half-sister ['hɑːfsɪstəʳ] *n* meia-irmã

half-time [hɑːf'taɪm] *n* SPORT meio-tempo, intervalo

halfway ['hɑːf'weɪ] *adj* equidistante
▸ *adv* a meio caminho, na metade do caminho

half-wit ['hɑːfwɪt] *n* imbecil

hall [hɔːl] *n* **1** (*entry*) vestíbulo, saguão, *hall* **2** (*meeting place*) salão, sala **3** (*large house*) mansão
■ **hall of residence** dormitório universitário
■ **town hall** prefeitura
■ **hall of fame** galeria da fama

hallmark ['hɔːlmɑːk] *n* **1** (*indication*) marca indicativa de qualidade ou excelência **2** (*seal*) carimbo oficial que atesta a pureza de metais preciosos **3** característica marcante ou aspecto evidente: ***one of the hallmarks of his administration was the massive investment in public transport*** uma das características marcantes de sua administração foi o investimento maciço em transporte público

hallo [hə'ləʊ] *interj* → **hello**

halloween [hæləʊ'iːn] *n* festas das bruxas, *halloween*

hallucination [həluːsɪ'neɪʃən] *n* alucinação

halo ['heɪləʊ] *n* (*pl* **-s** ou **-es**) halo, auréola

halt [hɔːlt] *n* parada
▸ *vt-vi* parar, cessar, deter, interromper
• **halt!** alto!
• **to come to a halt** parar

halting ['hɔːltɪŋ] *adj* vacilante, hesitante

halve [hɑːv] *vt* **1** (*bisect*) dividir ao meio **2** (*reduce by half*) reduzir à metade

ham [hæm] *n* presunto
• **to ham it up** exagerar na atuação ou no comportamento, provocando risos

hamburger ['hæmbɜːgəʳ] *n* hambúrguer

hammer ['hæməʳ] *n* martelo
▸ *vt* **1** (*beat*) martelar **2** (*batter*) bater insistentemente ou chutar com força
▸ *vt* **1** derrotar: ***his team was hammered in all the games*** seu time foi derrotado em todos os jogos **2** *vt* criticar com veemência: ***her behaviour has been hammered by the neighbours*** seu comportamento foi criticado com veemência pelos vizinhos

hammock ['hæmək] *n* rede

hamper ['hæmpəʳ] *n* cesto

hamper ['hæmpəʳ] *vt* estorvar

hamster ['hæmstəʳ] *n hamster*

hand [hænd] *n* **1** (*person*) mão **2** (*animal*) pata dianteira **3** mão, ajuda: ***I've got so many chores to do; please give me a hand*** tenho tantos afazeres domésticos; por favor me dê uma mão **4** (*clock*) ponteiro **5** (*cards dealt*) mão
▸ *vt* dar, entregar
• **at first hand** de primeira mão
• **at hand** à mão, ao alcance
• **by hand** à mão, manualmente
• **hands up!** mãos ao alto!
• **on hand** disponível
• **on the one hand** por um lado
• **on the other hand** por outro lado
• **to have the upper hand** obter vantagem
• **to hold hands** dar as mãos
• **to lend a hand** ajudar
• **to change hands** mudar de dono
• **to try one's hand at** tentar aprender, experimentar uma nova habilidade: ***she's planning to try a hand at playing the piano*** ela está planejando tentar aprender a tocar piano
■ **to hand back** *vt* devolver ao dono
■ **to hand in** *vt* entregar, apresentar
■ **to hand out** *vt* distribuir: ***the teacher handed out the tests*** o professor distribuiu os testes
■ **to hand over** *vt* **1** (*give*) entregar **2** (*surrender*) transferir
■ **to hand round** *vt* distribuir

handbag ['hændbæg] *n* bolsa feminina

handball ['hændbɔːl] *n* handebol

handbook ['hændbʊk] *n* manual

handbrake ['hændbreɪk] *n* freio de mão

handcuff ['hændkʌf] *vt* algemar
▸ *npl* **handcuffs** algemas

handful ['hændfʊl] *n* punhado

handicap ['hændɪkæp] *n* **1** (*disability*) incapacidade física ou mental, deficiência **2** (*disadvantage*) desvantagem, obstáculo **3** SPORT *handicap*

▸ *vt* **1** dificultar, impedir: ***the rescue has been handicapped by the high winds*** o resgate foi dificultado pelos fortes ventos **2** SPORT avaliar as chances de um competidor

handicapped ['hændɪkæpt] *adj* incapacitado, deficiente

▪ **the handicapped** os deficientes

handicraft ['hændɪkrɑ:ft] *n* **1** (*craft*) artesanato **2** (*skill*) habilidade manual

handkerchief ['hæŋkətʃi:f] *n* (*pl* **-chiefs** ou **-chieves**) lenço

handle ['hændəl] *n* **1** (*door*) maçaneta, trinco **2** (*drawer*) puxador **3** (*cup*) asa **4** (*for holding*) cabo **5** (*for carrying*) alça (*de mala*)

▸ *vt* **1** (*hold*) manejar, usar **2** (*manipulate*) tocar com as mãos, manusear, manipular **3** (*deal with*) tratar de **4** (*cope with*) lidar com **5** (*administer*) controlar, administrar

▸ *vi* responder ao controle

handlebar ['hændəlbɑ:ʳ] *n* guidom

handmade [hænd'meɪd] *adj* feito à mão

handout ['hændaʊt] *n* **1** (*leaflet*) folheto, material impresso que se distribui **2** (*press release*) nota distribuída à imprensa **3** (*charity*) doação de roupa, dinheiro e comida a necessitados

handshake ['hændʃeɪk] *n* aperto de mão

handsome ['hænsəm] *adj* (*comp* **handsomer**, *superl* **handsomest**) **1** (*good-looking*) fisicamente atraente, bem-apessoado **2** importante, considerável: ***he earns a handsome salary as corporate CEO*** ele ganha um salário considerável como diretor-geral de uma empresa

handwriting ['hændraɪtɪŋ] *n* caligrafia

handwritten ['hænd'rɪtən] *adj* escrito à mão, manuscrito

handy ['hændɪ] *adj* (**-ier**, **-iest**) **1** (*useful*) prático, útil, conveniente **2** (*skilful*) hábil

hang [hæŋ] *vt* (*pt & pp* **hung** [hʌŋ]) **1** (*suspend*) pender **2** (*incline*) inclinar, curvar **3** (*execute*) enforcar(-se), ser enforcado

Na opção 3, também *pt & pp* **hanged**.

▸ *n* declive

• **to get the hang of** *inf* aprender algo difícil, pegar o jeito

▪ **to hang about, hang around** *vi* vagar, perambular

▪ **to hang back** *vi* vacilar, hesitar

▪ **to hang out** *vt* demorar-se em um lugar ou em companhia de alguém

▸ *vi inf* frequentar: ***he hangs out in sleazy bars*** ele frequenta botequins de baixa categoria

▪ **to hang up** *vt-vi* (*telephone*) desligar

hangar ['hæŋəʳ] *n* hangar

hanger ['hæŋəʳ] *n* cabide

hang-glider ['hæŋglaɪdəʳ] *n* asa-delta

hang-gliding ['hæŋglaɪdɪŋ] *n* voo em asa-delta

hanging ['hæŋɪŋ] *adj* pendente, pendurado

▸ *n* **1** (*execution by strangling*) enforcamento **2** (*covering for wall*) cortinado, reposteiro

hangman ['hæŋmən] *n* (*pl* **hangmen**) **1** (*executioner*) carrasco **2** (*game*) forca

hangout ['hæŋaʊt] *n inf point*, lugar muito frequentado

hangover ['hæŋəʊvəʳ] *n* ressaca

hang-up ['hæŋʌp] *n inf* **1** (*preoccupation*) preocupação exagerada **2** (*obsession*) obsessão

hanker ['hæŋkəʳ] *vi* **to hanker after** ansiar, almejar

hanky-panky [hæŋkɪ'pæŋkɪ] *n inf* **1** (*trickery*) tramoia **2** (*immoral behavior*) comportamento imoral ou ilícito

haphazard [hæp'hæzəd] *adj* **1** (*disorganized*) desordenado, caótico **2** (*unsystematic*) improvisado

happen ['hæpən] *vi* ocorrer, acontecer, suceder: ***what happened?*** o que aconteceu?

• **to happen to do something** fazer algo por acaso: ***if you happen to...*** se por acaso você...

happening ['hæpənɪŋ] *n* acontecimento

happily ['hæpɪlɪ] *adv* felizmente, de maneira alegre

happiness ['hæpɪnəs] *n* felicidade

happy ['hæpɪ] *adj* (**-ier**, **-iest**) contente, feliz, alegre: ***happy birthday!*** feliz aniversário!

harass ['hærəs] *vt* assediar, importunar

harassment ['hærəsmənt] *n* assédio

harbour ['hɑːbəʳ] (US **harbor**) *n* porto
▸ *vt* **1** (*shelter*) encobrir, proteger **2** (*bear*) nutrir

hard [hɑːd] *adj* **1** (*material*) duro, firme, rijo **2** (*difficult*) difícil **3** (*harsh*) severo, duro, inflexível **4** (*stressful*) cansativo, penoso
▸ *adv* com força: ***he hit that man hard*** ele bateu naquele homem com força **2** muito: ***it's snowing hard*** está nevando muito
• **hard of hearing** incapaz de ouvir bem
• **to work hard** trabalhar muito, trabalhar com afinco
• **to be hard up** *inf* estar com pouco dinheiro
▪ **hard court** SPORT quadra de tênis asfaltada
▪ **hard disk** COMPUT disco rígido
▪ **hard labour** trabalhos forçados
▪ **hard shoulder** acostamento
▪ **hard drugs** drogas pesadas

harden ['hɑːdən] *vt-vi* endurecer(-se)

hard-headed ['hɑːd'hedɪd] *adj* pragmático, realista

hardhearted ['hɑːd'hɑːtɪd] *adj* insensível, cruel

hardly ['hɑːdlɪ] *adv* **1** apenas, mal: ***the meeting had hardly started when...*** a reunião mal havia começado quando... **2** quase nunca, quase não, raramente: ***he hardly ever gets angry*** ele raramente se zanga

hardness ['hɑːdnəs] *n* **1** (*difficulty*) dificuldade **2** (*severity*) severidade, inflexibilidade

hardship ['hɑːdʃɪp] *n* adversidade, privação

hardware ['hɑːdweəʳ] *n* **1** (*metal tools*) ferragens **2** COMPUT *hardware*
▪ **hardware store** loja de ferragens

hard-working ['hɑːd'wɜːkɪŋ] *adj* diligente, aplicado

hardy ['hɑːdɪ] *adj* (**-ier**, **-iest**) **1** (*robust*) forte, robusto **2** (*vigorous*) resistente **3** (*audacious*) intrépido

hare [heəʳ] *n* lebre

harebrained ['heəbreɪnd] *adj* (*idea*) disparatado

harem [hɑː'riːm, 'heərəm] *n* harém

haricot bean [hærɪkəʊ'biːn] *n* feijão-branco

harlequin ['hɑːlɪkwɪn] *n* arlequim

harlot ['hɑːlət] *n* meretriz

harm [hɑːm] *n* mal, dano, prejuízo
▸ *vt* prejudicar, causar dano
• **to come to no harm** sair ileso
• **there's no harm in...** não se perde nada em..., não custa...
• **to mean no harm** ter boas intenções

harmful ['hɑːmfʊl] *adj* nocivo, prejudicial

harmless ['hɑːmləs] *adj* inofensivo, inócuo

harmonic [hɑː'mɒnɪk] *adj* harmônico, harmonioso
▸ *n* MUS harmônico

harmonica [hɑː'mɒnɪkə] *n* harmônica

harmonious [hɑː'məʊnɪəs] *adj* harmonioso

harmonize ['hɑːmənaɪz] *vt-vi* harmonizar

harmony ['hɑːmənɪ] *n* (*pl* **-ies**) harmonia

harness ['hɑːnəs] *n* (*pl* **-es**) arreios
▸ *vt* **1** (*horse*) arrear **2** atrelar, afivelar: ***don't forget to harness the baby in her car seat*** não se esqueça de afivelar o bebê no assento do carro **3** (*exploit*) explorar, aproveitar

harp [hɑːp] *n* harpa
▪ **to harp on about** *vt* repetir com insistência, martelar na mesma tecla

harpoon [hɑː'puːn] *n* arpão
▸ *vt* arpoar

harpsichord ['hɑːpsɪkɔːd] *n* clavicórdio, espineta

harrowing ['hærəʊɪŋ] *adj* angustiante

harry ['hærɪ] *vt* (*pt & pp* **harried**, *ger* **harrying**) **1** (*ravage*) assolar, devastar **2** (*bother*) chatear, incomodar

harsh [hɑːʃ] *adj* **1** (*severe*) cruel, severo **2** (*light, colour*) forte **3** (*abrasive*) áspero **4** (*winter*) rigoroso

harvest ['hɑːvɪst] *n* colheita, vindima
▸ *vt* colher

harvester ['hɑːvɪstəʳ] *n* **1** (*person*) segador, ceifeiro **2** (*machine*) ceifeira, segadeira

has [hæz] *3rd pers sing pres* → **have**

hash¹ [hæʃ] *n cul* **1** COOK picadinho **2** (*mess*) bagunça, confusão

• **to make a hash of something** meter os pés pelas mãos

hash² [hæʃ] *n inf* haxixe

hashish ['hæʃiːʃ] *n* haxixe

hassle ['hæsəl] *n inf* azáfama, trabalheira: ***it's a real hassle!*** que trabalheira!

▸ *vt inf* importunar, chatear: ***stop hassling your sister*** pare de chatear sua irmã

haste [heɪst] *n* pressa

• **in haste** às pressas

hasten ['heɪsən] *vt-vi* apressar(-se)

hasty ['heɪstɪ] *adj* (-**ier**, -**iest**) apressado, precipitado: ***you should avoid making hasty decisions*** você deve evitar tomar decisões precipitadas

hat [hæt] *n* chapéu

hatch [hætʃ] *n* (*pl* -**es**) escotilha, portinhola

▸ *vt* **1** (*eggs*) chocar, incubar **2** *fig* (*scheme*) tramar, arquitetar

▸ *vi* sair do ovo

hatchet ['hætʃɪt] *n* machadinha

hate [heɪt] *n* ódio

▸ *vt* odiar, detestar

• **I hate to disturb you, but...** lamento incomodá-lo, mas...

hateful ['heɪtfʊl] *adj* odioso

hatred ['heɪtrəd] *n* ódio

haughty ['hɔːtɪ] *adj* (-**ier**, -**iest**) arrogante

haul [hɔːl] *n* **1** carregamento: ***a large drug haul*** uma grande apreensão de drogas **2** grande quantidade de algo pilhado ou apreendido: ***the criminals got away with a haul of arms*** os bandidos escaparam levando uma grande quantidade de armas **3** (*pull*) ato de puxar ou arrastar **4** (*catch*) quantidade apanhada

▸ *vt* puxar com dificuldade, arrastar

• **a long haul** um longo trajeto

haulage ['hɔːlɪdʒ] *n* gasto com transporte

haulier ['hɔːljəʳ] *n* transportador

haunch [hɔːntʃ] *n* (*pl* -**es**) anca

haunt [hɔːnt] *n* lugar visitado com frequência

▸ *vt* **1** (*ghost*) assombrar **2** (*memory*) atormentar: ***many years after the end of the war he is still haunted by dreadful images*** muitos anos depois do fim da guerra ele ainda é atormentado por imagens horríveis

haunted ['hɔːntɪd] *adj* mal-assombrado

have [hæv] *vt* (*pt & pp* **had**) **1** ter, haver, possuir: ***he has lots of money*** ele tem muito dinheiro **2** fazer refeições, comer, beber, tomar: ***to have breakfast*** tomar café da manhã; ***to have lunch*** almoçar; ***to have tea*** tomar chá; ***to have dinner*** jantar **3** tomar: ***to have a bath*** tomar banho; ***to have a shower*** tomar um banho de chuveiro **4** estar: ***she has flu*** ela está gripada **5** fazer, celebrar: ***are you having a birthday party?*** você vai fazer uma festa de aniversário? **6** ter, dar à luz: ***Anna's had a baby girl*** Anna deu à luz uma menina **7** mandar fazer: ***he had the house painted*** ele mandou pintar a casa **8** permitir, consentir: ***I won't have it!*** não vou permitir isso! **8** ter de: ***I have to buy a new pair of shoes*** tenho de comprar um novo par de sapatos

▸ *aux* haver, ter: ***I have seen a ghost*** vi um fantasma; ***I had seen the film before*** eu tinha visto o filme antes

• **had better** seria melhor: ***you'd better come alone*** seria melhor você vir sozinho

• **have got** GB ter: ***he's got a new bike*** ele tem uma bicicleta nova

• **to have done with** ter terminado, ter acabado

• **to have had it** não aguentar mais, estar farto de algo ou de alguém: ***I have had it with small cars*** estou farto de carros pequenos

• **to have just** acabar de: ***I have just seen him*** acabo de vê-lo

• **to have somebody on** pegar no pé de alguém, tentar enganar de brincadeira: ***to have something done*** mandar fazer algo; ***they're having a house built*** estão construindo uma casa

• **to have something on** ter algo planejado

• **to have it in for somebody** cismar com alguém: ***the boss has had it in for the new waitress and decided to fire her*** o chefe cismou com a garçonete nova e decidiu despedi-la
• **to have it out with somebody** ajustar contas com alguém
• **to have to do something** ter de fazer algo
• **to have to do with** ter a ver com
• **to have it away, have it off** *vulg* transar, ter relações sexuais
• **to have a good time** divertir-se
■ **to have on** *vt* usar: ***she had on new shoes*** ela usava sapatos novos
■ **to have out** *vt* **1** (*wisdom tooth*) tirar **2** (*appendix, tonsil*) operar-se de

haven ['heɪvən] *n fig* refúgio

haversack ['hævəsæk] *n* mochila

havoc ['hævək] *n* **1** (*devastation*) devastação generalizada, destruição **2** (*confusion*) confusão
• **to play havoc** causar estragos: ***the flood played havoc with the historical documents kept in the library*** a inundação causou estragos nos documentos históricos guardados na biblioteca

hawk [hɔ:k] *n* ZOOL falcão

hay [heɪ] *n* feno

hay-fever ['heɪfi:vəʳ] *n* MED febre do feno

haywire ['heɪwaɪəʳ] *adj* louco
• **to go haywire** descontrolar-se

hazard ['hæzəd] *n* risco, perigo
▸ *vt* aventurar, atrever-se a fazer algo, arriscar: ***to hazard a guess*** arriscar uma opinião

hazardous ['hæzədəs] *adj* arriscado, perigoso

haze [heɪz] *n* neblina, névoa

hazel ['heɪzəl] *n* BOT aveleira
▸ *adj* (*colour*) avelã

hazelnut ['heɪzəlnʌt] *n* (*fruit*) avelã

hazy ['heɪzɪ] *adj* (**-ier**, **-iest**) **1** (*mist*) nebuloso, nublado: ***it's hazy*** está nublado **2** *fig* (*vague*) vago, confuso

he [hi:] *pron* ele: ***he came yesterday*** ele veio ontem
▸ *adj* varão, macho: ***a he bear*** um urso macho

head [hed] *n* **1** (*body*) cabeça **2** parte superior, ponta, topo: ***the head of the nail*** a cabeça do prego; ***the head of the stairs*** o topo da escada **3** (*brain*) cabeça: ***use your head and you'll know what to do*** use a cabeça e saberá o que fazer **4** (*of table, bed*) cabeceira **5** (*of page*) cabeçalho **6** (*white froth on beer*) colarinho **7** (*leader*) pessoa em cargo de comando, chefe, diretor **8** (*person or animal as unit*) cabeça
▸ *vt* **1** (*lead*) encabeçar **2** SPORT cabecear **3** (*command*) dirigir **4** (*provide with title*) intitular
• **heads or tails?** cara ou coroa?
• **headhunter** pessoa ou empresa recrutadora de talentos no mundo empresarial
■ **to head for** *vt* dirigir-se a

headache ['hedeɪk] *n* dor de cabeça

header ['hedəʳ] *n* **1** SPORT cabeçada **2** (*at page*) cabeçalho

heading ['hedɪŋ] *n* cabeçalho, título, rubrica

headlamp ['hedlæmp] *n* farol

headland ['hedlənd] *n* promontório

headlight ['hedlaɪt] *n* farol

headline ['hedlaɪn] *n* manchete

headlong ['hedlɒŋ] *adj* **1** impensado, irrefletido, precipitado: ***lives are destroyed in the headlong rush for profit*** vidas são destruídas na ânsia irrefletida por lucro **2** *adv*: de cabeça ***he dived headlong into the river*** ele mergulhou de cabeça no rio **3** sem refletir antes, impensadamente: ***you should not rush headlong into marrying him*** você não deve apressar-se em casar com ele sem refletir antes

headmaster [hed'mɑ:stəʳ] *n* diretor

headmistress [hed'mɪstrəs] *n* (*pl* **-es**) diretora

headphones ['hedfəʊnz] *npl* fones de ouvido

headquarters ['hedkwɔ:təz] *npl* **1** (*main office*) sede, escritório principal **2** MIL quartel-general

headstrong ['hedstrɒŋ] *adj* **1** (*obstinate*) obstinado **2** (*stubborn*) teimoso

headteacher ['hed'ti:tʃəʳ] *n* (*of school*) diretor

headway ['hedweɪ] *n* avanço, progresso
• **to make headway** avançar

headword ['hedwɜːd] *n* palavra ou expressão que inicia um verbete

heal [hiːl] *vt-vi* curar(-se)

health [helθ] *n* **1** (*well-being*) bem-estar, boa condição **2** (*physical state*) saúde
▪ **health centre** centro de saúde, ambulatório

healthy ['helθɪ] *adj* (**-ier**, **-iest**) **1** (*in good health*) são, sadio, saudável **2** (*good for someone*) salutar

heap [hiːp] *n* pilha, montão
▸ *vt* amontoar, empilhar

hear [hɪəʳ] *vt-vi* (*pt & pp* **heard** [hɜːd]) ouvir
• **to hear from** ter notícias de
• **to hear of** ouvir falar de

hearer ['hɪərəʳ] *n* ouvinte

hearing ['hɪərɪŋ] *n* **1** (*sense*) audição **2** (*in court*) audiência
▪ **hearing aid** aparelho para surdez

hearsay ['hɪəseɪ] *n* boato, rumores

hearse [hɜːs] *n* carro fúnebre

heart [hɑːt] *n* **1** ANAT coração **2** (*nature*) temperamento, caráter **3** (*courage*) coragem, bravura **4** *fig* (*compassion*) coração, compaixão **5** (*core, essence*) âmago, parte central, cerne
▸ *npl* **hearts** (*cards*) copas
• **by heart** de cor
• **to lose heart** desanimar
• **to take heart** animar-se
• **with all your heart** de todo coração, sinceramente
• **to break sb's heart** decepcionar ou entristecer alguém, frustrar as expectativas amorosas de alguém
▪ **heart attack** ataque cardíaco
▪ **young at heart** jovem de espírito
▪ **have a heart!** tenha compaixão!

heartbeat ['hɑːtbiːt] *n* batimento cardíaco

heartbreaking ['hɑːtbreɪkɪŋ] *n* sentimento de profunda tristeza ou desapontamento

heartbroken ['hɑːtbrəʊkən] *adj* consternado, inconsolável
• **to be heartbroken** sentir-se inconsolável

hearten ['hɑːtən] *vt* animar, encorajar

hearth [hɑːθ] *n* lareira

heartless ['hɑːtləs] *adj* cruel, impiedoso

heart-throb ['hɑːtθrɒb] *n* ídolo, símbolo sexual

hearty ['hɑːtɪ] *adj* (**-ier**, **-iest**) **1** (*friendly*) sincero e entusiástico **2** inequívoco: ***a heart support*** um apoio inequívoco **3** (*substantial*) substancial **4** (*robust*) robusto, vigoroso

heat [hiːt] *n* **1** (*warmth*) calor **2** (*amount of hotness*) aquecimento **3** (*passion*) ardor **4** SPORT prova eliminatória
▸ *vt-vi* aquecer, esquentar
• **on heat** no cio

heated ['hiːtɪd] *adj* **1** (*room, swimming-pool*) aquecido, climatizado **2** (*excited*) exaltado **3** *fig* (*discussion*) acalorado

heater ['hiːtəʳ] *n* aquecedor, aparelho para o aquecimento de ambientes

heath [hiːθ] *n* charneca

heathen ['hiːðən] *adj-n* pagão

heather ['heðəʳ] *n* urze

heating ['hiːtɪŋ] *n* aquecimento, calefação

heatwave ['hiːtweɪv] *n* onda de calor

heave [hiːv] *n* **1** (*effort to raise*) soerguimento **2** (*throw*) arremesso **3** (*pull*) puxão **4** (*rising*) movimento rítmico de subir e descer
▸ *vt* **1** (*lift with effort*) movimentar algo a custo **2** (*throw*) atirar **3** (*raise*) soerguer
▸ *vi* **1** movimentar para cima e para baixo ritmadamente: **to heave on a rope** pular corda **2** (*sigh*) ofegar, arfar **3** ter náuseas ou ânsia de vômitos ***that awful smell made me heave*** aquele cheiro horrível me fez ter náuseas

heaven ['hevən] *n* céu

heavenly ['hevənlɪ] *adj* (**-ier**, **-iest**) **1** (*celestial*) celeste, celestial **2** (*divine*) divino **3** *fig* (*very pleasant*) delicioso
▪ **heavenly body** corpo celeste

heavily ['hevɪlɪ] *adv* **1** muito, em grande quantidade: ***it was raining heavily*** chovia muito **2** fortemente: ***they were heavily armed*** eles estavam fortemente armados

heavy ['hevɪ] *adj* (**-ier**, **-iest**) **1** (*weighty*) pesado **2** (*strong*) forte **3** (*dense*) denso, compacto, espesso **4** (*intense*) intenso **5** (*sizeable*) abundante

• **to be a heavy smoker** ser um fumante inveterado

heavyweight ['hevɪweɪt] *n* peso-pesado

heckle ['hekəl] *vt* dirigir apartes a

hectare ['hektɑːʳ] *n* hectare

hectic ['hektɪk] *adj* **1** (*feverish*) febril **2** (*franctic*) agitado

hedge [hedʒ] *n* **1** (*shrub*) sebe, cerca viva **2** *fig* (*protection*) proteção

▸ *vi* responder com evasivas

hedgehog ['hedʒhɒg] *n* ZOOL ouriço

heed [hiːd] *n* atenção

▸ *vt* prestar atenção e acatar

• **to pay heed to somebody** dar atenção a alguém

• **to take heed of something** considerar, levar em conta

heel [hiːl] *n* **1** ANAT calcanhar **2** (*shoe*) salto

hefty ['heftɪ] *adj* (**-ier**, **-iest**) **1** (*large*) corpulento, forte **2** (*heavy*) pesado **3** vultoso, substancial, polpudo: ***a hefty tip*** uma gorgeta polpuda

heifer ['hefəʳ] *n* novilha

height [haɪt] *n* **1** (*object*) altura **2** (*elevation*) altitude **3** (*person*) estatura **4** *fig* (*acme*) auge, cúmulo

• **to be at the height of** estar no auge de

heighten ['haɪtən] *vt fig* intensificar

heinous ['heɪnəs] *adj* atroz

heir [eəʳ] *n* herdeiro

heiress ['eəres] *n* (*pl* **-es**) herdeira

heirloom ['eəluːm] *n* relíquia de família

held [held] *pt-pp* → **hold**

helicopter ['helɪkɒptəʳ] *n* helicóptero

helium ['hiːlɪəm] *n* CHEM hélio

hell [hel] *n* inferno

• **a hell of a** *inf* (*expressão usada para intensificar uma opinião, uma descrição etc.*) estupendo, fantástico, gigantesco, terrível, tremendo, danado etc.: ***we had to make a hell of an effort*** tivemos de fazer um esforço tremendo

• **the hell** *inf* (*expressão usada para enfatizar uma contrariedade, uma surpresa etc.*) inferno, diabos, droga etc.: ***what the hell are you doing here? You should be at work*** que diabos você está fazendo aqui? Você deveria estar no trabalho

hellish ['helɪʃ] *adj inf* infernal

hello [he'ləʊ] *interj* **1** (*greeting*) olá! **2** (*on telephone*) alô!

helm [helm] *n* timão

helmet ['helmɪt] *n* capacete

help [help] *n* ajuda

▸ *interj* socorro!

▸ *vt* **1** (*assist*) ajudar **2** evitar, deixar de: ***I couldn't help laughing*** não pude evitar o riso

• **help yourself** sirva-se

• **I can't help it** não posso evitar

• **it can't be helped** não há nada a fazer

helper ['helpəʳ] *n* ajudante

helpful ['helpfʊl] *adj* **1** (*useful*) útil **2** (*supportive*) prestativo

helping ['helpɪŋ] *n* porção, quantidade de comida servida

helpless ['helpləs] *adj* **1** (*defenseless*) incapaz, indefeso, desamparado **2** (*powerless*) impotente, sem ação **3** incontrolável: ***helpless sobs*** soluços incontroláveis

helter-skelter [heltə'skeltəʳ] *adv* atabalhoadamente, confusamente

▸ *n* tobogã

hem [hem] *n* barra, bainha

▸ *vt* (*pt & pp* **hemmed**, *ger* **hemming**) fazer bainha

■ **to hem in** *vt* cercar, rodear

he-man ['hiːmæn] *n* (*pl* **he-men**) machão

hemisphere ['hemɪsfɪəʳ] *n* hemisfério

hemp [hemp] *n* cânhamo

hen [hen] *n* galinha

hence [hens] *adv* **1** *fml* (*therefore*) disso, daí, por isso, portanto **2** *fml* daqui a, de agora a: ***five years hence*** daqui a cinco anos

henceforth [hens'fɔːθ] *adv fml* doravante

henchman ['hentʃmən] *n* (*pl* **henchmen**) sequaz, capanga

hepatitis [hepə'taɪtəs] *n* MED hepatite

her [hɜːʳ] *pron* **1** a (*direct object*): ***I love her*** eu a amo **2** (*indirect object*) lhe, a ela: ***give her the money*** dê-lhe o dinheiro; ***give it to her*** dê isto a ela **3** (*complement after preposition*) ela: ***go with her*** vá com ela

▸ *adj* (*belonging to a female person*) seu, seus, sua, suas, dela: ***her dog*** seu cachorro, o cachorro dela; ***her dogs*** seus cachorros, os cachorros dela; ***her house*** sua casa, a casa dela; ***her houses*** suas casas, as casas dela

herald ['herəld] *n* arauto
▸ *vt fml* anunciar

heraldry ['herəldrɪ] *n* heráldica

herb [hɜ:b] *n* erva

herbal ['hɜ:bəl] *adj* herbáceo
▪ **herbal tea** infusão de ervas, tisana

herbalist ['hɜ:bəlɪst] *n* herbolário

herbivorous [hɜ:'bɪvərəs] *adj* herbívoro

herd [hɜ:d] *n* **1** (*group of animals*) manada, rebanho, bando **2** (*crowd*) multidão
▸ *vt* arrebanhar, juntar em manada, juntar em rebanho

here [hɪə^r] *adv* aqui
• **here and there** aqui e ali
• **here you are** aqui está

hereafter [hɪər'ɑ:ftə^r] *adv fml* doravante

hereby [hɪə'baɪ] *adv fml* pelo presente, por meio deste

hereditary [hɪ'rədɪtərɪ] *adj* hereditário

heredity [hɪ'redɪtɪ] *n* hereditariedade

heresy ['herəsɪ] *n* (*pl* **-ies**) heresia

heretic ['herətɪk] *n* herege

heritage ['herɪtɪdʒ] *n* herança, legado

hermaphrodite [hɜ:'mæfrədaɪt] *adj* hermafrodita
▸ *n* hermafrodita

hermetic [hɜ:'metɪk] *adj* hermético

hermit ['hɜ:mɪt] *n* ermitão

hernia ['hɜ:nɪə] *n* MED hérnia

hero ['hɪərəʊ] *n* (*pl* **heroes**) herói

heroic [hɪ'rəʊɪk] *adj* heroico

heroin ['herəʊɪn] *n* (*drug*) heroína
▪ **heroin addict** heroinômano

heroine ['herəʊɪn] *n* (*person*) heroína

heroism ['herəʊɪzəm] *n* heroísmo

herring ['herɪŋ] *n* ZOOL arenque

hers [hɜ:z] *pron* (o) seu, (a) sua, (os) seus, (as) suas, (o/a) dela: ***my car is red but hers is black*** meu carro é vermelho mas o dela é preto

herself [hɜ:'self] *pron* **1** se, ela mesma: ***she hurt herself with a knife*** ela se feriu com uma faca; ***she herself took the responsability*** ela mesma assumiu a responsabilidade **2** ela mesma, si mesma: ***she only thinks of herself*** ela só pensa em si mesma
• **by herself 1** sozinha: ***my mother lives by hersef*** minha mãe mora sozinha **2** sem ajuda: ***she can do it by herself*** ela pode fazer isto sem ajuda

hesitant ['hezɪtənt] *adj* hesitante, indeciso

hesitate ['hezɪteɪt] *vi* hesitar, vacilar, duvidar

hesitation [hezɪ'teɪʃən] *n* hesitação, dúvida

heterogeneous [hetərəʊ'dʒi:nɪəs] *adj* heterogêneo

heterosexual [hetərəʊ'seksjʊəl] *adj* heterossexual
▸ *n* heterossexual

hexagon ['heksəgən] *n* hexágono

hey [heɪ] *interj* ei!

heyday ['heɪdeɪ] *n* auge, apogeu

HGV ['eɪtʃ'dʒi:'vi:] *abbr* GB (***heavy goods vehicle***) veículo pesado

hi [haɪ] *interj* olá!

hibernate ['haɪbəneɪt] *vi* hibernar

hibernation [haɪbə'neɪʃən] *n* hibernação

hiccough ['hɪkʌp] *n* soluço
▸ *vi* estar com soluço

hiccup ['hɪkʌp] *n* soluço
▸ *vi* (*pt & pp* **hiccupped**, *ger* **hiccupping**) estar com soluço

hid [hɪd] *pt-pp* → **hide**

hidden ['hɪdən] *pp* → **hide**
▸ *adj* escondido, oculto

hide [haɪd] *vt* (*pt* **hid** [hɪd], *pp* **hidden** ['hɪdən]) esconder
▸ *vi* esconder-se

hide [haɪd] *n* pele, couro

hide-and-seek [haɪdən'si:k] *n* esconde-esconde

hideous ['hɪdɪəs] *adj* horroroso, espantoso, medonho

hiding ['haɪdɪŋ] *n* surra, sova
• **to go into hiding** esconder-se

hierarchy ['haɪərɑːkɪ] *n* (*pl* **-ies**) hierarquia

hieroglyph ['haɪərəglɪf] *n* hieróglifo

high [haɪ] *adj* **1** alto, de altura: ***it's 6 metres high*** mede 6 metros de altura **2** (*superior*) nobre, elevado **3** (*sound, voice*) agudo **4** (*wind*) forte **5** *sl* (*intoxicated*) embriagado
▸ *n* ponto máximo
• **high and low** por todas as partes, em todos os cantos
▪ **high court** tribunal superior
▪ **high chair** cadeira de bebê
▪ **high fidelity** alta-fidelidade
▪ **high jump** salto em altura
▪ **high school** ensino médio
▪ **high street** rua principal de comércio
▪ **high tide** preamar

highbrow ['haɪbraʊ] *adj* intelectual, erudito, culto

higher ['haɪəʳ] *adj* superior
▪ **higher education** ensino superior

high-heeled ['haɪ'hiːld] *adj* de salto alto

highlands ['haɪləndz] *npl* região montanhosa, serrania

highlight ['haɪlaɪt] *vt* ressaltar, realçar

highly ['haɪlɪ] *adv* em alto grau, muito: ***it's highly enjoyable*** é muito divertido
• **to speak highly of somebody** tecer elogios a alguém
• **to think highly of somebody** ter alguém em alta consideração

highness ['haɪnəs] *n* altura
▪ **(Your) (His) (Her) Highness** (*Sua*) Alteza

high-pitched ['haɪ'pɪtʃt] *adj* agudo

high-speed ['haɪspiːd] *adj* de alta velocidade

highway ['haɪweɪ] *n* US rodovia, estrada de rodagem, autoestrada
▪ **Highway Code** GB Código Nacional de Trânsito

highwayman ['haɪweɪmən] *n* (*pl* **highwaymen**) salteador

hijack ['haɪdʒæk] *n* sequestro
▸ *vt* sequestrar

hijacker ['haɪdʒækəʳ] *n* sequestrador

hike [haɪk] *n* excursão a pé
▸ *vi* excursionar a pé

hiker ['haɪkəʳ] *n* excursionista

hilarious [hɪ'leərɪəs] *adj* hilariante

hill [hɪl] *n* **1** (*mount*) colina, morro **2** (*slope*) ladeira, terreno inclinado

hillside ['hɪlsaɪd] *n* vertente

hilly ['hɪlɪ] *adj* (**-ier**, **-iest**) montanhoso

hilt [hɪlt] *n* cabo, punho
• **up to the hilt** **1** (*to the full*) ao máximo **2** *fig* até o pescoço: ***in debt up to the hilt*** endividado até o pescoço

him [hɪm] *pron* **1** (*direct object*) o: ***I love him*** eu o amo **2** (*indirect object*) lhe, a ele: ***give him the money*** dê-lhe o dinheiro; ***give it to him*** dê-o a ele **3** (*complement after preposition*) ele: ***we went with him*** fomos com ele

Himalayas [hɪmə'leɪəz] *npl* **the Himalayas** o Himalaia

himself [hɪm'self] *pron* se, ele mesmo: ***he hurt himself with a knife*** ele se feriu com uma faca; ***he himself took the responsability*** ele mesmo assumiu a responsabilidade **2** ele mesmo, si mesmo: ***he only thinks of himself*** ele só pensa em si mesmo
• **by himself** **1** sozinho: ***my father lives by himsef*** meu pai mora sozinho **2** sem ajuda: ***he can do it by himself*** ele pode fazer isto sem ajuda

hind [haɪnd] *adj* traseiro: ***a hind leg*** uma pata traseira

hinder ['hɪndəʳ] *vt-vi* **1** atrapalhar: ***don't get in the way; you're hindering my movements*** saia do caminho; você está atrapalhando meus movimentos **2** atrasar ou impedir o progresso: ***migration is usually said to hinder a country's development*** costuma-se considerar que a migração impede o desenvolvimento de um país

hindrance ['hɪndrəns] *n* estorvo, impedimento, obstáculo

hindsight ['haɪndsaɪt] *n* retrospecto, entendimento posterior da natureza de um evento, retrospectiva: ***with hindsight, I should have accepted his proposal*** analisando em retrospecto, eu devia ter aceitado a proposta dele

hindu [hɪn'duː, 'hɪnduː] *adj-n* hindu

hinge [hɪndʒ] *n* dobradiça
• **to hinge on** depender de

hint [hɪnt] *n* **1** (*suspicion*) insinuação **2** (*tip*) conselho, dica **3** (*clue*) pista, indício
▸ *vt* insinuar: ***dad's hinted that he might buy me a new car if I study harder*** papai insinuou que talvez compre um carro novo para mim se eu estudar com mais afinco
▸ *vi* dar a entender: ***she's hinted at the possibility of starting a new career as a singer*** ela deu a entender que existe a possibilidade de começar uma nova carreira como cantora
• **to drop a hint** lançar indireta: ***although I have dropped her several hints that I intended to quit the job, nobody believed me*** embora eu tivesse lançado a ela várias indiretas sobre minha intenção de sair do emprego, ninguém acreditou em mim

hinterland ['hɪntəlænd] *n* interior

hip [hɪp] *n* ANAT quadril
• **hip hip hooray!** hip hip hurra!

hippie ['hɪpɪ] *adj inf hippie*
▸ *n inf hippie*

hippo ['hɪpəʊ] *n* (*pl* **hippos**) ZOOL hipopótamo

hippopotamus [hɪpə'pɒtəməs] *n* (*pl* **hippopotamuses**) ZOOL hipopótamo

hippy ['hɪpɪ] *adj inf hippie*
▸ *n* (*pl* **-ies**) *inf hippie*

hire ['haɪəʳ] *n* aluguel: ***does the price include car hire?*** o preço inclui o aluguel de um carro?
• **... for hire** aluga-se.../ alugam-se...: ***a house for hire*** aluga-se uma casa; ***bikes for hire*** alugam-se bicicletas
▸ *vt* **1** (*rent*) alugar **2** (*employ*) contratar
• **on hire purchase** a prazo

his [hɪz] *adj* (*belonging to a male person*) seu(s) sua(s), dele: ***his dog*** seu cachorro, o cachorro dele; ***his dogs*** seus cachorros, os cachorros dele
▸ *pron* (o) seu, (a) sua, (os) seus, (as) suas, (o/a) dele: ***my car is red but his is black*** meu carro é vermelho mas o dele é preto

hiss [hɪs] *n* (*pl* **-es**) **1** (*fizz*) assobio que emite o som da letra *s* **2** silvo, sibilação, sibilo: ***snakes hiss*** as cobras sibilam **3** (*jeer*) vaia em forma de assobio em que se emite o som da letra *s*
▸ *vi* **1** (*fizz*) silvar, sibilar assobiar **2** (*jeer*) vaiar com assobios

historian [hɪ'stɔːrɪən] *n* historiador

historic [hɪ'stɒrɪk] *adj* histórico

historical [hɪ'stɒrɪkəl] *adj* histórico

history ['hɪstərɪ] *n* (*pl* **-ies**) história

hit [hɪt] *n* **1** (*stroke*) golpe **2** (*success*) êxito, sucesso, acerto **3** (*web page*) visita
▸ *vt* (*pt & pp* **hit**, *ger* **hitting**) **1** golpear: ***he hit me*** ele me golpeou **2** bater: ***he hit his head on the door*** ele bateu com a cabeça na porta **3** chocar-se contra, colidir: ***the car hit a tree*** o carro se chocou contra uma árvore **4** (*passive voice*) afetar: ***tourism has been hit by the outburst of violence*** o turismo foi afetado pela explosão da violência **5** (*passive voice*) atingir: ***he was hit by a bullet*** ele foi atingido por uma bala
• **to hit it off with** dar-se bem com
• **to score a direct hit** acertar o alvo
• **to hit the road** partir, ganhar a estrada

hit-and-miss ['hɪtən'mɪs] *adj* aleatório

hitch [hɪtʃ] *n* (*pl* **-es**) obstáculo
▸ *vt* (*fasten*) engatar, atracar
▸ *vi inf* pedir ou pegar carona

hitchhike ['hɪtʃhaɪk] *vi* pedir ou pegar carona

hitchhiker ['hɪtʃhaɪkəʳ] *n* caroneiro

hitherto [hɪðə'tuː] *adv fml* até então, até agora

HIV ['eɪtʃ'aɪ'viː] *abbr* (***human immunodeficiency virus***) HIV
• **to be diagnosed HIV negative** receber diagnóstico negativo para HIV
• **to be HIV positive** ser soropositivo, ser portador do HIV
▪ **HIV carrier** soropositivo, portador do HIV

hive [haɪv] *n* colmeia

HMS ['eɪtʃ'em'es] *abbr* GB (***His/Her Majesty's Ship***) Navios de Sua Majestade (*navios pertencentes à Marinha Real Britânica*)

HNC ['eɪtʃ'en'siː] *abbr* GB (***Higher National Certificate***) *curso de formação técnica em nível superior com duração de um ano*

HND ['eɪtʃ'en'diː] *abbr* GB (***Higher National Diploma***) curso de formação técnica em nível superior com duração de dois anos

hoard [hɔːd] *n* 1 (*store*) provisão 2 (*money*) tesouro
▸ *vt* 1 (*reserve*) armazenar provisões para uso futuro 2 (*save money*) juntar

hoarding ['hɔːdɪŋ] *n outdoor*

hoarse [hɔːs] *adj* rouco, áspero

hoax [həʊks] *n* (*pl* **hoaxes**) logro, trote, mistificação
▸ *vt* enganar

hobble ['hɒbəl] *vi* coxear, claudicar

hobby ['hɒbɪ] *n* (*pl* **-ies**) *hobby*

hockey ['hɒkɪ] *n* hóquei

hog [hɒg] *n* 1 (*castrated male pig*) porco 2 (*greedy person*) glutão
▸ *vt* (*pt & pp* **hogged**, *ger* **hogging**) 1 *inf* (*monopolize*) monopolizar 2 *inf* apoderar-se: ***she's always hogging the fashion magazines*** ela vive se apoderando das revistas de moda

hoist [hɔɪst] *n* grua, guindaste, monta-cargas
▸ *vt* 1 (*raise*) levantar, guindar 2 (*flag*) içar

hold [həʊld] *n* 1 ato de segurar, agarrar, firmar, manter seguro: ***he was told to keep a firm hold on the rope*** disseram a ele que mantivesse a corda bem segura 2 domínio, controle, influência: ***to have a firm hold on the public opinion*** ter domínio sobre a opinião pública 3 (*ship, aircraft*) compartimento de carga
▸ *vt* (*pt & pp* **held**) 1 (*grasp*) segurar, pegar, agarrar 2 (*embrace*) sustentar, manter seguro 3 (*detain*) esperar, prender, suspender 4 realizar: ***the board decided to hold a meeting*** a diretoria resolveu realizar uma assembleia 5 crer, considerar: ***to be held responsible*** ser considerado responsável 6 (*title*) deter, ostentar 7 (*occupation*) ocupar 8 conter ou ter capacidade para: ***this bookcase holds about 100 books*** esta estante tem capacidade para cerca de 100 livros
▸ *vi fig* resistir, continuar válido: ***my first impressions about him still hold true*** minhas primeiras impressões sobre ele continuam válidas

• **to get hold of something/somebody** *inf* encontrar algo ou alguém, obter algo
• **hold it!** espere!
• **to get hold of somebody** localizar alguém
• **to hold the line** não desligar o telefone
▪ **to hold back** *vi* 1 (*detain*) deter-se 2 (*restrain*) conter-se 3 *vt* (*refuse to tell*) ocultar 4 (*obstruct*) atrasar, obstruir
▪ **to hold forth** *vi* estender-se sobre um assunto
▪ **to hold on** *vi* 1 (*grasp*) agarrar com força 2 (*keep*) esperar pouco tempo, esperar ao telefone
▪ **to hold out** *vt* (*offer*) oferecer
▸ *vi* (*resist*) durar, resistir, aguentar
▪ **to hold over** *vt* 1 (*postpone*) prorrogar 2 (*movie, piece*) continuar em cartaz
▪ **to hold up** *vt* 1 (*rob*) assaltar 2 (*delay*) reter, atrasar 3 (*display*) mostrar, exibir
▸ *vi* (*resist*) resistir, permanecer válido ou em boas condições
▪ **to hold with** *vt* (*agree with*) estar de acordo com

holder ['həʊldəʳ] *n* 1 (*owner*) portador, titular 2 (*device*) recipiente, suporte

holding ['həʊldɪŋ] *n* 1 (*keep as property*) ato de manter sob posse 2 (*property*) posse, propriedade 3 (*stocks and shares*) títulos e ações
▪ **holding company** *holding (empresa)*

hold-up ['həʊldʌp] *n* 1 (*armed robbery*) assalto 2 (*delay*) demora 3 (*traffic jam*) engarrafamento

hole [həʊl] *n* 1 (*opening*) buraco, furo, orifício, cavidade 2 (*pit*) cova, toca 3 (*hovel*) habitação tosca e pequena

holiday ['hɒlɪdeɪ] *n* 1 (*break*) feriado 2 (*vacation*) férias
• **to be on holidays** estar de férias
• **to go on holiday** sair de férias

holiday-maker ['hɒlɪdɪmeɪkəʳ] *n* veranista, pessoa em férias

holiness ['həʊlɪnəs] *n* santidade

Holland ['hɒlənd] *n* Holanda

hollow ['hɒləʊ] *adj* (*comp* **hollower**, *superl* **hollowest**) 1 (*empty*) oco 2 *fig* (*insincere*) falso, pouco sincero, sem valor
▸ *n* 1 (*hole*) espaço vazio 2 (*valley*) concavidade, depressão

holly ['hɒlɪ] *n* (*pl* **-ies**) BOT azevinho

holocaust ['hɒləkɔːst] *n* holocausto

holster ['həʊlstəʳ] *n* coldre

holy ['həʊlɪ] *adj* (**-ier**, **-iest**) **1** (*sacred*) santo, sagrado **2** (*devout*) devoto, religioso, bendito

homage ['hɒmɪdʒ] *n* homenagem

home [həʊm] *n* **1** (*residence*) lar, casa **2** (*institution*) asilo, residência **3** (*mother country*) pátria, terra natal
▸ *adj* **1** (*domestic*) caseiro, doméstico, residencial **2** (*family*) do lar, familiar **3** (*national*) nacional, nativo, doméstico
• **at home** em casa
• **make yourself at home** fique à vontade, sinta-se em casa
• **to feel at home** sentir-se à vontade
• **to go home** ir para casa
• **to leave home** sair de casa
■ **home help** pessoa paga para realizar tarefas domésticas
■ **Home Office** Ministério do Interior
■ **home page** página de entrada da *web*, *homepage*, *site*
■ **Home Secretary** Ministro do Interior

homeland ['həʊmlænd] *n* pátria

homeless ['həʊmləs] *adj* sem-teto
▸ *npl* **the homeless** os sem-teto

homely ['həʊmlɪ] *adj* (**-ier**, **-iest**) **1** (*cosy*) simples e comum, sem enfeites, mas agradável **2** US (*unattractive*) feio, sem atrativos físicos

home-made ['həʊm'meɪd] *adj* caseiro, feito em casa

homesick ['həʊmsɪk] *adj* (*missing home, family*) saudoso, nostálgico
• **to be homesick** ter saudades de casa

homesickness ['həʊmsɪknəs] *n* saudades da casa, do lar, da pátria

homework ['həʊmwɜːk] *n* dever escolar a ser feito em casa

homicidal [hɒmɪ'saɪdəl] *adj* homicida

homicide ['hɒmɪsaɪd] *n* **1** (*murder*) homicídio **2** (*murderer*) homicida

homogeneous [hɒmə'dʒiːnɪəs] *adj* homogêneo

homosexual [həʊməʊ'seksjʊəl] *adj-n* homossexual

Honduran [hɒn'djʊərən] *adj-n* hondurenho

Honduras [hɒn'djʊərəs] *n* Honduras

honest ['ɒnɪst] *adj* **1** (*trustworthy*) honrado, honesto **2** (*frank*) sincero, franco

honestly ['ɒnɪstlɪ] *adv* **1** (*legally*) honestamente **2** (*frankly*) com franqueza, realmente

honesty ['ɒnɪstɪ] *n* honradez, honestidade, retidão, sinceridade

honey ['hʌnɪ] *n* **1** (*food*) mel **2** US (*dear*) querido

honeymoon ['hʌnɪmuːn] *n* lua de mel

honk [hɒŋk] *n* **1** (*goose*) grasnido **2** (*car*) buzinada
▸ *vi* **1** (*goose*) grasnar **2** (*car*) tocar a buzina

honour ['ɒnəʳ] (US **honor**) *n* honra
▸ *vt* **1** (*dignify*) honrar **2** (*pay*) pagar, honrar **3** (*fulfil*) cumprir
■ **Your Honour** Vossa Senhoria, Meritíssimo

honourable ['ɒnərəbəl] (US **honorable**) *adj* **1** (*honest*) honrado **2** (*distinguished*) honroso, honorífico **3** (*respected*) respeitável

hons ['hɒnəz] *abbr* (**Honours**) **1** GB (*degree*) licenciatura **2** US (*distinguished degree*) graduação com mérito

hood [hʊd] *n* **1** (*jacket*) capuz **2** (*car*) capota **3** US (*car*) capô

hoof [huːf] *n* (*pl* **-s** ou **hooves**) casco de animal

hook [hʊk] *n* **1** (*for hanging*) gancho **2** (*for catching fish*) anzol **3** SPORT golpe
▸ *vt* **1** (*fasten*) enganchar **2** (*catch*) fisgar
• **off the hook 1** (*telephone*) fora do gancho, desligado **2** (*out of trouble*) a salvo, livre de uma situação embaraçosa
• **to get the hook** ser despedido
■ **to hook up** *vt* conectar

hooked [hʊkt] *adj* **1** (*aquiline*) aquilino **2** viciado em drogas: ***to be hooked on*** ser viciado em...

hooligan ['huːlɪgən] *n* vândalo

hooliganism ['huːlɪgənɪzəm] *n* vandalismo

hoop [huːp] *n* aro

hoorah [hʊ'rɑː] *interj* hurra!

hooray [hʊ'reɪ] *interj* hurra!

hoot [huːt] *n* **1** (*owl*) pio **2** (*cry*) grito alto e rouco **3** (*car horn*) barulho de buzina **4** (*jeer*) vaia

▸ *vi* **1** (*owl*) piar **2** (*cry*) gritar **3** (*sound a car horn*) tocar buzina **4** (*jeer*) vaiar

• **hoots of laughter** risadas, gargalhadas

hooter [ˈhuːtəʳ] *n* **1** (*factory*) sirena **2** (*car horn*) buzina **3** *inf* (*nose*) nariz

hoover [ˈhuːvəʳ] *n* (*trademark*) aspirador de pó

▸ *vt-vi* passar o aspirador de pó

hop¹ [hɒp] *n* **1** (*jump*) salto, pulo **2** viagem curta: ***a weekend hop to the seaside*** uma viagem de fim de semana ao litoral

▸ *vi* (*pt & pp* **hopped**, *ger* **hopping**) **1** (*jump on one foot*) pular **2** (*move in short jumps*) saltitar **3** fazer uma viagem curta, dar um pulo: ***he hopped to New York for the party convention*** ele deu um pulo em Nova York para a convenção do partido

hop² [hɒp] *n* BOT lúpulo

hope [həʊp] *n* **1** (*aspiration*) esperança **2** (*expectation*) expectativa

▸ *vt-vi* esperar, ter esperança: ***is he coming? I hope so*** ele vem? Espero que sim

• **to give up hope** perder as esperanças

• **to hope for the best** esperar que o melhor aconteça

hopeful [ˈhəʊpfʊl] *adj* **1** (*confident*) esperançoso, confiante **2** (*promising*) promissor

• **to be hopeful** ter esperança, estar esperançoso

hopefully [ˈhəʊpfʊlɪ] *adv* **1** (*confidently*) com esperança **2** espera-se, queira Deus, tomara: ***hopefully it won't rain on Sunday*** tomara que não chova no domingo

hopeless [ˈhəʊpləs] *adj* **1** (*impossible*) inútil, impossível **2** (*despairing*) desesperado **3** (*resigned*) desesperançado **4** (*bad*) incorrigível **5** *inf* (*unskilled*) sem aptidão

• **I'm hopeless at maths** sou uma negação em matemática

horizon [həˈraɪzən] *n* horizonte

horizontal [hɒrɪˈzɒntəl] *adj* horizontal

hormone [ˈhɔːməʊn] *n* hormônio

horn [hɔːn] *n* **1** (*animal*) chifre, corno **2** (*car*) buzina **3** MUS trompa

horny [ˈhɔːnɪ] *adj* (**-ier**, **-iest**) **1** (*made of horn*) córneo **2** *inf* (*excited sexually*) fogoso, sexualmente excitado

horoscope [ˈhɒrəskəʊp] *n* horóscopo

horrible [ˈhɒrɪbəl] *adj* horrível

horrid [ˈhɒrɪd] *adj* horroroso

horrific [həˈrɪfɪk] *adj* horrendo, espantoso

horrify [ˈhɒrɪfaɪ] *vt* (*pt & pp* **-ied**) horrorizar

horror [ˈhɒrəʳ] *n* horror

▪ **horror film** filme de terror

hors d'oeuvre [ɔːˈdɜːvʳ] *n* entrada, primeiro prato

horse [hɔːs] *n* cavalo

▪ **horse show** concurso hípico

▪ **to go horse riding** cavalgar, andar a cavalo

horseman [ˈhɔːsmən] *n* (*pl* **horsemen**) cavaleiro

horsemanship [ˈhɔːsmənʃɪp] *n* equitação

horsepower [ˈhɔːspaʊəʳ] *n* cavalo-vapor, cavalo-força

horseshoe [ˈhɔːsʃuː] *n* ferradura

horsewoman [ˈhɔːswʊmən] *n* (*pl* **horsewomen**) amazona

horticultural [hɔːtɪˈkʌltʃərəl] *adj* hortícola

horticulture [ˈhɔːtɪkʌltʃəʳ] *n* horticultura

hose¹ [həʊz] *n* mangueira

hose² [həʊz] *npl* (*stokings, socks, tighs*) meias em geral

hospitable [hɒˈspɪtəbəl] *adj* hospitaleiro

hospital [ˈhɒspɪtəl] *n* hospital

hospitality [hɒspɪˈtælɪtɪ] *n* hospitalidade

host¹ [həʊst] *n* **1** (*at private party*) anfitrião **2** (*place*) sede **3** (*presenter*) animador, apresentador **4** BIOL hospedeiro **5** COMPUT computador em uma rede

▸ *vt* **1** (*be the host of*) ser o anfitrião, hospedar **2** (*presenter*) apresentar

host² [həʊst] *n* multidão

host [həʊst] *n* hóstia

hostage [ˈhɒstɪdʒ] *n* refém

hostel ['hɒstəl] *n* **1** (*for homeless people*) albergue **2** (*at university*) residência

hostess ['həʊstəs] *n* (*pl* **-es**) **1** (*at private party*) anfitriã **2** (*flight attendant*) aeromoça **3** (*at hotel, restaurant*) recepcionista (*de hotel, restaurante etc.*) **4** (*presenter*) animadora, apresentadora

hostile ['hɒstaɪl] *adj* hostil

hostility [hɒ'stɪlɪtɪ] *n* (*pl* **-ies**) hostilidade

hot [hɒt] *adj* (*comp* **hotter**, *superl* **hottest**) **1** (*temperature*) quente **2** (*passionate*) impetuoso, fogoso **3** (*spicy*) apimentado, picante: ***hot peppers*** pimentas picantes **4** (*very recent*) de última hora **5** (*attractive*) *inf* atraente

• **to be hot** **1** sentir calor, estar com calor: ***I'm very hot*** estou sentindo muito calor **2** fazer calor, estar quente: ***it's hot today*** está quente hoje, faz calor hoje

▪ **hot dog** *hot-dog*, cachorro-quente

▪ **hot line** linha direta

hotchpotch ['hɒtʃpɒtʃ] *n* (*pl* **-es**) *inf* bagunça

hotel [həʊ'tel] *n* hotel

hotelier [həʊ'telɪeɪ] *n* hoteleiro

hot-headed ['hɒthedɪd] *adj* impetuoso

hothouse ['hɒthaʊs] *n* (*for plants*) estufa

hotplate ['hɒtpleɪt] *n* (*in stove*) chapa elétrica

hound [haʊnd] *n* cão de caça, sabujo

▸ *vt* acossar

hour [aʊəʳ] *n* **1** (*twenty fourth part of a day*) hora **2** *usually npl* horário: ***office hours*** horário comercial

▪ **hour hand** (*clock*) ponteiro das horas

▪ **on the hour** em cada hora cheia (*uma hora, duas horas etc.*)

hourly ['aʊəlɪ] *adj* **1** (*every hour*) de hora em hora **2** (*per hour*) por hora

▸ *adv* de hora em hora

house [(*n*) haʊs; (*v*) haʊz] *n* casa

▸ *vt* alojar

• **it's on the house** é cortesia da casa

▪ **House of Commons** Câmara dos Comuns, Câmara baixa (*equivale à Câmara dos deputados*)

▪ **House of Lords** Câmara dos Lordes, Câmara alta (*equivale ao Senado*)

▪ **Houses of Parliament** Parlamento

housebreaking ['haʊsbreɪkɪŋ] *n* arrombamento de domicílio

household ['haʊshəʊld] *n* **1** (*family*) família, núcleo familiar que habita a mesma casa **2** (*home*) casa, lar

householder ['haʊshəʊldəʳ] *n* **1** (*owner*) dono da casa **2** (*family leader*) chefe de família

housekeeper ['haʊski:pəʳ] *n* governanta

housekeeping ['haʊski:pɪŋ] *n* **1** (*work*) administração e/ou manutenção da casa **2** (*budget*) economia doméstica

house-trained ['haʊstreɪnd] *adj* domesticado

housewife ['haʊswaɪf] *n* (*pl* **housewives**) dona de casa

housework ['haʊswɜ:k] *n* tarefas domésticas

housing ['haʊzɪŋ] *n* **1** alojamento, acomodação: ***housing of homeless families is the issue of the hour*** a acomodação de famílias sem moradia é a questão do momento **2** (*casing*) estojo, invólucro

▪ **housing development** conjunto residencial, condomínio

▪ **housing estate** conjunto residencial, condomínio

▪ **housing industry** setor imobiliário

hovel ['hɒvəl] *n* choupana

hover ['hɒvəʳ] *vi* **1** (*hang*) pairar **2** (*linger*) rondar

hovercraft ['hɒvəkrɑ:ft] *n* aerobarco

how [haʊ] *adv* como: ***how does this machine work?*** como funciona esta máquina?; ***how beautiful you look!*** como você está bonita! **2** que: ***how sad!*** que triste!

• **how about...?** que tal?

• **how are you?** como vai?

• **how do you do?** **1** (*introduction*) muito prazer **2** (*answering the introduction*) muito prazer

• **how much** quanto: ***how much did it cost?*** quanto custou?

• **how many** quantoss?

• **how old are you?** quantos anos você tem?

however [haʊ'evəʳ] *conj* entretanto, no entanto, não obstante
▸ *adv*: ***however much*** por mais que

howl [haʊl] *n* uivo
▸ *vi* uivar

HP ['eɪtʃ'pi:] *abbr* GB **1** *(**hire-purchase**)* compra a prazo **2** *(**horsepower**)* cavalo--vapor, cavalo-força

hr [aʊəʳ] *abbr (**hour**)* hora, h

HTML ['eɪtʃ'ti:'em'el] *abbr (**hypertext markup language**)* HTML

HTTP ['eɪtʃ'ti:'ti:'pi:] *abbr (**hypertext transfer protocol**)* HTTP

hub [hʌb] *n* **1** *(wheel)* cubo **2** *fig (activity)* centro, eixo

hubbub ['hʌbʌb] *n* barulho, algazarra, vozerio

huddle ['hʌdəl] *n* grupo de pessoas ou coisas apinhadas
▸ *vi* **1** *(crowd together)* acotovelar-se **2** *(crouch)* aninhar-se

hue [hju:] *n* matiz, nuança
• **hue and cry** clamor público, comoção

huff [hʌf] *n* acesso de raiva ou ressentimento: ***to be in a huff*** estar ressentido

hug [hʌg] *n* abraço
▸ *vt (pt & pp* **hugged**, *ger* **hugging**) abraçar

huge [hju:dʒ] *adj* enorme, imenso

hulk [hʌlk] *n* **1** *(ship)* navio velho **2** *(person)* brutamontes

hull [hʌl] *n (ship)* casco

hullabaloo [hʌləbə'lu:] *n* algazarra

hullo [hʌ'ləʊ] *interj* → **hello**

hum [hʌm] *n* **1** *(buzz)* zunido, zumbido **2** *(murmur)* murmúrio
▸ *vi (pt & pp* **hummed**, *ger* **humming**) zumbir, zunir
▸ *vt-vi* cantarolar

human ['hju:mən] *adj* humano
▸ *n* → **human being** ser humano
▪ **human being** ser humano

humane [hju:'meɪn] *adj* humano, humanitário

humanism ['hju:mənɪzəm] *n* humanismo

humanitarian [hju:mænɪ'teərɪən] *adj* humanitário

humanity [hju:'mænɪtɪ] *n (pl* **-ies**) **1** *(mankind, humankind)* humanidade **2** *(human nature)* natureza humana

humble ['hʌmbəl] *adj (comp* **humbler**, *superl* **humblest**) humilde
▸ *vt* humilhar

humbleness ['hʌmbəlnəs] *n* humildade

humdrum ['hʌmdrʌm] *adj* monótono, enfadonho

humid ['hju:mɪd] *adj* úmido

humidity [hju:'mɪdɪtɪ] *n* umidade

humiliate [hju:'mɪlɪeɪt] *vt* humilhar

humiliation [hju:mɪlɪ'eɪʃən] *n* humilhação

humility [hju:'mɪlɪtɪ] *n* humildade

hummingbird ['hʌmɪŋbɜ:d] *n* ZOOL beija-flor

humorist ['hju:mərɪst] *n* humorista

humorous ['hju:mərəs] *adj* engraçado, humorístico

humour ['hju:məʳ] (US **humor**) *n* humor: ***a good sense of humour*** bom senso de humor
▸ *vt* condescender

hump [hʌmp] *n* **1** *(large lump on back)* corcova **2** *(bump)* montículo
▸ *vt* carregar

hunch [hʌntʃ] *n (pl* **-es**) pressentimento, intuição
▸ *vt-vi* encurvar(-se), arquear

hundred ['hʌndrəd] *num* cem, cento, centena

hundredth ['hʌndrədθ] *adj* centésimo
▸ *n* centésimo

hundredweight ['hʌndrədweɪt] *n (old unit of weight)* quintal

Na Grã-Bretanha equivale a 50,8 kg; nos Estados Unidos equivale a 45,4 kg.

hung [hʌŋ] *pt-pp* → **hang**

Hungarian [hʌŋ'geərɪən] *adj* húngaro
▸ *n* **1** *(person)* húngaro **2** *(language)* húngaro

Hungary ['hʌŋgərɪ] *n* Hungria

hunger ['hʌŋgəʳ] *n* fome
• **to hunger for** ansiar
▪ **hunger strike** greve de fome

hungry ['hʌŋgrɪ] *adj* (**-ier**, **-iest**) faminto
• **to be hungry** ter fome

hunk [hʌŋk] *n inf* **1** (*large piece*) grande fatia, naco **2** *inf* (*attractive man*) homem forte e atraente

hunt [hʌnt] *n* **1** (*chase*) caça, caçada **2** (*pursue*) perseguição **3** (*search*) busca, procura
▸ *vt-vi* caçar
• **to hunt for** procurar

hunter ['hʌntəʳ] *n* caçador

hunting ['hʌntɪŋ] *n* caça, montaria
• **to go hunting** caçar

huntress ['hʌntrəs] *n* (*pl* **-es**) caçadora

hurdle ['hɜ:dəl] *n* **1** (*barrier*) obstáculo, barreira **2** *fig* (*obstacle, difficulty*) obstáculo

hurl [hɜ:l] *vt* **1** (*throw*) arremessar **2** (*utter*) vociferar, gritar insultos, blasfemar

hurly-burly ['hɜ:lɪbɜ:lɪ] *n* tumulto, confusão: ***the hurly-burly of city life*** a confusão da vida urbana

hurrah [hʊ'rɑ:] *interj* hurra!

hurray [hʊ'reɪ] *interj* hurra!

hurricane ['hʌrɪkən, 'hʌrɪkeɪn] *n* furacão

hurried ['hʌrɪd] *adj* apressado

hurry ['hʌrɪ] *n* (*pl* **-ies**) pressa
▸ *vt* (*pt & pp* **-ied**) apressar
▸ *vi* apressar-se
• **to be in a hurry** estar com pressa
▪ **to hurry up** *vi* apressar-se

hurt [hɜ:t] *n* **1** (*harm*) ferida **2** (*upset*) mágoa, ofensa **3** (*damage*) mal, dano, prejuízo
▸ *adj* **1** (*harmed*) ferido **2** (*upset*) magoado, ofendido **3** (*damaged*) prejudicado
▸ *vt* (*pt & pp* **hurt**) **1** (*harm*) ferir **2** (*upset*) magoar, ofender **3** (*damage*) causar dano
▸ *vi* doer: ***my back hurts*** minhas costas doem
• **to get hurt** ferir-se
• **to hurt somebody's feelings** ferir os sentimentos de alguém, ofender, magoar alguém

hurtful ['hɜ:tfʊl] *adj* **1** (*damaging*) danoso **2** cruel, ofensivo: ***a hurtful remark*** um comentário ofensivo

hurtle ['hɜ:təl] *vi* precipitar-se, arremessar-se

husband ['hʌzbənd] *n* marido

hush [hʌʃ] *n* (*pl* **-es**) quietude, silêncio
▸ *vt* fazer calar, silenciar

hush-hush ['hʌʃ'hʌʃ] *adj inf* confidencial, secreto

husk [hʌsk] *n* casca

huskiness ['hʌskɪnəs] *n* rouquidão

husky ['hʌskɪ] *adj* (**-ier**, **-iest**) rouco

husky ['hʌskɪ] *n* (*pl* **-ies**) (*dog used for pulling sledges*) *husky*

hustle ['hʌsəl] *n* agitação
▸ *vt* **1** forçar alguém a afastar-se, a sair: ***the protesters were hustled out of the room*** os protestantes foram forçados a sair da sala **2** (*fleece*) persuadir alguém a comprar algo ilícito
▸ *vi* acotovelar-se
▪ **hustle and bustle** azáfama

hustler ['hʌsləʳ] *n* **1** (*swindler*) pessoa inescrupulosa, vigarista **2** US *sl* (*prostitute*) prostituta

hut [hʌt] *n* **1** (*cabana*) cabana **2** (*shed*) barraca

hutch [hʌtʃ] *n* (*pl* **-es**) (*cage*) gaiola para pequenos animais

hyaena [haɪ'i:nə] *n* ZOOL hiena

hybrid ['haɪbrɪd] *adj* híbrido
▸ *n* híbrido

hydrant ['haɪdrənt] *n* hidrante: ***a fire hydrant*** hidrante

hydraulic [haɪ'drɔ:lɪk] *adj* hidráulico

hydrochloric [haɪdrə'klɒrɪk] *adj* CHEM clorídrico

hydroelectric [haɪdrəʊɪ'lektrɪk] *adj* hidroelétrico

hydrofoil ['haɪdrəfɔɪl] *n* hidrofólio

hydrogen ['haɪdrədʒən] *n* CHEM hidrogênio

hydroplane ['haɪdrəpleɪn] *n* hidroavião

hyena [haɪ'i:nə] *n* ZOOL hiena

hygiene ['haɪdʒi:n] *n* higiene

hygienic [haɪ'dʒi:nɪk] *adj* higiênico

hymen ['haɪmən] *n* ANAT hímen

hymn [hɪm] *n* hino
▪ **hymn book** hinário

hyperbola [haɪ'pɜːbələ] *n* MATH hipérbole

hyperbole [haɪ'pɜːbəlɪ] *n* (*rhetorical figure*) hipérbole

hypermarket ['haɪpəmɑːkɪt] *n* hipermercado

hyphen ['haɪfən] *n* hífen

hyphenate ['haɪfəneɪt] *vt* hifenizar

hypnosis [hɪp'nəʊsɪs] *n* hipnose

hypnotic [hɪp'nɒtɪk] *adj* hipnótico

hypnotism ['hɪpnətɪzəm] *n* hipnotismo

hypnotist ['hɪpnətɪst] *n* hipnotizador

hypnotize ['hɪpnətaɪz] *vt* hipnotizar

hypochondriac [haɪpə'kɒndrɪæk] *n* hipocondríaco

hypocrisy [hɪ'pɒkrɪsɪ] *n* hipocrisia

hypocrite ['hɪpəkrɪt] *n* hipócrita

hypocritical [hɪpə'krɪtɪkəl] *adj* hipócrita

hypodermic [haɪpə'dɜːmɪk] *adj* ANAT hipodérmico

hypotenuse [haɪ'pɒtənjuːz] *n* MATH hipotenusa

hypothesis [haɪ'pɒθəsɪs] *n* (*pl* **hypotheses**) hipótese

hypothetical [haɪpə'θetɪkəl] *adj* hipotético

hysterectomy [hɪstə'rektəmɪ] *n* (*pl* **-ies**) MED histerectomia

hysteria [hɪ'stɪərɪə] *n* histeria

hysterical [hɪ'sterɪkəl] *adj* histérico

hysterics [hɪ'sterɪks] *n* **1** (*hysteria*) histeria **2** (*fits of laughter*) ataque de histeria

É incontável, e o verbo vai para o singular.

I

I [aɪ] *pron* eu

Iberian [aɪ'bɪərɪən] *adj* ibérico, ibero
▸ *n* (*person from Iberian Peninsula*) ibero
▪ **Iberian Peninsula** Península Ibérica

ice [aɪs] *n* **1** (*frozen water*) gelo **2** (*ice cream*) sorvete
▸ *vt* gelar
▪ **ice cube** cubo de gelo
▪ **ice lolly** picolé
▪ **ice rink** rinque de gelo para patinação
▪ **ice age** Idade do Gelo
▪ **to ice over/up** *vi* cobrir-se com uma camada de gelo

iceberg ['aɪsbɜːg] *n iceberg*

icebox ['aɪsbɒks] *n* (*pl* **iceboxes**) US geladeira

ice-cream ['aɪskriːm] *n* sorvete

Iceland ['aɪslənd] *n* Islândia

Icelander ['aɪsləndəʳ] *n* (*person*) islandês

Icelandic [aɪs'lændɪk] *adj* islandês
▸ *n* (*language*) islandês

ice-skate ['aɪsskeɪt] *vi* patinar no gelo
▸ *n* patim

ice-skating ['aɪskeɪtɪŋ] *n* patinação no gelo

icicle ['aɪsɪkəl] *n* pingente de gelo, códão

icing ['aɪsɪŋ] *n* glacê, cobertura de açúcar
▪ **icing sugar** açúcar de confeiteiro

icon ['aɪkən] *n* ícone

icy ['aɪsɪ] *adj* (**-ier**, **-iest**) **1** (*cold*) frio, gelado **2** *fig* (*distant*) frio, indiferente, distante

ID ['aɪ'diː] *abbr* (**identification**) identidade
▪ **ID card** carteira de identidade

idea [aɪ'dɪə] *n* **1** (*thought*) ideia **2** (*opinion*) opinião
• **to have no idea** não fazer ideia, não ter noção

ideal [aɪ'diːl] *adj-n* ideal

idealize [aɪ'dɪəlaɪz] *vt* idealizar

ideally [aɪ'dɪəlɪ] *adv* **1** (*in a perfect world*) idealmente **2** (*for preference*) preferivelmente

identical [aɪ'dentɪkəl] *adj* idêntico

identification [aɪdentɪfɪ'keɪʃən] *n* **1** identificação: ***the identification of the gun was crucial to the success of the investigation*** a identificação do revólver foi crucial para o sucesso da investigação **2** prova de identidade: ***you should carry identification with you at all times*** você deveria sempre levar uma prova de identidade consigo
▪ **identification parade** → identity parade
▪ **personal identification number** (*infml* **PIN number**) senha numérica para acesso a caixas de banco automáticas, computadores e sistemas telefônicos

identify [aɪ'dentɪfaɪ] *vt* (*pt & pp* **-ied**) identificar

identity [aɪ'dentɪtɪ] *n* (*pl* **-ies**) identidade
▪ **identity card** carteira de identidade
▪ **identity parade** sessão de reconhecimento de suspeitos: ***there was no need to hold an identification parade because the witness recognised the thief from a photograph*** não houve necessidade de realizar uma sessão de reconhecimento de suspeitos porque a testemunha reconheceu o ladrão por uma fotografia

ideology [aɪdɪ'ɒlədʒɪ] *n* (*pl* **-ies**) ideologia

idiom ['ɪdɪəm] *n* **1** (*phrase*) expressão idiomática **2** (*language*) idioma

idiot ['ɪdɪət] *n* idiota

idiotic [ɪdɪ'ɒtɪk] *adj* idiota

idle ['aɪdəl] *adj* (*comp* **idler**, *superl* **idlest**) **1** inativo, sem uso: ***idle machines*** máquinas sem uso; ***the computer processor is idle*** o processador do computador está inativo **2** frívolo, sem propósito: ***idle speculation*** especulação frívola **3** indolente, ocioso: ***idle youths*** jovens ociosos **4** em ponto morto: ***he left the engine at idle*** ele deixou o motor em ponto morto

▸ *vi* **1** (*do nothing*) passar o tempo sem fazer nada **2** (*engine*) trabalhar em marcha lenta ou em ponto morto: ***the engine was idling*** o motor estava trabalhando em marcha lenta

▪ **to idle away** *vt* desperdiçar tempo, perder tempo à toa

idol ['aɪdəl] *n* ídolo

i.e. ['aɪ'iː] *abbr* (**id est**) isto é, a saber, i.e.

if [ɪf] *conj* **1** se: ***if I could*** se eu pudesse; ***if you want*** se você quiser **2** embora: ***a clever if rather talkative child*** uma criança inteligente, embora muito tagarela

• **as if** como se: ***he looked at me as if I was mad*** ele olhou para mim como se eu estivesse louca

• **if I were you** se eu fosse você, no seu lugar

• **if only** se ao menos: ***if only I knew his name!*** se eu ao menos soubesse o nome dele!

• **if so** neste caso

igloo ['ɪgluː] *n* (*pl* **igloos**) iglu

ignition [ɪg'nɪʃən] *n* **1** (*engine*) ignição **2** (*burning*) combustão

▪ **ignition key** chave de ignição

ignorance ['ɪgnərəns] *n* ignorância

ignorant ['ɪgnərənt] *adj* ignorante

• **to be ignorant of** desconhecer, ignorar

ignore [ɪg'nɔːr] *vt* **1** não levar em conta, ignorar: ***I tried to talk to her, but she just ignored me*** tentei falar com ela, mas ela simplesmente me ignorou **2** desconsiderar: ***please ignore my previous e-mail*** por favor, ignore o *e-mail* anterior

ill [ɪl] *adj* (*comp* **worse**, *superl* **worst**) **1** doente, enfermo: ***to be taken ill*** ficar doente, adoecer **2** ruim, danoso: ***ill efffects*** efeitos danosos

▸ *n* mal, problema: ***is there a cure for our country's economic ills?*** há uma cura para os problemas econômicos do nosso país?

▸ *adv fml* mal: ***don't speak speak ill of the dead*** não fale mal dos mortos

• **ill at ease** pouco à vontade, desconfortável

▪ **I can ill afford it** *fml* não posso me dar ao luxo de fazer isto

▪ **ill health** saúde precária, doença

▪ **ill will** rancor, inimizade, hostilidade, malevolência

illegal [ɪ'liːgəl] *adj* ilegal

illegible [ɪ'ledʒɪbəl] *adj* ilegível

illegitimate [ɪlɪ'dʒɪtɪmət] *adj* ilegítimo

illicit [ɪ'lɪsɪt] *adj* ilícito

illiterate [ɪ'lɪtərət] *adj-n* **1** (*unable to read or write*) analfabeto, iletrado **2** (*uneducated*) inculto

illness ['ɪlnəs] *n* (*pl* **-es**) doença, enfermidade

illogical [ɪ'lɒdʒɪkəl] *adj* ilógico

illuminate [ɪ'luːmɪneɪt] *vt* iluminar

illusion [ɪ'luːʒən] *n* ilusão: ***optical illusion*** ilusão de ótica

• **to be under the illusion that...** deixar-se levar pela ilusão de que...

illustrate ['ɪləstreɪt] *vt* ilustrar

illustration [ɪləs'treɪʃən] *n* **1** (*picture*) ilustração **2** (*example*) exemplo

image ['ɪmɪdʒ] *n* imagem

• **to be the image of somebody** ser o retrato vivo de alguém

imaginary [ɪ'mædʒɪnərɪ] *adj* imaginário

imagination [ɪmædʒɪ'neɪʃən] *n* imaginação, ideia

imaginative [ɪ'mædʒɪnətɪv] *adj* imaginativo, criador

imagine [ɪ'mædʒɪn] *vt* imaginar

imbalance [ɪm'bæləns] *n* desequilíbrio

IMF ['aɪ'em'ef] *abbr* (**International Monetary Fund**) Fundo Monetário Internacional, FMI

imitate ['ɪmɪteɪt] *vt* imitar

imitation [ɪmɪ'teɪʃən] *n* imitação

immaculate [ɪ'mækjʊlət] *adj* imaculado, impecável

immature [ɪmə'tjʊəʳ] *adj* imaturo

immediate [ɪ'miːdɪət] *adj* imediato, instantâneo: ***an immediate response*** uma resposta imediata

■ **immediate vicinity** adjacência, contiguidade

immediately [ɪ'miːdɪətlɪ] *adv* 1 (*at once*) imediatamente, de imediato, em seguida 2 (*directly*) diretamente

▸ *conj* logo que: UK ***immediately he'd left, the phone rang*** logo que ele saiu, o telefone tocou

immense [ɪ'mens] *adj* imenso

immerse [ɪ'mɜːs] *vt* submergir

immigrant ['ɪmɪgrənt] *adj* imigrante

▸ *n* imigrante

immigration [ɪmɪ'greɪʃən] *n* imigração

imminent ['ɪmɪnənt] *adj* iminente

immobile [ɪ'məʊbaɪl] *adj* imóvel

immobilize [ɪ'məʊbɪlaɪz] *vt* imobilizar

immoral [ɪ'mɒrəl] *adj* imoral

immortal [ɪ'mɔːtəl] *adj* 1 (*soul*) imortal 2 *fig* (*eternal*) eterno

immortality [ɪmɔː'tælɪtɪ] *n* imortalidade

immune [ɪ'mjuːn] *adj* imune

immunity [ɪ'mjuːnɪtɪ] *n* imunidade

immunize ['ɪmjənaɪz] *vt* imunizar

imp [ɪmp] *n* 1 (*demon*) diabinho, duende 2 *fig* (*mischievous child*) criança endiabrada

impact ['ɪmpækt] *n* 1 (*effect*) impacto: ***technology has had a great impact on education*** a tecnologia teve um grande impacto na educação 2 (*collision*) impacto

impair [ɪm'peəʳ] *vt* 1 prejudicar: ***alcohol consumption impairs concentration*** o consumo de álcool prejudica a concentração 2 debilitar: ***impaired health*** saúde debilitada

impartial [ɪm'pɑːʃəl] *adj* imparcial

impassive [ɪm'pæsɪv] *adj* impassível, indiferente, insensível

impatience [ɪm'peɪʃəns] *n* impaciência

impatient [ɪm'peɪʃənt] *adj* impaciente

• **to get impatient** impacientar-se

impending [ɪm'pendɪŋ] *adj* iminente

imperative [ɪm'perətɪv] *adj* imperativo, imprescindível

▸ *n* imperativo

imperfect [ɪm'pɜːfekt] *adj* imperfeito, incompleto

▸ *n* imperfeito (*tempo verbal*)

imperfection [ɪmpə'fekʃən] *n* imperfeição

imperial [ɪm'pɪərɪəl] *adj* imperial

imperialism [ɪm'pɪərɪəlɪzəm] *n* imperialismo

impersonal [ɪm'pɜːsənəl] *adj* impessoal

impersonate [ɪm'pɜːsəneɪt] *vt* 1 personificar, representar: ***he impersonates Michael Jackson on TV*** ele representa Michael Jackson na TV 2 fingir: ***he was punished for impersonating the school principal*** ele foi punido por fingir que era o diretor da escola

impersonation [ɪmpɜːsə'neɪʃən] *n* 1 representação de uma pessoa, personificação 2 imitação

impertinent [ɪm'pɜːtɪnənt] *adj* impertinente

implant ['ɪmplɑːnt] *vt* implantar

implausible [ɪm'plɔːzəbəl] *adj* inverossímil, pouco convincente

implement [(*n*) 'ɪmpləmənt; (*v*) 'ɪmplɪment] *n* instrumento, utensílio, ferramenta

▸ *vt* 1 (*carry out*) levar a cabo, executar 2 (*law*) aplicar

implicate ['ɪmplɪkeɪt] *vt* implicar, envolver

implication [ɪmplɪ'keɪʃən] *n* implicação, envolvimento

implicit [ɪm'plɪsɪt] *adj* 1 (*inferred*) implícito 2 absoluto, incondicional: ***implicit trust*** confiança absoluta

implied [ɪm'plaɪd] *adj* implícito

implore [ɪm'plɔːʳ] *vt* implorar, suplicar

imply [ɪm'plaɪ] *vt* (*pt & pp* **-ied**) 1 (*infer*) inferir, deduzir 2 (*signify*) significar 3 (*suggest*) sugerir

impolite [ɪmpə'laɪt] *adj* indelicado, grosseiro, rude

import[1] ['ɪmpɔːt] *n* 1 (*goods from abro-*

ad) produto ou matéria-prima importada 2 (*trend*) importação
▸ *vt* 1 (*bring from abroad*) importar 2 COMPUT transferir dados eletrônicos, especialmente quando acarreta mudança de formato

import² ['ɪmpɔːt] *n fml* significado, importância

importance [ɪm'pɔːtəns] *n* 1 (*significance*) importância 2 (*prestige*) prestígio, influência

important [ɪm'pɔːtənt] *adj* importante

impose [ɪm'pəʊz] *vt* impor, obrigar, mandar
• **to impose on** impor a: ***he tried to impose his religious beliefs on me*** ele tentou me impor suas crenças religiosas

impossibility [ɪmpɒsə'bɪlɪtɪ] *n* (*pl* **-ies**) impossibilidade

impossible [ɪm'pɒsɪbəl] *adj* impossível

impotence ['ɪmpətəns] *n* impotência, fraqueza, incapacidade

impotent ['ɪmpətənt] *adj* impotente, fraco, incapaz

impractical [ɪm'præktɪkəl] *adj* pouco prático

imprecise [ɪmprə'saɪs] *adj* impreciso, inexato

imprecision [ɪmprə'sɪʒən] *n* imprecisão, falta de exatidão

impress [ɪm'pres] *vt* impressionar, causar uma impressão: ***I was favourably/unfavourably impressed*** causou-me uma boa/má impressão
• **impress something on somebody** fazer alguém entender algo: ***I always try to impress on my children how important it is to preserve nature*** sempre tento fazer meus filhos entenderem a importância de preservar a natureza

impression [ɪm'preʃən] *n* 1 (*perception*) impressão 2 (*stamp*) marca, estampa
• **to be under the impression that...** ter a impressão de que...
• **to do/make an impression on somebody** causar boa impressão em alguém

impressive [ɪm'presɪv] *adj* impressionante

imprisonment [ɪm'prɪzənmənt] *n* prisão, detenção

improbable [ɪm'prɒbəbəl] *adj* 1 (*unlikely*) improvável 2 (*implausible*) inverossímil (*história*)

impromptu [ɪm'prɒmptjuː] *adj* improvisado
▸ *adv* de improviso, improvisadamente

improper [ɪm'prɒpə^r] *adj* 1 (*incorrect*) impróprio 2 (*unsuitable*) inadequado 3 (*indecorous*) indecente

improve [ɪm'pruːv] *vt* melhorar: ***the government should improve state schools*** o governo deveria melhorar as escolas estaduais
▸ *vi* melhorar: ***my father's health has improved*** a saúde do meu pai melhorou
▪ **to improve on** *vt* aperfeiçoar, fazer melhorias: ***we'll improve on the software as soon as possible*** faremos melhorias no *software* o mais rápido possível

improvement [ɪm'pruːvmənt] *n* 1 (*enhancement*) melhora, melhoria 2 (*progress*) aperfeiçoamento, progresso
• **to be an improvement on** ser melhor que
• **there's room for improvement** poderia ser melhor: ***his compositions are good but there's still room for improvement*** suas redações são boas, mas poderiam ser ainda melhores

improvise ['ɪmprəvaɪz] *vt-vi* improvisar

impulse ['ɪmpʌls] *n* impulso, ímpeto
• **on impulse** sem pensar, por impulso

impulsive [ɪm'pʌlsɪv] *adj* impulsivo

in¹ [ɪntʃ] *abbr* (*inch*) polegada

in² [ɪn] *prep* 1 (*month, year*) em: ***in May*** em maio 2 (*during the day*) de: ***in the morning/afternoon/evening*** de manhã/tarde/noite 3 (*time*) em, dentro de: ***we'll be back in twenty minutes*** estaremos de volta em vinte minutos 4 (*place*) em, dentro de, a: ***in the box*** na caixa; ***put it in your pocket*** ponha-o no bolso; ***we arrived in Bonn*** chegamos a Bonn 5 vestido de: ***the man in black*** o homem vestido de negro 6 em: ***in public*** em público; ***written in Greek*** escrito em grego 7 ao: ***in doing that*** ao fazer isso 8 de: ***the biggest in the world*** o maior do mundo

▸ *adv* **1** para dentro: ***put the clothes in*** traga a roupa para dentro **2** em casa: ***is Judith in?*** a Judith está (em casa)? **3** na moda: ***short skirts are in*** saias curtas estão na moda **4** estar no poder

• **come in!** entre!

• **in so far as** até onde

• **to be in for something** estar prestes a ter uma experiência desagradável: ***he's in for a nasty surprise*** ele está prestes a ter uma surpresa desagradável

• **to be in on something** estar a par de algo, saber de algo, estar inteirado de algo

• **to be in with somebody** estar bem com alguém, dar-se bem com alguém

• **in all** no todo

• **day in day out** todo santo dia

▪ **ins and outs** detalhes, pormenores

inability [ɪnə'bɪlɪtɪ] *n* incapacidade

inaccurate [ɪn'ækjərət] *adj* inexato, impreciso, incorreto

inadequacy [ɪn'ædɪkwəsɪ] *n (pl* **-ies) 1** *(limitation)* limitação **2** *(incapacity)* incapacidade **3** *(insufficiency)* insuficiência

inadequate [ɪn'ædɪkwət] *adj* **1** *(incompetent)* incapaz **2** *(insufficient)* insuficiente, insatisfatório

inappropriate [ɪnə'prəʊprɪət] *adj* impróprio, inadequado

inaugural [ɪ'nɔːgjʊrəl] *adj* inaugural, inicial

inaugurate [ɪ'nɔːgjʊreɪt] *vt* **1** *(lauch)* inaugurar **2** *(president)* empossar

inborn ['ɪnbɔːn] *adj* inato, congênito

inbred ['ɪnbred] *adj* inato

inc [ɪn'kɔːpəreɪtɪd] *abbr* US ***(Incorporated)*** sociedade anônima, S.A.

incapable [ɪn'keɪpəbəl] *adj* incapaz

incapacitate [ɪnkə'pæsɪteɪt] *vt* incapacitar

incapacity [ɪnkə'pæsɪtɪ] *n* incapacidade

incense¹ ['ɪnsens] *n* incenso

incense² ['ɪnsens] *vt* enfurecer

incentive [ɪn'sentɪv] *n* incentivo, estímulo

incessant [ɪn'sesənt] *adj* incessante

incessantly [ɪn'sesətlɪ] *adv* incessantemente

incest ['ɪnsest] *n* incesto

inch [ɪntʃ] *n (pl* **-es)** polegada

incidence ['ɪnsɪdəns] *n* **1** *(frequency)* incidência, frequência **2** *(occurence)* ocorrência

incident ['ɪnsɪdənt] *n* incidente, circunstância, acontecimento

incidental [ɪnsɪ'dentəl] *adj* incidental, acidental, casual

incidentally [ɪnsɪ'dentəlɪ] *adv* **1** *(by chance)* incidentemente, casualmente **2** *(by the way)* a propósito

incinerate [ɪn'sɪnəreɪt] *vt* incinerar, reduzir a cinzas

incinerator [ɪn'sɪnəreɪtəʳ] *n* incinerador

incision [ɪn'sɪʒən] *n* incisão, corte

incisive [ɪn'saɪsɪv] *adj* **1** *(comment)* incisivo **2** *(mind)* penetrante **3** *(voice)* agudo

incisor [ɪn'saɪzəʳ] *n (tooth)* incisivo

incite [ɪn'saɪt] *vt* incitar, estimular, encorajar

inclination [ɪnklɪ'neɪʃən] *n* **1** *(tendency)* tendência **2** *(bowing)* inclinação

incline [*(n)* 'ɪnklaɪn; *(v)* ɪn'klaɪn] *n* inclinação, plano inclinado, declive

▸ *vt* inclinar-se, curvar-se

▸ *vi* **1** ter tendência a: ***he's inclined to be late*** ele tem a tendência de chegar tarde **2** inclinar-se

include [ɪn'kluːd] *vt* incluir, compreender

including [ɪn'kluːdɪŋ] *prep* inclusive: ***twenty people, including eight children, died in the avalanche*** vinte pessoas, inclusive oito crianças, morreram na avalanche

inclusion [ɪn'kluːʒən] *n* inclusão

inclusive [ɪn'kluːsɪv] *adj* **1** inclusive: ***I'll be on holidays from the 10th to the 20 of July inclusive*** estarei de férias de 10 a 20 de julho inclusive **2** inclusivo: ***we hope for a fairer and more inclusive society*** almejamos uma sociedade mais justa e inclusiva

• **to be inclusive of** incluir, abranger: ***the price is $700 inclusive of taxes*** o preço é $700 incluindo os impostos

• **all-inclusive** com tudo incluído: ***an all-inclusive package tour*** um pacote de excursão com tudo incluído

incoherence [ɪnkəʊ'hɪərəns] *n* incoerência

incoherent [ɪnkəʊ'hɪərənt] *adj* incoerente

income ['ɪnkʌm] *n* renda, salário
▪ **income tax** imposto de renda
▪ **income tax return** declaração de imposto de renda

incoming ['ɪnkʌmɪŋ] *adj* que entra, que chega

incompatible [ɪnkəm'pætəbəl] *adj* incompatível

incompetence [ɪn'kɒmpətəns] *n* incompetência, incapacidade

incompetent [ɪn'kɒmpətənt] *adj* incompetente, inepto

incomplete [ɪnkəm'pliːt] *adj* incompleto

incomprehensible [ɪnkɒmprɪ'hensəbəl] *adj* incompreensível

inconceivable [ɪnkən'siːvəbəl] *adj* inconcebível

inconclusive [ɪnkən'kluːsɪv] *adj* inconclusivo

incongruous [ɪn'kɒŋgrʊəs] *adj* incongruente

inconsequential [ɪnkɒnsɪ'kwenʃəl] *adj* irrelevante, sem importância

inconsiderate [ɪnkən'sɪdərət] *adj* desatencioso

inconsistent [ɪnkən'sɪstənt] *adj* incongruente, não compatível: ***it's inconsistent with the facts*** não é compatível com os fatos

inconspicuous [ɪnkən'spɪkjʊəs] *adj* imperceptível, que não chama a atenção

inconvenience [ɪnkən'viːnɪəns] *n* inconveniência, obstáculo
▸ *vt* molestar, incomodar

inconvenient [ɪnkən'viːnɪənt] *adj* inconveniente, inoportuno

incorporate [ɪn'kɔːpəreɪt] *vt* incorporar, unir, ligar

incorrect [ɪnkə'rekt] *adj* incorreto, errado, impróprio

increase [(*n*) 'ɪnkriːs; (*v*) ɪn'kriːs] *n* aumento, crescimento, incremento: ***there has been a sharp increase in house prices*** houve um aumento acentuado no preço da moradia
▸ *vt-vi* aumentar, crescer, ampliar
• **to be on the increase** estar em alta

increasing [ɪn'kriːsɪŋ] *adj* crescente

increasingly [ɪn'kriːsɪŋlɪ] *adv* cada vez mais, de modo crescente

incredible [ɪn'kredɪbəl] *adj* incrível

incredulous [ɪn'kredjələs] *adj* incrédulo

increment ['ɪnkrɪmənt] *n* incremento, aumento

incriminate [ɪn'krɪmɪneɪt] *vt* incriminar, culpar

incriminating [ɪn'krɪmɪneɪtɪŋ] *adj* incriminatório

incubate ['ɪnkjʊbeɪt] *vt-vi* incubar, chocar

incubator ['ɪnkjʊbeɪtə^r] *n* **1** (*premature babies*) incubadora **2** (*birds' eggs*) chocadeira elétrica

incur [ɪn'kɜː^r] *vt* (*pt & pp* **incurred**, *ger* **incurring**) **1** (*bring upon oneself*) incorrer **2** (*contract*) contrair

incurable [ɪn'kjʊərəbəl] *adj* incurável

ind [ɪndɪ'pendənt] *abbr* GB (***Independent***) independente

indebted [ɪn'detɪd] *adj* **1** (*beholden*) endividado **2** *fig* agradecido: ***I'm deeply indebted to you*** estou profundamente agradecido a você

indecent [ɪn'diːsənt] *adj* indecente

indecisive [ɪndɪ'saɪsɪv] *adj* indeciso, irresoluto

indeed [ɪn'diːd] *adv* **1** de fato, realmente, mesmo: ***did you really hit him? – I did indeed*** você realmente bateu nele? – Bati mesmo **2** realmente, de verdade: ***he works very hard indeed*** ele trabalha realmente **3** muitíssimo: ***thank you very much indeed*** muitíssimo obrigado

indefinite [ɪn'defɪnət] *adj* indefinido, vago, incerto

indefinitely [ɪn'defɪnətlɪ] *adv* indefinidamente

indelible [ɪn'delɪbəl] *adj* indelével, que não se pode apagar

indemnity [ɪn'demnɪtɪ] *n* (*pl* **-ies**) indenização

independence [ɪndɪ'pendəns] *n* independência

independent [ɪndɪ'pendənt] *adj* independente

• **to become independent** ficar independente

in-depth [ɪn'depθ] *adj* detalhado, elaborado a fundo: ***an in-depth analysis*** uma análise detalhada

indescribable [ɪndɪ'skraɪbəbəl] *adj* indescritível

indestructible [ɪndɪ'strʌktəbəl] *adj* indestrutível

index ['ɪndeks] *n* (*pl* **indexes**) índice

▸ *vt* indexar, catalogar

▪ **index finger** (*finger*) indicador

india ['ɪndɪə] *n* Índia

indian ['ɪndɪən] *adj-n* índio

▪ **the Indian Ocean** o oceano Índico

indicate ['ɪndɪkeɪt] *vt* indicar, aludir, sinalizar

▸ *vi* ligar a seta para indicar intenção de deslocar o veículo para qualquer um dos lados

indication [ɪndɪ'keɪʃən] *n* indício, sinal, indicação

indicative [ɪn'dɪkətɪv] *adj* indicativo

▸ *n* indicativo

indicator ['ɪndɪkeɪtə^{r}] *n* **1** (*measure*) indicador **2** (*measuring device*) instrumento de medição ou de registro

indictment [ɪn'daɪtmənt] *n* DIR acusação formal, indiciação, pronúncia

indifference [ɪn'dɪfərəns] *n* indiferença

indifferent [ɪn'dɪfərənt] *adj* **1** (*unconcerned*) indiferente **2** medíocre: ***the snack bar isn't that good – the food's indifferent and the service a little slow*** a lanchonete não é lá essas coisas – a comida é medíocre e o serviço, um pouco lento

indigenous [ɪn'dɪdʒənəs] *adj* nativo, indígena

indigestion [ɪndɪ'dʒestʃən] *n* indigestão

indignant [ɪn'dɪgnənt] *adj* indignado, furioso, zangado

indignation [ɪndɪg'neɪʃən] *n* indignação

indirect [ɪndɪ'rekt] *adj* indireto

indiscrét [ɪndɪ'skriːt] *adj* indiscreto

indiscretion [ɪndɪ'skreʃən] *n* indiscrição

indiscriminate [ɪndɪ'skrɪmɪnət] *adj* indiscriminado, indistinto

indispensable [ɪndɪ'spensəbəl] *adj* indispensável, imprescindível, necessário

indisposed [ɪndɪ'spəʊzd] *adj* **1** (*ill*) indisposto, adoentado **2** (*reluctant*) com má vontade, relutante

indisputable [ɪndɪ'spjuːtəbəl] *adj* indisputável, incontestável

indistinct [ɪndɪ'stɪŋkt] *adj* vago, indistinto, confuso

individual [ɪndɪ'vɪdjʊəl] *adj* **1** (*single*) individual **2** (*characteristic*) particular, pessoal

▸ *n* (*person*) indivíduo

indoctrination [ɪndɒktrɪ'neɪʃən] *n* doutrinação

Indonesia [ɪndə'niːzɪə] *n* Indonésia

Indonesian [ɪndə'niːzɪən] *adj-n* indonésio

indoor ['ɪndɔː^{r}] *adj* **1** (*inside a building*) interno **2** SPORT coberto

▪ **indoor football** futebol de salão

▪ **indoor pool** piscina coberta

indoors [ɪn'dɔːz] *adv* para dentro: ***come indoors, it's cold outside*** venha para dentro, faz frio aí fora

• **to stay indoors** ficar em casa

induce [ɪn'djuːs] *vt* **1** (*persuade*) induzir, persuadir **2** (*cause*) causar, provocar

indulge [ɪn'dʌldʒ] *vt* **1** satisfazer: ***she hardly ever indulges her craving for chocolate*** ela raramente satisfaz seu desejo intenso de comer chocolate **2** (*child*) mimar

• **to indulge in** permitir-se, dar-se ao luxo de

indulgence [ɪn'dʌldʒəns] *n* **1** (*self-gratification*) indulgência **2** (*extravagance*) pequeno luxo

indulgent [ɪn'dʌldʒənt] *adj* indulgente, tolerante

industrial [ɪn'dʌstrɪəl] *adj* industrial

▪ **industrial accident** acidente de trabalho

▪ **industrial action** protestos trabalhistas, greves

▪ **industrial dispute** conflito trabalhista

▪ **industrial estate** parque industrial

industrialist [ɪn'dʌstrɪəlɪst] *n* (*factory owner*) industrial, (*financier*) empresário

industrialize [ɪn'dʌstrɪəlaɪz] *vt-vi* industrializar

industrious [ɪn'dʌstrɪəs] *adj* diligente, laborioso, industrioso

industry ['ɪndəstrɪ] *n* (*pl* **-ies**) **1** (*manufacturing*) indústria **2** (*diligence*) diligência, assiduidade

inedible [ɪn'edəbəl] *adj* incomestível

ineffective [ɪnɪ'fektɪv] *adj* ineficaz, ineficiente, inútil

ineffectual [ɪnɪ'fektʃʊəl] *adj* ineficaz, inútil, vão

inefficiency [ɪnɪ'fɪʃənsɪ] *n* ineficácia, incompetência, incapacidade

inefficient [ɪnɪ'fɪʃənt] *adj* ineficaz, ineficiente, inepto

inept [ɪ'nept] *adj* **1** (*incompetent*) inepto **2** tolo, sem sentido: ***an inept remark*** um comentário tolo

inequality [ɪnɪ'kwɒlətɪ] *n* (*pl* **-ies**) desigualdade

inert [ɪ'nɜːt] *adj* inerte, inativo

inertia [ɪ'nɜːʃə] *n* inércia

inescapable [ɪnɪ'skeɪpəbəl] *adj* inescapável

inevitable [ɪn'evɪtəbəl] *adj* inevitável

inexact [ɪnɪg'zækt] *adj* inexato

inexpensive [ɪnɪk'spensɪv] *adj* barato

inexperience [ɪnɪk'spɪərɪəns] *n* inexperiência

inexperienced [ɪnɪk'spɪərɪənst] *adj* inexperiente

inexpert [ɪn'ekspɜːt] *adj* imperito, inexperiente

inexplicable [ɪnɪk'splɪkəbəl] *adj* inexplicável

inexpressive [ɪnɪk'spresɪv] *adj* inexpressivo

infallible [ɪn'fæləbəl] *adj* infalível

infamous ['ɪnfəməs] *adj* infame

infancy ['ɪnfənsɪ] *n* infância

infant ['ɪnfənt] *n* bebê, criança pequena

infantile ['ɪnfəntaɪl] *adj* infantil

infantry ['ɪnfəntrɪ] *n* infantaria

infatuated [ɪn'fætjʊeɪtɪd] *adj* apaixonado, enfeitiçado

infect [ɪn'fekt] *vt* **1** (*contaminate*) infectar, infeccionar **2** *fig* contagiar: ***the girl's sense of humour seemed to infect all her friends*** o senso de humor da menina parecia contagiar todos os amigos

infection [ɪn'fekʃən] *n* infecção, contágio

infectious [ɪn'fekʃəs] *adj* **1** (*contagious*) infeccioso, contagioso **2** contagiante: ***infectious enthusiasm*** entusiasmo contagiante

infer [ɪn'fɜːʳ] *vt* (*pt & pp* **inferred**, *ger* **inferring**) inferir, deduzir, concluir

inferior [ɪn'fɪərɪəʳ] *adj* inferior
▸ *n* inferior

inferiority [ɪnfɪərɪ'ɒrətɪ] *n* inferioridade

infertile [ɪn'fɜːtaɪl] *adj* estéril, infértil

infest [ɪn'fest] *vt* infestar, assolar

infidelity [ɪnfɪ'delətɪ] *n* (*pl* **-ies**) infidelidade, adultério

infiltrate ['ɪnfɪltreɪt] *vt* infiltrar

infinite ['ɪnfɪnət] *adj* infinito, ilimitado

infinitive [ɪn'fɪnɪtɪv] *n* infinitivo

infinity [ɪn'fɪnɪtɪ] *n* **1** (*endlessness*) infinito **2** *fig* (*vastness*) infinidade

infirm [ɪn'fɜːm] *adj* fraco, instável, débil

infirmary [ɪn'fɜːmərɪ] *n* (*pl* **-ies**) **1** (*hospital*) hospital **2** (*room*) enfermaria

inflammable [ɪn'flæməbəl] *adj* **1** (*combustible*) inflamável **2** *fig* (*excitable*) explosivo

inflammation [ɪnflə'meɪʃən] *n* inflamação

inflate [ɪn'fleɪt] *vt-vi* inflar, encher de ar

inflation [ɪn'fleɪʃən] *n* inflação

inflexible [ɪn'fleksɪbəl] *adj* inflexível

inflict [ɪn'flɪkt] *vt* **1** (*impose*) impor, infligir **2** (*cause*) causar, ocasionar

influence ['ɪnflʊəns] *n* influência
▸ *vt* influenciar, influir

influential [ɪnflʊ'enʃəl] *adj* influente

influenza [ɪnflʊ'enzə] *n* gripe

influx ['ɪnflʌks] *n* (*pl* **influxes**) influxo, afluência

info ['ɪnfəʊ] *n* *infml* informação

inform [ɪn'fɔːm] *vt* informar
• **to inform on somebody** delatar alguém, denunciar alguém

informal [ɪn'fɔ:məl] *adj* informal

informality [ɪnfɔ:'mælɪtɪ] *n* (*pl* **-ies**) informalidade

informant [ɪn'fɔ:mənt] *n* informante, informador

information [ɪnfə'meɪʃən] *n* informação

informative [ɪn'fɔ:mətɪv] *adj* informativo

informer [ɪn'fɔ:məʳ] *n* informante, delator

infrared [ɪnfrə'red] *adj* infravermelho

infrastructure ['ɪnfrəstrʌktʃəʳ] *n* infraestrutura

infrequent [ɪn'fri:kwənt] *adj* infrequente, raro

infringe [ɪn'frɪndʒ] *vt* infringir, transgredir: ***he is suspected of infringing intellectual property rights*** ele é suspeito de infringir direitos de propriedade intelectual

• **to infringe on** violar: ***to infringe on human rights*** violar direitos humanos

infuriate [ɪn'fjʊərɪeɪt] *vt* enfurecer

infuriating [ɪn'fjʊərɪeɪtɪŋ] *adj* enfurecedor, exasperante, irritante

ingenious [ɪn'dʒi:nɪəs] *adj* engenhoso, inventivo

ingenuity [ɪndʒɪ'nju:ɪtɪ] *n* inventividade, criatividade

ingot ['ɪŋgət] *n* lingote

ingrained [ɪn'greɪnd] *adj* enraizado, arraigado: ***ingrained prejudices*** preconceitos arraigados

ingredient [ɪn'gri:dɪənt] *n* ingrediente

inhabit [ɪn'hæbɪt] *vt* habitar, morar, residir

inhabitant [ɪn'hæbɪtənt] *n* habitante

inhale [ɪn'heɪl] *vt* aspirar, inalar

▸ *vi* tragar

inherit [ɪn'herɪt] *vt* herdar

inheritance [ɪn'herɪtəns] *n* herança

inhibit [ɪn'hɪbɪt] *vt* inibir, impedir

inhibition [ɪnhɪ'bɪʃən] *n* inibição

inhuman [ɪn'hju:mən] *adj* inumano, desumano

inimitable [ɪ'nɪmɪtəbəl] *adj* inimitável

initial [ɪ'nɪʃəl] *adj* inicial

▸ *n* inicial, rubrica: ***my initials*** minhas iniciais, minha rubrica

▸ *vt* (*pt & pp* **initialled**, *ger* **initialling**) pôr as iniciais, rubricar

initially [ɪ'nɪʃəlɪ] *adv* inicialmente, a princípio

initiate ['ɪnɪʃɪeɪt] *vt* iniciar, começar

initiative [ɪ'nɪʃɪətɪv] *n* iniciativa

inject [ɪn'dʒekt] *vt* injetar

injection [ɪn'dʒekʃən] *n* injeção

injure ['ɪndʒəʳ] *vt* **1** (*hurt*) ferir **2** prejudicar: ***these chemicals can injure health*** estes produtos químicos podem prejudicar a saúde

injured ['ɪndʒəd] *adj* ferido, machucado, lesionado

injury ['ɪndʒərɪ] *n* (*pl* **-ies**) **1** (*hurt*) ferimento **2** (*offense*) injúria, insulto

▪ **injury time** prorrogação (*de jogo, para descontar tempo parado*)

▪ **repetitive strain injury** lesão por esforço repetitivo (*LER*)

injustice [ɪn'dʒʌstɪs] *n* injustiça

• **to do somebody an injustice** cometer uma injustiça com alguém

ink [ɪŋk] *n* tinta de escrever ou imprimir

inkjet printer ['ɪŋkdʒet'prɪntəʳ] *n* impressora a jato de tinta

inkling ['ɪŋklɪŋ] *n* **1** (*notion*) noção, ideia vaga **2** (*suspicion*) suspeita, pressentimento

inland [(*adj*) 'ɪnlənd; (*adv*) ɪn'lænd] *adj* interior

▸ *adv* no interior, para o interior

▪ **Inland Revenue** GB Secretaria da Fazenda

inlet ['ɪnlet] *n* **1** (*passage*) entrada, passagem **2** (*bay*) enseada, baía

inmate ['ɪnmeɪt] *n* **1** (*inhabitant*) ocupante, habitante **2** (*prisoner*) preso **3** (*patient*) doente **4** (*internee*) interno

inn [ɪn] *n* estalagem, hospedaria, pousada

innate [ɪ'neɪt] *adj* inato

inner ['ɪnəʳ] *adj* interior, interno

▪ **inner tube** câmara de ar

innermost ['ɪnəməʊst] *adj* íntimo, recôndito

innocence ['ɪnəsəns] *n* inocência

innocent ['ɪnəsənt] *adj-n* inocente

innovation [ɪnə'veɪʃən] *n* inovação, novidade

innovative ['ɪnəvətɪv] *adj* inovador, progressista

innuendo [ɪnjʊ'endəʊ] *n* (*pl* -**s** ou -**es**) insinuação, alusão indireta

innumerable [ɪ'nju:mərəbəl] *adj* inumerável

inoculate [ɪ'nɒkjʊleɪt] *vt* inocular, vacinar

inpatient ['ɪnpeɪʃənt] *n* paciente internado

input ['ɪnpʊt] *n* **1** entrada: ***dollar input*** entrada de dólares; ***audio input*** entrada de áudio **2** contribuição: ***I'd like to get input from all members of the group*** eu gostaria de receber sugestões e comentários de todos os membros do grupo **3** COMPUT *input*, entrada de dados
▸ *vt* (*pt & pp* **inputted**, *ger* **inputting**) COMPUT alimentar o computador com dados: ***it took me three hours to input all the data into the computer*** *levei três horas para alimentar o computador com todos os dados*

inquest ['ɪnkwest] *n* inquérito, investigação, sindicância

inquire [ɪn'kwaɪəʳ] *vt* perguntar, inquirir
• **"Inquire within"** "Entre e peça mais detalhes"
• **to inquire about something** perguntar sobre algo
• **to inquire into something** investigar algo

inquiry [ɪn'kwaɪərɪ] *n* (*pl* -**ies**) **1** (*question*) consulta, pergunta **2** (*investigation*) inquirição, pesquisa, averiguação
• **"Inquiries"** "Informações"

inquisition [ɪnkwɪ'zɪʃən] *n* inquisição, interrogatório, investigação

inquisitive [ɪn'kwɪzɪtɪv] *adj* curioso, perguntador

insane [ɪn'seɪn] *adj* insano, louco
• **to go insane** enlouquecer

insanity [ɪn'sænɪtɪ] *n* insanidade, loucura, demência

inscribe [ɪn'skraɪb] *vt* inscrever, gravar

inscription [ɪn'skrɪpʃən] *n* inscrição, registro

insect ['ɪnsekt] *n* inseto

insecticide [ɪn'sektɪsaɪd] *n* inseticida

insecure [ɪnsɪ'kjʊəʳ] *adj* inseguro

insecurity [ɪnsɪ'kjʊərɪtɪ] *n* insegurança, incerteza

insensitive [ɪn'sensətɪv] *adj* insensível, impassível

inseparable [ɪn'sepərəbəl] *adj* inseparável

insert [ɪn'sɜ:t] *vt* inserir, introduzir

inside [ɪn'saɪd] *n* interior, parte interna: ***from the inside*** de dentro
▸ *npl* **insides** entranhas, intestino
▸ *adj* **1** interior, interno: ***the keys are in the inside pocket of his jacket*** as chaves estão no bolso interno de sua jaqueta **2** sigiloso, confidencial: ***inside information*** informações sigilosas
▸ *adv* **1** dentro, do lado de dentro, dentro de casa: ***we stayed inside during the tornado*** permanecemos dentro de casa durante o tornado **2** para dentro: ***come inside!*** entre!
▸ *prep* dentro de: ***it is inside the box*** está dentro da caixa
• **inside out** às avessas, do lado do avesso

insider [ɪn'saɪdəʳ] *n* pessoa íntima, pessoa bem informada

insight ['ɪnsaɪt] *n* **1** *insight*, compreensão, em geral repentina e intuitiva: ***the book gave me an insight into the business world*** o artigo me proporcionou um compreensão do mundo dos negócios **2** discernimento: ***he's a man of great insight*** ele é um homem de grande discernimento

insignificant [ɪnsɪg'nɪfɪkənt] *adj* insignificante

insincere [ɪnsɪn'sɪəʳ] *adj* insincero, falso

insinuate [ɪn'sɪnjʊeɪt] *vt* insinuar, dar a entender

insist [ɪn'sɪst] *vi* insistir, persistir

insistence [ɪn'sɪstəns] *n* insistência

insistent [ɪn'sɪstənt] *adj* insistente

insolent ['ɪnsələnt] *adj* insolente, atrevido

insomnia [ɪn'sɒmnɪə] *n* insônia

inspect [ɪn'spekt] *vt* inspecionar, examinar, vistoriar

inspection [ɪn'spekʃən] *n* **1** (*examination*) inspeção **2** (*review*) revisão **3** MIL revista

inspector [ɪn'spektəʳ] *n* **1** (*examiner*) inspetor **2** (*train*) fiscal

inspiration [ɪnspɪ'reɪʃən] *n* inspiração

inspire [ɪn'spaɪəʳ] *vt* **1** (*stimulate*) inspirar, motivar **2** (*induce*) incutir

instability [ɪnstə'bɪlɪtɪ] *n* instabilidade

install [ɪn'stɔːl] *vt* instalar

installation [ɪnstə'leɪʃən] *n* instalação

instalment [ɪn'stɔːlmənt] *n* **1** prestação: ***we'll pay for the new equipment in instalments*** pagaremos o novo equipamento à prestação **2** (*part*) parte **3** (*chapter*) episódio, capítulo

instance ['ɪnstəns] *n* exemplo, caso
• **for instance** por exemplo
• **in the first instance** primeiramente, em primeira instância

instant ['ɪnstənt] *n* instante, momento: ***it will be ready in an instant*** estará pronto em um instante
▸ *adj* (*immediate*) imediato **2** (*pre-prepared*) instantâneo

instantaneous [ɪnstən'teɪnɪəs] *adj* instantâneo, rápido

instantly ['ɪnstəntlɪ] *adv* imediatamente

instead [ɪn'sted] *adv* em vez de: ***the theatre was full, so we went to the cinema instead*** o teatro estava cheio, então fomos ao cinema
• **instead of** em lugar de, em vez de: ***would you like coffee instead of tea?*** você gostaria de café em vez de chá?

instep ['ɪnstep] *n* peito do pé

instigate ['ɪnstɪgeɪt] *vt* instigar

instinct ['ɪnstɪŋkt] *n* instinto

instinctive [ɪn'stɪŋktɪv] *adj* instintivo

institute ['ɪnstɪtjuːt] *n* instituto, instituição
▸ *vt* instituir, estabelecer, iniciar

institution [ɪnstɪ'tjuːʃən] *n* **1** instituição: ***a financial institution*** uma instituição financeira **2** (*asylum*) asilo **3** instituição, costume: ***the institution of marriage*** a instituição do casamento

instruct [ɪn'strʌkt] *vt* **1** (*teach*) instruir, informar, ensinar **2** (*order*) ordenar, mandar

instruction [ɪn'strʌkʃən] *n* **1** (*teaching*) instrução, ensino **2** ordem: ***I was given strict instructions to lock all doors*** recebi ordens expressas para trancar todas as portas
▸ *npl* **instructions** instruções, indicações

instructor [ɪn'strʌktəʳ] *n* **1** (*trainer*) instrutor **2** (*teacher*) professor

instrument ['ɪnstrəmənt] *n* instrumento

instrumental [ɪnstrə'mentəl] *adj* instrumental
• **to be instrumental in** contribuir decisivamente para, colaborar para

insufficient [ɪnsə'fɪʃənt] *adj* insuficiente

insular ['ɪnsjʊləʳ] *adj* insular, isolado, retraído

insulate ['ɪnsjəleɪt] *vt* **1** (*protect*) proteger, isolar **2** ELECTR isolar

insulation [ɪnsjə'leɪʃən] *n* **1** (*protection*) isolamento **2** ELECTR material de isolamento

insulin ['ɪnsjəlɪn] *n* MED insulina

insult [(*n*) 'ɪnsʌlt; (*v*) ɪn'sʌlt] *n* insulto, afronta, ultraje, ofensa
▸ *vt* insultar, ofender, injuriar

insurance [ɪn'ʃʊərəns] *n* **1** (*indemnity*) seguro **2** (*protection*) proteção, segurança **3** (*money paid by an insurance company*) prêmio de seguro
▪ **insurance policy** apólice de seguro

insure [ɪn'ʃʊəʳ] *vt* assegurar, pôr no seguro

intact [ɪn'tækt] *adj* intacto

intake ['ɪnteɪk] *n* **1** (*amount consumed*) consumo **2** (*students recruited*) número de alunos admitidos por uma instituição de ensino

integral ['ɪntɪgrəl] *adj* **1** (*essential*) integral, essencial **2** MATH integral **3** (*number*) inteiro
▸ *n* MATH integral

integrate ['ɪntɪgreɪt] *vt-vi* **1** (*unify*) integrar, completar **2** (*combine*) combinar, amalgamar

integration [ɪntɪ'greɪʃən] *n* integração

integrity [ɪn'tegrətɪ] *n* integridade

intellect ['ɪntəlekt] *n* intelecto, inteligência

intellectual [ɪntə'lektjʊəl] *adj-n* intelectual

intelligence [ɪn'telɪdʒəns] *n* inteligência

intelligent [ɪn'telɪʒənt] *adj* inteligente

intend [ɪn'tend] *vt* pretender, propor-se

intended [ɪn'tendɪd] *adj* 1 (*planned*) planejado, pretendido 2 (*future*) futuro
• **intended for** para, destinado a: ***the course is intended for trainee teachers*** o curso é destinado a professores em treinamento

intense [ɪn'tens] *adj* 1 (*extreme*) intenso 2 (*passionate*) ardente, profundo

intensify [ɪn'tensɪfaɪ] *vt-vi* (*pt & pp* -**ied**) intensificar, reforçar

intensity [ɪn'tensɪtɪ] *n* (*pl* -**ies**) intensidade

intensive [ɪn'tensɪv] *adj* intensivo
▪ **intensive care** terapia intensiva

intent [ɪn'tent] *adj* atento, aplicado
▸ *n* intenção, plano
• **to all intents and purposes** para todos os efeitos, praticamente
• **to be intent on** estar decidido a, estar empenhado em
• **with intent to** com a intenção de

intention [ɪn'tenʃən] *n* intenção, finalidade, propósito

intentional [ɪn'tenʃənəl] *adj* intencional

intentionally [ɪn'tenʃənəlɪ] *adv* intencionalmente

interactive [ɪntər'æktɪv] *adj* interativo

intercede [ɪntə'si:d] *vi* interceder
• **to intercede on somebody's behalf** interceder por alguém

intercept [ɪntə'sept] *vt* interceptar

interchange ['ɪntətʃeɪndʒ] *n* 1 (*exchange*) intercâmbio, troca 2 (*motorway junction*) trevo

intercom ['ɪntəkɒm] *n* interfone

intercourse ['ɪntəkɔ:s] *n* 1 (*communication*) intercurso 2 (*sex*) relação sexual

interest ['ɪntrəst] *n* 1 (*concern*) interesse 2 (*business*) participação 3 (*financial charge*) juro
▸ *vt* interessar
• **in the interests of** em prol de
• **to be of interest** interessar
• **to take an interest in** interessar-se por
▪ **interest rate** taxa de juros

interested ['ɪntrəstɪd] *adj* interessado

interesting ['ɪntrəstɪŋ] *adj* interessante

interface ['ɪntəfeɪs] *n* interface

interfere [ɪntə'fɪəʳ] *vi* interferir, intervir
• **to interfere with** dificultar, estorvar

interference [ɪntə'fɪərəns] *n* interferência, intromissão, intervenção

interfering [ɪntə'fɪərɪŋ] *adj* intrometido

interior [ɪn'tɪərɪəʳ] *adj-n* interior

interjection [ɪntə'dʒekʃən] *n* 1 (*interposition*) interjeição 2 (*exclamation*) exclamação

interloper ['ɪntələʊpəʳ] *n* intruso

interlude ['ɪntəlu:d] *n* 1 (*interval*) intervalo 2 MUS interlúdio

intermediate [ɪntə'mi:dɪət] *adj* intermediário

intermission [ɪntə'mɪʃən] *n* intermissão, intervalo, interrupção

intern [(*n*) 'ɪntɜ:n; (*v*) ɪn'tɜ:n] *n* US 1 (*advanced student*) interno 2 estagiário: ***Monica was an intern at the White House*** Monica foi estagiária na Casa Branca
▸ *vt* internar

internal [ɪn'tɜ:nəl] *adj* 1 (*inner*) interior, interno 2 (*domestic*) doméstico
▪ **internal flight** voo nacional
▪ **Internal Revenue** US Secretaria da Fazenda

international [ɪntə'næʃənəl] *adj* internacional

internet ['ɪntənet] *n* internet
▪ **Internet access provider** provedor de acesso à internet
▪ **Internet service provider** provedor de internet

interplay ['ɪntəpleɪ] *n* interação

Interpol ['ɪntəpɒl] *abbr* (***International Criminal Police Organization***) Interpol

interpret [ɪn'tɜ:prət] *vt* interpretar
▸ *vi* interpretar

interpretation [ɪntɜ:prə'teɪʃən] *n* interpretação

interpreter [ɪn'tɜ:prətəʳ] *n* intérprete

interrogate [ɪn'terəgeɪt] *vt* interrogar

interrogation [ɪnterə'geɪʃən] *n* interrogatório

interrogative [ɪntə'rɒgətɪv] *adj* interrogativo
▸ *n* forma interrogativa, oração interrogativa

interrupt [ɪntə'rʌpt] *vt-vi* interromper

interruption [ɪntə'rʌpʃən] *n* interrupção

intersection [ɪntə'sekʃən] *n* **1** (*crossing*) cruzamento **2** (*road junction*) interseção

interval ['ɪntəvəl] *n* **1** (*interlude*) intervalo **2** (*pause*) descanso, pausa
• **at regular intervals** com regularidade

intervene [ɪntə'vi:n] *vi* **1** (*arbitrate*) intervir, interferir, mediar **2** (*occur*) transcorrer

intervention [ɪntə'venʃən] *n* intervenção

interview ['ɪntəvju:] *n* entrevista
▸ *vt* entrevistar

interviewer ['ɪntəvju:əʳ] *n* entrevistador

intestine [ɪn'testɪn] *n* intestino

intimacy ['ɪntɪməsɪ] *n* intimidade

intimate[1] ['ɪntɪmət] *adj* íntimo, pessoal

intimate[2] ['ɪntɪmeɪt] *vt* sugerir, insinuar

intimidate [ɪn'tɪmɪdeɪt] *vt* intimidar

intimidating [ɪn'tɪmɪdeɪtɪŋ] *adj* intimidador, ameaçador

into ['ɪntʊ] *prep* em, para dentro de: ***they went into the shop*** eles entraram na loja **2** dividido por: ***five into twenty goes four*** vinte dividido por cinco são quatro
• **to be into something** *infml* adorar, ser aficionado de algo: ***we're really into classical music*** somos aficionados de música clássica

intolerable [ɪn'tɒlərəbəl] *adj* intolerável

intolerance [ɪn'tɒlərəns] *n* intolerância

intolerant [ɪn'tɒlərənt] *adj* intolerante

intonation [ɪntə'neɪʃən] *n* entoação

intoxicated [ɪn'tɒksɪkeɪtɪd] *adj* embriagado, bêbado

intoxication [ɪntɒksɪ'keɪʃən] *n* embriaguez

intranet ['ɪntrənet] *n* intranet

intransitive [ɪn'trænsɪtɪv] *adj* intransitivo

intrigue [ɪn'tri:g] *n* intriga
▸ *vt-vi* intrigar, conspirar

introduce [ɪntrə'dju:s] *vt* **1** (*bring up*) introduzir **2** (*present*) apresentar **3** (*present formally at court*) promulgar

introduction [ɪntrə'dʌkʃən] *n* **1** (*opening*) introdução **2** (*person*) apresentação **3** (*law*) promulgação

introductory [ɪntrə'dʌktərɪ] *adj* introdutório, preliminar

introvert ['ɪntrəvɜ:t] *n* introvertido

introverted ['ɪntrəvɜ:tɪd] *adj* introvertido

intrude [ɪn'tru:d] *vi* **1** (*interrupt*) intrometer-se, imiscuir-se **2** (*interfere*) molestar, perturbar

intruder [ɪn'tru:dəʳ] *n* intruso

intrusion [ɪn'tru:ʒən] *n* **1** (*invasion*) intrusão **2** (*interference*) intromissão

intuition [ɪntju:'ɪʃən] *n* intuição

intuitive [ɪn'tju:ɪtɪv] *adj* intuitivo

invade [ɪn'veɪd] *vt* invadir

invader [ɪn'veɪdəʳ] *n* invasor

invalid[1] ['ɪnvəlɪd] *n* inválido, enfermo

invalid[2] [ɪn'vælɪd] *adj* inválido, nulo: ***your driving licence is invalid here*** sua carteira de motorista é inválida aqui

invalidate [ɪn'vælɪdeɪt] *vt* invalidar, anular

invaluable [ɪn'væljʊəbəl] *adj* inestimável

invasion [ɪn'veɪʒən] *n* invasão

invent [ɪn'vent] *vt* inventar

invention [ɪn'venʃən] *n* **1** (*creation*) invento, invenção **2** (*creativity*) capacidade de invenção **3** (*lie*) mentira

inventor [ɪn'ventəʳ] *n* inventor

inventory ['ɪnvəntrɪ] *n* (*pl* **-ies**) **1** (*list*) inventário **2** (*stock*) estoque

inversion [ɪn'vɜ:ʒən] *n* inversão

invert [ɪn'vɜ:t] *vt* inverter

invertebrate [ɪn'vɜ:tɪbrət] *adj-n* ZOOL invertebrado

inverted [ɪn'vɜ:tɪd] *adj* invertido, inverso
▪ **inverted commas** aspas: ***in inverted commas*** entre aspas

invest [ɪn'vest] *vt* **1** (*provide capital for*) investir, empregar dinheiro **2** (*imbue*) imbuir
▸ *vi* investir dinheiro

investigate [ɪn'vestɪgeɪt] *vt-vi* investigar

investigation [ɪnvestɪ'geɪʃən] *n* investigação

investigator [ɪn'vestɪgeɪtəʳ] *n* investigador

investment [ɪn'vestmənt] *n* investimento

investor [ɪn'vestəʳ] *n* investidor

invincible [ɪn'vɪnsəbəl] *adj* invencível

invisible [ɪn'vɪzəbəl] *adj* invisível
▪ **invisible ink** tinta invisível

invitation [ɪnvɪ'teɪʃən] *n* convite

invite [ɪn'vaɪt] *vt* **1** (*summon*) convidar **2** (*ask for*) pedir, solicitar **3** (*provoke*) provocar

inviting [ɪn'vaɪtɪŋ] *adj* tentador, convidativo, sedutor

invoice ['ɪnvɔɪs] *n* fatura
▸ *vt* faturar

involuntary [ɪn'vɒləntərɪ] *adj* involuntário

involve [ɪn'vɒlv] *vt* **1** (*include*) envolver **2** envolver, comprometer: ***don't involve me in your schemes*** não me envolva em suas tramoias **3** (*absorb*) ocupar, absorver **4** supor, implicar, requerer: ***the job involves working at the weekends*** o emprego requer que se trabalhe nos fins de semana

involved [ɪn'vɒlvd] *adj* complicado, envolvido
• **to get involved in** meter-se em, enredar-se com
• **to get involved with somebody** envolver-se com alguém

involvement [ɪn'vɒlvmənt] *n* **1** (*participation*) participação **2** (*collusion*) cumplicidade **3** (*attachment*) relação

inward ['ɪnwəd] *adj* interior
▸ *adv* para dentro: ***the windows open inward*** as janelas abrem para dentro

inwards ['ɪnwədz] *adv* para dentro

iodine ['aɪədiːn] *n* CHEM iodo

ion [aɪən] *n* CHEM íon

IOU ['aɪ'əʊ'juː] *abbr* (***I owe you***) devo a você

IQ ['aɪ'kjuː] *abbr* (***intelligence quotient***) (QI) quociente de inteligência

IRA ['aɪ'ɑːr'eɪ] *abbr* (***Irish Republican Army***) Exército Republicano Irlandês

Iran [ɪ'rɑːn] *n* Irã

Iranian [ɪ'reɪnɪən] *adj-n* iraniano

Iraq [ɪ'rɑːk] *n* Iraque

Iraqi [ɪ'rɑːkɪ] *adj* iraquiano
▸ *n* iraquiano

irate [aɪ'reɪt] *adj* furioso, enraivecido

Ireland ['aɪələnd] *n* Irlanda
▪ **Northern Ireland** Irlanda do Norte

iris ['aɪərɪs] *n* (*pl* **irises**) **1** (*eye*) íris **2** (*flower*) íris

Irish ['aɪrɪʃ] *adj* irlandês
▸ *n* (*language*) irlandês
▸ *npl* **the Irish** os irlandeses
• **Northern Irish** da Irlanda do Norte
▪ **Irish Sea** Mar da Irlanda

iron ['aɪən] *n* ferro de passar
▸ *vt* passar a ferro
• **to iron out** resolver: ***to iron out problems/differences*** resolver problemas/diferenças
▪ **Iron Age** Idade do Ferro

ironic [aɪ'rɒnɪk] *adj* irônico

ironing ['aɪənɪŋ] *n* **1** (*smothing with an iron*) ato de passar roupas a ferro **2** (*clothes to be ironed*) roupas para passar **3** (*ironed clothes*) roupas passadas
• **to do the ironing** passar a ferro
▪ **ironing board** tábua de passar

ironmonger ['aɪənmʌŋgəʳ] *n* ferrageiro, ferreiro

ironmonger's ['aɪənmʌŋgəz] *n* GB casa de ferragens

irony ['aɪrənɪ] *n* (*pl* **-ies**) ironia

irrational [ɪ'ræʃənəl] *adj* irracional

irregular [ɪ'regjələʳ] *adj* irregular

irregularity [ɪregjə'lærɪtɪ] *n* (*pl* **-ies**) irregularidade

irrelevant [ɪ'relɪvənt] *adj* irrelevante

irresistible [ɪrɪ'zɪstəbəl] *adj* irresistível

irresponsible [ɪrɪ'spɒnsəbəl] *adj* irresponsável

irrigate ['ɪrɪgeɪt] *vt* irrigar

irrigation [ɪrɪ'geɪʃən] *n* irrigação

irritable ['ɪrɪtəbəl] *adj* irritável

irritate ['ɪrɪteɪt] *vt* irritar

irritating ['ɪrɪteɪtɪŋ] *adj* irritante, perturbador

irritation [ɪrɪ'teɪʃən] *n* irritação

is [ɪz] *3rd pers sing pres* → **be**

Islam ['ɪzlɑːm] *n* islã

Islamic [ɪz'læmɪk] *adj* islâmico

island ['aɪlənd] *n* ilha

isle [aɪl] *n* ilha, ilhota

isolate ['aɪsəleɪt] *vt* isolar

isolation [aɪsə'leɪʃən] *n* isolamento

ISP ['aɪ'es'piː] *abbr* (***Internet Service Provider***) provedor de serviços da internet, provedor da internet

Israel ['ɪzrɪəl] *n* Israel

Israeli [ɪz'reɪlɪ] *adj-n* israelense

Israelite ['ɪzrɪəlaɪt] *adj-n* israelita

issue ['ɪʃuː] *n* **1** (*topic*) assunto, tema **2** (*edition*) edição **3** (*number of magazine*) número **4** (*stamps*) emissão **5** (*passport*) expedição **6** *fml* (*offspring*) descendência ▸ *vt* **1** (*publish*) publicar **2** (*emit*) emitir **3** (*passport*) expedir **4** (*promulgate*) promulgar

isthmus ['ɪsməs] *n* (*pl* **isthmuses**) istmo

it [ɪt] *pron* (*subject*) ele, ela, referindo-se a coisas e animais: **1** ***where's my shirt? it's not in my room*** onde está minha camisa? não está no meu quarto **2** (*direct object*) o, a, referindo-se a coisas e animais: ***I've lost my wallet, I can't find it*** perdi minha carteira, não consigo encontrá-la **3** (*indirect object*) lhe, referindo-se a coisas e animais: ***the dog's thirsty – Give it some water*** o cachorro está com sede – Dê-lhe água **4** (*after preposition*) ele, ela, referindo-se a coisas e animais: ***this vase is precious; be careful with it*** este vaso é precioso; tenha cuidado com ele

IT ['aɪ'tiː] *abbr* (***information technology***) tecnologia da informação (TI)

Italian [ɪ'tælɪən] *adj* italiano
▸ *n* (*person*) italiano **2** (*language*) italiano

italics [ɪ'tælɪks] *npl* (*type style*) tipo itálico: ***write the phrase in italics for emphasis*** escreva a frase em itálico para dar ênfase

Italy ['ɪtəlɪ] *n* Itália

itch [ɪtʃ] *n* (*pl* **-es**) coceira
▸ *vi* coçar: ***my leg itches*** minha perna coça
• **to be itching to do something** estar impaciente para fazer algo

itchy ['ɪtʃɪ] *adj* (**-ier**, **-iest**) com coceira

item ['aɪtəm] *n* **1** (*article*) item, coisa, artigo **2** (*matter*) assunto **3** (*note*) nota

itemize ['aɪtəmaɪz] *vt* **1** fazer uma lista de **2** detalhar

itinerary [aɪ'tɪnərərɪ] *n* (*pl* **-ies**) itinerário

its [ɪts] *adj* seu, sua, seus, suas, dele, dela (referindo-se a coisas e animais): ***the site contains information about the company, its vision and its values*** o *site* contém informações sobre a empresa, sua visão e seus valores

itself [ɪt'self] *pron* **1** (*used reflexively*) se: ***the cat washed itself*** o gato se lavou **2** (*used to emphasize*) ele mesmo, ela mesma, em si: ***the town itself is lovely*** a cidade em si é linda **3** (*after preposition*) si, si mesmo: ***the foundation set goals for itself*** a fundação estabeleceu metas para si mesma
• **by itself** só, sozinho: ***the dog opened the door by itself*** o cachorro abriu a porta sozinho

ITV ['aɪ'tiː'viː] *abbr* GB (***Independent Television***) cadeia de televisão privada

ivory ['aɪvərɪ] *n* marfim

ivy ['aɪvɪ] *n* BOT hera

J

jab [dʒæb] *n* **1** (*poke*) cutucada, murro **2** *infml* (*injection*) picada
▸ *vt* (*pt & pp* **jabbed**, *ger* **jabbing**) **1** (*poke*) espetar, cutucar **2** (*stab*) fincar, cravar

jabber ['dʒæbəʳ] *vi-vt* tagarelar

jack [dʒæk] *n* **1** (*device*) macaco mecânico **2** ELECTR tomada **3** (*playing card*) valete

jackal ['dʒækɔːl] *n* chacal

jackass ['dʒækæs] *n* (*pl* **-es**) **1** (*animal*) burro, jumento **2** (*fool*) tolo, idiota

jacket ['dʒækɪt] *n* **1** (*short coat*) jaqueta, casaco curto **2** (*cover*) sobrecapa

jack-knife ['dʒæknaɪf] *n* (*pl* **jack-knives**) canivete

jack-of-all-trades ['dʒækəvɔːltreɪdz] *n* (*pl* **jacks-of-all-trades**) pau para toda obra

jackpot ['dʒækpɒt] *n* sorte grande, bolada

jade [dʒeɪd] *n* jade

jaded ['dʒeɪdɪd] *adj* esgotado, exausto

jagged ['dʒægɪd] *adj* dentado

jaguar ['dʒægjʊəʳ] *n* ZOOL jaguar

jail [dʒeɪl] *n* cárcere, prisão
▸ *vt* encarcerar, prender

jailer ['dʒeɪləʳ] *n* carcereiro

jam¹ [dʒæm] *n* geleia

jam² [dʒæm] *n* **1** (*trouble*) aperto, apuro **2** congestionamento, engarrafamento: ***a traffic jam*** engarrafamento de trânsito
▸ *vt* (*pt & pp* **jammed**, *ger* **jamming**) **1** superlotar, abarrotar, apinhar: ***the room was jammed with children*** a sala estava apinhada de crianças **2** comprimir, enfiar: ***he jammed his clothes into the case*** ele enfiou as roupas na mala
▸ *vi* emperrar: ***the lock has jammed*** a fechadura emperrou

Jamaica [dʒə'meɪkə] *n* Jamaica

Jamaican [dʒə'meɪkən] *adj-n* jamaicano

jamboree [dʒæmbə'riː] *n* **1** (*celebration*) evento festivo **2** (*scout meeting*) reunião de escoteiros ou bandeirantes

jammy ['dʒæmɪ] *adj* (**-ier**, **-iest**) *infml* sortudo

jam-packed [dʒæm'pækt] *adj infml* abarrotado

jangle ['dʒæŋgəl] *vi* **1** (*clank*) produzir som metálico e estridente **2** (*irritate*) irritar, altercar
▸ *vt* **1** (*produce a sound out of tune*) tocar ou cantar fora da afinação **2** irritar: ***the constant mewing of the cats jangled my nerves*** o miado constante dos gatos me irritou

janitor ['dʒænɪtəʳ] *n* porteiro

January ['dʒænjʊərɪ] *n* janeiro

Japan [dʒə'pæn] *n* Japão

Japanese [dʒæpə'niːz] *adj* japonês
▸ *n* **1** (*person*) japonês **2** (*language*) japonês
▸ *npl* **the Japanese** os japoneses

jar [dʒɑːʳ] *n* jarro, jarra, pote
▸ *vt* (*pt & pp* **jarred**, *ger* **jarring**) **1** (*shake*) sacudir algo ou alguém de maneira abrupta e desagradável **2** agredir, perturbar ou incomodar qualquer dos sentidos: ***those gaudy plastic flowers jar my eyes*** aquelas flores de plástico de cores berrantes me agridem os olhos
▸ *vi* **1** (*jangle*) chiar, ranger **2** causar irritação, dar nos nervos: ***Jane's endless***

babble jarred on my nerves a tagarelice infindável de Jane me deu nos nervos **3** ser incompatível, divergir: ***the author's assertion jars with the latest information on the subject*** a declaração do autor é incompatível com as informações mais recentes sobre o assunto

jargon ['dʒɑːgən] *n* jargão

jasmin ['dʒæzmɪn] *n* BOT jasmim

jaundice ['dʒɔːndɪs] *n* MED icterícia

jaundiced ['dʒɔːndɪst] *adj* **1** MED ictérico **2** *fig* descrente, desiludido, cético: ***a jaundiced view of politics*** uma visão cética sobre a política

jaunt [dʒɔːnt] *n* excursão, passeio

javelin ['dʒævəlɪn] *n* lançamento de dardo

jaw [dʒɔː] *n* ANAT mandíbula

jay [dʒeɪ] *n* gaio

jaywalker ['dʒeɪwɔːlkəʳ] *n* pedestre imprudente

jazz [dʒæz] *n jazz*
■ **to jazz up** *vt* animar, alegrar

jazzy ['dʒæzɪ] *adj* (**-ier**, **-iest**) **1** (*like jazz*) jazzístico **2** *infml* chamativo: ***a jazzy dress*** um vestido chamativo

jealous ['dʒeləs] *adj* ciumento
• **to be jealous of somebody** ter ciúmes de alguém

jealousy ['dʒeləsɪ] *n* (*pl* **-ies**) ciúme

jeans [dʒiːnz] *npl* calça *jeans*

jeep [dʒiːp] *n* jipe

jeer [dʒɪəʳ] *vi-vt* **1** (*mock*) zombar **2** *vi-vt* vaiar: ***some people in the crowd jeered the politician*** algumas pessoas na multidão vaiaram o político *vi* **3** ***some people in the crowd jeered as the politician walked past*** algumas pessoas na multidão vaiaram quando o político passou por elas
▸ *n* **1** (*boo*) vaia **2** (*mockery*) zombaria

Jehovah [dʒɪ'həʊvə] *n* Jeová
■ **Jehova's Witness** testemunha de Jeová

jelly ['dʒelɪ] *n* (*pl* **-ies**) **1** (*jam*) geleia **2** (*dessert*) gelatina

jellyfish ['dʒelɪfɪʃ] *n* (*pl* **-es**) ZOOL água-viva

jeopardize ['dʒepədaɪz] *vt* pôr em risco

jeopardy ['dʒepədɪ] *n* risco, perigo

jerk [dʒɜːk] *n* **1** (*shake*) solavanco **2** (*pull*) puxão **3** *infml* (*fool*) imbecil
▸ *vt* sacudir, mover abruptamente
▸ *vi* dar uma sacudida
■ **to jerk off** *vi vulg* (*man*) masturbar-se

jerkin ['dʒɜːkɪn] *n* jaqueta sem mangas e sem colarinho

jerry-built ['dʒerɪbɪlt] *adj* mal construído

jersey ['dʒɜːzɪ] *n* **1** (*sweater*) malha de algodão ou lã **2** (*fabric*) jérsei

jest [dʒest] *n* gracejo, brincadeira
• **in jest** de brincadeira

jet [dʒet] *n* **1** (*aircraft*) avião a jato **2** (*stream*) jato, jorro
▸ *vi* (*pt & pp* **jetted**, *ger* **jetting**) **1** (*squirt*) jorrar, sair disparado **2** *infml* (*fly*) viajar de avião

jet-lag ['dʒetlæg] *n jet lag*, desorientação e/ou cansaço após viagem devido a mudanças de fuso horário

jet-set ['dʒetset] *n jet-set*, grupo de pessoas pertencentes à elite financeira e social

jetty ['dʒetɪ] *n* (*pl* **-ies**) **1** (*pier*) cais **2** (*breakwater*) quebra-mar

Jew [dʒuː] *n* judeu

jewel ['dʒuːəl] *n* **1** (*ornament*) joia **2** (*precious stone*) pedra preciosa

jeweller ['dʒuːələʳ] *n* joalheiro
■ **jeweller's** joalheria

jewellery ['dʒuːəlrɪ] *n* joias

Jewish ['dʒʊɪʃ] *adj* judeu, judaico

jibe [dʒaɪb] *n-vi* → **zombaria**

jiffy ['dʒɪfɪ] *n infml* instante: ***it'll only take a jiffy*** só levará um instante
• **in a jiffy** num instante

jigsaw ['dʒɪgsɔː] *n* **1** (*puzzle*) quebra-cabeça **2** (*saw*) serra de vaivém

jilt [dʒɪlt] *vt* romper um relacionamento amoroso

jingle ['dʒɪŋgəl] *n* **1** (*noise*) tinido **2** (*song*) *jingle*
▸ *vi* tinir, retinir

jingoism ['dʒɪŋgəʊɪzəm] *n* patriotismo radical e beligerante, chauvinismo

jinx [dʒɪŋks] *n* (*pl* **jinxes**) má sorte, urucubaca: ***there's a jinx on this car... it won't start!*** tem uma urucubaca com este carro... ele não quer pegar!

jitters ['dʒɪtəz] *npl infml* nervosismo: ***an unexpected fall in the December's retail sales has caused jitters in the shareholders*** uma queda inesperada nas vendas a varejo de dezembro causou nervosismo nos investidores

• **to get the jitters** tremer como varas verdes: ***I always get the jitters before a job interview*** eu sempre tremo como varas verdes antes de uma entrevista para emprego

jittery ['dʒɪtərɪ] *adj* nervoso

job [dʒɒb] *n* trabalho

• **it's a good job that...** ainda bem que...: ***it's a good job that we decided not to go swimming; it rained all day long*** ainda bem que decidimos não ir nadar; choveu o dia todo

• **out of a job** desempregado: ***I've been out of a job for the past three months*** estou desempregado há três meses

• **full-time job** trabalho de expediente integral

• **part-time job** trabalho de meio período

jobless ['dʒɒbləs] *adj* desempregado ***how long have you been jobless?*** há quanto tempo você está desempregado?

jockey ['dʒɒkɪ] *n jockey*, jóquei

jockstrap ['dʒɒkstræp] *n* suporte atlético

jog [dʒɒg] *n* **1** (*trot*) trote **2** (*push*) empurrão **3** (*nudge*) cotovelada

▸ *vt* (*pt & pp* **jogged**, *ger* **jogging**) **1** (*push*) empurrar **2** (*nudge*) dar cotovelada

▸ *vi* fazer *jogging*, correr

• **to go for a jog** dar uma corrida: ***I need to keep fit... I think I'll go for a jog tomorrow morning*** preciso manter a forma... acho que vou dar uma corrida amanhã de manhã

jogging ['dʒɒgɪŋ] *n jogging*

join [dʒɔɪn] *vt* **1** juntar, unir: ***he joined the beds*** ele juntou as camas **2** reunir-se com: ***he said he'd join us after work*** ele disse que se reuniria a nós após o trabalho **3** acompanhar: ***I'm going for a coffee, will you join me?*** vou tomar um café, você gostaria de me acompanhar? **4** (*army*) alistar-se; (*police*) ingressar **5** (*club*) tornar-se sócio **6** (*political party*) afiliar-se a **7** (*become part of*) incorporar-se

▸ *vi* **1** (*become a member*) juntar-se, aliar-se **2** (*rivers*) confluir

▪ **to join in** *vi* participar, envolver-se

joiner ['dʒɔɪnəʳ] *n* marceneiro

joint [dʒɔɪnt] *n* **1** (*junction*) junta, juntura, união, encaixe **2** ANAT junta, articulação **3** (*piece of meat*) corte de carne **4** *sl (marijuana cigarette)* baseado **5** *sl (disreputable bar)* antro

▸ *adj* conjunto, solidário

▪ **joint account** conta conjunta

▪ **joint owership** copropriedade, condomínio

▪ **joint venture** *join venture*

jointly ['dʒɔɪntlɪ] *adv* conjuntamente, solidariamente

joke [dʒəʊk] *n* **1** (*funny story*) piada, pilhéria **2** (*trick*) brincadeira

▸ *vi* contar piada

• **to crack a joke** fazer uma piada

• **to play a joke on** pregar uma peça em

▪ **practical joke** brincadeira de mau gosto

joker ['dʒəʊkəʳ] *n* **1** (*person*) piadista **2** (*playing card*) curinga

jolly ['dʒɒlɪ] *adj* (**-ier**, **-iest**) **1** (*happy*) alegre **2** (*cheery*) animado **3** (*jovial*) jovial

▸ *adv* muito

• **jolly good!** ótimo!

jolt [dʒəʊlt] *n* **1** (*shake*) sacudida, solavanco **2** (*surprise*) choque, surpresa desagradável

▸ *vt* **1** (*shake*) sacudir **2** (*shock*) chocar, causar forte impressão

▸ *vi* dar solavanco

Jordan ['dʒɔːdən] *n* Jordânia

Jordanian [dʒæpə'niːz] *adj* jordaniano

▸ *n* (*person*) jordaniano

▸ *npl* **the Jordanian** os jordanianos

▪ **the Jordan** o rio Jordão

jostle ['dʒɒsəl] *vt* empurrar

▸ *vi* dar empurrões e encontrões

jot [dʒɒt] *n* **1** quantidade ínfima, ninharia, pingo: ***what a liar! there's not a jot of truth in his words*** que mentiroso! não tem um pingo de verdade em suas palavras **2** (*note*) anotação sucinta

• **not to care a jot**: ***I don't care a jot*** não me importa nem um pouco

▪ **to jot down** *vt* anotar rapidamente

jotter ['dʒɒtəʳ] *n* GB bloco de notas

journal ['dʒɜ:nəl] *n* **1** (*newspaper, magazine*) revista, publicação **2** (*daily record*) diário

journalism ['dʒɜ:nəlɪzəm] *n* jornalismo

journalist ['dʒɜ:nəlɪst] *n* jornalista

journey ['dʒɜ:nɪ] *n* **1** viagem: ***he went on a journey to Madrid*** ele fez uma viagem a Madri **2** trajeto: ***a 20 mile journey*** um trajeto de 20 milhas

jowl [dʒaʊl] *n* papada

joy [dʒɔɪ] *n* júbilo, alegria, contentamento

joyful ['dʒɔɪfʊl] *adj* jubiloso, alegre, contente

joyous ['dʒɔɪəs] *adj* jubiloso, alegre, contente

joyride ['dʒɔɪraɪd] *n infml* passeio de carro sem a permissão do dono

joystick ['dʒɔɪstɪk] *n* **1** (*aircraft*) alavanca de comando **2** (*videogames*) *joystick*

JP ['dʒeɪ'pi:] *abbr* (***Justice of the Peace***) juiz de paz

jubilant ['dʒu:bɪlənt] *adj* jubiloso

jubilee ['dʒu:bɪli:] *n* jubileu

judaism ['dʒu:deɪɪzəm] *n* judaísmo

judder ['dʒʌdəʳ] *vi* trepidar, vibrar

judge [dʒʌdʒ] *n* juiz

▸ *vt-vi* julgar

▸ *vt* **1** (*estimate*) calcular, estimar **2** (*evaluate*) avaliar

judgement ['dʒʌdʒment] *n* **1** juízo, julgamento, avaliação: ***an error of judgement*** um erro de avaliação **2** juízo, opinião: ***in my judgement*** na minha opinião **3** (*verdict*) sentença

▪ **Judgement Day** Dia do Juízo Final

▪ **snap judgement** julgamento precipitado

judicial [dʒu:'dɪʃəl] *adj* **1** (*legal*) judicial, judiciário **2** (*official*) oficial

judicious [dʒu:'dɪʃəs] *adj* judicioso

judo ['dʒu:dəʊ] *n* SPORT judô

jug [dʒʌg] *n* jarro

juggernaut ['dʒʌgənɔ:t] *n* GB jamanta, caminhão grande

juggle ['dʒʌgəl] *vi* fazer malabarismo

juggler ['dʒʌgləʳ] *n* malabarista

juice [dʒu:s] *n* **1** (*extract*) suco **2** (*liquid*) sumo

juicy ['dʒu:sɪ] *adj* (**-ier**, **-iest**) **1** (*succulent*) suculento **2** *infml* picante: ***juicy rumours*** rumores picantes: **3** lucrativo: ***a juicy deal*** um acordo lucrativo **4** instigante: ***a juicy problem*** um problema instigante

jukebox ['dʒu:kbɒks] *n* (*pl* **jukeboxes**) *juke-box*

July [dʒu:'laɪ] *n* julho

jumble ['dʒʌmbəl] *n* confusão, mixórdia

▸ *vt* misturar desordenadamente

▪ **jumble sale** bazar beneficente

jumbo ['dʒʌmbəʊ] *adj* gigante, gigantesco: ***jumbo size*** tamanho gigante

▸ *n* (*pl* **jumbos**) avião a jato de grandes dimensões (*o mesmo que* jumbo jet)

jump [dʒʌmp] *n* **1** (*leap*) salto **2** (*prices*) alta repentina: ***a jump in real estate prices*** uma alta repentina nos preços do setor imobiliário

▸ *vt-vi* saltar

▸ *vi* dar um salto

• **to jump to one's feet** pôr-se de pé

• **to jump to conclusions** tirar conclusões precipitadas

▪ **to jump at** *vt* aceitar algo sem refletir

jumper ['dʒʌmpəʳ] *n* GB **1** (*sweater*) suéter **2** US (*garment*) jardineira 3 ELECTR conector

▸ *npl* **jumpers** (*garment*) macacão infantil

jump-suit ['dʒʌmpsu:t] *n* (*garment*) macacão

jumpy ['dʒʌmpɪ] *adj* (**-ier**, **-iest**) tenso, apreensivo

junction ['dʒʌŋkʃən] *n* **1** (*connection*) ligação, conexão, junção **2** GB (*routes*) saída, cruzamento, entroncamento

juncture ['dʒʌŋktʃəʳ] *n* conjuntura

June [dʒu:n] *n* junho

jungle ['dʒʌŋgəl] *n* selva

junior ['dʒu:nɪəʳ] *adj* **1** mais moço, mais jovem: ***he's one year my junior*** ele é um ano mais moço que eu **2** (*juvenile*) juvenil **3** (*subordinate*) subalterno

▸ *n* **1** (*junior person*) pessoa mais moça **2** (*subordinate*) subalterno **3** GB (*school*) aluno do ensino fundamental **4** US (*university*) estudante que cursa o penúltimo ano **5** (*after name*) Júnior

juniper ['dʒuːnɪpəʳ] *n* junípero

junk¹ [dʒʌnk] *n* **1** lixo, velharia **2** *sl* (*heroin*) heroína

▪ **junk food** *junk-food*, comida calórica e pouco nutritiva

▪ **junk mail** (*mail, e-mail*) propaganda

junk² [dʒʌnk] *n* junco

junkie ['dʒʌŋkɪ] *n sl* drogado

Jupiter ['dʒuːpɪtəʳ] *n* Júpiter

jurisdiction [dʒʊərɪs'dɪkʃən] *n* jurisdição

juror ['dʒʊərəʳ] *n* jurado

jury ['dʒʊərɪ] *n* (*pl* **-ies**) júri

just¹ [dʒʌst] *adj* justo

just² [dʒʌst] *adv* **1** exatamente, justamente: ***that's just what I expected*** é exatamente o que eu esperava **2** apenas: ***there's just one left*** resta apenas um

• **just about** quase, a ponto de: ***he's just about to leave*** ele está quase saindo, está de saída

• **just in case** caso seja necessário, no caso de

• **just now 1** há pouco, ainda agora: ***he was here just now*** ele estava aqui há pouco **2** neste exato momento: ***he's on the phone just now*** ele está ao telefone neste exato momento

• **to have just done something** acabar de fazer algo: ***I've just arrived*** acabo de chegar

• **just like that** de uma hora para a outra: ***he decided to get married just like that*** ele resolveu se casar de uma hora para a outra

• **just a minute** só um minuto, espere um minuto

justice ['dʒʌstɪs] *n* **1** (*law*) justiça **2** (*judge*) juiz

▪ **Justice of the Peace** juiz de paz

justifiable [dʒʌstɪ'faɪəbəl] *adj* justificável

justification [dʒʌstɪfɪ'keɪʃən] *n* justificação, justificativa

justified ['dʒʌstɪfaɪd] *adj* **1** (*proved*) justificado **2** procedente: ***your complaints are justified*** suas reclamações são procedentes **3** certo, com razão: ***she was justified in complaining*** ela estava certa em reclamar

justify ['dʒʌstɪfaɪ] *vt* (*pt & pp* **-ied**) justificar

jut [dʒʌt] *vi* (*pt & pp* **jutted**, *ger* **jutting**) sobressair

jute [dʒuːt] *n* BOT juta

juvenile ['dʒuːvɪnaɪl] *adj* **1** (*young*) juvenil **2** (*infantile*) infantil

▸ *n* jovem

▪ **juvenile deliquency** delinquência juvenil

juxtapose ['dʒʌkstəpəʊz] *vt* justapor

K

kaftan ['kæftæn] *n* caftan, túnica

kaleidoscope [kə'laɪdəskəʊp] *n* caleidoscópio

kamikaze [kæmɪ'kɑːzɪ] *adj-n* camicase

kangaroo [kæŋgə'ruː] *n* (*pl* **kangaroos**) canguru

kaput [kə'pʊt] *adj infml* quebrado, arruinado: ***the TV's kaput*** a tevê quebrou

karate [kə'rɑːtɪ] *n* caratê

kayak ['kaɪæk] *n* caiaque

kebab [kɪ'bæb] *n* prato árabe e turco (*cubos de carne e vegetais grelhados no espeto*)

keel [kiːl] *n* quilha

■ **to keel over** *vi* **1** (*boat*) soçobrar **2** *infml* (*person*) cair desmaiado: ***he was so drunk that he keeled over when he tried to stand up*** ele estava tão embriagado que caiu desmaiado ao tentar se levantar

keen [kiːn] *adj* **1** entusiasta, ávido, aficionado: ***he's a keen golfer*** ele é um entusiasta do golfe **2** perspicaz, aguçado: ***a keen mind*** uma mente perspicaz **3** penetrante: ***a keen look*** um olhar penetrante **4** cortante: ***a keen wind began to blow*** um vento cortante começou a soprar **5** sensível, aguçado: ***dogs have a keen sense of smell*** cães têm o olfato aguçado **6** (*price*) competitivo

• **to be keen on** ser aficionado de, gostar: ***I'm not very keen on sports*** não gosto muito de esportes

• **to be keen to do something** ter muita vontade de fazer algo

• **to take a keen interest in** mostrar um grande interesse por

keep [kiːp] *n* **1** (*food*) sustento, manutenção **2** (*fortress*) fortaleza, torreão

▸ *vt* (*pt & pp* **kept** [kept]) **1** ficar com, não devolver: ***can I keep this pen?*** posso ficar com esta caneta? **2** guardar: ***you should keep eggs in the fridge*** você deveria guardar ovos na geladeira **3** reter, deter, fazer esperar: ***sorry to keep you waiting*** desculpe-me por fazê-lo esperar **4** (*business*) ter: ***my father kept a little stationer's shop in Salford*** meu pai tinha uma pequena papelaria em Salford **5** (*have in store*) ter, vender **6** (*account*) fazer a contabilidade: ***he keeps the accounts for the leisure centre*** ele faz a contabilidade para o centro de lazer **7** (*diary*) escrever, manter, ter: ***my daughter kept a diary when she was a teenager*** minha filha tinha um diário quando era adolescente **8** (*order*) manter **9** (*promise*) cumprir **10** (*secret*) guardar **11** (*appointment*) não faltar (*a um compromisso*) **12** (*person*) manter, sustentar: ***I have a family to keep*** tenho uma família para sustentar **13** (*farm animals*) criar **14** manter: ***keep your room tidy*** mantenha seu quarto arrumado

▸ *vi* **1** seguir, continuar: ***keep straight*** siga em frente **2** conservar-se bem: ***cheese keeps well in the fridge*** o queijo se conserva bem na geladeira

• **keep the change** fique com o troco

• **to keep doing something** continuar fazendo algo: ***don't stop, keep talking*** não pare, continue falando; ***I keep losing my keys*** estou sempre perdendo minhas chaves

• **to keep going** seguir, seguir adiante, continuar

• **to keep one's head** não perder a cabeça

• **to keep quiet** calar-se, ficar quieto, não fazer barulho

• **to keep somebody company** fazer companhia a alguém
• **to keep something clean** conservar algo limpo
• **to keep something to oneself** guardar algo para si
▪ **to keep away** *vt-vi* manter(-se) a distância
▪ **to keep back** *vt* 1 (*reserve money*) reservar, guardar 2 (*hide*) ocultar, não dar informação: ***do you think she's holding something back?*** você acha que ela está ocultando algo? 3 (*danger*) manter(-se) afastado 4 (*fight back*) conter
▪ **to keep back from** *vi* manter-se longe de
▪ **to keep down** *vt* conter, manter baixo: ***the government managed to keep prices down*** o governo conseguiu conter os preços; ***keep your voice down*** mantenha a voz baixa
▪ **to keep in** *vt* 1 (*prevent from escaping*) não deixar sair 2 (*restrain*) reprimir
▪ **to keep on** *vi* seguir, continuar: ***he kept on talking*** ele continuou a falar
▸ *vt* manter (alguém) no emprego, não despedir: ***the boss decided to keep one or two employees on*** o chefe decidiu não despedir um ou dois empregados
▪ **to keep out** *vt* não deixar entrar
▸ *vi* não entrar: ***keep out!*** proibida a entrada
▪ **to keep up** *vi* manter o ritmo
▸ *vt* 1 continuar, não desistir: ***keep up the good work*** continue a fazer um bom trabalho 2 atualizar-se, manter-se informado: ***how do you keep up with what's happening in the world?*** como você se mantém informado sobre o que acontece no mundo?

keeper ['ki:pəʳ] *n* 1 (*guardian*) guarda 2 (*curator*) curador 3 (*zoo*) zelador

keeping ['ki:pɪŋ] *n* manutenção, sustento
• **in keeping with** de acordo com

keg [keg] *n* barril

kennel ['kenəl] *n* 1 (*shelter*) casa de cachorro 2 US (*establishment*) canil
▸ *npl* **kennels** UK canil: ***they always leave their dogs in kennels when they go away on holiday*** eles sempre deixam os cães em um canil quando saem de férias

Kenya ['kenjə] *n* Quênia

Kenyan ['kenjən] *adj-n* queniano

kept [kept] *pt-pp* → **keep**

kerb [kɜ:b] *n* meio-fio

kerfuffle [kə'fʌfəl] *n infml* excitação barulhenta e desnecessária

kernel ['kɜ:nəl] *n* 1 (*seed*) caroço 2 *fig* (*core*) núcleo

ketchup ['ketʃəp] *n ketchup*, molho picante de tomate

kettle ['ketəl] *n* chaleira

key [ki:] *n* 1 (*for lock*) chave 2 (*code*) código 3 (*computer, musical instrument, typewriter*) tecla 4 MUS escala, tonalidade 5 (*answer*) soluções, chave de respostas
▸ *adj* muito importante, essencial: ***this is a key factor*** este é um fator muito importante
▸ *vt* trancar com chave
▪ **key ring** chaveiro
▪ **to key in** *vt* (*texts, data*) digitar

keyboard ['ki:bɔ:d] *n* teclado

keyed up [ki:d'ʌp] *adj* agitado, nervoso: ***she always gets keyed up about final exams*** ela sempre fica nervosa com as provas finais

keyhole ['ki:həʊl] *n* buraco de fechadura

khaki ['kɑ:kɪ] *adj-n* cáqui

kick [kɪk] *n* 1 (*person*) pontapé, chute 2 (*animal*) coice 3 emoção, sensação: ***I get a kick out of flying*** sinto emoção ao voar
▸ *vt* 1 (*person*) chutar 2 (*animal*) dar coice
• **for kicks** por brincadeira
• **to kick the bucket** *infml* morrer, esticar a canela
• **to kick up a fuss** *infml* fazer barulho, fazer um escândalo
▪ **to kick out** *vt* excluir, expulsar

kick-off ['kɪkɒf] *n* (*pl* **kick-offs**) 1 SPORT chute inicial 2 (*beginning*) início de uma atividade

kid[1] [kɪd] *n* 1 (*young goat*) cabrito 2 (*leather from young goat*) pele de cabrito, pelica 3 *infml* (*child*) criança, garoto

kid[2] [kɪd] *vt* (*pt & pp* **kidded**, *ger* **kidding**) caçoar, zombar
▸ *vi* estar de brincadeira: ***you must be kidding!*** você está de brincadeira!

kidnap ['kɪdnæp] *vt* (*pt & pp* **kidnapped**, *ger* **kidnapping**) sequestrar

kidnapper ['kɪdnæpəʳ] *n* sequestrador

kidnapping ['kɪdnæpɪŋ] *n* sequestro

kidney ['kɪdnɪ] *n* ANAT rim

kill [kɪl] *vt* matar

• **to kill two birds with one stone** matar dois pássaros de uma cajadada só

▪ **to kill off** *vt* exterminar

killer ['kɪləʳ] *n* assassino

killing ['kɪlɪŋ] *n* **1** (*animal*) matança **2** (*person*) assassinato

• **to make a killing** enriquecer de repente

killjoy ['kɪldʒɔɪ] *n* desmancha-prazeres

kiln [kɪln] *n* forno

kilo ['kiːləʊ] *n* (*pl* **kilos**) quilo

kilogram ['kɪləgræm] *n* quilograma

Também **kilogramme**.

kilometre [kɪ'lɒmɪtəʳ] (US **kilometer**) *n* quilômetro

kilowatt ['kɪləwɒt] *n* quilowatt

kilt [kɪlt] *n* saiote escocês

kin [kɪn] *n* **1** (*relatives*) parentes, família **2** (*blood relationship*) afinidade, parentesco

• **next of kin** *fml* parentes próximos

kind [kaɪnd] *adj* amável, bondoso, gentil

▸ *n* classe, espécie, grupo

• **in kind 1** (*of payment*) em mercadoria ou em serviços **2** (*with something similar*) na mesma moeda

• **a kind of** uma espécie de

• **to be so kind as to** ter a bondade de, ter a gentileza de

kindergarten ['kɪndəgæːtən] *n* jardim de infância

kind-hearted [kaɪnd'hɑːtɪd] *adj* bondoso, de bom coração

kindle ['kɪndəl] *vt* acender

kindly ['kaɪndlɪ] *adj* (**-ier**, **-iest**) **1** (*friendly*) amável **2** (*pleasant*) agradável

▸ *adv* **1** (*tenderly*) amavelmente **2** por favor: ***will you kindly let me talk?*** você pode, por favor, me deixar falar?

kindness ['kaɪndnəs] *n* **1** (*amiability*) bondade, amabilidade **2** (*favour*) favor

kinetic [kɪ'netɪk] *adj* **1** (*related to motion*) cinético **2** (*dynamic*) dinâmico

kinetics [kɪ'netɪks] *n* PHYS cinética ou cinemática

É incontável, e o verbo vai para o singular.

king [kɪŋ] *n* rei

kingdom ['kɪŋdəm] *n* reino

kink [kɪŋk] *n* **1** (*twist*) dobra, volta, prega **2** *inflm* (*cramp*) câibra, espasmo muscular, sobretudo do pescoço; torcicolo **3** (*eccentricity*) excentricidade **4** erro, problema: ***we have to iron out a few kinks in the plan*** temos de eliminar alguns erros do plano

kinky ['kɪŋkɪ] *adj* (**-ier**, **-iest**) *infml* (*sexually perverted*) pervertido

kinship ['kɪnʃɪp] *n* parentesco, consanguinidade

kiosk ['kiːɒsk] *n* **1** (*counter*) quiosque **2** (*public telephone*) cabina telefônica

kip [kɪp] *vi* (*pt & pp* **kipped**, *ger* **kipping**) *infml* dormir: ***don't worry. I'll kip on the sofa*** não se preocupe. Durmo no sofá

• **to have a kip** dormir, tirar um cochilo

kipper ['kɪpəʳ] *n* arenque ou salmão salgado e defumado

kiss [kɪs] *n* (*pl* **-es**) beijo

▸ *vt-vi* beijar

kit [kɪt] *n* **1** (*equipment*) equipamento **2** (*set of pieces*) conjunto de instrumentos **3** (*box of tools*) caixa de ferramentas

kitchen ['kɪtʃɪn] *n* cozinha

kite [kaɪt] *n* pipa, papagaio de papel

kitten ['kɪtən] *n* gatinho

kitty ['kɪtɪ] *n* (*pl* **-ies**) gatinho

kiwi ['kiːwiː] *n* (*fruit*) kiwi

kleptomania [kleptə'meɪnɪə] *n* cleptomania

kleptomaniac [kleptə'meɪnɪæk] *n* cleptomaníaco

km [kɪ'lɒmɪtəʳ, 'kɪləmiːtəʳ] *abbr* (*pl* **km** ou **kms**) (***kilometre***) quilômetro, km

knack [næk] *n* **1** (*skill*) destreza, habilidade **2** (*skillful way*) jeito

knacker ['nækəʳ] *n* **1** (*horses*) comprador de cavalos velhos e carcaças **2** (*used material*) comprador de material usado

▸ *npl* **knackers** *sl* testículos

knackered ['nækəd] *adj* exausto

knapsack ['næpsæk] *n* mochila

knead [ni:d] *vt* **1** (*mixture*) misturar (farinha, massa, barro) **2** (*squeeze*) amassar

knee [ni:] *n* joelho

• **on one's knees** de joelhos

kneecap ['ni:kæp] *n* ANAT patela

kneel [ni:l] *vi* (*pt & pp* **knelt**) ajoelhar-se, ficar de joelhos

knelt [nelt] *pt-pp* → **kneel**

knew [nju:] *pt* → **know**

knickers ['nɪkəz] *npl* calcinha de mulher: ***a pair of knickers*** uma calcinha

knick-knack ['nɪknæk] *n* bugiganga

knife [naɪf] *n* (*pl* **knives**) faca

▸ *vt* (*pt & pp* **knived**, *ger* **kniving**) apunhalar

knight [naɪt] *n* **1** (*man*) cavaleiro **2** (*chess piece*) cavalo

▸ *vt* nomear cavaleiro

knit [nɪt] *vt* (*pt & pp* **knit** ou **knitted**, *ger* **knitting**) tricotar

▸ *vi* **1** (*join*) ligar, entrelaçar, unir **2** (*fuse*) fundir-se, consolidar

knitting ['nɪtɪŋ] *n* trabalho de tricô ou malha

▪ **knitting needle** agulha de tricô

knob [nɒb] *n* **1** (*door*) maçaneta **2** (*projection*) saliência **3** (*mount*) colina, monte de forma arredondada **4** (*radio*) botão

knobbly ['nɒblɪ] *adj* (-**ier**, -**iest**) nodoso, coberto de nós

knock [nɒk] *n* **1** pancada, golpe, batida: ***there was a knock on the door*** houve uma batida na porta **2** (*reversal*) revés, infortúnio

▸ *vt* **1** bater: ***he knocked his head on the ceiling*** ele bateu com a cabeça no teto **2** (*criticize*) criticar

▸ *vi* chamar: ***someone knocked on the door*** alguém chamou à porta

▪ **to knock back** *vt* beber de um trago, beber de uma vez só

▪ **to knock down** *vt* **1** (*demolish*) derrubar **2** (*bring down*) atropelar

▪ **to knock off** *vt* **1** (*produce*) produzir rapidamente **2** (*deduct*) deduzir, descontar

▸ *vi* parar de trabalhar: ***what time does he knock off work***? a que horas ele para de trabalhar?

▪ **to knock out** *vt* **1** (*eliminate*) eliminar **2** SPORT nocautear

▪ **to knock over** *vt* (*person*) atropelar

▪ **to knock up** *vt* GB *infml* acordar alguém batendo à porta: ***they knocked me up in the middle of the night*** eles me acordaram no meio da noite **2** US *sl* (*make pregnant*) engravidar

▸ *vi* trocar saques com o adversário antes do início da partida, como aquecimento (*tênis*)

knocker ['nɒkə^r] *n* aldraba

▸ *npl* **knockers** *infml* seios

knock-kneed [nɒk'ni:d] *adj* genuvaro, com os joelhos para dentro

knockout ['nɒkaʊt] *n* **1** (*blow*) nocaute, golpe decisivo **2** *infml* (*something attractive*) maravilha, algo espantoso

▪ **knockout competition** prova eliminatória

knot [nɒt] *n* nó: ***to tie a knot*** dar um nó

▸ *vt* (*pt & pp* **knotted**, *ger* **knotting**) amarrar

knotty ['nɒtɪ] *adj* (-**ier**, -**iest**) **1** (*twisted*) nodoso, cheio de nós **2** (*complicated*) difícil, complicado

know [nəʊ] *vt-vi* (*pt* **knew** [nju:], *pp* **known** [nəʊn]) **1** conhecer: ***do you know Colin?*** você conhece o Colin? **2** saber: ***I don't know the answer*** não sei a resposta

• **as far as I know** que eu saiba

• **to know by sight** conhecer de vista

• **to know how to do something** saber fazer algo

know-all ['nəʊɔ:l] *n* sabichão

know-how ['nəʊhaʊ] *n know-how*, experiência, conhecimento prático

knowing ['nəʊɪŋ] *adj* **1** (*meaningful*) significativo **2** (*experienced*) experiente, astuto

knowingly ['nəʊɪŋlɪ] *adv* sabiamente, intencionalmente

knowledge ['nɒlɪdʒ] *n* **1** (*understanding*) conhecimento **2** (*learning*) sabedoria

• **to have a good knowledge of** conhecer bem

knowledgeable ['nɒlɪdʒəbəl] *adj* informado, instruído

known [nəʊn] *pp* → **know**

knuckle ['nʌkəl] *n* nó dos dedos, junta, articulação

■ **to knuckle down** *vi infml* empenhar-se a fundo

■ **to knuckle under** *vi* ceder, admitir derrota

KO ['keɪ'əʊ] *abbr* (***knockout***) nocaute, KO

koala [kəʊ'ɑːlə] *n* ZOOL coala

Koran [kɔː'rɑːn] *n* Alcorão

Korea [kə'rɪə] *n* Coreia: ***North Korea*** Coreia do Norte; ***South Korea*** Coreia do Sul

Korean [kə'rɪən] *adj* coreano

▸ *n* (*person*) coreano **2** (*language*) coreano: ***North Korean*** norte-coreano; ***South Korean*** sul-coreano

kph ['keɪ'piː'eɪtʃ] *abbr* (***kilometres per hour***) quilômetros por hora, km/h

Kuwait [kʊ'weɪt] *n* Kuwait, Coveite

Kuwaiti [kʊ'weɪtɪ] *adj-n* kuwaitiano, coveitiano

L

L[1] [el] *abbr* (***Learner driver***) (*driver*) condutor em treinamento

L[2] [el] *abbr* (***large size***) manequim grande, G

Lab ['leɪbəʳ] *abbr* (***Labour***) o partido trabalhista, os trabalhistas

label ['leɪbəl] *n* **1** (*tag*) etiqueta **2** (*record*) selo **3** (*brand*) marca **4** *fig* (*designation*) rótulo

▸ *vt* (GB *pt & pp* **labelled**, *ger* **labelling**; US *pt & pp* **labeled**, *ger* **labeling**) etiquetar, rotular

laboratory [lə'bɒrətərɪ] *n* (*pl* **-ies**) laboratório

laborious [le'bɔːrɪəs] *adj* árduo

labour ['leɪbəʳ] (US **labor**) *n* **1** (*work*) trabalho, tarefa, obra **2** (*workers*) mão de obra **3** (*childbirth*) trabalho de parto

▸ *vt* (*overemphasize*) exagerar, repisar

▸ *vi* esforçar-se, trabalhar com afinco: ***rescue teams laboured to free the wounded*** as equipes de resgate se esforçaram para libertar os feridos

• **to go into labour** entrar em trabalho de parto

▪ **Labour Party** Partido Trabalhista

▪ **Labour Day** Dia do Trabalho

labourer ['leɪbərəʳ] (US **laborer**) *n* operário, peão

labyrinth ['læbərɪnθ] *n* labirinto

lace [leɪs] *n* **1** (*shoe*) cordão **2** (*fabric*) renda

▸ *vt* amarrar

lack [læk] *n* falta, carência

▸ *vt* faltar, carecer de: ***our project lacked funding*** nosso projeto careceu de financiamento

lacking ['lækɪŋ] *adj* carente de, desprovido de: ***she's totally lacking in good taste*** ela é totalmente desprovida de bom gosto

lacquer ['lækəʳ] *n* laquê

▸ *vt* fixar com laquê

lad [læd] *n* menino, rapaz, moço

ladder ['lædəʳ] *n* **1** (*set of steps*) escada de mão **2** (*in tights*) fio corrido **3** *fig* (*hierarchy*) escada

laden ['leɪdən] *adj* carregado, cheio

lading ['leɪdɪŋ] *n* embarque

ladle ['leɪdəl] *n* (*spoon*) concha

lady ['leɪdɪ] *n* (*pl* **-ies**) senhora, dama

ladybird ['leɪdɪbɜːd] *n* ZOOL joaninha

ladylike ['leɪdɪlaɪk] *adj* delicado, elegante, refinado

lag [læg] *n* **1** (*delay*) atraso, demora **2** defasagem: ***a lag between planning and execution*** uma defasagem entre planejamento e execução

▸ *vi* (*pt & pp* **lagged**, *ger* **lagging**) ficar para trás: ***you're lagging behind*** você está ficando para trás

▪ **jet lag** *jet lag*

lager ['lɑːgəʳ] *n* tipo de cerveja leve e clara

lagoon [lə'guːn] *n* lagoa

laid [leɪd] *pt-pp* → **lay**

lain [leɪn] *pp* → **lie**

lair [leəʳ] *n* toca, covil

lake [leɪk] *n* lago

lamb [læm] *n* **1** (*animal*) cordeiro **2** (*meat*) carne de cordeiro

lame [leɪm] *adj* **1** (*disabled*) coxo, manco **2** pouco convincente, insatisfatório:

a lame excuse uma desculpa pouco convincente

lameness ['leɪmnəs] *n* manqueira, coxeadura

lament [lə'ment] *n* lamento

▸ *vt-vi* lamentar(-se)

lamentable ['læmentəbəl] *adj* lamentável

laminate [(*n*) 'læmɪnət; (*v*) 'læmɪneɪt] *n* laminado

▸ *vt* **1** (*make a sheet*) laminar **2** plastificar: ***I'm going to laminate my ID card*** vou plastificar minha carteira de identidade

lamp [læmp] *n* lâmpada

lampoon [læm'puːn] *n* pasquim

▸ *vt* satirizar

lamp-post ['læmppəʊst] *n* poste de iluminação

lampshade ['læmpʃeɪd] *n* abajur

lance [lɑːns] *n* **1** (*spear*) lança **2** MED lanceta

land [lænd] *n* **1** terra: ***by land and sea*** por terra e por mar **2** solo, terra: ***he lives off the land*** ele vive da terra **3** (*property*) terreno, propriedade **4** (*country*) país

▸ *vi* **1** (*come to earth*) aterrissar **2** *fig* (*fall*) cair

▸ *vt fig* (*money, job*) conseguir

▸ *vt-vi* desembarcar

landing ['lændɪŋ] *n* **1** (*aeroplane*) aterrissagem **2** (*stairs*) patamar **3** (*disembark*) desembarque

landlady ['lændleɪdɪ] *n* (*pl* **-ies**) **1** (*owner*) proprietária, senhoria **2** (*innkeeper*) estalajadeira

landlocked ['lændlɒkt] *adj* cercado de terras, sem acesso ao mar

landlord ['lænlɔːd] *n* **1** (*owner*) proprietário, senhorio **2** (*innkeeper*) estalajadeiro

landmark ['lændmɑːk] *n* **1** (*distinctive feature*) lugar muito conhecido **2** (*marker*) marco **3** *fig* (*milestone*) marco, ponto de referência

landowner ['lændəʊnəʳ] *n* proprietário de terras

landscape ['lændskeɪp] *n* paisagem

landslide ['lændslaɪd] *n* **1** (*avalanche*) deslizamento de terra **2** (*victory*) vitória esmagadora

lane [leɪn] *n* **1** (*byroad*) ruela, viela, travessa **2** (*track*) pista **3** SPORT raia

language ['læŋgwɪdʒ] *n* **1** linguagem: ***scientific language*** linguagem científica **2** (*tongue*) língua, idioma **3** jargão: ***the language of lawers*** o jargão dos advogados

• **to use bad language** dizer impropérios

languid ['læŋgwɪd] *adj* lânguido

languish ['læŋgwɪʃ] *vi* enlanguescer

lank [læŋk] *adj* (*limp*) liso

lanky ['læŋkɪ] *adj* (**-ier**, **-iest**) alto, magro e desengonçado

lanolin ['lænəlɪn] *n* lanolina

lantern ['læntən] *n* lanterna

Lao [laʊ] *n* (*language, nacionality*) laosiano

Laos [laʊz, laʊs] *n* Laos

Laotian ['laʊʃɪən] *adj-n* laosiano

lap¹ [læp] *n* regaço, colo

lap² [læp] *n* **1** SPORT circuito completo **2** (*stage*) etapa **3** (*act of lapping*) lambida

▸ *vt* (*pt & pp* **lapped**, *ger* **lapping**) **1** (*in racing, swimming*) ultrapassar **2** *vi* (*race completely*) completar um circuito

lap³ [læp] *vt* (*pt & pp* **lapped**, *ger* **lapping**) **1** (*lick*) lamber **2** (*cats, dogs*) beber com lambidas **3** (*surround*) sobrepor

lapel [lə'pel] *n* lapela

lapse [læps] *n* **1** (*gap*) transcurso, lapso **2** deslize, lapso, falha: ***a lapse of memory*** um lapso de memória

▸ *vi* **1** (*pass*) decorrer, escoar **2** errar, falhar **3** (*expire*) expirar, prescrever, vencer **4** (*cease*) desaparecer, extinguir-se

• **to lapse into something** desviar-se de um padrão, decair; entrar em um estado pior do que o anterior: ***he lapsed into a coma*** ele entrou em coma

▪ **to lapse into silence** mergulhar em silêncio

laptop ['læptɒp] *n laptop*

larceny ['lɑːsənɪ] *n* furto

lard [lɑːd] *n* banha de porco

larder ['lɑːdəʳ] *n* despensa

large [lɑːdʒ] *adj* 1 (*big*) grande, amplo 2 (*wide*) largo 3 (*abundant*) grande, abundante: ***a large number of people*** um grande número de pessoas

• **at large** 1 (*free*) em liberdade 2 (*in general*) em geral

• **by and large** de modo geral

largely ['lɑːdʒlɪ] *adv* em grande parte

large-scale ['lɑːdʒskeɪl] *adj* 1 (*extensive*) em grande escala 2 (*enlarged*) ampliado

lark [lɑːk] *n* ZOOL cotovia

■ **to lark about/around** *vi* comportar--se de maneira tola ou jocosa

laryngitis [lærɪn'dʒaɪtɪs] *n* MED laringite

larynx ['lærɪŋks] *n* (*pl* **larynxes**) ANAT laringe

lascivious [lə'sɪvɪəs] *adj* lascivo

laser ['leɪzə[r]] *n laser*

lash [læʃ] *n* (*pl* **-es**) 1 (*whip*) chicotada, açoite 2 (*eyelash*) pestana

▸ *vt* 1 (*hit with whip*) açoitar 2 (*strike*) bater com firmeza 3 (*incite*) atacar verbalmente

■ **to lash out at** *vt* 1 (*criticize*) criticar com veemência e repentinamente 2 (*strike*) arremeter contra

■ **to lash out on** *vt* (*spend*) gastar muito dinheiro em, esbanjar com

lass [læs] *n* (*pl* **-es**) moça, jovem, garota

lasso [læ'suː] *n* (*pl* **-s** ou **-es**) laço

last [lɑːst] *adj* 1 último: ***the last train*** o último trem; ***over the last few years*** nos últimos anos 2 passado: ***last Monday*** segunda-feira passada

▸ *adv* 1 pela última vez: ***when did you last see your father?*** quando você viu seu pai pela última vez? 2 em último lugar, em última posição: ***he arrived last*** ele chegou em último lugar

▸ *n* o último

▸ *vi-vl* durar: ***I don't think their marriage will last*** não creio que o casamento deles irá durar; ***the meeting lasted two hours*** a reunião durou duas horas

▸ *vt* 1 suprir, abastecer: ***enough food to last the family for two weeks*** uma quantidade de comida suficiente para abastecer a família por duas semanas 2 aguentar: ***the player lasted (out) the season without injuring his knee again*** o jogador aguentou a temporada sem machucar o joelho de novo

• **at last** por fim, finalmente

• **last but one** penúltimo

• **the night before last** anteontem

• **last night** ontem à noite

• **to the last** até o final

lasting ['lɑːstɪŋ] *adj* duradouro

lastly ['lɑːstlɪ] *adv* finalmente

latch [lætʃ] *n* (*pl* **-es**) trinco, aldrava, ferrolho

late [leɪt] *adj* 1 atrasado: ***hurry up or you'll be late for class*** apresse-se ou você ficará atrasado para a aula 2 tardio, referente à última fase: ***a late Modigliani*** um Modigliani da última fase 3 tarde: ***it's late; I have to go*** é tarde; preciso ir 4 no final: ***they are getting married in late May*** eles vão se casar no final de maio 5 (*dead*) falecido: ***my late grandfather*** meu falecido avô

▸ *adv* 1 atrasado: ***he arrived late ele chegou atrasado*** ele chegou atrasado 2 de atraso: ***the train arrived an hour late*** o trem chegou com uma hora de atraso

• **to be late** atrasar-se: ***you're late!*** você atrasou-se!

• **to get late** ficar tarde

• **to work late** trabalhar até tarde

■ **she's in her late forties** ela tem quarenta e tantos anos; ela tem quase cinquenta anos

lately ['leɪtlɪ] *adv* ultimamente

latent ['leɪtənt] *adj* latente

later ['leɪtə[r]] *adj* (*following*) posterior

▸ *adv* 1 (*in a while*) mais tarde 2 (*afterwards*) depois

• **later on** 1 (*in a while*) mais tarde 2 (*afterwards*) depois

• **sooner or later** mais cedo ou mais tarde

• **see you later** até mais tarde

lateral ['lætərəl] *adj* lateral

latest ['leɪtɪst] *adj* último, mais recente: ***the latest fashion*** a última moda

• **at the latest** o mais tardar, no máximo

latex ['leɪteks] *n* látex

lathe [leɪð] *n* torno mecânico

lather ['lɑːðə[r]] *n* (*soap*) espuma

▸ *vt* ensaboar

▸ *vi* fazer espuma

Latin ['lætɪn] *adj* latino
▸ *n* (*person*) latino **2** (*language*) latim

latitude ['lætɪtju:d] *n* latitude

latter ['lætəʳ] *adj* **1** (*recent*) recente **2** próximo ou em direção ao final: ***the new theatre will be built in the latter part of next year*** o teatro novo será construído no final do próximo ano
▸ *n* **the latter** (*second of two*) o último, mencionado em segundo lugar: ***he was offered more money or a flat and he chose the latter*** ele recebeu a oferta de mais dinheiro ou um apartamento e escolheu o segundo

lattice ['lætɪs] *n* treliça

laudable ['lɔ:dəbəl] *adj* louvável

laugh [lɑ:f] *n* riso, risada
▸ *vi* rir
• **to have a laugh** rir, dar uma gargalhada
• **to laugh at** rir de

laughable ['lɑ:fəbəl] *adj* risível

laughing ['lɑ:fɪŋ] *adj* risonho
▸ *n* riso, risada
▪ **laughing gas** gás hilariante

laughing-stock ['lɑ:fɪŋstɒk] *n* motivo de riso, alvo de riso: ***his eccentric manners made him the laughing-stock of the class*** seu comportamento excêntrico fez dele o motivo de riso da turma

laughter ['lɑ:ftəʳ] *n* risada, gargalhada

launch [lɔ:ntʃ] *n* (*pl* **-es**) **1** (*discharge*) lançamento **2** (*ship, boat*) bota-fora **3** (*movie*) lançamento, estreia **4** (*motorboat*) lancha
▸ *vt* **1** (*product, missile*) lançar **2** (*ship*) lançar ao mar **3** (*movie*) lançar, estrear

launder ['lɔ:ndəʳ] *vt* **1** (*clothes*) lavar, secar e passar **2** (*money*) lavar

launderette [lɔ:ndə'ret] *n* lavanderia automática

laundry ['lɔ:ndrɪ] *n* (*pl* **-ies**) **1** (*place*) lavanderia **2** (*clothes*) roupa a ser lavada e passada, em processo de lavagem ou já lavada e passada
▪ **money laundry** lavagem de dinheiro sujo

laurel ['lɒrəl] *n* **1** BOT louro, loureiro **2** (*emblem*) laurel, galardão **3** *fig* (*victory*) glória, triunfo

lava ['lɑ:və] *n* lava

lavatory ['lævətərɪ] *n* (*pl* **-ies**) lavatório, banheiro

lavender ['lævɪndəʳ] *n* lavanda

lavish ['lævɪʃ] *adj* **1** (*generous*) pródigo, generoso **2** (*abundant*) abundante **3** (*extravagant*) extravagante, luxuoso
▸ *vt* prodigalizar, esbanjar

law [lɔ:] *n* **1** (*legislation*) lei **2** (*legal profession*) direito, advocacia **3** **the law** *infml* (*police*) a polícia **4** (*rule*) regra, preceito
• **to break the law** violar a lei
• **to go against the law** ser ilegal, ir contra a lei
▪ **law and order** ordem pública
▪ **law court** tribunal de justiça

law-abiding ['lɔ:əbaɪdɪŋ] *adj* obediente à lei

law-breaker ['lɔ:breɪkəʳ] *n* (*law*) infrator

lawful ['lɔ:fʊl] *adj* legal, legítimo, lícito

lawless ['lɔ:ləs] *adj* **1** (*anarchic*) sem lei **2** (*disorderly*) fora de ordem, desordenado **3** (*illegal*) ilegal

lawn [lɔ:n] *n* gramado

lawnmower ['lɔ:nməʊəʳ] *n* máquina de cortar grama

lawsuit ['lɔ:sju:t] *n* processo, demanda judicial, ação judicial

lawyer ['lɔ:jəʳ] *n* advogado

lax [læks] *adj* **1** (*slack*) lasso, frouxo **2** (*imprecise*) vago, impreciso **3** (*careless*) descuidado

laxative ['læksətɪv] *adj-n* laxante

lay[1] [leɪ] *adj* laico, leigo

lay[2] [leɪ] *vt* (*pt & pp* **laid** [leɪd]; *ger* **laying**) **1** (*place*) pôr, colocar **2** (*cable*) estender **3** (*bricks*) assentar **4** (*eggs*) pôr
• **to be laid up** ter de ficar de cama
• **to lay one's hands on somebody** pôr as mãos em alguém
• **to lay the table** pôr a mesa
• **to get laid** *sl* ter relações sexuais

lay[3] [leɪ] *pt* → **lie**
▪ **to lay down** *vt* **1** (*put down*) pousar no chão **2** (*weapons*) depor **3** (*wine*) guardar
▪ **to lay in** *vt* (*stock*) abastecer-se
▪ **to lay into** *vt* atacar ou criticar alguém com veemência

▪ **to lay off** *vt* **1** (*dismiss*) despedir **2** *infml* (*leave off*) deixar de
▪ **to lay on** *vt* prover, providenciar
▪ **to lay out** *vt* **1** (*spread out*) estender, expor **2** (*outline*) projetar, traçar **3** *infml* (*knock out*) pôr fora de combate
▪ **to lay up** *vt* armazenar

layabout ['leɪəb,ʊt] *n infml* pessoa que se recusa a trabalhar

lay-by ['leɪbaɪ] *n* (*pl* **-ies**) acostamento

layer ['leɪəʳ] *n* **1** (*tier*) fileira **2** (*stratum*) estrato **3** camada: ***layers of paint*** camadas de tinta; ***the ozone layer*** a camada de ozônio

layman ['leɪmən] *n* (*pl* **laymen**) leigo

layout ['leɪaʊt] *n* **1** (*plan*) plano, esquema, leiaute **2** ARCHIT traçado, planta

laziness ['leɪzɪnəs] *n* preguiça

lazy ['leɪzɪ] *adj* (**-ier**, **-iest**) preguiçoso

lb [paʊnd] *abbr* (*pl* **lb** ou **lbs**) (***pound***) libra

LCD [elsi:'di:] *abbr* (*of* ***liquid crystal display***) tela de cristal líquido

lead¹ [led] *n* **1** (*metal*) chumbo **2** (*pencil*) grafite

lead² [li:d] *n* **1** (*first place*) dianteira **2** (*example*) exemplo **3** (*dog*) correia **4** (*film, play*) papel principal **5** ELECTR cabo condutor **6** (*clue*) pista, indício **7** (*newspaper*) lide
▸ *vt* (*pt & pp* **led** [led]) **1** (*guide*) guiar, conduzir **2** (*command*) liderar, dirigir **3** (*be ahead of*) ocupar o primeiro posto em **4** levar: ***she likes to lead a quiet life*** ela gosta de levar uma vida sossegada
▸ *vi* **1** (*be ahead* of) estar na dianteira **2** (*command*) liderar **3** conduzir, levar: ***where does this path lead?*** este caminho leva aonde?; ***this door leads into the kitchen*** esta porta conduz à cozinha
• **to be in the lead** encabeçar
• **to follow somebody's lead** seguir o exemplo de alguém
• **to lead somebody on** enganar alguém
• **to lead somebody to believe something** levar alguém a crer em algo
• **to lead the way** ensinar o caminho
• **to take the lead** tomar a dianteira

leader [li:dəʳ] *n* **1** (*commander*) líder, dirigente **2** (*article*) editorial

leadership ['li:dəʃɪp] *n* liderança, chefia

lead-free ['ledfri:] *adj* sem chumbo: ***lead-free petrol*** gasolina sem chumbo

leading ['li:dɪŋ] *adj* **1** importante: ***a leading expert on environmental issues*** um importante *expert* em questões ambientais **2** (*principal*) principal

leaf [li:f] *n* (*pl* **leaves**) folha

leaflet ['li:flət] *n* folheto

leafy ['li:fɪ] *adj* (**-ier**, **-iest**) frondoso

league [li:g] *n* liga

leak [li:k] *n* **1** (*gas, water*) vazamento **2** (*information*) vazamento **3** (*hole*) furo ou rachadura **4** (*roof*) goteira **5** *sl* (*act of urinating*) o ato de urinar **6** rombo (*nas finanças*): ***losing my job represented a leak in my finances*** perder o emprego representou um rombo nas minhas finanças
▸ *vi* **1** (*escape*) vazar **2** (*disclosure*) vazar (*informação*) **3** (*recipient*) ter um furo ou rachadura **4** (*pipework*) ter um vazamento **5** (*roof*) gotejar **6** (*ship*) fazer água
• **to take a leak** *sl* urinar
• **to leak out** divulgar inadvertidamente: ***details of the plan have leaked out*** detalhes do plano foram divulgados inadvertidamente

leaky ['li:kɪ] *adj* (**-ier**, **-iest**) **1** (*pipework*) que apresenta vazamento **2** (*recipient*) que tem furo ou rachadura **3** (*roof*) que tem goteiras

lean¹ [li:n] *adj* **1** (*thin*) magro, gra, esbelto **2** magro, sem gordura: ***lean meat*** carne magra **3** escasso, insuficiente: ***a lean budget*** um orçamento insuficiente **4** comedido, bem planejada financeiramente: ***a lean industry*** uma indústria bem planejada financeiramente

lean² [li:n] *vt* apoiar: ***she leaned the ladder against the wall*** ela apoiou a escada na parede
▸ *vi* **1** (*rest against*) apoiar-se **2** (*bend*) inclinar-se

leaning ['li:nɪŋ] *n* **1** (*inclination*) inclinação **2** (*tendency*) tendência, propensão
▪ **to lean out** *vi* debruçar(-se)

leant [lent] *pt-pp* → **lean**

leap [li:p] *n* salto, pulo
▸ *vi* (*pt & pp* **leapt**) saltar, pular
▪ **leap year** ano bissexto

leapfrog ['li:pfrɒg] *n* brincadeira de pular carniça
• **to play leapfrog** brincar de pular carniça

leapt [lept] *pt-pp* → **leap**

learn [lɜ:n] *vt-vi* (*pt & pp* **learnt**) aprender
▸ *vt* inteirar-se de

learned ['lɜ:nɪd] *adj* erudito

learner ['lɜ:nəʳ] *n* **1** (*student*) estudante **2** (*apprendice*) aprendiz
▪ **learner driver** condutor em treinamento

learning ['lɜ:nɪŋ] *n* **1** (*knowledge*) erudição, saber **2** (*study*) aprendizagem

learnt [lɜ:nt] *pt-pp* → **learn**

lease [li:s] *n* (*rental*) arrendamento, contrato de arrendamento
▸ *vt* arrendar

leash [li:ʃ] *n* (*pl* **-es**) correia

least [li:st] *adj* mínimo, menor: ***I haven't the least idea*** não tenho a menor ideia
▸ *adv* menos: ***I have read three books by this author; this one is the least interesting of all*** eu li três livros deste autor; este é o menos interessante de todos
▸ *n* **the least** o mínimo: ***it's the least you can do for him*** é o mínimo que você pode fazer por ele
• **at least** pelo menos
• **least of all** muito menos
• **not in the least** de maneira nenhuma

leather ['leðəʳ] *n* couro

leave¹ [li:v] *vt* (*pt & pp* **left**) **1** sair: ***I always leave home at seven*** eu sempre saio de casa às sete **2** (*person, place*) deixar, abandonar: ***he's left the country to live in the city*** ele deixou o campo para morar na cidade **3** (*place*) sair de **4** deixar: ***leave it with me*** deixe isso comigo
▸ *vi* sair, partir: ***he's left for Paris*** ele partiu para Paris
• **to be left** restar, sobrar: ***there are three books left*** restaram três livros
• **to leave behind** deixar para trás, esquecer

leave² [li:v] *n* permissão, licença
• **to be on leave** estar de licença
• **to take one's leave of** despedir-se de
▪ **to leave out** *vt* omitir

Lebanese [lebə'ni:z] *adj-n* libanês
▸ *npl* **the Lebanese** os libaneses

Lebanon ['lebənən] *n* Líbano

lecherous ['letʃərəs] *adj* lascivo

lectern ['lektən] *n* atril

lecture ['lektʃəʳ] *n* **1** palestra, conferência: ***to give a lecture*** fazer uma conferência; ***yesterday I attended a lecture on stress management*** ontem assisti a uma palestra interessante sobre gerenciamento do estresse **2** (*at university*) aula expositiva **3** (*scolding*) reprimenda, sermão, preleção
▸ *vi* **1** (*make a speech*) fazer uma conferência **2** (*teach at university*) lecionar
▸ *vt* repreender: ***her boss lectured her on her typing mistakes*** o chefe dela a repreendeu por seus erros de digitação

lecturer ['lektʃərəʳ] *n* **1** (*presenter*) conferencista **2** (*university teacher*) professor

led [led] *pt-pp* → **lead**

ledge [ledʒ] *n* **1** (*window*) parapeito **2** (*mountain*) saliência, ressalto

ledger ['ledʒəʳ] *n* (*record book*) razão

leech [li:tʃ] *n* (*pl* **-es**) ZOOL sanguessuga

leek [li:k] *n* BOT alho-poró

leer [lɪəʳ] *vi* olhar de soslaio
▸ *n* olhar de soslaio

left¹ [left] *adj* **1** (*side*) esquerdo **2** (*politics*) de esquerda, esquerdista
▸ *n* esquerda
▸ *adv* à esquerda: ***turn left*** vire à esquerda
• **on the left** à esquerda: ***my house is on the left*** minha casa fica à esquerda

left² [left] *pt-pp* → **leave**
• **to be left over** restar, sobrar
▪ **leftovers** sobras de uma refeição

left-hand ['lefthænd] *adj* da esquerda, esquerdo: ***the left-hand side*** o lado esquerdo

left-handed [left'hændɪd] *adj* canhoto

leftist ['leftɪst] *adj-n* esquerdista

left-luggage office [left'lʌgɪdʒ ɒfɪs] *n* depósito de bagagem

leftover *adj* remanescente, que sobrou: ***the leftover chicken pie from lunch*** a torta de frango que sobrou do almoço

left-wing ['leftwɪŋ] *adj* POL de esquerda

leg [leg] *n* **1** (*person, structure*) perna **2** (*animal*) pata **3** (*meat*) coxa **4** (*garment*) perna
• **to pull somebody's leg** *infl* brincar, passar um trote em alguém: ***have you really won the lottery or are you trying to pull my leg?*** você de fato ganhou na loteria ou está brincando?

legacy ['legəsɪ] *n* (*pl* **-ies**) legado, herança

legal ['li:gəl] *adj* **1** (*lawful*) legal, legítimo, lícito **2** legal, jurídico: ***legal counsel*** assessoria jurídica **3** judicial: ***legal action*** ação judicial
▪ **legal tender** moeda corrente oficial
▪ **legal holiday** feriado oficial

legalize ['li:gəlaɪz] *vt* legalizar

legend [,ledʒənd] *n* **1** (*myth*) lenda **2** (*inscription*) legenda, inscrição

legendary ['ledʒəndərɪ] *adj* **1** lendário: ***the legendary French emperor*** o lendário imperador francês **2** fabuloso, estrondoso: ***his legendary success as a writer*** seu sucesso estrondoso como escritor

leggings ['legɪŋgz] *npl legging*

legible ['ledʒəbəl] *adj* legível

legion ['li:dʒən] *n* legião

legislate ['ledʒɪsleɪt] *vi* legislar

legislation [ledʒɪs'leɪʃən] *n* legislação

legislature ['ledʒɪsleɪtʃə^r] *n* (*parliament*) corpo legislativo, legislatura

legitimate [lɪ'dʒɪtɪmət] *adj* legítimo

legitimize [lɪ'dʒɪtɪmaɪz] *vt* legitimar

leisure ['leʒə^r] *n* **1** (*spare time*) lazer, ócio **2** tempo livre para o lazer: ***leisure time*** hora de lazer
▪ **leisure centre** centro recreativo

leisurely ['leʒəlɪ] *adj* **1** descontraído: ***a leisurely afternoon at the beach*** uma tarde descontraída na praia **2** (*unhurried*) sem pressa, vagaroso

lemon ['lemən] *n* limão
▪ **lemon tree** limoeiro

lemonade [lemə'neɪd] *n* limonada

lend [lend] *vt* (*pt & pp* **lent**) emprestar
• **to lend a hand** ajudar, dar uma mão

length [leŋθ] *n* **1** comprimento: ***it's 5 metres in length*** tem 5 metros de comprimento **2** (*play, speech*) duração **3** (*material*) pedaço **4** (*road*) trecho **5** (*swimming pool*) extensão

lengthen ['leŋθən] *vt-vi* **1** (*become longer*) encompridar, alongar, estender **2** (*prolong*) prolongar

lengthy ['leŋθɪ] *adj* (**-ier**, **-iest**) **1** (*long*) longo **2** (*prolonged*) comprido **3** *fig* (*tedious*) maçante

lenient ['li:nɪənt] *adj* indulgente, tolerante

lens [lenz] *n* (*pl* **lenses**) lente

lent [lent] *pt-pp* → **lend**

Lent [lent] *n rel.* Quaresma

lentil ['lentɪl] *n* lentilha

Leo [li:əʊ] *n* ASTROL/ASTRON Leão

leopard ['lepəd] *n* leopardo

leotard ['li:ətɑ:d] *n collant*

leper ['lepə^r] *n* leproso

leprosy ['leprəsɪ] *n* lepra

lesbian ['lezbɪən] *adj* lésbico
▸ *n* lésbica

less [les] *adj-adv-prep* menos
• **less and less** cada vez menos
• **less... than...** menos... que...

lessen ['lesən] *vt-vi* diminuir

lesser ['lesə^r] *adj* menor
• **to a lesser extent** em menor grau

lesson ['lesən] *n* **1** (*instruction*) lição **2** (*class*) aula

lest [lest] *conj fml* **1** para não, para que não: ***be careful lest you lose your keys*** cuidado para não perder as chaves **2** para evitar o risco de: ***we must stay out of sight lest we be attacked*** devemos ficar escondidos para evitarmos o risco de sermos atacados **3** (*in case*) devido à possibilidade de

let [let] *vt* (*pt & pp* **let**) **1** (*allow*) deixar, permitir **2** alugar: ***"To let"*** "Aluga-se"
▸ *aux*: ***let this be a warning*** que isto sirva de advertência; ***let us pray*** oremos; ***let's go!*** vamos!
• **let alone...** quanto mais...
• **to let alone** deixar em paz, não incomodar
• **to let go of** soltar
• **to let loose** soltar, desatar
• **to let off steam** desabafar

• **to let somebody in on something** revelar algo a alguém
• **to let somebody know** avisar ou informar alguém
■ **to let down** *vt* 1 (*tire*) esvaziar 2 (*lengthen*) encompridar 3 (*hair*) soltar 4 (*disappoint*) decepcionar
■ **to let in** *vt* deixar entrar
■ **to let off** *vt* 1 (*bomb*) fazer explodir 2 (*fireworks*) fazer estourar 3 (*forgive*) perdoar
■ **to let on** *vi infml* abrir o bico, espalhar notícia: ***you won't let on, will you?*** você não vai espalhar, não é?
■ **to let out** *vt* 1 (*liberate*) deixar sair, soltar 2 (*rent*) alugar 3 (*sound*) deixar escapar
■ **to let through** *vt* deixar passar
■ **to let up** *vi* 1 (*decrease*) diminuir 2 (*rain*) cessar

letdown ['letdaʊn] *n* decepção

lethal ['li:θəl] *adj* letal, mortal

lethargic [lɪ'θɑ:dʒɪk] *adj* letárgico

lethargy ['leθədʒɪ] *n* letargia

letter ['letəʳ] *n* 1 (*character*) letra 2 (*message*) carta
■ **letter box** caixa de correio

lettuce ['letɪs] *n* alface

leukaemia [lu:'ki:mɪə] *n* MED leucemia

level ['levəl] *adj* (*comp* **leveller**, *superl* **levellest**) 1 (*plane*) plano 2 (*steady*) nivelado 3 empatado: ***the two teams have drawn level after eight matches*** os dois times ficaram empatados depois de oito partidas
▸ *n* nível
▸ *vt* (GB *pt & pp* **levelled**, *ger* **levelling**; US *pt & pp* **leveled**, *ger* **leveling**) nivelar
• **on the level** *infml* honesto e confiável
■ **level crossing** passagem de nível

lever ['li:vəʳ] *n* alavanca

levitate ['levɪteɪt] *vt* levitar

levy ['levɪ] *n* (*pl* **-ies**) arrecadação
▸ *vt* (*pt & pp* **-ied**) arrecadar

lewd [lu:d] *adj* 1 (*lascivious*) lascivo 2 obsceno: ***lewd comments*** comentários obscenos

lexicographer [leksɪ'kɒgrəfəʳ] *n* lexicógrafo

lexicography [leksɪ'kɒgrəfɪ] *n* lexicografia

liability [laɪə'bɪlɪtɪ] *n* (*pl* **-ies**) 1 responsabilidade: ***liability for damages*** responsabilidade por danos 2 obrigação: ***labor legislation liabilities*** obrigações trabalhistas
▸ *npl* **liabilities** COMM passivo: ***company assets and liabilities*** ativo e passivo da empresa

liable ['laɪəbəl] *adj* 1 (*responsible*) responsável 2 (*prone*) propenso
• **to be liable to do something** estar propenso a fazer algo

liason [lɪ'eɪzən] *n* 1 canal de comunicação: ***the local authorities have already established liason with the guerrillas*** as autoridades locais já estabeleceram um canal de comunicação com os guerrilheiros 2 (*affair*) ligação amorosa

liar ['laɪəʳ] *n* mentiroso

libel ['laɪbəl] *n* 1 (*written accusation*) libelo 2 (*defamation*) difamação
▸ *vt* (GB *pt & pp* **libelled**, *ger* **libelling**; US *pt & pp* **libeled**, *ger* **libeling**) difamar

liberal ['lɪbərəl] *adj* 1 (*tolerant*) liberal 2 (*abundant*) abundante
▸ *n* POL liberal, liberalista
■ **liberal party** partido liberal

liberalize ['lɪbərəlaɪz] *vt* liberalizar

liberate ['lɪbəreɪt] *vt* liberar

liberation [lɪbə'reɪʃən] *n* liberação

liberator ['lɪbəreɪtəʳ] *n* libertador

liberty ['lɪbətɪ] *n* (*pl* **-ies**) liberdade

Libra ['li:brə] *n* ASTROL/ASTRON Libra

librarian [laɪ'breərɪən] *n* bibliotecário

library ['laɪbrərɪ] *n* (*pl* **-ies**) biblioteca

Libya ['lɪbɪə] *n* Líbia

Libyan ['lɪbɪən] *adj-n* líbio

lice [laɪs] *npl* → **louse**

licence ['laɪsəns] *n* licença, permissão

license ['laɪsəns] *vt* conceder licença, autorizar

licensee [laɪsən'si:] *n* concessionário, detentor de licença

licentious [laɪ'senʃəs] *adj* licencioso

lichen ['laɪkən] *n* BIOL líquen

lick [lɪk] *n* lambida
▸ *vt* 1 (*tongue*) lamber 2 *infml* SPORT derrotar facilmente

licking ['lɪkɪŋ] *n infml* SPORT surra, derrota

licorice ['lɪkərɪs] *n* alcaçuz

lid [lɪd] *n* tampa

lie¹ [laɪ] *n* mentira: ***to tell lies*** contar mentiras, mentir

▸ *vi* mentir

lie² [laɪ] *vi* (*pt* **lay** [leɪ], *pp* **lain** [leɪn], *ger* **lying**) **1** (*recline*) deitar-se, estar deitado **2** (*rest*) repousar **3** (*be buried*) jazer **4** (*be situated*) estar situado, encontrar-se **5** (*remain*) ficar, permanecer **6** consistir em, ser: ***his area of research interest lies in the study of nanotechnology*** sua área de interesse em pesquisa é o estudo da nanotecnologia

• **to lie low** estar escondido

▪ **to lie back** *vi* recostar-se

▪ **to lie down** *vi* deitar-se

lie-down ['laɪdaʊn] *n* sesta

lieu [lu:] *phr* **in lieu of** em lugar de

lieutenant [lef'tenənt] *n* tenente

life [laɪf] *n* (*pl* **lives**) vida

• **for life** por toda a vida

• **to come to life** voltar a si

▪ **life belt** cinto de segurança

▪ **life imprisonment** prisão perpétua

▪ **life jacket** colete salva-vidas

▪ **life sentence** pena de prisão perpétua

life-boat ['laɪfbəʊt] *n* bote salva-vidas

lifeguard ['laɪfgɑ:d] *n* salva-vidas

lifelike ['laɪflaɪk] *adj* natural, real

lifelong [laɪflɒŋ] *adj* vitalício, de toda uma vida: ***lifelong friendship*** amizade de toda uma vida; ***lifelong member*** membro vitalício

life-sized ['laɪfsaɪzd] *adj* em tamanho natural: ***a life-sized statue*** uma estátua em tamanho natural

lifestyle ['laɪfstaɪl] *n* estilo de vida

lifetime ['laɪftaɪm] *n* vida: ***this will last you a lifetime*** isto vai durar toda a vida

lift [lɪft] *n* GB **1** (*elevator*) elevador **2** (*ride*) carona **3** MED *lifting*

▸ *vt-vi* (*raise*) levantar, erguer-se

▸ *vt infml* **1** (*steal*) afanar **2** (*plagiarize*) plagiar

• **to give somebody a lift** dar carona a alguém

• **to lift somebody's spirit** alegrar, levantar o ânimo de alguém

lift-off ['lɪftɒf] *n* (*pl* **lift-offs**) decolagem vertical

ligament ['lɪgəmənt] *n* ligamento

light¹ [laɪt] *n* **1** (*electromagnetic radiation*) luz **2** (*lamp*) lâmpada **3** (*match*) fonte de fogo **4** amanhecer: ***I like to get up before light*** *eu gosto de me levantar antes do amanhecer* **5** (*window*) claraboia **6** (*car*) farol

▸ *vt-vi* (*pt & pp* **lighted** ou **lit** [lɪt]) (*ignite*) acender(-se)

▸ *vt* iluminar

▸ *adj* **1** (*colour*) claro **2** (*room*) cheio de claridade, luminoso

• **in (the) light of** em face de, devido a

• **to come to light** vir à tona: ***the whole truth has recently come to light*** toda a verdade acaba de vir à tona

▪ **light bulb** lâmpada

▪ **light switch** interruptor

▪ **light year** ano-luz

▪ **traffic lights** sinal de trânsito

light² [laɪt] *adj* **1** (*not heavy*) leve **2** (*delicate*) suave **3** vaporoso: ***a light dress*** um vestido vaporoso **4** leve, frugal: ***a light meal*** uma refeição frugal

• **to travel light** viajar com pouca bagagem

lighten¹ ['laɪtən] *vt-vi* clarear

▸ *vt* (*room*) iluminar

lighten² ['laɪtən] *vt* tornar mais leve, suavizar

▸ *vi* alegrar, melhorar o humor: ***her mood lightened when she received a mysterious letter*** o humor dela melhorou ao receber uma carta misteriosa

lighter ['laɪtəʳ] *n* isqueiro

light-fingered ['laɪtfɪŋgəd] *adj* hábil em cometer furtos, de mão leve: ***a light-fingered pickpocket*** um batedor de carteira de mão leve

light-headed [laɪt'hedɪd] *adj* **1** (*dizzy*) tonto **2** (*frivolous*) frívolo

lighthouse ['laɪthaʊs] *n* farol

lighting ['laɪtɪŋ] *n* **1** (*illumitation*) iluminação **2** (*ignition*) ignição

lightly ['laɪtlɪ] *adv* **1** (*gently*) suavemente **2** (*carelessly*) levianamente

lightning ['laɪtənɪŋ] *n* raio, relâmpago

like[1] [laɪk] *adj* semelhante, parecido, como: ***on this and like events*** neste evento e em eventos semelhantes
▸ *prep* como: ***what did it look like?*** como era?; ***he sings like Pavarotti*** ele canta como Pavarotti; ***you're acting like a fool*** você está agindo como um tolo
• **and the like** e assim por diante
• **like father, like son** tal pai, tal filho
• **like this** assim, deste jeito
• **what is it like?** *(descriptions)* como é?: ***what's your daughter like? – she's got blue eyes and curly hair*** como é sua filha? – ela tem olhos azuis e cabelos crespos

like[2] [laɪk] *vt* gostar: ***I like wine*** eu gosto de vinho; ***do you like him?*** você gosta dele?; ***would you like me to leave?*** você gostaria que eu fosse embora?
▸ *npl* **likes** gosto, preferência
• **as you like** como queira
• **to feel like** estar com vontade de: ***I feel like having an ice-cream*** estou com vontade de tomar um sorvete
• **how did you like...?** o que você achou de...?: ***how did you like the film?*** o que você achou do filme?

likeable ['laɪkəbəl] *adj* simpático, agradável

likelihood ['laɪklɪhʊd] *n* probabilidade

likely ['laɪklɪ] *adj* (**-ier**, **-iest**) provável
▸ *adv* provavelmente

liken ['laɪkən] *vt* comparar

likeness ['laɪknəs] *n* (*pl* **-es**) **1** (*resemblance*) semelhança **2** (*portrait*) quadro, imagem ou retrato muito semelhante ao objeto retratado

likewise ['laɪkwaɪz] *adv* **1** também: ***I haven't got time to spend hours on the phone! – likewise*** não tenho tempo para passar horas no telefone! – eu também não **2** igual, da mesma maneira: ***watch what I do and do likewise*** observe o que faço e faça igual

liking ['laɪkɪŋ] *n* gosto, preferência
• **to be to somebody's liking** ser do gosto de alguém, ser da preferência de alguém

lilo ['laɪləʊ] *n* (*trade mark*) **1** (*mattress*) colchonete inflável **2** COMPUT acrônimo de **Linux loader** carregador de Linux

lilt [lɪlt] *n* **1** (*music*) melodia alegre **2** (*cadency*) cadência animada

lily ['lɪlɪ] *n* (*pl* **-ies**) BOT lírio, açucena

limb [lɪmb] *n* ANAT membro

limber up [lɪmbər'ʌp] *vi* fazer exercícios de aquecimento da musculatura

lime[1] [laɪm] *n* cal

lime[2] [laɪm] *n* (*fruit*) lima

lime[3] [laɪm] *n* BOT tília

limelight ['laɪmlaɪt] *n* notoriedade
• **to be in the limelight** ser o centro das atenções, estar em evidência

limestone ['laɪmstəʊn] *n* calcário

limit ['lɪmɪt] *n* limite
▸ *vt* limitar

limitation [lɪmɪ'teɪʃən] *n* limitação

limited ['lɪmɪtɪd] *adj* limitado
■ **limited company** sociedade anônima

limousine [lɪmə'ziːn] *n* limusine

limp[1] [lɪmp] *n* coxeadura
▸ *vi* coxear

limp[2] [lɪmp] *adj* **1** (*flabby*) frouxo, flácido **2** (*weak*) débil

limpet ['lɪmpɪt] *n* ZOOL lapa

limpid ['lɪmpɪd] *adj* límpido

linchpin ['lɪntʃpɪn] *n* **1** (*pin*) contrapino **2** *fig* eixo, peça-chave, a figura mais importante e centralizadora: ***he's the linchpin of the company*** ele é a peça-chave da empresa

linden ['lɪndən] *n* BOT tília

line[1] [laɪn] *n* **1** (*limit*) linha **2** (*dash*) traço, risco **3** (*sentence*) linha de texto **4** (*wire*) cordão, fio **5** (*thread*) linha **6** US (*file*) fila **7** (*rank*) fileira **8** (*cord*) varal **9** (*telephone connection*) linha: ***the line is busy*** a linha está ocupada **10** (*business*) ramo de negócio **11** (*skin*) ruga **12** (*railway*) via férrea **13** (*theatrical part*) fala
▸ *vt* alinhar

line[2] [laɪn] *vt* forrar, revestir
■ **to line up** *vt* **1** (*form a queue*) pôr em fila **2** *infml* (*organize*) preparar, organizar
▸ *vi* pôr-se em fila

linear ['lɪnɪəʳ] *adj* linear

lined¹ [laɪnd] *adj* **1** (*ruled*) riscado, traçado **2** (*wrinkled*) enrugado

lined² [laɪnd] *adj* (*covered*) forrado

linen ['lɪnɪn] *n* **1** (*thread*) linho **2** (*sheets, tablecloths*) roupa branca de cama e mesa

liner ['laɪnəʳ] *n* transatlântico

linesman ['laɪnzmən] *n* (*pl* **linesmen**) SPORT bandeirinha

linger ['lɪŋgəʳ] *vi* **1** (*delay*) deixar-se ficar, demorar-se **2** (*remain*) persistir, perdurar

lingerie ['lɑːnʒəriː] *n lingerie*

lingering ['lɪŋgərɪŋ] *adj* **1** (*remaining*) remanescente **2** (*prolonged*) prolongado

linguist ['lɪŋgwɪst] *n* linguista

linguistic [lɪŋ'gwɪstɪk] *adj* linguístico

linguistics [lɪŋ'gwɪstɪks] *n* linguística

É incontável, e o verbo fica no singular.

lining ['laɪnɪŋ] *n* forro

link [lɪŋk] *vt* **1** (*connect*) unir, conectar **2** *fig* (*relate*) vincular, relacionar
▸ *n* **1** (*ring*) elo **2** (*connection*) conexão **3** *fig* (*relationship*) vínculo, laço, relação **4** COMPUT *link*
▸ *npl* **links** campo de golfe

linkage ['lɪŋkɪdʒ] *n* conexão interligada

linoleum [lɪ'nəʊlɪəm] *n* linóleo

lintel ['lɪntəl] *n* dintel

lion ['laɪən] *n* leão

lioness ['laɪənəs] *n* (*pl* **-es**) leoa

lip [lɪp] *n* lábio

lip-read ['lɪpriːd] *vt-vi* fazer leitura labial

lipstick ['lɪpstɪk] *n* batom

liquefy ['lɪkwɪfaɪ] *vt-vi* (*pt & pp* **-ied**) liquefazer(-se)

liqueur [lɪ'kjʊəʳ] *n* licor

liquid ['lɪkwɪd] *adj* líquido
▸ *n* líquido

liquidate ['lɪkwɪdeɪt] *vt* liquidar

liquidize ['lɪkwɪdaɪz] *vt* liquidar, livrar-se de mercadoria

liquor ['lɪkəʳ] *n* bebida alcoólica

liquorice ['lɪkərɪs] n alcaçuz

lisp [lɪsp] *n* ceceio
▸ *vi* cecear

list [lɪst] *n* lista
▸ *vt* fazer uma lista de

listen ['lɪsən] *vi* **1** (*hear*) escutar **2** (*pay attention*) dar ouvidos

listener ['lɪsənəʳ] *n* ouvinte
• **to be a good listener** saber escutar, ser bom ouvinte

listless ['lɪstləs] *adj* apático

lit [lɪt] *pt-pp* → **light**

literacy ['lɪtərəsɪ] *n* capacidade de ler e escrever

literal ['lɪtərəl] *adj* literal

literally ['lɪtərəlɪ] *adv* literalmente

literary ['lɪtərərɪ] *adj* literário

literate ['lɪtərət] *adj* alfabetizado

literature ['lɪtərɪtʃəʳ] *n* literatura

lithe [laɪð] *adj* ágil

lithography [lɪ'θɒgrəfɪ] *n* (*pl* **-ies**) litografia

litigate ['lɪtɪgeɪt] *vi* litigar

litigation [lɪtɪ'geɪʃən] *n* litígio

litre ['liːtəʳ] (US **liter**) *n* litro

litter ['lɪtəʳ] *n* **1** (*garbage*) lixo **2** (*offspring*) ninhada
▸ *vt* sujar, deixar em desordem: ***after the meeting, the ashtrays were littered with cigarette butts*** depois da reunião, os cinzeiros estavam sujos de pontas de cigarro
• **to be littered with something** estar cheio de: ***littered with books*** cheio/coberto de livros

little ['lɪtəl] *adj* **1** (*comp* **less**, *superl* **least**) pouco: ***we have very little money*** temos muito pouco dinheiro **2** (*comp* **smaller**, *superl* **smallest**) pequeno: ***a little boy*** um menino pequeno

Nesta acepção, para o comparativo e o superlativo, usa-se **smaller** e **smallest**.

▸ *pron* pouco: ***I only want a little*** só quero um pouco
▸ *adv* pouco: ***I sleep very little*** durmo muito pouco
• **little by little** pouco a pouco

liturgy ['lɪtədʒɪ] *n* (*pl* **-ies**) liturgia

live[1] [lɪv] *vt-vi* **1** (*exist*) viver **2** (*inhabit*) morar
• **to live it up** *infml* divertir-se

live[2] [laɪv] *adj* **1** (*alive*) vivo **2** (*broadcast*) ao vivo **3** (*wire, circuit*) carregado, ligado na corrente elétrica **4** (*colour*) vivo, brilhante (*cor*)
▪ **to live down** *vt* conseguir esquecer ou superar algo desagradável
▪ **to live on** *vt* viver de, alimentar-se de
▸ *vi* sobreviver

livelihood ['laɪvlɪhʊd] *n* sustento

liveliness ['laɪvlɪnəs] *n* vivacidade, animação

lively ['laɪvlɪ] *adj* (**-ier**, **-iest**) (*animated*) animado

liven up [laɪvən'ʌp] *vt-vi* animar(-se)

liver ['lɪvəʳ] *n* fígado

livestock ['laɪvstɒk] *n* (*farm animals*) gado

livid ['lɪvɪd] *adj* **1** (*pale*) lívido **2** *infml* (*furious*) furioso

living ['lɪvɪŋ] *adj* vivo, vivente
▸ *n* meio de vida: ***what do you do for a living?*** o que você faz para ganhar a vida?, qual o seu meio de vida?
▪ **living room** sala de estar
▪ **the living** os vivos
▪ **cost of living** custo de vida
▪ **standard of living** padrão de vida

lizard ['lɪzəd] *n* **1** (*big*) lagarto **2** (*small*) lagartixa

llama ['lɑːmə] *n* ZOOL lhama

load [ləʊd] *n* carga, carregamento
▸ *vt-vi* carregar
• **loads of...** *infml* grande quantidade de..., um montão de...

loaded ['ləʊdɪd] *adj* **1** (*gun*) carregado **2** (*question*) tendencioso **3** *infml* (*drunk*) bêbado **4** *infml* (*millionaire*) milionário

loaf [ləʊf] *n* (*pl* **loaves**) **1** (*unit*) pão **2** (*unit*) cubo de açúcar refinado **3** *sl* (*head*) cabeça, cérebro
• **to loaf about** vagabundear
• **meat loaf** bolo de carne

loafer ['ləʊfəʳ] *n* vagabundo, vadio

loan [ləʊn] *n* empréstimo
▸ *vt* emprestar

loath [ləʊθ] *adj* relutante

loathe [ləʊð] *vt* detestar, odiar

loathing ['ləʊðɪŋ] *n* ódio

loathsome ['ləʊðsəm] *adj* odioso

lobby ['lɒbɪ] *n* (*pl* **-ies**) **1** (*entrance hall*) vestíbulo **2** POL *lobby*
▸ *vt* (*pt & pp* **lobbied**, *ger* **lobbying**) POL pressionar, fazer *lobby*

lobe [ləʊb] *n* lóbulo

lobster ['lɒbstəʳ] *n* ZOOL lagosta
▪ **spiny lobster** ZOOL lagosta espinhosa

local ['ləʊkəl] *adj* **1** local: ***local school*** escola local; ***local traditions*** tradições locais **2** municipal, regional: ***local taxes*** imposto municipal
▸ *n* **1** (*person*) habitante local **2** GB *infml* (*pub*) bar da localidade **3** (*train*) trem parador

locality [ləʊ'kælɪtɪ] *n* (*pl* **-ies**) localidade

locate [ləʊ'keɪt] *vt* localizar

location [ləʊ'keɪʃən] *n* **1** (*site*) lugar, local **2** (*locality*) localidade **3** CINE locação

loch [lɒk] *n* (*pl* **lochs**) lago: ***The Loch Ness Monster*** O monstro do lago Ness

lock[1] [lɒk] *n* **1** (*door*) fechadura **2** (*canal*) eclusa
▸ *vt* fechar com chave

lock[2] [lɒk] *n* cacho de cabelo

locker ['lɒkəʳ] *n* (*cupboard*) armário com fechadura

locket ['lɒkɪt] *n* medalhão

lockout ['lɒkaʊt] *n* greve patronal, *lockout*

locksmith ['lɒksmɪθ] *n* serralheiro

locomotive [ləʊkə'məʊtɪv] *n* locomotiva

locum ['ləʊkəm] *n* suplente

locust ['ləʊkəst] *n* ZOOL gafanhoto

locution [lə'kjuːʃən] *n* locução

lodge [lɒdʒ] *n* **1** (*gatehouse*) guarita **2** (*house*) alojamento **3** (*masonic*) loja
▸ *vi* alojar-se, hospedar-se
▸ *vt* (*submit*) apresentar

lodger ['lɒdʒəʳ] *n* **1** (*guest*) hóspede **2** (*boarder*) locatário

lodging ['lɒdʒɪŋ] *n* alojamento

loft [lɒft] *n* **1** (*attic*) sótão **2** (*apartment*) apartamento sem paredes divisórias, em geral sofisticado, *loft* **3** pombal

log [lɒg] *n* 1 (*piece of wood*) tronco, tora 2 (*written record*) diário de bordo 3 COMPUT *log*

• **to sleep like a log** *infml* dormir profundamente

▸ *vt* (*pt & pp* **logged**, *ger* **logging**) registrar, anotar

■ **to log in/log on** *vi* COMPUT fazer *login*, iniciar sessão

■ **to log off/log out** *vi* COMPUT fazer *logoff*, encerrar sessão

logarithm ['lɒgərɪðəm] *n* MATH logaritmo

loggerheads ['lɒgəhedz] *npl*

• **to be at loggerheads** discordar francamente: ***the shareholders ares at loggerheads with the board of directors*** os acionistas discordam francamente do conselho de administração

logic ['lɒdʒɪk] *n* lógica

logical ['lɒdʒɪkəl] *adj* lógico

logistic [lə'dʒɪstɪk] *adj* logístico

loin [lɔɪn] *n* (*meat*) lombo

loincloth ['lɔɪnklɒθ] *n* tanga

loiter ['lɔɪtəʳ] *vi* 1 (*hang around*) vadiar, vagabundear 2 (*waist time*) perder tempo

loll [lɒl] *vi* refestelar-se

lollipop ['lɒlɪpɒp] *n* pirulito

lolly ['lɒlɪ] *n* (*pl* **-ies**) *infml* 1 (*lollipop*) pirulito 2 *infml* (*ice lolly*) picolé 3 *sl* (*money*) grana

London ['lʌndən] *n* Londres

Londoner ['lʌndənəʳ] *n* londrino

lone [ləʊn] *adj* 1 (*isolated*) isolado, ermo 2 (*solitary*) só, solitário 3 único: ***lone survivor*** único sobrevivente

■ **lone parent household** família monoparental

loneliness ['ləʊnlɪnəs] *n* solidão

lonely ['ləʊnlɪ] *adj* (**-ier**, **-iest**) 1 (*isolated*) isolado, ermo 2 (*alone*) só, solitário

long¹ [lɒŋ] *adj* (**-er**, **-est**) 1 (*time*) longo: ***a long journey*** uma viagem longa 2 (*space*) longo: ***a long road*** uma estrada longa

▸ *adv* 1 muito tempo: ***it happened long before I moved to this neighbourhood*** aconteceu muito tempo antes de eu mudar para este bairro 2 há muito tempo (*em frases interrogativas*): ***have you been waiting long?*** você está esperando há muito tempo? 3 há pouco tempo (*com o verbo na forma negativa*): ***I haven't been here long*** estou aqui há pouco tempo

• **a long time** muito tempo

• **a long way** longe

• **as long as** desde que, contanto que

• **how long...?** 1 (há) quanto tempo...? ***how long is the film?*** quanto tempo dura o filme?; ***how long have you lived here?*** há quanto tempo você mora aqui? 2 qual a extensão...?: ***how long is the road?*** qual é a extensão da estrada?

• **in the long run** a longo prazo

• **long ago** faz muito tempo, há muito tempo

• **so long** até breve

• **no longer** ***he couldn't wait any longer and he left*** ele não pôde esperar mais e foi embora

• **any longer** ***she doesn't work here any longer*** ela não trabalha mais aqui

• **be long** demorar: ***I won't be long*** não vou demorar

■ **long jump** salto em distância

■ **long-playing record** elepê

long² [lɒŋ] *vi* 1 **to long for** (*yearn*) almejar, ansiar 2 **to long to** (*desire*) estar com muita vontade de

longbow ['lɒŋbəʊ] *n* arco

long-distance [lɒŋ'dɪstəns] *adj* 1 (*call*) de longa distância, interurbano 2 SPORT corrida de fundo

longhand ['lɒŋhænd] *n* escrita cursiva

longing ['lɒŋɪŋ] *n* 1 (*yearning*) ânsia, anseio 2 (*nostalgia*) nostalgia

longitude ['lɒndʒɪtjuːd] *n* longitude

long-playing [lɒŋ'pleɪɪŋ] *adj* de longa duração: ***long-playing record*** elepê

long-range [lɒŋ'reɪndʒ] *adj* 1 (*distance*) de longo alcance 2 (*time*) de longo prazo

long-sighted [lɒŋ'saɪtɪd] *adj* hipermetrope

long-standing [lɒŋ'stændɪŋ] *adj* antigo, de longa data: ***a long-standing friendship*** uma amizade de longa data

long-suffering [lɒŋ'sʌfərɪŋ] *adj* sofrido

long-term [lɒŋ'tɜːm] *adj* de longo prazo

longways ['lɒŋweɪz] *adv* longitudinalmente

loo [luː] *n* (*pl* **loos**) *infml* banheiro

look [lʊk] *vi* 1 (*see*) olhar 2 parecer: ***it looks easy*** parece fácil; ***that steak looks good*** este bife parece bom

▸ *n* 1 (*glance*) olhar 2 (*appearance*) aspecto, aparência 3 (*expression*) expressão 4 (*fashion*) moda, estilo

• **to have a look at something, take a look at something** dar uma olhada em algo

▪ **good looks** beleza, boa aparência

▪ **to look after** *vt* tomar conta de, cuidar de

▪ **to look ahead** *vi* (*plan for the future*) olhar para a frente, pensar no futuro

▪ **to look at** *vt* 1 (*regard*) olhar 2 (*examine*) examinar

▪ **to look down on** *vt* desdenhar, desprezar

▪ **to look for** *vt* procurar

▪ **to look forward to** *vt* (*antecipate with pleasure*) não ver a hora de, esperar: ***I am looking forward to seeing my old friends from school*** não vejo a hora de rever meus velhos amigos da escola

▪ **to look into** *vt* investigar

▪ **to look like** *vt* 1 parecer, ser: ***what does Sarah look like?*** como é a Sarah? 2 parecer: ***he looks like his father*** ele se parece com o pai

▪ **to look on** *vi* 1 (*be a spectator*) observar, assistir 2 *vt* considerar: ***he looks on him as a son*** ele o considera um filho

▪ **to look onto** *vt* dar para: ***my bedroom window looks onto the garden*** a janela do meu quarto dá para o jardim

▪ **to look out** *vi* estar atento, tomar cuidado

• **look out!** cuidado!

▪ **to look round** *vi* voltar-se

▸ *vt* 1 (*examine stores while walking*) percorrer lojas 2 (*visit*) visitar

▪ **to look through** *vt* 1 (*examine*) examinar, folhear 2 (*look at*) olhar através de

▪ **to look up** *vi* 1 (*improve*) melhorar 2 levantar os olhos

▸ *vt* 1 consultar, pesquisar, procurar informação: ***please look up the meaning of this word in the dictionary*** por favor pesquise o significado desta palavra no dicionário 2 procurar alguém e visitar: ***thank you for your cousin's address; I'll look him up when I get to London*** obrigado pelo endereço do seu primo; vou procurá-lo e visitá-lo quando chegar a Londres

lookalike ['lʊkəlaɪk] *n* sósia

lookout ['lʊkaʊt] *n* 1 (*guard*) vigia 2 (*place for watching*) posto de observação

• **to be on the lookout for** estar de sobreaviso, estar na expectativa

loom¹ [luːm] *n* tear

loom² [luːm] *vi* assomar-se

loony ['luːnɪ] *adj* (**-ier**, **-iest**) *infml* pirado

loop [luːp] *n* 1 (*coil*) laço 2 (*twist*) volta 3 (*curve*) curva 4 COMPUT *loop* 5 (IUD) dispositivo intrauterino em forma de anel

loophole ['luːphəʊl] *n fig* escapatória

loose [luːs] *adj* 1 solto: ***there's a tiger loose!*** tem um tigre solto! 2 (*screw*) frouxo 3 (*clothes*) folgado 4 (*knot*) desatado 5 impreciso: ***a loose translation*** uma tradução imprecisa

▸ *vt* soltar

• **on the loose** solto

• **to be at loose ends** não ter o que fazer

loosen ['luːsən] *vt-vi* 1 (*unfasten*) soltar 2 (*detach*) desatar 3 afrouxar: ***the screws that held the bookcase together have loosened*** os parafusos que prendiam a estante de livros afrouxaram

loot [luːt] *n* 1 (*stolen goods*) saque, pilhagem 2 *infml* (*money*) grana

▸ *vt-vi* saquear

lop [lɒp] *vt* (*pt & pp* **lopped**, *ger* **lopping**) podar

lope [ləʊp] *vi* trotar

lopsided [lɒp'saɪdɪd] *adj* desequilibrado, torto

loquacious [lə'kweɪʃəs] *adj* loquaz

lord [lɔːd] *n* 1 (*master*) amo, senhor 2 (*nobleman*) lorde

• **the Lord** REL o Senhor

• **the Lord's Prayer** o Pai-nosso

lordship ['lɔːdʃɪp] *n* senhoria: ***Your Lordship*** Vossa Senhoria

lore [lɔːʳ] *n* sabedoria popular, tradições

lorry ['lɒrɪ] *n* (*pl* **-ies**) caminhão

lose [luːz] *vt-vi* (*pt & pp* **lost**) **1** (*mislay*) perder **2** (*clock*) atrasar

• **to lose one's way** perder-se

loser ['luːzəʳ] *n* perdedor

• **to be a bad loser** não saber perder

• **to be a good loser** saber perder

loss [lɒs] *n* (*pl* **-es**) perda

lost [lɒst] *pt-pp* → **lose**

▸ *adj* perdido

• **to get lost** perder-se

▪ **lost and found property** achados e perdidos

lot [lɒt] *n* **1** (*fate*) sorte, destino **2** US (*area of land*) lote, terreno **3** (*auction*) lote **4** (*bunch*) lote, porção **5** grande quantidade: ***a lot of...*** muito(s); ***lots of...*** grande quantidade de...

• **to cast lots** tirar a sorte

▪ **the lot** *infml* tudo

▪ **parking lot** estacionamento

lotion ['ləʊʃən] *n* loção

lottery ['lɒtərɪ] *n* (*pl* **-ies**) loteria

loud [laʊd] *adj* **1** (*sound, voice*) alto **2** (*colour*) berrante **3** (*vulgar*) vulgar

▸ *adv* forte, alto

loudmouth ['laʊdmaʊθ] *n pej* língua de trapo

loudspeaker [laʊd'spiːkəʳ] *n* alto-falante

lounge [laʊndʒ] *n* **1** (*living room*) salão ou sala de estar **2** (*sitting room*) sala de espera

▸ *vi* não fazer nada, vadiar

louse [laʊs] *n* (*pl* **lice**) **1** (*insect*) piolho **2** *infml* (*unpleasant person*) canalha

lousy ['laʊzɪ] *adj* (**-ier**, **-iest**) *infml* **1** (*unpleasant*) repugnante, asqueroso **2** (*bad*) ruim, péssimo

lout [laʊt] *n* pessoa rude e grosseira

lovable ['lʌvəbəl] *adj* adorável

love [lʌv] *n* **1** (*deep affection*) amor **2** (*loved person*) pessoa amada **3** (*tennis*) zero: ***forty-love*** 40-0

▸ *vt* **1** (*have a great afecction for*) amar **2** adorar, gostar muito: ***I love fish*** eu gosto muito de peixe; ***she loves reading*** ela adora ler

• **not for love or money** por nada deste mundo

• **to be in love with** estar apaixonado por

• **to make love** fazer amor

▪ **love affair** caso amoroso

▪ **love at first sight** amor à primeira vista

lovely ['lʌvlɪ] *adj* (**-ier**, **-iest**) **1** (*highly enjoyable*) maravilhoso, **2** (*beautiful*) belo, **3** (*enchanting*) encantador **4** (*delightful*) delicioso **5** agradável: ***what a lovely surprise!*** que surpresa agradável!

lover ['lʌvəʳ] *n* amante

loving ['lʌvɪŋ] *adj* afetuoso, carinhoso

low [ləʊ] *adj* **1** (*not tall, high or elevated*) baixo **2** (*depressed*) abatido, deprimido **3** (*vulgar*) inferior, vulgar

▸ *adv* baixo

▪ **low tide** baixa-mar, maré baixa

▪ **the highs and lows** os altos e baixos ***the highs and lows of her singing career*** os altos e baixos da sua carreira de cantora

• **to keep a low profile** manter-se em atitude discreta

lowdown ['ləʊdaʊn] *n infml* dicas: ***to give somebody the lowdown on something*** dar as dicas sobre alguma coisa a alguém

lower ['ləʊəʳ] *adj* inferior

▸ *vt* **1** (*drop*) baixar, abaixar **2** (*decrease*) diminuir, reduzir **3** (*flag*) arriar, descer

▪ **lower case** *n* letra de caixa-baixa, letra minúscula

lower-class [ləʊə'klɑːs] *adj* de classe baixa

low-fat ['ləʊ'fæ] *adj* com baixo teor de gordura, magro

lowly ['ləʊlɪ] *adj* (**-ier**, **-iest**) humilde, modesto

low-necked [ləʊ'nekt] *adj* decotado

loyal ['lɔɪəl] *adj* leal, fiel

loyalty ['lɔɪəltɪ] *n* (*pl* **-ies**) lealdade, fidelidade

lozenge ['lɒzɪndʒ] *n* **1** (*pastille*) pastilha **2** (*four-sided figure*) losango

LP ['el'piː] *abbr* (**long-player**) *long-play*, elepê, LP

LSD ['el'es'di:] *abbr* (*lysergic acid diethylamide*) dietilamida do ácido lisérgico, LSD

ltd ['lɪmɪtɪd] *abbr* GB (*Limited*) Limitada, Ltda.

lubricant ['lu:brɪkənt] *n* lubrificante

lubricate ['lu:brɪkeɪt] *vt* lubrificar

lubrication [lu:brɪ'keɪʃən] *n* lubrificação

lucid ['lu:sɪd] *adj* lúcido

luck [lʌk] *n* sorte: ***good luck!*** boa sorte!

luckily ['lʌkɪlɪ] *adv* felizmente

luckless ['lʌkləs] *adj* desafortunado, sem sorte

lucky ['lʌkɪ] *adj* (**-ier**, **-iest**) sortudo, com sorte, de sorte

• **to be lucky** ter sorte

■ **lucky charm** amuleto

lucrative ['lu:krətɪv] *adj* lucrativo

ludicrous ['lu:dɪkrəs] *adj* ridículo

lug[1] [lʌg] *vt* (*pt & pp* **lugged**, *ger* **lugging**) *infml* arrastar, carregar algo pesado

lug[2] [lʌg] *n* GB *infml* orelha

luggage ['lʌgɪdʒ] *n* bagagem

■ **luggage rack** bagageiro

lugubrious [lə'gju:brɪəs] *adj* lúgubre

lukewarm ['lu:kwɔ:m] *adj* **1** (*tepid*) morno, tépido **2** sem entusiasmo, indiferente: ***a lukewarm response*** uma reação indiferente

lull [lʌl] *n* calmaria

▸ *vt* acalentar

lullaby ['lʌləbaɪ] *n* (*pl* **-ies**) canção de ninar

lumbago [lʌm'beɪgəʊ] *n* lumbago

lumber ['lʌmbə^r] *n* **1** (*timber*) madeira serrada, tábua **2** (*junk*) trastes

▸ *vi* mover-se pesadamente

▸ *vt* **1** (*cut wood*) cortar e preparar toras de madeira **2** (*cause difficulty to someone*) sobrecarregar

lumberjack ['lʌmbədʒæk] *n* madeireiro, lenhador

luminous ['lu:mɪnəs] *adj* luminoso

lump [lʌmp] *n* **1** (*piece*) pedaço **2** (*sugar*) torrão **3** (*swelling*) massa, nódulo, caroço **4** (*sauce*) grumo **5** nó na garganta: ***lump in one's throat*** um nó na garganta **6** (*protuberance*) bossa, protuberância **7** (*person*) pessoa desajeitada e grandalhona

• **to lump it** *infml* aceitar uma situação a contragosto

■ **lump sum** *fin* importância global, parcela única, números redondos

■ **to lump together** *vt* reunir indiscriminadamente

lumpy ['lʌmpɪ] *adj* (**-ier**, **-iest**) **1** (*bumpy*) encaroçado **2** (*clotted*) grumoso, granuloso

lunacy ['lu:nəsɪ] *n* loucura

lunar ['lu:nə^r] *adj* lunar

lunatic ['lu:nətɪk] *adj-n* louco

lunch [lʌntʃ] *n* (*pl* **-es**) almoço

▸ *vi* almoçar

• **to have lunch** almoçar

■ **lunch break** intervalo para almoço

luncheon ['lʌntʃən] *n fml* almoço

lunchtime ['lʌntʃtaɪm] *n* hora do almoço

lung [lʌŋ] *n* pulmão

lunge [lʌndʒ] *vi* arremeter-se contra

lurch [lɜ:tʃ] *n* (*pl* **-es**) **1** (*abrupt jerking*) solavanco **2** (*yaw*) guinada

▸ *vi* **1** (*stagger*) dar solavancos **2** (*sway*) dar guinada

• **to leave somebody in the lurch** *infml* deixar alguém na mão

lure [ljʊə^r] *n* **1** (*attraction*) isca, chamariz **2** *fig* poder de atração, sedução: ***the lure of money*** o poder de atração do dinheiro

▸ *vt* atrair, seduzir

lurid ['ljʊərɪd] *adj* **1** (*bright*) lívido **2** (*shocking*) horripilante **3** (*sensational*) sensacional

lurk [lɜ:k] *vi* estar à espreita

luscious ['lʌʃəs] *adj* delicioso

lush [lʌʃ] *adj* exuberante

lust [lʌst] *n* **1** (*craving*) desejo, cobiça **2** (*sex drive*) luxúria

■ **to lust after** *vt* **1** (*wish for*) cobiçar **2** (*desire*) desejar

lustful ['lʌstfʊl] *adj* lascivo, sensual

lustre ['lʌstə^r] (US **luster**) *n* lustre, brilho

lusty ['lʌstɪ] *adj* (**-ier**, **-iest**) forte, robusto

lute [lu:t] *n* alaúde

Luxembourg ['lʌksəmbɜːg] *n* Luxemburgo

luxurious [lʌg'zjʊərɪəs] *adj* luxuoso

luxury ['lʌkʃərɪ] *n* (*pl* **-ies**) luxo

■ **luxury goods** artigos de luxo

lW ['lɒŋweɪv] *abbr* (**long wave**) onda longa, OL

lying ['laɪɪŋ] *adj* mentiroso

▸ *n* mentiras

lymphatic [lɪm'fætɪk] *adj* linfático

lynch [lɪntʃ] *vt* linchar

lynching ['lɪntʃɪŋ] *n* linchamento

lynx [lɪŋks] *n* (*pl* **lynxes**) lince

lyre ['laɪəʳ] *n* MUS lira

lyric ['lɪrɪk] *adj* lírico

▸ *npl* **lyrics** (*music*) letra

lyrical ['lɪrɪkəl] *adj* lírico

lyricist ['lɪrɪsɪst] *n* letrista

M

M¹ ['mɪlɪən] *abbr* (***million***) milhão: ***£24M*** 24 milhões de libras esterlinas

M² ['mi:dɪəm] *abbr* (***medium size***) manequim tamanho médio

M³ [em] *abbr* GB (***motorway***) autoestrada: ***there are roadworks on the M18*** há obras na autoestrada M18

MA ['em'eɪ] *abbr* (***Master of Arts***) mestre em Ciências Humanas/Humanidades

ma'am [mæm, mɑ:m] *n fml* senhora, madame

mac [mæk] *n* capa de chuva

macabre [mə'kɑ:brə] *adj* macabro

macaroni [mækə'rəʊnɪ] *n* macarrão

É incontável, e o verbo vai para o singular.

machine [mə'ʃi:n] *n* máquina, engenho, mecanismo

■ **machine gun** metralhadora

machinery [mə'ʃi:nərɪ] *n* maquinaria

mackerel ['mækrəl] *n* cavala

mackintosh ['mækɪntɒʃ] *n* (*pl* **-es**) capa de chuva

mad [mæd] *adj* (*comp* **madder**, *superl* **maddest**) **1** (*insane*) louco **2** disparatado, insensato: ***a mad scheme*** um plano insensato **3** hidrófobo: ***a mad dog*** um cão hidrófobo

• **like mad** muito rapidamente, a toda: ***he was running like mad*** ele corria a toda (*a toda a velocidade*)

• **to be mad** estar/ficar furioso: ***my father was mad at me because I got home late*** meu pai ficou furioso comigo porque cheguei tarde em casa

• **to be mad about** estar/ser louco por: ***I'm mad about you*** sou/estou louco por você

• **to drive somebody mad** deixar alguém louco, muito irritado: ***Tony's stubbornness drives me mad*** a teimosia de Tony me deixa louca

• **to go mad** ficar enfurecido

■ **mad cow disease** doença da vaca louca

madam ['mædəm] *n fml* senhora (*forma de tratamento*), madame

madden ['mædən] *vt* enlouquecer

made [meɪd] *pt-pp* → **make**

made-up ['meɪdʌp] *adj* **1** (*wearing make-up*) maquiado **2** inventado: ***a made-up story*** uma história inventada

madhouse ['mædhaʊs] *n infml* **1** (*mental hospital*) hospício, manicômio **2** (*disorder*) lugar onde há confusão e barulho

madly ['mædlɪ] *adv* **1** loucamente: ***to be madly in love*** estar loucamente apaixonado **2** (*furiously*) furiosamente

madman ['mædmən] *n* (*pl* **madmen**) louco

madness ['mædnəs] *n* loucura

magazine [mægə'zi:n] *n* revista

maggot ['mægət] *n* ZOOL larva de mosca ou inseto

magic ['mædʒɪk] *n* magia

▸ *adj* mágico: ***a magic carpet*** um tapete mágico; ***there's no magic formula to solve the problem*** não há fórmula mágica para resolver o problema

• **as if by magic** como que por encanto

■ **magic wand** varinha de condão

magical ['mædʒɪkəl] *adj* mágico, misterioso e encantador: ***a magical night*** uma noite mágica

magician [mə'dʒɪʃən] *n* prestidigitador, mágico

magistrate ['mædʒɪstreɪt] *n* magistrado

magnet ['mægnət] *n* ímã

magnetic [mæg'netɪk] *adj* magnético
■ **magnetic field** campo magnético
■ **magnetic tape** fita magnética

magnificent [mæg'nɪfɪsənt] *adj* magnífico, esplêndido

magnify ['mægnɪfaɪ] *vt* (*pt & pp* **-ied**) **1** (*enlarge*) aumentar, ampliar **2** (*exagerate*) exagerar

magnifying glass ['mægnɪfaɪŋglɑːs] *n* (*pl* **-es**) lupa, lente de aumento

magnitude ['mægnɪtjuːd] *n* magnitude

mahogany [mə'hɒgənɪ] *n* BOT mogno

maid [meɪd] *n* **1** (*housemaid*) empregada, criada **2** (*damsel*) donzela, virgem
■ **maid of honour** dama de honra

maiden ['meɪdən] *n* donzela
▸ *adj* **1** solteira: ***a maiden aunt*** uma tia solteira **2** inaugural: ***the Titanic sank on her maiden voyage in 1912*** o Titanic afundou em sua viagem inaugural em 1912
■ **maiden name** nome de solteira

mail [meɪl] *n* correio, correspondência
▸ *vt* US expedir pelo correio
■ **mail order** pedido por reembolso postal
■ **mail train** trem postal

mailbox ['meɪlbɒks] *n* (*pl* **mailboxes**) US caixa de correio

mailman ['meɪlmæn] *n* (*pl* **mailmen**) US carteiro

maim [meɪm] *vt* mutilar, desfigurar

main [meɪn] *adj* principal, essencial ***the main problem is...*** o problema principal é...
▸ *n* cano mestre de água, gás, esgoto ou fiação elétrica
■ **main beam** viga mestra
■ **main office** escritório central
■ **main street** rua principal de cidade pequena

mainland ['meɪnlənd] *n* continente, terra firme

mainly ['meɪnlɪ] *adv* principalmente, essencialmente

maintain [meɪn'teɪn] *vt* manter

maintenance ['meɪntənəns] *n* **1** (*upkeep*) manutenção **2** (*financial support*) pensão alimentícia

maisonette [meɪzə'net] *n* apartamento dúplex com entrada independente

maize [meɪz] *n* milho

majesty ['mædʒəstɪ] *n* (*pl* **-ies**) **1** (*supreme power*) majestade **2** (*grandeur*) grandiosidade, excelência

major ['meɪdʒəʳ] *adj* **1** (*main*) maior, principal **2** (*important*) importante, considerável
▸ *n* major

Majorca [mə'dʒɔːkə] *n* Maiorca

majority [mə'dʒɒrɪtɪ] *n* (*pl* **-ies**) maioria
■ **majority rule** governo de maioria

make [meɪk] *vt* (*pt & pp* **made** [meɪd]) **1** fazer: ***she made me a cake*** ela fez um bolo para mim; ***he made a phone call*** ele fez uma chamada telefônica **2** fazer: ***the film made me cry*** o filme me fez chorar; ***the traffic made me late*** o tráfego me fez chegar atrasado **3** obrigar: ***they made him move his car*** eles o obrigaram a tirar o carro **4** ganhar: ***how much do you make a year?*** quanto você ganha por ano? **5** conseguir: ***I made it!*** consegui! **6** ser: ***three plus nine makes twelve*** três mais nove são doze
▸ *n* marca: ***what's the make of her car?*** qual é a marca do carro dela?
• **to be made of** ser feito de: ***this jacket isn't made of genuine leather*** esta jaqueta não é feita de couro legítimo
• **to make a decision** tomar uma decisão
• **to make a living** ganhar a vida
• **to make a mistake** errar
• **to make a speech** fazer um discurso
• **to make a start** começar
• **to make believe** fingir
• **to make do** contentar-se com: ***we don't have a sofa; we make do with these cushions*** não temos um sofá; contentamo-nos com estas almofadas
• **to make friends with somebody** fazer amizade com alguém
• **to make fun of** rir de, debochar de
• **to make it** **1** conseguir chegar a tempo: ***we made it to the station just in time to catch the train*** conseguimos chegar

à estação bem a tempo de pegar o trem 2 ter êxito, conseguir: ***I'm sure we'll make it*** tenho certeza de que conseguiremos

• **to make it up with somebody** fazer as pazes com alguém

• **to make love to somebody** fazer amor com alguém

• **to make sense** fazer sentido

• **to make somebody angry** irritar alguém

• **to make something clear** esclarecer algo

• **to make something known** revelar algo

• **to make sure** assegurar-se, certificar-se

• **to make the best/most of something** tirar o melhor proveito de algo

• **to make up one's mind** decidir-se: ***I've made up my mind to get a better job*** decidi encontrar um emprego melhor

▪ **to make for** *vt* 1 dirigir-se a: ***the lecturer made for the conference hall*** o conferencista dirigiu-se ao salão de conferências 2 (*result in*) contribuir para

▪ **to make out** *vt* 1 (*recognize*) compreender, decifrar 2 (*write out*) preencher 3 (*discern*) distinguir 4 (*understand*) entender 5 fingir: ***she makes out she's tough*** ela finge que é durona

▸ *vi* sair-se, arranjar-se: ***how is she making out at school?*** como ela está se saindo na escola?

▪ **to make up** *vt* 1 (*invent*) inventar 2 (*prepare*) fazer, preparar 3 (*supply*) completar 4 (*form*) compor, formar 5 maquiar: ***I never make up my eyes*** nunca maquio meus olhos

▸ *vi* 1 maquiar-se, enfeitar-se: ***it takes me only ten minutes to make up in the morning*** levo só dez minutos para me maquiar de manhã 2 fazer as pazes, reconciliar-se: ***they hugged and made up*** eles se abraçaram e fizeram as pazes

▪ **to make up for** *vt* compensar: ***we have to make up for lost time*** temos de compensar o tempo perdido

make-believe ['meɪkbɪliːv] *n* imaginação, fantasia, invenção

maker ['meɪkəʳ] *n* fabricante

makeshift ['meɪkʃɪft] *adj* provisório, temporário

make-up ['meɪkʌp] *n* 1 (*cosmetics*) maquiagem 2 (*structure*) composição 3 (*character*) constituição física e moral 4 (*exam*) prova de segunda chamada 5 (*replacement*) substituição de material

▪ **make-up remover** removedor de maquiagem

making ['meɪkɪŋ] *n* 1 (*manufacture*) fabricação 2 (*creation*) criação

• **to have the makings of something** ter tudo para se tornar: ***he has the makings of a great pianist*** ele tem tudo para se tornar um grande pianista

malaria [mə'leərɪə] *n* malária

Malay [mə'leɪ] *adj* malaio

▸ *n* 1 (*person*) malaio 2 (*language*) malaio

Malaysia [mə'leɪzɪə] *n* Malásia

Malaysian [mə'leɪzɪən] *adj-n* malásio

male [meɪl] *adj-n* macho, homem

▸ *adj* 1 macho, homem: ***a male child*** um filho homem 2 masculino, do sexo masculino: ***the male sex*** o sexo masculino; ***a male singer*** um cantor

▸ *n* homem

▪ **male chauvinism** machismo

▪ **male chauvinist** machista

malfunction [mæl'fʌnkʃən] *n* funcionamento defeituoso

▸ *vi* funcionar mal

malice ['mælɪs] *n* malícia, malignidade

• **to bear somebody malice** guardar rancor de alguém

malicious [mə'lɪʃəs] *adj* maligno, pernicioso

malignant [mə'lɪgnənt] *adj* 1 (*hostile*) malvado 2 (*tumour*) maligno

malnutrition [mælnjuː'trɪʃən] *n* desnutrição

malpractice [mæl'præktɪs] *n* imperícia médica, erro médico

malt [mɔːlt] *n* malte

mammal ['mæməl] *n* mamífero

mammoth ['mæməθ] *n* mamute

▸ *adj* enorme, gigantesco, descomunal

man [mæn] *n* (*pl* **men** [men]) 1 (*adult male*) homem 2 (*humankind*) **Man** o homem, a espécie humana, os seres humanos

▸ *vt* (*pt & pp* **manned**, *ger* **manning**) 1 (*operate*) operar, utilizar 2 (*staff*) ocupar, funcionar

• **man and wife** marido e mulher
• **the man in the street** o homem comum

Man [mæn] *n* **Isle of Man** Ilha de Man

manage ['mænɪdʒ] *vt* **1** (*business*) dirigir **2** (*property*) administrar
▸ *vi* **1** aguentar: ***can you manage with that box?*** você aguenta essa caixa? **2** conseguir, ajeitar-se: ***I can manage by myself*** eu me ajeito sozinho **3** conseguir: ***I don't know how he managed to persuade her*** não sei como ele conseguiu convencê-la

manageable ['mænɪdʒəbəl] *adj* manejável, controlável

management ['mænɪdʒmənt] *n* **1** (*administration*) administração, gerência, direção **2** (*manegers*) corpo de diretores, conselho de administração

manager ['mænɪdʒəʳ] *n* **1** (*company*) gerente **2** (*property*) administrador **3** (*restaurant*) encarregado **4** (*artists*) empresário **5** (*sports*) treinador, técnico

manageress [mænɪdʒə'res] *n* (*pl* **-es**) **1** (*company*) gerente **2** (*store*) encarregada, chefe, administradora

mandate ['mændeɪt] *n* mandato, ordem

mane [meɪn] *n* **1** (*horse*) crina **2** (*lion*) juba

mangle[1] ['mæŋgəl] *n* calandra, máquina para lustrar papéis, tecidos etc.
▸ *vt* calandrar, lustrar, acetinar

mangle[2] ['mæŋgəl] *vt* lacerar, mutilar

mango ['mæŋgəʊ] *n* (*pl* **-s** ou **-es**) manga

manhood ['mænhʊd] *n* masculinidade, virilidade
• **to reach manhood** chegar à idade adulta, tornar-se homem

mania ['meɪnɪə] *n* mania

maniac ['meɪnɪæk] *n* **1** (*mad person*) maníaco **2** *infml* (*fanatic*) fanático **3** *infml* (*lunatic*) louco

manicure ['mænɪkjʊəʳ] *n* manicuro, manicure
▸ *vi* cuidar das unhas e das mãos

manifesto [mænɪ'festəʊ] *n* (*pl* **-s** ou **-es**) manifesto

manipulate [mə'nɪpjʊleɪt] *vt* manipular

mankind [mæn'kaɪnd] *n* a humanidade, o gênero humano

manly ['mænlɪ] *adj* (**-ier**, **-iest**) viril, macho

man-made [mæn'meɪd] *adj* artificial, sintético

manner ['mænəʳ] *n* **1** (*type*) maneira, modo, tipo **2** (*behaviour*) forma de ser, comportamento
▸ *npl* **manners** conduta, modos
• **in a manner of speaking** por assim dizer
• **in this manner** desta forma, assim
• **to be bad manners** ser falta de educação: ***it's bad manners to spit on the floor*** é falta de educação cuspir no chão
• **to be good manners** ser de bom-tom: ***it's good manners to let someone know if you're going to be late*** é de bom-tom avisar que você vai chegar atrasado

mannerism ['mænərɪzəm] *n* **1** (*habit*) maneirismo **2** (*affectation*) afetação

manoeuvre [mə'nu:vəʳ] (US **maneuver**) *n* manobra
▸ *vt-vi* manobrar

manor ['mænəʳ] *n* solar
▪ **manor house** solar, mansão senhorial

manpower ['mænpaʊəʳ] *n* mão de obra

mansion ['mænʃən] *n* mansão, solar, palacete

manslaughter ['mænslɔ:təʳ] *n* homicídio culposo

mantelpiece ['mæntəlpi:s] *n* consolo de lareira

manual ['mænjʊəl] *adj-n* manual

manually ['mænjʊəlɪ] *adv* à mão, manualmente

manufacture [mænjʊ'fæktʃəʳ] *n* **1** (*production*) manufatura, fabricação **2** (*clothing factory*) confecção
▸ *vt* **1** (*produce*) fabricar, manufaturar **2** (*make clothes*) confeccionar

manufacturer [mænjʊ'fæktʃərəʳ] *n* fabricante

manure [mə'njʊəʳ] *n* esterco, estrume

manuscript ['mænjʊskrɪpt] *n* manuscrito

many ['menɪ] *adj-pron* (*comp* **more**, *superl* **most**) muitos: ***many children can play an instrument*** muitas crianças to-

cam um instrumento; ***many people never go on holiday*** muitas pessoas nunca saem de férias
• **as many... as** tantos... quanto
• **how many?** quantos?
• **not many** poucos
• **too many** demasiados

map [mæp] *n* **1** (*chart*) mapa **2** (*plan*) planta
▸ *vt* (*pt & pp* **mapped**, *ger* **mapping**) mapear, projetar ou desenhar um mapa
▪ **map of the world** mapa-múndi
▪ **to map out** *vt* projetar, planejar

maple ['meɪpəl] *n* bordo

Mar [mɑ:tʃ] *abbr* (**March**) março

marathon ['mærəθən] *n* maratona
▸ *adj* maratônio

marble ['mɑ:bəl] *n* **1** (*stone*) mármore **2** (*glass ball*) bolinha de gude
▸ *adj* de mármore

march [mɑ:tʃ] *n* (*pl* **-es**) **1** (*walk*) marcha, caminhada **2** (*protest*) passeata
▸ *vi* **1** (*walk*) marchar, caminhar **2** (*protest*) fazer passeata
• **to march somebody off** levar alguém à força: ***the teacher grabbed the boy's arm and marched him off to the principal's office*** a professora pegou o braço do menino e o levou à força ao gabinete do diretor
▪ **to march past** *vi* desfilar

March [mɑ:tʃ] *n* março

mare [meəʳ] *n* égua

margarine [mɑ:dʒə'ri:n] *n* margarina

margin ['mɑ:dʒɪn] *n* margem, beira, orla

marginal ['mɑ:dʒɪnəl] *adj* marginal

marigold ['mærɪgəʊld] *n* tagetes, cravo-de-defunto

marine [mə'ri:n] *adj* marinho, marítimo
▸ *n* fuzileiro naval

marionette [mærɪə'net] *n* marionete

marital ['mærɪtəl] *adj* marital
▪ **marital status** estado civil

maritime ['mærɪtaɪm] *adj* marítimo, naval

mark¹ [mɑ:k] *n* (*coin*) marco

mark² [mɑ:k] *n* **1** (*characteristic*) marca, característica **2** (*spot*) mancha, sinal **3** (*symbol*) símbolo **4** (*grade*) nota escolar
▸ *vt* **1** (*characterize*) marcar **2** (*stain*) manchar **3** (*label*) assinalar **4** (*assess*) corrigir, pontuar, qualificar
• **mark my words!** ouça o que lhe digo!
• **on your marks!** preparar!
• **to get good marks** tirar boas notas
• **to hit the mark** acertar o alvo
• **to make one's mark** distinguir-se
• **to mark time** marcar passo
▪ **to mark down** *vt* **1** (*price*) rebaixar **2** (*grade*) abaixar a nota **3** (*register*) anotar, registrar
▪ **to mark out** *vt* **1** (*set apart*) delimitar **2** (*destine*) predestinar

marked [mɑ:kt] *adj* marcado

marker ['mɑ:kəʳ] *n* **1** (*book*) marcador **2** (*tool*) objeto que serve como marca

market ['mɑ:kɪt] *n* mercado
▸ *vt* vender, pôr à venda, comercializar
• **to be on the market** estar à venda

marketing ['mɑ:kɪtɪŋ] *n* *marketing*

marksman ['mɑ:ksmən] *n* (*pl* **marksmen**) atirador

marmalade ['mɑ:məleɪd] *n* geleia de laranja ou de limão

maroon¹ [mə'ru:n] *vt* abandonar em lugar de onde não se pode escapar

maroon² [mə'ru:n] *adj* castanho
▸ *n* cor castanha

marquee [mɑ:'ki:] *n* marquise

marriage ['mærɪdʒ] *n* casamento

married ['mærɪd] *adj* casado
• **to get married** casar-se
▪ **married couple** casal
▪ **married name** nome de casada

marrow ['mærəʊ] *n* **1** (*bone*) tutano, medula **2** (*vegetable*) polpa

marry ['mærɪ] *vt-vi* (*pt & pp* **-ied**) casar
• **to marry into money** casar por interesse

marsh [mɑ:ʃ] *n* (*pl* **-es**) pântano, charco, brejo

marshal ['mɑ:ʃəl] *n* **1** (*officer*) marechal **2** (*ceremonies*) mestre de cerimônias **3** US (*law officer*) delegado de polícia

martial ['mɑ:ʃəl] *adj* marcial
▪ **martial law** lei marcial

martyr ['mɑːtəʳ] *n* mártir

marvel ['mɑːvəl] *n* maravilha
▸ *vi* (GB *pt & pp* **marvelled**, *ger* **marvelling**; US *pt & pp* **marveled**, *ger* **marveling**) maravilhar-se

marvellous ['mɑːvələs] *adj* maravilhoso, estupendo, admirável

marxism ['mɑːksɪzəm] *n* marxismo

marzipan ['mɑːzɪpæn] *n* marzipã

mascara [mæ'skɑːrə] *n* rímel

mascot ['mæskɒt] *n* mascote

masculine ['mɑːskjʊlɪn] *adj* masculino
▸ *n* masculino

mash [mæʃ] *vt* triturar, misturar
▸ *n infml* purê de batatas

mask [mɑːsk] *n* **1** (*disguise*) máscara **2** (*facade*) disfarce
▸ *vt* mascarar, disfarçar
▪ **masked ball** baile de máscaras

masochism ['mæsəkɪzəm] *n* masoquismo

mason ['meɪsən] *n* **1** (*stonemason*) pedreiro **2** (*freemason*) maçom

mass¹ [mæs] *n* (*pl* **-es**) **1** (*body of matter*) massa **2** (*large number*) grande número
▸ *vi* **1** (*gather*) congregar-se, reunir-se **2** (*assemble*) reunir, concentrar
• **the masses** as massas, o povo
• **to mass produce** fabricar em série
▪ **mass media** meios de comunicação de massa
▪ **mass production** produção em massa

mass² [mæs] *n* (*pl* **-es**) missa

massacre ['mæsəkəʳ] *n* massacre, carnificina, morticínio, matança
▸ *vt* massacrar, chacinar

massage ['mæsɑːʒ] *n* massagem
▸ *vt* fazer massagem

massive ['mæsɪv] *adj* **1** (*strong, solid and heavy*) maciço, sólido, compacto **2** (*huge*) enorme, descomunal

mast [mɑːst] *n* mastro, poste

master ['mɑːstəʳ] *n* **1** (*lord*) senhor, amo **2** (*owner*) dono **3** (*expert*) perito, especialista **4** (*teacher*) professor, guia, instrutor
▸ *vt* **1** (*situation*) dominar, controlar **2** (*become proficient in*) dominar, tornar-se perito em
▪ **master bedroom** quarto principal de uma residência
▪ **master builder 1** (*architect*) arquiteto **2** (*chief builder*) empreiteiro
▪ **master key** chave mestra
▪ **master of ceremonies** mestre de cerimônias

masterpiece ['mɑːstəpiːs] *n* obra-prima, trabalho brilhante

masturbate ['mæstəbeɪt] *vt-vi* masturbar(-se)

mat [mæt] *n* **1** (*rug*) capacho **2** (*pad*) esteira **3** (*gymnastics*) colchonete **4** (*martial art*) tatame
▪ **beer mat** descanso para copo de cerveja
▪ **mouse mat** GB descanso para *mouse* de computador US **mouse pad**
▪ **place mat** descanso para prato e talheres (*"jogo americano"*)

match¹ [mætʃ] *n* (*pl* **-es**) palito de fósforo

match² [mætʃ] *n* (*pl* **-es**) **1** (*partnership*) companheiro **2** (*contest*) luta, competição, partida
▸ *vt* **1** igualar: ***nobody can match him*** ninguém se iguala a ele **2** (*go with*) combinar com
▸ *vi* combinar: ***these colours don't match*** estas cores não combinam
• **to be a good match 1** (*fit together*) combinar **2** (*mate*) fazer um bom par
• **to be a match for somebody** estar à altura de alguém
• **to be no match for somebody** não estar à altura de alguém
• **to match up to** estar à altura de
• **to meet one's match** encontrar alguém que esteja à sua altura

matchbox ['mætʃbɒks] *n* (*pl* **matchboxes**) caixa de fósforos

matching ['mætʃɪŋ] *adj* que combina

mate¹ [meɪat] *n* (*chess*) mate

mate² [meɪat] *n* **1** (*partnership*) companheiro, colega **2** (*husband, wife*) cônjuge **3** (*animals*) macho ou fêmea **4** (*assistant*) assistente de trabalho
▸ *vt-vi* casar(-se), acasalar

material [mə'tɪərɪəl] *adj* **1** material: ***the material world*** o mundo material **2** importante, essencial: ***information that's***

material to an investment decision informações essenciais para tomar uma decisão de investimento

▸ *n* 1 matéria: ***raw material*** matéria-prima 2 (*fabric*) tecido, fazenda 3 (*information*) material, dados para trabalho acadêmico

▸ **materials** materiais: ***a workshop in which children aged 6-7 can test a variety of materials*** uma oficina onde crianças de 6 a 7 anos podem testar uma variedade de materiais

materialism [mə'tɪərɪəlɪzəm] *n* materialismo

materialize [mə'tɪərɪəlaɪz] *vi* realizar-se, materializar-se

maternity [mə'tɜːnɪtɪ] *n* maternidade

▪ **maternity hospital** maternidade

▪ **maternity leave** licença-maternidade

mathematics [mæθə'mætɪks] *n* matemática

É incontável, e o verbo vai para o singular.

maths [mæθs] *n infml* (*abbrev*) matemática

É incontável, e o verbo vai para o singular.

matron ['meɪtrən] *n* 1 (*woman*) matrona, mulher de meia-idade 2 (*nursing officer*) enfermeira-chefe 3 (*housekeeper of institution, hospital*) governanta em internatos e hospitais

matt [mæt] *adj* fosco

matter ['mætəʳ] *n* 1 (*material*) matéria 2 (*content*) assunto, questão

▸ *vi* importar: ***it doesn't matter to me*** não me importa, é a mesma coisa para mim

• **as a matter of fact** em verdade

• **it's a matter of...** é uma questão de...

• **no matter** não importa, por mais que: ***I never win, no matter what I do*** jamais saio vencedor, não importa o que fizer; ***no matter where you go*** não importa aonde você vá; ***no matter how busy he is*** por mais ocupado que ele esteja

• **the matter** o problema: ***what's the matter?*** qual é o problema?, o que está acontecendo?; ***there's nothing the matter*** não há problema nenhum, não está acontecendo nada; ***what's the matter with you?*** o que há com você?, qual é o problema?

• **to make matters worse** para piorar

matter-of-fact [mætərəv'fækt] *adj* 1 (*practical*) prático 2 (*prosaic*) prosaico, trivial

mattress ['mætrəs] *n* (*pl* **-es**) colchão

mature [mə'tʃʊəʳ] *adj* 1 (*grown-up*) maduro 2 (*bill*) vencida

▸ *vt-vi* amadurecer

▸ *vi* (*bill, debt*) vencer

maturity [mə'tʃʊərɪtɪ] *n* 1 (*adulthood*) maturidade 2 (*expiry*) vencimento de títulos

mauve [məʊv] *adj* da cor de malva, violeta, lilás

▸ *n* cor de malva

max [mæks, 'mæksɪməm] *abbr* (***maximum***) máximo

maximum ['mæksɪməm] *adj* máximo

▸ *n* máximo

• **as a maximum** como máximo: ***remember to adhere to this limit as a maximum, not a target*** lembrem-se de adotar este limite como máximo, não como meta

• **to the maximum** ao extremo, intensamente: ***he does everything to the maximum*** ele faz tudo ao extremo, intensamente

may [meɪ] *aux* 1 (*to express a possibility*) poder, ser possível: ***he may come*** ele pode vir, é possível que ele venha 2 (*to have the permission to*) poder, ter permissão: ***may I go?*** posso ir embora? 3 (*to express a wish*): ***may it be so*** que seja assim; ***may he rest in peace*** que ele descanse em paz

• **come what may** aconteça o que acontecer

• **may as well**: ***you may as well buy the big one*** por que não comprar o grande?; ***I may as well tell you, you'll find out anyway*** posso muito bem contar logo; você vai descobrir de qualquer forma

May [meɪ] *n* maio

maybe ['meɪbiː] *adv* talvez, possivelmente: ***maybe it'll rain*** talvez chova

mayonnaise [meɪə'neɪz] *n* maionese

mayor [meəʳ] *n* prefeito

maze [meɪz] *n* labirinto

MB ['megəbaɪt] *abbr (megabyte) megabyte*, Mb

MC¹ ['em'siː] *abbr* ***(Master of Ceremonies)*** mestre de cerimônias

MC² ['em'siː] *abbr* ***(musicassette)*** fita cassete

MD ['em'diː] *abbr* ***(Doctor of Medicine)*** doutor em medicina, Dr., ra. em medicina

me [miː] *pron* **1** me, mim: ***can you see me?*** você consegue me ver?; ***follow me*** siga-me; ***it's for me*** é para mim **2** eu: ***it's me!*** sou eu!

• **with me** comigo

meadow ['medəʊ] *n* prado, campina

meagre ['miːgəʳ] (US **meager**) *adj* magro, escasso

meal [miːl] *n* refeição

• **to have a meal** comer, fazer uma refeição

mean¹ [miːn] *adj* **1** (*miserly*) mesquinho **2** (*unkind*) mau, cruel **3** médio: ***mean temperature*** temperatura média

mean² [miːn] *vt* (*pt & pp* **meant**) **1** significar, querer dizer: ***what does this word mean?*** o que quer dizer esta palavra? **2** significar, ter importância: ***this means a lot to me*** isso significa muito para mim **3** querer, ter intenção de: ***I didn't mean to do it*** não tive a intenção de fazê-lo, fiz sem querer **4** (*presage*) pressagiar, indicar **5** (*entail*) resultar em, levar a

• **I mean** quero dizer, ou seja

• **to mean it** falar sério: ***get out! I mean it*** vá embora! Estou falando sério

• **to mean well** ter boas intenções

• **what do you mean?** o que você está querendo dizer?

mean³ [miːn] *n* média: ***the mean of 4, 6 and 8 is 6*** a média de 4, 6 e 8 é 6

meaning ['miːnɪŋ] *n* sentido, significado

meaningful ['miːnɪŋfʊl] *adj* significativo

meaningless ['miːnɪŋləs] *adj* sem sentido

means [miːnz] *n* meio, maneira: ***there is no means of knowing*** não há meio de saber

▸ *npl* meios, recursos econômicos

• **a man of means** um homem de dinheiro

• **by all means!** naturalmente!, claro!

• **by means of** por meio de, mediante

• **by no means** de forma alguma, jamais

■ **means of transport** meio de transporte

meant [ment] *pt-pp* → **mean**

meantime ['miːntaɪm] *phr* **in the meantime** enquanto isso

meanwhile ['miːnwaɪl] *adv* enquanto isso

measles ['miːzəlz] *n* MED sarampo

■ **German measles** MED rubéola

É incontável, e o verbo vai para o singular.

measure ['meʒəʳ] *n* **1** (*gauge*) medida **2** MUS compasso

▸ *vt* **1** (*gauge*) medir **2** (*calculate*) tomar as medidas de

▸ *vi* medir

• **in some measure** até certo ponto

• **to take measures** tomar medidas

■ **to measure up** *vi* estar à altura

measurement ['meʒəmənt] *n* **1** (*calculation*) medição **2** (*measure*) medida

meat [miːt] *n* carne

■ **meat pie** pastelão de carne

meatball ['miːtbɔːl] *n* almôndega

mechanic [mɪ'kænɪk] *n* mecânico

mechanical [mɪ'kænɪkəl] *adj* mecânico

mechanics [mɪ'kænɪks] *n* mecânica

É incontável, e o verbo vai para o singular.

▸ *npl* mecanismos

mechanism ['mekənɪzəm] *n* mecanismo

mechanize ['mekənaɪz] *vt* mecanizar

medal ['medəl] *n* medalha

medallion [mɪ'dælɪən] *n* medalhão

meddle ['medəl] *vi* intrometer-se, interferir

media ['miːdɪə] *npl* meios de comunicação: ***the mass media play an impor-***

tant role in today's society os meios de comunicação em massa exercem um papel importante na sociedade atual

Ver também **medium**.

mediaeval [medɪ'i:vəl] *adj* medieval

mediate ['mi:dɪeɪt] *vi* mediar, servir de mediador

mediator ['mi:dɪeɪtə^r] *n* mediador

medical ['medɪkəl] *adj* médico: ***the injured need urgent medical attention*** os feridos precisam de cuidados médicos urgentes

▸ *n infml check-up*, exame médico completo

▪ **medical record** histórico médico, anamnese

▪ **medical student** estudante de medicina, acadêmico de medicina

▪ **medical certificate** atestado médico

medication [medɪ'keɪʃən] *n* medicação

medicine ['medsɪn] *n* **1** (*science*) medicina **2** (*remedy*) medicamento

medieval [medɪ'i:vəl] *adj* medieval

mediocre [mi:dɪ'əʊkə^r] *adj* medíocre

meditate ['medɪteɪt] *vi* meditar, refletir

meditation [medɪ'teɪʃən] *n* meditação

mediterranean [medɪtə'reɪnɪən] *adj-n* mediterrâneo

• **the Mediterranean** o (mar) Mediterrâneo

medium ['mi:dɪəm] *n* (*pl* **media** ou **mediums**) **1** meio, forma, método: ***dance is a medium of expression*** a dança é um meio de expressão **2** meio de comunicação **3** ambiente: ***an aqueous medium*** um ambiente aquoso **4** (*spiritualist*) médium

▸ *adj* (*middle size*) médio, mediano

medley ['medlɪ] *n* **1** (*assortment*) *pot-pourri* **2** (*miscellany*) miscelânea **3** (*swimming*) medley

meek [mi:k] *adj*, meigo, manso, dócil

meet [mi:t] *vt* (*pt & pp* **met**) **1** (*encouter*) encontrar, encontrar-se com **2** (*assemble*) reunir-se com, ver **3** (*get to know*) conhecer **4** buscar, ir buscar: ***I'll meet you at the station*** vou buscá-lo na estação **5** (*face*) encontrar **6** (*fulfil*) satisfazer **7** (*pay*) cobrir os gastos

▸ *vi* **1** (*encouter*) encontrar-se **2** (*come together*) reunir-se, ver-se **3** (*get to know*) conhecer-se **4** (*converge*) unir-se, confluir

▸ *n* **1** (*meeting*) encontro **2** (*sports meeting*) reunião de esportistas

• **pleased to meet you!** prazer em conhecê-lo!

• **to make ends meet** *infml* ter dinheiro suficiente para sobreviver

▪ **to meet up** *vi infml* encontrar-se com outra(s) pessoa(s) para fazerem algo em dupla/em grupo: ***I suggest we meet up at the shopping mall*** sugiro que nos encontremos no *shopping*

▪ **to meet with** *vt* **1** (*experience by chance*) deparar com **2** (*have a meeting*) reunir-se com, encontrar-se com

meeting ['mi:tɪŋ] *n* **1** (*gathering*) reunião **2** (*assembly*) assembleia **3** POL comício **4** (*interview*) entrevista, encontro formal com hora marcada **5** encontro: ***a chance meeting*** um encontro casual

▪ **meeting point** lugar de encontro

megaphone ['megəfəʊn] *n* megafone

melancholy ['melənkəlɪ] *n* melancolia

▸ *adj* melancólico

mellow ['meləʊ] *adj* **1** (*ripe*) maduro **2** (*sweet*) adocicado **3** (*soft*) suave **4** (*easy-going*) sereno

▸ *vt-vi* **1** (*fruit*) amadurecer **2** (*colour, voice*) suavizar-(se) **3** (*person*) abrandar

melodrama ['melədrɑ:mə] *n* melodrama

melody ['melədɪ] *n* (*pl* **-ies**) melodia

melon ['melən] *n* melão

melt [melt] *vt-vi* **1** (*ice, snow*) derreter-(se) **2** (*metal*) fundir-(se) **3** *fig* (*vanish*) atenuar-(se), dissipar-(se)

• **to melt into tears** desfazer-se em lágrimas

▪ **to melt away** *vi* **1** (*ice, snow*) derreter(-se) **2** (*money, people*) desaparecer **3** (*feeling*) desvanecer-se

member ['membə^r] *n* **1** (*fellow*) membro **2** (*club*) sócio **3** POL afiliado **4** ANAT membro **5** (*constituent*) parte de um todo

▪ **member of staff** empregado

▪ **Member of Parliament** Membro do Parlamento

membership ['membəʃɪp] *n* **1** (*state of being a member*) qualidade de membro ou sócio **2** (*all the members*) número de membros ou sócios
■ **membership card** carteira de sócio
■ **membership fee** mensalidade de sócio

memo ['meməʊ] *n* (*pl* **memos**) → **memorandum**

memoirs ['memwɑːʳz] *npl* memórias

memorable ['memərəbəl] *adj* memorável

memorandum [memə'rændəm] *n* (*pl* -**s** ou **memoranda** [memə'rændə]) **1** (*written record*) memorando **2** (*official note*) aviso oficial, comunicado por escrito

memorial [mə'mɔːrɪəl] *adj* comemorativo
▸ *n* **1** (*monument*) monumento **2** (*tribute*) memorial

memorize ['meməraɪz] *vt* memorizar, decorar

memory ['memərɪ] *n* (*pl* -**ies**) **1** (*ability to remember*) memória **2** (*remembrance*) lembrança
• **from memory** de memória
• **in memory of somebody** em memória de alguém

men [men] *npl* → **man**

menace ['menəs] *n* **1** (*threat*) ameaça **2** (*danger*) perigo
▸ *vt* ameaçar

menacing ['menəsɪŋ] *adj* ameaçador

mend [mend] *n* remendo
▸ *vt* **1** (*repair*) consertar, reparar, emendar **2** (*clothes*) remendar (*roupa*)
▸ *vi* restabelecer-se
• **to mend one's ways** corrigir-se

menopause ['menəʊpɔːz] *n* menopausa

menstruation [menstrʊ'eɪʃən] *n* menstruação

menswear ['menzweəʳ] *n* roupa de homem

mental ['mentəl] *adj* **1** mental: ***mental problems*** problemas mentais **2** *infml* louco: ***he's mental!*** ele é louco!
■ **mental asylum** manicômio
■ **mental hospital** hospital psiquiátrico

mention ['menʃən] *n* menção
▸ *vt* mencionar, aludir, referir-se a
• **don't mention it!** de nada!, não há de quê!
• **to make mention of something** mencionar algo

menu ['menjuː] *n* **1** (*restaurant*) cardápio **2** COMPUT menu

MEP ['em'iː'piː] *abbr* (***Member of the European Parliament***) Membro do Parlamento Europeu

mercenary ['mɜːsənərɪ] *adj-n* mercenário

merchandise ['mɜːtʃəndaɪz] *n* mercadoria

merchant ['mɜːtʃənt] *n* negociante, mercador, comerciante
■ **merchant navy** marinha mercante

merciless ['mɜːsɪləs] *adj* impiedoso, inclemente

mercury ['mɜːkjʊrɪ] *n* CHEM mercúrio

mercy ['mɜːsɪ] *n* (*pl* -**ies**) misericórdia, piedade, clemência, compaixão, mercê
• **at the mercy of** à mercê de
• **to have mercy on somebody** ter compaixão de alguém

mere [mɪəʳ] *adj* mero, simples

merely ['mɪəlɪ] *adv* meramente, somente, simplesmente

merge [mɜːdʒ] *vt* unir, amalgamar
▸ *vi* confluir, unir-se
▸ *vt-vi* **1** (*join*) juntar-se **2** (*blend*) fundir-se

merger ['mɜːdʒəʳ] *n* fusão

meringue [mə'ræŋ] *n* merengue

merit ['merɪt] *n* mérito
▸ *vt* merecer, ser digno de, ser merecedor

mermaid ['mɜːmeɪd] *n* sereia

merry ['merɪ] *adj* (-**ier**, -**iest**) alegre
• **Merry Christmas!** Feliz Natal!

merry-go-round ['merɪgəʊraʊnd] *n* carrossel

mesh [meʃ] *n* (*pl* -**es**) **1** (*netting*) malha **2** (*entanglement*) confusão **3** (*web*) rede **4** (*trap*) armadilha
▸ *vi* enredar, pegar com rede

mesmerize ['mezməraɪz] *vt* hipnotizar, magnetizar

mess [mes] *n* (*pl* **-es**) **1** (*disorder*) desordem, confusão, bagunça **2** (*excrement*) excremento, fezes **3** (*difficulty*) dificuldade, problema
• **to look a mess** *infml* estar horroroso
• **to make a mess of** *infml* estragar: ***he made a real mess of things*** ele estragou tudo
▪ **to mess about/around** *vi* **1** (*pass the time*) ficar à toa **2** (*treat badly*) tratar de forma descuidada, fazer asneiras **3** flertar
▸ *vt* promover desordem, bagunça, confusão
▪ **to mess up** *vt infml* **1** (*disarrange*) desarrumar **2** estragar, atrapalhar: ***he's messed up his life*** ele estragou a (*própria*) vida **3** (*dirty*) sujar, emporcalhar

message ['mesɪdʒ] *n* mensagem
• **to get the message** *infml* entender, inteirar-se

messenger ['mesɪndʒəʳ] *n* mensageiro

messrs ['mesəz] *abbr* (**messieurs**) senhores

messy ['mesɪ] *adj* (**-ier**, **-iest**) **1** (*confused*) desordenado, confuso **2** (*dirty*) sujo

met [met] *pt-pp* → **meet**

metabolism [me'tæbəlɪzəm] *n* metabolismo

metal ['metəl] *n* metal
▸ *adj* metálico, de metal

metallic [mə'tælɪk] *adj* **1** (*of metal*) metálico **2** (*like a metal*) metalizado

metaphor ['metəfɔːʳ] *n* metáfora

meteor ['miːtɪəʳ] *n* meteoro, estrela cadente

meteorite ['miːtɪəraɪt] *n* meteorito

meter[1] ['miːtəʳ] *n* US → **metre**

meter[2] ['miːtəʳ] *n* (*water, liquids*) medidor

method ['meθəd] *n* método

methodical [mə'θɒdɪkəl] *adj* metódico

meticulous [mə'tɪkjʊləs] *adj* meticuloso

metre ['miːtəʳ] (US **meter**) *n* metro

metric ['metrɪk] *adj* métrico

mew [mjuː] *n* miado
▸ *vi* miar

Mexican ['meksɪkən] *adj-n* mexicano

Mexico ['meksɪləʊ] *n* México
▪ **New Mexico** Novo México

mezzanine ['mezəniːn] *n* mezanino

MHz ['megəhɜːts] *abbr* (**megahertz**) megahertz, MHz

miaow [mɪ'aʊ] *n* miado
▸ *vi* miar

mice [maɪs] *npl* → **mouse**

microbe ['maɪkrəʊb] *n* micróbio

microchip ['maɪkrəʊtʃɪp] *n microchip*

microphone ['maɪkrəfəʊn] *n* microfone

microprocessor [maɪkrəʊ'prəʊsesəʳ] *n* microprocessador

microscope ['maɪkrəskəʊp] *n* microscópio

microwave ['maɪkrəʊweɪv] *n* micro-onda
▪ **microwave oven** forno de micro-ondas

midday [mɪd'deɪ] *n* meio-dia
• **at midday** ao meio-dia

middle ['mɪdəl] *adj* **1** (*central*) meio, médio **2** (*intermediate*) intermediário
▸ *n* **1** meio, centro: ***in the middle of the night*** no meio da noite **2** *infml* (*waist*) cintura
• **to be in the middle of** estar no meio de, (*activity*) estar envolvido em
▪ **middle age** meia-idade
▪ **middle class** classe média
▪ **middle name** nome do meio

middleman ['mɪdəlmən] *n* (*pl* **middlemen**) intermediário, revendedor, atravessador

middle-of-the-road [mɪdələvðə'rəʊd] *adj fig* meio-termo, moderado: ***a middle-of-the road policy on public investments*** uma política moderada de investimentos públicos

midget ['mɪdʒɪt] *n* anão

midnight ['mɪdnaɪt] *n* meia-noite

midway ['mɪdweɪ] *adv* a meio caminho

midweek ['mɪdwiːk] *n* o meio/a metade da semana: ***by midweek, the situation had improved considerably*** na metade da semana, a situação havia melhorado muito
▸ *adj* no meio de semana: ***a midweek break*** um intervalo no meio da semana
▸ *adv* no meio de semana: ***the decoration magazine comes out midweek*** a

revista de decoração sai no meio da semana

midwife ['mɪdwaɪf] *n* (*pl* **midwives**) parteira

might[1] [maɪt] *n* poder, força

• **with all one's might** com todas as forças

might[2] [maɪt] *aux* **1** (*smaller possibility than may*) poder, ser possível: ***there might be water beyond our solar system*** deve haver água fora do nosso sistema solar **2** (*aux* → **may**) (*indirect speech*) poder: ***he asked if he might leave*** ele perguntou se podia ir embora **3** poder, ser possível: ***I thought you might need the car*** julguei que você pudesse precisar do carro

mighty ['maɪtɪ] *adj* (**-ier**, **-iest**) forte, poderoso, potente

migraine ['maɪgreɪn] *n* enxaqueca

migrant ['maɪgrənt] *n* **1** (*bird*) ave migratória **2** (*person*) migrante

migrate [maɪ'greɪt] *vi* migrar

mike [maɪk] *n infml* microfone

mild [maɪld] *adj* suave, brando, meigo

mildew ['mɪldju:] *n* BOT míldio, doença causada por fungos

mildly ['maɪldlɪ] *adv* suavemente, brandamente

mile [maɪl] *n* milha

• **it's miles away** *infml* está muito longe

milestone ['maɪlstəʊn] *n* marco miliário

militant ['mɪlɪtənt] *adj* militante

military ['mɪlɪtərɪ] *adj* militar

▸ *n* **the military** os militares, as forças armadas

▪ **military takeover** golpe militar

milk [mɪlk] *n* leite

▸ *vt* ordenhar

• **to milk somebody of something** *infml* (*exploit*) obter o máximo de alguém

▪ **milk chocolate** chocolate ao leite

▪ **milk products** produtos lácteos

▪ **milk shake** *milk-shake*

milkman ['mɪlkmən] *n* (*pl* **milkmen**) leiteiro

milky ['mɪlkɪ] *adj* (**-ier**, **-iest**) **1** (*with milk*) com muito leite, leitoso **2** (*like milk*) leitoso

▪ **Milky Way** Via Láctea

mill [mɪl] *n* **1** (*machine*) moinho **2** (*grinder*) engenho para moer ou triturar **3** (*factory*) fábrica

▸ *vt* moer

▪ **to mill about/around** *vi* mover-se sem destino e de maneira confusa

millennium [mɪ'lenɪəm] *n* milênio

millimetre ['mɪlɪmi:təʳ] (US **millimeter**) *n* milímetro

million ['mɪljən] *n* milhão: ***one million dollars*** um milhão de dólares

millionaire [mɪljə'neəʳ] *n* milionário

millionth ['mɪljənθ] *adj* milionésimo

▸ *n* milionésimo, milionésima parte

mime [maɪm] *n* **1** (*pantomime*) mímica **2** (*person*) mímico

▸ *vt* imitar

▸ *vi* fazer mímica

mimic ['mɪmɪk] *n* imitador

▸ *vt* (*pt & pp* **mimicked**, *ger* **mimicking**) imitar, arremedar

mince [mɪns] *n* GB picadinho de carne, carne moída

▸ *vt* picar

• **not to mince one's words** não medir as palavras

mincemeat ['mɪnsmi:t] *n* doce feito com nozes, especiarias, passas e frutas cristalizadas

• **to make mincemeat of somebody** arrasar, destruir alguém

mind [maɪnd] *n* **1** (*mental faculties*) mente **2** (*brain*) cérebro **3** (*intellect*) intelecto

▸ *vt* **1** importar-se com: ***don't mind him*** não se importe com ele **2** (*beware of*) atentar para **3** (*take care off*) ter cuidado com

▸ *vt-vi* importar-se: ***do you mind if I close the window?*** você se importa se eu fechar a janela?; ***I don't mind staying*** não me importo de ficar

• **mind out!** cuidado!

• **mind you** tenha em conta que, estou avisando a você que

• **mind your own business** cuide de sua própria vida

• **never mind** não importa, não tem importância

• **to bear something in mind** levar algo em consideração

• **to change one's mind** mudar de opinião
• **to have something in mind** ter um plano
• **to lose one's mind** enlouquecer
• **to make up one's mind** decidir-se
• **to speak one's mind** dizer tudo o que pensa

mindless ['maɪndləs] *adj* 1 (*unthinking*) descuidado, negligente 2 (*stupid*) estúpido

mine¹ [maɪn] *n* mina
▸ *vt* 1 (*dig for minerals*) minar, extrair 2 (*place explosives*) colocar minas

mine² [maɪn] *pron* (o) meu, (a) minha, (os) meus, (as) minhas: ***she's a friend of mine*** ela é uma amiga minha; ***these keys are mine*** estas chaves são minhas

miner ['maɪnəʳ] *n* mineiro

mineral ['mɪnərəl] *adj* mineral
▸ *n* mineral
■ **mineral water** água mineral

mingle ['mɪŋgəl] *vt-vi* misturar-(se)

miniature ['mɪnɪtʃəʳ] *n* miniatura
▸ *adj* em miniatura

minibus ['mɪnɪbʌs] *n* (*pl* **minibuses**) micro-ônibus

minimal ['mɪnɪməl] *adj* mínimo

minimum ['mɪnɪməm] *adj* mínimo
▸ *n* mínimo

mining ['maɪnɪŋ] *n* mineração
■ **mining industry** indústria de mineração

minister ['mɪnɪstəʳ] *n* 1 (*member of the government*) ministro 2 (*priest*) pastor, guia espiritual

ministry ['mɪnɪstrɪ] *n* (*pl* **-ies**) 1 (*government department*) ministério 2 (*priesthood*) sacerdócio

mink [mɪŋk] *n* visom

minor ['maɪnəʳ] *adj* 1 (*smaller*) menor 2 (*secondary*) secundário 3 (*inferior*) inferior
▸ *n* menor de idade

minorca [mɪ'nɔːkə] *n* Minorca

minority [maɪ'nɒrɪtɪ] *n* (*pl* **-ies**) 1 (*lesser number*) minoria 2 (*state of being minor*) menoridade
▸ *adj* minoritário

mint¹ [mɪnt] *vt* cunhar moedas
• **in mint condition** em perfeito estado
• **the Mint** a Casa da Moeda

mint² [mɪnt] *n* 1 (*plant*) hortelã 2 (*sweet*) bala de hortelã

minus ['maɪnəs] *prep* menos: ***four minus three*** quatro menos três; ***minus five degrees*** cinco graus abaixo de zero
▸ *adj* menos, negativo
■ **minus sign** sinal de menos

minute¹ ['mɪnɪt] *adj* 1 (*very small*) miúdo, minúsculo 2 (*precise*) preciso, exato

minute² [(*n*) 'mɪnɪt; (*npl*) maɪ'njuːt] *n* 1 (*time*) minuto 2 momento: ***just a minute!*** um momento!
▸ *npl* ['mɪnəts] **minutes** atas
• **at the last minute** no último momento
• **the minute (that)** no momento em que
■ **minute hand** ponteiro de minutos

miracle ['mɪrəkəl] *n* milagre
• **to work miracles** fazer milagres

miraculous [mɪ'rækjʊləs] *adj* milagroso

miraculously [mɪ'rækjʊləslɪ] *adv* milagrosamente

mirage [mɪ'rɑːʒ] *n* miragem, ilusão

mirror ['mɪrəʳ] *n* espelho; (*car*) espelho retrovisor
▸ *vt* refletir, espelhar

misbehave [mɪsbɪ'heɪv] *vi* portar-se mal

miscalculate [mɪs'kælkjʊleɪt] *vt-vi* calcular ou orçar mal

miscarriage [mɪs'kærɪdʒ] *n* aborto espontâneo

miscellaneous [mɪsɪ'leɪnɪəs] *adj* diverso, variado, misto

mischief ['mɪstʃɪf] *n* 1 (*naughtiness*) travessura 2 (*damage*) dano, prejuízo
• **to get up to mischief** fazer travessuras

mischievous ['mɪstʃɪvəs] *adj* 1 (*naughty*) travesso 2 (*malicious*) malicioso

misconception [mɪskən'sepʃən] *n* concepção errônea, juízo falso

misconduct [mɪs'kɒndʌkt] *n* conduta imprópria
▸ *vi* conduzir-se mal, agir mal

misdemeanour [mɪsdɪ'miːnəʳ] (US **misdemeanor**) *n* 1 (*transgression*) contravenção 2 (*minor wrongdoing*) delito leve

miser ['maɪzəʳ] *n* avarento, sovina

miserable ['mɪzərəbəl] *adj* **1** (*sad*) triste, deprimido **2** (*unpleasant*) desagradável, horrível **3** (*inadequate*) de má qualidade **4** digno de pena: ***miserable war prisoners*** prisioneiros de guerra dignos de pena

misery ['mɪzərɪ] *n* (*pl* **-ies**) **1** (*misfortune*) miséria, indigência, penúria **2** sofrimento: ***a life of misery*** uma vida de sofrimento

misfire [mɪs'faɪəʳ] *vi* **1** (*of a firearm or engine*) falhar **2** (*of a plan*) não dar certo, falhar: ***our attempt to help her misfired*** nossa tentativa de ajudá-la falhou

misfortune [mɪs'fɔːtʃən] *n* infortúnio, azar

misgiving [mɪs'gɪvɪŋ] *n* apreensão, receio

misguided [mɪs'gaɪdɪd] *adj* mal orientado, desencaminhado

mishap ['mɪshæp] *n* infortúnio, azar, percalço

misinterpret [mɪsɪn'tɜːprət] *vt* interpretar mal

misjudge [mɪs'dʒʌdʒ] *vt* julgar mal

mislaid [mɪs'leɪd] *pt-pp* → **mislay**

mislay [mɪs'leɪ] *vt* (*pt & pp* **mislaid**) extraviar, perder, pôr algo em um lugar e depois se esquecer onde pôs

mislead [mɪs'liːd] *vt* enganar, desencaminhar, induzir ao erro

misled [mɪs'led] *pt-pp* → **mislead**

mismanagement [mɪs'mænɪdʒmənt] *n* má administração

misplace [mɪs'pleɪs] *vt* **1** (*put in the wrong place*) colocar fora do lugar **2** (*lose*) perder, extraviar

misprint ['mɪsprɪnt] *n* erro de impressão

Miss[1] [mɪs] *n* (*pl* **-es**) senhorita: ***Miss Brown*** a senhorita Brown

miss[2] [mɪs] *n* (*pl* **-es**) falha, erro

▸ *vt-vi* não acertar o alvo, falhar, errar: ***to miss the target*** não acertar o alvo

▸ *vt* **1** perder: ***he missed the train*** ele perdeu o trem **2** não compreender: ***he missed the point of the argument*** ele não compreendeu a essência do argumento **3** deixar escapar: ***don't miss this opportunity*** não deixe escapar esta oportunidade **4** sentir falta: ***I miss you*** sinto sua falta

▸ *vi* faltar: ***nobody is missing*** não falta ninguém

• **to miss class** faltar à aula

• **to miss the boat** perder uma oportunidade

• **to give something a miss** *infml* evitar, deixar de fazer algo: ***on the whole, it's a good restaurant, but I'd give their dessert options a miss*** de forma geral, é um bom restaurante, mas eu evitaria as opções de sobremesa

▪ **to miss out** *vt* omitir, não incluir

▪ **to miss out on** *vi* perder: ***don't miss out on our fantastic summer sale*** não perca nossa fantástica liquidação de verão

missile ['mɪsaɪl] *n* projétil

▪ **missile launcher** lança-mísseis

missing ['mɪsɪŋ] *adj* **1** (*object*) perdido, extraviado **2** (*person*) desaparecido (*pessoa*) **3** (*lacking*) que falta

mission ['mɪʃən] *n* missão

missionary ['mɪʃənərɪ] *n* (*pl* **-ies**) missionário

mist [mɪst] *n* neblina, névoa, nevoeiro, cerração

▪ **to mist over/up** *vi* **1** (*of glass*) embaçar **2** (*become misty*) cobrir de neblina, obscurecer **3** encher de lágrimas: ***her eyes misted over*** os olhos dela encheram-se de lágrimas

mistake [mɪs'teɪk] *n* equívoco, erro, engano

▸ *vt* (*pt* **mistook** [mɪs'tʊk], *pp* **mistaken** [mɪs'teɪkən]) **1** (*misunderstand*) entender mal **2** (*confuse with*) confundir

• **by mistake** por engano

• **to make a mistake** equivocar-se, errar

mister ['mɪstəʳ] *n* senhor

mistletoe ['mɪzəltəʊ] *n* visco

mistook [mɪs'tʊk] *pt* → **mistake**

mistreat [mɪs'triːt] *vt* maltratar

mistress ['mɪstrəs] *n* (*pl* **-es**) **1** (*governess*) ama, dona de casa, patroa **2** (*lover*) amante

mistrust [mɪs'trʌst] *n* desconfiança, suspeita

▸ *vt* desconfiar, suspeitar

misty ['mɪstɪ] *adj* (-**ier**, -**iest**) **1** (*hazy*) nebuloso, com neblina **2** (*blurry*) embaçado

misunderstand [mɪsʌndə'stænd] *vt-vi* (*pt & pp* **misunderstood** [mɪsʌndə'stʊd]) entender mal, interpretar mal

misunderstanding [mɪsʌndə'stændɪŋ] *n* mal-entendido, equívoco, engano

misunderstood [mɪsʌndə'stʊd] *pt-pp* → **misunderstand**

misuse [(*n*) mɪs'juːs; (*v*) mɪs'juːz] *n* **1** (*wrong use*) uso errado **2** (*abuse*) abuso
▸ *vt* **1** (*use wrongly*) fazer mal uso **2** (*abuse*) abusar

mitten ['mɪtən] *n* mitene, meia-luva

mix [mɪks] *n* (*pl* **mixes**) mistura
▸ *vt* misturar
▸ *vi* **1** (*blend*) misturar-se **2** (*socialize*) imiscuir-se **3** (*be compatible*) ser compatível
▪ **to mix up** *vt* **1** (*ingredients*) misturar **2** (*ideas*) confundir

mixed [mɪkst] *adj* **1** (*assorted*) variado **2** (*ambivalent*) contraditório: ***I have mixed feelings about this*** tenho sentimentos contraditórios a respeito disso **3** (*hybrid*) misturado, misto

mixer ['mɪksəʳ] *n* batedeira

mixture ['mɪkstʃəʳ] *n* mistura

mix-up ['mɪksʌp] *n infml* confusão, desordem

moan [məʊn] *n* gemido, lamento
▸ *vi* **1** (*groan*) gemer **2** (*complain*) lamentar-se

moat [məʊt] *n* fosso

mob [mɒb] *n* turba, multidão, plebe
▸ *vt* (*pt & pp* **mobbed**, *ger* **mobbing**) tumultuar, amotinar

mobile ['məʊbaɪl] *n* móbile
▸ *adj* móvel, móbil
▪ **mobile home** *trailer*
▪ **mobile phone** telefone celular

moccasin ['mɒkəsɪn] *n* mocassim

mock [mɒk] *adj* **1** (*fake*) falso **2** simulado: ***a mock test*** uma prova simulada
▸ *vt* zombar, escarnecer
▸ *vi* arremedar

mockery ['mɒkərɪ] *n* (*pl* -**ies**) **1** (*derision*) escárnio, zombaria, gozação **2** (*farce*) farsa
• **to make a mockery of something** transformar algo em motivo de galhofa

MOD ['em'əʊ'diː] *abbr* GB (***Ministry of Defence***) Ministério da Defesa

model ['mɒdəl] *n* **1** (*template*) modelo, molde **2** (*pattern*) exemplo, padrão **3** (*miniature representation*) maquete
▸ *adj* **1** (*ideal*) modelar, perfeito, ideal **2** (*facsimile*) em miniatura, fac-símile
▸ *vt* (GB *pt & pp* **modelled**, *ger* **modelling**; US *pt & pp* **modeled**, *ger* **modeling**) **1** (*shape*) modelar **2** (*display*) apresentar
▪ **model aeroplane** aeromodelo
▪ **model home** casa decorada aberta à visitação de possíveis compradores de casas semelhantes

modem ['məʊdəm] *n modem*, modulador-demodulador

moderate ['mɒdərət] *adj* **1** (*not extreme*) moderado **2** (*average*) mediano, regular **3** (*reasonable*) módico
▸ *n pol* moderado
▸ *vt-vi* **1** (*curb*) moderar-(se), acalmar, abrandar **2** (*chair*) presidir

moderately ['mɒdərətlɪ] *adv* moderadamente

moderation [mɒdə'reɪʃən] *n* moderação
• **in moderation** com moderação, moderadamente

modern ['mɒdən] *adj* **1** (*current*) moderno **2** (*arts, literature*) contemporâneo

modernize ['mɒdənaɪz] *vt* modernizar, atualizar

modest ['mɒdɪst] *adj* **1** (*not vain*) modesto **2** (*moderate*) discreto **3** (*reasonable*) módico

modesty ['mɒdɪstɪ] *n* modéstia

modify ['mɒdɪfaɪ] *vt* (*pt & pp* -**ied**) modificar

module ['mɒdjuːl] *n* módulo

moist [mɔɪst] *adj* **1** (*humid*) úmido **2** (*wet*) levemente molhado, chuvoso

moisten ['mɔɪsən] *vt* **1** (*humidify*) umedecer **2** (*wet*) molhar levemente

moisture ['mɔɪstʃəʳ] *n* umidade

moisturizer ['mɔɪstʃəraɪzəʳ] *n* (*skin*) creme hidratante

molar ['məʊləʳ] *n* molar, dente molar

mold [məʊld] *n* US → **mould**

moldy ['məʊldɪ] *adj* (-**ier**, -**iest**) US → **mouldy**

mole¹ [məʊl] *n* nevo, sinal ou mancha congênita da pele

mole² [məʊl] *n* ZOOL toupeira

molecule ['mɒləkju:l] *n* molécula

molest [mə'lest] *vt* **1** (*abuse*) abusar sexualmente **2** (*harass*) molestar, perturbar, incomodar

mom [mɒm] *n* US *infml* mamãe

moment ['məʊmənt] *n* momento, instante

• **at any moment** a qualquer momento
• **at every moment** constantemente
• **at the last moment** no último instante
• **at the moment** no momento, agora
• **for the moment** por ora
• **just a moment** um momento

momentarily [məʊmən'terılı] *adv* momentaneamente

momentum [məʊ'mentəm] *n* **1** PHYS momento, *momentum* **2** *fig* (*impetus*) ímpeto, impulso

mon ['mʌndɪ] *abbr* (**Monday**) segunda-feira

Monaco ['mɒnəkəʊ] *n* Mônaco

monarch ['mɒnək] *n* (*pl* **monarchs**) monarca

monarchy ['mɒnəkɪ] *n* (*pl* -**ies**) monarquia

monastery ['mɒnəstərɪ] *n* (*pl* -**ies**) mosteiro

Monday ['mʌndɪ] *n* segunda-feira

Monegasque ['mɒnəgæsk] *adj-n* monegasco

monetary ['mʌnɪtərɪ] *adj* monetário

money ['mʌnɪ] *n* dinheiro

• **to be in the money** *infml* ser rico, ter muito dinheiro
• **to get one's money's worth** receber bens ou serviços à altura do dinheiro pago
• **to make money 1** (*person*) ganhar dinheiro **2** (*business*) ser rentável, render

■ **money order** vale postal, ordem de pagamento

moneybox ['mʌnɪbɒks] *n* (*pl* **moneyboxes**) cofrinho

moneyed ['mʌnɪd] *adj* endinheirado, rico

mongrel ['mʌŋgrəl] *n* cachorro vira-lata

monitor ['mɒnɪtəʳ] *n* **1** (*detector*) monitor **2** (*supervisor*) responsável, encarregado

▸ *vt* (*check*) monitorar, controlar

monk [mʌŋk] *n* monge, frade

monkey ['mʌŋkɪ] *n* macaco, mono

■ **monkey wrench** chave-inglesa

monologue ['mɒnəlɒg] (US **monolog**) *n* monólogo

monopolize [mə'nɒpəlaɪz] *vt* monopolizar

monopoly [mə'nɒpəlɪ] *n* (*pl* -**ies**) monopólio

monotonous [mə'nɒtənəs] *adj* monótono

monotony [mə'nɒtənɪ] *n* monotonia

monster ['mɒnstəʳ] *n* monstro

▸ *adj* enorme, monstruoso

monstrosity [mɒn'strɒsɪtɪ] *n* (*pl* -**ies**) monstruosidade

monstrous ['mɒnstrəs] *adj* enorme, monstruoso

month [mʌnθ] *n* mês

monthly ['mʌnθlɪ] *adj* mensal

▸ *adv* mensalmente

■ **monthly instalment** mensalidade

monument ['mɒnjʊmənt] *n* monumento

monumental [mɒnjʊ'mentəl] *adj* monumental

moo [mu:] *n* (*pl* **moos**) mugido

▸ *vi* (*pt & pp* **mooed**, *ger* **mooing**) mugir

mood¹ [mu:d] *n* humor

• **to be in a bad mood** estar de mau humor
• **to be in a good mood** estar de bom humor
• **to be in the mood for** estar disposto a, ter vontade de

mood² [mu:d] *n* modo: ***the subjunctive mood*** o modo subjuntivo

moody ['mu:dɪ] *adj* (-**ier**, -**iest**) mal-humorado

moon [muːn] *n* lua
• **once in a blue moon** uma vez na vida, outra na morte; raramente
• **to be over the moon** estar muito feliz
■ **moon landing** alunissagem, alunagem

moonlight ['muːnlaɪt] *n* luar
▸ *vi infml (job)* fazer um bico

moor[1] [mʊəʳ] *n* pântano, brejo, charco

moor[2] [mʊəʳ] *vt* ancorar, atracar

moor [mʊəʳ] *n* mouro

mop [mɒp] *n* **1** *(squeegee)* esfregão **2** *infml (mane)* punhado de cabelo
▸ *vt (pt & pp* **mopped**, *ger* **mopping***)* esfregar, lavar, passar o esfregão
■ **to mop up** *vt* limpar

mope [məʊp] *vi* estar deprimido, lastimar-se

moped ['məʊped] *n* bicicleta motorizada pequena, motocicleta

moral ['mɒrəl] *adj* moral, digno
▸ *n* moral
▸ *npl* **morals** moralidade, costumes

morale [mə'rɑːl] *n* moral, disposição, ânimo

morality [mə'rælɪtɪ] *n* moralidade, decência

moratorium [mɒrə'tɔːrɪəm] *n (pl* **moratoria***)* moratória

morbid ['mɔːbɪd] *adj* mórbido, doentio

more [mɔːʳ] *adj-adv* mais: ***more than twenty people*** mais de vinte pessoas; ***more expensive*** mais caro
• **any more** não mais: ***I don't live here any more*** não moro mais aqui
• **more and more expensive** cada vez mais caro
• **more or less** mais ou menos
• **once more** uma vez mais
• **the more he has, the more he wants** quanto mais ele tem, mais quer
• **would you like some more?** você quer mais?

Ver também **many** e **much**.

moreover [mɔː'rəʊvəʳ] *adv fml* além disso, além do mais

morgue [mɔːg] *n* necrotério

morning ['mɔːnɪŋ] *n* manhã
▸ *adj* matutino
• **good morning!** bom dia!
• **in the morning** de manhã: ***at eight o'clock in the morning*** às oito da manhã
• **tomorrow morning** amanhã de manhã

Moroccan [mə'rɒkən] *adj-n* marroquino

Morocco [mə'rɒkəʊ] *n* Marrocos

moron ['mɔːrɒn] *n derog* idiota

morphine ['mɔːfiːn] *n* morfina

morsel ['mɔːsəl] *n* bocado, migalha

mortal ['mɔːtəl] *adj-n* mortal

mortality [mɔː'tælɪtɪ] *n (pl* **-ies***)* mortalidade

mortally ['mɔːtəlɪ] *adv* mortalmente, fatalmente

mortar ['mɔːtəʳ] *n* **1** *(cannon)* morteiro **2** *(building)* argamassa

mortgage ['mɔːgɪdʒ] *n* hipoteca
▸ *vt* hipotecar
■ **mortgage loan** empréstimo hipotecário
■ **mortgage rate** juro hipotecário

mosaic [mə'zeɪɪk] *adj* mosaico

Moslem ['mɒzləm] *adj-n* muçulmano

mosque [mɒsk] *n* mesquita

mosquito [məs'kiːtəʊ] *n (pl* **-s** ou **-es***)* mosquito
■ **mosquito net** mosquiteiro

moss [mɒs] *n (pl* **-es***)* limo

most [məʊst] *adj* **1** mais, a maior quantidade de: ***he's got the most points*** ele tem a maior quantidade de pontos **2** a maioria: ***most people live in flats*** a maioria das pessoas vive em apartamentos
▸ *adv* mais: ***the most difficult question*** a pergunta mais difícil
▸ *pron (nearly all)* a maior parte, a maioria: ***most of the people*** a maioria das pessoas
• **at most** no máximo
• **for the most part** a maior parte, geralmente
• **most likely** muito provavelmente
• **to make the most of something** aproveitar algo ao máximo

Ver também **many** e **much**.

mostly ['məʊstlɪ] *adv* principalmente

MOT ['em'əʊ'tiː] *abbr* GB *(**Ministry of Transport**)* Ministério do Transporte

■ **MOT test** (*test of the roadworthiness of vehicles*) inspeção técnica de veículos, ITV

motel [məʊ'tel] *n* motel

moth [mɒθ] *n* **1** (*insect related to butterfly*) mariposa **2** clothes moth (*insect whose larvae eat fur, wool*) traça

mother ['mʌðəʳ] *n* mãe
▸ *vt* **1** (*give birth to*) dar à luz **2** (*look after*) cuidar como uma mãe
■ **mother country** pátria
■ **mother tongue** língua materna

motherhood ['mʌðəhʊd] *n* maternidade

mother-in-law ['mʌðərɪnlɔː] *n* (*pl* **mothers-in-law**) sogra

motif [məʊ'tiːf] *n* (*pl* **motifs**) **1** (*decoration*) motivo, adorno, desenho **2** MUS tema

motion ['məʊʃən] *n* **1** (*movement*) movimento **2** (*gesture*) gesto **3** (*proposal*) moção, proposta **4** (*evacuation*) defecação
▸ *vi* acenar
▸ *vt* guiar por gestos
• **in motion** em movimento
• **in slow motion** em câmera lenta
■ **motion picture** filme

motivation [məʊtɪ'veɪʃən] *n* motivação

motive ['məʊtɪv] *n* **1** (*reason*) motivo, razão, causa **2** (*of crime*) motivo

motor ['məʊtəʳ] *n* **1** (*engine*) motor **2** *infml* (*car*) carro, automóvel
■ **motor racing** corrida de automóveis
■ **motor show** salão do automóvel

motorbike ['məʊtəbaɪk] *n infml* motocicleta

motorboat ['məʊtəbəʊt] *n* lancha

motorcycle ['məʊtəsaɪkəl] *n* motocicleta, moto

motorist ['məʊtərɪst] *n* motorista

motorway ['məʊtəweɪ] *n* GB via expressa, autoestrada

motto ['mɒtəʊ] *n* (*pl* **-s** ou **-es**) mote, lema

mould¹ [məʊld] *n* mofo, bolor, fungo

mould² [məʊld] *n* molde, modelo
▸ *vt* moldar, modelar

mouldy ['məʊldɪ] *adj* (**-ier**, **-iest**) mofado, bolorento

mound [maʊnd] *n* **1** (*hill*) morro **2** (*pile*) montículo

mount¹ [maʊnt] *n* monte, colina, montanha

mount² [maʊnt] *n* **1** (*horse*) cavalo de montaria **2** (*support*) moldura de um quadro
▸ *vt* **1** (*horse*) montar **2** (*bicycle*) montar em **3** *fml* (*climb*) escalar **4** (*put on display*) instalar, exibir **5** (*increase*) aumentar
■ **to mount up** *vi* crescer, aumentar

mountain ['maʊntən] *n* montanha, serra
▸ *adj* da montanha
■ **mountain bike** *mountain-bike*
■ **mountain range** cordilheira, cadeia de montanhas

mountaineer [maʊntə'nɪəʳ] *n* alpinista

mountaineering [maʊntə'nɪərɪŋ] *n* alpinismo

mountainous ['maʊntənəs] *adj* montanhoso

mourn [mɔːn] *vt* **1** (*grieve for*) chorar a morte de, prantear **2** (*regret*) lamentar

mourning ['mɔːnɪŋ] *n* luto, dor, lamentação
• **to be in mourning** estar de luto

mouse [maʊs] *n* **1** (*pl* **mice**) (*animal*) rato **2** COMPUT *mouse*

mousetrap ['maʊstræp] *n* ratoeira

moustache [məs'tɑːʃ] *n* bigode

mouth [maʊθ] *n* **1** (*opening in the head*) boca **2** (*outfall*) desembocadura, foz **3** (*entrance*) entrada
• **by word of mouth** oralmente, boca a boca
• **down in the mouth** deprimido
• **to keep one's mouth shut** ficar de boca calada

mouthful ['maʊθfʊl] *n* **1** bocado **2** trago **3** gole **4** palavra longa ou frase difícil de dizer

mouth-organ ['maʊθɔːgən] *n* harmônica, gaita de boca

mouthpiece ['maʊθpiːs] *n* **1** (*part that goes in the mouth*) bocal **2** (*spokesperson*) porta-voz

move [mu:v] *n* **1** (*movement*) movimento **2** (*in a game*) lance, vez: ***it's your move*** é sua vez **3** (*relocation*) mudança
▸ *vt* **1** (*change the place*) mover, deslocar **2** (*shift*) alterar, mexer **3** (*inspire*) induzir
▸ *vi* **1** (*go*) mover-se **2** mudar-se: ***they are moving to a new flat*** eles estão se mudando para um novo apartamento **3** (*in game*) jogar
• **to make a move** ir embora
• **to move house** mudar-se de casa
• **to get a move on** *infml* apressar-se
▪ **to move along** *vi* avançar, desenvolver-se de modo satisfatório: ***the negotiations are not moving along quickly enough*** as negociações não estão avançando com a devida rapidez
▪ **to move away** *vi* **1** (*go in opposite direction*) afastar-se **2** (*live elsewhere*) mudar-se de casa
▪ **to move forward** *vt-vi* avançar
▸ *vt* (*clock*) adiantar
▪ **to move in** *vi* **1** (*new house*) instalar-se **2** (*attack*) intervir
▪ **to move on** *vi* **1** (*go away*) ir-se embora **2** (*change*) mudar para algo novo
▪ **to move over** *vt-vi* dar lugar a: ***move over a bit, please*** chegue um pouquinho para lá, por favor

movement ['mu:vmənt] *n* **1** (*action*) movimento, ação **2** MUS movimento **3** (*development*) mudança, flutuação **4** (*mechanism*) mecanismo

movie ['mu:vɪ] *n* US filme
• **to go to the movies** ir ao cinema

moving ['mu:vɪŋ] *adj* **1** (*in motion*) movente **2** (*affecting*) comovente
▪ **moving staircase** escada rolante

mow [məʊ] *vt* (*pt* **mowed** [məʊd], *pp* **mown** [mən]) ceifar, cortar: ***I'm going to mow the grass*** vou cortar a grama

mower ['məʊə^r] *n* ceifeiro, cortador de grama

MP ['em'pi:] *abbr* (***Member of Parliament***) **1** Membro da Câmara dos Comuns **2** (***Military Police***) polícia militar

mph ['em'pi:'eɪtʃ] *abbr* (***miles per hour***) milhas por hora

MSc ['em'es'si:] *abbr* (***Master of Science***) mestre em Ciências

much [mʌtʃ] *adj* (*comp* **more** [mɔ:^r], *superl* **most** [məʊst]) muito: ***there isn't much time*** não há muito tempo
▸ *adv-pron* muito: ***did it rain much?*** choveu muito?
• **as much... as** tanto... quanto
• **how much?** quanto?
• **so much** tanto
• **very much** muitíssimo
• **to make much of something** dar muita importância a algo

muck [mʌk] *n* **1** (*dirt*) sujeira, porcaria **2** (*dung*) esterco
▪ **to muck about/around** *vi* bobear, agir bobamente, perder tempo
▪ **to muck in** *vi infml* ajudar alguém com uma tarefa, dar uma mão
▪ **to muck up** *vt* **1** (*dirt*) sujar **2** (*ruin*) estragar

mucus ['mju:kəs] *n* (*pl* **mucuses**) muco

mud [mʌd] *n* barro, lama

muddle ['mʌdəl] *n* **1** (*mess*) desordem **2** (*misunderstanding*) confusão
▸ *vt* confundir
• **to be in a muddle** **1** (*person*) estar metido em confusão **2** (*objects*) estar em desordem
▪ **to muddle through** *vi* alcançar o objetivo de qualquer jeito, apesar das dificuldades

muddy ['mʌdɪ] *adj* (**-ier**, **-iest**) **1** (*waterlogged*) barrento, turvo **2** (*soiled*) enlameado

mudguard ['mʌdgɑ:d] *n* para-lama

muffler ['mʌflə^r] *n* **1** (*scarf*) cachecol **2** US (*of car*) silenciador

mug[1] [mʌg] *n* (*cup*) caneca

mug[2] [mʌg] *n* GB *infml* **1** (*foolish person*) burro, crédulo **2** sl (*face*) rosto, cara
▸ *vt* (*pt & pp* **mugged**, *ger* **mugging**) **1** (*rob*) assaltar **2** (*make faces*) fazer caretas

mugger ['mʌgə^r] *n* assaltante

mugging ['mʌgɪŋ] *n* assalto, roubo

muggy ['mʌgɪ] *adj* (**-ier**, **-iest**) quente e úmido

mule [mju:l] *n* **1** (*animal*) mulo **2** (*person*) mula, pessoa usada para transportar drogas

multinational [mʌltɪ'næʃənəl] *adj* multinacional
▸ *n* multinacional

multiple ['mʌltɪpəl] *adj* múltiplo
▸ *n* múltiplo

multiplication [mʌltɪplɪ'keɪʃən] *n* multiplicação

multiply ['mʌltɪplaɪ] *vt-vi* (*pt & pp* **-ied**) multiplicar-se

multitude ['mʌltɪtju:d] *n* multidão, turba

mum [mʌm] *n* GB *infml* mamãe

mumble ['mʌmbəl] *vt-vi* murmurar, resmungar

mummy[1] ['mʌmɪ] *n* (*pl* **-ies**) múmia

mummy[2] ['mʌmɪ] *n* (*pl* **-ies**) GB *infml* mamãe

mumps [mʌmps] *n* parotidite, cachumba

munch [mʌntʃ] *vt-vi* mascar, mastigar ruidosamente

municipal [mju:'nɪsɪpəl] *adj* municipal

murder ['mɜ:dər] *n* assassinato, homicídio
▸ *vt* assassinar

murderer ['mɜ:dərər] *n* assassino, homicida

murky ['mɜ:kɪ] *adj* (**-ier**, **-iest**) **1** (*dark*) escuro, sombrio **2** (*suspicious*) suspeito, obscuro

murmur ['mɜ:mər] *n* **1** (*voice, river*) murmúrio **2** (*wind*) sussurro **3** (*traffic*) barulho
▸ *vt-vi* **1** (*whisper*) murmurar, sussurrar **2** (*complain*) resmungar
• **without a murmur** sem reclamar: ***the children ate the salad without a murmur*** as crianças comeram a salada sem reclamar

muscle ['mʌsəl] *n* músculo
• **she didn't move a muscle** ela não se mexeu

muscular ['mʌskjʊlər] *adj* **1** (*of muscles*) muscular **2** (*with well-developed muscles*) musculoso

muse[1] [mju:z] *vi* meditar, refletir

muse[2] [mju:z] *n* musa

museum [mju:'zɪəm] *n* museu

mushroom ['mʌʃrʊm] *n* cogumelo, fungo
▸ *vi* crescer rapidamente

music ['mju:zɪk] *n* música
• **to face the music** enfrentar dificuldades corajosamente
▪ **music hall** teatro de variedades
▪ **music score** partitura
▪ **music stand** atril, estante para partituras

musical ['mju:zɪkəl] *adj* **1** (*melodious*) musical **2** (*having a talent for music*) musical, com pendor para a música
▸ *n* musical

musician [mju:'zɪʃən] *n* músico

musk [mʌsk] *n* almíscar

musketeer [mʌskə'tɪər] *n* mosqueteiro

muslim ['mʌzlɪm] *adj-n* muçulmano

mussel ['mʌsəl] *n* mexilhão

must[1] [mʌst] *aux* **1** dever, ter de: ***I must leave*** tenho de ir; ***you must not tell her*** você não deve contar a ela **2** dever: ***she must be ill*** ela deve estar doente; ***he must have got lost*** ele deve ter se perdido **3** ter de: ***you must come round to dinner*** você tem de vir jantar em casa
▸ *n infml* coisa imprescindível: ***a visit to the palace is a must*** uma visita ao palácio é imprescindível

must[2] [mʌst] *n* mosto; sumo de uvas, antes de terminada a fermentação

mustard ['mʌstəd] *n* mostarda

musty ['mʌstɪ] *adj* (**-ier**, **-iest**) **1** (*mouldy*) mofado **2** (*antiquated*) antiquado

mute [mju:t] *adj-n* mudo

muted ['mju:tɪd] *adj* **1** (*sound*) apagado, surdo **2** (*colour*) suave

mutilate ['mju:tɪleɪt] *vt* mutilar

mutineer [mju:tɪ'nɪər] *n* amotinado, rebelado

mutiny ['mju:tɪnɪ] *n* (*pl* **-ies**) motim
▸ *vi* (*pt & pp* **-ied**) amotinar-se

mutter ['mʌtər] *n* murmúrio, resmungo
▸ *vt* murmurar, resmungar: ***he kept muttering things*** ele ficou resmungando coisas
▸ *vi* murmurar, resmungar: ***stop muttering***! pare de resmungar!

mutton ['mʌtən] *n* carne de carneiro

mutual ['mju:tʃʊəl] *adj* mútuo, recíproco
• **by mutual consent** de comum acordo

mutually ['mju:tʃʊəlɪ] *adv* mutuamente

muzzle ['mʌzəl] *n* **1** (*snout*) focinho **2** (*gag*) mordaça, focinheira **3** (*of a gun*) boca
▸ *vt* **1** (*put a gag*) pôr focinheira **2** *fig* (*censor*) amordaçar

MW ['mi:dɪəmweɪv] *abbr* (***medium wave***) onda média de rádio, OM

my [maɪ] *adj* meu, meus, minha, minhas: ***my book*** meu livro; ***my friends*** meus amigos; ***my clothes*** minhas roupas
▸ *interj* caramba!, puxa vida!, meu Deus!

myopia [maɪ'əʊpɪə] *n* miopia

myself [maɪ'self] *pron* **1** me: ***I cut myself*** eu me cortei **2** mim mesmo: ***I kept it for myself*** guardei-o para mim mesmo **3** eu mesmo: ***I made this dress myself*** eu mesma fiz este vestido
• **by myself** sozinho: ***I did it by myself*** eu fiz isso sozinho

mysterious [mɪ'stɪərɪəs] *adj* misterioso

mystery ['mɪstərɪ] *n* (*pl* **-ies**) mistério

mystic ['mɪstɪk] *adj-n* místico

mystify ['mɪstɪfaɪ] *vt* (*pt & pp* **-ied**) mistificar

mystique [mɪs'ti:k] *n* atmosfera de mistério

myth [mɪθ] *n* mito

mythology [mɪ'θɒlədʒɪ] *n* mitologia

N

N [nɔːθ] *abbr* (**north**) norte (*abbreviation*) N

nab [næb] *vt* (*pt & pp* **nabbed**, *ger* **nabbing**) *infml* **1** (*catch*) surrupiar **2** (*arrest*) prender

nag [næg] *vt* (*pt & pp* **nagged**, *ger* **nagging**) importunar, pedir com insistência: ***my mother keeps nagging me to go to bed earlier*** minha mãe vive me pedindo com insistência que eu vá para a cama mais cedo

▸ *vi* **1** reclamar: ***she's such a bore! She's always nagging about something*** ela é tão chata! Está sempre reclamando de alguma coisa **2** criticar com frequência: ***stop nagging at me!*** pare de me criticar! **3** importunar, incomodar: ***a cough that nags all night long*** uma tosse que incomoda a noite toda

nail [neɪl] *n* **1** (*fingernail*) unha **2** (*pin*) prego

▸ *vt* pregar, fixar com pregos

▪ **nail file** lixa de unhas

▪ **nail varnish** esmalte de unhas

▪ **nail varnish remover** removedor de esmalte

naive [naɪ'iːv] *adj* ingênuo

naked ['neɪkɪd] *adj* nu: ***stark naked*** completamente nu

• **with the naked eye** a olho nu

name [neɪm] *n* **1** nome: ***my name is Jim*** meu nome é Jim **2** (*designation*) denominação

▸ *vt* **1** dar nome a, chamar: ***they named their daughter Sue*** eles deram o nome de Sue à sua filha **2** (*identify*) identificar, ter por nome: ***a man named John answered the phone*** um homem chamado John atendeu o telefone **3** nomear: ***his successor has already been named*** seu sucessor já foi nomeado

• **in somebody's name** em nome de alguém

• **in the name of** em nome de

• **what's your name?** qual é o seu nome?

▪ **last name** sobrenome

nameless ['neɪmləs] *adj* anônimo

namely ['neɪmlɪ] *adv* a saber

namesake ['neɪmseɪk] *n* homônimo, xará

nanny ['nænɪ] *n* (*pl* **-ies**) ama-seca, babá

nap [næp] *n* sesta, soneca, cochilo

▸ *vi* (*pt & pp* **napped**, *ger* **napping**) tirar uma soneca

• **to catch someone napping** pegar alguém desprevenido

• **to have a nap, take a nap** tirar uma soneca

nape [neɪp] *n* nuca

napkin ['næpkɪn] *n* guardanapo

nappy ['næpɪ] *n* (*pl* **-ies**) fralda

narcotic [nɑː'kɒtɪk] *adj* narcótico

▸ *n* narcótico

narrate [nə'reɪt] *vt* narrar

narrative ['nærətɪv] *adj* narrativo

▸ *n* **1** (*art of narrating*) narração **2** (*story*) narrativa

narrow ['nærəʊ] *adj* (*comp* **narrower**, *superl* **narrowest**) **1** estreito, apertado: ***Rome's narrow streets*** as ruas estreitas de Roma; ***he won by a narrow margin*** ele venceu por uma margem estreita **2** reduzido, restrito, limitado: ***a narrow view*** uma visão limitada **3** minucioso: ***a***

narrow investigation uma investigação minuciosa

• **to have a narrow escape** escapar por um triz

▸ *vt* estreitar

▸ *vi* estreitar-se

▪ **to narrow down** *vt* reduzir, restringir

narrowly ['nærəʊlɪ] *adv* por pouco

narrow-minded [nærəʊ'maɪndɪd] *adj* tacanho, bitolado

NASA ['næsə] *abbr* US ***(National Aeronautics and Space Administration)*** Administração Nacional de Aeronáutica e Espaço, *(abbreviation)* NASA

nasal ['neɪzəl] *adj* nasal

nasty ['nɑːstɪ] *adj* (**-ier**, **-iest**) **1** desagradável: ***a nasty feeling*** uma sensação desagradável **2** repugnante, asqueroso: ***a nasty smell*** um cheiro repugnante **3** sórdido, mal-intencionado, cruel: ***a nasty trick*** um truque sórdido **4** sério, grave: ***that was a nasty fall*** foi uma queda grave **5** difícil, complicado: ***a nasty problem*** um problema complicado **6** rude, ofensivo: ***nasty comments*** comentários ofensivos

nation ['neɪʃən] *n* nação

national ['næʃnəl] *adj* nacional

▸ *n* cidadão

▪ **national anthem** hino nacional

▪ **national service** serviço militar

▪ **National Health Service** Serviço Nacional de Saúde *(equivale ao SUS)*

▪ **National Insurance** Previdência Social

nationalism ['næʃnəlɪzəm] *n* nacionalismo

nationalist ['næʃnəlɪst] *adj-n* nacionalista

nationality [næʃə'nælɪtɪ] *n* (*pl* **-ies**) nacionalidade

nationalize [næʃnə'laɪz] *vt* nacionalizar

nationwide [*(adj)* 'neɪʃənwaɪd; *(adv)* neɪʃən'waɪd] *adj* em escala nacional

▸ *adv* por todo o país

native ['neɪtɪv] *adj* **1** natal: ***his native land*** sua terra natal **2** originário **3** nativo: ***a native speaker of French*** um falante nativo do francês **4** materno: ***native language*** língua materna **5** inato, inerente: ***a native talent for languages*** um talento inato para línguas

▸ *n* **1** *(inhabitant)* habitante, residente, cidadão **2** *(indigenous)* indígena

Nativity *(the)* [nə'tɪvɪtɪ] *n* Natividade

▪ **nativity scene** presépio

NATO ['neɪtəʊ] *abbr* ***(North Atlantic Treaty Organization)*** Organização do Tratado do Atlântico Norte, *(abbreviation)* OTAN

Também se escreve **Nato**.

natter ['nætəʳ] *vi infml* conversar superficialmente sobre assuntos triviais

natty ['nætɪ] *adj* (**-ier**, **-iest**) elegante

natural ['nætʃərəl] *adj* **1** *(according to nature)* natural **2** nato: ***he's a natural leader*** ele é um líder nato **3** normal, inerente: ***it's natural for a dog to bark*** latir é normal para um cachorro

naturalist ['nætʃərəlɪst] *n* naturalista

naturally ['nætʃərəlɪ] *adv* **1** naturalmente, evidentemente: ***naturally you can think it over before you decide*** naturalmente você pode pensar antes de decidir **2** com naturalidade: ***act naturally*** aja com naturalidade **3** por natureza: ***he's naturally optimistic*** ele é otimista por natureza

nature ['neɪtʃəʳ] *n* **1** *(environment)* natureza **2** caráter, índole: ***he has a good nature*** ele tem bom caráter **3** natureza, caráter: ***reports of a confidential nature*** relatórios de caráter confidencial

• **by nature** por natureza

naturist ['neɪtʃərɪst] *n* naturista

naught [nɔːt] US *n* **1** *(zero)* zero **2** nada: ***all his efforts came to naught*** todos os seus esforços deram em nada

naughty ['nɔːtɪ] *adj* (**-ier**, **-iest**) **1** *(misbehaved)* travesso **2** *(improper)* atrevido **3** picante, sensual: ***this movie is full of naughty scenes*** este filme está cheio de cenas picantes

nausea ['nɔːzɪə] *n* náusea

nauseating ['nɔːzɪeɪtɪŋ] *adj* nauseabundo

nautical ['nɔːtɪkəl] *adj* náutico

naval ['neɪvəl] *adj* naval

nave [neɪv] *n* nave

navel ['neɪvəl] *n* **1** (*umbilicus*) umbigo **2** (*middle*) centro

navigate ['nævɪgeɪt] *vt* **1** (*pilot*) pilotar **2** *vi* (*sail*) navegar **3** *vi* encontrar, traçar a rota: ***I'll drive the car, you get the map and navigate*** eu dirijo o carro, você pega o mapa e traça a rota **4** *vi* (*internet*) navegar

navigation [nævɪ'geɪʃən] *n* navegação

navigator ['nævɪgeɪtəʳ] *n* **1** (*pilot*) navegante, navegador **2** (*one that navigates*) passageiro de um veículo que orienta a rota a seguir

navy ['neɪvɪ] *n* (*pl* **-ies**) marinha de guerra, armada

▪ **navy blue** azul-marinho

Nazi ['nɑːtsɪ] *adj-n* nazista

NB ['en'biː] *abbr* (***nota bene***) *nota bene*, *(abbreviation)* N.B.

Em inglês também se escreve **nb**, **N.B.** e **n.b.** Em português, *N.B.*

NBA ['en'biː'eɪ] *abbr* US (***National Basketball Association***) Associação Nacional de Basquete, *(abbreviation)* NBA

NE [nɔːθ'iːst] *abbr* (***northeast***) nordeste, *(abbreviation)* NE

near [nɪəʳ] *adj* (*comp* **nearer**, *superl* **nearest**) **1** perto, próximo, vizinho: ***she went to the nearest house*** ela foi para a casa mais próxima **2** próximo: ***in the near future*** em um futuro próximo **3** quase: ***it was near chaos*** foi quase um caos

▸ *adv* **1** perto: ***do you live near?*** você mora perto? **2** à beira de: ***she was near to tears*** ela estava à beira das lágrimas

▸ *prep* perto de: ***he's too near the fire*** ele está demasiado perto do fogo

▸ *vi* aproximar-se: ***as the opening night neared, the cast started to worry*** à medida que a noite de estreia se aproximava, o elenco começava a se preocupar

▸ *vt* aproximar-se: ***the project is nearing completion*** o projeto está se aproximando do término

▪ **Near East** Oriente Próximo

▪ **near relatives** parentes próximos

nearby ['nɪəbaɪ] *adj* próximo: ***we went to eat at a nearby restaurant*** fomos comer em um restaurante próximo

▸ *adv* à mão, por perto: ***is there a bank nearby?*** tem um banco aqui por perto?

nearly ['nɪəlɪ] *adv* quase: ***it's nearly three o'clock*** são quase três horas; ***I nearly fell*** quase caí

neat [niːt] *adj* **1** limpo (e em ordem): ***the room was neat and tidy*** o quarto estava limpo e arrumado **2** organizado: ***his wife is very neat in the kitchen*** a esposa dele é muito organizada na cozinha **3** caprichoso, esmerado: ***her handwriting is very neat*** a letra dela é muito caprichosa **4** não diluído, puro: ***he drank a bottle of neat whisky*** ele bebeu uma garrafa de uísque puro **5** *infml* gentil, maravilhoso, legal: ***your friends are really neat*** seus amigos são muito legais **6** engenhoso, bem bolado: ***a neat plan*** um plano bem bolado

neatly ['niːtlɪ] *adv* com cuidado, com gentileza

necessarily [nesə'serɪlɪ] *adv* necessariamente

necessary ['nesɪsərɪ] *adj* **1** necessário: ***she did all that was necessary*** ela fez tudo o que foi necessário **2** inevitável: ***the necessary conclusão*** a conclusão inevitável

necessitate [nɪ'sesɪteɪt] *vt* exigir: ***an important meeting necessitates my travelling to Paris next week*** uma reunião importante exige que eu viaje para Paris na semana que vem

necessity [nɪ'sesɪtɪ] *n* (*pl* **-ies**) **1** necessidade: ***the doctor stressed the necessity of a balanced diet*** o médico enfatizou a necessidade de uma dieta balanceada **2** requisito: indispensável: ***in his work, a car is a necessity*** no seu trabalho, o carro é um requisito indispensável

• **of necessity** inevitavelmente, necessariamente

• **in case of necessity** em caso de necessidade

• **necessities** artigos de primeira necessidade

neck [nek] *n* **1** (*body*) pescoço **2** (*bottle*) gargalo **3** (*garment*) gola

▸ *vi infml* acariciar

• **to be up to one's neck in something** estar atarefado até o pescoço com alguma coisa

necklace ['nekləs] *n* colar

neckline ['neklaɪn] *n* decote

nectar ['nektəʳ] *n* néctar

née [neɪ] *adj* **1** nascida, em solteira: ***Eva Perón, née Eva Duarte...*** Eva Perón, em solteira, Eva Duarte... **2** antes conhecida como: ***Marilyn Monroe, née Norma Jean Baker...*** Marilyn Monroe, antes conhecida como Norma Jean Baker...

need [ni:d] *n* **1** falta, carência: ***a growing need for security measures*** uma carência cada vez maior de medidas de segurança **2** necessidade: ***there's no need to shout*** não há necessidade de gritar; ***we must not forget the needs of others*** não devemos nos esquecer das necessidades alheias

▸ *vt* **1** precisar, necessitar: ***do you need any money?*** você precisa de dinheiro?; ***you don't need a new car*** você não precisa de um carro novo **2** precisar, ter de: ***you don't need to come tomorrow*** você não precisa vir amanhã; ***I need to talk to you*** preciso falar com você

▸ *aux* precisar, ter de: ***you needn't do it if you don't want to*** não precisa fazer isso se você não quiser; ***need I go?*** eu tenho de ir?

• **in need** necessitado: ***people in need*** pessoas necessitadas

• **to be in need of** necessitar: ***children are in need of love*** as crianças necessitam de amor:

Quando **need** é usado como verbo principal, sempre deve ser seguido do "infinitivo com **to**" e requer o auxiliar **do** nas orações interrogativas e negativas; quando é um verbo modal, só é usado em orações interrogativas e negativas e é seguido de "infinitivo sem **to**". **Needn't have** seguido do particípio passado é usado para expressar algo que foi feito sem necessidade (UK): **He needs to slim down a bit** ele precisa emagrecer um pouco; **you don't need to hand in/needn't hand in the report today** você não precisa entregar o relatório hoje; **do we need to show our documents?** *fml* **need we show our documents?** precisamos mostrar nossos documentos?; **you needn't have bought any cheese; there's plenty in the fridge** você não precisava ter comprado queijo; havia o suficiente na geladeira.

needful ['ni:dfʊl] *adj* necessário, indispensável: ***we should provide them with all things needful*** devemos fornecer a eles tudo o que é necessário

needle ['ni:dəl] *n* **1** agulha: ***to thread a needle*** enfiar uma linha em uma agulha; ***a knitting needle*** uma agulha de tricô; ***please attach the needle to the syringe*** por favor coloque a agulha na seringa **2** (*compass*) ponteiro

▸ *vt infml* alfinetar, provocar

needless ['ni:dləs] *adj* desnecessário

• **needless to say** desnecessário dizer

needy ['ni:dɪ] *adj* (-**ier**, -**iest**) necessitado, carente

• **the needy** os pobres, os necessitados

negation [nɪ'geɪʃən] *n* negação

negative ['negətɪv] *adj* negativo: ***his answer was negative*** sua resposta foi negativa

▸ *n* **1** (*statement*) negação, negativa **2** PHOTO negativo

neglect [nɪ'glekt] *n* descuido, negligência

▸ *vt* descuidar, negligenciar

neglectful [nɪ'glektfʊl] *adj* negligente, descuidado

negligée ['neglɪdʒeɪ] *n* *négligé*

negligence ['neglɪdʒəns] *n* negligência

negligent ['neglɪdʒənt] *adj* negligente

negligible ['neglɪdʒɪbəl] *adj* insignificante

negotiate [nɪ'gəʊʃɪeɪt] *vt-vi* negociar

▸ *vt* contornar, vencer, transpor obstáculo

negotiation [nɪgəʊʃɪ'eɪʃən] *n* negociação

Negro ['ni:grəʊ] *adj-n* (*offensive, not polite*) negro

neigh [neɪ] *n* relincho

▸ *vi* relinchar

neighbour ['neɪbəʳ] (US **neighbor**) *n* vizinho

neighbourhood ['neɪbəhʊd] (US **neighborhood**) *n* vizinhança

neighbouring ['neɪbərɪŋ] (US **neighboring**) *adj* vizinho

neighbourly ['neɪbəlɪ] (US **neighborly**) *adj* amistoso, amável, prestativo

neither ['naɪðəʳ, 'niːðəʳ] *adj-pron* (*not one nor the other*) nenhum: ***neither of us*** nenhum de nós; ***neither car is his*** nenhum dos carros é o dele
▸ *adv-conj* **1** nem: ***it's neither good nor bad*** não é bom nem mau **2** tampouco: ***I can't swim – neither can I*** não sei nadar – eu tampouco
• **neither... nor...** nem... nem...

neolithic [niːəʊlɪθɪk] *adj* neolítico

neon ['niːən] *n* neón

Nepal [nə'pɔːl] *n* Nepal

Nepalese [nepə'liːz] *adj* nepalês, nepali
▸ *n* (*person*) nepalês **2** (*language*) nepalês, nepali
▸ *npl* **the Nepalese** os nepaleses

nephew ['nevjuː] *n* sobrinho: ***he has two nephews and three nieces*** ele tem dois sobrinhos e três sobrinhas

nerve [nɜːv] *n* **1** nervo: ***damage to nerves can be caused by a number of diseases*** danos aos nervos podem ser causados por uma série de doenças **2** coragem: ***it takes some nerve to do something like that*** é preciso coragem para fazer uma coisa daquela **3** atrevimento: ***you've got a nerve!*** que atrevimento o seu!
• **nerves** nervos, nervosismo
• **to get on somebody's nerves** irritar alguém
• **nerves of steel nervos de aço**
• **a bunch of nerves** uma pilha de nervos: ***I'm sorry I shouted at you; I'm a bunch of nerves today*** desculpe ter gritado com você; estou uma pilha de nervos hoje
• **nerve centre** **1** ANAT centro nervoso **2** *fig* (*place*) centro de operações

nervous ['nɜːvəs] *adj* nervoso: ***he was nervous about the exam*** ele estava nervoso por causa da prova
■ **nervous breakdown** esgotamento nervoso

nervousness ['nɜːvəsnəs] *n* nervosismo

nest [nest] *n* ninho
▸ *vi* aninhar(-se)

nestle ['nesəl] *vi* **1** (*settle snuggly*) acomodar-se **2** (*snuggle*) aconchegar-se

net¹ [net] *n* **1** rede: ***a fishing net*** uma rede de pescar; ***a basketball net*** uma rede de basquete **2** **the Net** (*abbr for the Internet*) a Rede
▸ *vt* (*pt & pp* **netted**, *ger* **netting**) **1** (*catch with a net*) pegar com rede **2** (*cover with a net*) enredar
■ **Net user** internauta

net² [net] *adj* líquido: ***net income*** renda líquida; ***net weight*** peso líquido
▸ *vt* (*pt & pp* **netted**, *ger* **netting**) obter um lucro líquido, auferir: ***the sale of her manor house netted her $8 millions*** ela obteve um lucro líquido de 8 milhões de dólares com a venda da sua mansão

netball ['netbɔːl] *n* (*usually played by women*) modalidade de basquetebol

Netherlands ['neðələndʒ] *n* **the Netherlands** os Países Baixos

netting ['netɪŋ] *n* **1** (*metal, plastic*) tela **2** (*fabric*) tecido ou qualquer material em forma de rede ou malha

nettle ['netəl] *n* BOT urtiga
▸ *vt* irritar

network ['netwɜːk] *n* rede: ***a new road network*** uma nova rede viária

neurotic [njʊ'rɒtɪk] *adj-n* neurótico

neuter ['njuːtəʳ] *adj* neutro
▸ *n* neutro
▸ *vt* castrar

neutral ['njuːtrəl] *adj* **1** neutro **2** POL neutro, imparcial
▸ *n* (*car*) ponto morto

neutralize ['njuːtrəlaɪz] *vt* neutralizar

never ['nevəʳ] *adv* nunca, jamais: ***I'll never forget you*** eu nunca me esquecerei de você
■ **never mind** não tem importância: ***I'm sorry I'm late. Never mind, we've got plenty of time*** desculpe, estou atrasado. Não tem importância; temos muito tempo
■ **better late than never** antes tarde do que nunca

never-ending [nevə'rendɪŋ] *adj* interminável

nevertheless [nevəðə'les] *adv* todavia, contudo, não obstante

new [njuː] *adj* novo
• **as good as new** tão bom quanto um novo
• **brand new** novo em folha
• **new to something** novato: ***I'm still new to this company*** ainda sou novato na empresa

■ **New Year** ano-novo
■ **New Year's Eve** véspera de ano-novo

newborn ['nju:bɔ:n] *adj* recém-nascido

newcomer ['nju:kʌməʳ] *n* recém-chegado

newly ['nju:lɪ] *adv* **1** recém-: ***newly built*** recém-construído **2** (*recently*) recentemente

newlywed ['nju:lɪwed] *n* recém-casado

news [nju:z] *n* notícia, notícias: ***what good news!*** que boa notícia!; ***have you had any news of him?*** você tem notícias dele?
• **to break the news to somebody** dar uma notícia desagradável a alguém
■ **a piece of news** uma notícia
■ **the news** (*TV, radio*) o noticiário
■ **breaking news** plantão jornalístico, notícias de grande relevância que provocam a interrupção da grade normal de programação de emissoras de rádio ou televisão
■ **news bulletin** boletim informativo, noticiário

É incontável, e o verbo fica no singular: ***if the news is bad, I don't want to hear it*** se a notícia for ruim, não quero ouvi-la.

newsagent ['nju:zeɪdʒənt] *n* jornaleiro
■ **newsagent's** banca de jornais e revistas

newsflash ['nju:zflæʃ] *n* (*pl* **-es**) notícia de última hora

newsgroup ['nju:zgru:p] *n* grupo de discussão na internet

newsletter ['nju:zletəʳ] *n* *newsletter*, boletim informativo

newspaper ['nju:speɪpəʳ] *n* jornal

newsreader ['nju:zri:dəʳ] *n* locutor noticiarista

newsworthy ['nju:zwɜ:ðɪ] *adj* digno de nota, capaz de gerar uma notícia

newt [nju:t] *n* ZOOL tritão

next [nekst] *adj* **1** próximo, seguinte: ***I'll tell him next time I see him*** contarei a ele na próxima vez que o vir **2** vindouro: ***next year*** o ano vindouro **3** adjacente, contíguo: ***he lives next door*** ele mora na casa contígua
▸ *adv* logo, depois de, em seguida: ***what did you say next?*** o que você disse em seguida?
• **next door** ao lado: ***our next door neighbours*** nosso vizinho ao lado
• **next to** ao lado de: ***the post office is next to the bank*** o correio fica ao lado do banco
• **next to nothing** quase nada
• **next to useless** quase inútil
■ **next of kin** parente(s) mais próximo(s)

NGO ['en'dʒi:'əʊ] *abbr* (***Non-Governmental Organization***) Organização Não Governamental, (*abbreviation*) ONG

NHS ['en'eɪtʃ'es] *abbr* GB (***National Health Service***) Serviço Nacional de Saúde (*equivale ao SUS*)

nib [nɪb] *n* bico de pena

nibble ['nɪbəl] *n* **1** (*little bite*) mordisco **2** (*snack*) naco
▸ *vt-vi* mordiscar

Nicaragua [nɪkə'rægjʊə] *n* Nicarágua

Nicaraguan [nɪkə'rægjʊən] *adj-n* nicaraguense

nice [naɪs] *adj* **1** amável, simpático: ***what a nice man!*** que homem simpático! **2** bom/boa, agradável: ***it's a really nice day*** é um dia de fato muito agradável **3** bonito, belo: ***that's a nice dress!*** que vestido bonito! **4** gentil, atencioso: ***how nice of you!*** que gentileza da sua parte!

nicely ['naɪslɪ] *adv* **1** bem: ***the geraniums are growing nicely*** os gerânios estão crescendo bem **2** amavelmente, com gentileza: ***if you ask nicely she'll say yes*** se você pedir com gentileza, ela dirá sim

niche [ni:ʃ] *n* nicho: ***ecological niche*** nicho ecológico
■ **niche market** nicho de mercado

nick [nɪk] *n* **1** (*cut*) lasca **2** (*mark*) talho, mossa **3** GB *sl* (*prison*) cadeia, prisão
▸ *vt* **1** (*cut*) lascar **2** *infml* (*steal*) surrupiar **3** *infml* prender: ***he got nicked*** ele foi preso
• **in good nick** *sl* em bom estado
• **in the nick of time** na hora H

nickel ['nɪkəl] *n* **1** (*metal*) níquel **2** US (*coin*) moeda de cinco centavos

nickname ['nɪkneɪm] *n* apelido
▸ *vt* apelidar

niece [niːs] *n* sobrinha: ***I have two nephews and one niece*** tenho dois sobrinhos e uma sobrinha

niggle ['nɪgəl] *n* **1** pequena dúvida ou preocupação **2** crítica (leve): ***despite enjoying the film, I still have a few niggles about it*** apesar de ter gostado do filme, tenho algumas críticas a fazer sobre ele
▸ *vi* **1** preocupar-se levemente com ninharias **2** *vt* irritar alguém de maneira duradoura **3** *vi-vt* criticar algo ou alguém por ninharias: ***she's always niggling over the way I wear my hair*** ela vive criticando meu penteado

night [naɪt] *n* noite
• **at night, by night** de noite, à noite
• **good night** (*as goodbye*) boa-noite
• **last night** ontem à noite

nightclub ['naɪtklʌb] *n* boate

nightdress ['naɪtdres] *n* (*pl* **-es**) camisola

nightgown ['naɪtgaʊn] *n* camisola

nightingale ['naɪtɪŋgeɪl] *n* rouxinol

nightlife ['naɪtlaɪf] *n* vida noturna

nightly ['naɪtlɪ] *adv* todas as noites

nightmare ['naɪtmeəʳ] *n* pesadelo

nil [nɪl] *n* **1** zero, nada: ***all our effort was reduced to nil*** todo o nosso esforço foi reduzido a nada **2** zero: ***we lost two goals to nil*** perdemos de dois a zero

Nile [naɪl] *n* **the Nile** o Nilo

nimble ['nɪmbəl] *adj* **1** ágil: ***nimble fingers*** dedos ágeis **2** ágil, perspicaz: ***nimble mind*** mente perspicaz

nine [naɪn] *num* nove

ninepins ['naɪnpɪnz] *n* jogo de boliche com nove pinos

nineteen [naɪn'tiːn] *num* dezenove

nineteenth [naɪn'tiːnθ] *adj* décimo nono
▸ *n* décimo nono, décima nona parte

ninetieth ['naɪntɪəθ] *adj* nonagésimo
▸ *n* nonagésimo, nonagésima parte

ninety ['naɪntɪ] *num* noventa

ninth [naɪnθ] *adj* nono
▸ *n* nono, nona parte

nip [nɪp] *n* **1** (*pinch*) beliscão **2** (*bite*) mordida **3** (*of drink*) trago **4** (*coldness*) friagem
▸ *vt-vi* (*pt & pp* **nipped**, *ger* **nipping**) **1** (*pinch*) beliscar **2** (*bite*) mordiscar **3** (*drink*) bebericar
▸ *vi* (*go quickly*) ir rapidamente
• **to nip in the bud** cortar pela raiz

nipper ['nɪpəʳ] *n infml* rapaz, moça

nipple ['nɪpəl] *n* **1** (*of breast*) mamilo, bico do seio **2** (*bottle*) bocal

nippy ['nɪpɪ] *adj* (**-ier**, **-iest**) *infml* **1** (*agile*) ágil, rápido, mordaz **2** *infml* friozinho: ***it's a bit nippy this morning*** está friozinho esta manhã

nit [nɪt] *n* **1** (*of a louse*) lêndea **2** *infml* (*fool*) imbecil

nite [naɪt] *n* US → **night**

nitrogen ['naɪtrɪdʒən] *n* CHEM nitrogênio

no. ['nʌmbəʳ] **1** *abbr* (**number**) número (*abbreviation*) nº., núm. **2** *abbr* norte (*abbreviation*)

no [nəʊ] *adv* não: ***is it raining? – no, it's snowing*** está chovendo? – não, está nevando
▸ *adj* **1** nenhum: ***I have no time*** não tenho tempo nenhum; ***there are no children in the classroom*** não tem nenhuma criança na sala **2** não: ***he's no friend of mine*** ele não é meu amigo
• **no smoking** proibido fumar

nobility [nəʊ'bɪlɪtɪ] *n* nobreza

noble ['nəʊbəl] *adj* (*comp* **nobler**, *superl* **noblest**) nobre
▸ *n* nobre

nobleman ['nəʊbəlmən] *n* (*pl* **noblemen**) nobre

nobody ['nəʊbədɪ] *pron* ninguém: ***there is nobody in the park*** não há ninguém no parque
▸ *n* (*pl* **-ies**) joão-ninguém: ***he's a nobody*** ele é um joão-ninguém

nocturnal [nɒk'tɜːnəl] *adj* noturno

nod [nɒd] *n* **1** (*greeting with the head*) cumprimento **2** (*agreement*) sinal de assentimento
▸ *vi* (*pt & pp* **nodded**, *ger* **nodding**) **1** (*as greeting with the head*) cumprimentar **2** (*with the head*) assentir: ***he didn't speak, he just nodded*** ele não disse nada, apenas assentiu com a cabeça
■ **to nod off** *vi infml* cochilar, involuntariamente: ***she nodded off just before***

the end of the meeting with the shareholders ela cochilou quase no fim da reunião com os acionistas

nohow ['nəʊhaʊ] *adv* de modo algum

noise [nɔɪz] *n* ruído, barulho

• **to make a noise** fazer alarde

noiseless ['nɔɪzləs] *adj* silencioso

noisy ['nɔɪzɪ] *adj* (-**ier**, -**iest**) ruidoso, barulhento

nomad ['nəʊməd] *adj-n* nômade

nominal ['nɒmɪnəl] *adj* **1** (*related to name*) nominal: ***a nominal list*** uma lista nominal **2** ECON nominal: ***nominal salary*** salário nominal; ***nominal value*** valor nominal **3** simbólico: ***the nominal head of the institution*** o presidente simbólico da instituição

nominate ['nɒmɪneɪt] *vt* **1** (*name*) nomear **2** indicar, propor: ***the Canadian film was nominated for the Berlin Award film festival's top honour*** o filme canadense foi indicado ao prêmio máximo do festival de cinema de Berlim **3** (*candidate*) lançar (*candidatura*)

nomination [nɒmɪ'neɪʃən] *n* **1** (*proposal*) indicação **2** (*choice*) escolha

nonchalant ['nɒnʃələnt] *adj* **1** (*unconcerned*) despreocupado **2** (*calm*) impassível

noncommittal [nɒnkə'mɪtəl] *adj* **1** (*vague*) não comprometido **2** (*neutral*) neutro **3** (*evasive*) evasivo

nonconformist [nɒnkən'fɔːmɪst] *adj-n* não conformista, dissidente

nondescript ['nɒndɪskrɪpt] *adj* **1** (*unexceptional*) anódino, inexpressivo **2** (*undistinguished*) indefinido

none [nʌn] *pron* **1** nenhum: ***none of those answers are correct*** nenhuma dessas respostas está correta **2** ninguém: ***none could afford it*** ninguém tinha recursos para isso **3** nada: ***I would like more milk; I'm sorry there's none left*** eu queria mais leite; lamento, não sobrou nada ***none of this is mine*** nada disso é meu

▸ *adv* nada: ***he seemed none too pleased with the news*** ele não parecia nada satisfeito com as notícias

• **to be none too soon** ser/chegar bem a tempo, em boa hora

• **to be none the wiser** ficar na mesma: ***I've read the directions but I'm still none the wiser*** li as instruções, mas continuo na mesma

• **to be none of sb's business** não ser da conta de alguém: ***what are you doing? – it's none of your business*** o que você está fazendo? – não é da sua conta

nonentity [nɒ'nentɪtɪ] *n* (*pl* -**ies**) nulidade, zero à esquerda

nonetheless [nʌnðə'les] *adv* não obstante

nonexistent [nɒnɪg'zɪstənt] *adj* inexistente

nonplussed [nɒn'plʌst] *adj* perplexo

nonsense ['nɒnsəns] *n* tolice, asneira, disparate, bobagem, coisa absurda:

É incontável, não tem plural: ***don't talk nonsense!*** não diga bobagens!; ***this is absolute nonsense*** isto é um absurdo total.

nonsmoker [nɒn'sməʊkəʳ] *n* não fumante

nonstick [nɒn'stɪk] *adj* antiaderente

nonstop [nɒn'stɒp] *adj* ininterrupto, direto: ***a nonstop flight*** um voo direto

▸ *adv* sem parar, ininterruptamente: ***he worked nonstop to finish on time*** ele trabalhou sem parar para acabar a tempo

noodle ['nuːdəl] *n* macarrão

nook [nʊk] *n* canto, recanto

noon [nuːn] *n* meio-dia

no-one ['nəʊwʌn] *pron* ninguém

noose [nuːs] *n* **1** (*loop*) laço, nó corrediço **2** (*serious problem*) problema sério

nor [nɔːʳ] *conj* **1** nem: ***neither you nor I*** nem você nem eu **2** também não, tampouco: ***he can't come to dinner nor can I*** ele não pode vir jantar e eu tampouco

norm [nɔːm] *n* norma

normal ['nɔːməl] *adj* normal

normality [nɔː'mælɪtɪ] *n* normalidade

normally ['nɔːməlɪ] *adv* normalmente

north [nɔːθ] *n* norte: ***Oviedo is in the north of Spain*** Oviedo fica no norte da Espanha

▸ *adj* setentrional, do norte: ***north winds*** ventos do norte

▸ *adv* ao norte: ***we travelled north*** viajamos em direção ao norte
■ **North Pole** Polo Norte
■ **North Sea** Mar do norte

northeast [nɔːθ'iːst] *n* nordeste
▸ *adj* do nordeste
▸ *adv* ao nordeste, em direção ao nordeste

northerly ['nɔːðəlɪ] *adj* norte, setentrional

northern ['nɔːðən] *adj* do norte, setentrional, boreal: ***the Northern Hemisphere*** o hemisfério norte

northerner ['nɔːðənəʳ] *n* nortista

northwest [nɔːθ'west] *n* noroeste
▸ *adj* do noroeste
▸ *adv* ao noroeste, em direção ao noroeste

Norway ['nɔːweɪ] *n* Noruega

Norwegian [nɔː'wiːdʒən] *adj* norueguês
▸ *n* **1** (*person*) norueguês **2** (*language*) norueguês

nose [nəʊz] *n* **1** (*part of the face*) nariz **2** (*snout*) focinho **3** (*sense of animal*) faro **4** (*sense*) olfato
• **to nose about** bisbilhotar
• **to keep one's nose out of something** não se intrometer em alguma coisa
• **under somebody's nose** à vista, às claras, debaixo do nariz

nosebleed ['nəʊzbliːd] *n* hemorragia nasal

nosey ['nəʊzɪ] *adj* (**-ier**, **-iest**) *infml* curioso, intrometido

nosey-parker [nəʊzɪ'pɑːkəʳ] *n infml* intrometido, abelhudo

nosh [nɒʃ] *n sl* rango, boia

nostalgia [nɒ'stældʒɪə] *n* nostalgia

nostril ['nɒstrɪl] *n* narina

not [nɒt] *adv* não: ***this is not the first time*** esta não é a primeira vez; ***can you play bridge? – I'm afraid not*** você sabe jogar *bridge*? – receio que não
• **thanks – not at all** obrigado – de nada
• **not always** nem sempre
• **not at all** de modo algum
• **not yet** ainda não
• **not that I know** não que eu saiba

Not acompanha o auxiliar do verbo em orações negativas. No inglês falado e nos textos informais pode-se fazer a contração **-n't**: **she isn't English; he doesn't like it**. **Not** também é usado na forma negativa de orações subordinadas: ***he told me not to go*** ele me disse para não ir.

notable ['nəʊtəbəl] *adj* notável

notation [nəʊ'teɪʃən] *n* notação

notch [nɒtʃ] *n* (*pl* **-es**) **1** (*cut*) entalhe ou endentação em forma de V ou U **2** *infml* ponto, grau: ***among current candidates, he is rated a notch below (= is worse than the rest)*** entre os candidatos atuais, ele está classificado um ponto abaixo (*= é pior do que o restante*)
▸ *vt* entalhar, endentar

note [nəʊt] *vt* **1** notar, observar: ***it should be noted that...*** deve-se observar que... **2** (*record*) tomar nota, anotar **3** (*mention*) mencionar
▸ *n* **1** ECON (*bill, credit note*) nota **2** nota musical: ***the singer should have held the note longer*** o cantor devia ter sustentado a nota por mais tempo **3** nota, bilhete: ***he left me a note*** ele me deixou um bilhete **4** (*record*) nota, anotação **5** comunicado: ***an official note*** um comunicado oficial
▸ *npl* **notes** apontamentos, anotações
• **of note 1** importante: ***there is nothing of note in this article*** não há nada de importante neste artigo **2** eminente: ***a man of note*** um homem eminente
• **to note down** anotar, tomar nota: ***I noted the number down in my book*** anotei o número em meu livro
• **to take note of** tomar nota de

notebook ['nəʊtbʊk] *n* caderno

noted ['nəʊtɪd] *adj* conhecido, célebre

notepaper ['nəʊtpeɪpəʳ] *n* papel de carta

noteworthy ['nəʊtwɜːðɪ] *adj* digno de nota

nothing ['nʌθɪŋ] *pron* **1** nada: ***I have nothing to say*** não tenho nada a dizer **2** zero: ***the score was Liverpool three, PSV nothing*** o resultado foi Liverpool 3, PSV zero
• **for nothing 1** grátis, gratuitamente, de graça: ***he worked for nothing*** ele tra-

balhou de graça **2** em vão: ***all this effort for nothing*** todo este esforço para nada

• **if nothing else** pelo menos, no mínimo

• **nothing but** apenas, somente

notice ['nəʊtɪs] *n* **1** advertência, aviso: ***the notice says "No smoking"*** o aviso diz "Proibido fumar" **2** aviso: ***I never look at the notices on the board*** eu nunca olho para os avisos no quadro **3** notícia: ***there's a notice in the neswpaper about forest fires*** tem uma notícia no jornal sobre os incêndios florestais **4** (*condition of being warned*) aviso prévio

▸ *vt* notar, reparar, dar-se conta de: ***did you notice his tie?*** você reparou na gravata dele?

• **to take no notice of** não fazer caso de, não prestar atenção

• **until further notice** até segunda ordem

• **at/on short notice** em cima da hora, sem aviso

noticeable ['nəʊtɪsəbəl] *adj* notável, perceptível, evidente

noticeboard ['nəʊtɪsbɔːd] *n* quadro de avisos

notify ['nəʊtɪfaɪ] *vt* (*pt & pp* **-ied**) notificar, avisar

notion ['nəʊʃən] *n* noção, ideia, conceito

▸ *npl* **notions** US miudezas

notorious [nəʊ'tɔːrɪəs] *adj pej* (*infamous*) famoso: ***a notorious criminal*** um criminoso famoso

notwithstanding [nɒtwɪθ'stændɪŋ] *adv* não obstante

▸ *prep* apesar de

nougat ['nuːgɑː] *n* nugá

nought [nɔːt] GB *n* **1** (*zero*) zero **2** nada: ***all his efforts came to naught*** todos os seus esforços deram em nada

noun [naʊn] *n* nome, substantivo

nourish ['nʌrɪʃ] *vt* nutrir, alimentar

nourishing ['nʌrɪʃɪŋ] *adj* nutritivo

nourishment ['nʌrɪʃmənt] *n* nutrição

nov ['nəʊvembəʳ] *abbr* (*November*) novembro

novel ['nɒvəl] *adj* novo e original: ***a novel idea*** uma ideia nova e original

▸ *n* romance: ***Oliver Twist is Charles Dickens' second novel*** *Oliver Twist* é o segundo romance de Charles Dickens

novelist ['nɒvəlɪst] *n* novelista

novelty ['nɒvəltɪ] *n* (*pl* **-ies**) **1** (*newness*) novidade **2** (*innovation*) inovação

November [nəʊ'vembəʳ] *n* novembro

novice ['nɒvɪs] *n* **1** (*beginner*) novato **2** (*in a religious order*) noviço

now [naʊ] *adv* **1** agora **2** hoje em dia, atualmente **3** já: ***I can't wait, I want it now*** não posso esperar, quero isso já!

• **from now on** de agora em diante

• **now and then** de vez em quando

• **now that** agora que

nowadays ['naʊədeɪz] *adv* hoje em dia, atualmente

nowhere ['nəʊweəʳ] *adv* (em/a) lugar nenhum: ***where are you going? – nowhere*** aonde você vai? – a lugar nenhum; ***he had nowhere to hide*** ele não tinha lugar nenhum onde se esconder

• **nowhere else** em nenhuma outra parte

noxious ['nɒkʃəs] *adj* nocivo

nozzle ['nɒzəl] *n* bico do esguicho

NT ['næʃənət'trʌst] *abbr* GB (***National Trust***) organização que zela pelo patrimônio nacional, tanto natural como arquitetônico

nuance [njuː'ɑːns] *n* matiz, nuança

nuclear ['njuːklɪəʳ] *adj* nuclear

■ **nuclear bomb** bomba nuclear

■ **nuclear energy** energia nuclear

nucleus ['njuːklɪəs] *n* (*pl* **nuclei**) núcleo

nude [njuːd] *adj* **1** desnudo, despido: ***the painting depicts the nude figure of a woman...*** o quadro retrata a figura desnuda de uma mulher... **2** referente ao nudismo: ***a nude beach*** uma praia de nudismo

▸ *n* (*arts*) nu: ***a male nude by a famous painter*** um nu masculino de um famoso pintor

■ **in the nude** nu: ***on nude beaches everyone should be in the nude*** nas praias de nudismo todos devem ficar nus

• **to pose nude/to pose in the nude** posar nu

Ver nota em **desnudo**.

nudge [nʌdʒ] *n* cotovelada
▸ *vt* dar uma cotovelada em

nudist ['nju:dɪst] *adj-n* nudista

nudity ['nju:dɪtɪ] *n* nudez

nugget ['nʌgɪt] *n* **1** (*lump*) pepita **2** pedaço, *nugget*: ***chicken nugget*** *nugget* de frango

nuisance ['nju:səns] *n* **1** aborrecimento, chateação, chatice: ***the train is late. What a nuisance!*** o trem está atrasado. Que chatice! **2** chato: ***he's a real nuisance*** ele é um chato de galocha

null [nʌl] *adj* nulo
■ **null and void** LAW írrito e nulo

numb [nʌm] *adj* dormente, entorpecido
▸ *vt* entorpecer

number ['nʌmbə^r] *n* número
▸ *vt* **1** numerar: ***the seats are numbered*** os assentos estão numerados **2** contar: ***his days are numbered*** seus dias estão contados
• **large numbers** muitos: ***large numbers of people demonstrated in the street*** muitas pessoas se manifestaram em passeata na rua
• **a number of** vários: ***a number of people asked where I had bought my handbag*** várias pessoas me perguntaram onde comprei minha bolsa

numberplate ['nʌmbəpleɪt] *n* GB (*car*) placa

numbness ['nʌmnəs] *n* **1** (*dullness*) torpor, dormência **2** *fig* (*insensitivity*) insensibilidade

numeral ['nju:mərəl] *n* número, algarismo

numerate ['nju:mərət] *adj* que tem noções de aritmética

numerical [nju:'merɪkəl] *adj* numérico

numerous ['nju:mərəs] *adj* numeroso

nun [nʌn] *n* freira

nunnery ['nʌnərɪ] *n* (*pl* **-ies**) (*of nuns*) convento

nuptial ['nʌpʃəl] *adj* nupcial

nurse [nɜ:s] *n* **1** (*for sick people*) enfermeiro **2** (*for children*) babá
▸ *vt* **1** cuidar: ***she nursed him back to health*** ela cuidou dele até sua recuperação **2** (*breastfeed*) amamentar **3** *fig* alimentar, guardar: ***to nurse a grudge against somebody*** guardar rancor de alguém

nursery ['nɜ:srɪ] *n* (*pl* **-ies**) **1** (*child's bedroom*) quarto de criança **2** (*kindergarten*) creche **3** (*plants*) viveiro
■ **nursery school** escola maternal

nursing ['nɜ:sɪŋ] *n* **1** (*profession of a nurse*) enfermagem **2** (*breastfeeding*) período de aleitamento
■ **nursing home** (*old people*) clínica de repouso

nurture ['nɜ:tʃə^r] *vt* **1** (*cultivate*) cultivar, nutrir **2** estimular: ***to nurture young talents*** estimular jovens talentos

nut [nʌt] *n* **1** (*fruit with a hard shell*) fruto seco, noz **2** porca: ***we'll need nuts and bolts to hold this together*** vamos precisar de porcas e parafusos para prender isto **3** *infml* (*eccentric*) fanático **4** *infml* (*insane*) pirado
• **to be nuts** ser doido: ***you must be nuts to go out in such nasty weather*** você deve ser doido para sair com este tempo horrível

nutcase ['nʌtkeɪs] *n infml* doido, pirado

nutcracker ['nʌtkrækə^r] *n* quebra-nozes

nutmeg ['nʌtmeg] *n* noz-moscada

nutrient ['nju:trɪənt] *n* nutriente

nutrition [nju:'trɪʃən] *n* nutrição

nutritious [nju:'trɪʃəs] *adj* nutritivo

nutshell ['nʌtʃel] *n* casca de noz
• **in a nutshell** em poucas palavras

nutter ['nʌtə^r] *n infml* doido, pirado

nuzzle ['nʌzəl] *vt* (*cuddle*) tocar ou roçar com o focinho
• **to nuzzle up against** aconchegar-se com

NW [nɔ:θ'west] *abbr* (**northwest**) noroeste, (*abbreviation*) NO

nylon ['naɪlɒn] *n nylon*, náilon
▸ *npl* **nylons** meias de náilon

nymph [nɪmf] *n* ninfa

nymphomaniac [nɪmfə'meɪnɪæk] *n* ninfômana, ninfomaníaca

O

O [əʊ] *n* **1** letra o, décima quinta letra do alfabeto inglês **2** (*in speech*) zero: ***my flat number is 303: three, o, three*** o número do meu apartamento é 303: três, zero, três

oaf [əʊf] *n* (*pl* **oafs**) tolo, imbecil

oak [əʊk] *n* carvalho

OAP ['əʊ'eɪ'piː] *abbr* GB ***(old-age pensioner)*** aposentado por idade, pensionista

oar [ɔːʳ] *n* remo

oarsman ['ɔːzmən] *n* (*pl* **oarsmen**) remador

oasis [əʊ'eɪsɪs] *n* (*pl* **oases**) oásis

oath [əʊθ] *n* **1** (*vow*) juramento **2** (*swear word*) impropério
• **on oath, under oath** sob juramento
• **to take an oath** prestar juramento

oats [əʊt] *npl* aveia

obedience [ə'biːdɪəns] *n* obediência, submissão

obedient [ə'biːdɪənt] *adj* obediente, submisso

obelisk ['ɒbɪlɪsk] *n* obelisco

obese [əʊ'biːs] *adj* obeso

obesity [əʊ'biːsɪtɪ] *n* obesidade

obey [ə'beɪ] *vt* obedecer

obituary [ə'bɪtjʊərɪ] *n* (*pl* **-ies**) obituário, necrologia

object [(*n*) 'ɒbdʒɪkt; (*v*) əb'dʒekt] *n* **1** (*thing*) objeto, coisa **2** objetivo, propósito: ***the object of the research is to discover whether…*** o objetivo da pesquisa é descobrir se... **3** GRAMM objeto
▸ *vt* alegar: ***he contested that the deadline was too tight*** ele alegou que o prazo era muito exíguo
▸ *vi* opor-se
• **money is no object** o dinheiro não é empecilho

objection [əb'dʒekʃən] *n* objeção, réplica
• **to have no objection** não ter qualquer objeção

objectionable [əb'dʒekʃənəbəl] *adj* **1** (*reprehensible*) censurável **2** (*unpleasant*) desagradável

objective [əb'dʒektɪv] *adj* objetivo
▸ *n* objetivo, propósito

objector [əb'dʒektəʳ] *n* discordante, opositor

obligation [ɒblɪ'geɪʃən] *n* obrigação, dever

obligatory [ɒ'blɪgətərɪ] *adj* obrigatório

oblige [ə'blaɪdʒ] *vt* **1** (*force*) obrigar, forçar, compelir **2** (*do a favour*) fazer um favor a, obsequiar
• **much obliged** muito agradecido

obliging [ə'blaɪdʒɪŋ] *adj* (*helpful*) amável, prestativo

obliterate [ə'blɪtəreɪt] *vt* obliterar, apagar, remover

oblivion [ə'blɪvɪən] *n* olvido, esquecimento

oblivious [ə'blɪvɪəs] *adj* alheio, sem consciência: ***he was oblivious of the danger*** ele não tinha consciência do perigo

oblong ['ɒblɒŋ] *adj* oblongo, retangular
▸ *n* retângulo

obnoxious [əb'nɒkʃəs] *adj* odioso, detestável, repugnante

oboe ['əʊbəʊ] *n* oboé

obscene [ɒb'siːn] *adj* obsceno, indecente, imoral

obscenity [əb'senɪtɪ] *n* (*pl* **-ies**) obscenidade, indecência, imoralidade

obscure [əbs'kjʊəʳ] *adj* **1** (*vague*) vago, obscuro **2** (*little-known*) pouco conhecido **3** (*dark*) indistinto, embaçado
▸ *vt* obscurecer, ocultar

obscurity [əb'skjʊərɪtɪ] *n* obscuridade

observant [əb'zɜːvənt] *adj* observador, vigilante

observation [ɒbzə'veɪʃən] *n* **1** observação: ***the patient is still in observation*** o paciente ainda está sob observação **2** vigilância: ***the suspect is under police observation*** o suspeito está sob vigilância policial **3** comentário: ***could I make an observation?*** posso fazer um comentário?

observatory [əb'zɜːvətrɪ] *n* (*pl* **-ies**) observatório

observe [əb'zɜːv] *vt* **1** (*see*) observar **2** (*law*) cumprir

observer [əb'zɜːvəʳ] *n* observador, espectador

obsess [əb'ses] *vt* obcecar, ter uma ideia fixa

obsession [əb'seʃən] *n* obsessão, ideia fixa, mania

obsolete ['ɒbsəliːt] *adj* obsoleto, arcaico, antiquado

obstacle ['ɒbstəkəl] *n* obstáculo, empecilho
▪ **obstacle race** corrida de obstáculos

obstetrics [ɒb'stetrɪks] *n* obstetrícia

É incontável, e o verbo vai para o singular.

obstinacy ['ɒbstɪnəsɪ] *n* obstinação, teima, pertinácia

obstinate ['ɒbstɪnət] *adj* obstinado, teimoso, persistente

obstruct [əb'strʌkt] *vt* **1** (*block*) obstruir, bloquear **2** (*clog*) entupir **3** (*impede*) impedir **4** (*retard*) retardar, dificultar

obstruction [əb'strʌkʃən] *n* **1** (*difficulty*) obstrução, impedimento **2** (*obstacle*) obstáculo

obtain [əb'teɪn] *vt* obter, conseguir, alcançar

obtrusive [əb'truːsɪv] *adj* **1** (*intrusive*) intruso, inoportuno **2** (*conspicuous*) conspícuo, notável

obtuse [əb'tjuːs] *adj* **1** MATH obtuso (*ângulo*) **2** (*stupid*) estúpido

obvious ['ɒbvɪəs] *adj* óbvio, evidente

obviously ['ɒbvɪəslɪ] *adv* obviamente, evidentemente

occasion [ə'keɪʒən] *n* **1** (*moment*) ocasião, oportunidade, ensejo **2** (*reason*) motivo
▸ *vt* ocasionar, causar, originar
• **on one occasion** uma vez, em uma ocasião
• **on the occasion of** por ocasião de: ***there was a conference on the occasion of the poet's 100th birthday*** houve uma conferência por ocasião do aniversário de 100 anos do poeta

occasional [ə'keɪʒənəl] *adj* ocasional, eventual, esporádico: ***he suffers from occasional asthma attacks*** ele sofre de crises ocasionais de asma

occasionally [ə'keɪʒənəlɪ] *adv* de vez em quando, ocasionalmente

occult ['ɒkʌlt] *adj* oculto, secreto
• **the occult** as ciências ocultas

occupant ['ɒkjʊpənt] *n* **1** (*incumbent*) ocupante **2** (*resident*) morador, inquilino

occupation [ɒkjʊ'peɪʃən] *n* **1** (*conquest*) ocupação, posse **2** (*job*) emprego, serviço, trabalho

occupier ['ɒkjʊpaɪəʳ] *n* → **occupant**

occupy ['ɒkjʊpaɪ] *vt* (*pt & pp* **-ied**) ocupar, tomar posse de
• **to occupy oneself (in doing something)** entreter-se (*fazendo algo*)

occur [ə'kɜːʳ] *vi* (*pt & pp* **occurred**) **1** (*happen*) ocorrer, suceder **2** ocorrer, vir à memória: ***nothing occurs to me*** não me ocorre nada

occurrence [ə'kʌrəns] *n* **1** ocorrência, acontecimento: ***a common occurrence*** um acontecimento frequente **2** (*existence*) existência, aquilo que sucede

ocean ['əʊʃən] *n* oceano

Oceania [əʊʃɪ'ɑːnɪə] *n* Oceania

oceanic [əʊʃɪ'ænɪk] *adj* oceânico

ochre ['əʊkəʳ] (US **ocher**) *adj* ocre
▸ *n* ocre

o'clock [ə'klɒk] *adv*: ***it's one o'clock*** é uma hora; ***it's two o'clock*** são duas horas

octave ['ɒktɪv] *n* MUS oitava

October [ɒk'təʊbəʳ] *n* outubro

octopus ['ɒktəpəs] *n* (*pl* **octopuses**) ZOOL polvo

odd [ɒd] *adj* **1** (*strange*) estranho, raro **2** (*not divisible by two*) ímpar **3** pouco, tanto: ***thirty odd*** trinta e poucos, trinta e tantos **4** (*additional*) excedente **5** (*mismatched*) desirmanado, sem-par, avulso: ***an odd sock*** uma meia sem seu par **6** (*occasional*) ocasional, esporádico, de vez em quando: ***he has the odd cigar*** ele fuma um charuto de vez em quando

• **the odd one out** o diferente, a exceção

oddity ['ɒdɪtɪ] *n* (*pl* **-ies**) esquisitice, excentricidade

odds [ɒdz] *npl* probabilidade, possibilidade, provável: ***the odds are that...*** o mais provável é que...

• **it makes no odds** dá no mesmo, não faz a menor diferença

• **to be at odds with somebody** estar em desacordo com alguém

• **to fight against the odds** lutar contra as probabilidades em contrário

▪ **odds and ends** miscelânea, bugigangas

odontology [ɒdɒn'tɒlədʒɪ] *n* odontologia

odour ['əʊdəʳ] (US **odor**) *n* odor, cheiro, aroma

oesophagus [iː'sɒfəgəs] (US **esophagus**) *n* (*pl* **oesophagi**) ANAT esôfago

of [ɒv, unstressed əv] *prep* de: ***the wings of a plane*** as asas de um avião; ***a friend of Pauline's*** uma amiga da Pauline

• **there are four of us** somos quatro

off [ɒf] *prep* **1** de: ***it fell off the wall*** caiu da parede **2** perto: ***off the coast*** perto da costa **3** de desconto: ***there's 15% off the price*** há um desconto de 15%

▸ *adv* **1** para longe, afastando-se: ***he ran off*** ele afastou-se correndo **2** de folga: ***two days off*** dois dias de folga

▸ *adj* **1** (*not operating*) apagado, desligado **2** (*cancelled*) suspenso **3** de folga **4** (*food*) estragado: ***I think the milk's off*** acho que o leite está estragado

• **to be off work** estar de folga

• **to be off one's food** estar sem apetite

• **to be off something** enjoar, cansar de algo: ***I'm off coffee*** enjoei de café

• **there's something off** estar faltando algo: ***there's a button off your coat*** está faltando um botão no seu casaco

off-colour ['ɒfkʌləʳ] (US **off-color**) *adj* **1** ofensivo: ***off-colour jokes*** piadas ofensivas **2** indisposto: ***I'm a little off-colour today*** estou um pouco indisposto hoje

offence [ə'fens] *n* **1** (*affront*) ofensa, afronta, insulto **2** (*crime*) infração, delito

• **to take offence** ofender-se

offend [ə'fend] *vt* ofender

offender [ə'fendəʳ] *n* ofensor-ra, transgressor

offensive [ə'fensɪv] *adj* ofensivo, agressivo

▸ *n* ofensiva, ataque

offer ['ɒfəʳ] *n* oferta, dádiva, oferecimento, proposta

▸ *vt* oferecer

• **on offer** em oferta

• **to offer to...** oferecer-se para... ***I offered to give Jack a lift*** ofereci-me para dar uma carona ao Jack

offering ['ɒfərɪŋ] *n* **1** (*thing offered*) oferecimento **2** (*sacrifice*) oferenda **3** (*contribution*) contribuição

offhand [ɒfː'hænd] *adv* de imediato: ***I can't give you the exact numbers offhand*** não posso dar-lhe os números exatos de imediato

▸ *adj* brusco, rude: ***he sounded offhand*** ele pareceu brusco

office ['ɒfɪs] *n* **1** (*workplace*) escritório, gabinete **2** (*post*) cargo público

• **in office** estar no poder, exercer um cargo

• **to take office** tomar posse, entrar em exercício

▪ **office hours** horário comercial

▪ **office worker** auxiliar de escritório

officer ['ɒfɪsəʳ] *n* **1** (*authority in the armed services*) oficial, comandante **2** (*public servant*) funcionário público **3** (*police officer*) policial

official [ə'fɪʃəl] *adj* oficial

▸ *n* funcionário público

officially [ə'fɪʃəlɪ] *adv* oficialmente

off-key [ɒf'ki:] *adj* dissonante, desafinado

off-licence ['ɒflaɪsəns] *n* GB loja de bebidas alcoólicas

off-line ['ɒf'laɪn] *adj inform* desconectado

off-peak ['ɒfpi:k] *adj* **1** (*travels*) na baixa temporada **2** (*means of transportation*) fora do horário mais concorrido, com tarifa reduzida **3** (*TV*) fora do horário nobre

offset [ɒf'set] *vt* (*pt & pp* **offset**) **1** (*compensate for*) compensar **2** (*print*) imprimir em *offset*

offshoot ['ɒfʃu:t] *n* (*of plant, tree*) ramo, galho

offside [ɒf'saɪd] *adj-adv* SPORT impedido, em posição de impedimento

offspring ['ɔ:fsprɪŋ] *n* (*pl* **offspring**) **1** (*progeny*) descendência, prole **2** (*product*) fruto, produto, resultado

often ['ɒfən] *adv* muitas vezes, frequentemente

• **every so often** de vez em quando

• **how often...?** com que frequência...?

• **more often than not** a maioria das vezes

oh [əʊ] *interj* oh!

oil [ɔɪl] *n* **1** (*fatty liquid*) óleo **2** (*petroleum*) petróleo **3** (*olive oil*) azeite **4** (*painting*) pintura a óleo

▸ *vt* azeitar, lubrificar, untar

▪ **oil industry** indústria petrolífera

▪ **oil paint** tinta a óleo

▪ **oil rig** plataforma petrolífera

▪ **oil slick** mancha, vazamento de petróleo

▪ **oil tanker** navio petroleiro

▪ **oil well** poço petrolífero

oilcan ['ɔɪlkæn] *n* almotolia

oilcloth ['ɔɪlklɒθ] *n* oleado, encerado

oilfield ['ɔɪlfi:ld] *n* campo petrolífero

oily ['ɔɪlɪ] *adj* (**-ier**, **-iest**) **1** (*fatty*) oleoso, gorduroso **2** (*oleaginous*) oleaginoso **3** (*slimy*) escorregadio

ointment ['ɔɪntmənt] *n* unguento, pomada

okay [əʊ'keɪ] O.K. *interj* o.k.! **1** certo!, correto!, aprovado!, de acordo!

▸ *adj-adv* **1** bom: ***the film was okay*** o filme foi bom **2** sim, de acordo: ***do you want a cup of tea? – ok*** você quer uma xícara de chá? – sim

▸ *n* aprovação, permissão para continuar

▸ *vt* aprovar, sancionar: ***have they okayed the project?*** o projeto foi aprovado?

old [əʊld] *adj* **1** (*decaying*) velho **2** (*elderly*) idoso **3** (*antique*) antigo

• **how old are you?** quantos anos você tem?

• **to be... years old** ter... anos: ***I'm twenty years old*** tenho vinte anos de idade

▪ **old age** velhice

▪ **old boy** ex-aluno de escola ou universidade de prestígio

▪ **old girl** ex-aluna de escola ou universidade de prestígio

▪ **old maid** solteirona

▪ **old people's home** asilo de velhos

▪ **Old Testament** Antigo Testamento

old-fashioned [əʊld'fæʃənd] *adj* antiquado

olive ['ɒlɪv] *n* **1** (*fruit*) azeitona, oliva **2** (*tree*) oliveira **3** (*colour*) cor de azeitona

▪ **olive oil** azeite de oliva

▪ **olive tree** oliveira

Olympiad [ə'lɪmpɪæd] *n* Olimpíada

olympic [ə'lɪmpɪk] *adj* olímpico

▪ **Olympic Games** Jogos Olímpicos

omelette ['ɒmlət] *n* US omelete

omen ['əʊmən] *n* agouro, presságio

ominous ['ɒmɪnəs] *adj* ominoso, agourento

omission [əʊ'mɪʃən] *n* **1** (*exclusion*) omissão **2** (*lack*) falta, lacuna

omit [əʊ'mɪt] *vt* (*pt & pp* **omitted**, *ger* **omitting**) **1** (*leave out*) omitir, preterir **2** (*neglect*) negligenciar, desprezar **3** (*forget*) esquecer

omnibus ['ɒmnɪbəs] *n* (*pl* **omnibuses**) **1** (*bus*) ônibus **2** (*books*) antologia

▪ **omnibus edition** programa especial com dois ou mais episódios de uma série

omnipotent [ɒm'nɪpətənt] *adj* onipotente

on [ɒn] *prep* **1** (*means of traveling*) em: ***there were a lot of people on the train*** havia muitas pessoas no trem **2** sobre,

em cima de, em: ***on the floor*** no chão; ***on the table*** sobre a mesa **3** sobre: ***a talk on birds*** uma palestra sobre as aves **4** (*days*) em: ***on my birthday*** no dia do meu aniversário; ***on Sunday*** no domingo; ***on Sundays*** aos domingos **5** a: ***he's on the phone*** ele está ao telefone
▸ *adv* **1** (*operating*) conectado, aceso **2** (*open*) aberto **3** *adj* de pé: ***the match is on, rain or shine*** a partida está de pé, chova ou faça sol **4** em cartaz: ***what movies are on at the multiplex?*** que filmes estão em cartaz no multiplex? **5** continuar: ***the policeman told him to stop, but he drove on*** o policial disse para ele parar, mas ele continuou a dirigir
• **and so on** e assim por diante
• **it's on the house** a casa paga a despesa
• **on and off** de vez em quando
• **on and on** sem parar: ***he talked on and on*** ele falava sem parar
• **to get on** subir em meio de transporte: ***he got on the bus*** ele subiu no ônibus
• **to have something on** vestir, usar algo: ***what dress did she have on?*** que vestido ela usava?

On seguido de um gerúndio se traduz para o português por *ao* mais infinitivo: ***on arriving, she phoned her mother*** ao chegar, ela chamou sua mãe.

once [wʌns] *adv* **1** uma vez: ***once a week*** uma vez por semana **2** (*formerly*) antes, anteriormente, outrora
▸ *conj* uma vez que, quando
• **all at once 1** (*suddenly*) subitamente **2** (*simultaneously*) simultaneamente
• **at once 1** (*immediately*) imediatamente **2** (*at the same time*) ao mesmo tempo **3** (*straight away*) de uma vez
• **once and for all** de uma vez por todas
• **once more** uma vez mais
• **once upon a time** era uma vez

once-over [wʌns'əʊvəʳ] *n infml* verificação final
• **to give something the once-over** fazer uma verificação final em algo

oncoming ['ɒnkʌmɪŋ] *adj* **1** (*approaching*) que vem de frente **2** (*forthcoming*) próximo, imediato

one [wʌn] *adj* **1** (*single*) um **2** único: ***it's my one chance*** é minha única oportunidade
▸ *num* um
▸ *pron* um: ***a red one*** um vermelho; ***one has to be careful*** tem-se de ser cuidadoso; ***the one who*** o que, aquele que; ***this one*** este; ***the blue one*** o azul
• **one another** um ao outro, uns aos outros, mutuamente

one-armed ['wʌnɑ:md] *adj* de um só braço
▪ **one-armed bandit** máquina caça-níqueis

one-eyed ['wʌnaɪd] *adj* cego de um olho

one-off ['wʌnɒf] *adj infml* único, exclusivo

onerous ['ɒnərəs] *adj* oneroso

oneself [wʌn'self] *pron* se, a si mesmo: ***to enjoy oneself*** divertir-se
• **by oneself** sozinho, só

one-sided ['wʌnsaɪdɪd] *adj* **1** (*biased*) unilateral **2** (*unjust*) desigual **3** (*partial*) parcial

one-time ['wʌntaɪm] *adj* antigo, do passado

one-way ['wʌnweɪ] *adj* **1** (*street*) de sentido único, de mão única **2** (*ticket*) de ida

ongoing ['ɒngəʊɪŋ] *adj* contínuo

onion ['ʌnɪən] *n* cebola

on-line ['ɒn'laɪn] *adj* COMPUT conectado, *on-line*

onlooker ['ɒnlʊkəʳ] *n* espectador, assistente

only ['əʊnlɪ] *adj* único
▸ *adv* só, somente, unicamente
▸ *conj* mas: ***I would go, only I'm too tired*** eu iria, mas estou muito cansado
• **if only** quem me dera, oxalá
• **only just** quase não, por (*muito*) pouco: ***I only just caught the bus*** peguei o ônibus por (*muito*) pouco; quase não consegui pegar o ônibus

Only just com o presente perfeito se traduz por *acabar de* mais *infinitivo*: ***I've only just got home*** acabo de chegar em casa.

onrush ['ɒnrʌʃ] *n* (*pl* **-es**) arremetida, investida, ataque

onset ['ɒnset] *n* **1** (*beginning*) começo, acesso **2** (*atack*) ataque, assalto

onslaught ['ɒnslɔːt] *n* ataque violento

onto ['ɒntʊ] *prep* **1** sobre: ***the cat jumped onto the table*** o gato pulou sobre a mesa **2** seguindo a pista: ***the police are onto the thieves*** a polícia está seguindo a pista dos ladrões

onus ['əʊnəs] *n* (*pl* **onuses**) responsabilidade, carga, peso, ônus

onwards ['ɒnwədz] *adv* **1** adiante, para a frente: ***the soldiers marched onwards*** os soldados marcharam para a frente **2** a partir de: ***from May onwards*** a partir de maio

• **from now onwards** de agora em diante

onyx ['ɒnɪks] *n* (*pl* **onyxes**) ônix

oops [uːps] *interj* (*indica surpresa ou desapontamento diante de um erro*) opa!: ***oops! I've typed 5 instead of 6!*** opa! Digitei 5 em vez de 6!

ooze[1] [uːz] *n* limo, lodo

ooze[2] [uːz] *vi* escorrer lentamente: ***blood oozed out of the wound*** sangue escorria da ferida

▸ *vt* exsudar, desprender: ***the wound oozed pus*** a ferida exsudava pus

opal ['əʊpəl] *n* GEOL opala

opaque [əʊ'peɪk] *adj* opaco, fosco

OPEC ['əʊpek] *abbr* (***Organization of Petroleum Exporting Countries***) Organização dos Países Exportadores de Petróleo, *(abbreviation)* OPEP

open ['əʊpən] *adj* aberto

▸ *vt-vi* abrir-se

• **in the open air** ao ar livre

■ **open season** temporada de caça e pesca

open-air ['əʊpəneəʳ] *adj* ao ar livre

opener ['əʊpənəʳ] *n* abridor

opening ['əʊpənɪŋ] *n* **1** (*beginning*) começo **2** (*hole*) abertura, brecha, fenda **3** (*opportunity*) oportunidade **4** (*vacancy*) vaga

■ **opening hours** horário de funcionamento

■ **opening night** noite de estreia

openly ['əʊpənlɪ] *adv* abertamente, publicamente

open-minded [əʊpən'maɪndɪd] *adj* **1** (*unbiased*) compreensivo **2** (*receptive*) receptivo

opera ['ɒpərə] *n* ópera

■ **opera house** teatro lírico

operate ['ɒpəreɪt] *vt* **1** (*cause to work*) funcionar, acionar **2** (*direct*) dirigir

▸ *vi* **1** (*machine, system*) funcionar **2** (*patient*) operar: ***they're operating on him tomorrow*** vão operá-lo amanhã

■ **operating theatre** sala de cirurgia

operation [ɒpə'reɪʃən] *n* **1** operação: ***a military operation*** uma operação militar **2** (*machine*) funcionamento **3** MED operação, intervenção cirúrgica

operational [ɒpə'reɪʃənəl] *adj* **1** (*related to an operation*) operacional **2** (*working*) em funcionamento

operative ['ɒpərətɪv] *adj* operante, em vigor

▸ *n* operador

• **the operative word** a palavra-chave

operator ['ɒpəreɪtəʳ] *n* **1** (*worker*) operador **2** (*telephonist*) telefonista **3** agência: ***tour operator*** agência de viagens

opinion [ə'pɪnɪən] *n* opinião

• **in my opinion** na minha opinião

• **to have a high opinion of somebody** ter uma boa opinião de alguém

• **to have a low opinion of somebody** fazer mau juízo de alguém

opinionated [ə'pɪnɪəneɪtɪd] *adj* dogmático

opium ['əʊpɪəm] *n* ópio

opponent [ə'pəʊnənt] *n* oponente, antagonista

opportune ['ɒpətjuːn] *adj* oportuno, propício

opportunity [ɒpə'tjuːnɪtɪ] *n* (*pl* **-ies**) oportunidade

• **to take the opportunity to do something** aproveitar a oportunidade para fazer algo

oppose [ə'pəʊz] *vt* opor-se a

opposed [ə'pəʊzd] *adj* oposto, contrário, antagônico

• **as opposed to** em vez de, no lugar de

• **to be opposed to...** opor-se a...

opposing [ə'pəʊzɪŋ] *adj* contrário

opposite ['ɒpəzɪt] *adj* **1** em frente: ***the house opposite a casa em frente*** **2** oposto, contrário: ***in opposite direction*** em direção oposta
▸ *prep* em frente de, defronte
▸ *adv* defronte
▸ *n* oposto, contrário
▪ **opposite sex** sexo oposto

opposition [ɒpə'zɪʃən] *n* oposição

oppress [ə'pres] *vt* oprimir, tiranizar

oppression [ə'preʃən] *n* opressão

oppressor [ə'presəʳ] *n* opressor, tirano, déspota

opt [ɒpt] *vi* optar

optical ['ɒptɪkəl] *adj* ótico
▪ **optical fibre** fibra ótica
▪ **optical illusion** ilusão de ótica

optician [ɒp'tɪʃən] *n* oculista
• **optician's** (*shop that sells optical instruments*) ótica

optimism ['ɒptɪmɪzəm] *n* otimismo

optimist ['ɒptɪmɪst] *n* otimista

optimistic [ɒptɪ'mɪstɪk] *adj* otimista

optimize ['ɒptɪmaɪz] *vt* otimizar

optimum ['ɒptɪməm] *adj* ótimo
▸ *n* condição mais favorável

option ['ɒpʃən] *n* opção

optional ['ɒpʃənəl] *adj* opcional, optativo

opulence ['ɒpjʊləns] *n* opulência

opulent ['ɒpjʊlənt] *adj* opulento

or [ɔːʳ] *conj* **1** ou: ***would you like meat or fish?*** você quer carne ou peixe? **2** nem: ***he doesn't smoke or drink*** ele não fuma nem bebe
• **or else** senão: ***we must hurry up, or else we'll be late for the show*** precisamos nos apressar, senão vamos chegar atrasados para o *show*

oracle ['ɒrəkəl] *n* oráculo

oral ['ɔːrəl] *adj* oral
▸ *n* exame oral

orange ['ɒrɪndʒ] *n* **1** (*fruit*) laranja **2** (*colour*) laranja
▸ *adj* laranja, de color laranja
▪ **orange blossom** flor de laranjeira
▪ **orange tree** laranjeira

orangutan [ɔːræŋuː'tæn] *n* orangotango

orator ['ɒrətəʳ] *n* orador

oratory¹ ['ɒrətərɪ] *n* (*pl* **-ies**) oratória

oratory² ['ɒrətərɪ] *n* (*pl* **-ies**) oratório, lugar de oração, capela

orb [ɔːb] *n* orbe, mundo, esfera, globo

orbit ['ɔːbɪt] *n* órbita
▸ *vt* orbitar, descrever uma órbita

orchard ['ɔːtʃəd] *n* pomar

orchestra ['ɔːkɪstrə] *n* orquestra
▪ **orchestra pit** poço de orquestra

orchestral [ɔː'kestrəl] *adj* orquestral

orchid ['ɔːkɪd] *n* orquídea

ordain [ɔː'deɪn] *vt* **1** (*appoint*) ordenar, conferir o sacramento da ordem a **2** (*order*) determinar

ordeal [ɔː'diːl] *n fig* provação, sofrimento

order ['ɔːdəʳ] *n* **1** ordem: ***to give an order*** dar uma ordem **2** (*requisition*) pedido, encomenda **3** (*religious society*) ordem
▸ *vt* **1** (*command*) ordenar, mandar **2** (*arrange*) dispor **3** (*request*) pedir
• **in order** em ordem: ***in alphabetical order*** em ordem alfabética **2** (*neat*) bem, ordenado, arrumado
• **in order to** para, a fim de
• **"Out of order"** "Enguiçado"
▪ **order form** formulário de pedido

orderly ['ɔːdəlɪ] *adj* **1** (*methodical*) ordenado, metódico **2** (*disciplined*) disciplinado
▸ *n* (*pl* **-ies**) **1** (*male hospital attentant*) assistente hospitalar **2** (*soldier*) ordenança

ordinal ['ɔːdɪnəl] *adj* ordinal
▸ *n* ordinal

ordinance ['ɔːdɪnəns] *n fml* (*official rule*) portaria

ordinary ['ɔːdɪnərɪ] *adj* normal, corrente
• **out of the ordinary** fora do comum

Ordinary não tem a matiz depreciativa de *ordinário* em português.

ordination [ɔːdɪ'neɪʃən] *n* ordenação

ore [ɔːʳ] *n* minério

oregano [ɒrɪ'gɑːnəʊ] *n* BOT orégano

organ ['ɔːgən] *n* órgão

organic [ɔː'gænɪk] *adj* orgânico

organism ['ɔːgənɪzəm] *n* organismo

organist ['ɔːgənɪst] *n* organista

organization [ɔ:gənaɪ'zeɪʃən] *n* organização
■ **organization chart** organograma

organize ['ɔ:gənaɪz] *vt-vi* **1** (*plan*) organizar, dispor, formar **2** (*coordinate*) coordenar, administrar

orgasm ['ɔ:gæzəm] *n* orgasmo

orgy ['ɔ:dʒɪ] *n* (*pl* **-ies**) orgia

Orient ['ɔ:rɪənt] *n* Oriente

oriental [ɔ:rɪ'entəl] *adj* oriental
▸ *n* oriental

O termo **oriental** é considerado racista.

orientate ['ɔ:rɪənteɪt] *vt* orientar

orientation [ɔ:rɪen'teɪʃən] *n* orientação

orifice ['ɒrɪfɪs] *n* orifício

origin ['ɒrɪdʒɪn] *n* origem

original [ə'rɪdʒɪnəl] *adj* **1** (*initial*) original, primitivo, inicial **2** primeiro: ***the original owner*** o primeiro proprietário
▸ *n* original
• **in the original** no original

originality [ərɪdʒɪ'nælɪtɪ] *n* originalidade

originally [ə'rɪdʒɪnəlɪ] *adv* originariamente, primitivamente

originate [ə'rɪdʒɪneɪt] *vt* originar, dar origem a, causar
▸ *vi* ter sua origem

ornament ['ɔ:nəmənt] *n* ornamento, adorno

ornamental [ɔ:nə'mentəl] *adj* ornamental, decorativo

ornate [ɔ:'neɪt] *adj* ornado, adornado

ornithology [ɔ:nɪ'θɒlədʒɪ] *n* ornitologia

orphan ['ɔ:fən] *n* órfão
• **to be orphaned** ficar órfão

orphanage ['ɔ:fənɪdʒ] *n* orfanato

orthodox ['ɔ:θədɒks] *adj* ortodoxo

orthodoxy ['ɔ:θədɒksɪ] *n* ortodoxia

orthography [ɔ:'θɒgrəfɪ] *n* ortografia

orthopaedic [ɔ:θəʊ'pi:dɪk] *adj* ortopédico

oscillate ['ɒsɪleɪt] *vi* oscilar

ostensible [ɒ'stensɪbəl] *adj* ostensivo

ostensibly [ɒ'stensɪblɪ] *adv* aparentemente

ostentation [ɒsten'teɪʃən] *n* ostentação

ostentatious [ɒsten'teɪʃəs] *adj* ostentoso

ostracize ['ɒstrəsaɪz] *vt* condenar ao ostracismo, banir

ostrich ['ɒstrɪtʃ] *n* (*pl* **-es**) ZOOL avestruz

other ['ʌðə^r] *adj-pron* outro
• **every other day** em dias alternados
• **other than** a não ser, exceto
• **the others** os demais

otherwise ['ʌðəwaɪz] *adv* **1** (*differently*) de outra forma, de outra maneira **2** por outro lado, exceto: ***my leg hurts, but otherwise I'm fine*** minha perna dói mas, exceto isso, estou bem
▸ *conj* senão, caso contrário: ***take the umbrella, otherwise you'll get wet*** leve o guarda-chuva, caso contrário você vai se molhar

otter ['ɒtə^r] *n* ZOOL lontra

ouch [aʊtʃ] *interj* ai!

ought [ɔ:t] *aux* **1** (*used to express obligation, advisability*) dever, ter obrigação de: ***I ought to write to thank her*** eu deveria escrever para agradecer a ela **2** (*used to express natural expectation or logical consequence*) dever, ser bastante provável: ***you ought to get the job*** você deve conseguir o emprego

ounce [aʊns] *n* (*unit of weight*) onça

Equivale a 28,35 g.

our ['aʊə^r] *adj* nosso, nossos

ours ['aʊəz] *pron* (o) nosso, (a) nossa, (os) nossos, (as) nossas: ***a friend of ours*** um amigo nosso; ***their car hit ours*** o carro deles bateu no nosso

ourselves [aʊə'selvz] *pron* **1** nos, nós mesmos: ***we bought ourselves sweets*** compramos balas para nós mesmos **2** nos, nós mesmos: ***we did it ourselves*** nós mesmos fizemos isso
• **by ourselves** sozinhos, sem ajuda: ***we painted the room by ourselves*** pintamos o cômodo sozinhos/sem ajuda

oust [aʊst] *vt* desalojar, despejar

out [aʊt] *adv* **1** fora, para fora: ***he ran out*** ele saiu correndo **2** fora, ausente: ***he's out at the moment*** ele está ausente neste momento **3** ter erro, estar errado, equivocado: ***my calculation was out by £50*** meu cálculo tinha um erro de 50 libras **4** fora da moda: ***white socks are out*** meias brancas estão fora da moda **5** (*no longer awake*) desacordado **6** (*on strike*) em greve **7** (*fire or light*) apagado **8** (*player*) fora, eliminado **9** publicado: ***the band has a new CD out*** a banda acaba de lançar um novo CD **10** despedido: ***the boss said he was out*** o chefe disse que ele estava despedido

▸ *prep* **out of** **1** fora de: ***he was out of the country*** ele estava fora do país **2** de: ***made out of wood*** feito de madeira **3** de: ***out of a tin*** de uma lata **4** por: ***out of spite*** por despeito **5** sem: ***we're out of tea*** estamos sem chá **6** em: ***five out of ten in French*** cinco em dez em francês **7** em cada: ***eight women out of ten*** oito em cada dez mulheres

• **out of date** **1** (*old-fashioned*) antiquado **2** (*obsolete*) desatualizado

• **out of doors** ao ar livre

• **out of favour** em desgraça, desvalido

• **out of print** esgotado

• **out of sorts** indisposto

• **out of this world** extraordinário

• **out of work** desempregado

• **out to win** decidido a vencer

• **out of question** fora de questão, impossível, impraticável

• **to be out of one's mind** estar louco, estar fora de si

• **to let somebody out** deixar alguém sair/fugir: ***don't let the baby out*** não deixe o bebê fugir/sair

• **to take something out** tirar algo: ***she took her purse out*** ela tirou a carteira da bolsa

• **to go out** sair: ***my father is in, but my mother has gone out*** meu pai está em casa, mas minha mãe saiu

Quando **out** acompanha um verbo, modifica seu significado: ***don't let the baby out*** não deixe o bebê fugir/sair; ***she took her purse out*** ela tirou a carteira da bolsa; ***my father is in, but my mother has gone out*** meu pai está em casa, mas minha mãe saiu.

outboard ['aʊtbɔːd] *adj* na parte externa posterior de um barco: ***an outboard*** um motor externo

outbreak ['aʊtbreɪk] *n* **1** (*eruption*) deflagração **2** (*start*) começo **3** (*epidemic*) surto

outbuilding ['aʊtbɪldɪŋ] *n* anexo, dependência

outburst ['aʊtbɜːst] *n* explosão, irrupção

outcast ['aʊtkɑːst] *n* proscrito, desterrado

outcome ['aʊtkʌm] *n* resultado

outcry ['aʊtkraɪ] *n* (*pl* **-ies**) **1** (*protest*) clamor, protesto **2** (*shout*) grito, berro

outdated [aʊt'deɪtɪd] *adj* antiquado, obsoleto

outdo [aʊt'duː] *vt* (*pt* **outdid** [aʊt'dɪd], *pp* **outdone** [aʊt'dʌn]) exceder, superar, sobrepujar, ultrapassar

• **not to be outdone** para não ficar por baixo: ***Jake bought a smashing sports car, so, not to be outdone, I decided to buy a luxury model*** Jake comprou um carro esporte maravilhoso; eu, então, para não ficar por baixo, decidi comprar um modelo de luxo

outdoor [aʊt'dɔːʳ] *adj* ao ar livre, externo: ***an outdoor activity*** uma atividade externa, ao ar livre

▸ *adv* **outdoors** fora de casa, ao ar livre: ***let's play outdoors*** vamos brincar fora de casa

outer ['aʊtəʳ] *adj* exterior, externo

▪ **outer space** espaço cósmico

outfit ['aʊtfɪt] *n* **1** (*costume*) roupa, traje **2** (*equipment*) equipamento, aparelhamento

outgoing [aʊt'gəʊɪŋ] *adj* **1** de partida, que deixa o poder/cargo: ***the outgoing director*** o diretor que vai deixar o cargo **2** (*extrovert*) sociável, extrovertido

▸ *npl* **outgoings** gastos, despesas

outgrow [aʊt'grəʊ] *vt* (*pt* **outgrew** [aʊt'gruː], *pp* **outgrown** [aʊt'grəʊn]) crescer a ponto de as roupas e sapatos não caberem mais: ***he's outgrown his shoes*** ele cresceu tanto que os sapatos não cabem mais

outing ['aʊtɪŋ] *n* passeio, excursão: ***to go on an outing*** fazer um passeio

outlandish [aʊt'lændɪʃ] *adj* estranho, bizarro, grotesco

outlaw ['aʊtlɔː] *n* fora de lei, proscrito

▸ *vt* proscrever, declarar ilegal

outlay ['aʊtleɪ] *n* desembolso, gasto

outlet ['aʊtlet] *n* **1** (*way out*) saída **2** (*marketplace*) ponto de revenda

outline ['aʊtlaɪn] *n* **1** (*profile*) contorno, perfil **2** (*sketch*) esboço
▸ *vt* **1** (*delineate*) delinear **2** (*sketch*) resumir, esboçar

outlive [aʊt'lɪv] *vt* sobreviver a

outlook ['aʊtlʊk] *n* **1** (*perspective*) perspectiva **2** (*point of view*) ponto de vista **3** (*prospects*) probabilidade

outlying ['aʊtlaɪɪŋ] *adj* **1** (*distant*) afastado, remoto **2** (*outer*) exterior, externo

outnumber [aʊt'nʌmbəʳ] *vt* exceder em número, ser mais que

outpatient ['aʊtpeɪʃənt] *n* paciente de ambulatório

outpost ['aʊtpəʊst] *n* posto avançado

output ['aʊtpʊt] *n* **1** (*production*) produção, rendimento **2** COMPUT saída

outrage ['aʊtreɪdʒ] *n* **1** (*offend*) ultraje, afronta **2** (*abuse*) excesso, abuso
▸ *vt* ultrajar, insultar, violar

outrageous [aʊt'reɪdʒəs] *adj* **1** (*offensive*) ultrajante, insultuoso **2** (*exorbitant*) excessivo, demasiado

outright [(*adv*) aʊt'raɪt; (*adj*) 'aʊtraɪt] *adv* **1** (*completely*) completamente, inteiramente **2** (*directly*) diretamente, francamente **3** (*immediately*) imediatamente **4** (*without restraint*) sincero, franco
▸ *adj* **1** (*complete*) completo, total **2** (*unequivocal*) claro, sem dúvida

outset ['aʊtset] *n* princípio, início
• **at the outset** no princípio
• **from the outset** desde o início

outside [(*n*) aʊt'saɪd; (*prep*) 'aʊtsaɪd] *n* exterior, parte exterior: ***from the outside*** de fora
▸ *prep* fora de: ***please stay outside the room*** por favor, fique fora do aposento
▸ *adv* fora, para fora: ***to go outside*** ir para fora, sair
▸ *adj* exterior, externo: ***an outside toilet*** um banheiro externo
• **at the outside** no máximo: ***the whole process will take five hours at the outside*** o processo inteiro levará cinco horas no máximo

outsider [aʊt'saɪdəʳ] *n* estranho, intruso

outskirts ['aʊtskɜːts] *npl* cercanias, arrabaldes

outspoken [aʊt'spəʊkən] *adj* sincero, franco: ***to be outspoken*** não ter papas na língua

outstanding [aʊt'stændɪŋ] *adj* **1** (*excellent*) extraordinário, importante **2** (*pendind, unpaid*) pendente, a receber

outstretched [aʊt'stretʃt] *adj* esticado

outstrip [aʊt'strɪp] *vt* ultrapassar, superar: ***the demand outstrips supply*** a procura supera a oferta

outward ['aʊtwəd] *adj* **1** (*external*) exterior, externo **2** (*voyage*) de ida
▸ *adv* **outward ou outwards** para fora

outweigh [aʊt'weɪ] *vt* exceder em peso ou valor, ter mais peso: ***the advantages of living in the country outweigh the drawbacks*** as vantagens de morar no interior têm mais peso que os problemas

outwit [aʊt'wɪt] *vt* (*pt & pp* **outwitted**, *ger* **outwitting**) exceder em esperteza, levar a melhor: ***in this tale, the tortoise outwits the hare*** neste conto, o cágado é mais esperto que a lebre

oval ['əʊvəl] *adj* oval
▸ *n* oval, objeto de forma oval

ovary ['əʊvərɪ] *n* (*pl* **-ies**) ovário

ovation [əʊ'veɪʃən] *n* ovação

oven ['ʌvən] *n* forno

over ['əʊvəʳ] *adv* **1** para cá/lá: ***come over here*** vem para cá; ***over there*** lá adiante **2** para a minha casa: ***come over for supper sometime*** venha à minha casa para jantar um dia desses **3** mais: ***children of twelve and over*** crianças de doze anos ou mais **4** de novo: ***we had to start all over again*** tivemos que começar tudo de novo; ***over and over again*** repetidas vezes
▸ *adj* terminado, acabado: ***the class is over*** a aula está terminada
▸ *prep* **1** em cima de, por cima de: ***there's a sign over the door*** há um aviso em cima da porta; ***he jumped over the fence*** ele pulou por cima da cerca **2** sobre, em cima de, por cima de: ***she wore a red shawl over the dress*** ela usava um chale vermelho por cima do vestido; ***he put his hand over his mouth*** ele botou a mão sobre a boca **3** mais de:

there were over a hundred havia mais de cem **4** do outro lado de: ***they live over the road*** eles moram do outro lado da rua, eles moram em frente **5** durante: ***over the holidays*** durante as férias **6** termino: ***are you over your illness yet?*** você já se recuperou de sua doença? **7** ao: ***over the phone*** ao telefone **8** por causa de: ***they had an argument over a woman*** eles discutiram por causa de uma mulher

- **all over** por todas as partes: ***all over the world*** pelo mundo inteiro
- **all over again** de novo, outra vez
- **over and over again** repetidas vezes, vezes sem conta
- **over here** aqui
- **over there** lá adiante
- **to fall over** cair: ***he fell over and broke his leg*** ele caiu e quebrou a perna
- **to knock over** derrubar: ***she knocked the bottle over with her elbow*** ela derrubou a garrafa com o cotovelo
- **to lean over** inclinar-se: ***she leant over and took the money*** ela se inclinou e pegou o dinheiro
- **to cross over** atravessar: ***she crossed over the other side of the road*** ela atravessou para o outro lado da rua
- **to think it over** pensar a respeito: ***I'd like to think it over*** eu gostaria de pensar mais a respeito disso

Over também combina com muitos outros verbos: ***she leant over and took the money*** ela se inclinou e pegou o dinheiro; ***she crossed over the other side of the road*** ela atravessou para o outro lado da rua; ***I knocked the bottle over with my elbow*** derrubei a garrafa com o meu cotovelo; ***he fell over and broke his leg*** ele caiu e quebrou a perna; ***I'd like to think it over*** eu gostaria de pensar mais sobre isso.

overall [(*adj*) 'əʊvərɔːl; (*adv*) əʊvər'ɔːl] *adj* global, total
▸ *adv* **1** (*in general*) em geral, em média **2** (*all over*) totalmente
▸ *npl* **overalls 1** (*protective trousers*) macacão **2** (*protective smock*) jaleco, guarda-pó

overbearing [əʊvə'beərɪŋ] *adj* **1** (*domineering*) dominante, dominador **2** (*arrogant*) arrogante, altivo

overboard ['əʊvəbɔːd] *adv* ao mar
- **to go overboard** *infml* exagerar

overcame [əʊvə'keɪm] *pt* → **overcome**

overcast ['əʊvəkɑːst] *adj* nublado, escuro

overcharge [əʊvə'tʃɑːdʒ] *vt* cobrar demais

overcoat ['əʊvəkəʊt] *n* sobretudo, capote

overcome [əʊvə'kʌm] *vt* (*pt* **overcame**, *pp* **overcome**) **1** vencer, superar: ***to overcome an obstacle*** vencer um obstáculo **2** estar assolado, tomado: ***she was overcome with grief*** ela estava tomada pela dor

overcrowded [əʊvə'kraʊdɪd] *adj* superlotado, apinhado de gente

overdo [əʊvə'duː] *vt* (*pt* **overdid** [əʊvə'dɪd], *pp* **overdone** [əʊvə'dʌn]) **1** (*exagerate*) exagerar **2** (*overcook, burn*) cozinhar demais

overdose ['əʊvədəʊs] *n* dose excessiva

overdraft ['əʊvədrɑːft] *n* saque a descoberto

overdue [əʊvə'djuː] *adj* **1** (*delayed*) atrasado **2** (*unpaid*) vencido e não pago

overestimate [əʊvər'estɪmeɪt] *vt* superestimar

overexposed [əʊvərɪk'spəʊʒd] *adj* exposto demais

overflow [(*n*) 'əʊvəfləʊ; (*v*) əʊvə'fləʊ] *n* inundação, alagamento
▸ *vi* inundar, transbordar

overgrown [əʊvə'grəʊn] *adj* **1** (*covered with plants*) coberto de vegetação **2** (*grown too large*) enorme, excessivamente grande

overhaul [(*n*) 'əʊvəhɔːl; (*v*) əʊvə'hɔːl] *n* revisão, vistoria, inspeção
▸ *vt* revisar, inspecionar

overhead [(*adj*) 'əʊvəhed; (*adv*) əʊvə'hed] *adj* aéreo, situado na parte de cima
▸ *adv* em cima, sobre
▸ *npl* **overheads** despesas gerais
- **overhead projector** retroprojetor

overhear [əʊvə'hɪə^r] *vt* (*pt & pp* **overheard** [əʊvə'hɜːd]) ouvir por acaso

overheat [əʊvə'hiːt] *vi* superaquecer

overjoyed [əʊvə'dʒɔɪd] *adj* cheio de alegria

overland ['əʊvəlænd] *adj-adv* por terra, por via terrestre

overlap [əʊvə'læp] *vi* (*pt & pp* **overlapped**, *ger* **overlapping**) sobrepor

overleaf [əʊvə'li:f] *adv* no verso

overlook [əʊvə'lʊk] *vt* **1** (*have a view of*) contemplar do alto, olhar de cima **2** (*neglect*) omitir, negligenciar **3** (*ignore*) não tomar conhecimento de

overnight [əʊvə'naɪt] *adj* **1** (*lasting the night*) noturno **2** (*during one night*) que dura uma noite

▸ *adv* **1** (*during the night*) durante a noite, à noite **2** (*suddenly*) da noite para o dia

• **to stay overnight** passar a noite

overpower [əʊvə'paʊə^r] *vt* **1** (*subjugate*) dominar, subjugar **2** (*affect*) afetar profundamente

overran [əʊvə'ræn] *pt* → **overrun**

overrate [əʊvə'reɪt] *vt* superestimar

override [əʊvə'raɪd] *vt* (*pt* **overrode** [əʊvə'rəʊd], *pp* **overridden** [əʊvə'rɪdən]) **1** (*overrule*) dominar, superar **2** (*annul*) cancelar, anular

overrule [əʊvə'ru:l] *vt* **1** (*prevail over*) prevalecer **2** (*reverse*) invalidar, desconsiderar, anular, rejeitar

overrun [əʊvə'rʌn] *vt* (*pt* **overran**, *pp* **overrun**, *ger* **overrunning**) invadir

▸ *vi* durar mais do que o previsto: ***the meeting overran by twenty minutes*** a reunião durou mais vinte minutos do que o previsto

overseas [əʊvə'si:z] *adj* ultramarino, transoceânico

▸ *adv* além-mar, no estrangeiro

oversee [əʊvə'si:] *vt* (*pt* **oversaw** [əʊvə'sɔ:], *pp* **overseen** [əʊvə'si:n]) vigiar, supervisar, inspecionar

overseer ['əʊvəsɪə^r] *n* supervisor, inspetor, capataz

overshadow [əʊvə'ʃædəʊ] *vt fig* obscurecer, ofuscar, eclipsar

oversight ['əʊvəsaɪt] *n* omissão

oversleep [əʊvə'sli:p] *vi* (*pt & pp* **overslept** [əʊvə'slept]) dormir demais, passar da hora (*dormindo*)

overstep [əʊvə'step] *vt* exceder, ultrapassar

• **to overstep the mark** passar dos limites, ir longe demais: ***you've overstepped the mark; go to the principal's office right now*** você passou dos limites; vá para o gabinete do diretor agora mesmo

overt ['əʊvɜ:t, əʊ'vɜ:t] *adj* público, manifesto

overtake [əʊvə'teɪk] *vt* (*pt* **overtook** [əʊvə'tʊk], *pp* **overtaken** [əʊvə'teɪkən]) **1** alcançar **2** ultrapassar

overthrow [əʊvə'θrəʊ] *vt* (*pt* **overthrew** [əʊvə'θru:], *pp* **overthrown** [əʊvə'θrəʊn]) derrubar, virar, tombar

overtime ['əʊvətaɪm] *n* serão, trabalho extraordinário

overture ['əʊvətjʊə^r] *n* abertura, prelúdio

overturn [əʊvə'tɜ:n] *vt-vi* derrubar, virar, emborcar

overweight [əʊvə'weɪt] *adj* obeso

• **to be overweight** ter excesso de peso

overwhelm [əʊvə'welm] *vt* **1** (*conquer*) oprimir, subjugar **2** *fig* (*overcome*) ser dominado por

overwhelming [əʊvə'welmɪŋ] *adj* esmagador, irresistível, forte demais

overwork [əʊvə'wɜ:k] *vi* trabalhar demais

▸ *vt* fazer trabalhar demais

overwrought [əʊvə'rɔ:t] *adj* extenuado

ovulation [ɒvjʊ'leɪʃən] *n* ovulação

ovum ['əʊvəm] *n* (*pl* **ova** ['əʊvə]) óvulo

owe [əʊ] *vt* dever

owing ['əʊɪŋ] *adj* devido

• **owing to** devido a

owl [aʊl] *n* coruja, mocho

Owl é o nome geral de várias aves diferentes que se parecem.

own [əʊn] *adj* próprio: ***he has his own car*** ele tem seu próprio carro

▸ *pron*: ***my/your/his own*** o meu/teu/seu: ***a room of my own*** um quarto só para mim

▸ *vt* possuir, ser dono de, ter
• **on one's own** só, sozinho, sem ajuda: ***can you do it on your own?*** você pode fazer isso sozinho?
▪ **to own up** *vi* confessar, admitir

owner ['əʊnəʳ] *n* dono, proprietário, possuidor

ownership ['əʊnəʃɪp] *n* propriedade, posse, domínio

ox [ɒks] *n* (*pl* **oxen** ['ɒksən]) boi

oxide ['ɒksaɪd] *n* CHEM óxido

oxidize ['ɒksɪdaɪz] *vt-vi* oxidar(-se)

oxygen ['ɒksɪdʒən] *n* CHEM oxigênio
▪ **oxygen mask** máscara de oxigênio

oyster ['ɔɪstəʳ] *n* ZOOL ostra

oz [aʊns, 'aʊnsɪz] *abbr* (**ounce**) (*unit of weight*) onça

O plural de **oz** é **oz** ou **ozs**.

ozone ['əʊzəʊn] *n* CHEM ozônio
▪ **ozone layer** camada de ozônio

P

p¹ [piː, 'penɪ, pens] *abbr* GB *infml* (***penny, pence***) (*monetary unit*) pêni

p² [peɪdʒ] *abbr* (***page***) página, p., pág.

p *abbr* (***Parking, car park***) estacionamento

P & P ['piːən'piː] *abbr* GB (***postage and packing***) despesas postais: ***the equipment costs £50 plus P&P*** o equipamento custa 50 libras mais despesas postais

PA¹ ['piː'eɪ] *abbr* (***public address***) equipamento de amplificação de som em lugares públicos

PA² ['piː'eɪ] *abbr* (***personal assistant***) assistente pessoal

pace [peɪs] *n* **1** (*step*) passo **2** (*gait*) marcha, ritmo
• **to keep pace with somebody** seguir o ritmo de alguém
• **to keep pace with something** manter-se a par de algo
• **to pace up and down** andar de um lado para o outro

pacemaker ['peɪsmeɪkəʳ] *n* **1** (*in race*) pessoa ou animal que estabelece a velocidade em uma corrida **2** MED marca-passo **3** (*one that sets an example*) pessoa ou organização bem-sucedida e exemplar

pacific [pə'sɪfɪk] *adj* pacífico

Pacific [pə'sɪfɪk] *adj* do Pacífico
• **the Pacific** (*Ocean*) o Pacífico

pacifist ['pæsɪfɪst] *adj-n* pacifista

pacify ['pæsɪfaɪ] *vt* (*pt & pp* **-ied**) pacificar, apaziguar
▪ **pacifier** chupeta

pack [pæk] *n* **1** (*packet*) pacote **2** (*set of playing cards*) baralho **3** (*gang*) bando, quadrilha **4** (*group of dogs*) matilha **5** (*group of wolves*) alcateia **6** (*of cigarettes*) maço **7** (*bunch*) porção, amontoado, montão
▸ *vt* **1** (*package*) empacotar **2** (*bag suitcase*) fazer **3** (*cram*) atulhar, abarrotar **4** (*compress*) apertar, comprimir
▸ *vi* fazer as malas
▪ **to pack up** *vi* **1** *sl* (*stop*) desistir, parar **2** (*machine*) pifar **3** (*finish work*) reunir pertences ao término de uma tarefa

package ['pækɪdʒ] *n* **1** (*parcel*) pacote **2** (*collection*) conjunto, pacote **3** (*unit of a product wrapped*) unidade em uma produção
▸ *vt* empacotar, acondicionar
▪ **package tour** excursão organizada por agência de turismo, pacote: ***we bought a cheap package tour to the Bahamas*** compramos um pacote barato para as Bahamas
▪ **benefits package** pacote de benefícios, salário indireto, remuneração indireta

packaging ['pækɪdʒɪŋ] *n* embalagem

packed [pækt] *adj* cheio, abarrotado

packet ['pækɪt] *n* pacote
• **to cost a packet** custar os olhos da cara

packing ['pækɪŋ] *n* embalagem

pact [pækt] *n* pacto

pad [pæd] *n* **1** (*cushion*) almofada, (*rubber stamp*) almofadinha **2** (*notebook*) bloco **3** (*soft material*) qualquer pedaço de borracha ou tecido macio e grosso **4** *sl* (*home*) casa, moradia
▪ **shoulder pad** ombreira
▪ **mouse pad** *mousepad*, superfície onde o *mouse* desliza

■ **memo pad** bloco de notas
▸ *vt* (*pt & pp* **padded**, *ger* **padding**) acolchoar

padded ['pædɪd] *adj* acolchoado

padding ['pædɪŋ] *n* **1** (*stuffing*) enchimento, recheio **2** (*verbiage*) palavreado: ***his speech was boring due to excessive padding*** o discurso dele estava monótono por causa do palavreado excessivo

paddle[1] ['pædəl] *n* **1** (*short oar*) remo curto **2** (*water wheel*) pá
▸ *vt-vi* remar com remo curto

paddle[2] ['pædəl] *vi* chapinhar

paddock ['pædək] *n* **1** (*for horses*) cercado **2** (*race course*) *paddock*

padlock ['pædlɒk] *n* cadeado
▸ *vt* fechar com cadeado

pagan ['peɪgən] *adj-n* pagão

page[1] [peɪdʒ] *n* **1** (*sheet*) página **2** (*website*) página da *web*
■ **homepage** *homepage*, página de entrada em um *site*
▸ *vt* **1** (*call out the name*) chamar por alto-falante **2** (*number the pages*) numerar (*as páginas*), localizar **3** (*send a message*) enviar mensagem eletrônica por *pager*

page[2] [peɪdʒ] *n* **1** (*messenger boy*) mensageiro **2** (*attendant*) pajem

pageboy ['peɪdʒbɔɪ] *n* pajem

paid [peɪd] *pt-pp* → **pay**

pail [peɪl] *n* balde

pain [peɪn] *n* **1** (*ache*) dor **2** (*suffering*) pesar
• **on pain of** sob pena de
• **to be a pain in the neck** **1** (*person*) ser um/uma chato **2** (*annoyance*) ser uma chatice
• **to take pains to** esforçar-se, dar-se ao trabalho de

painful ['peɪnfʊl] *adj* doloroso

painkiller ['peɪnkɪləʳ] *n* calmante, analgésico

painless ['peɪnləs] *adj* indolor

painstaking ['peɪnzteɪkɪŋ] *adj* meticuloso, minucioso

paint [peɪnt] *n* **1** (*colouring*) tinta **2** (*picture*) pintura
▸ *vt-vi* pintar

paintbrush ['peɪntbrʌʃ] *n* (*pl* **-es**) **1** (*flat brush*) brocha **2** (*brush*) pincel

painter ['peɪntəʳ] *n* pintor

painting ['peɪntɪŋ] *n* **1** (*paint*) pintura **2** quadro: ***a painting by Degas*** um quadro de Degas

pair [peəʳ] *n* **1** par: ***a pair of scissors*** uma tesoura; ***a pair of trousers*** um par de calças **2** dupla: ***a pair of lovers*** um casal de amantes
■ **to pair off** *vi* **1** acasalar-se: ***do squirrels pair off in spring?*** os esquilos se acasalam na primavera? **2** (*form a couple*) formar um par romântico
■ **to pair up** *vt-vi* formar um par, uma dupla: ***please pair up with one of your classmates so we can start the role play*** por favor, forme uma dupla com um de seus colegas para que possamos iniciar a dramatização

pajamas [pə'dʒæməz] *npl* US pijama

Pakistan [pɑːkɪ'stɑːn] *n* Paquistão

Pakistani [pɑːkɪ'stɑːnɪ] *adj-n* paquistanês

pal [pæl] *n infml* camarada, colega

palace ['pæləs] *n* palácio

palate ['pælət] *n* **1** (*roof of te mouth*) palato **2** (*sense*) paladar

pale [peɪl] *adj* **1** (*witish in the face*) pálido **2** (*light-coloured*) claro (*cor*)
▸ *vi* empalidecer

Palestine ['pælɪstaɪn] *n* Palestina

Palestinian [pælɪ'stɪnɪən] *adj-n* palestino

pall[1] [pɔːl] *n* **1** (*of smoke*) nuvem escura e densa **2** *fig* (*gloom*) nuvem **3** (*cloth over a coffin*) mortalha

pall[2] [pɔːl] *vi* tornar-se insípido, perder a graça

palm[1] [pɑːm] *n* (*of hand*) palma
• **to palm something off on somebody** impingir algo a alguém

palm[2] [pɑːm] *n* BOT palmeira
■ **Palm Sunday** Domingo de Ramos

paltry ['pɔːltrɪ] *adj* (**-ier**, **-iest**) torpe, insignificante, mesquinho

pamper ['pæmpəʳ] *vt* mimar

pamphlet ['pæmflət] *n* **1** (*mailer*) folheto (*publicitário*) **2** (*political*) panfleto

pan [pæn] *n* panela

■ **frying pan** frigideira

Panama ['pænəmɑː] *n* Panamá
■ **Panama Canal** Canal do Panamá

Panamanian [pænə'meɪnɪən] *adj-n* panamenho

pancake ['pænkeɪk] *n* panqueca

pancreas ['pæŋkrɪəs] *n* (*pl* **pancreases**) ANAT pâncreas

panda ['pændə] *n* panda
■ **panda car** patrulhinha

pander ['pændə^r] *vi* **to pander to** (*yield*) fazer a vontade de outrem, consentir, condescender, satisfazer caprichos

pane [peɪn] *n* vidraça

panel ['pænəl] *n* **1** (*of a door*) painel, almofada de porta **2** (*board*) mostrador, painel (de instrumentos) **3** (*group of people*) painel, reunião de personalidades ou especialistas em um debate **4** (*committee to judge*) lista de jurados

pang [pæŋ] *n* pontada, dor aguda

panic ['pænɪk] *n* pânico
▸ *vi* (*pt & pp* **panicked**, *ger* **panicking**) entrar em pânico, apavorar-se

panic-striken ['pænɪkstrɪkən] *adj* aterrorizado

pansy ['pænzɪ] *n* (*pl* **-ies**) **1** (*garden plant*) amor-perfeito **2** *infml* (*effeminate man*) efeminado, maricas

pant [pænt] *n* arquejo
▸ *vi* arquejar, resfolegar, arfar

panther ['pænθə^r] *n* pantera

panties ['pæntɪz] *npl* calcinhas

pantomime ['pæntəmaɪm] *n* **1** (*mime*) pantomima **2** GB (*play for children*) representação teatral natalina baseada em contos infantis

pantry ['pæntrɪ] *n* (*pl* **-ies**) despensa

pants [pænts] *npl* **1** US (*trousers*) calças **2** GB (*underpants*) calcinhas ou cuecas

papa [pæ'pɑː] *n* *infml* papai

paper ['peɪpə^r] *n* **1** (*material*) papel **2** (*newspaper*) jornal **3** (*examination*) exame **4** (*essay*) artigo, ensaio, dissertação
▸ *npl* **papers** documentação
▸ *vt* embrulhar
• **on paper 1** (*written down*) por escrito **2** (*in theory*) teoricamente
■ **paper money** papel-moeda
■ **paper shop** banca de jornal
■ **paper profit** lucro fictício

paperback ['peɪpəbæk] *n* brochura

paperclip ['peɪpəklɪp] *n* clipe

paperweight ['peɪpəweɪt] *n* pesa-papéis

paperwork ['peɪpəwɜːk] *n* papelada

paprika ['pæprɪkə] *n* páprica

par [pɑː^r] *n* **1** (*parity*) paridade **2** (*original value*) valor nominal **3** (*golf*) par
• **on a par with** estar em pé de igualdade com
• **at par** ECON ao par

parable ['pærəbəl] *n* parábola

parabolic [pærə'bɒlɪk] *adj* parabólico

parachute ['pærəʃuːt] *n* paraquedas
▸ *vi* saltar de paraquedas

parachutist ['pærəʃuːtɪst] *n* paraquedista

parade [pə'reɪd] *n* parada, desfile
■ **hit parade** parada de sucessos
■ **on parade** em exposição
▸ *vi* desfilar

paradise ['pærədaɪs] *n* paraíso

paradox ['pærədɒks] *n* (*pl* **paradoxes**) paradoxo

paraffin ['pærəfɪn] *n* parafina

paragraph ['pærəgrɑːf] *n* parágrafo

Paraguay [pærə'gwaɪ] *n* Paraguai

Paraguayan [pærə'gwaɪən] *adj-n* paraguaio

parakeet ['pærəkiːt] *n* periquito

parallel ['pærəlel] *adj* paralelo
▸ *n* **1** (*counterpart*) paralelo **2** (*line*) paralela **3** (*correspondence*) paralelismo
▸ *vt* ser análogo a

paralyse ['pærəlaɪz] *vt* paralisar

paralysis [pə'rælɪsɪs] *n* (*pl* **paralyses**) paralisia

paralytic [pærə'lɪtɪk] *adj-n* paralítico

paramilitary [pærə'mɪlɪtərɪ] *adj* paramilitar

paramount ['pærəmaʊnt] *adj* supremo, vital, fundamental: ***of paramount importance*** de suma importância

paranoia [pærə'nɔɪə] *n* paranoia

paranoic [pærə'nɔɪk] *adj-n* paranoico

paranoid ['pærənɔɪd] *adj-n* paranoico

paraphrase ['pærəfreɪz] *n* paráfrase
▸ *vt* parafrasear

parasite ['pærəsaɪt] *n* parasito

parasol [pærə'sɒl] *n* para-sol, guarda-sol

paratrooper ['pærətru:pəʳ] *n* paraquedista

parcel ['pɑ:səl] *n* pacote, embrulho
▪ **to parcel out** *vt* repartir, dividir
▪ **to parcel up** *vt* empacotar

parched [pɑ:tʃt] *adj* **1** (*arid*) ressecado **2** (*thirsty*) sedento

parchment ['pɑ:tʃmənt] *n* pergaminho

pardon ['pɑ:dən] *n* **1** (*forgiveness*) perdão **2** (*acquittal*) indulto
▸ *vt* **1** (*forgive*) perdoar **2** (*acquit*) indultar
• **I beg your pardon** desculpe-me
• **pardon?** perdão?, como disse?
• **pardon me!** perdão!, desculpe!

pare [peəʳ] *vt* **1** (*peel*) descascar **2** (*trim*) cortar (*unhas*)

parent ['peərənt] *n* pai, mãe
▸ *npl* **parents** pais

parenthesis [pə'renθəsɪs] *n* (*pl* **parentheses**) parêntese

parish ['pærɪʃ] *n* (*pl* **-es**) paróquia

parishioner [pə'rɪʃənəʳ] *n* paroquiano

park [pɑ:k] *n* parque
▸ *vt-vi* estacionar

parking ['pɑ:kɪŋ] *n* estacionamento
• **no parking** proibido estacionar
▪ **parking lot** US estacionamento
▪ **parking meter** parquímetro
▪ **parking place** local para estacionar
▪ **parking ticket** multa por estacionamento indevido

parliament ['pɑ:ləmənt] *n* parlamento

parliamentary [pɑ:lə'mentərɪ] *adj* parlamentar

parlour ['pɑ:ləʳ] (US **parlor**) *n* **1** (*in a public building*) salão **2** (*in a private house*) sala de visitas
▪ **beauty parlour** salão de beleza

parody ['pærədɪ] *n* (*pl* **-ies**) paródia
▸ *vt* (*pt & pp* **-ied**) parodiar

parole [pə'rəʊl] *n* liberdade condicional
• **on parole** em liberdade condicional

parquet ['pɑ:keɪ] *n* parquete

parrot ['pærət] *n* ZOOL papagaio

parsley ['pɑ:slɪ] *n* BOT salsa

parsnip ['pɑ:snɪp] *n* BOT cherívia

parson ['pɑ:sən] *n* pároco, clérigo, cura

part [pɑ:t] *n* **1** (*piece*) parte **2** (*component*) peça **3** (*role*) papel **4** (*division*) risca, repartido **5** participação, envolvimento: ***he admits his part in the swindle*** ele admite sua participação na negociata
▸ *vt* **1** (*separate*) separar **2** repartir o cabelo: ***she parts her hair down the middle*** ela reparte o cabelo no meio
▸ *vi* separar-se
• **for my part** da minha parte, quanto a mim
• **in part** em parte
• **to take an important part in** desempenhar um papel importante
• **to take part in** participar de, tomar parte em
▪ **to part with** *vi* **1** (*hand over*) desfazer-se de **2** (*give away*) desistir de

partial ['pɑ:ʃəl] *adj* parcial
• **to be partial to** ter predileção por: ***she's partial to musicals*** ela tem predileção por filmes musicais

partiality [pɑ:ʃɪ'ælɪtɪ] *n* **1** (*bias*) parcialidade **2** (*liking*) predileção

partially ['pɑ:ʃəlɪ] *adv* parcialmente

participant [pɑ:'tɪsɪpənt] *n* participante

participate [pɑ:'tɪsɪpeɪt] *vi* participar

participation [pɑ:tɪsɪ'peɪʃən] *n* participação

participle ['pɑ:tɪsɪpəl] *n* particípio

particle ['pɑ:tɪkəl] *n* partícula

particular [pə'tɪkjʊləʳ] *adj* **1** (*relating to one person*) particular, privado **2** particular, específico: ***she prefers that particular pair of shoes*** ela prefere aquele par de sapatos específico **3** especial: ***for no particular reason*** por nenhuma razão especial **4** exigente: ***she's very particular about the school her children attend*** ela é muito exigente com a escola que os filhos frequentam **5** minucioso: ***a particular description*** uma descrição minuciosa
▸ *npl* **particulars** pormenores, detalhes
• **in particular** em particular

particularly [pə'tɪkjʊləlɪ] *adv* especialmente

parting ['pɑ:tɪŋ] *n* 1 (*goodbye*) despedida 2 (*line of scalp*) risca 3 (*division*) divisão, separação

partisan [pɑ:tɪ'zæn] *n* 1 (*adept*) partidário 2 (*guerilla leader*) guerrilheiro

partition [pɑ:'tɪʃən] *n* 1 (*division*) separação, divisão 2 (*barrier*) divisória
▸ *vt* partir, dividir

partly ['pɑ:tlɪ] *adv* parcialmente, em parte

partner ['pɑ:tnəʳ] *n* 1 (*colleague*) companheiro 2 (*associate*) sócio 3 (*dance, sports*) par 4 (*spouse*) cônjuge

partridge ['pɑ:trɪdʒ] *n* ZOOL perdiz

part-time [pɑ:t'taɪm] *adj* de meio expediente
▸ *adv* horário parcial, meio expediente: ***I work part-time*** eu trabalho meio expediente

party ['pɑ:tɪ] *n* (*pl* -**ies**) 1 (*social gathering*) festa 2 (*political party*) partido 3 (*group*) grupo 4 (*side*) parte (*em contrato etc.*)

pass [pɑ:s] *n* (*pl* -**es**) 1 (*license*) passe, autorização 2 (*succesful result*) aprovação 3 SPORT passe 4 (*gap*) desfiladeiro
▸ *vt-vi* 1 (*go by*) passar 2 (*overtake*) ultrapassar 3 (*approve*) aprovar 4 passar, ser aprovado: ***to pass an examination*** passar em um exame
• **to make a pass at somebody** insinuar-se a alguém, paquerar
• **to pass judgment on** julgar
• **to pass water** urinar
▪ **to pass away** *vi* falecer
▪ **to pass by** *vi* 1 (*move*) passar, passar perto de 2 passar, transcorrer: ***as years pass by***... à medida que os anos passam...
▪ **to pass off** *vt* fazer-se passar por: ***she tried to pass herself off as a nurse*** ela tentou se passar por enfermeira
▪ **to pass on** *vt* 1 repassar, passar adiante, transmitir: ***he passed on the information to his colleagues*** ele passou a informação a seus colegas 2 passar, encaminhar: ***I'll pass you on to her secretary*** vou encaminhá-lo à sua secretária 3 (*disease*) transmitir 4 (*knowledge*) transmitir, legar
▸ *vi* falecer
▪ **to pass out** *vi* desmaiar
▪ **to pass over** *vt* 1 (*ignore*) ignorar, passar por cima de 2 (*disregard*) ser preterido
▪ **to pass through** *vi* estar de passagem
▪ **to pass up** *vt* deixar passar, deixar escapar: ***to pass up a chance*** deixar escapar uma chance

passable ['pɑ:səbəl] *adj* 1 (*acceptable*) aceitável, admissível 2 (*unexceptional*) ordinário, passável 3 (*unblocked*) transitável

passage ['pæsɪdʒ] *n* 1 (*act of passing*) passagem, ato ou efeito de passar 2 (*route*) passagem, galeria, corredor 3 (*passageway*) corredor 4 (*safe-conduct*) liberdade de ir e vir, salvo-conduto 5 (*voyage*) travessia, viagem (*por mar*) 6 (*excerpt*) passagem, trecho (*de texto, de música*)

passageway ['pæsɪdʒweɪ] *n* 1 (*corridor*) corredor, vestíbulo 2 (*alley*) passadiço, galeria

passé [pæ'seɪ] *adj* fora de moda

passenger ['pæsɪndʒəʳ] *n* passageiro

passer-by [pɑ:sə'baɪ] *n* (*pl* **passers-by**) passante, transeunte

passing ['pɑ:sɪŋ] *adj* 1 passageiro, fugaz, transitório: ***a passing fancy*** um capricho passageiro 2 que passa: ***with each passing day*** a cada dia que passa 3 (*superficial*) casual, superficial, *en passant*
• **to say something in passing** dizer algo *en passant*

passion ['pæʃən] *n* paixão

passionate ['pæʃənət] *adj* apaixonado: ***a passionate kiss*** um beijo apaixonado

passive ['pæsɪv] *adj* passivo
▸ *n* voz passiva
▪ **passive smoker** fumante passivo

Passover ['pɑ:səʊvəʳ] *n* (*Jewish religion*) Páscoa

passport ['pɑ:spɔ:t] *n* passaporte

password ['pɑ:swɜ:d] *n* senha

past [pɑ:st] *adj* 1 transcorrido, última, passado: ***over the past week*** na semana passada 2 acabado, terminado: ***the party is now past*** a festa está terminada 3 transcorrido, anterior: ***based on past experience*** baseado em experiências anteriores 4 antigo, anterior, ex, pregresso: ***the past president*** o último presidente; ***his past life*** sua vida pregressa; ***her past boyfriend*** seu ex-namorado

▸ *adv* diante de, por: ***was that Mary who just walked past in a check skirt?*** era a Mary aquela que acabou de passar vestindo uma saia xadrez?

▸ *n* passado: ***the candidate's past will be investigated*** o passado do candidato será investigado

▸ *prep* **1** mais adiante, depois de: ***it's just past the cinema*** é um pouco depois do cinema **2** diante de, por: ***she ran past me*** ela passou por mim correndo **3** (*beyond in time*): ***what time is it? – five past six*** que horas são? – seis e cinco **4** mais de: ***it's past nine o'clock*** são mais de nove horas

• **to be past caring** estar pouco ligando: ***do as you please; I'm past caring*** faça o que bem entender; estou pouco ligando

▪ **past participle** particípio passado

▪ **past tense** pretérito perfeito

pasta ['pæstə] *n* massa, macarrão

paste [peɪst] *n* **1** (*smooth mixture*) pasta **2** (*glue*) cola **3** COOK patê

▪ **almond paste** marzipã

▸ *vt* colar, grudar

• **to cut and paste** COMPUT cortar e colar

pastel ['pæstəl] *n* **1** (*chalk crayon*) pastel **2** (*picture drawn in pastels*) pastel

▸ *adj* (*colour*) pastel

pasteurized ['pɑːstʃəraɪzd] *adj* pasteurizado

pastime ['pɑːstaɪm] *n* passatempo

pastor ['pɑːstəʳ] *n* (*clerygman*) pastor

pastoral ['pɑːstərəl] *adj* **1** (*bucolic*) pastoril, bucólico **2** (*ecclesiastical*) pastoral

pastry ['peɪstrɪ] *n* (*pl* **-ies**) **1** COOK massa **2** (*sweet cake*) torta

pasture ['pɑːstʃəʳ] *n* pasto

pasty[1] ['pæstɪ] *n* (*pl* **-ies**) empadão

pasty[2] ['peɪstɪ] *adj* (**-ier**, **-iest**) **1** (*pale*) pálido **2** (*of high viscosity*) pastoso

pat[1] [pæt] *n* **1** (*gentle tap*) tapinha, pancadinha **2** (*touch*) afago, carícia **3** (*of butter*) porção

▸ *adj* ensaiado, pronto: ***a pat answer*** uma resposta pronta

▸ *vt* (*pt & pp* **patted**, *ger* **patting**) **1** (*slap lightly*) bater de leve **2** (*touch*) acariciar, afagar

pat[2] [pæt] *adv* de memória, de cor

• **to know something off pat** saber algo na ponta da língua

patch [pætʃ] *n* (*pl* **-es**) **1** (*piece of material*) retalho, remendo **2** curativo, adesivo: ***a nicotine patch*** um adesivo de nicotina **3** (*pad for the eye*) venda, tampão **4** (*of land*) lote **5** (*spot*) mancha

▸ *vt* **1** (*mend*) remendar **2** (*put a protective pad*) pôr um curativo

• **not to be a patch on** ser pior, não ter comparação: ***this new car isn't a patch on my old one*** este carro novo não tem comparação com o velho (*é pior*)

• **to go through a bad/rough patch** passar por um mau pedaço, enfrentar uma dificuldade

pâté ['pæteɪ] *n* patê

patent ['peɪtənt] *adj* **1** (*obvious*) patente, evidente **2** (*protected by a patent*) patenteado

▸ *n* patente

▸ *vt* patentear

▪ **patent leather** verniz

paternal [pə'tɜːnəl] *adj* **1** (*fatherly*) paternal **2** (*related through one's father*) paterno

paternalistic [pətɜːnə'lɪstɪk] *adj* paternalista

paternity [pə'tɜːnɪtɪ] *n* paternidade

path [pɑːθ] *n* **1** (*track*) caminho, trilha, senda **2** (*course*) trajetória **3** (*of planet*) órbita (*planeta*) **4** COMPUT caminho, sequência de diretórios

• **on the right path** bem encaminhado

pathetic [pə'θetɪk] *adj* **1** (*pitiful*) patético, digno de pena **2** (*touching*) comovente **3** (*lamentable*) ridículo, inapropriado

pathway ['pɑːθweɪ] *n* caminho, trilha

patience ['peɪʃəns] *n* **1** (*quality*) paciência **2** (*card game*) paciência

• **to try somebody's patience** pôr a paciência de alguém à prova

patient ['peɪʃənt] *adj* paciente

▸ *n* paciente, enfermo

patio ['pætɪəʊ] *n* (*pl* **patios**) pátio

patriarch ['peɪtrɪɑːk] *n* (*pl* **patriarchs**) patriarca

patrimony ['pætrɪmənɪ] *n* patrimônio

patriot ['peɪtrɪət] *n* patriota

patriotic [pætrɪ'ɒtɪk] *adj* patriótico

patriotism ['pætrɪətɪzəm] *n* patriotismo

patrol [pə'trəʊl] *n* patrulha
▸ *vi-vt (pt & pp* **patrolled**, *ger* **patrolling**) patrulhar
• **to be on patrol** fazer ronda, patrulhar
■ **patrol car** radiopatrulha (*viatura*)

patron ['peɪtrən] *adj* **1** (*sponsor*) patrocinador **2** (*customer*) cliente habitual **3** (*benefactor*) mecenas
■ **patron saint** santo padroeiro

patronage ['pætrənɪdʒ] *n* patrocínio

patronize ['pætrənaɪz] *vt* **1** (*be a client of*) ser cliente habitual de, frequentar (loja) **2** (*sponsor*) patrocinar **3** *pej* (*treat condescendingly*) tratar com condescendência

patter[1] ['pætə'] *n* **1** (*rain*) tamborilo **2** (*sound*) ruído de passos
▸ *vt* **1** (*rain*) rufar, tamborilar **2** (*feet*) tropear

patter[2] ['pætə'] *n infml* lábia, palavreado

pattern ['pætən] *n* **1** (*model*) modelo, padrão **2** (*system*) arranjo, forma, sistema **3** (*motif*) desenho, motivo **4** (*prototype*) protótipo

pause [pɔːz] *n* pausa
▸ *vi* **1** (*stop*) fazer uma pausa **2** (*hesitate*) hesitar, deter-se

pave [peɪv] *vt* pavimentar
• **to pave the way** preparar o terreno, facilitar o progresso

pavement ['peɪvmənt] *n* pavimento, calçamento, calçada

pavillion [pə'vɪlɪən] *n* pavilhão

paw [pɔː] *n* **1** (*animal's foot*) pata **2** (*animal's claw*) garra
▸ *vt* **1** (*touch with a paw*) tocar com a pata **2** (*scrape*) arranhar com a garra **3** (*handle roughly*) manusear desajeitadamente, apalpar de forma rude

pawn[1] [pɔːn] *n* (*chess*) peão

pawn[2] [pɔːn] *vt* empenhar, penhorar

pawnbroker ['pɔːnbrəʊkə'] *n* agiota

pawnshop ['pɔːnʃɒp] *n* casa de penhor

pay [peɪ] *n* **1** (*payment*) pagamento **2** (*salary*) salário
▸ *vt-vi* (*pt & pp* **paid** [peɪd]) **1** (*reward*) pagar **2** (*discharge*) liquidar, saldar
▸ *vi* **1** (*be profitable*) ser rentável **2** (*be of advantage*) valer a pena
• **crime doesn't pay** o crime não compensa
• **to pay attention** prestar atenção
• **to pay a visit** fazer uma visita
■ **pay packet** salário
■ **pay phone** telefone público
■ **to pay back** *vt* devolver, restituir
■ **to pay in** *vt* depositar
■ **to pay off** *vt* **1** (*pay debt in full*) saldar **2** (*liquidate*) liquidar **3** (*discharge*) reembolsar (*empregado*)
▸ *vi* sair bem, ter sucesso

payable ['peɪəbəl] *adj* pagável

payday ['peɪdeɪ] *n* dia de pagamento

PAYE ['piː'eɪ'waɪ'iː] *abbr* GB (***pay as you earn***) tributação na fonte

payee [peɪ'iː] *n* beneficiário

payment ['peɪmənt] *n* pagamento

payroll ['peɪrəʊl] *n* folha de pagamento

payslip ['peɪslɪp] *n* contracheque

pc[1] [pɜː'sent] *abbr* (***per cent***) por cento

pc[2] ['piː'siː] *abbr* (***personal computer***) computador pessoal, PC

PC ['piː'siː] *abbr* GB (***Police Constable***) policial, guarda

PE ['piː'iː] *abbr* (***physical education***) educação física

pea [piː] *n* ervilha

peace [piːs] *n* **1** (*harmony between people*) paz **2** (*quietness*) tranquilidade
• **at peace, in peace** em paz
• **to make one's peace with somebody** fazer as pazes com alguém
■ **peace of mind** paz de espírito

peaceful ['piːsfʊl] *adj* **1** (*conciliatory*) pacífico **2** (*calm*) tranquilo

peace-keeping ['piːskiːpɪŋ] *adj* de pacificação

peach [piːtʃ] *n* (*pl* **-es**) BOT pêssego
■ **peach tree** pessegueiro

peacock ['piːkɒk] *n* ZOOL pavão

peak [piːk] *n* **1** (*pointed top*) cume, pico **2** (*acme*) apogeu **3** (*projecting piece*) pala, viseira (de boné)
▸ *adj* máximo

▸ *vi* alcançar seu ponto máximo
■ **peak hour** horário de pico
■ **peak period** período de tarifa máxima
■ **peak season** alta temporada

peal [pi:l] *n* **1** (*of bells*) repique **2** (*of thunder*) estrépito, estrondo (*de trovão*)
▸ *vt-vi* (*bells*) repicar

peanut ['pi:nʌt] *n* amendoim
■ **peanut butter** manteiga de amendoim

pear [peəʳ] *n* pera
■ **pear tree** pereira

pearl [pɜ:l] *n* pérola

peasant ['pezənt] *n* camponês

peat [pi:t] *n* turfa

pebble ['pebəl] *n* seixo

peck [pek] *n* **1** (*bite*) bicada **2** *infml* (*kiss*) beijo leve
▸ *vt* bicar

peckish ['pekɪʃ] *adj* **1** (*slightly hungry*) com um pouco de apetite, disposto a beliscar **2** (*irritable*) irritadiço

pectoral ['pektərəl] *adj-n* peitoral

peculiar [pɪ'kju:lɪəʳ] *adj* **1** (*strange*) estranho, esquisito **2** (*typical*) peculiar, próprio, característico

peculiarity [pɪkju:lɪ'ærɪtɪ] *n* (*pl* **-ies**) **1** (*idiosyncrasy*) singularidade **2** (*characteristic*) peculiaridade

pedagogical [pedə'gɒdʒɪkəl] *adj* pedagógico

pedagogy ['pedəgɒdʒɪ] *n* pedagogia

pedal ['pedəl] *n* pedal
▸ *vi* (GB *pt & pp* **pedalled**, *ger* **pedalling**; US *pt & pp* **pedaled**, *ger* **pedaling**) pedalar

peddle ['pedəl] *vt-vi* **1** (*sell*) vender (*de porta em porta*) **2** (*rumours*) espalhar **3** (*drugs*) traficar

peddler ['pedləʳ] *n* **1** (*vendor*) vendedor ambulante, mascate **2** (*gossipy*) boateiro **3** (*drugs*) traficante

pedestrian [pɪ'destrɪən] *n* pedestre
▸ *adj* pedestre
■ **pedestrian crossing** faixa de pedestres
■ **pedestrian precinct** zona para pedestres, calçadão

pediatrician [pi:dɪə'trɪʃən] *n* pediatra

pediatrics [pi:dɪ'ætrɪks] *n* pediatria

É incontável, e o verbo vai para o singular.

pedigree ['pedɪgri:] *n pedigree*
▸ *adj* de raça

pee [pi:] *n infml* xixi
▸ *vi infml* fazer xixi

peek [pi:k] *n* espreitadela
▸ *vi* espreitar, espiar
• **to have a peek at** dar uma espiada em

peel [pi:l] *n* (*fruit vegetable*) casca
▸ *vt* descascar
▸ *vi* **1** (*skin*) descascar **2** (*paint*) descascar **3** (*flake off*) desprender-se, soltar

peep¹ [pi:p] *n* (*sound*) pio

peep² [pi:p] *n* olhadela furtiva
▸ *vi* olhar furtivamente, espreitar
• **to have a peep at** dar uma olhadela

peep-hole ['pi:phəʊl] *n* olho mágico

peeping Tom [pi:pɪŋ'tɒm] *n voyeur*

peer¹ [pɪəʳ] *n* **1** (*equal*) igual, par **2** (*noble*) nobre
■ **peer group** grupo de pessoas da mesma faixa etária e pertencentes à mesma classe social

peer² [pɪəʳ] *vi* perscrutar, fitar

peeved ['pi:vd] *adj infml* entediado, irritado

peg [peg] *n* **1** (*chothespeg*) pregador **2** (*hook*) cabide
▸ *vt* (*pt & pp* **pegged**, *ger* **pegging**) (*prices*) fixar

pejorative [pə'dʒɒrətɪv] *adj* pejorativo

pelican ['pelɪkən] *n* pelicano
■ **pelican crossing** GB faixa de pedestres com sinal de trânsito manual

pellet ['pelɪt] *n* **1** (*small ball*) bolinha **2** (*for gun*) chumbo de caça **3** (*pill*) pílula **4** *pellet*

pelt¹ [pelt] *n* **1** (*animal skin*) pele não curtida **2** (*volley*) saraivada

pelt² [pelt] *vt* atirar, lançar: ***they pelted him with eggs*** atiraram ovos nele
▸ *vi* **1** (*rain*) chover a cântaros **2** (*run*) correr a toda velocidade

pelvis ['pelvɪs] *n* (*pl* **pelvises**) pelve

pen¹ [pen] *n* caneta

pen² [pen] *n* curral, redil

penal ['pi:nəl] *adj* penal

penalize ['pi:nəlaɪz] *vt* penalizar, castigar, punir

penalty ['penəltɪ] *n* (*pl* **-ies**) **1** (*punishment*) pena, castigo **2** (*sanction*) penalidade, multa **3** SPORT pênalti
▪ **penalty area** (*soccer*) grande área
▪ **death penalty** pena de morte

penance ['penəns] *n* penitência

pence [pens] *npl* → **penny**

penchant ['pɒnʃɒn] *n* inclinação, pendor

pencil ['pensəl] *n* lápis
▪ **pencil case** estojo para lápis
▪ **pencil sharpener** apontador de lápis

pendant ['pendənt] *n* pingente

pending ['pendɪŋ] *adj* pendente
▸ *prep* até, enquanto se aguarda: ***the road was blocked pending an investigation of the accident*** a estrada foi bloqueada até ser feita uma investigação do acidente

pendulum ['pendjʊləm] *n* pêndulo

penetrate ['penɪtreɪt] *vt* penetrar

penetrating ['penɪtreɪtɪŋ] *adj* **1** (*sharp*) penetrante **2** (*smart*) perspicaz

penetration [penɪ'treɪʃən] *n* penetração

penfriend ['penfrend] *n* correspondente, amigo por correspondência

penguin ['peŋgwɪn] *n* ZOOL pinguim

penicillin [penɪ'sɪlɪn] *n* penicilina

peninsula [pə'nɪnsjʊlə] *n* península

penis ['pi:nɪs] *n* (*pl* **penises**) pênis

penitent ['penɪtent] *adj* arrependido, penitente
▸ *n* penitente

penitentiary [penɪ'tenʃərɪ] *n* (*pl* **-ies**) US penitenciária

penknife ['pennaɪf] *n* (*pl* **penknives**) canivete

pennant ['penənt] *n* flâmula

penniless ['penɪləs] *adj* sem dinheiro, sem um tostão

penny ['penɪ] *n* (*pl* **-ies**) GB **1** (*coin*) pêni **2** US (*unit of money*) centavo
• **to spend a penny** *infml* ir ao banheiro, fazer xixi

pension ['penʃən] *n* pensão, aposentadoria
• **to pension somebody off** aposentar alguém
▪ **pension fund** fundo de pensão
▪ **pension plan** plano de aposentadoria

pensioner ['penʃənəʳ] *n* aposentado, pensionista

pentagon ['pentəgən] *n* pentágono

pentathlon [pen'tæθlən] *n* pentatlo

Pentecost ['pentɪkɒst] *n* Pentecostes

penthouse ['penthaʊs] *n* (*flat*) cobertura

penultimate [pɪ'nʌltɪmət] *adj* penúltimo

people ['pi:pəl] *npl* (*pl* **persons** ou **people**) gente, pessoas: ***there are some people waiting*** há algumas pessoas esperando
▸ *n* povo
▸ *vt* povoar

pep [pep] *n infml* energia, pique, dinamismo

pepper ['pepəʳ] *n* **1** (*condiment*) pimenta **2** (*vegetable*) pimentão
▸ *vt* temperar com pimenta

peppermint ['pepəmɪnt] *n* **1** (*plant*) hortelã-pimenta **2** (*sweet*) bala de menta

per [pɜ:ʳ] *prep* por: ***it costs five pounds per kilo*** custa cinco libras por quilo/o quilo
• **as per** segundo: ***as per instructions*** segundo as instruções
• **per cent** por cento
• **per person** por pessoa

perceive [pə'si:v] *vt* perceber, ver, distinguir

percentage [pə'sentɪdʒ] *n* porcentagem

perceptible [pə'septɪbəl] *adj* perceptível

perception [pə'sepʃən] *n* percepção

perch¹ [pɜ:tʃ] *n* (*pl* **-es**) **1** (*for bird*) poleiro **2** (*high position*) posição privilegiada
▸ *vi* empoleirar-se

perch² [pɜ:tʃ] *n* (*pl* **-es**) ZOOL perca

percolator ['pɜ:kəleɪtəʳ] *n* cafeteira de filtro

percussion [pɜ:'kʌʃən] *n* percussão

perennial [pə'renɪəl] *adj* perene

perfect [(adj) 'pɜ:fɪkt; (v) pə'fekt] *adj* **1** (*ideal*) perfeito, ideal **2** total, absoluto, completo: ***a perfect idiot*** um perfeito idiota
▸ *vt* aperfeiçoar

perfection [pə'fekʃən] *n* perfeição

perfectly ['pɜ:fɪktlɪ] *adv* 1 (*ideally*) perfeitamente 2 (*absolutely*) absolutamente, totalmente

perforate ['pɜ:fəreɪt] *vt* perfurar

perform [pə'fɔ:m] *vt* 1 (*carry out*) fazer, executar, realizar 2 (*music*) interpretar 3 (*play*) representar
▸ *vi* 1 (*actor*) atuar 2 (*machine*) funcionar

performance [pə'fɔ:məns] *n* 1 (*execution*) execução, realização 2 (*show*) interpretação, atuação 3 (*acting*) representação 4 (*functioning*) funcionamento 5 (*accomplishment*) rendimento

performer [pə'fɔ:mə^r] *n* 1 (*actor, actress*) ator, atriz 2 (*player*) intérprete (*de peça musical*)

perfume ['pɜ:fju:m] *n* perfume
▸ *vt* perfumar

perhaps [pə'hæps] *adv* talvez

perimeter [pə'rɪmɪtə^r] *n* perímetro

period ['pɪərɪəd] *n* 1 (*epoch*) período, época 2 (*class*) classe 3 US (*punctuation mark*) ponto-final 4 (*duration*) prazo 5 (*menstruation*) menstruação
▸ *adj* de época: ***period dress*** figurino de época

periodic [pɪərɪ'ɒdɪk] *adj* periódico

periodical [pɪərɪ'ɒdɪkəl] *adj* periódico
▸ *n* revista

peripheral [pə'rɪfərəl] *adj* 1 (*secondary*) secundário 2 (*on the edge*) periférico
▸ *n* INFORM periférico, dispositivo periférico

periphery [pə'rɪfərɪ] *n* (*pl* **-ies**) periferia

periscope ['perɪskəʊp] *n* periscópio

perish ['perɪʃ] *vi* 1 (*die*) perecer, fenecer 2 (*decay*) deteriorar-se

perishable ['perɪʃəbəl] *adj* perecível
▸ *npl* **perishables** produtos perecíveis

perjury ['pɜ:dʒərɪ] *n* (*pl* **-ies**) perjúrio

perk [pɜ:k] *n infml* mordomia, regalia
▪ **to perk up** *vi* animar-se, reanimar-se

perky ['pɜ:kɪ] *adj* (**-ier**, **-iest**) animado

perm [pɜ:m] *n infml* (*hair*) permanente
▸ *vt infml*: ***to perm somebody's hair*** fazer um permanente em alguém; ***to have one's hair permed*** fazer um permanente

permanent ['pɜ:mənənt] *adj* permanente, fixo

permeate ['pɜ:mɪeɪt] *vt-vi* penetrar, impregnar

permission [pə'mɪʃən] *n* permissão

permissive [pə'mɪsɪv] *adj* permissivo

permit ['pɜ:mɪt] *n* 1 (*authorization*) permissão, autorização 2 (*pass*) passe
▪ **work permit** visto de trabalho
▸ *vt* (*pt & pp* **permitted**, *ger* **permitting**) permitir

perpendicular [pɜ:pən'dɪkjʊlə^r] *adj-n* perpendicular

perpetrate ['pɜ:pɪtreɪt] *vt* perpetrar

perpetual [pə'petjʊəl] *adj* 1 (*endless*) perpétuo 2 (*continual*) constante, incessante

perpetuate [pə'petjʊeɪt] *vt* perpetuar

perplexed [pə'plekst] *adj* perplexo

persecute ['pɜ:sɪkju:t] *vt* perseguir

persecution [pɜ:sɪ'kju:ʃən] *n* perseguição

persevere [pɜ:sɪ'vɪə^r] *vi* perseverar

Persia ['pɜ:ʒə] *n* Pérsia

Persian ['pɜ:zən] *adj* persa
▸ *n* 1 (*person*) persa 2 (*language*) persa
▪ **Persian Gulf** Golfo Pérsico

persist [pə'sɪst] *vi* persistir
• **to persist in doing something** empenhar-se em fazer algo

persistent [pə'sɪstənt] *adj* persistente

person ['pɜ:sən] *n* (*pl* **people**) pessoa
• **in person** em pessoa

O plural só pode ser **people**.

personal ['pɜ:sənəl] *adj* 1 (*individual*) pessoal 2 (*private*) particular, privado, íntimo
▪ **personal computer** computador pessoal
▪ **personal organizer** agenda pessoal
▪ **personal property** bens móveis

personality [pɜ:sə'nælɪtɪ] *n* (*pl* **-ies**) personalidade

personify [pɜ:'sɒnɪfaɪ] *vt* (*pt & pp* **-ied**) personificar

personnel [pɜ:sə'nel] *n* (*employees*) pessoal
▪ **personnel department** departamento de pessoal

perspective [pə'spektɪv] *n* perspectiva

perspiration [pɜ:spɪ'reɪʃən] *n* transpiração, suor

perspire [pə'spaɪə^r] *vt-vi* transpirar, suar

persuade [pə'sweɪd] *vt* persuadir, convencer

• **to persuade somebody to do something** convencer alguém a fazer algo

persuasion [pə'sweɪʒən] *n* **1** (*coaxing*) persuasão, poder de persuação **2** crença, convicção: ***people of all persuasions*** gente de todas as crenças

persuasive [pə'sweɪsɪəv] *adj* persuasivo, convincente

pert [pɜ:t] *adj* **1** vistoso e elegante: ***a pert hat*** um chapéu vistoso **2** (*irreverent*) atrevido, insolente e divertido **3** pequeno e bem desenhado: ***a pert nose*** um nariz pequeno e bem desenhado

pertinent ['pɜ:tɪnənt] *adj* pertinente, oportuno

perturb [pə'tɜ:b] *vt* perturbar, inquietar

Peru [pə'ru:] *n* Peru

Peruvian [pə'ru:vɪən] *adj-n* peruano

pervade [pɜ:'veɪd] *vt* impregnar

perverse [pəvɜ:s] *adj* **1** (*perverted*) perverso **2** (*stubborn*) obstinado

perversion [pə'vɜ:ʃən] *n* **1** (*deviance*) perversão **2** (*distortion*) distorção, tergiversação

pervert [(*n*) 'pɜ:vɜ:t; (*v*) pə'vɜ:t] *n* pervertido

▸ *vt* **1** (*corrupt*) perverter **2** (*distort*) distorcer, tergiversar

pessimism ['pesɪmɪzəm] *n* pessimismo

pessimist ['pesɪmɪst] *n* pessimista

pessimistic [pesɪ'mɪstɪk] *adj* pessimista

pest [pest] *n* **1** (*bug*) inseto nocivo, praga **2** *infml* chato, peste: ***leave your sister alone, your little pest!*** deixe sua irmã em paz, seu pestinha!

pester ['pestə^r] *vt* incomodar, importunar

pesticide ['pestɪsaɪd] *n* pesticida

pestle ['pesəl] *n* pilão, mão de almofariz

pet [pet] *n* **1** (*animal*) animal de estimação **2** (*favourite*) favorito

• **teacher's pet** queridinho do/da professor

▸ *adj* **1** (*animal*) domesticado **2** (*person*) favorito

▸ *vt* (*pt & pp* **petted**, *ger* **petting**) acariciar

▸ *vi infml* beijar

petal ['petəl] *n* pétala

peter out [pi:tər'aʊt] *vi* **1** (*fade away*) desaparecer gradualmente **2** (*consume*) esgotar-se

petition [pə'tɪʃən] *n* petição

▸ *vt* apresentar uma petição a

petrify ['petrɪfaɪ] *vt* (*pt & pp* **-ied**) petrificar

petrol ['petrəl] *n* gasolina

▪ **petrol pump** bomba de gasolina

▪ **petrol station** posto de gasolina

▪ **petrol tank** tanque de gasolina

petroleum [pə'trəʊlɪəm] *n* petróleo

petticoat ['petɪkəʊt] *n* (*undergarment*) anágua, combinação

petty ['petɪ] *adj* (**-ier**, **-iest**) **1** (*unimportant*) insignificante **2** (*small-minded*) mesquinho

▪ **petty cash** caixa pequena

▪ **petty officer** suboficial da marinha

pew [pju:] *n* (*seat in a church*) banco

pewter ['pju:tə^r] *n* peltre

phallic ['fælɪk] *adj* fálico

phallus ['fæləs] *n* (*pl* **phalluses**) falo

phantom ['fæntəm] *n* fantasma

pharmaceutical [fɑ:mə'sju:tɪkəl] *adj* farmacêutico

pharmacist ['fɑ:məsɪst] *n* farmacêutico

pharmacy ['fɑ:məsɪ] *n* (*pl* **-ies**) farmácia

phase [feɪz] *n* fase

▪ **to phase in** *vt* introduzir progressivamente

▪ **to phase out** *vt* retirar progressivamente

PhD ['pi:'eɪtʃ'di:] *abbr* (***Doctor of Philosophy***) **1** (*university degree*) Ph.D, doutor **2** (*graduate study*) doutorado

pheasant ['fezənt] *n* faisão

phenomenon [fɪ'nɒmɪnən] *n* (*pl* **phenomena**) fenômeno

philanthropist [fɪ'lænθrəpɪst] *n* filantropo

philharmonic [fɪlæ:'mɒnɪk] *adj* filarmônico

Philippine ['fɪlɪpi:n] *adj* filipino

■ **Philippine Sea** Mar das Filipinas

Philippines ['fɪlɪpi:nz] *n* Filipinas

philosopher [fɪ'lɒsəfə^r] *n* filósofo

philosophical [fɪlə'sɒfɪkəl] *adj* filosófico

philosophy [fɪ'lɒsəfɪ] *n* (*pl* **-ies**) filosofia

phlegm [flem] *n* fleuma

phlegmatic [fleg'mætɪk] *adj* fleumático

phobia ['fəʊbɪə] *n* fobia

phone [fəʊn] *n-vt-vi infml* → abrev. de **telephone**

• **to be on the phone** estar no telefone

■ **phone book** lista telefônica

■ **phone box** cabine telefônica

■ **phone call** chamada telefônica, telefonema

■ **phone line** linha telefônica

■ **phone number** número de telefone

phonecard ['fəʊnkɑ:d] *n* cartão telefônico

phonetic [fə'netɪk] *adj* fonético

phonetics [fə'netɪks] *n* fonética

É incontável, e o verbo vai para o singular.

phoney ['fəʊnɪ] *adj* (**-ier**, **-iest**) *infml* **1** (*not genuine*) falso **2** (*insincere*) fingido

phony ['fəʊnɪ] *adj* (**-ier**, **-iest**) *infml* **1** (*not genuine*) falso **2** (*insincere*) fingido

phosphate ['fɒsfeɪt] *n* fosfato

phosphorus ['fɒsfərəs] *n* fósforo

photo ['fəʊtəʊ] *n* (*pl* **photos**) *infml* foto

• **to take a photo of somebody** tirar uma foto de alguém

photocopier ['fəʊtəʊkɒpɪə^r] *n* fotocopiadora

photocopy ['fəʊtəʊkɒpɪ] *n* (*pl* **-ies**) fotocópia

▸ *vt* (*pt & pp* **-ied**) fotocopiar

photograph ['fəʊtəgrɑ:f] *n* (*picture made by photography*) fotografia

▸ *vt-vi* fotografar

photographer [fə'tɒgrəfə^r] *n* fotógrafo

photographic [fəʊtə'græfɪk] *adj* fotográfico

photography [fə'tɒgrəfɪ] *n* (*pl* **-ies**) (*art of taking pictures*) fotografia

phrasal verb [freɪzəl'vɜ:b] *n* verbo acompanhado de advérbio ou preposição, formando significado idiomático

phrase [freɪz] *n* frase

▸ *vt* **1** (*express*) expressar **2** (*a letter*) redigir

phrasebook ['freɪzbʊk] *n* (*for use abroad*) livro de expressões idiomáticas

physical ['fɪzɪkəl] *adj* físico

■ **physical education** educação física

■ **physical examination** exame médico

physician [fɪ'zɪʃən] *n* médico

physicist ['fɪzɪsɪst] *n* físico

physics ['fɪzɪks] *n* física

É incontável, e o verbo vai para o singular.

physiological [fɪzɪə'lɒdʒɪkəl] *adj* fisiológico

physiology [fɪzɪ'ɒlədʒɪ] *n* (*pl* **-ies**) fisiologia

physiotherapy [fɪzɪəʊ'θerəpɪ] *n* fisioterapia

physique [fɪ'zi:k] *n* físico

pianist ['pɪənɪst] *n* pianista

piano [pɪ'ænəʊ] *n* (*pl* **pianos**) piano

pick[1] [pɪk] *n* **1** (*tool*) picareta **2** *infml* (*toothpick*) palito **3** (*for musical instrument*) palheta

pick[2] [pɪk] *n* **1** (*choice*) escolha **2** (*the best*) o melhor

▸ *vt* **1** (*choose*) escolher, eleger, selecionar **2** (*gather*) colher **3** (*break down*) forçar **4** (*move with the fingers*) dedilhar

• **take your pick** escolha o que quiser

• **to pick a fight with** provocar uma briga com

• **to pick holes in** encontrar defeitos em

• **the pick of** a nata de, o melhor de

• **to pick one's nose** limpar o nariz com o dedo

• **to pick one's teeth** palitar os dentes

• **to pick somebody's pocket** bater a carteira de alguém

• **to pick and choose** selecionar criteriosamente

■ **to pick off** *vt* mirar e abater

■ **to pick on** *vt* apoquentar, atormentar

■ **to pick out** *vt* 1 (*select*) selecionar 2 (*recognize*) distinguir, reconhecer

■ **to pick up** *vt* 1 (*lift*) erguer 2 (*collect*) apanhar, pegar 3 ir buscar: ***I'll pick you up at the station*** vou buscar você na estação 4 (*detect*) captar, sintonizar *(emissora de rádio)* 5 (*learn*) aprender, assimilar 6 *infml* (*telephone*) atender o telefone

pickaxe ['pɪkæks] *n* picareta

picket ['pɪkɪt] *n* piquete
▸ *vt* fazer piquete

pickle ['pɪkəl] *n* 1 (*food*) picles 2 (*marinade*) escabeche 3 aperto, enrascada: ***to be in a pretty pickle*** estar em uma bela enrascada
▸ *vt* curtir, conservar em escabeche

pick-me-up ['pɪkmiːʌp] *n* tônico, estimulante

pickpocket ['pɪkpɒkɪt] *n* punguista

pick-up ['pɪkʌp] *n* 1 (*vehicle*) *pickup*, furgão 2 (*record player*) braço do toca-discos 3 (*sound*) *pickup*, sonocaptor

picnic ['pɪknɪk] *n* piquenique
▸ *vi* (*pt & pp* **picnicked**, *ger* **picnicking**) fazer piquenique

pictorial [pɪk'tɔːrɪəl] *n* revista ilustrada
▸ *adj* pictórico

picture ['pɪktʃəʳ] *n* 1 (*painting*) pintura, quadro 2 (*portrait*) retrato 3 (*engraving*) figura, gravura 4 (*photograph*) fotografia 5 (*drawing*) desenho, ilustração 6 (*film*) película, filme cinematográfico 7 (*image*) imagem 8 conjuntura: ***the economical picture is unfavourable*** a conjuntura econômica é desfavorável
▸ *vt* 1 (*represent*) pintar, retratar 2 (*imagine*) imaginar, imaginar-se
• **to take a picture** tirar uma foto
• **to get the picture** entender uma situação

picturesque [pɪktʃə'resk] *adj* pitoresco

piddling ['pɪdəlɪŋ] *adj infml* insignificante

pidgin ['pɪdʒɪn] *n* (*artificial language*) *pidgin*: ***pidgin English*** *pidgin* de base inglesa

pie [paɪ] *n* pastelão, pastel, torta

piece [piːs] *n* 1 (*part*) parte, fragmento 2 (*slice*) fatia, pedaço 3 peça: a ***200-piece jigsaw*** um quebra-cabeça de 200 peças 4 (*coin*) moeda 5 (*literary or musical composition*) peça: ***an orchestral piece*** uma peça orquestral
• **to take to pieces** desmontar
• **to fall /to go to pieces** 1 (*break*) despedaçar 2 (*break down*) ficar em frangalhos
• **in one piece** 1 (*unhurt*) são e salvo, ileso 2 (*unbroken*) inteiro, intacto
• **it's a piece of cake** *infml* é uma moleza, é muito fácil
• **it's a museum piece** (*very old object*) é uma peça de museu
■ **a piece of work** (*person*) uma peça

Serve para individualizar os substantivos incontáveis: ***an interesting piece of news*** uma notícia interessante; ***a piece of furniture*** um móvel (*uma peça de mobília*).

■ **to piece together** *vt* 1 (*assemble*) juntar pedaços, reconstruir 2 (*facts*) reconstituir 3 (*ideas*) juntar

piecemeal ['piːsmiːl] *adv* pouco a pouco, peça por peça

piecework ['piːswɜːk] *n* trabalho por empreitada

pier [pɪəʳ] *n* 1 (*dock*) cais, píer, molhe, embarcadouro 2 (*support*) pilar, pilastra

pierce [pɪəs] *vt* perfurar, furar: ***she had her ears pierced*** ela furou as orelhas

piercing ['pɪəsɪŋ] 1 *adj* (*penetrating*) penetrante 2 (*strident*) agudo
▸ *n* (*body piercieng*) *piercing*: ***he has multiple piercings*** ele tem *piercings* múltiplos

piety ['paɪətɪ] *n* (*pl* **-ies**) piedade

pig [pɪg] *n* 1 (*animal*) porco 2 (*glutton*) glutão 3 *sl* (*policeman*) policial 4 *infml* (*dirty person*) porcalhão 5 (*crude block of metal*) ferro-gusa 6 (*ingot*) lingote 7 (*rude prson*) pessoa grosseira e detestável
• **to make a pig of oneself** empanturrar-se
■ **pig farm** granja suína

pigeon ['pɪdʒɪn] *n* pombo

pigeonhole ['pɪdʒɪnhəʊl] *n* escaninho

pig-headed [pɪg'hedɪd] *adj* teimoso

piglet ['pɪglət] *n* porquinho, leitão

pigment ['pɪgmənt] *n* pigmento

pigsty ['pɪgstaɪ] *n* (*pl* **-ies**) pocilga, chiqueiro

pigtail ['pɪgteɪl] *n* **1** (*hair*) trança, rabo de cavalo trançado, maria-chiquinha **2** ELECTR cabo ou fio geralmente trançado com conectores nas extremidades

pike¹ [paɪk] *n* lança, pique

pike² [paɪk] *n* (*fish*) lúcio

pile [paɪl] *n* monte, pilha
▸ *vt* amontoar, empilhar
■ **to pile up** *vt-vi* amontoar, empilhar

pile-up ['paɪlʌp] *n* (*of vehicles*) engavetamento

piles ['paɪlz] *npl* hemorroidas

pilfer ['pɪlfəʳ] *vt-vi* furtar

pilgrim ['pɪlgrɪm] *n* peregrino

pilgrimage ['pɪlgrɪmɪdʒ] *n* peregrinação

pill [pɪl] *n* pílula
• **to be on the pill** tomar a pílula (*anticoncepcional*)

pillar ['pɪləʳ] *n* pilar, coluna

pillow ['pɪləʊ] *n* travesseiro

pilot ['paɪlət] *adj-n* piloto
▸ *vt* pilotar

pimento [pɪ'mentəʊ] *n* (*pl* **pimentos**) pimentão-doce

pimp [pɪmp] *n* cafetão

pimple ['pɪmpəl] *n* (*on the skin*) espinha

pin [pɪn] *n* **1** (*thin piece of stiff wire*) alfinete **2** (*rivet*) cavilha **3** (*peg*) pino
▸ *vt* (*pt & pp* **pinned**, *ger* **pinning**) **1** (*for sewing*) alfinetar, prender (com alfinetes) **2** (*affix*) fixar, prender
■ **to pin down** *vt* **1** (*determine*) definir, precisar **2** (*chess*) imobilizar **3** (*force*) forçar, compelir
■ **PIN** abrev. de Personal Identification Number (*número de identificação pessoal, senha numérica para cartões de banco*)

pinafore ['pɪnəfɔːʳ] *n* avental

pincers ['pɪnsəz] *npl* **1** (*tool*) tenazes **2** (*claws of a crab*) pinças

pinch [pɪntʃ] *n* (*pl* **-es**) **1** (*nip*) beliscão **2** pitada: ***a pinch of salt*** uma pitada de sal
▸ *vt* **1** (*nip*) beliscar **2** (*shoes*) apertar **3** *infml* (*steal*) afanar

pine¹ [paɪn] *n* pinho
■ **pine cone** pinha
■ **pine nut** pinhão

pine² [paɪn] *vi* **to pine** (*away*) definhar, consumir-se

pineapple ['paɪnæpəl] *n* abacaxi

ping [pɪŋ] *n* zunido metálico
▸ *vi* zunir

ping-pong ['pɪŋpɒŋ] *n* pingue-pongue

pinion ['pɪnɪən] *n* (*cog wheel*) pinhão

pink [pɪŋk] *adj* rosa, cor-de-rosa, rosado
▸ *n* **1** (*colour*) rosa **2** (*plant*) cravo, cravina

pinnacle ['pɪnəkəl] *n* **1** (*of success*) pináculo **2** (*top*) cimo, cume (*de montanha*)

pinpoint ['pɪnpɔɪnt] *vt* detectar, determinar local com precisão

pint [paɪnt] *n* quartilho, *pint*

Na Grã-Bretanha equivale a 0,57 litros; nos Estados Unidos equivale a 0,47 litros.

pioneer [paɪə'nɪəʳ] *n* pioneiro
▸ *vt* **1** (*start*) iniciar **2** (*show the way*) desbravar **3** (*be the pioneer*) ser pioneiro **4** (*be the leader of*) tomar a iniciativa ou a liderança

pious [paɪəs] *adj* pio, devoto

pip [pɪp] *n* **1** (*seed*) caroço, semente **2** *sl* (*annoy*) achaque, mau humor
• **to be pipped at the post** *infml* ser preterido na última hora, perder por pouco

pipe [paɪp] *n* **1** (*tube*) cano, tubulação **2** (*for smoking tobacco*) cachimbo **3** (*musical instrument*) flauta
▸ *npl* **pipes** gaita de foles
▸ *vt* canalizar, encanar
■ **to pipe down** *vi* calar-se

pipeline ['paɪplaɪn] *n* **1** (*tube*) tubulação **2** (*for gas*) gasoduto **3** (*for oil*) oleoduto
• **in the pipeline** em andamento, em fase de planejamento

piper ['paɪpəʳ] *n* **1** (*of pipe*) flautista **2** (*of bagpipe*) gaiteiro

piping ['paɪpɪŋ] *n* tubulação
• **piping hot** muito quente

piracy ['paɪərəsɪ] *n* pirataria

piranha [pɪ'rɑːnə] *n* piranha

pirate ['paɪərət] *n* pirata
▸ *vt* piratear

Pisces ['paɪsiːz] *n* ASTROL Peixes

piss [pɪs] *n infml* urina
▸ *vi infml* urinar, mijar
• **to take the piss out of somebody** fazer pouco de alguém, rir de alguém
• **to piss down** *infml* chover a cântaros
■ **to piss off** *vi sl* dar o fora, sumir
▸ *vt sl* aborrecer, irritar: ***don't piss me off!*** não enche!

pissed [pɪst] *adj* GB *infml* **1** (*drunk*) bêbado **2** US *infml* (*annoyed*) farto

pistachio [pɪs'tɑːʃɪəʊ] *n* (*pl* **pistachios**) pistache

pistol ['pɪstəl] *n* pistola

piston ['pɪstən] *n* **1** (*musical instrument*) pistão, trompete **2** (*part of an engine*) êmbolo

pit¹ [pɪt] *n* **1** (*hole in the ground*) cova, fossa **2** (*coal mine*) mina **3** (*of orchestra*) fosso de orquestra **4** (*of elevator*) poço de elevador **5** (*pockmark*) marca, sinal, cicatriz com depressão na pele **6** (*hell*) inferno, profundeza **7** (*on a motor racing*) área onde se consertam ou abastecem carros de corrida durante uma prova
▸ *vt* (*pt & pp* **pitted**, *ger* **pitting**) descaroçar
• **to pit one's strength against, pit one's wits against** medir forças com, competir intelectualmente com

pit² [pɪt] *n* US (*of fruit*) caroço
▸ *vt* (*pt & pp* **pitted**, *ger* **pitting**) descaroçar

pitch¹ [pɪtʃ] *n* (*pl* **-es**) **1** MUS tom **2** (*playing field*) campo, terreno **3** (*throw*) arremesso, lance **4** (*degree*) grau, intensidade **5** (*degree of slope*) inclinação
▸ *vt* **1** (*throw*) atirar, lançar **2** (*put up*) armar
■ **pitched battle** batalha campal

pitch² [pɪtʃ] *n* piche, breu
■ **to pitch in** *vi* colaborar, ajudar
■ **to pitch into** *vt* **1** mergulhar, dedicar-se (a fazer algo): ***he pitched into his work*** ele mergulhou em seu trabalho **2** (*attack*) atacar, investir contra alguém com críticas

pitch-black [pɪtʃ'blæk] *adj* escuro como breu

pitcher¹ ['pɪtʃəʳ] *n* GB **1** (*cantharis*) cântaro **2** US (*jug*) jarro

pitcher² ['pɪtʃəʳ] *n* US (*baseball*) arremessador

pitchfork ['pɪtʃfɔːk] *n* forcado

pitfall ['pɪtfɔːl] *n* **1** (*unexpected danger*) perigo escondido, armadilha, cilada **2** (*trap*) alçapão

pith [pɪθ] *n* **1** (*of a fruit*) casca interna branca de frutas cítricas **2** *fig* (*essence*) essência, cerne

pitiful ['pɪtɪfʊl] *adj* **1** (*touching*) comovente, tocante **2** (*terrible*) deplorável

pitiless ['pɪtɪləs] *adj* implacável

pittance ['pɪtəns] *n* (*tiny amount*) ninharia, miséria

pity ['pɪtɪ] *n* (*pl* **-ies**) pena, lástima
▸ *vt* (*pt & pp* **-ied**) compadecer-se de
• **to take pity on somebody** apiedar-se de alguém
• **what a pity!** que lástima!, que pena!

pivot ['pɪvət] *n* **1** (*fulcrum*) pivô, eixo **2** (*centre*) pivô, agente principal
▸ *vi* girar em torno de um eixo

pizza ['piːtsə] *n* pizza
■ **pizza parlour** pizzaria

placard ['plækɑːd] *n* placar, cartaz

placate [plə'keɪt] *vt* aplacar, apaziguar

place [pleɪs] *n* **1** (*location*) lugar **2** (*position*) posição **3** (*job*) posto, cargo, emprego **4** (*locale*) local **5** *infml* casa: ***let's have a party at my place*** vamos fazer uma festa lá em casa
▸ *vt* **1** (*lay*) colocar, pôr, situar **2** reconhecer, lembrar (a origem), identificar: ***I've seen him before, but I can't place him*** já o vi antes, mas não consigo lembrar (*de onde*)
• **all over the place** por toda a parte, em todos os lugares
• **in place 1** (*in position*) no lugar certo **2** organizado: ***everything is in place for the meeting*** tudo está organizado para a reunião
• **in place of** em vez de
• **in the first place** em primeiro lugar
• **out of place** fora de lugar
• **to place an order** fazer um pedido
• **to take place** ter lugar, acontecer
• **to take the place of** substituir
■ **place mat** jogo americano, *sousplat*, descanso de prato
■ **place name** topônimo

placenta [plə'sentə] *n* placenta

plague [pleɪg] *n* **1** (*infestation*) praga **2** peste: ***bubonic plague*** peste bubônica

▸ *vt* **1** (*harass*) assediar, importunar **2** causar preocupação ou sofrimento, incomodar: ***my knee is plaguing me all day*** meu joelho está me incomodando o dia todo

plaice [pleɪs] *n* ZOOL solha, linguado

plaid [plæd] *n* tecido xadrez escocês

plain [pleɪn] *adj* **1** claro, evidente: ***the reasons are quite plain*** as razões são bem claras **2** (*simple*) simples **3** sem atrativo: ***a plain girl*** uma moça sem atrativos **4** (*frank*) franco, direto **5** (*fabric*) liso **6** (*pure*) puro, sem mistura

▸ *n* planície

• **in plain clothes** vestido à paisana

• **to make something plain** deixar algo bem claro

▪ **plain yoghurt** iogurte natural

▪ **the plain truth** a verdade pura e simples

▪ **plain chocolate** chocolate amargo

plain-spoken [pleɪn'spəʊkən] *adj* franco, sincero

plaintiff ['pleɪntɪf] *n* (*pl* **plaintiffs**) demandante, querelante, queixoso

plait [plæt] *n* trança

▸ *vt* trançar

plan [plæn] *n* **1** (*strategy*) plano, programa **2** (*sketch*) planta, projeto **3** (*scheme*) esquema

▪ **ground plan (architecture)** planta baixa

▸ *vt* (*pt & pp* **planned**, *ger* **planning**) planejar, planificar

▸ *vi* fazer planos

plane[1] [pleɪn] *n* **1** (*level*) plano, superfície **2** (*aeroplane*) avião

▸ *adj* plano

plane[2] [pleɪn] *n* plaina

plane[3] [pleɪn] *n* BOT plátano

planet ['plænət] *n* planeta

plank [plæŋk] *n* **1** (*board*) tábua, prancha **2** (*politial principle*) item ou princípio: ***wildlife preservation is one of the main planks of his campaign*** a preservação da vida selvagem é um dos itens de sua campanha

plankton ['plæŋktən] *n* BIOL plâncton

planning ['plænɪŋ] *n* planejamento

▪ UK **planning permission** US → **building permit** alvará de construção

plant[1] [plɑ:nt] *n* planta

▸ *vt* **1** (*sow*) plantar, semear **2** (*place*) colocar

▪ **plant pot** vaso de planta

plant[2] [plɑ:nt] *n* **1** (*industrial machinery*) equipamento, maquinaria **2** fábrica, usina: ***power plant*** usina hidrelétrica

plantation [plæn'teɪʃən] *n* plantação

plaque [plæk] *n* placa

plasma ['plæzmə] *n* plasma

plaster ['plɑ:stə^r] *n* **1** (*gypsum*) gesso **2** (*dressing*) emplastro **3** (*stucco*) reboco **4** MED esparadrapo, band-aid®

▸ *vt* **1** (*protect a broken bone*) engessar **2** (*cover with plaster*) rebocar, revestir de reboco

▪ **plaster cast 1** MED aparelho de gesso **2** (*copy of a statue*) cópia em gesso

▪ **plaster of Paris** (*for sculptures or broken bones*) gesso

plastic ['plæstɪk] *adj* plástico

▸ *n* plástico

plasticine® ['plæstɪsi:n] *n* (*modeling material*) plasticina®

plate [pleɪt] *n* **1** (*dish*) prato **2** (*plaque*) placa **3** (*panel*) chapa, lâmina

▸ *vt* chapear, laminar

plateau ['plætəʊ] *n* (*pl* -**s** ou **plateaux**) planalto

platform ['plætfɔ:m] *n* **1** (*stage*) plataforma **2** (*bed frame*) estrado **3** (*podium*) tribuna **4** POL programa partidário

platinum ['plætɪnəm] *n* CHEM platina

platonic [plə'tɒnɪk] *adj* platônico

platoon [plə'tu:n] *n* pelotão

plausible ['plɔ:zɪbəl] *adj* verossímil, plausível

play [pleɪ] *n* **1** (*game*) jogo **2** (*dramatic piece*) peça de teatro **3** (*amusement*) brincadeira

▸ *vt-vi* **1** (*take part in a sport game*) jogar **2** tocar: ***he plays the piano*** ele toca piano **3** brincar: ***the children are playing in the park*** as crianças estão brincando no parque

▸ *vt* **1** (*take the role of*) interpretar, fazer o papel de **2** jogar: ***she plays tennis*** ela joga tênis **3** (*compete against*) jogar contra **4** *vt-vi* (*sound*) tocar, fazer tocar (*CD etc.*)

• **to play a trick on** pregar uma peça em

• **to play for time** protelar

• **to play hard to get** fazer-se de rogado, esnobar

• **to play the fool** bancar o tolo

• **to play truant** fazer gazeta, matar aula

• **to play it by ear** tomar decisões à medida que os acontecimentos se desenrolam

▪ **play on words** jogo de palavras

▪ **fair play** jogo limpo, *fair-play*

▪ **to play along** *vi* fazer o jogo de alguém, acatar um pedido temporariamente

▪ **to play down** *vt* (*understate*) minimizar

▪ **to play on** *vt* (*take advantage of*) aproveitar-se de, tirar partido de

▪ **to play up** *vt* causar problemas a

▸ *vi* **1** (*not work*) não funcionar bem **2** (*be disobedient*) comportar-se mal

playboy ['pleɪbɔɪ] *n playboy*

player ['pleɪə^r] *n* **1** (*competitor*) jogador **2** (*actor, actress*) ator, atriz **3** músico: ***a piano player*** um pianista

playful ['pleɪfʊl] *adj* brincalhão

playground ['pleɪgraʊnd] *n* (*play area*) *play, playground*

playhouse ['pleɪhaʊs] *n* teatro

playing field ['pleɪŋgfiːld] *n* campo de esportes

playmate ['pleɪmeɪt] *n* companheiro de brincadeiras

play-off ['pleɪɒf] *n* (*pl* **play-offs**) partida de desempate

plaything ['pleɪθɪŋ] *n* **1** (*toy*) brinquedo **2** (*person*) joguete

playtime ['pleɪtaɪm] *n* (*at school*) recreio

playwright ['pleɪraɪt] *n* dramaturgo

PLC ['piː'el'siː] *abbr* GB (***Public Limited Company***) Sociedade Anônima, S.A.

Também se escreve **plc**.

plea [pliː] *n* **1** (*appeal*) apelo **2** (*claim*) petição, pedido

• **to enter a plea of guilty** declarar-se culpado

• **to enter a plea of not guilty** declarar-se inocente

plead [pliːd] *vi* suplicar

▸ *vt* alegar

• **to plead guilty** declarar-se culpado

• **to plead not guilty** declarar-se inocente

pleasant ['plezənt] *adj* (*comp* **pleasanter**, *superl* **pleasantest**) **1** agradável: ***what a pleasant surprise!*** que surpresa agradável! **2** (*friendly*) simpático, amável

please [pliːz] *vt-vi* **1** agradar, dar prazer: ***he decided to stay only to please his parents*** ele decidiu ficar apenas para agradar os pais **2** gostar, comprazer: ***she only does what she pleases*** ela só faz o que lhe compraz **3** julgar adequado, bem entender: ***I'll buy whatever I please*** vou comprar o que bem entender

▸ *interj* por favor!

• **as you please** como queira

• **please yourself** (*showing annoyance*) faça o que bem entender

pleased [pliːzd] *adj* contente, satisfeito

• **pleased to meet you!** prazer em conhecê-lo!

• **to be pleased to do something** ter prazer em fazer algo

pleasing ['pliːzɪŋ] *adj* agradável

pleasurable ['pleʒərəbəl] *adj* agradável: ***a pleasurable meal*** uma refeição agradável

pleasure ['pleʒə^r] *n* prazer

• **it gives me great pleasure to...** apraz-me...

• **it's my pleasure** de nada, não tem de quê

• **with pleasure** com prazer

pleat [pliːt] *n* plissado, prega (*em roupa*)

▸ *vt* plissar, preguear

pledge [pledʒ] *n* **1** (*promess*) promessa **2** (*guarantee*) garantia, penhor, fiança

▪ **share pledge** caução de ações

▸ *vt-vi* prometer

plentiful ['plentɪfʊl] *adj* abundante

plenty ['plentɪ] *n* abundância

▸ *pron* **1** muitos: ***plenty of reasons*** muitas razões **2** de sobra, em abundância: ***don't run, there's plenty of time*** não corra, há tempo de sobra

pliable ['plaɪəbəl] *adj* **1** (*flexible*) flexível **2** (*receptive*) dócil

pliers ['plaɪəz] *npl* alicate

plight [plaɪt] *n* situação grave

plimsolls ['plɪmsəlz] *npl* GB (*canvas shoes*) tênis

plod [plɒd] *vi* (*pt & pp* **plodded**, *ger* **plodding**) **1** (*walk*) andar pesadamente **2** (*work*) trabalhar laboriosamente

plonk[1] [plɒŋk] *vt* deixar cair pesadamente

plonk[2] [plɒŋk] *n infml* zurrapa, vinho de má qualidade, vinho carrascão

plot[1] [plɒt] *n* **1** (*conspiracy*) conspiração, complô **2** (*storyline*) trama, argumento, enredo

▸ *vt* (*pt & pp* **plotted**, *ger* **plotting**) **1** (*conspire*) tramar, urdir **2** (*scheme*) traçar, esquematizar

▸ *vi* conspirar, intrigar

plot[2] [plɒt] *n* lote, terreno

plough [plaʊ] *n* arado

▸ *vt-vi* arar, lavrar

plow [plaʊ] *n-vt-vi* US → **plough**

pluck [plʌk] *n* **1** (*courage*) coragem, valentia, garra **2** (*pull*) puxão

▸ *vt* **1** (*pick off*) arrancar **2** (*a bird*) desplumar, depenar

• **to pluck one's eyebrows** fazer as sobrancelhas

• **to pluck up courage** encher-se de coragem

plug [plʌg] *n* **1** tampa, tampão, rolha: ***bath plug*** tampa de banheira **2** ELECTR tomada, plugue

▪ **spark plug 1** (*vehicle*) vela de ignição **2** *infml* (*person*) pessoa cheia de energia e de liderança

▪ **plug and play** COMPUT ligar e usar (*tecnologia que permite que o computador configure dispositivos automaticamente*)

▸ *vt* (*pt & pp* **plugged**, *ger* **plugging**) **1** (*block*) tapar **2** (*fill*) encher

▪ **to plug in** *vt-vi* ligar, conectar

▪ **plugin** COMPUT programas adicionais que ampliam as funções de outro programa

plughole ['plʌghəʊl] *n* escoadouro

plum [plʌm] *n* ameixa

▪ **plum tree** ameixeira

plumage ['plu:mɪdʒ] *n* plumagem

plumb [plʌm] *n* prumo: ***out of plumb*** fora de prumo

▸ *adj-adv* a prumo

▸ *adv* **1** US (*completely*) completamente **2** US bem, precisamente, exatamente: ***he hit the thief plumb on the nose*** ele acertou o ladrão bem no nariz; ***plumb in the middle*** exatamente no centro, bem no meio

▸ *vt* **1** (*test the depths*) sondar **2** *fig.* (*understand*) compreender (*algo obscuro*)

plumber ['plʌmə^r] *n* bombeiro, encanador

plumbing ['plʌmɪŋ] *n* encanamento

plume [plu:m] *n* (*feather*) pluma, penacho

plummet ['plʌmət] *vi* despencar: ***the price of corn has plummeted due to fears of economic slowdown*** o preço do milho despencou em consequência do medo de desaceleração da economia

plump [plʌmp] *adj* rechonchudo, roliço

plump for ['plʌmpfɔ:^r] *vt* optar por

plunder ['plʌndə^r] *n* pilhagem, saque

▸ *vt* saquear

plunge [plʌndʒ] *n* **1** (*dive*) mergulho **2** (*fall*) caída vertiginosa

▸ *vi* **1** (*dive*) mergulhar, atirar-se de cabeça **2** (*fall*) cair subitamente

▸ *vt* **1** (*descend*) submergir (*na água*) **2** (*jab*) cravar

• **to take the plunge** dar o passo decisivo

plunger ['plʌndʒə^r] *n* **1** (*piston*) êmbolo **2** (*for unblocking kitchen pipes*) desentupidor

pluperfect [plu:'pɜ:fekt] *n* → **past perfect** pretérito mais-que-perfeito composto

plural ['plʊərəl] *adj-n* plural

plus [plʌs] *prep* mais: ***five plus three is eight*** cinco mais três são oito

▸ *conj* além do mais: ***let's not buy this car, it's very expensive; plus it's too small for our family*** não vamos comprar este carro, é muito caro; além do mais, é pequeno demais para a nossa família

▸ *n* (*pl* **pluses**) **1** (*sign denoting addition*) sinal de adição **2** vantagem: ***your com-***

puter literacy will be a plus in this job seus conhecimentos de computação serão uma vantagem neste emprego

■ **plus sign** sinal de adição

plush [plʌʃ] *n* pelúcia

▸ *adj infml* luxuoso: ***a plush hotel*** um hotel luxuoso

ply [plaɪ] *vi* (*pt & pp* **-ied**) fazer a travessia, percorrer um trajeto

• **to ply one's trade** exercer seu ofício

• **to ply somebody with something** 1 (*keep suplying food, drink*) oferecer algo a alguém repetidamente 2 (*bombard*) bombardear alguém com ofertas, com perguntas etc.

plywood ['plaɪwʊd] *n* madeira compensada

pm ou p.m. ['piː'em] *abbr* (***post meridiem***) *post meridiem*, depois do meio-dia: ***at 4 p.m.*** às quatro da tarde

Nos Estados Unidos também se escreve **PM** ou **P.M.**

PM ['piː'em] *abbr* GB (***Prime Minister***) primeiro-ministro

PMT ['piː'em'tiː] *abbr* (***premenstrual tension***) tensão pré-menstrual

pneumatic [njuː'mætɪk] *adj* pneumático

pneumonia [njuː'məʊnɪə] *n* MED pneumonia

PO[1] ['pəʊstɒfɪs] *abbr* (***Post Office***) Correios

■ **PO box** caixa postal

PO[2] ['pəʊstəlɔːdə^r] *abbr* (***postal order***) vale postal

poach[1] [pəʊtʃ] *vt-vi* caçar ou pescar ilegalmente

poach[2] [pəʊtʃ] *vt* 1 (*eggs*) fazer ovo pochê, escaldar 2 (*appropriate*) apropriar-se 3 aliciar (empregados): ***my best employees were poached by another company*** meus melhores empregados foram aliciados por outra empresa

pocket ['pɒkɪt] *n* bolso

▸ *vt* 1 (*steal*) embolsar 2 (*put into pocket*) meter no bolso

■ **pocket money** dinheiro para pequenas despesas

pocketbook ['pɒkɪtbʊk] *n* 1 US bolso, recursos financeiros: ***the economic crisis will hit everyone's pocketbook*** a crise econômica afetará o bolso de todos 2 (*woman's handbag*) bolsa 3 (*wallet*) carteira 4 US (*small notebook*) livro de bolso

pod [pɒd] *n* vagem

podgy ['pɒdʒɪ] *adj* (**-ier**, **-iest**) atarracado

podium ['pəʊdɪəm] *n* pódio

poem ['pəʊəm] *n* poema

poet ['pəʊət] *n* poeta

poetic [pəʊ'etɪk] *adj* poético

poetry ['pəʊətrɪ] *n* poesia

poignant ['pɔɪnjənt] *adj* comovedor

point [pɔɪnt] *n* 1 (*sharp end*) ponta 2 (*spot*) ponto (no espaço) 3 (*instant*) ponto, momento (no tempo) 4 ponto: ***freezing point*** ponto de congelamento 5 (*full stop*) ponto 6 ponto, parte de um assunto, questão: ***the point is...*** a questão é... 7 (*dot indicating decimals*) sinal que separa números inteiros dos decimais (equivale à virgula): ***5 point 66*** cinco vírgula sessenta e seis 8 razão, sentido, propósito: ***what's the point of arguing?*** qual o propósito de discutir?

▸ *vi* 1 indicar, apontar: ***the sign points right*** a placa aponta para a direita 2 (*with the finger*) apontar

▸ *vt* mirar, apontar: ***he pointed a gun at me*** ele me apontou uma arma

• **on the point of** a ponto de, prestes a

• **there's no point in...** não vale a pena...

• **to be beside the point** estar fora do assunto, ser irrelevante

• **to come to the point** ir ao ponto, ir direto ao assunto

• **up to a point** até certo ponto

■ **point of view** ponto de vista

■ **weak point** ponto fraco

■ **strong point** ponto forte

■ **focal point** ponto de interesse

■ **decimal point** vírgula decimal

■ **to point out** *vt* 1 (*show*) apontar, mostrar 2 assinalar, ressaltar: ***I would like to point out that...*** gostaria de ressaltar que...

point-blank [pɔɪnt'blæŋk] *adj* 1 (*direct*) categórico, direto 2 (*fired at very close target*) à queima-roupa

▸ *adv* 1 (*directly*) categoricamente, diretamente 2 (*at close range*) à queima-roupa

pointed ['pɔɪntɪd] *adj* 1 (*sharp*) pontiagudo 2 (*cutting*) mordaz

pointer ['pɔɪntəʳ] *n* 1 (*indicator*) indicador 2 (*helpful hint*) sugestão, recomendação

pointless ['pɔɪntləs] *adj* inútil, sem sentido

poise [pɔɪz] *n* 1 (*elegance*) porte, elegância 2 (*composure*) frieza e compostura em situações de tensão

poison ['pɔɪzən] *n* veneno
▸ *vt* envenenar

poisonous ['pɔɪzənəs] *adj* venenoso

poke [pəʊk] *n* 1 (*prod*) empurrão de leve, cotovelada, cutucada 2 (*box*) soco 3 (*bag*) saco de compras (*de papel ou plástico*)
▸ *vt* 1 acotovelar, dar cotovelada: ***he poked me in the arm*** ele me deu uma cotovelada no braço 2 cutucar: ***she poked him in the ribs*** ela o cutucou nas costelas 3 assomar: ***he poked his head out of the window*** ele assomou à janela 4 (*box*) socar 5 (*search*) escarafunchar 6 (*stir*) atiçar

poker[1] ['pəʊkəʳ] *n* pôquer

poker[2] ['pəʊkəʳ] *n* 1 (*device to burn*) atiçador 2 (*person*) aquele que cutuca ou acotovela

Poland ['pəʊlənd] *n* Polônia

polar ['pəʊləʳ] *adj* polar
■ **polar bear** urso polar

polarize ['pəʊləraɪz] *vt* polarizar
▸ *vi* polarizar-se

pole[1] [pəʊl] *n* 1 poste: ***telegraph pole*** poste telefônico 2 (*stick*) vara 3 (*stake*) estaca 4 (*mast*) mastro
■ **pole vault** salto com vara

pole[2] [pəʊl] *n* polo
• **to be poles apart** estar em polos opostos
■ **pole star** estrela polar

Pole [pəʊl] *n* polonês

polemic [pə'lemɪk] *adj* polêmico
▸ *n* polêmica

police [pə'li:s] *npl* polícia
▸ *vt* policiar
■ **police car** radiopatrulha
■ **police officer** policial
■ **police record** antecedentes criminais
■ **police station** delegacia de polícia

policeman [pə'li:smən] *n* (*pl* **policemen**) policial

policewoman [pə'li:swʊmən] *n* (*pl* **policewomen**) policial

policy ['pɒlɪsɪ] *n* (*pl* **-ies**) 1 política: ***foreign policy*** política externa 2 (*written statement*) apólice (*de seguros*) 3 prática adotada, programa de ação: ***what is your school's policy on repeated absences?*** qual a prática da sua escola quanto a faltas frequentes?

polish ['pɒlɪʃ] *n* (*pl* **-es**) 1 (*substance for polishing*) lustra-móveis 2 (*for shoes*) graxa 3 (*for nails*) esmalte 4 (*sheen*) lustre, polimento, brilho 5 (*wax*) cera 6 (*elegance*) refinamento, requinte
▸ *vt* 1 (*wax*) polir, engraxar, encerar 2 (*shine*) lustrar, dar brilho 3 (*refine*) polir, refinar
• **to give something a polish** lustrar, polir, encerar algo
■ **to polish off** *vt* 1 (*finish completely*) despachar, terminar rapidamente e com facilidade 2 (*food*) devorar: ***she polished off the whole cake*** ela devorou o bolo todo

Polish ['pəʊlɪʃ] *adj* polonês
▸ *n* 1 (*person*) polonês 2 (*language*) polonês

polite [pə'laɪt] *adj* (*comp* **politer**, *superl* **politest**) cortês, bem-educado

politeness [pə'laɪtnəs] *n* cortesia, educação

political [pə'lɪtɪkəl] *adj* político
■ **political asylum** asilo político: ***to seek political asylum*** pedir asilo político

politician [pɒlɪ'tɪʃən] *n* político

politics ['pɒlɪtɪks] *n* política

É incontável, e o verbo vai para o singular.

▸ *npl* opiniões políticas, interesse partidário

poll [pəʊl] *n* 1 (*number of votes recorded*) apuração de votos 2 pesquisa de opinião pública, sondagem: ***to carry out a poll*** conduzir uma pesquisa
■ **the polls** as urnas
▸ *vt* 1 obter (*número de votos*): ***the candidate polled 80% of the votes*** o candidato obteve 80% dos votos 2 entrevis-

tar para pesquisa de opinião: ***half the people polled said they would vote for him*** metade das pessoas entrevistadas disseram que votariam nele

pollen ['pɒlən] *n* pólen

pollutant [pə'lu:tənt] *n* poluente

pollute [pɒ'lu:t] *vt* poluir

pollution [pɒ'lu:ʃən] *n* poluição

polo ['pəʊləʊ] *n* SPORT polo

▪ **polo neck** gola alta, gola rulê

polyester [pɒlɪ'estəʳ] *n* poliéster

polygon ['pɒlɪgɒn] *n* polígono

polystyrene [pɒlɪ'staɪri:n] *n* poliestireno, isopor

polytechnic [pɒlɪ'teknɪk] *n* escola politécnica

polyurethane [pɒlɪ'jʊərəθeɪn] *n* poliuretano

pomegranate ['pɒmɪgrænət] *n* (*fruit*) romã

pomp [pɒmp] *n* pompa

pompom ['pɒmpɒm] *n* pompom

pompous ['pɒmpəs] *adj* pomposo

pond [pɒnd] *n* **1** (*reservoir*) tanque, reservatório **2** (*small artificial lake*) lago pequeno e artificial

ponder ['pɒndəʳ] *vt* ponderar, considerar

pong [pɒŋ] *n infml* cheiro desagradável

▸ *vt infml* empestar

pontoon¹ [pɒn'tu:n] *n* (*card game*) vinte e um

pontoon² [pɒn'tu:n] *n* plataforma flutuante

pony ['pəʊnɪ] *n* (*pl* **-ies**) pônei

ponytail ['pəʊnɪteɪl] *n* rabo de cavalo

poodle ['pu:dəl] *n poodle*

poof [pʊf] *n* (*pl* **poofs**) *sl* maricas

pooh-pooh [pu:'pu:] *vt infml* depreciar uma ideia ou opinião

pool¹ [pu:l] *n* **1** (*pond*) poça, charco **2** (*reservoir*) tanque **3** (*swimming pool*) piscina

pool² [pu:l] *n* **1** (*consortium*) *pool*, associação de empresa, de pessoas etc. **2** (*game*) sinuca

▸ *vt* reunir, formar associação, formar um fundo comum

▸ *npl* **the pools** loteria esportiva

poor [pʊəʳ] *adj* **1** (*impoverished*) pobre **2** (*inferior*) inferior, de padrão inferior, de má qualidade

▪ **poor health** saúde debilitada

poorly ['pʊəlɪ] *adj* (**-ier**, **-iest**) mal, adoentado

▸ *adv* mal: ***poorly paid workers*** trabalhadores mal pagos

pop¹ [pɒp] *n* **1** (*sound*) estalo, estouro **2** música popular: ***she prefers classical to pop*** ela prefere a música clássica à popular **3** *infml* (*fizzy drink*) bebida gasosa

▸ *vt* (*pt & pp* **popped**, *ger* **popping**) enfiar, pôr: ***pop it in your pocket*** ponha isto em seu bolso

▸ *vt-vi* arrebentar, estourar

pop² [pɒp] *n infml* papai

▪ **to pop in** *vi* (*pt & pp* **popped**, *ger* **popping**) **1** dar um pulo: ***let's pop into the bank and get some cash*** vamos dar um pulo no banco e sacar algum dinheiro **2** aparecer (para uma visita): ***why don't you pop in one of these days?*** por que você não aparece qualquer dia desses?

▪ **to pop out** *vi* dar uma saída: ***John has popped out for a minute*** John deu uma saída rápida

▪ **to pop up** *vi* surgir inesperadamente

▪ **pop culture** cultura *pop*

▪ **pop-up window** COMPUT janela *pop-up*, janela que se abre no navegador (*geralmente de conteúdo publicitário*)

popcorn ['pɒpkɔ:n] *n* pipoca

pope [pəʊp] *n* papa

poplar ['pɒpləʳ] *n* BOT álamo, choupo

poppy ['pɒpɪ] *n* (*pl* **-ies**) BOT papoula

popular ['pɒpjʊləʳ] *adj* popular

popularity [pɒpjʊ'lærɪtɪ] *n* popularidade

popularize ['pɒpjʊləraɪz] *vt* popularizar

populate ['pɒpjʊleɪt] *vt* povoar

population [pɒpjʊ'leɪʃən] *n* população

▪ **population explosion** explosão demográfica

porcelain ['pɔ:səlɪn] *n* porcelana

porch [pɔ:tʃ] *n* (*pl* **-es**) **1** (*vestibule*) pórtico, entrada **2** US (*stoop*) varanda

porcupine ['pɔ:kjʊpaɪn] *n* ZOOL porco-espinho

pore [pɔːʳ] *n* poro

pore over ['pɔːr'əʊvəʳ] *vt* estudar minuciosamente, perscrutar

pork [pɔːk] *n* carne de porco

▪ **pork chop** costela de porco

pornographic [pɔːnə'græfɪk] *adj* pornográfico

pornography [pɔː'nɒgrəfɪ] *n* pornografia

porpoise ['pɔːpəs] *n* ZOOL golfinho, boto

porridge ['pɒrɪdʒ] *n* (*of oatmeal*) mingau

port¹ [pɔːt] *n* (*harbour*) porto

port² [pɔːt] *n* bombordo

port³ [pɔːt] *n* vinho do Porto

portable ['pɔːtəbəl] *adj* portátil

portal ['pɔːtəl] *n* COMPUT portal

porter ['pɔːtəʳ] *n* **1** (*doorman*) porteiro **2** (*carrier*) carregador (*de bagagem*)

portfolio [pɔːt'fəʊlɪəʊ] *n* (*pl* **portfolios**) **1** (*case*) pasta para papéis **2** POL pasta ministerial **3** ECON carteira (*de títulos*), portfólio **4** (*collection of papers*) conjunto de materiais (*documentos, gráficos etc.*) usados em apresentação acadêmica ou profissional, portfólio

porthole ['pɔːthəʊl] *n* (*small round window*) vigia

portion ['pɔːʃən] *n* **1** (*part*) porção, parte, quinhão **2** (*serving*) ração

▪ **to portion out** *vt* repartir

portly ['pɔːtlɪ] *adj* (**-ier**, **-iest**) corpulento

portrait ['pɔːtreɪt] *n* retrato

portray [pɔː'treɪ] *vt* **1** (*paint, draw*) retratar **2** (*describe*) descrever, representar

Portugal ['pɔːtjʊgəl] *n* Portugal

Portuguese [pɔːtj'giːz] *adj* português

▸ *n* **1** (*person*) português **2** (*language*) português

▸ *npl* **the Portuguese** os portugueses

pose [pəʊz] *n* **1** (*posture*) pose, postura do corpo **2** (*pretence*) atitude estudada, postura falsa, farsa

▸ *vt* **1** (*present*) expor **2** representar (ameaça): ***drunken drivers pose a threat to everyone*** motoristas bêbados representam uma ameaça a todos **3** (*ask*) fazer (pergunta)

▸ *vi* **1** (*behave affectedly*) adotar uma pose, fingir **2** posar (*como modelo*): ***let's pose for a photograph next to the Eiffel Tower*** vamos posar para uma foto junto à Torre Eiffel

• **to pose as** fazer-se passar por

• **to assume/strike/adopt a pose** assumir, fazer, adotar uma pose (para foto, pintura etc.)

posh [pɒʃ] *adj* GB **1** *infml* (*place*) elegante, de luxo **2** GB *infml* (*person*) afetado, grã-fino

position [pə'zɪʃən] *n* **1** (*place*) local, posição **2** postura, posição: ***I'm sitting in an unconfortable position*** estou sentado em uma posição incômoda **3** (*job*) posto, emprego, cargo **4** situação: ***it was an awkward position*** foi uma situação constrangedora

▸ *vt* colocar, situar

positive ['pɒzɪtɪv] *adj* **1** positivo: ***a positive response*** uma reação positiva **2** certo, seguro: ***I'm positive that I saw him*** estou seguro de tê-lo visto **3** *infml* (*used for giving force to a noun*) verdadeiro, autêntico, completo

possess [pə'zes] *vt* **1** (*have*) possuir, ter **2** apoderar-se de: ***jeaulousy possessed him*** o ciúme apoderou-se dele

possession [pə'zeʃən] *n* **1** (*ownership*) possessão **2** (*occupancy*) posse

possessive [pə'zesɪv] *adj* possessivo

possibility [pɒsɪ'bɪlɪtɪ] *n* (*pl* **-ies**) possibilidade

possible ['pɒsɪbəl] *adj* possível

• **as much as possible** tanto quanto possível

• **as soon as possible** quanto antes, assim que for possível

possibly ['pɒsɪblɪ] *adv* possivelmente

post¹ [pəʊst] *n* poste

post² [pəʊst] *n* posto, cargo

▸ *vt* **1** (*mail*) enviar pelo Correio, postar **2** (*put up a notice*) afixar, pregar **3** (*put on duty*) nomear (*subordinado*)

• **to keep someone posted** manter alguém informado

post³ [pəʊst] *n* correio

▪ **post office** Correios

▪ **post office box** caixa de correio

postage ['pəʊstɪdʒ] *n* (*post*) franquia, porte
• **postage and packing** gastos de envio
▪ **postage stamp** selo postal
▪ **postage paid** porte pago

postal ['pəʊstəl] *adj* postal
▪ **postal district** distrito postal
▪ **postal order** vale postal

postbox ['pəʊstbɒks] *n* (*pl* **postboxes**) caixa de correio

postcard ['pəʊstkɑːd] *n* cartão-postal, postal

postcode ['pəʊstkəʊd] *n* código postal

poster ['pəʊstəʳ] *n* pôster, cartaz

posterior [pɒ'stɪərɪəʳ] *adj* posterior
▸ *n infml* traseiro, nádegas

posterity [pɒs'terɪtɪ] *n* posteridade

postgraduate [pəʊst'grædjʊət] *n* GB **1** aluno que concluiu o ensino médio e estuda em universidade (US *nesta acepção, o mesmo que graduate*) **2** GB aquele que faz estudos de pós-graduação após o ensino médio **3** US aquele que faz estudos de pós-graduação após o ensino médio ou universitário

posthumous ['pɒstjʊməs] *adj* póstumo

postman ['pəʊstmən] *n* (*pl* **postmen**) carteiro

postmark ['pəʊstmɑːk] *n* carimbo do correio

postmortem [pəʊst'mɔːtəm] *n* **1** (*autopsy*) autópsia **2** *infml* discussão (de um evento já ocorrido, especialmente se malsucedido): ***let's go home; all this postmortem is useless*** vamos para casa; toda esta discussão é inútil

postpone [pəs'pəʊn] *vt* adiar

postponement [pəs'pəʊnmənt] *n* adiamento

postscript ['pəʊstskrɪpt] *n* pós-escrito

posture ['pɒstʃəʳ] *n* **1** (*way of holding the body*) postura **2** (*attitude*) postura

postwoman ['pəʊstwʊmən] *n* (*pl* **postwomen**) carteira

pot¹ [pɒt] *n* **1** (*bowl*) pote **2** (*cup*) caneca **3** (*for tea*) chaleira, bule **4** (*for cooking*) panela, caçarola **5** (*vessel*) vaso **6** (*for urinate*) urinol
• **to go to pot** *infml* arruinar-se, estragar, degringolar

pot² [pɒt] *n sl* maconha

potassium [pə'tæsɪəm] *n* CHEM potássio

potato [pə'teɪtəʊ] *n* (*pl* **potatoes**) batata

potent ['pəʊtənt] *adj* potente

potential [pə'tenʃəl] *adj-n* potencial

pothole ['pɒthəʊl] *n* **1** (*hole*) cova **2** (*in the surface of a road*) buraco

potluck [pɒt'lʌk] *n* **1** (*food offered to unexpected guests*) comida improvisada para convidados de última hora **2** (*food brought by guests*) tipos diferentes de comida trazida por convidados e repartida entre todos
• **to take potluck** comer o que estiver disponível, improvisar uma refeição

potted ['pɒtɪd] *adj* **1** (*preserve*) em conserva **2** de vaso: ***a potted plant*** uma planta de vaso **3** resumido, simplificado: ***a potted version of a famous novel*** uma versão simplificada de um romance famoso

potter¹ ['pɒtəʳ] *n* ceramista, oleiro

potter² ['pɒtəʳ] *vi* entreter-se, ocupar-se de pequenas tarefas: ***he potters around in the garden quite a lot*** ele se entretém bastante trabalhando no jardim

pottery ['pɒtərɪ] *n* **1** (*factory*) olaria **2** (*ceramics*) cerâmica

potty¹ ['pɒtɪ] *n* (*pl* **-ies**) urinol

potty² ['pɒtɪ] *adj* (**-ier**, **-iest**) *infml* maluco, pirado

pouch [paʊtʃ] *n* (*pl* **-es**) **1** (*small bag*) algibeira, bolsa **2** (*for tobacco*) tabaqueira

poultice ['pəʊltɪs] *n* cataplasma

poultry ['pəʊltrɪ] *n* aves domésticas

pounce [paʊns] *vi* precipitar-se sobre algo ou alguém

pound¹ [paʊnd] *n* **1** (*monetary unity*) libra **2** (*unit of weight*) libra

pound² [paʊnd] *vt* **1** (*crush*) triturar **2** (*hit*) golpear, esmurrar
▸ *vi* (*heart*) palpitar

pound³ [paʊnd] *n* **1** (*for dogs*) canil **2** (*for vehicles*) depósito

pour [pɔːʳ] *vt* **1** (*flow*) verter, despejar **2** (*rain*) chover
▸ *vi* **1** (*course*) correr, fluir **2** precipitar-se: ***refugees poured into the country*** re-

fugiados precipitaram-se pelo país adentro **3** (*rain heavily*) chover a cântaros

• **to come pouring in** (*come in large numbers*) entrar como enxurrada

pout [paʊt] *n* bico (*careta*): ***one can easily tell from her pout that she's annoyed*** pode-se ver facilmente pelo seu bico que ela está chateada

▸ *vi* (*look sulky*) fazer bico

poverty ['pɒvətɪ] *n* pobreza

POW ['piː'əʊ'dʌbəljuː] *abbr* (***prisioner of war***) prisioneiro de guerra

powder ['paʊdəʳ] *n* **1** (*dust*) pó **2** (*gun powder*) pólvora

▸ *vt* **1** (*cover with powder*) empoar, passar pó **2** (*crush*) pulverizar

power ['paʊəʳ] *n* **1** (*Physics*) força **2** (*strenght*) força, poder, capacidade **3** (*capacity*) capacidade, faculdade **4** (*electricity*) força, corrente (elétrica) **5** (*authority*) poder, autoridade **6** energia: ***nuclear power*** energia nuclear **7** (*nation*) potência **8** potência: ***to the power of four*** elevado à quarta potência

▸ *vt* **1** (*move*) mover, acionar **2** (*supply power*) alimentar (*corrente elétrica*)

• **in power** no poder

▪ **power cut** apagão, corte de energia

▪ **power point** tomada (de corrente)

▪ **power station** central elétrica

powerful ['paʊəfʊl] *adj* **1** (*commanding*) poderoso **2** (*strong*) forte **3** (*medicine*) potente, eficaz

powerless ['paʊələs] *adj* impotente

pp ['peɪdʒɪz] *abbr* (***pages***) páginas, pp.

PR ['piː'ɑː] *abbr* (***public relations***) relações públicas

practicable ['præktɪkəbəl] *adj* praticável, viável

practical ['præktɪkəl] *adj* prático

practically ['præktɪkəlɪ] *adv* praticamente

practice ['præktɪs] *n* **1** prática: ***theory and practice*** teoria e prática **2** (*training*) treinamento **3** (*custom*) costume, hábito, praxe **4** (*profession*) exercício **5** (*business*) firma, negócio

▸ *vt-vi* US → **practise**

• **in practice** em prática

• **to be out of practice** estar fora de prática

• **to put into practice** pôr em prática

practise ['præktɪs] *vt-vi* **1** (*train*) praticar **2** (*work at*) exercer (*profissão*), advogar, clinicar **3** (*observe*) professar (*religião*)

▸ *vi* (*sports*) treinar

practitioner [præk'tɪʃənəʳ] *n* médico

pragmatic [præg'mætɪk] *adj* pragmático

prairie ['preərɪ] *n* pradaria, planície

praise [preɪz] *n* louvor, elogio

▸ *vt* louvar, elogiar

pram [præm] *n* GB carrinho de bebê

prank [præŋk] *n* travessura, brincadeira

prattle ['prætəl] *n* conversa tola ou irrelevante, conversa fiada

▸ *vi* conversar, palrar

prawn [prɔːn] *n* ZOOL camarão

pray [preɪ] *vi* orar, rezar

prayer [preəʳ] *n* oração, reza

▪ **prayer book** missal

preach [priːtʃ] *vt-vi* **1** (*give a sermon*) pregar, pronunciar sermão **2** (*proclaim*) exortar **3** (*moralize*) aconselhar, doutrinar

preacher ['priːtʃəʳ] *n* **1** (*clergyman*) pregador **2** (*prelector*) conselheiro, doutrinador

precarious [prɪ'keərɪəs] *adj* precário, inseguro

precaution [prɪ'kɔːʃən] *n* precaução

precede [prɪ'siːd] *vt-vi* preceder

precedence ['presɪdəns] *n* precedência, prioridade

precedent ['presɪdənt] *adj* precedente

precept ['priːsept] *n* preceito

precinct ['priːsɪŋkt] *n* **1** US (*police station*) distrito policial **2** US (*enclosure*) recinto **3** GB (*surroundings*) parte de uma cidade usada como área de pedestre ou zona comercial

▸ *npl* **precincts** GB área ou terreno pertencente a um prédio

precious ['preʃəs] *adj* **1** (*valuable*) precioso, valioso **2** (*loved*) querido, estimado

▸ *adv infml* muito: ***precious little*** muito pouco

▪ **precious stone** pedra preciosa

precipice ['precɪpɪs] *n* precipício

precipitate [(*adj*) prɪ'sɪpɪtət; (*v*) prɪ'sɪpɪteɪt] *adj* precipitado
▸ *vt* precipitar

precise [prɪ'saɪs] *adj* **1** (*exact*) preciso, exato **2** (*meticulous*) meticuloso

precisely [prɪ'saɪgír.ɪ] *adv* precisamente

precision [prɪ'sɪʒən] *n* precisão, exatidão

preclude [prɪ'klu:d] *vt* excluir, descartar

precocious [prɪ'kəʊʃəs] *adj* precoce

preconceived [pri:kən'si:vd] *adj* preconcebido

precooked [pri:'kʊkt] *vt* pré-cozido

predator ['predətəʳ] *n* predador

predecessor ['pri:dɪsesəʳ] *n* predecessor

predestination [pri:destɪ'neɪʃən] *n* predestinação

predestine [pri:'destɪn] *vt* predestinar

predetermine [pri:dɪ'tɜ:mɪn] *vt* predeterminar

predicament [prɪ'dɪkəmənt] *n* apuro, aperto, situação difícil

predict [prɪ'dɪkt] *vt* predizer, vaticinar, prognosticar

predictable [prɪ'dɪktəbəl] *adj* previsível

prediction [prɪ'dɪkʃən] *n* previsão, vaticínio, prognóstico

predispose [pri:dɪs'pəʊz] *vt* predispor

predominant [prɪ'dɒmɪnənt] *adj* predominante

predominate [prɪ'dɒmɪneɪt] *vi* predominar

pre-eminent [pri:'emɪnənt] *adj* preeminente

pre-empt [pri:'empt] *vt* **1** (*acquire*) adquirir por preempção **2** (*antecipate*) antecipar-se a algo ou a alguém **3** US (*TV*) alterar a programação televisiva habitual para transmitir notícias importantes

prefabricated [pri:'fæbrɪkeɪtɪd] *adj* pré-fabricado

preface ['prefəs] *n* prefácio, prólogo

prefect ['pri:fekt] *n* **1** (*mayor*) prefeito **2** GB (*senior pupil*) monitor

prefer [prɪ'fɜ:ʳ] *vt* (*pt & pp* **preferred**, *ger* **preferring**) preferir

preferable ['prefərəbəl] *adj* preferível

preference ['prefərəns] *n* preferência

preferential [prefə'renʃəl] *adj* preferencial

prefix ['pri:fɪks] *n* (*pl* **prefixes**) prefixo

pregnancy ['pregnənsɪ] *n* (*pl* **-ies**) gravidez

▪ **pregnancy test** teste de gravidez

pregnant ['pregnənt] *adj-n* grávida

• **to be pregnant by somebody** estar grávida de alguém

• **to get pregnant** engravidar

prehistoric [pri:hɪ'stɒrɪk] *n* pré-histórico

prejudge [pri:'dʒʌdʒ] *vt* prejulgar

prejudice ['predʒədɪs] *n* **1** (*discrimination*) preconceito **2** (*injustice*) prejuízo
▸ *vt* **1** (*predispose*) predispor **2** (*damage*) prejudicar

prejudiced ['predʒədɪst] *adj* preconceituoso

• **to be prejudiced** estar de prevenção

prejudicial [predʒə'dɪʃəl] *adj* prejudicial

preliminary [prɪ'lɪmɪnərɪ] *adj-n* (*pl* **-ies**) preliminar

prelude ['prelju:d] *n* prelúdio

premature [premə'tjʊəʳ] *adj* prematuro

premeditated [pri:'medɪteɪtɪd] *adj* premeditado

premier ['premɪəʳ] *adj* primeiro, principal
▸ *n* primeiro-ministro

première ['premɪeəʳ] *n* estreia, *première*

premise ['premɪs] *n* premissa
▸ *npl* **premises** local, instalações

▪ **on the premises** no local

premium ['pri:mɪəm] *n* prêmio, recompensa

premonition [pri:mə'nɪʃən] *n* premonição

preoccupation [pri:ɒkjʊ'peɪʃən] *n* preocupação

preoccupy [pri:'ɒkjʊpaɪ] *vt* (*pt & pp* **-ied**) preocupar

prepaid [pri:'peɪd] *adj* com porte pago, pago antecipadamente

preparation [prepə'reɪʃən] *n* **1** (*arrangement*) preparação **2** (*mixture*) preparado
▸ *npl* **preparations** preparativos

preparatory [prɪ'pærətərɪ] *adj* preparatório, preliminar

prepare [prɪ'peəʳ] *vt-vi* preparar

prepared [prɪ'peəd] *adj* **1** (*ready*) pronto, preparado **2** (*disposed*) disposto

preposition [prepə'zɪʃən] *n* preposição

prepossessing [pri:pə'zesɪŋ] *adj* atraente: ***a prepossessing appearance*** uma aparência atraente

preposterous [prɪ'pɒstərəs] *adj* absurdo, ridículo, disparatado

prerequisite [pri:'rekwɪzɪt] *n* pré-requisito

prerogative [prɪ'rɒgətɪv] *n* prerrogativa

presbyterian [prezbɪ'tɪərɪən] *adj-n* presbiteriano

preschool [pri:'sku:l] *adj* pré-escolar

prescribe [prɪs'kraɪb] *vt* **1** (*lay down as a rule*) prescrever **2** (*order*) ordenar, determinar **3** recomendar: ***prescribed reading*** leitura recomendada **4** (*medicine*) receitar

prescription [prɪs'krɪpʃən] *n* receita médica
• **on prescription** com receita médica

presence ['prezəns] *n* presença

present¹ ['prezənt] *adj* **1** presente: ***were you present at the trial?*** você estava presente ao julgamento? **2** atual: ***the present government*** o governo atual
▸ *n* **1** (*present time*) presente, atualidade **2** (*form of a verb*) presente
• **at present** atualmente, no momento, agora
• **at the present time** atualmente
• **for the present** por enquanto
• **to be present** estar presente, assistir
▪ **present continuous** presente contínuo
▪ **present perfect** presente perfeito
▪ **present tense** presente

present² [(*n*) 'prezənt; (*v*) prɪ'zent] *n* presente, oferta: ***a Christmas present*** um presente de Natal
▸ *vt* **1** (*introduce*) apresentar **2** (*give*) entregar, apresentar, dar **3** (*perform*) representar (*peça teatral*) **4** (*show*) apresentar
• **to present a problem** representar um problema

presentable [prɪ'zentəbəl] *adj* apresentável
• **to make oneself presentable** arrumar-se

presentation [prezən'teɪʃən] *n* **1** (*performance*) apresentação **2** (*giving*) entrega (de prêmio)

presenter [prɪ'zentəʳ] *n* **1** (*TV, radio*) locutor **2** (*show, TV*) apresentador

presently ['prezəntlɪ] *adv* **1** GB (*soon*) logo, em breve, daqui a pouco **2** US (*now*) atualmente, no momento

preservation [prezə'veɪʃən] *n* conservação, preservação

preservative [prɪ'zɜ:vətɪv] *n* (*food*) conservante

preserve [prɪ'zɜ:v] *n* **1** (*fruit, vegetable*) conserva **2** (*jam*) geleia **3** (*area*) área reservada, reserva
▸ *vt* conservar, preservar

preside [prɪ'zaɪd] *vi* presidir

president ['prezɪdənt] *n* presidente

press [pres] *n* (*pl* **-es**) **1** (*news media*) imprensa **2** (*squeezer*) prensa **3** (*printing machine*) prelo **4** (*hurry*) urgência, premência
▸ *vt* **1** (*push*) apertar **2** (*crush*) prensar, espremer **3** (*iron*) passar a ferro **4** (*force*) pressionar, persuadir
▸ *vi* comprimir-se: ***the crowd pressed against the gates trying to see the pop star*** a multidão se comprimiu contra o portão tentando ver o ídolo
▪ **press briefing** entrevista coletiva entre o governo e a imprensa para comunicados oficiais
▪ **press conference** entrevista coletiva
▪ **press release** comunicado distribuído à imprensa, *press-release*, *release*
▪ **press agency** agência de informações
▪ **to press ahead/on** *vi* seguir adiante
▪ **to press for** *vt* exigir, reclamar
• **to press charges against someone** denunciar alguém à justiça

pressing ['presɪŋ] *adj* urgente, premente

press-up ['presʌp] *n* (*exercise*) flexão

pressure ['preʃəʳ] *n* **1** (*physical force*) pressão **2** (*strain*) tensão

• **to put pressure on** pressionar
▪ **pressure cooker** panela de pressão
▪ **pressure group** grupo de pressão

pressurize ['preʃəraɪz] *vt* 1 (*control the air*) pressurizar 2 persuadir com insistência, pressionar: ***he was pressurized into telling the whole truth*** ele foi fortemente persuadido a contar toda a verdade

prestige [pres'ti:ʒ] *n* prestígio

prestigious [pres'tɪdʒəs] *adj* prestigioso

presumably [prɪ'zju:məblɪ] *adv* presumivelmente

presume [prɪ'zju:m] *vt-vi* presumir, supor

presumption [prɪ'zʌmpʃən] *n* 1 (*assumption*) suposição 2 (*arrogance*) presunção

presumptuous [prɪ'zʌmptjʊəs] *adj* presunçoso

presuppose [pri:sə'pəʊz] *vt* pressupor, implicar

pretence [prɪ'tens] *n* 1 (*simulation*) fingimento, simulação, farsa 2 (*ostentation*) pretensão 3 (*claim*) pretexto
• **under false pretences** com a falsa desculpa de, fraudulentamente

pretend [prɪ'tend] *vt-vi* 1 (*simulate*) aparentar, fingir 2 (*profess to have*) ter a pretensão de 3 fazer de conta: ***let's pretend we're astronauts*** vamos fazer de conta que somos astronautas
▸ *vi* pretender

pretentious [prɪ'tenʃəs] *adj* pretensioso, presumido

pretext ['pri:tekst] *n* pretexto

pretty ['prɪtɪ] *adj* (-**ier**, -**iest**) bonito, lindo
▸ *adv* bastante, mas não ao extremo: ***it's pretty cold today*** está bastante frio hoje
• **pretty much** mais ou menos, quase:
▪ **pretty well/much** mais ou menos, quase: ***have you finished? – pretty much*** acabou? – quase

prevail [prɪ'veɪl] *vi* 1 (*triumph*) predominar, imperar 2 (*be prevalent*) prevalecer
• **to prevail upon sb** convencer, persuadir alguém: ***she was eventually prevailed upon to run for re-election*** ela foi finalmente convencida a disputar a reeleição

prevailing [prɪ'veɪlɪŋ] *adj* predominante

prevalent ['prevələnt] *adj* predominante

prevaricate [prɪ'værɪkeɪt] *vi* tergiversar, usar de subterfúgios

prevent [prɪ'vent] *vt* 1 impedir: ***rain prevented them from going to the beach*** a chuva os impediu de ir à praia 2 evitar: ***sign your names on the top of the page to prevent confusion*** assinem seus nomes no alto da página para evitar confusão

prevention [prɪ'venʃən] *n* prevenção

preventive [prɪ'ventɪv] *adj* preventivo

preview ['pri:vju:] *n* pré-estreia

previous ['pri:vɪəs] *adj* prévio, anterior, antecedente
• **previous to** antes de
▪ **previous convictions** antecedentes criminais

previously ['pri:vɪəslɪ] *adv* previamente, antecipadamente

prey [preɪ] *n* 1 (*quarry*) presa 2 (*victim*) vítima
• **to fall prey to** ser vítima de
• **to be easy prey** ser presa fácil
▪ **bird of prey** ave de rapina
▪ **to prey on** *vt* 1 (*hunt for food*) caçar, alimentar-se de caça 2 atormentar: ***fear preyed on his mind*** o medo o atormentava

price [praɪs] *n* preço
▸ *vt* fixar o preço de, apreçar
• **at any price** a todo custo, a qualquer preço

priceless ['praɪsləs] *adj* inestimável

pricey ['praɪsɪ] *adj* (-**ier**, -**iest**) *infml* caro

prick [prɪk] *n* 1 (*sting*) picada, alfinetada, ferroada 2 *vulg* (*stupid person*) otário 3 *vulg* (*penis*) pênis
▸ *vt* espetar, alfinetar
• **to prick up one's ears** aguçar os ouvidos

prickle ['prɪkəl] *n* 1 (*thorn*) espinho, ferrão 2 (*tingle*) prurido, comichão
▸ *vt-vi* espetar, picar

prickly ['prɪklɪ] *adj* (-**ier**, -**iest**) 1 (*spiky*) espinhoso 2 (*irritable*) irritadiço

pricy ['praɪsɪ] *adj* (**-ier**, **-iest**) *infml* caro

pride [praɪd] *n* **1** (*satisfaction*) orgulho **2** (*self-esteem*) amor-próprio
• **to pride oneself on** orgulhar-se de
• **to take pride in** orgulhar-se de

priest [pri:st] *n* sacerdote

priestess ['pri:stes] *n* (*pl* **-es**) sacerdotisa

prig [prɪg] *n* puritano, moralista

prim [prɪm] *adj* (*comp* **primmer**, *superl* **primmest**) empertigado, afetado

primarily [praɪ'merɪlɪ] *adv* acima de tudo, em primeiro lugar

primary ['praɪmərɪ] *adj* **1** (*principal*) principal, primordial **2** (*elementary*) primário
▪ **primary colour** cor primária
▪ **primary school** escola primária

primate[1] ['praɪmeɪt] *n* primata

primate[2] ['praɪmət] *n* primaz

prime [praɪm] *adj* **1** primeiro, principal, capital: ***of prime importance*** de importância capital **2** (*select*) seleto, de primeira
▪ **Prime Minister** primeiro-ministro
▪ **prime number** número primo
▪ **prime of life** pleno vigor (*da vida*), apogeu, plenitude
▪ **prime time** horário nobre, horário de maior audiência

primitive ['prɪmɪtɪv] *adj* primitivo

primrose ['prɪmrəʊz] *n* BOT primavera, prímula

prince [prɪns] *n* príncipe

princess ['prɪnses] *n* (*pl* **-es**) princesa

principal ['prɪnsɪpəl] *adj* principal
▸ *n* **1** (*school*) diretor **2** (*university*) reitor

principle ['prɪnsɪpəl] *n* princípio
• **in principle** em princípio
• **on principle** por princípio

print [prɪnt] *n* **1** (*publication*) impresso, publicação **2** (*mark*) marca, pegada **3** (*printed lettering*) tipo, letra **4** (*photograph*) cópia **5** (*engraving*) gravura **6** (*patterned fabric*) estampa
▸ *vt* **1** (*book*) imprimir **2** (*publish*) publicar, editar **3** (*photograph*) tirar cópia **4** (*write*) escrever com letra de imprensa **5** (*register*) gravar, cunhar
• **in print** em catálogo
• **out of print** fora de catálogo, esgotado
▪ **to print out** *vt* imprimir

printer ['prɪntə^r] *n* **1** (*person*) impressor **2** (*machine*) impressora

printing ['prɪntɪŋ] *n* **1** (*business*) impressão **2** (*typography*) tipografia **3** (*copies*) tiragem de cópias

print-out ['prɪntaʊt] *n* impressão, cópia impressa

prior[1] ['praɪə^r] *adj* anterior, prévio
• **prior to** antes de
▪ **prior knowledge** conhecimento prévio

prior[2] ['praɪə^r] *n* (*head monk*) prior

priority [praɪ'ɒrɪtɪ] *n* (*pl* **-ies**) prioridade

prise [praɪz] *vt*: ***to prise something off*** erguer com alavanca; ***to prise something open*** abrir com alavanca

prism ['prɪzəm] *n* prisma

prison ['prɪzən] *n* prisão, cárcere
▪ **prison camp** campo de prisioneiros

prisoner ['prɪzənə^r] *n* **1** (*convict*) preso, recluso **2** (*captive*) prisioneiro
• **to be taken prisoner** ser feito prisioneiro

privacy ['praɪvəsɪ] *n* intimidade, privacidade

private ['praɪvət] *adj* **1** (*non-state*) privado **2** pessoal, particular: ***for your private use*** para seu uso pessoal **3** (*confidential*) confidencial, íntimo **4** (*reserved*) discreto, reservado
▸ *n* soldado raso
• **in private** em particular
▪ **private enterprise** iniciativa privada, empresa privada
▪ **private eye** detetive particular
▪ **private income** renda pessoal

privately ['praɪvətlɪ] *adv* **1** (*personally*) em particular **2** (*out of the public eye*) de forma privada
• **privately owned** de propriedade privada

privatize ['praɪvətaɪz] *vt* privatizar

privilege ['prɪvɪlɪdʒ] *n* privilégio

privileged ['prɪvɪlɪdʒd] *adj* **1** (*fortunate*) privilegiado **2** secreto, confidencial: ***privileged information*** informações confidenciais

privy ['prɪvɪ] *adj* inteirado, a par de: ***to be privy to something*** estar a par de algo

prize¹ [praɪz] *n* prêmio
▸ *adj* de primeira

prize² [praɪz] *vt* **1** (*passive voice*) apreciar: ***these herbs are prized for their aroma*** estas ervas são apreciadas por seu aroma **2** prezar: ***she prizes her freedom above all*** ela preza sua liberdade acima de tudo

prize³ [praɪz] *vt* US → **louvar**, **elogiar**

pro¹ [prəʊ] *n* (*pl* **pros**) pró, vantagem, conveniência: ***the pros and cons*** os prós e os contras

pro² [prəʊ] *n infml* (*pl* **pros**) profissional

probability [prɒbə'bɪlɪtɪ] *n* (*pl* **-ies**) probabilidade

probable ['prɒbəbəl] *adj* provável

probably ['prɒbəblɪ] *adv* provavelmente: ***they will probably call*** provavelmente eles irão telefonar; ***John probably told them*** John provavelmente contou para eles

probation [prə'beɪʃən] *n* liberdade condicional

probe [prəʊb] *n* **1** MED sonda **2** (*investigation*) investigação
▸ *vt* **1** (*examine*) sondar **2** (*investigate*) investigar

problem ['prɒbləm] *n* problema

problematic [prɒblə'mætɪk] *adj* problemático

problematical [prɒblə'mætɪkəl] *adj* problemático

procedure [prə'siːdʒə^r] *n* (*conduct*) procedimento, prática, trâmite

proceed [prə'siːd] *vi* **1** (*go ahead*) continuar, prosseguir, seguir **2** (*take action*) proceder

proceedings [prə'siːdɪŋz] *npl* **1** (*events*) atividades **2** (*report*) ata, minuta **3** ação: ***criminal proceedings*** ação penal
• **to take proceedings against somebody** LAW processar alguém
▪ **collection proceedings** ação de cobrança judicial

proceeds ['prəʊsiːdz] *npl* **1** (*income*) rendimento **2** (*profit*) lucro, produto (*de uma venda*) **3** (*earnings*) proventos

process ['prəʊses] *n* (*pl* **-es**) **1** (*development*) processo, procedimento **2** processo: ***the industrial process*** o processo industrial
▸ *vt* **1** (*handle*) processar **2** (*film, photo*) revelar
• **to be in the process of doing something** estar prestes a fazer algo
▪ **processed food** comida processada

processing ['prəʊsesɪŋ] *n* processamento: ***data processing*** processamento de dados

procession [prə'seʃən] *n* desfile, procissão

proclaim [prə'kleɪm] *vt* proclamar

procrastinate [prə'kræstɪneɪt] *vi* procrastinar

prod [prɒd] *n* **1** (*poke*) cotovelada **2** (*jab*) espetada **3** (*stimulus*) estímulo
▸ *vt* (*pt & pp* **prodded**, *ger* **prodding**) **1** (*poke*) cutucar **2** estimular, incentivar: ***she prodded me into accepting the job*** ela me incentivou a aceitar o emprego

prodigal ['prɒdɪgəl] *adj* pródigo

prodigious [prə'dɪdʒəs] *adj* prodigioso

prodigy ['prɒdɪdʒɪ] *n* (*pl* **-ies**) prodígio

produce [(*v*) prə'djuːs; (*n*) 'prɒdjuːs] *vt* **1** (*make*) produzir, fabricar **2** apresentar: ***he needs to produce the necessary documents*** ele precisa apresentar os documentos necessários **3** sacar, tirar: ***the man produced a gun and shot the politician*** o homem sacou um revólver e atirou no político **4** (*cause*) causar, acarretar, motivar **5** dar, produzir: ***this land produces good wine*** esta terra dá bom vinho **6** (*present*) realizar (*programa*) **7** (*film*) produzir **8** (*a play*) dirigir
▸ *n* produtos (*agrícolas*)

producer [prə'djuːsə^r] *n* **1** (*impresario*) produtor, financiador de peça teatral **2** (*manager*) realizador (*de programa*) **3** (*director*) diretor **4** (*farmer*) lavrador, agricultor **5** (*maker*) gerador, criador

product ['prɒdəkt] *n* **1** (*something produced*) produto **2** (*result*) resultado, fruto **3** MATH resultado da multiplicação

production [prə'dʌkʃən] *n* **1** (*manufacture*) produção **2** (*creation*) criação, composição **3** (*presentation*) exibição, encenação **4** (*performance*) representação *(de obra)*

▪ **production line** linha de produção

productive [prə'dʌktɪv] *adj* produtivo, fértil, fecundo

productivity [prɒdʌk'tɪvɪtɪ] *n* produtividade

prof [prə'fesəʳ] *abbr* (***Professor***) professor titular de universidade

profane [prə'feɪn] *adj* profano, sacrílego, leigo, blasfemo

▸ *vt* **1** (*commit sacrilege*) profanar, macular **2** (*demean*) aviltar, degradar

profess [prə'fes] *vt* **1** (*have a religion or belief*) professar, fazer votos **2** (*state*) declarar, admitir, confessar **3** (*claim*) pretender

profession [prə'feʃən] *n* profissão

professional [prə'feʃənəl] *adj-n* profissional

professor [prə'fəsəʳ] *n* GB professor titular de universidade

proficiency [prə'fɪʃənsɪ] *n* proficiência, competência

proficient [prə'fɪʃənt] *adj* proficiente, perito, hábil, competente: ***she's proficient in French*** ela é proficiente em francês; ***a proficient architect*** um arquiteto competente

profile ['prəʊfaɪl] *n* perfil

• **in profile** de perfil

▪ **high profile** notoriedade, fama

profit ['prɒfɪt] *n* **1** (*gain*) lucro, ganho **2** (*advantage*) proveito

▸ *vi*: ***to profit from*** tirar proveito de

• **to make a profit** obter lucro

▪ **profit and loss** lucros e prejuízos

profitable ['prɒfɪtəbəl] *adj* **1** (*lucrative*) rentável **2** (*advantageous*) proveitoso, vantajoso, útil

profound [prə'faʊnd] *adj* profundo, intenso

profuse [prə'fju:s] *adj* profuso, abundante

profusely [prə'fju:slɪ] *adv* em profusão

profusion [prə'fju:ʒən] *n* profusão

progeny ['prɒdʒənɪ] *n* progênie, prole, descendência

program ['prəʊgræm] *n* US programa

▸ *vt* (*pt & pp* **programmed**, *ger* **programming**) US programar

Esta grafia também se usa na informática.

programme ['prəʊgræm] *n* GB programa

▸ *vt* GB programar

programmer ['prəʊgræməʳ] *n* programador

progress [(*n*) 'prəʊgres; (*v*) prəʊ'gres] *n* progresso, desenvolvimento, avanço: ***scientific progress*** avanços científicos

▸ *vi* progredir, avançar, desenvolver(-se)

• **in progress** em desenvolvimento, em andamento

• **to make progress** progredir, avançar

progressive [prə'gresɪv] *adj* **1** (*continuing*) progressivo **2** (*liberal*) progressista

▸ *n* progressista

prohibit [prə'hɪbɪt] *vt* proibir

prohibition [prəʊɪ'bɪʃən] *n* proibição

project [(*n*) 'prɒdʒekt; (*v*) prə'dʒekt] *n* **1** (*scheme*) projeto **2** (*work*) trabalho

▸ *vt* projetar

▸ *vi* tornar proeminente ou saliente

projectile [prə'dʒektaɪl] *n* projétil

projector [prə'dʒektəʳ] *n* projetor

proletarian [prəʊlə'teərɪən] *adj* proletário

prolific [prə'lɪfɪk] *adj* prolífico

prologue ['prəʊlɒg] (US **prolog**) *n* prólogo

prolong [prə'lɒŋ] *vt* prolongar, alongar

promenade [prɒmə'nɑ:d] *n* (*along the seafront*) calçadão

prominence ['prɒmɪnəns] *n* proeminência, importância

prominent ['prɒmɪnənt] *adj* proeminente, destacado, importante

promiscuous [prə'mɪskjʊəs] *adj* promíscuo

promise ['prɒmɪs] *n* promessa

▸ *vt-vi* prometer

• **to make a promise** fazer uma promessa

promising ['prɒmɪsɪŋ] *adj* promissor

promote [prə'məʊt] *vt* **1** (*upgrade*) promover **2** (*encourage*) promover, fomentar

• **to be promoted** ser promovido

promotion [prə'məʊʃən] *n* **1** (*upgrading*) promoção **2** (*encouragement*) fomento **3** (*advertising*) aumento de vendas por propaganda
■ **promotion drive** campanha de promoção

prompt [prɒmpt] *adj* **1** (*person*) pronto, alerta **2** imediato, rápido: ***thank you for the prompt reply*** obrigada pela resposta rápida **3** (*active*) ligeiro, ativo
▸ *adv* em ponto, pontualmente
▸ *vt* **1** (*elicit*) induzir, incitar **2** (*theatre*) atuar como o ponto

prompter ['prɒmptəʳ] *n* **1** (*instigator*) instigador, incitador **2** (*theatre*) pessoa que atua como o ponto

prone [prəʊn] *adj* inclinado, propenso predisposto
• **prone to** propenso a

prong [prɒŋ] *n* **1** (*fork*) dente **2** (*electric*) pino (*de tomada elétrica*)

pronoun ['prəʊnaʊn] *n* pronome

pronounce [prə'naʊns] *vt* **1** (*say*) pronunciar **2** (*declare*) declarar
• **to pronounce sentence** anunciar sentença

pronounced [prə'naʊnst] *adj* pronunciado, marcado

pronunciation [prənʌnsɪ'eɪʃən] *n* pronúncia

proof [pru:f] *n* (*pl* **proofs**) **1** (*evidence*) prova **2** (*measure of alcoholic strength*) teor alcoólico **3** (*page proof*) cópia impressa para revisão e correção

prop¹ [prɒp] *n* **1** (*pole*) estaca, escora, sustentação **2** (*person*) apoio, amparo

prop² [prɒp] *n* (*object used on the set of a film or play*) acessório
■ **to prop up** *vt* **1** (*hold up*) escorar **2** (*support*) apoiar, sustentar

propaganda [prɒpə'gændə] *n* propaganda

propagate ['prɒpəgeɪt] *vt-vi* propagar-(se)

propel [prə'pel] *vt* (GB *pt & pp* **propelled**, *ger* **propelling**; US *pt & pp* **propeled**, *ger* **propeling**) propelir, impulsionar, impelir

propeller [prə'peləʳ] *n* hélice

propensity [prə'pensɪtɪ] *n* (*pl* **-ies**) propensão, tendência

proper ['prɒpəʳ] *adj* **1** (*appropriate*) adequado **2** (*correct*) correto **3** (*respectable*) decente **4** propriamente dito, mesmo (*depois de substantivo*) ***is the hotel in Chicago proper or in the suburbs?*** o hotel é em Chicago mesmo ou no subúrbio? **5** *imfml* (*genuine*) autêntico, correto, digno, em condições
■ **proper noun** nome próprio

properly ['prɒpəlɪ] *adv* propriamente, corretamente

property ['prɒpətɪ] *n* (*pl* **-ies**) propriedade

prophecy ['prɒfəsɪ] *n* (*pl* **-ies**) profecia, vaticínio

prophesy ['prɒfəsaɪ] *vt-vi* (*pt & pp* **-ied**) profetizar, predizer, vaticinar

prophet ['prɒfɪt] *n* profeta

prophetic [prə'fetɪk] *adj* profético

proportion [prə'pɔ:ʃən] *n* proporção
• **out of proportion** desproporcionado

proportional [prə'pɔ:ʃənəl] *adj* proporcional

proportionate [prə'pɔ:ʃənət] *adj* proporcional

proposal [prə'pəʊzəl] *n* proposta, sugestão, oferta

propose [prə'pəʊz] *vt* **1** (*suggest*) propor, sugerir **2** (*intend*) ter a intenção de
▸ *vi* pedir a mão, declarar-se

proposition [prɒpə'zɪʃən] *n* proposição, proposta

proprietor [prə'praɪətəʳ] *n* proprietário, dono

propriety [prə'praɪətɪ] *n* (*pl* **-ies**) **1** (*rectitude*) adequação, retidão **2** (*decorum*) decoro, decência, boas maneiras

propulsion [prə'pʌlʃən] *n* propulsão

prose [prəʊz] *n* prosa

prosecute ['prɒsɪkju:t] *vt* processar, promover ação penal

prosecution [prɒsɪ'kju:ʃən] *n* **1** (*continuation*) prosseguimento, continuação **2** LAW (*accusal*) acusação **3** LAW (*penal action*) instauração de processo

prosecutor ['prɒsɪkju:təʳ] *n* promotor

prospect [(*n*) 'prɒspekt; (*v*) prə'spekt] *n* **1** (*view*) perspectiva **2** (*expectation*) probabilidade

▸ *vt, vi* procurar minério, petróleo etc.: ***to prospect for gold*** procurar ouro

prospective [prə'spektɪv] *adj* **1** (*future*) futuro **2** (*possible*) possível **3** (*expected*) esperado, aguardado

prospectus [prə'spektəs] *n* (*pl* **prospectuses**) prospecto

prosper ['prɒspəʳ] *vi* prosperar, progredir, florescer

prosperity [prɒ'sperɪtɪ] *n* prosperidade

prosperous ['prɒspərəs] *adj* próspero, bem-sucedido

prostate ['prɒsteɪt] *n* próstata

prostitute ['prɒstɪtju:t] *n* prostituta

prostitution [prɒstɪ'tju:ʃən] *n* prostituição

prostrate [(*adj*) 'prɒstreɪt; (*v*) prɒ'streɪt] *adj* prostrado, abatido

▸ *vt* **1** (*lie*) prostrar **2** (*exaust*) abater, arruinar

protagonist [prəʊ'tægənɪst] *n* **1** (*of a play or story*) protagonista **2** (*supporter*) defensor, advogado

protect [prə'tekt] *vt* proteger, defender, amparar

protection [prə'tekʃən] *n* proteção

protective [prə'tektɪv] *adj* protetor

protector [prə'tektəʳ] *n* protetor

protégé ['prəʊtəʒeɪ] *n* protegido, favorito

protégée ['prəʊtəʒeɪ] *n* protegida, favorita

protein ['prəʊti:n] *n* proteína

protest [(*n*) 'prəʊtest; (*v*) prə'test] *n* protesto

▸ *vt-vi* protestar

▪ **protest march** passeata

protestant ['prɒtɪstənt] *adj-n* protestante

protocol ['prəʊtəkɒl] *n* protocolo

prototype ['prəʊtətaɪp] *n* protótipo, modelo

protracted [prə'træktɪd] *vt* prolongado, demorado

protrude [prə'tru:d] *vi* projetar-se

protruding [prə'tru:dɪŋ] *adj* saliente, proeminente

proud [praʊd] *adj* orgulhoso

• **to be proud of** orgulhar-se de

• **to be proud to** ter a honra de

prove [pru:v] *vt* (*pt* **proved**, *pp* **proved** ou **proven** ['pru:vən]) provar, demonstrar

▸ *vi* mostrar-se: ***the exam proved to be very difficult*** o exame mostrou-se muito difícil

• **to prove somebody right** demonstrar que alguém está certo

• **to prove somebody wrong** demonstrar que alguém está errado

proverb ['prɒvɜ:b] *n* provérbio, adágio

proverbial [prə'vɜ:bɪəl] *adj* proverbial

provide [prə'vaɪd] *vt* **1** (*supply*) prover, proporcionar, fornecer **2** (*law*) estipular

▪ **to provide for** *vt* **1** (*care for*) manter, sustentar (*família*) **2** (*take precautions*) providenciar, tomar medidas para

provided [prə'vaɪdɪd] *conj* **provided (that)** desde que, contanto que

providence ['prɒvɪdəns] *n* providência

provident ['prɒvɪdənt] *adj* previdente, prudente

providential [prɒvɪ'denʃəl] *adj* providencial

providing [prə'vaɪdɪŋ] *conj* → **provided**

province ['prɒvɪns] *n* província

• **it's not my province** não é da minha alçada

provincial [prə'vɪnʃəl] *adj* **1** (*of a province*) provinciano **2** *pej* (*narrow-minded*) provinciano, interiorano **3** (*rustic*) rude, rústico

provision [prə'vɪʒən] *n* **1** (*supplying*) provisão **2** LAW disposição, cláusula

• **to make provision for** tomar providências para, fazer preparativos para

provisional [prə'vɪʒənəl] *adj* provisional, provisório, temporário

proviso [prə'vaɪzəʊ] *n* (*pl* **provisos**) **1** (*condition*) condição **2** (*disposition*) disposição

provocative [prə'vɒkətɪv] *adj* **1** (*annoying*) provocante, irritante **2** (*sexy*) excitante, estimulante

provoke [prə'vəʊk] *vt* provocar, desafiar

provoking [prə'vəʊkɪŋ] *adj* **1** (*provocative*) provocante **2** (*irritating*) irritante

prow [praʊ] *n* proa

prowess ['praʊəs] *n* **1** (*skill*) destreza, perícia **2** (*bravery*) coragem, bravura

prowl [praʊl] *vi* espreitar, rondar

proximity ['prɒksɪmɪtɪ] *n* proximidade

proxy ['prɒksɪ] *n* (*pl* **-ies**) **1** (*representative*) procurador **2** (*substitute*) substituto, representante

• **by proxy** por procuração

prude [pru:d] *n* pessoa pudica, puritana

prudence ['pru:dəns] *n* prudência

prudent ['pru:dənt] *adj* prudente, cauteloso

prudish ['pru:dɪʃ] *adj* pudico, puritano

prune[1] [pru:n] *n* ameixa seca

prune[2] [pru:n] *vt* podar

pry [praɪ] *vi* (*pt & pp* **-ied**) espreitar, intrometer-se

▸ *vt* erguer, mover ou forçar com alavanca

PS ['pi:'es] *abbr* (***postscript***) pós-escrito, P.S.

psalm [sɑ:m] *n* salmo

pseudonym ['su:dənɪm] *n* pseudônimo

psyche ['saɪkɪ] *n* psique, alma, mente

psychiatrist [saɪ'kaɪətrɪst] *n* psiquiatra

psychiatry [saɪ'kaɪətrɪ] *n* psiquiatria

psychoanalysis [saɪkəʊə'nælɪsɪs] *n* psicanálise

psychoanalyst [saɪkəʊ'ænəlɪst] *n* psicanalista

psychological [saɪkə'lɒdʒɪkəl] *adj* psicológico

psychologist [saɪ'kɒlədʒɪst] *n* psicólogo

psychology [saɪ'kɒledʒɪ] *n* psicologia

psychopath ['saɪkəʊpæθ] *n* psicopata

psychosis [saɪ'kəʊsɪs] *n* (*pl* **psychoses**) psicose

pt[1] [paɪnt] *abbr* (***pint***) medida de capacidade (GB 0,568 l, US 0,437 l)

pt[2] [pɑ:t] *abbr* (***part***) parte

PTA ['pi:'ti:'eɪ] *abbr* (***Parent-Teacher Association***) Associação de Pais e Mestres

PTO ['pi:'ti:'əʊ] *abbr* (***please turn over***) por favor, vire a página

pub [pʌb] *n* bar, taverna

puberty ['pju:bətɪ] *n* puberdade

pubic ['pju:bɪk] *adj* púbico

public ['pʌblɪk] *adj* público

▸ *n* público

■ **public convenience** GB sanitário público

■ **public holiday** feriado nacional

■ **public house** bar, taverna

■ **public prosecutor** promotor público

■ **public school** GB colégio particular, US escola pública

■ **public servant** funcionário público

■ **public utility** empresa de utilidade pública

■ **public works** obras de utilidade pública

publication [pʌblɪ'keɪʃən] *n* publicação

publicity [pʌ'blɪsɪtɪ] *n* publicidade

publicize [pʌblɪ'saɪz] *vt* **1** (*make known*) divulgar, dar publicidade **2** (*advertise*) fazer propaganda de, promover

publish ['pʌblɪʃ] *vt* publicar, editar

publisher ['pʌblɪʃə[r]] *n* **1** (*editor*) editor **2** (*press*) imprensa, aquele que publica

pudding ['pʊdɪŋ] *n* **1** (*sweet food*) pudim **2** GB (*dessert*) sobremesa

puddle ['pʌdəl] *n* poça

Puerto Rican ['pweətəʊ 'ri:kən] *adj-n* porto-riquenho

Puerto Rico ['pweətəʊ 'ri:kəʊ] *n* Porto Rico

puff [pʌf] *n* (*pl* **puffs**) **1** (*blow*) sopro, bafo **2** (*pull*) tragada (de cigarro) **3** (*breeze*) lufada, golpe de vento **4** (*of smoke*) baforada

▸ *vi* **1** (*smoke*) pitar, dar baforadas **2** (*breathe heavily*) ofegar, arquejar

■ **puff pastry** massa folhada

■ **to puff up** *vt-vi* inchar(-se)

puke ['pju:k] *vi infml* vomitar

pull [pʊl] *n* **1** (*tug*) puxão **2** (*attraction*) atração **3** *infml* (*influence*) influência

▸ *vt* **1** puxar, dar um puxão: ***she pulled his hair*** ela o puxou pelo cabelo **2** puxar: ***the cart was pulled by a donkey*** a carreta era puxada por um burro **3** *infml* atrair: ***the concert pulled (in) thousands of teenagers*** o concerto atraiu milhares de adolescentes

• **to pull a face** fazer uma careta

• **to pull a fast one on somebody** *infml* enganar alguém
• **to pull a gun on somebody** ameaçar alguém com uma arma
• **to pull oneself together** recompor-se
• **to pull somebody's leg** fazer uma brincadeira com alguém
• **to pull strings** exercer influência, "mexer os pauzinhos"
• **to pull to pieces** 1 (*dismantle*) despedaçar 2 (*criticize*) criticar impiedosamente
■ **to pull apart** *vt* romper
■ **to pull away** *vi* retirar-se
■ **to pull down** *vt* 1 (*demolish*) demolir 2 (*raze*) baixar
■ **to pull in** *vi* entrar na estação *(trem)*
■ **to pull off** *vt* 1 (*achieve*) conseguir 2 (*clothes*) despir, tirar
■ **to pull out** *vt* tirar, arrancar
▸ *vi* 1 (*train*) sair da estação; (*car*) sair de um lugar 2 (*leave*) retirar-se
■ **to pull through** *vi* sair do aperto, livrar-se
■ **to pull together** *vi* cooperar, colaborar
■ **to pull up** *vt* 1 (*lift*) subir, ajeitar *(meia)* 2 (*remove by the roots*) arrancar
▸ *vi* parar: ***a limo pulled up outside our house*** uma limusine parou na porta da nossa casa

pulley ['pʊlɪ] *n* roldana

pullover ['pʊləʊvəʳ] *n* pulôver

pulp [pʌlp] *n* 1 (*flesh*) polpa 2 (*paste*) pasta

pulpit ['pʊlpɪt] *n* púlpito

pulsate [pʌl'seɪt] *vi* palpitar, pulsar

pulse¹ [pʌls] *n* 1 (*heartbeat*) pulsação 2 (*burst*) pulso
▸ *vi* palpitar, pulsar

pulse² [pʌls] *n* cereal, grão de leguminosa

puma ['pju:mə] *n* ZOOL puma, suçuarana

pumice stone ['pʌmɪsstəʊn] *n* pedra-pomes

pump¹ [pʌmp] *n* (*liquid, gas*) bomba
▸ *vt* 1 (*convey by pumping*) bombear, elevar por meio de bomba 2 *infml* (*interrogate*) arrancar, extrair
▸ *vi* (*heart*) pulsar

pump² [pʌmp] *n* 1 GB (*slipper*) sapatilha esportiva, sapatilha de balé 2 US (*shoe*) escarpim

pumpkin ['pʌmpkɪn] *n* abóbora

pump up ['pʌmp'ʌp] *vt* inchar, inflar

pun [pʌn] *n* jogo de palavras, trocadilho

punch¹ [pʌntʃ] *n* (*pl* **-es**) 1 (*blow*) soco, murro 2 (*vigour*) energia, vigor
▸ *vt* dar um soco em

punch² [pʌntʃ] *n* (*pl* **-es**) (*drink*) ponche

punch³ [pʌntʃ] *n* (*pl* **-es**) 1 (*perforation*) perfuração 2 (*puncture*) punção
▸ *vt* perfurar

punch-up ['pʌntʃʌp] *n infml* briga de socos

punctual ['pʌŋktjʊəl] *adj* pontual

punctuality [pʌŋktjʊ'ælɪtɪ] *n* pontualidade

punctuate ['pʌŋktjʊeɪt] *vt* 1 (*add punctuation to*) pontuar 2 interromper constantemente, entremear: ***the speech was punctuated by applause*** o discurso foi constantemente interrompido por aplausos

punctuation [pʌŋktjʊ'eɪʃən] *n* pontuação
■ **punctuation mark** sinal de pontuação

puncture ['pʌŋktʃəʳ] *n* furo no pneu
▸ *vt-vi* furar o pneu, furar

pungent ['pʌndʒənt] *adj* 1 (*strong*) pungente, doloroso 2 (*smell*) acre 3 (*caustic*) mordaz

punish ['pʌnɪʃ] *vt* castigar

punishment ['pʌnɪʃmənt] *n* castigo

punk [pʌnk] *n* 1 (*person*) jovem que gosta de música *punk* 2 (*music*) *punk* 3 US *infml* (*lout*) baderneiro

punt [pʌnt] *n* (*boat*) chata, embarcação impelida por vara
▸ *vi* 1 (*travel*) viajar de chata 2 (*propel*) impelir chata com vara

punter ['pʌntəʳ] *n* 1 (*of a boat*) barqueiro que impele chatas com vara 2 *infml* (*gambler*) apostador

puny ['pju:nɪ] *adj* (**-ier**, **-iest**) fraco, débil

pup [pʌp] *n* filhote, especialmente de cachorro

pupil¹ ['pju:pɪl] *n* aluno

pupil² ['pju:pɪl] *n* pupila, menina do olho

puppet ['pʌpɪt] *n* títere, marionete, fantoche

■ **puppet show** teatro de marionetes

puppy ['pʌpɪ] *n* (*pl* **-ies**) filhote de cachorro

purchase ['pɜːtʃəs] *n* compra, aquisição
▸ *vt* comprar, adquirir
■ **purchasing power** poder aquisitivo

purchaser ['pɜːtʃəsəʳ] *n* comprador

pure ['pjʊəʳ] *adj* puro

purée ['pjʊəreɪ] *n* purê

purely ['pjʊəlɪ] *adv* simplesmente, puramente

purge [pɜːdʒ] *n* purgação
▸ *vt* purgar

purifier ['pjʊərɪfaɪəʳ] *n* purificador

puritan ['pjʊərɪtən] *adj-n* puritano

purity ['pjʊərɪtɪ] *n* (*pl* **-ies**) pureza

purple ['pɜːpəl] *adj* roxo, purpúreo
▸ *n* púrpura

purport [pɜː'pɔːt] *n* significado, sentido
▸ *vt* **1** (*claim*) significar **2** (*pose as*) dar a entender, passar por

purpose ['pɜːpəs] *n* **1** (*motive*) propósito, motivo, intenção **2** utilidade: ***what is the purpose of this?*** qual é a utilidade disso?, para que serve isso?
• **on purpose** de propósito
• **to no purpose** em vão

purposely ['pɜːpəslɪ] *adv* de propósito, intencionalmente, deliberadamente

purr [pɜːʳ] *n* ronrom, murmúrio
▸ *vi* ronronar, murmurar

purse [pɜːs] *n* GB **1** (*wallet*) porta-moedas **2** US (*handbag*) bolsa de mulher **3** (*funds*) prêmio
▸ *vt* (*press together*) apertar

pursue [pə'sjuː] *vt* **1** (*chase*) perseguir **2** (*follow*) prosseguir, seguir com

pursuit [pə'sjuːt] *n* **1** (*chase*) perseguição **2** (*search*) busca **3** (*occupation*) atividade, passatempo

purveyor [pɜː'veɪəʳ] *n* fornecedor

pus [pʌs] *n* pus

push [pʊʃ] *n* (*pl* **-es**) empurrão, impulso
▸ *vt-vi* empurrar
▸ *vt* **1** (*press*) apertar **2** *infml* (*advertise*) fazer promoção **3** *infml* (*urge*) pressionar **4** *sl* (*sell drugs*) vender, passar (droga)
• **to give somebody the push 1** (*break up*) terminar o relacionamento com alguém **2** (*dismiss*) demitir alguém
• **to push one's luck** arriscar-se, tentar a sorte
■ **to push around** *vt* dar ordens de maneira insultuosa
■ **to push off** *vi infml* sair, partir: ***push off!*** saia!
■ **to push on** *vi* seguir, continuar

pushchair ['pʌʃtʃeəʳ] *n* carrinho de bebê dobrável

pusher ['pʊʃəʳ] *n infml* vendedor de drogas ilegais

pushover ['pʊʃəʊvəʳ] *n infml* coisa fácil
• **it's a pushover** é sopa, é fácil, é uma barbada

pushy ['pʊʃɪ] *adj* (**-ier**, **-iest**) *infml* insistente

pussy ['pʊsɪ] *n* (*pl* **-ies**) bichano, gatinho

put [pʊt] *vt* (*pt & pp* **put**, *ger* **putting**) **1** pôr, colocar: ***she put the money on the table*** ela pôs o dinheiro na mesa; ***he put his hand in his pocket*** ele botou a mão no bolso **2** expressar, dizer: ***try to put it in French*** tente expressar isso em francês **3** escrever: ***what can I put?*** o que eu escrevo?
• **put together** juntos
• **to be hard put to do something** ter grande dificuldade em fazer algo: ***I'd be hard put to find a better example*** seria muito difícil encontrar um exemplo melhor
• **to put an end to** acabar com
• **to put a question to somebody** fazer uma pergunta a alguém
• **to put it about that** espalhar o boato
• **to put one over on somebody** enganar a alguém
• **to put right** consertar
• **to put somebody up to something** incitar alguém a fazer algo
• **to put the blame on** pôr a culpa em
• **to put the clocks back** atrasar a hora
• **to put the clocks forward** adiantar a hora
• **to put to bed** pôr na cama
• **to put to death** executar, matar
• **to put to sea** começar uma viagem, fazer-se ao mar
• **to put to the vote** submeter a votação

• **to put two and two together** tirar conclusões
• **to put up a fight** oferecer resistência
• **to put up for sale** pôr à venda
• **to put paid to** *infml* acabar com, destruir
• **to stay put** *infml* não se mover, ficar quieto
■ **to put across** *vt* conseguir explicar algo, comunicar, transmitir
■ **to put aside** *vt* 1 (*save*) economizar, guardar 2 (*set aside*) deixar de lado
■ **to put away** *vt* (*object*) guardar
■ **to put back** *vt* 1 (*meeting*) adiar 2 (*clock*) atrasar 3 (*return*) devolver a seu lugar
■ **to put down** *vt* 1 colocar no chão, abaixar: ***she put her suitcase down*** ela colocou sua mala no chão 2 (*supress*) sufocar 3 (*put to sleep*) sacrificar 4 (*write down*) anotar, registrar 5 *infml* (*humiliate*) humilhar
■ **to put down to** *vt* atribuir a
■ **to put forward** *vt* 1 (*submit*) propor 2 (*clock*) adiantar
■ **to put in** *vt* 1 (*spend time*) dedicar 2 (*make a claim*) apresentar
■ **to put in for** *vt* requerer algo formalmente
■ **to put off** *vt* 1 (*postpone*) adiar 2 (*disconcert*) confundir 3 desanimar: ***the mere thought of it puts me off*** só em pensar nisso, desanimo
■ **to put on** *vt* 1 (*turn on*) acender 2 (*dress in*) vestir 3 (*increase*) ganhar (*peso, velocidade*) 4 (*stage*) montar
■ **to put out** *vt* 1 (*dislocate*) pôr para fora 2 (*extinguish*) apagar 3 aborrecer: ***she was put out because he didn't turn up*** ela ficou aborrecida porque ele não veio 4 publicar
■ **to put over** *vt* comunicar, transmitir
■ **to put through** *vt* (*telephone*) conectar
■ **to put to** *vt* propor, sugerir
■ **to put together** *vt* 1 (*team*) reunir, juntar 2 (*machine*) montar, armar
■ **to put up** *vt* 1 (*propose*) propor 2 (*provide housing for*) alojar, dar hospedagem 3 (*settle*) armar (*barraca em acampamento*) 4 (*build*) construir 5 (*display*) pendurar (*quadro*) 6 (*increase*) aumentar, subir (preços, impostos)
■ **to put up with** *vt* suportar, aguentar

putrid ['pju:trɪd] *adj* pútrido, podre

putt [pʌt] *n* (*golf*) tacada leve, para meter a bola no buraco
▸ *vt-vi* (*golf*) dar uma tacada leve, para meter a bola no buraco

putty ['pʌtɪ] *n* massa de vidraceiro

puzzle ['pʌzəl] *n* 1 (*game*) quebra-cabeça 2 (*enigma*) enigma
▸ *vt* confundir, complicar, enredar
• **to puzzle about something, puzzle over something** *infml* ficar confuso com algo
■ **to puzzle out** *vt* resolver, deslindar

puzzled ['pʌzəld] *adj* perplexo, embaraçado

puzzling ['pʌzəlɪŋ] *adj* embaraçoso, intricado enigmático

PVC ['pi:'vi:'si:] *abbr* (***polyvinyl chloride***) PVC, cloreto de polivinilo, tipo de fibra plástica

pygmy ['pɪgmɪ] *adj-n* pigmeu

pyjamas [pə'dʒɑ:məz] *npl* pijama

pylon ['paɪlən] *n* (*tower*) torre de eletricidade

pyramid ['pɪrəmɪd] *n* pirâmide

Pyrenees [pɪrə'ni:z] *n* os Pireneus

Q

quack [kwæk] *n* **1** (*charlatan*) charlatão, curandeiro **2** (*sound made by a duck*) grasnido
▸ *vi* grasnar, imitar o grito do pato

quadrangle ['kwɒdræŋgəl] *n* **1** (*geometric figure*) quadrângulo **2** (*courtyard*) pátio interior

quadrant ['kwɒdrənt] *n* quadrante, a quarta parte de um círculo

quadraphonic [kwɒdrə'fɒnɪk] *adj* quadrafônico

quadruped ['kwɒdrəped] *n* quadrúpede

quadruple ['kwɒdrʊpəl] *adj* quádruplo
▸ *vt-vi* quadruplicar

quadruplet ['kwɒdrʊplət] *n* **1** (*one of four children*) quádruplo, quadrigêmeo **2** MATH quádruplo **3** (*set of four similar things*) quádruplo

quagmire ['kwɒgmaɪəʳ] *n* **1** (*swamp*) pântano **2** (*scrape*) situação difícil

quail [kweɪl] *n* ZOOL codorna
▸ *vi* ceder, desanimar

quaint [kweɪnt] *adj* **1** (*picturesque*) pitoresco, singular *(lugar)* **2** (*unusual*) estranho, esquisito

quake [kweɪk] *n infml* tremor
▸ *vi* **1** tremer, estremecer

quaker ['kweɪkəʳ] *adj-n* quacre

qualification [kwɒlɪfɪ'keɪʃən] *n* **1** (*attribute*) qualificação **2** (*condition*) requisito **3** (*certificate*) diploma, título

qualified ['kwɒlɪfaɪd] *adj* **1** (*capable*) qualificado, capacitado **2** (*certified*) titulado

qualify ['kwɒlɪfaɪ] *vt* (*pt & pp* **-ied**) **1** (*authorize*) capacitar, dar direito **2** (*be elegible*) qualificar-se, habilitar-se
▸ *vi* **1** (*meet the requirements*) reunir as condições necessárias **2** (*certify*) obter o título **3** (*reach the later stages*) classificar-se, passar à etapa seguinte **4** (*permit*) permitir, ter direito

qualitative ['kwɒlɪtətɪv] *adj* qualitativo

quality ['kwɒlɪtɪ] *n* (*pl* **-ies**) **1** (*attribute*) qualidade **2** (*condition*) condição **3** (*excellence*) mérito, excelência

qualm [kwɑːm] *n* apreensão, receio
• **to have no qualms about doing something** não ter escrúpulos de fazer algo

quandary ['kwɒndərɪ] *n* (*pl* **-ies**) dilema, dúvida

quantify ['kwɒntɪfaɪ] *vt* (*pt & pp* **-ied**) quantificar, determinar

quantity ['kwɒntɪtɪ] *n* (*pl* **-ies**) quantidade
▪ **quantity surveyor** engenheiro de custos

quarantine ['kwɒrəntiːn] *n* quarentena
▸ *vt* isolar em quarentena

quarrel ['kwɒrəl] *n* disputa, rixa
▸ *vi* (GB *pt & pp* **quarrelled**, *ger* **quarrelling**; US *pt & pp* **quarreled**, *ger* **quarreling**) discutir, brigar

quarrelsome ['kwɒrəlsəm] *adj* briguento, irascível

quarry ['kwɒrɪ] *n* (*pl* **-ies**) **1** (*stone pit*) pedreira **2** (*prey*) presa, caça, vítima **3** *fig* (*fount*) mina, fonte de dados
▸ *vt* (*pt & pp* **-ied**) extrair

quart [kwɔːt] *n* quarto de galão

Na Grã-Bretanha equivale a 1,14 litro; nos Estados Unidos, a 0,95 litro.

quarter ['kwɔːtəʳ] *n* **1** quarto, quarta parte: ***a quarter of a kilo*** um quarto de quilo **2** quinze: ***a quarter past five*** cinco e quinze **3** (*part of a town*) bairro **4** (*period of three months*) trimestre **5** US (*coin*) vinte e cinco centavos de dólar
▸ *npl* **quarters** alojamento
• **from all quarters** de todos os lados
• **at close quarters** de muito perto
• **to give no quarter** não acolher, não perdoar, não ter misericórdia

quarterfinal [kwɔːtə'faɪnəl] *n* SPORT quartas de final

quarterly ['kwɔːtəlɪ] *adj* trimestral
▸ *adv* trimestralmente
▸ *n* (*pl* **-ies**) revista trimestral

quartermaster ['kwɔːtəmɑːstəʳ] *n* intendente

quartet [kwɔː'tet] *n* quarteto

quartz [kwɔːts] *n* quartzo

quash [kwɒʃ] *vt* **1** (*subdue*) esmagar **2** (*annul*) anular (sentença, veredito)

quaver ['kweɪvəʳ] *n* **1** (*voice*) trêmula **2** MUS colcheia
▸ *vi* **1** (*tremble*) dizer em voz trêmula **2** MUS trilar, trinar

quay [kiː] *n* cais, molhe

queasy ['kwiːzɪ] *adj* (**-ier**, **-iest**) nauseado, enjoado

queen [kwiːn] *n* **1** (*sovereign*) rainha **2** (*playing card*) dama **3** (*chess*) rainha **4** *sl* (*homosexual*) homossexual com maneiras afetadas
▪ **queen bee** abelha-rainha
▪ **queen mother** rainha-mãe

queer [kwɪəʳ] *adj* **1** (*strange*) esquisito, ridículo **2** *infml* (*homosexual*) gay
▸ *n infml* gay

quell [kwel] *vt* **1** (*supress*) suprimir **2** (*alleviate*) abrandar, acalmar

quench [kwentʃ] *vt* **1** (*thirsty*) saciar **2** (*fire*) apagar

querulous ['kwerjʊləs] *adj* queixoso, lamuriante

query ['kwɪərɪ] *n* (*pl* **-ies**) pergunta, dúvida, questão
▸ *vt* (*pt & pp* **-ied**) perguntar, indagar, pôr em dúvida

quest [kwest] *n* busca, indagação, pesquisa

question ['kwestʃən] *n* **1** (*enquiry*) pergunta **2** (*issue*) questão, problema, assunto
▸ *vt* **1** (*ask*) interrogar **2** (*doubt*) questionar, pôr em dúvida
• **out of the question** impossível, fora de questão
• **to call into question** pôr em dúvida
▪ **question mark** ponto de interrogação

questionable ['kwestʃənəbəl] *adj* **1** (*controversial*) questionável, discutível **2** (*doubtful*) duvidoso, incerto **3** (*suspicious*) suspeito

questionnaire [kwestʃə'neəʳ] *n* questionário

queue [kjuː] *n* fila
▸ *vi* fazer fila

quibble ['kwɪbəl] *n* minúcia, ninharia
▸ *vi* preocupar-se com minúcias ou ninharias

quick [kwɪk] *adj* rápido, ligeiro: ***be quick!*** rápido!
▸ *adv* rápido, rapidamente
• **to cut to the quick** ferir na carne
• **to have a quick temper** ter pavio curto
▪ **quick fix** solução imediata mas de curta duração: ***she wants a quick fix instead of getting to the root of the problem*** ela quer uma solução imediata em vez de chegar à raiz do problema

quicken ['kwɪkən] *vt-vi* apressar, acelerar

quickie ['kwɪkɪ] *n infml* (*something made in a hurry*) algo rápido

quicksand ['kwɪksænd] *n* areia movediça

quick-tempered [kwɪk'tempəd] *adj* irascível, de pavio curto

quick-witted [kwɪk'wɪtɪd] *adj* perspicaz, arguto

quid [kwɪd] *n* (*pl* **quid**) GB libra: ***you owe me ten quid*** você me deve dez libras

quiet ['kwaɪət] *adj* (*comp* **quieter**, *superl* **quietest**) **1** quieto, calmo: ***be quiet!*** cale-se! **2** (*peaceful*) tranquilo
▸ *n* **1** (*silence*) silêncio, sossego **2** (*tranquility*) tranquilidade, calma
▸ *vt-vi* US → **quieten**
• **on the quiet** secretamente

quieten ['kwaɪətən] *vt-vi* **1** (*stop talking*) calar(-se) **2** (*become calm*) tranquilizar(-se)

quietly ['kwaɪətlɪ] *adv* **1** (*in a low voice*) em voz baixa **2** (*soundlessly*) sem fazer barulho

quietness ['kwaɪətnəs] *n* **1** (*silence*) silêncio **2** (*tranquility*) tranquilidade

quill [kwɪl] *n* **1** (*pen*) pena de ave para escrever **2** (*spine*) espinho de ouriço

quilt [kwɪlt] *n* colcha, acolchoado

quince [kwɪns] *n* marmelo

quinine ['kwɪniːn] *n* quinina

quintessence [kwɪn'tesəns] *n* quinta-essência

quintet [kwɪn'tet] *n* quinteto

quintuplet [kwɪn'tjʊplət] *n* **1** (*one of five children*) quíntuplo **2** MATH quíntuplo (*número cinco vezes maior*) **3** (*set of five similar things*) quíntuplo

quip [kwɪp] *n* gracejo, dito espirituoso
▸ *vi* (*pt & pp* **quipped**, *ger* **quipping**) gracejar

quirk [kwɜːk] *n* **1** (*peculiarity*) peculiaridade, idiossincrasia **2** (*unexpected turn*) mudança, virada inesperada

quirky ['kwɜːkɪ] *adj* (-**ier**, -**iest**) estranho, peculiar

quit [kwɪt] *vt* (*pt & pp* **quitted**, *ger* **quitting**) **1** (*leave*) deixar, abandonar, renunciar **2** deixar de: ***to quit smoking*** deixar de fumar
▸ *vi* desistir
• **to call it quits 1** encerrar algo, especialmente em caráter temporário: ***let's call it quits for the day*** vamos encerrar o trabalho por hoje **2** (*liquidate*) considerar uma dívida quitada **3** (*conciliate*) considerar uma briga encerrada

quite [kwaɪt] *adv* **1** bastante: ***he's quite tall*** ele é bastante alto **2** completamente, realmente, verdadeiramente: ***I quite understand*** entendo perfeitamente

quiver ['kwɪvə^r] *n* tremor, estremecimento
▸ *vi* tremer, estremecer-se

quiz [kwɪz] *n* jogo de perguntas, competição para testar conhecimento
▸ *vt* (*pt & pp* **quizzed**, *ger* **quizzing**) questionar, interrogar

quoit [kwɔɪt] *n* disco, malha

quorum ['kwɔːrəm] *n* quórum

quota ['kwəʊtə] *n* quota, cota, parcela, quinhão

quotation [kwəʊ'teɪʃən] *n* **1** (*citation*) citação **2** (*currency*) cotação, orçamento para a realização de um serviço
▪ **quotation marks** aspas

quote [kwəʊt] *n* citação, cotação
▸ *vt* **1** (*cite*) citar, notar **2** (*state a price*) dar o preço

quotient ['kwəʊʃənt] *n* quociente

R

RA ['ɑːr'eɪ] *abbr* GB **1** *(**Royal Academy**)* Real Academia de Artes **2** GB *(**Royal Academician**)* membro da Real Academia de Artes

rabbi ['ræbaɪ] *n* rabino

rabbit ['ræbɪt] *n* ZOOL coelho

• **to rabbit on** tagarelar

rabble ['ræbəl] *n* populacho, ralé

rabid ['ræbɪd] *adj* raivoso

rabies ['reɪbiːz] *n* *(disease)* raiva

RAC ['ɑːr'eɪ'siː] *abbr* GB *(**Royal Automobile Club**)* automóvel clube britânico

raccoon [rə'kuːn] *n* ZOOL guaxinim

race[1] [reɪs] *n* raça

race[2] [reɪs] *n* corrida

▸ *vi* correr, competir

racecourse ['reɪskɔːs] *n* GB hipódromo

racehorse ['reɪhɔːs] *n* cavalo de corrida

racial ['reɪʃəl] *adj* racial

racing ['reɪsɪŋ] *n* corrida

▪ **horse racing** corrida de cavalo

▪ **racing car** carro de corrida

▪ **racing driver** piloto de corrida

racism ['reɪsɪzəm] *n* racismo

racist ['reɪsɪst] *adj-n* racista

rack [ræk] *n* **1** *(shelf)* estante, prateleira, *rack* **2** *(for luggage)* bagageiro, porta-bagagem **3** *(hook)* cabide **4** *(frame)* qualquer armação em que se depositam objetos **5** *(of a horse)* trote **6** *(ruin)* ruína, destruição **7** *(for torture)* roda

▪ **dish rack** escorredor de pratos

▸ *vt* atormentar

• **to rack one's brains** *(try very hard to remember, to find a solution etc.)* queimar os miolos, quebrar a cabeça

racket[1] ['rækɪt] *n* raquete

racket[2] ['rækɪt] *n* **1** *(noisy disturbance)* alvoroço, barulheira **2** *infml* *(fraud)* fraude

racoon [rə'kuːn] *n* ZOOL guaxinim

racy ['reɪsɪ] *adj* (**-ier**, **-iest**) atrevido

radar ['reɪdɑː^{r}] *n* radar

radiant ['reɪdɪənt] *adj* radiante

radiate ['reɪdɪeɪt] *vt-vi* irradiar

radiation [reɪdɪ'eɪʃən] *n* radiação

radiator ['reɪdɪeɪtə^{r}] *n* radiador

radical ['rædɪkəl] *adj-n* radical

radio ['reɪdɪəʊ] *n* (*pl* **radios**) rádio: ***I heard the news on the radio*** ouvi a notícia no rádio

radioactive [reɪdɪəʊ'æktɪv] *adj* radioativo

radioactivity [reɪdɪəʊæk'tɪvɪtɪ] *n* radioatividade

radio-controlled [reɪdɪəʊkɒn'trəʊld] *adj* controlado por rádio

radish ['rædɪʃ] *n* (*pl* **-es**) rabanete

radium ['reɪdɪəm] *n* CHEM rádio

radius ['reɪdɪəs] *n* (*pl* **radii** ['reɪdɪaɪ]) **1** ANAT rádio **2** MATH raio (de uma circunferência)

RAF ['ɑːr'eɪ'ef] *abbr* GB *(**Royal Air Force**)* forças aéreas britânicas

raffle ['ræfəl] *n* rifa

▸ *vt-vi* rifar, sortear

raft [rɑːft] *n* balsa

rafter ['rɑːftə^{r}] *n* viga, caibro

rag [ræg] *n* **1** *(old worn-out garment)* farrapo, andrajo **2** *(fragment of cloth)* trapo **3** *infml* *(newspaper)* jornaleco

• **in rags** andrajoso, em farrapos

rage [reɪdʒ] *n* raiva, furor, cólera
▸ *vi* **1** (*be furious*) encolerizar-se, estar furioso **2** (*disease, storm etc.*) alastrar-se, fazendo estragos: ***a storm raged through the region for days*** uma tempestade se alastrou pela região durante vários dias
• **to be all the rage** fazer furor, estar na última moda
• **to fly into a rage** enfurecer-se
▪ **a fit of rage** um acesso de raiva

ragged ['rægɪd] *adj* **1** (*person*) andrajoso, esfarrapado **2** (*cloth*) roto, puído

raid [reɪd] *n* **1** (*sudden attack*) incursão, ataque, assalto, investida **2** (*police*) batida policial
▸ *vt* **1** (*attack*) fazer uma incursão ou ataque **2** (*police*) fazer uma batida policial **3** (*rob*) atacar, assaltar

rail¹ [reɪl] *n* **1** (*bar*) barra **2** (*on staircase*) corrimão **3** (*on bridge*) parapeito, anteparo **4** (*on ship*) amurada **5** (*railway*) trilho
• **by rail** de trem
▪ **rail strike** greve de ferroviários

rail² ['reɪl] *vi infml* reclamar muito: ***he railed against the judge's decision*** ele reclamou muito da decisão do juiz

railings ['reɪlɪŋz] *npl* grade

railroad ['reɪlrəʊd] *n* estrada de ferro

railway ['reɪlweɪ] *n* **1** (*track for trains*) estrada de ferro **2** (*system of tracks for trains*) via férrea
▪ **railway line** linha férrea
▪ **railway station** estação ferroviária

rain [reɪn] *n* chuva
▸ *vi* chover: ***it's raining*** está chovendo
• **in the rain** na chuva
▪ **rain forest** floresta tropical

rainbow ['reɪnbəʊ] *n* arco-íris

raincoat ['reɪnkəʊt] *n* capa de chuva

raindrop ['reɪndrɒp] *n* gota de chuva

rainfall ['reɪnfɔːl] *n* **1** (*meteorology*) precipitação **2** (*rain*) chuva **3** (*amount of rain*) índice pluviométrico

rainy ['reɪnɪ] *adj* (**-ier**, **-iest**) chuvoso

raise [reɪz] *vt* **1** (*lift up*) levantar, erguer **2** (*increase*) subir, aumentar **3** (*boost*) provocar **4** (*bring up*) criar, educar (*filhos*): ***she was born and raised in São Paulo*** ela nasceu e foi criada em São Paulo **5** (*present*) levantar, expor, trazer à baila (*assunto, problema*): ***let's raise the question of mass resignations in the next meeting*** vamos levantar a questão dos pedidos de demissão em massa na próxima reunião **6** (*obtain*) arrecadar, angariar
▸ *n* **1** US (*pay increase*) aumento: ***I got a 10% raise*** consegui um aumento de 10% no meu salário **2** (*elevation*) subida, elevação

raisin ['reɪzən] *n* passa

rake¹ [reɪk] *n* ancinho
▸ *vt* limpar com ancinho
• **to be raking it in** ganhar muito dinheiro
• **to rake up the past** desenterrar o passado

rake² [reɪk] *n* libertino

rake-off ['reɪkɒf] *n* (*pl* **rake-offs**) *sl* comissão desonesta ou ilegal, propina

rally ['rælɪ] *n* (*pl* **-ies**) **1** (*meeting*) reunião, ajuntamento **2** POL comício **3** (*motor race*) *rally* **4** (*tennis*) rebatida
▸ *vi* (*pt & pp* **-ied**) **1** (*recover*) recompor-se, recuperar-se **2** (*join*) reunir-se
▸ *vt* (*pt & pp* **-ied**) **1** (*mobilize*) convocar **2** (*put together*) reunir
▪ **to rally round** *vi* unir-se, associar-se para ajudar ou apoiar: ***her friends rallied round when she was ill*** os amigos dela se uniram para ajudá-la quando ela adoeceu

ram [ræm] *n* carneiro
▸ *vt* (*pt & pp* **rammed**, *ger* **ramming**) **1** (*press*) apertar, calcar **2** (*impact*) colidir

RAM [ræm] *abbr* (***random access memory***) memória de acesso aleatório, RAM

ramble ['ræmbəl] *n* **1** (*digression*) divagação **2** (*walk in the country*) perambulação, excursão, passeio
▸ *vi* **1** (*digress*) divagar **2** perambular, dar um passeio: ***how about go rambling tomorrow morning?*** que tal darmos um passeio amanhã de manhã?

rambler ['ræmbləʳ] *n* excursionista

rambling ['ræmblɪŋ] *adj* **1** (*digressive*) prolixo **2** (*place*) labiríntico

ramp [ræmp] *n* rampa

rampage [ræm'peɪdʒ] *vi* comportar-se de maneira raivosa e violenta

rampant ['ræmpənt] *adj* descontrolado e violento

ramshackle ['ræmʃækəl] *adj* em condição deplorável, caindo aos pedaços

ran [ræn] *pt* → **run**

ranch [ræntʃ] *n* (*pl* **-es**) rancho, fazenda

rancid ['rænsɪd] *adj* rançoso

random ['rændəm] *adj* fortuito, aleatório

• **at random** ao acaso, aleatoriamente

randy ['rændɪ] *adj* (**-ier**, **-iest**) *infml* fogoso

rang [ræŋ] *pp* → **ring**

range [reɪndʒ] *n* **1** (*assortment*) gama, sortimento **2** (*span*) alcance **3** (*of voice*) extensão **4** (*ambit*) raio de ação, faixa, âmbito **5** (*row*) cordilheira, cadeia de montanhas

▸ *vi* variar, oscilar: ***they range from... to...*** variam de... a...

rank[1] [ræŋk] *n* **1** (*series*) fila, fileira, série, renque **2** (*status*) posto, grau hierárquico **3** (*position*) posição determinada, categoria **4** (*social class*) posição em uma hierarquia social

▸ *vi* figurar, estar: ***he ranks among the most talented pianists*** ele figura entre os mais talentosos pianistas

▸ *vt* considerar, classificar: ***1968 ranks as the most turbulent years in world history*** o ano de 1968 é considerado um dos mais turbulentos da história mundial

rank[2] [ræŋk] *adj* **1** fétido: ***the rank odor of cigarrete butts*** o cheiro fétido de pontas de cigarro **2** flagrante, completo, absoluto: ***a rank case of corruption*** um caso flagrante de corrupção

ranking ['ræŋkɪŋ] *n* classificação, posição em relação a outros em competições, *ranking*

ransack ['rænsæk] *vt* **1** (*pillage*) saquear, pilhar **2** (*search*) revistar

ransom ['rænsəm] *n* resgate

▸ *vt* resgatar

• **to hold somebody to ransom** pedir resgate por alguém

rap [ræp] *n* **1** pancada, batida: ***a series of raps on the door*** uma série de batidas na porta **2** MUS *rap* **3** *sl* (*punishment*) punição **4** *sl* crítica, reação: ***despite being a blockbuster, the film got bad raps*** apesar de ser um sucesso de público, o filme recebeu críticas negativas

▸ *vi* (*pt & pp* **rapped**, *ger* **rapping**) bater de leve

• **to take the rap** pagar o pato, ser punido em lugar de outrem

rape[1] [reɪp] *n* estupro

▸ *vt* estuprar

rape[2] [reɪp] *n* BOT colza

rapid ['ræpɪd] *adj* rápido

▸ *npl* **rapids** corredeira

rapist ['reɪpɪst] *n* estuprador

rapport [ræ'pɔːʳ] *n* entrosamento, harmonia: ***the teacher has developed a good rapport with her students*** a professora desenvolveu um bom entrosamento com os alunos

rapt [ræpt] *adj* **1** (*absorbed*) absorto, compenetrado **2** (*fascinated*) embevecido, extasiado

rare [reəʳ] *adj* **1** (*uncommon*) raro **2** (*meat*) malpassado

rarely ['reəlɪ] *adv* raramente

rascal ['rɑːskəl] *n* malandro, safado, tratante

rash[1] [ræʃ] *n* (*pl* **-es**) brotoeja, erupção cutânea

rash[2] [ræʃ] *adj* imprudente

rasher ['ræʃəʳ] *n* lasca, fatia fina

rasp [rɑːsp] *n* **1** (*tool*) lima grossa **2** (*noise*) som áspero

▸ *vt* **1** (*rub*) limar, raspar **2** (*make a noise*) produzir som áspero **3** (*speak*) falar em tom áspero

raspberry ['rɑːzbərɪ] *n* (*pl* **-ies**) **1** BOT framboesa **2** *infml* (*rude sound*) espécie de assobio grosseiro para protestar

rat [ræt] *n* **1** (*animal*) rato, ratazana **2** *infml* (*disloyal person*) canalha

• **to rat on** **1** (*denounce*) alcaguetar, delatar **2** (*desert*) deserdar, deixar de cumprir (*promessa*)

• **to smell a rat** suspeitar de uma tramoia, ver algo além das aparências

rate [reɪt] *vt* **1** considerar: ***I rate her as one of the best pop singers of all times*** eu a considero uma das melhores cantoras populares de todos os tempos **2** (*estimate*) taxar, avaliar

▸ *n* 1 taxa, índice: ***unemployment rate*** índice de desemprego 2 grau de velocidade, ritmo: ***do it at your own rate*** faça isto no seu próprio ritmo 3 (*charge*) tarifa, contribuição 4 (*local tax*) imposto, taxa 5 MATH razão
▸ *npl* **rates** GB imposto predial e territorial
• **at any rate** de qualquer modo
• **at the rate of** a razão de
• **first rate** de primeira categoria
• **second rate** de segunda categoria
▪ **rate of exchange** taxa de câmbio

ratepayer ['reɪtpeɪəʳ] *n* GB contribuinte

rather ['rɑːðəʳ] *adv* 1 muito, bastante: ***I'll meet you later; I've got rather a lot of chores to do*** encontro você mais tarde; tenho muitas tarefas domésticas a fazer 2 até certo ponto, um tanto: ***this restaurant is rather expensive; have you brought your credit card with you?*** este restaurante é meio caro; você trouxe o cartão de crédito?
• **I would rather** preferiria, preferia
• **or rather** ou melhor, ou seja
• **rather than** em vez de

rating ['reɪtɪŋ] *n* 1 (*position in a scale*) classificação, posição 2 (*appraisal of the value*) apreciação, avaliação 3 (*ranking in a military organization*) posto
▸ *npl* **ratings** índice de audiência

ratio ['reɪʃɪəʊ] *n* (*pl* **ratios**) razão, relação, proporção

ration ['ræʃən] *n* ração
▸ *vt* racionar

rational ['ræʃənəl] *adj* racional

rattle ['rætəl] *n* 1 (*of a rattlesnake*) guizo 2 (*musical instrument*) matraca 3 (*series of short loud sounds*) saraivada 4 (*baby's toy*) chocalho 5 (*agonies of death*) estertor 6 (*noisy shouting*) algazarra, tagarelice
▸ *vi* tocar, soar
▸ *vt* 1 (*make sounds*) fazer soar 2 (*hail*) saraivar 3 *infml* (*annoy*) chatear, irritar
▪ **to rattle off** *vt* (*repeat quickly*) dizer ou ler algo rápida e mecanicamente
▪ **to rattle on** *vi* falar sem parar, tagarelar
▪ **to rattle through** *vt* livrar-se rapidamente de uma tarefa

rattlesnake ['rætəlsneɪk] *n* ZOOL cascavel

ravage ['rævɪʒ] *n* estrago, devastação
▸ *vt* devastar

rave [reɪv] *vi* 1 (*talk wildly*) criticar com veemência e irritação, falar mal 2 (*acclaim*) elogiar exageradamente
▸ *n* folia, farra, festa animada, festa *rave*

raven ['reɪvən] *n* ZOOL corvo

ravenous ['rævənəs] *adj* voraz

rave-up ['reɪvʌp] *n infml* festa barulhenta, com dança e bebidas

ravine [rə'viːn] *n* barranco

raving ['reɪvɪŋ] *adj-adv* delirante, alucinado, varrido
• **raving mad** doido varrido

ravish ['rævɪʃ] *vt* extasiar, arrebatar

ravishing ['rævɪʃɪŋ] *adj* deslumbrante, magnífico, arrebatador

raw [rɔː] *adj* 1 (*uncooked*) cru 2 (*not refined*) bruto, sem refinar 3 (*inexperienced*) novato
▪ **raw material** matéria-prima

ray[1] [reɪ] *n* (*of light*) raio

ray[2] [reɪ] *n* (*fish*) raia

ray[3] [reɪ] *n* (*musical scale*) ré

rayon ['reɪɒn] *n* *rayon*, raiom

razor ['reɪzəʳ] *n* 1 (*instrument for shaving*) navalha 2 (*electric instrument for shaving*) aparelho de barbear
▪ **razor blade** lâmina de barbear

RC ['ɑː'siː, 'rəʊmən'kæθəlɪk] *abbr* (***Roman Catholic***) católico

rd [rəʊd] *abbr* (***Road***) rua

re[1] [riː] *prep* (*with reference to, used in business letters*) com referência a: ***re your letter of...*** com referência à sua carta datada...

re[2] [reɪ] *n* (*musical scale*) ré

reach [riːtʃ] *n* (*pl* **-es**) 1 (*range*) alcance 2 (*extent*) extensão 3 (*ambit*) âmbito
▸ *vt* 1 (*arrive at*) chegar a 2 (*object*) alcançar 3 (*contact*) contatar, localizar 4 (*come to*) chegar a (decisão, acordo)
▸ *vi* 1 (*place*) chegar 2 alcançar, atingir: ***that shelf is too high. I can't reach it*** aquela prateleira é alta demais. Não consigo alcançá-la
• **within reach of** ao alcance de
▪ **out of reach** fora de alcance
▪ **to reach out** *vi* 1 (*stretch out*) estender a mão para pegar algo 2 (*offer help*) ofe-

recer ajuda **3** (*try extremaly hard*) esforçar-se muito (*para alcançar um objetivo*)

react [rɪ'ækt] *vi* reagir

reaction [rɪ'ækʃən] *n* reação

reactionary [rɪ'ækʃənərɪ] *adj-n* reacionário

read [ri:d] *vt-vi* (*pt & pp* **read** [red]) ler: ***she reads three books a month*** ela lê três livros por mês; ***do you like reading?*** você gosta de ler?

▸ *vt* **1** (*understand*) compreender **2** interpretar: ***I read her words as critical of my behaviour*** eu interpreto suas palavras como uma crítica ao meu comportamento **3** (*study*) estudar, cursar (*em universidade*)

▸ *vi* **1** (*register*) indicar, registrar: ***the thermometer reads 32 degrees*** o termômetro indica 32 graus **2** afirmar, declarar, dizer, estar redigido: ***article I of the Declaration of Independence reads that all men are born free and equal*** o artigo I da Declaração da Independência diz que todos os homens nascem livres e iguais

• **to read back** reler

• **to read out** ler em voz alta

• **to read between the lines** ler nas entrelinhas

■ **to read up on** *vt* investigar, buscar dados sobre

reader ['ri:dəʳ] *n* leitor

readily ['redɪlɪ] *adv* **1** (*easily*) facilmente **2** (*promptly*) prontamente, com boa vontade

reading ['ri:dɪŋ] *n* leitura

ready ['redɪ] *adj* (**-ier**, **-iest**) **1** preparado, pronto: ***lunch is ready*** o almoço está pronto **2** (*willing*) disposto

• **to get ready** preparar(-se), aprontar-se

• **ready, steady, go!** (*in competitions*) preparar, aprontar, já!

ready-made [redɪ'meɪd] *adj* **1** feito, confeccionado, pronto: ***I sometimes buy ready-made frozen meals at the supermarket*** às vezes compro refeições prontas no supermercado **2** sem originalidade, estereotipado: ***he always trots out the same ready-made excuses for being late*** ele sempre apresenta a mesma desculpa estereotipada para seus atrasos

real [rɪəl] *adj* **1** (*actual*) real, verdadeiro **2** (*genuine*) autêntico

▸ *adv infml* muito

■ **real estate** bens imóveis, imóvel

• **to get real** *sl* cair na real

realism ['rɪəlɪzəm] *n* realismo

realistic [rɪə'lɪstɪk] *adj* realista

reality [rɪ'ælɪtɪ] *n* (*pl* **-ies**) realidade

realization [rɪəlaɪ'zeɪʃən] *n* **1** (*achievement*) realização **2** (*awareness*) compreensão **3** FIN realização, conversão em dinheiro

realize ['rɪəlaɪz] *vt* **1** (*become aware of*) dar-se conta de, perceber, constatar **2** (*accomplish*) concretizar, realizar, levar a cabo (plano) **3** (*convert into money*) realizar (*bens, ativos*)

really ['rɪəlɪ] *adv* realmente, verdadeiramente

realm [relm] *n* **1** (*kingdom*) reino **2** (*field*) campo, esfera, setor

reap [ri:p] *vt* **1** (*collect*) colher, ceifar **2** (*get*) obter, colher (*benefícios, vantagens etc.*)

reappear [ri:ə'pɪəʳ] *vi* reaparecer

rear¹ [rɪəʳ] *adj* traseiro, posterior, de trás, do fundo: ***rear door*** porta dos fundos; ***rear legs*** patas traseiras

▸ *n* **1** (*back part*) parte de trás, traseira **2** (*area*) fundos **3** (*vehicle*) ré **4** *infml* (*buttocks*) traseiro

rear² [rɪəʳ] *vt* **1** (*care for*) criar, educar (*filhos*) **2** (*breed*) criar (*gado*) **3** (*rise*) levantar, erguer

▸ *vi* **to rear (up)** empinar(-se)

rearmament [ri:'ɑ:məment] *n* rearmamento

rearrange [ri:ə'reɪndʒ] *vt* **1** (*reorganize*) reorganizar, dispor de outra maneira **2** (*change the time of*) remarcar

rear-view ['rɪəvju:] *adj*

■ **rear-view mirror** espelho retrovisor

reason ['ri:zən] *n* **1** (*motive*) razão, motivo **2** (*sense*) razão, senso comum

▸ *vi* argumentar

• **it stands to reason** é lógico que...

• **within reason** dentro do que é razoável, nos limites aceitáveis

reasonable ['ri:zənəbəl] *adj* razoável

reasoning ['ri:zənɪŋ] *n* **1** (*thinking*) raciocínio **2** (*arguments*) argumentação

reassurance [ri:ə'ʃʊərəns] *n* **1** (*guarantee*) garantia **2** (*comfort*) reconforto, ato ou palavras tranquilizadoras

reassure [ri:ə'ʃʊəʳ] *vt* **1** (*comfort*) tranquilizar, reconfortar **2** (*encourage*) encorajar, animar **3** (*guarantee*) reafirmar a garantia de algo

reassuring [ri:ə'ʃʊərɪŋ] *adj* tranquilizador

rebate ['ri:beɪt] *n* **1** (*refund*) devolução, reembolso **2** (*discount*) abatimento, desconto

rebel ['rebəl rɪ'bel] *adj-n* rebelde
▸ *vi* (*pt & pp* **rebelled**, *ger* **rebelling**) rebelar-se

rebellion [rɪ'belɪən] *n* rebelião

rebellious [rɪ'belɪəs] *adj* rebelde

rebound [(*n*) 'ri:baʊnd; (*v*) rɪ'baʊnd] *n* **1** (*bounce*) ressalto **2** (*ricochet*) rebote **3** (*negative repercussion*) reação a acontecimento negativo, repercussão contrária
▸ *vi* **1** (*bounce*) ressaltar **2** SPORT rebater **3** (*repercuss*) surtir efeito contrário ou indesejável, sair pela culatra
• **on the rebound** de rebote

rebuff [rɪ'bʌf] *n* (*pl* **rebuffs**) **1** (*rejection*) repulsa **2** (*refusal*) recusa, rechaço
▸ *vt* **1** (*reject*) repelir **2** (*refuse*) recusar, rechaçar

rebuild [ri:'bɪld] *vt* (*pt & pp* **rebuilt** [ri:'bɪlt]) reconstruir

rebuke [rɪ'bju:k] *n* censura, reprimenda
▸ *vt* repreender

recall [rɪ'kɔ:l] *n* **1** (*revocation*) chamada, revocação **2** (*remembrance*) recordação
▸ *vt* **1** (*revoke*) chamar de volta, mandar voltar, revocar (*embaixador*) **2** (*remember*) recordar, lembrar

recapture [ri:'kæptʃəʳ] *vt* **1** (*capture again*) recapturar **2** *fig* (*experience again*) retomar, recriar

receipt [rɪ'si:t] *n* **1** (*of payment*) recibo **2** (*act of receiving*) ato de receber, recebimento
▸ *npl* **receipts 1** FIN receitas, entrada (*de dinheiro*) **2** (*ticket office*) arrecadação
▪ **receipts and issues** FIN entradas e saídas

receive [rɪ'si:v] *vt* receber

receiver [rɪ'si:vəʳ] *n* **1** (*recipient*) destinatário, depositário **2** (*of radio*) receptor **3** (*of telephone*) fone **4** (*of stolen property*) receptador

recent ['ri:sənt] *adj* recente

recently ['ri:səntlɪ] *adv* recentemente

reception [rɪ'sepʃən] *n* **1** (*response*) recepção **2** (*greeting*) recepção, acolhida **3** (*formal party*) recepção, festa formal **4** (*place*) recepção: ***meet me at reception*** encontre-me na recepção
▪ **reception desk** (*mesa de*) recepção

receptionist [rɪ'sepʃənɪst] *n* recepcionista

recess ['ri:ses] *n* (*pl* **-es**) **1** (*hollow*) espaço oco, vão **2** (*niche*) nicho **3** (*vacation*) descanso, férias **4** POL recesso

recession [rɪ'seʃən] *n* recessão

recharge [ri:'tʃɑ:dʒ] *vt* recarregar

rechargeable [ri:'tʃɑ:dʒəbəl] *adj* recarregável

recipe ['resəpɪ] *n* receita: ***she knows a good recipe for home-made ice-cream*** ela sabe uma boa receita de sorvete caseiro

recipient [rɪ'sɪpɪənt] *n* **1** (*receiver*) receptor recebedor **2** (*letter*) destinatário

reciprocal [rɪ'sɪprəkəl] *adj* recíproco

reciprocate [rɪ'sɪprəkeɪt] *vi-vt* **1** (*return the favour*) corresponder, retribuir, reciprocar **2** (*retaliate*) revidar
▸ *vi-vt* mover para a frente e para trás em movimentos alternados

recital [rɪ'saɪtəl] *n* recital

recite [rɪ'saɪt] *vt-vi* recitar

reckless ['rekləs] *adj* **1** (*precipitate*) precipitado **2** (*imprudent*) temerário, imprudente

reckon ['rekən] *vt-vi* **1** (*count*) contar **2** (*calculate*) calcular
▸ *vt* **1** (*believe*) crer, supor **2** (*consider*) considerar, estimar
▪ **to reckon on** *vt* contar com: ***I'm reckoning on your help*** conto com sua ajuda

■ **to reckon with** *vt* **1** (*deal with*) enfrentar, haver-se com **2** (*take into consideration*) levar em consideração

reckoning ['rekənɪŋ] *n* cálculos
• **by my reckoning** pelos meus cálculos

reclaim [rɪ'kleɪm] *vt* **1** (*claim back*) reclamar, reivindicar **2** (*recover*) recuperar **3** (*recycle*) reciclar

recline [rɪ'klaɪn] *vt-vi* reclinar(-se)

recognition [rekəg'nɪʃən] *n* reconhecimento

recognize ['rekəgnaɪz] *vt* reconhecer

recoil [(*n*) 'ri:kɔɪl; (*v*) rɪ'kɔɪl] *n* retrocesso, recuo
▸ *vi* retroceder, recuar

recollect [rekə'lekt] *vt* recordar

recollection [rekə'lekʃən] *n* recordação

recommend [rekə'mend] *vt* recomendar

recommendation [rekəmen'deɪʃən] *n* recomendação

recompense ['rekəmpens] *n* recompensa
▸ *vt* recompensar

reconcile ['rekənsaɪl] *vt* **1** (*persons*) reconciliar **2** (*ideas*) conciliar
• **to reconcile oneself to** resignar-se a

reconciliation [rekənsɪlɪ'eɪʃən] *n* **1** (*conciliation*) reconciliação, conciliação **2** (*accomodation*) acomodação

reconsider [ri:kən'sɪdəʳ] *vt* reconsiderar

reconstruct [ri:kəns'trʌkt] *vt* reconstruir

record [(*n*) 'rekɔ:d; (*v*) rɪ'kɔ:d] *n* **1** (*register*) registro, anotação **2** (*files*) ficha, cadastro **3** (*history*) histórico **4** (*music*) disco **5** (*best performance*) recorde, marca
▸ *vt* **1** (*put in writting*) fazer constar **2** (*register*) anotar, registrar **3** (*achieve*) conseguir, atingir **4** (*make a recording of*) gravar
• **off the record** confidencial
• **to beat the record** bater o recorde
■ **record player** toca-discos

recorder [rɪ'kɔ:dəʳ] *n* flauta doce

recording [rɪ'kɔ:dɪŋ] *n* gravação

recount [rɪ'kaʊnt 'ri:kaʊnt] *vt* **1** (*tell*) contar, relatar **2** (*count again*) recontar
▸ *n* recontagem

recourse [rɪ'kɔ:s] *n* recurso
• **to have recourse to** recorrer a

recover [rɪ'kʌvəʳ] *vt-vi* recuperar(-se)

recovery [rɪ'kʌvərɪ] *n* (*pl* **-ies**) recuperação

recreation [rekrɪ'eɪʃən] *n* recreação

recruit [rɪ'kru:t] *n* recruta
▸ *vt* recrutar

rectangle ['rektæŋgəl] *n* retângulo

rectangular [rekt'æŋgjʊləʳ] *adj* retangular

rectify ['rektɪfaɪ] *vt* (*pt & pp* **-ied**) retificar, corrigir

recuperate [rɪk'u:pəreɪt] *vi* recuperar(-se)

recuperation [rɪk'u:pəreɪʃən] *n* recuperação

recur [rɪ'kɜ:ʳ] *vi* (*pt & pp* **recurred**, *ger* **recurring**) **1** (*happen again*) repetir-se **2** (*reappear*) reaparecer, ressurgir **3** recorrer, apelar: ***the army recurred to the use of force*** o exército recorreu ao uso da força

recycle [ri:'saɪkəl] *vt* reciclar

recycling [ri:'saɪkəlɪŋ] *n* reciclagem

red [red] *adj* (*comp* **redder**, *superl* **reddest**) **1** (*colour*) vermelho **2** (*hair*) ruivo
▸ *n* vermelho
• **to be in the red** estar no vermelho
• **to turn red** enrubescer, ruborizar-se
■ **red tape** *infml* burocracia, papelada: ***to cut through the red tape*** eliminar a burocracia
■ **red wine** vinho tinto
■ **Red Cross** Cruz Vermelha

reddish ['redɪʃ] *adj* avermelhado

redeem [rɪ'di:m] *vt* **1** (*retrieve*) resgatar, recuperar **2** (*save*) redimir, salvar **3** (*exchange*) pagar (*promissória etc.*)

red-handed [red'hændɪd] *adj* em flagrante: ***he was caught red-handed opening the safe*** ele foi apanhado em flagrante abrindo o cofre

redhead ['redhed] *n* ruivo

red-hot [red'hɒt] *adj* incandescente

redress [rɪ'dres] *n* **1** (*compensation*) reparação **2** (*repayment*) restituição monetária
▸ *vt* reparar, corrigir

• **to redress the balance** restituir o equilíbrio

reduce [rɪ'dju:s] *vt-vi* reduzir

reduction [rɪ'dʌkʃən] *n* redução

redundancy [rɪ'dʌndənsɪ] *n* (*pl* -**ies**) **1** (*case of being redundant*) redundância **2** (*dismissal*) demissão

redundant [rɪ'dʌndənt] *adj* **1** (*unnecessary*) redundante **2** (*dismissed*) demitido

• **to be made redundant** perder o emprego, ser despedido

reed [ri:d] *n* **1** BOT junco **2** (*of musical instrument*) palheta

reef [ri:f] *n* (*pl* **reefs**) recife

reek [ri:k] *n* cheiro fétido

▸ *vi* exalar cheiro fétido, empestar

reel[1] [ri:l] *n* **1** (*bobbin*) carretel, bobina **2** (*roll*) rolo (*de filme*)

reel[2] [ri:l] *vi* **1** (*stagger*) cambalear **2** (*sway*) oscilar **3** (*roll*) enrolar, bobinar

ref ['refərəns] *abbr* (***reference***) referência, ref.

refer [rɪ'fɜ:ʳ] *vt* (*pt & pp* **referred**, *ger* **referring**) enviar, encaminhar: ***the refugees were referred to the embassy*** os refugiados foram encaminhados à embaixada

▸ *vi* **1** (*mention*) referir-se, aludir **2** aplicar-se: ***the rules refer to all cases*** as regras se aplicam a todos os casos **3** consultar: ***please refer to page five*** por favor consulte a página cinco

referee [refə'ri:] *n* **1** (*umpire*) árbitro **2** (*mediator*) mediador

▸ *vt* arbitrar

reference ['refərəns] *n* referência

• **with reference to** com referência a

▪ **reference book** livro de consulta

referendum [refə'rendəm] *n* (*pl* **-s** ou **referenda** [refə'rendə]) referendo

refill [(*n*) 'ri:fɪl; (*v*) ri:'fɪl] *n* carga nova, refil

▸ *vt* tornar a encher, reabastecer

refine [rɪ'faɪn] *vt* refinar

refined [rɪ'faɪnd] *adj* refinado

refinement [rɪ'faɪnmənt] *n* refinamento

refinery [rɪ'faɪnərɪ] *n* (*pl* -**ies**) refinaria

reflect [rɪ'flekt] *vt* refletir

▸ *vi* refletir, meditar

reflection [rɪ'flekʃən] *n* **1** (*image*) reflexo **2** (*thought*) reflexão

reflector [rɪ'flektəʳ] *n* refletor

reflex ['ri:fleks] *adj* reflexo

reflexive [rɪ'fleksɪv] *adj* reflexivo

reform [rɪ'fɔ:m] *n* reforma

▸ *vt* reformar

refrain[1] [rɪ'freɪn] *n* estribilho, refrão

refrain[2] [rɪ'freɪn] *vi* abster-se

refresh [rɪ'freʃ] *vt* refrescar

refreshing [rɪ'freʃɪŋ] *adj* refrescante

refreshment [rɪ'freʃmənt] *n* **1** (*food and drink*) comidas e bebidas leves e/ou em pequenas quantidades **2** (*amusement*) atividades recreativas e relaxantes **3** (*rehabilitation*) reabilitação, recuperação

refrigerate [rɪ'frɪdʒəreɪt] *vt* refrigerar

refrigerator [rɪ'frɪdʒəreɪtəʳ] *n* geladeira

refuel [ri:'fjʊəl] *vt-vi* (*with fuel*) reabastecer

refuge ['refju:dʒ] *n* refúgio

• **to take refuge** refugiar-se

refugee [refju:'dʒi:] *n* refugiado

refund [(*n*) 'ri:fʌnd; (*v*) ri:'fʌnd] *n* reembolso

▸ *vt* reembolsar

refusal [rɪ'fju:zəl] *n* negativa, recusa

refuse[1] ['refju:s] *n* lixo, refugo

refuse[2] [rɪ'fju:z] *vt* recusar, rechaçar

▸ *vi* negar-se

regain [rɪ'geɪn] *vt* recobrar, recuperar

regard [rɪ'gɑ:d] *vt* considerar: ***he is regarded as a hero*** ele é considerado um herói

▸ *n* respeito, consideração

▸ *npl* **regards** cumprimentos, lembranças: ***give her my regards*** mande lembranças minhas para ela

• **as regards** no que se refere a, com referência a, com relação a

• **in/with regard to** com referência a, com relação a

• **without regard to** sem se importar com, sem consideração a

regarding [rɪ'gɑ:dɪŋ] *prep* no tocante a, com respeito a, com referência a

regardless [rɪ'gɑːdləs] *adv* não obstante
▸ *prep* **regardless of** apesar de

regime [reɪ'ʒiːm] *n* regime

regiment ['redʒɪmənt] *n* regimento

region ['riːdʒən] *n* região

register ['redʒɪstəʳ] *n* registro, lista
▸ *vi* **1** (*record*) registrar-se **2** (*apply*) matricular-se (em escola) **3** (*enrol*) inscrever-se
▸ *vt* **1** (*send by registered mail*) registrar **2** (*in a public office*) inscrever no registro civil (*casamento, nascimento*) **3** (*indicate*) indicar, registrar (*temperatura*)
▪ **registered post** correio registrado

registrar [redʒɪs'trɑːʳ] *n* **1** (*keeper of official records*) oficial de registro civil, escrivão **2** GB (*hospital doctor*) médico residente

registration [redʒɪs'treɪʃən] *n* **1** (*register*) registro **2** (*enrolment*) matrícula
▪ **registration number** (*of a car*) número da placa

registry ['redʒɪstrɪ] *n* (*pl* **-ies**) registro
▪ **registry office** registro civil

regret [rɪ'gret] *n* **1** (*remorse*) remorso **2** (*sorrow*) desgosto, pesar
▸ *vt* (*pt & pp* **regretted**, *ger* **regretting**) **1** (*lament*) lamentar **2** (*be sorrow about*) arrepender-se de
• **to have no regrets** não ter arrependimentos

regretful [rɪ'gretfʊl] *adj* arrependido

regrettable [rɪ'gretəbəl] *adj* lamentável

regular ['regjʊləʳ] *adj* **1** (*constant*) regular **2** (*frequent*) habitual **3** (*normal*) normal
▸ *n infml* cliente habitual

regularity [regjʊ'lærətɪ] *n* (*pl* **-ies**) regularidade

regulate ['regjʊleɪt] *vt* regular

regulation [regjʊ'leɪʃən] *n* **1** (*adjustment*) regulagem **2** (*rule*) regra, norma

rehabilitate [riːhə'bɪlɪteɪt] *vt* reabilitar

rehearsal [rɪ'hɜːsəl] *n* ensaio

rehearse [rɪ'hɜːs] *vt* ensaiar

reign [reɪn] *n* reinado
▸ *vi* reinar

reimburse [riːɪm'bɜːs] *vt* reembolsar

rein [reɪn] *n* rédea
▸ *npl* **reins 1** (*to control a young child*) andadeiras, espécie de correia com que se amarram crianças pequenas para que não se percam ou caiam ao andar **2** (*kidney*) rins, baixo abdome **3** (*power to control*) o poder para controlar

reindeer ['reɪndɪəʳ] *n* (*pl* **reindeer**) ZOOL rena

reinforce [riːɪn'fɔːs] *vt* reforçar
▪ **reinforced concrete** concreto armado

reinforcement [riːɪn'fɔːsmənt] *n* reforço

reinstate [riːɪn'steɪt] *vt* readmitir, reintegrar

reject [(*n*) 'riːdʒekt; (*v*) rɪ'dʒekt] *n* resíduo, dejeto
▸ *vt* rechaçar, rejeitar, refugar

rejection [rɪ'dʒekʃən] *n* rejeição

rejoice [rɪ'dʒɔɪs] *vi* alegrar-se, regozijar-se

rejuvenate [rɪ'dʒuːvəneɪt] *vt* rejuvenescer

relapse [rɪ'læps] *n* **1** (*deterioration*) recaída **2** (*backslide*) reincidência
▸ *vi* **1** (*lapse*) recair **2** (*backslide*) reincidir

relate [rɪ'leɪt] *vt* **1** (*describe*) relatar, contar **2** (*associate*) relacionar
▸ *vi* **1** estar relacionado: ***chapter four relates to the effects of radiation leak on environment*** o capítulo quatro está relacionado aos efeitos do vazamento de radiação no meio ambiente **2** identificar-se, entender: ***many people find it difficult to relate to teenagers*** muitas pessoas acham difícil entender os adolescentes

related [rɪ'leɪtɪd] *adj* **1** (*connected*) relacionado, ligado, afim **2** (*of the same family*) aparentado

relation [rɪ'leɪʃən] *n* **1** (*connection*) relação **2** (*relative*) parente, familiar
• **in relation to** em relação a

relationship [rɪ'leɪʃənʃɪp] *n* **1** (*connection*) relação **2** (*dealings and feelings*) relacionamento, relações (*entre pessoas*)

relative ['relətɪv] *adj* relativo
▸ *n* parente

relax [rɪ'læks] *vt-vi* **1** (*unwind*) relaxar, afrouxar **2** (*become less tense*) relaxar, descontrair

relaxation [riːlæk'seɪʃən] *n* **1** relaxamento, menor rigidez: ***relaxation in the rules*** relaxamento das regras **2** (*rest*) descanso, descontração

relaxed [rɪ'lækst] *adj* **1** (*less rigid*) relaxado, afrouxado, menos rígido **2** (*restful*) relaxado, descontraído

relaxing [rɪ'læksɪŋ] *adj* relaxante

relay ['riːleɪ] *n* **1** revezamento: ***a relay race*** uma corrida de revezamento **2** ELECTR relé

▸ *vt* (*message*) retransmitir

release [rɪ'liːs] *n* **1** (*liberation*) libertação, soltura **2** (*discharge*) liberação, escape (*de gás etc.*) **3** (*of a book, film, CD etc.*) estreia, lançamento **4** (*vehicle*) desengate

▸ *vt* **1** (*set free*) libertar, pôr em liberdade **2** (*discharge*) liberar, soltar **3** (*book, film, CD etc.*) estreiar, lançar **4** (*vehicle*) desengatar, soltar

relegate ['relɪgeɪt] *vt* **1** (*set aside*) relegar **2** (*put in a lower place*) rebaixar

• **to be relegated** SPORT descer, ser rebaixado

relent [rɪ'lent] *vi* ceder, amainar, abrandar

relevant ['reləvənt] *adj* relevante, pertinente

reliable [rɪ'laɪəbəl] *adj* **1** (*person*) confiável **2** (*news*) fidedigno **3** (*machine*) seguro

reliance [rɪ'laɪəns] *n* **1** (*trust*) confiança **2** (*dependence*) dependência

relic ['relɪk] *n* relíquia

relief [rɪ'liːf] *n* **1** (*alleviation*) alívio **2** (*assistance*) auxílio, socorro **3** GEO relevo **4** (*redemption*) rendição

relieve [rɪ'liːv] *vt* **1** (*alleviate*) aliviar **2** (*help*) auxiliar, socorrer **3** (*reinforce*) reforçar, promover **4** (*render*) render

religion [rɪ'lɪdʒən] *n* religião

religious [rɪ'lɪdʒəs] *adj* religioso

relinquish [rɪ'lɪŋkwɪʃ] *vt* renunciar a

relish ['relɪʃ] *n* **1** (*enthusiastic enjoyment*) gosto, deleite, grande entusiasmo **2** (*condiment*) condimento

▸ *vt* gostar, apreciar, entusiasmar-se com: ***I don't relish the idea*** não gosto da ideia

reluctance [rɪ'lʌktəns] *n* relutância

reluctant [rɪ'lʌktənt] *adj* relutante

rely [rɪ'laɪ] *vi* **rely on** (*pt & pp* **relied**, *ger* **relying**) confiar em, contar com

remain [rɪ'meɪn] *vi* **1** (*stay*) ficar, permanecer **2** (*be left*) sobrar

▸ *npl* **remains 1** (*rest*) restos, sobras **2** (*corpse*) restos mortais

remainder [rɪ'meɪndə^r] *n* resto, restante

remaining [rɪ'meɪnɪŋ] *adj* restante

remark [rɪ'mɑːk] *n* observação, comentário

▸ *vt* observar, comentar

remarkable [rɪ'mɑːkəbəl] *adj* notável, extraordinário

remedy ['remədɪ] *n* (*pl* **-ies**) **1** (*medicine*) remédio, medicamento **2** (*treatment*) remédio, reparação **3** (*solution*) resposta, solução

▸ *vt* (*pt & pp* **remedied**, *ger* **remedying**) remediar

remember [rɪ'membə^r] *vt* lembrar, recordar, lembrar-se de: ***remember to buy bread*** lembre-se de comprar pão; ***I remember talking to her*** eu me lembro de ter falado com ela

• **remember me to...** dê lembranças minhas a...

remind [rɪ'maɪnd] *vt* **1** lembrar, fazer lembrar: ***she reminded me that the meeting had been cancelled*** ela lembrou-me que a reunião havia sido cancelada **2** trazer à memória: ***that picture reminded me of my hometown*** aquela fotografia me trouxe à memória a minha cidade natal

reminder [rɪ'maɪndə^r] *n* (*aide-memoire*) lembrete

reminisce [remɪ'nɪs] *vt-vi* rememorar: ***she used to reminisce about her school days*** ela costumava rememorar seus tempos de escola

reminiscent [remɪ'nɪsənt] *adj* cheio de lembranças

• **reminiscent of...** que faz lembrar...: ***that song is so reminiscent of my late husband*** aquela canção me faz lembrar tanto o meu falecido marido

remit [rɪ'mɪt] *vt* (*pt & pp* **remitted**, *ger* **remitting**) remeter, enviar

remittance [rɪ'mɪtəns] *n* remessa

remnant ['remnənt] *n* **1** (*rest*) resto, sobras **2** (*remains*) remanescente **3** (*scrap*) retalho

remorse [rɪ'mɔːs] *n* remorso

remorseful [rɪ'mɔːsfʊl] *adj* arrependido

remote [rɪ'məʊt] *adj* **1** (*far away*) remoto **2** (*isolated*) isolado
• **not the remotest idea** a mínima ideia
▪ **remote control** controle remoto

removal [rɪ'muːvəl] *n* **1** (*elimination*) eliminação, retirada, remoção **2** (*transference*) transferência, traslado, mudança **3** (*extraction*) extração, extirpação

remove [rɪ'muːv] *vt* **1** (*eliminate*) eliminar, retirar, remover **2** (*transfer*) transferir, trasladar, mudar **3** (*extract*) extrair, extirpar
▸ *vi* trasladar-se, mudar-se, transferir-se

renaissance [rə'neɪsəns] *n* renascimento, renovação
▪ **the Renaissance** o Renascimento

render ['rendəʳ] *vt* **1** (*provide*) dar, prestar **2** (*make*) fazer, tornar **3** (*perform*) apresentar **4** (*music*) interpretar **5** traduzir, verter: ***she rendered the document into English from Italian*** ela traduziu o documento do italiano para o inglês

rendezvous ['rɒndɪvuː] *n* (*pl* **rendez--vous**) **1** (*appointment*) encontro (*agendado*) **2** (*meeting place*) ponto de encontro

rendition ['rendɪʃən] *n* **1** interpretação, modo de execução: ***a live rendition of three lieder by Schumann*** uma interpretação ao vivo de três *lieder* de Schumann **2** (*translation*) tradução, versão **3** (*capitulation*) capitulação, rendição

renew [rɪ'njuː] *vt* **1** (*renovate*) renovar **2** (*return to*) retomar, recomeçar

renewable [rɪ'njuːəbəl] *adj* renovável

renewal [rɪ'njuːəl] *n* **1** (*renovation*) renovação **2** (*replacement*) substituição

renounce [rɪ'naʊns] *vt* renunciar

renovate ['renəveɪt] *vt* restaurar, reformar

renovation [renə'veɪʃən] *n* restauração, reforma

renown [rɪ'naʊn] *n* renome, fama

renowned [rɪ'naʊnd] *adj* renomado, famoso

rent¹ [rent] *n* aluguel
▸ *vt* alugar

rent² [rent] *pt-pp* → **rend**

rental ['rentəl] *n* aluguel

reopen [riː'əʊpən] *vt-vi* reabrir

reorganization [riːɔːgənaɪ'zeɪʃən] *n* reorganização

reorganize [riː'ɔːgənaɪz] *vt* reorganizar

repair [rɪ'peəʳ] *n* reparo, conserto
▸ *vt* reparar, consertar
• **in good repair** em bom estado

repatriate [riː'pætrɪeɪt] *vt* repatriar

repay [riː'peɪ] *vt* (*pt & pp* **repaid**) **1** (*reimburse*) pagar, reembolsar, indenizar, amortizar **2** (*recompense*) compensar, retribuir

repayment [riː'peɪmənt] *n* **1** (*refund*) pagamento, reembolso, indenização, amortização **2** (*reward*) compensação, retribuição

repeal [rɪ'piːl] *n* anulação, revogação
▸ *vt* anular, revogar

repeat [rɪ'piːt] *n* repetição
▸ *vt* repetir

repeatedly [rɪ'piːtɪdlɪ] *adv* repetidamente

repel [rɪ'pel] *vt* (*pt & pp* **repelled**, *ger* **repelling**) **1** (*reject*) repelir **2** (*repudiate*) repudiar **3** (*revolt*) repugnar

repellent [rɪ'pelənt] *adj* repelente
▸ *n* (*substance to drive insects away*) repelente

repent [rɪ'pent] *vt-vi* arrepender-se

repercussion [riːpə'kʌʃən] *n* repercussão

repertoire ['repətwɑːʳ] *n* repertório

repetition [repə'tɪʃən] *n* repetição

repetitive [rɪ'petɪtɪv] *adj* repetitivo

replace [rɪ'pleɪs] *vt* **1** (*put back*) recolocar, repor **2** (*substitute*) substituir

replacement [rɪ'pleɪsmənt] *n* **1** (*substitution*) substituição **2** (*substitute*) substituto, suplente **3** (*renewal*) peça ou material de reposição

replay [(*n*) 'riːpleɪ; (*v*) riː'pleɪ] *n* **1** (*TV*) repetição, *replay* **2** (*game played* *again)* partida de desempate, partida decisiva

▸ *vt* repetir

reply [rɪ'plaɪ] *n* (*pl* **-ies**) resposta, contestação, réplica

▸ *vi* (*pt & pp* **-ied**) responder, contestar, replicar

report [rɪ'pɔ:t] *n* **1** (*account*) informe, comunicado **2** (*news*) notícia **3** (*statement*) relatório **4** (*evaluation*) boletim de avaliação, boletim escolar

▸ *vt* **1** (*communicate*) informar **2** (*make known to the authorities*) denunciar **3** (*make a report*) relatar, fazer relatório

▸ *vi* apresentar-se: ***you must report to the headmaster*** você deve apresentar-se ao diretor

■ **reported speech** discurso indireto

reporter [rɪ'pɔ:tə'] *n* repórter

repose [rɪ'pəʊz] *n* repouso, descanso

▸ *vi* repousar, descansar

represent [reprɪ'zent] *vt* **1** (*symbolize*) representar **2** LAW declarar: ***the parties represent that they have authority to enter into this Contract*** as partes declaram que estão autorizadas a celebrar este Contrato

representation [reprɪzen'teɪʃən] *n* **1** (*portrayal*) representação **2** LAW declaração

representative [reprɪ'zentətɪv] *adj* representativo

▸ *n* **1** (*substitute*) representante **2** US (*member of Congress*) deputado

repress [rɪ'pres] *vt* reprimir

repression [rɪ'preʃən] *n* repressão

repressive [rɪ'presɪv] *adj* repressivo

reprieve [rɪ'pri:v] *n* **1** (*indulgence*) indulto **2** (*postponement or cancellation of a punishment*) suspensão ou adiamento de sentença **3** *fig* (*temporary relief*) trégua

▸ *vt* indultar

reprimand ['reprɪmɑ:nd] *n* reprimenda, repreensão

▸ *vt* repreender

reprint [(*n*) 'ri:prɪnt; (*v*) ri:'prɪnt] *n* reimpressão

▸ *vt* reimprimir

reprisal [rɪ'praɪzəl] *n* represália

reproach [rɪ'prəʊtʃ] *n* (*pl* **-es**) reprovação, repreensão

▸ *vt* reprovar, repreender

reproduce [ri:prə'dju:s] *vt-vi* reproduzir(-se)

reproduction [ri:prə'dʌkʃən] *n* reprodução

reproductive [ri:prə'dʌktɪv] *adj* reprodutor

reptile ['reptaɪl] *n* ZOOL réptil

republic [rɪ'pʌblɪk] *n* república

republican [rɪ'pʌblɪkən] *adj-n* republicano

repudiate [rɪ'pju:dɪeɪt] *vt* rechaçar, repudiar

repugnant [rɪ'pʌgnənt] *adj* repugnante

repulse [rɪ'pʌls] *vt* rechaçar, repelir, rejeitar

repulsive [rɪ'pʌlsɪv] *adj* repulsivo

reputable ['repjʊtəbəl] *adj* **1** (*respectable*) honrado, respeitável **2** (*trustworthy*) de confiança *(pessoa)*, bem conceituado

reputation [repjʊ'teɪʃən] *n* reputação, fama

repute [rɪ'pju:t] *n* reputação, fama (*uso mais formal*): ***places of ill repute*** locais de má fama

reputed [rɪ'pju:tɪd] *adj* suposto, pretenso, que se supõe: ***to be reputed to be...*** ter fama de ser...

reputedly [rɪ'pju:tɪdlɪ] *adv* supostamente

request [rɪ'kwest] *n* **1** (*asking*) pedido, solicitação **2** LAW pedido, petição: ***to file a request*** ajuizar um pedido

▸ *vt* pedir, solicitar

require [rɪ'kwaɪə'] *vt* **1** requerer, exigir: ***this kind of exercise requires total concentration*** este tipo de exercício requer concentração total; ***it is required by law that...*** a lei exige que.... **2** necessitar: ***if you require further information...*** se você necessitar de informações adicionais...

requirement [rɪ'kwaɪəment] *n* **1** (*requisite*) requisito, condição **2** (*stipulation*) exigência **3** (*necessity*) necessidade

requisite ['rekwɪzɪt] *adj* requerido, necessário: ***the requisite skills for the job***

are mentioned below as habilidades necessárias para o cargo estão descritas abaixo

rescue ['reskju:] *n* resgate, salvamento: ***a rescue operation*** uma operação de resgate
▸ *vt* resgatar, salvar

rescuer ['reskjʊəʳ] *n* salvador

research [rɪ'sɜ:tʃ] *n* (*pl* **-es**) investigação, pesquisa
▸ *vt-vi* investigar, pesquisar

researcher [rɪ'sɜ:tʃəʳ] *n* investigador, pesquisador

resemblance [rɪ'zembləns] *n* semelhança

resemble [rɪ'zembəl] *vt* parecer-se com, assemelhar-se a

resent [rɪ'zent] *vt* ofender-se, ressentir--se, sentir rancor

resentful [rɪ'zentfʊl] *adj* ressentido, ofendido

resentment [rɪ'zentmənt] *n* ressentimento, rancor

reservation [rezə'veɪʃən] *n* reserva

reserve [rɪ'zɜ:v] *n* reserva
▸ *vt* reservar

reserved [rɪ'zɜ:vd] *adj* reservado

reservoir ['rezəvwɑ:ʳ] *n* **1** (*large supply*) reservatório **2** (*artificial lake*) reservatório, tanque

reshuffle [ri:'ʃʌfəl] *n* (*government*) remodelação, reorganização, reforma
■ **cabinet reshuffle** reforma ministerial
▸ *vt* **1** (*government*) remodelar, reorganizar **2** (*playing cards*) tornar a embaralhar (*cartas*)

reside [rɪ'zaɪd] *vi* residir

residence ['rezɪdəns] *n* residência

resident ['rezɪdənt] *adj-n* residente

residential [resɪ'denʃəl] *adj* residencial

residue ['rezɪdju:] *n* resíduo

resign [rɪ'zaɪn] *vt-vi* **1** (*reconcile oneself to*) resignar-se **2** (*give up*) renunciar **3** demitir-se: ***the chairman of the board has just resigned*** o presidente do conselho acabou de se demitir **4** (*give up a right*) abrir mão
• **to resign oneself to something** conformar-se, resignar-se: ***he resigned himself to not marrying her*** ele se conformou em não se casar com ela

resignation [rezɪg'neɪʃən] *n* **1** demissão: ***she has just handed in her resignation*** ela acabou de entregar sua demissão **2** (*abdication*) renúncia **3** (*acceptance*) resignação

resilient [rɪ'zɪlɪənt] *adj* **1** (*elastic*) elástico **2** (*recovering readily from adversity*) resistente, capaz de recuperar-se rapidamente de infortúnios

resin ['rezɪn] *n* resina

resist [rɪ'zɪst] *vt* **1** (*oppose*) resistir, opor-se **2** (*combat*) opor resistência (a inimigo) **3** (*refrain from*) resistir: ***I can't resist an ice-cream*** não consigo resistir a um sorvete

resistance [rɪ'zɪstəns] *n* resistência

resistant [rɪ'zɪstənt] *adj* resistente

resolute ['rezəlu:t] *adj* resoluto, decidido

resolution [rezə'lu:ʃən] *n* resolução

resolve [rɪ'zɒlv] *n* **1** (*determination*) resolução **2** (*intention*) intenção, propósito
▸ *vt* **1** (*decide*) resolver, decidir **2** (*agree*) acordar, resolver (*disputa*)

resort [rɪ'zɔ:t] *n* **1** (*place for holidays*) local de veraneio, balneário **2** (*expedient*) recurso
■ **a ski resort** uma estação de esqui
▸ *vi* recorrer

resound [rɪ'zaʊnd] *vi* ressoar

resounding [rɪ'zaʊndɪŋ] *adj* **1** (*echoing*) ressoante **2** *fig* (*emphatic*) retumbante

resource [rɪ'zɔ:s] *n* recurso

resourceful [rɪ'zɔ:sfʊl] *adj* despachado, desembaraçado, expedito

respect [rɪ'spekt] *n* **1** (*consideration*) respeito, deferência, consideração **2** sentido: ***in some respects*** em alguns sentidos
▸ *vt* respeitar
• **with respect to** com respeito a

respectable [rɪ'spektəbəl] *adj* respeitável, venerável

respectful [rɪ'spektfʊl] *adj* respeitoso

respective [rɪ'spektɪv] *adj* respectivo

respiratory ['respərətərɪ] *adj* respiratório

respite ['respaɪt] *n* repouso, intervalo, pausa, folga

respond [rɪ'spɒnd] *vi* responder, replicar
• **to respond to a treatment** responder a um tratamento

response [rɪ'spɒns] *n* resposta, réplica, reação

responsibility [rɪspɒnsɪ'bɪlɪtɪ] *n* (*pl* **-ies**) responsabilidade

responsible [rɪ'spɒnsəbəl] *adj* responsável

responsive [rɪ'spɒnsɪv] *adj* receptivo

rest[1] [rest] *n* **1** descanso, repouso: ***to have a rest*** descansar **2** (*quietness*) paz, tranquilidade **3** (*support*) apoio **4** (*vacation*) férias
▸ *vt-vi* descansar
▸ *vt* apoiar

rest[2] [rest] *n* resto: ***the rest*** os demais; ***the rest of...*** o resto de...
▪ **to rest with** *vi* estar com, depender de: ***the final decision rests with you*** a decisão final depende de você

restaurant ['restərɒnt] *n* restaurante

restful ['restfʊl] *adj* tranquilo, quieto

restive ['restɪv] *adj* inquieto, desassossegado, impaciente

restless ['restləs] *adj* impaciente, inquieto, agitado

restoration [restə'reɪʃən] *n* **1** (*repair*) restauração **2** (*reinstatement*) reintrodução, reintegração

restore [rɪ'stɔːʳ] *vt* **1** (*repair*) restaurar **2** (*recuperate*) devolver (saúde) **3** (*reinstate*) restabelecer

restrain [rɪ'streɪn] *vt* conter, reprimir

restraint [rɪ'streɪnt] *n* **1** (*restriction*) limitação, restrição **2** (*embarrassement*) constrangimento, reserva

restrict [rɪ'strɪkt] *vt* restringir, limitar

restriction [rɪ'strɪkʃən] *n* restrição

restrictive [rɪ'strɪktɪv] *adj* restritivo, que limita

result [rɪ'zʌlt] *n* resultado, consequência: ***as a result...*** como resultado...
▸ *vi* **to result from** resultar de
▪ **to result in** *vt* ter como resultado: ***too much TV may result in academic difficulties*** assistir demais à TV pode ter como resultado dificuldades acadêmicas

resume [rɪ'zjuːm] *vt-vi* retomar
• **to resume one's seat** voltar a sentar-se no mesmo lugar

résumé ['rezjuːmeɪ] *n curriculum vitae*

resurrect [rezə'rekt] *vt* ressuscitar

resurrection [rezə'rekʃən] *n* ressurreição

resuscitate [rɪ'sʌsɪteɪt] *vt-vi* ressuscitar

retail ['riːteɪl] *n* varejo, venda a varejo
▸ *vt-vi* vender a varejo
▪ **retail price** preço de venda no varejo

retailer ['riːteɪləʳ] *n* varejista

retain [rɪ'teɪn] *vt* **1** (*conserve*) reter, conservar **2** (*keep hold*) guardar

retaliate [rɪ'tælɪeɪt] *vi* retaliar, pagar na mesma moeda, revidar

retaliation [rɪtælɪ'eɪʃən] *n* retaliação, represália, desforra

retarded [rɪ'tɑːdɪd] *adj* retardado

retch [retʃ] *vi* ter ânsia de vômito

retention [rɪ'tenʃən] *n* retenção, conservação, memória

reticent ['retɪsənt] *adj* reticente

retina ['retɪnə] *n* retina

retire [rɪ'taɪəʳ] *vt* retirar
▸ *vi* **1** (*stop working*) aposentar-se, reformar-se **2** (*withdraw*) retirar-se **3** (*go to bed*) ir dormir

retired [rɪ'taɪəd] *adj* aposentado, reformado

retirement [rɪ'taɪəmənt] *n* aposentadoria, reforma

retiring [rɪ'taɪərɪŋ] *adj* **1** (*shy*) retraído, tímido **2** (*departing*) que está prestes a se aposentar

retort [rɪ'tɔːt] *n* retruque
▸ *vt* replicar, retrucar, retorquir, rebater

retrace [rɪ'treɪs] *vt* retraçar, remontar à origem ou ao princípio de
• **to retrace one's steps** refazer seus próprios passos

retract [rɪ'trækt] *vt* **1** (*withdraw*) retratar-se **2** (*claws*) retrair **3** (*draw in*) recolher

retreat [rɪ'triːt] *n* **1** (*withdrawal*) retirada **2** (*refuge*) retiro, refúgio
▸ *vi* retirar-se
• **to beat a retreat** bater em retirada

retrial [riː'traɪəl] *n* novo julgamento

retribution [retrɪ'bjuːʃən] *n* retribuição, recompensa

retrieval [rɪ'triːvəl] *n* recuperação

retrieve [rɪ'triːv] *vt* recuperar

retrograde ['retrəgreɪd] *adj* retrógrado

retrospect ['retrəspekt] *phr* **in retrospect** retrospectivamente

retrospective [retrə'spektɪv] *adj* **1** (*looking back in time*) retrospectivo **2** (*retroactive*) retroativo

return [rɪ'tɜːn] *n* **1** (*going back*) volta, regresso, retorno **2** (*giving back*) devolução **3** (*recompense*) retribuição, compensação

▸ *vi* **1** (*go back*) voltar, regressar **2** voltar a acontecer: ***I'll go to the doctor's if the pain in my knee returns*** vou ao médico se a dor no meu joelho voltar

▸ *vt* **1** (*give back*) devolver **2** (*elect*) eleger (candidato) **3** (*render a verdict*) pronunciar

• **in return for** em troca de

• **many happy returns (of the day)!** meus parabéns!, muitos anos de vida!

▪ **return ticket** passagem de ida e volta

reunion [riː'juːnɪən] *n* reunião, reencontro, reconciliação

reunite [riːjuː'naɪt] *vt-vi* reunir(-se)

revalue [riː'væljuː] *vi* revalorizar, reavaliar

reveal [rɪ'viːl] *vt* revelar, descobrir

reveille [rɪ'vælɪ] *n* toque de alvorada

revel in ['revəl ɪn] *vi* (GB *pt & pp* **revelled**, *ger* **revelling**; US *pt & pp* **reveled**, *ger* **reveling**) deleitar-se, ter satisfação intensa

revelation [revə'leɪʃən] *n* revelação

revelry ['revəlrɪ] *n* (*pl* **-ies**) festança, folia

revenge [rɪ'vendʒ] *n* vingança

▸ *vt* vingar-se

• **to revenge oneself** vingar-se

revenue ['revənjuː] *n* receita bruta

reverberate [rɪ'vɜːbəreɪt] *vi* **1** (*echo*) reverberar, ecoar **2** *fig* (*repercuss*) repercutir

reverberation [rɪvɜːbə'reɪʃən] *n* **1** (*resonance*) ressonância, reverberação **2** *fig* (*repercussion*) repercussão

revere [rɪ'vɪəʳ] *vt* honrar, respeitar, venerar

reverence ['revərəns] *n* reverência, respeito

reverend ['revərənd] *adj* reverendo, venerável

reverent ['revərənt] *adj* reverente, respeitoso

reverie ['revərɪ] *n* devaneio

reversal [rɪ'vɜːsəl] *n* **1** (*turnaround*) inversão, reversão **2** (*radical change*) mudança completa (*de opinião*)

reverse [rɪ'vɜːs] *adj* inverso, contrário

▸ *n* **1** o oposto: ***he did the reverse of what I expected*** ele fez o oposto do que eu esperava **2** (*of a coin*) reverso **3** (*of a cloth*) avesso **4** marcha a ré: ***he put the car into reverse*** ele deu marcha a ré **5** (*defeat*) derrota, contratempo

▸ *vt* **1** (*invert*) inverter: ***let's reverse the paragraphs*** vamos inverter os parágrafos **2** (*drive back*) andar para trás **3** (*decision*) revogar: ***the verdict was reversed*** o veredito foi revogado

▸ *vi* virar em sentido contrário, dar marcha a ré

• **to reverse the charges** chamar alguém a cobrar

▪ **reverse gear** marcha a ré

revert [rɪ'vɜːt] *vi* reverter

review [rɪ'vjuː] *n* **1** (*magazine*) revista **2** (*examination*) exame **3** (*revision*) revisão (*para uma prova*) **4** (*critique*) resenha, crítica literária

▸ *vt* **1** (*inspect*) passar em revista **2** (*examination*) examinar **3** (*critique*) fazer uma crítica (*de livro, filme*)

reviewer [rɪ'vjuːəʳ] *n* crítico

revile [rɪ'vaɪl] *vt* injuriar, insultar

revise [rɪ'vaɪz] *vt* **1** (*restudy*) revisar **2** (*correct*) corrigir **3** (*change*) modificar

▸ *vt-vi* repassar, rever (*para uma prova*)

revision [rɪ'vɪʒən] *n* **1** (*review*) revisão **2** (*correction*) correção **3** (*change*) modificação **4** (*studying*) revisão

revitalize [riː'vaɪtəlaɪz] *vt* revitalizar

revival [rɪ'vaɪvəl] *n* **1** (*rebirth*) renascimento **2** (*improvement*) reativação **3** (*come back*) nova montagem (*de peça ou de livro antigo*)

revive [rɪ'vaɪv] *vt* **1** (*resuscitate*) ressuscitar, reviver, despertar **2** (*invigorate*) reativar **3** (*remake*) voltar a encenar **4** (*regain consciousness*) fazer voltar a si
▸ *vi* voltar a si

revoke [rɪ'vəʊk] *vt* revocar, anular, cancelar

revolt [rɪ'vəʊlt] *n* revolta, rebelião, levante
▸ *vi* revoltar(-se), sublevar(-se), rebelar(-se)
▸ *vt* repugnar, sentir aversão ou repugnância

revolting [rimarɪ'vəʊltɪŋ] *adj* revoltante, repugnante

revolution [revə'lu:ʃən] *n* revolução

revolutionary [revəl'u:ʃənərɪ] *adj-n* revolucionário

revolve [rɪ'vɒlv] *vi* revolver, girar, dar voltas

revolver [rɪ'vɒlvə^r] *n* revólver

revolving [rɪ'vɒlvɪŋ] *adj* giratório, rotativo

revulsion [rɪ'vʌlʃən] *n* revulsão, reação

reward [rɪ'wɔ:d] *n* recompensa
▸ *vt* recompensar

rewarding [rɪ'wɔ:dɪŋ] *adj* gratificante, recompensador

rewind [ri:'waɪnd] *vt* (*pt & pp* **rewound**) rebobinar

rhetoric ['retərɪk] *n* retórica

rheumatic [ru:'mætɪk] *adj* MED reumático

rheumatism ['ru:mətɪzəm] *n* MED reumatismo

rhinoceros [raɪ'nɒsərəs] *n* (*pl* **rhinoceroses**) ZOOL rinoceronte

rhubarb ['ru:bɑ:b] *n* BOT ruibarbo

rhyme [raɪm] *n* **1** (*word*) rima **2** (*poem*) verso, poesia
▸ *vt-vi* rimar
• **without rhyme or reason** sem pé nem cabeça

rhythm ['rɪðəm] *n* ritmo

rhythmic ['rɪðmɪk] *adj* rítmico

rib [rɪb] *n* costela

ribbon ['rɪbən] *n* cinta, tira, faixa

rice [raɪs] *n* arroz
▪ **rice field** arrozal
▪ **rice pudding** arroz-doce

rich [rɪtʃ] *adj* **1** rico: ***to become rich*** enriquecer **2** (*opulent*) suntuoso, luxuoso **3** (*fertile*) fértil **4** (*food*) pesado, saboroso **5** (*voice*) sonoro

riches ['rɪtʃɪz] *npl* riquezas

rickets ['rɪkɪts] *npl* raquitismo

rickety ['rɪkətɪ] *adj* (**-ier**, **-iest**) **1** fraco, cambaleante: ***a rickety old man*** um idoso frágil e cambaleante **2** instável: ***a rickety ladder*** uma escada instável

ricochet ['rɪkəʃeɪ] *n* ricochete
▸ *vi* ricochetear

rid [rɪd] *vt* (*pt & pp* **ridded**, *ger* **ridding**) livrar(-se)
• **to get rid of** livrar(-se) de, desfazer(-se) de, desvencilhar(-se) de

ridden ['rɪdən] *pp* → **ride**

riddle ['rɪdəl] *n* **1** (*enigma*) enigma, mistério **2** (*verbal puzzle*) adivinhação

ride [raɪd] *n* passeio, viagem, volta: ***to go for a ride*** ir dar uma volta
▸ *vi* (*pt* **rode** [rəʊd], *pp* **ridden** ['rɪdən], *ger* **riding**) **1** (*horse*) montar a cavalo **2** viajar, ir: ***we rode to London in a jeep*** fomos para Londres de jipe
▸ *vt* **1** (*horse*) montar **2** (*motorbike, bicycle*) andar de
• **to take somebody for a ride** enganar, ludibriar
▪ **to ride on** *vt* depender de: ***the success of the new enterprise rides on the financial director*** o sucesso do novo empreendimento depende do diretor financeiro
▪ **to ride out** *vt* sobreviver a

rider ['raɪdə^r] *n* **1** (*on horse back*) cavaleiro **2** (*on bicycle*) ciclista **3** (*traveler riding in a vehicle*) passageiro

ridge [rɪdʒ] *n* **1** (*on mountain*) cume **2** (*rooftree*) cumeeira

ridicule ['rɪdɪkju:l] *n* ridículo
▸ *vt* ridicularizar, zombar, escarnecer, mofar

ridiculous [rɪ'dɪkjʊləs] *adj* ridículo

riding ['raɪdɪŋ] *n* equitação

rife [raɪf] *adj* abundante, predominante, frequente
• **to be rife** abundar, estar cheio de

riffraff ['rɪfræf] *n* refugo, resto

rifle¹ ['raɪfəl] *n* rifle, espingarda

rifle² ['raɪfəl] *vt* **1** (*search without authorization*) revirar **2** (*steal*) roubar, saquear, "depenar"

rift [rɪft] *n* **1** (*crack*) fenda, abertura **2** *fig* (*disagreement*) ruptura, desavença

rig [rɪg] *n* plataforma petrolífera
▸ *vt* (*pt & pp* **rigged**, *ger* **rigging**) **1** (*equip*) equipar **2** *infml* manipular ou arranjar fraudulentamente: ***they've been accused of rigging the elections*** eles foram acusados de fraudar as eleições
■ **to rig up** *vt* montar provisoriamente, improvisar, armar

rigging ['rɪgɪŋ] *n* cordame, estaiamento

right [raɪt] *adj* **1** (*not left*) direito **2** correto, certo: ***have you got the right time?*** você tem a hora certa? **3** justo: ***that's not right!*** isso não é justo! **4** (*appropriate*) apropriado, adequado **5** *infml* grande, total: ***he's a right idiot*** ele é um total idiota
▸ *adv* **1** à direita: ***he turned right*** ele virou à direita **2** corretamente: ***he spelt her name right*** ele escreveu seu nome corretamente **3** imediatamente: ***he'll be right back*** ele volta daqui a pouco **4** GB *infml* muito: ***I was right fed up*** eu estava muito aborrecido
▸ *n* **1** (*conservative political group*) direita **2** direito: ***we believe in equal rights*** acreditamos na igualdade de direitos **3** bem: ***right and wrong*** o bem e o mal
▸ *vt* **1** (*correct*) corrigir **2** (*repair*) endireitar, consertar
• **all right!** muito bem!, está certo!
• **right away** imediatamente
• **right now** agora mesmo
• **to be right** ter razão
• **to put right** pôr em ordem, acertar
• **to serve somebody right** ser bem-feito (*em sentido irônico*): ***it serves you right!*** bem-feito!
■ **right angle** ângulo reto
■ **right of way** **1** (*legal right to pass*) direito de passagem por propriedade particular **2** (*right of one vehicle*) preferencial
■ **right wing** POL direita

righteous ['raɪtʃəs] *adj* **1** (*virtuous*) reto, justo, íntegro **2** (*justified*) justificado

rightful ['raɪtfʊl] *adj* (*legal*) legítimo

right-hand ['raɪthænd] *adj* da mão direita, do lado direito

rightly ['raɪtlɪ] *adv* **1** (*justifiedly*) justamente, com razão **2** (*correctly*) corretamente, com certeza

right-wing ['raɪtwɪŋ] *adj* de direita

rigid ['rɪdʒɪd] *adj* rígido

rigour ['rɪgə^r^] (US **rigor**) *n* rigor

rile [raɪl] *vt infml* aborrecer, irritar

rim [rɪm] *n* **1** (*edge*) borda, beira, margem **2** (*outer ring of a wheel*) aba, aro

rind [raɪnd] *n* casca, crosta

ring¹ [rɪŋ] *n* **1** (*circle*) anel **2** (*circular band*) argola, aro **3** (*group*) círculo, roda (*de pessoas*) **4** (*arena*) pista, arena **5** (*boxing*) ringue
▸ *vt* **1** (*put a ring around*) guarnecer com anel ou aro **2** (*surround*) rodear
■ **ring road** anel viário, rodoanel

ring² [rɪŋ] *n* **1** (*bell*) toque **2** (*telephone*) chamada
▸ *vi* **1** (*bell*) soar, tocar, repicar, badalar **2** (*telephone*) tocar **3** (*ears*) zumbir
▸ *vt* **1** (*call*) chamar (ao telefone) **2** (*bell*) tocar

ringing ['rɪŋɪŋ] *n* **1** (*sound*) som (*de sino ou campainha*) **2** (*calling*) chamada (*de telefone*) **3** (*ears*) zumbido

ringleader ['rɪŋliːdə^r^] *n* (*instigator of a riot*) cabeça

ringlet ['rɪŋlət] *n* argolinha, anel pequeno

ringside ['rɪŋsaɪd] *adj* primeira fila de assentos em circo ou ringue
▸ *n* lugar de primeira fila, lugar que permite boa visibilidade

rink [rɪŋk] *n* ringue de patinação

rinse [rɪns] *vt* enxaguar

riot ['raɪət] *n* **1** (*disturbance*) distúrbio, tumulto **2** (*uproar*) motim, levante, desordem violenta
▸ *vi* amotinar-se

rioter ['raɪətə^r^] *n* **1** (*insurgent*) amotinador **2** (*rowdy*) desordeiro

rip [rɪp] *n* rasgo, rasgão, fenda
▸ *vt-vi* (*pt & pp* **ripped**, *ger* **ripping**) rasgar
■ **to rip off** *vt* arrancar: ***they ripped off their clothes*** eles arrancaram as roupas

▸ *vt infml* cobrar muito caro, enganar, roubar: ***don't buy anything in that shop because they'll rip you off*** não compre nada porque eles vão roubar você

RIP ['ɑːr'aɪ'piː] *abbr* (***rest in peace***, ***requiescat in pace***) descanse em paz

ripe [raɪp] *adj* maduro

ripen ['raɪpən] *vt-vi* amadurecer

ripeness ['raɪpnəs] *n* madureza, maturidade

rip-off ['rɪpɒf] *n* (*pl* **rip-offs**) *infml* roubo, exploração: ***a hundred dollars for a T-shirt is a rip-off!*** cem dólares por uma camiseta é um roubo!

ripple ['rɪpəl] *n* **1** (*slight wave*) ondulação, agitação **2** (*murmur*) sussurro, murmúrio

▸ *vt-vi* encrespar-se, ondular, sussurrar, murmurar

rise [raɪz] *n* **1** (*ascent*) ascensão, subida **2** (*increase*) aumento **3** (*elevation*) colina, aclive

▸ *vi* (*pt* **rose**, *pp* **risen**) **1** (*get up*) subir, ir para cima **2** (*increase*) aumentar (preços) **3** (*stand up*) pôr-se de pé **4** (*get out of bed*) levantar-se (da cama) **5** (*of the sun or moon*) nascer **6** (*river*) nascer **7** (*swell*) crescer **8** (*progress*) progredir, avançar **9** (*get louder*) tornar-se audível

• **to give rise to** dar origem a, dar margem a: ***the new laws have given rise to a lot of complaints*** as novas leis deram margem a muitas reclamações

• **to rise to the occasion** mostrar-se à altura da situação

rising ['raɪzɪŋ] *n* subida, ascensão

▸ *adj* **1** (*ascendant*) crescente **2** (*sun*) nascente

risk [rɪsk] *n* risco, perigo

▸ *vt* arriscar

• **to risk doing something** expor-se a fazer algo

• **to take a risk** arriscar-se, correr um risco

risky ['rɪskɪ] *adj* (-**ier**, -**iest**) arriscado

rite [raɪt] *n* rito

ritual ['rɪtjʊəl] *adj-n* ritual

rival ['raɪvəl] *adj-n* competidor, rival, concorrente

▸ *vt* (GB *pt & pp* **rivalled**, *ger* **rivalling**; US *pt & pp* **rivaled**, *ger* **rivaling**) competir com, rivalizar, concorrer com

rivalry ['raɪvəlrɪ] *n* (*pl* -**ies**) rivalidade, concorrência

river ['rɪvə[r]] *n* rio

river-bank ['rɪvəbænk] *n* barranco

river-bed ['rɪvəbed] *n* leito

riverside ['rɪvəsaɪd] *n* orla ou margem de um rio

rivet ['rɪvɪt] *n* rebite

▸ *vt* **1** (*fasten with rivets*) rebitar **2** fascinar, pregar os olhos: ***they were riveted to the screen*** eles tinham os olhos pregados na tela

riveting ['rɪvɪtɪŋ] *adj* fascinante

rly ['reɪlweɪ] *abbr* (***railway***) estrada de ferro

road [rəʊd] *n* **1** (*route*) estrada **2** (*way*) caminho

• **by road** por rodovia

• **in the road** *infml* no meio do caminho, atrapalhando

▪ **road sweeper** varredor de rua

▪ **road safety** segurança da estrada

▪ **road sign** sinalização de rodovia

roadblock ['rəʊdblɒk] *n* **1** (*barricade*) controle policial, *blitz* **2** (*obstacle*) obstáculo

roadway ['rəʊdweɪ] *n* leito da rua

roadworthy ['rəʊdwɜːðɪ] *adj* (*vehicle*) adequado para ser usado em rodovias

roam [rəʊm] *vt* vagar por, andar a esmo

▸ *vi* vagar

roar [rɔː[r]] *n* **1** (*person*) bramido **2** (*lion*) rugido, urro **3** (*clamour*) gritaria, clamor **4** (*of traffic*) estrondo

▸ *vi* rugir, urrar

roaring ['rɔːrɪŋ] *adj*: ***a roaring success*** um êxito tremendo; ***a roaring fire*** um fogo crepitante

• **to do a roaring trade** fazer um ótimo negócio

roast [rəʊst] *adj* assado

▸ *n* assado

▸ *vt* **1** (*meat*) assar **2** (*coffee*) tostar

▸ *vt* criticar

roasting ['rəʊstɪŋ] *adj* abrasador

▸ *n* crítica

• **to give somebody a roasting** criticar alguém severamente

rob [rɒb] *vt* (*pt & pp* **robbed**, *ger* **robbing**) **1** (*steal*) assaltar **2** (*burgle*) roubar

robber ['rɒbəʳ] *n* **1** (*thief*) assaltante **2** (*burglar*) ladrão

robbery ['rɒbərɪ] *n* (*pl* **-ies**) **1** (*thievery*) roubo **2** (*burglary*) saque

robe [rəʊb] *n* **1** (*mantle*) manto **2** (*costume*) toga, beca

robin ['rɒbɪn] *n* (*bird*) espécie de tordo americano ou europeu

robot ['rəʊbɒt] *n* robô

robust [rəʊ'bʌst] *adj* robusto, forte

rock [rɒk] *n* **1** (*stone*) rocha **2** MUS *rock*
▸ *vt* **1** (*sway*) balançar, embalar **2** (*shake*) sacudir, abalar
• **on the rocks** **1** (*run-down*) em dificuldades, falido **2** (*drink*) com gelo

rock-climbing ['rɒkklaɪmɪŋ] *n* alpinismo

rocker ['rɒkəʳ] *n* cadeira de balanço
• **off one's rocker** *infml* louco

rocket ['rɒkɪt] *n* foguete
▸ *vi* subir rápida e vertiginosamente

Rockies ['rɒkɪz] *n* **the Rockies** as Montanhas Rochosas

rocking-chair ['rɒkɪŋtʃeəʳ] *n* cadeira de balanço

rocky ['rɒkɪ] *adj* (**-ier**, **-iest**) rochoso

rod [rɒd] *n* **1** (*cane*) vara de pesca, caniço **2** (*bar*) barra, bastão

rode [rəʊd] *pt* → **ride**

rodent ['rəʊdənt] *n* roedor

roe [rəʊ] *n* (*of fish*) ova

rogue [rəʊg] *n* velhaco, embusteiro, malandro

role [rəʊl] *n* papel

roll [rəʊl] *n* **1** (*coil*) rolo **2** (*list*) lista **3** (*cylinder*) cilindro
▸ *vt* **1** (*turn over*) rolar **2** (*coil*) enrolar **3** (*pass*) passar suavemente (o tempo) **4** (*cigarette*) enrolar **5** (*dice*) jogar
▸ *vi* **1** (*of a round object*) rolar **2** (*be in motion*) funcionar
• **to roll up one's sleeves** pôr mãos à obra
• **to be rolling in it** *infml* ser muito rico
▪ **to roll out** *vt* estender
▪ **to roll up** *vt-vi* **1** (*make into cylinder*) enrolar **2** chegar, vir, geralmente atrasado: ***he rolled up at the wedding reception an hour late, obviously drunk*** ele chegou à recepção de casamento uma hora atrasado, sem dúvida embriagado

roller ['rəʊləʳ] *n* **1** (*tube-shaped piece*) rolo **2** (*cylinder*) cilindro, tambor **3** (*long wave*) vaga, onda alta
▪ **roller coasting** andar de montanha-russa
▪ **roller skating** patinação

roller-skate ['rəʊləskeɪt] *vi* (*skate with wheels*) patinar

rolling ['rəʊlɪŋ] *adj* ondulado
▪ **rolling pin** rolo de macarrão
▪ **rolling stock** todos os veículos que usam uma ferrovia

ROM [rɒm] *abbr* (***read-only memory***) memória somente de leitura, ROM

roman ['rəʊmən] *adj-n* romano

romance [rəʊ'mæns] *n* **1** relacionamento amoroso: ***they got married after a short romance*** eles se casaram após um breve relacionamento amoroso **2** (*romantic ficction*) romance (gênero literário) **3** (*mysterious or exciting quality*) ambiente ou atmosfera romântica, idílio **4** (*novel*) história, novela, fantasia **5** (*language*) língua românica (*com letra maiúscula*)

Romania [ru:'meɪnɪə] *n* Romênia

Romanian [ru:'meɪnɪən] *adj* romeno
▸ *n* **1** (*person*) romeno **2** (*language*) romeno

romantic [rəʊ'mæntɪk] *adj* romântico

romp [rɒmp] *vi* brincar ruidosamente

rompers ['rɒmpəz] *npl* macacão de criança

roof [ru:f] *n* (*pl* **roofs**) **1** (*covering of a building*) telhado **2** (*of mouth*) céu **3** (*of a vehicle*) teto
▸ *vt* telhar, cobrir com telhas

roof-rack ['ru:fræk] *n* bagageiro de teto, porta-bagagem

rook [rʊk] *n* **1** (*bird*) gralha **2** (*chess piece*) torre

room [ru:m] *n* **1** (*enclosed area in a building*) quarto, aposento **2** (*space*) espaço, lugar
• **to take up room** ocupar espaço

roomy ['ru:mɪ] *adj* (**-ier**, **-iest**) espaçoso, amplo

roost [ru:st] *n* (*for fowls*) poleiro
▸ *vi* empoleirar

rooster ['ru:stəʳ] *n* galo

root [ru:t] *n* raiz
▸ *vi* aplaudir, torcer, animar
• **to take root** criar raízes

rope [rəʊp] *n* corda, cabo
▸ *vt* atar, amarrar com corda
▪ **to rope in** *vt infml* aliciar, atrair, envolver

rosary ['rəʊzərɪ] *n* (*pl* **-ies**) rosário, terço

rose¹ [rəʊz] *n* rosa

rose² [rəʊz] *pt* → **rise**

rosé ['rəʊzeɪ] *n* vinho rosado

rosemary ['rəʊzmərɪ] *n* BOT alecrim

rosette [rəʊ'zet] *n* roseta, florão

roster ['rɒstəʳ] *n* lista de nomes de pessoas, geralmente com horário de trabalho, designação de tarefas etc.

rosy ['rəʊzɪ] *adj* (**-ier**, **-iest**) **1** (*colour*) róseo, rosado **2** (*hopeful*) auspicioso

rot [rɒt] *n* podridão, putrefação
▸ *vt-vi* (*pt & pp* **rotted**, *ger* **rotting**) apodrecer, decompor

rota ['rəʊtə] *n* → **roster**

rotate [rəʊ'teɪt] *vt* girar, rodar
▸ *vi* girar, rodar
▸ *vt-vi fig* alternar-se, revezar-se

rotten ['rɒtən] *adj* **1** (*putrid*) podre **2** (*decaying*) cariado **3** *infml* (*corrupt*) corrupto, desonesto

rotter ['rɒtəʳ] *n infml* patife, canalha

rouge [ru:ʒ] *n* (*cosmetic*) ruge

rough [rʌf] *adj* **1** (*irregular*) áspero, irregular **2** (*uncultured*) inculto, incivil **3** (*uneven*) desigual **4** (*bumpy*) acidentado **5** (*turbulent*) agitado **6** (*tempestuous*) tempestuoso **7** (*sour*) acre, picante **8** (*rude*) rude, tosco **9** (*approximate*) aproximado, incompleto **10** violento e perigoso: ***he lives in a rough area of town*** ele mora em uma zona violenta e perigosa da cidade
• **to rough it** lutar com dificuldade, levar vida dura
• **to sleep rough** dormir na rua
▪ **rough copy** rascunho
▪ **rough sea** mar agitado
▪ **rough version** versão de rascunho

roughen ['rʌfən] *vt* tornar(-se) áspero

roughly ['rʌflɪ] *adv* **1** (*approximately*) aproximadamente **2** (*violently*) bruscamente, violentamente

roughness ['rʌfnəs] *n* **1** (*irregularity*) aspereza **2** (*harshness*) rudeza **3** (*violence*) violência

roulette [ru:'let] *n* roleta

round [raʊnd] *adj* redondo
▸ *n* **1** (*circular shape*) círculo, circunferência **2** (*series*) série, sucessão, ciclo **3** (*boxing*) assalto **4** (*regular route*) ronda (*de polícia*) **5** (*turn*) rodada **6** (*of bullets*) salva, descarga
▸ *adv* aqui: ***they came round to see me*** eles vieram aqui me ver
▸ *prep* **1** em volta de, ao redor de: ***she had flowers round her neck*** ela tinha flores em volta do pescoço **2** perto de: ***it's just round the corner*** está bem perto da esquina
▸ *vt* (*corner*) virar, dobrar
• **all the year round** durante o ano todo
• **round the clock** dia e noite
• **round the corner** logo ao virar a esquina
• **the other way round** ao contrário
• **to go round** visitar
• **to turn round** **1** (*be inverted*) virar(-se) **2** (*change oppinion*) mudar de opinião
▪ **to round off** *vt* completar ou concluir satisfatoriamente, acabar
▪ **to round up** *vt* **1** MATH arredondar (*número*) **2** (*gather together*) arrebanhar **3** (*capture*) capturar

roundabout ['raʊndəbaʊt] *adj* indireto
▸ *n* **1** (*road junction*) balão **2** (*carousel*) carrossel **3** (*circumlocution*) circunlóquio

rounders ['raʊndəz] *n* jogo inglês com bola e bastão, semelhante ao beisebol

round-up ['raʊndʌp] *n* **1** (*gathering*) rodeio, recolhimento do gado **2** (*raid*) suspeitos presos pela polícia **3** (*summary*) resumo

rouse [raʊz] *vt-vi* despertar, acordar
▸ *vt* provocar

rousing ['raʊzɪŋ] *adj* **1** (*stimulant*) estimulante **2** (*stirring*) surpreendente

rout [raʊt] *n* debandada, fuga de um exército derrotado
▸ *vt* derrotar, desbaratar

route [ru:t] *n* **1** (*way*) rota, caminho, via **2** (*itinerary*) linha, trajeto (*de ônibus*)

routine [ru:'ti:n] *n* rotina
▸ *adj* rotineiro

rove [rəʊv] *vi* vagar, errar, perambular

row[1] [raʊ] *n* **1** (*dispute*) briga, luta **2** (*disturbance*) barulho, algazarra
▸ *vi* brigar

row[2] [rəʊ] *n* fila, fileira
• **in a row** em fila, sucessivamente, um após o outro: ***three in a row*** três, um após o outro

row[3] [rəʊ] *n* passeio de barco
▸ *vt-vi* remar

rowdy ['raʊdɪ] *adj* (**-ier**, **-iest**) (*lout*) desordeiro, arruaceiro

rowing ['rəʊɪŋ] *n* remo
▪ **rowing boat** barco a remo

royal ['rɔɪəl] *adj* real

royalist ['rɔɪəlɪst] *adj-n* realista, monarquista

royalty ['rɔɪəltɪ] *n* (*pl* **-ies**) **1** (*power of a monarch*) realeza **2** (*royal people*) membros da família real
▸ *npl* **royalties** *royalties*, direitos autorais

RRP ['ɑ:r'ɑ:r'pi:] *abbr* (***recommended retail price***) preço recomendado de venda ao público

RSPCA ['ɑ:r'es'pi:'si:'eɪ] *abbr* GB (***Royal Society for the Prevention of Cruelty to Animals***) Sociedade Protetora dos Animais

RSVP ['ɑ:r'es'vi:'pi:] *abbr* (***répondez s'il vous plaît***) favor responder

Rt. Hon [raɪt'ɒnərəbəl] *abbr* GB (***Right Honourable***) O Muito Honorável (*título honorífico usado em países de língua inglesa*)

rub [rʌb] *n* esfrega, esfregadura
▸ *vt* (*pt & pp* **rubbed**, *ger* **rubbing**) esfregar, friccionar
▸ *vi* roçar
• **to rub it in** *infml* chatear alguém pela repetição constante
▪ **to rub out** *vt* apagar

rubber ['rʌbəʳ] *n* **1** (*latex from tree*) borracha **2** (*eraser*) borracha de apagar **3** US *infml* (*condom*) camisinha
▪ **rubber band** elástico
▪ **rubber ring** boia

rubbish ['rʌbɪʃ] *n* **1** (*waste*) lixo **2** *infml* porcaria, droga: ***that film's rubbish*** esse filme é uma droga **3** bobagem, tolice: ***don't talk rubbish*** não fale bobagem

rubble ['rʌbəl] *n* escombros

rubella [ru:'belə] *n* MED rubéola

ruby ['ru:bɪ] *n* (*pl* **-ies**) rubi

RUC ['ɑ:'ju:'si:] *abbr* GB (***Royal Ulster Constabulary***) corpo da polícia da Irlanda do Norte

rucksack ['rʌksæk] *n* mochila

ructions ['rʌkʃənz] *npl infml* tumulto, alvoroço

rudder ['rʌdəʳ] *n* leme, timão

ruddy ['rʌdɪ] *adj* (**-ier**, **-iest**) vermelho, rosado

rude [ru:d] *adj* **1** grosseiro, descortês, mal-educado, que demonstra falta de educação: ***it's rude to point*** apontar é sinal de falta de educação **2** (*uncultured*) rude, não refinado, simples

rudeness ['ru:dnəs] *n* **1** (*discourtesy*) falta de educação, descortesia **2** (*indelicacy*) rudeza, grosseria

rudimentary [ru:dɪ'mentrɪ] *adj* rudimentar

ruffle ['rʌfəl] *vt* **1** (*stir up*) agitar, encrespar **2** (*twitch*) franzir, enrugar **3** (*erect*) eriçar (*pelo, pena*) **4** (*annoy*) irritar, enervar, perturbar

rug [rʌg] *n* capacho, tapete pequeno

rugby ['rʌgbɪ] *n* rúgbi

rugged ['rʌgɪd] *adj* áspero, acidentado, rugoso, escarpado

ruin [ru:ɪn] *n* ruína
▸ *vt* **1** (*wreck*) arruinar **2** (*destroy*) estragar

ruined ['ru:ɪnd] *adj* **1** (*person*) arruinado **2** (*engine*) estragado **3** (*in ruins*) em ruínas

rule [ru:l] *n* **1** (*regulation*) regra, regulamento, norma, preceito **2** (*command*) poder, governo, mando **3** (*reign*) reinado
▸ *vt-vi* **1** (*govern*) governar, dirigir **2** (*reign*) reinar **3** (*decree*) decretar
• **as a rule** por via de regra
• **to be against the rules** ir contra as regras
▪ **to rule out** *vt* excluir, descartar

ruler ['ru:lə^r] *n* 1 (*governor*) governador, dirigente 2 (*monarch*) soberano, monarca, regente 3 (*measuring device*) régua

ruling ['ru:lɪŋ] *adj* prevalente, predominante
▸ *n* decisão judicial

rum [rʌm] *n* rum

Rumania [ru:'meɪnɪə] *n* → **Romania**

Rumanian [ru:'meɪnɪən] *adj-n* → **Romanian**

rumble ['rʌmbəl] *n* estrondo, ruído surdo e prolongado
▸ *vi* 1 (*make a loud noise*) fazer um barulho surdo e contínuo 2 (*belly*) fazer ruídos na barriga

ruminant ['ru:mɪnənt] *adj-n* ruminante

ruminate ['ru:mɪneɪt] *vt-vi* ruminar

rummage ['rʌmɪdʒ] *vt-vi* dar uma busca minuciosa, revistar

rumour ['ru:mə^r] (US **rumor**) *n* boato, rumor
▸ *vt* espalhar boatos

rump [rʌmp] *n* 1 (*rear of an animal*) anca, garupa 2 (*buttocks*) traseiro, nádegas

rumple ['rʌmpəl] *vt* 1 (*make untidy*) amarrotar 2 (*disarrange*) despentear

rumpus ['rʌmpəs] *n* (*pl* **rumpuses**) *infml* balbúrdia, reboliço

run [rʌn] *vi* (*pt* **ran** [ræn], *pp* **run** [rʌn], *ger* **running**) 1 (*race*) correr 2 (*flow*) escorrer 3 (*function*) funcionar 4 (*stand for*) candidatar-se 5 (*last*) durar 6 (*of a public vehicle*) circular 7 (*discolour*) desbotar
▸ *vt* 1 apressar, incitar, fazer mover-se rapidamente: ***run the horses*** incite os cavalos 2 (*drive*) levar (*em carro, moto*) 3 (*manage*) dirigir, administrar 4 (*direct*) organizar, montar (negócio) 5 (*operate*) fazer funcionar 6 COMPUT executar (programa)
▸ *n* 1 (*race*) corrida 2 (*ride*) viagem, passeio 3 (*theatre*) sucessão de exibições teatrais 4 (*sky*) pista 5 (*row of unravelled stitches*) desfiado
• **in the long run** no final das contas, a longo prazo
• **to be on the run** estar foragido da justiça
▪ **to run after** *vt* perseguir
▪ **to run along** *vi* seguir ao longo de
▪ **to run away** *vi* escapar, fugir
▪ **to run down** *vt* 1 (*hit*) atropelar 2 criticar: ***I always try to please her, but she keeps running me down*** eu sempre tento agradá-la, mas ela vive me criticando 3 localizar: ***after a few e-mails, I managed to run down her at an address in Madrid*** depois de alguns *e-mails*, consegui localizá-la em um endereço em Madri 4 (*stop working*) ficar sem carga
▸ *vi* 1 (*battery*) ficar sem carga 2 (*clock*) parar
▪ **to run in** *vt* 1 (*motor*) amaciar 2 (*arrest*) prender, pôr no xadrez
▪ **to run into** *vt* 1 (*collide with*) bater 2 (*meet by chance*) encontrar-se com alguém inesperadamente
▪ **to run off** *vi* escapar, fugir
▸ *vt* imprimir
▪ **to run off with** *vt* escapar com, fugir com
▪ **to run out** *vi* acabar: ***I've run out of sugar*** acabou o açúcar que eu tinha
▪ **to run over** *vt* atropelar
▸ *vi* 1 (*overflow*) transbordar 2 (*spill over*) derramar
▪ **to run through** *vt* 1 (*rehearse*) ensaiar 2 (*review*) examinar rapidamente
▪ **to run up** *vt* 1 (*debts*) acumular 2 (*a flag*) içar

runaway ['rʌnəweɪ] *adj* (*inflation*) descontrolado
▸ *adj-n* fugitivo, desertor

rung [rʌŋ] *n* 1 (*stair*) degrau de escada de mão 2 (*of a wheel*) raio de roda 3 (*crosspiece between the legs of a chair*) travessa de madeira que liga as pernas de uma cadeira
▸ *pp* → **ring**

runner ['rʌnə^r] *n* corredor
▪ **runner bean** feijão-trepador

runner-up [rʌnər'ʌp] *n* (*pl* **runners-up**) vice-campeão

running ['rʌnɪŋ] *n* 1 (*racing*) ato de correr, corrida 2 (*organization*) organização 3 (*operation*) funcionamento
▸ *adj* 1 (*flowing*) corrente 2 contínuo, seguido: ***three years running*** três anos seguidos
• **in the running** com possibilidades de ganhar

• **out of the running** sem possibilidades de ganhar
■ **running costs** custos operacionais

runny ['rʌnɪ] *adj* (-**ier**, -**iest**) que goteja ou escorre
• **to have a runny nose** estar com o nariz escorrendo

run-of-the-mill [rʌnəvðə'mɪl] *adj* comum, nada de especial

run-up ['rʌnʌp] *n* **1** (*time before an event*) etapa preliminar **2** (*sudden increase*) aumento repentino

runway ['rʌnweɪ] *n* pista de aterrissagem

rupture ['rʌptʃəʳ] *n* ruptura, rompimento
▸ *vt* romper
• **to rupture oneself** ficar com hérnia

rural ['rʊərəl] *adj* rural

rush [rʌʃ] *n* (*pl* -**es**) **1** (*hurry*) pressa, precipitação **2** (*assault*) ímpeto, investida
▸ *vt* **1** (*hurry*) apressar, acelerar **2** levar rapidamente: ***he was rushed to hospital*** ele foi levado rapidamente para o hospital
▸ *vi* apressar-se
• **to be in a rush** ter pressa
• **to be rushed off one's feet** ser apressado
■ **rush hour** hora do *rush*

rusk [rʌsk] *n* torrada

Russia ['rʌʃə] *n* Rússia

Russian ['rʌʃən] *adj* russo
▸ *n* **1** (*person*) russo **2** (*language*) russo

rust [rʌst] *n* ferrugem, óxido formado sobre metais
▸ *vt-vi* enferrujar

rustic ['rʌstɪk] *adj* rústico

rustle ['rʌsəl] *n* **1** (*of paper*) ruído **2** (*of leaves*) farfalhar
▸ *vt* (*make a dry crackling sound*) fazer ruído
▸ *vi* **1** (*leaves*) farfalhar **2** (*paper*) fazer ruído **3** (*whisper*) sussurrar

rusty ['rʌstɪ] *adj* (-**ier**, -**iest**) enferrujado

rut [rʌt] *n* **1** (*routine*) rotina **2** (*period of sexual excitability*) cio
• **in a rut** escravo da rotina

ruthless ['ru:θləs] *adj* cruel, sem piedade

rye [raɪ] *n* centeio

S

S [saʊθ] *abbr* (***south***) sul, S

sabbatical [sə'bætɪkəl] *adj* sabático
▸ *n* licença sabática

sabotage ['sæbətɑːʒ] *n* sabotagem
▸ *vt* sabotar

sack [sæk] *n* saco
▸ *vt infml* despedir alguém, demitir
• **to get the sack** *infml* ser despedido
• **to hit the sack** *infml* ir dormir

sacred ['seɪkrəd] *adj* sagrado
▪ **sacred music** música sacra

sacrifice ['sækrɪfaɪs] *n* sacrifício
▸ *vt* sacrificar

sacrilege ['sækrɪlɪdʒ] *n* sacrilégio

sad [sæd] *adj* (*comp* **sadder**, *superl* **saddest**) triste

saddle ['sædəl] *n* **1** (*for the rider of a horse*) sela **2** (*of a bicycle*) selim
▸ *vt* pôr sela em

sadism ['seɪdɪzəm] *n* sadismo

sadly ['sadli] *adv* **1** (*in a sad manner*) tristemente **2** (*unfornunately*) desafortunadamente, lamentavelmente

sadness ['sædnəs] *n* tristeza

safe [seɪf] *adj* **1** (*unharmed*) ileso **2** (*out of danger*) a salvo, fora de perigo **3** (*harmless*) inócuo **4** (*secure*) seguro, não perigoso
▸ *n* caixa forte
• **safe and sound** são e salvo
• **safe from** a salvo de
• **to be on the safe side** não correr riscos

safeguard ['seɪfgɑːd] *n* proteção, salvaguarda
▸ *vt* proteger, salvaguardar

safely ['seɪflɪ] *adv* (*in safety*) sem perigo, com segurança

safety ['seɪftɪ] *n* segurança
▪ **safety belt** cinto de segurança
▪ **safety drill** exercício de simulação de situação de emergência
▪ **safety pin** alfinete de segurança
▪ **safety valve** válvula de segurança

saffron ['sæfrən] *n* BOT açafrão

sag [sæg] *vi* (*pt & pp* **sagged**, *ger* **sagging**) **1** (*sink*) vergar (com o peso) **2** (*give away*) ceder **3** (*hang loosely*) pender **4** *fig* curvar-se, declinar, estar em declínio: ***the economy is sagging*** a economia está em declínio

Sagittarius [sædʒɪ'teərɪəs] *n* ASTRON/ASTROL Sagitário

said [sed] *pt-pp* → **say**

sail [seɪl] *n* **1** (*strong cloth on a ship*) vela **2** (*journey by boat*) viagem de veleiro
▸ *vt* navegar, velejar
▸ *vi* **1** (*travel by water*) andar de barco **2** (*set sail*) zarpar
• **to set sail** zarpar
• **to sail through something** fazer algo com facilidade: ***David sailed through the tests*** David fez os testes com muita facilidade

sailing ['seɪlɪŋ] *n* navegação (*a vela*), iatismo: ***to go sailing*** ir navegar
▪ **sailing boat** veleiro, barco a vela
▪ **sailing ship** veleiro, navio a vela

sailor ['seɪləʳ] *n* marinheiro

saint [seɪnt] *n* são, santo

sake [seɪk] *n* causa, motivo
• **for old times' sake** em nome dos velhos tempos
• **for the sake of** pelo bem de, por causa de: ***don't you think they should stay together for the sake of the chil-***

dren? você não acha que eles deveriam ficar juntos por causa dos fihos?
• **for God's/goodness'/Heaven's sake!** pelo amor de Deus!

salad ['sæləd] *n* salada
▪ **salad bowl** saladeira
▪ **salad dressing** molho de salada, tempero de salada

salary ['sælərɪ] *n* (*pl* **-ies**) salário, soldo

sale [seɪl] *n* **1** (*selling*) venda **2** (*deal*) liquidação **3** (*total amount sold*) receita de vendas
• **for sale** à venda
• **on sale 1** (*purchasable*) à venda **2** (*on offer*) em liquidação
▪ **sales manager** diretor comercial, gerente de vendas

salesclerk ['seɪlzklɑːk] *n* balconista

salesman ['seɪlzmən] *n* (*pl* **salesmen**) **1** (*seller*) vendedor **2** (*shop assistant*) balconista **3** (*representative*) representante de vendas, caixeiro-viajante

saleswoman ['seɪlzwʊmən] *n* (*pl* **saleswomen**) *fem* **1** (*seller*) vendedora **2** (*shop assistant*) balconista **3** (*representative*) representante de vendas

saliva [sə'laɪvə] *n* saliva

salmon ['sæmən] *n* (*pl* **salmon**) ZOOL salmão

salon ['sælɒn] *n* salão (de beleza)

salt [sɔːlt] *n* sal
▸ *vt* **1** (*scatter salt over*) tratar com sal **2** (*season with salt*) salgar, pôr sal em
▪ **salt beef** carne salgada e enlatada
▪ **salt pork** carne de porco salgada
▪ **the salt of the earth** pessoa boa e honesta

saltwater ['sɔːltwɔːtə^r] *adj* de água salgada, marinho: ***saltwater fish*** peixe de água salgada

salty ['sɔːltɪ] *adj* (**-ier**, **-iest**) salgado

salute [sə'luːt] *n* saudação, cumprimento
▸ *vt-vi* saudar, cumprimentar

Salvadorian [sælvə'dɔːrɪən] *adj-n* salvadorenho

salvage ['sælvɪdʒ] *n* **1** (*rescue*) salvamento, resgate, recuperação **2** (*property saved*) objetos salvos, recuperados
▸ *vt* salvar, resgatar

salvation [sæl'veɪʃən] *n* salvação

same [seɪm] *adj* mesmo: ***we have the same car*** temos o mesmo carro
▸ *pron* **the same** o mesmo: ***I want the same as you*** quero o mesmo que você
▸ *adv* igual, do mesmo modo: ***the two words are pronounced the same*** as duas palavras se pronunciam igual
• **all the same** apesar de tudo
• **at the same time** ao mesmo tempo
• **same here** *infml* eu também
• **the same to you!** *infml* igualmente!

sample ['sɑːmpəl] *n* amostra
▸ *vt* provar, testar

sanatorium [sænə'tɔːrɪəm] *n* (*pl* **-s** ou **sanatoria** [sænət'ɔːrɪə]) sanatório

sanction ['sæŋkʃən] *n* aprovação, sanção
▸ *vt* sancionar, autorizar, aprovar

sanctuary ['sæŋktjʊərɪ] *n* (*pl* **-ies**) **1** (*holy place*) santuário **2** (*refuge*) asilo, refúgio **3** (*reserve*) reserva natural

sand [sænd] *n* areia
▸ *npl* **sands** areal
▪ **sand dune** duna de areia

sandal ['sændəl] *n* sandália

sandbank ['sændbæŋk] *n* banco de areia

sandpaper ['sændpeɪpə^r] *n* lixa
▸ *vt* lixar

sandstone ['sændstəʊn] *n* arenito

sandwich ['sænwɪdʒ] *n* (*pl* **-es**) sanduíche

sandy ['sændɪ] *adj* (**-ier**, **-iest**) **1** (*having sand*) arenoso **2** (*colour*) da cor de areia, amarelado

sane [seɪn] *adj* **1** (*healthy*) são **2** (*of sound mind*) sensato **3** (*rational*) racional, razoável

sang [sæŋ] *pt* → **sing**

sanitary ['sænɪtərɪ] *adj* **1** (*healthy*) sanitário, saudável **2** (*hygienic*) higiênico
▪ **sanitary towel** absorvente higiênico

sanitation [sænɪ'teɪʃən] *n* instalações e medidas sanitárias, saneamento

sanity ['sænɪtɪ] *n* **1** (*mental health*) sanidade mental, juízo, razão **2** (*rationality*) sensatez

sank [sæŋk] *pt* → **sink**

sap[1] [sæp] *n* seiva

sap[2] [sæp] *vt* (*pt & pp* **sapped**, *ger* **sapping**) **1** (*undermine*) extrair a seiva **2** *fig* (*weaken*) minar, debilitar, enfraquecer: ***looking after five small kids is sapping her energy*** cuidar de cinco filhos pequenos está minando sua energia

sapphire ['sæfaɪəʳ] *n* **1** (*precious stone*) safira **2** (*colour*) cor azul-safira

sarcasm ['sɑːkæzəm] *n* sarcasmo, zombaria, ironia

sarcastic [sɑː'kæstɪk] *adj* sarcástico, irônico

sardine [sɑː'diːn] *n* ZOOL sardinha

Sardinia [sɑː'dɪnɪə] *n* Sardenha

Sardinian [sɑː'dɪnɪən] *adj-n* sardo, habitante da Sardenha

sash[1] [sæʃ] *n* (*pl* **-es**) (*window*) caixilho
■ **sash window** janela corrediça

sash[2] [sæʃ] *n* (*pl* **-es**) faixa, cinta, banda

sat [sæt] *pt-pp* → **sit**

Sat ['sætədɪ] *abbr* (***Saturday***) sábado

satchel ['sætʃəl] *n* mochila escolar

satellite ['sætəlaɪt] *n* satélite
• **by satellite** via satélite
■ **satellite dish aerial** antena parabólica
■ **satellite television** televisão por satélite

satin ['sætɪn] *n* cetim

satire ['sætaɪəʳ] *n* sátira

satirical [sə'tɪrɪkəl] *adj* satírico

satisfaction [sætɪs'fækʃən] *n* satisfação

satisfactory [sætɪs'fæktərɪ] *adj* satisfatório

satisfied ['sætɪsfaɪd] *adj* satisfeito

satisfy ['sætɪsfaɪ] *vt* (*pt & pp* **-ied**) **1** (*desire*) satisfazer **2** (*conditions*) cumprir **3** preencher (requisitos): ***he hasn't satisfied the requirements for the job*** ele não preencheu os requisitos do emprego

saturate ['sætʃəreɪt] *vt* **1** (*fill*) saturar **2** (*soak*) embeber

Saturday ['sætədɪ] *n* sábado

sauce [sɔːs] *n* molho, tempero
■ **sauce boat** molheira

saucepan ['sɔːspən] *n* panela com cabo e geralmente com tampa, caçarola

saucer ['sɔːsəʳ] *n* pires

Saudi ['saʊdɪ] *adj* saudita
▸ *n* saudita
■ **Saudi Arabia** Arábia Saudita

sauna ['sɔːnə] *n* sauna

saunter ['sɔːntəʳ] *vi* passear

sausage ['sɒsɪdʒ] *n* salsicha

savage ['sævɪdʒ] *adj* **1** (*wild*) selvagem, feroz **2** (*violent*) brutal, violento **3** (*uncivilized*) incivilizado
▸ *n* selvagem
▸ *vt* atacar ferozmente, tratar brutalmente

save [seɪv] *vt* **1** (*rescue*) salvar **2** (*preserve*) guardar, preservar **3** (*put aside*) economizar, poupar **4** COMPUT arquivar **5** evitar: ***it'll save us a lot of trouble*** isso nos evitará muitos problemas **6** SPORT defender, agarrar
▸ *vi* economizar
▸ *prep fml* salvo, exceto

saving ['seɪvɪŋ] *n* ato de economizar
▸ *npl* **savings** economias
■ **savings account** conta de poupança
■ **savings bank** caixa econômica, banco de poupança

saviour ['seɪvɪəʳ] (US **savior**) *n* salvador

savour ['seɪvəʳ] (US **savor**) *n* sabor, gosto
▸ *vt* saborear, cheirar

savoury ['seɪvərɪ] (US **savory**) *adj* saboroso
▸ *n* (*pl* **-ies**) petiscos, canapés, tira-gostos

saw[1] [sɔː] *n* serra, serrote
▸ *vt-vi* (*pt* **sawed** [sɔːd], *pp* **sawn** [sɔːn]) serrar

saw[2] [sɔː] *pt* → **see**

sawdust ['sɔːdʌst] *n* serragem

sawn [sɔːn] *pp* → **saw**

saxophone ['sæksəfəʊn] *n* saxofone

say [seɪ] *vt* (*pt & pp* **said** [sed]) **1** dizer: ***he says he's innocent*** ele diz que é inocente **2** (*clock*) marcar: ***the clock says 2.15*** o relógio está marcando 2 e 15 **3** supor: ***let's say it costs about £20*** suponhamos que custe umas 20 libras
• **it is said that...** dizem que..., diz-se que...
• **that is to say** quer dizer, em outras palavras
• **to have one's say** dar uma opinião

• **to say the least** no mínimo
• **you don't say!** *infml* não me diga!

saying ['seɪɪŋ] *n* dito popular, ditado

scab [skæb] *n* **1** (*crust*) crosta de ferida, cicatriz **2** *pej* (*strikebreaker*) fura-greve

scaffold ['skæfəʊld] *n* **1** (*platform*) andaime **2** (*gallows*) patíbulo, cadafalso

scaffolding ['skæfəldɪŋ] *n* sistema de andaimes

scald [skɔːld] *n* **1** (*act of burning*) escaldadura **2** (*burning*) queimadura
▸ *vt* **1** (*use a hot liquid*) escaldar **2** (*burn*) queimar

scale[1] [skeɪl] *n* (*fish*) escama

scale[2] [skeɪl] (usa-se também no plural **scales**) *n* balança

scale[3] [skeɪl] *n* **1** (*graduation*) escala **2** (*extent*) tamanho **3** (*hierarchy*) sequência, sucessão, hierarquia
▸ *vt* **1** (*climb*) escalar, subir, ascender **2** (*remove the scales*) escamar, remover escamas
• **on a large scale** em grande escala
• **on a small scale** em pequena escala
• **to scale** **1** (*measure according to a scale*) medir, representar em escala **2** (*graduate*) graduar
▪ **scale drawing** desenho em escala
▪ **scale model** maquete, modelo em escala
▪ **to scale down** *vt* reduzir
▪ **to scale up** *vt* ampliar, aumentar

scalp [skælp] *n* couro cabeludo

scalpel ['skælpəl] *n* bisturi

scamper ['skæmpəʳ] *vi* **1** (*run*) correr **2** (*scurry*) fugir apressadamente

scampi ['skæmpɪ] *n* ZOOL camarão-lagosta

scan [skæn] *vt* (*pt & pp* **scanned**, *ger* **scanning**) **1** (*glance over quickly*) escanear **2** (*scrutinize*) olhar de perto, esquadrinhar, examinar **3** COMPUT escanear
▸ *n* ultrassonografia

scandal ['skændəl] *n* **1** (*impropriety*) escândalo **2** (*disgrace*) desgraça, desonra **3** (*defamation*) difamação, calúnia

Scandinavia [skændɪ'neɪvɪə] *n* Escandinávia

Scandinavian [skændɪ'neɪvɪən] *adj-n* escandinavo

scant [skænt] *adj* escasso

scapegoat ['skeɪpgəʊt] *n fig* bode expiatório

scar [skɑːʳ] *n* cicatriz
▸ *vt* (*pt & pp* **scarred**, *ger* **scarring**) causar uma cicatriz

scarce [skeəs] *adj* escasso, raro
• **to be scarce** escassear

scarcely ['skeəslɪ] *adv* apenas, mal
• **scarcely anyone** quase ninguém
• **scarcely ever** quase nunca

scarcity ['skeəsɪtɪ] *n* escassez

scare [skeəʳ] *n* susto, sobressalto, espanto
▸ *vt-vi* assustar(-se), espantar(-se)
▸ *vt* espantar, dar medo
▪ **to scare away/off** *vt* espantar, afugentar

scarecrow ['skeəkrəʊ] *n* espantalho

scared [skeəd] *adj* assustado
• **to be scared** ter medo: ***he's scared of dogs*** ele tem medo de cachorro

scarf [skɑːf] *n* (*pl* **-s** ou **scarves**) **1** (*piece of choth*) lenço **2** (*joint*) encaixe de madeira chanfrada

scarlet ['skɑːlət] *adj-n* escarlate
▪ **scarlet fever** MED escarlatina

scary ['skeərɪ] *adj* (**-ier**, **-iest**) assustador, que dá medo

scatter ['skætəʳ] *vt-vi* **1** (*spread*) espalhar **2** (*disperse*) dispersar(-se), dissipar

scavenge ['skævɪndʒ] *vi* limpar, varrer
▸ *vt* revirar lixo

scenario [sɪ'nɑːrɪəʊ] *n* (*pl* **scenarios**) **1** (*scenery*) cenário **2** (*synopsis*) roteiro **3** (*situation*) panorama geral de uma situação, conjuntura
• **worst case scenario** na pior das hipóteses

scene [siːn] *n* **1** (*background*) cena **2** (*scenery*) cenário **3** (*view*) vista, panorama **4** local: ***the scene of the accident*** o local do acidente
• **behind the scenes** atrás dos bastidores
• **the scene of the crime** a cena do crime
• **to make a scene** fazer um escândalo

scenery ['siːnərɪ] *n* **1** (*set*) cenário, decoração **2** (*view*) panorama, vista

scent [sent] *n* **1** (*perfume*) perfume **2** (*smell*) fragrância, odor **3** (*trail*) vestígio, pista
▸ *vt* **1** (*smell*) cheirar **2** (*fill with fragrance*) perfumar **3** (*sense*) pressentir

schedule ['ʃedju:l, 'skedju:l] *n* **1** (*list*) tabela, lista, relação **2** US (*timetable*) horário
▸ *vt* tabelar, programar, planejar
• **on schedule** no horário
• **to be ahead of schedule** estar adiantado
• **to be behind schedule** estar atrasado
▪ **scheduled flight** voo regular

scheme [ski:m] *n* **1** (*outline*) esquema, desenho **2** (*conspiracy*) plano, conspiração, intriga, maquinação
▸ *vi* **1** (*form intrigues*) conspirar, tramar **2** (*plan*) planejar

schizophrenia [skɪtsəʊ'fri:nɪə] *n* esquizofrenia

scholar ['skɒləʳ] *n* **1** (*learned person*) estudioso, sábio **2** (*student*) bolsista

scholarship ['skɒləʃɪp] *n* **1** (*bursary*) bolsa de estudos **2** (*erudition*) erudição

school¹ [sku:l] *n* escola, colégio, faculdade
▸ *vt* ensinar, educar
▪ **school book** livro escolar
▪ **school of thought** corrente de pensamento
▪ **school year** ano escolar

school² [sku:l] *n* (*of fishes*) cardume

schoolchild ['sku:ltʃaɪld] *n* (*pl* **schoolchildren**) criança que frequenta a escola, aluno

schooling ['sku:lɪŋ] *n* instrução, escolaridade

schoolmaster ['sku:lmɑ:stəʳ] *n* **1** (*teacher*) mestre-escola, professor **2** (*principal*) diretor de escola

schoolmistress ['sku:lmɪstrəs] *n* (*pl* **-es**) professora primária

science ['saɪəns] *n* **1** (*subject that is studied using scientific methods*) ciência **2** (*branch of knowledge*) conhecimento
▪ **science fiction** ficção científica

scientific [saɪən'tɪfɪk] *adj* científico

scientist ['saɪəntɪst] *n* cientista

scissors ['sɪzəz] *npl* tesoura
• **a pair of scissors** uma tesoura

scoff¹ [skɒf] *vi* ridicularizar, zombar, escarnecer

scoff² [skɒf] *vt infml* zombar

scold [skəʊld] *vt* repreender, ralhar

scoop [sku:p] *n* **1** (*shovel*) pá **2** (*for ice cream*) concha **3** (*utensil*) raspador **4** (*amount*) bola (de sorvete) **5** (*news*) furo de reportagem
▪ **to scoop out** *vt* tirar com a pá, com a concha

scooter ['sku:təʳ] *n* **1** (*light motorcycle*) lambreta **2** (*child's vehicle*) patinete **3** (*boat*) espécie de barco a vela

scope [skəʊp] *n* **1** (*extent*) alcance, âmbito **2** possibilidades: ***there isn't much scope for improvement*** não há muitas possibilidades de melhorar

scorch [skɔ:tʃ] *vt* **1** (*burn on surface*) chamuscar, secar, ressecar **2** (*censure*) criticar com palavras ásperas

score [skɔ:ʳ] *n* **1** (*rating*) contagem, pontuação **2** (*result*) resultado **3** (*written piece of music*) partitura **4** (*music for a film*) música
▸ *vt-vi* (*gain points in a game*) marcar
▸ *vi* obter uma pontuação
▸ *vt* lograr, conseguir
• **on that score** a esse respeito, por causa disso
• **to keep the score** manter o placar
• **what's the score?** quanto está (o *jogo/a partida*)?

scoreboard ['skɔ:bɔ:d] *n* placar

scorn [skɔ:n] *n* desdém, desprezo, escárnio
▸ *vt* desdenhar, depreciar

Scorpio ['skɔ:pɪəʊ] *n* ASTROL Escorpião, escorpiano

scorpion ['skɔ:pɪən] *n* ZOOL escorpião

Scot [skɒt] *n* escocês

Scotland ['skɒtlənd] *n* Escócia

Scots [skɒts] *adj* escocês

Scottish ['skɒtɪʃ] *adj* escocês
▸ *npl* **the Scottish** os escoceses

scoundrel ['skaʊndrəl] *n* salafrário, vilão

scour¹ ['skaʊəʳ] *vt* explorar, limpar, lavar

scour² ['skaʊəʳ] *vt* polir, esfregar, arear

scout [skaʊt] *n* **1** (*member of Scout Association*) escoteiro **2** (*reconnaissance*) navio, avião de reconhecimento

scowl [skaʊl] *n* olhar zangado, carranca

▸ *vi* fazer carranca, franzir a testa, olhar bravo

scramble ['skræmbəl] *n* passeio, escalada em terreno áspero

▸ *vi* **1** (*climb*) subir **2** brigar (*por alguma coisa*): ***to scramble for seats*** brigar para conseguir um lugar

▸ *vt* misturar, (*eggs*) mexer

▪ **scrambled eggs** ovos mexidos

scrap [skræp] *vt* (*pt & pp* **scrapped**, *ger* **scrapping**) descartar, jogar no ferro-velho

▸ *n* **1** (*fragment*) pedaço, fragmento **2** (*waste*) refugo, sobras

▸ *npl* **scraps** restos, (*food*) sobras

▪ **scrap metal** ferro velho

▪ **scrap paper** papel de rascunho

scrape [skreɪp] *n* **1** (*act of scraping*) ato, ruído ou efeito de raspar ou arranhar **2** aperto, dificuldade, apuros: ***he always got into scrapes*** ele sempre se meteu em dificuldades

▸ *vt* **1** (*rasp*) raspar **2** (*scratch*) roçar, arranhar **3** (*economize*) economizar, passar com dificuldade

▪ **to scrape along** *vi* viver ao deus-dará

▪ **to scrape through** *vt* passar uma prova com dificuldade, "raspando"

scratch [skrætʃ] *n* (*pl* **-es**) arranhadura, arranhão, esfoladura

▸ *vt* **1** (*graze*) arranhar, rasgar **2** (*mark*) riscar

• **to be up to scratch** corresponder às expectativas

• **to start from scratch** partir do zero

▪ **scratch team** equipe improvisada

scream [skri:m] *n* **1** (*yell*) grito agudo e estridente **2** (*funny thing*) coisa muito divertida

▸ *vt-vi* gritar, falar alto

• **it was a scream** *infml* foi uma pândega, foi muito divertido

screech [skri:tʃ] *n* (*pl* **-es**) **1** (*cry*) grito alto de terror ou dor **2** (*of tires*) barulho de pneus

▸ *vi* **1** (*person*) gritar **2** (*tires*) cantar

screen [skri:n] *n* **1** (*shelter*) biombo, separação **2** (*display*) tela **3** *fig* cortina: ***a screen of trees*** uma cortina de árvores

▸ *vt* **1** (*shelter*) proteger **2** (*hide*) ocultar, esconder **3** (*evaluate*) examinar **4** (*present*) projetar

▪ **screen test** teste de cinema (*para testar atores*)

▪ **screen door** porta de tela metálica

▪ **screen saver** protetor de tela

▪ **sun screen** protetor solar

▪ **the silver screen** a indústria cinematográfica

screw [skru:] *n* parafuso

▸ *vt* parafusar, atarraxar

▸ *vt-vi vulg* fazer sexo

• **to screw money out of somebody** *infml* extorquir dinheiro de alguém

▪ **to screw up** *vt* **1** (*crumble*) amassar **2** (*wrinkle up*) franzir **3** *sl* (*mess*) estragar, atrapalhar tudo, errar

screwdriver ['skru:draɪvəʳ] *n* chave de fenda

scribble ['skrɪbəl] *n* garrancho, rabiscos

▸ *vt-vi* rabiscar, escrever às pressas

script [skrɪpt] *n* **1** (*exam*) prova escrita, manuscrita **2** (*text*) roteiro de cinema ou teatro **3** (*handwriting*) letra, caligrafia

scrounge [skraʊndʒ] *vi* viver à custa dos outros

▸ *vt* surrupiar, filar

• **to scrounge off somebody** viver à custa de alguém

scrub [skrʌb] *n* **1** (*brush*) capoeira, moita **2** (*act of scrubbing*) esfregação, ato de esfregar

▸ *vt* (*pt & pp* **scrubbed**, *ger* **scrubbing**) esfregar, (*clothes*) lavar esfregando

scruff [skrʌf] *n* (*pl* **scruffs**) cangote, nuca

scruffy ['skrʌfɪ] *adj* (**-ier**, **-iest**) **1** (*dirty*) usado, sujo **2** (*shabby*) desbotado, surrado

scruple ['skru:pəl] *n* escrúpulo

scrupulous ['skru:pjʊləs] *adj* escrupuloso

scrutinize ['skru:tɪnaɪz] *vt* escrutinar, examinar a fundo

scuba diving ['sku:bədaɪvɪŋ] *n* mergulho com uso de cilindro de mergulho

sculptor ['skʌlptəʳ] *n* escultor

sculptress ['skʌlptrəs] *n* (*pl* -**es**) escultora

sculpture ['skʌlptʃəʳ] *n* escultura

scum [skʌm] *n* **1** (*spume*) espuma **2** *fig* (*despicable people*) escória

scurry ['skʌrɪ] *vi* (*pt & pp* -**ied**) correr, apressar-se

■ **to scurry away/off** *vi* sair correndo

scuttle ['skʌtəl] *vt* **1** (*sink*) afundar um navio cortando furos no casco **2** (*run*) abandonar

■ **to scuttle away/off** *vi* partir correndo

SE [saʊθ'i:st] *abbr* (**southeast**) SE

sea [si:] *n* mar

• **at sea** **1** (*on the ocean*) no mar, em alto-mar **2** (*confused*) confuso, desnorteado

• **by the sea** à beira-mar

■ **sea creature** animal marinho

■ **sea level** nível do mar

■ **sea lion** ZOOL leão-marinho

■ **sea trout** ZOOL truta do mar

seafood ['si:fu:d] *n* (*food*) frutos do mar

seafront ['si:frənt] *n* parte da cidade à beira-mar

seagull ['si:gʌl] *n* ZOOL gaivota

sea-horse ['si:hɔ:s] *n* ZOOL cavalo-marinho

seal¹ [si:l] *n* ZOOL foca

seal² [si:l] *n* selo, brasão, escudo

▸ *vt* marcar, autenticar, fechar, fechar com lacre

■ **seal of approval** carimbo de aprovação

■ **to seal off** *vt* **1** (*make secure*) lacrar **2** (*impose a blockade on*) impedir o acesso a

seam [si:m] *n* **1** (*joint with a line*) costura **2** (*suture*) sutura, junção **3** (*vein*) filão

seamstress ['semstrəs] *n* (*pl* -**es**) costureira

search [sɜ:tʃ] *n* (*pl* -**es**) **1** (*pursuit*) busca **2** (*hunt*) diligência, procura

▸ *vi* buscar

▸ *vt* **1** (*hunt*) procurar **2** (*examine*) examinar, investigar

• **in search of** à procura de

■ **search engine** buscador, motor de busca

■ **search party** equipe de salvamento

■ **search warrant** mandado de busca e apreensão

searchlight ['sɜ:tʃlaɪt] *n* holofote, farol

seasick ['si:sɪk] *adj* enjoado

seaside ['si:saɪd] *n* praia, costa, litoral

■ **seaside resort** balneário

season ['si:zən] *n* **1** (*time of year*) estação **2** (*period*) época **3** (*term*) temporada

▸ *vt* temperar

• **in season** **1** (*fruit*) ser tempo de **2** (*animal*) no cio **3** (*tourism*) na alta temporada

• **out of season** **1** (*fruit*) fora de época **2** (*tourism*) na baixa temporada

■ **season ticket** entrada com desconto por temporada

seashore ['si:ʃɔ:ʳ] *n* beira-mar, litoral

seat [si:t] *n* **1** (*chair*) assento **2** (*place to sit in theatre*) lugar **3** (*of bicycle*) selim **4** (*centre*) sede, centro **5** (*of a legislative body*) assento

▸ *vt* **1** (*provide seating for*) assentar **2** ter lugar para: ***the theatre seats 2,000 people*** o teatro tem lugar para 2.000 pessoas

• **to take a seat** sentar-se

■ **seat belt** cinto de segurança

seaweed ['si:wi:d] *n* BOT alga marinha

secluded [sɪ'klu:dɪd] *adj* isolado, retirado

second¹ ['sekənd] *adj-n* segundo

▸ *adv* segundo, em segundo lugar

▸ *vt* apoiar, secundar

▸ *npl* **seconds** artigos com pequenos defeitos

• **to have second thoughts about something** mudar de opinião sobre algo

■ **second class** segunda classe

■ **second name** sobrenome

second² ['sekənd] *n* (*time*) segundo

■ **second hand** de segunda mão, usado

secondary ['sekəndərɪ] *adj* secundário

■ **secondary school** escola secundária

second-class ['sekəndklɑ:s] *adj* de segunda classe

second-hand ['sekəndhænd] *adj* de segunda mão

secondly ['sekəndlɪ] *adv* em segundo lugar

secrecy ['si:krəsɪ] *n* **1** (*confidentiality*)

segredo, intimidade 2 (*covertness*) discrição, sigilo

secret ['si:krət] *adj* secreto
▸ *n* segredo, mistério
• **in secret** em segredo
▪ **secret service** serviço secreto

secretary ['sekrətərɪ] *n* (*pl* **-ies**) secretário
▪ **Secretary of State** 1 (*GB*) Ministro de Estado 2 (*USA*) Ministro de Assuntos Exteriores

secrete [sɪ'kri:t] *vt* 1 (*hide*) guardar segredo, esconder 2 (*produce a secretion*) secretar

secretly ['si:krətlɪ] *adv* em segredo, às escondidas

sect [sekt] *n* 1 (*religious group*) seita 2 (*faction*) facção, partido

section ['sekʃən] *n* seção, parte, divisão
▸ *vt* cortar, secionar, dividir

sector ['sektə] *n* setor, área

secular ['sekjʊlə^r] *adj* 1 (*non-religious*) laico 2 ART profano

secure [sɪ'kjʊə^r] *adj* 1 (*safe*) seguro, guardado 2 (*firm*) firme, estável 3 (*certain*) certo, assegurado
▸ *vt* 1 (*lock*) segurar, trancar 2 (*make safe*) proteger 3 (*obtain*) obter, conseguir

security [sɪ'kjʊərɪtɪ] *n* 1 (*safety*) segurança 2 (*guarantee*) garantia, confiança
▸ *npl* **securities** FIN 1 (*stocks*) valores 2 (*bonds*) títulos
▪ **security guard** segurança, guarda que protege valores

sedative ['sedətɪv] *adj* calmante
▸ *n* calmante, sedativo

sedentary ['sedəntərɪ] *adj* sedentário

sediment ['sedɪmənt] *n* sedimento

seduce [sɪ'dju:s] *vt* seduzir

see[1] [si:] *vt-vi* (*pt* **saw** [sɔ:], *pp* **seen** [si:n]) 1 (*perceive with the eyes*) ver 2 procurar, tentar: ***see that you arrive on time*** procure chegar na hora 3 acompanhar: ***he saw her to the door*** ele a acompanhou até a porta 4 entender, ver: ***I don't see why we can't go in*** não entendo por que não podemos entrar
• **let's see** vamos ver
• **see you later!** até logo!
• **to be seeing things** ver coisas, ter alucinações
• **to see red** ficar furioso
• **we'll see** veremos
▪ **to see about** *vt* cuidar de
▪ **to see off** *vt* despedir-se de
▪ **to see out** *vt* acompanhar até a porta
▪ **to see through** *vt* perceber, não se deixar iludir
▪ **to see to** *vt* 1 (*take care of*) tomar conta 2 (*arrange*) providenciar

See[2] [si:] *n* Sé

seed [si:d] *n* 1 (*of plant*) semente 2 (*of fruit*) caroço 3 (*tennis*) cabeça de série

seedy ['si:dɪ] *adj* (**-ier**, **-iest**) sórdido

seek [si:k] *vt* (*pt & pp* **sought** [sɔ:t]) 1 (*search for*) procurar, buscar 2 (*ask for*) solicitar
▪ **to seek out** *vt* buscar

seem [si:m] *vi* parecer: ***it seems to me that...*** parece-me que...
• **so it seems** assim parece

seeming ['si:mɪŋ] *adj* aparente

seemingly ['si:mɪŋlɪ] *adv* aparentemente, na aparência

seen [si:n] *pp* → **see**

seep [si:p] *vi* infiltrar-se

seesaw ['si:sɔ:] *n* gangorra

see-through ['si:θru:] *adj* transparente

segment ['segmənt] *n* segmento

segregate ['segrɪgeɪt] *vt* segregar

segregation [segrɪ'geɪʃən] *n* segregação

seize [si:z] *vt* 1 (*grasp*) segurar, agarrar, pegar 2 (*confiscate*) confiscar, apreender 3 (*capture*) tomar, apoderar-se de
▪ **to seize up** *vi* parar, travar: ***the traffic seized up*** o tráfego parou; ***my computer siezed up twice yesterday*** meu computador travou duas vezes ontem

seizure ['si:ʒə^r] *n* 1 (*confiscation*) apreensão, sequestro de bens 2 MED convulsão

seldom ['seldəm] *adv* raramente

select [sɪ'lekt] *vt* 1 (*choose*) escolher, eleger 2 (*select*) selecionar
▸ *adj* seleto, escolhido, exclusivo

selection [sɪ'lekʃən] *n* 1 (*choosing*) seleção 2 (*choice*) escolha 3 (*assortment*) sortimento

selective [sɪ'lektɪv] *adj* seletivo

self [self] *n* (*pl* **selves**) eu, a própria pessoa: ***my other self*** meu outro eu; ***Jane***

will soon be her usual self again a Jane logo voltará a ser a mesma de sempre

self-assured [selfə'ʃʊəd] *adj* seguro de si, confiante

self-centred [self'sentəd] *adj* egocêntrico, egoísta

self-confidence [self'kɒnfɪdəns] *n* confiança em si mesmo, autoconfiança

self-conscious [self'kɒnʃəs] *adj* inibido

self-defence [selfdɪ'fens] *n* defesa pessoal, autodefesa

• **in self-defence** em defesa própria, em autodefesa

self-employed [selfɪm'plɔɪd] *adj* autônomo, que trabalha por conta própria

self-government [self'gʌvənmənt] *n* governo autônomo

selfish ['selfɪʃ] *adj* egoísta

selfishness ['selfɪʃnəs] *n* egoísmo

self-portrait [self'pɔːtreɪt] *n* autorretrato

self-respect [selfrɪ'spekt] *n* autorrespeito, amor-próprio

self-righteous [self'raɪtʃəs] *adj* (*morality*) pretensioso, que se considera virtuoso

self-service [self'sɜːvɪs] *adj* de *self-service*, de autosserviço

▸ *n self-service*, autosserviço

sell [sel] *vt-vi* (*pt & pp* **sold** [səʊld]) vender

• **to be sold on something** *infml* estar entusiasmado por algo

▪ **to sell off** *vt* liquidar

▸ *vi* vender-se, trair por dinheiro

▪ **to sell out** *vi* vender-se, trair por dinheiro

▸ *vt* **1** esgotar: ***the tickets are sold out*** as entradas estão esgotadas **2** (*sell one's business*) vender um negócio ou parte dele

▪ **to sell up** *vi* vender tudo: ***they sold up and went to live in the country*** eles venderam tudo e foram morar no campo

sell-by date ['selbaɪdeɪt] *n* prazo de validade

seller ['seləʳ] *n* vendedor

sellotape® ['seləteɪp] *n* fita adesiva

semen ['siːmən] *n* sêmen, esperma

semester [sɪ'mestəʳ] *n* semestre

semicircle ['semɪsɜːkəl] *n* semicírculo

semicolon [semɪ'kəʊlən] *n* ponto e vírgula

semidetached [semɪdɪ'tætʃt] *adj* geminado

▸ *n* casa geminada

semifinal [semɪ'faɪnəl] *n* semifinal

seminar ['semɪn ʳ] *n* seminário

senate ['senət] *n* senado

senator ['senətəʳ] *n* senador

send [send] *vt* (*pt & pp* **sent** [sent]) **1** enviar, mandar: ***send me the results*** envie-me os resultados **2** fazer, deixar: ***the noise sent her mad*** o ruído a deixou louca

• **to send somebody packing** *infml* mandar alguém embora

• **to send something flying** espalhar, fazer voar: ***he bumped into the desk and sent the documents flying*** ele esbarrou na escrivaninha e fez voar os documentos

• **to send word** mandar recado

▪ **to send away** *vt* despachar

▪ **to send away for** *vt* pedir algo pelo correio

▪ **to send back** *vt* **1** (*things*) devolver **2** (*person*) fazer voltar

▪ **to send for** *vt* **1** (*person*) mandar chamar **2** (*by post*) pedir pelo correio

▪ **to send in** *vt* **1** (*by post*) mandar, enviar **2** (*visitor*) fazer-se anunciar

▪ **to send off** *vt* **1** (*by post*) enviar **2** (*player*) expulsar

▪ **to send on** *vt* **1** (*letter*) encaminhar **2** (*send in advance*) mandar para a frente

sender ['sendəʳ] *n* remetente

send-off ['sendɒf] *n* (*pl* **send-offs**) *infml* despedida

senile ['siːnaɪl] *adj* senil

senior ['siːnɪəʳ] *adj* **1** (*older*) mais velho **2** (*superior*) superior **3** (*student*) de mais antiguidade **4** pai: ***John Smith Senior*** John Smith, pai

▸ *n* **1** (*senior person*) maior **2** (*superior*) superior

▪ **senior citizen** **1** (*pensioner*) aposentado **2** (*old person*) pessoa da terceira idade

sensation [sen'seɪʃən] *n* sensação
• **to be a sensation** ser uma sensação, um sucesso

sensational [sen'seɪʃənəl] *adj* **1** (*exciting*) sensacional **2** (*over-dramatized*) sensacionalista

sense [sens] *n* **1** sentido: ***sense of taste*** sentido do gosto **2** (*feeling*) sentimento, sensação **3** (*common sense*) juízo, senso comum **4** (*meaning*) sentido, significado
▸ *vt* sentir, perceber
• **in a sense** até certo ponto
• **there's no sense in...** de que serve...?
• **to come to one's senses** recobrar o juízo
• **to make sense** ter sentido, ser sensato
• **to make sense of something** entender algo
▪ **sense of humour** senso de humor

senseless ['sensləs] *adj* **1** (*unconscious*) inconsciente **2** (*meaningless*) absurdo, insensato

sensibility [sensɪ'bɪlɪtɪ] *n* (*pl* **-ies**) sensibilidade

sensible ['sensɪbəl] *adj* sensato, ajuizado

sensitive ['sensɪtɪv] *adj* **1** (*reactive to*) sensível **2** (*touchy*) suscetível **3** (*of an instrument*) reativo

sensual ['sensjʊel] *adj* sensual

sent [sent] *pt-pp* → **send**

sentence ['sentəns] *n* **1** (*sequence of words*) sentença, frase, oração **2** (*opinion*) opinião, parecer **3** (*condemnation*) condenação, pena
▸ *vt* condenar
• **to pass sentence on somebody** impor uma pena a alguém

sentimental [sentɪ'mentəl] *adj* sentimental

sentry ['sentrɪ] *n* (*pl* **-ies**) sentinela, guarda

Sep [sep'tembəʳ] *abbr* (***September***) setembro

separate [(*v*) 'sepəreɪt; (*adj*) 'sepərət] *vt* **1** (*move apart*) separar **2** (*divide up*) dividir
▸ *vi* separar
▸ *adj* **1** separado: ***they sleep in separate rooms*** eles dormem em quartos separados **2** (*distinct*) distinto

separately ['seprətlɪ] *adv* separadamente

separation [sepə'reɪʃən] *n* separação

September [səp'tembəʳ] *n* setembro

sequel ['si:kwəl] *n* **1** (*consequence*) que segue, consequência **2** (*follow-up*) continuação

sequence ['si:kwəns] *n* **1** (*arrangement*) sequência **2** (*succession*) sucessão, série, continuação

serene [sə'ri:n] *adj* sereno, tranquilo

sergeant ['sɑ:dʒənt] *n* sargento
▪ **sergeant major** sargento acima do primeiro sargento

serial ['sɪərɪəl] *n* publicação em série, (*radio*) novela em série
▪ **serial killer** assassino em série
▪ **serial number** número de série

series ['sɪəri:z] *n* (*pl* **-ies**) **1** (*sequence*) série **2** (*succession*) sucessão, segmento

serious ['sɪərɪəs] *adj* **1** sério: ***he always looks so serious!*** ele parece sempre tão sério! **2** (*severe*) grave
• **seriously wounded** ferido com gravidade
• **to be serious** falar sério

seriously ['sɪərɪəslɪ] *adv* **1** (*earnestly*) com seriedade, seriamente **2** gravemente: ***he's seriously ill*** ele está gravemente enfermo
• **to take seriously** levar a sério

seriousness ['sɪərɪəsnəs] *n* seriedade, gravidade

sermon ['sɜ:mən] *n* sermão

servant ['sɜ:vənt] *n* empregado, criado, empregada doméstica

serve [sɜ:v] *vt-vi* **1** servir: ***he has served the company for thirty years*** ele serviu à empresa durante trinta anos **2** (*food, drinks*) servir **3** (*attend to*) servir, atender **4** (*tennis*) sacar
▸ *vt* **1** (*work for*) servir, trabalhar para **2** (*spend time in prison*) cumprir (*pena*)
▸ *n* (*tennis*) saque
• **to serve time** cumprir uma pena
• **it serves him *etc* right** *infml* bem feito para ele

service ['se:vɪs] *n* **1** (*assistance*) serviço **2** (*maintenance*) serviço de manutenção, revisão **3** (*religious ceremony*) cerimônia religiosa **4** (*set of dishes*) jogo (*de pratos*) **5** (*tennis*) saque
• **at your service** à sua disposição
• **in service** em operação
• **out of service** fora de operação, quebrado
▪ **service station** posto de serviço, bomba de gasolina

serviceman ['sɜ:vɪsmən] *n* (*pl* **servicemen**) militar, membro das forças armadas

serviette [sɜ:vɪ'et] *n* GB guardanapo

session ['seʃən] *n* sessão, reunião

set[1] [set] *n* **1** (*kit*) jogo, coleção **2** (*group*) conjunto **3** (*tennis*) *set* **4** (*television, radio*) aparelho

set[2] [set] *n* **1** (*scenery*) cenário **2** (*posture*) atitude, tendência
▸ *adj* **1** (*fixed*) fixado, estabelecido **2** (*rigid*) rígido, inflexível **3** pronto: ***are you all set to go?*** vocês estãos todos prontos para sair?
▸ *vt* (*pt & pp* **set**) **1** colocar, assentar: ***she set a beautiful vase on the table*** ela colocou um bonito vaso na mesa **2** pôr (*mesa*): ***please set the table for dinner*** por favor ponha a mesa para o jantar **3** (*date*) definir: ***let's set the date for the meeting*** vamos marcar a data da reunião **4** (*clock*) acertar, ajustar: ***I forgot to set the clock*** esqueci de ajustar o relógio **5** (*assign*) passar: ***the science teacher sets a lot of homework*** o professor de ciências passa muito trabalho de casa **6** (*jewel*) incrustar: ***the crown is set with diamonds and emeralds*** a coroa é incrustada com diamantes e esmeraldas **7** (*hair*) pentear, fazer penteado
▸ *vi* **1** (*go down*) pôr-se (sol) **2** (*coagulate*) coalhar **3** (*thicken*) endurecer
• **to set (oneself) up** estabelecer, montar (*negócio*)
• **to be set on doing something** estar empenhado em fazer algo
• **to set an example** dar exemplo: ***you should set good examples to your brother*** você deveria dar bons exemplos para o seu irmão
• **to set fire to something** atear fogo a algo, pôr fogo em algo
• **to set somebody free** pôr alguém em liberdade
• **to set the pace** marcar o passo, ditar o ritmo
• **to set to work** pôr-se a trabalhar
▪ **set lunch** menu do dia
▪ **set phrase** frase feita
▪ **set price** preço fixo
▪ **to set about** *vt* começar a: ***they set about cleaning the house*** eles começaram a limpar a casa
▪ **to set aside** *vt* **1** (*put aside*) pôr de lado, reservar **2** (*discard*) desprezar
▪ **to set back** *vt* **1** afastar: ***the house is set back from the road*** a casa está afastada da rua **2** (*clock*) atrasar **3** *infml* custar: ***the car repairs set me back 500 pounds*** o conserto do carro me custou 500 libras
▪ **to set down** *vt* **1** (*write down*) pôr por escrito **2** (*register*) registrar
▪ **to set in** *vi* **1** (*begin*) começar **2** surgir, instalar-se: ***pessissim has set in among the voters*** o pessimismo instalou-se entre os eleitores
▪ **to set off** *vi* sair, pôr-se a caminho
▸ *vt* **1** (*cause to explode*) fazer explodir **2** (*alarm*) fazer soar
▪ **to set out** *vi* **1** (*set off*) partir, sair **2** (*intend*) propor-se, pretender
▸ *vt* dispor, expor
▪ **to set up** *vt* **1** iniciar, montar (*negócio*): ***we want to set up our own business*** queremos montar nosso próprio negócio **2** (*build*) erigir, construir, montar **3** (*fund*) fundar, instalar **4** (*plan*) planejar

setback ['setbæk] *n* **1** (*problem*) revés, contratempo **2** (*hold up*) retrocesso, recuo

settee [se'ti:] *n* sofá

setting ['setɪŋ] *n* **1** (*surroundings*) colocação, assentamento **2** (*scenery*) cenário **3** MUS acompanhamento musical

settle ['setəl] *vt* **1** (*establish*) estabelecer **2** (*resolve*) resolver **3** acalmar, tranquilizar: ***take a deep breath to settle your nerves*** respire fundo para acalmar os nervos **4** (*pay*) pagar **5** (*colonize*) colonizar, povoar
▸ *vi* **1** (*land*) pousar **2** (*inhabit*) instalar-se, estabelecer-se, fixar residência **3** acomodar-se: ***after supper they settled***

in front of the TV depois da ceia eles se acomodaram na frente da TV **4** (*pay*) pagar **5** acalmar-se, tranquilizar-se: ***you should wait until the class settles before starting the lesson*** você deveria esperar até a turma se acalmar antes de começar a aula **6** (*weather*) firmar

• **to settle out of court** LAW chegar a um acordo amigável

▪ **to settle down** *vi* **1** (*reside*) instalar-se, estabelecer-se **2** (*become calm*) sossegar **3** (*adjust*) adaptar-se

▪ **to settle for** *vt* tomar uma certa direção

▪ **to settle in** *vi* **1** (*work*) adaptar-se **2** (*home*) instalar-se

▪ **to settle on** *vt* decidir-se por

settlement ['setəlmənt] *n* **1** (*colony*) povoado, colônia **2** (*agreement*) acordo **3** (*payment*) pagamento

• **to reach a settlement** chegar a um acordo

settler ['setləʳ] *n* colonizador

setup ['setʌp] *n* **1** (*organization*) sistema, organização, configuração **2** (*planning*) planejamento

seven ['sevən] *num* sete

seventeen [sevən'tiːn] *num* dezessete

seventeenth [sevən'tiːnθ] *adj* décimo sétimo

▸ *n* décimo sétimo **2** (*fraction*) décima sétima parte

seventh ['sevənθ] *adj-n* sétimo

▸ *n* **1** sétimo **2** (*fraction*) sétima parte **3** (*in dates*) sete

seventieth ['sevəntɪəθ] *adj-n* septuagésimo

▸ *n* **1** septuagésimo **2** (*fraction*) septuagésima parte

seventy ['sevəntɪ] *num* setenta

sever ['sevəʳ] *vt* **1** (*cut*) cortar **2** (*separate*) separar **3** (*divide*) dividir **4** (*break off*) romper (relacionamento)

several ['sevərəl] *adj-pron* vários

severe [sɪ'vɪəʳ] *adj* **1** (*punishment*) severo **2** (*pain*) aguda, intensa **3** (*disease*) grave **4** (*climate*) rigoroso

severely [sɪ'vɪəlɪ] *adv* **1** (*punish*) severamente **2** (*get sick*) gravemente

sew [səʊ] *vt-vi* (*pt* **sewed** [səʊd], *pp* **sewn** [səʊn]) coser, costurar

sewage ['sjuːɪdʒ] *n* água de esgoto

▪ **sewage system** sistema de esgoto

sewer [sjʊəʳ] *n* cano de esgoto

sewing ['səʊɪŋ] *n* costura, ato de costurar

▪ **sewing machine** máquina de costurar

sewn [səʊn] *pp* → **sew**

sex [seks] *n* (*pl* **sexes**) sexo

• **to have sex with** ter relações sexuais com

▪ **sex appeal** *sex appeal*, atrativos físicos de caráter sensual

sexist ['seksɪst] *adj-n* sexista

sexual ['seksjʊəl] *adj* sexual

sexuality [seksjʊ'ælɪtɪ] *n* sexualidade

sexy ['seksɪ] *adj* (**-ier**, **-iest**) sexualmente atraente, excitante

shabby ['ʃæbɪ] *adj* (**-ier**, **-iest**) **1** (*worn out*) gasto, roto, surrado **2** (*run down*) de baixo nível **3** (*ignoble*) miserável, vil, ordinário

shack [ʃæk] *n* choça, cabana

shade [ʃeɪd] *n* **1** (*shadow*) sombra **2** (*curtain*) quebra-luz **3** (*nuance*) matiz (*de cor*) **4** *npl* óculos escuros: ***she likes wearing mirrored shades*** ela gosta de usar óculos escuros espelhados

▸ *vt* **1** (*screen from light*) abrigar do sol ou da luz **2** (*darken*) dar sombra

shadow ['ʃædəʊ] *n* sombra

▸ *vt fig* seguir de perto e secretamente

• **without a shadow of doubt** sem sombra de dúvida

shady ['ʃeɪdɪ] *adj* (**-ier**, **-iest**) **1** (*place*) na sombra **2** *infml* (*person*) sombrio

shaft [ʃɑːft] *n* **1** (*of a tool*) cabo **2** (*rod*) haste **3** (*of a machine*) eixo **4** (*mine*) poço, entrada de mina **5** (*of elevator*) poço **6** (*ray of light*) raio, feixe de luz

shaggy ['ʃægɪ] *adj* (**-ier**, **-iest**) **1** (*tousled*) coberto de pelo ou lã, de forma desordenada **2** (*hairy*) peludo

shake [ʃeɪk] *n* **1** (*agitation*) sacudida, abalo, agitação **2** (*drink*) bebida batida

▸ *vt* (*pt* **shook** [ʃʊk], *pp* **shaken** ['ʃeɪkən]) **1** (*tremble*) sacudir, agitar, fazer tremer, ou estremecer, abalar **2** (*upset*) transtornar, chocar

▸ *vi* tremer
• **to shake hands** apertar as mãos, cumprimentar
• **to shake one's head** abanar a cabeça negativamente
▪ **to shake off** *vt* **1** livrar-se: ***I can't shake off this headache*** não consigo me livrar desta dor de cabeça **2** (*remove*) tirar de cima
▪ **to shake up** *vt* **1** (*mix*) agitar **2** (*agitate*) sacudir **3** (*reorganize*) reorganizar

shake-up ['ʃeɪkʌp] *n fig* reorganização

shaky ['ʃeɪkɪ] *adj* (**-ier**, **-iest**) **1** (*trembling*) trêmulo, trôpego **2** instável, pouco firme: ***a shaky ladder*** uma escada instável **3** débil, fraco, problemático: ***a shaky marriage*** um casamento problemático **4** *fig* (*unreliable*) sem fundamento

shall [ʃæl, ʊnstressed ʃəl] *aux* **1** indica um tempo futuro: ***I shall go tomorrow*** irei amanhã; ***we shall see them on Sunday*** vamos vê-los no domingo **2** indica oferecimento: ***shall I close the window?*** fecho a janela? **3** indica uma sugestão: ***shall we go to the cinema?*** vamos ao cinema? **4** indica uma promessa: ***you shall have everything you want, my dear*** você terá tudo o que quiser, meu querido/minha querida **5** uso enfático, uma ordem: ***you shall stop work immediately*** pare de trabalhar imediatamente

shallow ['ʃæləʊ] *adj* (*comp* **shallower**, *superl* **shallowest**) **1** (*not deep*) raso **2** *fig* (*frivolous*) superficial

sham [ʃæm] *n* impostura, engano
▸ *adj* falso, fingido
▸ *vt-vi* (*pt & pp* **shammed**, *ger* **shamming**) fingir, simular

shambles ['ʃæmbəlz] *n* **1** (*slaughterhouse*) matadouro **2** (*battlefield*) campo de batalha **3** (*disorderly place*) lugar de destruição, desordem
• **in a shambles** **1** (*destroyed*) destruído **2** em total desordem, de cabeça para baixo: ***the room was in a shambles*** o aposento estava de cabeça para baixo

shame [ʃeɪm] *n* **1** (*embarrasment*) vergonha **2** (*dishonour*) desonra **3** (*pity*) pena
▸ *vt* envergonhar, humilhar
• **to put to shame** envergonhar alguém
• **what a shame!** **1** (*show embarrasment*) que vergonha! **2** (*show sorrow*) que pena!

shameful ['ʃeɪmfʊl] *adj* vergonhoso

shameless ['ʃeɪmləs] *adj* sem-vergonha, desavergonhado

shampoo [ʃæm'puː] *n* (*pl* **shampoos**) xampu
▸ *vt* (*pt & pp* **shampooed**, **shampooing**) lavar o cabelo ou a cabeça, lavar com xampu

shandy ['ʃændɪ] *n* (*pl* **-ies**) GB mistura de cerveja com limonada

shape [ʃeɪp] *n* **1** (*figure*) figura, contorno, silhueta **2** forma, estado: ***he's in great shape*** ele está em ótima forma
▸ *vt* **1** (*form*) dar forma a, modelar **2** (*determine*) determinar, formar (*caráter*)
▸ *vi* **to shape (up)** tomar forma, desenvolver-se: ***how's the plan shaping up?*** como o plano está se desenvolvendo?
• **out of shape** **1** (*person*) fora de forma **2** (*object*) deformado
• **to get into shape** ficar em forma
• **to give shape** dar forma

shapeless ['ʃeɪpləs] *adj* informe, disforme

share [ʃeəʳ] *n* **1** (*portion*) parte **2** (*stock*) ação
▸ *vt-vi* compartilhar
▸ *vt* repartir, dividir
• **to do one's share** fazer a sua parte

shareholder ['ʃeəhəʊldəʳ] *n* acionista

shark¹ [ʃɑːk] *n* ZOOL tubarão

shark² [ʃɑːk] *n infml* trapaceiro, vigarista

sharp [ʃɑːp] *adj* **1** (*knife*) afiada **2** (*pointed*) pontiagudo **3** (*harsh*) severo, cáustico, mordaz **4** (*pain*) forte, aguda **5** (*abrupt*) brusco, repentino **6** (*clear*) definido, nítido (*imagem*) **7** (*caustic*) mordaz **8** (*severe*) severo **9** MUS sustenido: ***F sharp*** fá sustenido **10** (*bend*) fechada (*curva*)
▸ *adv* em ponto: ***at ten o'clock sharp*** às dez em ponto

sharpen ['ʃɑːpən] *vt* **1** (*knife*) afiar **2** (*pencil*) apontar **3** *fig* (*enhance*) estimular

sharpener ['ʃɑːpənəʳ] *n* **1** (*for knife*) afiador **2** (*for pencil*) apontador

shatter ['ʃætəʳ] *vt* **1** (*fragment*) despedaçar, rachar **2** (*destroy*) destroçar, destruir **3** (*disturb*) perturbar, abalar
▸ *vi* despedaçar-se, destruir-se

• **to be shattered** estar arrasado: ***they were shattered at the news of their son's death*** eles ficaram arrasados com a notícia da morte do filho

shave [ʃeɪv] *n* ato de fazer barba
▸ *vt-vi* barbear(-se)
• **to have a close shave** salvar-se por um triz
• **to have a shave** barbear-se

shaver ['ʃeɪvəʳ] *n* aparelho de barbear elétrico

shaving ['ʃeɪvɪŋ] *n* **1** (*face*) barbeado **2** (*piece*) fatia, raspa, apara
▪ **shaving brush** pincel de barba
▪ **shaving foam** creme de barbear

shawl [ʃɔ:l] *n* xale

she [ʃi:] *pron* ela

shear [ʃɪəʳ] *vt* (*pt* **sheared**, *pp* **sheared** *ou* **shorn**) (*wool*) tosquiar, tosar
▸ *npl* **shears** tesoura grande de podar ou tosquiar

sheath [ʃi:θ] *n* (*pl* **sheaths** [ʃi:ðz]) **1** (*for knife or sword*) bainha **2** (*condom*) preservativo, camisinha, camisa de vênus

shed¹ [ʃed] *n* **1** (*shelter*) abrigo, telheiro **2** (*barn*) galpão **3** (*rough house*) barracão, choupana

shed² [ʃed] *vt* (*pt & pp* **shed**, *ger* **shedding**) **1** (*drop*) derramar, verter (*lágrimas*) **2** (*take off clothes*) tirar **3** (*discard*) livrar-se
• **to shed its skin** mudar de pele

sheep [ʃi:p] *n* (*pl* **sheep**) carneiro, ovelha

sheer [ʃɪəʳ] *adj* **1** (*precipitous*) íngreme **2** (*abrupt*) abrupto **3** (*diaphanous*) fino, transparente

sheet [ʃi:t] *n* **1** (*bed linen*) lençol **2** (*paper*) folha **3** (*lamina*) lâmina, chapa **4** (*layer*) camada
▪ **sheet metal** metal em lâminas
▪ **sheet music** partitura

shelf [ʃelf] *n* (*pl* **shelves**) prateleira
▸ *npl* **shelves** estante

shell [ʃel] *n* **1** (*egg, nut*) casca **2** (*vegetable*) bainha de legume (ervilha) **3** (*animal*) casco **4** (*mollusks*) concha **5** (*framework*) esqueleto, armação, estrutura **6** (*projectile*) cartucho, granada, bomba
▸ *vt* **1** (*hull*) descascar, tirar de casco, de casca, de concha **2** (*bombard*) bombardear
▪ **to shell out** *vt infml* gastar, desembolsar: ***he shelled out £ 4,000 for a state-of-the-art computer*** ele desembolsou 4.000 libras por um computador de última geração

shellfish ['ʃelfɪʃ] *n* (*pl* **shellfish**) marisco

shelter ['ʃeltəʳ] *n* **1** (*protection*) abrigo, proteção **2** (*refuge*) refúgio **3** (*asylum*) asilo
▸ *vt* abrigar, amparar, proteger
▸ *vi* refugiar-se, proteger-se, resguardar-se, abrigar-se
• **to take shelter** refugiar-se

shelve [ʃelv] *vt* **1** (*put on shelve*) pôr na estante **2** *fig* (*put aside*) pôr de lado, arquivar

shepherd ['ʃepəd] *n* pastor

sherry ['ʃerɪ] *n* (*pl* **-ies**) xerez (*vinho espanhol*)

shield [ʃi:ld] *n* **1** (*protection*) escudo, blindagem **2** (*piece or armour*) objeto em forma de escudo
▸ *vt* proteger

shift [ʃɪft] *n* **1** (*exchange*) câmbio **2** (*stint*) turno
▸ *vt* mudar, deslocar

shilling ['ʃɪlɪŋ] *n* xelim, moeda inglesa antiga, equivalente a 5 pence

shimmer ['ʃɪməʳ] *n* luz trêmula, ou fraca
▸ *vi* iluminar fracamente

shin [ʃɪn] *n* ANAT canela

shine [ʃaɪn] *n* luz, claridade
▸ *vi* (*pt & pp* **shone** [ʃɒn]) **1** (*sun*) brilhar **2** (*metal*) reluzir **3** *fig* (*excel*) salientar-se, ser excelente
▸ *vt* **1** (*light*) dirigir **2** (*shoes*) polir, lustrar

shingle ['ʃɪŋgəl] *n* **1** (*building material*) telha fina de madeira **2** (*signboard*) tabuleta com letreiro (*especialmente de médico ou advogado*)

shingles ['ʃɪŋgəlz] *npl* MED herpes-zóster, cobreiro

shining ['ʃaɪnɪŋ] *adj* **1** (*bright*) lustroso, claro, brilhante, reluzente **2** (*distinguished*) destacado

shiny ['ʃaɪnɪ] *adj* (**-ier**, **-iest**) lustroso

ship [ʃɪp] *n* navio, barco, embarcação

▸ *vt* (*pt & pp* **shipped**, *ger* **shipping**) enviar, enviar por barco
• **on board ship** a bordo

shipment ['ʃɪpmənt] *n* **1** (*load*) carregamento marítimo **2** (*sending*) envio, remessa

shipping ['ʃɪpɪŋ] *n* **1** (*departure*) embarque **2** (*transport*) navegação, transporte marítimo

shipwreck ['ʃɪprek] *n* naufrágio
• **to be shipwrecked** naufragar

shipyard ['ʃɪpjɑ:d] *n* estaleiro

shirt [ʃɜ:t] *n* camisa
• **in shirt sleeves** em mangas de camisa

shit [ʃɪt] *n vulg* merda
▸ *vi* (*pt & pp* **shitted**, **shit** ou **shat**, *ger* **shitting**) *vulg* evacuar

shiver ['ʃɪvəʳ] *n* tremor, calafrio
▸ *vi* tiritar, estremecer, tremer

shock [ʃɒk] *n* **1** (*impact*) choque, impacto **2** (*perturbation*) golpe, comoção **3** (*blow*) susto **4** (*disgust*) desgosto
▸ *vt* **1** (*strike with horror*) chocar(-se) **2** (*surprise*) surpreender, assustar

shocking ['ʃɒkɪŋ] *adj* **1** (*offensive*) chocante, ofensivo **2** (*scandalous*) escandaloso **3** choque: ***shocking pink*** rosa choque

shod [ʃɒd] *pt-pp* → **shoe**

shoddy ['ʃɒdɪ] *adj* (**-ier**, **-iest**) inferior, ordinário

shoe [ʃu:] *n* **1** (*for person*) sapato **2** (*for horses*) ferradura
▸ *vt* (*pt & pp* **shod**, *ger* **shoeing**) ferrar
▪ **shoe polish** graxa de sapato
▪ **shoe shop** sapataria

shoehorn ['ʃu:hɔ:n] *n* calçadeira

shoelace ['ʃu:leɪs] *n* cordão de sapato

shoemaker ['ʃu:meɪkəʳ] *n* sapateiro

shone [ʃɒn] *pt-pp* → **shine**

shook [ʃʊk] *pt* → **shake**

shoot [ʃu:t] *n* **1** (*sprout*) broto **2** CINE filmagem **3** GB (*hunting expedition*) caçada **4** (*photographic assignment*) sessão (*de fotos*)
▸ *vt* (*pt & pp* **shot**) **1** atirar: ***to shoot somebody dead*** matar alguém a tiros **2** (*missile*) lançar **3** (*fire*) disparar **4** (*film*) rodar, filmar **5** (*photograph*) fotografar **6** SPORT chutar
▸ *vi* disparar
▪ **shooting star** estrela cadente
▪ **to shoot down** *vt* **1** (*force to come down*) derrubar, abater **2** (*abate*) matar a tiros
▪ **to shoot out** *vi* atirar, participar em tiroteio
▪ **to shoot past** *vi* passar voando
▪ **to shoot up** *vi* **1** (*rise*) subir **2** (*prices*) disparar **3** (*grow*) crescer rapidamente (*planta, criança*) **4** *gír* injetar-se drogas

shop [ʃɒp] *n* **1** (*store*) loja **2** (*business*) comércio, negócio **3** (*atelier*) oficina, ateliê **4** (*for repair*) oficina de conserto
▸ *vi* (*pt & pp* **shopped**, *ger* **shopping**) fazer compras, ir às compras
• **to set up shop** abrir uma loja
• **to talk shop** falar de trabalho
▪ **shop assistant** vendedor
▪ **shop floor** **1** (*area*) área de uma fábrica onde se encontram as máquinas **2** os trabalhadores de uma fábrica: ***there's concern on the shop floor over the announcement of redundancies*** há preocupação entre os trabalhadores sobre o anúncio de demissões
▪ **shop window** vitrina

shoplifting ['ʃɒplɪftɪŋ] *n* (*from a shop*) furto

shopper ['ʃɒpəʳ] *n* comprador

shopping ['ʃɒpɪŋ] *n* compras
• **to do the shopping** fazer as compras
• **to go shopping** ir às compras
▪ **shopping arcade** galeria comercial
▪ **shopping centre** *shopping*, *shopping center*, centro de compras

shore¹ [ʃɔ:ʳ] *n* praia, costa
• **on shore** em terra firme

shore² [ʃɔ:ʳ] *vt* segurar, apoiar com escora

shorn [ʃɔ:n] *pp* → **shear**

short [ʃɔ:t] *adj* **1** (*not long*) curto **2** (*small*) baixo **3** (*brief*) breve, curto **4** (*abrupt*) abrupto, rude
▸ *adv* bruscamente
▸ *n* **1** (*phonetics*) som curto, sílaba curta **2** (*short film*) filme de curta-metragem **3** (*short circuit*) curto-circuito
▸ *npl* **shorts** calças curtas, *shorts*
• **at short notice** sem aviso prévio
• **in short** em resumo

• **for short** para abreviar
• **shortly after** pouco depois
• **to be short of** ter pouco, estar em falta de algo: ***we're short of money*** temos pouco dinheiro
• **to be something short** faltar algo: ***we're a chair short*** falta-nos uma cadeira
• **to cut short** interromper
• **to stop short** parar abruptamente
▪ **short circuit** curto-circuito
▪ **short cut** atalho
▪ **short story** conto: ***I love Somerset Maugham's short sories*** adoro os contos de Somerset Maugham

shortage ['ʃɔːtɪdʒ] *n* falta, escassez, deficiência

shortcomings ['ʃɔːtkʌmɪŋz] *npl* deficiências, falhas

shorten ['ʃɔːtən] *vt* encurtar, abreviar, reduzir, diminuir
▸ *vi* ficar curto, diminuir

shorthand ['ʃɔːthænd] *n* estenografia, taquigrafia
▪ **shorthand typing** estenografia
▪ **shorthand typist** estenógrafo

shortly ['ʃɔːtlɪ] *adv* logo, daqui a pouco, em breve
• **shortly after** pouco depois
• **shortly before** pouco antes

short-sighted [ʃɔː't'saɪtɪd] *adj* **1** (*unable to see distant things*) míope **2** desprovido de visão, de perspicácia, ter falta de visão: ***it's very short-sighted not to invest in educational technology*** é muita falta de visão não investir na tecnologia da educação

short-term ['ʃɔːttɜːm] *adj* a curto prazo

shot[1] [ʃɒt] *n* **1** (*discharge*) tiro, disparo **2** (*pellet*) bala, projétil, chumbo **3** (*person*) atirador **4** SPORT tiro (a gol) **5** SPORT chute, lance, jogada **6** (*attempt*) tentativa **7** (*injection*) injeção **8** (*drink*) dose **9** (*photograph*) foto **10** (*film sequence*) cena ou sequência
• **to be off like a shot** sair disparado
• **to have a shot at something** tentar fazer algo, experimentar algo novo
• **not by a long shot** nem de longe: ***is it Brad Pitt's best movie? Not by a long shot***! – é o melhor filme de Brad Pitt? – Nem de longe!

shot[2] [ʃɒt] *pt-pp* → **shoot**

shotgun ['ʃɒtgʌn] *n* espingarda

should [ʃʊd] *aux* **1** (*used to express advice*) dever: ***you should see the dentist*** você deveria ir ao dentista **2** (*used to indicate possibility*) dever: ***the clothes should be dry now*** a roupa já deve estar seca
• **I should like to ask a question** gostaria de fazer uma pergunta
• **I should think so** imagino que sim

shoulder ['ʃəʊldəʳ] *n* **1** (*part of body*) ombro **2** (*meat*) quarto dianteiro **3** US (*road*) acostamento
▸ *vt* levar ao ombro
• **shoulder to shoulder** ombro a ombro
• **to give somebody the cold shoulder** desprezar alguém
▪ **shoulder bag** bolsa a tiracolo
▪ **shoulder blade** omoplata, escápula

shout [ʃaʊt] *n* grito
▸ *vt-vi* gritar
▪ **to shout down** *vt* abafar a voz de uma pessoa com gritos

shove [ʃʌv] *n* empurrão
▸ *vt-vi* empurrar, atropelar
▪ **to shove off** *vi infml* dar o fora: ***shove off***! dê o fora!

shovel ['ʃʌvəl] *n* pá
▸ *vt* (GB *pt & pp* **shovelled**, *ger* **shovelling**; US *pt & pp* **shoveled**, *ger* **shoveling**) trabalhar com a pá, tirar com a pá

show [ʃəʊ] *n* **1** (*public exhibition*) mostra, exibição, feira **2** (*TV, radio*) programa **3** (*spectacle*) espetáculo
▸ *vt* (*pt* **showed** [ʃəʊd], *pp* **shown** [ʃəʊn]) **1** (*display*) mostrar **2** (*put on view*) expor **3** (*indicate*) indicar, assinalar **4** (*exhibit*) exibir **5** levar, acompanhar: ***he showed her to the door*** ele a acompanhou até a porta
▸ *vt-vi* levar, (*film*) passar: ***what's showing?*** o que está levando?, o que está passando?
▸ *vi* perceber, ver-se: ***the stain doesn't show*** não se vê a mancha
• **time will show** o tempo dirá
• **to be on show** estar exposto
• **to make a show of** fazer alarde de
• **to show somebody in** acompanhar alguém até dentro de casa
• **to steal the show** roubar a cena

■ **show business** "o mundo do espetáculo", produções em cinema, rádio, televisão e teatro

■ **show of hands** votação levantando-se uma das mãos

■ **to show off** *vi* destacar-se, exibir-se: ***he's always trying to show off*** ele está sempre tentando se exibir

■ **to show up** *vt* **1** (*reveal clearly*) fazer ressaltar, destacar **2** constranger: ***please don't show me up in front of my children by being so impolite*** por favor, não me constranja na frente dos meus filhos sendo tão mal-educado.

▸ *vi infml* apresentar-se, aparecer: ***we waited for two hours but she didn't turn up*** esperamos duas horas mas ela não apareceu

showdown ['ʃəʊdaʊn] *n* luta final

shower ['ʃaʊəʳ] *n* **1** (*short period of rain*) período curto de chuva leve **2** (*device, kind of bath*) chuveiro, banho de chuveiro

▸ *vt fig* **1** (*deluge*) cair em abundância, despejar **2** (*water*) regar

▸ *vi* tomar banho de chuveiro

• **to have a shower** tomar banho de chuveiro

shown [ʃəʊn] *pp* → **show**

show-off ['ʃəʊɒf] *n* (*pl* **show-offs**) *infml* faroleiro

showroom ['ʃəʊrʊm] *n* sala de exposição

showy ['ʃəʊɪ] *adj* (**-ier**, **-iest**) pomposo, vistoso

shrank [ʃræŋk] *pt* → **shrink**

shrapnel ['ʃræpnəl] *n* metralha

shred [ʃred] *n* **1** (*strip*) pedaço, tira **2** (*of paper*) tira **3** *fig* pedacinho, fiapo: ***there isn't a shred of hope that they'll come to a consensus*** não há nem um fiapo de esperança que eles cheguem a um consenso

▸ *vt* (*pt & pp* **shredded**, *ger* **shredding**) **1** (*tear*) rasgar ou cortar em tiras, fragmentar **2** (*fabrics*) rasgar em tiras **3** (*vegetables*) ralar **4** (*chicken*) desfiar

• **to tear something to shreds** rasgar em tiras

shrewd [ʃruːd] *adj* astuto, perspicaz

shriek [ʃriːk] *n* som agudo, guincho, grito

▸ *vi* **1** (*scream*) soltar um grito agudo **2** (*laugh*) rir alto

• **to shriek with laughter** dar gargalhadas histéricas

shrill [ʃrɪl] *adj* som agudo, guincho

shrimp [ʃrɪmp] *n* **1** ZOOL camarão **2** *pej* (*small person*) anão, pessoa insignificante

shrine [ʃraɪn] *n* **1** (*contaioner for holy relics*) relicário **2** (*place of worship*) santuário

shrink [ʃrɪŋk] *vt-vi* (*pt* **shrank** [ʃræŋk], *pp* **shrunk** [ʃrʌŋk]) encolher

▸ *n infml* psiquiatra

• **to shrink from doing something** evitar fazer algo

■ **to shrink away from** *vi* evitar, recuar

shrivel ['ʃrɪvəl] *vi* (GB *pt & pp* **shrivelled**, *ger* **shrivelling**; US *pt & pp* **shriveled**, *ger* **shriveling**) murchar

shroud [ʃraʊd] *n* **1** (*burial garment*) mortalha, sudário **2** véu: ***a shroud of mystery*** um véu de mistério

▸ *vt fig* envolver

shrub [ʃrʌb] *n* arbusto

shrug [ʃrʌg] *vi* (*pt & pp* **shrugged**, *ger* **shrugging**) encolher os ombros

• **to give a shrug** encolher os ombros

• **to shrug one's shoulders** encolher os ombros

■ **to shrug off** *vt* minimizar a importância de

shrunk [ʃrʌŋk] *pp* → **shrink**

shudder ['ʃʌdəʳ] *n* **1** (*quiver*) calafrio, arrepio **2** (*tremble*) estremecimento, tremor

▸ *vi* **1** (*tremble*) estremecer, tremer **2** (*frighten*) atemorizar-se **3** (*quiver*) ter arrepios

shuffle ['ʃʌfəl] *n* **1** (*walk*) andar arrastando os pés: ***he walks with a shuffle*** ele anda arrastando os pés **2** (*rearrangement*) embaralhamento: ***give the cards a shuffle*** embaralhe as cartas

▸ *vt* **1** (*cards*) embaralhar **2** (*papers*) revirar

▸ *vi* andar arrastando os pés

shush! [ʃʊʃ] *interj* silêncio!

shut [ʃʌt] *vt-vi* (*pt & pp* **shut**, *ger* **shutting**) fechar(-se)

■ **to shut away** *vt* **1** (*cease*) encerrar **2** trancar, guardar: ***the jewels are shut away somewhere*** as joias estão trancadas em algum lugar

■ **to shut down** *vt* fechar (*computer, machine*) desligar

▸ *vi* fechar-se

■ **to shut off** *vt* **1** cortar: ***the water supply has been shut off*** o suprimento de água foi cortado **2** isolar: ***the police shut off the area*** a polícia isolou a área

■ **to shut up** *vt* **1** (*confine*) fechar, trancar **2** *infml* (*cause to be quiet*) fazer calar

▸ *vi infml* calar, calar-se

shutdown ['ʃʌtdaʊn] *n* **1** (*closing*) paralisação de empresas **2** COMPUT rotina de desligar um computador

shutter ['ʃʌtəʳ] *n* **1** (*window*) postigo, veneziana **2** PHOTO obturador

shuttle ['ʃʌtəl] *n* **1** (*route*) ponte aérea (*de avião*) **2** (*of buses, train*) serviço regular **3** (*space shuttle*) ônibus espacial

▸ *vt* transportar com frequência entre dois lugares, relativamente próximos

▸ *vi* **1** (*move*) mover-se para lá e para cá **2** (*travel*) fazer viagens frequentes de ida e volta

shy [ʃaɪ] *adj* (**-ier**, **-iest**) tímido

▸ *vi* (*pt & pp* **shied**, *ger* **shying**) espantar-se

• **to be shy to do something** não se atrever a fazer algo

• **to shy away from something** esquivar-se de fazer algo

shyness ['ʃaɪnəs] *n* timidez

Sicily ['sɪsɪlɪ] *n* Sicília

sick [sɪk] *adj* **1** (*ill*) doente, enfermo **2** (*nauseous*) enjoado **3** (*indisposed*) adoentado

• **to be sick** vomitar

• **it makes me sick** *infml* isso me dá nojo

■ **sick leave** licença para tratamento de saúde

■ **sick pay** auxílio-doença

sicken ['sɪkən] *vt* **1** (*make sick*) tornar doente **2** (*cause to feel nauseous*) enjoar

sickening ['sɪkənɪŋ] *adj* **1** (*repulsive*) repugnante, asqueroso **2** (*stomach-turning*) enjoativo

sickly ['sɪklɪ] *adj* (**-ier**, **-iest**) **1** (*unhealthy*) doente, doentio **2** (*pale*) pálido **3** (*smell, taste*) repugnante

sickness ['sɪknəs] *n* **1** (*illness*) doença **2** (*nausea*) náusea, vômito

side [saɪd] *n* **1** (*edge*) lado **2** (*person*) flanco **3** (*animal*) flanco **4** (*table*) beira **5** (*lake*) margem **6** (*in a war*) lado **7** (*team*) equipe **8** (*of family*) parte: ***on my father's side*** por parte de pai

▸ *vi* tomar partido, favorecer

• **side by side** juntos, lado a lado

• **to look on the bright side** ver o lado bom das coisas

• **to put something to one side** pôr algo de lado

• **to take sides with somebody** tomar o partido de alguém

■ **side dish** COOK acompanhamento, prato secundário

■ **side door** porta lateral

■ **side entrance** entrada lateral

■ **side effect** efeito secundário, efeito colateral

■ **side street** rua secundária

sideboard ['saɪdbɔːd] *n* aparador, guarda-louça

▸ *npl* **sideboards** costeletas

sideburns ['saɪdbɜːnz] *npl* costeletas

sidelight ['saɪdlaɪt] *n* luz lateral de veículo

sideline ['saɪdlaɪn] *n* **1** SPORT (*field*) lateral **2** *infml* (*secondary occupation*) ocupação secundária, bico

sidelong ['saɪdlɒŋ] *adj* de soslaio: ***she gave me a sidelong glance*** ela lançou-me uma olhadela de soslaio

▸ *adv* lateralmente, de soslaio: ***she glanced at me sidelong*** ela olhou-me de soslaio

sidetrack ['saɪdtræk] *vt* **1** (*distract*) despistar, distrair **2** (*train*) desviar

sidewalk ['saɪdwɔːk] *n* US calçada, passeio

sideways ['saɪdweɪz] *adj* **1** (*lateral*) lateral: ***they made a sideways approach*** eles fizeram uma aproximação lateral **2** (*furtive*) de soslaio: ***he gave her a sideways look*** ele lançou-lhe um olhar de soslaio

▸ *adv* (*movement*) de lado, lateralmente: ***please turn sideways*** por favor, vire de lado **2** (*glance*) de soslaio: ***he looked at her sideways*** ele olhou para ela de soslaio

siege [si:dʒ] *n* sítio, cerco
• **to lay siege to** sitiar, cercar

sieve [sɪv] *n* **1** (*flour, grains*) peneira **2** (*grains*) coador **3** (*liquids*) coador
▸ *vt* **1** (*flour, grains*) peneirar **2** (*grains*) coar **3** (*liquids*) coar

sift [sɪft] *vt* peneirar
• **to sift through** examinar cuidadosamente

sigh [saɪ] *n* suspiro
▸ *vi* suspirar

sight [saɪt] *n* **1** (*view*) vista **2** (*spectacle*) espetáculo **3** (*image*) imagem **4** (*device for guiding the eye*) mira
▸ *vt* observar, ver, avistar
▸ *npl* **sights** atrações, pontos turísticos
▸ *adv* **a sight** *infml* muito: ***a sight cheaper*** muito mais barato
• **at first sight** à primeira vista
• **in sight** à vista
• **to catch sight of** ver, perceber, avistar
• **to come into sight** aparecer
• **to disappear out of sight** perder de vista
• **to know somebody by sight** conhecer alguém de vista
• **to lose sight of** perder de vista
• **to see the sights** conhecer os pontos turísticos de uma cidade

sightseeing ['saɪtsi:ɪŋ] *n* turismo, visita a pontos turísticos

sign [saɪn] *n* **1** (*mark*) sinal, marca **2** (*gesture*) gesto, movimento **3** (*notice*) letreiro, anúncio, aviso **4** (*evidence*) indício, traço
▸ *vt-vi* assinar
• **as a sign of** como mostra de
▪ **to sign away** *vt* ceder
▪ **to sign in** *vi* (*announce one's arrival*) assinar na entrada
▪ **to sign on/up** *vt-vi* **1** contratar: ***we'll have to sign on new employees*** teremos de contratar novos empregados **2** assinar contrato: ***my brother has signed on with a marketing agency*** meu irmão assinou contrato com uma agência de *marketing* **3** inscrever-se, matricular-se: ***Debbie's signed on to the ecology project*** Debbie inscreveu-se no projeto de ecologia; ***I've signed up for Spanish classes this term*** matriculei-me num curso de espanhol este semestre

signal ['sɪgnəl] *n* sinal
▸ *vi* (GB *pt & pp* **signalled**, *ger* **signalling**; US *pt & pp* **signaled**, *ger* **signaling**) **1** (*send signals to*) fazer sinal **2** sinalizar, fazer sinal, ligar a seta: ***signal before you turn*** ligue a seta antes de dobrar
▸ *vt* indicar, assinalar

signature ['sɪgnɪtʃəʳ] *n* assinatura

significance [sɪg'nɪfɪkəns] *n* **1** importância: ***this breakthrough is of great importance to cancer patients*** esta descoberta é de grande importância para portadores de câncer **2** sentido, significado: ***what's the philosophical significance of this text?*** qual é o sentido filosófico deste texto?

significant [sɪg'nɪfɪkənt] *adj* importante, significativo

signify ['sɪgnɪfaɪ] *vt* (*pt & pp* **-ied**) **1** (*be important*) significar **2** (*indicate*) mostrar, indicar

signpost ['saɪnpəʊst] *n* **1** (*post bearing a sign*) poste indicador **2** (*indication*) indicação
▸ *vt* indicar, sinalizar

silence ['saɪləns] *n* silêncio
▸ *vt* calar, silenciar
• **in silence** em silêncio

silent ['saɪlənt] *adj* **1** (*quiet*) silencioso **2** (*muted*) calado **3** (*film*) mudo
• **to be silent** calar-se

silently ['saɪləntlɪ] *adv* silenciosamente

silhouette [sɪlu:'et] *n* silhueta

silk [sɪlk] *n* seda

silkworm ['sɪlkwɜ:m] *n* ZOOL bicho-da-seda

silky ['sɪlkɪ] *adj* (**-ier**, **-iest**) sedoso, de seda

sill [sɪl] *n* soleira de porta, peitoril

silly ['sɪlɪ] *adj* (**-ier**, **-iest**) bobo, tolo, imbecil
• **to do something silly** fazer uma besteira

silver ['sɪlvəʳ] *n* **1** (*metal*) prata **2** (*coins*) moedas de prata **3** (*objects*) objetos de prata
▸ *adj* de prata, prateado

■ **silver foil** papel-alumínio
■ **silver jubilee** aniversário de vinte e cinco anos, jubileu de prata
■ **silver wedding** bodas de prata

silversmith ['sɪlvəsmɪθ] *n* artesão que trabalha com prata

similar ['sɪmɪləʳ] *adj* parecido, similar, semelhante

similarity [sɪmɪ'lærɪtɪ] *n* (*pl* **-ies**) semelhança, similaridade

similarly ['sɪmɪləlɪ] *adv* igualmente, do mesmo modo, semelhantemente

simmer ['sɪməʳ] *vt-vi* ferver lentamente

simple ['sɪmpəl] *adj* (*comp* **simpler**, *superl* **simplest**) **1** (*uncomplicated*) simples, elementar **2** (*sincere*) sincero, ingênuo

simplicity [sɪm'plɪsɪtɪ] *n* **1** (*plainness*) simplicidade **2** (*clarity*) clareza

simplify ['sɪmplɪfaɪ] *vt* (*pt & pp* **-ied**) simplificar

simplistic [sɪm'plɪstɪk] *adj* simplista

simply ['sɪmplɪ] *adv* simplesmente

simulate ['sɪmjʊleɪt] *vt* simular, imitar

simultaneous [sɪməl'teɪnɪəs] *adj* simultâneo

simultaneously [sɪməl'teɪnɪəslɪ] *adv* simultaneamente, ao mesmo tempo

sin [sɪn] *n* pecado: ***the seven deadly sins*** os sete pecados capitais
▸ *vi* (*pt & pp* **sinned**, *ger* **sinning**) pecar

since [sɪns] *adv* desde então: ***we met at the party and I haven't seen him since*** encontramo-nos na festa e desde então não o vi outra vez
▸ *prep* desde: ***I've been here since four o'clock*** estou aqui desde as quatro horas
▸ *conj* **1** desde que: ***you've learned a lot since you joined the company*** você aprendeu muito desde que entrou para a empresa **2** já que: ***since we were late, we took a taxi to the airport*** já que estávamos atrasados, pegamos um táxi para o aeroporto

sincere [sɪn'sɪəʳ] *adj* sincero

sincerely [sɪn'sɪəlɪ] *adv* sinceramente
• **yours sincerely** (*letters*) atenciosamente

sincerity [sɪn'serɪtɪ] *n* sinceridade

sinful ['sɪnfʊl] *adj* **1** (*guilty of sin*) pecador **2** (*immoral*) pecaminoso

sing [sɪŋ] *vt-vi* (*pt* **sang** [sæŋ], *pp* **sung** [sʌŋ]) cantar

Singapore [sɪŋgə'pɔːʳ] *n* Cingapura

singer ['sɪŋəʳ] *n* cantor

singing ['sɪŋɪŋ] *n* canto, canção

single ['sɪŋgəl] *adj* **1** (*one*) um só **2** (*sole*) único **3** (*individual*) individual, para um só **4** (*unmarried*) solteiro
▸ *n* GB **1** (*ticket*) bilhete de ida **2** (*record*) disco que tem uma canção de cada lado
▸ *npl* **singles** jogo para uma pessoa em cada lado
• **every single...** todos os...: ***every single day*** todos os dias
• **in single file** em fila indiana
■ **single bed** cama de solteiro
■ **single parent** mãe solteira, pai solteiro
■ **single room** quarto de solteiro
■ **to single out** *vt* escolher alguém para dar atenção especial: ***why do you always single me out for criticism?*** por que você sempre me escolhe para criticar?

single-handed [sɪŋgəl'hændɪd] *adj-adv* sem ajuda, sozinho

singly ['sɪŋglɪ] *adv* isoladamente, individualmente, um a um

singular ['sɪŋgjʊləʳ] *adj* **1** (*individual*) singular **2** *infml* (*remarkable*) excepcional, extraordinário
▸ *n* singular

sinister ['sɪnɪstəʳ] *adj* sinistro, ameaçador

sink [sɪŋk] *n* **1** (*washbasin*) pia **2** US (*lavatory*) lavabo
▸ *vt* (*pt* **sank**, *pp* **sunk**) **1** (*submerge*) afundar (*boat*, *ship*) pôr a pique **2** (*destroy*) estragar, arruinar **3** (*penetrate*) entrar, penetrar **4** (*dig*) furar, perfurar, escavar **5** (*insert*) fincar, cravar: ***she sank her teeth into his arm*** ela cravou o dente no braço dele **6** (*invest*) investir
▸ *vi* **1** (*boat*) afundar, ir a pique **2** (*sun, moon*) pôr-se **3** (*descend*) baixar, descer
■ **to sink in** *vi* dar-se conta de, entender: ***she looked deeply worried as the gravity of the situation sank in*** ela transpareceu grande preocupação à me-

dida que se dava conta da gravidade da situação

sinner ['sɪnəʳ] *n* pecador

sip [sɪp] *n* pequeno gole

▸ *vt* (*pt & pp* **sipped**, *ger* **sipping**) bebericar

sir [sɜːʳ] *n* **1** *infml* senhor: ***yes, sir*** sim, senhor **2** *sir*: ***Sir Winston Churchill*** *sir* Winston Churchill

• **Dear Sir** prezado senhor, caro senhor

siren ['saɪərən] *n* sirene

sirloin ['sɜːlɔɪn] *n* pedaço do lombo da vaca

sister ['sɪstəʳ] *n* **1** (*female sibling*) irmã **2** GB (*senior nurse*) enfermeira-chefe **3** (*nun*) irmã de ordem religiosa, freira

sister-in-law ['sɪstərɪnlɔː] *n* (*pl* **sisters-in-law**) cunhada

sit [sɪt] *vi* (*pt & pp* **sat** [sæt], *ger* **sitting**) **1** sentar-se: ***he's sitting in my chair*** ele está sentado na minha cadeira **2** (*pose for a portrait*) posar **3** ser membro: ***he sits on a jury*** ele é membro de um júri **4** reunir-se, estar em reunião: ***the committee will sit tomorrow*** o comitê estará em reunião amanhã

▸ *vt* GB prestar (um exame): ***she's sitting the entrance exam at the end of the year*** ela vai prestar a prova de admissão no final do ano

▪ **to sit about/around** *vi infml* ficar à toa

▪ **to sit down** *vi* sentar-se

▪ **to sit in for** *vt* substituir a

▪ **to sit on** *vt* **1** (*take part in*) formar parte de **2** *infml* (*delay action*) reter, não tramitar, demorar

▪ **to sit out/through** *vt* (*endure to the end*) aguentar (até o fim)

▪ **to sit up** *vi* **1** (*change to an upright sitting position*) sentar-se (*partindo de posição deitada*) **2** (*not go to bed*) ficar acordado a noite toda

site [saɪt] *n* **1** (*place*) posição, lugar **2** (*place of ground*) terreno **3** (*archaeology*) sítio **4** (*website*) *site*

sit-in ['sɪtɪn] *n* protesto passivo (demonstradores sentados em lugares públicos)

sitting ['sɪtɪŋ] *n* **1** horário (para servir refeições): ***lunch is served in two sittings*** o almoço é servido em dois horários **2** (*at church*) lugar **3** (*meeting*) sessão, reunião

▪ **sitting member** POL membro ativo

▪ **sitting room** sala de estar

situated ['sɪtjʊeɪtɪd] *adj* situado, localizado

situation [sɪtjʊ'eɪʃən] *n* situação

▪ **"Situations vacant"** "Vagas", "Empregos"

six [sɪks] *num* seis

sixteen [sɪks'tiːn] *num* dezesseis

sixteenth [sɪks'tiːnθ] *adj-n* décimo sexto

▸ *n* **1** décimo sexto, ta **2** (*fraction*) décima sexta parte **3** (*date*) dia dezesseis

sixth [sɪksθ] *adj-n* sexto

▸ *n* **1** sexto **2** (*fraction*) sexta parte **3** (*date*) dia seis

sixtieth ['sɪkstɪəθ] *adj-n* sexagésimo

▸ *n* sexagésimo, sexagésima parte

sixty ['sɪkstɪ] *num* sessenta

size [saɪz] *n* **1** tamanho: ***he's only 13 but he's almost my size*** ele tem apenas 13 anos mas está quase do meu tamanho **2** (*of clothes*) tamanho **3** (*of shoes*) número **4** (*magnitude*) magnitude

• **to cut somebody down to size** colocar alguém no devido lugar

▪ **to size up** *vt* **1** (*evaluate*) avaliar **2** (*count*) taxar, calcular, julgar

skate [skeɪt] *n* patim, *skate*

▸ *vi* patinar

skateboard ['skeɪtbɔːd] *n* prancha de *skate*

skating ['skeɪtɪŋ] *n* patinação

▪ **skating rink** rinque de patinação

skeleton ['skelɪtən] *n* **1** (*framework of bones*) esqueleto **2** (*framework of a structure*) armação **3** (*outline*) projeto, esboço

▸ *adj* **1** (*resembling a skeleton*) esquelético **2** (*reduced*) reduzido

▪ **skeleton key** chave falsa, gazua

sketch [sketʃ] *n* (*pl* **-es**) **1** (*draft*) croqui, esboço **2** (*outline*) projeto **3** (*plan*) plano

▸ *vt* esboçar, fazer croqui

▪ **sketch map** mapa simplificado, feito à mão, de memória

ski [skiː] *n* esqui

▸ *vi* esquiar
■ **ski instructor** instrutor de esqui
■ **ski lift** teleférico para esquiadores
■ **ski resort** estação de esqui

skid [skɪd] *n* escorregão, derrapagem
▸ *vi* (*pt & pp* **skidded**, *ger* **skidding**) escorregar, derrapar, deslizar

skier ['skɪəʳ] *n* esquiador

skiing ['skɪɪŋ] *n* ato de esquiar

skilful ['skɪlfʊl] *adj* hábil, esperto, destro

skilfully ['skɪlfʊlɪ] *adv* habilmente, destramente, com destreza

skill [skɪl] *n* **1** (*expertise*) habilidade, destreza, prática **2** (*accomplishment*) talento

skilled [skɪld] *adj* **1** (*experienced*) experimentado, especializado **2** (*able*) hábil, prático

skim [skɪm] *vt* (*pt & pp* **skimmed**, *ger* **skimming**) **1** (*cream off*) desnatar, escumar **2** (*glide*) deslizar sobre **3** (*glance*) ler às pressas, passar os olhos

skin [skɪn] *n* **1** (*epidermis*) pele **2** (*of animal*) couro **3** (*of fruit*) casca **4** (*of painting*) camada **5** (*cream*) nata
▸ *vt* (*pt & pp* **skinned**, *ger* **skinning**) **1** (*injure the skin*) tirar a pele **2** (*peel*) descascar **3** (*graze*) esfolar
• **to get under one's skin** irritar alguém
• **to save one's skin** *infml* salvar a pele

skin-diving ['skɪndaɪvɪŋ] *n* nado debaixo d'água com um respirador simples e sem usar roupas especiais para mergulho

skinhead ['skɪnhed] *n* *skinhead*, jovem rebelde, muitas vezes violento, que raspa a cabeça

skinny ['skɪnɪ] *adj* (**-ier**, **-iest**) macilento, muito magro

skip¹ [skɪp] *n* salto, pulo
▸ *vi* (*pt & pp* **skipped**, *ger* **skipping**) **1** (*jump*) pular, saltar **2** (*bounce*) andar saltitando
▸ *vt fig* omitir
■ **skipping rope** corda de pular

skip² [skɪp] *n* caçamba de lixo

skipper ['skɪpəʳ] *n* (*shipman*) capitão

skirmish ['skɜːmɪʃ] *n* (*pl* **-es**) **1** (*conflict*) escaramuça, conflito **2** (*quarrel*) discussão

skirt [skɜːt] *n* saia
▸ *vt* **1** (*border*) marginar, limitar **2** evitar, eludir: ***he skirted the issue*** ele evitou o assunto
■ **skirting board** GB rodapé

skittle ['skɪtəl] *n* pino, massa ou garrafa de madeira no jogo de boliche
▸ *npl* **skittles** tipo de boliche

skull [skʌl] *n* caveira

sky [skaɪ] *n* (*pl* **-ies**) céu

sky-diving ['skaɪdaɪvɪŋ] *n* para-quedismo

skylight ['skaɪlaɪt] *n* claraboia

skyscraper ['skaɪskreɪpəʳ] *n* arranha--céu

slab [slæb] *n* **1** (*plank*) placa **2** (*flag*) laje **3** (*board*) tábua

slack [slæk] *adj* **1** (*loose*) solto,, frouxo **2** (*negligent*) descuidado, negligente **3** (*slow*) devagar **4** (*not busy*) baixa (*temporada*)
▸ *n* **1** (*cable that is hanging loosely*) parte solta de um cabo **2** (*dull period*) inatividade ou recesso de uma indústria
▸ *vi pej* malandrear

slacken ['slækən] *vt* afrouxar
▸ *vi* **1** (*loosen*) afrouxar-se, ficar solto **2** (*slow down*) diminuir a velocidade

slag [slæg] *n* **1** (*waste*) escória **2** GB *sl* (*prostitute*) prostituta

slain [sleɪn] *pp* → **slay**

slam [slæm] *n* **1** (*door*) pancada ou batida ruidosa e violenta **2** (*loud noise*) estrondo
▸ *vt* (*pt & pp* **slammed**, *ger* **slamming**) **1** (*shut loudly*) fechar com força e com barulho **2** *fig* (*criticize harshly*) criticar duramente **3** (*strike*) bater, atirar
▸ *vi* fechar-se com força e com barulho, com um estrondo: ***the door slammed shut*** a porta se fechou com um estrondo
• **to slam on the brakes** frear bruscamente
• **to slam the door** bater a porta com força: ***he was so furious that he slammed the door*** ele estava tão furioso que bateu a porta com força

slander ['slɑːndəʳ] *n* difamação, calúnia

▸ *vt* difamar, caluniar

slang [slæŋ] *n* gíria, jargão

slant [slɑːnt] *n* **1** (*slope*) ladeira, inclinação, declive **2** (*point of view*) ponto de vista
▸ *vt* **1** (*slop*) inclinar **2** *pej* (*distort*) ser tendencioso
▸ *vi* inclinar-se, ter declive

slap [slæp] *n* tapa, palmada, bofetada
▸ *adv infml* exatamente: ***slap in the middle*** exatamente no meio
▸ *vt* (*pt & pp* **slapped**, *ger* **slapping**) (*hit*) dar tapa, esbofetear, dar uma palmada

slash [slæʃ] *n* (*pl* **-es**) **1** (*cut*) corte, talho, ferida **2** (*incision*) golpe cortante **3** (*oblique*) barra diagonal **4** *vulg* (*piss*) "mijada"
▸ *vt* **1** (*cut*) lascar, talhar, cortar **2** (*rip*) golpear, açoitar **3** *fig* (*reduce*) recortar, reduzir
• **to have a slash** *vulg* (*for men*) mijar, urinar

slate¹ [sleɪt] *n* ardósia

slate² [sleɪt] *vt* GB criticar duramente

slaughter ['slɔːtəʳ] *n* **1** (*killing*) matança **2** (*massacre*) carnificina, massacre
▸ *vt* **1** (*kill*) matar, abater **2** (*massacre*) massacrar **3** *infml* (*defeat*) derrotar com facilidade

slaughterhouse ['slɔːtəhaʊs] *n* matadouro

Slav [slɑːv] *n* eslavo

slave [sleɪv] *n* escravo
▪ **slave trade** tráfico de escravos

slavery ['sleɪvərɪ] *n* escravidão

slay [sleɪ] *vt* (*pt* **slew**, *pp* **slain**) matar, assassinar

sledge [sledʒ] *n* trenó

sleek [sliːk] *adj* **1** (*smooth*) liso, lustroso, macio **2** (*skin*) que tem pele lisa ou pelo liso e macio **3** (*elegantly dressed*) impecável, elegante

sleep [sliːp] *n* **1** (*resting state*) sono **2** (*rest*) repouso
▸ *vt-vi* (*pt & pp* **slept**) dormir
▸ *vi infml* descansar, estar dormindo, estar inativo
▸ *vt* acomodar, ter espaço ou camas para pessoas dormirem
• **to go to sleep** ir dormir
• **to sleep on something** dar um tempo para que uma ideia possa amadurecer
• **to sleep it off** *infml* recuperar-se de alguma coisa durante o sono
• **to sleep like a log/top** dormir como uma pedra
• **to sleep with** ter relação sexual com
▪ **to sleep in** *vi* **1** (*live in the house where one works*) dormir em casa **2** (*sleep later than usual*) dormir até tarde
▪ **to sleep through** *vt* continuar dormindo, não acordar apesar de algum barulho

sleeping ['sliːpɪŋ] *adj* **1** (*dormant*) dormente **2** (*asleep*) adormecido
▪ **sleeping bag** saco de dormir
▪ **sleeping car** carro-leito em trem
▪ **sleeping pill** sonífero

sleepwalker ['sliːpwɔːkəʳ] *n* sonâmbulo

sleepy ['sliːpɪ] *adj* (**-ier**, **-iest**) sonolento
• **to be sleepy** estar com sono, estar sonolento
• **to make sleepy** dar sono

sleet [sliːt] *n* granizo
▸ *vi* chover granizo

sleeve [sliːv] *n* **1** (*part of garment*) manga **2** (*gramophone record cover*) capa **3** (*tubelike cover*) luva, conexão, junta
• **to have something up one's sleeve** ter alguma coisa pronta para ser usada em uma emergência

sleigh [sleɪ] *n* trenó

slender ['slendəʳ] *adj* **1** (*slim*) delgado, esbelto **2** (*scanty*) escasso

slept [slept] *pt-pp* → **sleep**

slew [sluː] *pt* → **slay**

slice [slaɪs] *n* **1** (*thin flat piece*) fatia **2** (*portion*) pedaço, parte, porção **3** (*kitchen tool*) espátula de lâmina fina e larga
▸ *vt* cortar em fatias
▸ *vi* dar efeito à bola
▪ **to slice off/through** *vt* cortar

slick [slɪk] *adj* **1** (*efficient*) eficiente, engenhoso **2** (*smooth*) liso, macio **3** (*glossy*) fluente, plausível **4** (*slippery*) escorregadiço, gorduroso **5** (*shiny*) lustroso, oleoso **6** (*self-assured*) polido, de fala mansa

▸ *n* mancha de petróleo no mar

slide [slaɪd] *n* **1** (*fall*) escorregão, deslizamento **2** (*in playground*) escorrega **3** *fig* (*decline*) queda **4** PHOTO diapositivo **5** (*microscope*) lâmina

▸ *vi* (*pt & pp* **slid** [slɪd]) **1** (*glide*) deslizar, escorregar, patinar **2** (*pass unobstrusively*) fazer deslizar, empurrando

▸ *vt* deslizar

• **to let something slide** deixar as coisas piorarem

▪ **slide projector** projetor de *slides*

▪ **slide rule** régua de cálculo

▪ **sliding door** porta de correr

slight [slaɪt] *adj* **1** (*small*) leve, pequeno, insignificante **2** (*fragile*) fraco, débil, delgado

▸ *n* desprezo

▸ *vt* desprezar, fazer pouco caso

slightly ['slaɪtlɪ] *adv* levemente, ligeiramente, um pouco

slim [slɪm] *adj* (*comp* **slimmer**, *superl* **slimmest**) **1** (*thin*) delgado, esbelto, fino **2** *fig* (*remote*) remoto

▸ *vi* (*pt & pp* **slimmed**, *ger* **slimming**) emagrecer

slime [slaɪm] *n* **1** (*mud*) lodo, lama **2** (*muck*) muco, limo, substância viscosa

sling [slɪŋ] *n* **1** (*catapult*) funda, estilingue, bodoque **2** (*support bandage*) tipoia **3** (*hook*) laço, gancho

▸ *vt* (*pt & pp* **slung**) **1** (*throw*) atirar, arremessar **2** (*hang*) amarrar, fixar com laço

slink [slɪŋk] *vi* (*pt & pp* **slunk**) caminhar de leve, de modo furtivo

▪ **to slink away or off** *vi* retirar-se furtivamente

slip¹ [slɪp] *n* **1** (*false step*) escorregadura, escorregadela **2** *fig* (*mistake*) erro, deslize **3** (*underskirt*) combinação

▸ *vi* (*pt & pp* **slipped**, *ger* **slipping**) **1** (*slide*) escorregar **2** (*move quietly*) andar, mover-se em silêncio

▸ *vt* **1** colocar, passar, enfiar: ***he slipped the key into the lock*** ele enfiou a chave na fechadura **2** dar às escondidas: ***she slipped the doorman two ten-dollar bills*** ela deu ao porteiro duas notas de dez dólares às escondidas

• **to give somebody the slip** escapar de alguém

• **to let a chance slip** deixar escapar uma oportunidade

• **to slip one's memory/mind** esquecer, fugir da memória

▪ **slip of the pen/tongue** (*lapse*) lapso

slip² [slɪp] *n* **1** (*piece of paper*) tira estreita de papel, papeleta **2** (*cutting*) muda de planta, enxerto

▪ **to slip away/by** *vi* escapulir, sair sem ser percebido

▪ **to slip into/on** *vt* inserir de forma disfarçada

▪ **to slip off** *vt* (*shoes*, *clothes*) tirar

▪ **to slip out** *vi* **1** (*creep*) escapulir, sair discretamente **2** escapulir: ***I'm sorry, it just slipped out*** desculpe-me, o que eu disse me escapuliu

▪ **to slip up** *vi* cometer um pequeno erro, equivocar-se

slipper ['slɪpəʳ] *n* chinelo

slippery ['slɪpərɪ] *adj* **1** (*smooth*) escorregadio **2** (*untrustworthy*) enganoso, falso

slit [slɪt] *n* fenda, rachadura, corte

▸ *vt* (*pt & pp* **slit**, *ger* **slitting**) **1** (*cut*) cortar, rachar, fender **2** (*lacerate*) entalhar em linha reta

sliver ['slɪvəʳ] *n* lasca, farpa

slob [slɒb] *n infml* pessoa relaxada, preguiçosa

slog [slɒg] *n* GB *infml* trabalho árduo, difícil

▸ *vi* (*pt & pp* **slogged**, *ger* **slogging**) GB *infml* labutar

slogan ['sləʊgən] *n* moto, lema

slop [slɒp] *vt* (*pt & pp* **slopped**, *ger* **slopping**) derramar

▸ *vi* **1** (*tramp in mud*) passar por lodo ou lama **2** (*overflow*) transbordar

slope [sləʊp] *n* declive, ladeira

▸ *vi* estar inclinado, ter declive

• **to be in a slippery slope** estar em um beco sem saída

sloppy ['slɒpɪ] *adj* (**-ier**, **-iest**) **1** (*careless*) descuidado **2** (*sentimental*) sentimental, romântico

sloshed [slɒʃt] *adj infml* bêbado

• **to get sloshed** tomar um pileque

slot [slɒt] *n* **1** (*opening*) ranhura, fenda, abertura **2** (*time*) janela

▸ *vt* (*pt & pp* **slotted**, *ger* **slotting**) fazer ranhura ou fenda, entrar pela abertura, fazer entrar pela abertura

▪ **slot machine** máquina de jogar, caça-níqueis

slouch [slaʊtʃ] *vi* andar com os ombros caídos, sentar-se com má postura

slow [sləʊ] *adj* **1** (*lengthy*) lento, vagaroso, demorado **2** (*clock*) atrasado **3** (*stupid*) obtuso, estúpido

▸ *adv* devagar, lentamente

• **in slow motion** em câmera lenta

▪ **to slow down** *vi* ir mais devagar, reduzir a velocidade

slug [slʌg] *n* lesma

sluggish ['slʌgɪʃ] *adj* **1** (*slow*) lento **2** COMM inativo

slum [slʌm] *n* **1** (*dirty street*) rua suja de bairro pobre **2** (*shanty town*) cortiço, favela

slump [slʌmp] *n* **1** (*decline in prices*) queda brusca de preços **2** (*time of unemployment*) época de desemprego

▸ *vi* **1** (*prices, demand*) baixar repentinamente **2** (*sink*) afundar **3** cair: ***she slumped to the floor*** ela desmaiou e caiu ao chão

slung [slʌŋ] *pt-pp* → **sling**

slunk [slʌŋk] *pt-pp* → **slink**

slur [slɜːʳ] *n* **1** (*unclearly pronounce*) pronúncia indistinta, som indistinto **2** (*insult*) calúnia, difamação

▸ *vt* (*pt & pp* **slurred**, *ger* **slurring**) pronunciar de modo indistinto

slush [slʌʃ] *n* **1** (*melted snow*) neve parcialmente derretida **2** *infml* (*sentimental talking or writing*) conversa ou escrita tola e sentimental

slut [slʌt] *n pej* mulher vulgar, de moral baixa

sly [slaɪ] *adj* (**-ier**, **-iest**) **1** (*clever*) astuto, malicioso **2** (*secretive*) furtivo, clandestino

• **on the sly** às escondidas

smack¹ [smæk] *n* **1** (*slap*) bofetada **2** (*kiss*) beijoca

▸ *vt* **1** (*slap*) dar uma bofetada, esbofetear **2** (*kiss*) dar uma beijoca

• **to smack one's lips** fazer estalo com os lábios

smack² [smæk] *n sl* (*drug*) heroína

▪ **to smack of** *vt fig* ter sabor de

small [smɔːl] *adj* **1** (*litlle*) pequeno, diminuto **2** (*insignificant*) insignificante, trivial

• **a small table** uma mesinha

• **small wonder that...** não me espanta que...

• **in the small hours** de madrugada

▪ **small ads** pequenos anúncios classificados

▪ **small change** troco miúdo

▪ **small fry** gente de pouca importância

▪ **small letter** letra minúscula

small-minded [smɔːl'maɪndɪd] *adj* tacanho, mesquinho

smallpox ['smɔːlpɒks] *n* MED varíola

smart [smɑːt] *adj* **1** (*neat*) elegante, fino **2** US (*clever*) esperto, inteligente

▸ *vi* sofrer, sentir dor aguda

▪ **the smart set** as pessoas elegantes, sofisticadas

smash [smæʃ] *n* (*pl* **-es**) **1** (*break*) quebra, rompimento **2** (*sound*) estrondo **3** (*tennis*) cortada

▸ *vt* **1** (*break*) quebrar, esmagar, romper, despedaçar **2** (*destroy*) destruir, pôr abaixo, esmagar **3** (*strike*) dar soco, golpear

▸ *vi* romper-se, quebrar, despedaçar-se

▪ **smash hit** (*film*) sucesso estrondoso

▪ **to smash into** *vt-vi* atirar-se contra, espatifar-se: ***the car smashed into a wall*** o carro se espatifou contra um muro

smashing ['smæʃɪŋ] *adj* GB *infml* estupendo, fenomenal, bárbaro, excelente

smattering ['smætərɪŋ] *n* conhecimento superficial, noções: ***he has a smattering of French*** ele tem noções de francês

smear [smɪəʳ] *n* **1** (*streak*) sujeira, mancha **2** (*false accusation*) calúnia, difamação

▸ *vt* **1** (*grease*) untar, lambuzar **2** (*streak*) manchar **3** (*defame*) caluniar, difamar

smell [smel] *n* **1** (*scent*) cheiro **2** (*odour*) odor

▸ *vt* (*pt & pp* **smelled** ou **smelt** [smelt]) **1** (*scent*) cheirar **2** *fig* (*detect*) perceber, pressentir

▸ *vi* cheirar: ***it smells good*** cheira bem; ***it smells of lemon*** cheira a limão

smelly ['smelɪ] *adj* (**-ier**, **-iest**) de mau cheiro, fedorento: ***it's smelly*** cheira mal

smelt[1] [smelt] *vt* fundir

smelt[2] [smelt] *pt-pp* → **smell**

smile [smaɪl] *n* sorriso

▸ *vi* sorrir

smirk [smɜ:k] *n* sorriso afetado ou malicioso

▸ *vi* sorrir de modo afetado ou malicioso

smock [smɒk] *n* avental, guarda-pó, bata

smog [smɒg] *n* mistura de neblina e fumaça

smoke [sməʊk] *n* fumo

▸ *vt-vi* fumar

▸ *vt* defumar, curar

▸ *vi* soltar fumaça

• **"No smoking"** "Proibido fumar"

• **to have a smoke** *infml* fumar um cigarro

■ **smoke screen** cortina de fumaça

smoked [sməʊkt] *adj* defumado

smoker ['sməʊkəʳ] *n* fumante

smoky ['sməʊkɪ] *adj* (**-ier**, **-iest**) **1** (*filled with smoke*) fumegante **2** (*cloudy*) esfumaçado **3** (*with appearance of smoke*) de tonalidade esfumaçada, especialmente em azul ou verde

smooth [smu:ð] *adj* **1** (*unwrinkled*) liso **2** (*plane*) plano **3** (*calm*) calmo, sereno **4** (*mellow*) suave **5** *fig* (*agreeable*) agradável, tranquilo **6** *pej* (*person*) bajulador

▸ *vt* alisar

• **to smooth the path** facilitar as coisas

• **to smooth things over** atenuar

■ **to smooth back/down/out** *vt* alisar

smoothly ['smu:ðlɪ] *adv* **1** (*in a smooth way*) suavemente **2** (*without difficulty*) sem complicações

smother ['smʌðəʳ] *vt* **1** (*suffocate*) asfixiar, sufocar, abafar **2** (*supress*) apagar, extinguir

▸ *vi* asfixiar-se, sufocar

smoulder ['sməʊldəʳ] *vi* **1** (*smoke*) queimar sem chama **2** (*burn*) arder

smudge [smʌdʒ] *n* borrão, mancha

▸ *vt* sujar, manchar, borrar

▸ *vi* ficar sujo ou manchado

smug [smʌg] *adj* (*comp* **smugger**, *superl* **smuggest**) presunçoso, satisfeito, consigo mesmo

smuggle ['smʌgəl] *vt* contrabandear

smuggler ['smʌgləʳ] *n* contrabandista

snack [snæk] *n* lanche, refeição leve, petisco, merenda

• **to have a snack** beliscar algo, comer algo leve

■ **snack bar** bar onde se servem refeições ligeiras

snag [snæg] *n fig* empecilho, obstáculo escondido

snail [sneɪl] *n* ZOOL caracol, lesma

snake [sneɪk] *n* ZOOL serpente, cobra

▸ *vi fig* serpentear

snap [snæp] *n* **1** (*crackle*) estalo, estalido **2** (*breack*) ruptura, quebra **3** (*reprimand*) repreensão **4** (*photograph*) foto instantânea

▸ *adj* rápido, de improviso

▸ *vt* (*pt & pp* **snapped**, *ger* **snapping**) **1** (*break*) partir **2** (*crackle*) estalar **3** (*say brusquely*) dizer bruscamente

▸ *vi* **1** (*split*) partir-se **2** (*lose one's self--control*) perder o controle da situação, ficar nervoso **3** (*say brusquely*) falar brusca e rapidamente

• **to snap shut** fechar-se rapidamente com um ruído

• **to snap out of it** *infml* animar-se

■ **to snap up** *vt* não deixar escapar, comprar rapidamente: ***the tickets were snapped up*** os ingressos foram comprados rapidamente

snapshot ['snæpʃɒt] *n* foto instantânea

snarl [snɑ:l] *n* rosnadela

▸ *vi* rosnar, mostrar os dentes

snatch [snætʃ] *n* (*pl* **-es**) *infml* **1** (*steal*) roubo, furto **2** (*fragment*) pedaço, fragmento

▸ *vt* **1** (*grab*) pegar, agarrar, arrebatar **2** *infml* (*steal*) roubar, sequestrar

• **to snatch an opportunity** aproveitar uma oportunidade

• **to snatch some sleep** tirar um tempo para dormir

sneak [sni:k] *n infml* andar ou movimento leve ou furtivo

▸ *vt infml* andar furtivamente

■ **to sneak away/off** *vi* escapulir, safar-se, evadir-se

■ **to sneak in** *vi* entrar às escondidas, furtivamente
■ **to sneak out** *vi* sair às escondidas, furtivamente
■ **to sneak up** *vt* acercar-se às escondidas, sigilosamente

sneakers ['sni:krz] *npl* US tênis, calçado esportivo

sneer [snɪəʳ] *n* **1** (*smirk*) olhar ou riso de escárnio **2** (*jibe*) zombaria, sarcasmo
▸ *vi* olhar com desprezo, sorrir desdenhosamente

sneeze [sni:z] *n* espirro
▸ *vi* espirrar

sniff [snɪf] *n* **1** (*inhalation*) fungada, inalação **2** (*smell*) farejada
▸ *vt-vi* aspirar ar pelo nariz audivelmente, cheirar aspirando o ar pelo nariz audivelmente, farejar
▸ *vi* suspeitar, desdenhar

snip [snɪp] *vt* (*pt & pp* **snipped**, *ger* **snipping**) cortar em pedacinhos
■ **to snip off** *vt* cortar fora

sniper ['snaɪpəʳ] *n* franco atirador

snob [snɒb] *n* esnobe

snobbish ['snɒbɪʃ] *adj* esnobe, arrogante

snooker ['snu:kəʳ] *n* espécie de jogo de bilhar

snooze [snu:z] *n infml* soneca
▸ *vi infml* cochilar, tirar uma soneca
• **to have a snooze** *infml* tirar um cochilo

snore [snɔ:ʳ] *n* ronco
▸ *vi* roncar

snorkel ['snɔ:kəl] *n* tubo de respiração para mergulhadores

snort [snɔ:t] *vi* bufar

snout [snaʊt] *n* focinho

snow [snəʊ] *n* neve
▸ *vi* nevar
• **to be snowed in/up** ficar ilhado pela neve
• **to be snowed under with work** estar atolado de trabalho

snowball ['snəʊbɔ:l] *n* bola de neve

snowfall ['snəʊfɔ:l] *n* nevada

snowflake ['snəʊfleɪk] *n* floco de neve

snowman ['snəʊmæn] *n* (*pl* **snowmen**) boneco de neve

snr ['si:nɪəʳ] *abbr* (**senior**) mais velho, superior

snub [snʌb] *n* trato frio ou desdenhoso
▸ *vt* (*pt & pp* **snubbed**, *ger* **snubbing**) desdenhar, desprezar, tratar friamente

snuff [snʌf] *n* rapé

snuff out ['snʌf'aʊt] *vt* apagar

snug [snʌg] *adj* (*comp* **snugger**, *superl* **snuggest**) **1** (*comfortable*) cômodo, acolhedor, aconchegado **2** (*tight*) justo, compacto, apertado

so [səʊ] *adv* **1** tão, tanto: ***she's so tired that...*** ela está tão cansada que...; ***you're so right that...*** você tem tanta razão que... **2** muito: ***I miss you so*** sinto muita saudade de você **3** dessa forma, assim, isso: ***Mary is there – so it is*** Mary está lá – é isso **4** que sim, que não: ***I guess so*** suponho que sim; ***I don't think so*** creio que não **5** também: ***I went to the demonstration and so did David*** fui à manifestação e David também foi
▸ *conj* para, a fim de que: ***they went early so as to get good seats*** eles foram cedo para conseguir bons lugares
• **and so on** e assim por diante
• **an hour or so** uma hora mais ou menos, aproximadamente uma hora
• **if so** nesse caso
• **not so... as...** não tanto... quanto...
• **or so** mais ou menos: ***the journey takes an hour or so*** a viagem dura mais ou menos uma hora
• **so far** até agora
• **so long!** até logo!
• **so many** tantos
• **so much** tanto
• **so (that)...** para (que)...
• **so what?** *infml* e daí?

soak [səʊk] *vt* **1** (*immerse*) pôr de molho, molhar **2** (*drench*) encharcar, embeber
▸ *vi* estar de molho
• **soaked to the skin** completamente molhado, molhado até os ossos
• **to get soaked** ficar encharcado
■ **to soak through** *vi* saturar, encharcar
■ **to soak up** *vt* absorver, embeber

soap [səʊp] *n* sabão
▸ *vt* ensaboar
■ **soap opera** novela de TV ou rádio
■ **soap powder** detergente em pó

soapy ['səʊpɪ] *adj* (-**ier**, -**iest**) ensaboado

soar [sɔːʳ] *vi* **1** (*fly upwards*) voar a grande altitude, elevar-se **2** *fig* (*increase*) crescer, (*prices*) aumentar

sob [sɒb] *n* soluço
▸ *vi* (*pt & pp* **sobbed**, *ger* **sobbing**) soluçar

sober ['səʊbəʳ] *adj* **1** (*not drunk*) sóbrio **2** (*temperate*) sensato, sério, moderado **3** (*colour*) discreto
■ **to sober up** *vi* ficar sóbrio, passar a bebedeira

so-called ['səʊkɔːld] *adj* assim chamado

soccer ['sɒkəʳ] *n* futebol

sociable ['səʊʃəbəl] *adj* sociável, agradável

social ['səʊʃəl] *adj* **1** (*communal*) social **2** (*sociable*) sociável
■ **social climber** alpinista social
■ **social event** acontecimento social
■ **social science** ciências sociais
■ **social security** seguro social
■ **social worker** assistente social
■ **Social Democrat** social-democrata

socialism ['səʊʃəlɪzəm] *n* socialismo

socialist ['səʊʃəlɪst] *adj-n* socialista

socialize ['səʊʃəlaɪz] *vi* socializar, tornar apto para o convívio da sociedade

society [sə'saɪətɪ] *n* (*pl* -**ies**) **1** (*community*) sociedade **2** (*company*) companhia **3** (*association*) associação, coletividade
■ **society column** coluna social

sociology [səʊsɪ'ɒlədʒɪ] *n* sociologia

sock [sɒk] *n* meia

socket ['sɒkɪt] *n* **1** (*of eye*) órbita **2** (*hole*) lugar oco, cova

sod¹ [sɒd] *n* gramado, terreno coberto de grama

sod² [sɒd] *n* **1** *infml* (*annoying thing*) droga, porcaria **2** *infml* (*stupid*) desgraçado, imbecil
• **sod it!** *infml* maldito seja!

soda ['səʊdə] *n* **1** CHEM soda **2** US (*fizzy beverage*) refrigerante
■ **soda water** soda, água gasosa

sofa ['səʊfə] *n* sofá
■ **sofa bed** sofá-cama

soft [sɒft] *adj* **1** (*flexible*) macio, brando, tenro, maleável **2** (*music*) suave **3** (*flaccid*) débil
■ **soft drink** refrigerante

soften ['sɒfən] *vt-vi* **1** (*ease*) amolecer, abrandar **2** (*smooth*) suavizar

softly ['sɒftlɪ] *adv* **1** (*in a soft way*) suavemente **2** (*not loudly*) em voz baixa

software ['sɒftweəʳ] *n* *software*, programas
■ **software package** pacote de programas

soggy ['sɒgɪ] *adj* (-**ier**, -**iest**) encharcado, empapado

soil [sɔɪl] *n* terra, solo
▸ *vt* sujar, manchar

solar ['səʊləʳ] *adj* solar

sold [səʊld] *pt-pp* → **sell**

solder ['sɒldəʳ] *n* solda
▸ *vt* soldar

soldier ['səʊldʒəʳ] *n* soldado

sole¹ [səʊl] *n* **1** (*of foot*) sola **2** (*of shoe*) sola

sole² [səʊl] *n* ZOOL linguado

sole³ [səʊl] *adj* único

solely ['səʊllɪ] *adv* somente, unicamente

solemn ['sɒləm] *adj* solene

solicitor [sə'lɪsɪtəʳ] *n* advogado, procurador

solid ['sɒlɪd] *adj* **1** (*food*) sólido **2** (*gold*) maciço **3** (*hard*) forte, maciço **4** inteiro: ***we waited for two solid hours*** esperamos duas horas inteiras **5** (*metal*) puro
▸ *n* sólido

solidarity [sɒlɪ'dærɪtɪ] *n* solidariedade

solidify [sə'lɪdɪfaɪ] *vt-vi* (*pt & pp* -**ied**) solidificar(-se)

solidity [sə'lɪdɪtɪ] *n* solidez

solitary ['sɒlɪtərɪ] *adj* **1** (*lonely*) solitário **2** (*sole*) só

solitude ['sɒlɪtjuːd] *n* solidão

solo ['səʊləʊ] *n* (*pl* **solos**) solo, trecho musical para uma voz ou um instrumento
▸ *adj* solo: ***my solo career*** minha carreira solo
▸ *adv* sozinho, independentemente, sem companhia: ***he prefers to sail solo*** ele prefere velejar sem companhia

solution [sə'lu:ʃən] *n* solução

solve [sɒlv] *vt* resolver, solucionar

sombre ['sɒmbəʳ] (US **somber**) *adj* **1** (*dark*) sombrio, (*colour*) escuro **2** (*gloomy*) lúgubre, melancólico, triste

some [sʌm] *adj* **1** (*with plural countable nouns*) uns, alguns: ***there were some flowers in a vase*** havia umas flores em um vaso **2** (*with incountable nouns*) um pouco *(de)*: ***would you like some coffee?*** você quer um pouco de café? **3** certo, algum: ***some cars are better than others*** alguns carros são melhores que outros **4** algum: ***some day*** algum dia **5** bastante: ***it cost him some money*** custou bastante dinheiro a ele

▸ *pron* **1** alguns: ***some danced and others sang*** alguns dançaram e outros cantaram **2** algo, um pouco: ***can I have some?*** posso pegar um pouco?

• **in some ways** de certo modo, de certa maneira

• **some... or other** algum... ou outro

• **some other time** em outra hora, em outro momento

somebody ['sʌmbədɪ] *pron* alguém

• **somebody else** outro, outra pessoa

somehow ['sʌmhaʊ] *adv* **1** (*in some way*) de algum modo **2** (*by some means*) por alguma razão

someone ['sʌmwʌn] *pron* → **somebody**

somersault ['sʌməsɔ:lt] *n* **1** (*leap*) cambalhota, salto mortal **2** (*car*) capotagem

something ['sʌmθɪŋ] *n* algo

• **something else** outra coisa

sometime ['sʌmtaɪm] *adv* um dia, algum dia

▸ *adj* antigo, ex-

• **sometime or other** um dia desses

sometimes ['sʌmtaɪmz] *adv* às vezes, de vez em quando

somewhat ['sʌmwɒt] *adv* algo, um pouco

somewhere ['sʌmweəʳ] *adv* em alguma parte, em algum lugar

▸ *pron* um lugar

• **somewhere else** em outra parte

son [sʌn] *n* filho

song [sɒŋ] *n* **1** (*music*) canção **2** (*tuneful sound*) canto

• **to burst into song** pôr-se a cantar

son-in-law ['sʌnɪnlɔ:] *n* (*pl* **sons-in--law**) genro

soon [su:n] *adv* **1** (*shortly*) logo, dentro de pouco tempo, brevemente **2** (*early*) cedo

• **as soon as** tão logo quanto

• **as soon as possible** quanto antes

• **I would as soon...** preferiria...

• **soon afterwards** pouco depois

sooner ['su:nəʳ] *adv* mais cedo

• **I would sooner** eu preferiria

• **no sooner...** tão logo...: ***no sooner did he call than...*** tão logo ele chamou...

• **sooner or later** mais cedo ou mais tarde

• **the sooner the better** quanto antes melhor

soot [sʊt] *n* fuligem

soothe [su:ð] *vt* **1** (*calm down*) acalmar, confortar **2** (*alleviate*) aliviar

sophisticated [sə'fɪstɪkeɪtɪd] *adj* sofisticado

soprano [sə'prɑ:nəʊ] *n* (*pl* **sopranos**) soprano

sorcerer ['sɔ:sərəʳ] *n* feiticeiro, bruxo

sordid ['sɔ:dɪd] *adj* sórdido

sore [sɔ:ʳ] *adj* **1** (*painful*) dolorido, ferido **2** *infml* (*annoyed*) aborrecido, triste

▸ *n* ferida, chaga, mágoa, aflição

• **to have a sore throat** ter dor de garganta

■ **sore point** assunto delicado

sorely ['sɔ:lɪ] *adv* extremamente, violentamente, em alto grau: ***I was sorely tempted to buy the house*** fiquei extremamente tentado a comprar a casa

sorrow ['sɒrəʊ] *n* tristeza, mágoa, pesar

sorry ['sɒrɪ] *adj* (**-ier**, **-iest**) triste, preocupado

▸ *interj* perdão!, desculpe!

• **to be sorry** sentir, sentir muito, desculpar-se: ***I'm sorry*** sinto muito; ***I'm sorry about your father*** sinto muito pelo seu pai; ***I'm sorry I'm late*** desculpe ter chegado tarde; ***he's sorry for all the trouble he caused*** ele sente muito por todos os problemas que tem causado

• **to feel sorry for somebody** compadecer-se de alguém, ter pena de alguém
• **to say sorry** desculpar-se, pedir desculpas

sort [sɔːt] *n* **1** (*kind*) classe, tipo, espécie **2** *infml* pessoa: ***she isn't a bad sort*** ela não é má pessoa
▸ *vt* classificar
• **a sort of** uma espécie de
• **all sorts of** todo tipo de
• **of sorts** de algum tipo
• **out of sorts** sentir-se mal, estar aborrecido
• **sort of** um pouco, mais ou menos
• **to be sort of...** *infml* estar um pouco, estar mais ou menos...
▪ **to sort out** *vt* **1** (*organize*) arrumar, classificar, ordenar **2** (*resolve*) resolver, solucionar

so-so ['səʊsəʊ] *adv infml* assim assim, mais ou menos

sought [sɔːt] *pt-pp* → **seek**

soul [səʊl] *n* alma
• **not a soul** ninguém, nem uma pessoa

sound[1] [saʊnd] *n* **1** (*something heard*) som **2** (*noise*) ruído, barulho
▸ *vt* tocar, fazer soar
▸ *vi* **1** parecer, soar como: ***it sounds like Mozart*** parece Mozart, soa como se fosse Mozart **2** (*siren*) tocar **3** *fig* parecer: ***she sounded angry*** ela parecia zangada
▪ **sound barrier** barreira do som
▪ **sound wave** onda sonora

sound[2] [saʊnd] *n* estreito, canal, braço de mar

sound[3] [saʊnd] *adj* **1** são: ***safe and sound*** são e salvo **2** (*in good condition*) em bom estado **3** (*reasonable*) razoável **4** (*firm*) forte, robusto **5** (*deep*) profundo
• **to be sound asleep** estar profundamente adormecido

soundproof ['saʊndpruːf] *adj* à prova de som
▸ *vt* isolar à prova de som

soundtrack ['saʊndtræk] *n* trilha sonora

soup [suːp] *n* sopa, caldo
▪ **soup plate** prato fundo, prato de sopa
▪ **soup spoon** colher de sopa

sour ['saʊəʳ] *adj* **1** (*bitter, acid*) azedo, ácido **2** (*milk*) coalhado **3** *fig* (*rancorous*) amargurado, aborrecido

source [sɔːs] *n* **1** (*reference*) fonte (de informação) **2** (*origin*) fonte, origem, causa

south [saʊθ] *n* sul
▸ *adj* do sul
▸ *adv* para o sul, vindo do sul

southeast [saʊθ'iːst] *n* sudeste
▸ *adj* do sudeste
▸ *adv* em direção ao sudeste, vindo do sudeste

southern ['sʌðən] *adj* do sul, meridional

southwest [saʊθ'west] *n* sudoeste
▸ *adj* do sudoeste
▸ *adv* em direção ao sudoeste, vindo do sudoeste

souvenir [suːvə'nɪəʳ] *n* lembrança, brinde

sovereign ['sɒvrɪn] *adj-n* soberano

sow[1] [saʊ] *n* porca

sow[2] [səʊ] *vt* (*pt* **sowed** [səʊd], *pp* **sown** [səʊn]) semear

space [speɪs] *n* **1** espaço: ***the first man in space*** o primeiro homem no espaço **2** (*place*) área, lugar **3** (*period*) período, espaço (de tempo)
▸ *vt* espaçar
▪ **space age** era espacial
▪ **space shuttle** ônibus espacial

spacecraft ['speɪskrɑːft] *n* nave espacial

spaceship ['speɪsʃɪp] *n* nave espacial

spacious ['speɪʃəs] *adj* espaçoso, amplo

spade[1] [speɪd] *n* (*for digging*) pá

spade[2] [speɪd] *n* (*playing card*) espadas

Spain [speɪn] *n* Espanha

span [spæn] *n* **1** (*period*) lapso, período **2** (*wings*) envergadura **3** (*arch*) vão
▸ *vt* (*pt & pp* **spanned**, *ger* **spanning**) **1** (*extent*) estender **2** (*spread over*) abarcar

Spaniard ['spænjəd] *n* espanhol

Spanish ['spænɪʃ] *adj* espanhol
▸ *n* **1** (*person*) espanhol **2** (*language*) espanhol, castelhano
▸ *npl* **the Spanish** os espanhóis

spank [spæŋk] *vt* espancar, bater

spanner ['spænəʳ] *n* chave de parafuso

spare [speəʳ] *adj* **1** de sobra, de reserva, livre: ***there's a spare seat*** há um assento livre **2** sobressalente, de reposição: ***a spare wheel*** uma roda sobressalente
▸ *n* peça sobressalente, peça de reposição
▸ *vt* **1** (*manage without*) prescindir de, passar sem **2** poupar: ***they spared no effort*** eles não pouparam esforços **3** dispensar: ***you can spare the details*** você pode dispensar os detalhes **4** (*leave unhurt*) poupar
• **can you spare five minutes?** você tem cinco minutos?
• **... to spare...** de sobra: ***we have lots of time to spare*** temos tempo de sobra
▪ **spare room** quarto para hóspedes
▪ **spare time** tempo livre

sparing ['speərɪŋ] *adj* escasso, esparso, frugal

sparingly ['speərɪŋlɪ] *adv* em pouca quantidade, frugalmente, com moderação

spark [spɑːk] *n* faísca
▸ *vi* reluzir, faiscar
▸ *vt* entusiasmar, despertar para a ação
▪ **spark plug** vela de ignição
▪ **to spark off** *vt* levar a, causar

sparkle ['spɑːkəl] *n* **1** (*glint*) centelha, brilho (*dos olhos*) **2** (*vivacity*) vivacidade
▸ *vi* **1** (*glint*) chispar, faiscar **2** (*be vivacious*) brilhar

sparrow ['spærəʊ] *n* ZOOL pardal

sparse [spɑːs] *adj* escasso

spasm ['spæzəm] *n* **1** (*contraction*) espasmo **2** (*burst*) acesso

spat [spæt] *pt-pp* → **spit**

spate [speɪt] *n* **1** (*flood*) grande número ao mesmo tempo, avalanche **2** (*series*) série

spatter ['spætəʳ] *vt* respingar, elamear

speak [spiːk] *vi* (*pt* **spoke** [spəʊk], *pp* **spoken** ['spəʊkən]) **1** (*talk*) falar **2** (*discourse*) fazer um discurso
▸ *vt* **1** dizer: ***he spoke the truth*** ele disse a verdade **2** (*language*) falar
• **generally speaking** em termos gerais
• **so to speak** por assim dizer
• **speaking of...** falando de...
• **to be nothing to speak of** não ser nada especial
• **to speak one's mind** falar sem rodeios, falar exatamente o que quer
▪ **to speak out** *vi* manifestar-se livremente
▪ **to speak up** *vi* falar mais alto
▪ **to speak up for** *vi* sair em defesa de

speaker ['spiːkəʳ] *n* **1** (*talker*) pessoa que fala, o/a que fala **2** (*interlocutor*) interlocutor **3** (*orator*) conferencista, orador **4** (*of a language*) falante **5** (*loudspeaker*) alto-falante

spear [spɪəʳ] *n* **1** (*lance*) lança **2** (*harpoon*) arpão

special ['speʃəl] *adj* **1** (*significant*) especial **2** (*specific*) particular, em particular **3** (*extraordinary*) extraordinário
▸ *n* **1** (*vehicle*) trem ou outro veículo especial **2** (*event*) programa especial
▪ **special delivery** correio urgente, entrega rápida
▪ **special offer** oferta de produto a preço reduzido

specialist ['speʃəlɪst] *n* especialista

speciality [speʃɪ'ælɪtɪ] *n* (*pl* **-ies**) especialidade

specialize ['speʃəlaɪz] *vi* especializar-se

specially ['spesəlɪ] *adv* especialmente, particularmente

species ['spiːʃiːz] *n* (*pl* **-ies**) espécie

specific [spə'sɪfɪk] *adj* **1** (*particular*) específico **2** (*precise*) preciso, (*number*) exato
▸ *npl* **specifics** dados concretos

specifically [spə'sɪfɪklɪ] *adv* especificamente

specifications [spesɪfɪ'keɪʃənz] *npl* dados específicos

specify ['spesɪfaɪ] *vt* (*pt & pp* **-ied**) especificar, precisar

specimen ['spesɪmən] *n* espécime, amostra, exemplar

speck [spek] *n* **1** (*spot*) mancha pequena **2** (*dot*) pinta, ponto negro **3** (*particle*) partícula

spectacle ['spektəkəl] *n* espetáculo
▸ *npl* **spectacles** óculos

spectacular [spek'tækjʊləʳ] *adj* espetacular

▸ *n* programa grandioso e bem elaborado de televisão

spectator [spek'teɪtəʳ] *n* espectador

spectre ['spektəʳ] (US **specter**) *n* fantasma, aparição

speculate ['spekjʊleɪt] *vi* especular, refletir, meditar, considerar

speculation [spekjʊ'leɪʃən] *n* especulação, reflexão

sped [sped] *pt-pp* → **speed**

speech [spi:tʃ] *n* (*pl* **-es**) **1** (*talk*) fala **2** (*conversation*) conversa **3** (*lecture*) discurso

• **to lose the power of speech** perder a fala

• **to make a speech** fazer um discurso

speechless ['spi:tʃləs] *adj* mudo, atônito, sem fala

speed [spi:d] *n* velocidade

▸ *vi* (*pt & pp* **speeded** ou **sped** [sped]) **1** (*go quickly*) apressar-se **2** (*drive faster*) exceder o limite de velocidade permitido **3** (*accelerate*) acelerar

• **at speed** à grande velocidade

• **at top speed** a toda a velocidade

▪ **speed limit** limite de velocidade

▪ **to speed past** *vi* passar a toda

▪ **to speed up** *vt-vi* **1** (*car*) acelerar **2** (*person*) apressar(-se)

speedometer [spɪ'dɒmɪtəʳ] *n* velocímetro

speedy ['spi:dɪ] *adj* (**-ier**, **-iest**) rápido, veloz, depressa

spell¹ [spel] *n* feitiço, encanto

• **to put a spell on somebody** enfeitiçar alguém

spell² [spel] *n* **1** (*period of activity*) período de trabalho, turno **2** período de tempo: ***he lived in Paris for a brief spell*** ele viveu em Paris durante um breve período

spell³ [spel] *vt-vi* (*pt & pp* **spelt** [spelt]) **1** (*give in correct order of letters*) soletrar **2** (*write*) escrever corretamente

▸ *vt fig* significar, dizer

spelling ['spelɪŋ] *n* ortografia

▪ **spelling mistake** erro de ortografia

spelt [spelt] *pt-pp* → **spell**

spend [spend] *vt* (*pt & pp* **spent** [spent]) **1** (*money*) gastar **2** passar: ***we spent two days there*** passamos dois dias lá **3** dedicar: ***she spends a lot of time with her baby*** ela dedica muito tempo a seu bebê

spending ['spendɪŋ] *n* gasto, despesa

▪ **spending power** poder aquisitivo

spent [spent] *pt-pp* → **spend**

sperm [spɜ:m] *n* esperma

sphere [sfɪəʳ] *n* esfera, bola, corpo esférico

spice [spaɪs] *n* **1** (*seasoning*) tempero, condimento **2** *fig* (*excitement*) sabor, graça

▸ *vt* condimentar, temperar

spicy ['spaɪsɪ] *adj* (**-ier**, **-iest**) **1** (*seasoned*) temperado, condimentado **2** *fig* (*story*) picante

spider ['spaɪdəʳ] *n* ZOOL aranha

▪ **spider's web** teia de aranha

spike [spaɪk] *n* **1** (*pin*) prego forte e grande **2** (*point*) ponta, cavilha, espigão **3** (*spine*) cravo, ferrão **4** (*stake*) estaca

spiky ['spaɪkɪ] *adj* (**-ier**, **-iest**) **1** (*having sharp points*) espinhudo, pontudo **2** *infml* (*hair*) espetado **3** (*easily offended*) agressivo, suscetível

spill [spɪl] *n* derramamento

▸ *vt-vi* (*pt & pp* **spilt** [spɪlt]) derramar(-se), verter(-se)

• **to spill the beans** *infml* divulgar um segredo

▪ **to spill over** *vt* transbordar

spin [spɪn] *n* **1** (*revolving motion*) giro, rotação **2** (*washing machine*) torcida em roupa na máquina de lavar **3** (*ball*) efeito **4** *infml* interpretação: ***they tried to put a favourable spin on the news*** eles tentaram dar uma interpretação positiva às notícias

▸ *vt* (*pt & pp* **spun** [spʌn], *ger* **spinning**) **1** (*turn*) fazer girar **2** (*in spin-dryer*) centrifugar

▸ *vi* girar

▸ *vt-vi* fiar

• **to go for a spin** (*short drive*) dar uma volta

• **to spin somebody a yarn** *infml* contar lorotas

▪ **to spin out** *vt* prolongar, fazer durar

spinach ['spɪnɪdʒ] *n* espinafre

spinal ['spaɪnəl] *adj* espinhal, espinal, vertebral, raquial, raquidiano

■ **spinal column** ANAT coluna vertebral
■ **spinal cord** ANAT medula espinhal

spin-dryer [spɪn'draɪəʳ] *n* secadora, máquina de torcer roupa

spine [spaɪn] *n* **1** ANAT coluna vertebral, espinha dorsal **2** (*edge of a book*) lombada **3** (*point*) espinho, ponta, saliência aguda

spinning ['spɪnɪŋ] *n* **1** (*thread*) fiação, tecido **2** (*exercise*) exercícios em bicicleta ergométrica
■ **spinning top** pião
■ **spinning wheel** roca

spinster ['spɪnstəʳ] *n* solteira
• **to be an old spinster** ser uma velha solteirona

spiral ['spaɪərəl] *adj* espiral, espiralado
▸ *n* espiral, hélice
▸ *vi* (GB *pt & pp* **spiralled**, *ger* **spiralling**; US *pt & pp* **spiraled**, *ger* **spiraling**) mover-se em forma de espiral
■ **spiral staircase** escada em caracol

spire ['spaɪəʳ] *n* torre afilada de um prédio, em geral uma igreja ou templo

spirit¹ ['spɪrɪt] *n* álcool
▸ *npl* **spirits** bebida alcoólica
■ **spirit level** nível de bolha

spirit² ['spɪrɪt] *n* **1** (*soul*) espírito, alma **2** (*ghost*) ser sobrenatural **3** (*disposition*) vigor, ânimo **4** (*courage*) coragem
▸ *npl* **spirits** disposição, vitalidade
• **to be in high spirits** estar animado
• **to be in low spirits** estar desanimado
■ **the Holy Spirit** o Espírito Santo
■ **to spirit away/off** *vt* fazer sumir como num passe de mágica

spiritual ['spɪrɪtjʊəl] *adj* espiritual
▸ *n* (*religious folk song*) *spiritual*, *negro spiritual*

spit¹ [spɪt] *n* espeto para assar carne

spit² [spɪt] *n* saliva, cuspe
▸ *vt-vi* (*pt & pp* **spat** [spæt], *ger* **spitting**) cuspir
■ **to spit out** *vt* **1** (*eject saliva*) cuspir **2** (*say openly*) revelar

spite [spaɪt] *n* rancor, ódio
▸ *vt* ofender
• **in spite of** apesar de
• **out of spite** por despeito, por maldade

spiteful ['spaɪtfʊl] *adj* malvado, malicioso, odioso

spitefully ['spaɪtfʊlɪ] *adv* com rancor, por despeito

splash [splæʃ] *n* (*pl* **-es**) **1** (*splashing sound or act*) som ou ação de espirrar ou de esguichar **2** (*spot*) mancha de líquido espirrado, salpico **3** *fig* (*patch of colour or light*) mancha
▸ *vt* salpicar, esguichar, molhar
▸ *vi* chapinhar
▸ *interj* tibum!
• **to make a splash** chamar muita atenção, fazer um estardalhaço
■ **to splash out** *vi infml* esbanjar

splendid ['splendɪd] *adj* esplêndido, maravilhoso

splendour ['splendəʳ] (US **splendor**) *n* esplendor

splint [splɪnt] *n* **1** (*support for broken bone*) tala **2** (*piece of wood*) tira fina de madeira

splinter ['splɪntəʳ] *n* **1** (*of wood*) lasca **2** (*of metal*) fragmento **3** (*of glass*) caco fino e pontiagudo
▸ *vt-vi* estilhaçar, quebrar em estilhaços
■ **splinter group** POL grupo dissidente

split [splɪt] *n* **1** (*crack*) trinca, fenda **2** (*rupture*) rombo, rompimento, rasgo **3** (*division*) divisão, separação **4** (*portion*) parte, porção
▸ *adj* **1** (*broken*) partido, rachado **2** (*divided*) dividido
▸ *vt-vi* (*pt & pp* **split**, *ger* **splitting**) **1** (*break*) rachar **2** (*divide*) partir(-se), dividir(-se) **3** (*tear*) rasgar(-se)
▸ *vi* **1** (*separate*) separar-se **2** (*divide*) dividir-se
• **in a split second** em uma fração de segundo
■ **to split up** *vt* partir, dividir
▸ *vi* (*separate, divorce*) separar-se

spoil [spɔɪl] *vt* (*pt & pp* **spoiled** ou **spoilt** [spɔɪlt]) **1** estragar, destruir: ***the rain spoilt the party*** a chuva estragou a festa **2** mimar: ***don't spoil the baby*** não mime o bebê
▸ *vi* estragar: ***the food will spoil if you don't put it in the refrigerator*** a comida vai estragar se você não a colocar na geladeira
▸ *npl* **spoils** espólio, pilhagem, saque

spoke[1] [spəʊk] *pt* → **speak**

spoke[2] [spəʊk] *n* (*of wheel*) raio

spoken ['spəʊkən] *pp* → **speak**

spokesman ['spəʊksmən] *n* (*pl* **spokesmen**) porta-voz

sponge [spʌndʒ] *n* esponja
▸ *vt* lavar/limpar com uma esponja
▸ *vi* parasitar, viver à custa dos outros
▪ **sponge cake** pão de ló
▪ **to sponge off** *vt pej* viver à custa de

sponger ['spʌndʒəʳ] *n pej* parasita, pessoa que vive à custa dos outros

sponsor ['spɒnsəʳ] *n* **1** (*patron*) patrocinador **2** (*guarantor*) fiador, pessoa responsável
▸ *vt* **1** (*act as sponsor*) patrocinar **2** (*take responsability for*) responsabilizar-se

spontaneous [spɒn'teɪnɪəs] *adj* espontâneo

spoof [spu:f] *n* (*pl* **spoofs**) paródia, imitação

spooky ['spu:kɪ] *adj* (-**ier**, -**iest**) *infml* fantasmagórico, assombrado

spool [spu:l] *n* carretel, bobina

spoon [spu:n] *n* colher

spoonful ['spu:nfʊl] *n* (*pl* -**s** ou **spoonsful**) colher cheia, colherada

sport [spɔ:t] *n* esporte
▸ *vt* brincar, passar o tempo
• **to be a good sport** *infml* ser boa pessoa
▪ **sports car** carro esporte
▪ **sports jacket** casaco esporte

sportsman ['spɔ:tsmən] *n* (*pl* **sportsmen**) *masc* esportista

sportswear ['spɔ:tsweəʳ] *n* roupa esporte

sportswoman ['spɔ:tswʊmən] *n* (*pl* **sportswomen**) *fem.* esportista

spot [spɒt] *n* **1** (*stain*) marcha, mancha, borrão, mácula **2** (*pimple*) pinta, espinha **3** (*place*) lugar, ponto, local **4** (*difficulty*) aperto, apuros **5** (*radio*, *TV*) anúncio avulso, comercial curto **6** *infml* (*bit*) pouquinho, pequena quantidade, pingo, gole, trago
▸ *vt* (*pt & pp* **spotted**, *ger* **spotting**) **1** (*stain*) marcar, manchar, sujar **2** (*detect*) descobrir, encontrar, perceber **3** (*notice*) notar
• **to be on the spot** estar/chegar ao local: ***the police were on the spot in five minutes*** a polícia chegou ao local em cinco minutos
• **to put somebody on the spot** colocar alguém em posição difícil

spotless ['spɒtləs] *adj* **1** (*clean*) limpo, impecável, sem manchas **2** *fig* (*immaculate*) imaculado, puro

spotlight ['spɒtlaɪt] *n* **1** (*powerful light*) foco de luz **2** (*public eye*) atenção pública
• **to be in the spotlight** ser o centro de atenção

spotty ['spɒtɪ] *adj* (-**ier**, -**iest**) manchado, salpicado

spouse [spaʊz] *n* cônjuge, esposo

spout [spaʊt] *n* **1** (*stream*) jato, jorro, repuxo **2** (*tube*) cano, tubo, bica
▸ *vt* jorrar, esguichar, verter

sprain [spreɪn] *n* torcedura, deslocamento, distensão
▸ *vt* torcer: ***she sprained her ankle*** ela torceu o tornozelo

sprang [spræŋ] *pt* → **spring**

sprawl [sprɔ:l] *vi* **1** (*stretch*) espreguiçar-se, esticar os membros **2** (*spread*) expandir-se, (*city*) crescer muito

spray[1] [spreɪ] *n* **1** (*sprinkle*) borrifo, líquido pulverizado **2** (*foam*) espuma **3** (*sprinkler*) pulverizador **4** (*atomizer*) *spray*, atomizador
▸ *vt* **1** (*sprinkle*) borrifar **2** (*cover with spray*) cobrir com alguma coisa pulverizada **3** (*insecticide*) pulverizar
▪ **spray can** aerosol, lata de atomizador
▪ **spray paint** tinta de aerossol

spray[2] [spreɪ] *n* (*bouquet*) ramo

spread [spred] *n* **1** (*expansion*) expansão, difusão **2** (*extent*) extensão, largura, envergadura **3** (*proliferation*) propagação **4** (*span*) envergadura **5** o que se passa no pão: ***cheese spread*** queijo cremoso, para passar no pão **6** *infml* (*large meal*) comida, comilança **7** FIN *spread*, margem de lucro
▸ *vt-vi* (*pt & pp* **spread**) **1** (*extend*) estender **2** (*disseminate*) propagar **3** (*diffuse*) difundir **4** (*scatter*) espalhar
▸ *vt* (*with butter*) untar

spreadsheet ['spredʃi:t] *n* planilha de cálculo

spree [spri:] *n* farra, bebedeira, divertimento

• **to go on a spree** fazer uma farra, exceder-se

spring [sprɪŋ] *n* **1** (*season*) primavera **2** (*natural pool*) manancial, fonte **3** (*coil*) mola **4** (*of clock*) mola **5** (*leap*) pulo **6** (*elasticity*) elasticidade

▸ *vi* (*pt* **sprang** [spræŋ], *pp* **sprung** [sprʌŋ]) pular, saltar

▸ *vt fig* jogar sobre, soltar: ***he sprang the news on me*** ele me jogou a notícia

• **to spring a leak** (*ship*, *boat*) fazer água

• **to spring to one's feet** levantar-se de um salto

▪ **spring onion** cebolinha

▪ **spring roll** rolinho primavera

▪ **to spring up** *vi* aparecer, surgir, brotar

springboard ['sprɪŋbɔ:d] *n* trampolim

springtime ['sprɪŋtaɪm] *n* primavera

sprinkle ['sprɪŋkəl] *vt* **1** (*powder*) pulverizar, polvilhar, salpicar **2** (*scatter*) borrifar **3** (*rain lightly*) chuviscar

sprinkler ['sprɪŋkələʳ] *n* irrigador de aspersão

sprint [sprɪnt] *n* **1** (*short race*) corrida de curta distância **2** (*short period of fast running*) período curto de atividade intensa

▸ *vi* correr a toda velocidade

sprout [spraʊt] *n* broto, rebento

▸ *vi* **1** (*germinate*, *grow*) brotar, germinar **2** *fig* (*develop*) desenvolver rapidamente

▪ **Brussels sprouts** couve-de-bruxelas

sprung [sprʌŋ] *pp* → **spring**

spun [spʌn] *pt-pp* → **spin**

spur [spɜ:ʳ] *n* **1** (*spike*) espora, agulhão **2** (*projection*) esporão, espiga, ponta **3** (*incentive*) coisa que estimula ambição, vaidade, estímulo, incentivo

▸ *vt* (*pt & pp* **spurred**, *ger* **spurring**) **1** (*a horse*) esporear **2** (*incite*) estimular, impelir

• **on the spur of the moment** sem pensar, sob um estímulo repentino

spurt [spɜ:t] *n* **1** (*squirt*) jato, jorro, esguicho curto e violento **2** (*burst*) esforço *(de velocidade)*

▸ *vi* **1** (*squirt*) jorrar, sair em jato **2** (*stream*) fazer esguichar **3** (*burst*) despender grande esforço *(em pouco tempo)*

spy [spaɪ] *n* (*pl* **-ies**) espião

▸ *vi* (*pt & pp* **-ied**) espionar

sq [skweəʳ] *abbr* (***square***) quadrado

sq [skweəʳ] *abbr* (***Square***) Praça, Pça.

squabble ['skwɒbəl] *n* briga, barulho

▸ *vi* disputar, brigar, fazer barulho

squad [skwɒd] *n* **1** (*detachment*) pelotão, esquadra **2** (*force*) brigada (*da polícia*)

▪ **squad car** radiopatrulha

squadron ['skwɒdrən] *n* **1** (*military unity*) esquadra **2** (*airforce*) esquadrilha

squalid ['skwɒlɪd] *adj* **1** (*dirty*) sujo, ordinário **2** (*miserable*) miserável

squalor ['skwɒləʳ] *n* **1** (*dirt*) esqualidez, sordidez **2** (*poverty*) miséria

squander ['skwɒndəʳ] *vt* desperdiçar, esbanjar

square [skweəʳ] *n* **1** (*geometric figure*) quadrado **2** (*product of a number*) quadrado de um número **3** (*chess*) casa **4** (*area*) praça, quadra **5** *infml* (*old-fashioned*) pessoa antiquada, conservadora

▸ *adj* **1** (*square in shape*) quadrado, quadrangular **2** (*fair*) justo, honesto, correto

▸ *adv* justo, exatamente, bem: ***square in the middle*** bem no meio

▸ *vt-vi* fazer quadrado, fazer retangular

▸ *vt* **1** MATH elevar ao quadrado **2** (*pay off*) ajustar, liquidar contas

• **to get a square deal** receber um tratamento justo

▪ **square brackets** colchetes

▪ **square metre** metro quadrado

▪ **square root** raiz quadrada

▪ **squared paper** papel quadriculado

▪ **to square up** *vi infml* ajustar as contas

squash¹ [skwɒʃ] *n* (*pl* **-es**) **1** (*crowd of people*) aperto, atropelo **2** (*drink*) limonada, laranjada **3** SPORT *squash*, espécie de jogo

▸ *vt* **1** (*crush*) esmagar, amassar, espremer **2** *fig* (*force into silence*) fazer calar

▸ *vi* espremer-se, apertar-se: ***they managed to squash into the crowded elevator*** eles conseguiram espremer-se e entrar no elevador lotado

squash² [skwɒʃ] *n* (*pl* **-es**) abóbora

squat [skwɒt] *adj* agachado
▸ *vi* (*pt & pp* **squatted**, *ger* **squatting**) **1** (*crouch down*) agachar-se, sentar de cócoras **2** (*occupy*) ocupar ilegalmente

squatter ['skwɒtəʳ] *n* intruso que se instala em imóvel desocupado, ocupante ilegal

squawk [skwɔːk] *n* grasnido, som ou grito, agudo e penetrante
▸ *vi* **1** (*bird*) grasnar (*como o pato*) **2** (*complain*) protestar, queixar(-se)

squeak [skwiːk] *n* **1** (*sound of animal*) guincho, grito agudo e curto **2** (*door, tires*) rangido
▸ *vi* **1** (*animal*) guinchar **2** (*door, tires*) ranger

squeal [skwiːl] *n* grito agudo ou estridente
▸ *vi* **1** (*cry*) gritar, guinchar **2** (*vehicles*) emitir barulho agudo e alto **3** *infml* (*denounce*) denunciar, ser delator

squeamish ['skwiːmɪʃ] *adj* melindroso, delicado, suscetível

squeeze [skwiːz] *n* **1** (*act of pressing*) aperto **2** (*difficult situation*) situação difícil, apuro
▸ *vt* **1** (*press*) apertar **2** (*orange, sponge*) espremer **3** (*force out*) extrair à força
▪ **to squeeze in** *vt-vi* **1** (*fit by forcing*) entrar com dificuldade em lugar apertado ou superlotado **2** encaixar: ***the doctor managed to squeeze me in at 3.15, between two appointments*** o médico conseguiu me encaixar às 3.15, entre duas consultas

squeezer ['skwiːzəʳ] *n* espremedor

squid [skwɪd] *n* ZOOL lula

squint [skwɪnt] *n* **1** (*disorder of the eye*) estrabismo **2** *infml* (*glance*) olhadela, olhar de soslaio
▸ *vi* **1** (*be cross-eyed*) ser estrábico **2** (*narrow one's eyes*) olhar com os olhos semicerrados

squirm [skwɜːm] *vi* contorcer-se

squirrel ['skwɪrəl] *n* ZOOL esquilo

squirt [skwɜːt] *n* **1** (*spurt*) esguicho **2** *infml* (*impertinent*) sujeito atrevido, faroleiro
▸ *vt* esguichar
▪ **to squirt out** *vi* sair em forma de jato ou esguicho

sr ['siːnɪəʳ] *abbr* (***Senior***) → sr.

st [stəʊn] *abbr* GB (***stone***) *unidade de peso equivalente a 6.350 kg*

St[1] [seɪnt] *abbr* (***Saint***) São, Santo, Santa, S., Sto., Sta.

St[2] [striːt] *abbr* (***Street***) rua

stab [stæb] *n* punhalada, ferida provocada por arma pontuda
▸ *vt-vi* (*pt & pp* **stabbed**, *ger* **stabbing**) apunhalar, perfurar, trespassar, penetrar
▪ **stab of pain** pontada de dor

stability [stə'bɪlɪtɪ] *n* estabilidade

stabilize ['steɪbəlaɪz] *vt-vi* estabilizar(-se)

stable[1] ['steɪbəl] *adj* (*comp* **stabler**, *superl* **stablest**) **1** (*firm*) estável **2** (*steady*) equilibrado

stable[2] ['steɪbəl] *n* estábulo, estrebaria, haras

stack [stæk] *n* monte, pilha
▸ *vt* empilhar, amontoar

stadium ['steɪdɪəm] *n* estádio

staff [stɑːf] *n* **1** (*people employed*) pessoal, empregados **2** (*stick*) bastão, pau, mastro

Seu plural é **staffs** ou **staves.** É incontável, e o verbo vai para o singular.

▸ *vt* colocar pessoal ou assistentes, empregar: ***the office is staffed by volunteers*** o escritório emprega voluntários
▪ **staff room** sala de professores

stag [stæg] *n* veado adulto
▪ **stag party** despedida de solteiro

stage [steɪdʒ] *n* **1** (*platform in theatre*) palco **2** (*particular period*) estágio, etapa **3** (*scene*) teatro, drama
▸ *vt* **1** (*perform*) encenar **2** organizar, sediar: ***Brazil staged the Pan-American Games in 2007*** o Brasil organizou os Jogos Pan-americanos em 2007
• **by this stage** a essa altura
• **in stages** por etapas
• **on stage** em cena
• **to go on stage** tornar-se ator/atriz
▪ **stage manager** diretor de cena

stagger ['stægəʳ] *vi* cambalear
▸ *vt* **1** (*amaze*) supreender **2** (*confound*) confundir

stain [steɪn] *n* mancha
▸ *vt-vi* manchar, sujar, descolorir
▪ **stained glass** vidro colorido, vitral
▪ **stained glass window** vitral
▪ **stain remover** tira-manchas

stainless ['steɪnləs] *adj* inoxidável
▪ **stainless steel** aço inoxidável

stair [steəʳ] *n* escada, degrau
▸ *npl* **stairs** escadaria, escada

staircase ['steəkeɪs] *n* escadaria

stake¹ [steɪk] *n* **1** (*money wagered*) aposta **2** FIN interesse, risco
▸ *vt* apostar
• **at stake** em jogo, em risco

stake² [steɪk] *n* estaca, poste, mourão, suporte
▪ **to stake out** *vt* demarcar *(terra)*

stale [steɪl] *adj* **1** (*not fresh*) duro, seco **2** (*sour*) passado **3** (*uninteresting*) sem graça, sem novidade **4** (*overused*) antiquado, gasto, estragado

stalemate ['steɪlmeɪt] *n* **1** (*chess*) empate forçado **2** (*deadlock*) beco sem saída

stalk¹ [stɔːk] *n* **1** (*plant*) talo, caule **2** (*flower, fruit*) pedúnculo

stalk² [stɔːk] *vt* aproximar-se silenciosamente, atacar à espreita
▸ *vi* andar com pompa e arrogância

stall¹ [stɔːl] *n* **1** (*stand*) estande, baia, *box* **2** (*market*) barraca
▸ *npl* **stalls** plateia

stall² [stɔːl] *vi* **1** (*motor vehicle or engine*) parar, enguiçar **2** *infml* protelar, "enrolar", ganhar tempo: ***I don't think she's telling the truth; she's just stalling*** acho que ela não está falando a verdade; está apenas ganhando tempo
▸ *vt* **1** (*motor vehicle*) parar **2** *infml* (*person*) distrair, "enrolar": ***he hasn't got the money yet so he'll try to stall the loan shark for a few days*** ele ainda não tem o dinheiro; vai tentar enrolar o agiota durante alguns dias

stallion ['stælɪən] *n* garanhão, cavalo reprodutor

stammer ['stæməʳ] *n* gagueira, gaguejo
▸ *vi* gaguejar

stamp [stæmp] *n* **1** (*postage stamp*) selo **2** (*imprint*) carimbo, cunho, timbre
▸ *vt* **1** (*stick a postage stamp*) pôr selo, selar **2** (*mark*) imprimir, gravar, carimbar
▸ *vi* bater o pé com força, andar com passos pesados
• **to stamp one's feet** sair batendo os pés
▪ **stamp collecting** filatelia, coleção de selos
▪ **to stamp out** *vt fig* acabar com, erradicar

stampede [stæm'piːd] *n* estampido, debandada, estouro
▸ *vi* sair em estampido

stance [stæns] *n* postura, posição

stand [stænd] *n* **1** (*position*) posição, postura **2** (*support*) suporte, pé, pedestal **3** (*stall*) estande, *box* **4** (*market*) barraca (de feira) **5** (*platform*) plataforma **6** (*in court*) tribuna
▸ *vi* (*pt & pp* **stood** [stʊd]) **1** (*be upright*) estar de pé, pôr-se de pé, levantar-se, ficar de pé **2** estar, encontrar-se, ficar: ***the church stands on a hill*** a igreja fica em uma colina **3** (*remain valid*) manter de pé (uma oferta) **4** estar: ***the house stands empty*** a casa está vazia **5** (*elections*) ser candidato a
▸ *vt* **1** (*put*) pôr, colocar **2** *infml* aguentar: ***I can't stand him*** não o aguento
• **as things stand** tal como estão as coisas
• **stand still!** fique imóvel!
• **to stand to reason** ser lógico, plausível, razoável
▪ **to stand back** *vi* afastar-se, recuar
▪ **to stand by** *vi* **1** (*be loyal to*) estar presente, estar ao lado **2** (*be prepared*) estar preparado, estar de prontidão
▸ *vt* **1** (*back up*) respaldar **2** (*hold to*) ater-se a
▪ **to stand for** *vt* **1** (*mean*) significar **2** (*tolerate*) tolerar **3** (*defend*) defender, representar
▪ **to stand in for** *vt* suprir, substituir
▪ **to stand out** *vi* destacar-se, distinguir-se, salientar-se
▪ **to stand up** *vi* pôr-se de pé, levantar-se
▸ *vt infml* não comparecer a um encontro, "dar o bolo"
▪ **to stand up for** *vt fig* defender
▪ **to stand up to** *vt* **1** (*resist*) resistir, aguentar **2** (*confront*) fazer frente a, enfrentar

standard ['stændəd] *n* 1 (*pattern*) padrão 2 (*criterion*) critério, valor 3 (*norm*) norma 4 (*model*) modelo 5 (*example*) protótipo

▸ *adj* padrão, que serve de padrão, modelar, exemplar

• **to be below standard** não satisfazer aos requisitos

• **to be up to standard** satisfazer aos requisitos

▪ **standard of living** nível de vida, padrão de vida

▪ **standard time** hora oficial

standby ['stændbaɪ] *n* (*pl* **-ies**) apoio, auxiliador, substituto

• **to be on standby** 1 (*passenger*) estar em lista de espera 2 (*soldier*) estar de prontidão 3 (*police, fireman*) estar em estado de alerta

standing ['stændɪŋ] *adj* 1 (*upright*) de pé 2 (*permanent*) permanente

▸ *n* 1 (*status*) posição, reputação, classe, categoria 2 (*duration*) duração

▪ **standing invitation** convite permanente

▪ **standing order** débito automático em conta bancária

▪ **standing ovation** ovação com o público de pé

▪ **standing start** SP tipo de corrida em que os carros estão totalmente parados na hora da partida

standpoint ['stændpɔɪnt] *n* ponto de vista

standstill ['stændstɪl] *n* paralisação

• **at a standstill** 1 (*not moving*) parado 2 (*not active*) paralisado

stank [stæŋk] *pt* → **stink**

staple[1] ['steɪpəl] *n* artigo principal de produção ou consumo

▸ *adj* importante, principal

staple[2] ['steɪpəl] *n* grampo, prendedor, presilha

▸ *vt* grampear

stapler ['steɪpələʳ] *n* grampeador

star [stɑːʳ] *n* estrela

▸ *adj* principal, excelente, célebre

▸ *vi* (*pt & pp* **starred**, *ger* **starring**) estrelar, protagonizar

▸ *vt* ter como protagonista

▪ **star sign** signo do zodíaco

starboard ['stɑːbəd] *n* estibordo

starch [stɑːtʃ] *n* (*pl* **-es**) 1 (*carbohidrate*) amido 2 (*stiffening substance*) goma

stardom ['stɑːdəm] *n* estrelato

stare [steəʳ] *n* olhar fixo

▸ *vi* olhar fixamente, encarar

• **to stare into space** olhar no vazio

starfish ['stɑːfɪʃ] *n* (*pl* **-es**) ZOOL estrela-do-mar

stark [stɑːk] *adj* 1 (*bare*) desolado 2 (*austere*) sóbrio, austero 3 *fig* (*harsh*) nua e crua (verdade)

▸ *adv* completamente

• **stark mad** completamente louco

• **stark naked** *infml* totalmente despido

starry ['stɑːrɪ] *adj* (**-ier**, **-iest**) estrelado, iluminado

start [stɑːt] *n* 1 (*beginning*) partida, princípio, começo 2 (*competitive activity*) saída 3 (*advantage*) vantagem, dianteira 4 (*jump*) sobressalto, susto

▸ *vt-vi* 1 (*begin*) começar 2 (*vehicle*) partir, pôr-se em movimento

▸ *vi* sobressaltar-se, assustar-se

• **for a start** para começar, em primeiro lugar

• **from the start** desde o princípio

• **to make an early start** começar cedo

▪ **starting point** ponto de partida

▪ **to start back** *vi* começar a viagem de volta

▪ **to start off/out** *vi* partir, levantar-se, pôr-se em marcha

▪ **to start up** *vt-vi* 1 (*motor*) dar partida 2 (*launch business*) abrir um negócio

starter ['stɑːtəʳ] *n* 1 (*person*) o que dá sinal de partida 2 (*motor*) motor de arranque 3 (*meal*) primeiro prato de uma refeição

• **for starters** 1 (*to begin with*) para começar 2 (*meal*) como primeiro prato

startle [stɑːtəl] *vt* assustar, amendrontar

starvation [stɑː'veɪʃən] *n* fome, inanição

starve [stɑːv] *vi* 1 (*suffer from hunger*) passar fome 2 ter muita fome: ***I'm starving!*** estou morrendo de fome!

▸ *vt* matar de fome, fazer passar fome

• **to starve to death** morrer de fome

state [steɪt] *n* 1 (*condition*) estado, condição 2 POL Estado

▸ *adj* POL estatal, do Estado
▸ *vt* **1** (*affirm*) afirmar **2** (*present*) expor **3** (*date*) fixar
• **to be in a state about something** estar nervoso sobre algo
• **to lie in state** jazer em câmara ardente
▪ **state education** ensino público
▪ **state of mind** estado de ânimo
▪ **state visit** visita oficial

stately ['steɪtlɪ] *adj* (**-ier**, **-iest**) digno, imponente, grandioso

statement ['steɪtmənt] *n* **1** (*declaration*) declaração, afirmação **2** (*official announcement*) comunicado **3** (*printed financial account*) extrato bancário
• **to make a statement 1** (*to the police*) prestar depoimento **2** (*to the press*) dar uma declaração

statesman ['steɪtsmən] *n* (*pl* **statesmen**) estadista, político

station ['steɪʃən] *n* **1** (*bus, train*) estação **2** (*radio*) emissora **3** (*TV channel*) canal **4** (*position*) posto
▸ *vt* **1** (*assign*) destinar, destacar (*tropas*) **2** (*locate*) situar, colocar

stationary ['steɪʃənərɪ] *adj* fixo, estacionário

stationery ['steɪʃənərɪ] *n* artigos de papelaria, de escritório

statistics [stə'tɪstɪks] *n* estatística
▸ *npl* estatística

É incontável, e o verbo vai para o singular.

statue ['stætjuː] *n* estátua

status ['steɪtəs] *n* **1** (*condition*) estado, condição **2** (*prestige*) *status*, prestígio **3** (*position*) cargo, posição social
▪ **status quo** *status quo*

statute ['stætjuːt] *n* **1** (*written law*) estatuto **2** (*law*) lei

staunch [stɔːntʃ] *adj* fiel, leal

stave [steɪv] *n* **1** (*strophe*) estrofe **2** MUS pauta musical
▪ **to stave off** *vt* **1** (*prevent*) evitar **2** (*hunger*) aplacar

stay [steɪ] *n* permanência
▸ *vi* **1** (*remain*) ficar, permanecer **2** (*reside temporarily*) alojar-se
• **to stay away from something** ficar afastado, ficar ausente
▪ **to stay in** *vi* ficar em casa
▪ **to stay on** *vi* perdurar, ficar
▪ **to stay out** *vi* ficar fora, demorar
▪ **to stay up** *vi* ficar acordado: ***to stay up late*** ficar acordado até tarde

steadily ['stedɪlɪ] *adv* constantemente, regularmente

steady ['stedɪ] *adj* (**-ier**, **-iest**) **1** (*firm*) firme, seguro, estável **2** (*constant*) constante, regular **3** (*calm*) sereno **4** (*balanced*) estável, sério **5** (*regular*) fixo (emprego), regular
▸ *vt-vi* (*pt & pp* **-ied**) estabilizar(-se)
• **to steady somebody's nerves** acalmar os nervos: ***he breathed deep to steady his nerves*** ele respirou fundo para acalmar os nervos

steak [steɪk] *n* bife

steal [stiːl] *vt-vi* (*pt* **stole** [stəʊl], *pp* **stolen** ['stəʊlən]) **1** (*thieve*) roubar, furtar **2** entrar, sair etc. sigilosamente: ***she stole out without anybody noticing*** ela saiu sigilosamente, sem que ninguém notasse
• **to steal the show** roubar a cena
▪ **to steal away** *vi* sair às escondidas

steam [stiːm] *n* vapor, fumaça, névoa
▸ *vt* cozinhar em vapor
▸ *vi* emitir fumaça ou vapor
▪ **steam engine** máquina a vapor
▪ **steam iron** ferro (*de passar roupa*) a vapor
▪ **to steam up** *vi* (*become misty*) embaçar

steamer ['stiːmə^r] *n* → **steamship**

steamroller ['stiːmrəʊlə^r] *n* (*steam-powered*) rolo compressor

steamship ['stiːmʃɪp] *n* navio a vapor

steel [stiːl] *n* aço
• **to steel oneself** preparar-se, tentar ser forte
▪ **steel industry** indústria siderúrgica
▪ **steel wool** palha de aço

steep[1] [stiːp] *adj* **1** (*precipitous*) íngreme **2** *fig* (*price*) excessivo

steep[2] [stiːp] *vt* macerar, embeber, pôr de molho

steeple ['stiːpəl] *n* agulha de torre, campanário, torre de igreja

steer [stɪə^r] *vt* **1** (*guide*) dirigir **2** (*car*) conduzir **3** (*ship*) pilotar **4** *fig* (*handle*) levar (*conversa*)

steering ['stɪərɪŋ] *n* pilotagem

▪ **steering wheel** volante, roda do leme

▪ **stem cell** célula-tronco: ***stem cell research*** pesquisa com células-tronco

stem [stem] *n* **1** (*plant*) caule, tronco **2** (*long slender part*) pé **3** (*of a word*) raiz

▸ *vt* (*pt & pp* **stemmed**, *ger* **stemming**) parar, estancar, represar

▪ **to stem from** *vt* descender, originar-se de

stench [stentʃ] *n* (*pl* **-es**) fedor, mau cheiro

step [step] *n* **1** (*footstep*) passo **2** (*stair*) degrau **3** (*stage*) fase, etapa

▸ *vi* (*pt & pp* **stepped**, *ger* **stepping**) dar um passo, andar

▸ *npl* **steps 1** (*stepladder*) escada de mão **2** (*set of steps outside*) escada

• **step by step** passo a passo, pouco a pouco

• **to step on something** pisar em algo

• **to take steps** tomar medidas

• **to watch one's step** ter cuidado

▪ **to step aside** *vi* afastar-se

▪ **to step back** *vi* **1** (*withdraw*) retroceder, dar um passo atrás **2** (*move away*) distanciar-se

▪ **to step down** *vi* renunciar

▪ **to step in** *vi* intervir

▪ **to step out** *vi* sair

▪ **to step up** *vt infml* aumentar

stepbrother ['stepbrʌðəʳ] *n* meio-irmão

stepchild ['steptʃaɪld] *n* (*pl* **stepchildren**) enteado

stepdaughter ['stepdɔːtəʳ] *n* enteada

stepfather ['stepfɑːðəʳ] *n* padrasto

stepladder ['steplædəʳ] *n* escada de mão, escadinha

stepmother ['stepmʌðəʳ] *n* madrasta

stepsister ['stepsɪstəʳ] *n* meia-irmã

stepson ['stepsʌn] *n* enteado

stereo ['sterɪəʊ] *n* (*pl* **stereos**) **1** (*system of sound*) sistema de som estereofônico **2** (*sound*) som estereofônico

▸ *adj* estereofônico

stereotype ['sterɪətaɪp] *n* estereótipo, estereotipia

▸ *vt* estereotipar

sterile ['steraɪl] *adj* **1** (*infertile*) estéril, infértil **2** (*germ-free*) esterilizado **3** (*lacking inspiration*) pouco original e criativo

▪ **steering wheel** volante, roda do leme

sterling ['stɜːlɪŋ] *n* libra esterlina

▸ *adj* esterlino, de qualidade padrão, de prata de lei: ***sterling silver*** prata de lei

stern[1] [stɜːn] *adj* austero, severo

stern[2] [stɜːn] *n* popa

stew [stjuː] *n* carne ensopada com legumes, guisado

▸ *vt* (*meat, vegetables*) cozinhar a fogo lento em líquido, ensopar

steward ['stjuːəd] *n* **1** (*flight attendant*) comissário de bordo **2** (*cabin attendant*) garçon de navio ou de trem **3** (*manager*) administrador, procurador

stewardess ['stjuːədes] *n* (*pl* **-es**) *fem* **1** (*flight attendant*) aeromoça **2** (*cabin attendant*) camaroteira, garçonete

stick[1] [stɪk] *n* **1** (*piece of wood*) pau, bastão **2** (*for walking*) bengala **3** (*of vegetable*) talo

• **to get hold of the wrong end of the stick** *infml* começar algo de forma errada

stick[2] [stɪk] *vt* (*pt & pp* **stuck**) **1** (*jab*) fincar, cravar **2** *infml* pôr, meter: ***just stick the bags in the cupboard for now*** ponha as bolsas no armário por enquanto **3** (*glue*) colar **4** *infml* aguentar: ***I can't stick this job a minute longer*** não consigo aguentar este emprego nem um minuto a mais

▸ *vi* **1** colar, grudar, fixar: ***the glue you bought won't stick*** a cola que você comprou não está grudando **2** emperrar: ***this drawer sticks*** esta gaveta está emperrando **3** (*persist*) aferrar-se, continuar, persistir

• **to stick one's neck out** arriscar o pescoço

▪ **to stick around** *vi infml* ficar em algum lugar: ***I think I'll just stick around*** acho que vou ficar por aqui

▪ **to stick at** *vt* agarrar-se em, persistir em

▪ **to stick by** *vt infml* **1** manter-se leal a, ficar ao lado de: ***they promised to stick***

by each other eles prometeram manter-se leais um ao outro **2** *infml* (*promise*) cumprir

■ **to stick out** *vi* **1** (*stand out*) ressaltar, salientar **2** (*be noticeable*) chamar a atenção, estar visível

▸ *vt* tirar, pôr para fora: ***the boy stuck out his tongue*** o menino pôs a língua para fora

■ **to stick to** *vt* **1** (*decision*) ater-se a **2** (*promise*) cumprir com

■ **to stick up** *vi* **1** (*protrude*) salientar-se, sobressair, ressaltar **2** (*stand upright*) ficar em pé

■ **to stick up for** *vt infml* ficar do lado de, defender

sticker ['stɪkəʳ] *n* (*adhesive label*) rótulo gomado, adesivo

sticky ['stɪkɪ] *adj* (**-ier**, **-iest**) **1** (*adhesive*) grudento, pegajoso **2** (*humid*) abafado **3** *infml* (*difficult*) difícil

stiff [stɪf] *adj* **1** (*firm*) duro, rígido **2** (*arthritic*) entrevado, emperrado **3** (*thick*) espesso **4** (*unfriendly*) frio, tenso **5** (*difficult*) difícil, complicado **6** *infml* (*of a drink*) forte, com muito álcool

• **to feel stiff** estar com a musculatura dolorida

• **to keep a stiff upper lip** aguentar firme

• **to be scared stiff** *infml* estar apavorado

stiffen ['stɪfən] *vt* **1** (*reinforce*) reforçar **2** (*tighten*) ficar com torcicolo **3** (*solidify*) endurecer

▸ *vi* **1** (*tense up*) pôr-se rígido **2** (*fortify*) fortalecer, firmar

▸ *vt-vi* fortalecer-se

stifle ['staɪfəl] *vt* **1** abafar, sufocar: ***the murderer stifled his victim*** o assassino sufocou a vítima **2** reprimir: ***he stifled a yawn*** ele reprimiu um bocejo

▸ *vi* sufocar(-se): ***it was so hot that we nearly stifled*** estava tão quente que quase sufocamos

stigma ['stɪgmə] *n* estigma, mácula, mancha

still [stɪl] *adj* **1** (*quiet*) quieto **2** (*calm*) tranquilo **3** (*not fizzy*) sem gás **4** (*sea*) sem ondas

▸ *adv* **1** ainda: ***I can still hear it*** ainda consigo ouvi-lo **2** mesmo assim: ***he was ill, but he still went to work*** ele estava doente, mas mesmo assim foi trabalhar **3** (*however*) no entanto

• **to keep still** ficar quieto

• **to stand still** ficar imóvel

■ **still life** natureza-morta

stillborn ['stɪlbɔːn] *adj* natimorto

stillness ['stɪlnəs] *n* calma, tranquilidade, silêncio

stilt [stɪlt] *n* **1** (*for walking*) pernas de pau **2** estacas: ***the houses are built on stilts because this area gets flooded in the rainy season*** as casas são construídas sobre estacas porque a área fica alagada na época das chuvas

stilted ['stɪltɪd] *adj* afetado

stimulant ['stɪmjʊlənt] *n* estimulante

stimulate ['stɪmjʊleɪt] *vt* estimular

stimulus ['stɪmjʊləs] *n* (*pl* **stimuli** ['stɪmjʊliː]) estímulo

sting [stɪŋ] *n* **1** (*from bee*) ferroada **2** (*from insect*) picada **3** (*wound*) ferida, lugar de picada **4** *fig* (*heartache*) remorso

▸ *vt-vi* (*pt & pp* **stung**) picar, ferroar

▸ *vt fig* afligir, atormentar: ***she was stung with remorse*** ela estava atormentada pelo remorso

stingy ['stɪndʒɪ] *adj* (**-ier**, **-iest**) parcimonioso, mesquinho

stink [stɪŋk] *n* fedor, mau cheiro

▸ *vi* (*pt* **stank** [stæŋk], *pp* **stunk** [stʌŋk]) feder

stint [stɪnt] *n* **1** período: ***he spent a stint in jail*** ele passou um tempo na cadeia **2** (*limit*) limite

▸ *vt* restringir, limitar

stipulate ['stɪpjʊleɪt] *vt* estipular

stir [stɜːʳ] *vt* (*pt & pp* **stirred**, *ger* **stirring**) **1** (*mix up*) mexer com a colher **2** (*agitate*) mover, agitar **3** (*move*) misturar-se, mexer-se, movimentar-se **4** (*stimulate*) provocar

▸ *vi* mover-se, levantar-se

▸ *n fig* tumulto, distúrbio, ato de mexer com a colher

• **to stir to action** incitar à ação

■ **to stir up** *vt* **1** (*instigate*) provocar, agitar, incitar **2** (*liquid*) mexer

stirrup ['stɪrəp] *n* estribo

stitch [stɪtʃ] *n* (*pl* **-es**) **1** (*knitting, crochet*) ponto **2** (*link*) ponto **3** MED ponto (*de sutura*)

▸ *vt* **1** (*sew*) coser **2** MED suturar
• **to be in stitches** *infml* rir a bandeiras despregadas

stock [stɒk] *n* **1** (*goods*) estoque, sortimento, fundo, mercadoria, inventário **2** COM mercadorias **3** (*shares*) capital, apólices, ações **4** (*livestock*) gado **5** (*broth*) caldo **6** (*lineage*) linhagem, descendência
▸ *adj* **1** *pej* comum, batido, de uso corrente: ***"Have a nice day" is a stock phrase*** "Tenha um bom dia" é uma frase comum, batida **2** (*standard*) comum, ordinário, normal
▸ *vt* **1** (*keep in stock*) pôr em estoque, estocar **2** (*supply*) abastecer, suprir **3** (*accumulate*) acumular, prover
• **in stock** em estoque
• **to be out of stock** estar esgotado
• **to take stock of** inventariar, fazer balanço
▪ **stock exchange** bolsa de valores
▪ **stock market** bolsa de valores, mercado de valores
▪ **to stock up** *vi* abastecer-se

stockbroker ['stɒkbrəʊkə^r] *n* corretor de títulos, de valores

stocking ['stɒkɪŋ] *n* meia fina

stocky ['stɒkɪ] *adj* (**-ier**, **-iest**) **1** (*solid*) sólido, reforçado **2** (*chunky*) atarracado

stoke [stəʊk] *vt* atiçar, alimentar
▪ **to stoke up** *vi fig* empanturrar-se: ***we stoked up on cake at the party*** empanturramo-nos de bolo na festa

stole¹ [stəʊl] *pt* → **steal**

stole² [stəʊl] *n* estola

stolen ['stəʊlən] *pp* → **steal**

stolid ['stɒlɪd] *adj* impassível, apático

stomach ['stʌmək] *n* (*pl* **stomachs**) estômago, abdome, cintura
▸ *vt informl* aguentar, suportar
• **on an empty stomach** em jejum
▪ **stomach ache** dor de estômago

stone [stəʊn] *n* **1** (*rock*) pedra **2** (*kernel*) caroço **3** (*unit of weight*) pedra, 6,348 kg: ***she weighs 9 stone*** ela pesa 57 quilos
▸ *adj* de pedra
▸ *vt* apedrejar
• **at a stone's throw** bem perto, à distância em que se atira uma pedra
▪ **Stone Age** Idade da Pedra

stone-cold [stəʊn'kəʊld] *adj* completamente frio

stoned [stəʊnd] *adj sl* **1** (*intoxicated*) intoxicado com drogas, **2** *infml* (*drunk*) embriagado

stony ['stəʊnɪ] *adj* (**-ier**, **-iest**) **1** (*of stone*) pedregoso **2** (*hostile*) frio, hostil, desumano

stood [stʊd] *pt-pp* → **stand**

stool [stu:l] *n* tamborete, banquinho sem encosto

stoop [stu:p] *n* inclinação para a frente (*da cabeça e dos ombros*)
▸ *vi* **1** (*bend*) inclinar-se, dobrar-se, curvar **2** (*have a bad posture*) ter a cabeça e os ombros inclinados para a frente
▪ **to stoop to** *vt infml* rebaixar-se a

stop [stɒp] *n* **1** (*halt*) parada, alto **2** (*mark of punctuation*) ponto **3** (*public vehicles*) parada
▸ *vt* (*pt & pp* **stopped**, *ger* **stopping**) **1** (*bus*) parar **2** impedir, evitar: ***I tried to stop him from coming*** tentei impedir que ele viesse **3** (*interrupt*) paralisar **4** (*cause to cease*) pôr fim a, pôr término a, acabar com **5** (*payment*) suspender **6** parar de: ***stop smoking!*** pare de fumar!
▸ *vi* **1** (*refrain*) parar, deter-se **2** (*terminate*) terminar
▸ *interj* pare!, alto!
• **stop it!** chega! basta!
• **to come to a stop** parar
▪ **stop sign** sinal de parada
▪ **to stop by** *vi infml* fazer uma visita rápida
▪ **to stop off** *vi* interromper a viagem
▪ **to stop up** *vt* impedir, bloquear

stopover ['stɒpəʊvə^r] *n* (*break*) parada, escala (de voo)

stoppage ['stɒpɪdʒ] *n* **1** (*suspension*) suspensão, interrupção de trabalho **2** (*strike*) greve **3** (*of payment*) suspensão de pagamento **4** (*obstruction*) obstrução, bloqueio

stopper ['stɒpə^r] *n* rolha, tampa

stopwatch ['stɒpwɒtʃ] *n* (*pl* **-es**) cronômetro

storage ['stɔ:rɪdʒ] *n* armazenagem, conservação
▪ **storage heater** aquecedor, acumulador térmico
▪ **storage unit** armário

store [stɔːʳ] *n* **1** (*supply*) estoque, suprimento, reserva **2** (*market*) loja, armazém
▸ *vt* armazenar, guardar
• **in store** estar prestes a acontecer
▪ **to store up** *vt* reservar, guardar

storey ['stɔːrɪ] *n* andar, pavimento

stork [stɔːk] *n* cegonha

storm [stɔːm] *n* **1** (*tempest*) tormenta, (*at sea*) tempestade **2** (*rainstorm*) temporal, chuva forte **3** *fig* tumulto, furor: ***there was a storm of protest against the new laws*** houve um furor de protestos contra as novas leis
▸ *vi* sair ou entrar furioso de um aposento: ***she stormed out of the living-room*** ela saiu furiosa da sala

stormy ['stɔːmɪ] *adj* (-**ier**, -**iest**) **1** (*having a storm*) tempestuoso **2** (*furious*) violento, colérico

story ['stɔːrɪ] *n* (*pl* -**ies**) **1** (*account of events*) história, conto, relato, crônica, narrativa **2** (*article*) artigo de jornal **3** (*anecdote*) anedota, piada **4** (*plot*) argumento, enredo (de filme) **5** (*rumour*) boato, mentira

stout [staʊt] *adj* **1** (*chunky*) corpulento, robusto **2** (*solid*) sólido **3** (*determined*) firme, resoluto
▸ *n* cerveja escura e forte

stove [stəʊv] *n* **1** (*for cooking*) forno, fogão **2** (*for heating*) estufa, fornalha

stow [stəʊ] *vt* guardar, alojar

stowaway ['stəʊəweɪ] *n* passageiro clandestino

straddle ['strædəl] *vt* **1** montar: ***James straddled his motobike and waited*** James montou na motocicleta e esperou **2** estender-se pelos dois lados: ***the property straddles the river*** a propriedade estende-se pelos dois lados do rio

straggle ['strægəl] *vi* **1** (*spread*) espalhar-se **2** (*trail*) desgarrar-se

straight [streɪt] *adj* **1** (*linear*) reto, direto **2** (*not curly*) liso **3** seguido: ***eight hours straight*** oito horas seguidas **4** (*honest*) honrado, de confiança, honesto **5** (*sincere*) sincero (resposta) **6** (*undiluted*) não diluído **7** *infml* (*heterosexual*) heterossexual **8** *sl* (*not addicted to drugs*) não viciado em drogas
▸ *adv* **1** (*in a straight line*) em linha reta **2** direto: ***he went straight to the office*** ele foi direto para o escritório **3** (*immediately*) logo **4** (*frankly*) francamente **5** (*logically*) de maneira lógica, com clareza
▸ *n* (*road*) reta
• **straight ahead** em frente: ***go straight ahead*** siga em frente
• **straight off** imediatamente
• **to get things straight** falar claro
• **to keep a straight face** controlar o riso

straightaway [streɪtə'weɪ] *adv* imediatamente

straighten ['streɪtən] *vt* **1** (*adjust*) endireitar, resolver **2** (*set right*) tornar reto
▪ **to straighten out** *vt-vi* resolver(-se)
▪ **to straighten up** *vt* **1** (*adjust*) acertar **2** (*arrange*) arranjar
▸ *vi* endireitar-se

straightforward [streɪt'fɔːwəd] *adj* franco, honesto

strain [streɪn] *n* **1** (*effort*) esforço, solicitação **2** (*tension*) tensão **3** MED contorção, deslocamento
▸ *vt* **1** (*force*) esticar, forçar **2** MED torcer, deslocar, luxar **3** (*eyes, voice*) forçar **4** (*filter*) coar, filtrar, espremer
▸ *vi* estar esticado demais: ***this blouse is straining at the seams*** esta blusa está esticada demais nas costuras

strainer ['streɪnəʳ] *n* coador

strait [streɪt] *n* GEO estreito
• **in dire straits** em grandes dificuldades

straitjacket ['streɪtdʒækɪt] *n* camisa de força

strand[1] [strænd] *n* **1** (*thread*) fibra, (*hair*) fio (de cabelo), cordão **2** (*element*) elemento, componente

strand[2] [strænd] *vt* **1** (*run aground*) encalhar **2** *infml* abandonar: ***he was left stranded*** ele foi abandonado

strange [streɪndʒ] *adj* **1** (*weird*) estranho, esquisito, singular, incomum **2** (*unknown*) desconhecido, estrangeiro, novo

strangely ['streɪndʒlɪ] *adv* estranhamente: ***strangely enough*** ainda que pareça estranho

stranger ['streɪndʒəʳ] *n* estranho, desconhecido

strangle ['stræŋgəl] *vt* estrangular

strap [stræp] *n* **1** (*strip*) correia, tira **2** (*belt*) alça, cordão

▸ *vt* (*pt & pp* **strapped**, *ger* **strapping**) **1** (*fasten*) amarrar com correia, segurar **2** (*lash*) açoitar com correia, bater com correia

strategic [strə'ti:dʒɪk] *adj* estratégico

strategy ['strætədʒɪ] *n* (*pl* **-ies**) estratégia

straw [strɔ:] *n* **1** palha: ***straw hat*** chapéu de palha **2** (*to drink*) canudo

• **that's the last straw!** *infml* é a última gota!

strawberry ['strɔ:bərɪ] *n* (*pl* **-ies**) morango

stray [streɪ] *adj* perdido

▸ *n* animal desgarrado

▸ *vi* extraviar-se, perder-se

streak ['stri:k] *n* **1** (*strip*) faixa, risca, listra **2** (*of hair*) mecha **3** (*line*) linha **4** *infml* (*vein*) veia (de loucura) **5** *infml* (*period*) período

streaky ['stri:kɪ] *adj* (**-ier**, **-iest**) **1** (*hair*) com mechas **2** (*striped*) riscado, raiado

stream [stri:m] *n* **1** (*small river*) rio, córrego, riacho **2** (*of water*) corrente **3** (*of blood*) jorro **4** *infml* (*persons*) grande quantidade

▸ *vi* **1** (*flow*) correr, fluir, jorrar **2** *infml* (*move*) mover-se continuamente e em grande quantidade

streamer ['stri:məʳ] *n* serpentina

streamline ['stri:mlaɪn] *n* forma aerodinâmica

▸ *vt* **1** (*give aerodynamic shape*) dar forma aerodinâmica **2** (*organize*) organizar, aperfeiçoar

street [stri:t] *n* rua

▪ **street lamp** lampião de rua

strength [streŋθ] *n* **1** (*power*) força, vigor, poder **2** (*courage*) coragem, bravura **3** (*intensity*) intensidade **4** (*potency*) potência

• **in strength** em grande número

• **on the strength of** baseando-se em

▪ **strength of will** força de vontade

strengthen ['streŋθən] *vt-vi* **1** (*make strong*) fortalecer(-se), reforçar **2** (*intensify*) intensificar(-se)

strenuous ['strenjʊəs] *adj* fatigante, exaustivo

stress [stres] *n* (*pl* **-es**) **1** (*nervous tension*) tensão nervosa, estresse **2** (*pressure*) pressão **3** (*effort*) esforço **4** (*accent*) acento tônico

▸ *vt* **1** (*put pression on*) exercer pressão sobre **2** (*accent*) acentuar na pronúncia

• **to be under stress** estar estressado

• **to lay great stress on something** colocar grande ênfase em

stressful ['stresfʊl] *adj* estressante

stretch [stretʃ] *n* (*pl* **-es**) **1** (*extent*) extensão **2** (*extensibility*) elasticidade **3** (*area*) trecho, superfície **4** (*period*) período, intervalo

▸ *vt-vi* **1** (*distend*) encompridar, alongar **2** (*elongate*) esticar; (*shoes*) alargar

▸ *vt* esticar, estirar

• **to stretch one's legs** esticar as pernas

• **at a stretch** de uma vez só

▪ **to stretch out** *vt* **1** (*legs*) esticar **2** (*hand*) estender

▸ *vi* **1** (*spread*) espalhar-se, espreguiçar-se **2** (*extend*) estender-se

stretcher ['stretʃəʳ] *n* maca

stretchy ['stretʃɪ] *adj* (**-ier**, **-iest**) elástico

stricken ['strɪkən] *adj* **1** (*pain*) acometido **2** (*affected*) afetado

strict [strɪkt] *adj* estrito

• **in the strictest confidence** no mais absoluto segredo

• **strictly speaking** em sentido estrito

stride [straɪd] *n* passo largo, distância que corresponde a um passo largo

▸ *vi* (*pt* **strode** [strəʊd], *pp* **stridden** ['strɪdən]) andar com passos largos

• **to take something in one's stride** fazer as coisas com calma

strident ['straɪdənt] *adj* estridente, penetrante

strife [straɪf] *n* discussão, briga, conflito, luta, discórdia, contenda

strike [straɪk] *n* **1** (*stoppage of work*) greve **2** (*hit*) golpe **3** (*pull on a line by a fish*) beliscada **4** (*attack*) ataque, investida

▸ *vt* (*pt & pp* **struck**) **1** (*beat*) bater **2** (*hit*) atingir, acertar **3** (*gold, oil*) descobrir, encontrar **4** (*coin*) cunhar **5** (*ignite*) acender **6** (*sound*) soar, bater as horas **7** (*agree on*) entrar *(em acordo)* **8** parecer: ***she strikes me as very nice*** ela me parece muito simpática

▸ *vi* **1** (*attack*) atacar **2** (*cease work as a protest*) entrar em greve **3** (*sound*) bater as horas, soar

• **it strikes me that...** ocorre-me que...

• **to be on strike** estar em greve

• **to go on strike** entrar em greve

• **to be struck dumb** ficar mudo

• **to strike out on one's own** tomar seu rumo próprio

• **to strike it rich** *infml* tirar a sorte grande, ficar rico de repente

▪ **to strike back** *vi* revidar

▪ **to strike down** *vt* derrubar, abater

▪ **to strike off** *vt* **1** (*remove*) remover da lista, cortar **2** (*prohibit temporarily*) suspender

▪ **to strike up** *vt* começar a tocar

striker ['straɪkəʳ] *n* **1** (*worker*) grevista **2** SPORT atacante

striking ['straɪkɪŋ] *adj* surpreendente, impressionante

string [strɪŋ] *n* **1** (*thin cord*) corda fina, barbante **2** (*series*) série

▸ *vt* (*pt & pp* **strung** [strʌŋ]) **1** (*equip with strings*) enfiar **2** (*thread*) amarrar com barbante

• **to pull strings for somebody** usar pistolões, exercer influência

▪ **string bean** vagem

▪ **to string along** *vi* **1** (*accompany*) seguir, acompanhar **2** (*deceive*) enganar

stringent ['strɪndʒənt] *adj* severo, estrito

strip¹ [strɪp] *n* **1** (*narrow piece*) tira **2** (*area of land*) faixa **3** (*sequence of drawings*) história em quadrinhos, tirinha

strip² [strɪp] *vt* (*pt & pp* **stripped**, *ger* **stripping**) **1** (*remove paint*) descascar **2** (*house*) esvaziar **3** (*person*) desnudar

▸ *vi* despir-se

• **to strip somebody of something** tirar algo de alguém

▪ **to strip down** *vt* desmontar

▪ **to strip off** *vt-vi* despir, despir-se

stripe [straɪp] *n* **1** (*narrow band*) faixa, lista, listra **2** (*chevron*) galão

striped [straɪpt] *adj* listrado

strive [straɪv] *vi* (*pt* **strove** [strəʊv], *pp* **striven** ['strɪvən]) esforçar-se

strode [strəʊd] *pt* → **stride**

stroke [strəʊk] *n* **1** (*hit*) golpe, soco **2** (*swimming*) braçada **3** (*chine*) badalada **4** (*engine*) tempo **5** (*paintbrush*) pincelada **6** MED derrame cerebral

▸ *vt* acariciar

▪ **stroke of luck** golpe de sorte

stroll [strəʊl] *n* passeio, volta

▸ *vi* passear, dar um passeio

• **to take a stroll** dar uma volta

strong [strɒŋ] *adj* **1** (*powerful*) forte, poderoso **2** (*spicy*) ardido, condimentado **3** (*durable*) sólido, resistente

▸ *adv* com força

• **to be... strong** contar com... pessoas: ***the army was 2.000 strong*** o exército contava com 2.000 pessoas

▪ **strong room** (*safekeeping of valuables*) casa-forte

strongly ['strɒŋlɪ] *adv* fortemente

strong-minded [strɒŋ'maɪndɪd] *adj* resoluto, decidido, determinado

stroppy ['strɒpɪ] *adj* (**-ier**, **-iest**) GB *infml* beligerante, teimoso

strove [strəʊv] *pt* → **strive**

struck [strʌk] *pt-pp* → **strike**

structural ['strʌktʃərəl] *adj* estrutural

structure ['strʌktʃəʳ] *n* **1** (*construction*) estrutura **2** (*building*) construção

▸ *vt* estruturar

struggle ['strʌgəl] *n* **1** (*battle*) luta **2** (*effort*) peleja, esforço, trabalho, empenho

▸ *vi* **1** (*fight*) lutar **2** (*labour*) fazer esforço

strung [strʌŋ] *pt-pp* → **string**

strut [strʌt] *n* suporte, braço, esteio

▸ *vi* (*pt & pp* **strutted**, *ger* **strutting**) pavonear-se, andar pomposo

stub [stʌb] *n* **1** (*butt*) toco **2** (*stump*) pedaço **3** (*counterfoil*) canhoto

stubble ['stʌbəl] *n* **1** (*facial hair*) barba por fazer **2** (*straw*) palha

stubborn ['stʌbən] *adj* obstinado, cabeçudo, teimoso, inflexível

stuck [stʌk] *pt-pp* → **stick**
• **to get stuck** ficar empacado, emperrado

stuck-up [stʌk'ʌp] *adj infml* orgulhoso, convencido

stud¹ [stʌd] *n* **1** (*metal button*) botão de pressão **2** (*on boot*) tacha, cabeça de prego, cravo
▸ *vt* (*pt & pp* **studded**, *ger* **studding**) enfeitar com tachas ou pregos

stud² [stʌd] *n* garanhão

student ['stju:dənt] *n* aluno, estudante
■ **student teacher** professorando, professor em prática de ensino

studied ['stʌdɪd] *adj* **1** (*educated*) instruído, lido **2** (*prepared*) preparado cuidadosamente **3** (*calculated*) premeditado

studio ['stju:dɪəʊ] *n* (*pl* **studios**) estúdio, sala de trabalho de artista
■ **studio flat** quitinete, apartamento conjugado

studious ['stju:dɪəs] *adj* estudioso, aplicado

study ['stʌdɪ] *n* (*pl* **-ies**) **1** estudo: ***he wants to continue his studies*** ele quer continuar seus estudos **2** (*research*) investigação, pesquisa
▸ *vt-vi* (*pt & pp* **-ied**) estudar
▸ *vt* analisar, examinar

stuff [stʌf] *n infml* **1** (*material*) coisas, material, bugiganga, traste **2** coisa: ***what's that stuff on the table?*** que coisa é aquela sobre a mesa?
▸ *vt* **1** (*fill*) encher, estofar **2** (*push*) enfiar
• **to do one's stuff** *infml* cumprir sua parte
• **to stuff oneself** *infml* empanturrar-se
■ **stuffed shirt** *infml* pessoa presunçosa
■ **stuffed toy** bicho de pelúcia

stuffing ['stʌfɪŋ] *n* recheio

stuffy ['stʌfɪ] *adj* (**-ier**, **-iest**) **1** (*airless*) abafado, mal ventilado **2** (*conservative*) formal e tedioso **3** (*nose*) entupido (*nariz*)

stumble ['stʌmbəl] *n* tropeço, passo falso
▸ *vi* tropeçar, pisar em falso
■ **stumbling block** obstáculo, impedimento

stump [stʌmp] *n* **1** (*tree*) toco **2** (*pencil, candle*) toco **3** (*limb*) coto **4** (*cricket*) estaca
▸ *vt infml* desnortear, confundir
▸ *vi* andar de modo duro, com os passos pesados

stun [stʌn] *vt* (*pt & pp* **stunned**, *ger* **stunning**) **1** (*confound*) atordoar **2** (*knock unconscious*) deixar sem sentidos **3** (*astonish*) pasmar, chocar, estupefazer

stung [stʌŋ] *pt-pp* → **sting**

stunk [stʌŋk] *pt-pp* → **stink**

stunning ['stʌnɪŋ] *adj* **1** (*very beautiful*) imponente **2** (*wonderful*) estupendo, assombroso

stunt¹ [stʌnt] *n* **1** (*acrobatic action*) acrobacia, cena perigosa **2** (*trick*) truque

stunt² [stʌnt] *vt* retardar, impedir o crescimento

stuntman ['stʌntmæn] *n* (*pl* **stuntmen** ['stʌntmen]) dublê

stuntwoman ['stʌntwʊmən] *n* (*pl* **stuntwomen** ['stʌntwɪmɪn]) dublê

stupid ['stju:pɪd] *adj-n* (*comp* **stupider**, *superl* **stupidest**) estúpido, idiota

stupidity [stju:'pɪdɪtɪ] *n* estupidez

stupor ['stju:pəʳ] *n* estupor, letargia

sturdy ['stɜ:dɪ] *adj* (**-ier**, **-iest**) robusto, forte

stutter ['stʌtəʳ] *n* gagueira
▸ *vi* gaguejar

stutterer ['stʌtərəʳ] *n* gago

sty [staɪ] *n* (*pl* **-ies**) pocilga, chiqueiro

style [staɪl] *n* **1** (*manner*) estilo **2** (*type*) tipo, gênero **3** (*fashion*) moda

stylish ['staɪlɪʃ] *adj* **1** (*elegant*) elegante **2** (*up to date*) moderno

suave [swɑ:v] *adj* suave, brando, delicado

subconscious [sʌb'kɒnʃəs] *adj-n* subconsciente

subdivide [sʌbdɪ'vaɪd] *vt* subdividir

subdue [səb'dju:] *vt* **1** (*overcome*) conquistar, subjugar **2** (*restrain*) reprimir **3** (*smoother*) atenuar, suavizar (*cor*)

subject [(*n-adj*) 'sʌbdʒekt; (*v*) səb'dʒekt] *n* **1** (*theme*) assunto, tema **2** (*branch of study*) matéria (de escola) **3** (*liege*) súdito **4** (*citizen*) cidadão

▸ *adj* **1** (*dependent on*) sujeito **2** (*exposed to*) exposto **3** (*susceptible to*) suscetível
▸ *vt* submeter
• **subject to approval** sujeito à aprovação

subjective [səb'dʒektɪv] *adj* subjetivo

subjunctive [səb'dʒʌŋktɪv] *adj* subjuntivo
▸ *n* subjuntivo

sublet [sʌb'let] *vt-vi* (*pt & pp* **sublet**, *ger* **subletting**) subalugar

sublime [sə'blaɪm] *adj* sublime

submarine [sʌbmə'ri:n] *n* submarino

submerge [səb'mɜ:dʒ] *vt-vi* submergir, cobrir com água, inundar

submission [səb'mɪʃən] *n* **1** (*yielding*) submissão **2** (*presentation*) apresentação, entrega (de documentos)

submissive [səb'mɪsɪv] *adj* submisso

submit [səb'mɪt] *vt* (*pt & pp* **submitted**, *ger* **submitting**) **1** (*surrender*) submeter **2** (*present*) apresentar
▸ *vi* submeter-se

subordinate [(*adj-n*) sə'bɔ:dɪnət; (*v*) sə'bɔ:dɪneɪt] *adj-n* subordinado
▸ *vt* subordinar

subscribe [səb'skraɪb] *vi* **1** (*buy regularly*) assinar **2** (*agree with*) estar de acordo, aceitar ou aprovar, assinando embaixo

subscriber [səb'scraɪbə[r]] *n* **1** (*magazine, cabble TV*) assinante **2** (*contributer*) contribuinte

subscription [səb'skɪpʃən] *n* **1** (*magazine, cabble TV*) assinatura **2** (*donation*) contribuição

subsequent ['sʌbsɪkwənt] *adj* subsequente, posterior

subsequently ['sʌbsɪkwəntlɪ] *adv* posteriormente

subside [səb'saɪd] *vi* **1** (*recede*) ceder, afundar **2** (*lessen*) acalmar-se, apaziguar-se, diminuir

subsidiary [səb'sɪdɪərɪ] *adj* subsidiário, auxiliar
▸ *n* (*pl* **-ies**) companhia subsidiária, filial, sucursal

subsidize ['sʌbsɪdaɪz] *vt* subsidiar

subsidy ['sʌbsɪdɪ] *n* (*pl* **-ies**) subvenção, subsídio

subsist [səb'sɪst] *vi* subsistir
• **to subsist on...** viver de...

subsistence [səb'sɪstəns] *n* subsistência
▪ **subsistence wage** salário de subsistência

substance ['sʌbstəns] *n* **1** (*matter*) substância **2** *infml* (*essential meaning*) essência

substantial [səb'stænʃəl] *adj* **1** (*significant*) importante, substancial **2** (*solid*) sólido **3** (*of food*) nutritiva

substitute ['sʌbstɪtju:t] *n* (*replacement*) substituto, representante **2** (*supply teacher*) professor substituto
▸ *vt* substituir

substitution [sʌbstɪ'tju:ʃən] *n* **1** (*exchange*) substituição, troca, intercâmbio **2** (*reserve*) suplência

subterranean [sʌbtə'reɪnɪən] *adj* subterrâneo

subtitle ['sʌbtaɪtəl] *n* subtítulo, legenda
▸ *vt* legendar

subtle ['sʌtəl] *adj* (*comp* **subtler**, *superl* **subtlest**) **1** (*understated*) sutil **2** (*delicate*) delicado **3** (*astute*) refinado, perspicaz, agudo

subtly ['sʌtlɪ] *adv* sutilmente

subtract [səb'trækt] *vt* subtrair

subtraction [səb'trækʃən] *n* subtração

suburb ['sʌbɜ:b] *n* subúrbio
▪ **the suburbs** os subúrbios

subversive [sʌb'vɜ:sɪv] *adj-n* subversivo

subway ['sʌbweɪ] *n* GB **1** (*passage*) passagem subterrânea **2** US (*underground railway*) metrô

succeed [sək'si:d] *vi* **1** (*triumph*) ter êxito, triunfar **2** (*accomplish*) realizar, conseguir
▸ *vt* suceder, vir depois
• **to succeed in doing something** conseguir fazer algo

success [sək'ses] *n* (*pl* **-es**) sucesso, êxito
• **to be a success** ter muito êxito

successful [sək'sesfʊl] *adj* **1** (*victorious*) bem-sucedido, que tem êxito **2** (*prosperous*) próspero **3** (*fortunete*) feliz **4** (*rewarding*) acertado

successfully [sʌk'sesfʊlɪ] *adv* com êxito, prosperamente

succession [sək'seʃən] *n* sucessão, série

successive [sək'sesɪv] *adj* sucessivo

successor [sək'səsəʳ] *n* sucessor

succumb [sə'kʌm] *vi* sucumbir

such [sʌtʃ] *adj* tal, semelhante, assim: ***there's no such thing*** não existe tal coisa; ***how could you do such a thing?*** como você pode fazer algo assim? **2** tão... quanto, tanto... que: ***he's not such a nice person as his brother*** ele não é uma pessoa tão boa quanto o irmão; ***he was in such a hurry that he forgot his briefcase*** ele estava com tanta pressa que esqueceu sua pasta
▸ *adv* muito, tão, tanto: ***she's such a clever woman*** ela é uma mulher tão inteligente!; ***there were such a lot of books*** havia tantos livros
• **at such and such a time** a tal hora
• **in such a way that...** de tal maneira que...

suck [sʌk] *n* sucção, chupada
▸ *vt-vi* chupar, mamar
▸ *vt* **1** (*sip*) sugar **2** (*draw in*) tragar, puxar (redemoinho)
• **to suck up to somebody** *infml* bajular, adular

sucker ['sʌkəʳ] *n* **1** (*device to suck*) ventosa, chupador **2** *infml* (*fool*) bobo, trouxa
• **to be a sucker for something** *infml* ter um fraco por alguma coisa

suckle ['sʌkəl] *vt* amamentar
▸ *vi* mamar

suction ['sʌkʃən] *n* sucção
▪ **suction pump** bomba de sucção

sudden ['sʌdən] *adj* **1** (*abrupt*) repentino **2** (*unexpected*) inesperado, imprevisto, súbito
• **all of a sudden** de repente

suddenly ['sʌdənlɪ] *adv* de repente

suds [sʌdz] *npl* espuma, água com sabão

sue [su:] *vt-vi* processar, acionar

suede [sweɪd] *n* camurça
▸ *adj* feito de camurça

suffer ['sʌfəʳ] *vt-vi* sofrer
▸ *vt* aguentar, suportar

suffering ['sʌfərɪŋ] *n* **1** (*unhappiness*) sofrimento **2** (*pain*) dor

sufficient [sə'fɪʃənt] *adj* suficiente, bastante

sufficiently [sə'fɪʃəntlɪ] *adv* suficientemente

suffix ['sʌfɪks] *n* (*pl* **suffixes**) sufixo

suffocate ['sʌfəkeɪt] *vt* asfixiar, sufocar
▸ *vi* asfixiar-se, afogar-se

sugar ['ʃʊgəʳ] *n* açúcar
▪ **sugar bowl** açucareiro
▪ **sugar cane** cana de açúcar
▪ **suggar lump** torrão de açúcar

sugarbeet ['ʃʊgəbi:t] *n* beterraba

sugary ['ʃʊgərɪ] *adj* (**-ier**, **-iest**) **1** (*with sugar*) açucarado **2** (*sweet*) doce

suggest [sə'dʒest] *vt* **1** (*propose*) sugerir **2** (*counsel*) aconselhar **3** (*insinuate*) insinuar

suggestion [sə'dʒestʃən] *n* **1** (*proposal*) sugestão **2** (*counsel*) conselho, recomendação **3** (*hint*) traço, sinal, indício

suggestive [sə'dʒestɪv] *adj* **1** (*evocative*) sugestivo, indicativo **2** (*improper*) provocante, insinuante

suicidal [sju:ɪ'saɪdəl] *adj* suicida

suicide ['sju:ɪsaɪd] *n* suicídio
• **to commit suicide** suicidar-se

suit [sju:t] *n* **1** (*for man*) terno **2** (*for woman*) *tailler*, costume, terninho **3** (*appeal*) processo, caso jurídico **4** naipe
▸ *vt* **1** (*be suitable for*) convir a **2** agradar: ***the cold doesn't suit me*** o frio não me agrada **3** cair bem: ***red really suits you*** o vermelho cai bem em você **4** (*satisfy*) satisfazer
• **suit yourself!** faça como quiser!
• **suits me!** por mim, está bem!
• **to follow suit** seguir o exemplo

suitable ['sju:təbəl] *adj* **1** (*acceptable*) conveniente **2** adequado, próprio: ***suitable for children*** próprio para crianças

suitcase ['su:tkeɪs] *n* mala

suite [swi:t] *n* **1** (*of furniture*) conjunto **2** MUS suíte **3** (*in a hotel, in a residence*) conjunto de aposentos

suitor ['sju:təʳ] *n* (*to marry*) pretendente

sulk [sʌlk] *vi* estar de mau humor, estar zangado

sulky ['sʌlkɪ] *adj* (**-ier**, **-iest**) mal-humorado

sullen ['sʌlən] *adj* calado, taciturno

sulphur ['sʌlfəʳ] *n* CHEM enxofre

sultana [sʌl'tɑːnə] *n* passa sultana

sultry ['sʌltrɪ] *adj* (**-ier**, **-iest**) **1** (*hot and humid*) abafado, sufocante **2** (*sensual*) sensual, provocante

sum [sʌm] *n* **1** (*result of addition*) soma **2** (*total*) total, montante
• **in sum** em suma, resumindo
▪ **sum total** soma, total
▪ **to sum up** *vt* para resumir, para recapitular

summarize ['sʌməraɪz] *vt* resumir

summary ['sʌmərɪ] *n* (*pl* **-ies**) sumário, resumo

summer ['sʌməʳ] *n* verão
▸ *adj* de verão

summertime ['sʌmətaɪm] *n* verão, temporada de verão

summit ['sʌmɪt] *n* cume, topo

summon ['sʌmən] *vt* chamar, intimar, convocar
• **to summon up one's strength** reunir todas as forças

summons ['sʌmənz] *n* (*pl* **summonses**) **1** (*court order*) citação, ordem de comparecer, intimação **2** (*order*) convocação
▸ *vt* intimar

sun [sʌn] *n* sol
• **in the sun** ao sol
• **to sun oneself** tomar sol

sun ['sʌndɪ] *abbr* (***Sunday***) domingo

sunbathe ['sʌnbeɪð] *vi* tomar banho de sol

sunburnt ['sʌnbɜːnt] *adj* queimado pelo sol, bronzeado
• **to get sunburnt** queimar-se

sunday ['sʌndeɪ] *n* domingo
▪ **Sunday school** (*religious*) escola dominical

sundial ['sʌndaɪəl] *n* relógio de sol

sunflower ['sʌnflaʊəʳ] *n* BOT girassol

sung [sʌŋ] *pp* → **sing**

sunglasses ['sʌnglɑːsɪz] *npl* óculos escuros

sunk [sʌŋk] *pp* → **sink**

sunlight ['sʌnlaɪt] *n* luz do sol

sunny ['sʌnɪ] *adj* (**-ier**, **-iest**) ensolarado
• **to be sunny** fazer sol

sunrise ['sʌnraɪz] *n* nascer do sol, amanhecer
• **at sunrise** ao amanhecer

sunset ['sʌnset] *n* pôr do sol, poente
• **at sunset** ao entardecer

sunshade ['sʌnʃeɪd] *n* **1** (*for protection from the sun*) para-sol, guarda-sol **2** (*awning*) toldo

sunshine ['sʌnʃaɪn] *n* luz do sol

sunstroke ['sʌnstrəʊk] *n* insolação

suntan ['sʌntæn] *n* bronzeado
▪ **suntan lotion** bronzeador

super ['suːpəʳ] *adj infml* excelente, formidável

superb [suː'pɜːb] *adj* estupendo, magnífico

superficial [suːpə'fɪʃəl] *adj* superficial

superfluous [suː'pɜːflʊəs] *adj* supérfluo

superhuman [suːpə'hjuːmən] *adj* sobre-humano

superintendent [suːpərɪn'tendənt] *n* inspetor, supervisor, diretor

superior [suː'pɪərɪəʳ] *adj* **1** (*outstanding*) superior **2** (*excellent*) excelente, muito bom
▸ *n* pessoa superior (*em cargo*)

superiority [suːpɪərɪ'ɒrɪtɪ] *n* superioridade

superlative [suː'pɜːlətɪv] *adj* superlativo
▸ *n* superlativo

supermarket [suːpə'mɑːkɪt] *n* supermercado

supernatural [suːpə'nætʃərəl] *adj* sobrenatural

superpower ['suːpəpaʊəʳ] *n* superpotência

supersonic [suːpə'sɒnɪk] *adj* supersônico

superstition [suːpə'stɪʃən] *n* superstição

superstitious [sjuːpə'stɪʃəs] *adj* supersticioso

supervise ['suːpəvaɪz] *vt* **1** (*superintend*) supervisionar **2** (*watch over*) vigiar

supervision [su:pə'vɪʒən] *n* supervisão, vigilância

supervisor ['su:pəvaɪzə^r] *n* supervisor

supper ['sʌpə^r] *n* ceia, jantar

• **to have supper** ceiar, jantar

supple ['sʌpəl] *adj* flexível

supplement [(*n*) 'sʌplɪmənt; (*v*) 'sʌplɪment] *n* suplemento

▸ *vt* completar

supplementary [sʌplɪ'mentərɪ] *adj* adicional, suplementar

supplier [sə'plaɪə^r] *n* abastecedor, fornecedor

supply [sə'plaɪ] *vt* (*pt & pp* **-ied**) **1** (*provide*) abastecer, prover, suprir **2** (*send provisions*) aprovisionar **3** (*information*) fornecer

▸ *n* (*pl* **-ies**) **1** (*stock*) estoque, suprimento, provisão **2** (*distribution*) abastecimento, fornecimento

▸ *npl* **supplies** material, suprimento

• **supply and demand** oferta e procura

support [sə'pɔ:t] *n* **1** (*assistance*) assistência, auxílio, amparo, apoio **2** (*subsidy*) manutenção, subsistência

▸ *vt* **1** (*hold up*) sustentar, suportar, escorar **2** (*advocate*) apoiar, advogar, justificar **3** (*comfort*) encorajar, consolar **4** sustentar: ***he has to support his family*** ele tem que sustentar sua família

• **to support oneself** ganhar a vida

supporter [sə'pɔ:tə^r] *n* POL **1** (*follower*) partidário, seguidor **2** (*sponsor*) patrocinador, protetor

supportive [sə'pɔ:tɪv] *adj* que dá apoio ou incentivo

suppose [sə'pəʊz] *vt* supor, imaginar, achar: ***I suppose she'll arrive tomorrow*** suponho que ela chegará amanhã; ***suppose there was a war*** imagine que houvesse uma guerra

• **I suppose so/not** suponho que sim/não

• **to be supposed to...** **1** (*be intended to*) supõe-se que...: ***the minister's supposed to be about to resign*** supõe-se que o ministro esteja a ponto de renunciar **2** (*duty*) dever...: ***you're supposed to be in bed*** você deveria estar na cama

supposed [sə'pəʊzd] *adj* suposto, admitido

supposedly [sə'pəʊzədlɪ] *adv* supostamente

suppository [sə'pɒzɪtərɪ] *n* (*pl* **-ies**) supositório

suppress [sə'pres] *vt* **1** (*put an end to*) suprimir, eliminar **2** (*restrain*) reprimir, segurar

suppression [sə'preʃən] *n* **1** (*state of being suppressed*) supressão **2** (*exclusion of a thought or feeling*) repressão

supremacy [su:'preməsɪ] *n* supremacia

supreme [su:'pri:m] *adj* supremo

▪ **The Supreme Court** LAW Supremo Tribunal Federal

supremely [su:'pri:mlɪ] *adv* extremamente

surcharge ['sɜ:tʃɑ:dʒ] *n* sobretaxa

sure [ʃʊə^r] *adj* seguro, certo: ***I'm sure she told the truth*** estou certo de que ela disse a verdade

▸ *adv* **1** (*certainly*) com certeza **2** (*surely*) seguramente **3** realmente, em verdade: ***he sure is handsome*** ele é realmente bonito

• **sure enough** sem dúvida, certamente

• **to be sure to...** não se esqueça de...

• **to make sure** assegurar-se

surely ['ʃʊəlɪ] *adv* seguramente, sem dúvida

surf [sɜ:f] *n* **1** (*foam*) espuma de ondas do mar **2** SPORT surfe

▸ *vi* surfar

• **to surf the Net** navegar na internet

surface ['sɜ:fəs] *n* **1** (*outside*) superfície **2** (*face*) face, lado

▸ *vt* dar uma superfície plana a

▸ *vi* **1** (*rise to the surface*) sair à superfície, emergir, vir à tona **2** (*become apparent*) surgir

surge [sɜ:dʒ] *n* **1** (*wave*) onda, vaga **2** (*increase*) aumento **3** (*flow*) onda, leva (*de gente*) **4** (*outburst*) arroubo

▸ *vi* lançar-se, encrespar-se

surgeon ['sɜ:dʒən] *n* cirurgião

surgery ['sɜ:dʒərɪ] *n* (*pl* **-ies**) **1** MED cirurgia **2** GB (*consulting room, consultation*) consultório, consulta

surgical ['sɜːdʒɪkəl] *adj* cirúrgico

surly ['sɜːlɪ] *adj* (**-ier**, **-iest**) de mau humor, aborrecido

surname ['sɜːneɪm] *n* sobrenome

surpass [sɜː'pɑːs] *vt* superar, sobrepujar

surplus ['sɜːpləs] *adj* excedente
▸ *n* (*pl* **surpluses**) **1** (*excess*) excesso **2** FIN saldo positivo, superávit

surprise [sə'praɪz] *n* surpresa
▸ *adj* inesperado, de surpresa, surpreendente
▸ *vt* surpreender, pegar de surpresa
• **to give somebody a surprise** fazer uma surpresa a alguém
• **to take somebody by surprise** pegar alguém desprevenido

surprising [sə'praɪzɪŋ] *adj* surpreendente

surreal [sə'rɪəl] *adj* surrealista, surreal

surrealism [sə'rɪəlɪzəm] *n* surrealismo

surrender [sə'rendəʳ] *n* rendição, capitulação
▸ *vt-vi* render(-se), entregar(-se)

surround [sə'raʊnd] *vt* rodear, envolver

surrounding [sə'raʊndɪŋ] *adj* circundante, vizinho
▸ *npl* **surroundings** **1** (*environment*) contexto, localização **2** (*neighbouring*) arredores, adjacências

surveillance [sɜː'veɪləns] *n* vigilância

survey [(*n*) 'sɜːveɪ; (*v*) sə'veɪ] *n* **1** (*poll*) sondagem (*de opinião*) **2** (*study*) estudo (*de tendências*) **3** (*inspection*) vistoria, revista, inspeção **4** (*estimation*) medição **5** (*overview*) vista geral, visão
▸ *vt* **1** (*inspect*) inspecionar **2** (*examine*) examinar, vistoriar **3** (*make a map*) fazer levantamento topográfico

surveyor [sə'veɪəʳ] *n* agrimensor, topógrafo

survival [sə'vaɪvəl] *n* **1** (*condition*) sobrevivência **2** (*thing*) vestígio, relíquia

survive [sə'vaɪv] *vt* sobreviver a, viver mais que
▸ *vi* sobreviver

survivor [sə'vaɪvəʳ] *n* sobrevivente

susceptible [sə'septɪbəl] *adj* **1** (*liable*) suscetível, sensível **2** (*prone*) propenso (*a doenças*)

suspect [(*adj-n*) 'sʌspekt; (*v*) sə'spekt] *adj-n* suspeito
▸ *vt* **1** (*have a suspicion*) suspeitar **2** (*speculate*) imaginar

suspend [sə'spend] *vt* **1** (*interrupt*) suspender **2** (*student*) expulsar **3** (*player*) afastar **4** (*postpone*) sustar, adiar
▪ **suspended sentence** LAW benefício condicional

suspender [sə'spendəʳ] *n* (*stockings*) liga
▸ *npl* **suspenders** suspensórios

suspense [səs'spens] *n* **1** (*expectation*) expectativa **2** (*anxiety*) suspense, ansiedade, incerteza, tensão
• **to keep somebody in suspense** deixar alguém em suspense

suspension [sə'spenʃən] *n* **1** (*interruption*) suspensão **2** (*student*) expulsão **3** (*player*) sanção
▪ **suspension bridge** ponte pênsil

suspicion [sə'spɪʃən] *n* **1** (*mistrust*) suspeita **2** (*doubt*) dúvida, desconfiança

suspicious [sə'spɪʃəs] *adj* **1** (*causing suspicion*) suspeito **2** (*having suspicion*) desconfiado

suspiciously [sʌ'spɪʃəslɪ] *adv* **1** (*in a suspect way*) de modo suspeito, suspeitosamente **2** (*with suspicion*) com desconfiança

sustain [sə'steɪn] *vt* **1** (*comfort*) confortar, aliviar **2** (*maintain*) sustentar **3** (*suffer*) sofrer (*lesão*)

SW[1] ['ʃɔːtweɪv] *abbr* (***short wave***) onda curta

SW[2] [saʊθ'west] *abbr* (***southwest***) sudoeste, para sudoeste, SO

swagger ['swægəʳ] *vi* caminhar com ares de superioridade

swallow[1] ['swɒləʊ] *n* **1** (*of drink*) trago, gole **2** (*act of swallowing*) ato de engolir
▸ *vt-vi* engolir, tragar

swallow[2] ['swɒləʊ] *n* ZOOL andorinha

swam [swæm] *pt* → **swim**

swamp [swɒmp] *n* pântano, brejo
▸ *vt* **1** (*flood*) encharcar, encher de água **2** (*boat*) encher de água e afundar **3** (*submerge*) submergir

swan [swɒn] *n* ZOOL cisne

swap [swɒp] *vt-vi* (*pt & pp* **swapped**, *ger* **swapping**) *infml* trocar, permutar
■ **to swap round** *vt* trocar de lugar

swarm [swɔ:m] *n* **1** (*of bees*) enxame **2** (*of insects*) nuvem
▸ *vi infml* fervilhar: ***the square swarmed with young people*** a praça fervilhava de jovens

swarthy ['swɔ:ðɪ] *adj* (**-ier**, **-iest**) moreno, escuro, trigueiro

swat [swɒt] *vt* (*pt & pp* **swatted**, *ger* **swatting**) matar com um golpe

sway [sweɪ] *n* **1** (*swing*) balanço, oscilação **2** (*influence*) influência, controle
▸ *vt* **1** (*swing*) balançar, oscilar **2** (*influence*) influenciar, controlar, dominar
▸ *vi* **1** (*swing*) balançar, oscilar **2** (*veer*) pender, envergar
• **to hold sway over somebody** dominar alguém

swear [sweəʳ] *vt-vi* (*pt* **swore** [[swɔ:ʳ], *pp* **sworn** [swɔ:n]) jurar
▸ *vi* falar palavrão, jurar, blasfemar, xingar
• **to be sworn in** prometer em público ser fiel a uma instituição
■ **to swear by** *vt infml* ter confiança em

swearword ['sweəwɜ:d] *n* palavrão, xingamento

sweat [swet] *n* **1** (*perspiration*) suor **2** *infml* (*hard labour*) trabalho duro
▸ *vt-vi* suar
• **to sweat it out** *infml* aguentar até o fim

sweater ['swetəʳ] *n* suéter, pulôver

sweatshirt ['swetʃɜ:t] *n* blusão de moletom, casaco ou pulôver de abrigo

swede [swi:d] *n* sueco

Sweden ['swi:dən] *n* Suécia

Swedish ['swi:dɪʃ] *adj* sueco
▸ *n* **1** (*person*) sueco **2** (*language*) sueco
▸ *npl* **the Swedish** os suecos

sweep [swi:p] *n* **1** (*act of sweeping*) varredura **2** (*gesture*) movimento impetuoso, gesto amplo **3** (*police*) varredura policial em uma área **4** *infml* (*chimney-sweep*) limpa-chaminés **5** (*victory*) vitória arrasadora
▸ *vt-vi* (*pt & pp* **swept** [swept]) varrer
▸ *vt* **1** (*wind, waves*) varrer **2** (*engulf*) abarcar, estender-se **3** (*carry*) arrastar, levar de roldão
• **to sweep in/out/past** entrar/sair/passar rapidamente
• **to sweep somebody off his/her feet** fazer alguém ficar impressionado, atraído
• **to make a clean sweep of things** ganhar todos os prêmios
■ **to sweep aside** *vt* **1** (*remove*) afastar bruscamente **2** *fig* (*disregard*) rechaçar

sweeper ['swi:pəʳ] *n* **1** (*person*) varredor, limpador **2** (*machine*) varredora

sweeping ['swi:pɪŋ] *adj* **1** (*extensive*) amplo, extenso, vasto **2** (*too generalized*) generalizado

sweet [swi:t] *adj* **1** (*sugary*) doce **2** (*pleasant*) agradável **3** (*fragrant*) cheiroso, perfumado **4** (*kind*) gentil
▸ *n* **1** (*confectionery*) coisa doce **2** (*dessert*) sobremesa
• **to have a sweet tooth** gostar de doces
■ **sweet corn** milho-verde
■ **sweet pea** ervilha de cheiro
■ **sweet potato** batata-doce

sweetcorn ['swi:tkɔ:n] *n* milho-verde

sweeten ['swi:tən] *vt* adoçar, adocicar

sweetener ['swi:tənəʳ] *n* adoçante

sweetheart ['swi:thɑ:t] *n* **1** (*dear*) querido **2** (*lover*) namorado

swell [swel] *n* **1** (*increase*) aumento, incremento **2** (*movement of waves*) onda, vaga **3** (*hill*) morro redondo **4** MUS crescendo
▸ *adj* US *infml* excelente, formidável
▸ *vi* (*pt* **swelled** [sweld], *pp* **swollen** ['swəʊlən]) **1** (*sea*) formar ondas **2** (*river*) encher **3** (*body*) inchar

swelling ['swelɪŋ] *n* inchação, inchaço

swept [swept] *pt-pp* → **sweep**

swerve [swɜ:v] *n* guinada, desvio
▸ *vt-vi* desviar(-se) bruscamente

swift [swɪft] *adj infml* rápido, veloz
▸ *n* ZOOL andorinhão, gavião

swim [swɪm] *n* nado
▸ *vi* (*pt* **swam** [swæm], *pp* **swum** [swʌm], *ger* **swimming**) nadar
• **to go for a swim** ir nadar

swimmer ['swɪməʳ] *n* nadador

swimming ['swɪmɪŋ] *n* natação
■ **swimming baths** (*public, indoors*) piscina
■ **swimming costume** traje de banho
■ **swimming pool** piscina
■ **swimming trunks** calção de banho

swimsuit ['swɪmsuːt] *n* traje de banho, maiô

swindle ['swɪndəl] *n* engano, fraude
▸ *vt* enganar, fraudar

swindler ['swɪndləʳ] *n* caloteiro, trapaceiro

swine [swaɪn] *n* **1** (*animal*) porco, suíno **2** *infml* (*person*) pessoa suja ou desprezível

Seu plural é **swine ou swines.**

swing [swɪŋ] *n* **1** (*oscillation*) balanço, oscilação **2** (*drift*) impulso **3** (*suspended seat*) balanço **4** (*golf*) movimento do corpo para dar a tacada no golfe **5** (*music*) suingue
▸ *vt* (*pt & pp* **swung** [swʌŋ]) **1** (*oscillate*) balançar **2** (*wave*) mover os braços **3** (*turn*) girar **4** (*hang*) pender
▸ *vi* **1** (*play*) balançar-se **2** (*wave*) mover **3** (*vibrate*) brandir, vibrar
▸ *vt-vi fig* girar, virar
• **in full swing** em plena atividade, em pleno funcionamento

swipe [swaɪp] *n* soco, golpe violento
▸ *vt* **1** (*strike*) golpear, socar, bater **2** *infml* (*steal*) roubar

swirl [swɜːl] *n* **1** (*twist*) redemoinho **2** (*twisting shape*) espiral, giro
▸ *vi* **1** (*whirl*) rodar **2** (*person*) dar voltas

Swiss [swɪs] *adj-n* suíço
▸ *npl* **the Swiss** os suíços

switch [swɪtʃ] *n* (*pl* **-es**) **1** (*device*) interruptor, comutador, chave **2** (*change*) mudança repentina **3** (*exchange*) intercâmbio, troca
▸ *vt* **1** (*change*) mudar **2** (*deviate*) desviar
• **to switch one's attention to** desviar a atenção para
■ **to switch off** *vt* **1** (*turn off*) desligar **2** (*electric circuit*) cortar
■ **to switch on** *vt* **1** (*light*) acender **2** (*turn on*) ligar (*radio, TV*)
■ **to switch over** *vi* trocar

switchboard ['swɪtʃbɔːd] *n* painel de comando
■ **switchboard operator** telefonista

Switzerland ['swɪtsələnd] *n* Suíça

swivel ['swɪvəl] *vt-vi* (GB *pt & pp* **swivelled**, *ger* **swivelling**; US *pt & pp* **swiveled**, *ger* **swiveling**) girar, rodar
■ **swivel chair** cadeira giratória

swollen ['swəʊlən] *pp* → **swell**

swoop [swuːp] *vi* **1** (*descend*) fazer descida rápida **2** (*raid*) fazer batida policial

sword [sɔːd] *n* espada

swordfish ['sɔːdfɪʃ] *n* (*pl* **-es**) ZOOL peixe-espada

swore [swɔːʳ] *pt* → **swear**

sworn [swɔːn] *pp* → **swear**

swot [swɒt] *n infml* estudo esforçado, estudante esforçado
▸ *vi* (*pt & pp* **swotted**, *ger* **swotting**) *infml* estudar com afinco

swum [swʌm] *pp* → **swim**

swung [swʌŋ] *pt-pp* → **swing**

sycamore ['sɪkəmɔːʳ] *n* BOT plátano, sicômoro

syllable ['sɪləbəl] *n* sílaba

syllabus ['sɪləbəs] *n* (*pl* **syllabuses**) **1** (*curriculum*) plano de ensino **2** (*programme of study*) programa de estudos

symbol ['sɪmbəl] *n* símbolo

symbolic [sɪm'bɒlɪk] *adj* simbólico

symmetrical [sɪ'metrɪkəl] *adj* simétrico

symmetry ['sɪmɪtrɪ] *n* simetria

sympathetic [sɪmpə'θetɪk] *adj* **1** (*compassionate*) compreensivo **2** (*in favour of*) solidário **3** (*likeable*) empático

sympathize ['sɪmpəθaɪz] *vi* **1** (*show compassion for*) compartilhar ou compreender os sentimentos de alguém, compadecer-se **2** (*agree with*) compreender, aprovar

sympathizer ['sɪmpəθaɪzəʳ] *n* simpatizante

sympathy ['sɪmpəθɪ] *n* (*pl* **-ies**) **1** (*compassion*) compaixão, comiseração **2** (*condolence*) condolência, pêsames **3** (*empathy*) compreensão, solidariedade, empatia

• **to express one's sympathy** dar os pêsames

symphony ['sɪmfənɪ] *n* (*pl* **-ies**) sinfonia

symptom ['sɪmptəm] *n* sintoma

synagogue ['sɪnəgɒg] (US **synagog**) *n* sinagoga

synchronize ['sɪŋkrənaɪz] *vt* sincronizar

syndicate ['sɪndɪkət] *n* **1** (*cartel*) grupo econômico, cartel **2** (*agency*) agência de imprensa

syndrome ['sɪndrəʊm] *n* síndrome

synonym ['sɪnənɪm] *n* sinônimo

synonymous [sɪ'nɒnɪməs] *adj* sinônimo

syntax ['sɪntæks] *n* sintaxe

synthesis ['sɪnθəsɪs] *n* (*pl* **syntheses** ['sɪnθəsi:z]) síntese

synthesize ['sɪnθəsaɪz] *vt* sintetizar

synthetic [sɪn'θetɪk] *adj* sintético ▸ *n* fibra sintética

syringe [sɪ'rɪndʒ] *n* seringa

syrup ['sɪrəp] *n* **1** (*medicine*) xarope **2** (*sweet liquid*) melado

system ['sɪstəm] *n* sistema

▪ **systems analyst** analista de sistemas

systematic [sɪstə'mætɪk] *adj* sistemático

systematize ['sɪstɪmətaɪz] *vt* sistematizar

T

ta [tɑː] *interj* GB *infml* obrigado!

tab [tæb] *n* **1** (*of metal*) tira, aba, lingueta **2** (*of cloth*) etiqueta

table ['teɪbəl] *n* **1** (*furniture*) mesa **2** (*list*) tabela, lista
▸ *vt* colocar na pauta
• **to clear the table** tirar a mesa
• **to lay the table** pôr a mesa
▪ **table football** futebol de mesa, futebol totó
▪ **table tennis** tênis de mesa, pingue-pongue

tablecloth ['teɪbəlklɒθ] *n* toalha de mesa

tablespoon ['teɪbəlspuːn] *n* colher de sopa

tablet ['tæblət] *n* **1** (*pill*) comprimido **2** (*inscribed slab*) tabuleta

tabloid ['tæblɔɪd] *n* tabloide

taboo [tə'buː] *adj* tabu
▸ *n* (*pl* **taboos**) tabu

tacit ['tæsɪt] *adj* tácito

tack [tæk] *n* **1** (*pin, nail*) tacha **2** (*course of action*) tática, linha de ação **3** (*in sewing*) alinhavo
▸ *vt* **1** (*fasten with tacks*) pregar com tachas **2** (*in sewing*) alinhavar
• **to change tack** mudar o curso, mudar de tática

tackle ['tækəl] *n* **1** (*gear*) equipamento, aparelho **2** (*for lifting*) talha, guincho **3** SPORT falta que consiste na tentativa de tomar a bola do jogador adversário **4** (*rugby*) marcação
▸ *vt* **1** (*problem*) atacar, fazer frente **2** SPORT cometer falta **3** (*rugby*) marcar o jogador que está com a bola

tacky ['tækɪ] *adj* (**-ier**, **-iest**) **1** (*sticky*) pegajoso, grudento **2** (*tasteless*) cafona, brega, de mau gosto

tact [tækt] *n* tato

tactful ['tæktfʊl] *adj* discreto, diplomático

tactics ['tæktɪks] *npl* tática

tactless ['tæktləs] *adj* desprovido de tato, indiscreto

tadpole ['tædpəʊl] *n* girino

tag [tæg] *n* **1** (*label*) etiqueta **2** (*children's game*) pique, pega-pega **3** (*quotation*) citação, clichê, chavão
▸ *vt* (*pt & pp* **tagged**, *ger* **tagging**) **1** (*attach a tag to*) etiquetar **2** COMPUT marcar palavra-chave ou termo associado a informação a ser processada posteriormente
▪ **to tag on** *vt* juntar, acrescentar: ***I'll tag on a few photos of the trip*** vou acrescentar algumas fotos da viagem

tail [teɪl] *vt* seguir
▸ *n* rabo, cauda
▸ *npl* **tails** (*side of a coin*) coroa

tailback ['teɪlbæk] *n* congestionamento: ***there is a two-mile tailback on the M4 due to an accident involving two lorries*** há um congestionamento de duas milhas na estrada M4 devido a um acidente entre dois caminhões

tailor ['teɪləʳ] *n* alfaiate
▸ *vt fig* adaptar, fazer sob medida

tailor-made [teɪlə'meɪd] *adj* feito sob medida

taint [teɪnt] *vt* manchar

Taiwan [taɪ'wæn] *n* Taiwan

take [teɪk] *vt* (*pt* **took** [tʊk], *pp* **taken** ['teɪkən]) **1** (*remove from a place*) tomar, pegar **2** (*drink, eat*) comer, beber **3** aceitar: ***he refused to take the money*** ele recusou-se a aceitar o dinheiro **4** levar: ***she took me to the airport*** ela me levou para o aeroporto **5** exigir, necessitar, ser necessário: ***it took two men to carry it*** foram necessários dois homens para carregá-lo **6** (*write down*) escrever, anotar **7** ocupar: ***this chair is taken*** esta cadeira está ocupada **8** aguentar: ***he can't take a joke*** ele não aguenta uma brincadeira **9** (*assume*) supor **10** levar, tardar: ***it will take two weeks*** vai levar duas semanas

▸ *n* (*one of a series of recordings*) tomada

• **to take it out on somebody** descontar em alguém: ***she took it out on me*** ela descontou em mim

• **to take something up with somebody** discutir algo com alguém

• **to take to one's heels** fugir

▪ **to take after** *vt* parecer-se com um membro da família

▪ **to take away** *vt* **1** (*remove*) levar **2** (*steal*) tomar, tirar, roubar **3** (*subtract*) subtrair

▪ **to take back** *vt* **1** (*return*) devolver, levar de volta **2** retratar: ***he took back what he said*** ele se retratou do que disse

▪ **to take down** *vt* **1** (*dismantle*) demolir, derrubar **2** (*remove something fixed*) despendurar, tirar **3** (*write down*) anotar, escrever **4** (*humiliate*) humilhar

▪ **to take in** *vt* **1** (*provide accomodation for*) dar abrigo, receber como hóspede **2** (*deceive*) enganar **3** (*understand*) assimilar, compreender **4** (*include*) incluir **5** (*make clothes smaller*) apertar, diminuir

▪ **to take off** *vt* **1** (*clothes*) tirar **2** imitar: ***she loves taking her teachers off*** ela adora imitar os professores

▸ *vi* (*aircraft*) decolar

▪ **to take on** *vt* **1** (*assume*) tomar conta **2** (*job*) aceitar **3** (*hire*) contratar, empregar

▪ **to take out** *vt* **1** (*remove*) tirar **2** (*go out with*) convidar para sair **3** (*obtain officially*) fazer (*seguro*)

▪ **to take over** *vt* **1** POL tomar o poder **2** assumir o controle, gerenciamento, ou responsabilidade, incorporar: ***the small company was taken over by a larger one*** a empresa de menor porte foi incorporada por uma de maior porte **3** SPORT dominar (*a partida*): ***the opponent team took over in the second half of the game*** o time adversário dominou a partida no segundo tempo

▸ *vi* tomar o poder, o controle

▪ **to take over from** *vt* assumir o lugar de outra pessoa: ***I am supposed to take over from Peter when he finishes his shift*** eu devo assumir o lugar de Peter quando ele terminar seu turno

▪ **to take to** *vt* **1** (*feel a liking for*) afeiçoar-se **2** (*make a habit of*) adquirir **3** (*develop an ability for*) começar a fazer algo

▪ **to take up** *vt* **1** (*occupy*) ocupar (tempo, espaço) **2** (*continue*) continuar (história) **3** (*accept*) aceitar **4** começar a: ***he's taken up the guitar*** ele começou a tocar violão

takeaway ['teɪkəweɪ] *n* **1** (*meal*) comida "para viagem" **2** (*restaurant*) restaurante que vende comida "para viagem"

taken ['teɪkən] *pp* → **take**

takeoff ['teɪkɒf] *n* decolagem

takeover ['teɪkəʊvə^r] *n* **1** (*government*) tomar posse **2** (*acquisition*) incorporação, aquisição (*de empresa*)

takings ['teɪkɪŋz] *npl* arrecadação, férias

talcum powder ['tælkəmpaʊdə^r] *n* talco

tale [teɪl] *n* conto

• **to tell tales** contar lorota, inventar histórias

talent ['tælənt] *n* talento

▪ **talent scout** *mf inv* (*scout*) descobridor de novos talentos

talented ['tæləntɪd] *adj* talentoso, hábil

talk [tɔːk] *vt-vi* falar, conversar, dizer

▸ *n* **1** (*conversation*) conversa, fala **2** (*rumor*) rumor, boato

• **to talk somebody into something** convencer alguém a fazer algo

• **to talk somebody out of something** dissuadir alguém de fazer algo

▪ **talk show** programa de entrevistas no rádio ou na televisão

▪ **to talk over** *vt* discutir

▪ **to talk round** *vt* convencer

▪ **talkative** ['tɔːkətɪv] *adj* falador

▪ **talker** ['tɔːkə^r] *n* falador

■ **talking-to** ['tɔ:kɪŋtu:] *n* (*pl* **talkings-to**) *infml* repreensão, advertência

■ **tall** [tɔ:l] *adj* alto: ***how tall are you?*** qual a sua altura?; ***it's 5 metres tall*** mede 5 metros de altura

■ **tall story** conversa fiada, conto da carochinha

tally ['tælɪ] *n* (*pl* **-ies**) talha

▸ *vi* (*pt & pp* **tallied**, *ger* **talling**) concordar, corresponder

tambourine [tæmbə'ri:n] *n* pandeiro

tame [teɪm] *adj* **1** (*docile*) manso, dócil **2** (*domesticated*) domesticado **3** *fig* insosso: ***it was a tame rendition of the song*** foi uma interpretação insossa da música

▸ *vt* domar, domesticar

tamper with ['tæmpəwɪð] *vt* **1** (*interfere with*) mexer indevidamente **2** (*falsify*) falsificar, adulterar **3** (*corrupt*) estragar, corromper

tampon ['tæmpɒn] *n* tampão de algodão

tan [tæn] *n* **1** (*yellowish-brown*) cor bronzeada, marrom-clara **2** bronzeado: ***it isn't possible to get a deep tan in just five days*** não é possível conseguir um bronzeado escuro em apenas cinco dias

▸ *vt* (*pt & pp* **tanned**, *ger* **tanning**) **1** (*leather*) curtir **2** (*skin*) bronzear

▸ *vi* bronzear-se

tangent ['tændʒənt] *n* tangente

• **to go off at a tangent** sair pela tangente

tangerine [tændʒəri:n] *n* tangerina

tangle ['tæŋgəl] *n* **1** (*knot*) entrelaçamento, emaranhado **2** (*confusion*) emaranhado, confusão

▸ *vt* **1** (*knot*) enredar, embaraçar **2** (*confuse*) confundir

▸ *vi* enredar-se, emaranhar-se

■ **to tangle with** *vt* envolver-se com

tango ['tæŋgəʊ] *n* (*pl* **tangos**) tango

tank [tæŋk] *n* **1** depósito, tanque: ***a water/petrol tank*** um tanque de água/gasolina **2** (*vehicle*) tanque, carro de combate

tanker ['tæŋkə'] *n* **1** (*ship, aircraft*) navio-tanque ou avião-tanque **2** (*ship to carry oil*) petroleiro **3** (*truck*) caminhão-tanque

tantamount to ['tæntəmaʊnt tʊ] *prep* equivalente a

tantrum ['tæntrəm] *n* acesso de raiva

tap¹ [tæp] *n* bica, torneira

▸ *vt* (*pt & pp* **tapped**, *ger* **tapping**) **1** (*obtain something useful*) explorar **2** colocar escuta em telefone: ***I suspect my phone's been tapped*** tenho a suspeita de que colocaram uma escuta no meu telefone

• **to turn the tap off** fechar a bica

• **to turn the tap on** abrir a bica

tap² [tæp] *n* pancadinha

▸ *vt* (*pt & pp* **tapped**, *ger* **tapping**) dar uma pancadinha

tap³ [tæp] *n* sapateado

■ **tap dancer** dançarino de sapateado

tape [teɪp] *n* **1** (*adhesive tape*) fita adesiva **2** (*binding*) fita, cadarço **3** (*audio cassette*) fita magnética

▸ *vt* **1** (*fasten with adhesive tape*) colar com fita adesiva **2** (*record*) gravar

■ **tape measure** fita métrica

■ **tape recorder** gravador

tapestry ['tæpəstrɪ] *n* (*pl* **-ies**) tapeçaria

tar [tɑ:ʳ] *n* alcatrão

target ['tɑ:gɪt] *n* **1** (*aim*) alvo, objetivo **2** (*goal*) meta

tariff ['tærɪf] *n* (*pl* **tariffs**) tarifa, direitos alfandegários

tarmac ['tɑ:mæk] *n* asfalto

tarnish ['tɑ:nɪʃ] *vt* **1** (*discolour*) deslustrar, embaçar (metal) **2** (*sully*) manchar, sujar

▸ *vi* deslustrar-se

tart [tɑ:t] *adj* **1** (*acid*) azedo, picante **2** (*caustic*) mordaz

▸ *n* **1** (*pastry*) torta **2** *sl* (*prostitute*) prostituta

tartan ['tɑ:tən] *n* tecido escocês de lã, com desenho em xadrez

task [tɑ:sk] *n* tarefa, serviço

taste [teɪst] *n* **1** gosto: ***he has a terrible taste in clothes*** ele tem muito mau gosto para escolher roupa **2** (*flavour*) sabor, gosto **3** (*predilection*) predileção, inclinação

▸ *vt* **1** (*food*) provar **2** (*wine*) degustar

▸ *vi* ter gosto de: ***this chocolate tastes of almonds*** este chocolate tem gosto de amêndoas

• **in bad taste** de mau gosto

• **in good taste** de bom gosto
• **to have good taste in something** ter bom gosto para algo

tasteful ['teɪstfʊl] *adj* de bom gosto

tasteless ['teɪstləs] *adj* 1 (*showing bad taste*) de mau gosto 2 (*insipid*) insípido, insosso

tasty ['teɪstɪ] *adj* (**-ier**, **-iest**) saboroso, gostoso

ta-ta [tæ'tɑː] *interj* GB *infml* até logo!

tattered ['tætəd] *adj* esfarrapado, maltrapilho

tatters ['tætəz] *npl* farrapos
• **in tatters** em farrapos

tattoo [tə'tuː] *n* (*pl* **tattoos**) tatuagem
▸ *vt* tatuar

tatty ['tætɪ] *adj* (**-ier**, **-iest**) 1 (*in bad conditions*) barato, de baixa qualidade, em más condições 2 (*worn out*) desleixado, desarrumado

taught [tɔːt] *pt-pp* → **teach**

taunt [tɔːnt] *n* provocação, zombaria, gozação
▸ *vt* provocar, zombar, escarnecer

Taurus ['tɔːrəs] *n* ASTROL Touro

taut [tɔːt] *adj* esticado, teso

tavern ['tævən] *n* taberna, estalagem

tax [tæks] *n* (*pl* **taxes**) 1 (*duty*) imposto, taxa, tributo 2 (*heavy demand*) encargo, dever, obrigação
▸ *vt* 1 (*charge duty on*) taxar, tributar, cobrar imposto 2 (*overload*) exigir demais, sobrecarregar
▪ **tax avoidance** evasão de impostos
▪ **tax evasion** fraude fiscal
▪ **tax free** livre de impostos
▪ **tax return** declaração de rendimentos

taxation [tæk'seɪʃən] *n* taxação, impostos

taxi ['tæksɪ] *n* táxi
▪ **taxi driver** taxista

taxpayer ['tækspeɪəʳ] *n* contribuinte

TB ['tiː'biː] *abbr* (**tuberculosis**) MED tuberculose

tbsp ['teɪbəlspuːn] *abbr* (**tablespoonful**) (*unit of measure used in cookery*) colher de sopa, colherada

O plural é **tbsps.**

tea [tiː] *n* 1 (*drink*) chá 2 (*light afternoon meal*) refeição à tarde na qual se toma chá 3 (*evening meal*) ceia
▪ **tea set** jogo de chá
▪ **tea spoon** colher de chá

teach [tiːtʃ] *vt* (*pt & pp* **taught**) 1 (*instruct*) ensinar 2 (*give lessons*) dar aulas
▸ *vi* dar aulas

teacher ['tiːtʃəʳ] *n* professor

teaching ['tiːtʃɪŋ] *n* ensino
▪ **teaching staff** corpo docente

teacloth ['tiːklɒθ] *n* pano de prato

teacup ['tiːkʌp] *n* xícara de chá

team [tiːm] *n* equipe

teapot ['tiːpɒt] *n* bule para chá

tear¹ [tɪəʳ] *n* lágrima
• **in tears** em lágrimas
• **to burst into tears** romper em lágrimas
▪ **tear gas** gás lacrimogêneo

tear² [teəʳ] *n* rasgo, rasgão, rasgadura
▸ *vt* (*pt* **tore** [tɔːʳ], *pp* **torn** [tɔːn]) rasgar, romper: ***I tore my trousers on a nail*** rasguei as calças em um prego
▪ **to tear down** *vt* derrubar, demolir
▪ **to tear into** *vt* criticar ferozmente
▪ **to tear up** *vt* rasgar em pedaços

teardrop ['tɪədrɒp] *n* lágrima

tearful ['tɪəfʊl] *adj* choroso, lacrimoso

tease [tiːz] *vt* provocar, importunar, caçoar

teaspoon ['tiːspuːn] *n* colher de chá

teaspoonful ['tiːspuːnfʊl] *n* (*unit of measure used in cookery*) colher de chá

teat [tiːt] *n* 1 (*nipple of a breast*) mamilo, teta 2 (*rubber nipple*) bico de mamadeira

technical ['teknɪkəl] *adj* técnico
▪ **technical college** escola técnica

technician [tek'nɪʃən] *n* técnico, prático, perito

technique [tek'niːk] *n* técnica

technological [teknə'lɒdʒɪkəl] *adj* tecnológico

technology [tek'nɒlədʒɪ] *n* tecnologia

teddy bear ['tedɪbeəʳ] *n* ursinho de pelúcia

tedious ['tiːdɪəs] *adj* tedioso, monótono, cansativo

teem [ti:m] *vi* estar cheio, abarrotado, apinhado: ***the lake teems with fish*** o lago está cheio de peixes; ***the streets were teeming*** as ruas estavam apinhadas

teenage ['ti:neɪdʒ] *adj* adolescente

teenager ['ti:neɪdʒəʳ] *n* (*aged between 13 and 19*) adolescente

teeny ['ti:nɪ] *adj* (**-ier**, **-iest**) *infml* pequenino

Também **teeny-weeny**.

tee-shirt ['ti:ʃɜ:t] *n* camiseta

teeter ['ti:təʳ] *vi* balançar, oscilar

teeth [ti:θ] *npl* → **tooth**

teethe [ti:ð] *vi* endentecer, começar a ter dentes

teetotaller [ti:'təʊtləʳ] *n* abstêmio

TEFL ['tefəl, 'ti:'i:'ef'el] *abbr* (***Teaching of English as a Foreign Language***) ensino de inglês como língua estrangeira

tel [tel, 'telɪfəʊn] *abbr* (***telephone***) telefone, tel.

telecommunications ['telɪkəmju: nɪ'keɪʃənz] *npl* telecomunicações

telegram ['telɪgræm] *n* telegrama

telegraph ['telɪgrɑ:f] *n* telégrafo

▸ *vt-vi* telegrafar

▪ **telegraph pole** poste telegráfico

telepathy [tɪ'lepəθɪ] *n* telepatia

telephone ['telɪfəʊn] *n* telefone

▸ *vt-vi* telefonar, chamar pelo telefone

▪ **telephone box** cabine telefônica

▪ **telephone directory** catálogo telefônico, lista telefônica

▪ **telephone number** número do telefone

▪ **telephone operator** telefonista

telephoto lens [telɪfəʊtəʊ'lenz] *n* (*pl* **lenses**) teleobjetiva

telescope ['telɪskəʊp] *n* telescópio

televise ['telɪvaɪz] *vt* televisar

television ['telɪvɪʒən] *n* **1** televisão: ***to watch television*** assistir à televisão **2** (*TV*) televisor

• **on television** na televisão: ***what's on television?*** o que está passando na televisão?

▪ **television set** aparelho de televisão

telex ['teleks] *n* (*pl* **telexes**) telex

▸ *vt* enviar por telex

tell [tel] *vt* (*pt & pp* **told** [təʊld]) **1** (*inform*) dizer **2** (*narrate*) contar **3** distinguir: ***to tell right from wrong*** distinguir o bem do mal

▸ *vi* saber: ***you never can tell*** nunca se sabe

• **I told you so** eu disse!, eu avisei!

• **to tell tales** contar lorota, inventar histórias

▪ **to tell apart** *vt* distinguir

▪ **to tell off** *vt* censurar, repreender

▪ **to tell on** *vt* **1** (*affect*) afetar **2** (*denounce*) trair, atraiçoar

teller ['teləʳ] *n* caixa

telling-off [telɪŋ'ɒf] *n* (*pl* **tellings-off**) *infml* repreensão

telltale ['telteɪl] *n* bisbilhoteiro

telly ['telɪ] *n* (*pl* **-ies**) *infml* televisão

temper ['tempəʳ] *n* **1** (*bad mood*) mau humor **2** (*irritability*) irritabilidade, mau gênio **3** (*frame of mind*) temperamento

▸ *vt* moderar, mitigar, suavizar

• **to be in a temper** estar de mau humor

• **to lose one's temper** perder as estribeiras

temperament ['tempərəmənt] *n* temperamento

temperate ['tempərət] *adj* **1** (*moderate*) moderado **2** (*mild*) ameno, temperado

temperature ['tempərətʃəʳ] *n* temperatura

• **to have a temperature** ter febre

tempest ['tempəst] *n* tempestade

temple ['tempəl] *n* **1** (*building for worship*) templo **2** (*of the forehead*) têmpora

tempo ['tempəʊ] *n* (*pl* **tempos**) **1** (*speed of a piece of music*) tempo **2** *fig* (*rhythm*) ritmo

temporary ['tempərərɪ] *adj* temporário, provisório

tempt [tempt] *vt* tentar

temptation [temp'teɪʃən] *n* tentação

tempting ['temptɪŋ] *adj* tentador

ten [ten] *adj* dez

▸ *n* dez

tenacious [tə'neɪʃəs] *adj* tenaz

tenacity [tə'næsɪtɪ] *n* tenacidade

tenant ['tenənt] *n* inquilino, arrendatário

tend [tend] *vi* tender a, ter tendência a
▸ *vt* cuidar, zelar, tomar conta

tendency ['tendənsɪ] *n* (*pl* **-ies**) tendência

tender[1] ['tendəʳ] *adj* (*comp* **tenderer**, *superl* **tenderest**) **1** (*meat*) macio **2** (*person*) terno, carinhoso **3** (*wound*) dolorido

tender[2] ['tendəʳ] *n* oferta, proposta
▸ *vt* oferecer, ofertar

tender[3] ['tendəʳ] *n* **1** (*carriage*) vagão para carregar água, carvão etc. **2** (*small boat*) escaler, chalupa **3** (*ship*) navio-tênder

tenderhearted ['tendəhɑːtɪd] *adj* bondoso, de bom coração

tenderness ['tendənəs] *n* ternura, brandura

tendon ['tendən] *n* ANAT tendão

tenement ['tenəmənt] *n* conjunto residencial

tennis ['tenɪs] *n* tênis
▪ **tennis court** quadra de tênis
▪ **tennis player** tenista

tenor ['tenəʳ] *n* tenor

tense [tens] *adj* tenso
▸ *n* (*of a verb*) tempo
▸ *vt-vi* entesar, esticar

tension ['tenʃən] *n* tensão

tent [tent] *n* barraca, tenda

tentacle ['tentəkəl] *n* tentáculo

tentative ['tentətɪv] *adj* **1** (*experimental*) tentativo, experimental **2** (*hesitant*) indeciso (*pessoa*)

tenth [tenθ] *adj-n* décimo
▸ *n* **1** décimo **2** (*fraction*) décima parte **3** (*in dates*) dia dez

tenuous ['tenjʊəs] *adj* tênue, sutil

tenure ['tenjəʳ] *n* **1** (*right to stay in a job*) direito de estabilidade no emprego **2** (*right of holding a land*) posse, direito de posse

tepid ['tepɪd] *adj* tépido, morno

term [tɜːm] *vt* chamar, designar
▸ *n* **1** (*trimester*) trimestre **2** (*fixed period*) período, prazo **3** termo, expressão: ***a scientific term*** um termo científico
▸ *npl* **terms 1** (*conditions*) condições, cláusulas (contrato) **2** (*relationship*) relações **3** (*expressions*) maneira, modo de falar
• **in terms of** no que se refere, do ponto de vista
• **in the long/short term** a longo/curto prazo
• **to be on good terms with** ter boas relações com
• **to come to terms with something** aceitar algo

terminal ['tɜːmɪnəl] *adj* terminal
▸ *n* terminal (de computador, aeroporto)

terminate ['tɜːmɪneɪt] *vt-vi* terminar

terminology [tɜːmɪ'nɒlədʒɪ] *n* (*pl* **-ies**) terminologia

terminus ['tɜːmɪnəs] *n* (*pl* **-es** ou **termini** ['tɜːmɪnaɪ]) terminal, estação final

termite ['tɜːmaɪt] *n* cupim

terrace ['terəs] *n* **1** (*porch*) terraço, sacada **2** (*row of houses*) fileira de casas geminadas **3** (*paved area*) pátio
▸ *npl* **terraces 1** (*in a stadium*) arquibancadas **2** (*in a hill*) terreno em aclive, com vários degraus próprios para o cultivo

terrain [tə'reɪn] *n* terreno

terrestrial [tə'restrɪəl] *adj* terrestre

terrible ['terɪbəl] *adj* **1** (*very bad*) terrível, horrível, medonho **2** *infml* (*serious*) severo, extremo

terribly ['terɪblɪ] *adv* **1** (*very badly*) terrivelmente **2** (*extremely*) muito

terrific [tə'rɪfɪk] *adj* fabuloso, estupendo, terrível

terrify ['terɪfaɪ] *vt* (*pt & pp* **-ied**) aterrorizar, apavorar

terrifying ['terɪfaɪɪŋ] *adj* aterrador

territory ['terɪtərɪ] *n* (*pl* **-ies**) território

terror ['terəʳ] *n* terror, pavor, medo, horror

terrorism ['terərɪzəm] *n* terrorismo

terrorist ['terərɪst] *adj-n* terrorista

terrorize ['terəraɪz] *vt* aterrorizar

terse [tɜːs] *adj* conciso, sucinto

test [test] *n* **1** (*exam*) prova, exame, teste **2** (*analysis*) análise
▸ *vt* **1** (*check*) pôr à prova, testar **2** (*analyse*) analisar
■ **test tube** tubo de ensaio
■ **test tube baby** bebê de proveta

testament ['testəmənt] *n* testamento

testicle ['testɪkəl] *n* ANAT testículo

testify ['testɪfaɪ] *vt* (*pt & pp* **-ied**) declarar, testemunhar
▸ *vi* declarar sob juramento

testimony ['testɪmənɪ] *n* (*pl* **-ies**) testemunho

tetanus ['tetənəs] *n* MED tétano

tether ['teðə^r] *vt* atar, amarrar
• **at the end of one's tether** no final de suas forças/de sua paciência

text [tekst] *n* texto

textbook ['tekstbʊk] *n* livro escolar

textile ['tekstaɪl] *adj* têxtil, tecido
▸ *n* tecido, pano, fibra têxtil

texture ['tekstʃə^r] *n* textura

Thai [taɪ] *adj* tailandês
▸ *n* **1** (*person*) tailandês **2** (*language*) tailandês

Thailand ['taɪlænd] *n* Tailândia

Thames [temz] *n* (*river*) Tâmisa

than [ðæn, unstressed ðən] *conj* **1** do que: ***he is taller than you*** ele é mais alto do que você **2** de: ***more than once*** mais de uma vez

thank [θæŋk] *vt* agradecer
▸ *npl* **thanks** obrigado
• **thank God!** graças a Deus!
• **thanks to** graças a
• **thank you** obrigado

thankful ['θæŋkfʊl] *adj* agradecido

thanksgiving [θæŋks'gɪvɪŋ] *n* ação de graças
■ **Thanksgiving (Day)** Dia de Ação de Graças

that [ðæt] *adj* esse, essa, aquele, aquela: ***look at that cow*** olha aquela vaca
▸ *pron* (*pl* **those**) **1** esse, essa, aquele, aquela: ***this is mine, that is yours*** este é meu, aquele é seu **2** isso, aquilo: ***what's that?*** o que é isso? **3** (*relative pronoun*) que: ***the car (that) he drives*** o carro que ele dirige **4** (*with preposition*) que, o/a que, o/a qual: ***the door (that) he went through*** a porta pela qual ele passou
▸ *conj* que: ***I know (that) it's true*** sei que é verdade
▸ *adv infml* tão: ***it's not that dear!*** não é tão caro!
• **that is** isto é
• **that's it!** basta!, chega!
• **that much** tanto
• **that's right** é isso

thatch [θætʃ] *n* telhado de palha ou sapé

thaw [θɔː] *n* degelo
▸ *vt-vi* degelar, descongelar

the [ðə] *det* o, a, os, as
▸ *adv*: ***the more you have the more you want*** quanto mais você tem, mais você quer; ***the sooner, the better*** quanto antes melhor

Diante de uma vogal se pronuncia [DI], com ênfase [Diː].

theatre ['θɪətə^r] (US **theater**) *n* **1** (*place for performance of plays*) teatro **2** (*in a hospital*) quirófano, sala de operações cirúrgicas **3** US (*cinema*) sala de cinema

theatrical [θɪ'ætrɪkəl] *adj* teatral

theft [θeft] *n* roubo, furto

their [ðeə^r] *adj* seu, sua, seus, suas, deles, delas

theirs [ðeəz] *pron* (o) seu, (a) sua, (os) seus, (as) suas, o deles, os deles, o delas, os delas: ***our flat is like theirs*** nosso apartamento é como o deles

them [ðem, unstressed ðəm] *pron* **1** (*direct object*) os, as: ***I'll see them later*** eu os verei mais tarde **2** (*indirect object*) lhe(s) **3** (*after preposition*) eles, elas: ***why don't you go with them?*** por que você não vai com eles?

theme [θiːm] *n* tema
■ **theme park** parque temático

themselves [ðəm'selvz] *pron* **1** (*reflexive*) eles mesmos, elas mesmas **2** se: ***they enjoyed themselves*** eles se divertiram **3** eles mesmos, elas mesmas: ***they did it by themselves*** eles mesmos fizeram isso

then [ðen] *adv* **1** então: ***we'll see you then*** nós nos veremos então **2** depois:

I'll have soup first and then steak eu primeiro vou tomar sopa e depois vou comer um bife **3** (*in that case*) pois, nesse caso **4** naquela época, então: ***life was harder then*** naquela época a vida era mais dura

▸ *adj* de então

• **now and then** de vez em quando

• **now then** então

• **then again** por outro lado: ***he may come and then again he may not*** ele pode vir, por outro lado ele pode não vir

theology [θɪ'ɒlədʒɪ] *n* (*pl* **-ies**) teologia

theorem ['θɪərəm] *n* teorema

theoretical [θɪə'retɪcəl] *adj* teórico

theorize ['θɪəraɪz] *vi* teorizar

theory ['θɪərɪ] *n* (*pl* **-ies**) teoria

therapeutic [θerə'pju:tɪk] *adj* terapêutico

therapy ['θerəpɪ] *n* (*pl* **-ies**) terapia

there [ðeəʳ] *adv* lá, ali, aí

• **there is/are** há

• **there was/were** havia, houve

• **there you are** pois é isso

thereabouts [ðeərə'baʊts] *adv* por aí

thereafter [ðeə'ræftəʳ] *adv* a partir de então

thereby ['ðeəbaɪ] *adv* desse modo

therefore ['ðeəfɔ:ʳ] *adv* portanto

thermal ['θɜ:məl] *adj* **1** (*of heat*) termal **2** (*retaining heat*) térmico

▪ **thermal springs** fontes termais

thermometer [θe'mɒmɪtəʳ] *n* termômetro

thermos® ['θɜ:mɒs] *n* garrafa térmica

Também **thermos flask**.

thermostat ['θɜ:məstæt] *n* termostato

thesaurus [θɪ'sɔ:rəs] *n* (*pl* **-es** ou **thesauri** [θɪ'sɔ:raɪ]) tesouro

these [ði:z] *adj* estes

▸ *pron* estes

thesis ['θi:sɪs] *n* (*pl* **theses** ['θi:si:z]) tese

they [ðeɪ] *pron* eles

• **they say that** dizem que, diz-se que

thick [θɪk] *adj* **1** de espessura: ***two inches thick*** duas polegadas de espessura **2** (*stocky*) espesso, denso **3** (*compact*) denso, compacto **4** (*beard*) cerrada **5** *infml* (*stupid*) burro, pouco inteligente

thicken ['θɪkən] *vt-vi* engrossar

thickness ['θɪknəs] *n* espessura, grossura

thief [θi:f] *n* (*pl* **thieves**) ladrão

thieve [θi:v] *vt-vi* roubar, furtar

thigh [θaɪ] *n* coxa

thimble ['θɪmbəl] *n* dedal

thin [θɪn] *adj* (*comp* **thinner**, *superl* **thinnest**) **1** (*slim*) magro **2** (*narrow*) fino **3** (*scarce*) ralo **4** (*diaphanous*) claro, pouco espesso

▸ *vt* (*pt & pp* **thinned**, *ger* **thinning**) diluir

▪ **to thin down** *vt* diluir

▸ *vi* emagrecer

thing [θɪŋ] *n* coisa

• **for one thing** entre outras coisas

• **poor thing!** pobrezinho!

• **the thing is...** a questão é que...

think [θɪŋk] *vt-vi* (*pt & pp* **thought** [θɔ:t]) **1** (*use the power of reason*) pensar **2** pensar, imaginar, achar: ***I thought so*** eu achava que sim **3** pensar, opinar, parecer, achar: ***what do you think of my new jacket?*** o que você acha da minha nova jaqueta?

▸ *vt* pensar, crer

• **think nothing of it** não tem importância

• **to think better of it** desistir de fazer algo, pensar melhor

▪ **to think back** *vi* recordar, rememorar

▪ **to think over** *vt* meditar, refletir

▪ **to think up** *vt* inventar

thinker ['θɪŋkəʳ] *n* pensador

thinking ['θɪŋkɪŋ] *n* opinião, pensamento

third [θɜ:d] *adj* terceiro

▸ *n* **1** terceiro **2** (*fraction*) terço, terça parte

▪ **third party** a terceira pessoa

▪ **third party insurance** seguro contra terceiros

▪ **Third World** Terceiro Mundo

thirst [θɜ:st] *n* sede

thirsty ['θɜ:stɪ] *adj* (**-ier**, **-iest**) com sede

• **to be thirsty** ter sede

thirteen [θɜː'tiːn] *num* treze

thirteenth [θɜː'tiːnθ] *adj-n* décimo terceiro

▸ *n* **1** décimo terceiro **2** (*fraction*) décima terceira parte **3** (*in date*) dia treze

thirtieth ['θɜːtɪəθ] *adj-n* trigésimo

▸ *n* **1** trigésimo **2** (*fraction*) trigésima parte **3** (*in date*) dia trinta

thirty ['θɜːtɪ] *adj-n* trinta

this [ðɪs] *adj* (*pl* **these**) este, esta

▸ *pron* este, esta, isto

▸ *adv* assim: ***it was this big*** era grande assim

• **like this** assim

thistle ['θɪsəl] *n* cardo

thong [θɒŋ] *n* **1** (*piece of leather*) correia **2** (*bikini*) tanga **3** (*sandal*) US sandália de dedo

thorn [θɔːn] *n* **1** (*prickle*) espinho, pincho **2** (*annoyance*) aflição, incômodo

thorny ['θɔːnɪ] *adj* (-**ier**, -**iest**) espinhoso

thorough ['θʌrə] *adj* **1** (*complete*) profundo, completo **2** (*meticulous*) cuidadoso, minucioso **3** (*utter*) total, completo

thoroughfare ['θʌrəfeəʳ] *n* via pública

thoroughly ['θʌrəlɪ] *adv* **1** (*in depth*) a fundo, minuciosamente **2** (*completely*) totalmente, absolutamente, completamente, inteiramente

those [ðəʊz] *adj* esses, aqueles

▸ *pron* esses, aqueles

though [ðəʊ] *conj* **1** embora, apesar de, mesmo: ***though I love her, I cannot marry her*** embora eu a ame, não posso me casar com ela **2** contudo, no entanto: ***the restaurant was full, we got a table though*** o restaurante estava cheio, no entanto nós conseguimos uma mesa

• **as though** como se

• **even though** mesmo que

thought [θɔːt] *pt-pp* → **think**

▸ *n* **1** (*thinking*) pensamento **2** ideia: ***he just had a thought*** ele acaba de ter uma ideia **3** (*consideration*) consideração

thoughtful ['θɔːtfʊl] *adj* **1** (*reflective*) pensativo **2** (*prudent*) atento, cuidadoso

thoughtfulness ['θɔːtfʊlnəs] *n* **1** (*meditation*) meditação, cuidado **2** (*heedfulness*) consideração, atenção

thoughtless ['θɔːtləs] *adj* **1** (*careless*) descuidado **2** (*unthinking*) irrefletido

thoughtlessness ['θɔːtləsnəs] *n* falta de consideração

thousand ['θaʊzənd] *num* mil

thousandth ['θaʊzənθ] *adj-n* milésimo

▸ *n* **1** milésimo **2** (*fraction*) milésima parte

thrash [θræʃ] *vt* **1** (*beat*) espancar, bater **2** derrotar, arrasar: ***we thrashed the other team 8-1*** derrotamos o outro time por 8 a 1

▸ *vi* mover-se violentamente, agitar-se

thrashing ['θræʃɪŋ] *n* surra, espancamento

thread [θred] *n* **1** (*fine cord*) fio, linha de coser **2** (*of screw*) rosca, filete de rosca

▸ *vt* **1** (*pass thread through*) enfiar **2** (*connect by running a thread*) enfiar

threat [θret] *n* ameaça

threaten ['θretən] *vt-vi* ameaçar

threatening ['θretənɪŋ] *adj* ameaçador

three [θriː] *num* três

three-dimensional [θriːdɪ'menʃənəl] *adj* tridimensional

thresh [θreʃ] *vt-vi* debulhar

threshold ['θreʃəʊld] *n* **1** (*lower limit*) limiar, limite **2** (*entrance*) limiar, soleira da porta

▪ **threshold agreement** acordo sobre indexação de salários

threw [θruː] *pt* → **throw**

thrifty ['θrɪftɪ] *adj* (-**ier**, -**iest**) econômico, frugal

thrill [θrɪl] *n* emoção, excitação

▸ *vt-vi* emocionar(-se)

• **to get a thrill out of something** emocionar-se com algo

thriller ['θrɪləʳ] *n* romance, história ou filme de suspense

thrilling ['θrɪlɪŋ] *adj* emocionante, sensacional

thrive [θraɪv] *vi* (*pt* **thrived** ou **throve** [θrəʊv], *pp* **thrived** o **thriven** ['θrɪvən]) **1** (*grow well*) crescer, medrar, vicejar **2** (*prosper*) prosperar, ter sucesso

thriving ['θraɪvɪŋ] *adj* próspero, afortunado

throat [θrəʊt] *n* garganta

• **to be at each other's throats** estar às turras

throb [θrɒb] *n* batimento, pulso, pulsação, palpitação

▸ *vi* (*pt & pp* **throbbed**, *ger* **throbbing**) palpitar, pulsar

thrombosis [θrɒm'bəʊsɪs] *n* (*pl* **thromboses**) MED trombose

throne [θrəʊn] *n* trono

throng [θrɒŋ] *n* multidão, tropel

▸ *vi* aglomerar-se

▸ *vt* atropelar, invadir

throttle ['θrɒtəl] *n* válvula reguladora de pressão

▸ *vt* estrangular, sufocar

through [θru:] *prep* **1** por, através de: ***through the door*** pela porta **2** por, por causa de: ***off work through illness*** afastado do trabalho por doença **3** durante todo: ***we danced through the night*** dançamos durante toda a noite **4** até o fim de: ***he read through the book*** ele leu o livro até o final **5** através de: ***I found out through a friend*** eu soube através de um amigo

▸ *adv* **1** para o outro lado: ***he let me through*** ele me deixou passar para o outro lado **2** até o final: ***he read the book through*** ele leu o livro até o final

▸ *adj* direto: ***does this bus go through to Los Angeles?*** este ônibus vai direto para Los Angeles?

• **to be through with** ter acabado com

• **through and through** completamente

throughout [θru:'aʊt] *prep* **1** por todo: ***throughout the world*** por todo o mundo **2** durante todo, ao longo de todo: ***throughout the year*** durante todo o ano

▸ *adv* **1** (*in every part*) por todas as partes, em todas as partes **2** (*all*) completamente **3** (*for the duration of*) todo o tempo

throve [θrəʊv] *pt* → **thrive**

throw [θrɒʊ] *n* **1** (*throwing*) lance, arremesso **2** (*distance thrown*) distância à qual um objeto é atirado

▸ *vt* (*pt* **threw**, *pp* **thrown**) **1** (*hurl*) atirar, jogar, lançar **2** pôr: ***she threw a blanket over him*** ela pôs uma manta sobre ele

▪ **to throw away** *vt* **1** (*discard*) jogar fora **2** (*waste*) desperdiçar (*oportunidade*)

▪ **to throw back** *vt* recusar, repelir

▪ **to throw in** *vt infml* incluir como bônus

▪ **to throw off** *vt* livrar-se de, desfazer-se de

▪ **to throw out** *vt* **1** (*banish, expel*) expulsar, mandar embora **2** (*refuse*) rechaçar (proposta)

▪ **to throw up** *vi* vomitar

thru [θru:] *prep-adv* US → **through**: ***Monday thru Friday*** de segunda a sexta

thrush [θrʌʃ] *n* (*pl* **-es**) tordo

thrust [θrʌst] *n* **1** (*push*) empurrão **2** (*of knife, sword*) estocada, facada

▸ *vt* **1** (*push*) empurrar **2** (*a knife*) enfiar

thud [θʌd] *n* ruído surdo, som monótono

▸ *vt* (*pt & pp* **thudded**, *ger* **thudding**) fazer um ruído surdo

thug [θʌg] *n* **1** (*lout*) valentão, baderneiro **2** (*criminal*) criminoso

thumb [θʌm] *n* polegar

thumbtack ['θʌmtæk] *n* US percevejo ou tacha para afixar algo

thump [θʌmp] *n* golpe, baque

▸ *vt* golpear, bater

thunder ['θʌndə[r]] *n* trovão

▸ *vi* trovejar

thunderstorm ['θʌndəstɔ:m] *n* temporal com relâmpago e trovão

Thurs ['θɜ:zdɪ] *abbr* (**Thursday**) quinta-feira

Também se escreve **Thur**.

Thursday ['θɜ:zdɪ] *n* quinta-feira

thus [ðʌs] *adv* assim, deste modo

thwart [θwɔ:t] *vt* frustrar, impedir

thyme [taɪm] *n* tomilho, erva aromática usada como tempero

tic [tɪk] *n* tique nervoso

tick[1] [tɪk] *n* ZOOL carrapato

tick[2] [tɪk] *n* **1** (*sound*) tique-taque **2** (*mark*) marca, sinal **3** (*credit*) crédito, confiança

▸ *vi* (*clock*) fazer tique-taque
▸ *vt* (*mark with a tick*) assinalar, marcar
▪ **to tick off** *vt* **1** (*mark with a tick*) marcar um item, assinalar **2** (*speak sharply with*) repreender, advertir

ticket ['tɪkɪt] *n* **1** (*pass*) bilhete, entrada, ingresso (de cinema etc.) **2** (*label*) etiqueta, rótulo **3** *infml* (*notification of traffic offense*) multa de trânsito
▪ **ticket collector** condutor
▪ **ticket machine** máquina expedidora de bilhetes
▪ **ticket office** bilheteria

ticking-off [tɪkɪŋ'ɒf] *n* (*pl* **tickings-off**) *infml* reprimenda, repreensão

tickle ['tɪkəl] *vt* fazer cócegas
▸ *vi* ter cócegas

ticklish ['tɪkəlɪʃ] *adj*
• **to be ticklish 1** (*person*) ter cócegas **2** (*situation*) ser delicado

tick-tock ['tɪktɒk] *n* tique-taque

tide [taɪd] *n* **1** (*rise and fall of the sea*) maré **2** *fig* (*tendency*) tendência, corrente de opinião
• **to swim against the tide** ir contra a corrente
• **to swim with the tide** deixar-se levar pela corrente
▪ **to tide over** *vt* ajudar, tirar de um apuro

tidy ['taɪdɪ] *adj* (**-ier**, **-iest**) **1** (*neat*) arrumado, organizado **2** (*clean*) limpo
▪ **to tidy up** *vt* **1** (*neaten*) arrumar, pôr em ordem **2** (*person*) arrumar: ***tidy yourself up a bit*** arrume-se um pouco
▸ *vi* pôr as coisas em ordem, organizar, arrumar

tie [taɪ] *n* **1** (*necktie*) gravata **2** (*bond*) laço, vínculo **3** (*in competition*) empate **4** (*fastening*) atadura
▸ *vt* atar, dar um nó
▸ *vi* empatar
▪ **to tie down** *vt* **1** (*restrict*) submeter **2** (*bind*) amarrar, prender
▪ **to tie up** *vt* amarrar

tier [tɪəʳ] *n* **1** (*row*) fila (de assentos) **2** (*layer*) andar, camada (de bolo)

tiff [tɪf] *n* (*pl* **tiffs**) *infml* discórdia, desentendimento

tiger ['taɪgəʳ] *n* ZOOL tigre

tight [taɪt] *adj* **1** (*closely fitting*) apertado **2** (*stretched*) esticado **3** (*firm*) firme, forte **4** (*strict*) estrito, rigoroso **5** (*succint*) conciso, sucinto **6** (*close*) disputado (partida) **7** *infml* (*not generous*) sovina, avarento **8** *infml* (*limited*) escasso
▸ *adv* com força: ***hold tight!*** agarra com força!
▪ **tight spot** aperto, enrascada

tighten ['taɪtən] *vt* (*make tight*) apertar, entesar, esticar
▸ *vi* (*become tight*) apertar-se, esticar-se

tightfisted [taɪt'fɪstɪd] *adj* sovina, avarento, econômico

tightrope ['taɪtrəʊp] *n* corda bamba
• **to be on a tightrope** andar em uma corda bamba
▪ **tightrope walker** malabarista que se equilibra em uma corda bamba no circo

tights [taɪts] *npl* **1** (*panti hose*) meia-calça **2** (*worn by acrobats, ballet dancers etc.*) malha de ginástica

tile [taɪl] *n* **1** (*piece to cover a wall*) azulejo **2** (*piece to cover a floor*) ladrilho **3** (*piece to cover a roof*) telha

till [tɪl] *prep* até: ***it won't be ready till Thursday*** não estará pronto até quinta-feira
▸ *conj* até que: ***we won't start until everyone arrives*** não começaremos até que todos cheguem
▸ *n* caixa registradora

tilt [tɪlt] *n* **1** (*slope*) inclinação **2** (*cover*) lona, coberta
▸ *vt* inclinar
▸ *vi* inclinar-se
• **at full tilt** a toda velocidade

timber ['tɪmbəʳ] *n* **1** (*wood as a building material*) madeira **2** (*wooden beam*) viga **3** (*trees as a supply of wood*) árvores das quais se pode extrair madeira

time [taɪm] *n* **1** tempo: ***time flies*** o tempo voa **2** período de tempo, intervalo: ***it was a long time before he came*** passou-se um longo período de tempo antes que ele viesse **3** hora: ***it's time to go*** é hora de ir; ***what time is it?*** que horas são? **4** época: ***at that time*** naquela época **5** vez: ***how many times?*** quantas vezes?; ***two at a time*** de dois em dois **6** (*rhythm*) compasso
▸ *vt* **1** (*measure the time*) medir a duração de, cronometrar **2** (*schedule*) fixar a

hora de **3** escolher o melhor momento para: ***she timed her entrance perfectly*** ela escolheu com perfeição o melhor momento para entrar
▸ *prep* **times** vezes, multiplicado por: *five times three* cinco vezes três
• **all the time** todo o tempo, constantemente, o tempo todo
• **at any time** a qualquer momento
• **at no time** nunca
• **at the same time** ao mesmo tempo
• **at times** às vezes
• **behind the times** antiquado
• **for the time being** por enquanto
• **from time to time** de vez em quando
• **in time** a tempo
• **it's about time** está na hora
• **just in time** ainda em tempo
• **on time** pontualmente
• **to have a good time** divertir-se
• **to play for time** tentar ganhar tempo
• **to take your time** levar o tempo necessário
• **to tell the time** dizer a hora
▪ **time bomb** bomba-relógio

timely ['taɪmlɪ] *adj* (-**ier**, -**iest**) oportuno

timer ['taɪməʳ] *n* temporizador, cronômetro

timetable ['taɪmteɪbəl] *n* horário: ***a bus timetable*** um horário de ônibus

timid ['tɪmɪd] *adj* (*comp* **timider**, *superl* **timidest**) tímido

timing ['taɪmɪŋ] *n* **1** (*choosing of the right moment*) escolha de tempo mais adequado para fazer algo **2** (*recording of the elapsed time*) cronometragem

tin [tɪn] *n* **1** (*metal*) estanho **2** (*airtight sealed metal container*) lata, folha de flandres **3** (*container*) forma (de torta)
▸ *vt* (*pt & pp* **tinned**, *ger* **tinning**) enlatar
▪ **tin opener** abridor de lata

tinfoil ['tɪnfɔɪl] *n* papel-alumínio, folha de estanho

tinge [tɪndʒ] *n* cor, coloração, matiz, tom
▸ *vt* tingir, colorir

tingle ['tɪŋgəl] *n* comichão, formigamento
▸ *vi* sentir comichão, formigamento

tinker ['tɪŋkəʳ] *n* funileiro
▸ *vi* **tinker with** fazer pequenas mudanças, consertos

tinkle ['tɪŋkəl] *n* tinido
▸ *vi* tinir, tilintar
• **to give somebody a tinkle** GB *infml* chamar alguém por telefone

tinned [tɪnd] *adv* enlatado, em conserva

tinny ['tɪnɪ] *adj* (-**ier**, -**iest**) **1** (*sound*) metálico **2** (*cheap*) frágil, barato, de baixa qualidade

tinsel ['tɪnsəl] *n* **1** ouropel, festão: ***let's buy some tinsel to decorate the Christmas tree*** vamos comprar alguns festões para decorar a árvore de Natal **2** *fig* (*anything cheap and gaudy*) coisa vistosa e sem valor

tint [tɪnt] *n* matiz
▸ *vt* matizar

tiny ['taɪnɪ] *adj* (-**ier**, -**iest**) diminuto, minúsculo

tip¹ [tɪp] *n* extremidade, ponta
▪ **on the tip of the tongue** na ponta da língua

tip² [tɪp] *n* **1** (*gratuity*) gorjeta **2** (*hint*) dica, sugestão
▸ *vt* (*pt & pp* **tipped**, *ger* **tipping**) dar gorjeta

tip³ [tɪp] *n* GB lixeira, depósito de lixo
▸ *vt* (*pt & pp* **tipped**, *ger* **tipping**) GB (*unload*) descarregar
▸ *vi* inclinar, tombar
▪ **to tip off** *vt* despejar, virar
▪ **to tip over/up** *vt* tombar, virar
▸ *vi* entornar, derramar: ***be careful not to tip the drinks over*** cuidado para não entornar as bebidas

tip-off ['tɪpɒf] *n* (*pl* **tip-offs**) *infml* aviso, palpite

tipsy ['tɪpsɪ] *adj* (-**ier**, -**iest**) levemente embriagado

tiptoe ['tɪptəʊ] *vi* andar na ponta dos pés
• **on tiptoe** na ponta dos pés

tiptop ['tɪptɒp] *adj infml* de primeira, excelente

TIR ['tiː'aɪ'ɑːʳ] *abbr* (***transport international routier***) TIR (*transporte rodoviário internacional de mercadorias*)

tire¹ ['taɪəʳ] *vt* cansar

▸ *vi* cansar-se, fatigar-se
• **to be tired of something** estar farto de algo
• **to get tired** cansar-se

tire² ['taɪəʳ] *n* US pneu
■ **to tire out** *vt* esgotar, cansar

tired ['taɪəd] *adj* cansado

tireless ['taɪələs] *adj* incansável

tiresome ['taɪəsəm] *adj* enfadonho, cansativo

tiring ['taɪərɪŋ] *adj* exaustivo

tissue ['tɪʃu:] *n* 1 (*piece of soft paper*) lenço de papel 2 (*of an animal or plant*) tecido
■ **a tissue of lies** emaranhado de mentiras
■ **tissue paper** papel de seda

tit [tɪt] *n infml* teta
• **tit for tat** pagar na mesma moeda

titbit ['tɪtbɪt] *n* 1 (*tasty piece of food*) guloseima 2 (*gossip*) mexerico, fofoca

title ['taɪtəl] *n* título
■ **title deed** título de propriedade
■ **title page** página de rosto

titter ['tɪtəʳ] *n* risadinha, riso dissimulado
▸ *vi* rir dissimuladamente

tittle-tattle ['tɪtəltætəl] *n* fofoca, mexerico

tizzy ['tɪzɪ] *n* (*pl* **-ies**) *infml* agitação mental temporária
• **to get into a tizzy** ficar nervoso, agitado: ***she got herself into a tizzy when she realized she had lost her wallet*** ela ficou bastante agitada quando percebeu que havia perdido a carteira

TM ['treɪdmɑ:k] *abbr* (***trademark***) marca registrada

TNT ['ti:'en'ti:] *abbr* (***trinitrotoluene***) TNT (*trinitrotolueno*)

to [tʊ, ʊnstressed tə] *prep* 1 para, a: ***give it to me*** dê isto para mim 2 para, em direção a: ***go to the left*** vá para a esquerda; ***we're going to the coast*** vamos para a costa 3 a, até: ***to count to ten*** contar até dez; ***she works from nine to five*** ela trabalha das nove às cinco 4 para: ***ten to two*** dez para as duas 5 para, a fim de: ***he's doing it to help you*** ele está fazendo isso para ajudar você 6 a, para: ***I wrote a letter to my friend*** escrevi uma carta para o meu amigo
• **to and fro** de um lado para o outro, para lá e para cá

toad [təʊd] *n* ZOOL sapo

toadstool ['təʊdstu:l] *n* BOT cogumelo venenoso

toast [təʊst] *n* 1 torrada: ***a piece of toast*** uma torrada 2 (*salute*) brinde
▸ *vt* 1 (*heat up*) torrar 2 (*salute*) brindar
• **to drink a toast to** fazer um brinde, brindar

toaster ['təʊstəʳ] *n* torradeira

tobacco [tə'bækəʊ] *n* (*pl* **-s** ou **-es**) tabaco

tobacconist [tə'bækənɪst] *n* dono de tabacaria, negociante de fumo
■ **tobacconist's** tabacaria

toboggan [tə'bɒgən] *n* trenó, tobogã
▸ *vi* deslizar em trenó, escorregar em tobogã

today [tə'deɪ] *n* hoje
▸ *adv* 1 (*on this day*) hoje 2 (*nowadays*) hoje em dia

toddler ['tɒdləʳ] *n* criança que começa a andar

to-do [tə'du:] *n* (*pl* **to-dos**) tumulto, confusão: ***what a to-do it was, trying to find last-minute gifts on Christmas Eve*** que confusão foi tentar encontrar presentes de última hora na véspera do Natal

toe [təʊ] *n* 1 (*digit of the foot*) dedo do pé 2 (*part of a shoe*) biqueira

toenail ['təʊneɪl] *n* unha do dedo do pé

toffee ['tɒfɪ] *n* tofe

together [tə'geðəʳ] *adv* 1 junto, juntos: ***we sat together*** nos sentamos juntos 2 a uma só vez, ao mesmo tempo: ***the two bombs exploded together*** as duas bombas explodiram ao mesmo tempo 3 em conjunto, coletivamente: ***taken together, these measures will contribute to a significant change*** tomadas em conjunto, estas medidas contribuirão para uma mudança significativa 4 ininterruptamente: ***it's been snowing three days together*** está nevando ininterruptamente há três dias
• **all together** todos juntos

• **to come together** reunir-se, juntar-se: ***it's nice to come together with friends at Christmas*** é agradável se reunir com amigos no Natal
• **together with** somado a, e também

togs [tɒgz] *npl infml* roupa

toil [tɔɪl] *n* trabalho duro, esforço
▸ *vi* trabalhar muito, esforçar-se

toilet ['tɔɪlət] *n* **1** (*bathroom*) banheiro **2** (*seatlike bowl*) privada, vaso sanitário **3** (*act of washing and dressing oneself*) toalete
▪ **toilet bag** bolsa para transporte de objetos de toalete, *nécessaire*
▪ **toilet paper** papel higiênico

token ['təʊkən] *n* **1** (*sign*) sinal, prova **2** (*indication*) indicação, indício **3** (*voucher*) vale (recibo) **4** (*symbol*) símbolo
▸ *adj* simbólico
• **by the same token** por isso mesmo, por esta(s) mesma(s) razão/razões

told [təʊld] *pt-pp* → **tell**

tolerance ['tɒlərəns] *n* tolerância

tolerant ['tɒlərənt] *adj* tolerante

tolerate ['tɒləreɪt] *vt* tolerar

toll¹ [təʊl] *n* **1** (*tax*) taxa, pedágio, tributo **2** (*cost in health, life etc.*) número: ***the death toll*** o número de vítimas fatais

toll² [təʊl] *n* tangimento, (*of a bell*) dobre
▸ *vt-vi* tanger, dobrar

tomato [tə'mɑːtəʊ, ᴜs tə'meɪtəʊ] *n* (*pl* **tomatoes**) tomate

tomb [tuːm] *n* tumba, sepulcro

tomboy ['tɒmbɔɪ] *n* menina que prefere brincadeiras “de menino” (*pipa, bola, carrinho etc.*)

tombstone ['tuːmstəʊn] *n* lápide

tomcat ['tɒmkæt] *n* (*male*) gato

tomorrow [tə'mɒrəʊ] *adv* amanhã
▸ *n* amanhã
▪ **the day after tomorrow** depois de amanhã
▪ **tomorrow morning** amanhã de manhã

ton [tʌn] *n* tonelada
• **tons of** muitos, toneladas de

tone [təʊn] *n* tom
▪ **to tone down** *vt* atenuar, suavizar

tone-deaf [təʊn'def] *adj* sem ouvido musical

tongs [tɒŋz] *npl* (*instrument*) tenaz, pinças

tongue [tʌŋ] *n* ANAT língua
• **to have a loose tongue** falar demais
• **to have a sharp tongue** ter língua ferina
• **to hold one's tongue** calar-se
• **to stick your tongue out** pôr a língua para fora, fazer careta
▪ **tongue twister** trava-língua

tonic ['tɒnɪk] *adj* tônico
▸ *n* tônico

tonight [tə'naɪt] *adv-n* esta noite

tonnage ['tʌnɪdʒ] *n* tonelagem

tonne [tʌn] *n* tonelada

tonsil ['tɒnsəl] *n* ANAT amígdala

tonsillitis [tɒnsə'laɪtəs] *n* MED amigdalite

too [tuː] *adv* **1** muito: ***he wasn't too happy when he heard the news*** ele não ficou muito contente quando soube da notícia **2** demasiado, em demasia, demais: ***it's too hot*** está quente demais **3** também: ***can I come too?*** posso ir também?
• (*count noun*) **too many** demasiados, em demasia, demais: ***there are too many students in this class*** há alunos demais nesta turma
• **too much** demais, em excesso, demasiado, mais do que se pode aguentar, absorver etc.: ***this is too much work, I won't be able to finish it*** é trabalho em excesso, não vou conseguir terminá-lo

took [tʊk] *pt* → **take**

tool [tuːl] *n* ferramenta, instrumento

toot [tuːt] *n* buzinada
▸ *vt- vi* (*horn*) tocar

tooth [tuːθ] *n* (*pl* **teeth** [tiːθ]) **1** ANAT dente **2** (*from a comb, saw, cog etc.*) dente
▪ **wisdom tooth** dente do siso
• **to be fed up to the back teeth with something** estar aborrecido até a raiz dos cabelos com alguma coisa

toothache ['tuːθeɪk] *n* dor de dente

toothbrush ['tuːθbrʌʃ] *n* (*pl* **-es**) escova de dentes

toothless ['tu:θləs] *adj* sem dente, desdentado

toothpaste ['tu:θpeɪst] *n* pasta de dentes, creme dental

toothpick ['tu:θpɪk] *n* (*for teeth*) palito

top¹ [tɒp] *n* **1** parte superior, alto, topo: ***at the top of the page*** no topo da página **2** (*of a hill*) cume **3** (*of a tree*) copa **4** (*cap*) tampa **5** (*of list*) cabeça **6** auge, máximo, ápice: ***he is at the top of his career*** ele está no auge da carreira **7** (*chothing*) *top*, bustiê **8** a parte superior de uma roupa de duas peças (*paletó etc.*): ***a pyjama top*** um paletó de pijama
▸ *adj* **1** (*highest*) de cima, superior, mais alto **2** (*best*) melhor: ***she was top in History*** ela tirou a melhor nota em história
▸ *vt* (*pt & pp* **topped**, *ger* **topping**) **1** (*be at the top of*) encabeçar **2** (*exceed*) superar
• **at the top of one's voice** aos gritos
• **at the top of one's lungs** a plenos pulmões
• **at top speed** a toda velocidade
• **from top to bottom** de cima a baixo
• **on top of** **1** (*in complete control of*) no controle total de **2** além de: ***on top of that*** além do mais, como se não bastasse
• **to be top of the class** ser o primeiro da classe
• **to go over the top** **1** (*exaggerate*) exagerar **2** MIL atacar **3** (*take a risk*) arriscar
▪ **top hat** cartola

top² [tɒp] *n* (*toy*) pião
▪ **to top up** *vt* (*fill*) encher até a boca

topic ['tɒpɪk] *n* tema, assunto

topical ['tɒpɪkəl] *adj* da atualidade, atual

topless ['tɒpləs] *adj* sem a parte superior, *topless*
• **to go topless** fazer *topless*

topple ['tɒpəl] *vt* **1** (*fall*) vir abaixo, tombar **2** *fig* (*overthrow*) derrubar, derrocar (*governo*)
▸ *vi* cair

top-secret [tɒp'si:krət] *adj* ultrassecreto, supersecreto, absolutamente confidencial: ***this project is top secret*** este projeto é supersecreto

torch [tɔ:tʃ] *n* (*pl* **-es**) **1** (*burning material*) tocha **2** (*electric*) lanterna

tore [tɔ:ʳ] *pt* → **tear**

torment [(*n*) 'tɔ:mənt; (*v*) tɔ:'ment] *n* tormento, tortura
▸ *vt* atormentar, torturar

torn [tɔ:n] *pp* → **tear**
▸ *adj* rasgado, roto

tornado [tɔ:'neɪdəʊ] *n* (*pl* **tornados**) (*meteorology*) tornado

torpedo [tɔ:'pi:dəʊ] *n* (*pl* **torpedoes**) torpedo
▸ *vt* torpedear

torrent ['tɒrənt] *n* torrente

torso ['tɔ:səʊ] *n* (*pl* **torsos**) torso

tortoise ['tɔ:təs] *n* (*land animal*) tartaruga

tortuous ['tɔ:tjʊəs] *adj* tortuoso

torture ['tɔ:tʃə] *n* tortura, tormento
▸ *vt* torturar, atormentar

tory ['tɔ:rɪ] *adj-n* GB POL conservador

toss [tɒs] *n* (*pl* **-es**) **1** (*of head*) sacudida **2** (*coin*) sorteio de cara ou coroa
▸ *vt* **1** (*head*) sacudir, menear **2** (*ball, coin*) jogar para cima, lançar **3** (*shake*) agitar, sacudir, balançar
▸ *vi* mover-se, agitar-se
▪ **to toss up for** *vt* jogar cara ou coroa

toss-up ['tɒsʌp] *n* **1** (*act of tossing a coin*) jogo de cara ou coroa **2** probabilidade idêntica: ***it's a toss-up between Peter and John for the leading role*** a probabilidade de Peter e John ganharem o papel principal é idêntica

tot [tɒt] *n* **1** (*very small child*) pequenino, criança pequena **2** *infml* trago: ***a tot of vodka*** um trago de vodca
▪ **to tot up** *vt infml* somar

total ['təʊtəl] *adj-n* total
▸ *vt-vi* (GB *pt & pp* **totalled**, *ger* **totalling**; US *pt & pp* **totaled**, *ger* **totaling**) **1** perfazer um total, totalizar: ***this is the third CD, which totals four in the album*** este é o terceiro CD, perfazendo um total de quatro no álbum **2** (*calculate*) calcular, determinar a soma de **3** destruir, acabar com: ***he totaled his Porsche in the crash*** ele destruiu o Porsche no acidente
• **in total** no total

■ **sum total** soma total

totalitarian [təʊtælɪ'teərɪən] *adj* totalitário

totally ['təʊtəlɪ] *adv* totalmente

totter ['tɒtə^r] *vi* cambalear

touch [tʌtʃ] *n* (*pl* **-es**) **1** toque: ***a touch of colour*** um toque de cor **2** toque, tato: ***it's hard to the touch*** é duro ao toque **3** detalhe, pormenor, toque: ***a touch of irony*** um toque de ironia **4** retoque: ***I'll give it a final touch*** vou dar um último retoque nisto **5** *infml* habilidade, toque: ***a master's touch*** um toque de mestre

▸ *vt-vi* tocar(-se)

▸ *vt* **1** (*affect*) afetar, comover **2** (*equal*) igualar: ***the French pianist's performance didn't even touch that of the German one*** o desempenho do pianista francês nem de longe se igualou ao do pianista alemão

• **to get in touch with** entrar em contato com

• **to keep in touch** manter contato

■ **to touch down** *vi* **1** (*land*) aterrissar (avião) **2** (*rugby*) pôr a bola no chão

■ **to touch off** *vt* provocar, desencadear: ***the announcement about changes in the economy touched off a wave of riots*** o anúncio sobre mudanças na economia desencadeou uma onda de rebeliões

■ **to touch up** *vt* retocar

touchdown ['tʌtʃdaʊn] *n* **1** (*landing of a plane*) aterrissagem **2** (*rugby*) colocação da bola no chão

touched [tʌtʃt] *adj* **1** (*emotionally afected*) comovido, emocionado **2** com um toque: ***her hair is brown touched with reddish*** o cabelo dela é castanho com um toque avermelhado **3** *infml* (*slightly insane*) tocado, amalucado

touchiness ['tʌtʃɪnəs] *n* suscetibilidade

touching ['tʌtʃɪŋ] *adj* comovedor

touchy ['tʌtʃɪ] *adj* (**-ier**, **-iest**) suscetível

tough [tʌf] *adj* **1** (*strong*) forte, resistente **2** (*not easy*) difícil, árduo **3** (*meat*) duro **4** (*rough*) valentão; desordeiro e agressivo **5** (*unsentimental*) seco, avesso a sentimentalismo

■ **tough luck** azar

toughen ['tʌfən] *vt-vi* endurecer

toughness ['tʌfnəs] *n* **1** (*tenacity*) dureza, resistência **2** (*difficulty*) dificuldade **3** (*ruggedness*) robustez

toupee ['tu:peɪ] *n* aplique, topete postiço

tour [tʊə^r] *n* **1** (*trip*) viagem **2** (*short trip*) *tour* **3** turnê: ***the band will make a two-week tour of U.S*** a banda fará uma turnê de duas semanas aos Estados Unidos

▸ *vt* **1** (*travel*) viajar **2** (*make tour*) excursionar, fazer um *tour* **3** (*trip to perform*) fazer uma turnê

tourism ['tʊərɪzəm] *n* turismo

tourist ['tʊərɪst] *n* turista

■ **tourist office** posto de informações turísticas

tournament ['tʊənəmənt] *n* torneio

tout [taʊt] *n* revendedor

▸ *vt* revender

▸ *vi* tentar captar clientes

tow [təʊ] *vt* rebocar

• **on tow** a reboque

• **to give a tow** rebocar

towards [tə'wɔ:dz] *prep* **1** para, em direção a, na direção de, rumo a: ***he came slowly towards me*** ele veio devagar na minha direção **2** (*time*) próximo a, por volta de: ***towards spring*** por volta da primavera **3** para com, com respeito a: ***her attitude towards her boss is that of hostility*** a atitude dela com relação ao chefe é de hostilidade **4** para: ***he gave me some money towards the present*** ele me deu dinheiro para o presente

Também **toward**.

towel ['taʊəl] *n* toalha

tower ['taʊə^r] *n* torre

▸ *vi* elevar-se, ascender

■ **tower block** bloco de apartamentos

■ **to tower above/over** *vt* superar, ser mais importante ou melhor que, dominar

towering ['taʊərɪŋ] *adj* **1** (*tall*) alto **2** (*intense*) intenso **3** (*impressive*) impressionante

town [taʊn] *n* **1** (*small city*) cidade pequena **2** (*people of a town*) população, municipalidade, povo **3** centro urbano, cidade (em oposição ao campo): ***she li-***

kes to live in the town ela gosta de morar na cidade 4 centro da cidade: ***let's have lunch in town*** vamos almoçar no centro da cidade

• **a night on the town** (*in places of entertainment*) diversão noturna em locais de entretenimento: ***let's go out for a night on the town*** vamos sair para nos divertirmos

• **to paint the town red** fazer uma farra

▪ **town clerk** funcionário da prefeitura

▪ **town council** prefeitura

▪ **town hall** prédio onde funciona a prefeitura

▪ **town planning** urbanismo

toxic ['tɒksɪk] *n* tóxico

toy [tɔɪ] *n* brinquedo

▪ **to toy with** *vt* 1 (*play*) brincar 2 (*consider*) contemplar, cogitar

toyshop ['tɔɪʃɒp] *n* loja de brinquedos

trace [treɪs] *n* 1 (*vestige*) indício, vestígio 2 (*track*) rastro 3 (*outline*) traçado 4 (*tracking down*) rastreio

▸ *vt* 1 (*outline*) traçar, esboçar, delinear 2 (*copy exactly by drawing*) decalcar, copiar seguindo os traços do original 3 (*investigate*) investigar, seguir a pista de, localizar, encontrar 4 (*track down*) buscar a origem de, rastrear

tracing ['treɪsɪŋ] *n* decalque

▪ **tracing paper** papel transparente usado para reproduzir um desenho, decalcando-o

track [træk] *n* 1 (*mark*) pista, pegada 2 (*path*) caminho, senda 3 (*athletism*) pista 4 (*race*) circuito 5 (*railway line*) linha férrea

▸ *vt* seguir a pista de

▪ **to track down** *vt* localizar, encontrar

tracksuit ['træksuːt] *n* moletom, vestimenta para prática esportiva

tract¹ [trækt] *n* 1 (*wide area*) extensão 2 ANAT trato

tract² [trækt] *n* 1 (*brief treatise*) tratado 2 (*pamphlet*) panfleto

traction ['trækʃən] *n* tração

tractor ['træktəʳ] *n* trator

trade [treɪd] *n* 1 ofício, profissão: ***he's a carpenter by trade*** ele é carpinteiro de profissão 2 (*business*) negócio, ramo, indústria 3 (*commerce*) comércio

▸ *vi* negociar

▸ *vt* trocar

▪ **trade union** sindicato trabalhista

▪ **foreign trade** comércio exterior

trademark ['treɪdmɑːk] *n* marca registrada

trader ['treɪdəʳ] *n* comerciante

tradesman ['treɪdzmən] *n* (*pl* **tradesmen**) comerciante

trading ['treɪdɪŋ] *n* comércio

▪ **trading estate** GB parque industrial

tradition [trə'dɪʃən] *n* tradição

traditional [trə'dɪʃənəl] *adj* tradicional

traffic ['træfɪk] *n* 1 (*illicit trade*) tráfico, circulação 2 (*vehicles coming and going on a road*) tráfego

▸ *vi* (*pt & pp* **trafficked**, *ger* **trafficking**) traficar

▪ **traffic jam** engarrafamento, congestionamento de trânsito

▪ **traffic light** semáforo

▪ **traffic sign** placa de trânsito

▪ **traffic warden** guarda de trânsito

trafficker ['træfɪkəʳ] *n* traficante

tragedy ['trædʒədɪ] *n* (*pl* **-ies**) tragédia

tragic ['trædʒɪk] *adj* trágico

trail [treɪl] *n* 1 rastro: ***the wounded man left a trail of blood behind him*** o homem ferido deixou um rastro de sangue atrás de si 2 pista, indício, vestígio: ***the thieves left no trail*** os ladrões não deixaram vestígios 3 caminho, trilha: ***a mountain trail*** uma trilha na montanha

▸ *vt* 1 (*follow the tracks*) seguir 2 (*drag*) arrastar, puxar arrastando

▸ *vi* 1 (*walk slowly*) arrastar-se, andar vagarosa e penosamente 2 (*fall behind*) ficar para trás, ficar na traseira 3 pender, estender-se sobre uma superfície: ***her beautiful hair trailed along her shoulder*** sua linda cabeleira estendia-se pelos ombros

trailer ['treɪləʳ] *n* 1 (*vehicle*) reboque 2 (*extract from a film*) *trailer* 3 (*for living in*) *trailer*

train [treɪn] *n* 1 (*rail*) trem 2 (*of dress*) cauda 3 série, sucessão: ***the article described the train of events that led to***

his dismissal o artigo descrevia a sucessão de acontecimentos que levaram à sua demissão **4** (*of gunpowder*) rastilho
▸ *vi* **1** (*instruct*) treinar, educar **2** formar-se, estudar: ***he was trained as an engineer*** ele estudou engenharia, ele formou-se como engenheiro
▸ *vt* **1** (*coach*) treinar **2** (*educate*) ensinar, formar **3** (*animal*) adestrar
• **by train** de trem
▪ **train station** estação de trem

trainee [treɪ'niː] *n* estagiário

trainer ['treɪnəʳ] *n* **1** SPORT treinador, preparador, instrutor **2** (*of animals*) adestrador **3** (*shoe*) tênis **4** (*equipment*) simulador de voo

training ['treɪnɪŋ] *n* **1** (*for job*) formação, instrução **2** (*coaching*) treinamento **3** (*of animals*) adestramento

trait [treɪt] *n* feição, traço: ***personality trait*** traço de personalidade

traitor ['treɪtəʳ] *n* traidor

tram [træm] *n* bonde

tramp [træmp] *n* vagabundo
▸ *vi* (*walk heavily*) caminhar

trample ['træmpəl] *vt* **1** (*crush*) pisotear **2** *fig* (*do violence to*) maltratar **3** ignorar, passar por cima: ***he claims that his constitutional rights have been trampled*** ele alega que seus direitos constitucionais foram ignorados

trampoline ['træmpəliːn] *n* cama elástica

trance [trɑːns] *n* transe
• **in a trance** em transe

tranquillize ['træŋkwɪlaɪz] *vt* tranquilizar

tranquillizer ['træŋkwɪlaɪzəʳ] *n* tranquilizante, calmante

transaction [træn'zækʃən] *n* operação, transação

transatlantic [trænzət'læntɪk] *adj* transatlântico

transcend [træn'send] *vt* transcender

transcribe [træn'skraɪb] *vt* transcrever

transcript ['trænskrɪpt] *n* transcrição

transfer [(*n*) 'trænsfɜːʳ; (*v*) træns'fɜːʳ] *n* transferência
▸ *vt* transferir
▸ *vi* fazer transbordo, fazer baldeação

transform [træns'fɔːm] *vt-vi* transformar(-se)

transformation [trænsfə'meɪʃən] *n* transformação

transformer [træns'fɔːməʳ] *n* transformador

transfusion [træns'fjuːʒən] *n* transfusão

transient ['trænzɪənt] *adj* transitório

transistor [træn'zɪstəʳ] *n* transistor

transit ['trænsɪt] *n* **1** (*moving of people or goods*) trânsito **2** (*public transportation*) transporte público **3** (*transition*) transição **4** (*passage*) passagem

transition [træn'zɪʃən] *n* transição

transitive ['trænsɪtɪv] *adj* transitivo

translate [træns'leɪt] *vt* traduzir

translation [træns'leɪʃən] *n* tradução

translator [træns'leɪtəʳ] *n* tradutor

translucent [trænz'luːsənt] *adj* translúcido

transmission [trænz'mɪʃən] *n* transmissão

transmit [trænz'mɪt] *vt* transmitir

transmitter [trænz'mɪtəʳ] *n* transmissor

transparency [træns'peərənsɪ] *n* (*pl* **-ies**) transparência

transparent [træns'peərənt] *adj* transparente

transpiration [trænspɪ'reɪʃən] *n* transpiração

transpire [træns'paɪəʳ] *vt-vi* transpirar, secretar
▸ *vi* **1** (*become know*) transpirar, transparecer, tornar público **2** ocorrer, acontecer: ***it transpires that...*** acontece que...

transplant [(*n*) 'trænsplɑːnt; (*v*) træns'plɑːnt] *n* transplante
▸ *vt* transplantar

transport [(*n*) 'trænspɔːt; (*v*) træns'pɔːt] *n* transporte
▸ *vt* transportar

transportation [trænspɔː'teɪʃən] *n* transporte

transporter [træns'pɔːtəʳ] *n* transportador

transvestite [trænz'vestaɪt] *n* travesti

trap [træp] *n* **1** (*snare*) armadilha **2** (*trick*) cilada **3** (*attic*) alçapão
▸ *vt* (*pt & pp* **trapped**, *ger* **trapping**) **1** (*catch*) pegar em armadilha **2** (*water, heat*) armazenar
• **to be trapped** (*in a trap, place, situation*) ficar preso
• **to be trapped into (doing) something** ser forçado ou levado a fazer algo
• **to fall into a trap** cair em uma armadilha, cair em uma cilada
• **to set a trap** armar uma cilada

trapeze [trə'pi:z] *n* trapézio

trapper ['træpəʳ] *n* caçador que prepara armadilhas

trash [træʃ] *n* US lixo

trashy ['træʃɪ] *adj* (**-ier**, **-iest**) sem valor

traumatic [trɔ:'mætɪk] *adj* traumático

travel ['trævəl] *n* viagem
▸ *vi* (GB *pt & pp* **travelled**, *ger* **travelling**; US *pt & pp* **traveled**, *ger* **traveling**) **1** viajar: ***now that she's retired she hopes to travel more*** agora que se aposentou, ela espera viajar mais **2** ir, circular: ***the car was travelling at 100 km/h*** o carro ia a 100 km/h **3** (move) deslocar-se, mover-se **4** percorrer: ***to travel 20 km*** percorrer 20 km **5** circular, frequentar: ***he likes to travel in affluent circles*** ele gosta de frequentar rodas abastadas
▪ **travel agency** agência de viagens
▪ **travel brochure** folheto turístico

traveller ['trævələʳ] *n* **1** (*voyager*) viajante **2** (*sales representative*) representante de vendas, caixeiro-viajante
▪ **traveller's cheque** cheque de viagens

travelling ['trævəlɪŋ] *adj* **1** (*that travels*) de viagem, viajante **2** itinerante: ***a travelling theatre company*** uma companhia teatral itinerante
▪ **travelling expenses** despesas de viagem

travel-sick ['trævəlsɪk] *adj* mareado, enjoado

travel-sickness ['trævəlsɪknəs] *n* enjoo

travesty ['trævəstɪ] *n* (*pl* **-ies**) paródia

trawl [trɔ:l] *n* rede de arrastar
▸ *vi* pescar com rede de arrastar

trawler ['trɔ:ləʳ] *n* traineira

tray [treɪ] *n* bandeja

treacherous ['tretʃərəs] *adj* **1** (*disloyal*) traiçoeiro **2** muito perigoso: ***light rain showers left the roads treacherous*** episódios de chuva fina deixaram as estradas muito perigosas

tread [tred] *n* **1** (*step*) passo, pisada **2** (*part of a tire*) banda de rodagem
▸ *vt-vi* (*pt* **trod** [trɒd], *pp* **trodden** ['trɒdən]) pisar
• **to tread carefully/lightly/gently** pisar em ovos, comportar-se com cautela, habilidade etc. em situações delicadas

treason ['tri:zən] *n* traição

treasure ['treʒəʳ] *n* tesouro
▸ *vt* **1** (*memorize*) cultivar, valorizar **2** (*cherish*) apreciar muito, ter em grande estima

treasurer ['trəʒərəʳ] *n* tesoureiro

treasury ['treʒərɪ] *n* (*pl* **-ies**) tesouraria
▪ **The Treasury** Ministério da Fazenda

treat [tri:t] *n* **1** (*gift*) regalo **2** (*pleasure*) prazer, deleite
▸ *vt* **1** tratar: ***his boss treats her very badly*** o chefe a trata muito mal **2** (*deal with*) tratar, lidar com **3** cuidar, tratar: ***this medicine only treats the symptoms*** este medicamento só trata dos sintomas **4** convidar: ***you paid for lunch last time; I'm going to treat you to this*** você pagou o almoço da última vez; vou convidá-lo desta vez **5** dar-se ao luxo: ***I'm going to treat myself to a cruise*** vou me dar ao luxo de um cruzeiro
• **it's my treat** é por minha conta, é minha vez de pagar

treatise ['tri:tɪs] *n* tratado

treatment ['tri:tmənt] *n* **1** (*act of treating*) tratamento **2** (*conduct*) trato, conduta

treaty ['tri:tɪ] *n* (*pl* **-ies**) tratado

treble ['trebəl] *adj* tríplice
▸ *vt-vi* triplicar(-se)

tree [tri:] *n* árvore

trek [trek] *n* **1** (*long difficult journay*) jornada **2** (*walk*) caminhada
▸ *vi* (*pt & pp* **trekked**, *ger* **trekking**) caminhar

tremble ['trembəl] *vi* tremer, estremecer

tremendous [trɪ'mendəs] *adj* **1** (*huge*)

tremendo, imenso **2** *infml* (*extraordinary*) fantástico, estupendo

tremor ['tremə^r] *n* tremor

trench [trentʃ] *n* (*pl* **-es**) **1** (*ditch*) valeta, vala **2** (*used as a shelter in war*) trincheira

■ **trench coat** casaco longo e transpassado de tecido impermeável, capa de chuva

trend [trend] *n* tendência

trendy ['trendɪ] *adj* (**-ier**, **-iest**) *infml* moderno, da moda

trespass ['trespəs] *n* (*pl* **-es**) entrada ilegal

▸ *vi* entrar ilegalmente

• **"No trespassing"** "Entrada proibida"

trestle ['tresəl] *n* cavalete

trial ['traɪəl] *n* **1** LAW instrução e julgamento perante o juiz ou júri **2** (*test*) prova, experiência: ***clinical trial*** teste clínico **3** (*adversity*) sofrimento, provação

• **on trial** em julgamento

■ **trial run** ensaio, teste prático de algo novo ou desconhecido para descobrir sua eficácia

triangle ['traɪæŋgəl] *n* triângulo

triangular [traɪ'æŋgjʊlə^r] *adj* triangular

tribal ['traɪbəl] *adj* tribal

tribe [traɪb] *n* tribo

tribulation [trɪbjʊ'leɪʃən] *n* tribulação

tribunal [traɪ'bju:nəl] *n* tribunal

tributary ['trɪbjʊtərɪ] *n* (*pl* **-ies**) tributário

tribute ['trɪbju:t] *n* **1** (*commendation*) homenagem **2** (*tax*) tributo

• **to pay tribute to somebody** render homenagem a alguém

trice [traɪs] *n*

• **in a trice** num instante, num piscar de olhos

trick [trɪk] *n* **1** (*stratagem*) truque **2** (*fraud*) fraude, trapaça, engano **3** (*joke*) brincadeira

▸ *vt* **1** (*deceive*) enganar **2** (*defraud*) fraudar

• **to play a trick on** pregar uma peça em

■ **trick question** pergunta capciosa

trickery ['trɪkərɪ] *n* trapaça, astúcia

trickle ['trɪkəl] *n* gota, pingo

▸ *vi* gotejar, pingar, escorrer

tricky ['trɪkɪ] *adj* (**-ier**, **-iest**) **1** (*person*) astuto **2** (*situation*) difícil, delicado

tricycle ['traɪsɪkəl] *n* triciclo

trident ['traɪdənt] *n* tridente

trifle ['traɪfəl] *n* **1** (*bagatelle*) ninharia, bagatela **2** GB (*dessert*) doce feito com biscoito ou bolo embebido em vinho, creme e fruta

▸ *vi* brincar

trifling ['traɪfəlɪŋ] *adj* insignificante

trigger ['trɪgə^r] *n* **1** (*of a photographic machine*) disparador **2** (*of a gun*) gatilho

▸ *vt* desencadear

■ **to trigger off** *vt* provocar, desencadear

trigonometry [trɪgə'nɒmətrɪ] *n* MATH trigonometria

trill [trɪl] *n* trinado

▸ *vt-vi* trinar

trillion ['trɪlɪən] *n* **1** GB (*one million million million*) trilhão **2** US (*one million million*) bilhão

trilogy ['trɪlədʒɪ] *n* (*pl* **-ies**) trilogia

trim [trɪm] *adj* (*comp* **trimmer**, *superl* **trimmest**) **1** (*neat*) bem-vestido, bem--arrumado, bem-cuidado **2** (*elegant*) esbelto, elegante

▸ *n* **1** (*haircut*) corte (de cabelo) **2** (*of plant*) poda **3** (*decoration*) adorno, acabamento, remate, atavio, ornamentação

▸ *vt* (*pt & pp* **trimmed**, *ger* **trimming**) **1** (*hair*) aparar **2** (*decorate*) decorar

• **in trim** em forma

trimmings ['trɪmɪŋs] *npl* **1** (*decoration*) adorno, acabamento, remate, atavio, ornamentação **2** (*accessories*) guarnição

trinket ['trɪŋkɪt] *n* **1** (*ornament*) bijuteria **2** (*bagatelle*) bugiganga

trio ['tri:əʊ] *n* (*pl* **trios**) trio

trip [trɪp] *n* **1** viagem: ***to go on a trip*** fazer uma viagem **2** (*excursion*) excursão **3** (*misstep*) tropeção **4** *sl* (*hallucinogenic drug experience*) "viagem"

▸ *vi* (*pt & pp* **tripped**, *ger* **tripping**) tropeçar

▸ *vt* **trip (up)** dar uma rasteira

■ **to trip over** *vt-vi* tropeçar (*e cair*)

tripe [traɪp] *n* **1** (*food*) tripa **2** *infml* (*nonsense*) bobagem

triple ['trɪpəl] *adj* triplo

▸ *vt-vi* triplicar(-se)

triplet ['trɪplət] *n* trigêmeo

triplicate ['trɪplɪkət] *adj* triplicado, triplo

• **in triplicate** em três vias, em triplicata

tripod ['traɪpɒd] *n* tripé

trite [traɪt] *adj* gasto, banal

triumph ['traɪəmf] *n* triunfo

▸ *vi* triunfar

triumphal [traɪ'ʌmfəl] *adj* triunfal

triumphant [traɪ'ʌmfənt] *adj* triunfante

trivial ['trɪvɪəl] *adj* trivial, insignificante

trod [trɒd] *pt-pp* → **tread**

trodden ['trɒdən] *pp* → **tread**

trolley ['trɒlɪ] *n* carrinho

trombone [trɒm'bəʊn] *n* trombone

troop [tru:p] *n* grupo, bando

▸ *vi* marchar em grupo, em tropa

▸ *npl* **troops** tropas

trooper ['tru:pə^r] *n* soldado de cavalaria

trophy ['trəʊfɪ] *n* (*pl* **-ies**) troféu

tropic ['trɒpɪk] *n* trópico

tropical ['trɒpɪkəl] *adj* tropical

trot [trɒt] *n* trote

▸ *vi* (*pt & pp* **trotted**, *ger* **trotting**) trotar

• **on the trot** a fio, seguidos: ***four times on the trot*** quatro vezes seguidas

trotter ['trɒtə^r] *n* (*foot of a pig or sheep used as food*) pés

trouble ['trʌbəl] *n* **1** (*difficulty*) problema, dificuldade **2** (*worry*) preocupação **3** (*anxiety*) ansiedade, inquietação **4** (*effort*) incômodo, trabalho

▸ *vt* **1** (*cause to worry*) preocupar **2** (*bother*) dar trabalho, incomodar, importunar

▸ *vi* incomodar-se

▸ *npl* **troubles 1** (*problems*) preocupações **2** (*disturbance*) conflitos, distúrbios

• **to be in trouble** estar em apuros, ter problemas

• **it's not worth the trouble** não vale a pena

• **to get into trouble** meter-se em confusão

• **to get somebody into trouble** *infml* engravidar alguém

• **to take the trouble to do something** dar-se ao trabalho de fazer algo

▪ **trouble spot** área de conflito

trouble-free ['trʌbəlfri:] *adj* sem problemas

troublemaker ['trʌbəlmeɪkə^r] *n* encrenqueiro

troubleshooter ['trʌbəlʃu:tə^r] *n* **1** (*expert in resolving diplomatic disputes*) conciliador, mediador **2** (*skilled worker*) solucionador de problemas

troublesome ['trʌbəlsəm] *adj* incômodo, importuno

trough [trɒf] *n* **1** (*manger*) bebedouro **2** (*container*) gamela **3** (*channel for water*) calha **4** (*meteorology*) área de baixa pressão

trounce [traʊns] *vt* surrar

troupe [tru:p] *n* trupe, companhia teatral

trousers ['traʊzəz] *npl* calça

trousseau ['tru:səʊ] *n* (*pl* **-s** ou **trousseaux**) (*of a bride*) enxoval

trout [traʊt] *n* truta

trowel ['traʊəl] *n* **1** (*for cement*) pá **2** (*for the garden*) colher

truant ['tru:ənt] *n* gazeteiro, cábula

• **to play truant** fazer gazeta, matar aula

truce [tru:s] *n* trégua

truck [trʌk] *n* GB **1** (*wagon*) vagão **2** US (*lorry*) caminhão

▪ **truck driver** caminhoneiro

trucker ['trʌkə^r] *n* US caminhoneiro

trudge [trʌdʒ] *vi* andar penosamente, arrastar-se

true [tru:] *adj* **1** (*right*) verdadeiro **2** (*genuine*) autêntico, genuíno **3** (*loyal*) fiel, leal **4** (*exact*) fiel, exato (cópia)

• **it's true** é verdade

• **to come true** tornar-se realidade

truffle ['trʌfəl] *n* trufa

truly ['tru:lɪ] *adv* verdadeiramente, realmente

• **yours truly** (*letters*) atenciosamente

trump [trʌmp] *n* trunfo

▸ *vt* descartar um trunfo

▪ **trump card** ás na manga

▪ **to trump up** *vt* inventar

trumpet ['trʌmpɪt] *n* trompete

▪ **trumpet player** trompetista

truncheon ['trʌntʃən] *n* porrete, cassetete

trunk [trʌŋk] *n* **1** (*of a tree*) tronco **2** ANAT tronco **3** (*large box*) baú **4** (*elephant's long nose*) tromba **5** US (*car boot*)
▸ *npl* **trunks** calção de banho
▪ **trunk call** GB chamada interurbana

truss [trʌs] *n* (*pl* **-es**) funda, suporte

trust [trʌst] *n* **1** (*confidence*) confiança **2** responsabilidade: ***he occupies a position of trust*** ele ocupa um cargo de responsabilidade **3** (*combination of corporations*) truste **4** (*custody*) custódia
▸ *vt* **1** (*believe in*) confiar **2** esperar: ***I trust the arrangements went well*** espero que os planos tenham dado certo **3** supor: ***I trust you did a good job*** suponho que você tenha feito um bom trabalho
• **to put one's trust in** depositar confiança em

trustee [trʌs'ti:] *n* fideicomissário, depositário

trustful ['trʌstfʊl] *adj* crédulo

trusting ['trʌstɪŋ] *adj* crédulo

trustworthy ['trʌstwɜ:ðɪ] *adj* **1** (*reliable*) digno de confiança **2** (*authentic*) fidedigno

truth [tru:θ] *n* verdade
• **to tell the truth** dizer a verdade

truthful ['tru:θfʊl] *adj* **1** (*true*) verídico **2** sincero: ***he wasn't totally truthful*** ele não foi totalmente sincero

try [traɪ] *n* (*pl* **-ies**) **1** (*attempt*) tentativa **2** (*experience*) experiência **3** (*trial*) prova, teste
▸ *vt-vi* (*pt & pp* **-ied**) tentar: ***I'll try to finish the assignment by Monday*** vou tentar terminar o trabalho até segunda-feira
▸ *vt* **1** (*taste*) provar **2** julgar, submeter a julgamento: ***after being tried for treason, he was sent to jail*** depois de ter sido julgado por traição, ele foi preso **3** testar, pôr à prova: ***he never arrives on time; I believe he's trying my patience*** ele nunca chega na hora; acho que está pondo à prova a minha paciência
• **to have a try at something** tentar fazer algo
▪ **to try on** *vt* (*cloth*) provar, experimentar
▪ **to try out** *vt* provar, testar

trying ['traɪɪŋ] *adj* árduo e irritante

t-shirt ['ti:ʃɜ:t] *n t-shirt*, camiseta

tsp ['ti:spu:n] *abbr* (***teaspoon***) colher de chá

Seu plural é **tsps**.

tub [tʌb] *n* **1** (*barrel*) tina **2** (*bath*) banheira **3** (*pote*) terrina

tuba ['tju:bə] *n* tuba

tubby ['tʌbɪ] *adj* (**-ier**, **-iest**) rechonchudo

tube [tju:b] *n* **1** (*hollow cylinder*) tubo **2** GB (*underground railway*) metrô
• **by tube** de metrô
▪ **tube station** estação de metrô

tuber ['tju:bə^r] *n* tubérculo

tuberculosis [tjʊbɜ:kjʊ'ləʊsɪs] *n* MED tuberculose

tubular ['tju:bjʊlə^r] *adj* tubular

tuck [tʌk] *n* prega, dobra
▪ **to tuck in** *vi* **1** (*eat eagerly*) comer com apetite, empanturrar-se **2** começar a comer, atacar a comida: ***dinner is served; let's tuck in before it gets cold*** o jantar está servido; vamos atacá-lo antes que esfrie
▸ *vt* **1** enfiar ou ajeitar por dentro (lençol, camisa): ***you can either tuck this blouse in or wear it out*** você pode usar esta blusa por dentro ou por fora **2** pôr na cama, aconchegar alguém confortavelmente sob os lençóis: ***it's late; please tuck the children in*** está tarde; por favor, ponha as crianças na cama

Tues ['θju:zdɪ] *abbr* (***Tuesday***) ter. (*terça-feira*)

Tuesday ['tju:zdɪ] *n* terça-feira

tuft [tʌft] *n* **1** (*of hair*) tufo **2** (*clump*) moita **3** (*bunch of feathers*) penacho

tug [tʌg] *n* **1** (*hard pull*) puxão **2** (*small ship*) rebocador
▸ *vt* (*pt & pp* **tugged**, *ger* **tugging**) **1** (*pull*) puxar **2** (*a boat*) rebocar

tugboat ['tʌgbəʊt] *n* (*small ship*) rebocador

tug-of-war [tʌgʌv'wɔ:^{r}] *n* **1** (*test of strength*) cabo de guerra **2** (*contest*) disputa

tuition [tjʊ'ɪʃən] *n* **1** (*instruction*) aula individual ou para grupo pequeno **2** US (*payment for instruction*) taxas cobradas por tutoria

tulip ['tju:lɪp] *n* BOT tulipa

tumble ['tʌmbəl] *n* queda
▸ *vi* cair, tombar
▪ **tumble dryer** secadora de roupa

tumbler ['tʌmbələʳ] *n* copo

tummy ['tʌmɪ] *n* (*pl* **-ies**) *infml* barriga, estômago

tumour ['tju:məʳ] (US **tumor**) *n* MED tumor

tuna ['tju:nə] *n* (*pl* **tuna** ou **tunas**) ZOOL atum

tundra ['tʌndrə] *n* tundra

tune [tju:n] *n* melodia
▸ *vt* **1** (*musical instrument*) afinar **2** (*motor*) regular **3** (*radio etc.*) sintonizar
• **in tune** afinado
• **out of tune** desafinado
• **to sing out of tune** desafinar
▪ **to tune in to** *vt* (*adjust a radio or television*) sintonizar

tuneful ['tju:nfʊl] *adj* melodioso

tuner ['tju:nəʳ] *n* **1** (*of musical instrument*) afinador **2** (*part of a radio or television*) sintonizador

tunic ['tju:nɪk] *n* túnica

tuning fork ['tju:nɪŋfɔ:k] *n* diapasão

Tunis ['tju:nɪs] *n* Túnis (*capital da Tunísia*)

Tunisia [tju:'nɪsɪə] *n* Tunísia

Tunisian [tju:'nsɪən] *adj-n* tunisiano

tunnel ['tʌnəl] *n* túnel
▸ *vt* (GB *pt & pp* **tunnelled**, *ger* **tunnelling**; US *pt & pp* **tunneled**, *ger* **tunneling**) abrir um túnel

tunny ['tʌnɪ] *n* (*pl* **-ies**) atum

turban ['tɜ:bən] *n* turbante

turbine ['tɜ:baɪn] *n* turbina

turbojet ['tɜ:bəʊdʒet] *n* turborreator, turbojacto

turbot ['tɜ:bət] *n* (*pl* **turbot** ou **turbots**) robalo

turbulence ['tɜ:bjʊləns] *n* turbulência

turbulent ['tɜ:bjʊlənt] *adj* turbulento

tureen [tə'ri:n] *n* sopeira

turf [tɜ:f] *n* grama, gramado
▪ **the turf** pista onde se disputam corridas de cavalo, turfe
▪ **to turf somebody out** *vt infml* (*throw out*) forçar a saída de alguém

Turk [tɜ:k] *n* turco

turkey ['tɜ:kɪ] *n* peru

Turkey ['tɜ:kɪ] *n* Turquia

turkish ['tɜ:kɪʃ] *adj* turco
▸ *n* **1** (*person*) turco **2** (*language*) turco

turmoil ['tɜ:mɔɪl] *n* confusão, alvoroço, tumulto, desordem

turn [tɜ:n] *n* **1** volta, giro: ***let's take a turn in the park*** vamos dar uma volta no parque **2** (*of a river*) curva **3** vez: ***whose turn is it?*** é a vez de quem? **4** (*corner*) esquina **5** (*favour*) favor **6** (*period*) período, turno **7** (*change of direction*) reviravolta, mudança de direção
▸ *vt* **1** (*move round*) girar **2** (*rotate*) rodar, virar **3** (*bend*) virar, dobrar **4** (*page*) virar **5** fazer, completar (idade): ***he'll turn 40 next month*** ele completa 40 anos no próximo mês
▸ *vi* **1** (*move around on an axis*) girar, rodar **2** (*reverse*) virar-se, voltar-se **3** virar, mudar de direção: ***the car turned left*** o carro virou à esquerda **4** tornar-se, ficar: ***his face turned red*** seu rosto ficou vermelho **5** passar de um estágio a outro, mudar: ***he turned from Communism to Capitalism*** ele mudou do comunismo para o socialismo
• **by turns** sucessivamente
• **to do a good turn** fazer uma boa ação
• **to take turns** revezar-se
▪ **to turn away** *vt* não permitir a entrada
▸ *vi* esquivar,-se, desviar-se, virar-se, evitar olhar: ***I always turn away when I see blood*** sempre me viro quando vejo sangue
▪ **to turn back** *vt* voltar, retomar o caminho anterior
▪ **to turn down** *vt* **1** (*reject*) rechaçar, recusar **2** (*reduce the height*) abaixar o volume
▪ **to turn in** *vt* entregar à polícia
▸ *vi infml* recolher-se, ir para a cama
▪ **to turn into** *vt* converter, transformar: ***they turned the bedroom into an office*** eles transformaram o quarto de dormir em escritório

■ **to turn off** *vt* **1** (*shut off*) desconectar, desligar (*eletricidade*) **2** (*shut of*) apagar, desligar (*luz, gás*) **3** (*stop the flow*) fechar (*torneira, registro de água*) **4** (*stop*) parar (*máquina*) **5** (*road*) sair: ***turn off the highway at the next intersection*** saia da autoestrada no próximo cruzamento

■ **to turn on** *vt* **1** (*activate*) conectar, ligar (*eletricidade*) **2** (*light*) acender **3** (*cause to flow*) abrir (*gás, torneira*) **4** (*operate*) pôr em movimento (*máquina*) **5** (*attack*) atacar **6** *infml* (*excite sexually*) excitar

■ **to turn out** *vt* **1** (*put out*) apagar (*gás, luz*) **2** produzir: ***thousands of this CD have been turned out in the last few weeks*** milhares de cópias desse CD foram produzidas nas últimas semanas **3** esvaziar: ***I turned out all the drawers but could not find the document*** esvaziei todas as gavetas mas não encontrei o documento

▸ *vi* **1** (*happen in a particular way or have a particular result*) acontecer **2** (*result*) vir à tona, resultar **3** sair às ruas: ***thousands of people turned out to see the Pope*** milhares de pessoas saíram às ruas para ver o Papa

■ **to turn over** *vt* **1** revirar local para roubar ou procurar algo: ***I heard her flat has got turned over*** ouvi dizer que o apartamento dela foi revirado **2** (*think about*) ruminar (*ideia*) **3** entregar: ***could you please turn this letter over to my laywer?*** você pode por favor entregar esta carta ao meu advogado? **4** (*take a criminal to the police*) entregar, denunciar à polícia

▸ *vi* dar a volta, voltar-se

■ **to turn to** *vt* **1** recorrer: **she turned to her grandmother for advice** ela recorreu à avó em busca de conselho **2** (*page*) buscar, ir para

■ **to turn up** *vi* **1** (*appear*) aparecer, surgir **2** (*arrive*) apresentar-se, chegar

▸ *vt* aumentar (*volume*)

turncoat ['tɜ:nkəʊt] *n* vira-casaca

turning ['tɜ:nɪŋ] *n* **1** (*change*) mudança (*de hábito, de prática etc.*) **2** (*change in direction*) mudança de curso, desvio **3** entrada de uma rua, esquina: ***take the second turning on your right*** pegue a segunda rua à sua direita

■ **turning point 1** (*critical moment*) virada, momento decisivo, o ponto em que há um acontecimento marcante capaz de provocar algum tipo de mudança **2** MATH o ponto máximo ou mínimo de uma curva

turnip ['tɜ:nɪp] *n* BOT nabo

turnout ['tɜ:naʊt] *n* **1** (*audience*) assistência, audiência, conjunto de pessoas presentes a um ato **2** (*attendance*) afluência (*às urnas, especialmente*)

turnover ['tɜ:nəʊvəʳ] *n* faturamento, volume de negócio, movimentação, circulação, giro, rotatividade: ***inventory turnover*** rotatividade dos estoques

turnpike ['tɜ:npaɪk] *n* US rodovia com pedágio

turntable ['tɜ:nteɪbəl] *n* **1** (*revolving platform*) plataforma giratória **2** (*phonograph record*) toca-discos

turn-up ['tɜ:nʌp] *n* GB (*trouser leg*) bainha virada

turpentine ['tɜ:pəntaɪn] *n* aguarrás

turquoise ['tɜ:kwɔɪz] *n* **1** (*precious stone*) turquesa **2** (*colour*) azul-turquesa

▸ *adj* turquesa

turret ['tʌrət] *n* torrinha

turtle ['tɜ:təl] *n* ZOOL tartaruga

turtleneck ['tɜ:təlnek] *n* gola alta, gola rulê

tusk [tʌsk] *n* (*of an elephant*) presa

tussle ['tʌsəl] *n* luta, contenda, rixa

▸ *vi* lutar

tutor ['tju:təʳ] *n* **1** (*teacher*) professor particular **2** (*mentor*) tutor

tutorial [tju:'tɔ:rɪəl] *n* tutorial

tuxedo [tʌk'si:dəʊ] *n* (*pl* **tuxedos**) US (*evening suit for men*) *smoking*

TV ['ti:'vi:] *abbr* (***television***) televisão, TV

twaddle ['twɒdəl] *n infml* disparate

twang [twæŋ] *n* **1** (*sharp ringing sound*) som agudo e vibrante **2** (*voice*) timbre anasalado (*voz*)

tweed [twi:d] *n tweed*

tweet [twi:t] *n* pipilo

▸ *vi* piar, pipilar

tweezers ['twi:zəz] *npl* pinça pequena

twelfth [twelfθ] *adj-n* duodécimo

▸ *n* **1** duodécimo **2** (*fraction*) duodécima parte **3** (*in date*) doze
▪ **Twelfth Night** Dia de Reis

twelve [twelv] *num* doze

twentieth ['twentɪəθ] *adj-n* vigésimo
▸ *n* **1** vigésimo **2** (*fraction*) vigésima parte **3** (*in date*) vinte

twenty ['twentɪ] *num* vinte

twice [twaɪs] *adv* duas vezes: ***twice as big as this one*** duas vezes maior do que este

twiddle ['twɪdəl] *vt* mexer, mover algo entre os dedos repetidamente e geralmente sem propósito: ***stop twiddling with your hair*** pare de mexer no cabelo

twig [twɪg] *n* graveto

twilight ['twaɪlaɪt] *n* crepúsculo

twin [twɪn] *n* gêmeo
▪ **twin room** quarto com duas camas

twine [twaɪn] *n* barbante
▸ *vt* enroscar, enrolar

twinge [twɪndʒ] *n* **1** (*sharp pain*) pontada, ferroada **2** (*emotional pang*) pontada, sentimento intenso e repentino (*remorso, culpa*)

twinkle ['twɪŋkəl] *n* brilho, cintilação
▸ *vi* cintilar, brilhar

twirl [twɜːl] *vt-vi* **1** (*spin*) girar rapidamente **2** (*wind*) retorcer

twist [twɪst] *n* **1** (*forceful motion*) virada **2** (*torsion*) torção, torcedura **3** (*unexpected change*) mudança imprevista **4** (*dance*) tuíste
▸ *vt* **1** (*turn*) virar **2** (*bend*) torcer **3** (*turn the body*) retorcer **4** (*change direction*) mudar (*de direção*) **5** deturpar: ***she always twists everything I say*** ela sempre deturpa tudo o que eu digo
▸ *vi* **1** (*river*) serpentear **2** (*dance*) dançar tuíste

twit [twɪt] *n infml* bobo, idiota

twitch [twɪtʃ] *n* (*pl* **-es**) **1** (*pull*) puxão **2** (*jerk*) tique nervoso
▸ *vt* puxar
▸ *vi* mover-se nervosamente

twitter ['twɪtəʳ] *n* **1** (*chirp*) gorjeio **2** Twitter (*serviço de microblog, ferramenta de envio de mensagens*)
▸ *vi* gorjear

two [tuː] *num* dois

twofaced [tuː'feɪst] *adj* hipócrita

two-piece ['tuːpiːs] *adj* de duas peças

tycoon [taɪ'kuːn] *n* magnata

type [taɪp] *n* **1** (*kind*) tipo, classe **2** (*print*) letra, caractere
▸ *vt* escrever a máquina, datilografar, digitar (*em computador*)

typewriter ['taɪpraɪtəʳ] *n* máquina de escrever

typewritten ['taɪprɪtən] *adj* escrito a máquina, digitado (*em computador*)

typhoid ['taɪfɔɪd] *n* MED febre tifoide

typhoon [taɪ'fuːn] *n* tufão

typical ['tɪpɪkəl] *adj* **1** (*characteristic*) típico, característico **2** (*normal*) normal, comum

typify ['tɪpɪfaɪ] *vt* (*pt & pp* **-ied**) tipificar

typing ['taɪpɪŋ] *n* datilografia, digitação (*em computador*)

typist ['taɪpɪst] *n* datilógrafo, digitador

tyrannical [tɪ'rænɪkəl] *adj* tirânico

tyrannize ['tɪrənaɪz] *vt* tiranizar

tyranny ['tɪrənɪ] *n* (*pl* **-ies**) tirania

tyrant ['taɪərənt] *n* tirano

tyre ['taɪəʳ] (US **tire**) *n* pneu

U

udder ['ʌdəʳ] *n* úbere

UEFA [juː'eɪfə] *abbr (**Union of European Football Associations**)* UEFA

UFO ['juː'ef'əʊ] *abbr (**unidentified flying object**)* OVNI

ugly ['ʌglɪ] *adj* (**-ier**, **-iest**) **1** (*unattractive*) feio **2** desagradável: ***ugly weather*** tempo desagradável **3** ameaçador, perigoso: ***an ugly situation*** uma situação ameaçadora **4** moralmente repreensível, repugnante: ***he used an ugly trick*** ele usou um truque repugnante

UHF ['juː'eɪtʃ'ef] *abbr (**ultra high frequency**)* UHF

UHT ['juː'eɪtʃ'tiː] *abbr (**ultra heat treated**)* pasteurizado
▪ **UHT milk** leite pasteurizado
▪ **UHT treatment** pasteurização

UK ['juː'keɪ] *abbr (**United Kingdom**)* Reino Unido, RU

ulcer ['ʌlsəʳ] *n* **1** (*sore*) chaga **2** (*stomach ulcer*) úlcera (*de estômago*)

ultimate ['ʌltɪmət] *adj* **1** (*eventual*) último, final **2** (*supreme*) máximo, completo, insuperável

ultimately ['ʌltɪmətlɪ] *adv* **1** (*eventually*) finalmente **2** (*fundamentally*) basicamente, essencialmente

ultimatum [ʌltɪ'meɪtəm] *n* ultimato

umbrella [ʌm'brelə] *n* guarda-chuva

umpire ['ʌmpaɪəʳ] *n* (*referee*) árbitro, juiz (*jogos*)
▸ *vt* arbitrar, julgar

umpteen [ʌmp'tiːn] *adj infml* muitos, numerosos

umpteenth [ʌmp'tiːnθ] *adj* enésimo

UN ['juː'en] *abbr (**United Nations Organization**)* Organização das Nações Unidas, ONU

unable [ʌn'eɪbəl] *adj* incapaz
• **to be unable to** ser incapaz de, não poder

unabridged [ʌnə'brɪdʒd] *adj* integral, não abreviado

unacceptable [ʌnək'septəbəl] *adj* inaceitável

unaccompanied [ʌnə'kʌmpənɪd] *adj* **1** (*alone*) só **2** (*unescorted*) desacompanhado

unadulterated [ʌnə'dʌltəreɪtɪd] *adj* puro, não adulterado

unadvisable [ʌnəd'vaɪzəbəl] *adj* pouco aconselhável

unanimous [juː'nænɪməs] *adj* unânime

unarmed [ʌn'ɑːmd] *adj* desarmado

unassuming [ʌnə'sjuːmɪŋ] *adj* modesto, despretensioso

unattainable [ʌnə'teɪnəbəl] *adj* inalcançável

unattended [ʌnə'tendɪd] *adj* **1** não vigiado, sozinho: ***don't leave your suitcase unattended*** não deixe a mala sozinha **2** sem atendimento: ***the wounded man was left unattended for several hours*** o ferido ficou sem atendimento durante várias horas

unauthorized [ʌn'ɔːθəraɪzd] *adj* não autorizado

unavailable [ʌnə'veɪləbəl] *adj* não disponível

unavoidable [ʌnə'vɔɪdəbəl] *adj* inevitável

unaware [ʌnə'weəʳ] *adj* inconsciente, sem perceber

• **to be unaware of** ignorar, não saber: ***they're unaware of the problem*** eles ignoram o problema

unawares [ʌnə'weəz] *adv* desprevenido, de surpresa: ***we were caught unawares*** fomos pegos de surpresa

unbalanced [ʌn'bælənst] *adj* desequilibrado

unbearable [ʌn'beərəbəl] *adj* insuportável

unbeatable [ʌn'bi:təbəl] *adj* **1** (*invencible*) invencível, insuperável **2** (*price*) imbatível

unbelievable [ʌnbɪ'li:vəbəl] *adj* incrível

unbiassed [ʌn'baɪəst] *adj* imparcial

unborn [ʌn'bɔ:n] *adj* **1** (*embryonic*) ainda não nascido, por nascer **2** *fig* (*future*) futuro

unbreakable [ʌn'breɪkəbəl] *adj* inquebrável

unbutton [ʌn'bʌtən] *vt* desabotoar

uncanny [ʌn'kænɪ] *adj* (-**ier**, -**iest**) esquisito, misterioso, estranho

uncertain [ʌn'sɜ:tən] *adj* **1** (*unsure*) incerto, duvidoso **2** (*undecided*) indeciso

uncertainty [ʌn'sɜ:təntɪ] *n* (*pl* -**ies**) incerteza

unchanged [ʌn'tʃeɪndʒd] *adj* inalterado, igual

uncivilized [ʌn'sɪvɪlaɪzd] *adj* incivilizado, bárbaro, selvagem

uncle ['ʌnkəl] *n* tio

unclear [ʌn'klɪər] *adj* pouco claro, indistinto

uncomfortable [ʌn'kʌmfətəbəl] *adj* incômodo, pouco confortável

uncommon [ʌn'kɒmən] *adj* pouco comum, raro, insólito

uncommonly [ʌn'kɒmənlɪ] *adv* raramente

uncompromising [ʌn'kɒmprəmaɪzɪŋ] *adj* inflexível, intransigente

unconcerned [ʌnkən'sɜ:nd] *adj* indiferente, despreocupado

unconditional [ʌnkən'dɪʃənəl] *adj* incondicional

unconscious [ʌn'kɒnʃəs] *adj* inconsciente

unconstitutional [ʌnkɒnstɪ'tju:ʃənəl] *adj* inconstitucional

uncontrollable [ʌnkən'trəʊləbəl] *adj* incontrolável

unconventional [ʌnkən'venʃənəl] *adj* pouco convencional, sem cerimônias

uncooperative [ʌnkəʊ'ɒpərətɪv] *adj* pouco cooperativo, pouco disposto a ajudar

uncork [ʌn'kɔ:k] *vt* (*bottle*) desarrolhar, abrir

uncouth [ʌn'ku:θ] *adj* tosco, inculto, grosseiro, vulgar

uncover [ʌn'kʌvə^r] *vt* **1** (*remove the cover*) descobrir **2** (*reveal*) revelar

undecided [ʌndɪ'saɪdɪd] *adj* **1** (*undetermined*) indeciso, indeterminado **2** (*unresolved*) não resolvido, pendente

undeniable [ʌndɪ'naɪəbəl] *adj* inegável, indiscutível

under ['ʌndə^r] *prep* **1** debaixo de, embaixo de: ***she sat under a tree*** ela se sentou debaixo de uma árvore **2** menos de: ***you can get one for under £5*** você pode conseguir um por menos de 5 libras **3** sob: ***under the Romans*** sob o domínio romano **4** de acordo com, segundo: ***under the present rules, smoking is not allowed in that area*** segundo as regras atuais, não se permite fumar naquela área

▸ *adv* embaixo, por baixo, sob

• **to be under discussion** estar em discussão

underclothes ['ʌndəkləʊðz] *npl* roupa de baixo

undercoat ['ʌndəkəʊt] *n* (*paint*) primeira demão, base para pintura

undercover [ʌndə'kʌvə^r] *adj* clandestino, secreto

undercurrent ['ʌndəkʌrənt] *n* **1** (*current*) corrente submarina **2** *fig* (*implicit meaning*) significado implícito

underdeveloped [ʌndədɪ'veləpt] *adj* subdesenvolvido

underdog ['ʌndədɒg] *n* prejudicado, vítima da injustiça social

underdone [ʌndə'dʌn] *adj* malpassado

underestimate [(*n*) ʌndər'estɪmət; (*v*) ʌndər'estɪmeɪt] *n* estimativa ou orçamento baixo
▸ *vt* subestimar, orçar por baixo

undergo [ʌndə'gəʊ] *vt* (*pt* **underwent**, *pp* **undergone** [ʌndə'gɒn]) **1** (*experience*) experimentar, sofrer **2** (*operation*) fazer, submeter-se a

undergraduate [ʌndə'grædjʊət] *n* estudante universitário

underground [(*adj*) 'ʌndəgraʊnd; (*n*) ʌndə'graʊnd] *adj* **1** (*subterranean*) subterrâneo **2** *fig* (*clandestine*) clandestino
▸ *n* **1** (*railway*) metrô **2** (*movement*) *underground*, resistência, movimento clandestino
▸ *adv* **1** (*below ground*) embaixo da terra **2** (*into hiding*) em segredo

undergrowth ['ʌndəgrəʊθ] *n* vegetação rasteira

underhand ['ʌndəhænd] *adj* desonesto, insincero, desleal

underline [ʌndə'laɪn] *vt* sublinhar

undermine [ʌndə'maɪn] *vt* **1** (*health*) minar, debilitar *(saúde)* **2** (*ruin*) corroer

underneath [ʌndə'ni:θ] *prep* debaixo de, embaixo de, por baixo
▸ *adv* debaixo
▸ *n* parte inferior

underpaid [ʌndə'peɪd] *vt* mal pago

underpants ['ʌndəpænts] *npl* cueca

underpass ['ʌndəpæs] *n* (*pl* **-es**) passagem subterrânea

underrated [ʌndə'reɪtɪd] *adj* depreciado, menosprezado

underskirt ['ʌndəskɜ:t] *n* anágua

understand [ʌndə'stænd] *vt* (*pt & pp* **understood** [ʌndə'stʊd]) **1** (*comprehend*) entender, compreender **2** (*be conscious of*) perceber
• **to give to understand** dar a entender

understandable [ʌndə'stændəbəl] *adj* compreensível

understanding [ʌndə'stændɪŋ] *n* **1** (*comprehension*) entendimento, compreensão **2** (*sympathy*) simpatia **3** (*supposition*) interpretação
▸ *adj* compreensivo
• **on the understanding that...** porque me/nos foi prometido/afirmado que...: ***we bought the car on the understanding that it was brand new*** compramos o carro porque nos foi prometido/afirmado que era novo em folha

understatement [ʌndə'steɪtmənt] *n* ato de minimizar a importância/gravidade de algo: ***it's an understatement to say that...*** dizer isto é minimizar a importância/gravidade de...

understood [ʌndə'stʊd] *pt-pp* → **understand**
• **to make oneself understood** fazer-se entender

undertake [ʌndə'teɪk] *vt* (*pt* **undertook**, *pp* **undertaken** [ʌndə'teɪkən]) **1** (*attempt*) empreender **2** (*accept as responsability*) assumir **3** (*promise*) cumprir

undertaker ['ʌndəteɪkə^r] *n* **1** (*funeral director*) agente funerário **2** (*employee*) empregado de funerária

undertone ['ʌndətəʊn] *n* **1** (*low voice*) voz baixa **2** (*subdue colour*) cor suave, meio-tom **3** *fig* sugestão, tom, insinuação: ***the politician's speech had a disturbing racist undertone*** o discurso do político apresentou um perturbador tom racista

undertook [ʌndə'tʊk] *pt* → **undertake**

underwater [ʌndə'wɔ:tə^r] *adj* submarino
▸ *adv* embaixo d'água

underwear ['ʌndəwɜ:ə^r] *n* roupa de baixo

underwent [ʌndə'went] *pt* → **undergo**

underworld ['ʌndəwɜ:ld] *n* **1** (*criminals*) submundo, mundo dos criminosos **2** (*hell*) inferno

undeserved [ʌndɪ'zɜ:vd] *adj* imerecido, injusto

undesirable [ʌndɪ'zaɪərəbəl] *adj-n* indesejável

undeveloped [ʌndɪ'veləpt] *adj* **1** (*not developed*) não ou pouco desenvolvido **2** (*not built on*) sem edifícios ou plantações (*terra*)

undid [ʌn'dɪd] *pt* → **undo**

undisciplined [ʌn'dɪsɪplɪnd] *adj* indisciplinado

undisputed [ʌndɪs'pju:tɪd] *adj* incontestável, indiscutível, inquestionável

undo [ʌn'du:] *vt* (*pt* **undid**, *pp* **undone**, *ger* **undoing**) **1** (*unfasten*) soltar, desatar **2** (*make null*) anular **3** (*ruin*) arruinar
• **to leave something undone** deixar algo sem fazer

undoubted [ʌn'daʊtɪd] *adj* indubitável

undress [ʌn'dres] *vt-vi* despir(-se), vestir(-se)
• **to get undressed** despir(-se), ficar nu

undue [ʌn'dju:] *adj* impróprio, inadequado

unduly [ʌn'dju:lɪ] *adv* indevidamente, inadequadamente

unearth [ʌn'ɜ:θ] *vt* desenterrar, descobrir, revelar

uneasy [ʌn'i:zɪ] *adj* (**-ier**, **-iest**) intranquilo, inquieto, preocupado

uneconomical [ʌni:kə'nɒmɪkəl] *adj* não econômico

uneducated [ʌn'edjʊkeɪtɪd] *adj* inculto, ignorante

unemployed [ʌnɪm'plɔɪd] *adj* **1** (*out of work*) desempregado **2** (*not being used*) não usado

unemployment [ʌnɪm'plɔɪmənt] *n* desemprego
▪ **unemployment benefit** auxílio-desemprego

unequal [ʌn'i:kwəl] *adj* desigual

UNESCO [ju:'neskəʊ] *abbr* (***United Nations Educational, Scientific and Cultural Organization***) UNESCO

uneven [ʌn'i:vən] *adj* **1** (*unequal*) desigual **2** (*irregular*) irregular **3** (*bumpy*) cheio de buracos (estrada)

uneventful [ʌnɪ'ventfʊl] *adj* sem incidentes, tranquilo

unexpected [ʌnɪk'spektɪd] *adj* inesperado

unfair [ʌn'feəʳ] *adj* injusto

unfaithful [ʌn'feɪθfʊl] *adj* infiel

unfaithfulness [ʌn'feɪθfʊlnəs] *n* infidelidade

unfamiliar [ʌnfə'mɪlɪəʳ] *adj* desconhecido
• **to be unfamiliar with** não estar familiarizado com

unfashionable [ʌn'fæʃənəbəl] *adj* fora de moda, antiquado

unfasten [ʌn'fɑ:sən] *vt* **1** (*unbutton*) desabotoar **2** (*knot*) desamarrar **3** (*door*) abrir

unfavourable [ʌn'feɪvərəbəl] *adj* desfavorável, adverso

unfinished [ʌn'fɪnɪʃt] *adj* inacabado, incompleto

unfit [ʌn'fɪt] *adj* (*comp* **unfitter**, *superl* **unfittest**) **1** (*unsuitable*) não apto, inadequado **2** destreinado, fora de forma, sem preparo físico: ***to be unfit*** estar fora de forma **3** (*unhealthy*) lesionado **4** incompetente: ***an unfit mother*** uma mãe incompetente

unfold [ʌn'fəʊld] *vt-vi* desdobrar(-se), abrir(-se)

unforeseeable [ʌnfɔ:'si:əbəl] *adj* imprevisível

unforeseen [ʌnfɔ:'si:n] *adj* imprevisto

unforgettable [ʌnfə'getəbəl] *adj* inesquecível

unforgivable [ʌnfə'gɪvəbəl] *adj* imperdoável

unforgiving [ʌnfə'gɪvɪŋ] *adj* implacável

unfortunate [ʌn'fɔ:tʃənət] *adj* **1** (*unlucky*) desgraçado **2** (*inappropriate*) infeliz, inadequado

unfortunately [ʌn'fɔ:tʃənətlɪ] *adv* infelizmente, desastrosamente

unfounded [ʌn'faʊndɪd] *adj* infundado, improcedente, sem razão

unfriendly [ʌn'frendlɪ] *adj* (**-ier**, **-iest**) descortês, pouco amável

unfurnished [ʌn'fɜ:nɪʃt] *adj* desmobiliado

ungainly [ʌn'geɪnlɪ] *adj* (**-ier**, **-iest**) desajeitado, canhestro, deselegante

ungrateful [ʌn'greɪtfʊl] *adj* ingrato, desagradável

unhappily [ʌn'hæpɪlɪ] *adv* infelizmente, desgraçadamente

unhappiness [ʌn'hæpɪnəs] *n* infelicidade, desgraça

unhappy [ʌn'hæpɪ] *adj* (**-ier**, **-iest**) **1** (*sad*) infeliz, triste **2** inadequado: ***I'm afraid it was an unhappy choice*** receio que tenha sido uma escolha inadequada

unharmed [ʌn'hɑ:md] *adj* ileso, incólume

unhealthy [ʌn'helθɪ] *adj* (-**ier**, -**iest**) **1** (*harmful*) insalubre **2** (*ill-looking*) doentio, enfermo **3** (*depraved*) prejudicial à moral

unheard-of [ʌn'hɜ:dəv] *adj* inaudito, sem precedentes

unhinge [ʌn'hɪndʒ] *vt* desengonçar, perturbar

unhook [ʌn'hʊk] *vt* **1** (*remove from a hook*) desenganchar **2** (*unfasten*) desprender **3** *fig* (*free from a habit*) livrar-se de um hábito ou vício

unhurt [ʌn'hɜ:t] *adj* ileso, incólume

UNICEF ['ju:nɪsef] *abbr* (***United Nations Children's Fund***) UNICEF

unicorn ['ju:nɪkɔ:n] *n* unicórnio

unidentified [ʌnaɪ'dentɪfaɪd] *adj* não identificado

unification [ju:nɪfɪ'keɪʃən] *n* unificação

uniform ['ju:nɪfɔ:m] *adj-n* uniforme

unify ['ju:nɪfaɪ] *vt* (*pt & pp* -**ied**) unificar

unilateral [ju:nɪ'lætərəl] *adj* unilateral

unimaginative [ʌnɪ'mædʒɪnətɪv] *adj* pouco criativo, sem imaginação

unimportant [ʌnɪm'pɔ:tənt] *adj* insignificante, sem importância

uninhabited [ʌnɪ'hæbɪtɪd] *adj* desabitado

unintelligible [ʌnɪn'telɪdʒəbəl] *adj* ininteligível, incompreensível

unintentional [ʌnɪn'tenʃənəl] *adj* involuntário, não propositado

uninterested [ʌn'ɪntrəstɪd] *adj* desinteressado

uninteresting [ʌn'ɪntrəstɪŋ] *adj* desinteressante, insípido

uninterrupted [ʌnɪntə'rʌptɪd] *adj* ininterrupto, contínuo

union ['ju:nɪən] *n* **1** (*junction*) união **2** (*labor union*) sindicato

unique [ju:'ni:k] *adj* **1** (*exclusive*) único, exclusivo **2** (*rare*) raro, sem igual

unisex ['ju:nɪseks] *adj* unissex

unison ['ju:nɪsən] *phr* **in unison** em uníssono

unit ['ju:nɪt] *n* unidade

unite [ju:'naɪt] *vt-vi* unir(-se)

unity ['ju:nɪtɪ] *n* unidade

universal [ju:nɪ'vɜ:səl] *adj* universal

universe ['ju:nɪvɜ:s] *n* universo

university [ju:nɪ'vɜ:sitɪ] *n* (*pl* -**ies**) universidade
▸ *adj* universitário

unjust [ʌn'dʒʌst] *adj* injusto

unjustifiable [ʌndʒʌstɪ'faɪəbəl] *adj* injustificável

unjustified [ʌn'dʒʌstɪfaɪd] *adj* injustificado

unkempt [ʌn'kempt] *adj* **1** (*untidy*) descuidado **2** (*not combed*) despenteado, desgrenhado

unkind [ʌn'kaɪnd] *adj* **1** (*not pleasing*) indelicado **2** (*cruel*) cruel, insensível

unknown [ʌn'nəʊn] *adj* desconhecido
■ **unknown quantity** MATH incógnita

unlawful [ʌn'lɔ:fʊl] *adj* ilegal

unleash [ʌn'li:ʃ] *vt* **1** (*let go*) soltar, desatrelar (*animal*) **2** *fig* (*untie*) desatar

unless [ən'les] *conj* a menos que, a não ser que, se não: ***don't do anything unless I tell you*** não faça nada, a não ser que eu diga a você

unlike [ʌn'laɪk] *adj* desigual, diferente: ***the landscapes are quite unlike*** as paisagens são bem diferentes
prep diferente de: ***an experience unlike any other*** uma experiência diferente de todas as outras

unlikely [ʌn'laɪklɪ] *adj* (-**ier**, -**iest**) improvável, inverossímil

unlimited [ʌn'lɪmɪtɪd] *adj* ilimitado

unload [ʌn'ləʊd] *vt* descarregar

unlock [ʌn'lɒk] *vt* (*unfasten the lock of*) abrir

unlucky [ʌn'lʌkɪ] *adj* (-**ier**, -**iest**) infeliz, desventurado
• **to be unlucky 1** (*have misfortune*) ter má sorte **2** (*bring misfortune*) trazer má sorte

unmade [ʌn'meɪd] *adj* desarrumada, por fazer (*cama*)

unmanageable [ʌn'mænɪdʒəbəl] *adj* ingovernável, indomável, de difícil manejo

unmanned [ʌn'mænd] *adj (spaceflight)* não tripulado

unmarried [ʌn'mærɪd] *adj* solteiro

unmask [ʌn'mɑːsk] *vt* desmascarar

unmistakable [ʌnmɪs'teɪkəbəl] *adj* inconfundível, inequívoco

unmoved [ʌn'muːvd] *adj* impassível, inalterado

unnatural [ʌn'nætʃərəl] *adj* **1** *(not in accordance with nature)* antinatural, pouco natural **2** *(perverse)* perverso

unnecessary [ʌn'nesəsərɪ] *adj* desnecessário

unnerve [ʌn'nɜːv] *vt* enervar, aborrecer

unnoticed [ʌn'nəʊtɪst] *adj* despercebido, não notado

UNO ['juː'en'əʊ] *abbr* (***United Nations Organization***) ONU

unobtainable [ʌnəb'teɪnəbəl] *adj* impossível de conseguir

unobtrusive [ʌnɒb'truːsɪv] *adj* discreto, reservado

unoccupied [ʌn'ɒkjʊpaɪd] *adj* **1** *(empty)* desabitado (casa) **2** *(at leisure)* desocupado **3** *(available)* vago

unofficial [ʌnə'fɪʃəl] *adj* não oficial, oficioso

unorthodox [ʌn'ɔːθədɒks] *adj* **1** *(unconventional)* pouco ortodoxo **2** *(heterodox)* heterodoxo

unpack [ʌn'pæk] *vt* **1** *(take out of a packed container)* desembrulhar, desempacotar **2** *(remove the contents)* tirar da mala
▸ *vi* desfazer as malas

unpaid [ʌn'peɪd] *adj* **1** *(due)* não pago **2** *(voluntary)* voluntário sem remuneração

unpalatable [ʌm'pælətəbəl] *adj* desagradável ao paladar

unparalleled [ʌn'pærəleld] *adj* sem paralelo, incomparável

unperturbed [ʌnpə'tɜːbd] *adj* imperturbado, impassível

unpleasant [ʌn'plezənt] *adj* **1** *(disagreeable)* desagradável **2** *(unappetizing)* desagradável ao paladar

unplug [ʌn'plʌg] *vt* (*pt & pp* **unplugged**, *ger* **unplugging**) desligar, desconectar: ***don't forget to unplug all the electrical appliances*** não se esqueça de desligar todos os eletrodomésticos

unpolluted [ʌnpə'luːtɪd] *adj* impoluto, não poluído

unpopular [ʌn'pɒpjʊləʳ] *adj* impopular, malquisto

unprecedented [ʌn'presɪdentɪd] *adj* sem precedentes, inaudito

unpredictable [ʌnprɪ'dɪktəbəl] *adj* imprevisível

unprejudiced [ʌn'predʒʊdɪst] *adj* imparcial, sem preconceitos

unpretentious [ʌnprɪ'tenʃəs] *adj* modesto, despretensioso

unprincipled [ʌn'prɪnsɪpəld] *adj* sem escrúpulos, que não tem caráter, que não tem princípios

unprofessional [ʌnprə'feʃənəl] *adj* não profissional, que não é perito, leigo

unprofitable [ʌn'prɒfɪtəbəl] *adj* não lucrativo, pouco rentável

unprovoked [ʌnprə'vəʊkt] *adj* não provocado, espontâneo

unpublished [ʌn'pʌblɪʃt] *adj* inédito

unqualified [ʌn'kwɒlɪfaɪd] *adj* **1** *(unfit)* não qualificado, incompetente **2** *(unconditional)* incondicional, irrestrito

unquestionable [ʌn'kwestʃənəbəl] *adj* inquestionável, indiscutível

unravel [ʌn'rævəl] *vt-vi* (GB *pt & pp* **unravelled**, *ger* **unravelling**; US *pt & pp* **unraveled**, *ger* **unraveling**) **1** *(unwind)* desemaranhar(-se), desembaraçar(-se) **2** desmanchar: ***I have to mend this jumper before the sleeve unravels*** tenho de consertar este pulôver antes que a manga desmanche **3** deslindar: ***who's going to unravel the mystery?*** quem vai deslindar o mistério?

unreadable [ʌn'riːdəbəl] *adj* ilegível

unreal [ʌn'rɪəl] *adj* irreal

unrealistic [ʌnrɪə'lɪstɪk] *adj* pouco realista, impraticável

unreasonable [ʌn'riːzənəbəl] *adj* **1** *(biased)* pouco razoável, irracional **2** *(excessive)* desmedido, excessivo, exagerado

unrecognizable [ʌnrekəg'naɪzəbəl] *adj* irreconhecível

unrelenting [ʌnrɪ'lentɪŋ] *adj* inexorável, contínuo

unreliable [ʌnrɪ'laɪəbəl] *adj* **1** (*irresponsible*) que não é de confiança **2** (*precarious*) precário inseguro **3** (*questionable*) pouco fidedigno

unrepentant [ʌnrɪ'pentənt] *adj* impenitente, não arrependido

unrest [ʌn'rest] *n* **1** (*disquiet*) mal-estar, intranquilidade **2** (*agitation*) distúrbios, agitação

unripe [ʌn'raɪp] *adj* verde, imaturo

unroll [ʌn'rəʊl] *vt-vi* desenrolar(-se)

unruly [ʌn'ru:lɪ] *adj* (**-ier**, **-iest**) **1** (*willful*) teimoso, obstinado **2** (*disobedient*) rebelde, desobediente, indisciplinado

unsafe [ʌn'seɪf] *adj* **1** (*insecure*) inseguro, arriscado **2** (*dangerous*) perigoso

unsatisfactory [ʌnsætɪs'fæktərɪ] *adj* insatisfatório

unsatisfied [ʌn'sætɪsfaɪd] *adj* insatisfeito

unsavoury [ʌn'seɪvərɪ] *adj* sem gosto, insípido

unscathed [ʌn'skeɪðd] *adj* incólume, ileso

unscrew [ʌn'skru:] *vt* **1** (*draw the screws from*) desaparafusar(-se) **2** (*loosen by turning*) desenroscar

unscrupulous [ʌn'skru:pjʊləs] *adj* sem escrúpulos

unseasonable [ʌn'si:zənəbəl] *adj* atípico, intempestivo

unselfish [ʌn'selfɪʃ] *adj* desinteressado, generoso, altruísta

unsettle [ʌn'setəl] *vt* **1** (*move*) deslocar, alterar **2** (*disturb*) desestabilizar

unsettled [ʌn'setəld] *adj* inseguro, incerto

unshaven [ʌn'ʃeɪvən] *adj* não barbeado

unsightly [ʌn'saɪtlɪ] *adj* (**-ier**, **-iest**) pouco apresentável, de má aparência

unskilled [ʌn'skɪld] *adj* **1** (*unqualified*) não qualificado **2** (*lacking expert skill*) não especializado

unsociable [ʌn'səʊʃəbəl] *adj* insociável, retraído

unsophisticated [ʌnsə'fɪstɪkeɪtɪd] *adj* não sofisticado, simples

unspeakable [ʌn'spi:kəbəl] *adj* indizível

unstable [ʌn'steɪbəl] *adj* instável

unsteady [ʌn'stedɪ] *adj* (**-ier**, **-iest**) inseguro, instável

unstuck [ʌn'stʌk] *adj* desgrudado, solto

▸ *phr* **to come unstuck** **1** desgrudar-se, soltar-se: ***all the posters came unstuck and fell to the floor*** todos os pôsteres soltaram-se e caíram no chão **2** *fig* fracassar: ***unfortunately the deal came unstuck*** infelizmente a transação fracassou

unsuccessful [ʌnsək'sesfʊl] *adj* malsucedido, fracassado, infeliz

• **to be unsuccessful** não ter êxito, fracassar

unsuitable [ʌn'su:təbəl] *adj* **1** impróprio, inadequado: ***this film is unsuitable for small children*** este filme é inadequado para crianças pequenas **2** (*undesirable*) importuno, inconveniente, indesejável

unsuited [ʌn'su:tɪd] *adj* **1** (*incompatible*) incompatível **2** (*unsuitable*) impróprio

unsure [ʌn'ʃʊəʳ] *adj* inseguro, incerto, dúbio

unsurmountable [ʌnsə'maʊntəbəl] *adj* insuperável, intransponível

unsuspected [ʌnsəs'pektɪd] *adj* insuspeito, inesperado

unsuspecting [ʌnsəs'pektɪŋ] *adj* que não desconfia, que não suspeita

untangle [ʌn'tæŋgəl] *vt* desemaranhar, desembaraçar

unthinkable [ʌn'θɪŋkəbəl] *adj* impensável, inconcebível

untidiness [ʌn'taɪdɪnəs] *n* **1** (*disorder*) desordem **2** (*negligence*) desmazelo, desleixo

untidy [ʌn'taɪdɪ] *adj* (**-ier**, **-iest**) **1** (*disordered*) desarrumado **2** (*careless*) desleixado

untie [ʌn'taɪ] *vt* **1** (*knot*) desatar **2** (*animal*) soltar

until [ən'tɪl] *prep* até
▸ *conj* até que

untimely [ʌn'taɪmlɪ] *adj* (**-ier**, **-iest**) **1** (*inopportune*) inoportuno **2** (*premature*) prematuro

untold [ʌn'təʊld] *adj* **1** (*unreported*) não contado **2** (*unrevealed*) não revelado **3** *fig* (*contless*) incalculável, indizível

untouchable [ʌn'tʌtʃəbəl] *adj-n* intocável

untrained [ʌn'treɪnd] *adj* **1** (*unskilled*) não treinado **2** (*non-professional*) sem formação profissional

untrue [ʌn'tru:] *adj* **1** (*false*) falso, incorreto, insincero **2** (*disloyal*) infiel

untrustworthy [ʌn'trʌstwɜ:ðɪ] *adj* pouco confiável, indigno de confiança

untruthful [ʌn'tru:θfʊl] *adj* mentiroso

unused [(adj) ʌn'ju:zd; (adj) ʌn'ju:st] *adj* **1** (*unutilized*) não usado, novo **2** (*unfamiliar*) não acostumado

unusual [ʌn'ju:ʒʊəl] *adj* raro, pouco comum

unusually [ʌn'ju:ʒʊəlɪ] *adv* excepcionalmente, extraordinariamente

unveil [ʌn'veɪl] *vt* **1** (*remove the cover*) descobrir (*monumento*) **2** (*reveal*) revela)

unwanted [ʌn'wɒntɪd] *adj* **1** (*undesirable*) indesejado **2** (*rejected*) rejeitado

unwarranted [ʌn'wɒrəntɪd] *adj* injustificado

unwelcome [ʌn'welkəm] *adj* importuno, indesejável

unwell [ʌn'wel] *adj* indisposto

unwieldy [ʌn'wi:ldɪ] *adj* (**-ier**, **-iest**) difícil de manejar ou manusear

unwilling [ʌn'wɪlɪŋ] *adj* sem vontade, de má vontade, relutante
• **to be unwilling to do something** não querer fazer algo

unwillingness [ʌn'wɪlɪŋnəs] *n* **1** (*reluctance*) relutância, má vontade **2** (*objection*) objeção

unwind [ʌn'waɪnd] *vt* (*pt & pp* **unwound** [ʌn'waʊnd]) desenrolar
▸ *vi* **1** (*unroll*) desenrolar-se **2** *infml* (*relax*) relaxar

unwise [ʌn'waɪz] *adj* imprudente, insensato

unwitting [ʌn'wɪtɪŋ] *adj* inconsciente, involuntário

unwittingly [ʌn'wɪtɪŋlɪ] *adv* inconscientemente

unworthy [ʌn'wɜ:ðɪ] *adj* indigno, desonroso

unwound [ʌn'waʊnd] *pt-pp* → **unwind**

unwrap [ʌn'ræp] *vt* (*pt & pp* **unwrapped**, *ger* **unwrapping**) desembrulhar, abrir

up [ʌp] *adv* **1** para cima, para o alto: ***to sit up in bed*** erguer-se na cama (*depois de estar deitado*); ***to walk up*** subir a pé **2** levantar-se: ***he isn't up yet*** ele ainda não se levantou **3** na direção de, para, aproximar-se: ***he came up and...*** ele se aproximou e... **4** em direção ao norte, ao norte: ***we went up to Scotland*** fomos ao norte, para a Escócia **5** mais alto: ***turn the radio up*** põe o rádio mais alto **6** até o final, tudo: ***eat it up*** come tudo **7** em pedacinhos: ***she read the letter and then tore it up*** ela leu a carta e depois a rasgou em pedacinhos
▸ *prep* **1**: ***to go up the stairs*** subir a escada; ***to run up the street*** ir correndo rua acima **2** no alto de: ***up a tree*** no alto de uma árvore
▸ *vt* (*pt & pp* **upped**, *ger* **upping**) *infml* subir, aumentar
• **close up** close, fotografia tirada de muito perto
• **to be up to something** estar fazendo algo, estar tramando algo
• **to feel up to doing something** sentir-se com forças para fazer alguma coisa
• **up to** até: ***the plane can carry up to 150 people*** o avião pode levar até 150 pessoas; ***up to now*** até agora
• **well up in something** saber muito de alguma coisa
• **it's not up to much** *infml* não vale grande coisa
• **it's up to you** *infml* você escolhe, depende de você
• **to be on the up and up** *infml* ir cada vez melhor
• **to up and go** *infml* levantar-se e sair
• **what's up?** *infml* o que está acontecendo?
• **up and down** de cima para baixo, de um lado para o outro

• **up yours!** vai à merda!
▪ **ups and downs** altos e baixos

up-and-coming [ʌpən'kʌmɪŋ] *adj* promissor

upbringing ['ʌpbrɪŋɪŋ] *n* educação, formação, criação

update [(*n*) 'ʌpdeɪt; (*v*) 'ʌpdeɪt] *n* atualização
▸ *vt* atualizar, pôr em dia

upgrade [ʌp'greɪd] *vt* **1** (*promote*) elevar o nível de qualidade **2** (*ameliorate*) melhorar, melhorar a qualidade **3** (*modernize*) modernizar, atualizar
▸ *n* atualização, modernização

upheaval [ʌp'hi:vəl] *n* transtorno, revolta, motim

upheld [ʌp'held] *pt-pp* → **uphold**

uphill [(*adj*) 'ʌphɪl; (*adv*) ʌp'hɪl] *adj* **1** (*ascending*) ascendente, íngreme **2** *fig* (*arduous*) difícil, penoso
▸ *adv* morro acima, para cima

uphold [ʌp'həʊld] *vt* (*pt & pp* **upheld** [ʌp'held]) sustentar, segurar, apoiar

upholster [ʊp'həʊlstəʳ] *vt* estofar, acolchoar

upholstery [ʌp'həʊlstərɪ] *n* **1** (*materials*) artigos de tapeçaria **2** (*business*) negócio ou comércio de tapeçaria e móveis

upkeep ['ʌpki:p] *n* manutenção, conservação

uplift [ʌp'lɪft] *vt* **1** (*raise*) levantar, erguer **2** (*fill with optimism*) enaltecer, exaltar

upon [ə'pɒn] *prep* → **on**

upper ['ʌpəʳ] *adj* superior, mais alto
▪ **upper case** maiúsculas, em caixa-alta
▪ **upper class** classe alta, classe superior
▪ **upper house** Câmara Alta, Câmara dos Pares

uppermost ['ʌpəməʊst] *adj* **1** (*highest*) mais alto, superior **2** *fig* (*principal*) principal

upright ['ʌpraɪt] *adj* **1** (*vertical*) perpendicular, vertical (posição) **2** (*honest*) direito, honesto, correto
▸ *adv* direito: ***sit upright*** sente-se direito
▸ *n* poste, pilar, coluna

uprising [ʌp'raɪzɪŋ] *n* revolta, rebelião

uproar ['ʌprɔ:ʳ] *n* grande barulho, distúrbio, tumulto, rebuliço

uproot [ʌp'ru:t] *vt* **1** (*pull up*) arrancar **2** (*eradicate*) desarraigar

upset [ʌp'set] *adj* desconcertado, perturbado, ofendido
▸ *vt* (*pt & pp* **upset** ['ʌpset], *ger* **upsetting**) **1** (*distress*) contrariar, preocupar, desnortear **2** (*disturb*) estragar **3** (*make physically ill*) adoecer **4** (*knock over*) derramar, entornar
▸ *n* revés, contratempo, derrota
• **to have an upset stomach** estar mal do estômago

upshot ['ʌpʃɒt] *n* resultado, fim, final

upside down [ʌpsaɪd'daʊn] *adv* de cabeça para baixo, virado, invertido

upstairs [(*adv*) ʌp'steəz; (*n*) 'ʌpsteəz] *adv* **1** (*on an upper floor*) no andar de cima **2** (*at a high altitude*) para cima (*movimento*)
▸ *n* andar superior
▸ *adj* do andar superior

upstanding [ʌp'stændɪŋ] *adj* **1** (*erect*) em pé, ereto **2** (*honest*) honrado, honesto, reto

upsurge ['ʌpsɜ:dʒ] *n* excitação, revolta, aumento

up-to-date [ʌptə'deɪt] *adj* **1** (*informed*) em dia, atualizado **2** (*modern*) moderno, de acordo com a moda

upward ['ʌpwəd] *adj* para cima, ascendente
▸ *adv* para cima, adiante

upwards ['ʌpwədz] *adv* para cima

uranium [jʊ'reɪnɪəm] *n* CHEM urânio

urban ['ɜ:bən] *adj* urbano

urge [ɜ:dʒ] *n* impulso, desejo, ânsia, vontade
▸ *vt* urgir, instar, encarecer, recomendar vivamente: ***to urge somebody to do something*** instar alguém a fazer alguma coisa

urgency ['ɜ:dʒənsɪ] *n* urgência

urgent ['ɜ:dʒənt] *adj* urgente

urinal [jʊ'raɪnəl] *n* mictório

urine ['jʊərɪn] *n* urina

URL ['ju:'ɑ:r'el] *abbr* (***uniform resource locator***) URL

urn [ɜ:n] *n* **1** (*for ashes*) urna, túmulo **2** (*vessel*) vaso grande

Uruguay ['jʊərəgwaɪ] *n* Uruguai

Uruguayan [jʊərə'gwaɪən] *adj-n* uruguaio

us [ʌs, unstressed əz] *pron* **1** nos, nós: ***give us your gun*** dê-nos sua arma; ***come with us*** vem conosco; ***it's us*** somos nós **2** *infml* me: ***give us a kiss*** dê-nos um beijo

US ['ju:'es] *abbr* (***United States***) EUA

USA¹ ['ju:'es'eɪ] *abbr* (***United States of America***) EUA

USA² ['ju:'es'ɑ:mɪ] *abbr* (***United States Army***) Exército dos Estados Unidos

usage ['ju:zɪdʒ] *n* uso

use [(*n*) ju:s; (*v*) ju:z] *n* **1** (*utilization*) uso, emprego **2** (*application*) utilidade ▸ *vt* **1** (*utilize*) usar, utilizar, empregar **2** (*take advantage of*) usar, aproveitar-se de

• **used to** costumar *(refere-se somente ao passado)*: ***I used to be fat*** antes eu era gorda; ***there didn't use to be so many shops here*** antes aqui não havia tantas lojas; ***there used to be a cinema here*** antes havia um cinema aqui; ***he used to get up early*** ele costumava se levantar cedo; ***we always used to go to church on Sunday*** aos domingos sempre íamos à igreja

• **in use** em uso

• **"Not in use"** "Quebrado"

• **of use** útil

• **out of use** **1** (*closed to traffic*) fechado ao tráfico, interditado **2** (*not in use*) desativado

• **what's the use of...?** de que serve...?

to use up *vt* terminar, gastar, esgotar

used [ju:st] *adj* usado

• **to be used to something** estar acostumado a alguma coisa

• **to get used to something** acostumar-se a alguma coisa

useful ['ju:sfʊl] *adj* útil, proveitoso

usefulness ['ju:sfʊlnəs] *n* utilidade, proveito, benefício

useless ['ju:sləs] *adj* inútil

user ['ju:zəʳ] *n* usuário

usher ['ʌʃəʳ] *n* **1** (*official*) funcionário da justiça, da câmara legislativa ou da polícia, beleguim **2** (*scort*) lanterninha (*no cinema*)

to usher in *vt* prenunciar, antecipar

usual ['ju:ʒʊəl] *adj* usual, habitual, normal

• **as usual** como de costume, como sempre

usually ['ju:ʒʊəlɪ] *adv* normalmente

utensil [ju:'tensəl] *n* utensílio

• **kitchen utensils** utensílios de cozinha

utility [ju:'tɪlɪtɪ] *n* (*pl* **-ies**) **1** (*usefulness*) utilidade **2** (*public service*) empresa de serviço público

utilize ['ju:tɪlaɪz] *vt* utilizar

utmost ['ʌtməʊst] *adj* máximo, extremo, maior

• **to do one's utmost** fazer todo o possível

utopia [ju:'təʊpɪə] *n* utopia

utter ['ʌtəʳ] *adj* absoluto, total ▸ *vt* proferir, exprimir, articular

utterly ['ʌtəlɪ] *adv* totalmente, completamente

U-turn ['ju:tɜ:n] *n* mudança de direção, volta de 180 graus

V

v¹ [vɜːs] *abbr (verse)* verso

v² ['vɜːsəs] *abbr (versus)* contra, *versus*

vacancy ['veɪkənsɪ] *n (pl* **-ies***)* **1** vaga *(emprego)*: ***we have a vacancy for a secretary*** temos uma vaga para secretária **2** quarto livre em hotel: ***have you got any vacancies?*** você tem algum quarto livre?
• **"No vacancies"** "Lotado" *(sem quartos livres)*

vacant ['veɪkənt] *adj* **1** vazio: ***the building is vacant*** o edifício está vazio **2** vago *(emprego, cargo)*: ***there are several posts vacant*** há vários cargos vagos **3** vago, desocupado: ***there are no rooms vacant*** não há quartos vagos

vacate [və'keɪt] *vt* **1** *(withdraw from)* abandonar, deixar vago **2** desocupar: ***the police told them to vacate the premises*** a polícia mandou-os desocupar o recinto

vacation [və'keɪʃən] *n* férias: ***we're on vacation*** estamos de férias

vaccinate ['væksɪneɪt] *vt* vacinar

vaccine ['væksiːn] *n* vacina

vacuum ['vækjʊəm] *n* vácuo, vazio
▸ *vt* passar o aspirador em
▪ **vacuum cleaner** aspirador de pó
▪ **vacuum flask** garrafa térmica

vacuum-packed ['vækjʊəmpækt] *adj* embalado a vácuo

vagina [və'dʒaɪnə] *n* ANAT vagina

vague [veɪg] *adj* vago, indefinido: ***I have vague memories of the accident*** tenho uma vaga lembrança do acidente

vain [veɪn] *adj* **1** *(conceited)* vaidoso **2** vão, inútil: ***a vain attempt*** uma tentativa inútil
• **in vain** em vão: ***he tried hard, but it was all in vain*** ele tentou com empenho, mas foi tudo em vão

valentine ['væləntaɪn] *n* **1** *(greeting card)* cartão enviado no Dia dos Namorados *(Dia de S.Valentim)* **2** *(sweetheart)* namorado

valiant ['vælɪənt] *adj* valente

valid ['vælɪd] *adj* **1** válido: ***a valid argument*** um argumento válido **2** *(document)* válido: ***valid passport*** passaporte válido

valley ['vælɪ] *n* vale

valuable ['væljʊəbəl] *adj* valioso: ***thank you for your valuable help*** obrigado pela valiosa ajuda
▸ *npl* **valuables** objetos de valor

valuation [væljʊ'eɪʃən] *n* valorização

value ['væljuː] *n* valor: ***a painting of great value*** um quadro de grande valor
▸ *vt* **1** avaliar: ***the house is valued at 75,000*** a casa está avaliada em 75.000,00 **2** valorizar, apreciar: ***we value your friendship*** valorizamos sua amizade
• **it's good value for money** está com bom preço

valve [vælv] *n* válvula

vampire ['væmpaɪəʳ] *n* vampiro

van [væn] *n* **1** *(motor vehicle)* caminhoneta, *van* **2** GB *(baggage car)* furgão

vandal ['vændəl] *n* vândalo

vandalism ['vændəlɪzəm] *n* vandalismo

vandalize ['vændəlaɪz] *vt* destruir, danificar, causar estragos: ***they broke into the school and vandalized it*** entraram na escola e causaram estragos

vanguard ['vængɑ:d] *n* vanguarda: ***he's in the vanguard of the arts*** ele está na vanguarda das artes

vanilla [və'nɪlə] *n* baunilha

vanish ['vænɪʃ] *vi* desaparecer: ***the man vanished into thin air*** o homem desapareceu sem deixar vestígio

vanity ['vænɪtɪ] *n* (*pl* **-ies**) vaidade

vapour ['veɪpəʳ] (US **vapor**) *n* vapor

variable ['veərɪəbəl] *adj* variável
▸ *n* variável

variance ['veərɪəns] *n* diferença, discrepância
• **to be at variance** 1 (*to be contradictory*) apresentar divergências 2 (*to be in disagreement*) estar em desacordo

variant ['veərɪənt] *n* variante

variation [veərɪ'eɪʃən] *n* variação

varied ['veərɪd] *adj* variado

variety [və'raɪətɪ] *n* (*pl* **-ies**) 1 variedade, diversidade: ***variety is the spice of life*** a variedade é o tempero da vida 2 tipo, variedade: ***a new variety of apple*** uma nova variedade de maçã
• **a variety of** vários, muitos, diversos: ***we have a variety of styles and colours*** temos vários estilos e cores
▪ **variety show** espetáculo de variedades

various ['veərɪəs] *adj* 1 (*diverse*) diversos, distintos 2 (*varied*) vários

varnish ['vɑ:nɪʃ] *n* (*pl* **-es**) verniz
▸ *vt* envernizar

vary ['veərɪ] *vt-vi* (*pt & pp* **-ied**) variar: ***the prices vary according to the size*** os preços variam de acordo com o tamanho

vase [vɑ:z] *n* vaso, jarro

vasectomy [væ'sektəmɪ] *n* (*pl* **-ies**) MED vasectomia

vast [vɑ:st] *adj* vasto, imenso, enorme: ***the vast majority of people*** a imensa maioria das pessoas

vat [væt] *n* tonel, tina, cuba

VAT [væt, 'vi:'eɪ'ti:] *abbr* (***value added tax***) imposto sobre circulação de mercadorias (*semelhante ao ICMS no Brasil*)

Vatican ['vætɪkən] *n* **the Vatican** o Vaticano
▸ *adj* vaticano
▪ **Vatican City** Cidade do Vaticano
▪ **Vatican Council** Concílio Vaticano

vault[1] [vɔ:lt] *n* 1 (*dome*) abóbada 2 (*strongroom*) cofre, caixa-forte 3 (*crypt*) cripta

vault[2] [vɔ:lt] *n* salto
▸ *vt-vi* saltar

VCR ['vi:'si:'ɑ:ʳ] *abbr* (***video cassette recorder***) gravador de vídeo, vídeo

VD ['vi:'di:] *abbr* (***venereal disease***) doença sexualmente transmissível

VDU ['vi:'di:'ju:] *abbr* (***visual display unit***) monitor de computador

veal [vi:l] *n* carne de vitela

veer [vɪəʳ] *vi* virar, girar, desviar-se: ***suddenly the car veered to the left*** de repente o carro virou para a esquerda

vegetable ['vedʒɪtəbəl] *adj* vegetal
▸ *n* 1 (*edible plant*) hortaliça, verdura, legume, vegetal 2 (*brain-damage person*) vegetal

vegetarian [vedʒɪ'teərɪən] *adj-n* vegetariano

vegetate ['vedʒɪteɪt] *vi* vegetar

vegetation [vedʒɪ'teɪʃən] *n* vegetação

vehemence ['vɪəməns] *n* veemência

vehement ['vɪəmənt] *adj* veemente

vehicle ['vi:əkəl] *n* veículo

veil [veɪl] *n* véu

vein [veɪn] *n* 1 (*blood vessel*) veia 2 (*stripe*) nervura 3 toque: ***there was a vein of irony in his remark*** havia um toque de ironia em seu comentário

velocity [və'lɒsɪtɪ] *n* (*pl* **-ies**) velocidade

velvet ['velvɪt] *n* veludo

vending machine ['vendɪŋməʃi:n] *n* máquina automática (*para venda de bebidas, cigarros etc.*)

vendor ['vendəʳ] *n* vendedor

veneer [və'nɪəʳ] *n* 1 revestimento, camada superficial: ***the bookcase is made of plywood with a veneer of pine*** a estante é feita de madeira compensada com um revestimento de pinho 2 (*teeth*) jaqueta 3 aparência superficial, fachada: ***don't be fooled by their veneer of friendliness*** não se engane com a fachada de simpatia

▸ *vt* **1** (*cover with a veneer*) revestir **2** (*overlay with a thin layer of wood*) chapear, folhear

venerable ['venərəbəl] *adj* venerável

venerate ['venəreɪt] *vt* venerar, reverenciar

Venezuela [venɪ'zweɪlə] *n* Venezuela

Venezuelan [venɪ'zweɪlən] *adj-n* venezuelano

vengeance ['vendʒəns] *n* vingança
• **with a vengeance** com ímpeto, com grande energia

vengeful ['vendʒfʊl] *adj* vingativo

venison ['venɪsən] *n* carne de veado

venom ['venəm] *n* **1** (*poison*) veneno **2** (*hate*) ódio

vent [vent] *n* **1** (*opening*) abertura **2** (*breathinghole*) orifício, respiradouro **3** (*component of a ventilation*) grade de ventilação
▸ *vt* descarregar: ***he vented his anger on her*** ele descarregou seu ódio nela
• **to give vent to one's feelings** desabafar, dar vazão aos sentimentos

ventilate ['ventɪleɪt] *vt* ventilar

ventilation [ventɪ'leɪʃən] *n* ventilação

ventilator ['ventɪleɪtə[r]] *n* ventilador

venture ['ventʃə[r]] *n* **1** (*risky undertaking*) empreendimento que envolve risco **2** (*adventure*) aventura
▸ *vt* arriscar, aventurar: ***she ventured the opinion that they should buy more shares*** ela arriscou a opinião de que deveriam comprar mais ações
▸ *vi* aventurar-se: ***he ventured into the woods*** ele se aventurou a entrar no bosque

venue ['venju:] *n* lugar

veranda [və'rændə] *n* varanda

Também se escreve **verandah**.

verb [vɜ:b] *n* verbo

verbal ['vɜ:bəl] *adj* verbal

verdict ['vɜ:dɪkt] *n* **1** (*decision of a jury*) veredito **2** (*opinion*) opinião

verge [vɜ:dʒ] *n* beira, margem
• **on the verge of** a ponto de: ***she was on the verge of crying*** estava a ponto de chorar

to verge on *vt* chegar às raias de: ***this is verging on madness*** isto está chegando às raias da loucura

verification [verɪfɪ'keɪʃən] *n* verificação, comprovação

verify ['verɪfaɪ] *vt* (*pt & pp* **-ied**) verificar, comprovar

veritable ['verɪtəbəl] *adj* verdadeiro, veraz

vermin ['vɜ:mɪn] *n* (*pl* **vermin**) **1** (*insects, rats etc.*) bichos, pestes **2** (*harmful people*) pessoas desprezíveis

verruca [və'ru:kə] *n* verruga

versatile ['vɜ:sətaɪl] *adj* versátil

versatility [vɜ:sə'tɪlɪtɪ] *n* versatilidade

verse [vɜ:s] *n* **1** (*part of a poem*) verso **2** estrofe: ***I learnt the first verse by heart*** decorei a primeira estrofe **3** verso, poesia: ***Shakespeare wrote in verse*** Shakespeare escreveu poesia

versed [vɜ:st] *adj* versado: ***he was well versed in history*** ele era versado em história

version ['vɜ:ʒən] *n* versão

versus ['vɜ:səs] *prep* contra: ***the Scotland versus Wales match*** a partida Escócia contra Gales

vertebra ['vɜ:tɪbrə] *n* (*pl* **vertebrae** ['vɜ:tɪbri:]) vértebra

vertebrate ['vɜ:tɪbrət] *adj* vertebrado
▸ *n* vertebrado

vertical ['vɜ:tɪkəl] *adj* vertical

vertigo ['vɜ:tɪgəʊ] *n* vertigem das alturas

verve [vɜ:v] *n* brio, verve, entusiasmo

very ['verɪ] *adv* **1** muito: ***you look very pretty*** você está muito bonita; ***a very tall building*** um edifício muito alto **2** muito: ***it's very cold*** faz muito frio; ***I'm very sorry*** sinto muito; ***thank you very much*** muito obrigado
▸ *adj* mesmo, mesmíssimo: ***at that very moment*** naquele mesmo instante; ***the very same place*** o mesmíssimo lugar
• **at the very latest** o mais tardar
• **the very end** no final de tudo
• **the very best** o melhor possível
• **the very last time** pela última vez
• **very own boat** seu próprio barco

vessel ['vesəl] *n* **1** navio, nave, barco: ***a merchant vessel*** um navio mercante **2** recipiente, vasilha: ***a clay vessel*** uma vasilha de barro **3** vaso: ***a blood vessel*** um vaso sanguíneo

vest [vest] *n* **1** (*undergarment*) camiseta **2** US (*waistcoat*) colete

■ **vested interest 1** (*interest for selfish ends*) interesses escusos **2** (*vested right*) direito adquirido

■ **vested interests** FIN capital investido

■ **vested right** direito adquirido

• **to vest with** *vt* conferir a

vet [vet] *n infml* veterinário

▸ *vt* (*pt & pp* **vetted**, *ger* **vetting**) GB investigar, examinar

veteran ['vetərən] *adj-n* veterano

veterinarian [vetərɪ'neərɪən] *n* US veterinário

veterinary ['vetərɪnərɪ] *adj* veterinário

veto ['viːtəʊ] *n* (*pl* **vetoes**) veto

▸ *vt* vetar, proibir

VHF ['viː'eɪtʃ'ef] *abbr* (***very high frequency***) VHF

VHS ['viː'eɪtʃ'es] *abbr* (*Video Home System*) VHS

via ['vaɪə] *prep* via, através, por: ***there is no direct flight, you have to go via Rome*** não há voo direto, você tem de ir por Roma

viable ['vaɪəbəl] *adj* viável, factível

viaduct ['vaɪədʌkt] *n* viaduto

vibrate [vaɪ'breɪt] *vt* vibrar

▸ *vi* vibrar

vibration [vaɪ'breɪʃən] *n* vibração

vicar ['vɪkə^r] *n* **1** (*Church of England*) pároco **2** (*Roman Catholic Church*) vigário

vicarious [vɪ'keərɪəs] *adj* experimentado por outro, indireto: ***we get a vicarious thrill from watching people doing extreme sports*** sentimos uma emoção indireta ao assistir a pessoas fazendo esportes radicais

vice[1] [vaɪs] *n* vício

vice[2] [vaɪs] *n* torno de bancada

vice versa [vaɪs'vɜːsə] *adv* vice-versa

vicinity [vɪ'sɪnɪtɪ] *n* vizinhança, imediações: ***there are a few shops in the vicinity of the station*** há algumas lojas nas imediações da estação

vicious ['vɪʃəs] *adj* **1** cruel: ***a vicious murder*** um assassinato cruel **2** violento, brutal: ***it was a vicious beating*** foi uma surra brutal **3** perigoso, feroz: ***a vicious dog*** um cão feroz

■ **vicious circle** círculo vicioso

victim ['vɪktɪm] *n* vítima

victor ['vɪktə^r] *n* vencedor

victorious [vɪk'tɔːrɪəs] *adj* vitorioso

victory ['vɪktərɪ] *n* (*pl* **-ies**) vitória, triunfo

video ['vɪdɪəʊ] *n* (*pl* **videos**) vídeo

■ **video camera** câmera de vídeo

■ **video cassette** videocassete

■ **video game** *videogame*

■ **video shop** loja de vídeo

■ **video recorder** gravador de vídeo

videotape ['vɪdɪəʊteɪp] *vt* gravar em vídeo

▸ *n* fita de vídeo

vie [vaɪ] *vi* competir

Vietnam [vɪet'næm] *n* Vietnã

Vietnamese [vɪetnə'miːz] *adj-n* vietnamita

▸ *npl* **the Vietnamese** os vietnamitas

view [vjuː] *n* **1** vista, panorama: ***the view from the hotel is beautiful*** a vista do hotel é linda **2** parecer, opinião, ponto de vista: ***what's your view on this?*** qual é a sua opinião sobre isso?

▸ *vt* olhar, ver

• **in my view** na minha opinião

• **in view of** em vista de

• **with a view to** com o propósito de, com a intenção de

• **to take a poor view of** *infml* ver com maus olhos

viewer ['vjuːə^r] *n* telespectador

viewpoint ['vjuːpɔɪnt] *n* ponto de vista

vigil ['vɪdʒɪl] *n* vigília

• **to keep vigil** velar, manter vigília

vigilant ['vɪdʒɪlənt] *adj* vigilante, atento

vigorous ['vɪgərəs] *adj* vigoroso

vigour ['vɪgə^r] (US **vigor**) *n* vigor, energia

vile [vaɪl] *adj* **1** vil: ***a vile crime*** um crime vil **2** *infml* horrível: ***a vile taste*** um gosto horrível

villa ['vɪlə] *n* vila, casa de campo

village ['vɪlɪdʒ] *n* aldeia, povoação

villager ['vɪlɪdʒəʳ] *n* aldeão

villain ['vɪlən] *n* **1** vilão, bandido: ***Nicholson plays the villain*** Nicholson faz o papel de vilão **2** GB *infml* (*wicked person*) criminoso, delinquente

vinaigrette [vɪnə'gret] *n* molho vinagrete

vindicate ['vɪndɪkeɪt] *vt* **1** (*justify*) justificar **2** (*absolve*) vindicar

vindictive [vɪn'dɪktɪv] *adj* vingativo

vine [vaɪn] *n* videira, vinha

vinegar ['vɪnɪgəʳ] *n* vinagre

vineyard ['vɪnjɑːd] *n* vinha, vinhedo

vintage ['vɪntɪdʒ] *n* colheita

▪ **vintage car** carro antigo, carro de época, construído entre 1919 e 1930

▪ **vintage wine** vinho de determinada safra

vinyl ['vaɪnəl] *n* vinil

viola [vɪ'əʊlə] *n* viola

violate ['vaɪəleɪt] *vt* violar: ***he violated the code of professional ethics*** ele violou o código de ética profissional

violation [vaɪə'leɪʃən] *n* violação, transgressão: ***the violation of the law*** a transgressão da lei

violence ['vaɪələns] *n* violência

violent ['vaɪələnt] *adj* violento: ***it was a violent film*** era um filme violento

violet ['vaɪələt] *n* **1** (*flower*) violeta **2** (*colour*) violeta

▸ *adj* violeta, de cor violeta

violin [vaɪə'lɪn] *n* violino

violinist [vaɪə'lɪnɪst] *n* violinista

VIP ['viː'aɪ'piː] *abbr* (***very important person***) VIP

▪ **VIP lounge** sala VIP

▪ **VIP treatment** tratamento VIP

viper ['vaɪpəʳ] *n* **1** (*snake*) víbora **2** (*wicked person*) pessoa traiçoeira

virgin ['vɜːdʒɪn] *adj* virgem, virginal

▸ *n* virgem

virginity [vɜː'dʒɪnɪtɪ] *n* virgindade

Virgo ['vɜːgəʊ] *n* Virgem

virile ['vɪraɪl] *adj* viril, varonil

virility [vɪ'rɪlɪtɪ] *n* virilidade

virtual ['vɜːtjʊəl] *adj* virtual

▪ **virtual reality** realidade virtual

virtually ['vɜːtjʊəlɪ] *adv* virtualmente, quase, praticamente

virtue ['vɜːtjuː] *n* virtude

• **by virtue of** em virtude de

virulent ['vɪrʊlənt] *adj* virulento

virus ['vaɪərəs] *n* (*pl* **viruses**) vírus

▪ **virus checker** antivírus

visa ['viːzə] *n* visto

vise [vaɪs] *n* US torno de bancada

visibility [vɪzɪ'bɪlɪtɪ] *n* visibilidade

visible ['vɪzɪbəl] *adj* visível

vision ['vɪʒən] *n* **1** visão: ***to see a vision*** ter uma visão **2** vista: ***a pilot must have a perfect vision*** um piloto deve ter vista perfeita

visit ['vɪzɪt] *n* visita

▸ *vt* visitar

• **to pay a visit** fazer uma visita: ***my aunt paid us a visit*** minha tia nos fez uma visita

visitor ['vɪzɪtəʳ] *n* **1** visita, visitante: ***you've got a visitor*** você tem visita **2** visitante: ***there are many visitors in the museum*** há muitos visitantes no museu

visor ['vaɪzəʳ] *n* viseira

vista ['vɪstə] *n* **1** (*extensive view*) vista, panorama **2** (*perspective*) perspectiva

visual ['vɪzjʊəl] *adj* visual

▪ **visual display unit** (*of a personal computer*) monitor

visualize ['vɪzjʊəlaɪz] *vt* imaginar

vital ['vaɪtəl] *adj* **1** cheio de vida: ***John's a very vital person*** John é uma pessoa cheia de vida **2** essencial, fundamental, vital: ***this is of vital importance*** isto é de vital importância

▸ *npl* **vitals** órgãos vitais

vitality [vaɪ'tælɪtɪ] *n* vitalidade

vitally ['vaɪtəlɪ] *adv* sumamente, de suma: ***it is vitally important that...*** é de suma importância que...

vitamin ['vɪtəmɪn] *n* vitamina

vivacious [vɪ'veɪʃəs] *adj* vivaz, animado

vivid ['vɪvɪd] *adj* **1** (*very bright*) vivo, intenso **2** (*graphic*) gráfico

vixen ['vɪksən] *n* **1** (*female fox*) raposa fêmea **2** (*spiteful woman*) megera

vocabulary [və'kæbjʊlərɪ] *n* (*pl* **-ies**) vocabulário, léxico

vocal ['vəʊkəl] *adj* **1** vocal: ***vocal organs*** órgãos vocais, aparelho fonador **2** ruidoso, barulhento: ***the party has few members but they are vocal*** o partido tem poucos membros mas são barulhentos

■ **vocal chords** cordas vocais

vocalist ['vəʊkəlɪst] *n* cantor, vocalista

vocation [vəʊ'keɪʃən] *n* vocação

vocational [vəʊ'keɪʃənəl] *adj* vocacional

■ **vocational guidance** orientação vocacional

■ **vocational training** formação, treinamento profissional

vociferous [və'sɪfərəs] *adj* vociferante

vodka ['vɒdkə] *n* vodca

vogue [vəʊg] *n* voga, moda

• **to be in vogue** estar na moda

voice [vɔɪs] *n* voz

▸ *vt* **1** (*express verbally*) expressar, manifestar **2** (*produce a sound*) sonorizar

• **to lose one's voice** ficar afônico

• **to keep one's voice down** não levantar a voz

• **to raise/lower one's voice** elevar/baixar a voz

■ **voice mail** mensagem de voz

void [vɔɪd] *adj* **1** (*empty*) vazio **2** (*invalid*) nulo, inválido

▸ *n* vazio: ***her absence left a great void*** sua ausência deixou um grande vazio

• **to make something void** anular

vol [vɒl, 'vɒljuːm] *abbr* **volume 1** *(book)* tomo **2** *(loudness)* volume

volatile ['vɒlətaɪl] *adj* volátil

volcanic [vɒl'kænɪk] *adj* vulcânico

volcano [vɒl'keɪnəʊ] *n* (*pl* **-s** ou **-es**) vulcão

volition [və'lɪʃən] *n* volição, vontade: ***of one's own volition*** por vontade própria

volley ['vɒlɪ] *n* **1** saraivada: ***a volley of shots*** uma saraivada de tiros **2** salva: ***a volley of applause*** uma salva de palmas **3** SPORT voleio

▸ *vi* rebater

volleyball ['vɒlɪbɔːl] *n* voleibol

volt [vəʊlt] *n* volt

voltage ['vəʊltɪdʒ] *n* voltagem, tensão

voluble ['vɒljʊbəl] *adj* volúvel, falador

volume ['vɒljuːm] *n* **1** tomo, volume: ***an encyclopaedia in ten volumes*** uma enciclopédia em dez volumes **2** volume: ***turn the volume of the TV down*** baixe o volume da TV **3** capacidade, volume: ***how do you calculate the volume of a cylinder?*** como se calcula o volume de um cilindro?

voluminous [və'ljuːmɪnəs] *adj* volumoso

voluntarily [vɒlən'terɪlɪ] *adv* voluntariamente, por vontade própria

voluntary ['vɒləntərɪ] *adj* voluntário

■ **voluntary organization** organização beneficente

volunteer [vɒlən'tɪər] *n* voluntário

▸ *vt* oferecer

▸ *vi* oferecer-se: ***he volunteered for a dangerous mission*** ele se ofereceu para participar de uma missão perigosa

• **to volunteer to do something** oferecer-se *(como voluntário)* para fazer algo

voluptuous [və'lʌptjʊəs] *adj* voluptuoso

vomit ['vɒmɪt] *n* vômito

▸ *vt-vi* vomitar

voracious [və'reɪʃəs] *adj* voraz

vortex ['vɔːteks] *n* (*pl* **-es** ou **vortices** ['vɔːtɪsiːz]) **1** (*whirlpool*) vórtice **2** *fig* (*situation*) voragem, turbilhão

vote [vəʊt] *n* **1** voto: ***the winning candidate got 87 votes*** o candidato vencedor obteve 87 votos **2** votação: ***we decided to take a vote on it*** decidimos submetê-lo a votação

▸ *vt-vi* votar

▸ *vt* eleger *(por votação)*: ***I voted for the independent candidate*** votei no candidato independente; ***the union voted in favour of a strike*** o sindicato votou a favor de uma greve

voter ['vəʊtər] *n* votante

vouch [vaʊtʃ] *vi*

• **to vouch for** atestar, responder por: ***I can vouch for him*** respondo por ele

voucher ['vaʊtʃər] *n* vale, tíquete

vow [vaʊ] *n* promessa solene, voto
▸ *vt* jurar, prometer solenemente

vowel ['vaʊəl] *n* vogal

voyage ['vɔɪɪdʒ] *n (by sea or in space)* viagem
▸ *vi* viajar

voyager ['vɔɪədʒəʳ] *n* viajante

VTR ['viː'tiː'ɑːʳ] *abbr (**video tape recorder**)* gravador de vídeo

vulgar ['vʌlgəʳ] *adj* vulgar, ordinário, grosseiro

vulgarity [vʌl'gærɪtɪ] *n* (*pl* -**ies**) grosseria, vulgaridade

vulnerable ['vʌlnərəbəl] *adj* vulnerável

vulture ['vʌltʃəʳ] *n* ZOOL urubu, abutre

vulva ['vʌlvə] *n* (*pl* -**s** ou **vulvae** ['vʌlviː]) ANAT vulva

W

W [west] *abbr* (*west*) O (*oeste*)

wad [wɒd] *n* **1** (*mass*) chumaço **2** (*roll*) pacote ou maço (de notas, cédulas)

wade [weɪd] *vi* (*walk through water or mud*) andar, vadear: ***to wade across a river*** vadear um rio

wafer ['weɪfəʳ] *n* **1** (*thin biscuit*) bolinho delgado, folhado **2** (*bread used in the Communion*) hóstia

waffle¹ ['wɒfəl] *n* (*square pankake with a gridlike pattern*) *waffle*

waffle² ['wɒfəl] *n* GB *infml* enrolação, engambelação, tergiversação

▸ *vi* GB *infml* enrolar, engambelar, tergiversar, falar muito e não dizer nada

waft [wɒft] *vi* flutuar, ser levado pelo ar ou pelas ondas

wag [wæg] *n* sacudidela, balanço

▸ *vt-vi* (*pt & pp* **wagged**, *ger* **wagging**) sacudir, abanar: ***the dog started to wag its tail as soon as it caught sight of its owner*** o cão começou a abanar o rabo logo que viu o dono

wage [weɪdʒ] *n* soldo, pagamento (*por hora, dia, semana ou por serviço feito*)

• **to wage war on** combater, travar guerra com

wager ['weɪdʒəʳ] *n* aposta

▸ *vt* apostar

wagon ['wægən] *n* **1** (*vehicle drawn by horses*) veículo puxado a cavalo **2** (*railway truck*) vagão

Também se escreve **waggon.**

wail [weɪl] *n* lamento, gemido, lamúria

▸ *vi* lamentar-se, prantear, gritar de dor

waist [weɪst] *n* **1** (*human body*) cintura **2** US (*garment*) corpete

waistcoat ['weɪskəʊt] *n* colete

waistline ['weɪstlaɪn] *n* cintura

wait [weɪt] *n* espera

▸ *vi* esperar: ***wait for me!*** espere por mim!

• **to wait up for somebody** esperar por alguém acordado

waiter ['weɪtəʳ] *n* garçom

waiting ['weɪtɪŋ] *n* espera

▪ **waiting list** lista de espera

▪ **waiting room** sala de espera

waitress ['weɪtrəs] *n* (*pl* **-es**) garçonete

waive [weɪv] *vt* renunciar a, abrir mão de: ***due to time constraints, they decided to waive all formalities*** por limitações de tempo, decidiram abrir mão de todas as formalidades

wake¹ [weɪk] *n* **1** (*vigil*) vigília **2** (*vigil beside a corpse*) velório

▸ *vt* (*pt* **woke** [wəʊk], *pp* **woken** ['wəʊkən]) despertar

wake² [weɪk] *n* (*track left by a ship*) esteira, sulco

• **in the wake of** **1** (*as a result*) como resultado de **2** (*following*) no encalço de, seguindo o mesmo caminho

• **to wake up** *vt-vi* despertar(-se)

waken ['weɪkən] *vt-vi* despertar(-se)

Wales [weɪlz] *n* (*País de*) Gales

walk [wɔːk] *n* **1** (*stroll*) passeio, caminhada **2** lugar para fazer caminhada, rota para andar a pé: ***are there any nice walks around here?*** há lugares bonitos para fazer caminhadas por aqui? **3** (*manner of walking*) modo de caminhar

▸ *vi* andar, caminhar: ***I'll walk there*** irei andando, irei a pé

▸ *vt* **1** (*dog*) fazer andar **2** (*person*) acompanhar

• **to go for a walk** dar um passeio, fazer uma caminhada

• **to walk all over somebody** tratar alguém com desconsideração

• **to walk into a trap** cair em uma armadilha

▪ **walk of life** posição social: ***people from all walks of life*** pessoas de todas as posições sociais

• **to walk off with** *vt* **1** (*win easily*) ganhar com facilidade **2** *infml* (*steal*) furtar

• **to walk out** *vi* **1** (*leave*) sair repentinamente, abandonar **2** (*go on strike*) entrar em greve

• **to walk out on** *vt* abandonar

walkie-talkie [wɔːkɪ'tɔːkɪ] *n walkie--talkie*, aparelho transmissor e receptor portátil

walking stick ['wɔːkɪŋstɪk] *n* bengala, bastão

Walkman® ['wɔːkmən] *n* Walkman® (*aparelho portátil reunindo rádio e toca-dor de fita cassete ou de CD*)

walkout ['wɔːkaʊt] *n* greve

walkover ['wɔːkəʊvəʳ] *n infml* vitória fácil

wall [wɔːl] *n* **1** (*dividing surface*) muro **2** (*side of a room*) parede **3** (*covering of something hollow*) parede **4** (*barrier*) barreira

walled [wɔːld] *adj* emparedado

wallet ['wɒlɪt] *n* carteira

wallop ['wɒləp] *n infml* batida forte, pancada

▸ *vt infml* bater, surrar, espancar

wallpaper ['wɔːlpeɪpəʳ] *n* papel de parede

▸ *vt* revestir com papel de parede

wally ['wɒlɪ] *n* (*pl* **-ies**) *infml* bobo, tonto

▸ **walnut** ['wɔːlnʌt] *n* noz

▪ **walnut tree** BOT nogueira

walrus ['wɔːlrəs] *n* (*pl* **walruses**) ZOOL morsa

waltz [wɔːls] *n* valsa

▸ *vi* dançar uma valsa, valsar

wand [wɒnd] *n* **1** (*thin rod*) varinha **2** (*magic wand*) varinha de condão

wander ['wɒndəʳ] *vi* vagar, andar ao léu, perambular

▸ *vt* vagar por: ***he wandered the streets for several weeks*** ele vagou pelas ruas durante várias semanas

• **to wander from the point** divagar, desviar-se do assunto: ***she wandered from the main topic*** ela desviou-se do assunto principal

wanderer ['wɒndərəʳ] *n* viajante

wandering ['wɒndərɪŋ] *adj* errante, viajante

▸ *npl* **wanderings** viagens, andanças

wane [weɪn] *vi* minguar, decrescer

wangle ['wæŋgəl] *vt infml* arranjar, cavar, dar um jeito

wank [wæŋk] *n vulg* masturbação

▸ *vi vulg* masturbar-se

wanker ['wænkəʳ] *n vulg* idiota *mf inv*

want [wɒnt] *n* **1** (*wish*) necessidade, desejo **2** (*lack*) falta, carência **3** (*poverty*) miséria, pobreza, penúria

▸ *vt* **1** querer: ***I want you to come with me*** quero que você me acompanhe **2** *infml* necessitar, precisar: ***the stew wants a little salt*** o ensopado precisa de um pouco de sal

• **for want of** por falta de

• **to be in want** estar necessitado

wanted ['wɒntɪd] *adj* **1** necessário, precisar de: ***"Boy wanted"*** "Precisa-se de um menino para ajudante" **2** (*sought by the police*) procurado: ***"Wanted"*** "Procura-se"

war [wɔːʳ] *n* guerra

• **to be at war with** estar em guerra com

warble ['wɔːbəl] *vt-vi* gorjear, trinar

ward [wɔːd] *n* **1** (*room in a hospital*) enfermaria, ala **2** GB (*electoral division*) distrito eleitoral **3** (*dependant*) custódia, tutela

▸ **to ward off** *vt* **1** (*repel*) repelir, prevenir, evitar **2** (*avert*) desviar

warden ['wɔːdən] *n* **1** (*administrator*) administrador (de castelo, museu) **2** US (*head of a prison*) diretor

wardrobe ['wɔːdrəʊb] *n* **1** (*furniture*) guarda-roupa **2** (*collection of clothes*) guarda-roupa, peças de vestuário de alguém (*ou de uma companhia teatral*)

warehouse ['weəhaʊs] *n* armazém

wares [weəz] *npl* artigos, mercadorias

warfare ['wɔ:feəʳ] *n* guerra

warhead ['wɔ:hed] *n* ogiva

warily ['weərɪlɪ] *adv* cautelosamente

warlike ['wɔ:laɪk] *adj* belicoso, hostil, guerreiro

warm [wɔ:m] *adj* **1** (*hot*) quente **2** (*friendly*) cordial, afetuoso **3** (*tepid*) tépido, aquecido **4** (*balmy*) quente, calorento **5** (*cloth*) quente, de inverno
▸ *vt* aquecer, esquentar
• **to be warm** **1** (*person*) sentir calor **2** (*weather*) fazer calor
• **to warm to somebody** começar a gostar de alguém
• **to warm up** *vt* esquentar
▸ *vi* **1** (*become warmer*) aquecer-se **2** (*do preliminary exercises*) fazer exercícios de aquecimento

warm-blooded [wɔ:m'blʌdɪd] *adj* de sangue quente

warm-hearted [wɔ:m'hɑ:tɪd] *adj* afetuoso, cordial, amável

warmth [wɔ:mθ] *n* **1** (*mild heat*) calor, quentura, tepidez **2** (*cordiality*) afeto, cordialidade, simpatia, receptividade

warn [wɔ:n] *vt* avisar, advertir, prevenir: ***he warned me not to touch it*** ele me avisou para não tocar naquilo; ***he warned her about the strike*** ele a preveniu da greve

warning ['wɔ:nɪŋ] *n* **1** (*advice*) aviso, advertência **2** (*admonition*) admoestação

warp [wɔ:p] *n* **1** (*of a cloth*) urdidura **2** (*of wood*) empenamento, arqueamento
▸ *vt-vi* (*wood*) empenar(-se), arquear(-se)

warrant ['wɒrənt] *n* mandado judicial
▸ *vt* dar autorização, garantir, afiançar

warranty ['wɒrəntɪ] *n* (*pl* **-ies**) garantia

warren ['wɒrən] *n* **1** (*of a rabbit*) toca **2** *fig* (*labytinth*) labirinto

warrior ['wɒrɪəʳ] *n* guerreiro

warship ['wɔ:ʃɪp] *n* navio de guerra, belonave

wart [wɔ:t] *n* verruga
• **warts and all** com todos os seus defeitos

wary ['weərɪ] *adj* (**-ier**, **-iest**) cuidadoso, cauteloso

was [wɒz, unstressed wəz] *pt* → **be**

wash [wɒʃ] *n* (*pl* **-es**) **1** (*act of washing*) lavagem **2** (*clothes that need washing*) roupa para lavar **3** (*from a ship*) esteira **4** (*of mouth*) enxague bucal **5** (*small river*) riacho
▸ *vt* **1** (*clean oneself*) lavar, lavar-se **2** (*clean dishes*) lavar a louça **3** (*carry by*) levar, arrastar
• **to be in the wash** estar na roupa a ser lavada
• **to have a wash** lavar-se
• **that won't wash!** *infml* isso não cola! (*não tem credibilidade*)
• **to wash out** *vt* remover lavando
• **to wash up** *vt* (*dishes*) lavar: ***he washed up his cup*** ele lavou a xícara
▸ *vi* **1** lavar a louça: ***go and have a rest; I'll wash up*** vá descansar; eu lavo a louça **2** US (*clean oneself*) lavar-se

washable ['wɒʃəbəl] *adj* lavável

washbasin ['wɒʃbeɪsən] *n* lavatório

washbowl ['wɒʃbəʊl] *n* lavatório

washed-out [wɒʃt'aʊt] *adj* exausto, abatido

washer ['wɒʃəʳ] *n* **1** (*ring used in joints*) arruela **2** (*washing machine*) máquina de lavar roupa

washing ['wɒʃɪŋ] *n* **1** (*work of washing clothes*) lavagem **2** (*clothes washed or to be washed*) roupa suja, roupa lavada
• **to do the washing** lavar a roupa
▪ **washing line** corda/varal de estender roupa
▪ **washing machine** máquina de lavar roupa

washing-up [wɒʃɪŋ'ʌp] *n* **1** (*work of washing dishes*) lavagem da louça **2** (*dishes waiting to be washed*) louça para lavar
• **to do the washing up** lavar a louça
▪ **washing-up liquid** detergente líquido

washout ['wɒʃaʊt] *n infml* fracasso, desapontamento

washroom ['wɒʃru:m] *n* US banheiro

wasp [wɒsp] *n* ZOOL vespa
▪ **wasps' nest** vespeiro

WASP [wɒsp] *abbr* US (***White, Anglo-Saxon, Protestant***) branco, anglo-saxão, protestante

waste [weɪst] *n* **1** (*squandering*) desperdício **2** (*of money*) esbanjamento **3** (*trash*) resíduos, refugo, lixo
▸ *adj* **1** (*unwanted*) sem valor, inútil **2** (*uncultivated*) ermo, baldio (terra)
▸ *vt* **1** (*squander*) desperdiçar, jogar fora (*comida, oportunidade*) **2** (*money*) desperdiçar
• **it's a waste of time** é uma perda de tempo

wasteful ['weɪstfʊl] *adj* desperdiçador, esbanjador

wastepaper basket [weɪst'peɪpəbɑ:skɪt] *n* cesto de lixo

watch [wɒtʃ] *n* (*pl* **-es**) **1** (*portable timepiece*) relógio **2** (*vigilance*) vigilância **3** (*guard*) guarda, vigia
▸ *vt* **1** (*look*) ver, assistir a (televisão, filme) **2** (*observe*) observar **3** (*keep in sight*) vigiar **4** (*look after*) ter cuidado com, prestar atenção a
• **watch out!** atenção!, cuidado!

watchdog ['wɒtʃdɒg] *n* **1** (*guard dog*) cão de guarda **2** (*guardian*) guardião

watchful ['wɒtʃfʊl] *adj* vigilante, atento

watchmaker ['wɒtʃmeɪkə^r] *n* relojoeiro

watchman ['wɒtʃmən] *n* (*pl* **watchmen**) guarda, vigia

watchword ['wɒtʃwɜ:d] *n* **1** (*password*) senha **2** (*guiding principle*) lema

water ['wɔ:tə^r] *n* água
▸ *vt* regar
▸ *vi* **1** (*fill with tears*) ficar com os olhos cheios d'água, lacrimejar **2** (*salivate*) salivar
• **to get into hot water** meter-se em confusão
• **to hold water** (*statement*) ser convincente, bem fundamentado
• **to keep one's head above water** conseguir manter-se à tona, apesar das dificuldades
• **to pass water** urinar
• **under water** **1** (*submersed*) inundado **2** (*below the surface of water*) debaixo d'água
▪ **water bottle** cantil
▪ **water lily** BOT nenúfar, vitória-régia
▪ **water polo** SPORT polo aquático
• **to water down** *vt* **1** (*dilute*) aguar, diluir **2** (*weaken*) enfraquecer **3** *fig* atenuar

watercolour ['wɔ:təkʌlə^r] (US **watercolor**) *n* aquarela

watercress ['wɔ:tkres] *n* BOT agrião

waterfall ['wɔ:təfɔ:l] *n* cachoeira, cascata, salto-d'água, catarata

watering ['wɔ:tərɪŋ] *n* irrigação
▪ **watering can** regador

waterlogged ['wɔ:təlɒgd] *adj* ensopado, embebido

watermelon ['wɔ:təmelən] *n* melancia

watermill ['wɔ:təmɪl] *n* moinho de água

waterproof ['wɔ:təpru:f] *adj* **1** (*impermeable*) impermeável **2** (*watch*) à prova d'água
▸ *vt* impermeabilizar

watershed ['wɔ:təʃed] *n* **1** (*land separating two river systems*) linha divisória das águas **2** (*turning point*) momento decisivo

water-ski ['wɔ:təski:] *n* (*equipment*) esqui aquático
▸ *vi* fazer esqui aquático

water-skiing ['wɔ:təski:ɪŋ] *n* (*sport*) esqui aquático

watertight ['wɔ:tətaɪt] *adj* **1** (*impermeable*) hermético, à prova d'água **2** (*boat*) estanque **3** (*indisputable*) irrebatível, irrefutável

waterway ['wɔ:təweɪ] *n* via fluvial, curso de água navegável

watery ['wɔ:tərɪ] *adj* (**-ier**, **-iest**) **1** (*liquid*) aquoso **2** (*diluted*) aguado (*sopa, bebida*)

watt [wɒt] *n* watt

wave [weɪv] *n* **1** (*of sea*) onda **2** (*of hair*) onda **3** (*of crimes*) onda **4** (*movement of the hand*) aceno, gesto
▸ *vi* **1** (*gesture*) acenar, saudar **2** (*flap*) tremular
▸ *vt* **1** (*shake*) agitar **2** (*hair*) ondular
• **to make waves** causar problemas

wavelength ['weɪvleŋθ] *n* longitude de onda
• **to be on different wavelengths** *infml* não estar em sintonia com alguém

waver ['weɪvə^r] *vi* **1** (*tremble*) oscilar **2** (*flicker*) tremular **3** (*hesitate*) hesitar, vacilar, duvidar

wavy ['weɪvɪ] *adj* (**-ier**, **-iest**) **1** (*curly*) ondulado **2** (*undulating*) ondulante

wax [wæks] *n* (*pl* **waxes**) cera
▸ *vt* encerar

way [weɪ] *n* **1** caminho: ***which way did you go?*** por onde você foi? **2** caminho: ***on the way to work*** a caminho do trabalho **3** direção: ***which way is the harbour?*** em que direção fica o porto? **4** maneira, modo, jeito: ***we'll do it her way*** faremos do jeito dela
▸ *adv infml* muito: ***way back*** faz muito tempo
• **a long way from** longe de
• **by the way** a propósito
• **by way of** via, por via de
• **on the way** pelo caminho, no caminho
• **on the way down** em declínio
• **on the way up** em ascensão
• **the right way round** do jeito/lado certo
• **the wrong way round** do jeito/lado errado
• **to find your way** encontrar o seu caminho
• **to get out of the way** afastar-se do caminho, não atrapalhar
• **to get under way** começar um trabalho
• **to give way** ceder, dar a vez (ao dirigir um veículo)
• **to lose one's way** perder-se
• **to stand in the way of** atrapalhar, ficar no caminho
• **to pave the way** abrir caminho, preparar o terreno para que algo aconteça no futuro
• **in a bad way** *infml* mal

we [wiː, unstressed wɪ] *pron* nós

weak [wiːk] *adj* **1** (*feeble*) fraco, débil **2** (*fragile*) frágil, quebradiço

weaken ['wiːkən] *vt* enfraquecer(-se), debilitar(-se)

weakness ['wiːknəs] *n* (*pl* **-es**) **1** (*frailty*) fraqueza, debilidade **2** (*fault*) falha, defeito
• **to have a weakness for something** ter uma queda por algo

wealth [welθ] *n* riqueza

wealthy ['welθɪ] *adj* (**-ier**, **-iest**) rico, endinheirado

wean [wiːn] *vt* desmamar, desaleitar

weapon ['wepən] *n* arma

wear [weəʳ] *n* **1** (*use*) uso **2** (*damage*) desgaste, deterioração **3** roupa: ***beachwear*** roupa de praia
▸ *vt* (*pt* **wore** [wɔːʳ], *pp* **worn** [wɔːn]) **1** (*be dressed in*) estar vestido **2** (*clothes*) vestir, pôr **3** (*shoes*) calçar **4** (*deteriorate*) desgastar
▸ *vi* desgastar-se
• **to wear well** estar conservado: ***this material wears well*** este tecido está bem conservado, está em boas condições
▪ **wear and tear** desgaste natural
• **to wear away** *vt-vi* desgastar, gastar com o uso
• **to wear off** *vi* gastar-se, desgastar-se
• **to wear out** *vi* gastar-se, desgastar-se, usar até o fim
▸ *vt* **1** (*person*) esgotar-se, cansar-se **2** (*shoes, clothes*) gastar

weary ['wɪərɪ] *adj* (**-ier**, **-iest**) cansado, exausto
▸ *vt* (*pt & pp* **-ied**) cansar-se, fatigar-se

weasel ['wiːzəl] *n* ZOOL doninha

weather ['weðəʳ] *n* tempo: ***what's the weather like?*** como está o tempo?
▸ *vt* **1** (*withstand*) passar por dificuldades, vencer, resistir **2** (*change under the influence of weather*) desintegrar(-se) pela ação das intempéries
• **to be under the weather** estar indisposto
• **to weather the storm** enfrentar as dificuldades
▪ **weather forecast** previsão do tempo, boletim meteorológico

weathercock ['weðəkɒk] *n* cata-vento

weave [wiːv] *n* modo de tecer
▸ *vt-vi* (*pt* **wove**, *pp* **woven**) **1** (*of textiles*) tecer, trançar **2** (*interlace*) entrelaçar, entremear
▸ *vt fig* tramar

weaver ['wiːvəʳ] *n* tecelão

web [web] *n* **1** (*net made by a spider*) teia **2** *fig* (*net*) rede **3** COMPUT *web* (*rede mundial de computadores*)
▪ **web page** página da *web*

website ['websaɪt] *n website* (*local na internet com um nome de domínio*)

wed [wed] *vt* (*pt & pp* **wedded**, *ger* **wedding**) casar-se com, contrair matrimônio

Wed ['wenzdɪ] *abbr (**Wednesday**)* quarta-feira

wedding ['wedɪŋ] *n* cerimônia de casamento

▪ **wedding cake** bolo de casamento

▪ **wedding day** dia do casamento

▪ **wedding dress** vestido de noiva

▪ **wedding present** presente de casamento

▪ **wedding ring** aliança

wedge [wedʒ] *n* cunha, calço

▸ *vt* usar cunha, cunhar, prender com cunha

Wednesday ['wenzdɪ] *n* quarta-feira

wee[1] [wiː] *adj* pequenino, minúsculo

wee[2] [wiː] *n infml* xixi

▸ *vi* fazer xixi

weed [wiːd] *n* **1** *(unwanted wild plant)* erva daninha **2** *infml (skinny person)* pessoa franzina **3** *(marijuana)* maconha

▸ *vt-vi* capinar

weedkiller ['wiːdkɪləʳ] *n* herbicida

weedy ['wiːdɪ] *adj* (**-ier**, **-iest**) *pej* magro, delgado, fraco

week [wiːk] *n* semana

• **a week today** dentro de uma semana, dentro de oito dias

weekday ['wiːkdeɪ] *n* dia útil

weekend ['wiːkend] *n* fim de semana

weekly ['wiːklɪ] *adj* semanal

▸ *adv* semanalmente

▸ *n (pl* **-ies***)* semanário

weep [wiːp] *vi (pt & pp* **wept***)* chorar

weigh [weɪ] *vt* **1** *(measure the weight of)* pesar **2** *(overload)* sobrepesar **3** considerar, avaliar: ***we have to weigh the facts*** temos de avaliar os fatos

• **to weigh anchor** levantar âncora

• **to weigh down** *vt* **1** *(burden)* curvar sob o peso **2** *fig (oppress)* oprimir, deprimir, prostrar

• **to weigh up** *vt* avaliar

weight [weɪt] *n* **1** *(heaviness)* peso **2** *(load)* carga, fadiga, opressão

▸ *vt* pesar

• **to lose weight** perder peso

• **to put on weight** engordar

weightlifting ['weɪtlɪftɪŋ] *n* levantamento de pesos, halterofilismo

weir [wɪəʳ] *n* represa, dique *(de rio)*

weird [wɪəd] *adj* esquisito, estranho

weirdo ['wɪədəʊ] *n (pl* **weirdoes***) infml* excêntrico, esquisito

welcome ['welkəm] *adj* **1** *(gladdly accepted)* bem-vindo **2** *(pleasant)* agradável

▸ *n* boas-vindas, recepção

▸ *vt* **1** *(receive gladdly)* acolher, receber, dar as boas-vindas **2** *(greet)* aplaudir, dar bom acolhimento

• **welcome home!** bem-vindo ao lar!

• **you're welcome** de nada, não há de quê

weld [weld] *n* solda, soldadura

▸ *vt* soldar

welder ['weldəʳ] *n* soldador

welfare ['welfeəʳ] *n* bem-estar

▪ **welfare state** sistema de impostos que permite ao governo fornecer a seus cidadãos serviços como saúde e educação

well[1] [wel] *adj-adv* bem

▸ *interj* **1** *(used when continuing a story)* bem, então **2** *(expression of surprise)* bem

• **as well** também

• **as well as** assim como

• **it would be as well to...** *infml* não seria demais...

• **just as well** por sorte, menos mal

• **pretty well** quase

• **to do well** ter êxito, prosperar

• **to get well** ficar bom de uma doença

• **well done** **1** *(throughly cooked)* bem passado **2** *(accomplished satisfactorily)* muito bem!

well[2] [wel] *n* poço

▸ *vi* manar, brotar, jorrar: ***tears welled (up) in her eyes*** lágrimas brotaram-lhe dos olhos

well-behaved [welbɪ'heɪvd] *adj* bem-comportado

well-being [wel'biːɪŋ] *n* bem-estar

well-built [wel'bɪlt] *adj* **1** *(house)* de construção sólida **2** *(person)* forte, parrudo

well-heeled [wel'hiːld] *adj infml* endinheirado

wellington ['welɪŋtən] *n* bota de borracha de cano alto, galocha

well-intentioned [welɪn'tenʃənd] *adj* bem-intencionado

well-known [wel'nəʊn] *adj* conhecido, famoso

well-meaning [wel'mi:nɪŋ] *adj* bem-intencionado

well-off [wel'ɒf] *adj* rico

well-timed [wel'taɪmd] *adj* oportuno, em tempo apropriado

well-to-do [weltə'du:] *adj* próspero, abastado

Welsh [welʃ] *adj* galês
▸ *n* galês *(língua do País de Gales)*
▸ *npl* **the Welsh** os galeses

went [went] *pt* → **go**

wept [wept] *pt-pp* → **weep**

were [wɜ:ʳ] *pt* → **be**

west [west] *n* oeste, ocidente, poente
▸ *adj* do oeste, ocidental, que vem do oeste
▸ *adv* para o oeste, na direção do oeste
■ **the West** o Ocidente

westbound ['westbaʊnd] *adj* em direção ao oeste

westerly ['westəlɪ] *adj* ocidental

western ['westən] *adj* do oeste, ocidental
▸ *n western*, filme de bangue-bangue

westward ['westwəd] *adj* em direção ao oeste, para o oeste

westwards ['westwəds] *adv* em direção ao oeste, para o oeste

wet [wet] *adj (comp* **wetter**, *superl* **wettest**) **1** (*damp*) molhado **2** (*moist*) úmido **3** (*rainy*) chuvoso **4** (*paint*) fresco **5** *infml* (*drunk*) embriagado
▸ *n* **1** umidade **2** chuva
▸ *vt* (*pt & pp* **wetted**, *ger* **wetting**) molhar, umedecer
• **to get wet** molhar-se
• **to wet oneself** urinar-se
• **"Wet paint"** "Tinta fresca"
■ **wet blanket** desmancha-prazer *mf inv*

wetness ['wetnəs] *n* umidade

whack [wæk] *n* **1** (*blow*) golpe, pancada forte **2** *infml* (*bit*) parte, porção, quinhão
▸ *vt* golpear, dar pancada forte em

whacked [wækt] *adj infml* esgotado

whacking ['wækɪŋ] *adj infml* enorme, grande, colossal

whale [weɪl] *n* baleia
• **to have a whale of time** *infml* divertir-se muito

wharf [wɔ:f] *n* (*pl* **-s** ou **wharves**) cais, molhe, desembarcadouro

what [wɒt] *adj* **1** (*used in questions*) que: ***what time is it?*** que horas são?; ***I don't know what time it is*** não sei que horas são **2** (*shows surprise, pleasure etc.*) que: ***what a (smart) car!*** que carro (*mais*) bonito! **3**: ***what oil we have is here*** todo o azeite que temos está aqui
▸ *pron* **1** (*in questions*) que: ***what is it?*** o que é?; ***I don't know what it is*** não sei o que é **2** (*introducing relative clauses*) o que: ***that's what he said*** isso é o que ele disse
▸ *interj* como assim!: ***what!, you've lost it!*** como assim! você o perdeu!

whatever [wɒt'evəʳ] *adj* **1** qualquer que: ***whatever colour you like*** qualquer cor que você queira **2** absolutamente: ***with no money whatever*** sem absolutamente nenhum dinheiro
▸ *pron* (*tudo*) o que: ***whatever you like*** (*tudo*) o que você queira; ***whatever you do*** o que quer que você faça

whatsoever [wɒtsəʊ'evəʳ] *adj* → **whatever**

wheat [wi:t] *n* trigo

wheedle ['wi:dəl] *vt* persuadir com adulações
• **to wheedle somebody into doing something** persuadir alguém com adulações a fazer algo

wheel [wi:l] *n* **1** (*circular object*) roda **2** (*steering wheel*) volante
▸ *vt* (*bicycle*) empurrar
▸ *vi* **1** (*round*) virar(-se), girar, dar voltas **2** (*birds*) revolutear
■ **wheel clamp** dispositivo que trava as rodas de carros estacionados ilegalmente

wheelbarrow ['wi:lbærəʊ] *n* carrinho de mão

wheelchair ['wi:ltʃeəʳ] *n* cadeira de rodas

wheeze [wi:z] *n* **1** (*whistle*) chiado **2** (*difficult breathing*) respiração dificultosa ou ruidosa
▸ *vi* respirar dificultosa e ruidosamente

when [wen] *adv* quando: ***when did it happen?*** quando aconteceu?; ***tell me when*** diga-me quando
▸ *conj* quando: ***when I arrived*** quando cheguei
▸ *pron* quando: ***that was when it broke*** foi aí quando ele quebrou

whenever [wen'evəʳ] *conj* sempre que: ***come whenever you want*** venha sempre que quiser
▸ *adv* **1** quando quisermos, em outra ocasião: ***we can go to the beach today or whenever*** podemos ir à praia hoje ou em outra ocasião **2** (*when*) quando

where [weəʳ] *adv* **1** onde, aonde: ***where is it?*** onde está?; ***where did you go?*** aonde você foi?; ***tell me where it is*** diga-me onde está **2** em qualquer parte, onde quer que seja
▸ *pron* onde: ***this is where it all happened*** aqui é onde tudo se passou

whereabouts [(*n*) 'weərəbaʊts; (*adv*) weərə'baʊts] *n* paradeiro
▸ *adv* onde, aonde

whereas [weər'æz] *conj* enquanto

whereby [weə'baɪ] *adv* como, de que forma

wherever [weər'evəʳ] *adv* (*shows surprise*) onde foi que...?: ***wherever did you put it*** ? onde foi que você o colocou?
▸ *conj* onde quer que

whether ['weðəʳ] *conj* se: ***I'm not sure whether I like it or not*** não sei se gosto disso ou não; ***whether it rains or not*** se chover ou não

which [wɪtʃ] *adj* que, qual: ***which size do you want?*** que tamanho você quer?; ***tell me which size you want*** diga-me que tamanho você quer
▸ *pron* **1** (*in questions*) qual, quais: ***which do you want?*** qual você quer?; ***ask him which they are*** pergunte a ele quais são **2** (*in relative clauses*) que: ***the shoes which I bought*** os sapatos que comprei **3** (*with preposition*) o/a que, o/a qual, os/as que, os/as quais: ***the shop in which...*** a loja na qual... **4** o/a qual, os/as quais: ***two glasses, one of which was dirty*** dois copos, um dos quais estava sujo **5** o que/qual: ***he lost, which was a shame*** ele perdeu, o que foi uma pena

whichever [wɪtʃ'evər] *adj* (*não importa*) o/a/os/as que: ***whichever model you choose*** não importa que modelo você escolha
▸ *pron* qualquer, o/a/os/as que: ***take whichever you want*** leve/escolha o que quiser

whiff [wɪf] *n* (*pl* **whiffs**) **1** (*blow*) brisa, bafejo, corrente de ar **2** (*exhalation*) baforada, sopro

while [waɪl] *n* tempo, espaço de tempo
▸ *conj* **1** (*at the same time that*) enquanto **2** (*although*) embora **3** (*whereas*) enquanto
• **after a while** depois de um tempo
• **for a while** por um tempo
• **once in a while** de vez em quando
• **to be worth one's while** valer a pena
• **to while away the time** passar o tempo

whilst [waɪlst] *conj* → **while**

whim [wɪm] *n* capricho, veneta, fantasia

whimper ['wɪmpər] *n* choradeira, lamúria, queixa, protesto
▸ *vi* choramingar, lamuriar

whine [waɪn] *n* **1** (*person*) lamento, queixume, choro **2** (*dog*) ganido
▸ *vi* **1** (*person*) queixar-se **2** (*dog*) ganir

whip [wɪp] *n* **1** (*lash*) chicote, açoite **2** POL oficial encarregado de fazer comparecerem os seus correligionários às sessões do parlamento
▸ *vt* (*pt & pp* **whipped**, *ger* **whipping**) **1** (*lash*) chicotear, açoitar, surrar **2** (*cream, eggs*) bater **3** *infml* (*steal*) furtar
• **to whip past** passar depressa
▪ **whipped cream** creme batido
• **to whip off** *vt* **1** (*move in a fast way*) mover, tirar bruscamente **2** (*expel*) enxotar, expulsar

whipping ['wɪpɪŋ] *n* surra, açoitamento
▪ **whipping cream** creme próprio para ser batido

whip-round ['wɪpraʊnd] *n infml* coleta de dinheiro para atividade beneficente

whirl [wɜːl] *n* **1** (*swirl*) giro, volta rápida **2** (*turmoil*) remoinho, turbilhão
▸ *vi* girar, dar voltas rapidamente
▸ *vt* fazer girar, dar voltas

whirlpool ['wɜːlpuːl] *n* redemoinho de água

whirlwind ['wɜːlwɪnd] *n* redemoinho de vento

whirr [wɜːʳ] *n* zumbido, sussurro, chiado
▸ *vi* zumbir, zunir, chiar

whisk [wɪsk] *n* **1** (*brush*) espanador, vassourinha **2** (*egg-beating utensil*) batedor de ovos **3** (*flick*) movimento rápido e repentino
▸ *vt* **1** (*remove dust*) tirar, varrer, espanar **2** (*eggs, cream etc.*) bater **3** fazer algo rapidamente: ***he whisked off his coat*** ele tirou rapidamente o casaco; ***she whisked out her pen*** ela tirou rapidamente sua esferográfica

whisker ['wɪskəʳ] *n* pelo (*de suíças ou bigode*)
▸ *npl* **whiskers 1** (*on man's face*) suíças, costeleta **2** (*of a cat*) bigode

whiskey ['wɪskɪ] *n* uísque

whisky ['wɪskɪ] *n* (*pl* **-ies**) uísque

whisper ['wɪspəʳ] *n* sussurro, cochicho
▸ *vt-vi* sussurrar, cochichar

whistle ['wɪsəl] *n* **1** (*instrument for making a high sound*) apito **2** (*shrill*) silvo, zunido
▸ *vt-vi* apitar, assobiar

white [waɪt] *adj* branco
▸ *n* **1** (*colour*) branco **2** (*egg*) clara
▪ **white coffee** café com leite
▪ **white lie** mentira inofensiva, mentirinha
▪ **White House** Casa Branca

whitebait ['waɪtbeɪt] *n* ZOOL arenque pequeno

white-collar [waɪt'kɒləʳ] *adj* funcionários administrativos, de colarinho-branco

whiteness ['waɪtnəs] *n* brancura

whitewash ['waɪtwɒʃ] *n* **1** (*substance for covering walls*) cal **2** (*cover-up*) encobrimento de erros ou defeitos
▸ *vt* **1** (*cover with whitewash*) caiar **2** (*cover up*) encobrir faltas ou defeitos

Whitsuntide ['wɪtsʌntaɪd] *n* semana de Pentecostes

Também **Whitsun**.

whittle ['wɪtəl] *vt* faca de açougueiro, faca grande
• **to wittle away** *vt* reduzir aos poucos

whizz [wɪz] *n* zumbido
▸ *vi* zumbir, sibilar, silvar
• **to whizz past** passar zunindo

whizz-kid ['wɪzkɪd] *n infml* ás, jovem muito inteligente e bem-sucedido

who [huː] *pron* **1** (*in direct, indirect questions*) quem: ***who did it?*** quem fez isso?; ***I don't know who they are*** não sei quem são **2** (*used to introduce a relative clause*) que (*em subordinadas-objetivas diretas*): ***those who want to go*** os que querem ir; ***the boy who she loves*** o menino que ela ama **3** quem, o/a qual, os/as quais, que (*em subordinadas-subjetivas*): ***the workers, who were on strike, ...*** os trabalhadores, que estavam em greve, ...

WHO ['dʌbəljuː'eɪtʃ'əʊ] *abbr* (***World Health Organization***) OMS (***Organização Mundial de Saúde***)

whoever [huː'evəʳ] **1** *pron* quem: ***whoever scores most points wins*** ganha quem fizer mais pontos **2** quem quer que, qualquer que: ***I don't like her, whoever she is*** quem quer que ela seja, não gosto dela

whole [həʊl] *adj* **1** inteiro: ***the whole day*** o dia inteiro **2** (*undamaged*) intacto
▸ *n* conjunto, todo
• **as a whole** como um todo
• **on the whole** em geral
• **the whole of** todo
▪ **whole milk** leite integral

wholemeal ['həʊlmiːl] *adj* farinha integral

wholesale ['həʊlseɪl] *adj-adv* COM venda por atacado
▸ *adv fig* por atacado
▸ *adj* indiscriminado, por atacado
▸ *n* venda por atacado

wholesaler ['həʊlseɪləʳ] *n* atacadista

wholesome ['həʊlsəm] *adj* salubre, salutar, saudável, são

wholly ['həʊlɪ] *adv* inteiramente

whom [huːm] *pron fml* **1** (*in questions*) quem: ***whom did he kill?*** quem ele matou?; ***with whom?*** com quem? **2** (*in relative clauses*) quem: ***students whom I have taught*** alunos a quem ensinei; ***the man with whom she was seen*** o homem com quem ela foi vista

whoop [huːp] *n* grito, grito de guerra

▸ *vi* gritar, chamar, berrar

whooping cough ['huːpɪŋkɒf] *n* MED coqueluche

whopper ['wɒpəʳ] *n infml* **1** algo muito grande, colosso, algo enorme: ***it's a real whopper!*** é enorme! **2** *infml* (*huge lie*) grande mentira

whopping ['wɒpɪŋ] *adj infml* enorme

whore [hɔːʳ] *n* prostituta

whose [huːz] *pron* de quem: ***whose is this?*** de quem é isso?; ***I know whose it is*** sei de quem é

▸ *adj* **1** de quem: ***whose dog is this?*** de quem é esse cachorro? **2** cujo, cujos: ***the woman whose car was stolen*** a mulher cujo carro foi roubado

why [waɪ] *adv* por que, por quê: ***why not?*** por que não?

▸ *interj* ora!, ora sim!, como!

▸ *n* porquê, motivo, razão, intenção

wick [wɪk] *n* pavio, mecha

wicked ['wɪkɪd] *adj* (*comp* **wickeder**, *superl* **wickedest**) mau, ruim

wicker ['wɪkəʳ] *n* vime

▸ *adj* de vime

wicket ['wɪkɪt] *n* **1** (*small gate*) postigo, portinhola **2** (*cricket*) equipamento do jogo de críquete

wide [waɪd] *adj* **1** largo, largura: ***two feet wide*** dois pés de largura **2** amplo, extenso: ***a wide range of products*** uma ampla gama de produtos

• **wide apart** muito separado

• **wide open** completamente aberto, escancarado: ***the front door was wide open*** a porta da frente estava escancarada

widely ['waɪdlɪ] *adv* muito, largamente: ***she has travelled widely*** ela viajou muito

widen ['waɪdən] *vt-vi* **1** (*broaden*) alargar(-se) **2** (*extend*) estender(-se)

widespread ['waɪdspred] *adj* generalizado, muito espalhado e comum

widow ['wɪdəʊ] *n* viúva

widowed ['wɪdəʊd] *adj* viúvo

widower ['wɪdəʊəʳ] *n* viúvo

width [wɪdθ] *n* **1** largura, extensão: ***in width*** de largura **2** (*scope*) amplidão, vastidão, ancho (*de material, piscina*)

wield [wiːld] *vt* **1** (*brandish*) manejar, empunhar, brandir **2** (*exercise power*) exercer

wife [waɪf] *n* (*pl* **wives** [waɪvz]) esposa, mulher

wig [wɪg] *n* peruca

wiggle ['wɪgəl] *vt-vi* sacudir(-se), agitar(-se)

wild [waɪld] *adj* **1** (*animal*) selvagem **2** (*plant*) silvestre, campestre **3** (*landscape*) agreste **4** (*violent*) violento **5** (*uninhabited*) desabitado, selvagem **6** (*uncontrolled*) descontrolado **7** (*senseless*) impensado

▸ *adv* a esmo

▸ *n* terra virgem

• **in the wild** em estado selvagem

• **to be wild about** estar louco por

• **to make a wild guess** tentar adivinhar, arriscar uma resposta, "chutar"

wildcat ['waɪldkæt] *n* gato selvagem

▪ **wildcat strike** greve não autorizada pelo sindicato

wilderness ['wɪldənəs] *n* (*pl* **-es**) região erma, deserto

wildfire ['waɪldfaɪəʳ] *n* fogo difícil de apagar

• **to spread like wildfire** espalhar-se rapidamente

wildfowl ['waɪldfaʊl] *npl* aves de caça

wildlife ['waɪldlaɪf] *n* animais e plantas selvagens

wilful ['wɪlfʊl] *adj* **1** (*obstinate*) teimoso, obstinado **2** (*deliberate*) intencional, proposital

will[1] [wɪl] *aux* **1** usa-se para formar o futuro dos verbos: ***she will be here tomorrow*** ela estará aqui amanhã; ***we won't finish today*** não acabaremos hoje **2** para indicar vontade: ***will you help me? – no I won't*** você quer me ajudar? – não quero; ***he won't open the door*** ele não quer abrir a porta; ***the car won't start*** o carro não quer arrancar **3** para indicar insistência: ***he will leave the door open*** ele sempre deixa a porta aberta **4** para indicar possibilidade: ***this phone will accept credit cards*** este telefone aceita cartões de crédito **5** para indicar uma suposição: ***that will be the house*** aquela deve, certamente, ser a casa; ***it won't rain, will it?*** não vai chover, vai?

will² [wɪl] *n* **1** (*desire*) vontade **2** (*testament*) testamento
▸ *vt* **1** (*wish*) desejar, querer **2** (*order*) ordenar, mandar **3** (*bequeat*) legar, deixar em testamento

willing ['wɪlɪŋ] *adj* disposto, propenso
• **willing to do something** disposto a fazer algo

willingly ['wɪlɪŋlɪ] *adv* de boa vontade

willingness ['wɪlɪŋnəs] *n* boa vontade

willow ['wɪləʊ] *n* salgueiro

willpower ['wɪlpaʊəʳ] *n* força de vontade

willy-nilly [wɪlɪ'nɪlɪ] *adv* quer queira quer não, por bem ou por mal

wilt [wɪlt] *vi* murchar, perder a força

win [wɪn] *n* vitória, sucesso, êxito
▸ *vt-vi* (*pt & pp* **won**) ganhar, vencer, triunfar
• **to win over/round** *vt* convencer, persuadir

wince [wɪns] *n* **1** (*shiver*) estremecimento **2** (*reflex response*) recuo involuntário ao sentir dor ou medo
▸ *vi* **1** (*shiver*) estremecer **2** (*move back*) recuar involuntariamente, ao sentir dor ou medo

winch [wɪntʃ] *n* (*pl* **-es**) manivela, guincho

wind¹ [wɪnd] *n* **1** (*breeze*) vento, brisa, ar **2** (*flatulence*) gases, flatulência **3** (*breath*) alento, fôlego
▸ *vt* exaustar, cansar
• **to break wind** soltar gases
• **to get wind of** saber de uma informação que deveria ser secreta
• **to get the wind up** *infml* ficar com medo, ansioso
▪ **wind instrument** instrumento de sopro
▪ **wind power** energia eólica

wind² [waɪnd] *vt* (*pt & pp* **wound**) **1** (*twist*) serpear, serpentear **2** (*wrap*) envolver, enroscar(-se) **3** (*clock*) dar corda **4** (*turn round*) girar (alavanca)
▸ *vi* serpentear
• **to wind down** ['waɪnd'daʊn] *vi* **1** (*clock*) ficar sem corda **2** (*person*) relaxar: ***at the weekend, I just want to wind down*** no fim de semana, só quero relaxar
▸ *vt* baixar (*persiana*)
• **to wind up** ['waɪnd'ʌp] *vt* **1** (*clock, toy*) dar corda em **2** (*close a business*) encerrar um negócio
▸ *vt-vi* concluir
▸ *vi infml* acabar: ***he wound up in jail*** ele acabou indo para a cadeia

windbag ['wɪndbæg] *n infml* conversador, falastrão, -ona

windbreak ['wɪndbreɪk] *n* quebra-vento

windfall ['wɪndfɔːl] *n* sorte inesperada

winding ['waɪndɪŋ] *adj* sinuoso, tortuoso

windmill ['wɪndmɪl] *n* moinho de vento

window ['wɪndəʊ] *n* **1** (*opening in a wall*) janela **2** (*opening in a partition*) guichê **3** (*of a shop*) vitrina **4** COMPUT janela
▪ **window cleaner** limpador de janelas *mf inv*

window-shopping ['wɪndəʊʃɒpɪŋ] *n*
• **to go window-shopping** olhar vitrinas

windowsill ['wɪndəʊsɪl] *n* peitoril da janela

windpipe ['wɪndpaɪp] *n* traqueia

windscreen ['wɪndskriːn] *n* parabrisa
▪ **windscreen wiper** limpador de parabrisa

wind-shield ['wɪndʃiːld] *n* US parabrisa
▪ **wind-shield wiper** limpador de parabrisa

windy ['wɪndɪ] *adj* (**-ier**, **-iest**) ventoso, tempestuoso
• **it's windy** está ventando

wine [waɪn] *n* vinho

wing [wɪŋ] *n* **1** (*limb used for flying*) asa **2** (*part of an aircraft*) asa **3** (*of a car*) paralama **4** SPORT ala, jogador da lateral
▸ *npl* **wings** bastidores: ***in the wings*** nos bastidores

wink [wɪŋk] *n* piscadela, pestanejo
▸ *vi* piscar o olho

winkle ['wɪŋkəl] *n* caramujo comestível

winner ['wɪnəʳ] *n* **1** (*victor*) ganhador (de prêmio, concurso, competição) **2** (*in a war*) vencedor

winning ['wɪnɪŋ] *adj* **1** (*victorious*) ganhador (equipe, cavalo) **2** (*ticket*) premiado **3** (*attractive*) atraente, encantador

▸ *npl* **winnings** ganhos, lucros

winter ['wɪntəʳ] *n* inverno
▸ *vi* invernar

wipe [waɪp] *vt* 1 (*clean*) limpar, passar um pano em 2 (*dry*) secar, enxugar
• **to wipe out** *vt* 1 (*destroy*) aniquilar, exterminar 2 (*erase*) apagar

wiper ['waɪpəʳ] *n* limpador de parabrisa

wire ['waɪəʳ] *n* 1 (*strand of metal*) arame, fio 2 (*cable*) cabo 3 US (*telegram*) telegrama
▸ *vt* 1 (*equip with wires*) fazer a instalação elétrica de 2 US (*send a telegram to*) enviar um telegrama a

wiring ['waɪrɪŋ] *n* cabeamento, instalação elétrica

wiry ['waɪərɪ] *adj* (-**ier**, -**iest**) 1 (*made of wire*) de arame 2 (*resembling wire*) fibroso 3 (*person*) magro, forte e flexível

wisdom ['wɪzdəm] *n* 1 (*knowledge*) sabedoria, ciência, saber 2 (*judiciousness*) juízo, critério, sensatez
▪ **wisdom tooth** dente do siso

wise [waɪz] *adj* 1 (*sage*) sábio 2 (*prudent*) criterioso, prudente, sensato
▪ **the Three Wise Men** os Três Reis Magos

wish [wɪʃ] *n* (*pl* -**es**) desejo
▸ *vt-vi* 1 desejar: ***she wished me happy birthday*** ela me desejou um feliz aniversário 2 (*want*) querer 3 oxalá, quem dera: ***I wish you were here*** quem dera você estivesse aqui
• **I wish to...** quisera...
• **to make a wish** formular um desejo
• **to wish somebody good luck** desejar boa sorte a alguém
• **(with) best wishes** com os melhores votos

wishful ['wɪʃfʊl] **wishful thinking** *n* crença ilusória de que algo que se deseja é ou será realidade, conjectura idealizada de fatos, ações etc., castelo nas nuvens, falácia, hipótese, doce ilusão: ***do you think you'll be able to find a quick solution to the problem? – no, it's just wishful thinking*** você acha que será capaz de encontrar uma solução rápida para o problema? – não, é apenas uma falácia

wishy-washy ['wɪʃɪwɒʃɪ] *adj infml* insípido, indeciso, sem personalidade

wisp [wɪsp] *n* 1 (*small handful*) punhado 2 (*hair*) tufo, cacho, mecha 3 *fig* (*fragment*) fiapo, fragmento 4 (*of smoke*) coluna

wit [wɪt] *n* 1 (*intelligence*) agudeza, inteligência viva 2 (*astuteness*) rápida compreensão
• **to be at one's wits end** não saber mais o que fazer
• **to collect one's wits** acalmar-se

witch [wɪtʃ] *n* (*pl* -**es**) bruxa, feiticeira
▪ **witch doctor** feiticeiro, curandeiro

witchcraft ['wɪtʃkrɑːft] *n* bruxaria

with [wɪð] *prep* 1 com: ***come with me*** venha comigo; ***cut it with a knife*** corte isso com uma faca 2 de: ***he was blind with rage*** ele estava cego de raiva

withdraw [wɪð'drɔː] *vt* (*pt* **withdrew** [wɪð'druː], *pp* **withdrawn** [wɪð'drɔːn]) 1 (*move away*) retirar(-se), recolher, privar de 2 (*retract*) retratar, revogar
▸ *vi* retirar-se

withdrawal [wɪð'drɔːəl] *n* 1 (*departure*) retirada (*de tropas, de apoio*) 2 (*removal*) retirada (*de dinheiro*)

withdrawn [wɪð'drɔːn] *pp* → **withdraw**
▸ *adj* introvertido, extremamente tímido

withdrew [wɪð'druː] *pt* → **withdraw**

wither ['wɪðəʳ] *vt-vi* murchar, fazer murchar, secar

within [wɪ'ðɪn] *prep* 1 dentro de, entre: ***within these walls*** entre estas paredes 2 ao alcance de: ***within hearing*** ao alcance da audição 3 a menos de: ***within 3 miles of*** a menos de 3 milhas de 4 antes de: ***you must pay the fine within 2 weeks*** você deve pagar a multa antes de 2 semanas
▸ *adv* dentro, no interior

without [wɪ'ðaʊt] *prep* sem

withstand [wɪð'stænd] *vt* (*pt & pp* **withstood** [wɪð'stʊd]) resistir, aguentar

witness ['wɪtnəs] *n* (*pl* -**es**) testemunha
▸ *vt* 1 (*see*) presenciar, testemunhar, ver 2 (*testify*) atestar, depor como testemunha
• **to bear witness to** dar testemunho de, testificar
▪ **witness box** banco das testemunhas

witty ['wɪtɪ] *adj* (-**ier**, -**iest**) engenhoso, arguto

wizard ['wɪzəd] *n* **1** (*magician*) bruxo, feiticeiro, mágico **2** *infml* (*expert*) perito, especialista

wobble ['wɒbəl] *n* **1** (*tremble*) agitação, oscilação **2** (*unsteady movement*) ato de cambalear, bamboleio
▸ *vi* cambalear, bambolear

woe [wəʊ] *n* aflição, angústia

woke [wəʊk] *pt* → **wake**

woken ['wəʊkən] *pp* → **wake**

wolf [wʊlf] *n* (*pl* **wolves** [wʊlvz]) ZOOL lobo
• **to wolf down** *vt* devorar

woman ['wʊmən] *n* (*pl* **women** ['wɪmɪn]) mulher
▪ **old woman** velha, anciã
▪ **women's lib** *infml* movimento feminista

womanhood ['wʊmənhʊd] *n* estado, condição ou dignidade da mulher

womb [wu:m] *n* ANAT útero, ventre

won [wʌn] *pt-pp* → **win**

wonder ['wʌndəʳ] *n* **1** maravilha: ***the seven wonders of the world*** as sete maravilhas do mundo **2** (*miracle*) admiração, milagre
▸ *vi* **1** perguntar-se: ***I wonder where he is*** me pergunto onde estará ele, pergunto-me onde ele estará **2** (*marvel*) admirar-se, assombrar-se, maravilhar-se
• **I shouldn't wonder if...** não me surpreenderia que + *subj*
• **it makes you wonder** dá o que pensar
• **no wonder (that)...** não é de estranhar que...
• **to wonder about something** pensar em algo

wonderful ['wʌndəfʊl] *adj* maravilhoso

wonky ['wɒŋkɪ] *adj* (-**ier**, -**iest**) GB *infml* **1** (*unsteady*) inseguro, vacilante, instável **2** torto: ***he has wonky teeth*** ele tem dentes tortos

wood [wʊd] *n* **1** (*timber*) madeira **2** (*for fire*) lenha **3** (*forest*) bosque

woodcut ['wʊdkʌt] *n* xilogravura

woodcutter ['wʊdkʌtəʳ] *n* lenhador

wooden ['wʊdən] *adj* de madeira
▪ **wooden spoon** colher de pau

woodland ['wʊdlənd] *n* bosque, terreno arborizado

woodpecker ['wʊdpekəʳ] *n* ZOOL pica-pau

woodwork ['wʊdwɜ:k] *n* **1** (*carpentry*) carpintaria **2** (*object produced by carpentry*) trabalho ou artigo de madeira **3** (*of a house*) madeiramento

woodworm ['wʊdwɜ:m] *n* carcoma, caruncho

woody ['wʊdɪ] *adj* (-**ier**, -**iest**) **1** (*with trees*) arborizado **2** (*like wood*) semelhante à madeira, lenhoso

woof! [wʊf] *interj* au!

wool [wʊl] *n* lã: ***all wool*** lã pura
• **to pull the wool over somebody's eyes** dar a alguém gato por lebre, enganar

woolen ['wʊlən] *adj-n* → **woollen**

woollen ['wʊlən] *adj* **1** (*made of wool*) de lã **2** (*production of wool*) lanifício
▸ *npl* **woollens** roupas de lã

woolly ['wʊlɪ] *adj* (-**ier**, -**iest**) **1** (*woollen*) de lã **2** (*fluffy*) lanoso **3** (*confused*) confuso

word [wɜ:d] *n* palavra
▸ *vt* expressar
• **by word of mouth** oralmente
• **from the word go** desde o princípio
• **in a word** em poucas palavras
• **in other words** em outras palavras, ou seja
• **to give one's word** dar sua palavra
• **to have a word with somebody** falar com alguém
• **to have words with somebody** discutir com alguém
• **to keep one's word** cumprir com a palavra
• **to take somebody's word** aceitar o que alguém disse
• **word for word** palavra por palavra
▪ **word processing** processamento de texto
▪ **word processor** processador de texto

wording ['wɜ:dɪŋ] *n* escolha de palavras, termos

wore [wɔ:ʳ] *pt* → **wear**

work [wɜ:k] *vt-vi* trabalhar
▸ *vi* **1** (*function*) funcionar **2** (*medicine*) surtir efeito

▸ *n* 1 (*labour*) trabalho 2 (*employment*) emprego 3 (*creation*) obra (literária, artística)
▸ *npl* **works** 1 (*factory*) fábrica 2 (*mechanism*) mecanismo
• **at work** trabalhando, no trabalho
• **out of work** sem trabalho, desempregado
• **to get worked up** exaltar-se, excitar-se
• **to have one's work cut out to do something** ter uma tarefa muito difícil
• **to make short work of something** despachar algo depressa
• **to set to work** pôr-se a trabalhar
• **to work loose** soltar-se
• **to work to rule** fazer um tipo de greve em que o trabalhador executa seu trabalho bem devagar, fazer "operação tartaruga"
• **to work wonders** fazer maravilhas
▪ **work of art** obra de arte
• **to work out** *vt* 1 (*calculate*) calcular 2 (*formulate*) planejar, pensar (plano) 3 (*solve*) solucionar, resolver
▸ *vi* 1 sair, terminar: ***it worked out well*** terminou bem 2 (*succeed*) ir bem, sair bem 3 (*train*) fazer exercícios
• **to work up** *vt* 1 (*excite*) exaltar-se 2 (*build up*) fazer, desenvolver

workbench ['wɜ:kbentʃ] *n* (*pl* **-es**) banca de trabalho

workbook ['wɜ:kbʊk] *n* 1 (*notebook*) caderno 2 (*school book with exercises*) livro de exercícios

workday ['wɜ:kdeɪ] *n* dia útil

worker ['wɜ:kəʳ] *n* 1 (*employee*) trabalhador 2 (*proletarian*) operário

workforce ['wɜ:kfɔ:s] *n* mão de obra

working ['wɜ:kɪŋ] *adj* 1 (*of work*) laboral, de trabalho (*horas, roupa, semana, vida*) 2 (*functioning*) em operação, em funcionamento 3 (*useful*) útil 4 (*employed*) que trabalha
▸ *npl* **workings** funcionamento
▪ **working class** classe trabalhadora
▪ **working knowledge** conhecimentos básicos

workman ['wɜ:kmən] *n* (*pl* **workmen**) trabalhador

workmanship ['wɜ:kmənʃɪp] *n* 1 (*skill*) habilidade 2 (*artisanship*) artesanato

workmate ['wɜ:kmeɪt] *n* colega de trabalho

workout ['wɜ:kaʊt] *n* exercício físico

workshop ['wɜ:kʃɒp] *n* *workshop*, oficina

worktop ['wɜ:ktɒp] *n* superfície de trabalho

work-to-rule [wɜ:ktə'ru:l] *n* protesto trabalhista no qual os trabalhadores seguem todas as regras e não fazem nenhum trabalho extra, resultando em trabalho lento, "operação tartaruga"

world [wɜ:ld] *n* mundo
• **all over the world** em todo o mundo
• **it's a small world** é um mundo pequeno
• **out of this world** fenomenal, estupendo
• **to have the best of both worlds** ter tudo
• **to think the world of** adorar
▪ **world cup** (*soccer*) copa do mundo, campeonato mundial
▪ **world war** guerra mundial

world-class [wɜ:ld'klɑ:s] *adj* muito superior, excelente

worldly ['wɜ:ldlɪ] *adj* (**-ier**, **-iest**) mundano

worldwide ['wɜ:ldwaɪd] *adj* mundial, universal

worm [wɜ:m] *n* 1 (*earthworm*) minhoca 2 (*small animal like a round tube*) bicho, verme, lombriga, larva

worn [wɔ:n] *pp* → **wear**

worn-out [wɔ:n'aʊt] *adj* 1 (*finished by continued use*) gasto 2 (*exhausted*) exausto, esgotado

worried ['wʌrɪd] *adj* inquieto, preocupado, ansioso

worry ['wʌrɪ] *n* (*pl* **-ies**) preocupação, aflição, angústia, tormento, ansiedade
▸ *vt-vi* (*pt & pp* **-ied**) inquietar(-se), preocupar(-se)

worse [wɜ:s] *adj-adv comp* pior
▸ *n* o pior (*de dois*)
• **for the worse** para pior: ***the situation changed for the worse*** a situação mudou para pior
• **to get worse** piorar
• **to get worse and worse** ir de mal a pior

worsen ['wɜ:sən] *vt-vi* piorar

worship ['wɜ:ʃɪp] *n* **1** (*devotion*) adoração, veneração **2** culto: ***a place of worship*** casa de Deus, igreja
▸ *vt* (*pt & pp* **worshipped**, *ger* **worshipping**) adorar, venerar, idolatrar

worst [wɜ:st] *adj-adv* pior: ***the worst thing is...*** o pior é que...
▸ *n* o pior
• **at the worst** na pior das hipóteses

worth [wɜ:θ] *n* valor
▸ *adj* valer, ter valor de: ***it's worth £10, but I got it for £5*** vale 10 libras, mas eu só paguei 5; ***it's worth seeing*** vale a pena ver
• **to be worth** valer
• **to be worth it** valer a pena

worthless ['wɜ:θləs] *adj* **1** (*object*) sem valor **2** (*person*) desprezível

worthwhile [wɜ:θ'waɪl] *adj* que vale a pena

worthy ['wɜ:ðɪ] *adj* (**-ier**, **-iest**) digno, merecedor

would [wʊd] *aux* **1** usa-se para formar orações condicionais: ***she would tell you if she knew*** ela diria a você, se soubesse **2** usa-se para indicar disponibilidade: ***he wouldn't help me*** ele não quis me ajudar **3** usa-se para indicar suposição: ***that would have been Jim*** esse deve ter sido Jim **4** costumar: ***we would often go out together*** costumávamos sair juntos **5** usa-se para indicar insistência: ***he would go by car*** ele insistiu que fôssemos de carro
• **would like** querer: ***would you like a cup of tea?*** você quer uma xícara de chá?

would-be ['wʊdbi:] *adj* suposto, que pretende ser, imaginário

wound[1] [wu:nd] *n* ferida
▸ *vt* ferir

wound[2] [waʊnd] *pt-pp* → **wind**

wounded ['wu:ndɪd] *adj* ferido

wove [wəʊv] *pt* → weave

woven ['wəʊvən] *pp* → **weave**

wow [waʊ] *interj infml* oba!, nossa!

WPC ['dʌbəlju:'pi:'si:] *abbr* GB (***Woman Police Constable***) agente de polícia do sexo feminino

wpm ['wɜ:dzpə'mɪnɪt] *abbr* (***words per minute***) palavras por minuto

wrangle ['ræŋgəl] *n* disputa, contenda, altercação
▸ *vi* disputar, discutir, altercar

wrap [ræp] *vt* (*pt & pp* **wrapped**, *ger* **wrapping**) enrolar, envolver
• **to be wrapped up in** estar absorto em

to wrap up *vi* agasalhar-se

wrapper ['ræpəʳ] *n* invólucro, envoltório

wrapping ['ræpɪŋ] *n* embalagem
▪ **wrapping paper** papel de embrulho, papel de presente

wrath [rɒθ] *n* cólera, ira

wreath [ri:θ] *n* coroa (*de flores*)

wreck [rek] *n* **1** (*shipwreck*) naufrágio **2** (*ship destroyed*) barco naufragado **3** (*car destroyed*) restos **4** (*building destroyed*) ruínas **5** (*person*) pessoa arruinada, física ou financeiramente
▸ *vt* **1** (*to cause a ship to be destroyed*) fazer naufragar **2** (*destroy*) destroçar, destruir, arruinar

wreckage ['rekɪdʒ] *n* **1** (*of a car*) restos **2** (*of a building*) ruínas

wrench [rentʃ] *n* (*pl* **-es**) **1** (*pull*) arranco, puxão violento **2** (*of a joint*) torcedura **3** (*painful parting*) separação dolorosa **4** (*spanner*) chave-inglesa
vt arrancar (com um puxão)

wrestle ['resəl] *vi* lutar

wrestler ['resələʳ] *n* lutador

wrestling ['resəlɪŋ] *n* luta

wretch [retʃ] *n* (*pl* **-es**) **1** (*miserable*) miserável, desgraçado **2** (*dispicable person*) patife, vilão, -lã, canalha

wretched ['retʃɪd] *adj* **1** (*unhappy*) desgraçado, infeliz, ignóbil, infame **2** *infml* (*worthless*) ruim, imprestável

wriggle ['rɪgəl] *vt* serpear, mover-se em zigue-zague
▸ *vi* retorcer-se, menear-se, mexer-se
• **to wriggle out of something** escapar de algo

wring [rɪŋ] *vt* (*pt & pp* **wrung** [rʌŋ]) **1** (*twist*) torcer, retorcer **2** (*squeeze*) espremer

• **to wring somebody's neck** torcer o pescoço de alguém
• **to wring something out of somebody** arrancar algo de alguém

wringing wet ['rɪŋɪŋwet] *adj* ensopado

wrinkle ['rɪŋkəl] *n* ruga
▸ *vt-vi* dobrar(-se), enrugar(-se), franzir(-se)

wrist [rɪst] *n* pulso, munheca

wristwatch ['rɪstwɒtʃ] *n* (*pl* **-es**) relógio de pulso

writ [rɪt] *n* mandado judicial, intimação a juízo, alvará judicial, ordem judicial

write [raɪt] *vt-vi* (*pt* **wrote** [rəʊt], *pp* **written** ['rɪtən]) escrever
▸ *vt* fazer (cheque)
• **to write back** *vi* (*by letter*) responder
• **to write down** *vt* anotar, fazer apontamento
• **to write off** *vt* **1** (*disregard*) anular, cancelar (dívida) **2** (*accept as lost*) dar por perdido **3** (*write*) escrever rapidamente
• **to write off for** *vt* pedir pelo correio
• **to write out** *vt* **1** (*write in full*) escrever **2** (*cheque*) fazer (*cheque*)
• **to write up** *vt* expor, descrever minuciosamente

write-off ['raɪtɒf] *n* (*pl* **write-offs**) **1** (*damaged beyond repair*) perda total **2** ACCOUNT cancelamento, baixa

writer ['raɪtə^r] *n* escritor, autor

write-up ['raɪtʌp] *n infml* crítica literária, resenha

writing ['raɪtɪŋ] *n* **1** (*script*) escrita, escrever **2** (*handwriting*) letra **3** (*publication*) obra literária
▸ *npl* **writings** obras
▪ **writing desk** escrivaninha
▪ **writing paper** papel de carta

written ['rɪtən] *pp* → **write**
▸ *adj* escrito

wrong [rɒŋ] *adj* **1** (*incorrect*) errado, equivocado, incorreto **2** (*bad*) mau **3** (*unjust*) injusto **4** (*inappropriate*) inadequado, inoportuno
▸ *adv* mal, incorretamente, equivocadamente
▸ *n* **1** (*wrong doing*) mal **2** (*injustice*) injustiça **3** (*offense*) ofensa, agravo, delito **4** (*atrocity*) iniquidade **5** (*crime*) crime
▸ *vt* ser injusto com alguém
• **to be in the wrong** não ter razão, ter a culpa
• **to be wrong** estar equivocado, equivocar-se, errar
• **to go wrong 1** (*experience trouble*) sair errado, acabar mal **2** (*fail*) errar, falhar (*plano*)

wrong-doer ['rɒŋdʊə^r] *n* malfeitor

wrongly ['rɒŋlɪ] *adv* **1** (*incorrectly*) mal, sem razão, equivocadamente **2** (*unfairly*) injustamente

wrote [rəʊt] *pt* → **write**

wrought [rɔːt] *adj* **1** (*metal*) forjado **2** (*made*) feito, manufaturado **3** (*done*) trabalhado, lavrado, da, acabado

wrung [rʌŋ] *pt-pp* → **wring**

wry [raɪ] *adj* (**-ier**, **-iest**) **1** (*ironic*) irônico **2** (*twisted*) torto retorcido

WWF ['wɜːldwaɪldlaɪf'fʌnd] *abbr* (***World Wildlife Fund***) Fundo Mundial para a Natureza

X

xenophobia [zenə'fəʊbɪə] *n* xenofobia

xenophobic [zenə'fəʊbɪk] *adj* xenófobo

Xerox ['zɪərɒks] (marca registrada) *n* cópia xérox
▸ *vt* xerocopiar, fotocopiar, xerografar

XL ['eks'el] *abbr* (***extra large***) extragrande

Xmas ['eksməs, 'krɪsməs] *n* → **Christmas**

X-ray ['eksreɪ] *n* **1** (*radiation*) raio X **2** (*picture made by sending X-rays*) radiografia
▸ *vt* radiografar, tirar chapa

xylophone ['zaɪləfəʊn] *n* xilofone

xylophonist [zaɪ'lɒfənɪst] *n* xilofonista

Y

yacht [jɒt] *n* **1** (*sailing boat*) barco à vela **2** (*motor-driven boat*) iate

yachting ['jɒtɪŋ] *n* **1** SPORT esporte de vela **2** (*act of sailing*) navegação à vela

yachtsman ['jɒtsmən] *n* (*pl* **yachtsmen**) dono de iate, aquele que navega com iate

yak [jæk] *n* ZOOL boi tibetano, iaque

yam [jæm] *n* BOT inhame

yank [jæŋk] *n infml* puxão, arranco
▸ *vt infml* puxar com força

Yank [jæŋk] *n pej* ianque

Yankee ['jæŋkɪ] *adj-n pej* ianque

yap [jæp] *n* latido *(agudo)*
▸ *vt* (*pt & pp* **yapped**, *ger* **yapping**) ladrar

yard [jɑːd] *n* **1** (*enclosed area*) quintal, pátio **2** US (*garden*) jardim **3** (*unit of length*) jarda

A medida equivale a 0,914 metros.

yardstick ['jɑːdstɪk] *n fig* gabarito, medida, padrão

yarn [jɑːn] *n* **1** (*thread*) fio **2** (*story*) conto, história, narração

yawn [jɔːn] *n* bocejo
▸ *vi* bocejar

yd [jɑːd] *abbr* (*yard*) jarda

O plural é **yds.**

yeah [jeə] *adv infml* sim

year [jɪəːʳ] *n* **1** (*twelve month period*) ano **2** (*period of time*) curso

yearly ['jɪəlɪ] *adj* anual
▸ *adv* anualmente

yearn [jɜːn] *vi* **1** (*long*) sentir saudades, ter nostalgia por **2** (*feel compassion*) apiedar-se **3** desejar ardentemente: ***a whole nation yearns for peace*** uma nação inteira deseja ardentemente a paz

yearning ['jɜːnɪŋ] *n* saudades, nostalgia

yeast [jiːst] *n* levedura, fermento

yell [jel] *n* grito, berro
▸ *vi* gritar, vociferar, berrar

yellow ['jeləʊ] *adj* (*comp* **yellower**, *superl* **yellowest**) **1** (*colour*) amarelo **2** *infml* (*coward*) medroso, covarde
▸ *n* amarelo
▸ *vt* tornar amarelo
▸ *vi* amarelar
■ **yellow press** imprensa sensacionalista, imprensa marrom

yelp [jelp] *n* ganido, guincho
▸ *vi* ganir, guinchar

yen [jen] *n* **1** grande desejo, loucura: ***I have a yen for extreme sports*** tenho loucura por esportes radicais **2** (*unit of currency in Japan*) iene

yeoman ['ɪəʊmən] *n* (*pl* **yeomen**) pequeno proprietário rural
■ **yeoman of the guard** guarda da Torre de Londres

yes [jes] *adv* sim
▸ *n* sim
• **to say yes** dizer que sim, assentir

yes-man ['jesmæn] *n* (*pl* **yes-men**) servil: ***he's a yes-man*** ele é servil; concorda com tudo

yesterday ['jestədɪ] *adv* ontem
■ **the day before yesterday** anteontem

yet [jet] *adv* **1** todavia, porém: ***the taxi hasn't arrived yet*** o táxi ainda não chegou **2** já: ***has the taxi arrived yet?*** o táxi já chegou?

▸ *conj* não obstante

yeti ['jetɪ] *n* abominável homem das neves

yew [juː] *n* teixo

yield [jiːld] *n* **1** (*profit*) rendimento **2** (*crop*) colheita **3** (*earnings*) lucro
▸ *vt* **1** produzir, dar: ***the research yielded intriguing results*** a pesquisa produziu resultados intrigantes **2** render: ***this investment will yield high percentages*** este investimento vai render porcentagens altas
▸ *vi* **1** render-se: ***the troops yielded after a three-week siege*** as tropas renderam-se depois de um cerco de três semanas **2** ceder *(estante, porta, janela)*: ***the door yielded to repeated blows*** a porta cedeu a golpes repetidos

yippee [jɪ'piː] *interj infml* interjeição de alegria

YMCA ['waɪ'em'siː'eɪ] *abbr (**Young Men's Christian Association**)* Associação Cristã de Moços, ACM
■ **YMCA hostel** albergue da juventude da ACM

yob ['jɒb] *n infml* desordeiro, bandido

yobbo ['jɒbəʊ] *n* (*pl* **yobbos**) *infml* desordeiro, bandido

yodel ['jəʊdəl] *vi* (GB *pt & pp* **yodelled**, *ger* **yodelling**; US *pt & pp* **yodeled**, *ger* **yodeling**) canto típico tirolês

yoga ['ɪəʊgə] *n* ioga

yoghurt ['jɒgət] *n* iogurte

yoke [jəʊk] *n* **1** (*bar used for joining two animals*) cangalha **2** *fig* (*tie*) união, laço
▸ *vt* **1** (*join with a yoke*) pôr cangalha em **2** (*join*) juntar, unir

yokel ['jəʊkəl] *n* caipira

yolk [jəʊk] *n* gema de ovo

yonder ['jɒndəʳ] *adj* aquele, aqueles
▸ *adv* acolá

you [juː] *pron* **1** tu, vós: ***do you live here?*** tu moras aqui? **2** você(s): ***do you live here?*** você mora aqui?/vocês moram aqui? **3** o senhor, a senhora, os senhores, as senhoras: ***do you live here?*** o senhor/a senhora mora aqui?/os senhores/as senhoras moram aqui? **4** ti, te: ***I'll tell you a secret*** vou contar-te um segredo/vou contar um segredo para ti **5** vos **6** o, a, os, as: ***she saw you in the bar*** ela o/a/os/as viu no bar **7** lhe, lhes: ***I'll tell you a secret*** vou contar-lhe/lhes um segredo **8** se: ***you never know*** nunca se sabe **9** a gente: ***this sort of situation makes you sad*** este tipo de situação deixa a gente triste

young [jʌŋ] *adj* jovem
■ **the young** os jovens

youngster ['jʌŋstəʳ] *n* jovem

your [jɔːʳ] *adj* **1** teu, tua, teus, tuas **2** seu, sua, seus, suas **3** vosso, vossa, vossos, vossas

yours [jɔːz] *pron* **1** (o) teu, (a) tua, (os) teus, (as) tuas, (o) vosso, (a) vossa, (os) vossos, (as) vossas **2** (o) seu, (a) sua, (os) seus, (as) suas

yourself [jɔː'self] *pron* **1** tu, ti mesmo **2** você mesmo

yourselves [jɔː'selvz] *pron* **1** vós mesmos **2** vocês mesmos

youth [juːθ] *n* **1** (*adolescence*) juventude **2** (*teenager*) jovem
■ **youth hostel** albergue da juventude

youthful ['juːθfʊl] *adj* jovem, jovial

yo-yo® ['ɪəʊɪəʊ] *n* ioiô

YTS ['waɪ'tiː'es] *abbr (**Youth Training Scheme**)* Projeto de Treinamento de Jovens *(espécie de Programa Menor Aprendiz – formação profissional aliada a experiência de trabalho)*

yucky ['jʌkɪ] *adj* (**-ier**, **-iest**) *infml* asqueroso, nojento-ta

Yugoslav ['juːgəslɑːv] *n* iugoslavo

Yugoslavia [ʎuːgəʊ'slɑːvɪə] *n* Iugoslávia

yule [juːl] *n* Natal

yummy ['jʌmɪ] *adj* (**-ier**, **-iest**) *infml* gostoso

YWCA ['waɪ'dʌbəljuː'siː'eɪ] *abbr (**Young Women's Christian Association**)* Associação Cristã Feminina

Z

Zaire [zɑː'ɪə] *n* Zaire

Zambia ['zæmbɪə] *n* Zâmbia

Zambian ['zæmbɪən] *adj* zambiano
▸ *n* zambiano

zany ['zeɪnɪ] *adj* (**-ier**, **-iest**) *fam* **1** (*foolish*) bobo, tolo **2** (*comic*) palhaço (na comédia antiga)

zeal [ziːl] *n* zelo, entusiasmo, fervor, ardor

zealot ['zelət] *n* fanático, pessoa demasiadamente entusiasta

zealous ['zeləs] *adj* zeloso, entusiasta

zebra ['ziːbrə, 'zebrə] *n* zebra
▪ **zebra crossing** faixa de pedestres

zenith ['zenɪθ] *n* **1** (*point in the sky*) zênite **2** *fig* (*apogee*) apogeu

zeppelin ['zepəlɪn] *n* zepelim

zero ['zɪərəʊ] *n* (*pl* **-s** ou **-es**) zero

zest [zest] *n* entusiasmo

zigzag ['zɪgzæg] *n* zigue-zague
▸ *vt* (*pt & pp* **zigzagged**, *ger* **zigzagging**) ziguezaguear

Zimbabwe [zɪm'bɑːbweɪ] *n* Zimbábue

Zimbabwean [zɪm'bɑːbwɪən] *adj* zimbabuense, zimbabuano
n zimbabuense, zimbabuano

zinc [zɪŋk] *n* CHEM zinco

zip [zɪp] *n* **1** (*fastener*) zíper **2** *infml* (*energy*) energia, rapidez **3** *infml* nada: ***I know zip about chemistry*** não sei nada de química **4** (*whizzing sound*) zunido, silvo, sibilo
▸ *vt* (*pt & pp* **zipped**, *ger* **zipping**) COMPUT comprimir (*arquivos eletrônicos*): ***I'll zip (up) the file and send it by e-mail*** vou comprimir o arquivo e mandá-lo por *e-mail*
▸ *vi* (*pt & pp* **zipped**, *ger* **zipping**) **1** ir rápido, passar como um raio: ***a motorbike zipped past*** uma moto passou como um raio **2** (*make a whizzing sound*) zunir, sibilar
▪ **zip code** US código postal
• **to zip up** *vt* fechar com zíper

zipper ['zɪpr] *n* US zíper, fecho de correr, fecho ecler

zodiac ['zəʊdɪæk] *n* zodíaco

zombie ['zɒmbɪ] *n* zumbi

zone [zəʊn] *n* zona

zoo [zuː] *n* (*pl* **zoos**) zoo, zoológico

zoological [zʊə'lɒdʒɪkəl] *adj* zoológico

zoology [zʊ'ɔlədʒɪ] *n* zoologia

zoom [zuːm] *n* **1** (*low sound*) zunido **2** (*lens*) zum, teleobjetiva
▸ *vt-vi* zunir, passar zunindo: ***a sports car zoomed past me*** um carro de corrida zuniu/passou zunindo por mim
▪ **zoom lens** lente teleobjetiva

Dicionário
Português – Inglês

A

a *art def* (*f* do art *o*): **1** the: ***a casa*** the house
▸ *pron pess* her: ***há muito não a vejo*** it's been a long time since I last saw her; ***há poucos dias que a conheço*** I've known her for a few days only
▸ *pron dem* the (*one*): ***daquelas duas mulheres, minha mãe é a que está de vestido branco*** of those two women, my mother is the one in the white dress
▸ *prep* **1** (*movimento para*) to: ***foram a Santos*** they went to Santos; ***dirigiram-se a vários hospitais*** they went to a number of hospitals **2** (*tempo*) at: ***a que horas você chega?*** at what time are you arriving? ***às seis horas*** at six o'clock **3** (*modo, meio, instrumento*) on, in: ***ir a pé*** to go on foot; ***matar a sangue-frio*** to kill in cold blood **4** (*lugar*) at, on: ***estar à mesa*** to be at the table; ***falar ao telefone*** to speak on the (tele)phone **5** (*preço*) for: ***vende bananas a três reais a dúzia*** he/she sells bananas for three reais a dozen **6** (*distância*) (*away*) from: ***moro a dois quilômetros do centro*** I live two kilometres (*away*) from downtown **7** (*material*) in: ***ela escreveu a tinta/a caneta*** she wrote it in ink **8** (*condição*) if: ***a persistirem os sintomas, consulte o médico*** if symptoms continue, see a doctor
• **aos domingos, às segundas, às terças...** on Sundays, Mondays, Tuesdays...
• **um a um, dois a dois...** one by one, two by two...

à *prep a + art a*
▸ *prep a + pron a* to the: ***vestiu a blusa azul e não deu atenção à que lhe ofereci*** she put on the blue blouse and paid no attention to the one I had offered

aba *sf* **1** (*de vestuário*) flap **2** (*de chapéu*) brim **3** (*de telhado*) overhang

abacate *sm* BOT avocado

abacaxi *sm* **1** pineapple **2** *fig* (*coisa trabalhosa, problema*) *infml* a pain in the neck, trouble

abafado *adj* **1** (*privado de ar fresco*) stuffy, stifling, lacking fresh air **2** (*sufocado*) suffocated **3** (*contido, reprimido*) repressed, subdued **4** (*ocultado, não divulgado*) hidden, not announced or revealed (*to the public*) **5** (*surdo*) muffled, subdued: ***voz abafada*** subdued voice; ***passos abafados*** muffled (*foot*) steps

abafar *vdt* **1** (*privar de ar fresco*) to stifle **2** (*asfixiar*) to smother **3** (*apagar*) to put out (*the fire*) **4** (*amortecer-ruído*) to deaden **5** (*reprimir, impedir o desenvolvimento*) to repress, to subdue, to smother **6** (*esconder*) to hide

abaixar *vdt* to lower, to let down, to bring down, take down, to pull down
▸ *vi* to lower, to sink down
▸ *vpr* **abaixar-se** to get down

abaixo *adv* **1** (*em lugar menos elevado, em posição ou nível inferior, embaixo*) below: ***nós olhamos, da torre, para as pessoas, abaixo*** we looked down from the tower to the people below; ***eles moram dois andares abaixo*** they live two floors below; ***a assinatura do presidente estava na terceira linha, e a do vice-presidente, logo abaixo*** the president's signature was on the third line and the vice-president's, just below **2** (*adiante na mesma página ou em página[s]subsequente[s]*) below: ***veja página 32, abaixo*** see page 32, below

▸ *loc prep* **abaixo de** **1** *(comprimento)* below: ***uma saia abaixo do joelho*** a skirt that reaches below the knee **2** *(inferior a)* below: ***sete graus abaixo de zero*** seven degrees below zero
▸ *interj* down: ***abaixo a guerra!*** down with *(the)* war!
• **rolar escada abaixo** to fall down the stairs
• **vir abaixo** *(desmoronar)* to collapse

abaixo-assinado (*pl* **abaixo-assinados**) *sm* **1** signed petition **2** *(pessoa)* undersigned

abajur *sm* [*n*] lamp, lampshade

abalar *vtd* **1** *(diminuir a solidez)* to shake, to undermine **2** *(preocupar)* to trouble someone's mind, to upset **3** *(abater emocionalmente)* to shake, to affect: ***a catástrofe abalou profundamente a família*** the catastrophe deeply affected the family
▸ *vpr* **abalar-se** **1** *(agitar-se)* to be shaken **2** *(abater-se)* to be affected *(by)* **3** *(perturbar-se)* to be upset, to get upset *(by)* **4** to move, to rush off: **abalou-se até minha casa** he rushed off to my place
• **não se abalar** to sit tight

abalizado *adj* competent, capable, distinguished

abalo *sm* **1** *(tremor, trepidação)* jolt, shock **2** *(comoção)* commotion
▪ **abalo sísmico** earthquake

abalroamento *sm* collision, ramming

abalroar *vtd* to crash into, to collide with, to ram, to ram into
▸ *vpr* **abalroar-se** to bump into/against *(sth)*

abanador *sm* fan

abanar *vtd* **1** *(para refrescar[-se]; para avivar fogo)* to fan **2** *(a cabeça)* to nod **3** *(o rabo-cão)* to wag
▸ *vpr* **abanar-se** to fan oneself

abandonar *vtd* to abandon, to relinquish
▸ *vpr* **abandonar-se** *(entregar-se)* to give oneself over to

abandono *sm* **1** abandonment **2** neglect: ***a casa estava entregue ao abandono*** the house was given over to neglect
▪ **abandono de menores** child neglect
• **ao abandono** helpless, unprotected

abano *sm* fan
• **orelhas de abano** big ears

abarcar *vtd* to encompass, to embrace

abarrotar *vtd* to fill full, to cram
▸ *vpr* **abarrotar-se** to fill up, to become completely full

abastecer *vtd* to supply, to store with
▸ *vtdi* to supply: ***abasteceram-nos de víveres*** they supplied us with victuals
▸ *vpr* **abastecer-se** to fill up

abastecimento *sm* supply

abate *sm* **1** *(desconto)* discount **2** *(de animais)* slaughter

abatedouro *sm* slaughterhouse

abater *vtd* **1** *(derrubar)* to knock down, to knock over **2** *(reduzir–preço)* to lower, to reduce **3** *(em matadouro)* to slaughter
▸ *vtdi* *(descontar)* to give a discount; to take off
▸ *vpr* **abater-se** **1** *(debilitar-se)* to grow weak, to lose strength **2** *(desanimar)* to lose heart

abatido *adj* **1** *(desanimado)* downcast, downhearted, depressed **2** *(debilitado)* weak, weakened

abatimento *sm* **1** *(desconto)* discount **2** *(desânimo)* depression **3** *(enfraquecimento)* weakness

abaulado *adj* convex

abdicar *vtd-vti* to abdicate, to renounce

abdome *sm* ANAT abdomen

abdominal *adj* abdominal

abecedário *sm* **1** *(cartilha)* alphabet book **2** *(alfabeto)* the alphabet, the ABCs

abelha *sf* ZOOL bee

abelhudo *adj-sm,f* prying, intrusive, nosey

abençoar *vtd* to bless: ***Deus o abençoe*** God bless you

aberração *sf* **1** *(anomalia)* anomaly, freak of nature **2** ASTRON aberration

aberto *adj* **1** open **2** *(manifesto)* manifest, overt **3** *(não cicatrizado)* open **4** *(desabrochado)* in *(full)* bloom **5** *(franco)* frank, honest **6** *(céu, tempo)* clear: ***o céu hoje está aberto*** the sky is clear today **7** *(braços)* open **8** *(asas)* open **9** *(locais públicos)* open **10** *(eventos; sessões de apresentações)* open

abertura *sf* 1 opening, gap, hole 2 (*evento; locais públicos*) inauguration, opening 3 (*tolerância*) tolerance 4 (*franqueza*) frankness, openness
• **abertura de espetáculo** show opening
• **abertura política** political opening

abismar *vtd* (*pasmar*) to amaze, to astound, to bewilder
▸ *vpr* **abismar-se** 1 to be amazed, to be astounded, to be bewildered 2 to be deeply absorbed in, to be plunged in: ***abismou-se em seus pensamentos*** he was deeply absorbed in his thoughts

abismo *sm* abyss, chasm
• **à beira do abismo** on the brink of ruin

abnegação *sf* resignation, self-denial

abnegado *adj-sm,f* 1 resigned 2 altruistic, unselfish

abóbada ARQ *sf* 1 dome, cupola 2 vault
▪ **abóbada celeste** dome of the heavens
▪ **abóbada craniana** dome

abóbora *sf* BOT pumpkin, squash
• **cor de abóbora** orange

abobrinha *sf* 1 BOT courgette, zucchini 2 *fig* stupidity, foolish talk, nonsense

abocanhar *vtd* 1 to bite, to seize with the teeth 2 *fig* to get, to grab, to take possession of

aboletar-se *vpr* to lodge oneself in

abolição *sf* abolition: ***abolição da escravatura*** abolition of slavery

abolir *vtd* to abolish

abominar *vtd* to abominate, to abhor

abominável *adj* hateful, abominable, odious

abonado *adj* 1 (*afiançado*) creditable, reputable 2 *fig* (*endinheirado*) moneyed, rich

abonar *vtd* 1 (*afiançar*) to warrant, to guarantee 2 (*confirmar*) to endorse 3 (*justificar falta*) to justify (*one's absence*)

abono *sm* 1 (*bônus, recompensa*) bonus 2 (*ajuda financeira*) advance, allowance 3 (*justificação de falta*) justification, excuse

abordagem *sf* 1 (*de barco/avião*) boarding 2 (*de assunto*) approach

abordar *vtd* 1 (*entrar a bordo*) to board, to come on board 2 (*tratar, discutir*) to approach

aborrecer *vtd* 1 (*importunar*) to annoy, to aggravate 2 (*contrariar, desgostar*) to displease 3 (*enfadar*) to bore 4 (*abominar*) to loathe, to abhor
▸ *vpr* **aborrecer-se** 1 (*perturbar-se*) to be annoyed, to be disturbed 2 (*desgostar-se, contrariar-se*) to be displeased 3 (*enfadar-se*) to be bored

aborrecido *adj* 1 (*perturbado, contrariado*) annoyed 2 (*entediado*) bored 3 (*enfadonho*) tiresome, tedious

aborrecimento *sm* 1 (*perturbação*) annoyance, nuisance 2 (*sentimento de contrariedade*) irritation, aggravation, anger 3 (*sentimento de tédio*) boredom

abortar *vi* 1 (*involuntariamente*) to miscarry, to have a miscarriage 2 (*provocar um aborto*) to have an abortion 3 *fig* (*cancelar*) to cancel, to suspend, to abort

aborto *sm* 1 MED (*involuntário*) miscarriage 2 (*voluntário*) abortion 3 *fig* (*insucesso*) failure
• **aborto da natureza** freak of nature

abotoaduras *sf* cuff-links

abotoar *vtd* to button
▸ *vpr* **abotoar-se** to button oneself up

abraçar *vtd* 1 to hug: ***o pai abraçou os filhos*** the father hugged his children 2 *fig* (*dedicar-se a alguma coisa*) to embrace (*a cause*) 3 *fig* (*apegar-se a alguma coisa*) to hold on to
▸ *vpr* **abraçar-se** to hug

abraço *sm* hug, embrace

abrandar *vtd* 1 (*amolecer*) to soften, to make tender 2 (*enfraquecer, atenuar*) to tone down, to moderate 3 (*enternecer*) to move
▸ *vpr* **abrandar-se** 1 to soften, to get soft 2 to quieten down, to cool down, to lose intensity 3 to be moved, to begin to feel tenderness

abrangência *sf* range, reach

abrangente *adj* comprehensive, thorough, broad

abranger *vtd* 1 (*abarcar*) to encompass, to embrace 2 (*incluir*) to include

abrasador *adj* consuming, devouring

abrasar *vtd* 1 *(transformar em brasa)* to burn 2 *(aquecer em demasia)* to heat, to scorch
▸ *vi* to blaze
▸ *vpr* **abrasar-se** 1 to get excited 2 to blush

abreviação *sf* abbreviation

abreviar *vt* 1 to shorten, to abbreviate 2 to abridge

abreviatura *sf* abbreviation

abridor *sm* 1 *(de garrafas)* bottle opener 2 *(de latas)* tin/can opener

abrigar *vtd* 1 to shelter, to shield 2 to harbor, to lodge
▸ *vpr* **abrigar-se** to take shelter, to seek shelter

abrigo *sm* 1 *(cobertura, teto; refúgio; proteção)* shelter 2 *(asilo)* rest home
• **abrigo de ônibus** bus stop
• **pôr-se ao abrigo** to seek refuge, to take refuge, to protect oneself *(from)*

abril *sm* April

abrir *vtd* 1 to open 2 *(desdobrar)* to open out, to unfold 3 *(inaugurar, fundar)* to open, to found: ***ele abriu uma escola para meninos*** he founded a boy's school 4 *(destapar)* to open, to unlid, to uncork 5 *(desabotoar)* to unfasten 6 *(pacote)* to untie 7 *(torneira)* to turn on 8 *(asas)* to spread
▸ *vti (dar para)* to lead, to open on: ***a pequena porta abre-se para o jardim*** the small door opens on to the garden
▸ *vi* 1 *(desabrochar)* to bloom 2 *(tempo)* to clear 3 *(semáforo)* to change into green
▸ *vpr* **abrir-se** 1 to open up 2 *(florescer)* to bloom 3 *(confidenciar-se)* to open one's heart to, to confide in
• **abrir mão de** to give something up
• **abrir-se de par em par** to open wide
• **abrir um arquivo** INFORM to open a file
• **abrir um processo** to bring a charge against someone, to bring a suit against someone
• **num abrir e fechar de olhos** in a wink, quick as a wink

ab-rogar *vtd* DIR to revoke, to abrogate

abrupto *adj* 1 *(súbito)* abrupt, brusk, sudden 2 *(íngreme)* steep

abscesso *sm* abcess

absolutamente *adv* 1 certainly, for sure, absolutely 2 *(de jeito nenhum)* certainly not, not in any way, in no way, by no means: – ***Você se candidataria a presidente? – Absolutamente!*** – Would you run for president? – Certainly not!

absoluto *adj-sm* absolute
• **em absoluto** certainly not, not in any way, in no way, by no means

absolver *vtd-vi* 1 to acquit, to absolve 2 to excuse, to forgive

absolvição *sf* 1 acquittal 2 absolution

absorto *adj* absorbed, concentrated

absorvente *adj-sm* absorbent
■ **absorvente higiênico** sanitary towel, sanitary pad

absorver *vtd* 1 *(reter-líquidos)* to absorb, to soak up 2 *(ocupar)* to occupy, to preoccupy, to take up: ***as preocupações absorviam minha mente*** the worries took up my mind 3 *(assimilar)* to assimilate, to take in
▸ *vpr* **absorver-se** to be or get absorbed by, to be or get involved in

abstêmio *adj-sm, f* teetotal, teetotaler

abstenção *sf* abstention, abstinence, continence

abster-se *vpr* 1 *(conter-se, deixar de)* not to do, not to allow oneself to do: ***abstive-me de intervir*** I didn't interfere 2 *(privar-se)* to abstain from, to refrain from: ***ele se absteve de carne durante toda a Quaresma*** he abstained from meat during the whole of Lent

abstinência *sf* abstention, abstinence

abstração *sf* abstraction

abstrair *vtd* 1 *(fazer operação mental de abstração)* to abstract 2 to separate, to detach, to isolate,

abstrato *adj* abstract

absurdo *adj* absurd, ridiculous, weird
▸ *sm* **absurdo** absurdity

abundância *sf* abundance, plenty

abundante *adj* abundant, plentiful

abusado *adj (atrevido, insolente)* brash, cocky

abusar *vtdi-vi* 1 to misuse 2 to make excessive use of: ***ele abusa dos adjetivos*** he makes excessive use of adjectives
▸ *vi (tirar proveito da ocasião)* to wrongfully take advantage of a situation

abusivo *adj* 1 abusive 2 *(exorbitante)* exorbitant, excessive

abuso *sm* 1 misuse 2 excessive use

abutre *sm* ZOOL vulture

acabado *adj* 1 *(terminado)* finished, completed, done 2 *(envelhecido)* aged 3 *(enfraquecido, muito cansado, em má situação)* knocked out, tired out, exhausted, beat, in a mess
• **o tipo acabado de...** *(perfeito)* the perfect type of...

acabamento *sm* finish, finishing, polishing: ***a mesa tinha acabamento em laca preta*** the table had a black lacquer finish

acabar *vtd* 1 *(terminar)* to finish, to complete, to end, to conclude 2 *(romper)* to break off: ***acabaram o noivado*** they broke off their engagement
▸ *vi* 1 *(ir dar em)* to end at, to lead to: ***a rua acaba na praça*** the street ends at the square 2 *(esgotar o estoque)* to be run out of: ***o açúcar acabou*** we're run out of sugar 3 *(extinguir-se, apagar)* to go out: ***a luz acabou*** the power went out; ***o incêndio acabou*** the fire went out 4 *(morrer)* to come to an end, to die
▸ *vti* 1 *(pôr fim)* to put an end to 2 *(destruir, causar grave dano)* to destroy, to inflict heavy damage to: ***a ferrugem acabou com o meu carro*** rust destroyed my car 3 *(romper)* to break off 4 *(vencer)* to defeat 5 *(vir de fazer)* to have just happened: ***a correspondência acabou de chegar*** the mail has just arrived 6 *(ter desfecho)* to end up: ***foi difícil, mas ele acabou por publicar o livro*** it was difficult, but he ended up publishing the book
▸ *vpred (vir a ser)* to end up: ***acabou ministro*** he ended up a minister
▸ *vpr* **acabar-se** to be all over
• **acabou-se o que era doce** the days of wine and roses are over

academia *sf* academy
▪ **academia de ginástica** gym club

acadêmico *adj* academic
▸ *sm,f (estudante universitário)* college student, university student

açafrão *sm* BOT CUL saffron

acalentar *vtd* 1 *(criança)* to lull 2 *(ideia)* to cherish *(an idea)*

acalmar *vtd* to calm, to quieten, to tranquilize
▸ *vpr* **acalmar-se** to calm down

acalorado *adj* 1 heated, inflamed, excited 2 *(exaltado)* hot tempered, fanatical

acamado *adj (de cama)* in bed due to illness

acampamento *sm* 1 camp, encampment 2 *(camping)* camping

acampar *vi* to camp, to go camping

acanhado *adj* 1 *(muito pequeno)* tiny, tight, narrow 2 *(tímido)* timid, shy, coy

acanhamento *sm* timidity, shynes, coyness

acanhar-se *vpr* 1 *(envergonhar-se)* to become ashamed 2 *(retrair-se)* to wince

ação *sf* 1 action, movement, act, deed 2 DIR CINE action 3 LIT plot 4 ECON share, stock
• **ação entre amigos** raffle
• **entrar em ação** to take action
• **ficar sem ação** to be gobsmacked
• **plano de ação** action plan
• **mover ação contra alguém** to bring a suit against someone

acareação *sf* confrontation

acariciar *vtd* to caress, to stroke, to pet

acarretar *vtd-vtdi* to cause, to bring about, to give rise to

acasalar *vtd* to mate *(esp. an animal with another)*
▸ *vpr* **acasalar-se** to mate

acaso *sm* chance
▸ *adv (porventura)* by any chance: ***acaso você tem uma tesoura?*** have you got a pair of scissors by any chance?
• **ao acaso** at random, aimlessly
• **por acaso** by chance

acatar *vtd* to acquiesce in, to accept humbly or quietly

aceitação *sf* acceptance

aceitar *vtd* 1 to accept, to agree with, to assent in 2 *(em oferecimentos)* would you like...?: ***aceita um chá?*** would you like some tea?
▸ *vi* to accept

aceitável *adj* acceptable

aceleração *sf* acceleration

acelerador *sm* accelerator, gas pedal

acelerar *vtd* to accelerate, to hasten, to speed up

acelga *sf* BOT CUL chard

acenar *vi-vti* 1 to hail, to wave (*to*): ***acenou com a mão*** he/she waved 2 *(aludir)* to refer to 3 *(procurar seduzir)* to woo, to seduce or to try to attract by offering some advantage: ***acenou-lhe com uma promoção*** he wooed him with the prospect of a promotion
▸ *vtd* to wave: ***acenou um adeus*** he/she waved goodbye

acendedor *sm* lighter
▪ **acendedor de gás** knob

acender *vtd* 1 *(fogo; luz)* to light, to set fire to, to turn on 2 *fig* to inflame, to excite, to arouse, to turn on
▸ *vpr* **acender-se** 1 to turn on 2 *fig* to be excited

aceno *sm* wave of the hand

acento *sm* mark, stress

acentuação *sf* stress

acentuar *vtd* 1 *(pôr acento em)* to stress 2 *(demarcar; enfatizar)* to stress, to emphasise
▸ *vpr* **acentuar-se** *fig* to intensify, to become more intense

acepção *sf* 1 *(significação)* meaning, sense 2 *(interpretação)* interpretation, understanding 3 *(de pessoas)* partiality

acerca *loc adv* near
▸ *prep* about, concerning, relating to

acercar(-se) *vti* to get near, to get close, to approach

acerola *sf* BOT acerola

acertado *adj (correto, adequado)* right, correct, suitable

acertar *vtd* 1 *(encontrar o caminho, modo etc. certo)* to find: ***acertar o caminho*** to find the way 2 *(atingir)* to hit: ***acertou-lhe um murro no queixo*** he hit him on the chin 3 *(ajustar, corrigir)* to adjust, to correct, to fix
▸ *vtd-vtdi (combinar)* to set, to arrange: ***acertei todos os pormenores com o arquiteto*** I've arranged all the details with the architect
▸ *vi (proceder corretamente)* to do right, to do the right thing: ***ele acertou em me avisar*** he did the right thing in letting me know
▸ *vpr* **acertar-se** to be at peace with
• **acertar no alvo** to hit the mark
• **acertar em cheio** to hit the nail on the head
• **acertar o relógio** to set the clock, to set the watch

acerto *sm* 1 *(sensatez)* discretion 2 *(acordo)* agreement, treaty, covenant 3 *(respostas certas)* correct answers: ***50% de acertos*** 50% correct
• **acerto de contas** settling of accounts

acervo *sm (arte)* collection

aceso *adj* 1 lit 2 *fig (agitado)* excited, turned on

acessível *adj* accessible

acesso *sm* 1 access, entrance 2 *fig (ataque)* fit
• **ter acesso a** to have access to

acessório *adj* additional, extra, subordinate
▸ *sm* **acessório** 1 *(de moda)* accessory 2 *(de carro) (car)* part

acetona *sf* nail polish remover

achado *sm* 1 *(descoberta)* find, discovery 2 *bras pop (coisa providencial, conveniente)* quite a find, a real find
• **achados arqueológicos** archeological discoveries
• **achados e perdidos** lost property office, lost-and-found office
• **achado não é roubado** finders keepers
• **não se dar por achado** to pretend not to understand

achaque *sm (mal-estar)* light illness

achar *vtd-vti* 1 *(encontrar, deparar com)* to find: ***achei meu relógio debaixo da cama*** I found my watch under the bed 2 *(considerar, julgar)* to find: ***achei importante avisá-lo sobre isso*** I found it important to let you know about it 3 *(pensar)* to think: ***o que você acha do filme?*** what do you think of the film?; ***acha que sempre tem razão*** she thinks she is always right
▸ *vpr* **achar-se** 1 *(encontrar-se em - lugar)* to be: ***achava-se no escritório*** he was in the office 2 *(considerar-se)* to consider oneself (*as*), to regard oneself (*as*): ***achava-se muito esperto*** he regarded himself as very clever 3 *bras pop* to give oneself airs, to put on airs: ***pare de se***

achar! don't give yourself airs!
• **achar que sim** to think so
• **achar que não** not to think so

achatamento *sm* flattening
■ **achatamento salarial** fall in wages

achatar *vtd* to flatten
▸ *vpr* **achatar-se** to flatten out, to be flattened

acidentado *adj* 1 *(que se acidentou)* one who suffered an accident 2 *(irregular)* rough, rugged, irregular

acidental *adj* accidental

acidentar *vtd* 1 *(ferir em acidente)* to injure, to hurt, to wound 2 *(tornar acidentado)* to make irregular
▸ *vpr* **acidentar-se** to have an accident

acidente *sm* accident
■ **acidente de trânsito** car accident
■ **acidente de trabalho** accident at the workplace

acidez *sf* acidity, sourness, tartness

ácido *adj-sm* acid

acima *adv* 1 *(em lugar mais elevado, em posição ou nível superior, em cima [de])* above: ***João mora dois andares acima*** João lives two floors above; ***crianças acima de cinco anos*** children of five and above 2 *(anteriormente na mesma página ou em página[s] precedente[s])*: ***consulte a página 44, acima*** see page 44 above
▸ *loc prep* **acima de** 1 *(comprimento)* above: ***uma saia acima do joelho*** a skirt that reaches to above the knees 2 *(superior a-partindo de um ponto)* above: ***dois mil metros acima do nível do mar*** two thousand metres above sea level
• **acima de tudo** above all

acionar *vtd* 1 to set in motion 2 *(processar)* to bring an action against, to sue

acionista *smf* shareholder, stockholder

acirrar *vtd* 1 *(irritar)* to irritate, to aggravate 2 *(incitar, instigar, provocar)* to stir up
▸ *vpr* **acirrar-se** 1 to get irritated 2 to intensify

aclamação *sf* acclamation, acclaim

aclamar *vtd* to acclaim, to applaud, to hail, to praise

aclimatar *vtd* to acclimatize
▸ *vpr* **aclimatar-se** to habituate, to get used to

acne *sf* acne

aço *sm* steel

acobertar *vtd* 1 *(encobrir)* to cover 2 *(dissimular)* to cover up 3 *(proteger)* to protect

acocorado *adj* squatting, crouching

acolá *adv* there

acolchoado *adj* quilted
▸ *sm* quilt

acolhedor *adj* warm, friendly, welcoming

acolher *vtd* 1 *(receber)* to receive, to welcome 2 *(abrigar)* to shelter, to harbor 3 *(aceitar)* to accept

acolhida *sf* 1 welcome: ***obrigado pela calorosa acolhida*** thanks for the warm welcome 2 *(aceitação)* acceptance

acometer *vtd* 1 *(investir contra)* to attack, to assault, to assail 2 *(manifestar-se subitamente-doença, sono etc.)* to appear, to show its symptoms: ***a malária o acometeu depois de três dias*** malaria showed its symptoms on him after three days

acomodação *sf* 1 *(adaptação, conformação)* adjustment, adaptation 2 *(instalações adequadas)*: accomodation: ***não encontrei acomodação para três*** I could not find accomodation for three

acomodado *adj* 1 *(arrumado)* ordered, organized 2 *(alojado)* lodged, having where to stay 3 *(adaptado a uma situação)* adjusted, conformed 4 *(tranquilo em demasia)* passive, not prone to react

acomodar *vtd* 1 *(alojar)* to settle, to lodge 2 *(arrumar, organizar)* to put in order, to organise 3 *(ajeitar, instalar)* to put in the right place 4 *(comportar; ter espaço suficiente para)* to hold, to accommodate: ***a sala não acomoda muita gente*** the living room doesn't hold many people
▸ *vpr* **acomodar-se** 1 *(instalar-se)* to settle (down) 2 *(alojar-se)* to lodge 3 *(adaptar-se, conformar-se)* to adapt, to conform to 4 *(aceitar passivamente uma situação)* to take passively

acompanhamento *sm* 1 CUL accompaniment, garnish 2 MÚS accompaniment

acompanhante *sm, f* escort

acompanhar *vtd* 1 to accompany, to go with, to escort 2 *(seguir com os olhos, entender-ideia, explicação etc.)* to follow, to keep up with
• **acompanhar a visita até a porta** to show a visitor to the door

acondicionar *vtd* to keep in a proper place, to pack, to accommodate

aconselhamento *sm* counselling, advice

aconselhar *vtd-vtdi* to advise, to counsel
▸ *vpr* **aconselhar-se** to take counsel, to ask for advice

aconselhável *adj* advisable

acontecer *vi-vti* 1 *(suceder)* to happen: ***tudo aconteceu de repente*** it all happened very quickly; ***aconteceu comigo*** it happened to me; ***acontece que você não sabe*** it *(so)* happens that you don't know 2 *fig (ter sucesso)* to succeed 3 *(realizar-se em-local)* to take place: ***a festa aconteceu em uma ilha*** the party took place on an island
• **aconteça o que acontecer** come what may

acontecimento *sm* event, happening
▸ *fig (que causa grande sensação/constitui grande êxito)* happening, sensation

acordado *adj (desperto)* awake

acordar *vtd* to wake, to waken
▸ *vti-vtdi* 1 *(de sono)* to wake up 2 *(de desmaio)* to regain consciousness
▸ *vi (fazer um acordo)* to reach an agreement, to make an agreement

acorde *sm* MÚS chord

acordeão *sm* MÚS accordion

acordo *sm* agreement
• **chegar a um acordo sobre algo** to reach an agreement about something
• **de acordo com** 1 *(segundo as palavras de)* according to 2 *(favorável a)* in agreement with
• **de acordo!** it's a deal!, agreed!
• **entrar em acordo com alguém** to reach an agreement with someone
• **estar de acordo com alguém** to be in agreement with someone
• **estar de acordo com os tempos** to go with the times, to be up-to-date
• **fazer um acordo com alguém** to make an agreement with someone

acorrentar *vtd* to chain

acostamento *sm (de estrada)* hard shoulder

acostumar *vtdi-vti* to accustom to, to habituate to, to make or get used to: ***acostumei-o à obediência*** I habituated him to obedience; ***está acostumado a não fazer nada*** he's used to doing nothing
▸ *vpr* **acostumar-se** to get used to

acotovelar-se *vpr* to elbow

açougue *sm* butcher shop, butcher's

açougueiro *sm, f* butcher

acreditar *vtd-vti* 1 *(crer)* to believe: ***acredito em Deus*** I believe in God 2 *(achar, supor que)* to believe: – ***Eles já voltaram das férias? – Acredito que sim.*** – Are they back from their holidays? – I believe so 3 *(conferir crédito a, afiançar)* to warrant, to guarantee, to accredit
▸ *vpr* **acreditar-se** *(julgar-se, crer-se)* to believe oneself to be
• **acreditar piamente** to firmly believe
• **não acredito!** I can't believe it!
• **mal poder acreditar** to hardly believe one's eyes

acrescentar *vtd* to add

acréscimo *sm* addition
• **de acréscimo** additional, extra

acrílico *adj-sm* acrylic

acrobacia *sf* acrobatics

acrobata *smf* acrobat

acrobático *adj* acrobatic

acuado *adj* cornered, trapped

acuar *vtd* to corner, to put into a corner

açúcar *sm* sugar
▪ **açúcar cristal** granulated sugar
▪ **açúcar de beterraba** beet sugar
▪ **açúcar de cana** cane sugar
▪ **açúcar de confeiteiro** icing sugar
▪ **açúcar em torrões/em cubos** sugar cubes
▪ **açúcar mascavo** raw sugar, brown sugar
▪ **açúcar refinado** caster sugar
• **calda de açúcar** sugar syrup
• **açúcar caramelado** caramel, burnt sugar
• **com açúcar** with sugar

açucarado *adj* sugared, sweetened

açucareiro *sm* sugar bowl

açude *sm* reservoir

acudir *vtd-vti-vi (socorrer)* to help, to come to aid
▸ *vti (vir à mente)* to come to one's mind, to occur: ***acode-me uma dúvida*** a doubt has come to my mind
• **não me acode** it does not occur to me

acumular *vtd* to accumulate, to pile up, to store up
▸ *vpr* **acumular-se** *(pessoas)* to crowd

acupuntura *sf* [*n*] acupuncture

acusação *sf* **1** accusation, charge **2** blame, reproach

acusado *sm,f* accused, charged

acusar *vtd-vtdi* **1** to accuse to charge **2** to blame, to reproach **3** DIR to indict

acústico *adj* accoustic

adágio *sm* **1** *(provérbio)* proverb, adage **2** MÚS adagio

adaptação *sf* adaptation

adaptar *vtd-vtdi* **1** *(recriar em um outro meio)* to adapt: ***adaptar um romance para o cinema*** to adapt a book into a film **2** *(tornar apropriado para uso[s] distinto[s])* to adapt: ***ele adaptou a bicicleta para levar três pessoas*** he adapted his bycicle to seat three people
▸ *vpr* **adaptar-se 1** to adapt to, to adjust to: ***ele adaptou-se muito rapidamente ao novo clima*** he adjusted very quickly to the new climate **2** *fig* to conform to, to get used to

adega *sf* wine cellar

adentrar *vtd (entrar)* to enter, to go in(to); to get in(to)

adentro *adv* into, throughout: ***correu mato adentro*** he ran into the woods; ***a festa continuou noite adentro*** the party went on throughout the night

adepto *adj-sm,f* follower, adherent

adequação *sf* adequacy, appropriateness

adequado *adj* adequate, appropriate, proper, suitable

adequar *vtdi* to adequate, to suit
▸ *vpr* **adequar-se** to conform with

adereço *sm* ornament, adornment, accessory, trapping
▸ *pl* **adereços** TEATRO properties, props

aderência *sf* adhesion, sticking

aderente *adj* adhesive, sticky
▸ *sm,f* **aderente** adherent

aderir *vtd-vtdi-vi* **1** *(colar)* to adhere, to stick, to glue **2** *(juntar-se a, tornar-se parte/membro)* to join

adesão *sf* **1** *(a uma superfície)* adhesion **2** *(a uma instituição)* membership

adesivo *adj* adhesive, sticky
▸ *sm* **adesivo 1** sticker **2** glue

adestramento *sm* **1** training, instruction **2** taming

adeus! *interj-sm* farewell!, goodbye!

adiamento *sm* postponement, postponing

adiantado *adj* **1** *(antecipado)* advance, early: ***por favor, envie cópias adiantadas da pauta da reunião*** please send advance copies of the agenda for the meeting; ***está sempre adiantado para a aula*** he is always early for class **2** *(à frente)* ahead: ***estar dez segundos adiantado em relação ao segundo colocado*** to be ten seconds ahead of the one in second place **3** *(antes da hora exata-relógio)* fast: ***meu relógio estava dez minutos adiantado*** my watch was ten minutes fast **4** *(com bom desempenho escolar)* advanced **5** *(desenvolvido)* developed: ***os países adiantados*** the developed nations
▸ *adv (com antecedência)* in advance: ***sempre paga o aluguel adiantado*** he/she always pays the rent in advance
• **em vista do adiantado da hora** considering how late it is

adiantamento *sm* **1** *(progresso; avanço)* advance **2** ECON advance

adiantar *vtd* **1** *(acelerar)* to advance, to hasten with **2** *(antecipar)* to advance, to move up, to make happen ahead of time **3** *(promover)* to improve, to further, to promote **4** *(relógio)* to put the clock forward
▸ *vtdi (pagar antecipadamente)* to advance
▸ *vi* **1** *(remediar, ser de valia/utilidade)* to be of use, to be of help: ***não adianta pedir*** it's no use asking, asking won't help **2** *(relógio)* to run fast

▸ *vpr* **adiantar-se 1** *(avançar)* to advance **2** *(fazer antes do tempo)* to get ahead **3** *(acelerar-se)* to do or make happen earlier than foreseen

adiante *adv* **1** *(mais à frente)* further on, further ahead, in front: ***há um posto de gasolina adiante*** there's a petrol station further on; ***sentei-me na fileira L, mas adiante ainda havia assentos vagos*** I sat down in row L, but there were still some free seats in front **2** *(em posição superior/de mais vantagem)* ahead: ***ficamos adiante do time rival no campeonato*** we were ahead of the rival team in the championship **3** *(a ser mencionado posteriormente-em textos)* later on, afterwards

▸ *prep (mais avançado)*: **era um homem adiante do seu tempo** he was a man ahead of his time

• **levar adiante** *(um trabalho, uma relação)* to carry on, to continue

• **seguir adiante** *(ir na frente)* to lead, *(continuar)* to go on, to continue

adiar *vtd-vtdi* to postpone

adição *sf* **1** *(acréscimo)* addition **2** MAT addition

adicional *adj* additional, further, extra: ***procurei obter informações adicionais*** I tried to get further information

▸ *sm (pagamento extra)* bonus

• **adicional noturno** overtime bonus

adicionar *vtd* to add, to join

aditivado *adj* with an additive

aditivo *adj* additive, added

▸ *sm* **aditivo** additive

adivinha *sf* riddle

adivinhação *sf* **1** guessing **2** foretelling, divination

adivinhar *vtd* **1** to guess **2** to foretell, to divine

adivinho *sm, f* fortune teller

adjacente *adj* adjacent, adjoining

adjetivo *sm* adjective

adjunto *adj* **1** adjacent, adjoining **2** subordinate, ancillary

▸ *sm* adjunct

• **professor adjunto** senior lecturer, reader, associate professor

administração *sf* administration, management

administrador *sm,f* administrator, manager

administrar *vtd* **1** *(gerir)* to manage, to direct, to run **2** *(ministrar)* administer

admiração *sf* **1** *(respeito)* admiration **2** *(espanto)* amazement, surprise, astonishment

• **causar admiração** to impress

admirado *adj* **1** *(surpreso)* amazed, surprised, astonished, marvelled **2** *(por que/quem se tem admiração)* admired

admirador *sm, f* **1** admirer **2** *(cortejador)* admirer

admirar *vtd* **1** *(considerar com admiração)* to admire **2** *(surpreender)* to amaze, to surprise, to astonish: ***muito me admira que...*** it amazes me that...

▸ *vi (causar surpresa)* to wonder: ***não admira que ele tenha vencido*** no wonder he has won

▸ *vpr* **admirar-se 1** *(surpreender-se)* to be amazed, to be surprised, to be impressed: ***admirou-se com a inteligência do colega*** he was impressed by his colleague's intelligence **2** *(sentir admiração recíproca)* to admire each other

admirável *adj* **1** *(digno de admiração)* admirable, wonderful **2** *(surpreendente)* amazing, surprising, astonishing

admissão *sf* **1** *(ingresso, entrada)* admission **2** *(permissão para entrada)* admittance **3** *(reconhecimento do mérito)* acknowledgement **4** *(reconhecimento da culpa)* confession

admitir *vtd* **1** *(permitir, aceitar, tolerar)* to admit, to accept, to agree **2** *(permitir a entrada/passagem)* to admit into **3** *(reconhecer)* to acknowledge, to concede, to admit **4** *(reconhecer a culpa)* to admit, to confess **5** *(contratar)* to hire, to employ

adoçado *adj* sweetened

adoçante *sm* sweetener

adoção *sf* adoption

adocicado *adj* sweetened, slightly sweet

adoecer *vi* to fall ill, to become ill

adoentado *adj* ill, sick

adolescência *sf* adolescence, teens

adolescente *adj-smf* adolescent, teenager

adorar *vtd* 1 to love, to adore 2 (*cultuar*) to worship

adorável *adj* lovable, adorable

adormecer *vi* 1 (*pegar no sono*) to fall asleep, to sleep 2 (*ficar dormente*) to go numb

▸ *vtd* (*deixar dormente*) to cause to go numb: ***a picada adormeceu-lhe o braço*** the sting made his arm go numb

adormecido *adj* 1 (*dormindo*) asleep, sleeping 2 (*entorpecido, dormente*) numb: ***quando me levantei, minha perna estava adormecida*** when I got up, my leg was numb

adormecimento *sm* 1 falling asleep 2 (*entorpecimento*) numbness

adornar *vtd* to adorn, to decorate, to ornament, to embellish

adorno *sm* adornment, ornament, decoration

adotar *vtd* 1 (*na condição de filho*) to adopt, to foster 2 (*utilizar como próprio*) to adopt

adotivo *adj* adopted, foster

adquirir *vtd* 1 (*obter, conquistar*) to get, to acquire, to obtain: ***adquirir novos hábitos*** to acquire new habits 2 (*comprar*) to buy, to purchase, to get 3 (*assumir*) to gain: ***o móvel adquiriu uma coloração mais escura em razão da exposição ao sol*** the piece of furniture gained a darker color due to being exposed to the sun

• **adquirir prática** to become adept by practice, to gain expertise by practice

adrenalina *sf* adrenalin

adubar *vtd* to fertilise

adubo *sm* fertilizer

adulação *sf* flattering

adular *vtd* to flatter

adulterar *vtd* to adulterate

adultério *sm* adultery

adúltero *sm, f* adulterer, adulteress

▸ *adj* adulterous

adulto *adj-sm, f* adult, fully grown, grown up

advérbio *sm* adverb

adversário *adj-sm, f* opponent, adversary

advertência *sf* warning, admonition

advertir *vtd* to warn, to admonish

advogado *sm, f* lawyer, attorney, barrister, solicitor

• **ordem dos advogados** the Bar

advocacia *sf* the profession and carreer of a lawyer, the Bar

• **escritório de advocacia** law firm

aéreo *adj* 1 aerial 2 (*distraído*) absent-minded, inattentive

aeróbica *sf* aerobics

aerodinâmico *adj* aerodynamic

aeromoça *sf* stewardess, flight attendant

aeronáutica *sf* aeronautics

aeronave *sf* aircraft

aeroporto *sm* airport

aerossol *sm* aerosol

aeroviário *adj* air, airway, of or relating to air travel or air transportation

▸ *sm* **aeroviário** airline ground employee

afamado *adj* famous, famed

afanar *vtd gíria* to steal

afastamento *sm* 1 separation 2 distance, spacing 3 (*desligamento de funcionário*) removal, dismissal

afastar *vtd-vtdi* 1 (*apartar*) to separate, to dissociate 2 (*distanciar*) to move apart, to cause to become apart 3 (*afugentar*) to drive away 4 (*impedir-perigo*) to avert, to ward off, to keep away

▸ *vpr* **afastar-se** to distance oneself from, to keep someone's distance from

afável *adj* 1 (*gentil*) nice, kind, polite, gentle 2 (*agradável*) agreeable, enjoyable, pleasant 3 (*bondoso*) good, kind, affectionate

afazeres *sm pl* tasks, duties

▪ **afazeres domésticos** household chores

afecção *sf* disease

afeição *sf* affection, love, fondness

afeiçoado *adj* affectionate, fond

afeiçoar-se *vpr* to develop a fondness for, to come to like

afeminado *adj* effeminate, womanlike

aferição *sf* comparison of weights, measures etc. with their standard values, gauging

aferventar *vtd* to parboil

afetação *sf* affectation

afetado *adj* affected

afetar *vtd* **1** *(fingir)* to affect, to pretend, to dissimulate **2** *(contaminar)* to affect **3** *(atingir)* to affect

afeto *sm* affection

afetuoso *adj* affectionate, kind, showing love and affection

afiado *adj* **1** *(amolado, de gume cortante)* sharp **2** *(bem preparado)* on trim

afiador *sm* **1** *(instrumento/máquina de afiar)* sharpener **2** *(pessoa que afia)* knife-grinder

afiar *vtd* **1** *(tornar cortante)* to sharpen **2** *(afinar a ponta, apontar)* to sharpen **3** *(aprimorar)* to perfect, to polish

afilar *vtd* to thin, to make thinner

afilhado *sm, f* **1** godson, goddaughter **2** *fig (protegido)* protégé, protégée

afiliar-se *vpr* to affiliate with or to, to join, to adhere to, to become a member

afim *adj* **1** similar, having affinity, close similarity or connection with **2** related by marriage

▸ *smf* a kinsman or kinswoman related by marriage

afinal *adv* in the end, finally, after all, at last

afinar *vtd* **1** MÚS to tune **2** *(adelgaçar)* to thin, to make thinner **3** *(refinar)* to polish

▸ *vpr* **afinar-se 1** *(adelgaçar-se)* to become thinner **2** *(harmonizar-se)* to harmonise

afinco *sm* perseverance, persistence

afinidade *sf* affinity

afirmação *sf* **1** affirmation **2** statement, declaration, claim, utterance

afirmar *vtd* **1** *(tornar firme)* to affirm, to make firm **2** *(declarar)* to affirm, to state, to declare, to claim, to utter

▸ *vpr* **afirmar-se 1** *(estabelecer-se)* to establish oneself as **2** *(declarar-se)* to claim to be **3** *(posicionar-se)* to stand firm

afirmativo *adj* affirmative

afixar *vtd* to fix, to stick

aflição *sf* distress, suffering, affliction

• **causar aflição em alguém** to inflict hardship on someone

afligir *vtd* to afflict, to torment, to torture, to worry, to trouble

▸ *vpr* **afligir-se** to afflict oneself, to torture oneself, to be worried about, to be tormented with, to be distressed by

aflito *adj* afflicted, tormented, worried, distressed

aflorar *vtd (nivelar)* to level, to make level or flush with

▸ *vi (vir à tona)* to emerge, to outcrop, to show

afluência *sf* **1** steady flow **2** affluence, wealth, riches

afluente *sm* **1** *(rio)* tributary **2** affluent, wealthy, rich

afluxo *sm* **1** afflux **2** steady flow

afobação *sf* hurry, rush

• **com afobação** in a hurry, in a rush

afobado *adj* **1** *(com pressa)* in a hurry, in a rush **2** *(impaciente)* impatient, eager

afogamento *sm* drowning

afogar *vtd* to drown

▸ *vpr* **afogar-se** to drown

• **afogar as mágoas** to drown one's sorrows

afônico *adj* aphonic, voiceless, hoarse

afora *adv* **1** *(para fora)* out, outside: ***saiu porta afora*** he went out the door **2** *(por toda a extensão)* throughout: ***e saiu, divulgando suas ideias cidade afora*** and he went out spreading his ideas throughout the town

▸ *prep* **1** *(exceto)* except for: ***afora alguns parentes, ninguém foi ao casamento*** except for a few relatives, nobody attended the wedding **2** *(além de)* in addition to: ***afora a doença, ainda perdeu a mulher*** in addition to being sick, he also lost his wife

África *sf* Africa

africano *adj* African

▸ *sm, f* African

afronta *sf* affront, insult, outrage

afrouxar *vtd* **1** *(soltar, desapertar)* to loosen, to slacken **2** *(diminuir o rigor-*

regras, disciplina etc.) to moderate, to allay, to mollify, to tone down
▸ *vi* 1 *(soltar-se, desapertar-se)* to loosen up, to relax, to become slack 2 *(ceder)* to give in, to ease off 3 *(acovardar-se)* to lose heart

afugentar *vtd* to drive away

afundar *vtd* 1 *(forçar para baixo)* to force something down into the water, to cause to go under, to sink, to submerge 2 *(tornar mais fundo; escavar)* to deepen, to make deeper
▸ *vi* 1 *(ir ao fundo; mergulhar)* to go down, to go under, to go deeper, to sink, to submerge 2 *(naufragar)* to sink, to go to wreck
▸ *vpr* **afundar-se** *(concentrar-se; dedicar-se com afinco)* to immerse oneself in

afunilado *adj* 1 *(em forma de funil)* funnel-shaped 2 *(estreitado)* funnelled, funneling, narrowing: ***rua afunilada*** a funnelling street

afunilar *vtd (estreitar-passagem)* to funnel
▸ *vpr* **afunilar-se** 1 to funnel 2 *(estreitar-se)* to funnel, to narrow

agachar-se *vpr (acocorar-se)* to crouch, to squat

agarrado *adj* 1 *(apegado)* clinging, inseparable from 2 *(apertado)* tight

agarrar *vtd* 1 *(pegar)* to take hold of, to grab, to grip, to grasp, to catch, to seize 2 *(prender)* to grip, to catch: ***o portão agarrou minha mão*** the gate caught my hand
▸ *vpr* **agarrar-se** 1 *(segurar-se, prender-se a)* to hold, to grab, to grasp: ***agarrou-se ao corrimão para não cair*** he grabbed the handrail so he would not fall 2 *(apegar-se a)* to cling to: ***agarra-se a suas ideias e não muda de opinião*** he clings to his opinions and doesn't change his mind 3 *bras pop (abraçar-se)* to hold one another tight, to cuddle: ***estavam-se agarrando no sofá*** they were cuddling on the sofa
• **pneus que agarram bem** tyres which grip

agasalhar *vtd* 1 to shelter 2 to warm, to make warm, to keep warm: ***agasalhou a criança com um cobertor*** she kept the child warm with a blanket
▸ *vpr* **agasalhar-se** to put on warm clothes

agasalho *sm* 1 warm clothing 2 *(de ginástica)* tracksuit, sweatshirt

agência *sf* agency
• **agência bancária** bank
• **agência de empregos** job agency

agenda *sf* 1 *(caderno/caderneta de endereços)* address book 2 *(caderno/caderneta para registro de compromissos)* diary 3 *(lista de compromissos)* agenda, list of appointments

agendar *vtd* to set, to make an appointment to

agente *sm* agent
▪ **agente alfandegário** customs officer
▪ **agente da passiva** agent
▪ **agente secreto** secret agent

ágil *adj* 1 *(rápido; desenvolto)* agile, quick, fast, nimble 2 *(ativo)* nimble, active 3 *(diligente)* industrious, hard-working

agilidade *sf* agility, nimbleness

agilizar *vtd* to accelerate, to speed up, to forward

agiota *smf* moneylender, usurer, loan shark

agir *vi* 1 to act, to take action 2 to behave

agitado *adj* 1 *(inquieto; desassossegado)* agitated, restless, jittery, upset, uneasy 2 *(cheio de atividade)* hectic: ***tivemos um dia muito agitado no escritório*** we had a very hectic day at the office 3 *(irrequieto)* restless: ***é uma criança muito agitada*** he is a restless child 4 *(revolto-mar)* rough: ***o mar estava agitado*** the sea was rough

agitador *adj-sm, f* agitator

agitar *vtd* 1 *(chacoalhar)* to shake, to jar 2 *(inquietar, perturbar)* to upset, to worry: ***a notícia os agitou sobremaneira*** the news upset/worried them a lot 3 *(incitar)* to stir, to rouse: ***agitaram a população contra o candidato rival*** they roused the people against the rival candidate
▸ *vpr* **agitar-se** 1 *(mover-se com agitação)* to move about, to busy oneself 2 *(abalar-se)* to become agitated, to get upset, to get worried: ***o incidente deixou a to-***

dos muito agitados the incident left them quite agitated **3** *(mexer-se)* to get agitated, to move intensely, to move with a shaking motion ***agitaram-se as ondas*** the waves began to move intensely
• **agite antes de usar** shake before using

agito *sm gíria (animação)* excitement

aglomeração *sf* agglomeration

aglomerado *sm* **1** *(conjunto)* agglomerate, group, gathering **2** *(de cimento, pedra etc.)* aggregate **3** *(rocha de fragmentos vulcânicos)* agglomerate rock **4** *(placa de partículas prensadas de madeira)* chipboard
▸ *adj (junto, amontoado)* gathered together, formed into a mass, grouped together

aglomerar *vtd* to agglomerate, to mass, to gather together, to heap, to pile
▸ *vpr* **aglomerar-se** to gather, to crowd, to group

aglutinação *sm* **1** *(de partículas, substâncias etc.)* agglutination **2** *(formação de palavras)* agglutination

aglutinar *vtd* to glue, to stick together, to join together, to conjoin, to agglutinate

agonia *sf* **1** *(ânsia, angústia, aflição)* agony, anguish, distress, torment **2** *(da morte)* death throes, death pangs **3** *bras pop (pressa, afobação)* anxiety, rush

agonizante *adj* agonizing, in agony

agonizar *vi* **1** to be in agony, to lay in agony, to be in torment, to be in anguish **2** to lay in agony, to suffer the pangs of death

agora *adv* **1** now, at this moment, immediately **2** *(atualmente)* now, nowadays, at this time, currently
• **agora mesmo** right now
• **agora não** not now
• **agora ou nunca** now or never
• **ainda agora** just now
• **até agora** *(até hoje em dia)* up to now, *(até este momento)* up to this moment
• **de agora em diante** from now on
• **e agora?** what now?

agosto *sm* August

agouro *sm* augury, omen, portent
• **de mau agouro** *adj* ominous, foreboding

agraciado *adj* **1** *(condecorado)* honored, decorated **2** *(que recebeu dom/dons especial/especiais)* gifted **3** *(que recebeu perdão)* absolved, pardoned

agradar *vtd-vti-vi* **1** *(ser agradável, contentar, satisfazer)* to please, to satisfy, to content, to delight **2** *(parecer bem)* to please: ***por mais esforço que ela faça, não agrada*** despite her efforts, she doesn't please
▸ *vtd bras (mimar)* to spoil somebody

agradável *adj* pleasing, pleasant, nice, agreeable
• **unir o útil ao agradável** to join business and pleasure

agradecer *vtd-vtdi-vi* to thank, to appreciate

agradecido *adj* thankful, grateful
• **mal-agradecido** ungrateful

agradecimento *sm* thanks

agrado *sm* **1** pleasure, satisfaction, contentment **2** *(afago)* caress **3** *bras (gratificação, presente)* gift, present

agrário *adj* agrarian

agravamento *sm* worsening, complication

agravante *adj-sm* aggravating circumstance

agravar *vtd* **1** *(tornar pior)* to aggravate, to make worse **2** *(sobrecarregar)* to overburden **3** *(ofender)* to offend **4** *(irritar)* to irritate, to aggravate
▸ *vpr* **agravar-se 1** to become worse, to grow worse **2** to become offended, to be offended by

agredir *vtd* to attack, to assail, to assault

agregar *vtd-vtdi* **1** to aggregate, to gather together, to group, to unite **2** to add
▸ *vpr* **agregar-se** to join, to gater together

agressão *sf* aggression, offense

agressivo *adj* **1** *([pre]disposto a agredir)* agressive, offensive **2** *(que não tem medo de oposição)* aggressive, determined, assertive

agressor *adj-sm, f* aggressor, offensor, attacker

agreste *adj* **1** *(relativo ao campo)* rural, rustic, country, wild **2** *(rude)* rough, unsophisticated

▸ *sm* (*zona fitogeográfica do nordeste brasileiro*) a zone of bare rocky soil and poor vegetation in northeastern Brazil

agrião *sm* BOT watercress

agrícola *adj* agricultural
▸ *sm* agriculturalist

agricultor *sm, f* farmer

agricultura *sf* farming, agriculture

agridoce *adj* sweet and sour

agronomia *sf* agronomy

agrônomo *sm* agronomist

agropecuária *sf* farming and cattle-raising

agrupar *vtd* to group, to gather together, to bunch together
▸ *vpr* **agrupar-se** to cluster together, to form into a group

água *sf* **1** (*óxido de di-hidrogênio*) water **2** (*vertente de telhado*) slope
▸ *pl* **águas 1** (*período de chuvas*) rainy/wet season **2** (*área marítima pertencente a um país*) (*territorial*) waters
▪ **água com gás** sparkling water
▪ **água corrente** running water
▪ **água de chuva, água pluvial** rain water
▪ **água de torneira** tap water
▪ **água do mar** sea water
▪ **água doce** fresh water
▪ **água mineral** mineral water
▪ **água oxigenada** hydrogen peroxide
▪ **água potável** drinking water
▪ **água sanitária** bleach
▪ **água sem gás** still water
▪ **águas servidas** gray water
▪ **água tônica** tonic water
• **água com açúcar** *fig* easy, simple, (*of a novel*) romantic in an exaggerated way
• **até debaixo d'água** to the end
• **ficar com água na boca** to make one's mouth water
• **ir por água abaixo** to be ruined
• **jogar (*um balde de*) água fria em** to pour cold water on
• **ser águas passadas** to be water under the bridge, water over the dam
• **tirar água da pedra** to do something (*almost*) impossible
• **tirar água do joelho** to urinate, to piss, (*formal*) to pass water

aguaceiro *sm* sudden rain, downpour, cloudburst

água-de-colônia (*pl* **águas-de-colônia**) *sf* eau de cologne

aguado *adj* **1** (*diluído em água*) watered, watery, diluted **2** (*com água na boca*) having one's mouth watering: ***ficou aguado quando viu toda aquela comida*** all that food made his mouth water

aguar *vtd* **1** to water, to wet **2** (*regar*) to water, to irrigate

aguardar *vtd* to wait, to wait for, to await, to expect, to look for, to look forward to

aguardente *sf* cane rum, *cachaça*

aguarrás *sm* turpentine

água-viva (*pl* **águas-vivas**) *sf* jellyfish

aguçar *vtd* **1** (*afinar a ponta; amolar*) to sharpen **2** (*estimular*) to stimulate, to give wings to, to stir up: ***a história aguçou a nossa curiosidade*** the story stirred up our curiosity **3** (*aprimorar*) to improve, to perfect: ***os bons autores aguçavam a inteligência dele*** good authors improved his intelligence

agudo *adj* **1** (*com ponta fina*) sharp **2** (*perspicaz*) acute, penetrating: ***era dotado de uma inteligência muito aguda*** he had a penetrating intelligence **3** (*intenso*) intense: ***uma paixão aguda*** an intense passion **4** (*doença de curso grave e curto*) severe, acute **5** (*alto-som/voz*) treble, high-pitched **6** (*estridente-som/voz*) sharp, shrill, piercing, strident
▸ *sm* MÚS (*próprio de soprano*) treble

aguentar *vtd* **1** (*sustentar; manter; aturar; resistir*) to bear, to endure, to stand, to sustain, to tolerate, to undergo, to withstand **2** (*sustentar*) to hold, to bear the weight of
▸ *vpr* **aguentar-se 1** (*manter-se firme*) to hold on **2** (*manter a calma*) to remain calm, to keep one's head **3** (*resistir*) to resist, to make a stand against someone
• **aguentar as consequências** to face the music
• **aguentar firme** to stand one's ground
• **não aguentar mais** not to stand any longer
• **não aguentar-se em pé** to barely stand, to hardly be able to stand, to be tired out

águia *sf* eagle

agulha *sf* needle
■ **agulha de tricô** knitting needle
■ **agulha de crochê** crochet hook
• **procurar agulha em palheiro** to look for a needle in a haystack

agulhada *sf* prick

agulheiro *sm* needle-case

aí *adv* **1** *(nesse lugar)* there: ***fique aí*** stay there **2** *(para esse lugar)* there: ***espere mais um pouco, estou indo aí*** wait a little more, I'm going there **3** *(nesse ponto, nesse aspecto)* this, that: ***aí é que está o x da questão*** that is the point **4** *(nesse momento; então)* then: ***ela entrou e só aí começou o interrogatório*** she came in and only then did the questioning start **5** *(por volta de, aproximadamente)* around, about: ***recebeu aí uns cinco mil*** he got around five thousand; ***chegou aí pelas onze*** he arrived about eleven
▸ *interj aprov* (*muito bem*): very well, that's it, well done: ***aí! Desta vez ganhamos o jogo!*** well done! This time we won the game!
• **aí está ele** there he is
• **aí vai** there goes: ***aí vai o dinheiro que lhe prometi*** there goes the money I promised you
• **e por aí (*afora*)** and so on, and so forth
• **por aí** (*sem rumo*) aimlessly: ***foi por aí, sem ter muito o que fazer*** he went on aimlessly, without having much to do

aidético *adj-sm,f* having full-blown AIDS

AIDS *sf abrev* (Síndrome da Imunodeficiência Adquirida) AIDS *(Acquired Immune Deficiency Syndrome)*

ainda *adv* **1** (*até agora, até este momento*) (*afirm*) still, (*neg*) yet: ***ainda me lembro do nome dele*** I still remember his name; ***eu ainda não almocei*** I haven't had lunch yet **2** *(até então, até aquele momento)* (*afirm*) still, (*neg*) yet: ***quando cheguei, ele ainda estava esperando*** when I arrived, he was still waiting; ***quando cheguei, ele ainda não tinha ido embora*** when I arrived he hadn't gone yet **3** *(um dia)* one day: ***ainda verei a sua vitória*** I will see you winning one day **4** *(pelo menos)* at least: ***se ainda cantasse bem...*** if he at least sang well...
▸ *conj* **ainda que** even if
• **ainda agora** just now
• **ainda assim** still, yet
• **ainda bem** fortunately
• **ainda não** not yet
• **ainda por cima** in addition to, moreover, furthermore
• **não só... mas ainda...** not only... but also...

aipo *sm* celery

ajeitar *vtd (arrumar)* to tidy, to tidy up, to organize, to arrange, to adjust, to adapt
▸ *vtdi (conseguir)* to get, to be able to do or get something
▸ *vpr* **ajeitar-se** *(acomodar-se)* to be able to manage

ajoelhado *adj* on one's knees, kneeling

ajoelhar-se *vpr* to kneel, to kneel down

ajuda *sf* help, aid, assistance
• **ajuda de custo** daily allowance

ajudante *smf* assistant
• **ajudante de cozinha** kitchen-maid

ajudar *vtd-vtdi-vi* **1** *(auxiliar; dar apoio)* to help, to aid, to assist **2** *(favorecer)* to help, to favor: ***o exercício ajuda a manter a saúde*** exercising helps to keep you healthy

ajuizado *adj* wise, sensible, reasonable, prudent, responsible

ajuntamento *sm* **1** *(de coisas)* gathering, collection **2** *(de pessoas)* gathering, group, reunion, meeting

ajustar *vtd-vtdi* **1** *(apertar)* to tighten **2** *(combinar)* to set, to arrange, to fix **3** *(acertar, regularizar)* to adjust, to put in order, to arrange **4** *(nivelar)* to level
▸ *vpr* **ajustar-se 1** *(conformar-se)* to conform (*with*) **2** *(adaptar-se, harmonizar-se com)* to adapt, to adjust, to harmonize (*with*)
• **ajustar contas** to settle an account (*with somebody*), to settle a score, to settle an old score

ajuste *sm* **1** *(alteração para corrigir ou melhorar)* adjustment **2** *(acordo)* agreement

ala *sf* **1** *(asa)* wing **2** *(fila, fileira)* row **3** *(agrupamento em associação)* wing: ***a ala esquerda do partido*** the party's left wing **4** *(parte de edifício)* ward

• **abrir alas** to clear the way

alagar *vtd* to flood, to deluge, to inundate

▸ *vpr* **alagar-se** to overflow, to be flooded

alambrado *sm* wire fence

alameda *sf* lane

alaranjado *adj* orange

alarde *sm* boast

• **fazer alarde** to boast, to brag, to show off

alargar *vtd* to broaden, to widen, to extend, to stretch, to enlarge, to loosen

▸ *vpr* **alargar-se** to expand, to broaden

alarmante *adj* alarming, startling

alarmar *vtd* to alarm, to startle, to surprise

▸ *vpr* **alarmar-se** to be alarmed, to be startled, to be surprised

alarme *sm* 1 *(dispositivo de segurança)* alarm 2 *(de despertador)* alarm 3 *fig* alarm: ***a notícia não era motivo de alarme*** the piece of news was no cause for alarm

• **dar alarme** to sound the alarm, to give the alarm, to raise the alarm

• **alarme falso** false alarm

• **disparar o alarme** to set off the alarm

alastrar *vtd* to spread, *fml* to propagate

▸ *vpr* **alastrar-se** *(notícia, epidemia etc.)* to spread

alaúde *sm* MÚS lute

alavanca *sf* lever

albanês *adj* Albanian

▸ *sm,f* Albanian

albergue *sm* 1 *(hospedaria)* hostel 2 *(abrigo)* shelter

• **albergue da juventude** youth hostel

albino *adj-sm, f* albino

álbum *sm* album

alça *sf* 1 *(de vestuário/bolsa)* shoulder strap 2 *(laço/tira etc. para segurar)* strap

■ **alça de acesso** highway ramp

alcachofra *sf* BOT artichoke

alcançar *vtd* 1 *(chegar a um lugar)* to reach, to arrive at: ***alcançamos o topo da montanha somente ao amanhecer*** not until dawn did we reach the top of the mountain 2 *(atingir)* reach: ***a inflação alcançou o índice mais alto do ano neste mês*** inflation reached the year's highest rate this month; ***você consegue alcançar a prateleira de cima?*** can you reach the top shelf? 3 *(chegar/conseguir chegar até alguém que vai adiante; equiparar-se)* to catch up: ***tentei alcançá-lo, mas ele andava mais rápido*** I tried to catch up with him, but he was walking faster; ***ficou hospitalizado por duas semanas e agora terá de estudar muito para alcançar a turma*** he has been in hospital for two weeks and will now have to study hard to catch up with his classmates 4 *(apanhar)* to pass: ***alcance o saleiro, por favor?*** could you pass the salt, please?

• **quem espera sempre alcança** good things come to those who wait

alcance *sm* reach: ***estar ao alcance de alguém*** to be within somebody's reach

• **fora de alcance** out of reach

alçapão *sm* trapdoor

alcaparra *sf* BOT caper

alcatrão *sm* tar

alce moose, elk

álcool (*pl* **-oóis**) *sm* alcohol

aldeia *sf* village, settlement

• **aldeia global** global village

aleatório *adj* accidental, fortuitous, random, aimless

alecrim *sm* BOT rosemary

alegação *sf* allegation, statement, declaration, claim

alegar *vtd* to allege, to state, to declare, to claim

alegoria *sf* allegory

alegórico *adj* allegorical

• **carro alegórico** float

alegrar *vtd* 1 *(tornar alegre)* to gladden, to make happy, to cheer 2 *(dar prazer)* to delight, to make happy, to elate

▸ *vpr* **alegrar-se** to be happy, to be glad

alegre *adj* 1 *(contente, feliz)* merry, joyful, joyous, cheerful, content, happy 2 *fig (quase bêbado)* slightly intoxicated

• **cor alegre** a healthy color

• **viúva alegre** merry widow

alegria *sf* joy, delight, happiness, pleasure, enjoyment

• **dar alegria** to be a joy, to be a delight

aleijado *adj-sm, f* disabled person, (*ofensivo*) cripple

aleijar *vtd* to disable, to cripple

além *adv* **1** (*lá, acolá, ao longe*) there, over there, yonder, far away **2** (*mais adiante*) beyond, further
▸ *loc prep* **além de**: **1** (*do outro lado de, para o outro lado*) beyond: ***além das montanhas existe um vale coberto de flores*** beyond the mountains there's a valley covered with flowers **2** (*depois de -horário*) after: ***não posso ficar além da meia-noite*** I can't stay after midnight **3** (*superior a*) above: ***os juros bancários hoje em dia estão além dos 10%*** bank interest nowadays is above 10% **4** (*ademais de*) in addition to, besides: ***além de bonita, é inteligente*** besides being beautiful, she is also intelligent **5** (*à exceção de*) except for, but: ***não havia ninguém na sala além dele*** there was nobody else in the room except for him
▸ *sm* **o além** (*o "outro mundo"*) the beyond, the afterlife
• **além das forças (*de alguém*)** beyond someone
• **além disso, além do mais** moreover, furthermore
• **além do que se esperava** beyond one's wildest dreams

Alemanha *sf* Germany

alemão *adj* German
▸ *sm,f* German
▸ *sm* **alemão** German

alergia *sf* allergy

alérgico *adj-sm, f* allergic

alerta *adj* alert, watchful, vigilant
• **estar alerta** to be alert, to be on the alert
▸ *sm* alert
• **dar o alerta** to sound the alert
▸ *interj* **alerta!** attention!

alertar *vtd* to alert, to warn

alfabético *adj* alphabetical

alfabetizar *vtd* to teach to read and write
▸ *vpr* **alfabetizar-se** to teach oneself to read and write, to learn to read and write

alfabeto *sm* alphabet

alface *sf* BOT lettuce

alfafa *sf* BOT alfalfa

alfaiate *sm* tailor

alfândega *sf* customs

alfandegário *adj* customs
▸ *sm* customs officer

alfazema *sf* BOT lavender

alfinetada *sf* **1** (*picada de alfinete*) prick **2** (*pontada*) prick, sting, sharp pain **3** *fig* (*comentário desfavorável, crítica*) a pointed remark: ***deu várias alfinetadas com relação ao incidente*** he made a number of pointed remarks about the incident

alfinetar **1** (*picar com alfinete*) to prick **2** (*marcar costura com alfinetes*) to pin **3** (*ferir com palavras; provocar*) to needle, to provoke

alfinete *sm* pin
▪ **alfinete de fralda** safety pin
▪ **alfinete de segurança** safety pin

alga *sf* BOT seaweed

algarismo *sm* digit
• **algarismos arábicos** Arabic numerals
• **algarismos romanos** Roman numerals

algazarra *sf* clamor, hullabaloo, hubbub, din, uproar, row, racket, roughouse, shindy: **fazer algazarra** to make a row

álgebra *sf* algebra

algemar *vtd* to handcuff

algemas *sf pl* handcuffs

algo *pron* something, anything
▸ *adv* (*um tanto*) a little, some
• **algo de novo?** anything new?

algodão *sm* cotton

algodão-doce (*pl* **algodões-doces**) *sm* candy floss, cotton candy

algoz *sm* executioner, hangman, torturer

alguém *pron* someone, somebody, anyone, anybody
• **alguém aí?** anyone there?
• **alguém mais** someone else, somebody else, anyone else, anybody else
• **ser alguém (*na vida*)** to be someone, to be somebody

algum *pron ind* **1** (*um entre vários, qualquer*) some, any: ***ela saiu à procura de algum dos alunos*** she went out in search of some of the students; **há algum livro que lhe interesse?** is there any book which interests you? **2** *(um certo, uma certa)* some: ***estava à procura de alguma boa alma que a ajudasse*** she was in search of some good soul to help her **3** *(uma certa quantia)* some, any: ***– Você tem algum dinheiro com você? – Sim, me sobrou algum de ontem.*** – Have you got any money on you? – Yes, some was left from yesterday. **4** *(um[a] a mais)* any: ***você teria alguma peça de roupa para doar?*** would you have any clothing to donate? **5** *(nenhum)* not... any, no: ***esse novo remédio não causa mal algum*** this new medicine doesn't cause any harm

▸ *sm bras pop* **algum** *(algum dinheiro)* some

▸ *sf* **alguma**: something: ***alguma você fez!*** you must have done something!

• **alguma coisa** something, anything

• **alguma maneira** anyway

• **alguma outra pessoa** someone else, somebody else, anyone else, anybody else

▸ *pl* **alguns** *(um certo número)* some, any: ***havia algumas pessoas que eu conhecia*** there were some people I knew; ***alguns desses discos são muito raros*** some of these records are very rare

• **alguns deles, algumas delas** some of them, any of them

alhear-se *vpr* **1** to separate from, to turn away from **2** to disconnect from the surroundings

alheio *adj* **1** *(de outrem)* someone else's, somebody else's, belonging to another **2** *(que nada tem a ver com o que está sendo tratado)* alien: ***era uma questão alheia ao crime*** it was a question alien to the crime **3** *(distante)* alien, disconnected from: ***estava alheio aos problemas que os afetavam*** he was alien to the problems which affected them **4** *(distraído)* disconnected from: ***parece alheio a tudo ao seu redor*** he seems disconnected from everything around him

▸ *sm* **alheio** *(o que é dos outros)* belonging to another, belonging to others, someone else's, somebody else's

alho *sm* BOT garlic

• **confundir alhos com bugalhos** to get confused, to confuse two utterly different things

alho-poró *(pl* **alhos-porós***)* *sm* BOT leek

ali *adv* **1** *(naquele lugar)* there: ***pus o livro sobre a mesa, e ele ali ficou dois dias*** I placed the book on the table and it remained there for two days **2** *(para aquele/àquele lugar)* over there: ***olhe ali*** look over there **3** *(aquele momento)* that moment, that point: ***até ali fiquei calado*** up to that moment I remained silent

• **ali pelas dez horas** about ten, around ten

• **ali pelo km 32** about kilometer 32, around kilometer 32

• **você quer esta maçã ou aquela ali?** would you like this apple or that one?

aliado *sm, f* ally, associate

▸ *adj* allied

aliança *sf* **1** *(união; pacto)* alliance, association, pact, agreement, convention, treaty **2** *(de casamento)* wedding ring

aliar *vtd-vtdi* to join, to unite, to relate, to associate

▸ *vpr* **aliar-se** to ally oneself with, to make alliance with, to associate with

aliás *adv* **1** *(de outra maneira)* otherwise: ***é um sujeito muito simpático, aliás não o teríamos convidado*** he's such a nice guy, otherwise we wouldn't have invited him **2** *(mais que isso)* more, more than this: ***é um malandro; aliás, dos piores*** he's a rascal, and more than this, of the worst sort **3** *(no entanto)* however: ***faz brincadeiras o tempo todo sem, aliás, parecer irresponsável*** he makes jokes all the time without, however, sounding irresponsible **4** *(a propósito)* by the way: ***o João vai se casar; aliás, trouxe até um convite*** João is getting married; by the way, I've brought an invitation **5** *(ou seja, ou melhor)* I should say, or rather, I mean: ***aquela é a loja de sapatos, aliás, de roupas*** that is the shoeshop, or rather, the clothes shop

álibi *sm* alibi

alicate *sm* pliers

▪ **alicate de unha** nippers

alicerce *sm* foundations

alienação *sf* alienation, separation

alienado *adj* **1** *(sem consciência políti-*

ca) alienated, having no political consciousness **2** *(louco)* mad, crazy, nuts

alienar *vtd* **1** *(transferir para outrem)* to transfer: ***não podia alienar os bens da família*** he was not allowed to transfer the family property **2** *(afastar)* to separate, to set apart

▸ *vpr* **alienar-se 1** *(alhear-se [de])* to separate from, to disconnect from **2** *(enlouquecer)* to go mad/crazy/nuts

alienígena *adj-smf* alien

alimentação *sf* food

alimentar *vtd (pessoas, máquinas etc.)* to feed

▸ *vpr* **alimentar-se** to eat

▸ *adj* of or referring to food: **cadeia alimentar** food chain

alimentício *adj* food: ***é uma empresa do ramo alimentício*** it's a business in the food sector

alimento *sm* food

▸ *pl* **alimentos** *(recursos)* alimony, allowance

alinhado *adj* **1** *(em linha reta, acompanhando a mesma margem)* parallel to **2** *(elegante)* smart, stylish, elegant **3** aligned with

alinhamento *sm* line-up

▪ **alinhamento de direção** wheel straightening

alinhar *vtd* to line up, to align, to put in a row

▸ *vpr* **alinhar-se 1** *(dispor-se em linha reta)* to line up **2** *(apurar-se no vestir)* to dress up **3** *fig (aderir às ideias de)* to be in line with, to get in line with

• **alinhar a direção** to straighten the wheels

alinhavar *vtd* to tack, to baste

alisar *vtd* **1** *(tornar liso, aplanar)* to smooth, to level **2** *(desenrugar; desamassar)* to smooth **3** *(acariciar)* to stroke

• **alisar a cabeça de alguém** *fig* to consent, to approve of someone's attitude

• **alisar os cabelos** to smooth down one's hair

alistar-se *vpr* to enlist

aliviar *vtd-vtdi* **1** *(dar alívio, tranquilizar)* to relieve, to ease: ***receber notícias do filho aliviou-a de alguma forma*** getting news from her son relieved her in a certain way **2** *(atenuar dor/cansaço/sofrimento etc.)* to relieve, to allay, to assuage: ***o comprimido aliviou a dor instantaneamente*** the pill instantly relieved the pain **3** *(diminuir o peso)* to lighten, to reduce the weight: ***tiveram de aliviar o peso do navio*** they had to reduce the weight of the ship

▸ *vpr* **aliviar-se 1** *(sentir alívio)* to be relieved **2** *gíria (defecar)* to defecate, to relieve oneself

alívio *sm* relief

alma *sf* soul

• **a alma do negócio** the heart of the business

• **alma gêmea** soul mate

• **entregar a alma a Deus** to die, to kick the bucket

• **não havia viva alma** there was nobody

• **uma boa alma** a good soul, a good person

• **sua alma, sua palma** if you do it, you'll suffer the consequences

almaço *adj loc* **papel almaço** lined paper

almanaque *sm* almanac

almeirão *sm* BOT a type of endive or chicory

almejar *vtd* to wish, to desire, to look forward to, to set one's sights on

almirante *sm* admiral

almoçar *vi* to have lunch

almoço *sm* lunch, luncheon

• **almoço comercial** business lunch

almofada *sf* cushion

almôndega *sf* CUL meat ball

alô! *interj* hello!

▸ *sm* **alô** *(contato breve para ter notícia)* call: ***é bom lhe dar um alô de vez em quando*** you should give him a call once in a while

alojamento *sm* **1** *(ato ou efeito de acampar)* camping, quartering **2** *(local onde se aloja)* lodging

alojar *vtd* **1** *(arranjar lugar para)* to lodge, to accommodate, to keep in a certain place **2** *(acomodar em alojamento)* to lodge, *(esp. militar)* to quarter

▸ *vpr* **alojar-se** *(acomodar-se em alojamento)* to lodge, to be lodged in

alongamento *sm* **1** *(ato ou efeito de alongar[-se])* stretching **2** *(físico)* stretching

alongar *vtd* **1** *(encompridar)* to stretch, to make longer, to expand **2** *(prolongar)* to extend: ***alongou a discussão desnecessariamente*** he unnecessarily extended the discussion **3** *(exercício)* to stretch
▸ *vpr* **alongar-se** **1** *(prolongar-se)* to extend oneself: ***alongou-se na descrição dos mínimos detalhes*** he extended himself in the description of minute details **2** *(distanciar-se)* to distance oneself, go away from: ***alongou-se dos demais para pensar no assunto*** he went away from from the others to consider the subject **3** *(fazer exercícios de alongamento)* to stretch

aloprado *adj (amalucado)* mad, crazy, nuts

aloucado *adj* mad, crazy, nuts

alpendre *sm* veranda

alpercata *sf* canvas shoes with a sole made of hemp or rope

Alpes *sm pl* (the) Alps

alpinismo *sm* mountain climbing

alpinista *smf* mountain climber

alquimia *sf* alchemy

alta *sf* **1** *(de preços etc.)* increase **2** *(hospitalar)* discharge
• **dar alta** *(de hospital)* to discharge from hospital
• **receber alta** to be discharged from hospital

alta-costura *(pl* **altas-costuras***)* *sf francês* haute-couture

altar *sm* altar

alteração *sf* alteration, change, shift

alterado *adj* **1** *(modificado)* changed, modified **2** *(adulterado)* adulterated **3** *(transtornado, nervoso)* disturbed, upset

alterar *vtd* **1** *(modificar)* to change, to modify **2** *(adulterar)* to adulterate
▸ *vpr* **alterar-se** **1** *(transformar-se)* to change into, to be changed into, to shift into **2** *(estragar-se)* to spoil, to go bad, to go off *(pão, bolo)* to go stale: ***a bebida alterou-se com o calor*** the beverage went off with the heat **3** *(transtornar-se)* to get disturbed, to get upset

alternado *adj* alternate: ***em dias alternados*** on alternate days

alternar *vtd* to alternate
▸ *vpr* **alternar-se** to alternate *(between)*

alternativa *sf* alternative

alternativo *adj* alternative, different, unconventional

alteza *sf* highness: ***Sua Alteza Real*** his/your Royal Highness

altitude *sf* altitude: ***a 800 m de altitude*** at an altitude of 800 metres

altivez *sf* **1** *(nobreza, brio)* pride, self-respect **2** *(arrogância)* arrogance

altivo *adj* **1** *(nobre)* noble, proud **2** *(arrogante)* proud, arrogant

alto *adj* **1** *(de grande extensão vertical) (pessoa)* tall *(prédio, montanha etc.)* high **2** *(elevado, intenso)* high: ***deve ser assado em alta temperatura*** it must be baked at a high temperature **3** *(em volume elevado)* loud: ***a música estava alta*** the music was loud **4** *(de custo elevado)* high: ***queríamos comprar, mas o preço era alto*** we wanted to get it but the price was high **5** *(grande, importante)* high: ***um alto cargo*** a high position **6** *(de grande nobreza, excelência etc.)* high, elevated, sublime: ***pensamentos altos*** high thoughts **7** *(ao norte)* high, upper: ***alto Tocantins*** upper Tocantins **8** *bras pop (um tanto embriagado)* more or less intoxicated
▸ *adv* high, loud, loudly: ***o pássaro voava alto*** the bird flew high; ***falava muito alto*** he spoke too loud
▸ *sm* **o alto** **1** *(o ponto mais elevado)* top: ***o alto do morro dá vista para a cidade*** the top of the mountain gives a view of the city **2** *(o Céu)* heaven: ***o socorro vem do alto*** help comes from heaven
▸ *interj* **alto!** halt!
• **altos e baixos** ups and downs
• **de alto a baixo** *(de cima a baixo)* from top to bottom, *(na totalidade)* completely, *(com arrogância)* to look somebody up and down
• **em alto e bom som** loud and clear
• **no alto** up above
• **noite alta** middle of the night, late hours
• **por alto** not in detail
• **saltos altos** high heels

alto-falante (*pl* **altos-falantes**) *sm* speaker, loudspeaker

alto-mar (*pl* **altos-mares**) *sm* high sea

altruísmo *sm* altruism, unselfishness

altura *sf* 1 (*dimensão vertical*) height: ***por favor, especifique a altura do móvel*** please, state the height of the piece of furniture 2 (*estatura*) height: ***ela tem boa altura para este esporte*** she has a good height for this sport 3 (*momento*) point: ***àquela altura, já estavam todos muito íntimos*** at that point, all of them were already very intimate 4 (*ponto, lugar*) point: ***em que altura da rodovia foi o acidente?*** at which point in the road did the accident happen?

▸ *pl* **alturas** 1 (*hora[s]*) time: ***a essas alturas, já deve estar longe*** at this time, he must be far off 2 (*no céu*) heights: ***gosta de viver nas alturas*** he likes being in the heights

• **cair das alturas** to drop from the heights

• **estar à altura das exigências/da situação** to meet the requirements, to be up to the situation

• **ganhar altura** to gain height

• **na altura do peito/joelho/da cintura** at chest/knee/waist height

• **nessa altura do campeonato...** at this point...

• **perder altura** to lose height

• **pôr nas alturas** to praise a lot, to praise excessively

• **Qual a altura do prédio? – 120 metros.** – How high is the building? – It's 120 metres high.

• **Qual a sua altura? – 1,70 m.** "How tall are you?" – "I'm 1.70 metres tall."

• **responder à altura** to give someone a taste of his own medicine, to answer like with like

alucinação *sf* hallucination

alucinado *adj* 1 (*arrebatado por alucinação*) hallucinated 2 *fig* crazy about: ***está alucinado pela moça*** he's crazy about the young lady

alucinógeno *adj-sm* hallucinogenic

aludir *vti* to refer to, to mention, to allude to

alugar *vtd-vtdi* 1 (*tomar em aluguel*) to rent, to hire 2 (*dar em aluguel*) to rent out, to let 3 *bras pop* (*enfadar, tomar o tempo de*) to bore, to annoy, to bother

aluguel *sm* rent

• **aluguel de veículos** car rental

• **casa de aluguel** rented house

• **pagar o aluguel** to pay the rent

• **receber o aluguel** to collect the rent

alumínio *sm* aluminium

aluno *sm, f* student, pupil

alusão *sf* allusion, reference

alvará *sm* official permission

alvejar *vtd* 1 (*branquear*) to whiten: ***alvejar a roupa*** to whiten the clothes 2 (*mirar no alvo*) to aim: ***alvejou-o bem no peito*** he aimed right at his chest 3 to shoot at, to hit with a gun shot

alvenaria *sf* masonry

alvéolo *sm* 1 (*da colmeia*) cell 2 ANAT tooth socket 3 ANAT lung cavity

alvo *adj* white

▸ *sm* **alvo** 1 target 2 *fig* (*objetivo*) goal, aim, objective

• **acertar no alvo** to hit the mark

• **tiro ao alvo** target shooting

alvorada *sf* dawn, daybreak

alvorecer *vi* to dawn

▸ *sm* **alvorecer** dawn, daybreak

alvoroço *sm* fuss, commotion

• **fazer alvoroço** to make a fuss

• **sem alvoroço** without fuss

amabilidade *sf* amiability, gentleness, politeness

amaciante *sm* softener

amaciar *vtd* 1 (*tornar macio*) to soften, to smoothen 2 (*abrandar*) to soothe, to ease, to appease 3 (*um automóvel*) to run in a new car

▸ *vpr* **amaciar-se** to be soothed, to calm down, to quiet down, to become gentle and welcoming

amador *sm,f* amateur

amadorismo *sm* amateurishness

amadurecer *vtd* 1 to ripen: ***o calor amadureceu depressa os frutos*** the heat soon ripened the fruit 2 (*aperfeiçoar*) to perfect, to develop, to make better: ***o tempo permitiu que ele amadurecesse a ideia*** time allowed him to develop the idea 3 (*tornar experiente*) to give someone experience: ***o sofrimento***

amadureceu aquele homem suffering gave that man experience
▸ *vi* **1** to ripen: ***os frutos amadureceram*** the fruit ripened **2** *(aperfeiçoar-se)* to mature: ***enquanto isso, a ideia de viajar amadurecia*** meanwhile, the idea of travelling matured **3** *(tornar-se experiente)* to mature: ***ficou velho, mas não amadureceu nada*** he got old but didn't mature at all

âmago *sm* **1** *(centro)* core **2** *(íntimo)* inside, bottom of someone's being

amaldiçoado *adj* cursed, damned, disgraced

amamentação *sf* breast feeding

amamentar *vtd-vi* to breast feed

amanhã *adv* **1** *(o dia seguinte a hoje)* tomorrow: ***chegarei amanhã*** I'm arriving tomorrow **2** *(no futuro)* tomorrow: ***hoje aqui, amanhã, quem sabe!*** today, here, tomorrow, who knows!
▸ *sm* **o amanhã** tomorrow: ***é preciso pensar no amanhã*** it's necessary to think about tomorrow
• **amanhã pela manhã** tomorrow morning
• **até amanhã!** see you tomorrow!
• **depois de amanhã** the day after tomorrow

amanhecer *vi* to dawn, to break dawn
▸ *sm* **amanhecer** dawn, daybreak

amansar *vtd* **1** *(domesticar)* to tame **2** *(abrandar, acalmar)* to calm down, to assuage, to allay
▸ *vpr* **amansar-se** to become nicer, to become more gentle

amante *adj* **1** *(que se relaciona com outra pessoa extramatrimonialmente)* lover, *(feminino apenas)* mistress **2** *(apreciador)* lover: ***amante da boa música*** a lover of good music

amar *vtd* to love: ***são pais, amam os filhos*** they're parents, they love their children; ***amar a Deus sobre todas as coisas*** to love God above all things
▸ *vpr* **amar-se** to love one another

amarelar *vtd* *(tornar amarelado)* to yellow: ***o tempo amarelou as cartas que me enviou*** time yellowed the letters he sent me
▸ *vi* **1** *(tornar-se amarelo)* to become yellow **2** *(desistir por medo)* to back away, to get cold feet: ***logo amarelou ao saber aonde iríamos*** he soon backed away when he heard where we were going
▸ *vpr* **amarelar-se** to become yellow

amarelinha *sf (jogo infantil)* hopscotch

amarelo *adj* yellow

amargar *vtd* **1** *(tornar amargo)* to make bitter **2** *(amargurar)* to make someone feel bitter, to embitter **3** *(suportar)* to endure: ***precisou amargar dois anos de prisão pelo crime que cometeu*** he had to endure two years in prison for the crime he had committed
▸ *vpr* **amargar-se** to become bitter
• **ser de amargar** to be very difficult to solve or endure

amargo *adj* **1** bitter **2** *fig (amargurado)* bitter: ***uma mulher amarga*** a bitter woman

amargura *sf (tristeza)* bitterness

amargurado *adj* bitter

amargurar *vtd* to grieve, to afflict, to embitter
▸ *vpr* **amargurar-se** to become bitter, to become embittered

amarra *sf* **1** MAR *(material usado para amarrar)* a piece of cable, line, rope, cord or string 2 *(o que surge da amarração)* tie, knot, bond, lace **3** *fig (prisão)* chain, jail, prison, bondage, slavery
• **cortar as amarras** to break loose, to break free

amarração *sf* **1** MAR mooring **2** *fig (ligação amorosa)* love affair

amarrar *vtd-vtdi* **1** *(atar)* to tie, to bind, to fasten: ***amarrar uma faixa na cintura*** to tie a band around one's waist **2** *(prender por laços morais, afetivos etc.)* to tie: ***a promessa feita amarrava-o à moça*** the promise he made tied him to the girl; ***ele foi esperto, amarrou-a com a promessa de casamento*** he was smart: he tied her to him with the promise of marriage **3** *(definir)* to sort out: ***vá lá e amarre logo essa questão para definirmos a situação*** go and sort this question out as soon as possible so we can put an end to this situation **4** *(entravar)* to hinder: ***com sua indecisão, ele está amarrando os negócios*** he is hindering business with his indecision

• **amarrar os sapatos** to tie one's shoelaces
▸ *vpr* **amarrar-se** 1 *(atar-se)* to tie oneself, to bind oneself 2 *(deixar-se cativar)* to have great fondness for 3 *(casar-se, amigar-se)* to get married, to begin to live together

amarrotar *vtd* to crease, to crumple, to crush, to wrinkle
▸ *vpr* **amarrotar-se** to get one's clothes crumpled

amassar *vtd* 1 *(sovar massa)* to knead 2 *(amarrotar)* to crumple, to crease 3 *(deformar)* to dent: ***a batida amassou a porta do meu carro*** the crash dented my car door 4 *chulo (bolinar)* to feel, to fondle, to grope
▸ *vpr* **amassar-se** 1 *(amarrotar-se)* to get one's clothes crumpled 2 *(deformar-se)* to get crushed, to get dented
• **amassar argila** to knead clay
• **amassar barro** *fig* to knead clay
• **amassar batatas** to mash potatoes

amável *adj* sweet, kind, gentle, friendly

amazona *sf* horsewoman

Amazônia *sf* the Amazon region

amazônico *adj* of or relating to the Amazon river or region

âmbar *sm* amber

ambição *sf* ambition, desire to achieve, longing
• **ter grandes ambições** to have great ambitions

ambicionar *vtd* to have a strong desire for, to be determined to be

ambicioso *adj* ambitious

ambiental *adj* environmental

ambientalista *adj-smf* environmentalist

ambientar *vtd-vtdi* 1 to set the scene: ***ambientou a história em Veneza*** he set the scence for the story in Venice 2 to create an atmosphere for
▸ *vpr* **ambientar-se** to make oneself comfortable in an environment, to adapt oneself

ambiente *sm* environment, setting, surroundings, background, backdrop, situation

ambiguidade *sf* ambiguity

ambíguo *adj* ambiguous

âmbito *sm* range, realm

ambos *pron* both: ***escrevi a João e a Paulo; ambos responderam*** I wrote to João and Paulo; both answered; ***convidou ambas as irmãs para a festa*** he invited both sisters to the party

ambulante *adj* 1 *(que anda)*: walking ***o garoto era uma enciclopédia ambulante*** the boy was a walking encyclopedia; ***"a vida é apenas uma sombra ambulante"*** "life is but a walking shadow" – Shakespeare (*Macbeth*) 2 *(que vai de um lugar a outro, errante)* traveling, wandering: ***sempre fora ator ambulante*** he had always been a traveling actor 3 *(que não está em um lugar fixo)* mobile: ***a coleção fazia parte da biblioteca ambulante*** the collection was part of the mobile library
▸ *sm* **ambulante** *(vendedor de rua)* street trader, peddler

ambulância *sf* ambulance

ambulatório *sm* outpatients' department

ameaça *sf* 1 threat, menace: ***não se dobrou perante as ameaças do patrão*** he did not bend to the boss's threats 2 *(prenúncio)* signs: ***teve uma ameaça de infarto*** he had signs of a heart attack

ameaçador *adj* threatening, menacing

ameaçar *vtd-vtdi* 1 *(dirigir ameaça[s] a)* to threaten, to menace: ***o ladrão ameaçou a vítima com um revólver*** the thief threatened the victim with a gun 2 *(pôr em perigo)* to endanger: ***a atual crise política ameaça a estabilidade da democracia*** the current crisis endangers the stability of democracy 3 *(dar indícios)* to threaten: ***essas nuvens ameaçam tempestade*** these clouds are threatening rain 4 *(estar em perigo de)* to be under threat of: ***a casa ameaça desmoronar*** the house is under threat of collapsing
▸ *vi (estar na iminência de)* to be about (*to happen*): ***está ameaçando um temporal*** a storm is about to break
• **ser ameaçado de morte** to receive death threats

ameba *sf* amoeba

amedrontador *adj* causing fear, frightening, scary, intimidating

amedrontar *vtd* to frighten, to scare, to intimidate
▸ *vpr* **amedrontar-se** to be frightened, to be afraid

ameixa *sf* plum

amém *sm* amen
• **dizer amém** *fig* to obey without questioning

amêndoa *sf* almond

amendoim *sm* peanut

amenidade *sf* pleasure, well being
▸ *pl* **amenidades** unimportant things, trivia, trifles: ***entre amigos não trata de assuntos profissionais; só conversa amenidades*** with his friends, he doesn't talk business, only unimportant things

amenizar *vtd* to soften, to ease
▸ *vpr* **amenizar-se** to become softer, to become more gentle, to become more pleasant, to become easier os less ardous

ameno *adj* 1 *(brando, suave)* nice, kind, gentle 2 *(aprazível)* pleasant: ***possuía um estilo ameno de escrever*** he had a pleasant style of writing 3 *(moderado)* mild: ***um clima ameno*** a mild climate

América *sf* America

americano *adj-sm, f* 1 American 2 *(dos Estados Unidos)* North-American

amianto *sm* asbestos

amídala *sf* ANAT tonsil

amido *sm* starch

amigável *adj* nice, friendly

amigo *adj-sm, f* 1 friend 2 *bras pop (parceiro; amante)* partner, lover
• **amigo da família** family friend
• **amigo da onça** an unfaithful friend
• **amigo de infância** childhood friend
• **amigo de toda uma vida** lifelong friend
• **amigo do alheio** thief
• **amigo do peito** close friend
• **amigo secreto** secret angel
• **círculo de amigos** circle of friends
• **fazer amigos** to make friends
• **tornar-se amigo de (alguém)** to make friends with *(someone)*

amistoso *adj* friendly
▸ *sm* **amistoso** *(jogo)* friendly

amizade *sf* friendship
▸ *pl* **amizades** friends, colleagues
• **amizade colorida** a relationship in which friends have occasional sex with each other

amnésia *sf* amnesia

amolação *sf fam* nuisance, annoyance, trouble

amolador *sm, f* 1 *(afiador)* sharpener 2 *bras pop* nag, an annoying person

amolar *vtd-vi* 1 *(afiar)* to sharpen: ***sempre amola as facas que tem em casa*** she always sharpens the knives she keeps in the house 2 *(contrariar)* to disturb, to upset: ***as notícias de crimes me amolaram muito*** the news of crime upset me a lot; ***não ter dinheiro para o necessário é coisa que amola muito*** not to have enough money for the essential things is something that disturbs me a lot 3 *(entediar)* to bore: ***esses discursos intermináveis (me) amolam muito*** these endless speech bore (me) a lot 4 *(importunar, incomodar)* to annoy, to nag, to bother, to trouble: ***tanto amolou o pai, que ganhou o brinquedo*** he annoyed his father so much that he was given the toy; ***não gosto de amolar, mas você poderia me emprestar o grampeador?*** I don't like to trouble you, but could you lend me the stapler?
▸ *vpr* 1 *(aborrecer-se)* to be disturbed, to get annoyed 2 *(entediar-se)* to get bored

amolecer *vtd* 1 *(tornar mole)* to soften, to make soft 2 *(enternecer)* to melt, to soften up, to make tender: ***suas histórias amoleciam o mais duro coração*** his stories would melt the hardest heart
▸ *vi* 1 *(ficar mole)* to soften: ***a cera amoleceu*** the wax softened 2 *fig* to go limp: ***ao ouvir a notícia, suas pernas amoleceram*** when she heard the news her legs went limp 3 *(ceder)* to give in, to yield: ***amoleceu diante do pranto do filho*** she yielded to her son's weeping 4 *(perder o ânimo)* to lose heart: ***apesar das dificuldades, nunca amolece*** despite difficulties, he never loses heart

amoníaco *sm* ammonia

amontoado *adj* piled, heaped up
▸ *sm* **amontoado** pile, heap

amontoar *vtd* to pile, to heap
▸ *vpr* **amontoar-se** to pile up

amor *sm* love

• **amor à primeira vista** love at first sight
• **fazer amor** to make love
• **pelo amor de Deus!** for God's sake!, for heaven's sake!
• **por amor de** for the love of for ...'s sake
• **ser um amor** to be sweet, kind and gentle
• **ser um amor de pessoa** to be a good and nice person

amora *sf* BOT mulberry

amordaçar *vtd* **1** to gag, to muzzle **2** *fig* to silence

amoreira *sf* mulberry tree

amornar *vtd* to make warm, to warm
▸ *vi* to become warm, to warm up

amoroso *adj* loving, affectionate, tender

amor-perfeito (*pl* **amores-perfeitos**) *sm* pansy

amor-próprio (*pl* **amores-próprios**) *sm* dignity, pride, self-esteem

amortecedor *sm* shock absorber

amortecer *vtd* **1** to soften, to reduce the impact of **2** to numb **3** to dampen, to dull, to dim

amortizar *vtd* (*dívida*) to amortize

amostra *sf* **1** sample: ***amostra de tecido*** a sample piece of cloth **2** (*exemplo*) sample, token, sign: ***isso é só uma amostra do que ele é capaz de fazer*** this is just a small sample of what he is able to do
• **amostra de sangue** blood sample
• **amostra grátis** free sample

amparar *vtd* **1** (*escorar*) to hold, to support, to sustain: ***ampare o menino, ele vai cair*** hold the boy, he's falling down **2** (*ajudar, protegendo e sustentando*) to help, to assist, to protect, to take under one's protection, to provide for: ***sempre estava disposto a amparar os familiares necessitados*** he was always willing to provide for those in need in his family
▸ *vpr* **amparar-se 1** (*escorar-se*) to hold **2** (*refugiar-se*) to take refuge

amparo *sm* **1** (*proteção*) shelter: ***o telheiro serviu de amparo contra a tempestade*** the porch served as a shelter in the storm **2** (*apoio, auxílio*) help, aid: ***não encontram ninguém que lhes dê amparo*** they can't find anyone to give them help **3** (*pessoa que ajuda*) provider: ***aquele tio é o amparo da família*** that uncle is the family provider

ampliação *sf* **1** extension, increase, enlargement: ***ampliação da casa*** extension of the house; ***ampliação dos conhecimentos*** increase in someone's knowledge **2** FOTO enlargement

ampliar *vtd* **1** (*aumentar a área*) to enlarge: ***resolvi ampliar a fábrica para poder aumentar a produção*** I've decided to enlarge the factory to increase production **2** (*desenvolver*) to increase: ***voltou a estudar para ampliar seus conhecimentos*** he went back to school to increase his knowledge **3** FOTO to enlarge
▸ *vpr* **ampliar-se** to increase, to become bigger, larger or more developed

amplificador *sm* amplifier

amplificar *vtd* (*aumentar som*) to amplify

amplitude *sf* amplitude, range, extent

amplo *adj* **1** (*espaçoso*) large, wide, spacious, roomy, ample: ***é um dormitório amplo*** it's a large bedroom **2** (*que abrange um grande campo*) broad, general: ***eu usei a palavra em sentido amplo*** I used the word in a broad sense **3** (*irrestrito*) ample, unrestricted: ***recebeu amplos poderes do presidente*** he received ample powers from the president **4** (*abrangente*) broad: ***trata-se de um projeto amplo e ambicioso*** it is a broad and ambitious project

ampola *sf* ampoule, blister

amputar *vtd* **1** to amputate, to server, to cut off **2** *fig* (*limitar, restringir*) to mutilate, to curtail

amuar-se *vpr* to sulk

amuleto *sm* amulet, talisman

anágua *sf* petticoat

analfabetismo *sm* illiteracy

analfabeto *adj-sm, f* illiterate

analgésico *adj* analgesic
▸ *sm* **analgésico** analgesic, painkiller

analisar *vtd* **1** to analyze **2** *bras pop* to examine, to look at

análise *sf* **1** analysis **2** (*psicanálise*) psychoanalysis

analista *sm, f* **1** analyst **2** *(psicanalista)* psychoanalyst

análogo *adj* analogous, similar, akin

anão *adj-sm, f* dwarf

anarquia *sf* anarchy

anatomia *sf* anatomy

anatômico *adj* anatomical

anca *sf* haunch

anchova *sf* anchovy

ancião *adj* elderly, ancient
▸ *smf* elder, ancient

ancinho *sm* rake

âncora *sf* MAR anchor
▸ *smf* TV anchor
• **jogar âncora** to drop anchor
• **levantar âncora** to weigh anchor

ancorar *vtd* to anchor
• **ancorado** anchored

andador *sm* walker, *(de bebês)* baby walker

andadura *sf (tb de animais)* pace, gait

andaime *sm* scaffold, scaffolding

andamento *sm* **1** *(rumo, direção)* course, progress, development **2** MÚS tempo
• **dar andamento a** to start something on its way

andar *vi* **1** *(caminhar)* to walk: ***é muito pequeno, ainda não anda*** he's too young, he still can't walk; ***ande mais depressa, para não se atrasar*** walk faster so you won't be late **2** *(movimentar-se)* to move: ***soltei o freio, e o carro saiu andando sozinho*** I released the brake and the car moved by itself **3** *(funcionar)* to work: ***veja se o relógio está andando*** check to see whether the clock is working **4** *(comportar-se)* to behave: ***trate de andar direito, para que ninguém fale mal de você*** see if you behave well, so nobody will speak badly of you **5** *(ter continuidade)* to work out, move, budge: ***se não mudamos a equipe, as coisas não andam*** if we don't change the team, things won't work out; ***é um romance parado: as coisas não andam*** it's a dull novel: things don't move
▸ *vtd (percorrer a pé)* to walk: ***andou todo o quarteirão à procura do cão*** he walked the whole block looking for the dog
▸ *vti* **1** *(fazer-se acompanhar)* to be *(in the company of)*: ***ultimamente só anda em más companhias*** recently he's only been in bad company; ***aqueles dois andam sempre juntos*** those two are always together **2** *(relacionar-se)*: to have a relationship ***dizem que ele andou com a mulher do chefe*** they say he had a relationship with his boss's wife **3** *(estar aproximadamente em)* to amount to: ***a dívida dele já anda pelos três milhões*** his debt amounts to about three million **4** *(ser transportado)* to travel: ***você gosta de andar de trem?*** do you like travelling by train?
▸ *vpred (estar)* to be: ***não sei como está agora, mas sei que andou doente*** I don't know how he is now, but I know he has been ill; ***os sentimentos dele andam muito confusos ultimamente*** his feelings have been very confused lately
▸ *sm* **andar 1** *(modo de andar)* pace, gait: ***tem um andar macio*** he has a gentle pace **2** *(andamento)* pace: ***com esse andar não vamos terminar nunca*** at this pace we won't ever finish **3** *(piso)* floor, storey: ***moro no sexto andar*** I live on the sixth floor; ***era uma casa de três andares*** it was a three-storey house **4** *(transcurso)* passing: ***com o passar do tempo ele foi ficando mais amargo*** he was getting more and more bitter with the passing of time
• **anda!** come on!
• **a quantas anda?** how is it going?
• **andar pela casa dos 30/40/50... (anos)** to be in his thirties/forties/fifties...
• **andar térreo** ground floor
• **dize-me com quem andas, e dir-te-ei quem és** tell me who you hang around with, and I'll tell you who you are
• **o que você andou fazendo?** what have you been up to?
• **pelo andar da carruagem...** the way things are going...

andarilho *sm, f* wanderer, tramp

andor *sm* a litter or bier used for carrying religious images in street processions
• **devagar com o andor, que o santo é de barro** slow and steady wins the race

Andes *sm pl* the Andes

andino *adj* Andean

andorinha *sf* ZOOL swallow

andrajo *sm* rag, a piece of old, torn cloth
▸ **andrajos** *sm pl* tatters

anedota *sf* **1** joke **2** a ludicrous anecdote

anel *sm* ring
• **anel de noivado** engagement ring

anemia *sf* anemia, anaemia

anêmico *adj-sm, f* anemic, anaemic

anestesia *sf* anaesthetic
• **anestesia local** local anaesthetic
• **anestesia geral** general anaesthetic
• **anestesiado** (*em cirurgias*) under an anaesthetic

anestesiar *vtd* to anaesthetize

anexar *vtd-vtdi* **1** to adjoin, to add to, to annex (*a uma mensagem de e-mail*) to attach **2** to join, to connect

anexo *adj* **1** attached **2** next to, adjacent, adjoining
▸ *sm* **anexo** adjacent building: ***o perímetro da fábrica inclui um prédio principal e um anexo*** the factory area includes a main construction and an adjacent building
• **(*documento*) anexo** attachment

anfiteatro *sm* amphitheatre

anfitrião *sm, f* host, hostess

angariar *vtd* to get, to obtain, to collect

angelical *adj* angelical

angina *sf* MED angina (*pectoris*)

angu *sm* **1** a type of porridge made of corn or cassava flour, water and salt **2** *bras pop-fig* confusion, complication, predicament

angu de caroço (*pl* **angus de caroço**) *sm* problem, difficult situation, predicament

angular[1] *vi* to angle

angular[2] *adj* angular

ângulo *sm* **1** GEOM angle: ***um ângulo de 90º*** a 90 degree angle **2** (*canto*) corner: ***ao se levantar, ela bateu a cabeça num dos ângulos da mesa*** when she got up, she hit her head on one of the corners of the table **3** (*ponto de vista*) point of view, perspective: ***consideremos o problema de outro ângulo*** let us consider the problem from another point of view
▪ **ângulo agudo** acute angle
▪ **ângulo obtuso** obtuse angle
▪ **ângulo raso** straight angle
▪ **ângulo reto** right angle

angústia *sf* distress, anguish

angustiado *adj* distressed, in anguish

angustiar *vtd* to distress, to cause to be in anguish
▸ *vpr* **angustiar-se** to be distressed, to be in anguish

anil *adj* (*azul*) blue, indigo
▸ *sm* (*corante têxtil*) indigo

animação *sf* **1** (*arte de animar imagens*) animation **2** (*alegria*) excitement, liveliness, lively atmosphere: ***gostei da animação da festa*** I liked the lively atmosphere at the party

animado *adj* excited, full of energy and enthusiasm

animador *adj* (*que dá ânimo*) encouraging
▸ *sm,f* **animador** (*de programa*) animator, entertainer

animal *adj-sm* animal, beast

animar *vtd* **1** (*dar alma ou vida*) to animate, to quicken **2** (*dar ânimo, coragem*) to encourage: ***comecei a falar das vitórias, para animá-lo*** I started speaking of the victories to encourage him **3** (*alegrar*) to enliven, liven up: ***faltavam os músicos, para animar a festa*** musicians were needed to enliven the party; ***começou a falar de futebol para ver se animava a reunião*** he began talking about football to try to liven up the meeting
▸ *vtdi* (*estimular*) to stimulate, to encourage: ***o sucesso dos bolos animou-a a montar uma padaria*** the success of the cakes encouraged her to open a bakery
▸ *vpr* **animar-se 1** (*adquirir ânimo*) to take heart **2** (*adquirir vida*) to come to life **3** (*resolver-se*) to decide: ***só quando parou de chover ele se animou a sair*** only when the rain stopped did he decide to go out

ânimo *sm* heart, spirit, courage
▸ *interj* **ânimo!** cheer up!

aninhar *vtd (acolher, abrigar)* to shelter: ***aninhou a sobrinha em sua casa*** she sheltered her niece in her place
▸ *vpr* **aninhar-se** to nest, to nestle, to cuddle up, to snuggle up

aniquilar *vtd* to anihilate, to terminate, to destroy

anis *sm* aniseed

anistia *sf* amnesty

aniversariante *adj-smf* a person on his birthday

aniversário *sm* 1 birthday: ***João, qual é o dia do seu aniversário?*** João, when is your birthday? 2 anniversary: ***aniversário da cidade*** the town's anniversary; ***semana que vem é aniversário do nosso casamento*** next week is our wedding anniversary

anjo *sm* angel
• **anjo da guarda** guardian angel

ano *sm* 1 year: ***essas coisas ocorreram no ano 1000*** these things took place in the year 1000 2 *(período de um ano)* year: ***passamos um ano péssimo*** we have had a terrible year
• **ano bissexto** leap year
• **ano letivo** school year
• **daqui a um ano/em um ano** in a year, in a year's time
• **fazer anos** to have one's birthday
• **Feliz ano-novo!** Happy New Year!
• **o ano passado** last year
• **o ano que vem** next year
• **o ano todo** throughout the year
• **os anos 1930** the 1930s
• **"Quantos anos você tem?" – "Tenho 15."** "How old are you?" – "I'm 15."

anoitecer *vi* to grow dark, to come night, to fall *(night)*
▸ *sm* **anoitecer** nightfall, dusk: ***chegaram ao anoitecer*** they arrived at nightfall

ano-luz *(pl* **anos-luz***)* *sm* light year

anomalia *sf* anomaly

anonimato *sm* anonymity
• **em anonimato, no anonimato** anonymous: ***ficar no anonimato*** they remained anonymous

anônimo *adj-sm, f* anonymous

ano-novo *(pl* **anos-novos***)* *sm* New Year

anorexia *sf* anorexia *(nervosa)*

anormal *adj* abnormal, uncommon, unusual

anormalidade *sf* abnormality, anomaly

anotação *sf* note

anotar *vtd* to take note, to write down

anseio *sm* desire, expectation, yearning

ânsia *sf* 1 *(náusea)* nausea: ***ânsia e vômito podem ser sinais de gravidez*** nausea and vomitting can be signs of pregnancy 2 *(anseio)* desire, expectation, yearning

ansiar *vtd-vti* to desire, to expect, to look forward to, to yearn for

ansiedade *sf* anxiety, expectation, worry, preoccupation

ansioso *adj* anxious

anta *sf* 1 ZOOL tapir 2 *bras pop* a stupid person

antagonista *adj-smf* antagonist, opponent

antártico *adj* Antarctic

Antártida *sf* the Antarctic

ante *prep* before, in front of

antebraço *sm* forearm

antecedência *sf* the condition of being early or coming before
• **com antecedência** beforehand, in advance, previously, earlier

antecedente *sm* LÓG, GRAM antecedent
▸ *adj* previous, prior, preceding
• **sem antecedentes criminais** with no criminal record

anteceder *vtd-vti (preceder)* to precede, to come before

antecipação *sf* the condition of being early or happening ahead of time, bringing forward

antecipar *vtd* to bring forward: ***com a chegada dos reforços, antecipou o ataque*** with reinforcement, the attack was brought forward
▸ *vtdi (comunicar antes)* to let know beforehand: ***antecipou-me sua intenção de vir*** he let me know beforehand about his intention to come
▸ *vpr* **antecipar-se** 1 *(agir antes)* to take action in advance: ***prevendo as ações do adversário, antecipou-se a ele na***

ofensiva anticipating his opponent's actions, he attacked first **2** *(ir ou vir antes)* to arrive early, to arrive earlier: ***no ano passado, o inverno se antecipou*** winter arrived earlier last year

antemão *adv loc* **de antemão** beforehand, previously

antena *sf* aerial, antenna
• **antenado** *adj* tuned in, tuned into

anteontem *adv* the day before yesterday

antepassado *sm, f* ancestor

antepenúltimo *adj* antepenultimate, second before last, third last

anterior *adj* **1** *(que vem antes)* previous: ***o dia anterior*** the previous day **2** *(que fica na frente)* anterior, fore, front: ***a parte anterior do carro ficou destruída*** the front part of the car was destroyed

anterioridade *sf* **1** anteriority **2** precedence, priority

anteriormente *adv* previously, prior to

antes *adv* **1** *(em tempo anterior)* before: ***vou ao médico, mas antes passo pelo escritório*** I'm going to the doctor's, but before I'm going to stop at the office **2** *(antigamente)* before, in the past: ***hoje em dia, as ruas da cidade são asfaltadas, mas antes eram de terra*** nowadays, the city streets are paved, but in the past they used to be earth **3** *(em lugar anterior)* before: ***a casa dele fica na esquina; a minha fica um pouco antes*** his house is on the corner; mine is a little before **4** *(pelo contrário)* rather: ***não é um sujeito burro; antes, pode-se até dizer que é inteligente*** he's not a stupid fellow; rather, you can say he's intelligent **5** *(mais, talvez mais)* to be nearer to *(something)* than *(something else)*: ***é antes rico do que pobre*** he's nearer to being rich than to being poor **6** *(melhor)* had better... than: ***antes comprar a casa nova que a velha*** you'd better buy the new house than the old one
▸ *loc prep* **antes de 1** *(em tempo anterior)* before: ***o avião partiu antes de chegarmos*** the plane left before we arrived; ***meu irmão chegou antes de mim*** my brother arrived before me; ***chego antes do meio-dia*** I'm arriving before noon **2** *(à frente)* before: ***na fila, ele estava antes de mim*** he was before me in the queue **3** *(mais próximo a)* before: ***a igreja fica antes daquele morro*** the church is before that hill
▸ *conj* **antes que, antes de** before
• **antes assim** better so, better this way
• **antes de mais, antes de mais nada** before everything else
• **ou antes** rather
• **antes de ontem** the day before yesterday

antevéspera *sf* the day before the eve

antiácido *sm* antacid

antialérgico *adj* MED anti-allergic
▸ *sm* **antialérgico** MED anti-allergic drug

antibiótico *adj* antibiotic
▸ *sm* **antibiótico** MED antibiotic

anticaspa *adj* anti-dandruff

anticoncepcional *adj* contraceptive
▸ *sm* **anticoncepcional** contraceptive

anticorpo *sm* antibody

antídoto *sm* antidote

antiferrugem *adj* anti-rust

antigamente *adv* in old times, in ancient times, formerly, in the past

antigo *adj* **1** *(do tempo remoto)* ancient: ***antigas civilizações*** ancient civilizations; ***o Egito antigo*** ancient Egypt **2** *(que existiu no passado)* old: ***uma casa antiga*** an old house; ***um relógio de pêndulo antigo*** an old grandfather clock **3** *(que existe há muito tempo)* old: ***os amigos antigos são os melhores*** old friends are the best **4** *(que já não está em exercício)* former: ***seu pai é um antigo deputado estadual*** his father is a former state congressman
▸ *pl* **antigos** old people: ***os antigos diziam que manga com leite faz mal*** old people used to say that eating mangoes with milk made you ill

antiguidade *sf* ancient times, antiquity
▸ *pl* **antiguidades** antiques
• **antiguidade (num cargo)** period of employment, length of service
• **loja de antiguidades** antique shop

anti-horário *adj* anticlockwise, counterclockwise

anti-inflamatório *sm* MED anti-inflammatory

antipatia *sf* antipathy, dislike, unfriendliness
• **sentir antipatia** to feel hostility towards, to dislike

antipático *adj* unpleasant, hostile, unfriendly

antipatizar *vti* to dislike

antiquado *adj* old, out-of-date, obsolete, old-fashioned, archaic

antiquário *sm* 1 *(pessoa)* antiquarian 2 *(estabelecimento)* antique shop

antirrábico *adj* anti-rabies

antirroubo *adj* anti-theft

antirrugas *adj* anti-wrinkle

antisséptico *adj* antiseptic
▸ *sm* **antisséptico** antiseptic

antivírus *sm* antivirus

antologia *sf* anthology

antônimo *sm* antonym

antro *sm* 1 *(caverna, gruta, buraco)* cave, den, hole 2 *(lugar mal frequentado)* den: ***aquele lugar é um antro de perdição*** that place is a den of iniquity 3 *(lugar sórdido)* den: ***ficou preso num antro escuro*** he got stuck in a dark den

antropologia *sf* anthropology

anual *adj* annual

anuidade *sf* annuity

anulação *sf* annulment, invalidation, cancellation, voiding

anular[1] *vtd* 1 *(invalidar)* to invalidade, to nullify, to void, to make void: ***o juiz anulou o casamento*** the judge invalidated the wedding 2 *(tornar nulo)* to nullify, to negate, to erase, to offset, to obscure: ***aquele fracasso anulou todas as vitórias anteriores*** that failure has negated all the preceding victories
▸ *vpr* **anular-se** 1 *(ser invalidado)* to be invalidated, to be nullified, to be voided 2 *(tornar-se nulo)* to be nullified, to be obscured: ***sua personalidade é forte: perto dele, todos se anulam*** he has a strong personality: next to him, everyone is obscured

anular[2] *adj* shaped like a ring, annular
▸ *sm (o dedo anular)* ring finger

anunciar *vtd* 1 *(dar a conhecer)* to announce: ***anunciaram que se casariam dali a um ano*** they announced they'd marry in a year's time; ***o presidente anunciou a substituição do ministro*** the president announced the replacement of the minister 2 *(noticiar)* to report: ***os jornais anunciaram o fim da guerra*** the newspapers reported the end of the war 3 *(avisar sobre)* to announce: ***na porta, um homem anunciava a chegada de cada convidado*** at the door, a man announced the arrival of each guest 4 *(divulgar produto)* to advertise: ***vou anunciar a casa; espero vendê-la logo*** I'm going to advertise the house; I hope I can sell it soon 5 *(prenunciar)* foretell, forebode
▸ *vi (divulgar produto)* to advertise
▸ *vpr* **anunciar-se** to introduce oneself, to announce oneself: ***peça que se anuncie antes de entrar*** ask him to introduce himself before he comes in

anúncio *sm* 1 *(notícia)* announcement, notice 2 *(prenúncio)* sign 3 *(publicidade)* advertisement, ad

ânus *sm* anus

anzol *sm* 1 hook 2 *fig* bait, lure

ao *prep a + art o* to: ***não temos ido ao Rio*** we haven't been to Rio; ***registrei tudo o que o médico disse ao paciente*** I took notes of everything the doctor said to the patient; ***você (já) tem uma resposta ao meu pedido?*** have you got an answer to my request?
▸ *prep a + pron o* to, for: ***vestiu o casaco azul e não deu atenção ao que lhe ofereci*** she put on the red coat and paid no attention to the one I had offered her; ***são coisas necessárias aos meus filhos e aos dele*** these things are necessary for my children and his too

aonde *adv* where: ***aonde foi?*** where did she go?

aorta *sf* ANAT aorta

apagado *adj* 1 unlit, off: ***a fogueira permanecia apagada*** the bonfire remained unlit; ***a luz está apagada*** the light is off 2 *(sem destaque)* not outstanding, not prominent, obscure: ***é um político apagado*** he's an obscure politician 3 *(sem brilho, sem vida)* dull, obscured, obfuscated, opaque, vacant: ***olhar apagado*** a vacant look; ***cor apagada*** a dull color

apagador *sm* eraser

apagão *sm* blackout

apagar *vtd* 1 *(extinguir)* to extinguish, to put out, to switch off: ***apagar o fogo*** to put out the fire; ***apagar a luz*** to switch off the light 2 to erase: ***apagar a lousa*** to erase the board; ***ele escreveu a lápis para poder apagar*** he wrote it in pencil so he could erase it 3 *(fazer perder o brilho)* to obscure 4 *(suprimir)* to obliterate: ***não há o que apague essa lembrança*** nothing will obliterate this memory 5 *pop (matar)* to kill

▸ *vi* 1 *(entrar em letargia)* to pass out: ***bebeu tanto que apagou*** he drank so much that he passed out 2 *(perder o ânimo)* to get bored/dull: ***cheguei muito disposto, mas logo apaguei*** I was so excited when I arrived, but I soon got bored 3 *(desmaiar)* to faint 4 *(adormecer)* to fall asleep: ***queria ficar acordado, mas, sem perceber, apaguei*** I wanted to stay awake, but without realizing it, I fell asleep

▸ *vpr* **apagar-se** 1 *(extinguir-se)* to go out, to cease, to be extinguished 2 *(perder o brilho)* to fade

apaixonado *adj* 1 in love: ***mesmo depois de vinte anos de casamento, continuam apaixonados*** even after twenty years marriage, they're still in love 2 *(arrebatado)* passionate: ***arrematou o discurso com um apelo apaixonado*** he finished his speech with a passionate appeal 3 *(cego pela paixão)* unreasonable, impulsive, impetuous, rash, reckless: ***reflita bem, não faça julgamentos apaixonados*** consider this carefully, don't make rash judgements 4 *(amante)* a lover of, having a passion for, avid: ***é um apaixonado por música*** he is a lover of music; ***é um apaixonado por jardinagem*** he's an avid gardener

apaixonante *adj* loving, lovely, lovable

apaixonar *vtd* 1 *(inspirar amor)* to make someone fall in love with: ***com aquelas artimanhas, esperava apaixoná-lo*** with those artifices, she hoped to make him fall in love with her 2 *(arrebatar)* to inspire, to move: ***seus discursos tinham o poder de apaixonar multidões*** his speeches had the power to move the crowds

▸ *vpr* **apaixonar-se** 1 *(encher-se de paixão)* to fall in love with: ***apaixonou-se por minha amiga*** he fell in love with my friend 2 *(arrebatar-se)* to have a passion for: ***apaixonava-se por tudo o que fazia*** he had a passion for everything he did

apalpar *vtd* to grope

apanhado *sm (resumo)* summary, synopsis, main points

▸ *adj* **(bem-) apanhado** good-looking, well-dressed

apanhar *vtd* 1 *(pegar)* to get, to take, to grab, to grip, to seize, to catch: ***apanhou as roupas e saiu*** he took his clothes and left 2 *(colher, recolher, pegar)* to get, to catch, to take, to pick up: ***apanhe as migalhas do chão*** pick the crumbs up from the floor; ***você apanharia o livro de capa azul na estante, por favor?*** could you get that blue-covered book from the bookcase, please? 3 *(tomar condução)* to get on, to catch: ***apanhei o primeiro ônibus/trem*** I got on the first bus/train 4 *(surpreender)* to surprise, to catch, to catch unawares: ***apanhou-me com sua irmã*** he caught me with his sister 5 *(prender, capturar)* to catch, to get hold of, to arrest: ***a polícia apanhou o ladrão*** the police caught the criminal 6 *(contrair)* to get, to catch: ***apanhar um resfriado*** to get a cold

▸ *vi* 1 *(levar surra)* to be hit, to get hit, to get beaten up, to take a beating: ***se não entregasse o dinheiro, apanharia*** if he didn't hand over the money, he would get beaten up 2 *(perder)* to be beaten: ***nosso time apanhou no último domingo*** our team was beaten last Sunday 3 *(ter grande dificuldade)* to fight long and hard: ***apanhei muito até aprender a usar o computador*** I fought long and hard to learn how to use a computer

• **apanhar chuva** to get wet, to be in the rain

• **apanhar café** to pick coffee

• **apanhar no ar** *fig* to understand something not explicitly stated, to read between the lines, to get it

apara *sf* shred, scrap

aparar *vtd* 1 *(desbastar)* to trim, to shape: ***gosta de aparar a barba todos os dias*** he likes trimming his beard every day **2** *(cortar)* to cut, to mown: ***não aparam a grama há meses*** they haven't mown the grass for months **3** *(segurar o que se atira)* to catch: ***não conseguiu aparar a chave que lhe atirei*** he couldn't catch the key I threw to him

• **aparar as arestas** *fig* to perfect, to polish, to round out

aparato *sm* **1** *(equipamento)* apparatus, equipment, appliances **2** trappings, ostentation, pomp

aparecer *vi* **1** *(surgir, mostrar-se)* to appear, to show *(up)*: ***depois de muito tempo ele apareceu na sala*** after a long time, he showed up in the room; ***ele apareceu na janela*** he appeared at the window **2** *(ter início)* to begin, to appear: ***essa moda apareceu no fim da década de 1980*** this fashion began in the late 1980s **3** *(ser percebido)* to be seen, to be noticed: ***sua teoria aparece bem nos seus quadros*** his theories can be clearly seen in his paintings **4** *(comparecer)* to come, to show up: ***faz tempo que ele não aparece por aqui*** it's been a long time since he last came here

▸ *vti* to appear: ***apareceu-me em sonho*** it appeared to me in a dream

• **aparecer de repente** to suddenly appear, to come out of the blue

• **apareceu com uma história de...** he came up with the story that…

• **cresça e apareça** stand up and be counted

aparecimento *sm* **1** appearing, beginning **2** *(aparição)* appearance: ***aquele foi seu primeiro aparecimento em público desde então*** that was his first public appearance since then

aparelhagem *sf* equipment, apparatus, machinery

aparência *sf* **1** *(aspecto físico)* appearance, looks, aspect: ***boa aparência é necessária para quase tudo*** good looks are necessary for almost everything; ***transformaram por completo a aparência do lugar*** they have changed the whole appearance of the place **2** *(simulação, fingimento)* show: ***dizia que era rico, mas era só aparência*** he said he was rich, but it was only a show

▸ *pl* *(exterioridades, superficialidades)* superficial things, outward appearances: ***certas pessoas só dão valor a aparências*** some people value outward appearances only

• **as aparências enganam** appearances can be deceptive

• **manter as aparências** to keep up appearances

• **não julgar pelas aparências** not to judge by appearances

• **salvar as aparências** to keep up appearances

aparelho *sm* **1** *(máquina)* machine, device, appliance, apparatus, set **2** *(dentário)* tooth brace **3** *(anatômico)* ANAT brace **4** *(jogo, conjunto-de pratos etc.)* set **5** *(esporte)* apparatus **6** *gír 1960-70 (local de reuniões políticas)* cell, the place where a secret left-wing political meeting would occur during the dictatorship in Brazil

▪ **aparelho de barbear** razor, shaver

▪ **aparelho de som** stereo, sound system

aparentar *vtd* **1** *(parecer, dar a impressão exterior de)* to seem, to appear, to look: ***aparenta uns 40 anos*** he appears to be about 40; ***aparentava estar com sono*** he looked sleepy **2** *(fingir)* to pretend: ***aparentou tranquilidade, mas estava muito preocupado*** he pretended to be calm, but he was very worried

▸ *vpr* **aparentar-se** **1** *(assemelhar-se)* to bear similarities with, to be similar to: ***aparentava-se a seus inimigos nesse aspecto*** he bore similarities with his enemies in this respect **2** *(tornar-se parente)* to become someone's relative: ***aparentou-se de Maria ao casar-se com sua irmã*** he became Maria's relative when he got married to her sister

aparente *adj* **1** *(visível)* visible, clear **2** *(fictício)* seeming, unreal, spurious: ***a modéstia, nela, é só aparente*** her modesty is spurious

• **concreto aparente** fair-faced concrete

• **parede de tijolos aparentes** brick wall

aparição *sf* **1** appearance: ***sua última aparição em público foi na época de campanha*** his last public appearance was during the campaign **2** *(fantasma)* apparition

apartamento *sm* 1 apartment 2 *(em hotel)* suite

apartar *vtd-vtdi (separar)* to separate
▸ *vpr* **apartar-se** to separate from, to be apart

aparte *sm* 1 TEATRO aside 2 interruption to a speech: ***discursou meia hora sem conceder apartes*** he spoke for half an hour without allowing any interruptions

apatia *sf* apathy

apavorar *vtd-vi* to terrify, to horrify
▸ *vpr* **apavorar-se** to take fright, to be terrified, to be horrified

apaziguar *vtd* to pacify, to conciliate, to appease
▸ *vpr* **apaziguar-se** to be reconciled

apedrejar *vtd* to stone

apegar-se *vpr* 1 *(prender-se a)* to get attached to, to attach oneself to: ***com a morte do pai, apegou-se a seu irmão mais velho*** with her father's death she got attached to her elder brother 2 *(valer-se de)* to make use of: ***apegou-se ao que podia para vencer o concurso*** he made use of whatever he could to win the contest

apego *sm* attachment

apelação *sf* 1 *(recurso)* appeal: ***dizem que essa sentença não tem apelação*** they say there is no appeal for this ruling 2 *(falta de decoro)* vulgarity: ***não gostei do filme: tem muita apelação*** I didn't like the film: it overflows with vulgarity

apelar *vti* 1 to appeal: ***apelou para a ajuda dos amigos*** he appealed to his friends for help 2 to lodge an appeal, to file an appeal 3 *bras pop (partir para)* to resort to: ***quando se viu acuado, apelou para a violência*** when he found himself trapped, he resorted to violence
▸ *vi* 1 to appeal, to lodge an appeal, to file an appeal: ***a sentença foi de dez anos, mas o advogado vai apelar*** he was sentenced to ten years, but the lawyer will lodge an appeal 2 *bras pop (usar de violência)*: to resort to violence: ***sempre que se vê acuado, apela*** whenever he's in a corner, he resorts to violence 3 *bras pop (usar de vulgaridade)* to resort to vulgarity: ***para chamar a atenção do público, os programas humorísticos apelam*** in order to attract the public, the comedy shows resort to vulgarity
• **apelar para a ignorância** to resort to violence

apelido *sm* nickname

apelo *sm* appeal

apenas *adv (a custo, dificilmente)* hardly, hardly ever, barely: ***ele apenas aparece no escritório*** he hardly ever shows up at the office
▸ *conj* 1 *(só, somente)* only, just: ***vem ao escritório somente às sextas-feiras*** he comes to the office only on Fridays 2 *(logo que)* as soon as: ***apenas entrou em casa e começou a examinar todos os seus pertences*** as soon as he got home, he started to look over all his belongings

apêndice *sm (também* MED*)* appendix, accessory, attachment

apendicite *sf* MED appendicitis

aperfeiçoamento *sm* development, improvement, advancement, perfectioning
• **curso de aperfeiçoamento** refresher course

aperfeiçoar *vtd* to perfect, to develop, to improve
▸ *vpr* **aperfeiçoar-se** 1 *(corrigir-se)* to amend oneself, to improve 2 *(especializar-se)* to get further education

aperitivo *sm* 1 *(bebida)* aperitif *(alimento)* starter, appetizer: ***sempre toma um aperitivo antes do jantar*** he always has an aperitif before dinner; ***comeu uns amendoins de aperitivo*** she ate some peanuts as an appetizer 2 *fig* beginning: ***disse que, comparado ao que estava por vir, aquela desgraça era só aperitivo*** he said that, compared to what was to come, that disgrace was only the beginning

aperreado *adj (bravo)* irritated, angry, mad

apertado *adj* 1 tight: ***laço apertado*** a tight lace; ***saia apertada*** a tight skirt; ***a jaqueta ficou muito apertada*** the jacket is a very tight fit 2 cramped: ***casa apertada*** a cramped house 3 tight: ***o parafuso estava apertado*** the screw was tight 4 *(em dificuldades financeiras)* in a squeeze, hard-up

▸ *adv* just about: ***o time ganhou apertado do adversário*** the team just about beat the opposition

• **abraço apertado** a tight hug

• **com o coração apertado** tense, worried, having butterflies

• **estar apertado** *(querer ir ao banheiro)* bursting

• **de passo apertado** hurrying, in a hurry

• **prazo apertado** tight schedule

• **vida apertada** hard times

• **vitória apertada** a *(tight)* squeeze

• **tempo apertado** short time

apertão *sm* squeeze

• **dar um apertão** to squeeze *(someone)*

• **levar um apertão** to be squeezed

apertar *vtd* 1 *(pressionar)* to press: ***apertar o botão*** to press the button 2 *(segurar/agarrar com força)* to squeeze: ***apertou o braço do menino*** he squeezed the boy's arm 3 *(trazer contra o peito)* to hold, to embrace: ***apertou o filho ao peito*** she held her son to her breast 4 *(espremer)* to wring, to squeeze: ***apertou a toalha, para tirar o excesso de água*** he wrung the towel to remove the excess of water 5 *(ajustar)* to take in, to make tighter: ***apertar uma peça de roupa é mais fácil do que soltar*** taking clothes in is easier than letting them out 6 *(restringir)* to squeeze: ***a vida está cara, vamos precisar apertar o orçamento*** life's expensive, we'll have to squeeze the budget

▸ *vi* 1 *(comprimir)* to squeeze up: ***aperte um pouco mais para que Maria possa caber*** squeeze up to make space for Maria 2 *(intensificar-se)* to grow stronger: ***com o cair da noite, o frio apertou*** as the evening fell, the cold grew stronger 3 *(estreitar-se)* to funnel, to narrow: ***naquele ponto, a rua se aperta*** the street narrows at that point

▸ *vpr* **apertar-se** *(gastar menos)* to tighten the budget

• **apertar a mão de alguém** to shake hands with someone

• **apertar a vigilância** to increase the vigilance

• **apertar o cerco** *fig* to tighten the circle

• **apertar o cinto** to fasten the seatbelt, *fig* to tighten one's belt

• **apertar o coração** to worry, to make one's heart miss a beat

• **apertar o passo** to hurry up

aperto *sm* 1 squeeze 2 *fig (angústia)* anguish, distress 3 *(pouco espaço)* cramped space: ***naquele aperto, perdi o brinco*** in such a cramped space, I lost my earring 4 *(apuro)* tight squeeze: ***está vivendo num aperto danado*** he's living in a tight squeeze 5 *(ajuste)* shrink: ***minha saia precisa de um aperto na cintura*** my skirt needs a shrink on the waist

• **aperto de mão** handshake

• **ter um aperto no coração** to have butterflies, to be worried

apesar *loc prep* **apesar de** in spite of, despite: ***apesar da chuva, vou sair*** in spite of the rain, I'm going out

• **apesar de tudo** despite everything, in spite of everything

• **apesar disso** in spite of this/that, despite this/that

apetecer *vti* 1 to like, to be fond of, to be keen on: ***a comida chinesa me apetece muito*** I'm very fond of Chinese food 2 *fig* to attract, to interest: ***a fama nunca me apeteceu*** fame has never attracted me; ***a proposta dele, apesar de parecer boa, não me apeteceu*** his suggestion, despite seeming good, did not interest me

apetite *sm* appetite

apetitoso *adj* tasty, tasteful

apetrechos *sm* gear, equipment, implements

ápice *sm* top, climax, apex

• **num ápice** in an instant, in a blink

• **por um ápice** in a tight squeeze

apiedar-se *vpr* to pity, to have mercy on

apimentado *adj* 1 hot, spicy 2 *fig* spicy

apinhado *adj (superlotado)* crowded, cramped: ***o cinema estava apinhado*** the cinema was crowded

apinhar-se *vpr* to crowd, to be crowded with

apitar *vi* to whistle, to blow a whistle: ***o trem apita sempre que passa por aqui*** the train whistles whenever it passes by; ***há um guarda apitando na esquina*** there is a policeman blowing a whistle on the corner
▸ *vtd (arbitrar jogo)* to referee

apito *sm* 1 *(objeto)* whistle 2 *(som de apito)* whistle: ***ouvi o apito do trem ao longe*** I heard the train's whistle from afar

aplacar *vtd* to placate, to pacify, to soften, to assuage, to allay
▸ *vpr* **aplacar-se** to calm down, to quiet down, to soften up

aplanar *vtd* to flatten, to level

aplaudir *vtd-vi* 1 to applaud, to clap one's hands 2 *(aprovar)* to applaud, to approve of: ***aplaudi sua decisão*** I applauded his decision

aplauso *sm* clap, ovation

aplicação *sf* 1 *(prática)* use, applying 2 imposition: ***a aplicação da pena será imediata*** the imposition of punishment will be immediate 3 *(emprego)* exertion: ***a aplicação dessa técnica requer habilidade*** the exertion of this technique requires ability 4 *(concentração, atenção)* effort: ***elogiou muito a aplicação daquele aluno*** he complimented that student's efforts 5 *(investimento)* investment: ***suas aplicações não andavam rendendo muito*** his investments were not very profitable

aplicado *adj* 1 applied 2 *(diligente)* diligent, hard-working: ***aluno aplicado*** a hard-working student; ***um operário aplicado*** a diligent worker

aplicar *vtd* 1 *(sobrepor)* to apply: ***aplique a maquiagem depois de fazer o penteado*** apply the make-up after doing your hair 2 *(pôr em prática)* to apply, to make use of: ***sempre aplicou técnicas inovadoras*** he has always made use of innovative techniques 3 *(infligir)* to impose: ***o juiz aplicou a pena máxima*** the judge imposed the maximum punishment
▸ *vtdi* 1 *(pôr em prática)* to use, to apply: ***aplica sua energia em ficar bebendo no bar*** he applies his energy to stay drinking at the pub 2 *(dar)* to hit: ***aplicaram-lhe uns bofetões, e ele se calou*** they hit him with the fists and he shut up 3 *(investir)* to invest
▸ *vpr* **aplicar-se** to work hard, to devote oneself: ***não se aplicou muito e tirou péssimas notas*** he didn't work very hard and got very bad grades
• **aplicar injeção** to give someone an injection, to give someone a shot
• **aplicar uma pomada** to apply cream, to spread cream

apocalipse *sm* apocalypse

apoderar-se *vpr* to get hold of, to take control of

apodrecer *vtd* to rot: ***a chuva apodreceu a madeira*** the rain rotted the wood
▸ *vi* to rot: ***se continuar comendo doces assim, seus dentes vão apodrecer*** if you continue eating sweets this much, your teeth will rot; ***dizem que apodreceu na cadeia*** they say he rotted in jail

apogeu *sm* apogee, climax, apex, top

apoiado *adj* supported, approved of, backed up
▸ *interj* **apoiado!** hear! hear!

apoiar *vtd* 1 *(dar apoio a)* to support: ***a mulher apoiou a decisão do marido*** the wife supported her husband's decision 2 *(ajudar)* to support, to back: ***sempre apoiou o amigo nas horas de necessidade*** he's always backed his friend in times of need 3 *(aprovar)* to approve: ***o projeto foi apoiado pela comissão de diretores*** the project was approved by the board of directors
▸ *vtdi* 1 *(encostar)* to prop against, to lean against: ***apoiei a vassoura na mesa*** I propped the broom against the table 2 *(segurar)* to hold, to lean on, to lean to: ***apoiou a cabeça nas mãos*** he held his head in his hands 3 *(fundamentar)* to base, to ground: ***apoiou sua opinião em argumentos irrefutáveis*** he based his opinion on irrefutable arguments
▸ *vpr* 1 *(encostar-se)* to lean on: ***apoiou-se em mim para não cair*** he leant on me so as not to fall 2 *(fundamentar-se)* to base *(on)*, to ground *(on)* 3 *(prestar-se auxílio mútuo)* to support one another

apoio *sm* 1 *(sustentáculo)* basis: ***a honestidade é o apoio de sua campanha*** honesty is the basis of his campaign 2 *(amparo)* support, help: ***você sempre pode contar com meu apoio*** you can always count on my support 3 *(demons-*

tração de aprovação) approving: ***deu-me um olhar de apoio na reunião*** he gave me an approving glance in the meeting 4 *(auxílio financeiro)* support: ***o programa terá apoio de várias empresas*** the program will have the support of a number of companies
• **ponto de apoio** fulcrum

apólice *sf* share, stock
• **apólice de seguro** insurance policy

apontador *sm (de lápis)* sharpener

apontamento *sm* written note, summary

apontar *vtd* 1 *(afinar a ponta)* to sharpen 2 *(indicar com o dedo)* to point (*to, at, in* etc.): ***perguntei onde morava, e ela apontou aquela casa*** I asked her where she lived, and she pointed to that house; ***apontou para ele e disse: "é esse o criminoso"*** she pointed at him and said: "that is the criminal"; ***apontou na direção do parque*** she pointed in the direction of the park 3 *(especificar)* to point out: ***por mais que pensasse, não conseguiu apontar as falhas do trabalho*** however much she thought, she was unable to point out the weak spots in the work 4 *(selecionar)* to choose: ***foi apontado como o melhor ator do ano*** he was chosen as the best actor of the year 5 *(indicar)* to point towards: ***todos os indícios apontavam para ele*** all the evidence pointed towards him
▸ *vti-vtdi (alvejar)* to point at: ***apontou a arma para a mulher, mas não atirou*** he pointed the gun at the woman but did not fire
▸ *vi* 1 *(apresentar-se)* to appear: ***apontou na janela e atirou-lhe um beijo*** he appeared at the window and threw a kiss in the air 2 *(mirar)* to aim: ***apontou e atirou*** he aimed and shot 3 *(voltar-se para)* to point: ***o ponteiro da bússola sempre aponta para o norte*** the needle always points north in a compass
• **apontar (*lápis*)** to sharpen *(a pencil)*

aporrinhar *vtd* to bother, to annoy, to bore
▸ *vpr* **aporrinhar-se** to be bothered, to get annoyed, to get bored

após *prep (depois de)* after: ***era para que andássemos um após o outro*** we were supposed to walk one after the other
▸ *adv (depois)*: afterwards: ***não posso conversar agora: falamos após*** I can't talk to you now: we can talk afterwards

aposentado *adj-sm,f* 1 retired 2 *fig* no longer willing or able to do something

aposentadoria *sf* retirement *(pension)*: ***receber a aposentadoria*** to be granted a retirement pension
▪ **aposentadoria por idade** age retirement
▪ **aposentadoria por invalidez** retirement through disability

aposentar *vtd* 1 to grant someone retirement: ***aposentaram-no por invalidez*** they granted him retirement through disability 2 *(deixar de usar)* to abandon: ***aposentou os sapatos pretos*** he abandoned his black shoes
▸ *vpr* **aposentar-se** to retire *(from)*: ***aposentaram-se da política***: they retired from politics; ***continuou escrevendo após aposentar-se da universidade*** he continued to write after retiring from the university

aposento *sm* room: ***quantos aposentos tem a casa?*** how many rooms are there in the house?
▸ *pl* bedroom: ***vou para meus aposentos*** I'm going to my bedroom

aposta *sf* bet
• **ganhar uma aposta** to win a bet
• **perder uma aposta** to lose a bet
• **dobrar uma aposta** to double a bet

apostar *vtd* 1 to bet: ***aposto que ele não vem*** I bet he won't come; ***Eu estava muito nervoso. – Aposto que sim!*** I was very upset. – I bet you were! 2 to bet: ***apostou tudo o que tinha*** he bet all he had, he bet all his belongings
▸ *vti-vtdi* 1 to lay a bet on, to place a bet on, to put a bet on: ***apostou em vários cavalos*** he placed bets on a number of horses 2 to have a bet on: ***apostamos sobre quem terminaria o trabalho primeiro*** we had a bet on who would finish the work first 3 to bet something on: ***apostou todo o seu dinheiro num único cavalo*** he bet all his money on a single horse 4 to bet somebody that: ***apostou comigo que eu não pularia do trampolim*** he bet me that I wouldn't dive from the diving board

• **apostar alto** to bet for high stakes
• **apostar corrida** to run a race
• **apostar no cavalo errado** to bet on the wrong horse
• **quer apostar?** *inf* want to bet?, wanna bet?

apostila *sf* handout

apóstolo *sm* apostle

apóstrofo *sm* apostrophe

apreciação *sf* 1 (*gosto por*) appreciation 2 (*avaliação*) consideration, valuation, appraisal, attention

apreciar *vtd* 1 (*prezar*) to appreciate, to like, to be keen on, to be fond of, to enjoy 2 (*avaliar*) to consider, to evaluate, to assess, to appraise

apreciável *adj* 1 enjoyable 2 considerable, significant, notable

apreço *sm* 1 (*gosto por*) fondness 2 (*consideração, estima*) consideration, esteem

apreender *vtd* 1 (*apropriar-se judicialmente*) to confiscate: ***o contrabando foi apreendido na fronteira*** the smuggled goods were confiscated at the frontier 2 (*entender, assimilar*) to get, to assimilate: ***não consegui apreender todas as ideias que ele expôs*** I couldn't assimilate all the ideas he presented

apreensão *sf* 1 (*preocupação*) apprehension, anxiety 2 (*confisco*) apprehension, arrest, seizure 3 (*compreensão*) understanding, comprehension

apregoar *vtd* 1 (*anunciar com pregão*) to announce 2 (*proclamar*) to preach, to proclaim

apreensivo *adj* apprehensive, anxious, nervous

aprender *vtd-vtdi* to learn: ***nunca consegui aprender matemática*** I was never able to learn mathematics; ***aprendi a falar inglês em seis meses*** I learned to speak English in six months
▸ *vi* to learn: ***faz muito esforço, mas não aprende*** he makes a lot of effort but does not learn
• **aprender de cor** to learn by heart, to know by heart

aprendiz *sm* apprentice, beginner

aprendizado *sm* apprenticeship, learning (*process*)

aprendizagem *sf* apprenticeship, learning (*process*)

apresentação *sf* 1 the act of showing or presenting: ***o policial exigiu a apresentação dos documentos*** the policeman asked us to show our documents 2 introduction: ***seu novo amigo dispensava apresentação*** her new friend needed no introduction 3 (*aparência*) appearance, looks: ***é um rapaz de ótima apresentação*** he has a pleasing appearance; ***use um papel bonito para que o embrulho tenha boa apresentação*** use pretty wrapping paper for the parcel to look nice 4 (*espetáculo; discurso público*) presentation: ***chegamos muito cedo para a apresentação*** we arrived too early for the presentation; ***a apresentação de seu trabalho no congresso foi muito boa*** the presentation of his paper at the conference was very good 5 (*parte introdutória em um artigo/livro*) introduction: ***essa informação não estava na apresentação*** this information was not in the introduction

apresentador *sm, f* presenter

apresentar *vtd-vtdi* 1 (*mostrar*) to show: ***apresentou todos os quadros que fez*** he showed all his paintings 2 (*oferecer à vista*) to show, to give: ***com a seca, a planície apresentava uma imagem desolada*** with the drought, the plain gave an image of desolation 3 (*entregar*) to show, to present: ***tirou os documentos do bolso e apresentou-os ao policial*** he produced the documents from his pocket and showed them to the policeman 4 (*expor*) to present: ***o advogado de defesa apresentou bons argumentos*** the defense lawyer presented good arguments 5 (*pôr pessoas em contato*) to introduce: ***apresentei a nova secretária ao chefe*** I introduced the new secretary to the boss; ***apresentou Maria como namorada*** he introduced Maria as his girlfriend 6 (*submeter a apreciação*) to announce, to declare, to submit: ***João não quis apresentar candidatura*** João did not want to declare his candidacy; ***apresentei minha tese à banca*** I submitted my thesis to the board of examiners 7 (*expressar*) to give, to pass on: ***apresentei-lhes minhas condolências*** I passed on my sympathies to them **8** *(promover espetáculos)* to produce, to present: ***a companhia tem apresentado bons espetáculos*** the company has produced good plays

▸ *vpr* **apresentar-se 1** *(comparecer)* to come, to show up, to present oneself, to volunteer: ***apresentou-se de terno e gravata*** he came in suit and tie; ***apresentei-me ao tribunal*** I presented myself to the court; ***apresentou-se como voluntária para o trabalho*** she volunteered for the work **2** *(identificar-se)* to introduce oneself: ***ela começou a falar comigo sem se apresentar*** she started to talk to me without introducing herself **3** *(surgir)* to come up: ***apresentou-se uma dúvida*** a doubt came up **4** *(mostrar-se)* to reveal, to prove (*to be*): ***a doença apresenta-se cada vez mais grave*** the disease is proving to be increasingly serious **5** (*demonstrar-se*) to prove (*to be*), to show oneself (*to be*): ***apresentou-se um bom amigo desde o início*** he showed himself a good friend from the beginning **6** *(vestir-se)* to be dressed: ***costuma apresentar-se muito bem*** she is usually very well-dressed **7** *(atuar em espetáculo)* to play (*a part as*): ***ele se apresentou como Hamlet na última temporada*** he played Hamlet in the last season

• **apresentar demissão** to resign, to present one's resignation

• **apresentar denúncia (contra alguém)** to denounce (*someone*)

• **apresentar provas** to present evidence

• **apresentar relatório** to deliver a report

apresentável *adj* presentable

apressado *adj* **1** quick, fast **2** *(precipitado)* quick, rash: ***julgamento apressado*** quick judgement

• **passo apressado** quick step

apressar *vtd-vtdi* **1** *(dar pressa)* to hurry: ***não adianta me apressar, eu não vou correr*** it's no use hurrying me, I won't run **2** *(antecipar)* to bring forward, to do something earlier: ***apressou a saída por medo da chuva*** he left earlier for fear of the rain

▸ *vpr* **apressar-se** to hurry (*up*)

aprimorar *vtd* to perfect, to develop, to polish

vpr **aprimorar-se** to perfect oneself, to develop, to get better and better

aprisionar *vtd* to imprison

aprofundar *vtd* **1** *(tornar mais fundo)* to deepen: ***aprofundar um poço*** to deepen a well **2** *(enterrar mais)* to drive in: ***aprofunde o prego, para que a cabeça não apareça tanto*** drive the nail in so the head won't show so much **3** *(examinar a fundo)* to make a deep study of: ***é preciso aprofundar as razões da miséria*** it's necessary to make a deep study of the reasons of extreme poverty

▸ *vpr* **aprofundar-se 1** *(entranhar-se)* to deepen, to go deeper: ***a estaca aprofundou-se no solo*** the stake went deeper into the ground **2** *(adentrar-se)* to deepen, to go deeper: ***ele se aprofundou na floresta e não foi mais visto*** he went deeper into the woods and was no longer seen **3** *(tornar-se mais fundo)* to grow deep: ***com a erosão, o leito do rio se aprofundou*** with erosion, the river bed grew deep **4** *(investigar a fundo)* to delve into: ***nos últimos anos, aprofundou-se na genética*** in recent years, he has delved into genetics

aprontar *vtd* to make ready, to set, to prepare: ***apronte tudo para a viagem*** make everything ready for the trip; ***apronte a mesa, por favor*** set the table, please; ***aprontaram tudo para a cerimônia*** they've prepared everything for the cerimony

▸ *vi bras pop* **1** (*comportar-se mal*) to behave badly: ***toda vez que fico fora de casa, as crianças aprontam*** every time I'm out, the children behave badly **2** (*fazer*) to be up to: ***o que vocês estão aprontando?*** what are you up to? **3** (*iniciar*) to set up, to bring about, to begin: ***quando souberam que a atração principal não viria, aprontaram um escândalo*** when they heard the main attraction would not come, they set up a clamour

▸ *vpr* **aprontar-se** to get ready: ***aprontou-se para a festa*** she got ready for the party

apropriação *sf* appropriation

apropriado *adj* appropriate, correct, suitable, proper

apropriar-se *vpr* to appropriate, to take for oneself

aprovação *sf* **1** approval, approbation **2** *(consentimento)* endorsement, consent **3** *(louvor)* approbation, commendation, praise **4** *(em escola)* pass

• **dar aprovação a algo** to approve of something, to endorse something

aprovar *vtd* **1** *(dar aprovação a)* to approve of: ***o pai não aprovou os atos do filho*** the father didn't approve of the son's behavior **2** *(consentir)* to consent: ***você aprova a saída de seu filho hoje à noite?*** do you consent to your son's going out tonight? **3** *(sancionar)* to approve, to ratify, to sanction, to authorize: ***a lei foi aprovada por maioria absoluta*** the law was approved by an absolute majority **4** *(dar por habilitado em exame/concurso)* to pass

aproveitador *adj (explorador)* a person who takes advantage of another person or a situation

aproveitamento *sm* **1** *(emprego adequado)* good use **2** *(rendimento escolar)* scholarly development, student development

aproveitar *vtd* **1** *(tirar proveito)* to take advantage of: ***aproveitei um momento de silêncio e pedi a contribuição em dinheiro*** I took advantage of a moment when everyone was silent to ask for a financial contribution **2** *(tornar proveitoso/útil)* to make (good) use of: ***aproveitou todo o espaço que sobrara na sala*** she made use of every bit of space left in the room **3** *(não desperdiçar)* to use (up): ***aproveitei todos os restos de comida; não joguei nada fora*** I used up all the leftovers; I didn't throw anything away **4** *(fazer progresso em)* to profit by, to profit from: ***o aluno desnutrido não aproveita bem as aulas*** the undernourished student doesn't profit by the classes he attends

▸ *vi (tirar vantagem)* to take advange of (*something*), to seize the opportunity: ***aproveite enquanto as vacas estão gordas*** take advantage of the situation while it is favourable

▸ *vpr* **aproveitar-se 1** *(valer-se)* to make use of, to take advantage of: ***aproveitou-se de minha boa-fé para conseguir as informações que queria*** he made use of my good faith to get the information he wanted **2** *bras pop (abusar, explorar sexualmente)* to take advantage of: ***aproveitou-se da moça e depois sumiu*** he took advantage of the girl and disappeared

• **aproveitar a oportunidade** to seize the opportunity

aproximação *sf* approach, the act of getting near

aproximado *adj* approximate, estimated

aproximar *vtd-vtdi* **1** *(pôr próximo, acercar)* to move near, to bring closer: ***aproximou a mão do fogo para aquecê-la*** he moved his hand near the fire to warm it **2** *(unir)* to unite, to bring together: ***a perda do filho aproximou mais o casal*** the loss of the son brought the couple together

▸ *vpr* **aproximar-se 1** *(acercar-se)* to go near, to get near, to approach: ***não se aproxime da fogueira!*** don't go near the bonfire!; ***os investigadores estão se aproximando da verdade*** the detectives are getting near the truth **2** *(unir-se)* to unite, to come together **3** *(beirar)* to near: ***ele se aproximava dos noventa quando morreu*** he was nearing ninety when he died

• **não se aproxime!** don't get close!, stay away!

aptidão *sf* **1** *(habilidade)* aptitude, skill, ability **2** *(disposição)* willingness, readiness

apto *adj* **1** *(hábil)* adept, able, capable **2** *(apropriado)* appropriate, suitable, pertinent

apunhalar *vtd* **1** to stab **2** *fig (atraiçoar)* to betray

apuração *sf* **1** *(purificação)* purification **2** *(verificação do resultado)* checking

• **apuração de votos** counting of votes

apurado *adj* **1** *(esmerado)* smart, elegant **2** *(requintado)* fine, exquisite: ***gosto apurado*** fine taste **3** *bras pop (em apuros)* broke: ***nunca tem dinheiro: anda sempre apurado*** he's always broke **4** *bras pop (apressado)* in a hurry: ***não consegui falar com ele; estava muito apurado*** I couldn't speak to him; he was in a hurry **5** *bras pop (sobrecarregado)* overburdened: ***não admira que esteja tão estafada; está apurada de trabalho*** no wonder she is under such stress; she's overburdened with work

apurar *vtd* **1** *(purificar)* to refine, to purify **2** *(aperfeiçoar)* to perfect, to polish up: ***ele ainda é um tanto rústico; precisa apurar os modos*** he's still a little rough; he needs to polish up his manners **3** *(arrecadar)* to gather, to collect: ***com a rifa, conseguimos apurar o suficiente para o jantar dos funcionários*** we were able to collect enough for the staff dinner with that raffle **4** *(averiguar)* to investigate, to ascertain: ***esperamos que a comissão consiga apurar toda a verdade*** we hope the commitee will be able to ascertain the whole truth **5** *(tornar mais concentrado)* to thicken: ***apure bem o molho*** thicken the sauce well
▸ *vi (concentrar-se)* to thicken: ***desligue o fogo, para que a sopa não apure demais*** turn off the gas so the soup won't thicken
▸ *vpr* **apurar-se** **1** *(purificar-se)* to purify oneself, to cleanse oneself **2** *(aprimorar-se)* to perfect oneself, to polish oneself **3** *(esmerar-se no trajar)* to dress up **4** *(apressar-se)* to hurry *(up)* **5** *(ficar em apuros financeiros)* to be broke, to get broke
• **apurar o passo** to hurry *(up)*, to walk quickly
• **apurar votos** to count votes

apuro *sm* **1** *(requinte)* elegance: ***vestir-se com apuro*** to dress with elegance **2** *(situação difícil)* predicament, difficult situation
• **estar em apuros** to be in trouble, to run into trouble, to find oneself in a difficult situation

aquarela *sf* watercolor

aquário *sm* fishbowl, fish tank, aquarium

aquático *adj* water, aquatic

aquecedor *sm* heater
▪ **aquecedor central** central heater
▪ **aquecedor de água** water heater

aquecer *vtd* **1** *(esquentar)* to warm: ***aqueça ligeiramente a comida*** warm the food slightly; ***não se esqueça de aquecer água para o banho*** don't forget to warm the water for your bath; ***deitou-se ao sol para aquecer o corpo*** he lied in the sun to warm his body **2** *(animar)* to warm up: ***aqueceram a plateia com piadas antes da atração principal*** they warmed up the audience with jokes before the main attraction **3** *(acalorar)* to heat: ***as novas informações aqueceram a discussão*** the new information heated the discussion **4** ECON to heat up
▸ *vpr* **aquecer-se** **1** *(esquentar-se)* to warm oneself **2** *(animar-se)* to get excited

aquecimento *sm* **1** warming, heating **2** ECON heating up
▪ **aquecimento central** central heating
▪ **aquecimento global** global warming

aquele(s) *pron dem* **1** *(sing)* that, *(pl)* those: ***não quero estes tomates; prefiro aqueles ali*** I don't want these tomatoes; I prefer those over there; ***esteve ontem aqui aquela mulher de que lhe falei*** that woman I told you about was here yesterday **2** that: ***desagradável aquela mania dele, de roer as unhas*** that habit of his of biting his nails is very unpleasant **3** the former: ***João e Pedro riam: este, de felicidade; aquele, de nervosismo*** both João and Pedro were laughing: the latter out of happiness, the former out of nervouness **4** those: ***aqueles bons e velhos tempos em que por aqui passava o bonde são memoráveis*** those good old times of the streetcar are memorable **5** *(aquela pessoa)* the one: ***ele é aquele que ganhou a corrida*** he's the one who won the race **6** *(aquelas pessoas)* those: ***aqueles que desejarem, poderão participar da cerimônia*** those who wish are allowed to take part in the ceremony **7** that: ***ficamos lá, lembrando coisas antigas: este ou aquele amigo, esta ou aquela história***... we remained there, remembering old things: this and that friend, this and that story...
▸ *contr prep a + aquele, aquela*: **àquele, àquela** that: ***diga àquele moço que venha aqui depressa*** tell that young man to come here quickly
• **aquele abraço**! all my best!, all the best!

aquém *adv* on this side
▸ *loc prep* **aquém de** 1 *(do lado de cá)* this side of 2 *(abaixo de, menos de)* less than, short of, below, beneath

aqui *adv* 1 *(neste lugar)* here: ***moro aqui há cinco anos*** I've been living here for five years 2 *(a este lugar)* here: ***venha aqui, este lugar é melhor*** come here, this place is better 3 *(neste ponto)* this: ***chegamos ao ponto crucial: aqui é que as coisas se complicam*** we've reached the crucial point: this is where things get complicated 4 *(até aqui)* here, all the way here: ***veio da Lapa aqui a pé*** he came here from Lapa on foot
• **aqui embaixo** down here
• **aqui em cima** up here
• **aqui está** here you are, here you have
• **aqui está quente; e aí?** it's hot here; what about there?
• **aqui estou!** here I am!
• **aqui no Sul** down here in the South
• **por aqui anda chovendo muito** it's been raining a lot *(down/up)* here

aquietar *vtd* to quieten, to silence
▸ *vpr* **aquietar-se** to quieten down, to silence

aquilatar *vtd (apreciar, julgar)* to appraise, to assay

aquilo *pron dem* 1 *(aquela coisa)* that, it: ***fiquei triste depois que vi aquilo*** I was sad after I saw that 2 that: ***fiquei lá parado, pensando isto e aquilo, antes de me decidir*** I was standing there, thinking about this and that before I made up my mind 3 *(pejorativo) (aquela pessoa)* he, she: ***aquilo não passa de um canalha*** he's nothing but a rascal
▸ *contr prep a + aquilo:* **àquilo** it, that thing: ***referiu-se àquilo com muito humor*** he referred to it with a lot of humour

aquisição *sf* purchase

aquisitivo *adj* having to do with purchasing or acquiring
• **poder aquisitivo** purchasing power

aquoso *adj* watery

ar *sm* 1 *(camada gasosa que envolve a terra)* air 2 *(espaço acima do solo)* air: ***os estilhaços da bomba voaram pelo ar*** the fragments of the bomb flew into the air; ***jogou para o ar tudo o que encontrou pela frente*** he threw everything he found up into the air 3 *(sensação causada por alguém/alguma coisa)* air, atmosphere: ***havia um ar de curiosidade na reunião*** there was an air of curiosity in the meeting 4 *(aparência)* appearance, look: ***tinha o ar cansado e falou pouco*** he had a tired look and did not speak much; ***tem um ar de nórdico*** he has a Nordic appearance; ***tem um ar meio escrachado*** he has a pretty scruffy look 5 *(clima)* climate: ***o ar da serra me faz bem*** the climate of the mountains does me good
▸ *pl* 1 *(clima)* climate 2 *(maneiras)* airs: ***assumiu ares de chefe depois da promoção*** he took on airs of being the boss after he was promoted
▪ **ar comprimido** compressed air
▪ **ar-condicionado** air conditioning
• **ao ar livre** outdoors
• **ar de família** a family-like atmosphere
• **ar de poucos amigos** an unfriendly appearance
• **dar o ar da graça** to show up
• **estar fora do ar** *(transmissão)* to be off the air, *fig* to be unaware
• **estar no ar** *(transmissão)* to be on the air
• **ir ao ar** *(transmissão)* to be broadcast
• **ir pelos ares** to blow up
• **mudar de ares** to breathe some fresh air
• **no ar** *(incerto)* in the air
• **tomar ar** to get some fresh air
• **sair do ar** to go off the air

árabe *sm, f* Arab, Arabic
▸ *adj* Arabian
• **cavalo árabe** Arabian horse

Arábia *sf* Arabia
▸ **Arábia Saudita** Saudi Arabia

arado *sm* plow

arame *sm* wire
▪ **arame farpado** barbed wire

aranha *sf* spider

araponga *sf* bell-bird, bellbird

arapuca *sf* 1 a kind of bird trap 2 *fig* trap: ***cair na arapuca*** to be caught in a trap

araque *loc* **de araque** very bad, fake:

João é um jogador de araque: nunca faz um gol João is such a bad player: he never scores a single goal; ***apareceu com um uísque de araque, dizendo que era escocês*** he came up with a fake whiskey, saying it was a real Scotch

arar *vtd* to plough

arara *sf* ZOOL macaw
• **ficar uma arara (com)** to get very irritated (*at*)

arbitrar *vtd* to referee, to judge, to arbitrate

arbitrariedade *sf* arbitrariness

arbitrário *adj* arbitrary, unmotivated

arbítrio *sm* will
• **livre-arbítrio** free will

árbitro *sm* referee

arborizado *adj* full of trees, planted with trees, tree-lined, green

arbusto *sm* bush

arca *sf* ark
• **arca de Noé** Noah's Ark

arcada *sf* ARQ arcade, loggia
• **arcada dentária** dental arch

arcaico *adj* old, archaic

arcanjo *sm* archangel

arcar *vtd (arquear)* to bend, to bow
▸ *vti* to take on/upon oneself, to accept as one's duty, to abide by: ***arcou com todas as despesas da viagem*** he took all the expenses of the trip upon himself

arcebispo *sm* archbishop

arco *sm* **1** *(arma)* bow **2** ARQ arch **3** MÚS bow **4** *(gol)* goal
• **arco do triunfo** triumphal arch
• **Arco do Triunfo** Arc de Triomphe

arco-da-velha (*pl* **arcos-da-velha**) *sm* rainbow
• **uma história do arco-da-velha** an absurd story, old wives' tale

arco-íris *sm* rainbow

ar-condicionado (*pl* **ares-condicionados**) *sm* air conditioning

ardência *sf* **1** *(sensação no paladar)* pungency **2** *(sensação de queimadura)* burning or stinging sensation

ardente *adj* **1** *(em chamas)* burning, ablaze **2** *(que queima)* hot, burning: ***sol ardente*** burning sun **3** *(picante)* hot, spicy, pungent **4** *fig (apaixonado, enérgico)* hot, fervent

arder *vi* **1** *(produzir ardor)* to burn: ***cuidado: esse produto costuma arder*** be careful: this product generally burns; ***peguei muito sol: minha pele está ardendo*** I've got too much sun: my skin is burning; ***meus olhos estão ardendo, vou dormir*** my eyes are burning, I'm going to bed **2** *(queimar-se)* to blaze, to be on fire: ***a mata está ardendo*** the wood is on fire; ***a lamparina ardeu a noite toda*** the lamp blazed (*away*) all night **3** *(consumir-se como em chamas, abrasar-se de amor, ódio etc.)* to burn, to be ablaze: ***ardia de desejos por ela*** he was burning with desire for her; ***ardia de impaciência*** he was burning with impatience **4** *(estar em brasa, da cor da brasa)* to be ablaze, to glow: ***seus olhos ardiam na noite escura*** his eyes were ablaze in the dark evening **5** *(brilhar)* to blaze, to glow
• **arder de febre** to burn with fever

ardil *sm* ruse, artifice, stratagem, trick, trap, wile

ardiloso *adj* cunning, guileful, artful, crafty

ardor *sm* **1** *(ardência)* burning or stinging sensation **2** *(entusiasmo)* ardor, enthusiasm, passion, zeal

ardoroso *adj* ardent, passionate, enthusiast

ardósia *sf* GEOL slate

árduo *adj* hard, difficult

área *sf* **1** area, surface **2** *(campo de ação)* area, field: ***faz tempo que atua na área*** she's been working in the field for a long time
• **área de descanso, área de emergência** rest area
• **área de manobras** turning area
• **área de serviço** service area

areia *sf* sand
• **areia movediça** quicksand

arejado airy, well-ventilated

arejar *vtd (ventilar)* to ventilate

arena *sf* **1** *(de anfiteatro)* arena **2** *(de circo)* arena

arenga *sf* long and tedious speech

arenoso *adj* sandy

aresta *sf* corner, angle, edge, border, brim

argelino *adj-sm,f* Algerian

argentino *sm,f* Argentinian
▸ *adj* 1 Argentinian 2 argentine, silvery

argila *sf* clay

argola *sf* ring, hoop

argúcia *sf* 1 acuteness, smartness 2 astuteness, shrewdness

arguir *vtd* 1 (*repreender, censurar*) to rebuke, to reprimand 2 (*examinar por meio de questões*) to question, to test orally 3 (*alegar como razão*) to present as an argument
▸ *vtdi* (*acusar de*) to accuse of: ***arguiu-me de pecado*** he accused me of being a sinner

argumentação *sf* reasoning, argumentation

argumentar *vtd-vtdi-vi* 1 to discuss 2 to present in the form of an argument, to adduce reasons

argumento *sm* 1 argument, reasoning 2 CINE argument

arguto *adj* ingenious, clever, subtle, quick, acute

ária *sf* MÚS aria

aridez *sf* dryness, barrenness

árido *adj* 1 arid, dry, barren 2 *fig* hard-hearted, insensitive
• **tornar-se árido** to become hard-hearted and insensitive

Áries ASTROL *sm* Aries

aríete *sm* battering ram

arisco *adj* 1 wild 2 shy, elusive

aristocrata *sm, f* aristocrat

aristocrático *adj* aristocratic

aritmética *sf* arithmetic

arlequim *sm* harlequin

arma *sf* weapon
▪ **arma branca** any kind of cutting or thrusting weapon
▪ **arma de fogo** gun
• **arma nuclear** nuclear weapon
• **depor as armas** to lay down arms

armação *sf* 1 structure, frame 2 *fig* (*tramoia*) trick: ***não confie no que ele está dizendo: é tudo armação para arrancar dinheiro dos incautos*** don't trust what he's saying: it's a trick to get money from fools
• **armação de óculos** frame

armada *sf* armada, fleet, navy

armadilha *sf* trap: ***cair numa armadilha*** to be caught in a trap

armado *adj* 1 armed: ***não costumo andar armado*** I'm not used to being armed 2 (*prevenido*) armed: ***veio à reunião armado de argumentos para contradizer minhas ideias*** he came to the meeting armed with arguments to contradict my ideas
• **assalto à mão armada** armed robbery
• **cabelo armado** tall, standing hair, frizzle(d) hair
• **forças armadas** armed forces
• **luta armada** armed conflict

armadura *sf* armour

armamento *sm* armament, weaponry, fighting equipment

armar *vtd-vtdi* 1 to arm: ***ele armou a população para enfrentar o inimigo*** he armed the people to confront the enemy 2 to set: ***armou uma arapuca para pegar passarinhos*** he set a trap to catch birds 3 (*montar*) to put up, to assemble: ***armamos a barraca na praia*** we put up the tent on the beach; ***armamos o brinquedo de manhã*** we assembled the toy in the morning 4 (*arquitetar*) to plot: ***armou um golpe para ficar com o controle da empresa*** he plotted a coup to take control of the company 5 (*suscitar*) to start: ***por qualquer coisa arma a maior confusão*** he'll start a clamour for anything
▸ *vi* (*encorpar*) to become stiff, to stiffen, to stand up: ***meu cabelo não arma*** my hair won't stand up; ***esse tecido não arma*** this material doesn't stiffen
▸ *vpr* armar-se 1 to arm oneself 2 (*munir-se*) to arm oneself (*with*): ***armou-se de argumentos*** he armed himself with arguments; ***armaram-se de coragem*** they armed themselves with courage 3 (*precaver-se*) to prepare: ***armaram-se contra a seca*** they prepared themselves for the drought 4 (*formar-se*) to start up: ***está se armando uma tempestade*** a storm is starting up 5 (*surgir*) to begin:

de repente, armou-se a maior briga suddenly, a fight began
• **brinquedo de armar** construction toy

armarinho *sm* haberdashery

armário *sm* cabinet, cupboard
▪ **armário embutido** fitted cupboard

armazém *sm* 1 *(depósito de mercadorias)* storehouse, warehouse 2 *(mercearia)* grocery

armazenar *vtd* to store

armistício *sm* armistice

aro *sm* wheel, hoop

aroma *sm* aroma, smell, fragrance

aromático *adj* aromatic, fragrant

aromatizante *adj* perfuming
▸ *sm* flavouring

aromatizar *vtd* to perfume

arqueologia *sf* archaeology, archeology

arqueólogo *sm, f* archaeologist

arquibancada *sf* stands

arquipélago *sm* archipelago

arquitetar *vtd* 1 to plot, to plan 2 to create, to conceive

arquiteto *sm,f* architect

arquitetura *sf* architecture

arquivar *vtd* to file

arquivo *sm* 1 file 2 archive 3 INFORM file

arrabalde *sm* outskirts

arraia sf ray

arraia-miúda (*pl* **arraias-miúdas**) *sf* the common people, the mob

arraigar *vtd* 1 to make to take root, to root 2 *fig* to establish firmly
▸ *vpr* **arraigar-se** 1 to take root, to root: ***esta planta não se arraiga facilmente*** this plant doesn't take root easily 2 *fig* to be firmly established

arrancada *sf* 1 start 2 acceleration: ***este carro tem uma boa arrancada*** this car has good acceleration 3 ESPORTE concentrated effort: ***a arrancada final*** the final effort

arrancar *vtd-vtdi* 1 *(puxar)* to pull *(out)*: ***arrancou o talão de cheques do bolso*** he pulled a chequebook from his pocket 2 *(erradicar)* to uproot, to weed: ***de certa forma, fomos arrancados de nossa antiga moradia*** in a way we were uprooted from our old place; ***passei o dia arrancando ervas daninhas (do jardim)*** I spent the day weeding the garden 3 *(puxar com força)* to yank, to wrench: ***o soldado arrancou a criança dos braços da mulher*** the soldier yanked the child from the woman's arms 4 *(extrair)* to extract: ***fui ao dentista arrancar um dente*** I went to the dentist to have a tooth extracted 5 *(tirar)* to pull *(out)*, to pluck out, to extract: ***por favor, arranque esse espinho do meu dedo*** please, pull this thorn out of my finger 6 *(remover, afastar)* to get out, to snatch out: ***fiz de tudo para arrancá-lo daquela depressão*** I've done everything to get him out of that depression 7 *(obter por força ou insistência)* to get out, extract: ***apesar das torturas, não conseguiram arrancar-lhe a confissão*** in spite of torturing him, they were not able to extract a confession from him; ***ele tanto se insinuou que conseguiu arrancar o segredo da mulher*** he was so insinuating that he managed to extract the secret from the woman
▸ *vi (partir com ímpeto)*: to accelerate *(away)*, to depart suddenly and unexpectedly: ***pisou no acelerador e o carro arrancou*** he put his foot on the gas and the car accelerated away
• **arrancar aplausos** to get applause
• **arrancar alguém da cama** to get someone out of bed

arranca-rabo (*pl* **arranca-rabos**) *bras pop sm* quarrel, brawl, dog-fight

arranha-céu (*pl* **arranha-céus**) *sm* skyscraper

arranhão *sm* scratch, light cut

arranhar *vtd* 1 to scratch: ***o gato arranhou a porta da cozinha*** the cat scratched the kitchen door; ***suas unhas estão compridas: você me arranhou*** your nails are too long: you've scratched me 2 to scratch: ***arranhei a porta do carro no muro*** I scratched the car door as I was driving past the wall 3 *fig* to stain: ***aquela história arranhou sua reputação*** that story stained his reputation
▸ *vi* 1 to rasp: ***pise fundo na embreagem, para a marcha não arranhar*** press

the clutch right down so the gear won't rasp **2** to rasp: ***não gosto dessa parede áspera: ela arranha*** I don't like this rough wall: it rasps

▸ *vpr* **arranhar-se** to scratch oneself

• **arranhar uma língua** to speak a (*foreign*) language poorly

• **arranhar um instrumento musical** to play a musical instrument poorly

arranjar *vtd* **1** (*pôr em ordem*) to arrange, to organize, to tidy, to sort out: ***arranje os livros na estante*** sort out the books in the bookcase **2** (*acertar*) to solve, to sort out, to straighten out: ***vou fazer de tudo para arranjar aquela situação de conflito*** I'll do all I can to sort out the conflicting situation **3** (*conseguir*) to get: ***onde você arranjou essa bicicleta?*** where did you get that bike?; ***está parado há seis meses, sem conseguir arranjar emprego*** he's been out of work for six months, without being able to get a new job **4** MÚS to arrange

▸ *vtdi* **1** to give someone something: ***vê se me arranja uns trocados*** give me some spare change **2** to get someone something: ***arranjei-lhe um emprego na escola*** I got him a job at the school

▸ *vpr* **arranjar-se 1** (*conseguir lidar com situação difícil*) to cope, to be able to manage: ***andou em apuros, mas já se arranjou*** she's been in trouble, but she has been able to manage **2** (*avir-se*) to sort something out for oneself, to take care of oneself: ***não quis minha ajuda, então que se arranje*** as she didn't want my help, let her sort it out for herself

• **arranjar namorado(a)** to get a boyfriend/girlfriend

• **arranjar uma desculpa** to make up an excuse

arranjo *sm* **1** arrangement **2** MÚS arrangement

arranque *sm* thrust, sudden and unexpected departure or movement

arrasado *adj* **1** razed, levelled, overthrown, crushed, devastated, ruined **2** *fig* humiliated, prostrate

arrasar *vtd* **1** (*demolir*) to destroy, to raze, to level, to crush, to devastate, to ruin: ***o bombardeio arrasou a cidade*** the bombing leveled the town **2** (*destruir*) to devastate, to lay waste: ***a seca arrasou as plantações*** the drought devastated the plantation **3** (*humilhar, vexar*) to humiliate, to put someone down: ***aquelas suas palavras conseguiram me arrasar*** those words you said put me right down **4** (*abater moralmente*) to put someone down: ***o escândalo arrasou-o*** the scandal put him down

▸ *vi gíria* (*abafar*) to make a great impression: ***apareceu com um vestido vermelho e arrasou*** she appeared in a red dress and made a great impression

▸ *vpr* **arrasar-se 1** (*abater-se*) to prostrate **2** (*humilhar-se*) to humiliate oneself, to be greatly humiliated

arrastado *adj* **1** dragged, dragging: ***passo arrastado*** a dragging step **2** (*lento*) slow, dragged, dragging **3** (*demorado*) long, protracted: ***é um processo arrastado, que já dura cinco anos*** it's a protracted process which has been going on for five years now

• **ter a voz arrastada** to speak with a drawl, to have a slur in one's voice

arrastão *sm* **1** (*rede*) a large kind of fish net **2** *bras* (*recolhimento da rede de pesca*) the act of pulling back a large net that has been thrown to catch fish **3** (*assalto*) a type of collective robbery in which a group of people go over a place getting the valuables from all present

• *bras pop* **ir no arrastão** to be consciously influenced by others, to be consciously deluded (*by someone/something*)

arrasta-pé (*pl* **arrasta-pés**) *sm* a ball, especially a popular one, referred to in northeastern Brazil

arrastar *vtd-vtdi* **1** to drag, to draw, to pull, to haul (*along*): ***o fardo é muito pesado; é melhor arrastá-lo*** the load is too heavy; it's better to drag it along; ***o vizinho do andar de cima gosta de arrastar móveis à noite*** the upstairs neighbour likes dragging the furniture around at night; ***lá vem a noiva, arrastando a cauda*** here comes the bride, pulling the tail of her bridal gown along **2** *fig* to drag: ***embora eu não estivesse a fim de sair, arrastaram-me para o teatro*** although I was not in the mood, they dragged me out to the theatre **3**

(conduzir) to lead: ***as más companhias o arrastaram ao crime*** bad company led him to crime

▸ *vpr* 1 **arrastar-se** *(rastejar)* to creep, to crawl 2 *(ser lento)* to drag *(out)*: ***as horas se arrastam, mal posso esperar para voltar*** time's dragging, I can hardly wait to return 3 to delay: ***os processos se arrastam, e não se chega a conclusão alguma*** the cases are dragging out, and no conclusion has been reached

• **arrastar a voz** to drawl

• **arrastar os pés** 1 to dance 2 to drag one's feet

arrazoado *sm* reasoning, argument

arrebatamento *sm* rapture

arrebatar *vtd* 1 *(arrancar)* to seize, to snatch, to grab: ***arrebatou a criança dos braços da mãe*** he seized the baby from its mother's arms 2 *(encantar)* to enrapture, to entrance, to charm: ***ele arrebatava multidões com seus discursos*** he enraptured the crowds with his speeches 3 *(enfurecer)* to enrage 4 *(conquistar)* to conquer: ***o jogador arrebatou o prêmio*** the gambler conquered the prize

▸ *vpr* **arrebatar-se** 1 to be enchanted by, to be moved by 2 to fly into a passion

arrebentado *adj* 1 broken to pieces 2 *(exausto)* tired out, exhausted

arrebitado *adj* turned up, cocked up

• **nariz arrebitado** snub nose

arrebitar *vtd* to turn up, to cock up

▸ *vpr* **arrebitar-se** to get angry

arrecadar *vtd-vi* 1 *(juntar)* to collect: ***conseguimos arrecadar só quinhentos reais*** we were able to collect no more than five hundred reais 2 *(receber)* to receive revenue: ***o governo arrecada muito com os impostos*** the government receives a great deal of revenue from taxes

arredar *vtd-vtdi* 1 *(afastar)* to move away: ***nada o arreda da filha doente*** nothing moves him away from his sick daughter 2 *(dissuadir)* to dissuade: ***fiz de tudo, mas não o arredei da decisão*** I've done everything but I wasn't able to dissuade him from his decision

▸ *vi (afastar-se)*: to keep off: ***arrede daí; você está me atrapalhando*** keep off; you're disturbing me

▸ *vpr* **arredar-se** *(recuar)* to retreat, to move away, to step back

arredio *adj* 1 aloof, withdrawn 2 strayed, wandering

arredondar *vtd* 1 *(tornar redondo)* to round, to make round 2 *(transformar em números redondos)* to round up/down

▸ *vi (engordar)* to gain weight

▸ *vpr* **arredondar-se** to become round

arredores *sm pl* surroundings, outskirts

arrefecer *vi* 1 to cool down 2 *fig* to lose heart

arregaçar *vtd* 1 to roll up 2 *bras pop* to beat up, to beat one's brains out

• **arregaçar os lábios** to purse one's lips

arregalar *vtd* to open one's eyes wide with admiration, surprise etc.: ***arregalar os olhos*** to open one's eyes wide

arreganhar *vtd* 1 to show one's teeth: ***o cachorro arreganhou os dentes e ele fugiu apavorado*** the dog showed its teeth and he ran away scared 2 *(abrir em demasia)* to open up, to open wide: ***arreganhar os lábios*** to open one's lips wide

arregimentar *vtd* to muster

arrego *sm* surrender

• **pedir arrego** to surrender

arrematar *vtd* 1 to finish, to conclude 2 *fig* to round off: ***ele arrematou suas palavras com várias ofensas*** he rounded off his words with a number of offences 3 *(comprar em leilão)* to buy at an auction: ***arrematou um quadro de Rembrandt*** he bought a Rembrandt painting at an auction

arremate *sm* finishing, finishing touch

arremedar *vtd* to imitate

arremedo *sm* 1 imitation 2 *(cópia, plágio)* fake

arremessar *vtd* to throw: ***arremessou a bola*** he threw the ball

arremesso *sm* throw: ***arremesso do dardo*** a dart throw

arrepender-se *vp* 1 to repent *(of)*, to feel sorry *(for)* 2 to change one's mind, to back up

arrependimento *sm* sorrow, compunction, regret

arrepiado *adj* feeling a shiver
• **estar arrepiado** to have a shiver run through one's body, to have one's hairs standing on end

arrepiar-se *vpr* **1** *(a pele)* to get goosebumps **2** *(os pelos)* to stand on end **3** *fig* to shiver, to be filled with terror, astonishment etc.

arrepio *sm* **1** shiver **2** thrill
• **de dar arrepio** terrible, astonishing

arriar *vtd* **1** *(abaixar)* to get down **2** to put down: ***arriei o caixote sobre a mesa*** I put the box down on the table **3** *(prostrar)* to prostrate, to put down: ***aquela doença me arriou*** that illness put me down
▸ *vi* **1** *(cair)* to collapse: ***o teto arriou sob o peso do granizo*** the roof collapsed under the weight of the hail **2** to collapse: ***trabalhei o dia inteiro; no fim da tarde, arriei no sofá*** I worked all day long and late in the afternoon I collapsed on the sofa
• **arriar as velas** to lower the sails

arriscado *adj* risky

arriscar *vtd* to risk, to endanger: ***arriscar a vida*** to risk one's life; ***não gosto de arriscar meu dinheiro em especulações*** I don't like risking my money on speculations
▸ *vpr* **arriscar-se 1** to take the risk, to run the risk: ***preferi me arriscar e saltar de para-quedas*** I preferred to take the risk and parachute out **2** to risk: ***não quero me arriscar a fazer o exame sem preparo suficiente*** I don't want to risk taking the exam without enough preparation
• **arriscar tudo** to risk everything
• **quem não arrisca não petisca** nothing ventured, nothing gained
• **não arriscar** not to take the risk, to stay safe

arrocho *sm* **1** *(aperto)* squeeze **2** *(situação difícil)* difficult situation, predicament, affliction
• **arrocho salarial** wage squeeze

arrogância *sf* arrogance

arrogante *adj-smf* arrogant, haughty, overbearing

arrojado *adj* **1** *(ousado)* daring **2** *(avançado)* modern: ***um móvel de design arrojado*** a piece of furniture with a modern design

arrombamento *sm* break-in

arrombar *vtd* to break into

arrotar *vi* to burp

arroto *sm* burp

arroubo *sm* extasis, rapture

arroz *sm* rice

arruaça *sm* tumult, turmoil, commotion, riot

arruaceiro *adj-smf* troublemaker

arruda *sf* rue

arruinar *vtd* **1** *(destruir)* to ruin, to destroy, to spoil: ***a seca arruinou as plantações de soja*** the drought ruined the soy crop **2** *(reduzir à miséria)* to ruin: ***as últimas medidas governamentais arruinaram muitos comerciantes de café*** the latest government policies ruined many coffee dealers
▸ *vi* **1** *(deteriorar)* to rot: ***toda a mercadoria arruinou no depósito*** all the goods rotted in the storehouse **2** *bras pop (infeccionar)* to get infected: ***seus ferimentos arruinaram gravemente*** his wounds got severely infected
▸ *vpr* **arruinar-se** *(empobrecer-se)* to be ruined, to go broke: ***arruinou-se no jogo*** he was ruined by gambling

arrumação *sf* organization, arrangement, tidying

arrumadeira *sf* chambermaid, cleaner

arrumado *adj* **1** tidy, neat, organized **2** *(pronto, vestido)* dressed up

arrumar *vtd* **1** *(pôr em ordem)* to tidy (*up*), to organize, to put in order: ***arrumou seu quarto?*** have you tidied your room?; ***não gosta de arrumar a escrivaninha*** he doesn't like tidying up the writing desk **2** *(encontrar)* to get: ***arrumou um bom emprego*** he got a good job; ***arrumou um ótimo namorado*** she got a nice boyfriend **3** *(inventar)* to make up, to invent: ***arrumei uma desculpa e não fui à reunião*** I made up an excuse and didn't attend the meeting **4** *(ajeitar)* to tidy: ***arrumou os cabelos com um gesto nervoso*** she tidied her hair with a tense gesture
▸ *vpr* **arrumar-se 1** *(conseguir boa situação)* to get settled, to settle into a good

situation, to get married, to get a good job: ***por fim, ela se arrumou com um sujeito endinheirado*** in the end, she married a rich guy **2** *(ajeitar-se)* to improve: ***não há outra solução: ou você se esforça mais, ou as coisas não se arrumam*** there's no other way: either you make some more effort or things won't improve **3** *(aprontar-se)* to get dressed: ***vá logo se arrumar, pois estamos atrasados*** go and get dressed immediately for we're late **4** *(vestir-se elegantemente)* to dress up: ***arrumou-se para a festa*** she dressed up for the party

arsenal *sm* arsenal

arsênico *sm* arsenic

arte *sf* **1** art **2** *(travessura)* trick, mischief: ***que artes você anda aprontando?*** what tricks have you been getting up to?
• **artes gráficas** *sf* **1** printing **2** graphic design
• **artes marciais** *sf* martial arts
• **artes performáticas** *sf* performing arts
• **artes plásticas** *sf* visual arts
• **diretor de arte** *sm,f* art director
• **galeria de arte** *sf* art gallery

artefato *sm* artifact, object

arteiro *adj* naughty, crafty, full of tricks

artéria *sf* **1** ANAT artery **2** *(grande avenida)* artery

artesanal *adj* handmade

artesanato *sm* handicraft, crafts: ***feira de artesanato*** handicraft fair

artesão *adj-sm,f* artisan, craftsman

ártico *adj* Arctic

articulação *sf* articulation

articulado *adj* **1** articulated: ***junções articuladas*** articulated joints **2** *(desenvolto)* articulate

articular[1] *vtd* **1** *(unir, formando articulações)* to articulate, to join, to link **2** *(pronunciar)* to articulate, to pronounce: ***ela articula bem os sons do espanhol*** she pronounces Spanish sounds well **3** to forge, to fashion, to contrive, to put together: ***é um político que articulou muitas alianças com outros partidos*** he's a politician who has forged many political alliances with other parties
▸ *vtdi* to link: ***esta peça articula os segmentos do tubo*** this part links the segments in the tube
▸ *vpr* **articular-se 1** to discuss *(ideas, problems etc.)* **2** to engage in the organization of a plan, an event etc.

articular[2] *adj* articular

artificial *adj* **1** artificial: ***pérolas artificiais*** artificial pearls **2** *(postiço)* false: ***cílios postiços*** false eyelashes **3** *(fingido)* fake: ***sorriso artificial*** fake smile

artifício *sm* artifice, scheme

artigo *sm* **1** *(divisão)* article, section: ***artigo 1.º da Constituição*** the 1st article in the Constitution **2** article, paper: ***escrever um artigo*** to write an article, to write a paper **3** *(mercadoria)* product, item **4** GRAM article
artigo definido definite article
• **artigo indefinido** indefinite article

artista *smf* artist

artístico *adj* artistic

árvore *sf* tree

ás *sm* **1** ace **2** *fig* ace: ***um ás do volante*** a driving ace

asa *sf* **1** wing **2** handle: ***as asas da xícara*** the cup handles
▪ **asa do nariz** ala of the nose
• **aparar as asas de alguém** to clip someone's wings
• **arrastar as asas para alguém** to show a romantic interest in someone, to court
• **bater as asas 1** to flap one's wings **2** *fig* to go away, to flee, to escape
• **criar asas** *fig* to disappear
• **dar asa a alguém** to show confidence in someone
• **dar asas à imaginação** to give wings to one's imagination
• **ter alguém debaixo da asa** to take someone under one's wings

asa-delta (*pl* ***asas-deltas***) *sf* hang glider

ascendência *sf* **1** ancestry, forebears **2** ascendancy, domination
• **ter forte ascendência sobre alguém** to have a strong domination over someone

ascendente *adj* ascending: ***movimento ascendente*** ascending movement
▸ *sm,f* **ascendente 1** ancestor, forebear **2** ASTROL ascendant

ascensão *sf* **1** ascension, ascent, rise **2** *(festa)* Ascension Day

asco *sm* disgust, repugnance, revulsion
• **causar asco** to make someone feel disgusted
• **sentir asco** to feel disgusted

asfaltar *vtd* to asphalt, to pave with asphalt

asfalto *sm* **1** asphalt **2** *(pavimentação)* asphalt pavement **3** *fig* street: ***isso é típico da vida do asfalto*** this is typical of the street lifestyle

asfixia *sf* asphyxia, suffocation

asfixiante *adj* suffocating

asfixiar *vtd* **1** to suffocate, to choke **2** *fig* to suffocate, to choke, to stifle: ***asfixia os filhos com tanta repressão*** she suffocates her children with her repression
▸ *vpr* **asfixiar-se** to suffocate

asiático *adj-sm,f* Asian

asilo *sm* **1** rest home, nursing home: ***asilo de velhos*** rest home, nursing home **2** *fig (proteção, acolhida)* refuge: ***sempre encontrou asilo nos momentos de necessidade*** he has always found refuge in times of need
▪ **asilo político** political asylum

asma *sf* asthma

asmático *adj-sm,f* asthmatic

asneira *sf* stupidity, nonsense, bullshit

asno *sm,f* ass, donkey

aspas *sf pl* inverted commas, quotation marks: ***abrir/fechar aspas*** open/close inverted commas; ***entre aspas*** in quotation marks
▪ **aspas duplas** inverted commas
▪ **aspas simples** inverted comma
▪ **entre aspas** in inverted commas: ***a amiga dela, entre aspas, roubou seu namorado*** her friend, in inverted commas, stole her boyfriend

aspecto *sm* **1** appearance, look, looks: ***ter aspecto cansado*** to have a tired look **2** *(característica)* aspect, perspective, point of view: ***conversaram sobre todos os aspectos da reforma do prédio*** they've talked about all the aspects of the building restauration; ***analisemos o problema de diferentes aspectos*** let us analyse the problem from different perspectives

áspero *adj* **1** rough, rugged, uneven **2** *(ríspido)* rough, rude, coarse **3** *(árduo)* harsh, austere

aspiração *sf* aspiration, ambition, yearning

aspirador *sm* aspirator
▪ **aspirador de pó** vacuum cleaner,

aspirante *adj* aspiring
▪ *smf* aspirant, candidate

aspirar *vtd* **1** *(inspirar)* to breathe **2** *(sugar)* to suck: ***use a bomba para aspirar a água*** use the pump to suck up the water
▸ *vti (desejar)* to aspire, to long for: ***ele aspira ao posto de comandante*** he aspires to the post of a commander-in-chief

asqueroso *adj* disgusting

assadeira *sf* cake tin

assado *adj* **1** baked, roasted **2** *(com assadura)* burned
▸ *sm* CUL any kind of baked or roasted meat served as a dish

assadura *sf* burn

assalariado *adj-sm, f* salary worker, employee

assaltante *sm, f* thief, burglar, robber, mugger

assaltar *vtd* **1** *(investir com ímpeto)* to attack, to storm: ***as tropas assaltaram o forte e renderam o inimigo*** the troops attacked the fort and subdued the enemy **2** to rob: ***mais uma vez, o banco foi assaltado*** the bank was robbed once again; ***esse bando costuma assaltar condomínios*** this gang frequently robs condominiums **3** *(ocorrer repentinamente)* to occur, to assail: ***uma dúvida atroz me assaltou*** a horrible doubt occurred to me

assalto *sm* **1** *(investida)* assault, attack, onslaught **2** *(roubo)* robbery, burglary, theft, mugging: ***o assalto ao banco ocorreu às três da tarde*** the bank robbery took place at three in the afternoon **3** ESPORTE round: ***no terceiro assalto o pugilista caiu*** the boxer was knocked out in the third round
• **assalto à mão armada** armed robbery

assanhado *adj-sm,f* **1** *(alvoroçado)* excited: ***quando soube que a entrada seria franca, ficou assanhadíssimo*** he was very excited when he heard the entrance would be free **2** *(namorador)* flirtatious: ***na vila, diziam que ela era assanhada*** in the village she was said to be flirtatious **3** *(desgrenhado)* dishevelled, unkempt: ***com aquela ventania, meu cabelo ficou todo assanhado*** in such a wind, my hair got all dishevelled

assanhar *vtd* **1** *(alvoroçar)* to excite, to arouse: ***a chegada dos doces assanhou a criançada*** the delivery of the sweets excited the children **2** *(desgrenhar)* dishevel

▸ *vpr* **assanhar-se 1** *(alvoroçar-se)* to get excited, to be aroused **2** to get excited: ***quando vê mulher bonita, logo se assanha*** he soon gets excited when he sees a beautiful woman

assar *vtd* **1** to bake, to roast **2** *(causar assadura)* to cause a skinburn

assassinar *vtd* **1** to kill, *(deliberadamente)* to murder, *(uma pessoa importante)* to assassinate, *(um grande número de pessoas)* to slaughter, to massacre **2** *(executar mal um instrumento, idioma etc.)* to spoil, to destroy, to ruin: ***conseguiu assassinar Liszt tocando mal dessa maneira*** he was able to spoil Liszt with such bad playing; ***então começou a falar francês, ou melhor, a assassinar o francês*** then he started speaking French, that is, he started destroying the French language

assassinato *sm* killing, murder, assassination, slaughter, massacre

assassino *sm,f* killer, murderer, assassin

asseado *adj* neat, tidy, clean

assediar *vtd* **1** to besiege **2** to sexually harass: ***foi despedido porque assediava as colegas*** he was fired because he used to sexually harass his workmates **3** to harass, to annoy, to beset **4** to surround: ***assim que saiu do teatro, foi assediado pelas fãs*** as soon as he left the theatre he was surrounded by his fans

assédio *sm* **1** siege **2** *(sexual)* sexual harassment **3** insistence, harassment: ***sempre fugiu do assédio dos jornalistas*** he always fled from the harassment of journalists

assegurar *vtd-vtdi* **1** *(garantir)* to assure, to reassure, to ensure **2** *(afirmar com segurança)* to assert, to state, to affirm

▸ *vpr* **assegurar-se** to make sure

assembleia *sf* assembly, meeting

assemelhar *vtd-vtdi* to be similar to, to resemble

▸ *vpr* **assemelhar-se** to be similar, to resemble, to look like

assentamento *sm* **1** *(núcleo de povoamento)* settlement **2** *(colocação)* laying: ***preparou tudo para o assentamento dos tijolos*** he has arranged everything for the laying of the bricks

• **assentamento de sem-terra** settlement of landless peasants

assentar *vtd-vtdi* **1** *(fixar residência)* to settle (*down*): ***assentaram-se nas novas terras da planície*** they settled down on the new lands on the plain **2** *(apoiar)* to rest: ***a viga deve assentar na laje*** the beam has to rest on the slab **3** *(fundamentar)* to base, to ground: ***assenta a argumentação em princípios sólidos*** he bases his arguments on sound principles **4** *(dispor)* (*tijolos*) to lay, (*azulejos*) to tile, (*argamassa*) to spread: ***assentar tijolos*** to lay bricks; ***assentar azulejos*** to tile; ***assentar a massa na parede*** to spread the plaster on the wall **5** *(julgar, achar)* to think, to judge: ***ao ouvir aquela voz rouca, assentou ser sua irmã*** when listening to that hoarse voice, he judged it to be his sister **6** *(montar)* to set up: ***você me ajudaria a assentar a barraca?*** could you help me set up the tent? **7** *(combinar)* to fix, to establish: ***assentaram que as despesas seriam rateadas*** they established that the expenses would be shared between themselves; ***assentar as condições do negócio*** to establish the conditions for the business **8** (*concordar*) to agree on: ***depois de muita discussão, por fim, assentiu em viajarmos no dia seguinte*** after much arguing he finally agreed on our travelling the next day **9** (*manter-se no lugar*) to stay in place: ***quer chovesse ou fizesse sol, seu cabelo nunca assentava*** whether the weather was rainy or sunny, her

hair never stayed in place **10** *(registrar)* to note down, to record, to register
▸ *vti* **1** *(ajustar-se)* to fit: ***esse vestido lhe assenta muito bem*** this dress fits you very well **2** *(combinar)* to go with: ***esta cor não assenta com aquela*** this color doesn't go with that one
▸ *vi* **1** *(sentar[-se])* to sit down, to take a seat **2** *fig* to settle: ***espere até a poeira assentar*** wait until the dust settles
• **assentar as ideias** to rest one's ideas, to settle one's ideas
• **assentar moradia** to settle down, to establish a home

assentir *vti* to agree, to assent

assento *sm* seat
• **tomar assento** to take a seat

assessor *adj-sm,f* advisor

assíduo *adj* steady, regular
• **um cliente assíduo** a regular customer

assim *adv* so, thus, this way, in such a way, like this, like that: ***por que você se comporta assim comigo?*** why do you behave in such a way towards me?
▸ *conj* so, therefore, thus: ***recuperou a saúde; assim, voltou a trabalhar*** he recovered his health so he resumed work
• **a praça estava assim de gente** the square was crowded
• **assim, assim** so so
• **assim como** such as
• **assim está bom** this way is ok, it's ok this way
• **assim mesmo** *conj* even so
• **assim mesmo!** well done!, just so!
• **assim que** *conj* as soon as
• **assim seja** amen, so be it
• **e assim por diante** and so on, and so forth

assimilação *sf* assimilation

assimilar *vtd* to assimilate, to absorb

assinalar *vtd* to mark, to highlight, to distinguish, to point out
▸ *vpr* **assinalar-se** *(distinguir-se)* to distinguish oneself

assinante *sm, f* subscriber

assinar *vtd-vi* **1** to sign **2** *(jornais, revistas etc.)* to subscribe

assinatura *sf* **1** signature **2** season ticket **3** *(em revistas etc.)* subscription
• **TV por assinatura** cable TV

assistência *sf* **1** assistance, aid **2** *(ambulância)* ambulance
• **assistência social** social work
• **assistência técnica** technical assistance

assistente *adj-sm* assistant
▸ **assistente social** *sm,f* social worker

assistir *vti* **1** to watch: ***assistir a um filme*** to watch a film; ***assistimos ao programa de TV*** we watched the TV show **2** to attend: ***assistimos juntos à cerimônia*** we attended the ceremony together; ***assistir à missa*** to attend mass **3** to witness: ***assisti a uma cena desagradável hoje*** I've witnessed an unpleasant scene today
▸ *vtd-vti (auxiliar, cuidar)* to assist, to help, to aid, to take care of: ***a enfermeira assistia (a)os doentes*** the nurse took care of the sick
• **assistir às aulas** to attend school

assoalho *sm* floor

assoar *vtd* to blow: ***assoar o nariz*** to blow one's nose
▸ *vpr* **assoar-se** to blow one's nose

assoberbado *adj* **1** *(altivo)* arrogant, stuck up, snobbish **2** *(com sobrecarga de trabalho)* overwhelmed

assobiar *vi-vtd* to whistle: ***assobiar uma canção*** to whistle a song

assobio *sm* **1** whistle **2** *(apito)* whistle

associação *sf* **1** association **2** association: ***a associação de dois fatores*** the association of two factors

associado *adj-sm,f* **1** member **2** associate

associar *vtdi* to associate: ***associo verão ao mar*** I associate summer to the sea
▸ *vpr* **associar-se 1** to be associated with, to relate to: ***a chegada das andorinhas associa-se à primavera*** the arrival of the swallows is associated with spring **2** to become partners: ***associaram-se para abrir uma agência de tradução*** they became partners in a translation firm **3** to become a member: ***ela associou-se ao sindicato*** she became a union member

assolar *vtd* to devastate, to lay waste

assomar *vi* to appear, to show up, to emerge, to loom

assombração *sf* ghost, spirit

assombrado *adj* 1 astonished: ***fiquei assombrado com a quantidade de relâmpagos desta noite*** I was astonished by so much lightning last night 2 haunted: ***casa assombrada*** haunted house

assombro *sm* astonishment, shock

assombroso *adj* astonishing, shocking

assumido *adj* professed: ***era um comunista assumido*** he was a professed communist

assumir *vtd* 1 to take on: ***o novo gerente deverá assumir a responsabilidade dos pagamentos*** the new manager must take on responsibility for the payments 2 to take responsibility for: ***você confia em alguém para assumir a coordenação do evento?*** do you trust anybody to take responsibility for the coordination of the event? 3 to claim: ***ninguém assumiu a responsabilidade dos ataques*** nobody claimed responsibility for the attacks 4 to put on: ***assumiu ares de chefe*** he put on bossy airs 5 *(adquirir)* to take on: ***a crise assumiu proporções inimagináveis*** the crisis took on unimaginable proportions 6 to profess, to confess publicly and proudly: ***assumiu a sua preferência sexual*** he professed his sexual preferences

▸ *vi* to take office: ***o presidente assume no dia 1.º de janeiro*** the president will take office on the first of January

assuntar *vtd-vti-vi* 1 to listen: ***fiquei quieto, assuntando a conversa dos dois*** I remained silent, only listening to their conversation 2 to pay attention: ***entre lá e fique assuntando no que eles dizem*** get in and pay attention to what they say 3 to observe: ***estava lá só para assuntar o ambiente*** I was there just to observe the environment

assunto *sm* 1 subject, matter, question 2 business: ***não é assunto que te diga respeito*** this is none of your business

• **dar o assunto por encerrado** to consider a matter closed

• **estar sem assunto** to have nothing to talk about

• **evitar um assunto** to stay off a subject, to keep off a subject

• **fugir do assunto** *(evitar o assunto)* to stay off the subject, to keep off the subject

• **introduzir um assunto** to raise a subject

• **mudar de assunto** to change subject, to change the subject

assustado *adj* frightened, scared

assustador *adj* frightening, scaring

assustar *vtd-vi* to frighten, to scare

▸ *vpr* **assustar-se** to get frightened, to get scared

asterisco *sm* asterisk

astro *sm* 1 star 2 *(artista)* star, celebrity, famous person

astrologia *sf* astrology

astronauta *smf* astronaut

astronave *sf* spaceship

astronomia *sf* astronomy

astronômico *adj* 1 astronomic 2 *fig* astronomical, huge, enormous, extremely high: ***gastou uma quantia astronômica*** he spent an astronomical sum of money

astrônomo *sm,f* astronomer

astúcia *sf* cunning, guile

astuto *adj* cunning, shrewd

ata *sf* minutes, official record: ***lavrar ata*** to take the minutes

atabalhoado *adj* 1 *(coisa)* made or done in a hurry 2 *(pessoa)* messed up, having too much to think about

atacadista *sm, f* COM wholesale trader

atacado *adj* in a bad mood: ***não mexa com ele: hoje ele está atacado*** don't get near him: he's in a bad mood today

▸ *sm* **atacado** COM wholesale: ***venda no atacado*** wholesale

atacante *smf* ESPORTE attacker, forward, striker

atacar *vtd* 1 *(assaltar)* to attack, to assail, to charge, to strike 2 *(acusar, criticar)* to criticize, to charge, to assail: ***atacou violentamente o governo em seu discurso*** he strongly criticized the government in his speech 3 *(lutar contra)* to fight: ***precisamos atacar o alcoolismo*** we have to fight alcoholism 4 *(acometer)* to strike: ***a doença o atacou durante a viagem*** he was struck by an illness during the trip **5** *(danificar)* to damage, to spoil: ***a fuligem atacou o interior da chaminé*** soot damaged the interior of the chimney

atadura *sf* bandage

atalho *sm* short cut

atapetar *vtd* to carpet

ataque *sm* **1** *(assalto)* attack, assault, onslaught **2** *(crítica)* charge, criticism: ***o senador repetiu seus ataques ao governo*** the senator reaffirmed his criticism of the government **3** *(acometimento de doença)* attack, seizure: ***ataque cardíaco*** heart attack **4** *fig (acesso)* fit: ***quando ele começou a me insultar, eu tive um ataque*** I had a fit when he insulted me

atar *vtd-vtdi* **1** to tie, to bind, to fasten **2** to dress, to bandage
▸ *vpr* **atar-se** to bind oneself to
• **não atar nem desatar** not to decide, to stay undecided

atarantado *adj* troubled, messed up

atarefado *adj* busy

atarracado *adj* short, stubby

atazanar *vtd* to trouble, to disturb, to worry, to annoy

até *prep* to, until, up to: ***fui até a praça a pé*** I walked to the square; ***a escravidão no Brasil durou até 1888*** slavery in Brazil lasted until 1888; ***ele a acompanhou até a porta da frente*** he accompanied her up to the front door
▸ *conj* **até, até que** until: ***espero até você acabar*** I will wait until you finish; ***fiquei lá até que ele me recebesse*** I remained there until he would talk to me
▸ *adv* **1** *(também, mesmo)* even: ***escreveu contos, ensaios e até romances*** he wrote short stories, essays and even novels; ***até você está de carro novo!*** even you have a new car!; ***até meu chefe veio para a festa*** even my boss attended the party **2** *(no máximo)* up to, at the most: ***compre até 500 g de queijo*** get 500 grams of cheese at the most
• **até aquele momento, até aquela época** until then
• **até aquele ponto** up to that point
• **até a vista!** see you later!
• **até agora** until now, up to this moment
• **até já** see you in a minute, see you soon
• **até logo** goodbye, see you later
• **até mesmo** even
• **até que enfim!** finally!, at last!

atear *vtd-vtdi* to set (*only used in connection with fire*): ***ateou fogo na mata*** he set the woods on fire; ***ateou fogo às vestes*** he set fire to his clothes

ateísmo *sm* atheism

ateliê *sm* studio, workshop: **ateliê de escultor** sculptor's workshop
■ **ateliê de costura** sewing room

atemorizar *vtd* to frighten, to scare
▸ *vpr* **atemorizar-se** to get frightened, to get scared

atenção *sf* **1** *(concentração)* attention: ***preste atenção*** pay attention **2** *(cuidados)* care, loving care: ***cerquei-o de atenção, mas ele continuou arredio*** I've surrounded him with loving care, but he remains distant; ***cerca-a de mil atenções*** he treats her with all the care in the world **3** *(consideração)* kindness, regard, politeness: ***sempre demonstrou muita atenção para com os que o procuravam*** he has always shown much kindness to those who came to him
▸ *interj* attention!, watch out!
• **chamar a atenção** (*para a importância de alguma coisa*) to call attention to, (*por ser vistoso*) to attract attention
• **chamar a atenção de alguém** to rebuke someone, to tell someone off
• **olhar com toda a atenção** to look carefully
• **prestar atenção** to pay attention
• **voltar a atenção para algo** to turn one's attention to something

atenciosamente *adv* faithfully: ***sem mais para o momento, subscrevo-me atenciosamente*** faithfully yours, yours faithfully

atencioso *adj* thoughtful, caring

atender *vti* **1** *(dar atenção, considerar)* to give attention to, to pay attention (*to*), to mind, to take into consideration: ***não atendeu às reclamações dos clientes*** she didn't pay attention to the clients' complaints **2** *(deferir)* to heed, to grant: ***sempre espera que Deus atenda às suas súplicas*** he always hopes God will heed his pleas; ***requeri licença, mas a repartição não atendeu ao meu pedido*** I've asked for leave but the office didn't grant my request **3** *(acolher com cortesia)* to be attentive, to treat well: ***costuma atender a todos os que precisam de sua ajuda*** he is usually attentive to everyone who needs his help **4** *(responder)* to answer: ***atender ao telefone*** to answer the telephone; ***atender à campainha*** to answer the door

▸ *vtd (servir)* to wait on, to serve: ***uma jovem simpática nos atendeu naquele restaurante da esquina*** a nice young lady waited on us at the restaurant on the corner

▸ *vi* **1** to see: ***o médico não atende às terças*** the doctor doesn't see patients on Tuesdays **2** to serve: ***nesta loja não atendem bem*** they don't serve you well at this shop

• **chama-se José, mas atende por Zé** his name is José, but people call him Zé

atendimento *sm* service: ***o atendimento nesta loja é excelente*** the service at this store is excellent; ***a comida é muito boa naquele restaurante, mas o atendimento é péssimo*** the food is very good at that restaurant, but the service is terrible

atentado *adj fam (endiabrado)* nasty, naughty, desobedient

▸ *sm* **atentado** attack

atentar *vti* **1** to pay attention (*to*), to consider, to mind, to give heed **2** to attempt against

atento *adj* **1** attentive, mindful: ***estava atento ao que eu dizia*** he was attentive to what I was saying **2** attentive, regardful: ***esteja atento para as necessidades de sua família*** be attentive to your family's needs **3** alert, watchful, vigilant: ***você deve ficar sempre atento*** you must be alert at all times

atenuante *adj* mitigating: ***circunstâncias atenuantes*** mitigating circumstances

▸ *sf* **atenuante** mitigating circumstance

atenuar *vtd* to attenuate, to weaken, to lessen, to tone down

▸ *vpr* **atenuar-se** to weaken, to diminish, to water down

aterro *sm* embankment

aterrissar *vi* to land

aterrissagem *sf* landing

aterrorizar *vtd* to frighten, to scare, to terrify, to horrify

▸ *vpr* **aterrorizar-se** to get frightened, to get scared, to be terrified, to be horrified

ater-se *vpr* **1** *(prender-se)* to attach to, to cling to **2** *(circunscrever-se)* to keep oneself to, to restrain oneself to

atestado *sm* certificate

• **atestado de saúde** bill of health

ateu *adj-sm,f* atheist

atiçar *vtd* **1** *(avivar fogo)* to stir, to poke **2** *(instigar)* to stir, to encourage: ***atiçar ódios*** to encourage hatred **3** *(despertar o entusiasmo)* to excite, to fire (*up*): ***a perspectiva do feriado atiçou a nós todos*** the prospect of the holiday excited us all; ***não atice o menino, ele está quieto agora*** don't get the boy fired up, he's quiet now **4** *(estimular)* to stimulate: ***esse aperitivo atiça o apetite*** this apperitif stimulates the appetite

▸ *vpr (estimular-se, excitar-se)* to get excited, to be enthusiastic about something

atinar *vtd (perceber)* to realize: ***só depois de muito tempo, eu atinei que ele era surdo*** only after a long time did I realize he was deaf

▸ *vti* to remember: ***conversei com ele ontem durante dez minutos, mas não consegui atinar com o nome dele*** I talked to him for ten minutes yesterday, but I couldn't remember his name

atingir *vtd* **1** *(alcançar)* to achieve, to attain, to reach: ***atingir um objetivo*** to achieve a goal; ***atingir elevada posição social*** to reach a high position **2** *(chegar a)* to reach: ***atingiu o topo da montanha*** he reached the mountain top; ***ela atingiu os 50 anos com a beleza intacta*** she reached the age of 50 with her beauty intact; ***o prejuízo atinge milhares de reais*** the loss reaches thousands of reais **3** *(afetar)* to affect, touch, concern: ***o que vem de baixo não me atinge*** what comes from below doesn't affect me **4** *(dizer respeito a)* to concern, to refer to: ***o desconto não atinge os aposentados*** the discount doesn't refer to the retired

5 *(acertar)* to hit: ***o tiro o atingiu no braço*** the shot hit him in the arm

atirado *adj* brash, cocky, forward

atirar *vtdi (arremessar)* to throw: ***o menino atirou a bola para o companheiro*** the boy threw the ball to his mate; ***não atirem pedras na janela*** don't throw stones at the window; ***deu-me um golpe e atirou-me ao chão*** he hit me and threw me down onto the floor
▸ *vtd-vi (disparar)* to shoot: ***ele veio em paz, não atire*** he came in peace, don't shoot; ***atirou a primeira bala mas não acertou o alvo*** he shot first but didn't hit the target
▸ *vpr* **atirar-se** 1 to throw oneself (*on, into etc.*): ***assim que me viu, atirou-se em meus braços*** as soon as he saw me, he threw himself into my arms; ***atirou--se ao mar e saiu nadando*** he threw himself into the water and swam away; ***o suicida se atirou da janela*** the suicide victim threw himself out of the window 2 *(arriscar-se)* to take risks: ***é um sujeito muito tímido, que não se atira*** he is a very shy guy who doesn't take risks
• **atirar algo pelos ares** to throw up in the air

atitude *sf* attitude, behaviour

ativar *vtd* to activate

atividade *sf* activity
• **atividade estafante** stressful activity
• **atividades fora de classe** out of class activity

ativo *adj* 1 *(ágil, esperta)* active: ***é uma mulher muito ativa: nunca está parada*** she's a very active woman; she never stops 2 *(ainda no exercício de uma função, atividade etc.)* active: ***mesmo doente, continua ativo*** even though he is ill, he's still active; ***é membro ativo do clube*** he's an active member of the club
• **exercer papel ativo** to play an active role
• **vulcão ativo** active volcano

atlântico *adj* Atlantic
▸ *sm* **oceano Atlântico** Atlantic Ocean

atlas *sm* atlas

atleta *smf* athlete

atlético *adj* athletic

atletismo *sm* athletics

atmosfera *sf* 1 air, atmosphere 2 *fig* atmosphere: ***quando entrei, senti a atmosfera carregada*** as I got in I felt a heavy atmosphere

atmosférico *adj* atmospheric

ato *sm* 1 *(ação)* act, action: ***o que você fez foi um ato de caridade*** what you've done was an act of charity; ***espero que ninguém imite meus atos*** I hope nobody imitates my actions 2 TEATRO act 3 *(cerimônia, manifestação)* event, ceremony: ***sua posse foi marcada por um ato solene*** his taking office taking was marked by a solemn ceremony
• **ato contínuo** immediately, right away
• **ato público** public act
• **no ato** in the act

à-toa *adj inv* 1 *(inútil)* useless: ***todos os meus esforços foram à-toa*** all my efforts were useless 2 *(sem fazer nada)* idle, at random: ***fiquei à-toa o dia todo*** I've been idle all day 3 *(fácil)* easy: ***é um trabalhinho à-toa, que não exige grandes habilidades*** it's an easy little job which doesn't require much skill 4 *(desprezível)* worthless: ***dele se pode esperar tudo, é mesmo um tipo à-toa*** you can expect anything from him; he's really a worthless type; ***não se meta com essa mulher à-toa*** don't mess with this worthless woman

atolado *adj* 1 stuck 2 *fig* drowning, stuck: ***estou atolado em dívidas*** I'm drowning in debt; ***está atolado até o pescoço na lama da corrupção*** he's stuck up to his neck in the slime of corruption

atolar *vi* to get stuck: ***o carro atolou na ida para a fazenda*** the car got stuck on our way to the ranch
▸ *vpr* **atolar-se** 1 to get stuck (*in*) 2 *fig* to get caught (*in*), to be stuck (*in*)

atoleiro *sm* 1 bog, mudhole, mire 2 *fig* fix, mess, predicament

atômico *adj* atomic

átomo *sm* atom

ator *sm* actor
▸ **atriz** *sf* actress

atordoar *vtd* to stun, to shock, to daze
▸ *vpr* **atordoar-se** to be stunned, to be shocked, to be dazed

atormentar *vtd* to torment, to torture, to afflict
▸ *vpr* **atormentar-se** to torment oneself, to torture oneself

atração *sf* 1 attraction, affinity 2 attraction: ***a banda era a grande atração da cidade*** the band was the town's great attraction; ***não mude de estação; não perca nossa próxima atração*** don't change channels; you can't miss our forthcoming attraction

atracar *vi* NÁUT to berth
▸ *vpr* **atracar-se** *(engalfinhar-se)* to engage in a fight (*with*), to grapple (*with*)

atraente *adj* 1 attractive: ***é uma proposta atraente*** it's an attractive suggestion 2 *(pessoa)* attractive: ***achou-a atraente e logo se interessou por ela*** he found her attractive and soon got interested in her

atraiçoar *vtd* to betray

atrair *vtd* 1 to attract, to draw: ***seu temperamento só atrai a antipatia dos outros*** his temperament only attracts antipathy 2 *(fascinar)* to attract, to fascinate: ***a música sempre o atraiu*** music has always attracted him 3 *(chamar a atenção)* to draw attention, to attract attention: ***o uivo do cão atraiu um transeunte*** the dog's howl attracted the attention of a passer-by 4 to attract, to draw: ***usou um apito especial para atrair os passarinhos*** he used a special whistle to attract the birds
▸ *vtdi* to attract to, to draw to: ***conseguiu atrair adeptos para sua causa*** he was able to attract supporters to his cause
▸ *vi* to fascinate, to enthrall: ***ela tem um jeito que atrai*** there's something in her that fascinates

atrapalhado *adj* 1 mixed up, muddled: ***é tão atrapalhado que não pode trabalhar como garçom*** he's so mixed up he can't work as a waiter 2 *(embaraçado)* embarassed: ***ele me elogiou tanto que fiquei atrapalhada*** he paid me so many compliments that I got embarassed 3 *(em situação difícil)* messed up: ***os gastos das férias me deixaram todo atrapalhado*** the holiday expenses got me all messed up 4 *(confuso)* confused, confusing: ***não me venha com planos atrapalhados; não vou concordar com nenhum deles*** don't come to me with confusing plans; I won't agree with any of them

atrapalhar *vtd* 1 *(confundir)* to confuse, to muddle: ***todos aqueles números na tela me atrapalharam*** all those numbers on the screen confused me 2 *(estorvar)* to be in the way, to hinder, to disturb: ***tire esse móvel daí, que está atrapalhando a passagem*** get this piece of furniture out of there; it's in the way 3 *(incomodar)* to disturb, to upset: ***continue lendo, não quero atrapalhá-lo*** keep on reading, I don't want to disturb you 4 *(anarquizar)* to make a mess of, to upset: ***com suas mexidas, você atrapalhou toda a estrutura do texto*** your changes have made a mess of the structure of the text
▸ *vi* 1 *(estorvar)* to be in the way: ***saia daí, você está atrapalhando*** get off, you're in the way 2 *(incomodar)* to disturb: ***desculpe, não quero atrapalhar*** I'm sorry, I don't want to disturb
▸ *vpr* **atrapalhar-se** to get messed up: ***não conseguiu discursar; atrapalhou-se todo e desistiu*** he wasn't able to deliver his speech; he got all messed up and gave up

atrás *adv* 1 behind: ***o marido sempre andava na frente, e a mulher, atrás*** the husband would always go ahead and the wife behind 2 ago: ***dez anos atrás, comprei um carro vermelho*** ten years ago I bought a red car
▸ *loc prep* **atrás de** 1 behind: ***os óculos estão atrás do telefone*** the glasses are behind the telephone; ***não ande o tempo todo atrás de mim, ande ao meu lado*** don't walk behind me all the time, walk beside me 2 after: ***faz tempo que estou atrás de umas sandálias azuis, mas não acho*** I've been after some blue sandals for a long time but I just can't find them; ***a polícia está atrás dos sonegadores*** the police has been after the tax dodgers; ***vive correndo atrás da fama*** she's been running after fame; ***ele vive correndo atrás dela, mas ela não está interessada por ele*** he's been after her, but she's not interested in him 3 after:

foi uma sucessão de desgraças, uma morte atrás da outra there was a series of misfortunes, one death after another **4** to be no better: ***ele é um canalha, mas a mulher não fica atrás (dele)*** he's a rascal but she's hardly any better

• **não ficar atrás** to be just as good or as bad (*as*), to be no worse, to be no better: ***ele é um canalha, mas a mulher não fica atrás*** he's a rascal but she's hardly any better

• **voltar atrás numa decisão** to turn back, to change one's mind

atrasado *adj* **1** late, overdue: ***o trem está atrasado*** the train is late **2** old, old-fashioned, obsolete, out-of-date: ***é um homem de ideias atrasadas*** he's a man of obsolete ideas **3** late, overdue: ***você sabia que o aluguel está atrasado?*** did you know that the payment of the rent is late?; ***prestações atrasadas*** late installments **4** slow: ***não o considero um aluno atrasado*** I don't consider him a slow student **5** backward: ***é um país atrasado*** it's a backward country

▸ *sm pl* overdue payments

• **chegar atrasado** to arrive late

atrasar *vtd* **1** to put back, to set back, to delay, to make late: ***atrasou o relógio para ganhar tempo*** he put the clock back to gain time; ***a doença atrasou o seu desenvolvimento*** his sickness delayed his development; ***ande depressa: assim você me atrasa*** hurry up: you will make me late **2** *(adiar)* to delay, to postpone: ***a sogra atrasou de propósito a entrada da noiva na igreja*** the mother-in-law purposedly delayed the entrance of the bride **3** *(demorar)* to delay: ***ele sempre atrasa a entrega dos trabalhos*** he always delays handing in his papers **4** *(atrapalhar)* to impede, to disturb: ***essas viagens constantes só servem para me atrasar a vida*** these constant trips only serve to impede me

▸ *vi* **1** to be slow: ***o relógio atrasou*** the clock was slow **2** to be late, to be overdue: ***o trem atrasou meia hora*** the train was half an hour late **3** to be delayed, to be overdue: ***o pagamento atrasou*** the payment was delayed

▸ *vpr* **atrasar-se** to be late

atraso *sm* delay

• **atraso de vida** hindrance

• **tirar o atraso** to make up for lost time

atrativo *adj* attractive, charming

▸ *sm* **atrativo 1** motivation, incentive **2** appeal, charm: ***é uma moça cheia de atrativos*** she's a girl with many charms

atravancar *vtd* to be in the way, to hinder

através *prep* **através de 1** through: ***o fogo se alastrou através dos tubos*** the fire spread through the pipes **2** through, throughout: ***através dos séculos*** throughout the centuries **3** *(por meio de)* through: ***soube da vaga através de um amigo*** I heard about the job offer through a friend

atravessar *vtd* **1** to cross *(over)*: ***atravessar a rua*** to cross the street; ***atravessar o rio*** to cross the river **2** *(pôr de través)* to put across **3** to cross, to go over: ***atravessou a pé vales e planícies*** he crossed valleys and plains on foot **4** *(passar através)* to go through: ***atravessar a multidão*** he went through the crowd **5** *(perdurar)* to last: ***foi uma moda que atravessou décadas*** it was a fashion which lasted for decades **6** *(passar por)* to go through: ***está atravessando um mau momento*** he's going through a difficult phase **7** *(varar)* to pierce, to go through: ***o punhal atravessou-lhe o braço*** the dagger went through his arm **8** *(vender clandestinamente)* to trade illegally

vi **1** to cross: ***atravessou sem olhar e foi atropelado*** he crossed without looking and was hit by a car **2** *bras pop* MÚS to be out-of-tune: ***começou a cantar, atravessou e foi desclassificado*** he started singing, went out of tune, and was disqualified

▸ *vpr* **atravessar-se** *(cruzar-se)* to oppose to

• **atravessar o estreito a nado** to swim across the channel

• **atravessar por cima** to cross over

atrever-se *vpr* to dare

• **como se atreve?** how dare you?

atrevido *adj* **1** daring, bold, intrepid **2** *(insolente)* insolent, brash, cocky, overconfident, forward

atrevimento *sm* **1** daring, boldness **2** insolence, overconfidence

atribuição *sf* task, duty
▸ *pl* **atribuições** prerrogatives

atribuir *vtdi* **1** to attribute, to ascribe: ***os acontecimentos foram atribuídos a várias causas*** the events were attributed to a number of causes to place on, to ascribe: ***atribuíram-lhe toda a responsabilidade*** they placed all the responsibility on him **3** to ascribe, to give: ***atribuí-lhe a tarefa de revisar a contabilidade*** I ascribed him the task of checking the accounts **4** *(conceder)* to ascribe, to give: ***o regulamento atribuiu novos poderes aos funcionários*** the rules gave new powers to the members of staff
▸ *vpr* **atribuir-se** to claim to oneself

atributo *sm* quality, trace, attribute

atrito *sm* **1** friction **2** *(conflito)* conflict: ***tente evitar atritos*** try to avoid conflict

atriz *sf* actress

atrocidade *sf* atrocity

atrofiar *vtd* to atrophy
▸ *vpr* **atrofiar-se** to atrophy

atropelamento *sm* running over

atropelar *vtd* **1** to run over: ***foi atropelado por um caminhão*** he was run over by a truck **2** *(dar encontrão)* to bump into: ***ela saiu correndo, atropelando tudo o que encontrou pela frente*** she left in a hurry, bumping into everything before her
▸ *vpr* **atropelar-se** **1** to elbow one another: ***as pessoas se atropelavam, tentando entrar no cinema*** people elbowed one another as they tried to get into the cinema **2** to get mixed up, to run wild: ***minhas ideias se atropelavam*** my ideas were getting mixed up

atropelo *sm (confusão, tumulto)* confusion, tumult, turmoil

atroz *adj* **1** atrocious, cruel **2** excruciating

atual *adj* current: ***a situação atual*** the current situation

atualidade *sf* the present time, the current time, today

atualização *sf* updating, update

atualizar *vtd* to update, to upgrade
▸ *vpr* **atualizar-se** to get up-to-date, to get acquainted with the latest news, fashion etc.

atualmente *adv* nowadays, at present, today, these days

atuar *vi* **1** to be active: ***essa instituição atua em São Paulo*** this institution is active in São Paulo **2** to act, to perform: ***é uma ótima atriz, adora atuar*** she's a great actress, she loves acting
▸ *vpred* **1** to act as: ***durante sua ausência atuou como presidente*** during his absence, she acted as president **2** to act, to play a part: ***ele atuou em dois filmes neste ano*** he has acted in two films this year

atum *sm* tuna

aturar *vtd* **1** *(tolerar)* to tolerate, to bear, to endure, to put up with: ***ele não atura visitas*** he can't put up with visitors; ***não aturo esses moleques barulhentos*** I can't bear these noisy boys **2** *(aguentar)* to endure, to survive: ***essa plantação não vai aturar tanta seca*** this crop won't endure such a drought
▸ *vi (perdurar)* to last, to endure: ***esse fogão tem 20 anos: aturou bem até agora*** this stove is 20 years old: it has lasted until now

aturdir *vtd* to stun, to daze, to confuse
▸ *vpr* **aturdir-se** to be stunned, to be dazed, to be confused

audácia *sf* boldness, daring, audacity

audaz *adj* bold, daring, audacious

audição *sf* **1** hearing: ***a audição é um dos cinco sentidos*** hearing is one of the five senses **2** *(apresentação teste)* audition: ***tenho uma audição para o coral na sexta-feira*** I'll have an audition for the choir on Friday
• **aparelho de audição** hearing aid

audiência *sf* **1** DIR audience **2** *(de televisão etc.)* audience

audiovisual *adj* audiovisual

auditor *sm* **1** hearer **2** military magistrate **3** ECON auditor

auditório *sm* **1** audience, public **2** auditorium

auge *sm* **1** top, acme, pinnacle **2** climax: ***no auge da discussão*** in the climax of the argument

augúrio *sm* omen

aula *sf* lesson, class, lecture
• **assistir às aulas** to attend classes, to take classes
• **aula inaugural** inaugural lecture
• **aula magna** inaugural lecture
• **dar aulas** to give classes
• **durante a aula** in class
• **faltar à aula** to be absent from class
• **matar aula** to play truant
• **sala de aula** classroom

aumentar *vtd-vi* 1 *(ampliar)* to enlarge: ***fiz uma reforma para aumentar minha casa*** I had my house refurbished in order to enlarge it 2 *(fazer parecer maior)* to amplify, to enlarge, to make larger: ***peguei a lupa para aumentar as imagens*** I got a magnifying glass to amplify the images 3 *(amplificar)* to turn up: ***aumente o volume, por favor; eu simplesmente adoro esta música*** turn the volume up, please; I just love this song 4 *(adicionar)* to add: ***melhor aumentar dois ovos na massa*** it's better to add another two eggs to the dough 5 *(intensificar)* to increase, to intensify: ***esse cheirinho está aumentando a minha fome*** this smell is increasing my hunger; ***aquelas palavras só aumentaram a raiva dele*** those words only intensified his anger 6 *(elevar)* to increase, to raise: ***o governo aumentou o preço do petróleo*** the government has increased the price of oil
▸ *vi* 1 *(elevar-se)* to rise: ***nos últimos anos, a inflação aumentou*** inflation has risen in recent years 2 *(ampliar-se)* to enlarge, to increase: ***fiz de tudo, mas não consegui aumentar o tamanho da imagem*** I've done everything but I wasn't able to increase the size of the image 3 *(intensificar-se)* to increase: ***com o passar do tempo, o ódio dele aumenta*** his hatred increases with the passing of time

aumento *sm* 1 rise, increase 2 *(acréscimo de salário)* rise: ***recebemos aumento no mês passado*** we got a rise last month 3 *(crescimento)* rise, increase: ***nos últimos anos houve um aumento do número de desempregados*** there has been a rise in the number of the unemployed in recent years 4 *(majoração)* enlargement
• **aumento da inflação** rise in inflation
• **aumento do custo de vida** rise in the cost of living
• **aumento dos preços** increase in prices, rise in prices
• **aumento do volume (*do som*)** increase in volume

aurora *sf* 1 dawn 2 *fig* any kind of beginning: ***a aurora da vida*** childhood

ausência *sf* absence

ausentar-se *vpr* to be away, to be absent

ausente *adj-smf* absent

australiano *adj-sm, f* Australian

austríaco *adj-sm, f* Austrian

autenticação *sf* authentication

autenticar *vtd* to authenticate

autenticidade *sf* authenticity

autêntico *adj* 1 *(fidedigno)* true: ***uma história autêntica*** a true story 2 *(genuíno)* genuine, authentic: ***um brasileiro autêntico*** a genuine Brazilian; ***uma pizza autêntica*** a genuine pizza 3 *(que não é falso)* authentic, original: ***um documento autêntico*** an authentic document 4 *(rematado)* genuine, real: ***ele é um autêntico malandro*** he's a real rascal

autobiografia *sf* autobiography

autoconfiança *sf* self-confidence

autocontrole *sm* self-control

autocrítica *sf* self-criticism

autodidata *smf* self-taught

autoelétrico (*pl* **autoelétricos**) *sm* AUTO electrician's

autoescola (*pl* **autoescolas**) *sf* driving school

autógrafo *sm* autograph

automático *adj* automatic

autômato *sm* automaton, robot

automobilismo *sm* car racing, auto-racing

automóvel *sm* car, automobile

autonomia *sf* autonomy, independence

autônomo *adj* autonomous, independent
▸ *sm,f* freelancer

autópsia *sf* autopsy

autor *sm,f* 1 maker, creator 2 author, writer, playright, composer 3 DIR plaintiff

autorretrato (*pl* **autorretratos**) *sm* self-portrait

autoridade *sf* 1 authority: ***falou com autoridade sobre o assunto*** he spoke with authority on the subject 2 authority, expert: ***é uma autoridade em matemática*** he's an expert in Mathematics 3 authority: ***a presença do presidente deu mais autoridade ao ato público*** the presence of the president gave more authority to the public event

autoritário *adj* authoritarian

autorização *sf* 1 *(consentimento)* authorization, consent 2 *(licença)* license, consent

autorizar *vtd-vtdi* 1 *(dar permissão)* to authorize: ***ele me autorizou a expedir a correspondência*** he authorized me to send out the mail; ***não autorizei a saída dos alunos*** I didn't authorize the pupils to leave 2 *(justificar)* to justify, to warrant: ***suas palavras autorizam todos os tipos de suspeitas*** his words warrant every kind of suspicion 3 to approve of, to sanction: ***o uso dessa palavra é autorizado por bons autores*** the use of this word is sanctioned by good writers

auxiliar[1] *vtd-vti* to help, to aid, to assist

auxiliar[2] *adj* auxiliary
▸ *sm,f* assistant: ***auxiliar de enfermagem*** assistant nurse

avacalhação *sf* 1 *(humilhação)* humiliation, scorn 2 *(censura)* rebuke, disapproval 3 *(desleixo, bagunça)* mess

avacalhar vtd 1 (*ridicularizar*) to ridicule, to scorn 2 (*censurar*) to rebuke, to reprimand, to disapprove of 3 (*fazer alguma coisa com desleixo*) to mess (*up*), to make a sloppy job (*of*)

aval *sm* 1 endorsement 2 *fig* approval, sanction: ***essa atitude não tem o meu aval*** this behavior doesn't have my approval

avalanche *sf* avalanche, landslide

avaliação *sf* 1 evaluation, judgement, assessment: ***acho que ele fez uma boa avaliação da situação política atual*** I think he made a good evaluation of the current political situation 2 opinion, assessment: ***na sua avaliação, quais serão os novos rumos da economia?*** in your opinion, what are the new directions of the economy? 3 assessment, estimate: ***qual foi a avaliação da casa?*** what was the assessment on the house?; ***uma avaliação dos gastos indicou poucas possibilidades de começarmos o negócio*** an estimate of the expenses revealed a scant chance of our ever starting the business 4 *(escolar)* assessment, test

avaliar *vtd* 1 to assess, to evaluate: ***avaliar uma casa*** to assess a house 2 to value: ***saber avaliar os esforços de alguém é uma grande qualidade*** knowing how to value someone's efforts is a great quality 3 *(ter ideia)* to assess, to figure out: ***ele não consegue avaliar as consequências de seus atos*** he is not able to figure out the consequences of his actions
▸ *vtdi* to assess at: ***avaliaram a casa em quinhentos mil reais*** they assessed the house at five hundred thousand reais

avalizar *vtd* 1 to subscribe, to endorse 2 *fig* to approve of

avançado *adj* 1 advanced, modern, new: ***ideias avançadas*** new ideas; ***técnicas avançadas*** advanced techniques 2 *(pouco convencional)* modern, unconventional: ***uma garota bem avançada*** a modern girl

avançar *vtd* 1 to move forward: ***avance dois passos, por favor*** move two steps forward, please; ***avance o carro mais um pouco*** move the car forward a little 2 to put forward: ***tem avançado ideias interessantes*** he has put forward interesting ideas
▸ *vti* 1 *(investir)* to advance (*against*): ***avançou contra mim e me arrancou a carteira da mão*** he advanced against me and snatched my wallet 2 to attack, to advance against: ***o cachorro avançou na menina*** the dog attacked the girl; ***avancei na torta e devorei tudo*** I attacked the pie and ate it all
▸ *vi* 1 to proceed, to progress, to flow: ***o trânsito avançava lentamente*** the traffic would flow slowly; ***avançaram pela mata, em busca de água*** they proceeded through the forest in search of water

2 to attack: ***esse cachorro avança?*** does this dog attack?

• **avançar o sinal vermelho** to jump the red light

avanço *sm* 1 advance, development, progress: ***não houve avanço em nossos trabalhos desde a semana passada*** our efforts have met with no development since last week 2 *(progresso)* progress, development, improvement, enhancement

avarento *adj* mean, stingy

avareza *sf* stinginess

avaria *sf* damage, harm, impairment

avariado *adj* damaged, harmed, impaired, spoiled

avariar *vtd* to damage, to harm, to impair, to spoil

▸ *vpr* **avariar-se** to spoil, to go foul

ave *sf* bird

• **ave de rapina** bird of prey

aveia *sf* oats

avelã *sf* hazelnut

avenida *sf* avenue, main road

▪ **avenida periférica** ring road

▪ **avenida perimetral** by-pass

avental *sm* apron

aventar *vpr* to suggest, to ventilate: ***aventou uma hipótese interessante*** he suggested an interesting hypotesis

aventura *sf* adventure

aventurar-se *vpr* to risk oneself, to take a chance: ***aventurou-se numa prova muito difícil*** he took a chance in a very difficult test

aventureiro *sm,f* adventurer

averiguar *vtd* to check *(out)*

aversão *sf* aversion, disgust, dislike

avesso *adj* contrary, opposed: ***sou avesso a extremismos*** I'm contrary to extremes

▸ *sm* **avesso** the inside, the other side, the under side, the reverse, the side opposed to the main side

• **do avesso** inside out

avestruz *sm* ostrich

• **bancar o avestruz** to bury one's head in the sand

aviação *sf* aviation

aviamento *sm* 1 *(de uma receita)* preparing of a medicine according to a medical doctor's prescription 2 continuity: ***depois de sair do hospital, é preciso assegurar o aviamento de seu tratamento em casa*** after you leave hospital, it's necessary to ensure the continuity of your treatment at home 3 haberdashery, sewing material: ***comprei todos os aviamentos necessários para fazer o vestido*** I've got all the sewing material needed for the dress

• **loja de aviamentos** haberdashery

avião *sm* airplane, aircraft

aviar *vtd* 1 to prepare a medicine according to a medical doctor's prescription 2 to have a medicine prepared according to a medical doctor's prescription

ávido *adj* 1 eager 2 *fig* eager: ***estava ávido por notícias*** he was eager for news 3 hungry: ***é um homem ávido de poder*** he's hungry for power

avisar *vtd* to warn, to give notice, to let know

▸ *vtdi* to warn: ***avisei-te dos perigos do negócio*** I warned you of the dangers of the deal

aviso *sm* 1 news, information, notice: ***cole este aviso no mural*** fix this notice on the bulletin board; ***recebi aviso do escritório de que o caso foi resolvido*** I've got news from the office that the case has been solved 2 *(advertência)* warning, caution, caveat: ***é meu último aviso: não brinque com fogo*** this is my last warning: don't play with fire

▪ **aviso prévio** prior notice

• **dar um aviso** to make an announcement

avistar *vtd* to see *(from a distance)*, to glimpse

▸ *vpr* **avistar-se** to meet

avivar *vtd* to enliven

▸ *vpr* **avivar-se** to get excited, to be enlivened

avizinhar *vtd-vtdi* to be near, to be close, to be next to something

▸ *vpr* **avizinhar-se** to get near, to get close

avô *sm*, grandfather, grandpa

▸ **avó** *sf* grandmother, grandma

avoado *adj* with one's head in the clouds, light-brained

avolumar *vtd* to increase the volume, to enlarge
▸ *vpr* **avolumar-se** to increase in volume or size

avulso *adj* loose, odd

axila *sf* armpit

azaleia *sf* azalea

azar *sm* bad luck
• **dar azar** (*causar azar*) to give bad luck, (*ter azar*) to have bad luck
• **que azar!** what bad luck!, hard luck!
• **não quer uma mordida? azar seu!** don't you want a bite? hard luck!

azarado *adj-sm,f* unlucky, luckless, unfortunate

azarento *sm, f* unlucky, luckless, unfortunate

azedar *vtd* **1** *(tornar azedo)* to go sour, to go off: ***verifique se o leite azedou, por favor*** please check if the milk has gone off **2** *(deteriorar)* to go bad: ***com o calor, toda a comida azedou*** with the heat all the food went bad **3** to sour: ***o ciúme da mulher azedou seu relacionamento com o marido*** the woman's jealousy soured her relationship with her husband **4** *fig (irritar)* to irritate, to exasperate
▸ *vi-vpr* **azedar(-se) 1** *(tornar-se azedo)* to go sour, to go off **2** *(deteriorar-se)* to ruin, to deteriorate **3** *(irritar-se)* to be irritated by

azedo *adj* **1** sour **2** *(mal-humorado)* bad-tempered, bad-humoured, in a bad mood

azeite *sm* olive oil

azeitona *sf* olive

azia *sf* heartburn

azul *adj* blue
▸ *sm* **azul** blue

azulejo *sm* a glazed wall tile

azul-marinho *adj* navy blue: ***calças azul-marinho*** navy blue trousers

B

baba *sf* saliva, spit, spittle

babá *sf* nanny, babysitter

babaca *adj* idiot, fool, stupid

babado *adj* **1** having saliva running out of one's mouth **2** *fig (apaixonado)* in love, infatuated, head over heels
▸ *sm* **babado 1** drapery **2** *bras pop* gossip

babadouro *sm* bib

babaquice *sf* stupidity, foolishness

babar *vi* to slobber, to dribble
▸ *vpr* **babar(-se)** to slobber over: ***ele se baba todo por ela*** he slobbers over her

bacalhau *sm* **1** cod **2** *(seco)* dried cod

bacalhoada *sf* cod and vegetables (*esp. onions and potatoes)* cooked in olive oil

bacana *adj* nice

bacharel *sm* bachelor
• **bacharel em Direito** bachelor in Law, graduate in Law

bacia *sf* **1** *(vasilha)* bowl, washing-up basin **2** GEOG basin

bacilo *sm* bacillus

bacon *sm* bacon

bactéria *sf* bacterium

badalação *sf gíria bras* **1** excitement **2** the act of making a fuss of somebody or something

badalada *sf* chime, toll

badalar *vi* **1** to chime, to toll **2** *gíria* to make a fuss of somebody or something

baderna *sf* **1** *(súcia, corja)* gang **2** *(desordem, bagunça)* mess, riot

baderneiro *adj* causing trouble, promoting disorganization and chaos
▸ *sm,f* troublemaker

badulaque *sm (penduricalho, quinquilharia)* old worthless object, trinket

bafo *sm* breath
• *bras pop* **bafo de onça** bad breath

bafômetro *sm* breathalyser

baforada *sf* **1** *(exalação quente)* whiff **2** puff of smoke from a cigar or cigarette exhaled from the mouth

bagaço *sm (de fruta)* fiber, dry pulp
• **estar um bagaço** to be tired out, to be exhausted

bagageiro *sm* **1** AUTO *sm* boot **2** AUTO *sm* overhead carrier, overhead rack **3** *(bicicletas, motos)* rear seat

bagagem *sf* **1** baggage, luggage **2** *fig (cultural)* cultural baggage, background

bagatela *sf* bargain

bago *sm* **1** each of the grapes in a bunch or any grape-like fruit **2** berry **3** *(testículo)* testicles, *inf* rocks, nuts

bagre *sm* **1** catfish **2** *(pessoa feia)* an ugly person

baguete *sm* CUL baguette

bagulho *sm* **1** *(cacareco)* old worthless object, trinket **2** *(pessoa feia)* an ugly person **3** *gíria (maconha)* marijuana, *inf* weed, grass, pot

bagunça *sf* **1** *(desarrumação)* mess **2** *(baderna)* confusion, tumult, turmoil

bagunçar *vtd-vi* to make a mess *(of)*

baia *sf* stall in a stable

baía *sf* bay, gulf

baila *sf* ball
▪ **trazer à baila** to bring to light, to introduce a topic
▪ **vir à baila** to come to light, to come up for consideration

bailarino *sm,f* ballet dancer, dancer

baile *sm* ball
• **baile de fantasia** fancy-dress party
• **baile noturno** evening ball
• **dar um baile** to do something with extreme skill and brilliance
• **dar um baile em alguém** to outdo someone, to show up someone

bainha *sf* **1** *(dobra da barra)* hem **2** *(estojo de espada, invólucro)* scabbard

baioneta *sf* bayonet

bairro *sm* district, neighborhood, quarter

baita *adj (enorme)* huge, enormous

baiuca *sf* **1** *(taverna)* tavern, inn **2** hut

baixa *sf* **1** *(depressão de terreno, lugar baixo)* lowland, depression **2** *(queda de valor ou preço)* fall, drop, decrease, reduction, abatement **3** MIL leave **4** MIL *(perda de soldados)* casualty
• **dar baixa** *(licenciar)* to license, *(excluir)* to write off
• **dar baixa do exército** *(com permissão para se afastar)* to leave the army, *(ser afastado)* to be discharged from the army

baixada *sf* lowland

baixar *vtd* **1** *(descer)* to bring down, to let down **2** *(reduzir)* to lower, to reduce, to cut *(the price etc.)* **3** *(ordem, decreto etc.)* to hand down, to issue
▸ *vi* **1** *(sofrer decréscimo, cair)* to decrease, to go down **2** *(descer)* to go down, to get down, to descend, to stoop

baixaria *sf* vulgarity, gross behaviour

baixela *sf* tableware

baixeza *sf* **1** villainy, dishonesty **2** immorality, debauchery, vulgarity

baixinho *adj* short, small, low
▸ *sm,f* shorty, titch
▸ *adv* low: ***fale baixinho*** speak low

baixo *adj* **1** *(de pouca estatura-pessoa)* short **2** *(de pouca extensão vertical-objetos, construções etc.)* low **3** *(perto do chão)* low: ***janelas baixas*** low windows **4** *(inclinado)* down: ***de cabeça baixa*** with one's head down; ***de olhos baixos*** with one's eyes down **5** *(raso)* shallow: ***ali a lagoa é baixa*** the lake is shallow at that point **6** *(temperatura)* low **7** *(reduzido)* low: ***poder aquisitivo baixo*** low buying power; ***dólar baixo, preços baixos*** a low dollar, low prices **8** *(vil)* low, vulgar **9** *(com pouco volume-som)* low **10** *(grave)* bass
▸ *sm* **baixo** *(instrumento e cantor)* MÚS bass
▸ *adv* **1** low: ***falar baixo*** to speak low **2** low: ***voar baixo*** to fly low
• **calcular por baixo** to make a low estimate
• **cidade baixa** lower city
• **de baixo para cima** upwards
• **de cima para baixo** downwards
• **estar por baixo** *fig* to be in an inferior position or situation, to be going through difficulties
• **ir para baixo** to go down
• **olhar para baixo** to look down
• **passar por baixo de uma ponte** to go under a bridge

baixo-relevo (*pl* **baixos-relevos**) *sm* bas relief

bajulação *sf* flattery, false praise

bajulador *sm,f* flatterer, apple polisher

bajular *vtd* to flatter, to polish someone's apple

bala *sf* **1** *(projétil)* bullet **2** *(doce)* candy, sweet
▪ **bala de goma** gum candy
• **bala perdida** stray bullet
• **estar em ponto de bala** to be ready and eager to do something
• **mandar bala** to immediately start doing something

balaço *sm* **1** big bullet **2** bullet shot, bullet wound: ***tomou um balaço no ombro*** he was shot on his shoulder

balada *sf* **1** ballad **2** *fig* a party, a social event especially happening at night for young people

balaio de gatos (*pl* **balaios de gatos**) **1** *(confusão)* confusion, tumult, mess, witches' brew **2** fig *(briga)* quarrel, dogfight

balança *sf* scales
• **pôr tudo na balança** to take everything into account

balançar *vtd* **1** to rock, to swing **2** *(comparar)* to compare, to weigh **3** *(abalar)* to unsettle **4** *(cabeça)* to nod **5** *(rabo-cachorro)* to wag
▸ vi **1** *(oscilar)* to oscillate **2** *(hesitar)* to waver, to hesitate **3** *(abalar-se)* to shake,

to be unsettled **4** *(tremular-tecido)* to fly **5** *(estar sem firmeza-dente)* to be loose
▸ *vpr* **balançar-se** to rock, to swing, to sway

balanceamento *sm* AUTO wheel balancing

balanço *sm* **1** *(agitação oscilante)* rocking, swinging **2** *(do mar)* seas **3** ECON balance of payments **4** *fig* appraisal: ***fazer um balanço da situação*** to make an appraisal of the situation **5** *(brinquedo)* swing

balangandã *sm* charm, silver charm, any of the objects (*such as coins, crossed fingers etc.*) attached to a bracelet or necklace and worn as an amulet

balão *sm* **1** baloon **2** (*de ar quente*) hot-air balloon **3** *(em quadrinhos)* balloon **4** *(lugar de manobra)* traffic island, traffic circle
• **balão de oxigênio** oxygen mask

balão de ensaio (*pl* **balões de ensaio**) *sm* **1** trial balloon, test balloon **2** *fig* attempt, experiment, rehearsal

balaústre *sf* handrail

balbuciar *vtd* to falter, to babble, to stammer, to stutter

balbucio *sm* babble

balbúrdia *sf* **1** the sound of many voices, hubbub **2** brouhaha, hubbub, uproar

balcão *sm* **1** ARQ balcony **2** *(de comércio)* counter **3** TEATRO balcony
• TEATRO **balcão nobre** dress circle
• TEATRO **balcão simples** circle

balde *sm* bucket

baldeação *sf* connection

baldio *adj* unused, uncultivated, waste
• **terreno baldio** empty lot, waste lot

balé *sm* ballet

balear *vtd* to shoot, to fire

baleia *sf* **1** whale **2** *fig* fatso, an overweight or fat person

balela *sf* false rumour, tall story

baliza *sf* **1** stake, buoy **2** *(em autoescola)* parking in reverse manoeuver

balneário *adj* seaside
▸ *sm* **balneário** seaside resort

balofo *adj* fat, bloated

balsa *sf* ferry

bálsamo *sm* balm

báltico Baltic

baluarte *sm* **1** fortress, stronghold, bulwark **2** *fig* shelter, security

bamba *adj-smf* **1** (*valentão*) bold, daring (*usually in an ironic or sarcastic way*) **2** *(especialista em determinado assunto)* expert, ace, killer

bambear *vi* **1** *(pernas)* to give way, to go limp **2** *(corda, varal)* to loosen, to sag

bambo *adj* **1** *(corda)* loose **2** *(dente)* loose **3** *(móvel)* loose **4** *(perna)* limp

bambu *sm* bamboo

banal *adj* banal, trivial, ordinary, commonplace

banalidade *sf inv* banality, triviality

banalizar *vtd* trivialize

banana *sf* banana
▪ **banana de dinamite** stick of dynamite

bananal *sm* banana grove, banana plantation

bananeira *sm* BOT banana tree
• **plantar bananeira** to stand on one's head, to do a headstand

banca *sf* **1** *(de feira)* stand, stall **2** *(mesa de trabalho)* workdesk, workplace
▪ **banca de jornal** news stand
▪ **banca examinadora** board of examiners
• **abafar a banca** to break the bank
• **botar banca** to boast

bancada *sf* **1** *(banco comprido)* long bench **2** *(local de trabalho)* workbench **3** POL the representatives of a political party in Congress

bancar *vtd* **1** (*financiar*) to fund **2** (*fingir*) to pretend: ***bancou ser o dono do lugar*** he pretended to be the owner of the place **3** (*fazer o papel de*) to play: ***não banque o besta comigo*** don't play the fool with me

banco *sm* **1** *(assento)* bench **2** *(de dinheiro)* bank **3** ESPORTE bench: ***ficar no banco*** to sit on the bench
• **banco de areia** sandbank
• **banco de dados** data bank
• **estar no banco dos réus** to be in the dock

• **não esquentar os bancos da escola** to miss school frequently

banda *sf* **1** *(lado)* side **2** MÚS band **3** *(faixa)* strip
▸ *pl* region: ***mudou-se lá para as bandas da Lapa*** he moved to the Lapa region
▪ **banda de rodagem** tread
▪ **banda larga** broadband
• **comer da banda podre** *(sofrer decepções)* to be disillusioned, *(passar privações)* to be in financial difficulties
• **sair de banda** to secretly leave a place, to go away quietly

bandagem *sf* bandage

bandalheira *sf* immorality, indecency, vulgarity

bandear-se *vpr* to connect with, to join, to unite with

bandeira *sf* **1** flag **2** *fig* ideas, beliefs **3** *(em táxis)* flag
• **bandeira branca** white flag
• **bandeira dois** higher flagfall rate
• **dar bandeira** to reveal one's feelings, opinions etc. through someone's words, gestures or behavior
• **virar bandeira** to change sides, to change opinion

bandeirinha *sm* ESPORTE linesman

bandeirola *sf* banner

bandeja *sf* tray
• **dar de bandeja** to give freely

bandejão *sm* **1** university restaurant **2** any restaurant or refectory where food is served from very large pans into compartmented trays

bandido *adj-sm* bandit, outlaw, criminal

banditismo *sm* banditry, criminality

bando *sm* **1** *(de animais)* bunch, horde, flock **2** *(de pessoas)* group, crowd, bunch **3** *(de delinquentes)* gang

bandoleiro *sm, f* bandit

bandolim *sm* MÚS mandolin

banguela *adj-sm,f* toothless, having one or more front teeth missing
▸ *bras pop sf* **na banguela** not in gear, with the gearbox in neutral: ***não desça na banguela*** don't drive downhill in neutral

banha *sf* **1** fat **2** *fig (gordura)* grease
▪ **banha de porco** lard

banhar *vtd-vtdi* **1** *(dar banho)* to bathe **2** *(mergulhar na água)* to soak, to drench **3** *(irrigar)* to sprinkle water on **4** *(molhar)* to wet
▸ *vpr* **banhar-se** to bathe, to have a bath, to have a shower

banheira *sf* **1** bath tub **2** *bras gíria (automóvel grande)* a big *(usually old)* car

banheiro *sm* **1** bathroom **2** toilet, ladies' room, men's room, loo, rest room, lavatory

banhista *sm,f* bather, one who bathes in the sea or in a river or in a pool

banho *sm* **1** *(de chuveiro)* shower **2** *(de banheira)* bath **3** *(de mar)* sea bathing **4** *(de sol)* sun bathing **5** CUL bath: ***mergulhe a verdura em banho de água fria*** soak the greens in a cold water bath **6** *fig* show, display: ***deu um banho de sabedoria*** he gave a display of his wisdom **7** *(surra)* defeat, beating
• **banho de assento** sitz bath
• **banho de loja** shopping spree, going out and getting a supply of clothes, cosmetics etc. to renew one's looks
• **banho de sangue** bloodshed, mass killing, massacre
• **banho turco** Turkish bath
• **dar banho em alguém** **1** to prove oneself better than someone else *(in doing something)* **2** to defeat someone
• **mandar alguém tomar banho** to tell someone to get lost

banho-maria *(pl* **banhos-maria***)* *sm* CUL bain-marie, hot water bath

banir *vtd-vtdi* to banish, to expel

banqueiro *sm* **1** banker **2** *(quem tem banca de jogo)* bookmaker

banqueta *sf* stool

banquete *sm* banquet

baque *sm* **1** *(queda)* fall **2** *(barulho da queda)* crash **3** *(revés)* sudden disaster, bad news

bar *sm* bar, pub, café

baralho *sm (pack of)* cards

barão *sm* baron, baroness

barata *sf* cockroach
• **estar feito barata tonta** to be at a loss, to be all at sea

baratear *vtd* to make cheap(er)
▸ *vi* to decrease in value, to get cheap, to go down: ***os agasalhos baratearam este ano*** winter clothes have gone down this year

baratinado *adj* confused, bewildered, at a loss

barato *adj* 1 *(de preço baixo)* cheap 2 *(sem valor, ordinário)* ordinary, common
▸ *sm* **barato** 1 *(curtição)* fun, amusement, pleasure 2 *(o que está na moda)* fashion, fashionable 3 *(coisa, treco)* stuff 4 *(reação da droga)* rush
▸ *adv* cheap: ***vender barato*** to sell cheap
• **o barato sai caro** buy cheap, pay dear

barba *sf* 1 beard 2 *(de animal)* whiskers
• **fazer a barba** to shave
• **pôr as barbas de molho** to be wary, to be on the safe side
• **nas barbas de** openly, conspicuously in front of someone

barbada *sf* something easy to accomplish, a piece of cake

barbante *sm* string, cord

barbaridade *sf* 1 cruelty, atrocity 2 *(disparate)* absurdity
▸ *interj* **barbaridade!** good heavens!

barbárie *sf* barbarity

bárbaro *adj* 1 barbaric, barbarian 2 *(sem civilização)* barbarian, uncivilized 3 *(cruel)* cruel, brutal, merciless 4 *(muito bom)* terrific
▸ *adj-sm, f* barbarian

barbatana *sf* 1 ZOOL fin 2 ZOOL whalebone 3 *(de espartilho)* busk

barbeado *adj* shaved

barbeador *sm* shaver
• **barbeador elétrico** electric shaver

barbear *vtd* to shave
▸ *vpr* **barbear-se** to trim one's beard, to shave *(off)*, to have a shave

barbearia *sf* barber shop

barbeiragem *sf* 1 *(de motorista)* wild or clumsy driving 2 *(bobagem, asneira)* foolishness, stupidity, nonsense, bullshit

barbeiro *adj-sm,f* *(motorista)* a bad driver
▸ *sm* **barbeiro** 1 barber 2 *(barbearia)* barber shop, barber's 3 *(inseto)* barber bug

barbicha *sf* small or sparse beard, goatee

barbitúrico *sm* barbiturate

barbudo *adj-sm,f* bearded, having a long beard

barca *sf* boat, bark, barque

barcaça *sf* boat, barge

barco *sm* boat
▪ **barco a vapor** steam boat
▪ **barco pesqueiro** fishing boat
• **deixar o barco correr** to let a situation carry on or develop, to let life follow its course
• **tocar o barco (*para a frente*)** to go on living, to carry on
• **estamos todos no mesmo barco** we are all in the same boat

barganha *sf* 1 exchange, swap 2 foul deal, swindle

barítono *sm* baritone

barman *sm* barman

barômetro *sm* barometer

barqueiro *sm* boatman

barra *sf* 1 *(peça de metal)* bar, rod 2 *(de sabão, de chocolate etc.)* bar 3 *(tira de pano em roupa)* band, stripe 4 *(bainha de roupa)* hem 5 *(ornato em azulejo)* tile edging, tile border 6 *(ginástica)* bar 7 *(sinal /)* slash, forward slash 8 *gíria (dificuldade)* difficulty, trouble, nuisance: ***ser uma barra*** to be a nuisance 9 *(banco de areia)* shoal, sandbar 10 *(foz de rio)* mouth 11 *(entrada de baía ou de porto)* bar
▪ **barra espaçadora** space bar
▪ **barras paralelas** parallel bars
• **aguentar a barra** to face or endure a difficult situation
• **forçar a barra** *(ir além dos limites)* to push in, *(forçar uma situação)* to be out of line
• **segurar a barra** *(aguentar)* to face or endure a difficult situation, *(ajudar outra pessoa)* to support someone else in a difficult situation

barraca *sf* 1 *(de feira)* stand, stall 2 *(de acampamento)* tent

barracão *sm* warehouse

barraco *sm* shanty, hut
• **armar um barraco** to raise a scandal, to start a row

barrado *sm (em lençóis)* drapery

barragem *sf* dam, river barrier

barra-limpa (*pl* **barras-limpas**) *adj--smf* clean sheet

barranco *sm* 1 bank, abrupt slope 2 *(de rio)* steep bank

barra-pesada (*pl* **barras-pesadas**) *adj--smf* 1 rogue, dangerous person 2 difficult, tough

barrar *vtd* 1 *(atravessar ou guarnecer com barras)* to put a bar across something, to introduce a bar into 2 *(caminho)* to bar, to obstruct, to impede 3 *(ornar com barra)* to sew a band onto a garment, to trim

barreira *sf* 1 *(obstáculo)* barrier, obstacle 2 *(massa de barro)* mudslide 3 *fig* obstacle, impediment

barrento *adj* muddy

barrica *sf* 1 a kind of barrel 2 *fig* a stubby person

barricada *sf* barricade

barriga *sf* 1 belly 2 *(saliência)* swelling, bulge, protuberance
• **barriga da perna** calf
• **dor de barriga** stomach ache
• **empurrar com a barriga** to procrastinate, to put off the solution of a problem
• **encher a barriga** to fill one's belly, to eat until one is full
• **tirar a barriga da miséria** to delight in something which one was previously not allowed to have

barrigada *sf* 1 (*mergulho*) belly flop 2 *(filhotes)* offspring

barrigudo *adj* pot-bellied

barril *sm* barrel, cask
▪ **barril de pólvora** a barrel of gunpowder, *fig* powder keg

barro *sm* 1 mud 2 clay: ***vaso, telha de barro*** a clay vase, a clay tile

barroco *adj* baroque
▸ *sm* **barroco** Baroque

barulhento *adj* noisy

barulho *sm* noise
• **fazer barulho** to make a noise
• **ser do barulho** to be extraordinary, to be exceptional, to be brilliant

basbaque *adj-smf* foolish, stupid (*referring to a person*)

basco *adj-sm, f* Basque

basculante *adj* moving, especially by means of hinges: ***vitrô basculante*** a kind of window made of one or more glass panes that open by means of hinges
• **caminhão basculante** dumper truck

base *sf* 1 basis, foundation, bottom, support 2 *(tinta de base)* base coat 3 *fig* origin, foundation 4 MIL military base 5 POL constituency: ***convocar as bases*** to call the constituency (*of a political party*)
• **base aérea** airbase
• **base de dados** database
• **base de maquiagem** foundation
• **na base de** at the bottom of
• **tomar por base** to take as a basis
• **tremer nas bases** to shake in one's shoes

baseado *sm (cigarro de maconha)* joint

basear *vtdi* to base, to rest
▸ *vpr* **basear-se** to be based, to rest

básico *adj* 1 basic 2 QUÍM basic, alkaline

basílica *sf* basilica

basquetebol *sm* ESPORTE basketball

basta *sm loc* **dar um basta** to put an end to
▸ *interj* **basta!** (it's) enough!

bastante *adj* 1 (*em grande número ou quantidade*) a lot of, plenty of, many, a good many, a great many, much: ***gosto de café com bastante açúcar*** I like coffee with a lot of sugar in it; ***havia bastante gente na festa*** there were many people at the party 2 *(o suficiente)* enough: ***tinha dinheiro bastante para a viagem*** he had enough money for the trip
▸ *adv* 1 *(muito, suficientemente)* enough, sufficiently, plenty: ***está satisfeito? comeu bastante?*** are you full? have you eaten a lot? 2 *(consideravelmente)* quite, very: ***ele canta bastante bem*** he sings quite well
▸ *sm* **o bastante** enough

bastão *sm* 1 stick 2 (*de baseball*) bat

bastar *vti-vi* to be enough: ***basta-lhe um presentinho*** a small gift is enough for her; ***essa comida não basta*** this food is not enough

• **como se não bastasse...** hadn't this been enough, besides, to complicate things, to push things further

bastardo *adj* bastard

bastidor *sm (para bordado)* embroidery frame, embroidery hoop
▸ *pl* **bastidores 1** TEATRO backstage **2** *fig* backstage: ***nos bastidores da política*** on the backstage of politics

bata *sf (blusa larga)* a baggy blouse or top

batalha *sf* battle, fight, struggle

batalhão *sm* **1** batallion **2** *fig* batallion, host

batalhar *vi* **1** to battle, to fight **2** *fig* to battle, to struggle

batata *sf* **1** potato **2** *(de flor)* bulb
▪ **batatas amassadas** mashed potatoes
▪ **batatas assadas** baked potatoes
▪ **batatas cozidas** cooked potatoes, boiled potatoes
▪ **batatas fritas** chips, French fries
• **batata quente** *fig* a very difficult situation or person in which/with whom nobody wants to get involved
• **batata da perna** calf
• **estar com a batata assando** to be certain to be punished or revenged *(in the future)* for something done before
• **mandar plantar batatas** to tell someone to get lost
• **ser batata** to be certain to happen or to be true

batata-doce (*pl* **batatas-doces**) *sf* sweet potato

bate-boca (*pl* **bate-bocas**) *sm (briga)* argument, squabble

bate-bola (*pl* **bate-bolas**) *sm* **1** *(jogo informal)* an informal game of football **2** a quick exchange of questions and answers, especially in an interview

batedeira *sf* **1** *(de bolo)* mixer **2** *(palpitação)* accelerated heartbeat

batedor *sm* **1** *(militar)* scout **2** *(batedeira)* food mixer
• **batedor de carteiras** pickpocket
• **batedor de ovos** whisk

batelada *sf* **1** load *(of a small boat)* **2** many, a great number of, a lot of

batente *sm* **1** *(rebaixo ou ombreira de porta ou janela)* frame **2** *(cada uma das ombreiras da janela de folhas)* casement **3** *fig (trabalho)* work: ***pegar no batente*** to *(go to)* work

bate-papo (*pl* **bate-papos**) *sm* chat

bater *vtd-vtdi* **1** *(golpear)* to beat, to hit **2** *(percorrer)* to cover, to go through: ***bateu o matagal à procura do animal*** he covered the bush looking for the animal **3** *(usar muito)* to wear out: ***estava com o mesmo vestido batido de sempre*** she was in her usual worn out dress **4** *(repetir)* to repeat: ***batia na mesma pergunta o tempo todo*** he repeated the same question all the time **5** *(derrotar)* to beat, to defeat: ***mais uma vez meu time bateu o seu*** my team beat yours again **6** CUL to beat, to whip, to whisk
▸ *vti-vtdi*
▪ **bater em 1** *(surrar)* to beat *(up)*, to hit, to strike **2** *(esbarrar)* to bump into **3** *(chocar-se)* to crash into, to hit, to collide with: ***o carro bateu no poste*** the car crashed into the lamp post **4** *(chegar, ir parar em)* to end up in: ***errei o caminho e fui bater em Santana*** I mistook the way and ended up in Santana **5** *(concordar, combinar)* to match, to go with: ***o que você me diz não bate com o que vi*** what you say doesn't match what I saw
▸ *vi* **1** to slam: ***a porta bateu*** the door slammed **2** *(coração)* to beat **3** to knock: ***não entre sem bater*** don't get in without knocking **4** *(sinos)* to toll **5** *(horas)* to strike **6** *(ganhar em carteado)* to win a card game by laying down one's last card **7** *(incidir, refletir)* to shine: ***deste lado não bate sol*** the sun doesn't shine on this side **8** *(conferir)* to agree, to match: ***as contas não batem*** the accounts don't agree **9** *(sobrevir)* to strike: ***de repente, lhe bateu um medo*** he was struck by a sudden fear
▸ *vpr* **bater-se** *(lutar)* to fight
• **bater à máquina** to type
• **bater a porta na cara** to slam the door in someone's face
• **bater asas** to go away, to escape
• **bater as botas, bater com as dez** to kick the bucket, to die
• **bater carteira** to pickpocket
• **bater claras em neve** to whip egg whites stiff
• **bater o queixo ou os dentes de frio** to chatter one's teeth

• **bater o tempo da música** to beat time
• **bater na madeira** (*para esconjurar*) to knock on wood
• **bater ovos** to beat eggs
• **bater palmas** (*para chamar*) to clap (*one's hands*), (*para aplaudir*) to clap, to applaud
• **bater perna** to walk at random, to wander
• **bater uma foto** to take a picture
• **bater um bolo** to make a cake, to bake a cake
• **bater um pênalti** to shoot a penalty kick
• **bater um recorde** to break the record, to set a new record
• **não bater bem** to be mad, to be nuts, to be insane

bateria *sf* 1 MÚS drums 2 MIL artillery 3 (*sucessão*) succession, series 4 AUTO battery 5 (*de relógio*) battery
• **(re)carregar as baterias** to (*re*) charge the batteries, *fig* to recharge one's batteries, to renew one's strength

baterista *smf* drummer

batida *sf* 1 (*golpe*) beat, hit, strike 2 (*colisão de autos*) crash, collision 3 (*amassadura de auto*) smash 4 (*toque*) beat: ***a batida do tambor*** the beat of the drum 5 (*ritmo*) rhythm, beat, pace 6 *fig* pace: ***nessa batida, não vamos muito longe*** at this pace, we won't go too far 7 (*reconhecimento*) scouting 8 (*diligência policial*) raid 9 (*bebida*) cocktail 10 (*do coração*) heartbeat

batido *adj* 1 (*muito usado*) worn out 2 (*velho, repetido*) old-fashioned, worn-out, commonplace

batimento *sm* 1 (*batida*) beat 2 (*cardíaco*) heartbeat

batina *sf* cassock

batismo *sm* baptism
• **batismo de fogo** baptism of fire

batizado *adj* 1 baptized 2 *fig* (*bebida adulterada por adição de água*) adulterated, diluted
▸ *sm* **batizado** baptism

batizar *vtd* 1 to baptize 2 (*adulterar com água*) to adulterate, to dilute 3 (*usar pela primeira vez*) to use or wear for the first time
▸ *vtdi* (*dar nome*) to christen, to name

batom *sm* lipstick

batucada *sf* drumming

batucar *vtd-vi* 1 to drum, to play the drum(s) 2 *fig* (*tocar mal*) to play poorly (*an instrument*)
▸ *vtd* (*tamborilar*) to drum

batuque *sm* song and/or dance to the beat of drums

batuta *sf* MÚS baton
▸ *adj-smf* 1 (*camarada, bom*) chap, buddy, partner 2 (*hábil*) dexterous, adroit, quick, skilful 3 (*valente*) brave, bold

baú *sm* 1 chest 2 *fig* (*homem rico*) a very wealthy person

baunilha *sf* vanilla

bazar *sm* 1 bazaar 2 general store 3 jumble sale

beatificar *vtd* to beatify

beatitude *sf* joy, happiness, blessedness, bliss, blissfulness

beato *adj* blessed, blissful, happy
▸ *sm, f* 1 blessed 2 sanctimonious hypocrite 3 someone who spends a lot of their time in the church

bêbado *adj-sm,f* drunk, drunkard
• **bêbado de sono** sleepy, drowsy
• **bêbado feito um gambá** as drunk as a fish

bebê *sm inv* baby

bebedeira *sf* drinking (*bout*), binge

bebedouro *sm* 1 (*de animais*) water trough 2 (*de gente*) water fountain

beber *vtd* 1 to drink 2 *fig* (*absorver*) to drink in, to imbibe
▸ *vi* 1 to drink: ***não é de agora que ele bebe*** he's been drinking for a long time 2 *fig* (*consumir muito combustível-carro*) to use too much petrol
• **beber muito** to drink like a fish
• **começar a beber** to take to drink
• **sair para beber** to go for a drink

beberrão *adj-sm, f* drunkard, heavy drinker

bebida *sf* 1 drink, beverage 2 (*refrigerante*) soft drink 3 (*alcoólica*) drink, spirit
• **bebida forte** strong drink
• **bebida fraca** weak drink
• **ter problema com bebida** to have a drinking problem

bebum *adj-smf* boozer

beça *sf loc* **à beça** too much

beco *sm* 1 alley 2 difficult situation
• **beco sem saída** blind alley, *fig* dilemma, tight spot

bedelho *sm loc* **meter o bedelho** to be nosy, to give one's opinion when it is not requested or welcome

bege *adj-sm* beige

beicinho *sm loc* **fazer beicinho** to pout

beiço *sm* 1 *bras pop* lip 2 *(rebordo)* border, edge
• **andar de beiço caído por alguém** to be infatuated with someone
• **fazer beiço** to pout
• **lamber os beiços** to show satisfaction at the prospect of or after enjoying a good thing
• **não ser para os beiços de alguém** not to be for (*the likes of*) someone, not to be defouled by being possessed or enjoyed by someone: ***ela não é para os seus beiços!*** she's not for someone like you! ***minha filha não é para os seus beiços*** my daughter is not for the likes of you

beija-flor (*pl* **beija-flores**) *sm* humming bird

beijar *vtd* to kiss
▸ *vpr* **beijar-se** to kiss (*each other*)

beijo *sm* kiss: ***dar um beijo*** to kiss, to give a kiss

beijoca *sf* loud kiss, smack

beiju *sm* CUL *bras* a kind of cake made of cassava flour

beira *sf* 1 *(beirada)* border, hem, edge 2 *(margem)* bank: ***à beira do rio*** on the banks of the river

beirada *sf* border, hem, edge, bank

beiral *sm* eaves

beira-mar (*pl* **beira-mares**) coast *sf loc* **à beira-mar** on the coast, by the sea

beirar *vtd* 1 *(caminhar à beira)* to walk at the edge, to surround 2 *(estar perto de)* to near, to approach, to be close to: ***isso beira a loucura*** this is close to insanity
• **beirar os quarenta/cinquenta etc.** to approach one's forties/fifties etc., to be getting on for forty/fifty etc.
▸ *vtd, vtdi (estar à beira de)* to be about to, to be on the edge of

beisebol *sm* baseball

belas-artes *sf pl* fine arts

beldade *sf* beauty

beleléu *sm loc* ***ir para o beleléu*** 1 to (be) finish(ed), to end, to go away, to disappear 2 to go down the drain, to come to nothing

beleza *sf* 1 beauty 2 *(coisa agradável)* beaty, pleasure, delight
• **cansar a beleza** to cause one to be fed up with something
• **ser uma beleza** to be (*very*) beautiful, to very good, to be great

belga *smf* Belgian

belezoca *sf* beauty

Bélgica *sf* Belgium

beliche *sm* bunk bed

bélico *adj* military, war-related

beligerante *adj-smf* belligerent

beliscão *sm* pinch

beliscar *vtd* 1 to pinch 2 to nip: ***o alicate beliscou-lhe o dedo*** the pliers nipped his finger
▸ *vtd-vi (comer pouco)* to pick at one's food, to eat like a bird

belo *adj* 1 *(bonito)* beautiful, good-looking, attractive, lovely, gorgeous, *fem* pretty, *masc* handsome 2 *(grande, bom)* nice, good, great 3 *(irônico)* good: ***belo amigo você é!*** what a good friend you are!
▸ *sm* **o belo** the beautiful, beauty itself

bel-prazer (*pl* **bel-prazeres**) *sm* will: ***a seu bel-prazer*** at one's will

beltrano *sm (como na expressão)* ***fulano, sicrano e beltrano*** Tom, Dick and Harry

bem *sm* good
▸ *adv* 1 *(apropriadamente)* well: ***ela passou bem as camisas*** she ironed the shirts well 2 *(com perfeição)* well: ***sabe bem francês*** she knows French well 3 *(em boas condições de saúde e conforto)* well: ***não tem passado bem nos últimos dias*** she hasn't been well lately 4 *(muito)* very: ***sei que ele é bem rico*** I know he's very rich 5 *(exatamente)* right, exactly: ***a pedra o acertou bem na orelha*** the

stone hit him right on the ear **6** *(com clareza)* well, clearly: ***não estou enxergando bem*** I can't see clearly **7** *(certamente)* certainly: ***ele bem podia ter vindo antes*** he could certainly have come earlier **8** *(aproximadamente)* around: ***ela tem bem quarenta anos*** she is around forty
▸ *interj* **1** well: ***bem, não foi isso o que eu disse...*** well, this is not what I said... **2** well: ***muito bem, e agora?*** very well, what now? **3** well done!: ***muito bem! seu trabalho está ótimo!*** well done! your work is great!
▸ *pl* **bens** possessions, properties
• **a mulher mais bem-vestida da festa** the best-dressed woman at the party
• **bem como** *conj* as well as
• **bem de vida** wealthy, rich, well-off
• **bem que merece** *(to be)* well worth: ***a casa bem que merece uma reforma*** the house is well worth refurbishing
• **bem que podia chover** it could well rain
• **cair bem** *(roupa etc.)* to fit one perfectly, to suit one perfectly
• **de bem com a vida** in good spirits
• **está bem!** *(it's)* ok!, *(it's)* all right!
• **fazer bem** *(produzir bons efeitos)* to be good
• **fazer bem (em)** *(agir bem)* to do well, to do fine
• **fazer o bem** to do good
• **ficar bem** *(ser conveniente)* to be convenient, to be appropriate, *(cair bem)* to suit *(one)* well
• **gente/homem de bem** an honest person/man
• **meu bem** my dear, my darling
• **nem bem** *conj* barely: ***nem bem chegou, já estava criando confusão*** he barely arrived and was already causing trouble
• **passe bem** best regards, best wishes
• **poder muito bem** can/could/may/might very well: ***eu poderia muito bem dizer não*** I could very well say no
• **por bem ou por mal** for better or for worse
• **se bem que** *conj* even if, although
• **sentir-se bem** to feel good
• **vamos ficar de bem?** let's make it up?
• **viver bem** *(com conforto)* to live well, *(dando-se bem)* to live happily *(with)*

bem-estar *(pl* **bem-estares***)* *sm* **1** welfare, well-being **2** welfare, social security

bem-feito *(pl* **bem-feitos***)* *adj (feito de modo satisfatório)* well-done
▸ *interj* **bem-feito!** you deserved it!

bem-humorado *(pl* **bem-humorados***)* *adj* good-humored, in a good mood

bem-intencionado *(pl* **bem-intencionados***)* well-intentioned, well-meaning

bem-sucedido *(pl* **bem-sucedidos***)* *adj* successful

bem-te-vi *(pl* **bem-te-vis***)* *sm* ZOOL bem-te-vi, a bird of the flycatcher family

bem-vindo *(pl* **bem-vindos***)* *adj* welcome: ***seja bem-vindo*** welcome

bem-visto *(pl* **bem-vistos***)* *adj* favorably seen

bênção *(pl* **-ãos***)* *sf* blessing, benediction
• **tomar a bênção** *cult bras* to take a blessing, to kiss the hand *(especially of a parent or close older relative)* while asking to be blessed
• **ser uma bênção** *(of a person or situation)* to be a blessing

bendito *adj* **1** blessed **2** *(irônico)* blessed: ***esse bendito ônibus que não chega!*** this blessed bus which never comes!

bendizer *vtd* to to praise, to exalt

beneficência *sf* favour

beneficente *adj* beneficent, generous, good
• **evento beneficente** benefit, event

beneficiar *vtd* **1** *(favorecer)* to favour, to benefit **2** *(terra)* to cultivate **3** *(cereais etc.)* to process
▸ *vpr* **beneficiar-se** to benefit, **(com,** -) to benefit from

benefício *sm* **1** *(bem)* good: ***fez um benefício a toda a família*** he did good to all the family **2** *(vantagem)* benefit, advantage, blessing
• **em benefício de** in benefit of
• **custo-benefício** cost-benefit

benéfico *adj* good, favourable

benemérito *adj* worthy, meritorious, distinguished

benesse *sf (dádiva, ajuda)* gain, aid, favour, advantage, benefit

benevolência *sf* benevolence, kindness, kindliness

benévolo *adj* benevolent, kind, kindly

benfazejo *adj* good, beneficial

benfeitor *sm, f* benefactor

bengala *sf* **1** walking stick, cane **2** *(pão)* long roll, French stick

benigno *adj* benign, good, kind, gentle

• **tumor benigno** benign tumour

benjamim *sm (extensão elétrica)* adaptor

benquisto *adj* dear, beloved

bento *adj* blessed

• **água benta** holy water

benzer *vtd* to bless, to invoke a blessing on

▸ *vtd-vi (fazer benzeduras)* to say prayers in order to bless

▸ *vpr* **benzer-se** *(fazer o sinal da cruz)* to make the sign of the cross, to cross oneself

benzina *sf* benzine

berçário *sm* nursery

berço *sm* **1** cradle, cot **2** *(nascente de rio)* spring, river source

• **nascer em berço de ouro** to be born with a silver spoon in one's mouth

• **ter berço** to come from a good and respected family, to be of good stock

bereba *sf bras pop* a small sore or protuberance on the skin

berimbau *sm* berimbau, a one-stringed musical instrument of African origin

berinjela *sf* BOT aubergine

Berlim *sf* Berlin

berlinda *sf loc* **estar/ficar na berlinda** to be exposed in a difficult situation, to be the butt of critical comment

bermudas *sf pl* short trousers, Bermuda shorts

berne *sm bras* the larva of a fly *(usually of the* Dermatobia *genus)* which lives below the skin of an animal or person

berrante *adj (cor)* loud, too bright and showy

▸ *sm* **berrante 1** *gíria (revólver)* a gun, especially a revolver **2** *(buzina de chifre)* a wind musical instrument made from the horns of cattle

berrar *vi* **1** to yell, to cry out **2** *(animal)* to howl **3** *(chorar)* to cry or weep loudly

berreiro *sm* **1** clamour, yelling **2** loud weeping or crying

• **armar o maior berreiro** to cry loudly, to make a big show of crying

berro *sm* **1** *(grito)* cry, yell **2** *(de animal)* howl **3** *gíria (revólver)* a gun, especially a revolver

• **aos berros** yelling

besouro *sm* ZOOL beetle, bug

besta *sf* **1** *(quadrúpede)* beast, any domestic large four-legged animal **2** *fig (burro)* fool, idiot **3** *fig (mau-caráter, pessoa brutal)* beast, brute

▸ *adj* **1** stupid, idiotic **2** pretentious, presumptuous **3** *(à-toa)* insignificant, trivial: ***um errinho besta*** an insignificant mistake

• **fazer alguém de besta** to make fun of someone, to make a monkey *(out)* of someone

• **fazer-se de besta** to pretend not to understand

• **metido a besta** vain, conceited, pretentious, stuck up, smug, haughty, arrogant

bestar *vi* **1** *(dizer/dizer tolices)* to talk nonsense **2** *(estar ocioso)* to idle, to fool around

besteira *sf* **1** *(asneira)* foolishness, nonsense **2** *(erro)* mistake **3** *(coisa à-toa)* trifle, unimportant thing **4** *(pouca coisa)* nothing, hardly anything: ***paguei uma besteira pelo relógio*** I paid nothing for the watch

• **largue de besteira** don't play the fool

bestial *adj* beastly

bestialidade *sf* **1** bestiality, absence of sense or reason **2** *(relações sexuais com animal)* bestiality

besuntar *vtd* to grease

betume *sm* bitumen

bexiga *sf* **1** ANAT bladder **2** *(balão)* baloon

bezerro *sm, f* calf

• **chorar como bezerro desmamado** to cry like a baby

bibelô *sm* bibelot, knicknack

bíblia *sf* bible

bibliografia *sf* bibliography

biblioteca *sf* library

bibliotecário *sm, f* librarian

biboca *sf (habitação modesta)* hut, shanty

bica *sf* spring, fountain

bicada *sf* **1** *(de ave)* a thrust with the beak **2** *bras pop* a sip of drink

bicão *adj-smf* **1** nosy, a nosy person **2** interloper, gatecrasher

bicar *vtd* **1** to thrust or grab with the beak **2** to drink *(especially alcoholic drinks)* in sparsed sips

▸ *vpr* **bicar-se 1** to get a little drunk **2** *fig* to get on well: ***aqueles dois não se bicam*** those two don't get on well

bicarbonato *sm* baking soda

bíceps *sm* biceps

bicha *sf bras (lombriga)* a worm, especially one living as a parasite in human bowels

▸ *sm,f bras pop* **bicha** *(homossexual masculino)* homo, gay, fag

bichado *adj* gone bad, rotten, *(a respeito de um computador)* bugged

bicho *sm* **1** *(qualquer animal ou inseto)* any animal or insect **2** *(pessoa intratável)* beast, brute **3** *fig (pessoa feia)* an ugly person **4** *fig (calouro)* freshman **5** *(coisa indeterminada)* something **6** *gíria (tratamento cordial vocativo)* mate, pal, man, fella: ***e aí, bicho?*** what's up, mate? **7** *bras (jogo do bicho)* an illegal lottery

• **dar bicho** to have maggot *(in a fruit)*

• **matar o bicho** to drink, to booze

• **que bicho é esse?** what the hell is this?

• **ver que bicho dá** to wait to see what comes out of it

• **virar (o) bicho** to go berserk

bicho-da-seda *(pl* **bichos-da-seda***) sm* silkworm

bicho-de-pé *(pl* **bichos-de-pé***) sm bras* an insect *(Tunga penetrans)*, common in pigsties, stables, and beaches, the female of which lodges as a parasite under the skin of a person or of an animal

bicho-papão *(pl* **bichos-papões***) sm* bogey, bogeyman

bicicleta *sf* bicycle, bike

bico *sm* **1** ZOOL beak, bill **2** *(de bule etc.)* spout **3** *fig (boca)* mouth: ***calar o bico*** to shut up one's mouth; ***não abrir o bico*** to keep one's mouth shut **4** *(ponta)* end, tip **5** *fig (biscate)* informal work, odd job

• **abrir o bico** *(denunciar)* to rat out

• **bico do seio** nipple

• **bico de mamadeira** nipple

• **bico de gás** gas ring

• **bico do sapato** toe

• **meter o bico** to intrude, to give one's opinion when it is not requested

• **molhar o bico** to have a drink

• **não ser para o bico de alguém** not to be for *(the likes of)* someone

• **rachar o bico** to laugh one's head off

• **ser bom de bico** *(ter lábia)* to have the gift of the gab, to have a silver tongue

bicudo *adj* **1** long-beaked **2** *(pontiagudo)* pointed, sharp-tipped **3** *(amuado, de mau humor)* sulky

bidê *sm* bidet

bienal *sf* biennale

bife *sm* steak

▪ **bife à milanesa** *cul bras* breaded steak

▪ **bife rolê** rolled beef

bifurcação *sf* **1** bifurcation, division into two separate parts **2** *(do caminho)* fork, bifurcation

bifurcar-se *vpr* to bifurcate, to fork

bigamia *sf* bigamy

bígamo *sm, f* bigamist

bigode *sm* moustache

bigorna *sf* anvil

bijuteria *sf* costume jewellery, trinket

bile *sf* MED bile

bilhão *sm* billion

bilhar *sm* billiards

bilhete *sm* **1** *(cartinha)* note, notice, short letter **2** *(de entrada em eventos)* ticket **3** *(de ônibus, trem etc.)* ticket **4** *(de loteria)* ticket

• **receber o bilhete azul** to be dismissed, to be fired

bilheteria *sf* ticket office

bilíngue *adj-sm,f* bilingual

bilionário *adj-sm, f* billionaire

bimensal *adj* bimonthly

bimestral *adj* bimonthly

bimestre *sm* two-month period

binário *adj* binary

bingo *sm* bingo

binóculo *sm* binoculars

binômio *sm* binomial

biodegradável *adj* biodegradable

biografia *sf* biography

biologia *sf* biology

biombo *sm* screen, partition

biópsia *sf* MED biopsy

bípede *sm* biped

biqueira *sf (arremate na ponta) (steel)* cap

biquíni *sm (a pair of)* bikinis

birita *sf* 1 cachaça, sugar cane spirit 2 booze, any alcoholic drink

birosca *sf bras* a small shop in a shanty town, selling food and alcoholic drinks

birote *sm bras* bun: ***tinha um birote no alto da cabeça*** her hair was tied in a bun on the top of her head

birra *sf bras pop* stubborness, especially in a child

• **fazer birra** to cry and complain

birrento *adj bras* stubborn and *(loudly)* obstinated

biruta *adj* crazy, mad, nuts

▸ *sf (indicador da direção do vento)* windsock

bis *sm* encore: ***pedir bis*** to ask for encore

▸ *interj* **bis!** encore!

bisar *vtd-vi* to give an encore at the end of a concert

bisavô *sm* great-grandfather

▸ **bisavó** *sf* great-grandmother

bisbilhotar *vtd-vi* to meddle, to pry, to poke one's nose in

bisbilhoteiro *adj-sm,f* meddler, busybody

bisbilhotice *sf* nosiness

biscate *sm (servicinho)* informal work, odd job

biscateiro *sm,f* a person who does odd jobs, odd-job man

biscoito *sm* biscuit

bisnaga *sf* 1 tube 2 *(pão)* bun

bisneto *sm* great-grandson

▸ **bisneta** *sf* great-granddaughter

bispo *sm* 1 bishop 2 *(no xadrez)* bishop

bissexto *sm* the day added to February every four years

▸ *adj* **bissexto** *(esporádico)* very occasional

• **ano bissexto** leap year

bisteca *sf* pork ribs, pork chops

bisturi *sm* scalpel

bitolado *adj-sm, f* narrow-minded

bituca *sf bras (de cigarro)* butt

blasfemar *vi* to blaspheme

blasfêmia *sf* blasphemy

blazer *sm* blazer, jacket

blecaute *sm* blackout

blefar *vi* to bluff

blefe *sm* bluff

blindado *adj* 1 armoured, protected by armour 2 *fig* impervious, ironclad

▸ *sm* armoured car

blitz *sf gíria* police raid

bloco *sm* 1 *(de pedra, gelo etc.)* block 2 *(parte separada)* part 3 *(de edifícios)* block: ***moro no bloco B*** I live in Block B 4 *(tijolo)* brick 5 *(espécie de caderno)* notepad 6 *(carnavalesco)* carnival group 7 POL bloc

• **bloco de anotações** notepad

• **bloco de rascunho** notepad

• **em bloco** en bloc, as a group

bloqueador *sm loc* **bloqueador solar** sunblock

bloquear *vtd* 1 *(impedir a circulação)* to block 2 *(atravancar a passagem)* to block, to stand in the way, to hinder 3 *(inibir)* to block, to prevent from happening

bloqueio 1 *(cerco)* block 2 *(obstrução)* block, obstacle 3 *(inibição)* block

• **bloqueio criativo** writer's block

• **bloqueio policial** police road block

blusa *sf* blouse, top

blush *sm* blusher

boa *sf* 1 *gíria (boazuda)* hottie, sexy woman 2 *(novidade interessante ou picante)* hot news 3 *(boa ideia, opção)* good idea: ***reciclar o lixo é uma boa*** recycling is a good idea

▸ *interj* **boa!** 1 good!, great! 2 *(irônico)* great!
• **dizer umas boas a alguém** to tell someone off, to scold
• **meter-se numa boa** to get into trouble
• **escapar/sair de boa** to escape unscathed
• **estar numa/de boa** to be at ease, to be relaxed
• **voltar às boas** to resume a friendly or loving relationship after a breakup or a period of unfriendly treatment or argument

boa-fé (*pl* **boas-fés**) *sf* sincerity, truthfulness, good faith, absence of malice

boa-noite (*pl* **boas-noites**) *sm* (*cumprimento*) good evening, (*despedida*) good night
▸ *sf* (*flor*) moonflower

boa-pinta (*pl* **boas-pintas**) *adj-smf* good-looking, attractive (*person*)

boa-praça (*pl* **boas-praças**) *adj-smf* nice, a nice person

boas-vindas *sf pl* welcome: ***deram-me boas-vindas calorosas*** they gave me a warm welcome

boa-tarde (*pl* **boas-tardes**) *sm* good afternoon

boate *sf* night club

boateiro *adj* gossipy
▸ *smf* gossip, gossip monger

boato *sm* rumour, gossip

boa-vida (*pl* **boas-vidas**) *sm,f* a person who is not fond of working and who likes living with the most of pleasure and the least of efforts

boazuda *sf* hottie, sexy woman

bobagem *sf* 1 (*disparate*) absurdity, nonsense: ***o que ele disse foi uma bobagem: não faz sentido algum*** what he said was nonsense: it makes no sense at all 2 (*erro, equívoco*) mistake: ***foi uma bobagem de minha parte voltar num momento como aquele*** it was my mistake to come back at such a time 3 (*pouco tempo*) a few moments, a little time: ***ficou aqui uma bobagem e logo foi embora*** he stayed for a few moments and soon left 4 (*coisa insignificante*) unimportant thing, trifle: ***esse assunto é uma bobagem: você não lhe deveria dar tanta importância*** this is a trifle: you shouldn't mind so much 5 (*alimento que não sustenta, guloseima*) junk food, sweets and candies: ***só anda comendo bobagens ultimamente*** he's been eating junk food lately; ***meus filhos só gostam de bobagens*** my children like sweets and candies only

bobe *sm* hair roller

bobear *vi* 1 play the fool 2 to let oneself be deceived 3 to miss an opportunity

bobeira *sf* foolishness
• **marcar bobeira** 1 to let oneself be deceived 2 to miss an opportunity

bobina *sf* 1 bobbin, coil, reel 2 FOTO reel 3 (*de filme*) film reel

bobo *adj-sm,f* fool(ish), stupid, idiot(ic)
▸ *adj* 1 (*de pouco valor*) useless, worthless: ***deu-lhe aquele relógio bobo e nada mais*** he gave her that worthless watch and nothing else 2 (*sem seriedade, passageiro*) minor, brief: ***teve uma doença boba, mas já está bem agora*** he had a minor illness, but he's all right now 3 (*sem graça*) stupid: ***brincadeira boba*** a stupid joke
• **bancar o bobo** to play the fool
• **bobo alegre** fool, stupid, idiot

boboca *adj-smf* fool(ish), stupid, idiot(ic)

boca *sf* 1 mouth 2 mouth, a person considered as someone who must be provided for: ***tenho muitas bocas para alimentar*** I've got many mouths to feed 3 GEOG *sf* mouth: ***a boca do rio*** the mouth of the river
• **à boca pequena/à boca miúda** secretly, in a whispering voice
• **abrir a boca** (*depois de fechada*) to open one's mouth, (*bocejar*) to yawn, (*falar após silêncio*) to speak, to break the silence, (*revelar segredo*) to reveal a secret, (*começar a chorar*) to start crying
• **bater boca** to argue, to squabble
• **boca a boca** word of mouth
• **boca da calça** trouser bottom
• **boca da noite** dusk, early evening
• **boca do estômago** *bras pop* the region of the solar plexus
• **boca do fogão** gas ring

• **botar a boca no mundo** 1 to scream, to yell 2 to blow the whistle
• **botar a boca no trombone** *bras pop* to reveal, to blow the whistle
• **cale a boca!** shut up!
• **cheio até a boca** full to the brim, brimful, overflowing
• **com a boca na botija** in the act
• **de boca** orally, without written proof, unofficially
• **estar na boca do povo** to be on everyone's mouth
• **falar da boca para fora** 1 to speak without really meaning what one says 2 to pay lip service
• **ficar de boca aberta** to be amazed, to be surprised, to gape
• **tapar a boca de alguém** to prevent or stop someone from talking
• **ter boca grande** (*falar demais*) to talk too much, to have a big mouth
• **ter boca suja** to have a tendency to use foul language

boca de fumo (*pl* **bocas de fumo**) *sf bras gíria* a place where canabis is sold

boca de lobo (*pl* **bocas de lobo**) *sf* street drain

boca de sino (*pl* **bocas de sino**) *adj-sf* bellbottoms

boca de siri *interj* keep your mouth shut

boca de urna (*pl* **bocas de urna**) *sf* canvassing on election day

bocado *sm (porção de alimento)* mouthful
• **um bocado** (*muito*) a lot, (*um tanto*) some
• **passar um mau bocado** to go through a difficult time

boca do lixo *sf* red-light district

bocal *sm* 1 *(de vaso)* mouth 2 *(de instrumento)* mouthpiece 3 *(de lâmpada)* socket

boçal *adj-smf* stupid, idiot(ic), rude, rough, ignorant

bocejar *vi* to yawn

bocejo *sm* yawn

boceta *sf chulo* cunt

bochecha *sf* cheek

bochicho *sm* 1 *(agitação)* festive activity, excitement 2 *(boato)* rumour, gossip

bodas *sf pl* 1 wedding 2 wedding anniversary
▪ **bodas de diamante** diamond wedding anniversary
▪ **bodas de ouro** golden wedding anniversary
▪ **bodas de prata** silver wedding anniversary

bode *sm* 1 goat 2 *fig (confusão, encrenca)* confusion, trouble 3 *fig (situação difícil)* predicament 4 *fig (depressão)* blues 5 (*estado de sonolência*) drowsiness
• **amarrar o bode** to frown or scowl suddenly
• **bode expiatório** scapegoat
• **dar bode** to turn out badly

boêmio *adj-sm,f* bohemian

bofe *sm* 1 *pop* lung 2 *fig (pessoa feia)* an ugly person 3 *bras gíria gay* a heterossexual man ou an active sexual partner

bofetada *sf* slap
• **dar bofetada com luva de pelica** to answer back to an offense in an elegant, ironic way

bofetão *sm* punch

boi *sm* ox, head of cattle
• **boi de corte** beef cattle
• **boi de piranha** *fig* a person who alone undergoes a sacrifice, which otherwise would affect a whole group
• **carne de boi** beef
• **dar nome aos bois** 1 to name the culprits 2 to call a spade a spade

boia *sf* 1 buoy 2 *bras pop (comida, refeição)* food, grub

boiada *sf* herd of cattle

boiadeiro *sm* cowboy

boia-fria (*pl* **boias-frias**) *sm bras pop* a seasonal plantation worker who works in the fields all day long and at lunchtime eats the meal he took with him, which by then is cold

boiar *vi* 1 to float, to drift 2 *fig (não entender)* not to understand, not to get (*what is being said, a joke etc.*)

boicotar *vtd* to boycott

boicote *sm* boycott

boina *sf* beret

boiola *sm* gay, fag

bojo *sm* 1 protuberance, bulge 2 *fig* core, center, inside, within: ***a revolução trouxe em seu bojo a perda da liberdade*** the revolution brought the loss of freedom within itself

bojudo *adj* 1 protuberant, bulging, salient 2 rounded

bola *sf* 1 ball 2 *bras* (*futebol*) football, soccer: ***jogar bola*** to play football 3 (*cabeça, mente*) head, mind: ***não anda bem da bola*** his head has not been working well 4 (*droga na forma de comprimido, geralmente produzida artificialmente*) designer drug: ***disseram que anda tomando bola*** he was said to be taking designer drugs 5 (*comida envenenada para matar animais*) a food cake with poison in it given to dogs and cats in order to kill them

▸ *interj pl* 1 ***bolas!*** used to express impatience or disapproval 2 ***ora bolas!*** used to express impatience or disapproval

• **abaixar a bola de alguém** to deflate somone's ego

• **bate-bola** a quick exchange of questions and answers, especially in an interview

• **bater bola** to play football

• **bola da vez** (*em certas modalidades de bilhar*) the ball which must be potted next in a game, *fig* the person who is the current target of animosity, violence etc.

• **bola de bilhar** billiard/snooker ball

• **bola de cristal** crystal ball

• **bola de gude** glass marble

• **bola de sabão** soap bubble

• **bom da bola** having a clear sense, discerning

• **comer a bola/engolir a bola** to perform well at football or another activity

• **comer bola** to miss a turn

• **dar bola para alguém** (*ensejar namoro*) to court, to flirt, (*dar confiança*) to allow one to be forward or intrusive

• **dar/não dar bola para algo** (*ligar/não ligar*) (*not*) to care about

• **dar tratos à bola** to rack one's brains

• **estar com a bola toda** to be a success

• **pisar na bola** (*dar uma mancada*) to do something wrong, (*não cumprir o prometido*) to go back on one's promises

• **ser bom de bola** to be a good football player, to be good at an activity

• **trocar as bolas** to mistake something for something else, to make a mistake

bolacha *sf* 1 biscuit 2 *fig* (*bofetada*) slap 3 (*descanso para copos*) beermat

• **bolacha de água e sal** water biscuit

bolada *sf* 1 a hit with the ball: ***o juiz levou uma bolada*** the referee was struck by the ball 2 *gíria* (*dinheiro*) a lot of money: ***ganhou uma bolada*** he won a lot of money

bolar *vtd* 1 to plan 2 *gíria* to roll a cannabis cigarette

boleia *sf* truck cabin

bolero *sm* 1 bolero 2 a woman's short jacket which is not fastened at the front

boletim *sm* bulletin

• **boletim de ocorrência** official police statement

• **boletim escolar** school report

• **boletim meteorológico** weather report

boleto *sm* (*documento bancário*) bill

bolha *sf* 1 bubble 2 blister

▸ *smf gír* a boring, tiresome person

boliche *sm* bowling

bolinar *vtd-vi* of a man, to make sexually abusive contact with someone else's body, especially in crowded places

bolinho *sm* CUL a small, rounded portion of dough, which can have vegetables, fish, meat, rice, etc. as basic ingredients and after being fried is served as a dish

bolo *sm* 1 CUL cake 2 (*ajuntamento confuso de pessoas*) mass (*of people*), crowd 3 (*confusão*) confusion, disorder, mess: ***deu o maior bolo*** it ended in a great confusion 4 (*falta a um encontro*) absence (*from a meeting or date*)

• **dar um bolo** to stand someone up

• **levar um bolo** to be stood up

bolor *sm* mould

bolsa *sf* 1 bag, purse 2 (*de estudo*) scholarship, grant 3 ANAT (*cavidade saciforme*) sac 4 ECON stock exchange

• **rodar bolsa/bolsinha** *gír* to prostitute oneself

bolsista *smf* scholarship holder

bolso *sm* pocket

• **botar alguém no bolso** *fig* to deceive someone

• **livro de bolso** pocket book

bom *adj* 1 *(bondoso)* good 2 *(de qualidade)* good: ***escreveu um bom texto*** he wrote a good text 3 *(conveniente)* good, convenient, proper: ***é bom não chegar atrasado*** it's good not to arrive late 4 *(grande, amplo)* big, ample: ***havia um bom quarto na casa*** there was a big bedroom in the house 5 *(apto, competente)* good at: ***ele é bom em português*** he's good at Portuguese; ***não sou boa de basquete*** I'm not good at basketball

▸ *intensificador* a good deal: ***ficamos um bom tempo esperando*** we've been waiting for a good deal of time; ***acharam boa parte das mercadorias roubadas*** they found a good deal of the stolen goods

▸ *sm* **bom** 1 *(superior)* the best, number one: ***ele acha que é o bom*** he thinks he's number one 2 *(coisa boa)* the good thing: ***o bom da coisa é ser gratuita*** the good thing is that it is free; ***o bom de tudo isso é que vencemos*** the good thing about it is that we won

▸ *pl* **os bons** the good and honorable men or people

▸ *interj* 1 good: ***bom!, muito bom!*** good!, very good! 2 well: ***bom, chega de brincadeira*** well, that's enough of playing

• **cheque bom para o dia** 20 a cheque to be deposited on the twentieth

• **do bom e do melhor** the very best

• **ficar bom** *(sair bem-feito)* to come out well, to be well done

• **ficar bom de uma doença** to recover from an illness

• **tudo de bom para você** all the best, my best regards

bomba *sf* 1 MEC pump: ***bomba de bicicleta***: bicycle pump 2 *(projétil)* bomb 3 *(pirotécnico)* firework 4 *(notícia escandalosa)* breaking news 5 *(coisa ruim)* bomb, crap: ***esse filme é uma bomba*** this film is a bomb 6 *(reprovação)* fail at school 7 CUL éclair

• **bomba de fumaça** smoke grenade

• **bomba de gás lacrimogêneo** tear gas grenade

• **bomba de gasolina** petrol pump

• **cair como uma bomba** to come as a bombshell

• **levar/tomar bomba** to fail a final examination at school or college

bombardear *vtd* to bomb

bombardeio *sm* bombing, bombardment

bomba-relógio (*pl* **bombas-relógio**) *sf* time bomb

bombástico *adj* bombastic

bombear *vtd* to pump: ***bombear água*** to pump water

bombeiro *sm* 1 fireman, firefighter 2 *(encanador)* plumber

bombinha *sf* firecracker

bombom *sm* chocolate candy

bom-dia (*pl* **bons-dias**) *sm* good morning

bonachão *adj-sm, f* simple, good-natured and patient (*person*)

bondade *sf* goodness

bonde *sm* 1 *(sobre trilhos)* tram 2 *(suspenso)* cable car

• **pegar o bonde andando** *fig* to arrive in the middle of something and not to understand what is going on

• **tomar o bonde errado** *fig* to bet on the wrong horse

bondoso *adj* good, kind, benevolent, generous

boné *sm* baseball cap

boneca *sf* 1 doll 2 *(mulher bonita)* doll

boneco *sm* 1 doll 2 *(fantoche)* puppet, marionette

bonitão *adj-sm, f* good-looking, charming, attractive, handsome (*person*)

bonitinho *adj* cute

bonito 1 *(dia, tempo)* beautiful: ***está um dia bonito*** it's a beautiful day 2 *(pessoa)* good-looking, attractive, *fem* pretty, beautiful, *masc* handsome 3 *(coisas, objetos)* beautiful, nice, pretty: ***ele tem um carro bonito*** he has a nice car; ***foi um jogo bonito*** it was a nice match 4 *(nobre)* noble, beautiful: ***foi um gesto bonito de sua parte*** it was a noble gesture of yours 5 *(apropriado)* good, proper: ***não é bonito pôr o dedo no nariz*** it's not proper to pick your nose

▸ *adv* *(bem)* well: ***falou bonito*** he spoke well

▸ *interj* 1 nice, beautiful: ***que bonito!*** how nice!, (how) beautiful! 2 *(irônico)* nice:

bonito, hein! trafegando na contramão! nice, huh! driving on the wrong side of the road!
• **fazer bonito** (*fazer bem alguma coisa*) to do well, to perform well, (*exibir-se*) to show off

bônus *sm inv* bonus, plus

boquiaberto *adj* with one's mouth open, gaping, agape
• **ficar boquiaberto** to gape, to be dumbfounded

boquinha *sf (refeição leve)* a light meal
• **fazer uma boquinha** to have a snack

borboleta *sf* butterfly

borbotão *sm* gush
• **aos borbotões** gushing

borbulhante *adj* bubbling, sizzling

borco *sm loc* **de borco** (*de barriga para baixo*) on one's stomach, face down

borda *sf* border, edge

bordado *sm* embroidery

bordão *sm* 1 staff 2 *fig* support, protection 3 TEATRO LIT motto

bordar *vtd-vi* to embroider

bordel *sm* brothel

bordo *sm loc* **a bordo** 1 (*de avião, navio*) aboard, on board 2 (*de qualquer veículo*) on, inside (*a car, a train, a bus etc.*)

bordô *adj-sm* crimson

bordoada *sf* a hard blow, especially with a stick

borracha *sf* 1 rubber 2 (*para apagar*) eraser
• **passar uma borracha** *fig* to forget the past

borracharia *s* tyre repairer's

borrão *sm* blot, spot

borrar *vtd-vi* to blot, to spot
▸ *vpr* **borrar-se** *gír* to defecate in one's clothing

borrifar *vtd-vtdi* to spray, to sprinkle

borrifo *sm* spray, sprinkle

bosque *sm* wood, woods

bossa *sf* 1 (*inchaço por contusão, galo*) bump, lump, swelling 2 (*corcunda*) hump 3 *fig* (*tendência*) tendency, wave
• **ter bossa** to have a distinguishing feature which makes one to be considered pleasing, elegant etc.

bossa-nova *sf* Bossa Nova

bosta *sf* shit

bota *sf* boot
▪ **botas de borracha** Wellington boots, wellies
▪ **botas de cano longo** high boots
▪ **botas de caubói** cowboy boots
• **bater as botas** to kick the bucket, to die
• **lamber as botas (de alguém)** to polish someone's apple, to flatter

bota-fora *sm* farewell party

botânica *sf* botany

botânico *sm, f* botanist

botão *sm* 1 button 2 BOT bud 3 MEC button, knob 4 (*do rádio*) dial
• **estar em botão** (*plantas*) in bud
• **dizer com seus botões** to say to oneself

botar *vtd* 1 (*pôr, colocar*) to place, to put, to lay 2 (*vestir, calçar*) to put on 3 (*estabelecer*) to open: ***botou uma perfumaria*** he opened a perfumery 4 (*investir*) to invest
▸ *vtd-vi* (*ovos*) to lay
• **botar para quebrar** to give it all, to make happen

bote *sm* 1 (*barco*) boat 2 pounce
▪ **bote salva-vidas** lifeboat
▪ **bote inflável** inflatable boat
• **dar o bote** to pounce

boteco *sm bras deprec* bar, pub

botequim *sm bras deprec* bar, pub

botija *sf* jug
• **pegar com a boca na botija** to catch in the act

botijão *sm* canister, cylinder, flask

botina *sf* high lace shoe, small boot

bovino *adj* bovine, related to cattle
▪ **gado bovino** cattle
▸ *sm* **bovino** ox, head of cattle

boxe *sm* 1 (*pugilismo*) boxing 2 (*do banheiro*) walk-in shower 3 (*de estacionamento*) parking space

boxeador *sm* boxer

boy *sm* office boy

brabo *adj* 1 (*zangado*) angry, mad, fierce: ***ficar brabo*** to get angry 2 (*severo*) strict 3 (*venenoso*) venomous, poisonous **4** *(difícil)* difficult, hard **5** *(rigoroso, forte)* tough **6** *(extremo)* fierce

braçada *sf* armful

braçadeira *sf* tie, bracket, strap

bracelete *sm* bracelet

braçal *adj* related to the arm(s)
▪ **trabalho braçal** manual work

braço *sm* **1** ANAT arm **2** *(de sofá etc.)* arm **3** *(trabalhador braçal)* worker, labourer, hand: ***ganhamos um braço a mais para ajudar*** we got an additional hand to help **4** (*ramo de árvore*) branch **5** (*parte de uma alavanca*) arm, bar, beam **6** (*parte superior de instrumentos de corda*) neck **7** (*força, coragem*) strength, courage: ***conquistou a vitória com braço forte*** he won with courage **8** GEOG (*de rio*) arm: ***o braço do rio*** the arm of the river
• **braços da cruz** the horizontal beam of a cross
• **cruzar os braços** to cross one's arms, *fig* to refuse to help or take part in something
• **dar o braço a torcer** to admit one is wrong
• **de braço dado** (*com alguém*) arm in arm, *fig* closely related to,
• **de braços abertos** wholeheartedly
• **de braços cruzados** with arms folded, *fig* not willing to help or take part in something
• **descer/meter o braço em alguém** to beat someone up
• **estar a braços com um problema** to have a problem or to be dealing with it
• **o braço da lei** the strong arm of the law
• **ser o braço direito de alguém** to be someone's right hand

braço de ferro (*pl* **braços de ferro**) *sm* a powerful man who makes maximum use of his authority

bradar *vtd-vi* to shout, to yell

braguilha *sf* fly

branco *adj* **1** white **2** *(cabelos)* gray, grey, grayish, greyish **3** *(pálido, lívido)* white, pale
▸ *sm,f* **branco** White, Caucasian
• **branco do olho** cornea
• **assinar em branco** to sign a blank sheet of paper
• **dar um branco** to suddenly forget something, to have one's mind go blank
• **folha em branco** a blank sheet of paper
• **passar em branco** not to do anything (*of use or of what has been planned*) for a whole night, for a lifetime etc.
• **uma branca** *gír* (*a portion of*) Brazilian cachaça

brancura *sf* whiteness

brandir *vtd* to brandish, to wield

brando *adj* mild, soft, gentle

branquear *vtd-vi* to whiten

brânquia *sf* gill

brasa *sf* ember, hot coal
• **puxar a brasa para sua sardinha** to draw water to one's mill
• **em brasa** (*incandescente*) red-hot, (*escaldante*) scalding, (*rubro*) blushed
• **mandar brasa** to act with energy and resolution
• **na brasa** roasted
• **pisar em brasas** to find oneself in a difficult or embarassing situation
• **ser uma brasa** to be a lively, energetic person

brasão *sm* coat of arms

braseiro *sm* **1** brazier **2** heap of embers

Brasil *sm* Brazil

brasileiro *sm, f* Brazilian

brasiliense *adj-smf* **1** related to the federal capital of Brasília **2** a person who was born or lives in Brasília

bravata *sf* boast, boasting, bravado

bravo *adj-sm,f* **1** *(valente)* brave, bold **2** → **brabo**

brecar *vtd-vi* to brake

brecha *sf* **1** opening, split, crack, cut **2** *(lacuna)* gap **3** *(abertura, oportunidade)* chance, opportunity: ***encontrar uma brecha*** to find an opportunity; ***deu-me uma brecha para manifestar minha opinião*** he gave me a chance to show what I think

brechó *sm* a second-hand shop, thrift shop

brega *adj-smf* **1** camp **2** corny, vulgar

brejo *sm* swamp, marsh
• **ir para o brejo** *fig* to fail, to be finished, to come to naught

breque *sm* **1** brake **2** MEC brake pedal **3** MÚS a sudden stop in the middle of a song as part of the melody arrangement

breu *sm* **1** tar **2** *fig* darkness
• **escuro como breu** as dark as night, extremely dark

breve *adj* brief, short-lasting
▸ *sf* MÚS breve
• **(*dentro*) em breve** in a short time, soon

brevidade *sf* **1** brevity, conciseness **2** *cult bras* CUL a kind of baked cake made of cassava flour and eggs

bricolagem *sf* bricolage

briga *sf* **1** (*discussão*) quarrel, argument **2** (*geralmente com contato físico*) fight, clash, brawl, struggle, scuffle, tussle **3** *fig* disagreement, dispute, confrontation, combat
• **briga de cachorro grande** a dispute between two very important and powerful people or groups of people
• **briga de foice** a fierce fight or dispute
• **comprar briga** to start a fight or a dispute with someone
• **entrar na briga** to enter a fight or dispute, *fig* to enter a (*business, sports etc.*) competition

brigada *sf* brigade

brigadeiro *sm* **1** MIL brigadier **2** CUL a sweet made of butter, condensed milk and chocolate

brigar *vi-vti* **1** to have a quarrel, to have an argument **2** to fight, to get into a fight **3** *fig* to dispute, to confront, to combat
▸ *vti fig* (*lutar*) to fight, to struggle

briguento *adj-sm,f* **1** rowdy, troublemaker **2** (*batalhador*) fighter

brilhante *adj* **1** bright, shining, gleaming, glowing **2** (*inteligente*) brilliant: ***um aluno brilhante*** a brilliant student
▸ *sm* (*diamante*) diamond

brilhantina *sf* grease, brilliantine

brilhar *vi* **1** to shine, to gleam, to glow **2** (*ter sucesso*) to shine: ***sempre brilhou academicamente*** he has always shined academically

brilho *sm* **1** shine, gleam, glow **2** (*claridade, limpidez*) brightness **3** *fig* (*habilidade, talento*) brilliance: ***havia um brilho natural em suas palavras*** his words had a natural brilliance **4** *fig* (*expressividade*) brilliance **5** *fig* (*glória, fama*) fame, celebrity: ***estão em busca do brilho e da pompa*** they are in search of fame and fortune
▪ **brilho para os lábios** lipgloss

brincadeira *sf* **1** (*de crianças*) play, game **2** (*gracejo, pilhéria*) joke, trick **3** *bras inf* (*atividade sem seriedade*) child's play, joke: ***isso é só brincadeira*** this is all child's play **4** (*coisa fácil*) easy game, child's play, joke, piece of cake: ***carregar esse peso não é brincadeira*** carrying this weight is no easy game **5** (*folia de carnaval*) carnival
• **brincadeira de mau gosto** *fig* bad joke, dirty trick
• **brincadeira de roda** a game played in a ring, round dance
• **de/por brincadeira** not seriously
• **cair na brincadeira** to fall for the joke
• **não estar para brincadeira(s)** to be serious
• **não ser de brincadeira** to be strict and demanding
• **nem de brincadeira** not even in your wildest dreams
• **sem brincadeira** not even joking, I'm not joking

brincalhão *adj* playful, prankish

brincar *vi-vti* **1** to play: ***brincar de bola*** to play with a ball **2** (*gracejar*) to joke, to kid: ***não fique zangado: eu só estava brincando*** don't get mad: I was just kidding
▸ *vtd* (*o carnaval*) to go carnival partying
• **brincar com fogo** to play with fire
• **brincar de (*médico, pirata etc.*)** to play doctors/pirates/etc.

brinco *sm* earring
• **ficar/ser um brinco** to be very clean and tidy, to be quite perfect

brindar *vtd-vti-vi* (*beber à saúde de alguém*) to toast
▸ *vtd-vtdi* **1** (*presentear*) to give as a gift or present: ***no Natal, a empresa brinda os funcionários com uma cesta de mercadorias*** at Christmas, the company gives the employees a basket of goods as a gift **2** *fig* (*conceder como favor*) to

offer: ***brindou-me com um sorriso*** she offered me a smile **3** *ironia (castigar)* to award: ***foi brindado com uma nota zero*** he was awarded a zero grade

• **brindar à/ao (estreia, sucesso etc.) de alguma coisa** to drink a toast to (*the inauguration, success etc.*) of something

• **brindar com (champanhe, vinho etc.)** to toast with (*champagne, wine etc.*)

brinde *sm* **1** toast **2** *(presente)* gift, present

• **erguer um brinde** to propose a toast

• **(*um brinde*) à sua saúde!** cheers!, here's to you!

brinquedo *sm* **1** toy, plaything **2** *(brincadeira)* trick, joke

• **carro/soldadinho etc. de brinquedo** a toy car/soldier etc.

brio *sm* pride

brisa *sf* breeze

• **viver de brisa** not to have means or resources to live on

britânico *sm, f* British, Briton

▸ *adj* British

broa *sf* **1** CUL a kind of bread made of corn flour **2** *bras pop* a short and fat woman

broca *sf* **1** drill, borer, bit **2** *(designação de inseto que perfura madeira)* borer

broche *sm* **1** *(ornamento feminino)* brooch **2** *(bótom)* badge

brochura *sf* brochure

brócolos *sm, pl* broccoli

bronca *sf* **1** rebuke, reprimand **2** *(implicância)* antipathy, hostility

• **dar (uma) bronca em alguém** to rebuke someone, to reprimand someone, to tell someone off

• **meter bronca** to get something done quickly

• **ter bronca de alguém** *(por antipatia)* not to be fond of someone *(por guardar rancor)* to have a grudge against someone

bronco *adj* rude, rough, lacking good manners

brônquio *sm* ANAT capillaries

bronquite *sf* MED bronchitis

bronze *sm* bronze

• **pegar um bronze** to get a suntan

bronzeado *adj* suntanned, tanned: ***tinha o rosto bronzeado*** she had a suntanned face

▸ *sm* **bronzeado** suntan: ***pegar um bronzeado*** to get a suntan

bronzear-se *vpr* to get a suntan

• **óleo de bronzear** suntan oil

brotar *vi* **1** *(desabrochar)* to bud, to sprout **2** *(manar, emanar)* to flow *(out of)*, to spring **3** *fig (surgir, nascer)* to appear, to come to light, to shoot forth

▸ *vti* to come out, to spring: ***as lágrimas lhe brotaram dos olhos*** tears came out of his eyes

broto *sm* **1** BOT bud, sprout **2** *fig (adolescente)* adolescent, teenager **3** *gíria (namorado)* boyfriend, girlfriend

brotoeja *sf* skin eruption, rash

brocha *sf* a large paintbrush

▸ *adj-sm gír chulo* sexually impotent

brochar *vi* **1** *gír chulo* to fail to get sexually excited **2** *fig* to lose interest in something

bruços *sm loc* ***de bruços*** on one's stomach

brusco *adj* **1** *(ríspido)* rude, rough **2** *(repentino)* sudden, quick

brutal *adj* **1** brutal, severe, violent **2** *(enorme)* enormous: ***tinha uma força brutal*** he had enormous strength

brutalidade *sf* brutality

bruto *adj* **1** *(como na natureza)* raw **2** *(violento, brutal)* brutal, severe, violent **3** *(muito grande)* enormous, immense **4** *(inteiro, sem decréscimo)* gross

▸ *sm* **bruto** brute

• **diamante bruto** raw diamond, diamond in the rough

• **peso bruto** gross weight

• **petróleo bruto** raw oil

• **produto interno bruto** gross national product

• **salário bruto** gross income

bruxaria *sf* witchcraft, sorcery

Bruxelas *sf* Brussels

bruxo *smf* **1** wizard, witch, sorcerer, sorceress **2** *fem fig* an ugly, unpleasant woman, virago

bucha *sf* **1** *(de madeira)* file **2** *(de banho)* sponge

• **na bucha** at once, immediately

bucho *sm* 1 the stomach of animals such as oxen or sheep 2 *fig (barriga)* belly, stomach 3 *gíria (mulher feia)* an ugly, usually fat woman

• **estar de bucho** *bras pop chulo* to be pregnant

budismo *sm* RELIG Buddhism

bueiro *sm* street drain, culvert, drain hole

búfalo *sm* buffalo

bufante *adj* puffing, bulging

• **manga bufante** leg-of-mutton sleeve

bufar *vi* 1 to puff 2 *fig* to puff out: ***bufar de raiva*** to puff out in anger

bufê *sm* buffet

• **bufê frio** cold buffet

bugiganga *sf* trinket, worthless item or object

bugre *sm* 1 Indian, Native South American 2 *fig* a withdrawn, suspicious person 3 *fig* a rude, rough person

bujão *sm (de gás)* gas cylinder

bula *sf* 1 MED directions 2 RELIG bull

bule *sm* coffeepot

bulhufas *pron gíria* nothing, not a thing: ***não entender bulhufas*** not to understand a thing

bulir *vti* 1 *(balançar de leve)* to move gently from side to side, to sway: ***a moça bulia com os quadris*** the lady swayed her hips 2 *(pôr as mãos em, tocar em)* to touch, to fiddle with: ***é melhor não bulir nas coisas de seu pai*** you'd better not fiddle with your father's stuff 3 *(caçoar, mexer com)* to poke fun at, to mess with: ***não bula com ele: está nervoso*** don't mess with him: he's angry 4 *(sensibilizar)* to move, touch: ***aquela música buliu comigo*** that song moved me

bumbum *sm* buttocks, butts

bunda *sf* buttocks, butts

• **nascer com a bunda para a lua** to be extremely lucky

bunda-mole (*pl* **bundas-moles**) *smf* lacking will or courage and, therefore, considered lazy, cowardly or not able to do things properly

bundão *sm* 1 large-hipped, having large buttocks 2 → **bunda-mole**

buquê *sm* bouquet

buraco *sm* 1 hole 2 *(furo)* hole, opening, gap 3 *(cárie)* cavity 4 *(toca)* hole, cave, den 5 *(lugar retirado)* distant place: ***foi morar num buraco*** he went to live in a distant place 6 *(casa ruim)* hole, dump: ***não vou morar com meus filhos num buraco como este*** I'm not going to live with my children in such a hole 7 *(dificuldade financeira)* hole, financial trouble or difficulty 8 *(jogo de cartas)* a rummy-type card game

• **buraco da agulha** needle hole

• **buraco da fechadura** keyhole

• **fazer um buraco** to dig a hole

burguês *sm,f* bourgeois

• **pequeno-burguês** petit bourgeois

burguesia *sf* bourgeoisie

burilar *vtd* 1 to engrave with a burin 2 *fig* to polish, to perfect

burlar *vtd* 1 *(fraudar, lesar)* to defraud: ***burlou a companhia em milhares de reais*** he defrauded the company of thousands of reais 2 *(enganar, ludibriar)* to deceive, to cheat

burocracia *sf* bureaucracy

burocrata *smf* bureaucrat

burrada *sf* stupidity

burrice *sf* 1 *(asneira)* stupidity 2 *(falta de inteligência)* stupidity

burrico *sm* a small donkey

burro *sm,f* donkey, ass

▸ *adj-sm,f* stupid, idiot(ic)

• **burro de carga** a donkey used to carry (*heavy*) loads, *fig* a person who is given too many tasks

• **dar com os burros na água** to miss a good deal, to fail to do something, to be disappointed by the result of something

• **pra burro** very much, a lot

busca *sf* search, quest: ***a busca pelos desaparecidos teve início ontem*** the search for the missing people began yesterday

• **dar busca** to search high and low, to carry out a search

• **em busca de** in search of

busca-pé (*pl* **busca-pés**) *sm* squib, firecracker

buscar *vtd* 1 *(procurar)* to search, to seek, to look for 2 *(pegar)* to pick up:

venho te buscar às quatro I'll come and pick you up at four

bússola *sf* compass

busto *sm* bust

butique *sf* boutique

buzina *sf* (*car*) horn

buzinar *vi* **1** to honk a horn **2** (*repetir muitas vezes*) to keep on, to go on and on, to repeat: ***ficou buzinando no meu ouvido para pararmos*** he kept on telling me to stop

• **buzinar para** to honk at

C

cá *adv* **1** *(aqui)* here **2** *(este ponto, aqui, agora)* now: ***de uns tempos para cá tem ficado ansioso*** he's been anxious for some time now **3** *(consigo mesmo)* to oneself: ***eu cá pensei comigo*** I thought to myself
• **cá está** here you are
• **de cá para lá** from side to side
• **lá e cá** here and there
• **para lá e para cá** back and forth

cabana *sf* hut

cabaré *sm, inv* cabaret

cabeça *sf* **1** ANAT head **2** *(mente)* head, brain, mind: ***tenho mil pensamentos na cabeça*** I've got a thousand thoughts in my mind **3** *(juízo, prudência)* sense: ***tem uma boa cabeça: não fará bobagem*** he has good sense: he won't do anything stupid **4** *(líder)* head, leader: ***sempre foi o cabeça da equipe*** he has always been the leader of his team **5** *bras pop (a glande do pênis)* glans **6** *(indivíduo)* head: ***mil cabeças de gado*** a thousand head of cattle; ***o banquete custará cem reais por cabeça*** the banquet will cost a hundred reals a head
• **abaixar a cabeça** to bow one's head, *fig* to bow down to somebody/something, to hang one's head, to hide one's head
• **cabeça de alho** garlic bulb
• **cada cabeça, uma sentença** different people make different judgements
• **com a cabeça erguida** with one's head held high
• **com a cabeça fresca** keeping one's head, keeping a clear/cool head
• **da cabeça aos pés** from head to foot, from head to toe
• **de cabeça** *(de cor)* by heart, from memory *(cálculo sem instrumentos)* in one's head
• **de cabeça para baixo** head over heels
• **duas cabeças pensam melhor que uma** two heads are better than one
• **encher a cabeça de alguém** to nag someone
• **esquentar a cabeça** to worry, to get upset, to bother one's head about
• **estar com a cabeça quente** to be hotheaded
• **fazer a cabeça de** *(por agradar)* to make one fond of, *(fazer pensar diferente)* to alter one's convictions
• **fazer o que lhe vem à cabeça** to do whatever comes to one's mind
• **lançar-se de cabeça em alguma coisa** to devote oneself totally to *(doing)* something
• **levar na cabeça** to be physically or morally harmed by a situation, event etc.
• **não estar com cabeça para** not to be able to think reasonably
• **perder a cabeça** *(agir de modo insensato)* to lose one's head, *(apaixonar-se perdidamente)* to fall head over heels in love
• **pôr/meter alguma coisa na cabeça** to take it to one's head
• **quebrar a cabeça** to think incessantly and very deeply about *(a problem, situation etc.)* in order to sort it out
• **sem pé nem cabeça** neither head nor tail, nonsense
• **subir à cabeça** to go to one's head, to turn one's head
• **ter a cabeça nas nuvens** to have one's head in the clouds
• **ter a cabeça no lugar** to have one's head in the right place

• **tirar algo/alguém da cabeça** to take someone/something out of one's mind
• **usar a cabeça** to think reasonably, to use one's head
• **vir à cabeça** to come to one's mind

cabeçada *sf* 1 headbutt 2 *(asneira)* foolishness, stupidity

cabeça de vento (*pl* **cabeças de vento**) *sm,f* a frivolous or imprudent person

cabeça-dura (*pl* **cabeças-duras**) *sm,f* an obstinate, stubborn person

cabeçalho *sm* heading, head, top

cabecear *vi* ESPORTE to head (*the ball*), to make a header

cabeceira *sf* 1 bedhead 2 *(da mesa)* the head of the table 3 *(de rio)* headwater

cabeçudo *adj-sm* 1 big-headed 2 *(teimoso)* stubborn, obstinate

cabeleira *sf* head of hair

cabeleireiro *sm,f* hairdresser

cabelo *sm* hair
• **ter cabelo nas ventas** to be obstinate, to be energetic, to be angry, to be given to or fond of fighting

cabeludo *adj-sm,f* 1 hairy 2 *fig (complicado)* complicated

caber *vti* 1 to fit: ***toda essa gente não cabe na sala*** all these people won't fit into the room 2 *(ser da alçada de)* to behove, to behoove, to be up to, to be the task of: ***cabe ao juiz proferir a sentença*** it behoves the judge to sentence people 3 *(pertencer)* to be due: ***coube-lhe uma parte da herança*** a part of the inheritance was his due
▸ *vi (ser admissível)* to be relevant, to be appropriate: ***suas ideias cabem perfeitamente*** your ideas are totally pertinent

cabide *sm (coat)* hanger, *(clothes)* hanger
• **cabide de empregos** jobs for the boys

cabimento *sm loc* **ter/não ter cabimento** not/to make sense

cabine *sf* 1 *(camarote)* box 2 *(compartimento para passageiro em trem ou navio)* cabin 3 *(compartimento do piloto em avião)* cabin, cockpit 4 *(provador)* changing room, fitting room
▪ **cabine telefônica** telephone booth

cabível *adj* relevant, pertinent, appropriate, proper, sensible

cabo *sm* 1 MIL corporal 2 GEOG cape 3 *(fio)* cable, wire 4 *(de objeto)* handle: ***cabo de panela*** saucepan handle 5 *(corda)* rope, cable
• **ao cabo de dez anos** at the end of a ten-year period
• **cabo de aço** wire rope
• **cabo eleitoral** canvasser
• **de cabo a rabo** from beginning to end, from head to tail
• **dobrar o cabo da Boa Esperança** to die, to kick the bucket
• **levar a cabo** to carry out, to finish

cabra *sf* ZOOL *(female)* goat, nanny goat
▸ *sm* 1 *(sujeito)* a man 2 *bras pop (cangaceiro)* an armed outlaw of the Brazilian northeastern countryside
• **cabra da peste** a brave man, a fearless man

cabra-cega (*pl* **cabras-cegas**) *sf* blind man's buff

cabreiro *adj-sm,f (desconfiado)* suspicious

cabrita *sf* ZOOL female kid goat

cabrito *sm* ZOOL kid goat

cabular *vtd (aula)* to cut class, to play truant

caca *sf* 1 a piece of dirt 2 a piece of shit, turd

caça *sf* 1 *(caçada)* hunting, hunt, chase 2 *(animal caçado)* hunt, game 3 *(perseguição)* hunt, chase
▸ *sm (avião)* fighter plane
• **um dia é da caça, o outro é do caçador** every dog has his/its day, the boot/shoe is on the other foot

caçada *sf* hunting, hunt, chase

caçador *sm,f* hunter, huntsman, huntress

caçamba *sf* 1 bucket 2 a large container for construction waste

caça-níqueis *sm* slot machine

cação *sm* ZOOL shark

caçapa *sf* any of the pockets in a billiard/snooker/pool table
• **boca de caçapa** a person with an unusually wide mouth, *fig* a big mouth

caçar *vtd* 1 to hunt 2 *(perseguir)* to hunt, to chase, to search for

cacareco *sm (piece of)* junk

cacarejar *vi* to cackle

caçarola *sf* casserole, saucepan

cacau *sm* cacao

cacetada *sf* 1 a blow with a cudgel 2 *(pancada)* bump 3 *(batelada)* a great amount or quantity
• **dois milhões e cacetada** two thousand odd

cacete *adj (maçante)* boring, dull
▸ *sm* **cacete** 1 stick, cudgel 2 *bras pop (pênis)* penis, cock, dick, prick 3 *(cacetada)* bump 4 *(surra)* beating, battering
▸ *interj* **cacete!** shit!
• **baixar/descer o cacete (em alguém)** to beat someone up
• **o cacete a quatro** and all that stuff, and everything else
• **pra cacete** a lot, very much

cachaça *sf* sugar cane spirit, cachaça

cacheado *adj* curly

cachecol *sm* scarf

cachimbo *sm* pipe

cacho *sm* 1 *(de cabelo)* curl 2 *(de uva)* bunch 3 *(de banana)* bunch 4 *(de flores)* bunch 5 *fig bras pop (caso)* affair

cachoeira *sf* falls, waterfall

cachola *sf gíria* head

cachorrada *sf* 1 *(grupo de cachorros)* a pack of dogs 2 *fig (safadeza)* a vile, disgusting act

cachorro *sm* 1 ZOOL dog 2 *(canalha) (gíria tabu)* bastard, dog
• **matar cachorro a grito** to be in a desperate situation, to be in dire straits
• **pra cachorro** a lot, very much
• **soltar os cachorros** to tell somebody off

cachorro-quente (*pl* **cachorros-quentes**) *sm* hot dog

caco *sm* 1 shard, piece of broken grass, china, pottery etc. 2 *fig loc* **ser/estar/ficar um caco** to be/get tired out, finished, shattered: ***vi-o ontem, na rua; estava um caco*** I saw him in the street yesterday; he looked shattered; ***fiquei um caco depois da mudança*** I was tired out after we moved houses

caçoar *vti-vi* to tease, to laugh at

cacoete *sm* tic, twitch

cacto *sm* cactus

caçula *adj-smf* the youngest son/daughter

cada *pron indef* 1 each, every: ***cada participante ganhou um prêmio*** each person taking part in the event won a prize; ***cada coisa em seu lugar*** every thing in its place 2 every: ***recebe o salário a cada quinze dias*** he gets his pay every fortnight 3 such: ***cada lorota que ele conta!*** he speaks such bullshit!
• **5 de cada 100 estudantes** 5 out of 100 students
• **cada qual** every one, each one
• **cada um** each, every, any
• **cada uma!** unbelievable!

cadarço *sm* shoelace, shoestring

cadastro *sm* record, register, list

cadáver *sm* dead body, corpse

cadê *adv bras pop* where is...?

cadeado *sm* padlock

cadeia *sf* 1 *(corrente)* chain 2 *(prisão)* jail, prison 3 *fig* bond: ***as cadeias do matrimônio*** the bonds of marriage 4 *(série, sequência)* series, sequence, row 5 GEOG chain
• **em cadeia** in a series, in a row
• **uma cadeia de estabelecimentos** a chain of establishments (*especificamente*) a chain of supermarkets, hotels, stores etc.
• **reação em cadeia** chain reaction
• **transmissão em cadeia nacional** a system in which a TV and/or radio programme is broadcast at the same time by every radio station and/or television channel in a country

cadeira *sf* 1 chair 2 *(cátedra)* chair: ***detém a cadeira de literatura na universidade*** he holds the chair of literature at the university 3 *(anca)* hip 4 *(assento em teatro, cinema)* seat
• **cadeira cativa** an exclusive seat
• **cadeira de balanço** rocking chair
• **cadeira de rodas** wheelchair

cadela *sf* 1 ZOOL bitch, female dog 2 *fig* bitch, dissolute woman

cadência *sf (ritmo)* rhythm

caderneta *sf* notebook

• **caderneta de endereços** address book
• **caderneta de poupança** savings account

caderno *sm* **1** notebook **2** *(de jornal)* section

caduco *adj* **1** senile, weakminded, decrepit **2** *(que perdeu a validade)* past its sell-by date

cafajeste *adj-sm* low, vulgar, dishonest, scoundrel

café *sm* **1** coffee **2** *(estabelecimento)* cafe, coffee shop
• **café expresso** espresso coffee
• **café com leite** white coffee
• **café da manhã** breakfast
• **café pequeno** *fig* very easy, a piece of cake, a cakewalk
• **café preto** black coffee
• **café solúvel** instant coffee

cafeeiro *adj* related to coffee
sm **cafeeiro** coffee tree

cafeína *sf* cafeine

cafezal *sm* coffee field

cafona *adj-smf* old-fashioned, old-hat

cafundó *sm* a far, distant place

cafuné *sm* *(carícia)* stroke

cagada *sf* **1** *pop* the act of taking a shit **2** *fig pop* an act of stupidity, mess

cagar *vi* to defecate, *pop* to take a shit
▸ *vti* (**para,** -) *(não fazer caso)* not to give a shit, not to give a damn
▸ *vpr* **cagar-se 1** to shit oneself **2** *(sentir medo)* to be/get afraid, to be/get scared

cagoetar *vt, vi* to snitch, to rat

caiação *sf* whitewash

caiar *vtd* **1** to whitewash **2** *fig (maquiar)* to cover up

cãibra *sf* cramp

caibro *sm* rafter

caída *sf* fall, drop

caído *adj loc* **ficar caído por alguém** to have a crush on someone, to fall in love with someone

câimbra → **cãibra**

caimento *sm* **1** *(inclinação)* inclination, slope **2** *(de tecido, de roupa)* fit

caipira *sm,f* a country person, rustic, country bumpkin

caipirinha *sf (bebida)* a traditional Brazilian drink prepared with cachaça, lemon, sugar and ice

cair 1 *(objeto)* to fall, to drop **2** *(pessoa)* to fall *(down)* **3** *(chuva etc.)* to fall **4** *(em batalha)* to fall, to be defeated, to die **5** *(ter caimento)* to fit **6** *(ser oportuno)* to be relevant, to be proper **7** *(reduzir-se)* to fall, to drop: ***a temperatura caiu seis graus*** the temperature has dropped by six degrees **8** *(ser destituído)* to lose *(one's position, job etc.)* **9** *(perder a validade)* no longer to be in force, to become invalid **10** *(ser preso)* to be sent to prison **11** *(incorrer em)* to fall: ***caiu logo no sono*** he soon fell asleep; ***caiu doente na mesma semana*** she fell sick on that same week **12** *(linha telefônica)* to go dead: ***estava falando com ela quando, de repente, a linha caiu*** I was talking to her when suddenly the line went dead
▸ *vti* **1** *(ocorrer)* to take place: ***o Natal caiu numa sexta-feira*** Christmas took place on a Friday **2** *(atirar-se)* to jump: ***caí na piscina*** I jumped into the swimming pool **3** *(apaixonar-se)* to fall in love for
• **cair aos pedaços** to fall apart
• **cair como uma luva** to fit someone like a glove
• **cair como um pato** to fall prey
• **cair de quatro** *fig* to fall head over heels *(for someone)*
• **cair doente** to fall sick
• **cair duro** *(morrer)* to die, to kick the bucket, *(ter surpresa)* to be extremely surprised
• **cair em si** to come to one's senses
• **cair fora** to leave a place, *(geralmente em ordens)* to get out, to get lost
• **cair mal** not to be suitable, not to be appropriate
• **cair na farra** to go partying in a wild way
• **cair nas graças de** to find favor with, to find favor in the eyes of
• **cair no mundo** to run away, to disappear

cais *sm* harbour, dock, pier, quay, wharf

caixa *sf* **1** box, case **2** *(fundos)* fund, funds **3** MÚS *(instrumento de percussão)* snare drum **4** MÚS *(abertura de instrumentos de corda)* soundbox

▸ *sm,f* **1** *(de banco)* cashier, bank clerk **2** *(de loja e hotel)* cashier **3** *(de supermercado)* checker, checkout assistant, operator
• **caixa-alta** capitals, capital letters, block letters
• **caixa automático/eletrônico** cash machine
• **caixa-baixa** small letters
• **caixa-d'água** water tank, cistern
• **caixa de descarga** cistern
• **caixa de leite/suco etc.** carton
• **caixa de música** musical box
• **caixa de som** speaker, loudspeaker
• **caixa dois** under the table, money on the side
• **caixa econômica** savings bank
• **caixa postal** post office box, PO box
• **caixa registradora** cash register
• **caixa torácica** thorax
• **estar na caixa** *(recebendo pensão)* to get a pension

caixa-forte (*pl* **caixas-fortes**) *sf* safe, strongbox

caixão *sm* **1** a big box **2** *(de defunto)* coffin

caixa-preta *sf* (*pl* **caixas-pretas**) black box, flight recorder

caixilho *sm* window frame

caixinha *sf* **1** *(gorjeta)* tip **2** *(coleta de dinheiro)* a small box for tips **3** *(suborno)* bribe

caixote *sm* (*wooden*) box, packing case

caju *sm* cashew

cal *sf* lime, whitewash

calabrês *adj-sm,f* Calabrian

calado *adj* silent, quiet

calafrio *sm* shiver

calamidade *sf* calamity, disaster
• **que calamidade!** what a disaster!

calango *sm bras* lizard

calão *sm gíria* vulgarity
• **baixo calão** a word or phrase expressing obscenity, a swear word

calar *vi* to get/become silent, to quieten
▸ *vti (ficar gravado)* to be imprinted in, to have an effect on
▸ *vtd (silenciar)* to silence: ***a polícia imediatamente calou os manifestantes*** the police immediately silenced the demonstrators
▸ *vpr* **calar-se** to be/become silent: ***não vou me calar com relação ao acidente*** I won't be silent about the accident
• **calar fundo** to be deeply imprinted in, to have a deep effect on: ***as palavras do profeta calaram fundo em seu coração*** the prophet's words were deeply imprinted on his heart
• **quem cala consente** silence is consent

calça *sf pl* trousers, pants *(AmE)*
• **calça boca de sino** bell-bottoms
• **calça *jeans*** jeans, denims
• **pegar alguém de calça curta** to catch someone with his/her pants/trousers down, to catch someone in the act
• **usar calças** *(ser corajoso)* to be brave and bold, *(tomar decisões no casamento)* to wear the trousers, to wear the pants *(AmE)*

calçada *sf* pavement, sidewalk *(AmE)*

calçadão *sm* pedestrian area

calçado *adj* having shoes on, having one's feet covered
▸ *sm* **calçado** footwear

calçamento *sm* street paving

calcanhar *sm* heel
• **ter alguém nos calcanhares** to have someone at/on one's heels

calção *sm* shorts
• **calção de banho** swimming trunks

calçar *vtd* **1** *(meias, luvas)* to put on **2** *(sapatos)* to put on **3** *(pôr calçamento)* to pave **4** *(pôr calço)* to wedge, to jam
▸ *vpr* **calçar-se** *(comprar sapatos)* to wear shoes: ***sempre se calçou nas melhores lojas europeias*** he has always worn shoes bought in the best European shops
• **ele calça 38** he wears size 38 shoes

calcar *vtd* **1** *(apertar com força)* to press down, to push down, to crush **2** *(apertar com os pés)* to tread, to trample **3** *(comprimir)* to press, to crush, to squeeze **4** *fig (humilhar)* to humiliate
▸ *vtdi (tomar como modelo)* to take as a model: ***calcou seu estilo no de Machado de Assis*** he took Machado de Assis as a model for his style

calcário *sm* limestone

calcinha *sf* panties, knickers

cálcio *sm* calcium

calço *sm* 1 wedge 2 prop

calculadora *sf* calculator

calcular *vtd* 1 to calculate 2 *(avaliar)* to estimate, to reckon 3 *(imaginar)* to presume, to reckon 4 *(supor)* to guess, to conjecture

cálculo *sm* 1 calculation, estimate 2 MED stone: ***cálculo renal*** kidney stone

calda *sf* sauce, syrup

caldeirão *sm* cauldron

caldo *sm* juice, soup, broth, syrup
• **caldo verde** a Portuguese and Brazilian soup made of kale and sliced sausages and thickened with mashed potatoes
• **entornar o caldo** *fig* to ruin something

calejado *adj* 1 *(com calos)* calloused 2 *(experiente)* experienced

calendário *sm* 1 calendar 2 *(cronograma)* schedule, calendar

calha *sf* gutter, drainpipe, downspout

calhambeque *sm* an old car, jalopy, banger

calhar *vi* 1 to coincide 2 *(acontecer)* to happen, to occur: ***calhou (de) chover*** it happened to rain
• **vir a calhar** to be appropriate, to be adequate, to fit like a glove

calibrar *vtd* 1 to calibrate 2 *(pneu)* to pump up

calibre *sm* 1 calibre, caliber, gauge 2 *fig* calibre, caliber, standard

cálice *sm* 1 a small glass for drinking liqueur 2 BOT calyx

caligrafia *sf* calligraphy, handwriting

calma *sf* calm, peacefulness
• **ter/não ter calma** to keep/not to keep calm

calmante *adj* calming
▸ *sm* MED sedative, sleeping pill

calmaria *sf* 1 calmness, peacefulness 2 doldrums 3 *fig (inércia)* inertia

calmo *adj* calm, quiet

calo *sm* callus

calombo *sm* bump, swelling

calor *sm* 1 heat 2 *fig (animação)* heat, excitement, enthusiasm 3 *fig (afabilidade)* warmth
• **calor humano** warmth, friendliness, affection
• **fazer calor** to be hot *(weather)*
• **no calor do momento** in the heat of the moment
• **sentir calor** to be hot, to feel hot

calorento *adj* feeling constantly hot

caloria *sf* calorie

caloroso *adj* 1 energetic, lively 2 *fig (cordial)* warm, friendly, hearty

calota *sf (de automóvel)* hubcap
• **calota craniana** skull
• **calota polar** polar cap

calote *sm* 1 unpaid debt 2 the act of intentionally not paying a debt

calouro *sm* 1 *(novato)* newcomer, new arrival, recruit 2 *(pessoa inexperiente)* novice 3 *(primeiranista)* freshman
• **programa de calouros** talent show

calúnia *sf* slander

caluniar *vtd-vi* to slander

calvície *sf* baldness

calvo *adj* bald
▸ *sm* **calvo** baldy, baldie

cama *sf* 1 bed 2 *(de animal)* bed, resting place, lair
▪ **cama de casal** double bed
▪ **cama de solteiro** single bed
▪ **cama inflável** air bed, air mattress
• **cair da cama** to fall out of bed, *fig* to get up early
• **cair de cama** to fall ill, to fall sick
• **cair na cama** to tumble into bed
• **estar de cama** to be ill/sick in bed
• **fazer a cama** to make one's bed
• **fazer/preparar a cama para alguém** to plot against someone
• **ir para a cama** to go to bed, to go to sleep
• **ir para a cama com alguém** to go to bed with someone, to lay with someone

camada *sf* layer
• **camada de ozônio** ozone layer

camaleão *sm* 1 chameleon 2 *fig* chameleon, a changeable person

câmara *sf* chamber
▪ **Câmara Alta** Upper Chamber,
▪ **Câmara Baixa** Lower Chamber,
▪ **câmera cinematográfica** movie camera

■ **Câmara de Comércio** Chamber of Commerce
■ **câmara de compensação** clearing house
■ **Câmara de Deputados** House of Representatives
■ **câmara de gás** gas chamber
■ **câmera de televisão** TV camera
■ **câmera de vídeo** video camera
■ **câmera escura** camera obscura
■ **câmera fotográfica** camera
■ **câmera frigorífica** cold storage, cold store
■ **câmera lenta** slow motion
■ **Câmara Municipal** City Council
■ **música de câmara** chamber music

camarada *smf* 1 *(companheiro)* partner, mate, comrade 2 MIL comrade 3 *fig (sujeito)* fellow, chap, bloke, dude
▸ *adj* 1 *(simpático, amigo)* nice, friendly 2 *(acessível)* reasonable: ***preço camarada*** reasonable price 3 *(agradável)* nice, pleasant: ***uma brisa camarada*** a pleasant breeze

camaradagem *sf* 1 *(convivência de camaradas)* comradeship 2 *(simpatia, benevolência)* friendliness

câmara de ar (*pl* **câmaras de ar**) *sf* inner tube

camarão *sm* shrimp, prawn

camareira *sf* chambermaid

camarim *sm* dressing room

camarote *sm* 1 *(de teatro)* box 2 *(cabine de trem ou navio)* compartment, cabin

cambada *sf (corja)* gang, mob

cambalacho *sm* cheat, swindle

cambaleante *adj* staggering, tottering

cambalear *vi* to stagger, to tottle

cambalhota *sf* roll, tumble
• **dar/virar uma cambalhota** to do a forward or backward roll

cambeta *adj-sm,f* lame

cambial *adj* related to foreign exchange

câmbio *sm* 1 ECON exchange, foreign exchange 2 *(de automóvel)* gears, gear lever, gear stick
■ **câmbio automático/hidramático** automatic transmission
■ **câmbio negro** black market
■ **casa de câmbio** bureau de change
■ **letra de câmbio** bill of exchange
• **taxa de câmbio** exchange rate, rate of exchange

cambista *smf* ticket tout

cambraia *sf* cambric

camburão *sm bras pop* a police van, Black Maria, Paddy Wagon

camélia *sf* BOT camellia

camelo *sm* ZOOL camel

camelô *sm* street peddler

câmera → **câmara**

cameraman *smf* cameraman

caminhada *sf* walk

caminhão *sm* truck, lorry
• **caminhão basculante** dumper truck

caminhão-pipa (*pl* **caminhões-pipa**) *sm* water truck

caminhão-tanque (*pl* **caminhões-tanque**) *sm* tanker

caminhar *vi* 1 to walk 2 *fig (avançar)* to advance, to progress

caminho *sm* way, path
• **abrir caminho** to clear the way
• **pegar o caminho da roça** to go away
• **cortar caminho** to take a shortcut
• **errar o caminho** to mistake the way, to take the wrong way
• **estar no bom/mau caminho** to follow the good/evil path
• **estar a meio caminho andado** to be well on one's way
• **pôr-se a caminho** to set out
• **seguir o seu caminho** to follow one's own path

caminhoneiro *sm* truck driver

camionete *sf* pickup (*truck*)

camisa *sf* shirt
• **camisa de onze varas** *fig* predicament, complicated situation
• **suar a camisa** *fig* to work hard
• **vestir a camisa** *fig* to eagerly defend a place, institution etc. to where one belongs

camiseira *sf* chest of drawers, set of drawers

camiseta *sf* T-shirt
• **camiseta regata** sleeveless T-shirt

camisinha *sf bras pop* condom, rubber

camisola *sf* nightgown

camomila *sf* BOT camomile

campainha *sf* 1 *(da porta)* bell 2 *(do relógio)* alarm 3 *bras pop (úvula)* uvula 4 BOT morning glory, campanula

campanário *sm* 1 bell tower 2 church tower

campanha *sf* campaign
• **campanha publicitária** advertising campaign

campeão *sm,f* champion

campeonato *sm* championship, contest

campestre *adj* country, rural

camping *sm* campsite, camping site, campground

campista *sm,f* someone who goes camping

campo *sm* 1 field 2 *(de esportes)* field, course, range, pitch 3 *(de refugiados, de concentração)* concentration camp 4 *(plantação)* field, plantation 5 *(facção)* side: ***lutar no mesmo campo*** to fight on the same side 6 *(esfera, âmbito)* realm 7 *(de atuação profissional)* area, field 8 *(zona rural)* country, countryside: ***a cidade e o campo*** the city and and the countryside
• **campo de ação** realm
• **campo de aviação/pouso** airfield
• **campo de batalha** battlefield
• **campo minado** minefield, *fig* a dangerous place or situation
• **casa de campo** villa, country house
• **entrar em campo** to take the field

camponês *sm,f* peasant

camuflagem *sf* camouflage

camuflar *vtd* 1 to camouflage 2 *fig* to camouflage, to disguise, to hide
▸ *vpr* **camuflar-se** 1 to camouflage oneself with, to hide, to disguise 2 MIL to camouflage oneself

camundongo *sm* mouse

camurça *sf* suede

cana *sf* 1 BOT sugar cane 2 *(cadeia)* jail: ***entrar em cana*** to go to jail

cana-de-açúcar (*pl* **canas-de-açúcar**) *sf* sugar cane

Canadá *sm* Canada

canadense *adj-smf* Canadian

canal *sm* 1 GEOG channel, canal 2 *(de TV)* channel, TV station 3 *(de dente)* root canal
• **canal da Mancha** the English Channel, the Channel
• **canal de navegação** navigation channel
• **canais competentes** official channels
• **mudar de canal** to switch channels

canalha *sf* gang, mob
▸ *sm,f* rogue, scoundrel

canalhice *sf* dishonesty

canalizar *vtd* to channel
▸ *vtdi* to channel, to concentrate: ***canalizou todas as suas energias para o trabalho*** he channelled all his energies into work

canapé *sm* 1 CUL canapé 2 *(móvel)* couch

canário *sm* ZOOL canary

canastra *sf* 1 a small, wooden chest 2 *(em jogo de cartas)* canasta

canavial *sm* sugar-cane field

canção *sf* song

cancelamento *sm* cancellation

cancelar *vtd* to cancel

câncer *sm* 1 cancer 2 ASTROL Cancer

cancerígeno *adj* MED causing cancer

canceroso *adj* cancerous

cancha *sf* 1 sports field 2 *fig (conhecimento)* knowledge

candelabro *sm* candlestick

candidatar-se *vpr* to apply for: ***candidatou-se à vaga de gerente*** he applied for the position of manager 2 *(em eleições)* to stand for election, to run for election: ***você tem intenção de se candidatar este ano?*** do you intend to run for election this year?

candidato *sm,f* candidate

candidatura *sf* 1 application 2 candidacy, candidature

cândido *adj* 1 clear, limpid 2 *fig* pure, innocent

candura *sf* purity, innocence

caneca *sf* mug

caneco *sm* mug
• **pintar o(s) caneco(s)** *fig* to behave wildly

canela *sf* 1 BOT CUL cinnamon 2 ANAT shin 3 *(de linha)* reel, spool
• **esticar as canelas** to kick the bucket, to die

caneta *sf* 1 *(-tinteiro)* pen, fountain pen 2 *(esferográfica)* pen, ball-point pen
• **caneta marca-texto** highlighter, marker

caneta-tinteiro (*pl* **canetas-tinteiro**) *sf* fountain pen

cangote *sm bras pop* the nape of the neck

canguru *sm* ZOOL kangaroo

cânhamo *sm* hemp

canhão *sm* canon
• **canhão de luz** spotlight

canhestro *adj* clumsy

canhoto *adj* left-handed
▸ *sm* **canhoto** 1 left-hander 2 (*de documento*) stub, counterfoil

canibal *smf* cannibal

caniço *sm* a long, thin stick

canil *sm* doghouse, kennel

canino *adj* canine
▸ *sm* **canino** canine tooth

canivete *sm* penknife
• **chover canivetes** to rain cats and dogs

canja *sf* CUL broth
• **ser canja** to be a piece of cake, to be very easy

cano *sm* 1 pipe, tube 2 *(de arma de fogo)* barrel 3 *fig (problema)* trouble
• **cano de bota** throat
• **dar o cano** (*não pagar*) not to pay a debt, (*não aparecer*) to fail to turn up
• **entrar pelo cano** to get into trouble
• **levar um cano** to be taken in, not to receive money one has lent

canoa *sf* canoe
• **embarcar em canoa furada** to board a sinking ship

canônico *adj* canonic, canonical

canonizar *vtd* to canonize

cansaço *sm* tiredness, weariness

cansado *adj* 1 tired, weary 2 *(farto)* fed up, sick and tired

cansar *vtd* 1 *(fatigar)* to tire, to weary, to wear outs: ***o calor cansou depressa os viajantes*** the heat soon tired the travellers 2 *(enfastiar)* to tire, to bore: ***sempre cansava seus amigos com as histórias de suas viagens*** he always bored his friends with the stories about his trips
▸ *vi* 1 *(sentir cansaço)* to be tired, to tire: ***andamos tanto que minhas pernas estão começando a cansar*** we've walked so much that my legs are beginning to tire 2 (*produzir cansaço*) to tire: ***é muito dinâmico: suas aulas nunca cansam*** he's very dynamic: his classes never tire
▸ *vti* 1 *(esgotar-se por fazer repetidas vezes)* to be sick and tired of doing something over and over again: ***cansei de dizer isso*** I'm sick and tired of saying the same thing over and over again 2 (*não cessar, não parar*) to never tire of doing something: ***nunca se cansa de insistir para que eu vá com ele*** he never tires of insisting on my coming with him
▸ *vpr* **cansar-se** 1 to get tired, to weary (*out*) 2 to be tired (*of*), to be fed up with, to be sick of: ***cansei-me de suas mentiras!*** I'm fed up with your lies!

cansativo *adj* 1 tiring, tiresome 2 (*entediante*) boring

canseira *sf* tiredness

cantada *sf* 1 *(galanteio para seduzir)* compliments with the intention of seducing someone, chatting up 2 *(lábia)* flattery

cantar *vtd-vi* 1 to sing, to chant 2 *(galo)* to crow 3 (*pássaros*) to sing
▸ *vtd* 1 *(ditar)* to dictate: ***cante as respostas*** dictate the answers 2 *bras pop (tentar seduzir com palavras)* to try to seduce with nice words
• **cantar vitória** to crow about/over something

cantarolar *vtd-vi* to hum, to croon

canteiro *sm* flower bed
• **canteiro de obras** building site, construction site

cântico *sm* song, chant

cantiga *sf* 1 song 2 *fig* cunning conversation
• **cantiga de ninar** lullaby

• **cantiga de roda** nursery rhyme

cantil *sm* water bottle

cantilena *sf* 1 chant 2 *(ladainha)* rigmarole

cantina *sf* canteen

canto *sm* 1 *(de voz humana)* singing, chanting 2 *(de galo)* cock-a-doodle-doo 3 *(de pássaros)* singing 4 *(ângulo de aposento)* angle, corner 5 *(quina)* corner 6 *(casa, recanto)* place

• **canto do cisne** swan song

• **olhar pelo canto do olho** to glance sideways

• **por todo canto** everywhere

cantoneira *sf (móvel)* a piece of furniture with a triangular shape to be placed at the corner of a room

cantor *sm,f* singer

• **cantor e compositor** singer and composer

cantoria *sf* singing

canudo *sm* 1 straw 2 *fig gíria (diploma)* diploma

cão *sm* dog

• **cão de caça** hunting dog

• **cão de fila** guard dog

• **cão de guarda** guard dog

• **cão pastor** sheepdog

• **cão policial** tracker dog

caolho *adj-sm,f* one-eyed

caos *sm* 1 chaos 2 *fig* chaos, mess, confusion

caótico *adj* 1 chaotic 2 *fig* chaotic, messy

capa *sf* 1 cover, case 2 *(de livro, revista etc.)* cover 3 cape

• **capa de chuva** raincoat

• **capa dura** *(livro)* hardcover

• **filme de capa e espada** swashbuckler film/movie

capacete *sm* 1 MIL helmet 2 *(de motociclista)* helmet

capacho *sm* 1 rug, doormat 2 *fig* doormat: ***era o capacho do chefe*** he was the boss's doormat

capacidade *sf* 1 *(volume interior de um espaço ou recipiente)* capacity: ***um barril com capacidade para 100 litros*** a barrel with a capacity of 100 litres 2 *(o quanto uma máquina produz)* capacity: ***a capacidade do gerador é pequena*** the generator has a small capacity 3 *(aptidão)* ability, capability 4 *fig (ousadia)* cheek, nerve: ***teve a capacidade de vir aqui pedir dinheiro!*** he had the cheek to come here and ask for money!

capacitar *vtdi* to enable, to empower

▸ *vpr* **capacitar-se** to become able to, to enable oneself to

capanga *sm* henchman

▸ *sf (bolsa de homem) bras* a small handbag, worn especially by men

capar *vtd* to castrate

capataz *sm* 1 foreman 2 farm administrator

capaz *adj* 1 *(competente)* capable, able: ***era capaz em todos os sentidos*** he was able in every sense 2 *(com capacidade para)* with a capacity of: ***um teatro capaz de acomodar 500 pessoas sentadas*** a theatre with a seating capacity of 500 people 3 *(com possibilidade de)* likely: ***medidas capazes de superar a crise*** measures which are likely to surpass the crisis 4 DIR competent

• *interj bras pop (indicativo de dúvida e/ou desdém)* I bet, my ass: ***quebro-lhe ao meio! – capaz!*** I'll break you to pieces! – my ass!

• **ser capaz** *bras pop (quase certo, possível)* to be almost certain, to be possible: ***você acha que ele vem? – é capaz*** do you think he's coming? – it's possible/perhaps

capela *sf* chapel

capenga *adj bras pop* 1 lame 2 *(defeituoso, precário)* not working properly

capeta *sm bras pop* the devil

▸ *adj-smf (traquinas)* naughty, naughty child or person

capilar *adj* 1 related to hair 2 *(sanguíneo)* capillary

capim *sm* grass

• **comer capim pela raiz** to be pushing up *(the)* daisies, to be dead

capital *adj (principal)* seminal, utmost

▸ *sf (de província ou região)* capital city

▸ *sm* ECON capital

▪ **capital de giro** working capital

capitalismo *sm* capitalism

capitalista *adj-smf* capitalist

capitão *sm,f* captain

capitulação *sf* submission, surrender

capítulo *sm* **1** chapter **2** TV episode

capivara *sf* capybara, a large South American rodent

capô *sm (de automóvel)* bonnet, hood *(AmE)*

capoeira *sf (jogo atlético)* capoeira

capota *sf (de automóvel)* hood

capotar *vi* to capsize

capote *sm* **1** *bras pop* a large jacket or coat **2** *bras gíria* a fall
• **levar/tomar um capote** to stumble and/or fall *(tb fig)*

caprichar *vti (esmerar-se)* to exert oneself with care so as to excel

capricho *sm* **1** *(esmero)* care, attention: ***faça a lição com capricho*** do your homework with care **2** *(desejo impulsivo)* impulse: ***nunca pensa: faz tudo por capricho*** he never thinks: he does everything on impulse **3** *(inconstância)* fancy, whim: ***disse que queria ir, mas foi somente um capricho passageiro*** she said she wanted to go, but it was only a passing fancy **4** *(obstinação)* obstinacy: ***não quis comer por puro capricho*** he didn't want to eat for sheer obstinacy
• **sai um bife no capricho** a nicely cooked steak is coming

caprichoso *adj* **1** *(voluntarioso)* obstinate **2** *(esmerado)* perfectionist, zealous

capricórnio *sm* Capricorn

caprino *adj* related to goats

cápsula *sf* **1** MED capsule **2** *(nos projéteis de armas de fogo)* casing
• **cápsula espacial** space capsule

captar *vtdi* **1** *(granjear, atrair)* to attract, to capture: ***captava sorrisos por onde passava*** he attracted smiles wherever he went **2** *(compreender)* to understand **3** *(obter)* to get, to obtain, to gather: ***captar recursos*** to get funds

captura *sf* seizure, arrest, detention, catching

capturar *vtd* to catch, to seize, to arrest

capuz *sm* hood

caqui *sm* BOT persimmon

cara *sf* **1** *(rosto)* face **2** *(da moeda)* head: ***cara ou coroa?*** heads or tails? **3** *(semblante)* face **4** *(aspecto)* aspect, appearance: ***esse doce não está com boa cara*** this sweet doesn't have a good appearance **5** *(ousadia)* cheek, nerve: ***será que ele ainda tem cara de aparecer?*** do you think he still has the cheek to show up?
▸ *sm,f* man, mate: ***cara, como você está elegante!*** man, how elegant you are!
▸ *sm (sujeito)* guy, person: ***você conhece esse cara?*** do you know this guy?
• **amarrar/fechar a cara** to frown
• **cara conhecida** familiar face
• **com a cara e a coragem** courageously, with nerve
• **com a cara no chão** extremely embarassed
• **dar as caras** to show up
• **dar de cara com** to suddenly meet, to bump into
• **dar na cara** *(ser óbvio)* to be obvious, *(deixar transparecer)* not to be able to disguise, to easily show
• **dar na cara de alguém** to slap someone on the face
• **dizer alguma coisa na cara de alguém** to say something to someone's face
• **(logo) de cara** not hesitatingly, at the first moment, without waiting
• **de cara cheia** drunk
• **encher a cara** to get drunk
• **está na cara** it is apparent, it is obvious
• **fazer cara feia** to pull/make a face/faces *(at someone)*, to frown
• **ficar com cara de tacho** to feel stupid or embarassed, to be disappointed
• **ir/não ir com a cara de alguém** to like/not to like someone
• **livrar a cara de alguém** to save someone's face
• **quebrar a cara de alguém** to beat someone
• **ser a cara de alguém** to look exactly like someone
• **ter duas caras** to be two-faced

caracol *sm* ZOOL snail

característica *sf* feature, trait

característico *adj* characteristic, typical, distinctive

caracterizar *vtd* **1** to characterise **2** *(ator)* to act, to perform
▸ *vpr* **caracterizar-se 1** to wear a costume, to be in costume **2** *(ator)* to play the role of, to play the part of

cara de pau (*pl* **caras de pau**) *adj-smf* bare-faced, bald-faced, blatant, (*with*) a poker face

caradura *adj-sm,f* bare-faced, bald-faced, blatant, cynic, cynical

caralho *sm chulo* dick, prick, cock

caramanchão *sm* pergola

caramba *interj* damn

carambola *sf* BOT starfruit

caramelo *sm* CUL caramel

cara-metade (*pl* **caras-metades**) *sf* better half, the person one is married to

caramujo *sm* snail

carango *sm (carro)* a car referred to in an affectionate way

caranguejo *sm* ZOOL crab

carão *sm* a big face
• **ficar com carão** to be ashamed or embarassed

carapinha *sf bras pop* Afro hair

carapuça *sf* hood
• **vestir a carapuça** to take to oneself (*usually because factual*) criticism directed to others

caratê *sm* karate

caráter *sm* character, personality
• **não ter caráter** not to have a good character or reputation
• **(vestido) a caráter** (*apropriadamente*) dressed appropriately, (*fantasiado*) in costume
• **uma pessoa de caráter** a person of good character or reputation

caravana *sf* **1** caravan **2** *(grupo de pessoas)* any group of people
• **ir em caravana** to go in a group

carbonizar *vtd* to burn, to char
▸ *vpr* **carbonizar-se** to be burned, to be reduced to ashes

carbono *sm* **1** QUÍM carbon **2** *(papel)* carbon paper

carburador *sm* carburetor

carcaça *sf* carcass

cárcere *sm* dungeon, prison, jail

carcereiro *sm,f* jailer

cardápio *sm* menu, bill of fare

cardeal *sm* **1** RELIG cardinal **2** *(pássaro)* cardinal

cardíaco *adj* cardiac
▸ *sm,f (quem sofre do coração)* heart patient

cardinal *adj* main, most important, cardinal

cardiologista *smf* cardiologist

cardume *sm* shoal (*of fish*)

careca *adj* **1** *(calvo)* bald, balding **2** *(pneu)* bald, worn

carecer *vti* **1** *(não possuir)* to lack: ***sua carreira carece de reconhecimento*** his career lacks recognition **2** *(precisar)* to need, to want: ***seu cabelo carece de um corte*** your hair needs cutting

carência *sf* **1** *(falta)* lack **2** *(necessidade)* need, want **3** ECON *(prazo)* threshold, period one has to wait before an agreement, business etc. is put into effect

carente *adj* **1** *(necessitado)* in need **2** *(pobre)* poor, needy, deprived, poverty-stricken

carestia *sf* high cost

careta *sf* wry face
▸ *adj-sm,f (conservador)* conservative, traditionalist, square

carga *sf* **1** *(o que pode ser transportado)* load, cargo, freight **2** *fig (fardo)* burden, responsibility **3** *(elétrica)* charge **4** *(ataque)* charge
• **avião/navio de carga** freighter
• **carga e descarga** loading and unloading
• **carga horária** working hours
• **carga máxima** full load
• **carga pesada** heavy load
• **com carga total** *fig* at full capacity
• **voltar à carga** to try again, to insist

cargo *sm* job, post, function, office

cargueiro *sm* NÁUT freighter

cariar *vtd* to produce a cavity, to rot
▸ *vi* to have a cavity

caricatura *sf* caricature

caricaturista *smf* caricaturist

carícia *sf* caress, gentle touch

caridade *sf* charity

caridoso *adj* charitable, kind

cárie *sf* cavity

carimbar *vtd-vtdi* **1** to stamp, to seal **2** *fig* to mark

carimbo *sm* rubber stamp
• **almofada de carimbo** ink-pad

carinho *sm* caress, stroke

carinhoso *adj* gentle, caring, caressing

carismático *adj* charismatic

carnaval *sm* carnival

carnavalesco *adj* **1** carnival **2** *fig* (*grotesco*) grotesque
▸ *sm* **carnavalesco** a person in charge of a carnival party/parade organization

carne *sf* **1** (*humana*) flesh **2** (*alimento*) meat, (*bovina*) beef, (*de frango*) chicken, (*de carneiro*) lamb
• **carne cozida** cooked/boiled meat
• **carne de panela** stew
• **carne de vaca** beef, *fig* ordinary, common, usual
• **carne salgada** salt beef
• **de carne e osso** flesh and blood
• **em carne viva** raw
• **(sentir) na própria carne** (*to feel*) in the flesh, to have a taste/dose of one's own medicine

carnê *sm* installment payment booklet

carneiro *sm* **1** ZOOL ram **2** ASTROL Aries

carne-seca (*pl* **carnes-secas**) *sf* jerked beef

carniça *sf* carrion

carniceiro *sm,f* **1** carrion eater **2** *bras pop* butcher
▸ *adj* **1** carrion-eating **2** ferocious, cruel

carnificina *sf* bloodshed, mass killing

carnívoro *adj* flesh-eating, carnivorous

carnudo *adj* fleshy

caro *adj* **1** (*querido*) dear **2** (*custoso*) expensive
• **custar caro** to be expensive, *fig* exacting a high price
• **pagar caro** to pay a lot of money for, *fig* to pay a price for

carochinha *sf loc* ***história da carochinha*** fairy tale, tall tale, old wives' tale

caroço *sm* **1** (*de fruta*) stone, pit, seed **2** (*tumor*) lump **3** (*bolota de farinha não dissolvida*) lump

carola *smf* pietist, sanctimonious

carona *sf* **1** lift, ride (*AmE*) **2** (*pessoa que pede carona*) hitchhiker
• **dar carona a alguém** to give someone a lift/ride
• **dar/oferecer carona a alguém** (*em veículo*) to offer someone a lift/ride
• **ir de carona** to hitch a lift
• **pedir carona** to hitchhike

carpa *sf* ZOOL carp

carpete *sm* carpet

carpinteiro *sm* **1** carpenter **2** (*caruncho*) death-watch beetle, grain beetle

carpir *vtd-vi* (*o mato*) to hoe

carranca *sf* **1** a stern look **2** (*busto de proa*) figurehead

carrancudo *adj* wry-faced, gruff

carrapato *sm* **1** tick **2** *fig* an annoying, clinging person

carrapicho *sm* (*planta*) (*grass*) bur, (*grass*) burr

carrasco *sm* hangman, executioner

carregado *adj* **1** (*lotado*) loaded, full, laden: ***o caminhão estava carregado de mercadorias roubadas*** the truck was loaded with stolen goods; ***as árvores ficam carregadas de frutos nesta época do ano*** the trees are laden with fruit at this time of the year **2** (*celular, bateria*) fully charged **3** *fig* (*ambiente*) having an unpleasant atmosphere **4** (*fisionomia*) sombre **5** (*forte-cor*) too dark or too bright
• **saiu daqui carregado** he was carried (*home*)

carregador *sm* **1** (*de hotel etc.*) porter **2** (*de baterias, celulares*) (*battery*) charger

carregamento *sm* freight, cargo, load

carregar *vtd* **1** (*pôr carga em veículo*) to load **2** (*levar, transportar*) to carry, to transport **3** (*utilizar em demasia*) to use or employ too much, to exagerate: ***minha mãe carregou no sal hoje*** my mother put too much salt in the food today **4** (*celular, baterias*) to load, to charge **5** (*máquina fotográfica*) to load **6** (*trazer consigo*) to have, to carry, to take (*with one*): ***carregava sempre o porta-moedas que lhe dei*** she always had the change purse I gave her **7** (*levar para longe*) to take away, to sweep away: ***a correnteza***

carregou o carro the car was swept away by the current **8** *(pôr carga em arma)* to load

▸ *vpr* **carregar-se 1** *(tornar-se sombrio)* to become sombre **2** *(encher-se)* to become full

• **carregar nas cores** to paint with excessively bright colors, *fig* to exagerate a description

carreira *sf* **1** *(profissional)* career **2** *(corrida)* race **3** *(fileira)* row **4** *gíria (de droga em pó)* line

• **fazer carreira** to follow a career

carreta *sf* **1** cart, wagon **2** *(jamanta)* trailer truck

carretel *sm* **1** *(de linha)* reel, spool **2** CINE reel, spool **3** FOTO reel

carreto *sm* carting, cartage

carrinho *sm* **1** *(de bebê)* stroller **2** *(de supermercado)* trolley **3** *(de mão/carriola)* wheelbarrow

▪ **carrinho bate-bate** bumper car, dodgem, dodgem car

carro *sm* **1** car, motor car, automobile: ***andar/ir de carro*** to go in a/the car, to go by car, to drive **2** *(de máquina de escrever)* carriage **3** *(ônibus)* bus **4** *(trem)* rail car, coach, carriage

▪ **carro do elevador** elevator, lift

• **carro alegórico** float

• **carro de passeio** passenger car

• **carro de praça** taxi, cab

• **carro popular** compact car

carro-bomba (*pl* **carros-bomba**) *sm* car bomb

carroça *sf* **1** wagon **2** *(calhambeque) bras pop* an old car

carroceria *sf* the body of a car or other motor vehicle

carrocinha *sf* *(para cães)* dogcatcher cart

carro-forte (*pl* **carros-fortes**) *sm* armoured car

carrossel *sm* merry-go-round, carousel

carruagem *sf* horse-drawn carriage

carta *sf* **1** letter **2** *(mapa)* map **3** *(de baralho)* card **4** *(de motorista)* license

• **carta aberta** *fig* open letter

• **carta expressa** express letter

• **carta de crédito** letter of credit

• **carta de navegação** sea chart

• **carta de vinhos** wine list

• **carta fora do baralho** *fig* someone who no longer has a say in a matter

• **Carta Magna** Magna Carta

• **carta patente** letters patent

• **carta registrada** recorded delivery, certified mail

• **dar as cartas** *(no jogo de cartas)* to deal, *fig* to be the one in control

• **dar carta-branca a alguém** *fig* to give someone a free hand

• **pôr as cartas na mesa** *fig* to lay one's cards on the table

• **ter as cartas na mão** *fig* to hold all the cards

• **ter uma carta na manga** *fig* to have a card up one's sleeve

cartada *sf* **1** the laying down of a card in a card game **2** *fig* a risky and/or decisive attitude

• **jogar a última cartada** *fig* to play one's last card

cartão *sm* *(material)* card

▪ **cartão amarelo** yellow card

▪ **cartão de crédito** credit card

▪ **cartão de embarque** boarding card, boarding pass

▪ **cartão de visita** personal card, business card, visiting card

▪ **cartão magnético** chip card

▪ **cartão telefônico** telephone card

▪ **cartão vermelho** red card

cartão-postal (*pl* **cartões-postais**) *sm* postcard

cartaz *sm* **1** poster, billboard, chart **2** *(popularidade)* popularity

• **ficar/estar em cartaz** to be on, to be on play

carteira *sf* **1** wallet **2** *(de escola)* desk **3** *(documento)* card

• **bater carteira** to pickpocket

• **carteira de identidade** identity card

• **carteira de habilitação/motorista** driving license

• **carteira de trabalho/profissional** work registration book, work registration card

carteirinha *sf* card

• **de carteirinha** *fig* fan, adept, fanatic, buff

carteiro *sm,f* postman, mailman

cartel *sm* ECON cartel

cartela *sf* 1 *(em jogos)* card 2 *(blíster)* blister pack

cartilagem *sf* ANAT cartilage

cartilha *sf* 1 primer 2 *(rudimentos)* foundation, basis 3 *(padrão)* pattern, model

cartola *sf* top hat
▸ *sm gír (dirigente de clube)* one in charge of a sports club

cartolina *sf* card stock, pasteboard

cartomante *smf* fortune teller

cartório *sm* registry office, register office
▪ **cartório de registro civil** registry office, register office
• **casar no cartório** to get married in/ at a registry office

cartucheira *sf* cartridge belt

cartucho *sm* 1 cartridge 2 *(de arma de fogo)* cartridge
• **queimar o último cartucho** *fig* to play one's last card

cartunista *smf* cartoonist

carvalho *sm* BOT oak, oak tree

carvão *sm* coal
▪ **carvão vegetal** charcoal

casa *sf* 1 *(imóvel térreo)* house 2 *(lugar onde se mora)* the place where one lives 3 *(lar)* home 4 *(de formulário)* blank, space, field 5 *(de botão)* button hole 6 *(membros de uma família)* household: ***somos três na minha casa*** there are three of us in my household 7 *(estabelecimento comercial)* house: ***especialidade da casa*** house speciality
▪ **casa civil** civil affairs ministry
▪ **casa da moeda** the Mint
• **casa da sogra** *fig* a place where everyone does what they wish, an unruly house
• **casa das máquinas** engine room
▪ **casa de câmbio** bureau de change
▪ **casa de campo** villa, country house
▪ **casa decimal** decimal place
▪ **casa de detenção** detention centre
▪ **casa de jogo** casino
• **casa de misericórdia** charity hospital
• **casa de repouso** retirement home, old people's home, rest home
• **casa de saúde** nursing home
• **casa de tolerância** brothel
• **casa noturna** night club
• **casa popular** a small, not expensive house, built in a government housing project
• **casa própria** one's own house
• **em (*nossa*) casa** at (*our*) home, at (*our*) place
• **em sua casa** at your place
• **entrar na casa dos 30/40 etc**. to turn 30/40 etc. years old
• **estar com saudades de casa** to be homesick
• **dever de casa, lição de casa** homework
• **feito em casa** home-made
• **não mexer em casa de marimbondo** *fig* to let sleeping dogs lie
• **ó de casa?** anybody home?, anybody in?
• **sair de casa** *(para morar em outro lugar)* to leave home
• **santa casa** mercy hospital
• **ser da casa** to be intimate to one's household

casaco *sm* coat, jacket
• **casaco três-quartos** overcoat

casado *adj* married
▸ *sm,f* married man, married woman

casal *sm* couple
• **um casal de filhos** a son and a daughter

casamento *sm* 1 marriage, wedding *(ceremony)* 2 *fig (combinação)* match
• **casamento civil** civil marriage
• **casamento de véu e grinalda** white wedding
• **casamento (realizado) às pressas** shotgun wedding
• **casamento religioso** church wedding

casar *vtd-vtdi* 1 *(celebrar o casamento)* to perform a marriage ceremony, to marry 2 to find a husband or wife for *(especially a son or daughter)*, to marry 3 *(harmonizar)* to combine, to unite, to marry
▸ *vi-vpr* **casar(-se)** 1 to get married 2 *(aliar-se, combinar-se)* to be in harmony with
• **casar-se de novo** to marry for the second time

casarão *sm* a large house

casca *sf* 1 *(de fruta)* skin, peel, rind: ***casca de maçã*** apple peel; ***casca de ba-***

nana banana skin/peel; ***casca de laranja*** orange peel; ***casca de limão/melão*** lemon/melon rind; ***casca de abacaxi*** pineapple skin **2** *(de ovo)* eggshell **3** *(de ferida)* scab **4** *fig (aparência)* outward appearance
• **casca grossa** *fig* rude, impolite

cascalho *sm* gravel

cascão *sm* **1** *(crosta)* dirt crust **2** *(sujeira)* dirt, filth

cascata *sf* **1** a small waterfall **2** *fig (mentira)* a lie, bullshit **3** *fig (gabolice)* boasting

cascavel *sf* ZOOL rattlesnake

casco *sm* **1** *(de embarcação)* hull **2** *(de animal)* hoof **3** *(garrafa)* bottle: ***casco retornável/não retornável*** returnable/non-returnable bottle

cascudo *adj* **1** having a thick skin or shell **2** having a thick dirt crust
▸ *sm* **cascudo** *(pancada na cabeça)* a rap on the head

caseado *sm* having button holes in it

casebre *sm* hut, shack, hovel

caseiro *adj* **1** *(que gosta de ficar em casa)* stay-at-home **2** *(feito em casa)* home-made **3** *(de casa)* home
▸ *sm,f* foreman
• ***comida caseira*** home-cooked food, home cooking

caso *sm* **1** case, situation **2** *(amoroso)* affair **3** *(história)* story, tale **4** *(investigação policial)* case **5** *(desentendimento)* trouble: ***não crie caso por causa disso*** don't make trouble because of this
▸ *conj* **caso** in case: ***caso não seja possível...*** in case it is not possible...
▸ *loc adv* **caso contrário** otherwise
• **criador de caso** troublemaker
• **criar caso** to make trouble, to cause trouble
• **de caso pensado** deliberately, premeditatedly
• **em caso contrário** contrarily
• **em caso de** in case of, *(just)* in case
• **em qualquer caso** in any case
• **em todo caso** in any case
• **fazer caso de** to take into consideration, to take account of
• **fazer pouco caso de** to ignore, not to take into consideration
• **não fazer caso** not to give importance to
• **não ser o caso** not to be the case
• **nesse caso** in this case
• **no pior dos casos** in the worst of cases
• **se for o caso** in case
• **ser um caso perdido** to be a hopeless case
• **ser um caso sério** *(pessoa ou coisa difícil)* to be a difficult person to deal with
• **ter um caso com alguém** to have an affair with someone
• **vir ao caso** to be appropriate for the ocasion

casório *sm bras pop* a wedding ceremony

caspa *sf* dandruff

casquinha *sf (de sorvete) (ice cream)* cone
■ **casquinha de siri** a dish made of crab meat mixed with flour and spices, baked and served in crab shells
• **tirar uma casquinha** to take advantage of something

cassar *vtd* to annul, *(political rights, a mandate etc.)* to cancel

cassete *sm* cassette

cassetete *sm* stick, club

cassino *sm* casino

casta *sf* **1** caste **2** lineage, ancestry, breed

castanha *sf* **1** nut **2** BOT chestnut

castanha-de-caju (*pl* **castanhas-de--caju**) *sf* BOT cashew nut

castanha-do-pará *sf* Brazilian nut

castanheiro *sm* BOT chestnut tree

castanho *adj* brown

castelhano *sm,f* Castillian

castelo *sm* castle
• **castelo de cartas** castle of cards
• **castelo de areia** sandcastle
• **construir castelos no ar** to build castles in the air

castiçal *sm* candlestick

castidade *sf* chastity

castigar *vtd* **1** *(punir)* to punish **2** *(maltratar, causar estrago)* to damage, to ruin: ***a chuva castigou a plantação*** the rain ruined the plantation

castigo *sm* punishment

casto *adj* chaste

castor *sm* ZOOL beaver

castrar *vtd* 1 to castrate 2 *(reprimir)* to supress, to quash

casual *adj* happening by chance, accidental

casualidade *sf* an accidental event, a chance event

casulo *sm* cocoon, chrysalis

cata *sf loc* **à cata de** in search of

cataclismo *sm* cataclysm

catador *adj-sm,f* collector
• **catador de papelão** cardboard collector

catalão *adj-sm,f* Catalan

catalisador *adj* catalyst
▸ *sm* **catalisador** *(auto)* catalyst

catálogo *sm* catalogue

catar *vtd* 1 *(recolher)* to collect 2 *(escolher)* to pick: ***catar feijão*** to pick out bad beans 3 *(piolhos)* to pick out

catarata *sf* 1 GEOG waterfall 2 MED cataract

catarse *sf* catharsis

catarro *sm* catarrh

catástrofe *sf* catastrophe

catastrófico *adj* catastrophic

catatau *sm bras pop* a short person

cata-vento *sm* weathervane

catecismo *sm* catechism

cátedra *sf* chair

catedral *sf* ARQ cathedral

categoria *sf* 1 category 2 *(qualidade)* quality: ***de categoria*** of quality

categórico *adj* 1 categorical 2 *(claro)* clear

catequese *sf* catechism

catinga *sf (cheiro desagradável)* bad smell, odour, stink

cativante *adj* captivating, enchanting, alluring, enthralling

cativar *vtd* to captivate, to enchant, to allure, to enthrall

cativeiro *sm* 1 *(escravidão)* captivity, slavery 2 *(de animal)* captivity 3 *(cela)* cell, prison

cativo *adj-sm,f* captive

catolicismo *sm* Catholicism

católico *sm,f (Roman)* Catholic
• **não ser muito católico** *(não estar de bom humor)* not in a good mood, *(não estar em boas condições de consumo)* not to be very good, not to be in good condition

catorze *num* fourteen

catraca *sf* turnstile

caubói *sm* cowboy

caução *sf* DIR surety, pledge, bond

cauda *sf* 1 *(de animal)* tail 2 *(de roupa)* tail 3 *(de avião)* tail

caule *sm* trunk

causa *sf* 1 cause 2 *(motivo)* reason 3 *(interesse)* cause, interest: ***defende a causa dos órfãos*** he defends the cause of the orphans 4 DIR case
• **em causa** in question
• **por causa de alguma coisa** on account of something
• **por uma boa causa** for a good cause
• **por uma causa justa** for a noble purpose
• **ser demitido por justa causa** to be dismissed with just cause

causar *vtd-vtdi* to cause

cáustico *adj* 1 caustic, corrosive 2 *fig (mordaz)* biting, ironic

cautela *sf* caution
• **por medida de cautela** as a precautionary measure

cauteloso *adj* cautious, careful

cava *sf (de blusa etc.)* armhole

cavaco *sm* 1 *pop* MÚS → **cavaquinho** 2 *fig (bate-papo)* chat

cavado *adj (blusa etc.)* sleeveless

cavalaria *sf* cavalry
• **romance de cavalaria** a chivalry novel

cavaleiro *sm* 1 horseman 2 knight

cavalete *sm* easel

cavalgadura *sf* 1 horse 2 *fig* stupid person, brute

cavalgar *vi* to ride, to mount

cavalheirismo *sm* chivalry

cavalheiro *sm* 1 *(homem educado)* gentleman 2 *(senhor)* sir: ***o cavalheiro acei-***

ta um uísque? would you like a whisky, sir? **3** *(em dança)* the male partner

cavalo *sm* **1** ZOOL horse **2** *(indivíduo grosseiro)* brute **3** *(peça de xadrez)* knight
• **a cavalo** on horseback
• **cair do cavalo** to fall off a horse, *fig* to take a tumble
• **cavalinho de balanço** rocking horse
• **fazer um cavalo de batalha** *fig* to exaggerate or complicate a problem or situation
• **tirar o cavalo da chuva** *fig* not to expect something to happen

cavalo de pau (*pl* **cavalos de pau**) *sm* drifting, a driving manoeuvre

cavanhaque *sm* goatee

cavaquinho *sm* MÚS a four-string musical instrument, akin to a small guitar and used especially in playing the samba and the choro

cavar *vtd* **1** *(com pá)* to dig, to excavate **2** *(manga)* to enlarge the armhole of a garment **3** *fig (conseguir)* to get, to obtain

caveira *sf* **1** skeleton, skull **2** *(pessoa muito magra)* skinny
• **fazer a caveira de alguém** to discredit someone before others by speaking badly of him or her

caverna *sf* cave, hole

caviar *sm* CUL caviar

cavidade *sf* hole, cavity

cavucar *vtd* to dig, to excavate

caxias *adj-smf gíria* perfectionist, punctilious, a punctilious person

caxumba *sf* MED mumps

cear *vtd-vi* to sup, to have supper, to have the last meal of the day

cebola *sf* BOT onion

ceder *vtdi* **1** *(transferir)* to give, to convey **2** *(emprestar)* to lend
▸ *vti* **1** *(render-se)* to yield, give in, to give way **2** *(condescender)* to give in to, to consent to: ***com relutância, cedeu ao pedido da filha*** she reluctantly gave in to her daughter's request
▸ *vi* to give in, to give way, to yield: ***a viga cedeu*** the beam gave way

cedilha *sf* a graphic sign placed at the bottom of the letter "c" (*which gives it the sound of /s/*) and, in English, is used in words such as "façade"

cedo *adv* **1** *(não tarde)* early **2** *(de manhãzinha)* early in the morning **3** *(depressa, logo)* soon
• **(*mais*) cedo ou (*mais*) tarde** sooner or later
• **o mais cedo possível** as soon as possible, asap

cedro *sm* BOT cedar

cédula *sf* **1** *(de votar)* a slip of paper **2** *(de dinheiro)* note
• **cédula de identidade** identity card

cegar *vtd* **1** to blind **2** to dazzle
▸ *vpr* **cegar-se** to go blind

cego *adj* **1** blind **2** *fig* blind: ***fé cega*** blind faith **3** *fig (irracional)* blind **4** *(sem gume)* blunt
▸ *adj-sm,f* blind
• **às cegas** blind, blindly
• **ficar cego** to go blind

cegonha *sf* **1** ZOOL stork **2** *(caminhão)* trailer truck

cegonheiro *sm* a trailer truck driver

cegueira *sf* blindness

ceia *sf* supper, the last meal of the day
• **ceia de Ano-Novo** New Year's Supper

cela *sf* cell, jail

celebração *sf* celebration, festivity

celebrar *vtd* **1** to celebrate **2** *(exaltar)* to acclaim **3** *(missa)* to celebrate Mass, to say Mass

célebre *adj* celebrated

celebridade *sf* celebrity

celebrizar *vtd* to acclaim, to make notable
▸ *vpr* **celebrizar-se** to become a celebrity

celeiro *sm* barn

celeste *adj* celestial, heavenly

celestial *adj* celestial, heavenly

celeuma *sf* **1** noise made by men at work **2** noise, uproar, tumult

celibato *sm* celibacy

celofane *sm* Cellophane™

célula *sf* cell

celular *adj* cellular
▸ *sm* **(*telefone*) celular** mobile phone, cell phone

celulite *sf* cellulite

celulose *sf* cellulose

cem *num* a/one hundred

• **cem mil** *sm* a hundred thousand

cemitério *sm* cemetery, graveyard, churchyard

cena *sf* 1 scene 2 (*local*) scene: ***a cena do crime*** the scene of the crime

• **entrar em cena** to go on stage

• **estar em cena** to be on stage

• **fazer uma cena** to make a scene

• **ir à cena** to go on

• **pôr em cena** to put on

• **sair de cena** to exit the stage, *fig* to disappear

cenário *sm* 1 scenery 2 (*panorama*) panorama, vista

• **mudança de cenário** a change of scene

cenógrafo *sm* set designer

cenoura *sf* BOT carrot

censo *sm* census

censor *sm* censor, critic

censura *sf* 1 censure, censorship 2 criticism, reproach 3 reprimand, rebuke

censurar *vtd* 1 to censure 2 to criticize, to reproach 3 to rebuke

censurável *adj* likely to be censured

centavo *sm* cent, penny

• **ficar sem um centavo** to be pennyless, to be (*completely*) broke

centeio *sm* rye

centelha *sf* spark

centena *sf* a hundred

centenário *adj* being a hundred years old

▸ *sm* **centenário** 1 (*evento, lugar*) centenary, centennial 2 (*pessoa*) centenarian

centésimo *num-sm,f* hundredth

centígrado *sm* centigrade

centímetro *sm* centimetre, centimeter

cento *num* hundred

• **cem por cento** a hundred per cent

centopeia *sf* ZOOL centipede

central *adj* central, main, most important

▸ *sf* headquarters: ***isso deve ser resolvido na central da companhia*** this is to be decided at company headquarters

• **central de polícia** police station, police precinct

• **central elétrica** power station

• **central telefônica** telephone exchange

centralizar *vtd* to centralize

centrar *vtd* to concentrate (*on*), to focus (*on*), to center (*on*)

centrífuga *sf* centrifuge

▸ *adj* centrifugal

centrifugar *vtd* to rotate in a centrifuge

centro *sm* 1 centre, center: ***viagem ao centro da terra*** jouney to the center of the earth 2 center: ***centro histórico*** historical center 3 center: ***centro hospitalar*** medical center

• **centro comercial** the commercial area in a town/city

• **centro de gravidade** centre of gravity

• **centro (*de mesa*)** tablecloth

• **centro de pesquisas** research centre

• **ser o centro das atenções** to be the centre of attention

centuplicar *vtd* to multiply by a hundred

CEP Código de Endereçamento Postal postal code, postcode, ZIP code, zip code (*AmE*)

cera *sf* wax

• **fazer cera** (*fingir que trabalha*) to dawdle, to work very slowly, (*atrasar o jogo*) to fake an injury or to delay putting the ball in motion in a game

cerâmica *sf* 1 (*arte*) ceramics, terracotta 2 (*feito de cerâmica*) ceramic: ***telhas de cerâmica*** ceramic tiles

cerca *sf* fence, hedge

▸ **cerca** *adv* near, close, next to

• **cerca viva** hedge

• **cerca de arame** wire fence, (*farpado*) barbed wire fence

• **pular a cerca** to jump over a fence, *fig* to have sex or an affair with a person while being married to another

cercado *sm* 1 surrounded by a fence or hedge 2 (*para crianças*) travel cot

cercanias *sf pl* surroundings

cercar *vtd* 1 (*rodear, circundar*) to surround, to encircle, to enclose 2 (*fazer cerca*) to fence (*in*) 3 (*sitiar*) to surround, to besiege

▸ *vtdi* to surround: ***cercar de atenções*** to surround with care
▸ *vpr* **cercar-se** to surrounded oneself with

cerco *sm* siege

cerda *sf (de escova, de pincel)* bristle

cereal *sm* cereal, grain

cerebral *adj* 1 cerebral, brain 2 *fig (intelectual)* intelligent, intellectual, brainy

cérebro *sm* 1 ANAT brain 2 *fig* mind, brains

cereja *sf* BOT cherry

cerejeira *sf* BOT cherry tree

cerimônia *sf* ceremony, ritual
▸ *pl* ceremony: ***ser cheio de cerimônias*** to stand on ceremony
• **fazer cerimônia** to stand on ceremony, to behave formally
• **não fazer cerimônia** to be at ease

cerimonial *sm* ceremonial

cerimonioso *adj* ceremonious

cerne *sm fig* core, center, heart, pith

cerração *sf* fog, mist

cerrado *sm* moor, heathland, savannah

cerrar *vtd* 1 *(fechar)* to close, to shut, to lock 2 *(apertar)* to tighten

certame *sm* 1 contest 2 discussion, debate

certeiro *adj* right on the spot, pinpoint, accurate

certeza *sf* certainty
• **com certeza** certainly, surely, for sure, assuredly, definitely, absolutely
• **falar com certeza** to be sure, to be certain, to be positive
• **ter certeza de algo** to be sure of, to be certain of, to be positive about

certidão *sf* certificate: ***certidão de nascimento*** birth certificate; ***certidão de óbito*** death certificate

certificado *sm* certificate
• **certificado de Matemática, Pedagogia etc.** a certificate in Maths, Education etc.

certificar *vtd-vtdi* certify, to officially state to be true
▸ *vpr* **certificar-se** to make sure: ***certifique-se de que todas as portas estejam trancadas*** make sure all the doors are locked

certo *adj* 1 *(correto)* right, correct, exact 2 *(exato, preciso)* exact, accurate: ***meu relógio está certo*** my watch is accurate 3 *(inevitável)* certain: ***é certo que vai chover hoje*** it is certain to rain today 4 *(convencido, seguro)* certain, sure, convinced: ***estou certo de que ele vem*** I'm convinced he's coming
▸ *sm* the right thing: ***faça o certo!*** do the right thing!
▸ *pron* 1 *(algum)* some: ***certas pessoas não se incomodam com isso*** some people don't bother about this 2 *(não determinado)* once, on a certain occasion, one day: ***certa vez...*** once..., on a certain occasion; ***certo dia...*** one day... 3 *(qualquer)* in a moment or so: ***vai acabar fazendo isso num certo momento*** he will end up doing it in a moment or so
▸ *adv* correctly: ***escreva o seu nome certo*** write your name correctly
• **ao certo** for sure
• **dar certo** to turn out right
• **dar por certo** to take for granted
• **trocar o certo pelo duvidoso** to risk the certain for the uncertain
• **ficou certo que** *(ficou combinado)* it was agreed that

cerveja *sf* beer
• **cerveja preta** mild beer

cervejaria *sf* 1 *(bar)* pub, alehouse, beer cellar 2 *(fábrica de cerveja)* brewery

cerzir *vtd* to darn

cesariana *sf* Caesarean section, cesarean, cesarian, C-section *(AmE)*

cessão *sf* cession

cessar *vi-vti-vtd* to cease, to stop, to come to an end

cessar-fogo *sm inv* ceasefire

cesta *sf* 1 basket 2 *(basquete)* basket, net
• **cesta básica** the staple food items for a family
• **fazer cesta** ESPORTE to score a basket

cesto *sm* basket
• **cesto de costura** sewing basket

cetáceo *adj-sm* cetacean

ceticismo *sm* scepticism

cético *adj* sceptical
▸ *sm,f* sceptic

cetim *sm* satin

céu *sm* 1 (*firmamento*) sky 2 (*paraíso*) heaven
• **céu da boca** palate
• **céu de brigadeiro** good flying conditions
• **céus!** heavens!, good heavens!, goodness!
• **no sétimo céu** in the seventh heaven

cevada *sf* barley

cevar *vtd* (*engordar*) to grow, to fatten domestic animals

chá *sm* tea
• **chá-preto** black tea
• **tomar chá de cadeira** to wait for a long time before being received
• **tomar chá de sumiço** to disappear

chabu *sm* 1 blow 2 *fig* flop, something which goes wrong

chácara *sf* 1 (*pequena propriedade rural*) a small country property 2 (*plantação de hortaliças*) vegetable garden

chacina *sf* mass killing, slaughter, bloodshed, massacre

chacoalhar *vtd* to shake

chafariz *sm* fountain

chafurdar *vti* to wallow, to roll in the mud

chaga *sf* 1 wound 2 *fig* affliction, anything that causes harm

chalé *sm* chalet, hut

chaleira *sf* kettle

chama *sf* 1 flame 2 *fig* lure
• **chama de pouca duração** flare

chamada *sf* 1 call 2 (*repreensão*) rebuke, reprimand

chamado *adj* called, invited
▸ *sm* **chamado** call, invitation
▸ *sf* **chamada** call
• **atender a uma chamada (*telefônica*)** to take a call
• **fazer uma chamada** to make a (*telephone*) call
• **receber uma chamada** (*telefônica*) to get a call, to receive a call, (*ser repreendido*) to be rebuked, to be scolded
• **retornar uma chamada** to return a call, to call back

chamar *vtd* 1 to call 2 (*chamar em voz alta, gritar para*) to call out 3 (*definir*) to call: ***eu não chamaria a língua inglesa de fácil*** I wouldn't call English easy 4 (*pedir para vir*) to call (*out*), to send for: ***chame um médico, por favor*** call a doctor, please 5 (*acordar*) wake up: ***você pode me chamar às oito amanhã?*** can you wake me up at eight tomorrow? 6 (*convocar*) to summon: ***a sineta chamava os operários para o trabalho*** the bell would summon the workers to work 7 (*telefonar*) to call (*up*), to ring up 8 (*dar nome*) to call, to name, to give a name to
▸ *vi* (*soar campainha*) to ring: ***o telefone chamou apenas duas vezes*** the telephone rang only twice
▸ *vpr* **chamar-se** to be called: ***chamo-me Carlos*** I'm called Carlos
• **chamar a atenção** (*advertir*) to call to task, (*ser vistoso*) to attract attention, (*fazer observar*) to call attention to
• **chamar à parte** to call someone aside
• **chamar o elevador** to call the elevator

chamariz *sm* decoy

chamativo *adj* attracting attention, alluring, enticing

chamego *sm* 1 *bras pop* (*carícia, esp. sexual*) caress, touch 2 *bras pop* (*namoro*) dating

chaminé *sf* chimney

champanha *sm* champagne

chamuscar *vtd* to singe
▸ *vpr* **chamuscar-se** to singe

chance *sf* 1 (*probabilidade*) chance, possibility 2 (*oportunidade*) chance, opportunity: ***dê-lhe uma chance*** give him a chance 3 (*ocasião propícia*) chance, occasion: ***perder a chance*** to miss a chance

chanceler *sm* chancellor, Chancellor

chanchada *sf bras* second-rate play or film, often humorous and featuring music and dance

chanfrar *vtd* to bevel

chantagear *vtd-vi* to blackmail

chantagem *sm* blackmail
• **chantagem emocional** guilt trip
• **fazer chantagem** to blackmail somebody, (*emocional*) to lay a guilt trip on someone

chantagista *adj-sm,f* blackmailer

chantili *sm* whipped cream

chão *sm* 1 (*solo*) ground: ***o avião nem chegou a sair do chão*** the plane didn't even leave the ground; ***este chão é próprio para a agricultura*** this ground is appropriate for agriculture 2 (*piso*) floor: ***o chão de madeira mantém a casa aquecida no inverno*** the wooden floor keeps the house warm in winter 3 (*lugar a que se pertence*) land, place: ***este é o meu chão*** this is my land 4 (*caminho longo*) a long way: ***ainda há muito chão até lá*** we still have a long way ahead of us
• **rente ao chão** next to the ground
• **perder o chão** (*ficar atordoado*) to lose one's ground, to be knocked off one's feet
• **ter os pés no chão** to be sensible

chapa *sf* 1 (*metálica*) plate 2 (*de madeira ou material derivado de madeira*) board 3 (*eleitoral*) slate 4 (*radiografia*) x-ray 5 (*placa de carro*) registration plate, license plate 6 *bras* (*dentadura*) false teeth
▸ *sm,f* (*amigo, camarada*) mate, chap, buddy, dude, fellow
• **bife na chapa** grilled steak
• **chapa fria** false registration plate

chapéu *sm* hat
• **chapéu de palha** straw hat
• **dar um chapéu em alguém** to deceive someone
• **de tirar o chapéu** very good, very beautiful, admirable
• **na casa do chapéu** very far

chapinhar *vi* 1 to splash, to slosh 2 to stir water with the hand 3 to wade in water

chapisco *sm* rough mortar applied to the surface of a masonry wall, rough mortar rendering

charada *sf* 1 riddle, puzzle 2 *fig* mystery
• **matar a charada** to solve a riddle

charge *sf* cartoon

charlatão *sm,f* charlatan

charme *sm* charm, attraction
• **fazer charme** to affect indifference in order to obtain something
• **jogar charme em cima de alguém** to use one's charm on someone

charmoso *adj* attractive, charming

charque *sm* jerked beef

charrete *sf* a light two-wheel horse-drawn cart

charutaria *sf* tobacconist's

charuto *sm* cigar

chassi *sm* MEC chassis

chateação *sf* 1 (*enfado*) boredom, dullness, monotony 2 (*contrariedade*) upset, pain in the neck

chatear *vtd-vi* 1 (*apoquentar*) to upset 2 (*incomodar*) to bother, to annoy 3 (*entediar*) to bore
▸ *vpr* **chatear-se** 1 (*apoquentar-se*) to be upset 2 (*incomodar-se*) to be bothered, to be annoyed (*by*) 3 (*entediar-se*) to get bored

chatice *sf* boredom, dullness, monotony

chato *adj* 1 (*plano*) flat 2 (*maçante*) boring 3 (*desagradável*) unpleasant, annoying, nagging
▸ *sm,f* nag, bore, nuisance
• **chato de galocha** a very annoying person
• **o chato é que...** the problem is...

chavão *sm* a cliché

chave *sf* 1 key 2 (*solução*) key
• **a sete chaves** securely locked
• **chave de boca/cano/estria** adjustable spanner, monkey wrench (*AmE*)
• **chave de contato** ignition
• **chave de fenda** screwdriver
• **chave-inglesa** spanner, wrench (*AmE*)
• **chave mestra** master key
• **fechar com chave de ouro** to end with a flourish, to finish on a high note

chaveiro *sm* 1 (*porta-chaves*) key holder 2 (*quem faz chaves*) locksmith

checar *vtd-vi* to check

check-in *sm inv* check-in

check-up *sm* 1 MED check-up 2 *fig* analysis, close examination

chef *sm inv* chef

chefão *sm* godfather

chefe *sm* 1 boss 2 (*cabeça, líder*) head, leader
• **chefe de família** family man
• **chefe de polícia** chief constable
• **chefe de seção** section chief
• **Chefe de Governo** Head of Government

• **Chefe de Estado** Head of State

chefia *sf* 1 *(cargo de chefe)* leadership position, managing position 2 *(liderança)* control, leadership 3 *bras pop* boss, governor: ***fala aí, chefia!*** what's up, boss!

chefiar *vtd-vi* to lead, to manage, to be in charge

chega *sm (basta)* end: ***dar um chega na situação*** to put an end to a situation
▸ *interj* **chega!** that's enough!

chegada *sf* 1 *(de ônibus, trem, pessoa etc.)* arrival 2 *(aproximação)* approach: ***à chegada do aeroporto...*** at the approach to the airport…
• **dar uma chegada até algum lugar** to pay *(someone)* a short visit, to go to a place for a short time

chegado *adj* 1 *(próximo, íntimo)* close: ***parente chegado*** a close relative; ***amigo chegado*** a close friend 2 *(propenso a)* keen on, fond of: ***era chegado a uma boa briga*** he was keen on a good fight; ***não sou chegado a bebida*** I'm not fond of drinking

chega pra lá *sm loc* ***dar um chega pra lá (em alguém)*** 1 *(repreender)* rebuke, reprimand 2 *(empurrão)* push, shove

chegar *vi* 1 *(pessoa, trem, ônibus)* to arrive, to come 2 *(ser trazido para alguém)* to arrive: ***chegou uma encomenda para você hoje de manhã*** a parcel arrived for you this morning 3 *(hora, momento)* to come: ***chegará o momento em que isso será resolvido*** there will come a time when this will be sorted out 4 *(aproximar-se, atingir)* to reach *(to)*, to get to: ***suas terras chegam até a beira do rio*** his land reaches the banks of the river 5 *(bastar)* to be enough: ***pensei que aquela quantia chegasse*** I thought that amount was enough 6 *(ir embora)* to leave: ***já vou chegando; até logo*** I'm leaving; see you tomorrow 7 *(começar)* to come: ***a primavera finalmente chegou*** spring finally came
▸ *vti* 1 *(atingir)* to reach 2 *(conseguir)* to manage: ***ele não chegou a ser aprovado*** he didn't manage to pass the exam 3 *(igualar-se)* to be compared: ***não chega nem de longe ao amigo*** in no way can he be compared to his friend
▸ *vtd (aproximar)* to approach
▸ *vpr* **chegar-se** *(aproximar-se)* to get close(r) to
• **chegamos!** here we are!
• **não sei aonde você quer chegar** I've no idea where you want to get to

cheia *sf* flood

cheio *adj* 1 full: ***um copo cheio de água*** a glass full of water 2 *(repleto)* full, crowded: ***seu carro era cheio de acessórios*** his car was full of accessories; ***a piscina estava cheia com o calor*** the swimming pool was crowded with the heat 3 *(lotado)* stuffed full 4 *(que tem ou apresenta em alto grau)* full, up to one's eyeballs: ***ele está cheio de dívidas*** he is up to his eyeballs in debt 5 *(coberto por)* covered with: ***o bolo estava cheio de formigas*** the cake was covered with ants 6 *(rechonchudo)* overweight 7 *(satisfeito)* full 8 *(farto, cansado)* fed up *(with)*, sick and tired of
• **cheio até a boca/tampa** full to the brim
• **cheio de si** proud, conceited
• **dia cheio** a hard day
• **acertar em cheio** to pinpoint

cheirar *vtd* 1 *(sentir cheiro)* to smell 2 *(cocaína, rapé)* to sniff 3 *(bisbilhotar)* to nose, to pry
▸ *vti* 1 *(exalar cheiro)* to smell 2 *(dar a impressão)* to smell like: ***cheira a mentira*** this smells like a lie
▸ *vi* 1 *(exalar cheiro)* to smell 2 *(exalar mau cheiro)* to stink
• **não cheirar nem feder** not to mean a thing, not to have importance or significance

cheiro *sm* 1 smell 2 *fig (indício)* smell
• **bom cheiro** pleasant smell, aroma, fragrance, perfume, scent
• **mau cheiro** bad smell, stench, stink, reek

cheiroso *adj* smelling good, having a good smell

cheiro-verde (*pl* **cheiros-verdes**) *sm* chives and parsley

cheque *sm* cheque
• **canhoto de cheque** *(cheque)* stub
▪ **cheque ao portador** cheque to the bearer
▪ **cheque cruzado** crossed cheque
▪ **cheque em branco** blank cheque

■ **cheque especial** outstanding protection cheque
■ **cheque frio** a cheque which bounces/has bounced, "refer to drawer"
■ **cheque nominal** order cheque
• **cheque pré-datado** postdated cheque
■ **cheque sem fundos** a cheque which bounces/has bounced, "refer to drawer"
• **depositar um cheque** to pay in a cheque
• **descontar um cheque** to cash a cheque
• **fazer um cheque (no valor de)** to write a cheque *(for)*
• **sustar um cheque** to stop a cheque
• **talão de cheques** chequebook

chiado *sm* squeak

chiar *vi* **1** to squeak **2** *fig (reclamar)* to complain

chicle → **chiclete**

chiclete *sm* bubble gum, chewing gum

chicória *sf* BOT chicory

chicotada *sf* a crack with a whip

chicote *sf* whip

chicotear *vtd* to whip, to lash

chifrada *sf* a thrust with a horn *(by an animal)*

chifrar *vtd* **1** to thrust a horn at, to attack with horns, to butt **2** *gíria* to cuckold, to betray a spouse by having sex with someone else

chifre *sm* **1** horn **2** *bras pop* betrayal

chifrudo *adj* **1** having big horns **2** *gíria* cuckold, a man who has been sexually betrayed by his spouse or partner **3** the Devil

Chile *sm* Chile

chileno *adj-sm,f* Chilean

chilique *sm* **1** *(desmaio)* faint **2** *(ataque nervoso)* fit

chimarrão *sm* mate, a tea made with the leaves of the *Ilex paraguariensis* plant and drank in a wooden cup, popular in southern Brazil

chimpanzé *sm* ZOOL chimpanzee

chinelo *sm* slippers
• **botar/pôr no chinelo** to leave in the dust
• **chinelo de dedo** flip-flop, thongs *(AmE)*

China *sf* China

chinês *adj-sm,f* Chinese

chinfrim *adj (ordinário)* common, ordinary

chique *adj* fashionable

chiqueirinho *sm (para crianças)* travel cot

chiqueiro *sm* **1** pigsty **2** *fig* a very dirty place

chocalho *sm* rattle

chocante *adj* shocking, outrageous

chocar *vtd* **1** *(causar impressão desagradável)* to shock **2** *(cobrir os ovos)* to hatch, to brood, to incubate
▸ *vpr* **chocar-se** **1** *(colidir)* to collide with, to bump into **2** *(escandalizar-se)* to be shocked, to be outraged

chocolate *sm* **1** chocolate
• **chocolate (meio) amargo** dark chocolate, plain chocolate
• **chocolate quente** hot cocoa

chofre *sm loc* **de chofre** suddenly

chope *sm* draught beer, draft beer, tap beer

choque *sm* **1** *(colisão)* collision **2** *(conflito)* conflict, dispute **3** *(abalo psicológico)* shock **4** *(descarga elétrica)* shock
• **em estado de choque** in *(a state of)* shock
• **tomar um choque** to get a shock

choradeira *sf* **1** *(choro ininterrupto)* crying, weeping, wailing **2** *(pedido lamuriento)* cry

choramingar *vi-vtd* **1** *(chorar em voz baixa)* to whimper, to whine **2** *(reclamar)* to complain

chorão *adj-sm,f* crying, crybaby
▸ *sm* **chorão** BOT weeping willow

chorar *vi* **1** to cry, to weep, to wail, to whimper **2** *(pechinchar)* to bargain **3** *(reclamar)* to complain

choro *sm* **1** cry **2** MÚS a style of instrumental music popular in southeastern Brazil

choroso *adj* crying, weeping

choupana *sf* hut, cottage

chouriço *sm* CUL a sausage made of pig blood, rice and spices

chover *vi* to rain

▸ *vtd* to come in a great amount
• **chover a cântaros** to rain cats and dogs
• **chover no molhado** to flog a dead horse
chuchu *sm* 1 BOT chayote 2 *fig* a cute person
• **pra chuchu** very much, a lot
chulé *sm* foot odour
chulo *adj* vulgar
chumaço *sm* *(de algodão)* wad
chumbado *adj* 1 fastened or weighted with lead or another metal 2 *(ferido por tiro de chumbo)* shot 3 *gír* *(bêbado)* drunk
chumbar *vtd* 1 to weld or weigh with lead 2 *(fixar na alvenaria)* to fix or fasten with cement on a masonry wall
chumbo *sm* QUÍM lead
• **levar chumbo** to be shot
chupada *sf* 1 suck 2 *(repreensão)* rebuke, reprimand
chupado *adj* 1 sucked 2 *gír* *(magro)* thin, skinny
chupar *vtd* to suck
chupeta *sf* dummy, pacifier *(AmE)*
churrascaria *sf* a restaurant which serves Brazilian barbecue
churrasqueira *sf* barbecue pit
churrasco *sm* barbecue, Brazilian barbecue
churro *sm* CUL a sweet made of fried pastry and filled with a creamy milk mixture
chutar *vtd-vi* 1 to kick, to boot 2 *gíria* *(arriscar resposta)* to guess
• **chutar alto** to superestimate
chute *sm* 1 kick 2 *gíria* *(tentativa de acertar)* a guess
chuteira *sf* football boots
• **pendurar as chuteiras** *fig* to hang up one's boots
chuva *sf* 1 rain 2 (*grande quantidade de coisas vindas do alto*) rain, shower: ***uma chuva de flechas*** a rain of arrows; ***uma chuva de folhas*** a shower of leaves
• **chuva de granizo/pedra** hailstorm
• **chuva fina** drizzle
• **chuva forte** heavy rain
• **quem está na chuva é para se molhar** you can't walk in the rain without getting wet
chuvarada *sf* downpour, heavy rain
chuveiro *sm* 1 shower 2 *(joia)* a type of ring in which a precious stone is surrounded by diamonds
chuvisco *sm* drizzle
chuvoso *adj* rainy
ciática *sf* sciatica
cicatriz *sf* 1 scar 2 *fig* scar
cicatrizar *vtd* to heal (*a wound, cut etc.*)
▸ *vi-vpr* **cicatrizar(-se)** to heal up: ***o machucado se cicatrizou em três dias*** the wound healed up in three days
cicerone *sm,f masc* host, *fem* hostess
ciclismo *sm* cycling
ciclista *smf* cyclist
ciclo *sm* cycle
ciclone *sm* cyclone
ciclovia *sf* cycle lane
cidadania *sf* citizenship
cidadão *sm,f* citizen
cidade *sf* city, town, village: ***mora em uma cidade grande/mediana/pequena*** he lives in a city/town/village
• **cidade universitária** university campus
ciência *sf* science
• **ter ciência de alguma coisa** to be aware of something
ciente *adj* aware: ***estar ciente de alguma coisa*** to be aware of something
científico *adj* scientific
cientista *smf* scientist
cifra *sf* 1 zero, nought 2 total amount 3 (*chave de escrita enigmática*) cipher, cypher, code 4 MÚS an alphanumerical representation of musical chords
cifrado *adj* 1 written in a secret cipher or code 2 written according to an alphanumerical representation of musical chords
cifrão *sm* the currency sign $
cigano *sm,f* gypsy
cigarra *sf* 1 ZOOL cicada 2 *(campainha)* bell
cigarrilha *sf* cigarette holder

cigarro *sm* cigarette
• **cigarro de maconha** *gír* joint
• **cigarro de palha** a cigarette in which tobacco is rolled up in a piece of maize straw
• **filtro de cigarro** filter tip

cilada *sf* trap, snare
• **armar uma cilada** to set a trap

cilindro *sm* cylinder

cílio *sm* eyelash, lash

cima *sf (cume)* top
• **ainda por cima** besides, in addition
• **dar em cima de** *gír* to court someone
• **de cima** (*do alto, do topo*) from above, (*do céu, de Deus*) from heaven, from God, (*de quem manda, de uma autoridade*) from the top
• **de cima a baixo** from top to bottom
• **de cima para baixo** downwards, downward
• **em cima** on (*the*) top, above
• **em cima de** (*sobre, na parte superior*) on, over, on top of, above, (*depois de*) in addition to
• **estar por cima** to be in a position of success, prestige or advantage, to have the upper hand
• **para cima** upwards
• **para cima e para baixo** everywhere
• **por cima** (*em cima*) on, (*superficialmente*) casually, in passing, (*em situação superior*) in a position of success, prestige or advantage
• **pra cima de mim?** do you think I'm stupid?, who do you think I am?

cimentado *adj* cemented
▸ *sm* **cimentado** a cement floor or pavement

cimentar *vtd* to cement

cimento *sm* 1 cement 2 *(chão cimentado)* a cement floor or pavement
• **cimento armado** reinforced concrete

cinco *num-sm* five

cineasta *smf* movie-maker, film-maker

cinema *sm* 1 cinema, film, the movies, movie making, film-making 2 *(sala)* cinema, movie theater, (*inf*) movies
• **cinema falado** talking film, sound film
• **cinema mudo** silent film
• **fazer cinema** to film, to make a film, to make a movie, to shoot a film

cínico *adj-sm,f* cynical

cinismo *sm* cynicism

cinquenta *num-sm* fifty

cinquentenário *sm* fiftieth anniversary

cinta *sf* 1 band, strap 2 *(cinto)* belt 3 *(peça íntima elástica para afinar os quadris)* corset

cinta-liga (*pl* **cintas-ligas**) *sf* suspender belt, garter belt *(AmE)*

cintilante *adj* glittering, sparkling

cintilar *vi* to glitter

cinto *sm* belt
• **apertar o cinto** to fasten one's seatbelt, *fig* to reduce one's expenses
• **cinto de segurança** seatbelt

cintura *sf* 1 ANAT waist 2 *(de peça de vestuário)* waist, waistline

cinturão *sm* belt
▪ **cinturão industrial** industrial belt
▪ **cinturão verde** green belt, a large area of vegetable gardens from which a town/city obtains its supplies of greens and vegetables

cinza *sf* grey

cinzeiro *sm* ashtray

cinzento *adj* grey, greyish

cio *sm* (*termo técnico*) oestrus
• **estar no cio** to be on heat, to be in heat, gray *(AmE)*

cioso *adj* jealous, zealous

cipó *sm* a hanging vine

cipoal *sm* 1 a forest of hanging vines 2 *fig* difficult situation

cipreste *sm* BOT cypress

ciranda *sf* 1 (*peneira grossa*) sieve 2 *(dança de roda infantil)* ring-a-ring o' roses, round dance

circo *sm* 1 circus 2 *fig (cena grotesca)* a grotesque episode
• **armar um circo** *fig* to set up a confusion
• **ser de circo** *fig* to be clever or smart
• **querer ver o circo pegar fogo** *fig* to have a morbid desire to see people get in trouble and things going from bad to worse

circuito *sm* circuit
• **circuito integrado** integrated circuit

• **curto circuito** short circuit

circulação *sf* circulation

• **de grande circulação** of great circulation

• **fora de circulação** out of circulation

• **pôr em circulação** to put into circulation

• **sair de circulação** to be out of circulation, *fig* to be absent (*from social activities*) for a period of time

• **tirar de circulação** to take out of circulation, to withdraw from circulation

circular *vtd* 1 (*rodear*) to circle 2 (*circundar*) to surround, to encircle 3 (*espalhar*) to circulate: ***circularam a notícia de que a firma estava falida*** they circulated the news that the company had gone bankrupt

▸ *vi* 1 (*mover-se circularmente*) to circle, to move in circles 2 (*mover-se continuamente*) to circulate: ***parece que o ar não está circulando*** it seems the air is not circulating 3 (*transitar*) to circulate: ***ela circulou pela festa, conversando com todos*** she circulated around the party, talking to everyone

▸ *sf* → **carta-circular** a circular (*letter*)

▸ *sm* (*ônibus*) a bus operating on a circular line

▸ *adj* circular

circulatório *adj* circulatory

círculo *sm* 1 GEOM circle 2 (*grupo*) circle: ***círculo de amigos*** a circle of friends 3 (*associação*) circle: ***círculo literário*** literary circle

• **Círculo Polar Ártico** Arctic Circle

• **Círculo Polar Antártico** Antarctic Circle

• **círculo vicioso** vicious circle

• **em círculo(s)** in a circle, in circles

circuncidar *vtd-vi* to circumcise

circuncisão *sf* circumcision

circundar *vtd* to circle, to encircle, to surround

▸ *vpr* **circundar-se** to surround oneself (*with*)

circunferência *sf* circumference

circunflexo *adj* circumflex

• **acento circunflexo** circumflex accent

circunscrição *sf* circumscription

circunstância *sf* 1 (*situação*) circumstance 2 (*caso, condição*) case, circumstance: ***nessas circunstâncias...*** under the circumstances...

circunstanciado *adj* detailed, presenting the exact circumstances under which something occurred

circunstancial *adj* circumstantial

cirrose *sf* MED cirrhosis

cirurgia *sf* surgery, operation

• **cirurgia de rotina** minor surgery/operation

• **cirurgia plástica** cosmetic surgery, plastic surgery

• **mesa de cirurgia** operating table

• **sala de cirurgia** operating theatre, operating room (*AmE*)

cirurgião *sm,f* surgeon

cirúrgico *adj* surgical

ciscar *vtd-vi* 1 (*aves*) scratch 2 *fig* (*procurar*) to search for, to seek for

cisco *sm* a speck of dust

cisma *sm* (*divisão*) schism, division, break-up

▸ *sf* 1 (*desconfiança*) suspicion 2 (*preocupação*) worry 3 (*capricho*) fancy 4 (*devaneio, sonho*) daydream

cismar *vti* 1 (*obstinar-se*) to be obstinate 2 (*implicar*) to pick on

▸ *vi* (*ficar absorto*) to be absorbed (*in*)

▸ *vtd* (*ficar convicto*) to be convinced (*of*)

cisne *sm* ZOOL swan

cisterna *sf* 1 cistern, water tank 2 well

cisto *sm* cyst, lump

citação *sf* 1 quotation, mention, reference 2 DIR summons

citar *vtd* 1 to quote, to mention, to make reference to 2 DIR to summons

cítrico *adj* citric

• **fruta cítrica** citrus fruit

ciúme *sm* jealousy

• **sentir ciúmes** to be/feel jealous (*about*)

ciumento *adj-sm,f* jealous

cívico *adj* civic

civil *adj* 1 civil 2 (*polido*) polite, civil

▸ *sm* **civil** (*não militar*) civilian

civilização *sf* civilisation, civilization

civilizado *adj* civilised, civilized

civilizar *vtd* to civilise, to civilize

▸ *vpr* **civilizar-se** to become civilised

clã *sm* clan

clamor *sm* clamour, outcry

clamoroso *adj* **1** clamorous **2** blatant, glaring

clandestinidade *sf* illegality
• **entrar na clandestinidade** to go underground

clandestino *adj* clandestine, illegal, underground
▸ *smf* stowaway, illegal passenger

clara *sf (do ovo)* white
• **às claras** openly, not in secret

claraboia *sf* ARQ skylight

clarão *sm* **1** flash of lightning **2** brightness, radiance

clarear *vtd (iluminar)* to clarify, to lighten, to light up
▸ *vi* **1** *(amanhecer)* to dawn **2** *(o céu)* to become clear, to clear up

clareira *sf* a clearing in the woods

clareza *sf* clarity

claridade *sf* clarity, light

clarineta *sf* MÚS clarinet

claro *adj* **1** *(luminoso, iluminado)* clear **2** *(transparente)* clear **3** *(visível)* clear **4** *(de cor pouco intensa)* light **5** *(de pele branca ou pálida)* fair **6** *(nítido)* clear **7** *(fácil de entender)* clear **8** *(evidente)* obvious, clear **9** *(não ambíguo)* clear
▸ *sm* **claro 1** *(espaço vazio)* clearing, open space **2** *(em textos)* blank
▸ *adv* **1** *(com franqueza)* honestly: ***falemos claro*** let's speak honestly **2** *(sem dúvida)* no doubt: ***claro que...*** no doubt that...
▸ *interj* sure, for sure, surely, absolutely, of course
• **às claras** openly, fairly
• **deixar claro (*que*)** to make it clear *(that)*
• **é claro!** of course!
• **está claro!** of course!
• **passar a noite em claro** to be up the whole night

classe *sf* **1** *(social)* class **2** *(grupo de indivíduos unidos pela mesma ocupação)* class: ***classe operária*** working class **3** *(categoria)* class, category **4** BIO class **5** *(elegância)* class: ***ela é uma pessoa de classe*** she has class **6** *(curso)* class, course **7** *(grupo de estudantes)* class **8** *(sala de aula)* classroom: ***ficou na classe durante o intervalo*** he stayed in the classroom during recess
• **classe alta** upper-class
• **classe baixa** working-class
• **classe média** middle-class
• **de primeira classe** first-class
• **de segunda classe** second-class

clássico *adj* classic, classical
▸ *sm* **clássico** classic

classificação 1 *sf* classification, categorizing **2** ESPORTE ranking

classificador *adj* classificatory
▸ *sm* **classificador** *(arquivo)* file

classificado *adj* **1** *(aprovado em exame)* passed **2** *(apto a passar para a fase seguinte)* passed *(for the second phase)*
▸ *pl (seção de jornal)* classifieds, classified advertisements, classified ads

classificatório *adj* qualifying: ***prova classificatória*** qualifying test

classificar *vtd* to classify
▸ *vpr* **classificar-se 1** to qualify *(for)* **2** ESPORTE to qualify

cláusula *sf* clause

clave MÚS *sf* clef
• **clave de sol** treble clef
• **clave de fá** bass clef

clavícula *sf* ANAT clavicle, collarbone

clemência *sf* clemency, mercy

clero *sm* clergy, priesthood

clicar *vi* INFORM to click

clichê *sm* **1** cliché **2** *(lugar-comum)* cliché

cliente *smf* client

clientela *sf* clientele

clima *sm* **1** climate, weather **2** *fig* climate, atmosphere

clímax *sm* climax

clínica *sf* **1** *(atendimento médico)* clinic **2** *(consultório)* clinic, doctor's office
• **clínica médica** clinic

clinicar *vi* to give medical treatment or advice, to work as a doctor
• **o médico vai clinicar hoje?** is the clinic being held today?

clínico *adj* clinical

▸ *sm* **clínico** clinician, doctor

clipe *sm* 1 paper clip 2 *(videoclipe)* clip

clique *sm* INFORM click

clister *sm* clyster, enema

clitóris *sm* ANAT clitoris

clonagem *sm* clonage

clonar *vtd* to clone

clone *sm* clone

cloreto *sm* QUÍM chloride

cloro *sm* QUÍM chlorine

clorofila *sf* chlorophyll

closet *sm* closet

clube *sm* club

coabitar *vti* to cohabit, to live together

coação *sf* coercion, duress

coadjuvante *adj* supporting

• **ator/atriz coadjuvante** supporting actor/actress

• **papel (de) coadjuvante** supporting role

coador *sm* *(coffee)* filter

coagir *vtd-vtdi* to coerce

coagulação *sf* coagulation

coagular *vtd* to coagulate, to congeal

▸ *vpr* **coagular-se** to coagulate, to congeal

coágulo *sm* clot

coalhada *sf* curd

coalhado *adj* 1 curdled 2 *(apinhado)* crowded: ***o lugar estava coalhado de gente*** the place was crowded

coalhar *vtd* 1 to curdle 2 *(encher, apinhar)* to become full or crowded

▸ *vpr* **coalhar-se** 1 to curdle 2 *(encher--se)* to become full or crowded, to get filled with

coalizão *sf* coalition

coar *vtd* to filter: ***coar o café*** to filter coffee

coaxar *vi* to croak

cobaia *sf* 1 ZOOL guinea pig 2 *fig* guinea pig, experimental subject

cobalto *sm* cobalt

coberta *sf* 1 *(de cama)* sheet, cover, blanket 2 *(de barco)* deck

coberto *adj* 1 covered, protected, sheltered 2 *(repleto)* covered with, full of, filled with, thick with: ***minhas botas ficaram cobertas de lama*** my boots were covered with mud 3 *(revestido)* coated, covered 4 *(protegido)* covered: ***seu patrimônio estava coberto pelo seguro*** his properties were covered by insurance

▸ *sm* **coberto** *(telheiro)* roof

• **bolo coberto de chantili** a cake with a whipped cream topping

• **céu coberto de nuvens** an overcast sky

• **você está coberto de razão** you're perfectly right

cobertor *sm* blanket

• **cobertor de orelha** a lover

cobertura *sf* 1 *(revestimento)* cover, covering 2 *(proteção, defesa)* cover, protection, defense 3 ARQ roof 4 *(reportagem)* coverage 5 *(de seguro)* cover, coverage 6 *(de celular)* range

• **cheque com/sem cobertura** a cheque the payment of which is guaranteed/not guaranteed

cobiça *sf* covetousness, greed

cobiçar *vtd* to covet

cobra *sf* snake

▸ *sm,f* *(perito)* expert, maven

cobrador *sm* bus conductor

cobrança *sf* collection, charge

cobrar *vtd-vtdi* 1 *(requisitar o dinheiro devido)* to charge: ***ele me cobrou só 20 reais*** he only charged me twenty reais; ***este cinema cobra caro pelo ingresso*** this cinema charges a lot for the ticket 2 *(exigir pagamento)* to collect 3 *(exigir)* to demand, to require 4 *(recobrar)* to regain

• **encomenda a cobrar** to be paid for on delivery

• **chamada (telefônica) a cobrar** collect charge call

cobre *sm* copper

cobrir *vtd* 1 to cover, to coat 2 to conceal, to hide 3 *(abafar)* to muffle: ***o som do latido dos cachorros cobria a conversa deles*** the barking of the dogs muffled their conversation 4 *(proteger)* to cover, to protect, to shield 5 *(pagar)* to cover: ***esta quantia é suficiente para cobrir as nossas despesas*** this amount is enough to cover our expenses 6 *(fazer uma reportagem)* to cover

▸ *vtdi (cumular)* to cover: ***cobriu de beijos a menina*** he covered the girl with kisses
▸ *vpr* **cobrir-se 1** *(envolver-se, revestir-se; proteger-se)* to cover oneself with **2** *(encher-se)* to be filled with: ***seus olhos cobriam-se de lágrimas*** her eyes were filled with tears
• **cobrir uma longa distância** to cover a long distance

cocada *sf* a cooked sweet made with grated coconut and sugar

cocaína *sf* cocaine

coçar *vtd* to scratch: ***não paro de coçar meu braço*** I can't stop scratching my arm
▸ *vi* to itch: ***meu braço não para de coçar*** my arm doesn't stop itching
▸ *vpr* **coçar-se** to scratch oneself

cóccix *sm* ANAT coccyx

cócegas *sf pl* tickle
• **fazer cócegas** to tickle

coceira *sf* itch

cochichar *vtd-vti-vi* to whisper, to murmur

cochicho *sm* whisper, murmur

cochilar *vi* **1** to take a nap, to snooze, to doze, to drowse **2** *fig (distrair-se)* to be inattentive, to stop paying attention

cochilo *sm* **1** nap, snooze, doze **2** *fig (descuido)* oversight, omission
• **tirar um cochilo** to take a nap

coco *sm* **1** BOT coconut **2** *gíria (cabeça)* head

cocô *sm* feces, poo, poop
• **fazer cocô** to defecate, to poo, to poop

cócoras *sf loc* ***de cócoras*** squatting

cocuruto *sm* the top of the head

codificar *vtd* **1** *(reunir em código)* to codify **2** *(cifrar)* to encode, to put in cipher, to put in code

código *sm* **1** *(coleção de leis)* *(law)* code **2** *(cifra)* code, cipher
▪ **código civil** civil code
▪ **código penal** criminal code
▪ **código de barras** barcode
▪ **código de endereçamento postal (CEP)** postal code, postcode, zip code, ZIP code *(AmE)*
▪ **código de trânsito** highway code

codorna *sf* ZOOL quail

coeficiente *sm* coefficient

coelho *sm,f* rabbit
• **matar dois coelhos com uma cajadada** to kill two birds with one stone

coentro *sm* BOT coriander

coerção *sf* coercion

coerência *sf* coherence, consistency

coerente *adj* **1** coherent, consistent **2** sensible, reasonable

coexistência *sf* coexistence

coexistir *vi-vti* to coexist

cofre *sm* safe, vault
• **arrombar um cofre** to break into a safe, to crack a safe
• **cofres públicos** the nation's coffers

cofre-forte (*pl* **cofres-fortes**) *sm* safe, vault, strongbox

cofrinho *sm* money box, piggy bank

cogitar *vtd-vtdi-vi* **1** to think carefully about, to ponder, to meditate **2** to consider

cogumelo *sm* mushroom

coice *sm* the backward kick of a horse, recoil *(of a gun)*

coifa *sf (de cozinha)* extractor hood

coincidência *sf* chance, coincidence: ***encontraram-se por coincidência*** they met by chance; ***você aqui? que coincidência!*** you here! what a coincidence!

coincidir *vti-vi* **1** *(ocorrer ao mesmo tempo)* to coincide **2** *(ser idêntico)* to coincide

coisa *sf* **1** thing **2** *(objeto)* thing, stuff: ***ponha essas coisas na mesa*** put those things on the table; ***não consigo comer esta coisa!*** I can't eat this stuff!; ***pegue suas coisas e vamos*** grab your things and let's go **3** *(assunto, negócio)* stuff, business: ***não ria: é coisa séria*** don't laugh: it's serious stuff **4** *(do interesse de alguém)* business: ***isso é coisa minha, não se meta*** this is my business, don't mess with it **5** *(acontecimento)* thing: ***a coisa se deu assim*** that's the way the *(whole)* thing went on
• **a coisa ficou preta** *gír* things went sour
• **a coisa toda** the whole thing
• **aí tem coisa** this is suspicious

• **alguma coisa** something, anything
• **cheio de coisa** ceremonious, formal
• **coisa alguma** not anything, not a thing, nothing
• **coisa de** (*cerca de*) about
• **coisa do arco-da-velha** an extraordinary thing or event
• **não dizer coisa com coisa** to speak/talk nonsense
• **não ser grande coisa** to be no big deal
• **qualquer coisa** anything
• **ser uma coisa!** to be something!
• **ter uma coisa** (*passar mal*) to have a fit

coitado *adj-sm,f* poor, poor thing
• **coitado do João** poor João
• **ser um pobre coitado** to be a poor devil, to be a nobody

coito *sm* MED coitus, sexual intercourse

cola *sf* **1** glue **2** *(lembretes secretos levados à escola)* cheat sheet
• **andar/estar na cola de alguém** to be on someone's back

colaboração *sf* collaboration, contribution

colaborador *adj-sm,f* collaborator, contributor

colaborar *vti-vi* to collaborate, to contribute

colagem *sf* **1** (*ato de colar*) gluing **2** (*atividade artística*) collage

colágeno *sm* collagen

colapso *sm* collapse

colar¹ *vtd-vtdi* **1** *(unir com cola)* to glue, to fix with glue **2** *(copiar desonestamente em prova)* to cheat, to crib **3** *(encostar)* to touch, to prop against, to lean against: ***colou o rosto no vidro para enxergar dentro da sala*** she propped her head against the glass to see inside the room **4** (*ficar muito próximo*) to attach, to cling, to stick to, to adhere
▸ *vi* **1** *(ficar muito justo)* to stick **2** *(copiar desonestamente em prova)* to cheat: ***prefiro não passar em um exame a colar*** I'd rather not pass an exam than cheat
▸ *vpr* **colar-se** *(encostar-se, unir-se)* to attach oneself, to cling, to stick to
• **colar grau** to graduate
• **sua desculpa/mentira etc. não cola** I don't believe what you say, don't lie to me!

colar² *sm* necklace, chain

colarinho *sm* **1** collar **2** *(em cerveja)* head

colarinho-branco (*pl* **colarinhos-brancos**) *sm* white-collar

colateral *adj* collateral, side-, subordinate
• **efeitos colaterais** side effects

colcha *sf* bedspread, bedcover
• **colcha de retalhos** patchwork quilt

colchão *sm* mattress

colchete *sm* **1** safety pin **2** *([ ])* square bracket
• **colchete de gancho** hook
• **colchete de pressão** press stud button

colchonete *sm* a small mattress

coleção *sf* **1** collection **2** *(de textos)* collection

colecionador *sm,f* collector

colecionar *vtd* to collect

colega *smf* colleague, peer

colegial *adj* related to high school
▸ *sm,f* a high school student

colégio *sm* high school, secondary school
• **colégio eleitoral** electoral college, the Electoral College

coleira *sf* dog collar

cólera *sf* wrath
▸ *sm,f* MED cholera

colesterol *sm* cholesterol

coleta *sf* **1** *(da natureza)* gathering **2** *(de dinheiro)* collection **3** *(de sangue)* collection, taking **4** *(de dados, informações)* gathering, collection
▪ **coleta seletiva de lixo** selective garbage/refuse collection

coletar *vtd* **1** *(arrecadar)* to collect **2** *(colher plantas para estudo)* to collect **3** *(sangue)* to collect, to take **4** *(juntar dados, informações)* to collect, to gather

colete *sm* waistcoat, vest *(AmE)*
• **colete à prova de balas** bullet-proof vest, body armour
• **colete salva-vidas** life jacket, life preserver

coletividade *sf* community

coletivo *adj* collective
▸ *sm (ônibus)* bus

colhões *sm pl chulo* balls

colheita *sf* harvest

colher *vtd* 1 *(recolher a colheita)* to reap, to harvest 2 *(flores etc.)* to pick, to collect, to gather 3 *(arrecadar)* to collect, to gather 4 *(obter, conseguir)* to get, to obtain 5 *(surpreender)* to catch: ***pegaram-no com a boca na botija*** they caught him red-handed 6 MED to collect
• **colher o que se plantou** to reap what one has sown

colher *sf* spoon
• **colher de pedreiro** trowel
• **dar uma colher de chá** *fig* to give someone a (*second*) chance
• **meter a colher em** *fig* to mess with another's business

colherada *sf* spoonful

cólica *sf* MED colic

colidir *vtdi-vi* to crash, to bump

coligar-se *vpr* to colligate with, to ally with

colina *sf* hill, mound

colírio *sm* eyedrops

colisão *sf* crash, bump

collant *sm* body, bodysuit

colmeia *sf* beehive, hive

colo *sm* 1 ANAT the neck and the shoulders 2 lap 3 *(regaço)* breast, chest
• **colo do útero** cervix
• **carregar/pegar alguém no colo** *(carregar)* to carry someone in one's arms *fig* to pamper someone, to cosset someone

colocação *sf* 1 placement 2 job, position, post, placement

colocar *vtd* 1 *(pôr)* to put, to place, to lay 2 *(apresentar, expor)* to put, to present, to explain: ***colocou o problema de forma confusa*** he presented the problem in a confusing way 3 *(assentar)* to lay: ***colocou os tijolos verticalmente*** he laid the bricks vertically 4 *(empregar)* to employ: ***colocou-o como motorista*** he employed him as a driver
▸ *vpr* **colocar-se** 1 *(instalar-se)* to put oneself, to place oneself (*in, on, at*) 2 *(conseguir emprego)* to be employed as, to take a job as: ***colocou-se como alfaiate*** he took a job as a tailor 3 *(classificar-se)* to be qualified: ***colocou-se bem no concurso*** he qualified in a good place in the competition

cólon *sm* ANAT colon

colônia[1] *sf* 1 settlement 2 *(possessão de um Estado)* colony 3 *(indivíduos em país estrangeiro)* colony 4 BIOL *(organismos da mesma espécie)* colony
• **colônia de férias** holiday camp

colônia[2] *sf (água perfumada)* cologne, eau de cologne

colonial *adj* colonial

colonizar *vtd* to colonise, to colonize

coloquial *adj* colloquial

coloração *sf* colouring, coloring

colorido *adj* 1 colourful, colorful 2 *fig (expressivo)* colourful, vibrant, picturesque, interesting
▸ *sm* **colorido** 1 colour, colouring 2 *fig* colour

colorir *vtd* to colour, to color
▸ *vpr* **colorir-se** to blush

colossal *adj* colossal, huge

colosso *sm* 1 an enormous object 2 *fig* something excellent

coluna *sf* 1 ARQ column, pillar 2 *(de tabela)* column
• **coluna vertebral** ANAT spine

colunista *smf* columnist

com *prep* 1 *(companhia)* with: ***fui à festa com ele*** I went to the party with him 2 *(conteúdo)* with, *(full)* of, having: ***um prato com comida*** a plate full of food 3 *(meio, instrumento)* with, by means of: ***comer com a mão*** to eat with one's hand; ***limpar com sabão*** to clean with soap 4 *(caracterização)* with, having: ***com tanto dinheiro, só pode mesmo ter essa casa*** with so much money, it's only natural that he lives in such a house 5 *(matéria)* of: ***um objeto feito com material reciclável*** an item made of recyclable material 6 *(modo)* with: ***olhou-me com ódio*** she stared at me with hatred 7 *(para com)* to, with: ***é muito bondoso com as crianças*** she's very kind to children 8 *(tempo)* in: ***saímos com chuva*** we went out in the rain
• **com fome** hungry

• **com frio** cold
• **com muito custo...** with great difficulty
• **com muito jeito...** cautiously
• **com sede** thirsty
• **com sono** sleepy
• **estar/não estar com algo** (*portar*) to have/not to have something on (*one*), (*usar-roupa*) to be/not to be wearing, (*doença*) to have/not to have
• **estar com 1,70m** to be 1,70m tall
• **estar com dez anos** to be ten (*years old*)
• **pare com isso!** stop it!

coma *sm* MED coma
• **entrar em coma** to go into a coma
• **estar em coma** to be in a coma

comadre *sf* 1 the godmother of one's child or the mother of one's godchild 2 (*urinol*) bedpan 3 *bras pop* a gossip

comandante *sm* commander, leader
• **comandante de polícia** chief constable, commander

comandar *vtd* to command, to control, to be in charge

comando *sm* 1 command, order, control 2 MIL command
• **comando de polícia** police patrol

combate *sm* combat, fight
• **combate homem a homem** single combat
• **pôr fora de combate** to put out of service

combatente *smf* combatant, fighter

combater *vtd* 1 (*em conflito*) to fight 2 (*adotar medidas para vencer ou extinguir*) to combat: ***adotaram medidas emergenciais para combater a violência*** they took emergency measures to combat violence 3 (*contestar em discussão*) to argue against

combativo *adj* combative, combating

combinação *sf* 1 (*junção*) combination 2 (*harmonia*) match, harmony 3 (*acordo*) agreement 4 (*roupa íntima feminina*) slip

combinado *adj* 1 (*juntado*) combined, mixed: ***o azul foi combinado com o amarelo*** blue was combined with yellow 2 (*em harmonia*) in harmony with, matching 3 (*acertado*) agreed
▸ *sm* **combinado** 1 agreement: ***não foi esse o combinado*** these were not the terms of the agreement 2 (*esporte*) a team formed by the players of different teams

combinar *vtd-vtdi* 1 (*juntar, unir*) to combine, to match 2 (*estar em harmonia com*) to go with, to match: ***esta blusa não combina com a minha saia*** this top doesn't go with my skirt 3 (*acertar*) to agree: ***podemos combinar o preço antes?*** can we agree on a price beforehand? 4 (*dar-se bem*) to get on with, get along with: ***Pedro não combina com João*** Pedro doesn't get on with João
▸ *vti-vi* 1 (*harmonizar-se*) to match, to go together: ***amor e ciúme não combinam*** love and jealousy don't go together 2 (*dar-se bem*) to get on: ***nunca combinaram bem*** they have never got on well
▸ *vpr* **combinar-se** 1 (*harmonizar-se*) to match 2 (*unir-se*) to join, to combine

combustão *sf* combustion

combustível *sm* fuel

começar *vtd* (*dar início*) to begin, to start, to make a start
▸ *vti* to begin to: ***começou a compor aos vinte anos*** he began to compose when he was twenty
▸ *vi* 1 (*ter início*) to begin, to start: ***a temporada de música erudita começou*** the classical music season has begun 2 (*iniciar*) to begin, to start: ***começou citando seu escritor favorito*** he began by quoting his favourite author

começo *sm* beginning
• **desde o começo** (*desde o período inicial, desde a primeira vez*) since the beginning (*of*), (*a partir do início*) from the beginning, from the top
• **do começo ao fim** from beginning to end
• **no começo** (*a princípio*) in the beginning, (*no início de alguma coisa*) at the beginning
• **no começo da noite** at dusk, in the evening

comédia *sf* comedy
• **comédia pastelão** slapstick comedy

comediante *smf* comedian

comemoração *sf* celebration

comemorar *vtd* to celebrate

comentar *vtd* to comment (*on*), to make a comment (*on*)

comentário *sm* comment

comentarista *smf* commentator

comer *vtd* 1 to eat 2 (*consumir, acabar com*) to eat away, to consume, to erode 3 (*corroer*) to eat into, to corrode 4 (*eliminar peças em jogo de tabuleiro*) to take: ***comeu o meu bispo logo no início*** he took my bishop right at the beginning 5 *chulo* (*copular*) to fuck (*someone*)
• **estar comendo capim pela raiz** to be pushing up (*the*) daisies
• **comer fora** to eat out
• **comer fora de casa** to have sex with someone other than one's spouse
• **comer o pão que o diabo amassou** to go through very difficult times
• **come-se bem ali** they serve good food in that restaurant
• **dar de comer a** (*na boca*) to feed someone/an animal

comercial *adj* commercial
▸ *sm* **comercial** 1 (*prato*) a cheap meal served in popular restaurants 2 (*anúncio em rádio, TV*) commercial, advertisement, ad
• **balança comercial** balance of trade
• **déficit comercial** trade deficit, trade gap
• **rota comercial** trade route

comercializar *vtd* to trade

comerciante *smf* trader, tradesman, shopkeeper

comércio *sm* 1 ECON commerce, trade 2 (*estabelecimentos comerciais*) shop, store
• **de fechar o comércio** very good-looking, stunning

comes *sm pl* the food served in parties and/or meetings
• **comes e bebes** the food and drinks served in parties and/or meetings, refreshments

comestível *adj* eatable, edible

cometa *sm* comet

cometer *vtd* to practise, to commit
• **cometer erro** to make a mistake

comício *sm* rally

cômico *adj* comic
▸ *sm,f* (*comediante*) comedian

comida *sf* food
• **casa e comida** board and lodging
• **comida caseira** home-cooked food
• **fazer comida** to cook

comigo *pron* with me, to me: ***foi ao cinema comigo*** he went to the movies with me; ***falou comigo ao telefone*** he talked to me on the phone
• **vocês estão comigo?** (*estão acompanhando/entendendo o que estou dizendo?*) are you with me?

comilança *sf* the act of eating a lot

comilão *adj-sm,f* a heavy eater, glutton

comiseração *sf* compassion, pity, commiseration

comissão *sf* 1 (*grupo de pessoas*) commission 2 (*gratificação*) commission
• **comissão de frente** the people who head a samba school parade

comissário *sm,f* 1 commissioned officer 2 (*em um avião*) air steward, air stewardess

comitê *sm* committee

comitiva *sf* retinue, entourage: ***o presidente nunca viaja sem comitiva*** the president never travels without a retinue

como *conj* 1 (*da mesma forma que*) as (*much as*), like, in the same way as, in a similar way to: ***ele trabalha como eu*** (*procedendo como eu procedo*) he works in the same way as I do; ***ele trabalha como eu*** (*tanto quanto eu trabalho*) he works as much as I do 2 (*aparentando*) as: ***elas se vestiram como freiras*** they dressed as nuns 3 (*exercendo a função de*) as: ***trabalha como assistente de chefe de cozinha*** he works as a subchef 4 (*de que modo*) how: ***perguntei-lhe como havia conseguido aquelas fotos*** I asked him how he had got those pictures 5 (*do modo que*) as, in the way in which: ***ela se veste como bem entende*** she dresses as she pleases 6 (*porque*) as: ***como gostei da blusa, comprei duas*** as I liked the top, I got two (*of them*) 7 (*conforme*) as: ***como já lhe disse...*** as I have already said...; ***como você sabe...*** as you know...
▸ *loc conj* **como se** as if
▸ *adv* 1 (*de que maneira*) how: ***como você veio?*** how did you get here? 2 (*com que intensidade*) how: ***como é bonita***

essa música! how beautiful is this song! 3 *(na qualidade de)* as: ***como dono da casa, vou ficar*** as the owner of the house, I'll stay; ***tratar alguém como amigo*** to treat someone as a friend
▸ *pron* in which: ***não gostei do modo como ele me olhou*** I didn't like the way in which he looked at me
• **como assim?** how come?
• **como? não entendi** what? I didn't get it

comoção *sf* commotion, excitement

cômoda *sf* chest of drawers, dresser

comodidade *sf* comfort, convenience, ease

comodista *adj-smf* too lazy to try to change things, accepting things passively as they are, conformist

cômodo *adj* comfortable, convenient
▸ *sm* **cômodo** room: ***uma moradia de três cômodos*** a three-room house

comovente *adj* touching, moving, poignant

comover *vtd-vtdi-vi* to touch, to move
▸ *vpr* **comover-se** to be moved

comovido *adj* moved, touched

compacto *adj* compact

compadecer-se *vpr* to pity, to feel pity for, to commiserate with, to sympathize with

compadre *sm* 1 the godfather of one's child or the father of one's godchild 2 *gíria* mate, chap, man

compaixão *sf* pity, mercy, commiseration, sympathy

companheiro *adj-sm,f* comrade, companion, partner, friend, fellow

companheirismo *sm* comradeship, companionship, partnership, friendship

companhia *sf* 1 *(ato de acompanhar)* companionship 2 *(pessoa que acompanha)* company: ***ele é ótima companhia*** he's great company 3 *(pessoa com quem se convive)* partner, colleague, friend, mate, company 4 *(firma)* company 5 MIL company
• **andar em más companhias** to get into bad company, to keep bad company
• **companhia teatral** theatre company
• **em boa companhia** in good company
• **fazer companhia a alguém** to keep somebody company

comparação *sf* comparison
• **sem comparação** incomparable, matchless
• **termo de comparação** a reference for comparison

comparar *vtd-vtdi* 1 to compare 2 *(equiparar)* to compare
▸ *vpr* **comparar-se** to compare to, to be compared to
• **nada se compara a** nothing compares to

comparável *adj* comparable

comparecer *vi* to go, to come, to attend, to appear, to show up, to be present

comparecimento *sm* attendance, appearance
• **não comparecimento** non-attendance

comparsa *smf* 1 TEATRO extra 2 *(cúmplice)* accomplice

compartilhar *vtd-vtdi-vti* 1 to share: ***compartilhar algo com alguém*** to share something with someone 2 to share: ***compartilhou de minha dor*** he shared my pain

compartimento *sm* compartment, section
• **compartimento de carga** cargo hold

compasso *sm* 1 *(instrumento para traçar circunferência)* compasses, pair of compasses 2 MÚS measure, bar 3 pace, time
• **compasso binário/ternário etc.** having two/three etc. beats to the bar
• **em compasso de espera** waiting

compatível *adj* compatible

compatriota *sm,f* compatriot, countryman

compelir *vtdi* to force, to compel, to coax, to constrain

compenetrar *vtdi* to convince
▸ *vpr* **compenetrar-se** 1 *(assenhorar-se de um assunto)* to know, to understand, to get into something, to be steeped in 2 *(convencer-se)* to convince oneself of/that

compensação *sf* compensation
• **em compensação...** on the other hand..., however..., nonetheless...

• **compensação bancária/de cheques** cheque/check clearance

compensado *adj* 1 awarded compensation 2 having been compensated or made up for
▸ *adj-sm (madeira)* plywood
• **cheque compensado** a cleared cheque/check

compensar *vtd-vtdi* 1 to compensate, to make up for 2 *(cheque)* to clear a cheque/check
• **o crime não compensa** crime does not pay

competência *sf* 1 *(capacidade, aptidão)* competence, skill, ability, expertise 2 *(alçada)* area of competence, scope, expertise: ***esse assunto não é de minha competência*** this subject is outside my area of competence; ***o caso está fora da competência dos nossos serviços*** the case is beyond the scope of our services 3 DIR competence

competente *adj* competent, skilled, able, apt

competição *sf* 1 *(entre empresas)* competition 2 *(esportiva)* competition, contest
• **competição acirrada** stiff competition

competir *vti* 1 *(entrar em competição)* to compete with, to compete against, to take part in a contest or game 2 *(caber a)* to be up to: ***compete a mim decidir*** it's up to me to make a decision

competitivo *adj* competitive

complacente *adj* complacent

compleição *sf* 1 body constitution 2 mood, temperament

complementar *vtd* to add to, to complement
▸ *vpr* **complementar-se** to complement each other
▸ *adj* **complementar** additional, extra, complementary

complemento *sm* complement

completar *vtd* 1 *(tornar completo)* to complete, to complement 2 *(terminar)* to complete, to finish *(off)*: ***completou o curso em dois anos*** he completed the course in two years 3 *(preencher)* to complete, to fill in/out/up 4 to become, to go: ***hoje ele completa sete anos*** today he is seven *(years old)*
▸ *vi (encher)* to fill up
▸ *vpr* **completar-se** to become complete
• **completar (o tanque)** to fill up the tank with fuel

completo *adj* 1 *(total, inteiro)* complete, total, whole 2 complete: ***um completo irresponsável*** a complete irresponsible
▸ *sm* **completo** *(terno)* a suit

complexado *adj-sm,f* full of complexes

complexidade *sf* complexity

complexo *adj* complex
▸ *sm* **complexo** complex

complicação *sf* 1 complication, difficulty 2 *(problema)* complication, problem 3 *(coisa complicada)* complicated matter

complicar *vtd* to complicate
▸ *vpr* **complicar-se** 1 to become confused 2 *(pôr-se em situação difícil)* to put oneself in a difficult situation

complô *sm* conspiracy, plot

componente *adj-smf* component, part

compor *vtd* 1 *(fazer)* to make, to frame, to compose 2 *(fazer parte de)* to make up: ***três professores compunham a banca de avaliação*** three professors made up the examination board 3 *(criar, elaborar)* to create: ***estudou muito para compor a personagem*** she studied a lot to create her character
▸ *vi (escrever música)* to compose
▸ *vpr* **compor-se** *(ser composto de)* to be composed of, to consist of: ***o comitê compõe-se de três membros*** the committee consists of three members

comporta *sf* floodgate

comportado *adj* well-mannered, well-behaved
• **bem comportado** well-behaved
• **mal comportado** ill-mannered

comportamento *sm* behaviour, behavior

comportar *vtd* 1 *(admitir)* to allow 2 *(conter, ter capacidade para)* to hold, to contain
▸ *vpr* **comportar-se** 1 to behave as 2

(ser comportado) to behave, to be well--behaved

composição *sf* 1 composition 2 *(redação)* composition, writing 3 *(musical)* piece

compositor *sm,f* composer

composto *adj* consisting of, made of
▸ *sm* **composto** mixture

compostura *sf* composure
• **perder a compostura** to lose one's composure

compra *sf* 1 *(atividade de comprar)* shopping, the act of buying 2 *(coisa comprada)* purchase, acquisition
• **compra e venda** buying and selling
• **fazer compras** to shop, to go shopping *(de mantimentos)* to buy food, to get food, to shop for food

comprador *sm,f* buyer

comprar *vtd* to buy, to get, to purchase

compreender *vtd* 1 *(entender)* to understand, to get 2 *(incluir)* to include, to comprise

compreensível *adj* understandable

compreensivo *adj* understanding, sympathetic

compressa *sf* compress

compressão *sf* compression

comprido *adj* long
• **ao/de comprido** horizontally, lengthwise

comprimento *sm* length, long: ***era uma estrada pequena, de apenas dois quilômetros de comprimento*** it was a short road, only two kilometers long; ***gostou do comprimento do meu cabelo?*** do you like the length of my hair?
• **ter dois m de comprimento** to be two meters long

comprimido *adj* compressed, condensed
▸ *sm* **comprimido** pill

comprimir *vtd* to compress, to condense
▸ *vpr* **comprimir-se** to squeeze

comprometer *vtd-vtdi* 1 *(obrigar por compromisso)* to oblige 2 *(expor a risco)* to put at risk, to endanger 3 *(pôr em má situação)* to put *(someone)* in a bad situation
▸ *vpr* **comprometer-se** 1 *(assumir compromisso)* to promise, to commit to, to make a commitment 2 *(expor-se a risco ou perigo)* to compromise oneself

comprometido *adj (casado, noivo etc.)* commited

compromissar *vtd* → **comprometer**

compromisso *sm* 1 *(acordo)* commitment 2 *bras (obrigação social)* appointment

comprovante *sm* voucher
• **comprovante de depósito bancário** receipt

comprovar *vtd* to corroborate, to confirm, to prove

compulsão *sf* compulsion, urge

compulsório *adj* compulsory, mandatory

computação *sf* computing
• **ciência da computação** computer science

computador *sm* computer

computar *vtd* to compute

cômputo *sm* computation, reckoning

comum *adj* 1 *(pertencente a duas ou mais pessoas)* common, mutual: ***têm muitos interesses em comum*** they have many mutual interests 2 *(ordinário)* ordinary, common 3 *(frequente)* common, usual: ***João é um nome muito comum*** João is a very common name
▸ *sm* **comum** 1 average: ***o comum dos brasileiros...*** the average Brazilian... 2 the usual thing: ***o comum é almoçarem ao meio-dia*** the usual thing for them to do is to have lunch at noon

comuna *sf* commune, community

comungar *vtd-vtdi (ter em comum)* to have in common
▸ *vi* RELIG to take communion, to receive communion

comunhão *sf* 1 *(ato de ter em comum)* communion, communication: ***vivem em comunhão com a natureza*** they live in communion with nature 2 RELIG communion
▪ **comunhão (total/parcial) de bens** *(full/partial)* community property regime

comunicação *sf* communication

▸ *pl* **comunicações** communication, communications: ***ministério das comunicações*** Department of Communication(s)

comunicado *sm* notice, warning

comunicador *sm,f (em rádio, TV)* communicator

comunicar *vtd-vtdi* 1 *(transmitir, participar)* to communicate, to convey 2 *(ligar)* to connect, to link: ***o corredor comunica a sala com a cozinha*** the corridor connects the living room to the kitchen

▸ *vpr* **comunicar-se** 1 *(estabelecer contato)* to communicate with: ***sente-se isolado porque não se comunica com as pessoas*** he feels isolated because he doesn't communicate with people 2 *(entrar em contato)* to contact: ***se quer divulgar o fato, comunique-se com a imprensa*** if you want to make the fact known, contact the press 3 *(transmitir-se)* to reverberate, to affect: ***o tremor comunicou-se às casas vizinhas*** the earthquake reverberated in the neighbouring houses 4 *(manter entendimento)* to communicate: ***os dois exércitos não conseguiam se comunicar*** the two armies were unable to communicate *(with each other)*

comunicativo *adj* communicative, talkative

comunidade *sf* 1 *(qualidade ou estado do que é comum)* community 2 *(grupo de pessoas em uma mesma área ou com interesses comuns)* community 3 BIOL *(conjunto de populações animais ou vegetais)* community

comunista *smf* communist

comunitário *adj* communal, shared

côncavo *adj* concave, hollow

conceber *vtd* 1 *(formar um embrião)* to conceive *(a child)* 2 *(criar)* to conceive, to create 3 *(imaginar)* to conceive, to imagine 4 *(compreender)* to understand: ***ninguém concebia a profundidade de seus sentimentos*** nobody understood how deep his feelings were

▸ *vi (ser fecundada)* to conceive: ***não pode conceber*** she is unable to conceive

conceder *vtd-vtdi* 1 *(dar, outorgar)* to give, to grant

▸ *vi (fazer concessão)* to concede

• **conceder uma entrevista** to give an interview

conceito *sm* 1 concept 2 *(definição)* definition, description 3 *(noção, ideia)* idea, notion 4 *(avaliação)* judgement 5 *(opinião)* opinion 6 *(reputação)* reputation 7 *(nota escolar)* grade

conceituado *adj* respected, having a good reputation

conceituar *vtd* 1 *(formular conceito)* to conceptualise, to conceptualize 2 *(avaliar)* to judge, to evaluate

concentração *sf* 1 concentration 2 *(reunião, encontro)* meeting, gathering

concentrado *adj* 1 concentrated 2 *(absorto)* concentrated, focused

▸ *sm* **concentrado** a concentrated solution

concentrar *vtd-vtdi* 1 *(fazer convergir)* to concentrate, to focus 2 *(tornar mais denso)* to concentrate

▸ *vpr* **concentrar-se** 1 *(reunir-se)* to gather together, to meet 2 *(aplicar atenção)* to concentrate *(on)*, to focus one's attention *(on)* 3 ESPORTE *(ficar em concentração) (especialmente jogadores de futebol)* to be isolated before an important match

concepção *sf* 1 *(fecundação)* conception 2 *(conceito, modo de ver)* concept, idea, notion

concerto *sm* concert, presentation, performance, show

concessão *sf* concession

concessionário *sm,f* concessionaire

• **concessionária de automóveis** car concessionnaire

concha *sf* 1 ZOOL shell, conch 2 *(para servir)* ladle 3 ANAT cavum conchae

conchavar *vtd* 1 *(combinar)* to arrange, to set 2 *(fazer conchavo)* to plot, to conspire

▸ *vpr* **conchavar-se** *(conluiar-se)* to plot, to conspire

conchavo *sm (conluio)* plot, conspiracy

conciliação *sf* conciliation, pacification

conciliador *adj* conciliator

conciliar *vtd* 1 *(promover a harmonia)* to conciliate, to pacify 2 *(unir, combinar)* to unite, to join, to combine: ***não***

conseguia conciliar as duas coisas he was unable combine the two things
▸ *vpr* **conciliar-se** 1 to be in peace, to live in harmony (*with oneself*) 2 to make peace, to reconcile (*with one another*)
▸ *adj* **conciliar** related to council
• **conciliar o sono** to be able to sleep

concílio *sm* council

conciso *adj* concise, brief, short

conclave *sm* meeting, conclave

concluir *vtd* 1 (*terminar*) to finish (*off*), to put an end to, to come to an end, to complete, to conclude 2 (*deduzir*) to conclude, to infer
▸ *vtd-vtdi* (*acordo, tratado*) to arrange, to agree (*to, on*)

conclusão *sf* 1 (*dedução*) conclusion 2 (*término*) completion, finish, conclusion 3 (*fecho, remate*) completion, finish
• **em conclusão** in conclusion, finally
• **tirar conclusões precipitadas** to jump to conclusions

conclusivo *adj* conclusive

concomitância *sf* (*fm*) concurrence

concomitante *adj* (*fm*) concomitant, concurrent, happening at the same time

concordância *sf* 1 (*ato de concordar*) agreement, arrangement 2 (*acordo*) agreement, covenant, pact 3 (*conformidade*) conformity, compliance 4 (*verbal, nominal etc.*) collocation

concordar *vti-vi* 1 (*ser partidário da mesma opinião*) to agree: ***quando disse que eram muito imaturos, tive de concordar*** when he said they were very immature I had to agree 2 (*consentir*) to agree: ***você concorda em viajar amanhã? – concordo!*** do you agree to travel tomorrow? – yes, I do!
▸ *vti* (*combinar*) 1 to agree: ***concordaram em sair antes do amanhecer*** they agreed to leave at dawn 2 to agree: ***lembre-se de que o verbo deve concordar com o sujeito*** remember that the verb must agree with the subject

concordata *sf* 1 COM a voluntary agreement between a debtor and its creditors, composition with creditors 2 POL concordat

concórdia *sf* peace, harmony, concord

concorrência *sf* competition
• **concorrência pública** bidding

concorrente *adj-smf* competitor

concorrer *vti* 1 (*competir*) to compete 2 (*apresentar-se como candidato*) to be a candidate for, to run for (*office*): ***concorrer ao cargo*** he was a candidate for the post 3 (*contribuir*) to contribute

concorrido *adj* 1 marked by tough competition: ***as eleições foram concorridas*** elections were marked by tough competition 2 well-attended: ***um espetáculo muito concorrido*** a well-attended performance

concretizar *vtd* to make real, actual or true
▸ *vpr* **concretizar-se** to become real

concreto *adj* 1 real, actual 2 *fig* clear, well-defined
▸ *sm* **concreto** concrete
▪ **concreto armado** reinforced concrete

concubina *sf* concubine

concurso *sm* 1 contest, examination, testing 2 (*afluência, concorrência*) confluence

condão *sm* virtue, power
▪ **vara de condão** magic wand

conde *smf* earl, count, countess

condecoração *sf* award, honour, decoration

condecorar *vtd-vtdi* to decorate, to bestow honours on

condenação *sf* condemnation

condenado *adj* 1 (*pela justiça*) convicted 2 (*reprovado*) disapproved, condemned: ***um tratamento condenado pelos médicos*** a treatment disapproved of by the doctors 3 (*fadado*) condemned, doomed
▸ *sm,f* convict
• **um doente condenado** a terminally ill person
• **um edifício condenado** a condemned building

condenar *vtd* 1 (*na justiça*) to condemn, to convict 2 (*reprovar*) to disapprove of, to condemn 3 (*dar por irrecuperável*) to condemn
▸ *vpr* **condenar-se** (*trair-se*) to condemn oneself, to show one's own guilt

condenável *adj* reprehensible, blameworthy

condensação *sf* condensation

condensar *vtd* 1 *(liquefazer)* to condense 2 *(resumir)* to condense, to abridge

• *vpr* **condensar-se** 1 to condense 2 to become dense

condescendente *adj* condescending

condição *sf* 1 condition, state 2 *(recursos)* resources: ***são pessoas de pouca condição*** they have few resources 3 *(posição)* position: ***na condição de presidente da empresa, gostaria de dizer que...*** in my position as company president, I would like to say that...

▸ *pl* **condições** 1 *(qualidades)* qualities: ***ele não possui as condições necessárias para ganhar o concurso*** he doesn't have the necessary qualities to win the contest 2 *(estado de saúde)* condition: ***você não está em condições de sair*** you are in no condition to go out

• **com a condição de que...** on the condition that...

• **condições atmosféricas** weather conditions

• **condições de voo/decolagem/aterrissagem** flight/departure/landing conditions

• **na condição de...** as a/an...

• **sem condição!** no way!

• **sob certas condições** under certain conditions, subject to certain conditions

condicionado *adj* conditioned

• **ar-condicionado** air conditioning, air con, AC, a/c

condicionador *sm* 1 *(de cabelo)* conditioner 2 *(de ar)* air conditioner

condicional *adj* conditional

▸ *sf* parole

• **em (liberdade) condicional** on parole

condicionamento *sm* conditioning

• **condicionamento físico** physical fitness

condicionar *vtd* *(pôr condições, regular)* to establish/to fix the conditions for, to regulate: ***condicionou o acordo*** he established the conditions for the agreement

▸ *vtdi* *(impor condição)* to establish as a condition: ***o pai condicionou a bicicleta a boas notas na escola*** the father established *(his son's getting)* good grades at school as a condition for *(giving him)* a bicycle

▸ *vpr* **condicionar-se** *(fazer-se habituado)* to get used to: ***condicionou-se a levantar cedo*** he got used to getting up early

condimentar *vtd* to spice

condimento *sm* spice

condizente *adj* agreeing, harmonizing, consistent with

condoer-se *vpr* to take pity on, to sympathize with

condoído *adj* sympathetic

condolências *sf pl* sympathies

• **dar condolências a alguém** to offer one's sympathies

condomínio *sm* 1 *(taxa mensal)* service charge, maintenance fee *(AmE)* 2 *(prédio residencial)* condominium, condo, block of flats, apartment building *(AmE)*

• **condomínio fechado** gated community

condômino *sm,f* a person living in and/or owning an apartment

condução *sf* 1 *(direcionamento)* leading, guiding 2 *(meio de transporte)* means of transportation, bus: ***tomo duas conduções para ir ao trabalho*** I take two different buses to get to work 3 *(de eletricidade)* conduction

conduta *sf* conduct, attitude, behavior

condutor *adj* 1 leading 2 conductive

▸ *sm* **condutor** 1 *(calha)* gutter 2 *(de trem)* conductor, guard 3 *(elétrico)* conductor

conduzir *vtd* 1 *(guiar)* to lead, to guide: ***o cão conduzia o cego*** the dog led the blind man 2 *(administrar)* to run, to manage: ***conduz os negócios da família desde a morte do pai*** he has run the family business since his father's death 3 *(transmitir)* to conduct: ***esse material não conduz eletricidade*** this material doesn't conduct electricity

▸ *vti-vtdi* 1 *(levar)* to lead: ***o corredor conduz ao portão*** the corridor leads to

the gate **2** *(transportar)* to drive: ***o motorista conduziu os passageiros até a delegacia*** the *(bus)* driver drove the passengers to the police station
▸ *vpr* **conduzir-se** *(comportar-se)* to behave, to conduct oneself

cone *sm* cone

conectar *vtd* to connect, to link
▸ *vpr* **conectar-se** to make a connection with, to contact

conexão *sf* **1** *(ligação)* connection, link **2** *(relação, nexo)* connection, link, relation **3** *(baldeação)* connection

confecção *sf* **1** the act of making or producing something, manufacturing **2** clothing factory

confeccionar *vtd* to make, to produce, to manufacture

confederação *sf* confederation

confeitar *vtd* to decorate cakes and sweets

confeiteiro *sm,f* confectioner, pastry cook

confeito *sm* confection

conferência *sf* **1** *(palestra)* conference **2** *(checagem)* checking, inspection **3** *(conversa)* conversation

conferencista *smf* speaker

conferir *vtd-vtdi* **1** *(verificar)* to check, to inspect **2** *(dar, conceder)* to give: ***conferiu atenção ao problema*** he gave his attention to the problem **3** *(imprimir)* to imprint: ***aquelas roupas conferiam-lhe um ar de autoridade*** those clothes imprinted an air of authority on him
▸ *vti (estar de acordo)* to be in accordance with, to match
▸ *vi (estar certo)* to be correct, to add up: ***as contas não conferem*** the sum is not correct

confessar *vtd-vtdi* to confess, to admit, to acknowledge, to grant, to concede, to allow
▸ *vpr* **confessar-se** to confess

confessionário *sm* confessional

confesso *adj* self-confessed
• **réu confesso** a defendant who admits to the crime he's charged with, self-confessed criminal

confessor *sm* RELIG confessor

confete *sm* confetti

confiado *adj (atrevido)* forward

confiança *sf* **1** confidence, trust, belief, reliance **2** *(fé)* faith: ***tenho muita confiança em você*** I have great faith in you **3** *(atenção)* attention: ***não (lhe) dê confiança*** don't pay any attention to him **4** *(liberdade, atrevimento)* informality: ***não lhe dei essa confiança*** I've never allowed you to treat me with such informality
• **autoconfiança** self-reliance, self-assuredness
• **confiança cega** blind faith
• **dar algo em confiança** to trust someone with something
• **ganhar a confiança de alguém** to earn someone's trust
• **não ter confiança em si mesmo** to lack confidence
• **ser de confiança** to be someone in whom one can trust
• **ter a confiança de alguém** to have earned someone's trust
• **ter confiança em alguém** to trust someone, to have confidence in someone
• **tomar confiança** to become very confident or informal towards someone
• **trair a confiança de alguém** to betray someone's trust
• **voto de confiança** vote of confidence

confiante *adj* **1** *(seguro)* confident **2** *(que confia)* trusting

confiar *vti-vi* to trust in, to rely on, to believe in
▸ *vtdi* **1** *(confidenciar)* to confide: ***confiei-lhe um segredo*** I confided a secret to her **2** *(entregar em confiança)* to trust *(someone)* with
▸ *vpr* **confiar-se** to be too confident or informal towards someone

confiável *adj* reliable

confidência *sf* confidence

confidencial *adj* confidential

confidente *adj-smf* confidant

configuração *sf* **1** *(forma)* form, shape, configuration **2** INFORM configuration

configurar *vtd* **1** *(dar forma, feitio)* to shape, to mould **2** INFORM to configure
▸ *vpr* **configurar-se** *(tomar forma, feitio)* to take the shape of

confinar *vtd (enclausurar)* to confine, to restrict
▸ *vti (limitar-se)* to be bordered by, to have a frontier with: ***o Brasil confina com vários países da América do Sul*** Brasil has a frontier with a number of countries in South America
▸ *vtdi (restringir)* to restrict
▸ *vpr* **confinar-se** to limit oneself to

confirmar *vtd* 1 *(reafirmar)* to confirm 2 *(comprovar)* to prove 3 *(aprovar)* to approve of
▸ *vpr* **confirmar-se** *(cumprir-se)* to be confirmed: ***confirmou-se a sua suspeita*** his suspicion was confirmed

confiscar *vtd* to confiscate

confisco *sm* confiscation

confissão *sf* confession

conflito *sm* 1 conflict 2 *(guerra)* conflict, war

confluência *sf* confluence

conformação *sf* 1 *(forma)* shape, structure 2 *(resignação)* acceptance, conformity

conformado *adj* resigned, conformed

conformar *vtd* 1 *(formar)* to form, to shape, to create 2 *(conciliar)* to reconcile, to harmonize
▸ *vtdi (adequar, amoldar)* to conform something to another
▸ *vpr* **conformar-se** 1 *(adequar-se a)* to conform to: ***conformou-se às regras locais*** he conformed to the local rules 2 *(ser conforme, corresponder)* to conform to: ***meu filho não se conforma aos estereótipos dos garotos de sua idade*** my son does not conform to the stereotypes of boys of the same age 3 *(resignar-se)* to resign oneself to: ***conformava-se com seu destino*** he resigned himself to his fate

conforme *adj* 1 *(atendendo ao padrão)* conforming 2 *(conformado)* resigned
▸ *conj* 1 *(como)* as: ***conforme prometi...*** as I (have) promised... 2 *(à medida que)* as: ***conforme escurecia, acelerava o passo*** as it grew dark, he quickened his pace
▸ *prep (de acordo com)* according to
• **dentro dos conformes** in accordance with what should be expected
• **tudo saiu conforme (o) planejado** everything went according to plan
• **você vai à festa hoje à noite? – conforme...** are you going to the party tonight? – it depends...

conformidade *sf* 1 *(qualidade do que é conforme)* conformity 2 *(resignação)* resignation
• **em conformidade com** *(de acordo com as leis)* in conformity with

conformista *smf* conformist

confortador *adj* comforting

confortar *vtd* to comfort
▸ *vpr* **confortar-se** to comfort oneself *(with)*

confortável *adj* 1 comfortable 2 confident 3 having money

conforto *sm* 1 *(consolo)* comfort, consolation 2 *(comodidade)* comfort

confrade *sm* colleague, mate, partner, friend, fellow

confraternização *sf* celebration

confraternizar *vi* 1 to fraternize 2 to gather together in order to celebrate
▸ *vpr* **confraternizar-se** to fraternize with

confrontação *sf* 1 *(comparação)* comparison 2 *(confronto)* confrontation

confrontar *vtd-vtdi* 1 *(comparar)* to compare 2 *(pôr frente a frente)* to confront, to face *(up to)*
▸ *vpr* **confrontar-se** to be confronted with

confronto *sm* 1 *(comparação)* comparison 2 *(enfrentamento)* confrontation

confundir *vtd-vtdi* 1 *(misturar, tirar da ordem)* to mess up 2 *(tomar por outro)* to mistake, to misunderstand, to misinterpret 3 *(deixar confuso)* to confuse
▸ *vpr* **confundir-se** 1 *(não distinguir)* to mistake *(somebody/something for somebody/something)*, to confuse 2 *(equivocar-se)* to make a mistake 3 *(perturbar-se)* to be confused

confusão *sf* 1 *(ato ou efeito de confundir)* confusion 2 *(equívoco)* mistake, misunderstanding, confusion 3 *(conflito)* conflict, disagreement 4 *(desordem)* disorder, confusion 5 *(balbúrdia)* confusion, tumult, riot 6 *(falta de clareza)* confusion 7 *(perturbação)* conflict

• **armar a maior confusão** to cause a tremendous uproar

confuso *adj* 1 *(embaralhado)* confused 2 *(indefinido, sem clareza)* confusing 3 *(perturbado, inseguro)* confused, in conflict, conflicted

congelado *adj* 1 frozen 2 *(frio como gelo)* freezing
▸ *sm* **congelado** *(alimento)* frozen food
• **morreram congelados** they froze to death

congelador *sm* freezer

congelamento *sm* freeze
• **congelamento dos preços** price freeze
• **congelamento dos salários** wage freeze

congelar *vtd* to freeze

congênito *adj* congenital

congestão *sf* congestion

congestionado *adj* 1 MED congested 2 *(trânsito)* jammed

congestionamento *sm* 1 congestion 2 *(de trânsito)* traffic jam

congestionar *vtd* 1 to cause to become congested 2 *(trânsito)* to jam, to become jammed
▸ *vpr* **congestionar-se** 1 to become congested 2 *(trânsito)* to become jammed

congratulação *sf* congratulation
• **congratulações!** congratulations!

congratular *vtd* to congratulate
▸ *vpr* **congratular-se** 1 *(dar a si mesmo os parabéns)* to congratulate oneself on 2 *(cumprimentar-se reciprocamente)* to congratulate one another

congregação *sf* congregation

congresso *sm* 1 congress 2 POL Congress

conhaque *sm* brandy, cognac

conhecedor *sm,f* expert

conhecer *vtd* 1 *(ter conhecimento)* to know 2 *(travar conhecimento com)* to meet, to know: ***eu a conheci no ano passado*** I met her last year; ***ontem fiquei conhecendo o novo chefe*** yesterday I got to know my new boss 3 *(ser familiarizado com)* to know: ***eu o conheço há vinte anos*** I've known him for twenty years 4 *(reconhecer)* to recognize: ***não me conheceu quando a encontrei na festa*** she didn't recognize me when I met her at the party
▸ *vpr* **conhecer-se** 1 *(a si mesmo)* to know oneself 2 *(travar conhecimento)* to meet, to get to know each other: ***conheceram-se durante a guerra*** they met during the war

conhecido *adj* known
▸ *sm,f* acquaintance

conhecimento *sm* 1 *(saber)* knowledge, learning 2 *(domínio de um assunto)* knowledge, expertise: ***ele tem bons conhecimentos de informática*** he has a good knowledge of information technology
▸ *pl* **conhecimentos** knowledge
• **com conhecimento de causa** with full knowledge of the matter
• **conhecimentos gerais** general knowledge
• **ser de conhecimento do público** to be common/public knowledge
• **tomar conhecimento de algo** to learn that

cônico *adj* conical

conivência *sf* connivance, condoning

conivente *adj* conniving, condoning

conjectura *sf* conjecture, guess

conjugação *sf* conjugation

conjugado *adj* joined, linked, connected, combined
▸ *sm* **conjugado** studio flat, studio apartment *(AmE)*

conjugal *adj* conjugal, marital, spousal

conjugar *vtd* 1 *(unir)* to join, to unite, to link, to connect, to combine, to conjoin 2 GRAM to conjugate
▸ *vpr* **conjugar-se** to become joined

cônjuge *smf* spouse

conjunção *sf* 1 *(união, mistura)* combination 2 *(encontro)* confluence 3 *(conjuntura)* conjunction 4 GRAM conjunction

conjuntivite *sf* MED conjunctivitis

conjunto *adj* 1 *(tendo a participação de todos)* joint: ***ação conjunta*** a joint act 2 *(adjacente)* contiguous, neighbouring
▸ *sm* **conjunto** 1 *(reunião de partes)* set, assemblage, whole 2 *(grupo)* group, body

3 *(jogo)* set, service: ***um conjunto de chá*** a tea set

• **conjunto aberto** open set

• **conjunto de saia e blusa** a skirt and top set

• **conjunto fechado** closed set

• **conjunto musical** band, group

• **conjunto habitacional/residencial** housing estate

• **conjunto vazio** empty set

• **faltar conjunto a uma equipe** to lack teamwork

• **teoria dos conjuntos** set theory

conjuntura *sf* 1 juncture, circumstances, state of affairs 2 juncture, event

conosco *pron* with us → **com**

conotação *sf* connotation

conquista *sf* 1 conquest 2 *fam (pessoa conquistada)* conquest: ***aquela é sua mais recente conquista*** that is his most recent conquest

conquistador *sm,f* 1 conqueror 2 *fam* Don Juan, womaniser

conquistar *vtd* 1 *(subjugar por força)* to conquer 2 *(vencer)* to conquer: ***não se conquista o medo se escondendo*** you cannot conquer fear by hiding 3 *(adquirir)* to gain, to obtain, to win 4 *fam (obter amor ou simpatia)* to conquer

consagração *sf* 1 RELIG consecration 2 RELIG dedication 3 praise, acclaim, fame, renown

consagrado *adj* 1 RELIG consecrated 2 RELIG dedicated 3 *(afamado)* famous, acclaimed

• **de uso consagrado** established

consagrar *vtdi* 1 to consecrate 2 to dedicate

▸ *vtd (aclamar)* to acclaim

▸ *vpr* **consagrar-se** 1 to dedicate oneself to 2 *(ser aclamado, reconhecido)* to be acclaimed *(as)*, to be acknowledged *(as)*, to become famous

consanguíneo *adj-sm,f* blood-relation, relation, kin

consciência *sf* conscience, consciousness, awareness

• **com a consciência pesada** conscience-stricken

• **em sã consciência** consciously, knowingly

• **perder a consciência** to lose consciousness

• **pôr a mão na consciência** to feel a guilty conscience about something

• **por desencargo de consciência** to relieve one's conscience

• **recobrar a consciência** to regain consciousness

• **ter consciência de alguma coisa** to be aware of something

• **tomar consciência** to realize *(that)*, to be/become aware *(of/that)*

consciencioso *adj* conscientious

consciente *adj* 1 conscious 2 *(ciente)* aware 3 *(consciencioso)* conscientious 4 *(não alienado)* conscious

▸ *sm* **consciente** PSIC conscious mind

conscientizar-se *vpr* to be/become conscious about, to be/become aware of

consecutivo *adj* consecutive

conseguir *vtd* 1 *(ser capaz)* to be able to: ***não conseguiu entregar a prova em tempo*** he was not able to hand in the test on time 2 *(obter)* to get, to obtain: ***conseguiu o que queria*** he got what he wanted; ***conseguiu uma boa nota no exame*** he obtained a good grade on the test 3 *(arranjar)* to get: ***ainda não conseguiu emprego*** he hasn't got a job yet

▸ *vi* to be succesful, to be able to do or get something: ***tenho certeza de que você vai conseguir*** I'm sure you'll be succesful

conselheiro *adj-sm,f* adviser, counsellor

conselho *sm* 1 advice: ***deu-me (um) conselho com respeito à minha carreira*** he gave me advice on my career 2 *(grupo administrativo)* board of directors 3 *(junta de consultores)* advisory board 4 *(grupo de governantes)* council

• **dar um conselho a alguém** to give someone a piece of advice, to give someone a word of advice

• **pedir conselho** to seek advice

consenso *sm* consensus

consentimento *sm* consent, permission

consentir *vtd-vti-vi* to agree, to allow, to give permission to, to consent: ***não consentiu que estampassem sua foto no jornal*** he didn't consent to his picture being printed in the newspaper;

consentiu em fazer os exames de laboratório he agreed to have the laboratory tests carried out

consequência *sf* consequence
• **sofrer as consequências** to suffer/face the consequences

consertar *vtd* **1** to fix, to repair, to mend **2** *fig (remediar, corrigir)* to remedy, to correct, to put right

conserto *sm* **1** repair **2** *fig (correção)* correction, solution
• **estar no conserto** *(sendo consertado)* to be under repair

conserva *sf* preserve, pickle

conservação *sf* preservation, conservation, conservancy, protection

conservado *adj* **1** conserved, preserved, protected **2** *inf (não aparentando a idade)* young-looking, looking young for one's age: ***ela é uma pessoa conservada*** she looks young for her age

conservador *adj-sm,f* **1** POL conservative, conservative **2** traditional, traditionalist, conservative
▸ *sm (de alimentos)* preservative, preserver

conservante *sm* preservative, preserver

conservar *vtd* **1** *(resguardar)* to preserve, to protect, to save **2** *(manter)* to keep, to maintain: ***conservava os lençóis intactos para quando ele voltasse*** she kept the sheets intact, awaiting for his return **3** *(reter)* to keep, to retain
▸ *vpr* **conservar-se** **1** *(manter-se em um lugar, uma posição etc.)* to remain, to keep *(to)* **2** *(resistir à idade)* to look young for one's age

conservatório *sm* conservatoire

consideração *sf* **1** *(exame)* consideration **2** *(respeito, estima)* consideration, respect, esteem
▸ *pl* **considerações** considerations, reasons, motives
• **levar em consideração** to take into consideration

considerar *vtd* **1** *(ponderar, examinar)* to consider, to think about **2** *(julgar)* to judge: ***considerei sábio não comprar a casa*** I judged it wise not to buy the house **3** *(ter opinião a respeito)* to regard: ***considero muito útil o seu trabalho*** I regard your work as very useful **4** *(ter em boa conta)* to hold *(someone)* in esteem: ***os patrões o consideram muito*** the employers hold him in high esteem
▸ *vi (refletir)* to consider, think about
▸ *vpr* **considerar-se** to regard oneself as

considerável *adj* **1** *(digno de consideração)* worth consideration, worth considering **2** *(razoável)* reasonable **3** *(razoavelmente grande)* quite big, fairly big, considerable

consigo *pron* **1** with one, on one: ***sempre levava a foto dela consigo*** he would always carry her picture with him; ***não tinha dinheiro consigo*** he had no money on him **2** *(em si)* in oneself, inside one, in one's mind: ***guardam consigo as lembranças da infância*** they keep in their mind their childhood memories **3** on oneself: ***não gasta consigo, só com a família*** he doesn't spend much on himself, only on his family → **com**
• **dizer consigo** to say to oneself

consistência *sf* **1** *(densidade)* consistency, substance **2** *(solidez, constância)* consistency **3** *(credibilidade)* consistency, soundness, reliability

consistente *adj* **1** *(sólido, denso)* consistent, dense, thick, substantial **2** *(sólido, constante)* consistent **3** *(confiável)* consistent, sound, reliable

consistir *vti* to consist of, to consist in

consoante *adj* agreeing with, consonant with
▸ *sf* consonant
▸ *conj* according to

consolar *vtd* to comfort, to console
▸ *vpr* **consolar-se** **1** to comfort oneself *(with)*, to console oneself *(with)* **2** *(resignar-se)* to resign oneself to

console *sm* console

consolidação *sf* consolidation

consolidar *vtd* **1** *(tornar forte, seguro etc.)* to consolidate, to solidify **2** *(reunir, fundir)* to consolidate, to join together, to combine **3** *fig (fortalecer)* to strengthen
▸ *vpr* **consolidar-se** **1** *(firmar-se como)* to establish oneself as **2** *(fortalecer-se)* to be strengthened

consolo *sm* comfort, consolation
• **se lhe serve de consolo...** if it's any comfort to you...

consórcio *sm* **1** *(união, casamento)* marriage **2** COM consortium

conspiração *sf* conspiracy

conspirar *vti-vi* **1** to conspire, to plot **2** *(concorrer para) (positivamente)* to contribute to, *(negativamente)* to conspire against: ***tudo parecia conspirar para o seu sucesso*** everything seemed to contribute to his success; ***tudo parecia conspirar contra ele*** everything seemed to conspire against him

constância *sf* constancy

constante *adj* **1** *(que consta)* appearing, described in: ***a assinatura constante no documento...*** the signature appearing in the document... **2** *(contínuo)* constant, continuous **3** *(invariável)* constant, fixed **4** *(imutável)* firm: ***permaneceram constantes em sua decisão de não vender a propriedade*** they were firm in their decision not to sell the property

▸ *sf* **constante 1** MAT, FÍS constant **2** staple, something that is always present

constar *vi-vti* it is said, they say, it seems: ***consta que...*** it is said that...

▸ *vti* **1** to be: ***meu nome não consta da lista*** my name is not on the list **2** to consist of: ***o apartamento consta de quatro cômodos*** the apartment consists of four rooms

• **nada consta** nothing on record

constatação *sf* ascertaining, verification, substantiation, realization: ***cheguei à constatação de que ela não gosta de mim*** I came to the realization that she doesn't like me

constatar *vtd* **1** *(verificar)* to verify, to ascertain **2** *(descobrir)* to discover, to realize

constelação *sf* constellation

consternação *sf* consternation, dismay

constipação *sf* **1** *(prisão de ventre)* constipation **2** *(resfriado)* flu, the flu

constipar *vtd* **1** *(dar prisão de ventre)* to cause to be constipated **2** *(resfriar)* to cause a cold

▸ *vpr* **constipar-se 1** *(ter prisão de ventre)* to be constipated **2** *(resfriar-se)* to get a cold

constitucional *adj* constitutional

constituição *sf* **1** constitution **2** *(lei)* constitution **3** *(compleição)* constitution, build

constituinte *adj-sm,f* constituent, component

▸ *sm* one of the framers of a constitution

▸ *sf* constitutional assembly

constituir *vtd* **1** *(ser, representar)* to be: ***o livro constitui um divisor de águas na carreira do autor*** the book is a watershed in the author's career **2** *(estabelecer)* to establish: ***constituir uma sociedade*** to establish a society **3** *(dar poderes, nomear)* to nominate, to appoint

▸ *vpr* **constituir-se 1** *(tornar-se)* to become: ***constituiu-se (em) seu melhor amigo*** he became her best friend **2** *(compor-se)* to be formed of, to be made of

constitutivo *adj* forming, constituting

constranger *vtd* **1** *(limitar os movimentos)* to constrain, to restrict **2** *(embaraçar)* to embarass

▸ *vtdi (obrigar)* to force, to constrain

▸ *vpr* **constranger-se** to be/become embarassed

constrangido *adj* embarassed

constrangimento *sm* **1** *(embaraço)* embarassment **2** *(coação)* constraint, control **3** *(acanhamento)* shyness, coyness

construção *sf* **1** *(ato de construir)* construction, building (up) **2** *(arte de construir)* construction, building **3** *(obra)* building site, construction site **4** *(estrutura)* structure, framework

• **construção civil** building sector, construction industry

• **em construção** under construction

• **material de construção** building materials

construir *vtd-vi* to build, to construct

construtivo *adj* constructive

construtora *sf* construction company

cônsul *sm,f* consul

consulado *sm* consulate

consular *adj* consular

consulente *adj-smf* consultant

consulta *sf* **1** consultation **2** *(de médico)* consultation

• **dar consultas** to give someone a consultation

• **fazer uma consulta** to consult
• **passar por uma consulta médica** to go and see the doctor, to have a consultation

consultar *vtd* 1 *(especialista, médico)* to consult 2 *(uma pessoa)* to consult 3 *(uma obra)* to consult
▸ *vpr* **consultar-se** 1 to have a consultation with 2 *(mutuamente)* to consult each other/one another
• **consultar um médico** to consult a doctor, to go and see a doctor

consultor *sm,f* consultant

consultoria *sf* consultancy

consultório *sm (médico, odontológico, veterinário)* the doctor's, the dentist's, the vet's, consulting room, consultation room

consumação *sf* 1 completion, accomplishment 2 minimum consumption

consumado *adj* 1 *(acabado, realizado)* completed, accomplished 2 *(notável)* notable, outstanding

consumar *vtd* 1 *(concluir)* to complete 2 *(realizar)* to accomplish 3 *(aperfeiçoar)* to perfect

consumidor *sm,f* consumer

consumir *vtd* 1 *(desgastar, destruir)* to consume, to destroy 2 *(ingerir)* to consume 3 *(gastar)* to spend 4 *(fazer uso)* to consume, to use: ***este carro consome muita gasolina*** this car uses a lot of petrol; ***consumimos pouca eletricidade*** we consume little electricity
▸ *vpr* **consumir-se** *(dissipar-se)* to be consumed (with)

consumismo *sm* consumerism

consumista *sm,f* consumerist

consumo *sm* consumption
• **bens de consumo** consumer goods

conta *sf* 1 MAT count, counting, computation, reckoning 2 *(de restaurante)* bill, check 3 *(de luz, telefone etc.)* bill 4 *(crédito, crediário)* credit account, charge account 5 *(bancária)* account 6 *(de colar, de rosário)* bead 7 *(responsabilidade)* account
• **abrir uma conta no banco** to open an account, to open a bank account
• **acertar as contas** to pay/settle the bills *(com alguém)* to settle a score with someone, to settle an account with someone
• **afinal de contas** after all
• **conta bancária** bank account
• **contas a pagar** bills to be paid, outstanding bills
• **dar conta/não dar conta** *(ser/não ser capaz de fazer)* to be/not to be able to do something, to give a good/poor account of oneself
• **dar conta de** *(dar fim)* to destroy, to ruin, *(prestar contas)* to account for something
• **dar conta de algo a alguém** to give an account of something to someone
• **dar conta do recado** to be able to accomplish something successfully
• **dar-se conta de algo** to realize
• **deixar algo por conta de alguém** to leave something to someone
• **demais da conta** a lot, too much
• **extrato de conta-corrente** statement
• **fazer uma conta** to make a calculation
• **fazer conta de algo ou alguém** to take something/someone into account, to take account of something/someone
• **fazer de conta (que)** to make believe *(that)*
• **ficar por conta (com alguém)** to be very angry *(at someone)*
• **hoje é por minha conta** today it is on me
• **levar em conta** to take something into account, to take account of something
• **não ser da conta de alguém** not to be one's business, to be none of one's business
• **no fim das contas** in the end
• **pedir as contas** to resign *(from one's job)*
• **perder a conta** to lose count
• **por conta de** *(por causa de)* on one's account
• **por conta disso/daquilo** on this/that account
• **por conta própria** on one's own account, by oneself
• **prestar contas de algo a alguém** to account for something to someone
• **sem conta** too many to be counted, countless

• **ser a conta** (*quantidade certa*) to be the exact number or quantity, (*gota-d'água*) to be the last straw
• **ser em conta** to be cheap, to have a reasonable price
• **ter alguém em alta conta** to hold someone in high esteem, to highly regard someone
• **ter alguém na conta de** to hold someone as
• **tomar conta de** (*cuidar*) to take care of, to look after, (*administrar*) to manage, to run

contábil *adj* accounting

contabilidade *sf* 1 (*de firma*) accountancy, accounting 2 (*estudo*) accountancy, accounting

contabilista *smf* accountant, an expert in accountancy

contador *sm,f* 1 counter 2 COM accountant

contagem *sf* counting

contagiar *vtd* 1 to infect, to contaminate 2 *fig* to infect: ***contagiou-me com o seu entusiasmo*** she infected me with her enthusiasm
▸ *vpr* **contagiar-se** to be infected

contágio *sm* infection, contamination

contagioso *adj* infectious, contagious, catching

conta-gotas *sm* dropper

contaminação *sf* 1 (*por doença*) infection 2 (*do ambiente*) contamination

contaminado *adj* contaminated

contaminar *vtd* 1 (*contagiar*) to contaminate, to infect 2 (*poluir*) to contaminate, to pollute 3 *fig* to contaminate
▸ *vpr* **contaminar-se** to be contaminated, to be infected

contanto que *conj* as long as

contar *vtd* 1 (*computar*) to count, to calculate, to reckon 2 (*incluir*) to contain, to include: ***minha coleção já conta duzentos itens*** my collection already contains two hundred items 3 (*narrar, relatar*) to tell, to give an account (*of*), to describe, to report 4 (*segredo, fato*) to tell: ***contar um segredo*** to tell a secret 5 (*esperar*) to expect: ***contava que sairíamos logo*** he expected us to leave soon 6 (*tencionar*) to intend: ***contava casar-se com ela*** he intended to marry her 7 (*ter-idade*) to be: ***contava apenas quinze anos quando a conheceu*** he was only fifteen when he met her
▸ *vti* 1 (*confiar*) to count on, to rely on: ***conto com você*** I'm counting on you 2 (*dispor de*) to have: ***o ônibus conta com bancos de couro*** the bus has leather seats 3 (*esperar*) to expect: ***eu não contava com tão boa acolhida*** I didn't expect such warm reception 4 (*imaginar, supor*) to conceive of, to imagine: ***muito honesta, não conta com a desonestidade alheia*** honest as she is, she can't conceive of other people's disonesty
▸ *vi* 1 (*dizer os números*) to count 2 (*saber fazer contas*) to know maths 3 to count: ***somos cinco; o Joãozinho não conta*** there are five of us; Joãozinho doesn't count 4 (*ter importância*) to count, to matter: ***beleza, para ela, não conta*** beauty counts nothing for her
• **não contar os ovos antes de a galinha botar** not to count one's chickens before they hatch
• **sem contar que...** not taking into account that..., not to mention that...

contatar *vtd-vti-vi* to contact, to get in touch with

contato *sm* contact
• **entrar em contato com alguém** to contact someone, to get in touch with someone
• **entrar em contato com alguma coisa** (*misturar-se*) to come into contact with something
• **fazer contato com alguém** to make contact with someone
• **manter contato com alguém** to keep in contact with someone
• **perder o contato com alguém** to lose contact with someone

contêiner *sm* container

contemplação *sf* contemplation, consideration, meditation, pondering

contemplar *vtd* 1 to observe, to regard 2 to contemplate, to consider, to think about/of 3 to admire
▸ *vtd-vtdi* 1 (*dar, outorgar*) to give, to grant 2 (*meditar*) to contemplate, to meditate on/upon
▸ *vpr* **contemplar-se** to admire oneself

contemporâneo *adj-sm,f* contemporary, modern

contenção *sf* containment, restraint

contentamento *sm* contentment, satisfaction, happiness, fulfilment, glee

contentar *vtd* 1 *(deixar contente)* to content, to make happy 2 *(satisfazer)* to satisfy
▸ *vpr* **contentar-se** 1 *(aceitar e satisfazer-se com)* to content oneself with 2 *(resignar-se)* to content oneself with, to be resigned to

contente *adj* content, joyful, happy, merry, satisfied

conter *vtd* 1 *(ter em si)* to contain, to embrace, to comprise, to include 2 *(controlar)* to contain, to control, to restrain: ***o governo está fazendo de tudo para conter a inflação*** the government has made all possible efforts to restrain inflation 3 *(deter, segurar)* to hold, to hold back, to restrain
▸ *vpr* **conter-se** to restrain oneself *(from doing something)*

conterrâneo *adj-sm,f* countryman

contestação *sf* contention

contestar *vtdi* 1 *(impugnar)* to refute, to rebut 2 *(negar a exatidão de)* to contest, to deny the correctness of 3 *(replicar, responder)* to argue, to contest, to contend, to answer back
▸ *vi (protestar)* to protest

conteúdo *sm* content

contexto *sm* context

contigo *pron* with you, with yourself → **com**

contíguo *adj* contiguous

continência *sf* 1 *(controle, moderação)* control, restraint 2 MIL salute
• **bater continência** to salute

continental *adj* continental

continente *sm* continent

contingência *sf* contingency, possibility

continuação *sf* continuation
• **continuação** *(de capítulo/série etc. anterior)* follow-up *(to)*, sequel *(to)*

continuado *adj* continuing, continual, continuous, continued
• **educação continuada** continuing education

continuar *vtd* to continue, to go on, to carry on, to keep on
▸ *vpred* 1 *(ser, estar ainda)* to still be: ***ela continua bonita*** she is still beautiful 2 *(prosseguir)* to keep on: ***o carro continuou andando*** the car kept on moving
▸ *vi* 1 *(prosseguir)* to continue, to go on, to carry on, to move on 2 to continue, to go on: ***"quero me casar com você" – continuou João*** "I want to marry you" – João went on 3 *(permanecer)* to remain: ***o homem continuou no mesmo lugar*** the man remained in the same place
• **continua no próximo capítulo** to be continued *(in the next episode)*

continuidade *sf* continuity
• **dar continuidade a algo** to carry something on

contínuo *adj* continual, continuous
▸ *sm* **contínuo** 1 continuum, cline 2 *(empregado de repartição ou escritório)* *(office)* clerk
• **num contínuo** in a continuous sequence

conto *sm* 1 LIT *(gênero literário)* short story 2 *(narrativa curta)* story, tale, narrative 3 *(fábula)* tale 4 *bras pop (dinheiro em qualquer moeda)* quid, buck
• **conto da carochinha** *(história infantil)* any tale or children story, *(cascata)* a lie, a tall story, a tall tale
• **conto de fadas** fairy tale
• **conto do vigário** scam, confidence trick
• **quem conta um conto aumenta um ponto** one who retells a story told by someone else is always likely to exaggerate something

contorção *sf* contortion

contorcer-se *vpr* to contort, to be contorted

contorcionista *smf* contortionist

contorno *sm* 1 *(linha que circunscreve)* outline, contour 2 *(desvio)* detour

contra *prep* against, opposite
▸ *sm* **contra** 1 *(obstáculo)* obstacle, difficulty: ***sempre haverá contras em negócios como este*** there will always be obstacles in such business 2 *(objeção)*

objection: ***disparou um contra logo de cara*** he raised an objection right at the beginning
▸ *el comp* opposed to, against, anti, contra, counter
• **dar o contra** to be contrary, to be against
• **nadar contra a maré** to swim against the tide
• **prós e contras** the pros and cons
• **ser do contra** to always disagree
• **um remédio contra a gripe/tosse etc.** a medicine for a cold/cough etc., a cold/cough etc. medicine
• **votar contra** to vote against (*someone/something*)

contra-atacar *vtd-vi* to counter-attack

contra-ataque *sm* counter-attack

contrabaixo *sm* MÚS double bass

contrabalançar *vtd-vtdi* to counterbalance, to offset

contrabandear *vtd-vi* to smuggle

contrabandista *smf* smuggler

contrabando *sm* **1** smuggling **2** contraband, smuggled goods
• **mercadoria de contrabando** smuggled goods

contracepção *sf* contraception, birth control

contraceptivo *adj-sm* contraceptive

contração *sf* contraction

contracorrente *sf* countercurrent
• **à contracorrente** against the current

contradição *sf* contradiction
• **cair em contradição** to contradict oneself

contraditório *adj* contradictory, conflicting

contradizer *vtd* to contradict
▸ *vpr* **contradizer-se** to contradict oneself

contrafilé *sm bras* top loin

contragosto *sm loc* **a contragosto** against one's will

contraindicação (*pl* **contra-indicações**) *sf* contraindication

contrair *vtd* **1** (*apertar, comprimir*) to contract **2** (*doença*) to catch, to be infected with
▸ *vpr* **contrair-se** to contract
• **contrair um empréstimo** to take (*out*) a loan
• **contrair matrimônio** to marry, to get married

contralto *sm* MÚS alto, contralto

contramão *sf* **1** the opposite direction to the flow of traffic on a one-way street, the wrong way, the wrong direction: ***dirigir na contramão*** to drive against traffic **2** *fig* against the flow: ***estar na contramão de algo*** to go against the flow of something
▸ *adj* **1** one-way: ***rua contramão*** one way street **2** (*afastado, fora de mão*) off the beaten track

contrapartida *sf* compensation
• **em contrapartida** on the other hand

contrapeso *sm* counterweight, counterbalance

contraponto *sm* counterpoint

contrapor *vtd-vtdi* **1** to put in front of **2** to put against **3** to interpose
▸ *vpr* **contrapor-se** to oppose, to stand against

contraposição *sf* **1** contrast **2** confrontation

contraproposta *sf* counter proposal

contrarregra (*pl* **contrarregras**) *smf* scene-shifter, stage hand

contrariado *adj* **1** (*que sofreu oposição*) having undergone opposition **2** (*desgostoso*) displeased, annoyed, upset

contrariar *vt* **1** (*contradizer*) to contradict **2** (*ir contra*) to go against **3** (*causar descontentamento*) to displease, to annoy, to upset
▸ *vpr* **contrariar-se 1** to contradict oneself **2** to be displeased, to be annoyed, to be upset

contrariedade *sf* **1** opposition **2** (*desgosto*) displeasure, annoyance **3** (*obstáculo*) setback, obstacle

contrário *adj-adv* **1** (*oposto*) opposite, against **2** (*inverso, totalmente distinto*) contrary: ***temos visões contrárias sobre a questão*** we have contrary views on the question **3** (*desfavorável*) against: ***ele é contrário à pena de morte*** he is against capital punishment

▸ *sm* **contrário** the reverse, the contrary, the opposite

• **(muito) pelo contrário!** (*quite*) the opposite!

• **ao contrário** (*de frente para trás*) back to front, (*pelo avesso*) inside out, (*trocado*) the other way round, (*contrariamente*) on the contrary, contrarily

• **ao contrário de** contrary to

• **caso contrário** otherwise

• **do contrário** otherwise

• **na ordem contrária** in reverse, backwards

• **o contrário é verdadeiro** the reverse is true

• **prova em contrário** evidence to the contrary

contrassenso (*pl* **contrassensos**) *sm* absurdity

contrastar *vti* (*divergir, estar em contraste*) to contrast

contraste *sm* contrast

• **fazer contraste** to contrast with

contratar *vtd* 1 (*tratar, combinar*) to set, to agree 2 (*empregado*) to hire, to employ 3 (*negociar*) to negotiate

contratempo *sm* setback, snag

contrato *sm* contract, agreement

contravenção *sf* DIR misdemeanour

contribuição *sf* 1 contribution, help 2 contribution, donation 3 (*imposto*) contribution, a kind of tax

• **contribuição previdenciária** social security contribution

contribuinte *smf* taxpayer

contribuir *vti* 1 (*colaborar*) to contribute 2 to donate, to make a contribution 3 (*escrever texto*) to contribute: ***contribuiu com dois artigos para o próximo número da revista*** she contributed two articles to the next issue of the journal 4 (*pagar imposto*) to contribute to: ***contribuímos mensalmente para os fundos de pensão*** we contribute monthly to the pension funds 5 (*atuar junto para que algo ruim aconteça*) to conspire to: ***tudo contribuiu para deixá-la infeliz*** everything conspired to make her miserable

▸ *vi* (*colaborar*) to contribute: ***quem gostaria de contribuir?*** who would like to contribute?

controlado *adj* 1 (*sob controle*) controlled 2 (*moderado*) controlled

• **remédio controlado** controlled medication

controlar *vtd* 1 (*vigiar*) to control 2 (*limitar, administrar*) to control, to manage: ***controlar o consumo de energia*** to control electricity consumption 3 (*dominar*) to control

▸ *vpr* **controlar-se** 1 (*dominar-se*) to control oneself 2 (*comedir-se*) to control oneself

• **controlar uma empresa** to control a company

controle *sm* 1 (*domínio*) control 2 (*monitoração*) control 3 (*dispositivo de comando*) control

• **além/fora do controle de alguém** beyond one's control

• **controle de segurança** security control

• **controle remoto** remote control

• **manter sob controle** to keep under control

• **perder o controle** to lose self-control

• **perder o controle (de)** to lose control (*of*)

• **sob controle** under control, controlled

controvérsia *sf* controversy

contudo *conj* despite this, however, nonetheless, nevertheless, notwithstanding

contundente *adj* 1 (*que causa contusão*) bruising, capable of causing bodily harm by violent contact 2 (*agressivo*) incisive, assertive

• **objeto contundente** blunt object

contundido *adj* hurt

conturbação *sf* 1 confusion, tumult 2 complication

conturbar *vtd* 1 to disturb, to confuse 2 to complicate

▸ *vpr* **conturbar-se** to be disturbed (*by*), to be confused (*by*)

contusão *sf* contusion

convalescença *sf* convalescence

convalescer *vti-vi* to convalesce, to become well again, to regain health

convenção *sf* convention

convencer *vtd* to convince

▸ *vpr* **convencer-se** to convince oneself (*of*)

convencido *adj (convicto)* convinced
▸ *adj-sm,f fam (presumido)* conceited

convencimento *sm* 1 persuasion 2 *fam (presunção)* conceit

convencionado *adj (estabelecido por convenção)* convened on, decided or fixed by convention

convencional *adj* conventional

conveniência *sf* convenience

conveniente *adj* 1 *(útil)* useful, convenient 2 *(vantajoso, cômodo)* convenient, advantageous, practical; friendly: ***é conveniente fazer compras perto de casa*** it's convenient to shop near home 3 *(propício, oportuno)* convenient

convênio *sm* 1 agreement, contract, pact 2 health insurance

convento *sm* convent

convergência *sf* convergence

conversa *sf* 1 conversation, talk, dialogue, chat 2 *(mentira)* lie, nonsense
• **conversa fiada** nonsense
• **conversa mole** nonsense
• **conversa para boi dormir** vain/idle conversation, foolish talk
• **conversa vai, conversa vem...** as the conversation carried on...
• **dar conversa a alguém** to allow someone to become intimate with one, to allow someone to be forward towards one
• **deixe de conversa!** stop talking nonsense!
• **ir na conversa de alguém** to be deceived by someone's talk
• **jogar conversa fora** to chat (*away*), to gossip
• **passar a conversa em alguém** to deceive someone with words
• **puxar conversa** to make conversation

conversação *sf* conversation, colloquy

conversão *sf* 1 *(mudança para outra forma de pensar, outro sistema etc.)* conversion 2 *(virada, contorno)* turn, turning: ***é proibida a conversão à esquerda*** turning left is prohibited 3 *(transformação)* conversion, transformation
• **conversão de moedas** currency conversion
• **conversão de medidas** metric conversion
• **tabela de conversão** metric conversion table

conversar *vti-vi* to talk, to speak, to chat: ***conversar com alguém sobre algo*** to talk to someone about something
• **voltamos a conversar amanhã** I'll talk/speak to you again tomorrow

conversível *adj* convertible
▸ *sm* convertible

converter *vtd-vtdi* 1 *(fazer mudar de ideia, de religião, de partido etc.)* to convert 2 *(transformar)* to convert into, to transform into, to change into 3 ESPORTE to convert 4 *(virar)* to turn: ***é proibido converter à esquerda*** you mustn't turn left
▸ *vpr* **converter-se** to convert (*to*)

convés *sm* deck

convexo *adj* convex, bulging

convicção *sf* conviction

convicto *adj* convinced

convidado *adj-sm,f* guest

convidar *vtd-vtdi* to invite

convidativo *adj* inviting, attractive

convincente *adj* convincing

convir *vti-vi* 1 *(concordar)* to agree, to admit 2 *(ser conveniente)* to be convenient

convite *sm* invitation

conviva *smf* fellow guest, table companion

convivência *sf* living together, intimacy, habitual companionship

conviver *vti-vi* 1 *(viver junto)* to live together 2 *(estar junto)* to be together, to be constantly in the presence of 3 *(acostumar-se)* to get used to

convívio *sm* living together, habitual companionship

convocação *sf* 1 call 2 MIL call to arms, call up

convocar *vtd-vtdi* 1 to call 2 MIL to call up

convosco *pron* with you → **com**

convulsão *sf* convulsion, fit

cooperação *sf* cooperation

cooperar *vti-vi* to cooperate

cooperativa *sf* cooperative

coordenação *sf* coordination

coordenada *sf* coordinate

coordenador *sm,f* coordinator

coordenar *vtd-vtdi* to coordinate

copa *sf* 1 ESPORTE Cup 2 *(campeonato)* championship, contest 3 *(parte da árvore)* crown 4 *(parte do chapéu)* crown 5 *(cômodo da casa)* pantry, butler's pantry
▸ *pl* **copas** hearts

copa-cozinha (*pl* **copas-cozinhas**) *sf bras* a room in a house which serves both as a kitchen and a dining-room

copeiro *sm,f* a servant responsible for serving meals

cópia *sf* 1 *(transcrição literal)* copy 2 *(reprodução, falsificação)* copy

copiadora *sf* *(máquina)* photocopier, copier, Xerox machine

copiar *vtd* 1 *(transcrever literalmente)* to copy 2 *(imitar, plagiar)* to copy, to imitate, to plagiarise 3 *(fotocopiar)* to photocopy, to xerox

copiloto (*pl* **copilotos**) *sm* co-pilot

copo *sm* glass
• **ser bom (*de*) copo** to be fond of drinking

cópula *sf* 1 (*verbo de ligação*) copula, linking verb 2 (*ato sexual*) copulation, sex, (*sexual*) intercourse

copular *vti-vi* to copulate, to have sex, to have sexual intercourse

coqueiro *sm* BOT coconut tree

coqueluche *sf* 1 *(doença)* whooping cough 2 *gír (o mais recente na moda)* the latest fashion

coquete *sf* coquette, flirt

cor *sf* 1 colour, shade, tone, hue, tint, tinge 2 *fig (tom, colorido)* colouring 3 *(tinta)* paint
▪ **cor fria** cool colour
▪ **cor local** local colour
▪ **cor quente** warm colour
• **dar cor a alguma coisa** to add/give/lend colour to something
▪ **de cor** (*pessoa*) coloured
▪ **de cor firme** colourfast
▪ **de cor lisa** (*de tecido*) not patterned or having one color only
• **lápis de cor** coloring pencil
• **perder a cor** to become pale
• **não ver a cor do dinheiro** (*não receber*) not to get paid, (*não ter dinheiro*) not to have any money
• **ter boa cor** to have a good, pleasant appearance

cor *sm loc adv* **de cor** by heart

coração *sm* 1 ANAT heart 2 *fig (parte mais importante)* heart, the main part, the most important part 3 *fig (centro, âmago)* heart, center, core
• **abrir o coração** to open one's heart
• **com o coração na mão** with one's heart in one's mouth
• **de todo o coração** with all one's heart, wholeheartedly
• **de cortar o coração** heartbreaking
• **do fundo do coração** from the bottom of one's heart
• **não ter coração** not to have a heart

corado *adj* 1 ruddy, rosy 2 *fig (enrubescido)* blushing, red

coragem *sf* 1 courage, bravery, boldness 2 *(audácia, atrevimento)* cheek, nerve
• **coragem!** cheer up!
• **criar coragem** to take courage

corajoso *adj* 1 *(pessoa)* courageous, brave, bold 2 *(ato)* heroic, courageous

coral *adj-sm* MÚS choir
▸ *sm (secreção calcária)* coral
▸ *sf (cobra)* coral snake

corante *adj-sm* colouring, dye

corar *vtd* 1 *(colorir, pintar)* to colour, to paint 2 (*tingir*) do dye
▸ *vi* 1 *(enrubescer)* to blush, to go red 2 CUL *(dourar)* to fry, to stir-fry 3 *(roupa)* to whiten by exposure to sunlight

corcunda *adj-smf* (*ofensivo*) hunchback, hunchbacked, humpback
▸ *sf* hump

corda *sf* 1 *(de cânhamo)* rope 2 *(de instrumento)* string 3 *(de relógio, brinquedo etc.)* clockwork
▸ *pl* **cordas** MÚS the strings
• **cordas vocais** vocal cords
• **dar corda a alguém** to give someone (*enough*) rope

• **estar com a corda toda** (*estar muito entusiasmado*) to be very enthusiastic (*falar sem parar*) to speak incessantly
• **estar com a corda no pescoço** (*estar encrencado*) to be in trouble, to be hanging by a thread, (*estar sem dinheiro*) to be broke
• **estar na corda bamba** (*estar em apuros*) to be in trouble, to be hanging by a thread, (*estar inseguro*) not to be confident
• **instrumento de corda** stringed instrument
• **pular corda** to skip rope, to jump rope

cordão *sm* 1 (*pequena corda*) string 2 (*cadarço*) string, lace 3 (*de pescoço*) necklace, chain 4 (*carnavalesco*) a group of people in a carnival parade
▪ **cordão de isolamento** police line
▪ **cordão umbilical** umbilical cord

cordato *adj* sensible, reasonable, prudent

cordeiro *sm* ZOOL lamb

cor-de-rosa *adj* pink

cordial *adj* warm, friendly

cordilheira *sf* GEOG mountain chain

Coreia *sf* Korea

coreano *adj-sm,f* Korean

coreografia *sf* coreography

coriza *sf* coryza

corja *sf* gang, mob

córnea *sf* ANAT cornea

cornear *vtd* 1 to thrust a horn at, to attack with horns, to butt 2 *gíria* to cuckold, to be unfaithful to one's spouse

corneta *sf* MÚS horn

corno *sm* horn
▸ *adj-sm* cuckold, a man who has been sexually betrayed by his spouse or partner
• **corno manso** a man who accepts his wife's or partner's unfaithfulness

cornudo *adj* horned
▸ *adj-sm,f gír* → **corno**

coro *sm* choir
• **dizer em coro** to repeat together
• **fazer coro com** to repeat what someone says or does, (*concordar*) to agree with

coroa *sf* 1 crown 2 (*de flores*) crown, diadem
▸ *sm,f* **coroa** *gír* (*pessoa madura*) a mature man/woman, a man/woman of mature years, a middle-aged person

coroa-de-cristo *sf* BOT crown of thorns

coroar *vtd* 1 to crown 2 (*encimar, rematar*) to crown 3 (*completar*) to crown
▸ *vpr* **coroar-se** to crown oneself

coroinha *sm* altar boy

corola *sf* BOT corolla

coronária *sf* ANAT coronary artery

coronel *sm* 1 MIL colonel 2 POL colonel 3 *bras pop* a powerful landowner

coronha *sf* butt, stock

coronhada *sf* a hit with the butt of a gun

corpo *sm* 1 body 2 (*cadáver*) dead body, corpse 3 (*objeto*) body: ***corpos celestes*** heavenly bodies 4 (*parte principal*) body: ***o corpo do texto*** the body of the text 5 (*grupo de pessoas*) board, body 6 (*consistência*) body: ***este vinho tem muito corpo*** this is a full-bodied wine
• **bem-feito(a) de corpo** well-built
• **com a roupa do corpo** having nothing left, completely broke
• **corpo a corpo** close-contact
• **corpo de baile** dance company
• **corpo de bombeiros** fire brigade, fire department
• **corpo de delito** corpus delicti
• **corpo de jurados** jury, jury panel
• **corpo diplomático** diplomatic corps
• **corpo discente** the student body
• **corpo docente** the teaching body, academic staff
• **corpo estranho** foreign body, *fig* pessoa outsider
• **ter o corpo fechado** to be protected from bodily harm by means of magic
• **de corpo e alma** body and soul
• **de corpo inteiro** (*completamente*) wholly, body and soul, (*foto*) a full-length portrait/picture
• **fazer corpo mole** to drag one's feet
• **ganhar/tomar corpo** to increase in size, height, body etc.
• **tirar o corpo fora** (*omitir-se*) to escape an obligation

corporação *sf* association, organization

corporativo *adj* corporate, associative

corpulento *adj* stout

correção *sf* 1 correction 2 correctness: ***hoje em dia a correção política é fundamental*** nowadays, political correctness is essential 3 punishment

corre-corre (*pl* **corre-corres**) *sm* helter-skelter

corrediço *adj* sliding
• **porta corrediça** sliding door

corredor *sm,f* runner
▸ *sm* **corredor** corridor, hallway (*AmE*)

córrego *sm* small river, stream, brook

correia *sf* 1 strap 2 (*do relógio*) strap 3 (*de cachorro*) leash

correio *sm* 1 post office: ***vou ao correio*** I'm going to the post office 2 (*mensageiro*) postman, mailman, mail carrier 3 (*correspondência*) post, mail
• **colocar no correio** to post
• **correio de voz** voice mail
• **correio eletrônico** electronic mail, e-mail

corrente *adj* 1 (*que corre ou flui*) running: ***água corrente*** running water 2 (*difundido, comum*) current 3 (*em curso*) current: ***o mês corrente*** the current month
▸ *sf* **corrente** 1 (*curso de água*) current, stream 2 (*grilhão*) chain 3 (*de pescoço*) chain, necklace 4 (*escola de pensamento*) current 5 (*elétrica*) current
▸ *sm* **corrente** (*uso comum*) current use, common use
• **conta-corrente** → **conta**

correnteza *sf* current, flow

correntista *smf* (*titular de conta-corrente*) account holder

correr *vi* 1 to run 2 (*fazer depressa*) to rush (*off*), hurry (*off*), to dash (*off*), to hasten 3 (*escorrer-líquido*) to run, to flow 4 (*vazar*) to leak 5 (*pingar*) to drip 6 (*circular-sangue*) to flow 7 (*deslizar*) to slide 8 (*transcorrer*) to elapse, to pass 9 (*ser dito*) to be said: ***corre por aí que se divorciaram*** it's said that they got divorced 10 (*passar de mão em mão*) to pass from hand to hand
▸ *vtd* 1 (*percorrer*) to run 2 (*afugentar*) to drive away, to drive back 3 (*deslizar*) to slide 4 (*ler cuidadosamente, examinar*) to read through, to read over, to peruse: ***correu o texto todo e não encontrou nenhuma incoerência*** she read the text through and didn't find any inconsistencies
• **as despesas correm por conta dele** the expenses are on him
• **correr atrás de alguém** to run after someone, to pursue someone
• **correr contra o relógio** to race against time, to race against the clock
• **correr os olhos por** to cast one's eyes over something
• **de correr** (*porta, cortina*) sliding

correria *sf* 1 (*corrida*) race 2 (*pressa, agitação*) dash, rush, hurry

correspondência *sf* 1 (*equivalência*) correspondence 2 (*reciprocidade*) reciprocity 3 (*troca de cartas*) correspondence 4 (*cartas*) post, mail, mailing

correspondente *adj* corresponding, equivalent
▸ *sm,f* correspondent

corresponder *vti* 1 (*equivaler*) to correspond, to agree, to tally, to correspond to/with 2 (*adequar-se*) to adjust 3 (*retribuir*) to reciprocate
▸ *vpr* **corresponder-se** to correspond (*with*)

correspondido *adj* reciprocated: ***seu amor por ela não era correspondido*** his love for her was not reciprocated

corretagem *sf* brokerage

corretivo *sm* 1 correction fluid 2 (*castigo*) punishment: ***aplicar um corretivo*** to inflict punishment 3 (*item de maquiagem*) concealer, color corrector
▸ *adj* corrective

correto *adj* 1 (*certo*) right, correct, exact, precise 2 (*honesto*) honest, righteous

corretor *adj* (*o que corrige*) corrective
▸ *sm* 1 one who corrects 2 COM broker 3 (*líquido corretor*) correction fluid
• **corretor de imóveis** real estate agent, estate agent
• **corretor de seguros** insurance broker
• **corretor de valores** stockbroker
• **corretor ortográfico** spellchecker

corrida *sf* 1 ESPORTE (*de pedestres*) race 2 ESPORTE (*de automóveis*) (*car*) race 3

ESPORTE *(de cavalos)* *(horse)* race, the horses, the ponies **4** *(de táxi)* ride
• **apostar uma corrida** to have a race
• **corrida com obstáculos** steeplechase
• **corrida de revezamento** relay race
• **corrida de velocidade** sprint *(running)*
• **fazer algo na corrida** to rush, to hurry something up

corrigir *vtd* **1** *(tornar correto)* to correct **2** *(reparar)* to correct, to fix, to repair, to mend **3** *(endireitar)* to straighten **4** *(provas)* to correct, to mark, to grade
▸ *vpr* **corrigir-se 1** *(retificar o que disse)* to correct: ***corrija-me se eu estiver errado*** correct me if I'm wrong **2** *(emendar-se, tomar jeito)* to mend one's ways

corrimão *sm* handrail

corrimento *sm* vaginal discharge

corriqueiro *adj* trivial, commonplace, routine

corroer *vtd* to eat (*away*), to erode, to wear away

corromper *vtd* **1** *(danificar)* to corrupt, to destroy, to ruin, to wreck **2** *(perverter)* to corrupt, to pervert **3** *(subornar)* to corrupt
▸ *vpr* **corromper-se** to be corrupted

corrosão *sf* corrosion

corrosivo *adj* corrosive
▸ *sm* **corrosivo** a corrosive chemical

corrupção *sf* corruption

corrupto *adj-sm,f* corrupt

cortada *sf* ESPORTE hit, attack, spike

cortado *sm* *(apuro)* trouble

cortador *sm* cutter, trimmer, chopper
• **cortador de grama** lawnmower, mower
▪ **cortador de unhas** nail clippers

cortante *adj* **1** sharp, razor-sharp **2** sharp, razor-sharp: ***frio cortante*** a sharp frost

cortar *vtd* **1** *(fazer talho)* to cut **2** *(amputar)* to cut off **3** *(podar)* to cut, to prune **4** *(aparar)* to trim **5** *(suprimir, eliminar)* to cut (*out*), to supress: ***cortei as frituras*** I cut fried food out of my diet **6** *(reduzir)* to cut, to cut back, to slash, to scale back, to rationalize, to reduce, to downsize: ***cortaram os meus benefícios de saúde*** they cut my health and welfare coverage; ***a fábrica cortou a produção em vinte por cento*** the factory cut back production by twenty per cent **7** *(anular)* to cancel: ***a bebida cortou o efeito do remédio*** the drink cancelled the effect of the medicine **8** *(cruzar)* to cut, to cross: ***esta rua corta a avenida principal*** this street crosses the main avenue **9** *(atravessar)* to cut through **10** *(ultrapassar perigosamente)* to cut in (*on*) **11** *(baralho)* to cut
▸ *vi* **1** *(ter gume)* to have a sharp edge **2** *(costureira – fazer bom corte)* to cut
▸ *vpr* **cortar-se** to cut oneself
• **cortar a palavra** to interrupt someone
• **cortar caminho** to take a shortcut
• **cortar e colar** to cut and paste
• **cortar o barato** to spoil one's pleasant time, to be a killjoy
• **cortar relações com** to cut ties with
• **cortar uma blusa/um vestido etc.** to cut a blouse/a dress etc.
• **cortar um dobrado** to have a lot of difficulties, to endure hardships
• **remédio para cortar a gripe/tosse etc.** flu/cough etc. medicine

corte *sm* **1** *(ato ou efeito de cortar)* cutting, cut **2** *(ferimento)* cut **3** *(gume)* edge **4** *(de costura)* cut **5** *(de árvores, arbustos)* cutting, pruning **6** *(interrupção de abastecimento)* cut **7** *(remoção)* cut: ***o censor exigiu diversos cortes no filme*** the censor ordered a number of cuts in the film **8** *(redução)* cut: ***houve corte nos preços neste mês*** there has been a cut in prices this month
• **corte de tecido** *(fazenda)* a piece of fabric, a piece of cloth
• **corte nas despesas/nos gastos** cut in expenses/spending

corte *sf* **1** *(do soberano)* court **2** *(tribunal)* court
• **corte marcial** court martial
• **fazer a corte a alguém** to court someone

cortejar *vtd* to court

cortejo *sm* **1** procession **2** *(galanteio)* courtship

cortês *adj* courteous, polite

cortesã *sf* courtesan, prostitute

cortesão *sm* courtier

cortesia *sf* 1 *(gentileza)* kindness, gentleness, politeness 2 *(mesura)* courtesy 3 *(brinde)* courtesy, gift, prize
• **cortesia da casa** on the house, for free

cortiça *sf* cork

cortiço *sm (moradia)* a slum tenement

cortina *sf* 1 curtain, drape 2 TEATRO curtain
• **abrir a cortina** to draw back the curtains, to pull back the curtains
• **cortina de ferro** the Iron Curtain
• **cortina de fumaça** smoke screen
• **fechar a cortina** to draw the curtains, to pull the curtains, to close the curtains

cortisona *sf* cortisone

coruja *sf* ZOOL owl
▸ *adj* 1 said of a parent who exaggeratedly praises the qualities of a child 2 nocturnal

corvo *sm* ZOOL raven

cós *sm* waistband

cosmético *adj* cosmetic
▸ *sm* **cosmético** cosmetic

cósmico *adj* cosmic

cosmonauta *sm* cosmonaut

cosmonave *sf* spaceship

cosmopolita *smf* cosmopolitan

cosmos *sm* cosmos, the cosmos

costa *sf (litoral)* coast, shore, beach
▸ *pl* **costas** 1 ANAT back 2 *(parte de trás, reverso)* back, backside 3 *(encosto)* back
• **apunhalar alguém pelas costas** to stab someone in the back, to betray someone
• **carregar (alguém/alguma coisa) nas costas** to carry someone/something on one's back, *fig* to carry someone/something on one's back
• **deitar-se de costas** to lie on one's back, to sleep on one's back
• **dor nas costas** back pain, backache, pain in one's back
• **estar/ficar de costas para** to stand with one's back to
• **fazer alguma coisa com o pé nas costas** to do something standing on your head
• **fazer alguma coisa pelas costas de alguém** to do something behind someone's back
• **querer ver alguém/alguma coisa pelas costas** to be glad to see the back of someone/something
• **ter (*as*) costas largas** to be broad-shouldered, *fig* to be backed up or protected by someone important
• **ter costas quentes** to be backed up or protected by someone important
• **virar as costas** to turn one's back

costela *sf* 1 ANAT rib 2 CUL rib

costeleta *sf* 1 CUL rib 2 *(barba)* sideburns

costumar *vtd* to be used to, to use to, to happen usually: ***costuma voltar cedo para casa*** he's used to coming home early; ***vovô costumava contar-nos histórias antes de dormirmos*** grandpa used to tell us stories before we went to bed; ***costuma chover muito em janeiro*** it usually rains a lot in January

costume *sm* 1 *(hábito)* habit 2 *(uso)* use
• **como de costume** as usual
• **um mau costume** a bad habit

costumeiro *adj* usual, common

costura *sf* 1 *(trabalho)* sewing 2 *(junção de dois tecidos)* sewing

costurar *vtd* to sew
▸ *vi (no trânsito)* to weave/cut in and out of traffic

cotação *sf* quotation, quote, estimate

cotado *adj* 1 having a high value or price: ***ações bem cotadas*** high-priced stock 2 well-known, prestigious: ***um escritor bem cotado*** a prestigious writer

cotar → **quotar**

cotejar *vtd-vtdi* to compare, to contrast

cotidiano *adj* everyday, daily, routine
▸ *sm* **cotidiano** 1 daily life, that which happens every day: ***tem um cotidiano bem monótono*** his daily life is quite dull 2 *(jornal)* daily

cotizar-se *vpr* to share expenses

coto *sm* 1 *(resto de vela)* stump 2 *(extremidade de membro amputado)* stump, *(de tronco de árvore)* stump, *(de lápis e cigarro)* stub

cotovelada *sf* elbow thrust

cotovelo *sm* 1 ANAT elbow 2 *(ângulo)* angle
• **falar pelos cotovelos** to speak a lot or ininterruptedly

coturno *sm (army)* boot

couraça *sf* breastplate

couro *sm* leather
• **artigos de couro** leather goods
• **couro cabeludo** scalp
• **dar no couro** to be sexually potent and active
• **não dar no couro** to be unable to achieve an erection or unable to have full sex
• **tirar/arrancar o couro de alguém** *(bater muito)* to hit someone hard, *(falar mal)* to speak ill of someone, *(explorar)* to take advantage of or exploit someone

couve *sf* BOT kale

couve-flor (*pl* **couves-flor**) *sf* BOT cauliflower

cova *sf* 1 *(buraco)* hole, cave, den 2 *(para plantar)* hole 3 *(sepultura)* grave, pit
• **estar com os pés na cova** to be about to die

covarde *adj* cowardly, craven
▸ *sm,f* coward

covardia *sf* cowardice

coveiro *sm* gravedigger

coxa *sf* 1 thigh 2 *(de frango, peru etc.)* thigh
• **fazer alguma coisa em cima da coxa/nas coxas** to do something in a hurry or in a slapdash way

coxim *sm* 1 cushion 2 saddle

coxo *adj-sm,f* lame

cozer *vtd* to cook

cozido *adj* cooked, boiled
▸ *sm* CUL **cozido** stew

cozimento *sm* cooking

cozinha *sf* 1 kitchen 2 *(culinária)* cookery, cooking

cozinhar *vtd (cozer)* to cook
▸ *vi* 1 to cook: ***ela cozinha muito bem*** she cooks very well 2 *(cozer-se)* to be cooked, to cook through 3 *fig (fazer hora)* to delay, to hold up
• **cozinhar o galo** to delay, to hold up

cozinheiro *sm,f* cook

CPU sf CPU *(central processing unit)*

crachá *sm* name tag

crack *sm* crack, crack cocaine

crânio *sm* ANAT cranium, skull
▸ *adj, gír (sabido)* brainy

crápula *smf* 1 rake, libertine 2 scoundrel, rascal

crase *sf crase* accent

crasso *adj* crass

cratera *sf* crater

cravar *vtd-vtdi* to drive in/into, to stick in/into, to thrust in/into: ***cravou a faca na mesa*** he stuck the knife into the wooden table
▸ *vpr* **cravar-se** *(fixar-se)* to fix into, to penetrate, to take root *(in)*
• **cravar os olhos em** to stare at

cravejar *vtd* to stud with nails

cravo *sm* 1 BOT carnation 2 MÚS harpsichord 3 *(prego)* nail

cravo-da-índia (*pl* **cravos-da-índia**) *sm* BOT clove

cravo-de-defunto *sm* BOT marigold

crawl *sm (nado livre)* the crawl

creche *sf* day care centre

credenciais *sf pl* credentials

credenciar *vtd-vtdi* to give someone credentials

crediário *sm* credit account, charge account

crediarista *smf* having a credit/charge account

credibilidade *sf* credence, credibility

creditar *vtd-vtdi* 1 *(dar credibilidade a)* to give credibility to, to give credence to 2 *(depositar)* to pay in/into, to credit *(with)* 3 *(atribuir)* to credit to, to attribute

crédito *sm* 1 *(confiança)* confidence, credence 2 *(boa reputação)* good reputation 3 COM credit 4 CINE/TV credits 5 *(de disciplina universitária)* credit

credo *sm* creed
▸ *interj* **credo!** gosh!, Goodness!, Jesus Christ!

credor *sm,f* creditor

credulidade *sf* credence, credulity

crédulo *adj-sm,f* naive, credulous

cremar *vtd* to cremate

crematório *sm* crematorium, crematory

creme *sm* cream
• **creme de leite batido** whipped cream, whipping cream
• **creme de barbear** shaving cream
• **creme de ovos** custard
• **creme dental** toothpaste
• **creme hidratante** moisturizing cream, moisturizing lotion

cremoso *adj* creamy

crença *sf* belief

crendice *sf* superstition

crente *adj* believer
▸ *sm,f* 1 believer 2 *bras (protestante)* believer, protestant, evangelical Christian

crepitar *vi* to crackle

crepúsculo *sm* twilight, dusk

crer *vtd* 1 to believe 2 *(confiar)* to trust (*that*), to have faith that 3 *(julgar, presumir)* to believe, to reckon, to suppose
▸ *vti (acreditar)* to believe (*in*)
▸ *vpr* **crer-se** to regard oneself as

crescente *adj* growing
▸ *sm* 1 crescent 2 (*símbolo islâmico*) the Crescent

crescer *vi* 1 *(aumentar de tamanho, número ou qualidade)* to increase: ***cresceu a quantidade de empregos formais*** the number of permanent jobs increased 2 (*aumentar de altura ou comprimento*) to become taller/longer, to grow (*taller/longer*): ***a criança está crescendo depressa*** the child is growing fast; ***esse tipo de arbusto só cresce até esse ponto*** this kind of bush grows only up to this height 3 *(aumentar de volume)* to rise: ***a massa não cresceu*** the dough didn't rise 4 *(aumentar de intensidade)* to intensify: ***o medo da violência cresce a cada dia que passa*** fear of violence intensifies every day 5 *(nascer)* to grow: ***nesse solo não cresce esse tipo de capim*** this type of grass doesn't grow in this soil 6 (*desenvolver-se*) to grow, to develop: ***cresceu muito como profissional*** he grew a lot as a professional 7 (*aumentar demasiadamente em tamanho*) to grow out of, to outgrow: ***cresceu tanto que a camisa do time já não lhe serve*** he has grown out of his team shirt 8 (*tornar-se adulto*) to grow up: ***a verdade é que nossos filhos cresceram*** the truth is that our children have grown up
• **crescer as unhas** to grow one's nails
• **deixar a barba crescer** to grow a beard
• **deixar o cabelo crescer** to let one's hair grow, to grow one's hair

crescido *adj (adulto, amadurecido)* grown-up, adult, mature
• **depois de crescido** after becoming an adult

crescimento *sm* 1 *(de pessoa)* growth 2 *(aumento)* increase 3 *(progresso)* development, progress 4 *(multiplicação)* growth, multiplication 5 *(intensificação)* intensification

crespo *adj* 1 *(cabelos)* curly 2 *(agitado na superfície)* rippled

cretino *adj-sm,f* idiot, stupid

cria *sf* 1 *(de animal)* offspring 2 *fig (apadrinhado)* protégé
• **cria da casa** coming from or belonging to a certain place
• **dar/ter cria** to produce offspring
• **lamber a cria** (*dar atenção a filho*) to pamper a son or daughter, (*exibir obra*) to be proud about one's artistic work

criação *sf* 1 *(ato de criar)* creation 2 (*os seres criados*) nature, the Creation 3 (*invenção, elaboração*) creation, production, invention 4 *(fundação, instituição)* inauguration: ***a criação do instituto deu-se em janeiro*** the inauguration of the institute took place in January 5 *(educação)* upbringing, education: ***tem boa criação*** he's had a good upbringing 6 *(de crianças ou animais)* raising 7 *(os animais assim criados)* cattle, livestock, animals: ***dê comida à criação*** feed the cattle
• **filha/filho de criação** foster daughter/son
• **mãe/pai de criação** foster mother/father

criado *smf* servant
• **seu criado** your humble servant, your obedient servant

criado-mudo (*pl* **criados-mudos**) *sm* bedside table

criador *sm,f* 1 *(inventor)* creator, inventor, producer 2 *(quem cria animais)* cattle farmer, cattle rancher

• **o Criador** the Creator

criança *sf* child, kid

criancice *sf* childlike behavior, child stuff, childishness

criar *vtd* 1 *(formar, produzir)* to create, to produce, to invent 2 *(provocar)* to provoke, to promote, to encourage: ***o artigo visava a criar um debate entre as duas partes*** the article aimed at encouraging a discussion between the two parties 3 *(estabelecer, instituir)* to create, to establish, to start, to set up 4 *(instruir, educar)* to instruct in: ***criou os filhos no amor e no respeito*** she instructed her children in love and respect 5 *(alimentar com)* to raise on: ***meus filhos foram criados com leite de cabra*** my children were raised on goat's milk 6 *(cuidar, promover o crescimento)* to raise: ***criei quatro filhos*** I've raised four children 7 *(promover a procriação)* to raise: ***sempre criaram ovelhas*** they have always raised sheep 8 *(ganhar, obter)* to get, to find, to summon: ***finalmente criou forças para terminar o trabalho*** he finally got the strength to finish the job 9 *(passar a ter)* to produce, to appear: ***o machucado criou uma casca*** a scab appeared on the cut

▸ *vpr* **criar-se** 1 *(nascer, formar-se)* to be raised, to be brought up: ***criei-me em uma fazenda*** I was raised on a farm 2 *(educar-se)* to be raised, to be brought up: ***foi criado para ser advogado*** he was brought up to be a lawyer

• **criar caso** to cause trouble, to make trouble

criativo *adj* creative, imaginative

criatura *sf* 1 creature 2 *(ser, indivíduo)* being, living being, living creature 3 *(pessoa influenciada, cria)* creature

cricri *adj-smf (indivíduo maçante)* bore, nag

crime *sm* 1 crime 2 *fig* crime, absurdity

• **crime hediondo** heinous crime

• **entrar para o crime** to turn to crime

criminal *adj* criminal

criminalidade *sf* 1 criminality 2 *(conjunto dos crimes)* criminal acts

• **índice de criminalidade** crime rate

criminoso *adj* criminal

▸ *sm,f* criminal

• **comportamento criminoso** criminal behaviour

• **criminoso reincidente** career criminal

crina *sf* mane

crioulo *adj-sm,f* 1 Creole, creole 2 *bras (negro)* a black person

crise *sf* crisis

crisma *sf* RELIG confirmation

crista *sf* 1 crest 2 *(o ponto mais alto)* ridge, crest

• **baixar/levantar a crista** to be/not to be submissive

• **estar na crista da onda** *fig* to be on the crest of a/the wave

cristal *sm* crystal

cristalino *adj* 1 crystalline, transparent 2 *fig (fácil de entender)* crystal clear

▸ *sm* **cristalino** ANAT lens

cristalizado *adj* 1 crystallised, crystallized 2 *(consolidado)* consolidated

cristalizar *vtd* to crystallise, to crystallize

▸ *vpr* **cristalizar-se** to crystallize, to crystallise

cristão *sm,f* Christian

cristianismo *sm* Christianity

Cristo *sm* Christ, Jesus Christ

• **fazer alguém de cristo/pegar alguém para cristo** to make a scapegoat of someone

critério *sm* criterion, standard

crítica *sf* 1 criticism 2 *(censura)* criticism

criticar *vtd* to criticise, to criticize

crítico *adj* 1 critical 2 *(grave)* critical, serious

▸ *sm,f* critic

crivar *vtd-vtdi* 1 *(peneirar)* to sift 2 *(furar em diversos pontos)* to riddle: ***crivar de balas*** to riddle with bullets 3 *(encher, cobrir de)* to riddle, to overwhelm with: ***crivaram-na de perguntas*** she was riddled with questions

crivo *sm* 1 *(peneira)* sieve, sifter 2 *fig* selection

crocante *adj* crisp, crispy

crocodilo *sm* crocodile

croissant *sm* croissant

cromado *adj* chromium-plated

cromo *sm* chromium

cromossomo *sm* BIO chromosome

crônica *sf* **1** chronicle **2** a kind of short story dealing with daily life

crônico *adj* chronic

cronista *smf* chronicler

cronologia *sf* chronology

cronológico *adj* chronological

cronógrafo *sm* chronograph, stopwatch

cronômetro *sm* chronometer

croquete *sm* CUL a fried dumpling-like snack

croqui *sm* sketch

crosta *sf* **1** *(de pão)* crust **2** *(de ferida)* scab **3** *(de sujeira)* crust

• **crosta terrestre** the earth's crust

cru, crua *adj* **1** *(que não está cozido)* raw, uncooked **2** *(que ainda não passou por preparação)* raw, crude: ***petróleo cru*** crude oil; ***couro cru*** raw leather **3** *(sem muita experiência)* raw **4** *(sem disfarce)* raw, blunt, plain **5** *(áspero, duro)* rough, coarse

• **a cru** *(sem disfarce)* plainly

• **a verdade nua e crua** the plain and simple fact

crucial *adj* crucial

crucificação *sf* crucifixion

crucificar *vtd* **1** to crucify **2** *fig (maldizer, condenar)* to crucify, to criticize, to punish

cruel *adj* **1** cruel, inhuman, insensitive **2** *(doloroso)* painful

crueldade *sf* cruelty

crustáceo *sm* crustacean

cruz *sf* **1** cross **2** *(grande sacrifício)* supreme sacrifice

▪ **Cruz Vermelha** Red Cross

• **entre a cruz e a caldeirinha** → **entre a cruz e a espada**

• **entre a cruz e a espada** between the devil and the deep blue sea

cruzada *sf* **1** *(expedição religiosa)* crusade **2** *fig (campanha)* crusade, campaign

cruzado *adj* **1** crossed **2** *(híbrido/mestiço) (para animais e plantas)* hybrid, *(para pessoas)* of mixed races

▸ *sm* **cruzado 1** *(moeda)* cruzado **2** *(soco de boxing)* cross **3** *(participante de cruzada)* crusader **4** *fig (defensor de um ideal)* campaigner

• **de braços cruzados** with folded arms, *fig* without doing anything to help, not willing to help

cruzamento *sm* **1** *(ato de cruzar)* crossing **2** *(encruzilhada)* crossroads, intersection, junction **3** *(acasalamento de linhagens distintas)* cross-breeding

cruzar *vtd* **1** *(dispor em cruz)* to cross **2** *(cortar, atravessar)* to cross, to across: ***esta rua cruza a avenida principal*** this street crosses the main avenue; ***cruzamos o rio a nado*** we swam across the river **3** *(transpor)* to go through: ***cruzar este portão pode ser muito perigoso*** going through this gate my be very dangerous **4** *(mesclar duas raças/espécies)* to cross-breed

▸ *vtdi (mesclar duas raças/espécies)* to cross-breed

▸ *vti (encontrar-se por acaso)* to bump into: ***cruzei com ele ontem*** I bumped into him yesterday

▸ *vpr* **cruzar-se** to intersect

• **cruzar um cheque** to cross a cheque

• **cruzar as pernas** to cross one's legs

• **cruzar os braços** to fold one's arms, *fig* not to be fond or willing to help

• **cruzar os dedos** *fig* to cross one's fingers

• **não cruzar com alguém** *fig* not to get on well with someone

cu *sm chulo* asshole, arsehole

• **ficar com o cu na mão** to be extremely fearful

• **no cu do judas** very far

• **tirar o cu da reta** not to take *(the)* responsibility for something

Cuba *sf* Cuba

cuba-libre *(pl* **cubas-libres***)* *sf* Cuba libre

cubano *sm,f* Cuban

cúbico *adj* cubic

cubículo *sm* **1** cublicle, small compartment **2** *fig* a very small room, house etc.

cubo *sm* **1** MAT cube **2** cube: ***cubo de gelo*** ice cube; ***cortar a carne em cubos*** to cut the meat into cubes

cuca *sf* **1** *fam* head **2** *bras pop* cook, chef

• **dar na cuca de...** to take it into one's head that...
• **ficar de/manter a cuca fresca** to keep one's head, to keep a clear/cool head
• **fundir a cuca** to rack one's brains

cuco *sm* 1 ZOOL cuckoo 2 *(relógio)* cuckoo clock

cucuia *sf loc fam* ***ir para a cucuia*** to be destroyed, to disappear

cuecas *sf pl* underpants
• **cuecas samba-canção** boxer briefs

cueiro *sm* a piece of cloth used to swaddle a new-born baby
• **cheirar a cueiros** to be childish, babyish, to be very immature
• **deixar os cueiros** to grow old enough not to behave in a childish way

cuia *sf* gourd, any bowl having the shape of a gourd or of a coconut shell cut in half

cuíca *sf* MÚS cuíca, a Brazilian friction drum

cuidado *adj* 1 *(pensado, calculado)* thought of 2 *(bem-arrumado, tratado)* well cared, well treated, well preserved, neatly arranged, taken (*good*) care of
▸ *sm* **cuidado** 1 *(atenção, dedicação)* care, attention 2 *(cautela-para evitar acidentes)* caution 3 *(esmero, zelo)* zeal, care: ***sempre teve cuidado com seus livros*** she has always taken a lot of care with her books 4 *(devoção, desvelo)* the aim of one's devotion: ***este menino é meu cuidado*** this boy is the aim of my devotion 5 *(responsabilidade)* responsibility: ***deixei a casa sob o cuidado de minha irmã*** I left the house under my sister's responsibility
▸ *interj* **cuidado!** look out!
• **aos cuidados de** *(sob a responsabilidade de)* in the care of, *(em endereçamentos)* care of (*somebody*), in care of (*somebody*), c/o
• **ter cuidado com algo** *(cuidar bem)* to take care of something, *(ficar de sobreaviso)* to be cautious with, to beware
• **tomar cuidado com algo** *(em razão de perigos)* to be careful of/with/about something, to beware of something

cuidadoso *adj* 1 *(que tem cuidado)* careful: ***é sempre muito cuidadoso com o equipamento*** he's always very careful with the equipment 2 *(que requer cuidado, minucioso)* careful, detailed: ***uma análise cuidadosa do material revelou várias incoerências*** a careful examination of the material revealed a number of inconsistencies 3 *(cauteloso)* cautious: ***foi cuidadoso ao tratar do assunto*** he was cautious when he approached the subject 4 *(solícito, atencioso)* attentive: ***todos os funcionários são muito cuidadosos*** all members of staff are very attentive

cuidar *vti* 1 *(ter cuidado com, importar-se com)* to care for: ***sempre cuidei da minha saúde*** I've always cared for my health 2 *(tomar conta de)* to take care of, look after: ***cuidou do meu cachorro enquanto eu estava na França*** he looked after my dog while I was in France 3 *(responsabilizar-se)* to be responsible for: ***posso cuidar da alimentação dos animais*** I can be responsible for feeding the animals 4 *(tratar dos preparativos)* to prepare: ***dê-me licença, vou cuidar do jantar*** will you excuse me, I'll prepare dinner
▸ *vpr* **cuidar-se** 1 *(preocupar-se com a aparência)* to care for one's own appearance 2 *(tomar cuidado)* to be careful, to be cautious
• **cuide da sua vida** mind your (*own*) business
• **cuide-se!** take care!
• **pode deixar que eu cuido disso** I'll take care of this

cujo *pron* 1 whose: ***a garota cujo pai é professor*** the girl whose father is a teacher 2 whose: ***este é o rapaz de cujo irmão lhe falei*** this is the boy whose brother I told you about

culatra *sf* breech
• **sair o tiro pela culatra** *fig* to backfire, to misfire, to go wrong

culinária *sf* cookery, cooking

culminante *adj* culminating, topmost

culpa *sf* 1 DIR guilt 2 *(sentimento de responsabilidade por)* guilt, blame 3 *(falta, delito)* fault
• **a culpa é toda sua!** you're the only one to blame!
• **complexo de culpa** guilt complex

• **jogar a culpa sobre alguém** to lay/put the blame on someone
• **levar a culpa de algo** to get the blame for something
• **não é minha culpa** it's not my fault
• **ter culpa no cartório** *fig* to be involved in something wrong or illegal

culpado *adj* guilty
▸ *sm,f* the one to blame: ***eu sou o culpado*** I'm the one to blame
• **declarar-se culpado** (*em um tribunal*) to plead guilty

culpar *vtdi* 1 (*atribuir culpa*) to blame 2 (*responsabilizar*) to blame, to lay the blame on
▸ *vpr* **culpar-se** to blame oneself

cultivar *vtd* 1 to grow, to cultivate 2 *fig* to cultivate

cultivo *sm* 1 cultivation, growing, breeding 2 *fig* cultivation

culto *adj* 1 (*que tem cultura*) educated, having knowledge 2 (*civilizado*) cultured, civilized
▸ *sm* **culto** 1 cult: ***o culto ao corpo*** the cult of physical fitness 2 (*serviço religioso*) service 3 (*adoração*) worship

cultuar *vtd* to worship

cultura *sf* 1 culture 2 (*cultivo*) cultivation, growing, breeding

cultural *adj* cultural

cumbuca *sf* any bowl

cume *sm* top, crest, ridge

cumeeira *sf* ridge

cúmplice *sm,f* accomplice
▸ *adj* complicit

cumplicidade *sf* complicity, collusion

cumprido *adv* done, accomplished, achieved
• **missão cumprida** mission accomplished

cumprimentar *vtd* 1 (*saudar*) to greet, to salute 2 (*dar parabéns*) to congratulate
▸ *vpr* **cumprimentar-se** 1 (*saudar-se*) to greet each other/one another, to exchange greetings 2 (*dar-se parabéns*) to congratulate one another
• **deixar de cumprimentar alguém** to no longer greet or talk to someone

cumprimento *sm* 1 (*saudação*) greeting, salutation 2 (*congratulação, louvor*) a message of congratulation 3 (*execução*) accomplishment, achievement: ***o cumprimento do dever*** the accomplishment of a duty

cumprir *vtd* 1 (*executar*) to do: ***cumpriu o que prometera*** he did what he had promised 2 (*realizar*) to fulfil, to fulfill: ***cumpriu todos os desejos dela*** he fulfilled all her wishes 3 (*completar*) to be: ***cumpre dez anos no mês que vem*** he will be ten (*years old*) next month
▸ *vti-vi* 1 (*ser necessário*) to be necessary, to behove: ***cumpre dizer que...*** it is necessary to say that... 2 (*ser a obrigação de alguém*) to be someone's duty
▸ *vpr* **cumprir-se** to be done, to be accomplished, to be fulfilled
• **cumprir/não cumprir a palavra** to keep/not to keep one's word
• **cumprir/não cumprir pena** to carry/not to carry out a sentence
• **cumprir/não cumprir o dever** to fulfil(l)/not to fulfil(l) a duty
• **cumprir/não cumprir uma promessa** to keep/not to keep a promise

cúmulo *sm* 1 (*monte, pilha*) amount, pile 2 (*o ponto máximo*) culmination, limit, extreme point, utmost: ***o cúmulo da desgraça*** the utmost of misery 3 (*nuvem*) cumulus
• **isso é o cúmulo!** that's enough!, that's the last straw!

cunha *sf* wedge

cunhado *sm,f* brother-in-law, sister-in--law

cunhar *vtd* 1 (*moedas*) to coin 2 *fig* (*criar, inventar*) to coin, to invent

cunho *sm* 1 sealing plate 2 *fig* seal, stamp, mark 3 (*caráter*) nature

cupim *sm* 1 ZOOL termite 2 (*carne*) hump

cupincha *smf gíria* partner

cupom *sm* coupon

cúpula *sm* 1 dome, cupola 2 (*de abajur*) lampshade 3 the heads, those in position of command, inner circle
• **reunião de cúpula** summit meeting

cura *sf* 1 cure, healing 2 (*queijo*) cure, aging 3 *fig* (*remédio*) medicine, cure

curar *vtd-vtdi-vi* 1 MED to cure, to heal 2 *fig (corrigir, recuperar)* to correct, to recover
▸ *vtd (queijo)* to cure
▸ *vpr* **curar-se** to be cured, to be healed
• **curar a bebedeira** to get sober, to dry out

curativo *sm* bandage
• **fazer um curativo** to bandage

curinga *sm* joker

curiosidade *sf* 1 curiosity 2 *(coisa rara)* curiosity

curioso *adj* 1 *(que tem curiosidade)* curious, inquisitive 2 *(original)* curious, interesting: ***um objeto curioso*** a curious object 3 *(surpreendente)* surprising, amazing 4 *(não profissional)* amateur
▸ *sf* **curiosa** *bras pop* a non-professional midwife
• **ficar curioso** to be curious about
• **o curioso é que...** it's curious that...

curra *sf* gang rape

curral *sm* corral

currículo *sm* 1 *(curriculum)* résumé, curriculum vitae, CV 2 *(de curso)* curriculum

cursar *vtd* to take a course in

cursinho *sm* preparatory course for university admission exams

curso *sm* 1 *(estudo)* course: ***fazer um curso de inglês*** to take an English course 2 *(direção, percurso)* course: ***o curso do rio*** the course of the river 3 *(sequência, sucessão)* course: ***o curso dos anos*** the course of the years; ***o curso da história*** the course of history
• **ano/mês em curso** the current year/month
• **dar livre curso** to give free rein
• **curso certificado/autorizado** accredited course
• **curso de atualização** refresher course
• **curso de graduação** undergraduate course
• **curso de pós-graduação** graduate course

cursor *sm* cursor

curtição *sf gíria* delight, pleasure, entertainment

curtir *vtd* 1 *(couro)* to tan 2 *(alimento)* to pickle 3 *(suportar, amargar)* to endure, to tolerate 4 *(ter prazer em)* to delight in
• **curtir a pele ao sol** to sunbathe, to suntan
• **curtir uma ressaca** to dry out

curto *adj* 1 short: ***uma saia curta*** a short skirt; ***um fio curto*** a short piece of string 2 short: ***um trajeto curto*** a short route 3 *(breve)* short: ***uma viagem curta*** a short journey 4 *(escasso)* short: ***curto de dinheiro*** short of money 5 *gíria (limitado)* short: ***curto das ideias*** short on brains
▸ *sm* **curta** *(filme de curta-metragem)* short
▸ *sm* **curto** → **curto-circuito**
• **curto e grosso** short and sweet
• **memória curta** short memory
• **ter o pavio curto** to have a short fuse
• **pessoa com/de vista curta** a short-sighted/near-sighted person

curto-circuito *(pl* **curtos-circuitos***)* *sm* ELETR short circuit

curva *sf* 1 curve, bend, turn 2 *(em rua, estrada, rio)* curve, bend, turn 3 *(traço em gráfico)* curve
▸ *sf pl* **curvas** curves: ***as curvas (do corpo)*** the curves of one's body
• **curva aberta** an open curve/bend
• **curva fechada** a sharp curve/bend
• **fazer uma curva** *(a estrada)* to curve *(o veículo)* to turn

curvar *vtd* 1 *(tornar curvo)* to curve, to bend 2 *(a cabeça)* to bow one's head 3 *fig (dominar)* to overpower, to conquer, to overcome
▸ *vpr* **curvar-se** 1 to bend down 2 *(agachar-se)* to squat 3 *(reverenciar)* to bow, to salute 4 *(deixar-se dominar)* to resign to, to bow down to

curvatura *sf* 1 curvature 2 *(reverência)* bow

curvo *adj* curved, winding

cuspe *sm* spit

cuspir *vtd-vtdi-vi* 1 to spit 2 *fig (proferir insultos)* to spit
• **cuspir no prato em que come** to bite the hand that feeds one

custa *sf loc* **à custa de** 1 at the expense of, at the cost of: ***à custa de muito sacrifício*** at the cost of great sacrifices 2 *(being)* supported by: ***vive à custa dos pais*** he's supported by his parents

custar *vtd-vtdi* **1** (*valer*) to cost, to be: ***quanto custa o quilo de uva?*** how much is one kilogram of grapes?; ***não comprei o terno porque custava caro*** I didn't get the suit because it cost too much **2** (*causar a perda de*) to cost: ***aquele desabafo custou-lhe o emprego*** venting his feelings cost him his job
▸ *vti-vi* (*ser difícil, penoso*) to be difficult, to be hard: ***custa-lhe muito acordar cedo*** getting up early is very difficult for him
▸ *vi* (*demorar*) to take a long time: ***custou, mas consegui*** it took a long time, but I finally managed to do it

custear *vtd* to pay for, to pay the expenses of

custeio *sm* cost, outlay

custo *sm* **1** cost **2** (*esforço, dificuldade*) cost, difficulty
■ **custo de vida** the cost of living
• **a todo custo** at all costs, at any cost
• **vender abaixo do custo** to sell below cost price

custoso *adj* hard, difficult

cutâneo *adj* cutaneous

cutícula *sf* cuticle

cútis *sf* **1** skin **2** (*tez*) the skin of one's face

cutucão *sm* nudge

cutucar *vtd* **1** (*tocar em alguém*) to nudge **2** (*com objeto pontiagudo*) to poke

D

da → de

dádiva *sf* donation, gift, present

dado *adj* 1 *(presenteado)* given, offered 2 *(permitido, concedido)* granted 3 *(habituado)* used to, accustomed to 4 *(afável)* loving, genial, kind, gentle
▸ *sm* **dado** 1 *(peça de jogo)* dice, die *(AmE)* 2 *(elemento)* datum, a piece of data, a piece of information, a piece of evidence
▸ *pron* certain: ***em dado momento*** at a certain point
• **dado que...** once, since
• **dados pessoais** personal information, personal data
• **lançar os dados** to roll the dice
• **ser dado a alguma coisa** *(fazer regularmente)* to be given to doing something

daí *adv* 1 *(desse lugar)* from there, thence 2 *(desse momento)* from then 3 *(por isso)* for this reason, hence 4 *(então)* then
• **e daí?** *(que me importa?)* so what?, *(o que isso quer dizer?)* what does this mean?, *(e depois?)* what then?
• **daí a pouco** a little later, after a while
• **daí em diante** thenceforth

dali *adv* 1 *(daquele lugar)* from there, from that place, thence 2 *(daquele momento)* from then, thence

dália *sf* BOT dahlia

daltônico *sm, f* colour-blind

dama *sf* 1 dame, matron, lady 2 *(como título honorífico)* Dame, Lady 3 *(parceira de dança)* a dancing partner 4 *(no xadrez)* queen 5 *(no baralho)* queen
• **primeira dama** first lady, the First Lady
• **ser uma dama** to be very polite and well-mannered

damasco *sm* 1 BOT apricot 2 *(tecido)* damask

danado *adj* 1 damned, cursed, *gír* bloody 2 *(furioso)* furious 3 *(grande, incrível)* great, incredible, *gír* bloody
▸ *adj-sm,f* 1 *(endiabrado)* naughty, pest 2 *(habilidoso)* skilled

danar *vtd (causar dano)* to damage, to harm, to hurt, to impair
▸ *vpr* **danar-se** 1 *(perverter-se, corromper-se)* to become corrupted/perverted 2 *(enfurecer-se)* to become furious, to burst into a rage
• **dane-se!/que se dane!** damn it!
• **danou-se!** that's too bad!!
• **pra danar** a lot, very much

dança *sf* dance, dancing
• **cair na dança** to get into the rhythm, *fig* → **entrar na dança**
• **dança de salão** ballroom dancing
• **entrar na dança** *fig* to get unwillingly involved in a situation

dançante *adj* in which there is dance, dancing
• **jantar dançante** dinner dance

dançar *vi* 1 to dance 2 *(sair-se mal)* to come off badly, to fail 3 *(gorar)* to come off badly, to fail 4 *(esforçar-se muito)* to work hard, to make a great effort

dançarino *sm, f* dancer

danceteria *sf* disco, night club

danificar *vtd* to damage, to harm
▸ *vpr* **danificar-se** to be/get damaged, to be/get harmed

daninho *adj* damaging, causing damage, detrimental, bad, harmful
• **erva daninha** weed

dano *sm* damage, injury, harm

danoso *adj* damaging, causing damage, detrimental, bad, harmful

daquele de + aquele → aquele
▸ *pl* **daqueles** great: ***teve uma sorte daquelas!*** he had such great luck!

daqui *adv* **1** *(deste lugar)* here, from here **2** *(deste momento)* from now (*on*), from this moment (*on*)
• **daqui por diante** from now on
• **ir daqui para lá** to go back and forth
• **ser/estar daqui, ó** to be excellent

daquilo de + aquilo → aquilo

dar *vtdi* **1** *(doar, presentear)* to give: ***deu-me uma passagem para a Europa*** he gave me a ticket to Europe **2** *(entregar)* to give, to hand: ***dei-lhe os documentos em tempo*** I handed him the documents in time **3** (*proporcionar*) to give, to provide (*someone*) with: ***deu-lhe um emprego no escritório central da companhia*** he gave him a job at the company headquarters **4** *(pagar)* to pay: ***dei todo o dinheiro que lhe devia*** I paid him all the money I owed him **5** *(oferecer)* give, to provide: ***damos dois anos de garantia*** we provide a two-year guarantee **6** *(manifestar, revelar)* to give, to show: ***deu sinais de que estava zangado*** he gave signs that he was angry **7** *(administrar remédio)* to give someone his medicine **8** *(conferir, transmitir)* to give: ***a música deu um ar de vivacidade à reunião*** the music gave the meeting an air of liveliness **9** *(infundir)* to provoke, to cause, to inspire **10** *(atribuir-idade)* to give: ***não lhe daria mais de vinte anos*** I wouldn't give her more than twenty **11** *(conferir, outorgar)* to confer, to grant, to award, to bestow **12** *(considerar)* to give someone up for: ***deu o irmão por morto*** he gave his brother up for dead **13** *(confiar)* to give, to entrust with: ***dar uma missão a alguém*** to entrust someone with a mission **14** *(expor)* to give: ***dê-me um bom motivo*** give me a good reason **15** (*causar, ocasionar*) to give, to cause: ***dava muita preocupação aos pais naquela época*** he gave his parents much to worry about at that time **16** *(provocar)* to make: ***esse cheiro me dá fome*** this smell makes me hungry
▸ *vtd* **1** *(desfazer-se, doar)* to give away, to donate, to give (to charity, for donation) **2** *(produzir)* to bear, to produce: ***as laranjeiras não deram muitos frutos neste ano*** the orange trees didn't bear much fruit this year **3** *(tornar-se)* to become, to be: ***ele vai dar um bom músico*** he will become a good musician **4** *(exalar, emitir-odor)* to exhale **5** *(apresentar-espetáculo)* to perform **6** (*publicar*) to publish: ***o jornal deu a notícia em primeira mão*** the newspaper published the news first **7** (*constituir*, *perfazer*) to make: ***esta parte do texto dá um novo capítulo*** this section of the text makes a new chapter **8** (*ensinar*) to teach: ***a professora deu muita matéria na aula passada*** the teacher taught a lot of topics last class **9** (*prever*) to give: ***dou dois minutos para ele entrar*** I'll give two minutes for him to come in **10** *(soar-horas)* to strike: ***o relógio deu meia-noite*** the clock struck midnight
▸ *vti* **1** *(ter aptidão)* to have an aptitude for, to have a talent for **2** *(estar voltado)* to face, to give on to/onto: ***meu quarto dá para o quintal*** my bedroom gives on to the backyard **3** *(ser suficiente)* to be enough for **4** *(sobrevir-dor)* (*to cause*) to have **5** *(acertar)* to bump against: ***deu com a testa na parede*** he bumped his forehead against the wall **6** (*encontrar*) to find: ***deu com os documentos bem à sua frente*** he found the documents right in front of him **7** (*manifestar, aparecer*) to have: ***deu-lhe sarampo aos cinco anos*** he had measles when he was five
▸ *vi chulo (aplicado ao parceiro passivo)* to consent to having sex, to open up one's legs
▸ *vpr* **dar-se 1** *(viver em harmonia)* to get on/along well with (*someone*) **2** *(ocorrer)* to happen, to take place: ***o evento deu-se em março do ano passado*** the event took place in March last year **3** *(dedicar-se)* to devote oneself to, to give oneself over to: ***deu-se totalmente à causa dos necessitados*** she completely devoted herself to the cause of the needy
• **assim não dá (pé)!** no way!, give me a break!
• **dar a mão a alguém** to shake hands with someone (*to greet him/her*)
• **dar bom dia, boa tarde etc.** to greet someone with "good morning", "good

afternoon" etc., to say "good morning", "good afternoon" etc.

• **dar certo/não dar certo** to go/not to go right

• **dar de cara com** to suddenly meet, to run into someone

• **dar em cima de** to chat someone up

• **dar em nada** to come to nothing

• **dar licença** to allow someone to pass

• **dar na televisão/no rádio** to be on TV/the radio

• **dar na telha (*de*)** to come to one's mind

• **dar no pé/dar o fora** to go away, to escape

• **dar o que falar** to give rise to comments

• **dar para trás** to back down

• **dar-se mal** to fail, not to succeed, to get in trouble

• **dar-se mal com alguém** not to get on well with someone

• **dar um fora/uma rata** to make a gaffe

• **dar uma saída** to go out for a while

• **eu daria tudo para...** I would give everything to/for...

• **não me dou bem com pepinos** (*causam-me problemas estomacais*) cucumbers don't agree with me

• **para dar e vender** a lot

• **pouco se lhe dar** not to be important for one, to be indifferent

• **quando dei por mim...** when I realized (*it/that*)...

• **quem me dera...** I wish I could...

data *sf* 1 date 2 *fam* (*muito tempo*) a long time, ages: ***faz uma data que não o vejo!*** it's been ages since I last saw you!

• **data comemorativa** a festive occasion

• **data de validade** sell-by date, best-before date

• **data de vencimento** due date

• **de longa data** for a long time

datar *vtd* to date

datilografar *vtd-vi* to type

de *prep* [*de + a(s) = da(s); de + o(s) = do(s)*] 1 (*procedência*) from: ***veio de Milão*** he came from Milan; ***ele é do Rio*** he's from Rio 2 (*posse*) 's: ***carro de João*** John's car; ***as meias são de minha irmã*** the socks are my sister's 3 (*continente, conteúdo*) in, of: ***os pregos da caixa azul*** the nails in the blue box; ***copo de água*** a glass of water 4 (*parte*) of: ***um de nós*** one of us 5 (*origem no espaço e no tempo*) from: ***falou do palanque*** he spoke from the stand; ***de segunda a sábado*** from Monday till Saturday 6 (*sobre*) about: ***falei de você*** I talked about you 7 (*matéria*) of, also substituted by an attributive adjective: ***vaso de cristal*** a crystal vase; ***anel de ouro*** a gold ring 8 (*dimensão*) substituted by an attributive phrase: ***homem de 1,80 m*** a 6-foot tall man; ***trinta metros de largura*** thirty meters wide 9 (*característica*) with, having, also substituted by an attributive adjective or phrase: ***menina de olhos verdes*** a green-eyed girl 10 (*valor*) costing, also substituted by an attributive phrase: ***livro de 30 reais*** a book costing 30 reais 11 (*época*) from: ***vestido dos anos 20*** a dress from the 1920s 12 (*causa*) of, with, from: ***morreu de fome*** he died of hunger; ***tremer de frio*** shivering with cold 13 (*finalidade*) substituted by a genitive or an attributive adjective or phrase: ***vestido de noiva*** wedding dress; ***roupa de mulher*** women's clothing 14 (*modo*) in: ***olhar de um jeito estranho*** to look in a strange way 15 (*transporte*) by: ***ir de avião/de ônibus/de navio*** to go by plane/by bus / by boat 16 (*autoria*) by: ***um filme de Godard*** a film by Godard 17 (*agente da passiva*) by, also substituted by a passive verb: ***queimado de sol*** suntanned 18 (*comparativo*) of: ***o mais bonito de todos*** the most beautiful of all 19 (*roupa*) in, with: ***estar de pijama*** to be in pajamas; ***veio de branco*** she came in white; ***deitou-se de terno*** he lay down in his suit

• **cair de cama** to fall sick

• **cair de costas** to fall back (*wards*)

• **cair de joelhos** to fall down on one's knees

• **de manhã/de madrugada** (*early*) in the morning

• **de quem é isto?** whose is this?

• **de sorte que/de maneira que/de modo que** so that

• **de pé** standing, on one's feet

• **de (comum) acordo** in (*mutual*) agreement, consenting to

• **estar de dieta** to be on a diet

debaixo *prep* under

debandada *sf* stampede, flight

debate *sm* debate, discussion

debater *vtd* to debate, to discuss
▸ *vpr* **debater-se** to thrash about, to struggle in an attempt to free oneself

debelar *vtd* to dominate, to subject, to bring under control, to overcome

débil *adj* 1 weak, feeble, frail 2 *(voz)* quiet, muted
• **débil mental** (*em desuso*) mentally handicapped, retarded, backward, *fig* dumb, retard

debilidade *sf* weakness, debility
• **debilidade mental** learning difficulty, learning problem

debilitar *vtd* to weaken, to debilitate
▸ *vpr* **debilitar-se** to become weak

debitar *vtd-vtdi* to debit

débito *sm* 1 debit 2 ECON debit
• **(pôr algo em) débito automático** to pay by direct debit

debochar *vti* to mock, to make fun of, to laugh at, to scorn, to scoff (*at*)

debruçar *vtd* to lean forward, to bend over something
▸ *vpr* **debruçar-se** 1 to lean forward, to bend over something 2 to concentrate on

debulhar *vtd* to thresh (*grain*), to shell (*peas, beans etc.*), to husk (*grain, seed etc.*)

debutante *smf* debutante

década *sf* decade

decadência *sf* 1 decay 2 decadence

decadente *adj* 1 decaying 2 decadent

decair *vi* to decay, to fall, to decline, to waste away

decalcar *vtd* 1 to transfer a picture from a piece of paper to another surface 2 *fig (imitar servilmente)* to plagiarize, to copy, to imitate

decálogo *sm* the Decalogue, the Ten Commandments

decalque *sf* 1 transfer, decal *(AmE)* 2 *fig (cópia, plágio)* plagiarism, copy, imitation

decano *sm* dean

decantar *vtd* 1 to decant 2 to separate into a solid and a liquid phase by gravity

decapitar *vtd* to decapitate, to behead

decência *sf* decency

decênio *sm* decade, a ten-year period

decente *adj* 1 decent, honest, fair 2 *(adequado, satisfatório)* adequate, proper, suitable, satisfactory, acceptable

decepar *vtd* to cut off, to chop off, to sever, to amputate

decepção *sf* disillusionment, disillusion, disenchantment, disappointment

decepcionado *adj* disillusioned, disenchanted, disappointed

decepcionar *vtd* to disillusion, to disappoint
▸ *vpr* **decepcionar-se** to be disillusioned, to be disenchanted, to be disappointed

decerto *adv* for sure, surely, absolutely

decidido *adj* 1 *(resolvido, resoluto)* resolute, determined 2 *(disposto)* willing

decidir *vtd* to decide, to make up one's mind
▸ *vpr* **decidir-se** to decide, to make up one's mind, to decide to: ***decidiu-se a ficar*** he decided to stay

decifrar *vtd* to decipher, to decode

decimal *adj-sm* decimal
• **casa decimal** decimal place

décimo *num-sm,f* tenth

decisão *sf* 1 *(resolução)* decision 2 *(judicial)* ruling
• **tomada de decisão** decision-making
• **tomar uma decisão** to make a decision, to take a decision

decisivo *adj* decisive, final

declamação *sf* recitation, declamation

declamar *vtd-vti-vi* to recite, to declaim

declaração *sf* statement, announcement, utterance

declarado *adj* 1 declared, professed 2 *(franco, patente)* express, clear, manifest

declarar *vtd-vtdi* to declare, to state, to announce, to assert, to utter
▸ *vpr* **declarar-se** 1 to declare oneself (*to be*) 2 *(confessar amor)* to confess one's love
• **declarar guerra contra/a alguém** to declare war on

• **declarar o imposto de renda** to declare one's income, to file one's income tax forms
• **"eu os declaro..."** "I now pronounce you..."
• **nada a declarar** no comment

declinar *vtd* 1 *(descer, descair)* to decline, to slope down: ***o terreno declinava naquele ponto*** the land sloped down at that point 2 *(decair)* to decline, to deteriorate 3 *(não aceitar)* to decline, to politely refuse to accept 4 GRAM to decline

declínio *sm* 1 decline 2 *fig* decadence
• **em declínio** declining, being/becoming decadent

declive *sm* slope

declividade *sf* declivity

decolagem *sf* take-off

decolar *vi* 1 to take off, to departure 2 *fig (fazer progresso)* to take off, to begin to improve

decompor *vtd* 1 *(separar os elementos)* to decompose 2 *(estragar)* to decompose, to go bad, to decay, to rot
▸ *vpr* **decompor-se** 1 to decompose 2 to decompose, to go bad, to decay, to rot

decomposição *sf* 1 decomposition 2 *fig* decomposition, decay

decoração *sf* 1 *(ornamento)* ornament, a piece of decoration, an item of decoration 2 *(arranjo)* decoration, arrangement

decorador *sm,f* decorator, interior designer

decorar *vtd* 1 *(ornamentar)* to decorate, to ornament 2 *(arranjar)* to decorate, to arrange 3 *(memorizar)* to memorise, to learn by heart

decorativo *adj* decorative

decorrência *sf* consequence
• **em decorrência de** as a consequence of, as a result of

decorrente *adj* arising out of, coming as a result of

decorrer *vti* to arise out of
▸ *vi (transcorrer, especialmente tempo)* to pass, to elapse
▸ *sm* **decorrer** the passing of time, course, duration, lapse, period: ***no decorrer do tempo*** in the course of time

decotado *adj* having a plunging neckline

decote *sm* neckline

decrépito *adj* 1 decrepit 2 ramshackle, tumbledown, rickety

decrescente *adj* decreasing

decréscimo *sm* decrease, reduction

decrescer *vi* to decrease, to become smaller in size, number etc.

decretar *vtd-vtdi-vi* to decree

decreto *sm* decree
• **baixar um decreto** to issue a decree
• **nem por decreto!** no way!

decurso *sm* 1 the passing of time, course, duration 2 sequence, development

dedal *sm* thimble

dedão *sm* 1 *(polegar)* thumb 2 *(do pé)* the big toe

dedar *vtd gíria* to snitch, to finger

dedetizadora *sf* pest control company

dedetizar *vtd* to treat with DDT or another insecticide

dedicação *sf* 1 dedication, devotion 2 commitment

dedicado *adj* 1 *(devotado)* dedicated, devoted 2 *(comprometido)* committed 3 *(com dedicatória)* dedicated 4 *(consagrado)* dedicated

dedicar *vtdi* 1 *(livro, obra)* to dedicate 2 *(consagrar)* to dedicate
▸ *vpr* **dedicar-se** to devote oneself to

dedicatória *sf* dedication

dedilhar *vtd* 1 MÚS *(fazer vibrar as cordas de um instrumento)* to pluck, to pick *(AmE)* 2 MÚS *(executar com os dedos)* to play *(a plucked string instrument or the piano)*
▸ *vi (bater com a ponta dos dedos, tamborilar)* to drum, to tap

dedo *sm* 1 finger 2 a finger's width
▪ **dedo anular** ring finger
▪ **dedo indicador** index finger, forefinger
▪ **dedo médio** middle finger
▪ **dedo mínimo** little finger
• **botar o dedo na ferida** to touch a weak point
• **cheio de dedos** 1 awkward, all fingers and thumbs 2 awkward, embarassed 3 fastidious

• **de dedo em riste** with one's forefinger pointing up as a sign of anger or warning
• **escolher a dedo** to choose very carefully
• **estalar os dedos** to snap one's fingers
• **não mover um dedo** not to lift/raise a finger/hand *(to do something)*
• **poder contar nos dedos de uma mão** to be able to count on the fingers of one hand

dedo-duro (*pl* **dedos-duros**) *sm,f* snitch

dedução *sf* **1** *(redução, abatimento)* decrease, reduction, discount **2** *(lógica)* deduction, conclusion **3** ECON deduction

dedurar *vtd gíria* to snitch, to finger

deduzir *vtd-vtdi* **1** *(reduzir)* to decrease, to reduce, to give a discount **2** *(inferir)* to deduce, to conclude **2** ECON to deduct, to subtract

defasado *adj fig* lagging behind

defasagem *sf fig* gap, difference

defecar *vi* to defecate

defeito *sm* **1** *(imperfeição)* defect, imperfection, fault, weakness, blemish, flaw **2** *(enguiço)* defect, failure, collapse, breakdown
• **botar/pôr defeito em algo/alguém** to find fault with

defeituoso *adj* defective, faulty, imperfect, weak, poor-quality

defender *vtd* **1** *(proteger)* to defend, to protect, to champion **2** *(réu)* to defend **3** *(tese, argumento)* to defend, to argue for **4** ESPORTE to defend
▸ *vtdi* to defend from, to protect against
▸ *vpr* **defender-se** **1** to defend oneself **2** *fig (ganhar a vida)* to earn a living

defensiva *sf* the position of one who is on the defensive

defensivo *adj* defensive

defensor *sm* **1** defender, champion, advocate **2** DIR defender

deferimento *sm* approval

defesa *sf* **1** defence **2** DIR the defence **3** ESPORTE defence **4** *(de tese, argumento etc.)* *(public)* defence
• **legítima defesa** self-defence

deficiência *sf* **1** deficiency **2** lack, want, dearth **3** *(falha técnica)* failure, technical problem **4** *(impedimento físico)* impairment, disability, handicap
• **deficiência física** physical impairment
• **deficiência mental/psíquica** mental disability

deficiente *adj* **1** deficient, defective, weak, poor **2** wanting, inadequate **3** disabled, handicapped
▸ *adj-smf* disabled, handicapped
▪ **deficiente auditivo** a hearing-impaired person
• **deficiente mental** a mentally handicapped person
• **deficiente físico** a *(physically)* disabled person
▪ **deficiente visual** a visually-impaired person

déficit *sm* **1** COM deficit **2** *(deficiência)* shortage

definhar *vi* to waste away, to wither

definição *sf* **1** definition **2** *(decisão)* decision

definido *adj* **1** definite, sure, certain **2** exact, precise
▸ *sm* definite
• **artigo definido** definite article

definir *vtd* **1** *(dar a definição)* to define **2** *(tornar mais distinto)* to define, to show clearly **3** *(manifestar com clareza)* to define, to describe accurately
▸ *vpr* **definir-se** to define oneself as, to describe oneself as

definitivo *adj* definitive, final

deflagrar *vtd* **1** to deflagrate, to cause to burn **2** *(provocar)* to set off, to provoke

deflorar *vtd* to deflower

deformação *sf* deformation

deformar *vtd* to deform
▸ *vpr* **deformar-se** to become deformed

deformidade *sf* deformity, malformation

defrontar-se *vpr* to confront, to face up to

defronte *adv* in front of, before, opposite, facing

defumar *vtd* **1** *(alimentos)* to smoke **2** *(a casa)* to perfume with incense

defunto *adj* dead person, deceased person

degelar *vtd-vi* to de-ice

degeneração *sf* degeneration, degradation, deterioration

degenerado *adj* degenerate, low

degenerar *vtd* to degenerate, to deteriorate

▸ *vpr* **degenerar-se** to become degenerate

deglutir *vtd-vi* to swallow

degolar *vtd* to behead, to decapitate, to chop someone's head off

degradação *sf* 1 *(degeneração)* degradation, degeneration, deterioration 2 *(destituição de grau, cargo etc.)* demotion

degradante *adj* degrading

degradar *vtd* 1 *(aviltar)* to degrade 2 to demote

▸ *vpr* **degradar-se** to degrade oneself

dégradé *adj* having a continuous gradient of colours from light to dark tones

▸ *sm* **dégradé** colour gradient, tone gradient

degrau *sm* 1 stair, step 2 *(de escada de mão)* step

degringolar *vi (decair, arruinar-se)* to fail, to ruin, to be spoiled

degustação *sf* tasting

degustar *vtd* to taste

deitado *adj* 1 *(estendido horizontalmente)* lying down, resting *(over, on, upon)*, stretched out 2 *(na cama)* in bed 3 *(dormindo)* sleeping, asleep

deitar *vtd* 1 *(pôr na cama, fazer deitar)* to put to bed 2 *(ir dormir)* to go to bed 3 *(pôr na horizontal)* to place, to lay, to rest, to stretch out 4 *(derramar, verter)* to pour: ***deitou azeite sobre o peixe*** she poured olive oil over the fish

▸ *vpr* **deitar-se** 1 *(ir dormir)* to go to bed, to go to sleep 2 *(estender-se)* to lie down

deixa *sf* 1 TEATRO cue 2 *(oportunidade)* chance, opportunity: ***aproveitar a deixa*** to seize/grab the opportunity

deixar *vtd* 1 *(sair de, retirar-se de)* to leave: ***deixamos o hotel bem cedo*** we left the hotel very early 2 *(largar, abandonar)* to leave: ***deixou o emprego o mês passado*** she left her job last month 3 *(soltar)* to put, to place, to let go *(of)*: ***deixe o gato no chão*** put the cat on the floor 4 *(permitir)* to allow, to let 5 *(tornar)* to make: ***sua chegada me deixou alegre*** his arrival made me happy 6 *(esquecer em um lugar)* to leave: ***onde você deixou os óculos?*** where did you leave your glasses? 7 *(pôr, não tirar, não mudar)* to leave, to keep: ***deixei o bolo na geladeira*** I kept the cake in the fridge; ***deixe a porta fechada*** leave the door closed 8 *(levar a um destino)* to leave: ***o ônibus me deixou na esquina*** the bus left me on the corner 9 *(pôr de lado)* to skip, to forget: ***deixe os detalhes e conte o que aconteceu*** skip the details and tell what happened 10 *(causar)* to leave with: ***seus maus modos deixaram má impressão*** his horrible manners left me with a bad impression

▸ *vtdi* 1 *(legar)* to leave: ***deixou-lhe uma casa*** he left her a house 2 *(reservar)* to leave, to save: ***deixe uma fatia para você*** leave a slice for yourself

▸ *vti (cessar)* to stop: ***logo deixou de pensar no assunto*** he soon stopped thinking about the subject

▸ *vpr* **deixar-se** 1 *(não opor resistência)* to allow, to let: ***deixou-se levar*** he let himself be deceived 2 *(separar-se)* to leave each other

- **deixe comigo!** leave it with me!
- **deixe para lá!** leave it!, forget it!
- **deixar a desejar** not to fulfil expectations
- **deixar algo para depois** to postpone, to put something off for a while
- **deixar de lado** to put aside
- **deixar estar** to wait and see
- **deixar para trás** to leave behind

dele *pron* 1 *(pertencente a ele/ela)* his/her, his/hers: ***este carro é dele/dela*** this car is his/hers; ***reconheço a caligrafia dele*** I recognize his writing 2 *(sobre ele/ela)* about him/her: ***não sei nada dele*** I don't know anything about him

▸ *pl* **deles** 1 *(pertencente a eles/elas)* their, theirs: ***o cachorro delas se chama Toco*** their dog is called Toco; ***meu carro é como o deles*** my car is like theirs; ***estes sapatos são deles*** these shoes are theirs 2 *(sobre eles/elas)* about them: ***não sei nada delas*** I don't know anything about them

delatar *vtd* 1 to denounce 2 to inform against

delator *sm,f* 1 denouncer 2 informant

delegação *sf* 1 *(ato de delegar)* delegation 2 *(grupo)* delegation

delegacia *sf (repartição)* department
• **delegacia (de polícia)** police department

delegado *sm,f* representative
• **delegado (de polícia)** superintendent, sheriff *(AmE)*

delegar *vtd-vtdi* to delegate

deleite *sm* delight, joy

delgado *adj* thin, slim

deliberação *sf* deliberation

delicadeza *sf* 1 tact 2 *(gentileza)* gentleness, kindness

delicado *adj* 1 *(fino)* delicate 2 *(suave, leve)* delicate, light, mild, pleasant 3 *(frágil)* delicate, fragile 4 *(macio)* soft 5 *(meigo, gentil)* gentle, kind 6 *(sutil)* subtle 7 *(suscetível)* sensitive 8 *(embaraçoso, complicado)* touchy, complicated, difficult

delícia *sf* 1 delight, pleasure 2 something delightful

delicioso *adj* delicious, delightful, extremely pleasant

delimitar *vtd* to delimit, to bound

delinear *vtd* 1 *(traçar, esboçar)* to outline, to sketch 2 *(explicar)* to delineate, to describe
▸ *vpr* **delinear-se** to slowly appear, to show its outlines

delinquência *sf* delinquency

delinquente *smf* delinquent

delirante *adj* delirious

delirar *vi* to be in/fall into a state of delirium

delírio *sm* delirium

delito *sm* offence, violation of law
• **corpo de delito** corpus delicti
• **em flagrante delito** in flagrante delicto, caught red-handed

delta *sm* 1 *(quarta letra do alfabeto grego)* delta 2 *(foz de rio)* delta

demagogia *sf* demagogy

demagogo *sm,f* demagogue

demais *adv* too *(much)*, too *(many)*, more than enough: ***há gente demais*** there are too many people; ***fala depressa demais*** he speaks too fast; ***tem água demais na bacia*** there's too much water in the basin
▸ *adj, pron (outros)* other, others: ***as grávidas saíram; as demais ficaram*** the women who were pregnant left; the others stayed
• **você é demais!** you're great!, you're amazing!

demanda *sf* 1 demand, need 2 DIR demand 3 COM demand

demão *sf (de tinta)* layer, coat

demarcar *vtd* to delimit, to bound, to draw a line around

demasia *sf* excess, surplus
• **em demasia** in excess, in surplus, too much, too many

demasiado *adj* excessive, too much, too many: ***tem ambições demasiadas*** he has excessive ambition; ***faz demasiadas promessas*** she makes too many promises
▸ *adv* **demasiado** too, too much: ***estava demasiado nervoso*** he was too nervous

demência *sf* MED dementia

demente *adj* MED demented

demissão *sf* dismissal *(from one's job)*, termination *(of one's job)*
• **carta de demissão** *(do empregado)* resignation letter
• **demissão injusta/sem motivo** unfair dismissal
• **demissão por justa causa** termination for cause
• **pedir demissão** to resign, to offer/tender/hand in one's resignation

demitir *vtd-vtdi* to dismiss, to fire, to sack *(from one's job)*
▸ *vpr* **demitir-se** to resign

democracia *sf* democracy

democrata *smf* democrat

democrático *adj* democratic

democratizar *vtd* to democratize
▸ *vpr* **democratizar-se** to become democratized/democratic

demografia *sf* demography

demolição *sf* demolition

demolir *vtd* 1 to demolish 2 *fig* to demolish, to raze, to ruin

demoníaco *adj* demonic

demônio *sm* demon, devil

demonstração *sf* 1 (*ato de demonstrar*) demonstration 2 (*prova*) proof, evidence 3 (*manifestação, sinal*) sign, indication 4 (*lição prática*) (*practical*) demonstration, explanation 5 (*apresentação*) demonstration, presentation, show
• **fazer a demonstração de um produto (em supermercados)** to sample a product (*in a supermarket*)

demonstrar *vtd* 1 (*comprovar, confirmar*) to demonstrate, to prove 2 (*revelar, evidenciar*) to demonstrate, to show, to display, to reveal, to express: ***não teve medo de demonstrar oposição ao plano*** he was not afraid to show opposition to the plan 3 (*ensinar de modo prático, explicar*) to demonstrate, to explain
▸ *vtdi* 1 (*fazer ver*) to show, to prove, to make (*someone*) understand: ***demonstrei-lhe que estava errado*** I showed him he was wrong 2 (*manifestar, indicar*) to give signs of, to show: ***demonstrou ter conhecimento do problema*** he gave signs of knowing what the problem was about 3 (*provar*) to prove: ***demonstrou a todos que era inteligente*** he proved to everyone he was intelligent
▸ *vpr* **demonstrar-se** to prove to be

demonstrativo *sm* 1 receipt, slip 2 statement

demora *sf* delay

demorado *adj* 1 (*tardio*) late, delayed 2 (*prolongado*) slow, drawn-out

demorar *vti* 1 (*tardar*) to delay, to take a long time: ***não demore para entrar; estaremos na terceira fileira*** don't take a long time to enter; we'll be in the third row 2 (*levar tempo, custar*) to take someone a long time to: ***ele demorou a perceber que ela não viria*** it took him a long time to realize she woudn't come 3 (*exigir tempo*) to take time: ***demora para a roseira florescer*** it takes time for a rose bush to blossom
▸ *vi* 1 (*tardar a vir, retardar-se*) to be delayed, to be late: ***o correio demorou hoje*** the mail was delayed today 2 (*ser de execução demorada*) to take (*some*) time: ***escrever um bom texto demora*** writing a good text takes time
▸ *vpr* **demorar-se** 1 (*levar tempo*) to take a long time: ***demorou-se em decidir-se*** it took him a long time to make up his mind 2 (*permanecer por muito tempo*) to take (*a long time*), to remain: ***demorou-se bastante no dentista*** he took a long time at the dentist's

denegrir *vtd* 1 (*macular, manchar*) to stain 2 *fig* (*desacreditar*) to spoil/damage/dent someone's reputation

dengoso *adj-sm,f* affected, coy

dengue *sm* dengue, dengue fever, breakbone fever (*AmE*)

denominação *sf* 1 (*nome, designação*) name, title, designation, description 2 (*congregação evangélica*) denomination

denominado *adj* called, described as, so-called

denominar *vtd* 1 (*pôr nome*) to name, to call 2 (*designar, chamar*) to call, to designate, to describe as
▸ *vpr* **denominar-se** (*ser conhecido como*) to be called, to be known as

denotar *vtd* 1 to denote, to indicate, to reveal, to show 2 to mean, to represent

densidade *sf* 1 density, thickness 2 *fig* power, intensity

denso *adj* 1 (*espesso, grosso*) dense, thick 2 (*fechado, cerrado*) dense: ***mata densa*** dense forest 3 (*compacto, comprimido*) dense, packed 4 (*escuro, carregado*) dense, thick, dark: ***nuvens densas*** thick clouds 5 *fig* (*profundo, difícil de compreender*) dense, deep

dentada *sf* bite

dentado *adj* 1 (*guarnecido de dentes*) toothed 2 (*denteado*) having cogs, cogged

dentadura *sf* 1 (*conjunto de dentes*) set of teeth 2 (*dentes artificiais*) false teeth, dentures

dental *adj* dental
• **creme dental** toothpaste
• **fio dental** dental floss

dentar *vtd* 1 (*formar os dentes*) to tooth 2 (*morder*) to bite

dentário *adj* dental
• **tratamento dentário** dental treatment

dente *sm* 1 tooth 2 (*presa*) fang, (*de elefante*) tusk 3 (*de lâminas, instrumentos etc.*) cog, tooth: ***os dentes da engrenagem*** the gogs in a cogwheel; ***os dentes do serrote*** the teeth on a saw 4 (*de pente*) tooth 5 (*de garfo*) prong
▸ *pl* teeth
■ **dente de leite** milk tooth
■ **dente do siso** wisdom tooth
■ **dente permanente** permanent tooth
• **a cavalo dado não se olham os dentes** don't look a gift horse in the mouth
• **dar com a língua nos dentes** to blab, to spill the beans, to let the cat out of the bag
• **dente de alho** a clove of garlic
• **falar entre os dentes** (*abrindo pouco a boca*) to mutter, to mumble, to speak through clenched teeth
• **mostrar os dentes** (*demonstrando agressividade*) to bare one's teeth
• **nascerem os dentes** (*a uma criança*) to teethe
• **ranger os dentes** (*por raiva ou desespero*) to gnash one's teeth

dente-de-leão *sm* BOT dandelion

dentição *sf* dentition

dentista *smf* dentist, dental surgeon

dentre *prep* from the midst of, in the midst of, among: ***uma florzinha miúda brotou dentre as plantas*** a tiny little flower sprang from the midst of the plants; ***descobriu o livro dentre as coisas de sua irmã*** she discovered the book among her sister's belongings

dentro *adv* 1 inside, indoors: ***vamos esperar lá dentro*** let's wait inside 2 (*no íntimo*) inside: ***aparentava estar calmo, mas por dentro estava com medo*** he appeared to be calm but on the inside he was scared
▸ *loc prep* **dentro de** 1 (*lugar*) in, inside: ***o cachorrinho está dentro do cesto*** the puppy is in the basket 2 (*tempo*) within, in, inside: ***dentro de dois dias*** within two days; ***dentro de um mês*** in a month
• **a parte de dentro** the inside
• **dentro em pouco** in a while, in a moment
• **estar por dentro** to be in on something
• **por dentro** (*intimamente*) inside

dentuço *adj* buck-toothed

denúncia *sf* denunciation

denunciar *vtdi* to denounce, to accuse, to inform against
▸ *vtd* (*dar a perceber, refletir*) to show, to reveal
▸ *vpr* **denunciar-se** to betray oneself

deparar *vtd-vti* to come upon: ***andando pela rua, deparei (com) um passarinho morto*** as I was walking down the street, I came upon a dead bird
▸ *vpr* **deparar-se** to encounter, to meet, to run into

departamento *sm* department, section

depenar *vtd* 1 to pluck 2 (*deixar sem dinheiro*) to strip someone of his money 3 (*deixar sem nada*) to strip someone/something bare: ***os ladrões depenaram a loja*** the thieves stripped the store bare

dependência *sf* 1 dependence 2 (*estado de vício*) dependence, addiction 3 (*cada cômodo em uma casa*) room
▸ *pl* **dependências** premises: ***nas dependências da casa*** in the premises

dependente *adj* 1 dependent 2 dependent, addicted
▸ *sm,f* **dependente** (*filho*) dependant
■ **dependente de drogas/químico** drug addict

depender *vti* 1 to depend 2 to depend on/upon, to rely on
• **você vai viajar? – depende!** are you going on a trip? – it depends!

dependurar *vtd* 1 to hang, to suspend 2 to dangle
▸ *vpr* **dependurar-se** to hang, to bend downwards

depilação *sf* depilation, hair removal

depilar *vtd* to remove hair from one's body, to wax
▸ *vpr* **depilar-se** to remove body hair from oneself, to wax one's legs, armpit etc.

deplorar *vtd* to mourn, to lament, to bemoan

deplorável *adj* deplorable, appalling

depoimento *sm* testimony, statement

depois *adv* 1 *(em seguida, posteriormente)* then, after that, later, afterwards: ***primeiro vamos ao cinema, depois, jantar*** first, we're going to the movies, after that, to have dinner; ***primeiro há um ponto, depois um semáforo*** first, there's a bus stop, then traffic lights? 2 *(atrás)* behind, after: ***João era o terceiro da fila; depois dele vinha José*** João was the third in line; behind him was José 3 *(além disso)* besides: ***não posso ir porque tenho de estudar; depois, não conheço os donos da festa*** I can't come for I have to study; besides, I don't know the people throwing the party

▸ *loc prep* **depois de** after

▸ *conj* 1 **depois de** after + verbo + -ing: ***depois de morar na Alemanha por dez anos, está de volta conosco*** after living in Germany for ten years, she's back with us *(again)* 2 **depois que** after + sujeito + verbo: ***depois que ele viajou, nunca mais fui correr no parque*** after he travelled, I never went jogging in the park again

• **depois de amanhã** the day after tomorrow

• **depois de Cristo, d.C.** AD *(Anno Domini)*

• **deixar para depois** to put off, to delay, to postpone

depor *vtd-vi (declarar em juízo)* to testify, to make a statement

▸ *vtd-vtdi (despojar do cargo)* to depose

▸ *vti (contra)* to testify against

• **depor as armas** to lay down one's arms, to stop fighting

deportar *vtd* to deport

deposição *sf (destituição)* deposition, demotion

depositante *adj-smf* depositor

depositar *vtd* 1 *(pôr, colocar)* to put down, to place, to lay 2 *(guardar solenemente)* to deposit 3 *(em banco)* to pay in(to), to deposit, to make a deposit

▸ *vpr* **depositar-se** *(ficar no fundo, assentar)* to be deposited, *(at the bottom of)*, to settle, to precipitate

depósito *sm* 1 deposit 2 *(armazém)* warehouse, depot, storehouse 3 *(substância acumulada)* deposit

depravação *sf* 1 perversion, obscenity 2 depravity, wickedness

depravado *adj* 1 perverted, obscene 2 depraved, wicked, evil

depreciação *sf* depreciation

depreciar *vtd* 1 *(desvalorizar)* to depreciate 2 *(desdenhar)* to disdain

depreciativo *adj* disdainful, contemptuous, dismissive

depredação *sf* depredation

depredar *vtd* to damage, to destroy, to spoil

depressa *adv* 1 *(rapidamente)* fast, quickly: ***termine isso depressa*** finish this quickly; ***ande depressa*** walk fast 2 *(logo)* soon: ***venha depressa*** come soon

depressão *sf* 1 *(concavidade)* depression, hollow 2 PSIC depression

depressivo *adj* 1 depressed, depressing 2 *(droga)* depressant

deprimente *adj* depressing

deprimido *adj* 1 flat, compressed, condensed 2 PSIC depressed

deprimir *vtd* 1 to depress, to lower 2 PSIC to depress

▸ *vpr* **deprimir-se** to become depressed

depuração *sf* purification

depurar *vtd-vtdi* to purify

deputado *sm, f* deputy, representative, member of the legislative body

derivação *sf* derivation

derivar *vti-vi (ficar à deriva)* to drift

▸ *vtd-vtdi (mudar o rumo)* to change direction

▸ *vti (originar-se)* to derive from, to be derived from

• **à deriva** wandering, drifting

dermatologista *smf* dermatologist

derradeiro *adj* last, final

▸ *sm,f* the last one, the final one

derramamento *sm* pouring, spilling, shedding

• **derramamento de sangue** bloodshed

derramar *vtd* 1 *(verter líquido)* to pour, to shed 2 *(fazer correr líquido para fora)* to spill

▸ *vpr* **derramar-se** 1 *(entornar-se)* to spill, to overflow 2 *(espalhar-se)* to spill, to be spilled, to be scattered: ***o saco***

rasgou e o arroz derramou-se todo no chão the bag tore open at the bottom and the rice was spilled all over the floor **3** *fig* to overflow: ***ela se derramou em sorrisos*** she was overflowing with smiles
• **derramar lágrimas** to weep, to shed tears

derrame *sm* MED stroke

derrapagem *sf* skidding

derrapar *vi* to skid

derreter *vtd-vi* to melt
▸ *vpr* **derreter-se 1** to melt **2** *(enternecer-se)* to melt **3** *(apaixonar-se)* to fall for: ***derreteu-se por ela desde o primeiro instante em que a viu*** he fell for her from the very first moment he saw her

derretido *adj* **1** melted, molten **2** *(apaixonado)* in love

derretimento *sm* **1** melting **2** fascination, ravishment

derrocada *sf* downfall, ruin

derrota *sf* **1** defeat **2** MIL defeat, rout

derrotado *adj* **1** *(vencido)* defeated, beaten **2** *(desanimado)* downcast, down and out
▸ *sm,f (fracassado)* loser

derrotar *vtd* to defeat, to beat, to subdue

derrubada *sf* **1** *(destituição)* deposition, removal from power **2** *(de árvores)* cutting down, chopping down, felling

derrubar *vtd* **1** *(deixar cair)* to drop **2** *(fazer cair)* to throw down, to knock down, to bring down **3** *(pôr abaixo, cortar)* to cut down, to chop down, to fell **4** *(demolir)* to demolish **5** *(depor, destituir)* to depose, to overthrow

desabafar *vtd* to open out one's heart, to pour one's heart

desabafo *sm* the act of opening out one's heart to someone

desabar *vi* **1** *(cair)* to fall down **2** *(desmoronar)* to crumble, to collapse **3** *(tempestade)* to fall **4** *fig (preços, ações etc.)* to fall, to drop

desabitado *adj* uninhabited, unoccupied, deserted

desabotoar *vtd* to unbutton
▸ *vpr* **desabotoar-se** to unbutton one's *(own)* clothes, to undo the buttons of one's *(own)* clothes

desabrigado *adj* unsheltered, exposed, uncovered, unprotected
▸ *sm,f* homeless

desabrochar *vi* to bloom, to flower

desacatar *vtd* to disrespect

desacato *sm* **1** disrespect, lack of respect **2** JUR contempt
• **desacato à autoridade** disrespect for authority, DIR contempt of court

desacelerar *vtd-vi* to slow down, to decelerate

desaconselhar *vtdi* to advise against

desaconselhável *adj* inadvisable

desacorçoar *vtd-vi* **1** *(tirar o ânimo)* to discourage, to dishearten **2** *(perder a coragem)* to lose courage, to lose heart

desacordado *adj* unconscious

desacordo *sm* disagreement

desacostumar *vtd* to lose the habit of
▸ *vpr* **desacostumar-se** to be no longer used to

desafeto *sm (inimigo)* enemy, foe, rival

desafiar *vtd* to challenge

desafinar *vi* MÚS to be out of tune

desafio *sm* challenge
• **fazer um desafio** to make a challenge, to challenge

desafogar *vtd* **1** to unchoke, to unclutter **2** to relieve, to ease
▸ *vpr* **desafogar-se 1** to vent one's feelings **2** to put oneself at ease, to be at ease after difficult times

desafogo *sm* **1** the act of opening one's heart out to someone **2** relief, ease after anxiety or pain

desaforado *adj* insolent, rude, offensive, abusive, impudent, impertinent

desaforo *sm* insult, affront, impudence, impertinence
• **fazer um desaforo a alguém** to affront someone, to outrage someone

desagasalhado *adj* **1** not wearing warm clothes **2** unsheltered

desagradar *vti* to displease

desagradável *adj* displeasing, unpleasant, disagreeable

desagrado *sm (desprazer)* displeasure, annoyance, dissatisfaction

• **cair/incidir no desagrado de alguém** to be the object of someone's displeasure

desagregar *vtd* to cause to separate, to cause to crumble or to fall apart

▸ *vpr* **desagregar-se** to crumble, to fall apart

desaguar *vti* to flow into, to spill into: ***o Amazonas deságua no Atlântico*** the River Amazon flows into the Atlantic Ocean

desajeitado *adj* **1** *(sem destreza)* clumsy, awkward, fumbling **2** *(difícil de manejar)* clumsy, awkward, cumbersome, bulky

desajuizado *adj* unwise, imprudent, foolish

desajustado *adj* **1** maladjusted **2** PSIC maladjusted, delinquent

▸ *sm* delinquent, a maladjusted person, sociopath

desajuste *sm* **1** maladjustment **2** PSIC maladjustment

desalento *sm* discouragement, disheartening, hopelessness

desalinhado *adj* **1** *(desarrumado)* untidy, disarranged, messy **2** *(fora do alinhamento)* misaligned **3** *(malvestido)* badly dressed, poorly dressed **4** *(automóvel)* misaligned

desalinhamento *sm* **1** disarrangement, mess **2** misalignment **3** *(automóvel)* misalignment

desalinhar *vtd* **1** *(tirar do alinhamento)* to cause to be out of line **2** *(desarrumar)* to dissarrange, to untidy, to mess, to disorder: ***o vento desalinhou os meus cabelos*** the wind untidied my hair **3** *(auto)* to misalign

▸ *vpr* **desalinhar-se** *(desarrumar-se)* to be/become untidy

desalinho *sm* **1** lack of tidiness, disorder, mess **2** untidiness in dressing, bad taste in dressing **3** *(automóvel)* misalignment

• **em desalinho** *(torto)* crooked, bent, twisted, *(desarrumado)* untidy, disarranged, messy, *(desalinhad)* misaligned

desalmado *adj* having no heart, cruel, inhuman

desalojar *vtd* **1** to dislodge, to force one to leave a place **2** to dislodge, to remove something from a place

desamarrar *vtd* to untie, to unfasten

▸ *vpr* **desamarrar-se** to untie oneself, to unfasten oneself

desamassar *vtd* **1** to smooth out **2** *(um carro)* to straighten out, to hammer out, to smoothen out

desambientado *adj* out of one's element

desamparado *adj* **1** forsaken, abandoned, unprotected, unsheltered **2** not having anyone or anything to count on, helpless

desamparo *sm* helplessness

• **ao desamparo** forsaken, abandoned, unprotected, unsheltered, not having anyone or anything to count on, helpless

desancar *vtd* **1** to treat badly or with lack of consideration **2** *fig* to beat someone in a discussion, to win an argument

desandar *vi* **1** *(deteriorar-se)* to go sour, to go bad **2** *(creme, maionese)* to separate into water and oil

desanimado *adj* **1** *(abatido)* downcast, depressed, dejected, despondent, discouraged, disheartened **2** *(sem animação)* dull, slow, boring

desanimador *adj* discouraging, disheartening

desanimar *vtd* to discourage, to dishearten

▸ *vi* **desanimar** to be discouraged/disheartened, to lose heart

desânimo *sm* discouragement, dejection, despondency

desanuviar *vtd* **1** to uncloud, to clear up **2** *fig* to make calm, to pacify

▸ *vpr* **desanuviar-se** **1** *(a respeito do firmamento)* to become clear, without clouds **2** *fig* to calm down, to be peaceful/tranquil, to have peace of mind

desaparecer *vi* **1** *(sumir)* to disappear, to vanish **2** *(morrer)* to disappear, to die

desaparecido *adj* missing, lost: ***o rapaz foi dado como desaparecido*** the boy was reported missing

▸ *sm,f* missing person

desaparecimento *sm* disappearance

desapego *sm* detachment

desapercebido *adj* unnoticed

desapertar *vtd* (*um parafuso*) to unscrew, (*um cinto, uma fivela*) to unfasten, to unloose, (*botões*) to unbutton
▸ *vpr* **desapertar-se** to be relieved

desapontado *adj* (*desiludido*) disappointed, disillusioned

desapontamento *sm* disappointment, disillusionment

desapontar *vtd* to disappoint
▸ *vpr* **desapontar-se** to be disappointed, to be disillusioned

desapossar *vtdi* to dispossess, to take someone's property, land or house away, to deprive someone of his/her place

desapropriação *sf fml* DIR expropriation

desapropriar *vtd-vtdi* DIR to expropriate

desaquecimento *sm* **1** loss of heat **2** ECON slowing down

desarmado *adj* unarmed
• **com o espírito desarmado** with an open heart

desarmamento *sm* disarmament

desarmar *vtd* **1** (*privar de armas*) to disarm **2** (*desmontar*) to dismantle, to disassemble: ***tivemos de desarmar toda a estrutura primeiro*** we had to dismantle the whole structure first **3** *fig* to disarm: ***sua sinceridade me desarmou*** his sincerity disarmed me **4** (*bomba*) to defuse

desarmonia *sf* disharmony

desarraigar *vtd* to unroot, to uproot

desarranjar *vtd* **1** (*desarrumar*) to untidy, to disarrange **2** (*transtornar*) to upset, to worry, to distress

desarranjo *sm* **1** (*desordem*) disorder, disorganization, mess **2** (*defeito*) fault, defect **3** (*contratempo*) an unexpected incident
• **desarranjo intestinal** diarrhoea, diarrhea

desarrumação *sf* disorder, mess

desarrumar *vtd* to disorganise, to disarrange, to mess (*up*)

desarticular *vtd* (*desconjuntar*) to dismantle, to disassemble

desassossego *sm* worry, anxiety, uneasiness

desastre *sm* **1** (*catástrofe*) disaster, catastrophe **2** (*acidente*) accident **3** (*financeiro*) crash **4** *fig* disaster, catastrophe, complete failure

desastroso *adj* disastrous

desatar *vtd* to untie, to unfasten, to loosen, to undo, (*ties/bonds*), to free
▸ *vti* (*começar*) to start (+ *v* + *ing*): ***desatou a rir/correr/etc.*** he started laughing/running etc.
▸ *vpr* **desatar-se** (*uma situação*) to disentangle, to be disentangled

desatenção *sf* **1** inattention, lack of attention, carelessness **2** (*descortesia*) carelessness, disregard, thoughtlessness

desatento *adj* absent-minded, forgetful, inattentive, careless

desatinado *adj-sm,f* out of one's mind, crazy, mad, insane

desativação *sf* deactivation

desativar *vtd* to terminate, to make inactive, to make inoperative, to deactivate

desatolar *vtd-vtdi* to take (*someone/something*) out of the mud

desatualizado *adj* out-of-date, not up-to-date, old-fashioned

desautorizado *adj* **1** unauthorized **2** stripped of authority, discredited

desavença *sf* conflict, argument, quarrel, dissention

desavergonhado *adj* bare-faced, bald-faced, blatant

desbancar *vtd* **1** (*vencer*) to win, to beat, to overcome **2** (*levar vantagem*) to take advantage of something

desbaratar *vtd* **1** (*esbanjar*) to squander, to waste away **2** (*derrotar*) to beat, to win, to defeat, to overcome

desbastar *vtd* to trim, to cut the edges of, to pare

desbloquear *vtd* to unblock, to clear

desbocado *adj fig* foul-mouthed

desbotado *adj* faded, pale

desbotar *vtd* to fade
▸ *vi-vpr* **desbotar(-se)** to fade

desbravador *sm,f* pioneer

desbravar *vtd* 1 (*explorar terras desconhecidas*) to explore unknown lands 2 (*abrir caminho*) to open the way, to clear the way

desbundar *vi bras pop* to lose composure

descabeçado *adj* imprudent, unwise, fool

descabelar *vtd* to untidy someone's hair

▸ *vpr* **descabelar-se** (*desesperar-se*) to get/become desperate, to lose self-control

descabido *adj* improper, inappropriate, wrong

descadeirado *adj* 1 (*com dor nas cadeiras*) having a pain in one's hips 2 (*extenuado*) very tired, tired out, exhausted

descafeinado *adj* decaffeinated

descalabro *sm* 1 (*ruína*) ruin, destruction 2 (*escândalo*) outrage

descalço *adj* bare-footed

descampado *adj* uninhabited, deserted

▸ *sm* **descampado** an open field

descansado *adj* 1 rested, no longer tired 2 (*tranquilo*) calm, tranquil, serene

descansar *vi* 1 to rest, to relax, to have a rest, to take a rest, to get some rest 2 (*livrar-se de um receio*) to rest, to be calm, to calm down: ***descanse que ela logo estará de volta*** be calm; she will be back soon 3 (*jazer*) to rest, to lay: ***o livro descansava sobre a mesa*** the book lay on the table 4 (*morrer*) to die, to rest 5 (*apoiar-se*) to rest, to lean 6 (*não ser cultivado*) to rest, to lie fallow

▸ *vtd* 1 (*apoiar*) to rest, to lean on 2 CUL (*a massa*) to leave the dough to rest

descanso *sm* 1 (*repouso*) rest 2 (*trégua*) break: ***você já vem me amolando faz tempo; dê-me um descanso, por favor!*** you've been bothering me for too long; give me a break, please! 3 (*tranquilidade*) calmness 4 (*apoio para copos*) beer mat 5 CUL (*de massa*) rest 6 (*folga-de trabalho*) day off

• **não dar descanso a alguém** to constantly annoy someone, not to give someone a break

descarado *adj* bare-faced, bald-faced, cheeky, impudent, shameless

descaramento *sm* shamelessness, impudence, cheek, effrontery

descarga *sf* 1 (*de mercadorias etc.*) unloading 2 (*de sanitário*) flush 3 (*de armamento*) firing, discharge

• **descarga elétrica** electrical discharge

• **dar/puxar a descarga** to flush

descarregado *adj* 1 (*veículo*) unloaded 2 (*bateria, pilha*) uncharged 3 (*arma de fogo*) not loaded

descarregar *vtd* 1 (*mercadorias de veículo*) to unload 2 (*o veículo*) to unload 3 (*disparar*) to discharge, to fire, to shoot 4 (*retirar as balas de uma arma*) to unload 5 (*raiva etc.*) to pour out

▸ *vi-vpr* **descarregar(-se)** (*bateria, pilha*) to run out of charge

descarrilar *vi* to derail

descartar *vtd* 1 (*jogar carta*) to discard 2 (*pôr de lado*) to put aside, to discard, to dismiss

descartável *adj* disposable, one-way

descarte *sm* discarding

descascar *vtd* 1 to peel 2 *fig* (*falar mal de*) to speak ill of

▸ *vi* (*largar a casca*) (*aplicável a certos alimentos*) to lose the skin

• **descascar o abacaxi** to deal with a difficult problem

descaso *sm* negligence, carelessness

descendência *sf* descent

descendente *smf* descendant

descender *vti* to descend

descentralizar *vtd-vi* to decentralise

descentrar *vtd* to decentralize

descer *vtd* 1 (*remover de cima para baixo*) to put down, to bring down, to take down, to take off 2 (*percorrer do alto para baixo*) to walk/drive/ride down, to go down

▸ *vti* to get down, to come down: ***desceu de onde estava*** he got down from where he was

▸ *vi* 1 (*baixar, cair*) to go down, to fall down, to roll down, to move down 2 (*apear*) to get off: ***sempre desce do ônibus um ponto antes*** she always gets off the bus a stop earlier 3 (*aumentar o comprimento*) to lower: ***teremos de descer a bainha deste vestido*** we will have to

lower the hem of this dress **4** *(tom)* to lower **5** RELIG *(de um espírito)* to manifest
• **descer do salto** to stop regarding oneself as special

descida *sf* descent, fall, drop, way down, slope

desclassificar *vtd* to disqualify, to bar

descoberta *sf* discovery, discovering, uncovering

descoberto *adj* **1** *(encontrado)* discovered, found **2** *(não coberto)* uncovered
• **a descoberto** in the open

descobrimento *sm* discovery, discovering, uncovering

descobrir *vtd* **1** *(tirar a cobertura, deixar ver)* to uncover **2** *(achar, inventar)* to discover **3** *(perceber, conhecer)* to find **4** *(encontrar)* to discover, to find **5** *(desproteger)* to uncover, to unshelter
▸ *vpr* **descobrir-se** *(livrar-se de uma coberta)* to uncover oneself, *(encontrar alguma coisa em si)* to find oneself *(to be)*, to discover oneself

descolado *adj* **1** unglued, unstuck, unfixed **2** *gíria* smart, fashionable, original

descolamento *sm* unglueing, unfixing
• **descolamento da retina** retinal detachment

descolar *vtd* **1** to unglue, to detach **2** *gíria* to get
▸ *vtdi* **não descolar** *(não sair de perto)* to be stuck to: ***não descola da namorada*** he's always stuck to his girlfriend
▸ *vpr* **descolar-se** *(ser descolado)* to dress in an original way, *(virar-se)* to manage, to get by

descolorir *vtd-vi* **1** to remove the color of **2** to gradually lose color, to fade

descompasso *sm (desacordo, desarmonia)* disagreement, divergence, lack of harmony

descompor *vtd* **1** *(desarranjar)* to disarrange, to untidy, to mess **2** *(alterar, transtornar)* to cause to lose self-control **3** *(censurar, repreender)* to rebuke, to tell off
▸ *vpr* **descompor-se** **1** *(desarranjar-se)* to get/become untidy/disarranged/ messed up **2** *(perder a compostura)* to lose composure

descomposto *adj* having lost composure

descompostura *sf* lack of composure

descomunal *adj* huge, immense

desconcentrar *vtd* to cause to lose concentration
▸ *vpr* **desconcentrar-se** to lose concentration

desconcertar *vtd* to embarrass, to put at a loss
▸ *vpr* **desconcertar-se** to be embarassed, to be at a loss

desconectar *vtd* to disconnect, to separate
▸ *vpr* **desconectar-se** **1** to lose connection **2** to get disconnected

desconfiado *adj* **1** suspicious: ***ele está desconfiado do sócio*** he's suspicious about his partner **2** suspicious, sceptical, distrustful: ***ele é um sujeito desconfiado*** he's a suspicious guy

desconfiança *sf* **1** *(suspeita)* suspicion **2** *(falta de credulidade)* suspicion, doubt, distrust

desconfiar *vtd* **1** *(recear)* to have a suspicion *(that)*, to suspect *(that)*: ***desconfio que você está me enganando*** I have a suspicion that you are deceiving me **2** *(supor)* to suppose, to reckon: ***desconfio que o ônibus já passou*** I suppose the bus has already come
▸ *vti (suspeitar)* to suspect *(of)*, to be suspicious of/about

desconfiômetro *sm* tact

desconfortável *adj* uncomfortable

desconforto *sm* **1** lack of comfort **2** discomfort, embarassment, unease

descongelar *vtd* **1** to defrost, to unfreeze, to thaw 2 ECON to unfreeze
▸ *vpr* **descongelar-se** to melt: ***certas montanhas nunca se descongelam*** the ice over certain mountains never melts

descongestionar *vtd* **1** to decongest **2** *(trânsito)* to unblock, to cause to start flowing
▸ *vpr* **descongestionar-se** to unblock

desconhecer *vtd* **1** *(não conhecer)* not to know, not to be acquainted with, to ignore **2** *(estranhar, não reconhecer)* not to recognize

desconhecido *adj* 1 unknown: ***a seda era desconhecida na região*** silk was unknown in the region 2 *(incógnito)* ignored, taken no notice of 3 *(sem notoriedade)* unknown

▸ *sm,f* stranger

desconhecimento *sm* ignorance

desconjuntado *adj* disjointed, out of joint

desconsideração *sf* disregard, thoughtlessness

desconsiderar *vtd* 1 *(não levar em conta)* to disregard, to ignore, to treat as unimportant, not to consider 2 *(desrespeitar)* to disregard, to disrespect

desconsolado *adj* disconsolate, dejected

desconsolo *sm* 1 *(desconsolação)* dejection 2 *(tristeza)* sadness, unhappiness

descontar *vtd* 1 *(letra, cheque)* to cash 2 *(subtrair)* to subtract, to exclude: ***descontando as duas que lhe devia, restam três*** subtracting those two I owed you, we have three left 3 *(revidar)* to pay back, to retaliate: ***deu-lhe um tapa, do mesmo modo, para descontar*** she slapped him back

▸ *vtd-vtdi (deduzir)* to take off: ***descontou 25% do total*** he took 25% off the price

descontentamento *sm* discontentment

descontentar *vtd* to displease

descontente *adj* discontented, dissatisfied

desconto *sm* discount, rebate, reduction

■ **desconto em folha** discounted on the pay slip

• **dar/fazer desconto** to give a discount, to lower the price

• **dar/fazer desconto de** not to take into consideration

descontração *sf* ease

descontrair *vtd* to rid of excessive formality, to lighten *(the atmosphere of)*

▸ *vpr* **descontrair-se** to relax, to be at ease

descontrolado *adj* uncontrolled, out of control

descontrolar *vtd* 1 *(desgovernar)* to cause to lose control 2 *(desequilibrar)* to cause to lose balance

▸ *vpr* **descontrolar-se** to lose self-control, to lose one's temper

descontrole *sm* 1 lack of control 2 discomposure

desconversar *vi (mudar de assunto)* to change the subject, to explain away

descorado *adj* 1 lacking color 2 *(pálido)* pale

descorar *vtd* to cause to lose color

▸ *vi* to lose color, to fade

▸ *vpr* **descorar-se** 1 to lose color, to fade 2 to become pale

descoroçoar → **desacorçoar**

descortinar *vtd* to see from a distance, to behold, to distinguish

descosturar *vtd* to unsew, to remove the stitches

▸ *vpr* **descosturar-se** to have the stitches removed or undone

descrédito *sm* discredit

descrença *sf* disbelief

descrente *adj-smf* unbelieving, unbeliever

descrever *vtd-vtdi* to describe

descrição *sf* description

descritivo *adj* descriptive

descuidado *adj (desalinhado)* careless, slovenly

▸ *adj-sm,f* 1 *(desatento)* inattentive, forgetful 2 *(negligente)* careless, neglectful

descuidar *vti* to neglect, to disregard, to overlook, not to take proper care of

▸ *vi (distrair-se)* to stop paying attention

descuido *sm* 1 *(desatenção)* inattention, lack of attention 2 *(desmazelo)* carelessness, slovenliness

desculpa *sf* 1 excuse 2 *(pretexto)* excuse

• **desculpa esfarrapada** lame excuse

• **pedir desculpas** to apologize

desculpar *vtd* 1 to excuse *(someone for something)* 2 *(perdoar)* to forgive *(someone for something)* 3 *(atenuar)* to justify, to rationalize

▸ *vpr* **desculpar-se** to excuse oneself, to justify oneself

desculpável *adj* excusable

desde *prep* **1** *(começando em)* since: ***desde ontem*** since yesterday **2** *(a partir de)* from, since: ***falava com a multidão desde o palanque*** he spoke to the crowd from the platform **3** from: ***li tudo, desde as obras mais simples até as mais complexas*** I've read everything, from the simplest to the most complex works
▸ *conj* **desde que 1** *(a partir do momento em que)* since: ***desde que partiu, não soubemos mais dele*** since he left, we haven't heard from him anymore **2** *(uma vez que)* since, once, as long as: ***as crianças entram, desde que acompanhadas pelos pais*** children are allowed in as long as they are accompanied by their parents
• **desde então** since then

desdém *sm* disdain, contempt

desdenhar *vtd* to disdain

desdenhoso *adj* disdainful, contemptuous, dismissive

desdentado *adj-sm,f* toothless

desdobramento *sm* **1** development, unfolding **2** *fig* unfolding, gradual revelation

desdobrar *vtd* to unfold, to spread open
▸ *vpr* **desdobrar-se 1** to unfold **2** *(desenvolver-se)* to develop **3** *(esforçar-se)* to take great pains *(to do something)*

desejar *vtd* **1** *(querer)* to want, to wish *(for)*, to hope **2** *(ambicionar, cobiçar)* to wish, to covet
▸ *vtdi* to wish: ***desejo-lhe muita sorte*** I wish you luck; ***desejo-lhe um feliz Natal*** I wish you a merry Christmas

desejável *adj* **1** *(que desperta desejo)* desirable **2** *(aconselhável)* advisable

desejo *sm* **1** *(vontade, anseio)* wish **2** *(apetite sexual)* desire *(for someone)*, longing **3** *(cobiça, ambição)* desire: ***sempre teve desejo de poder*** he has always had a desire for power
• **desejo de que alguma coisa fosse verdade** wishful thinking

desejoso *adj* *(form)* desirous

deselegância *sf* **1** lack of elegance, ungainliness **2** a rude action or attitude

deselegante *adj* **1** *(traje)* inelegant, ungainly **2** *(sem harmonia)* lacking harmony or balance **3** *(indelicado)* rude, impolite: ***uma atitude deselegante*** rude behavior

desemaranhar *vtd* **1** to unravel, to untie a knot **2** to unravel, to clarify **3** to unravel, to decipher

desembaçar *vtd* to demist, to defog *(AmE)*

desembaçador *sm* demister

desembaraçar *vtd* to disentangle, to unravel
▸ *vtdi* *(desimpedir)* to clear *(the way)*
▸ *vpr* **desembaraçar-se 1** *(livrar-se)* to get rid of **2** *(perder a timidez)* to lose one's shyness

desembaraçado *adj* **1** *(sem amarras)* disentangled, untied, free, loose **2** *(desinibido)* bold, not shy

desembaraço *sm* **1** *(desimpedimento)* lack of constraint **2** *(desenvoltura)* ease, freedom, readiness **3** self-reliance, self--assurance

desembarcar *vi* to disembark
▸ *vtd* to disembark, to unship

desembarque *sm* *(pessoas)* disembarkation, getting off, arrival, *(carga)* unshipment

desembestar *vi* **1** *(correr impetuosamente)* to stampede, to run away at full speed **2** *(exceder-se)* to lose one's temper, to go over the top

desembocar *vti* *(para um rio)* to discharge into, to flow into, *(para uma rua)* to lead (in)to, to go (in)to

desembolsar *vtd* **1** to produce from one's pocket **2** to spend *(money)*

desembolso *sm* expense

desembrulhar *vtd* to unwrap

desembuchar *vtd-vi* **1** *(vomitar)* to vomit, to throw up **2** *(falar)* to speak out, to come clean, to get something out of one's system **3** to spill a secret

desempacotar *vtd* to unwrap, to unpack

desempatar *vtd* **1** to break a deadlock **2** *(num jogo)* to score a winning point or goal after a draw in a game

desempate *sm* **1** decision after a deadlock **2** *(num jogo)* play-off, tie-break, winning point or goal

desempenhar *vtd (papel, função)* to perform, to play (*a part, a role*)

desempenho *sm* **1** *(de uma tarefa)* fulfilment, accomplishment **2** *(rendimento)* performance **3** *(de ator)* performance

desempregado *adj-sm,f* unemployed, jobless

• **estar desempregado** to be unemployed

desemprego *sm* unemployment

desencadear *vtd* **1** to unleash, to provoke, to cause to happen **2** to set off a chain reaction

▸ *vpr* **desencadear-se** to set off, to break loose

desencaixar *vtd* **1** to detach **2** to dislocate, to disjoint

desencalhar *vtd* to set afloat a stranded ship

▸ *vi bras pop (especialmente a respeito de pessoas maduras)* to finally get married

desencaminhar *vtd (desviar do bom caminho)* to lead astray, to mislead

desencanar *vi gíria* to forget, not to give too much attention to, not to regard as important

desencantar *vtd* **1** *(desiludir)* to disenchant, to disappoint, to disillusion **2** *fig (fazer andar)* to make something happen at last

▸ *vpr* **desencantar-se** **1** *(desiludir-se)* to be disappointed, to be disillusioned **2** *(começar a funcionar, aparecer)* to start happening at last

desencanto *sm (desilusão)* disenchantment, disappointment, disillusion

desencargo *sm* **1** the accomplishment of a given task or duty **2** getting rid of an obligation

• **fazer alguma coisa por desencargo de consciência** to do something to get a weight off one's mind

desencontrado *adj (discordante, contrário)* contrary, disagreeing, discordant

desencontrar-se *vpr* **1** to disagree, to be incompatible **2** *bras pop* to fail to meet at a predetermined place or time

desencontro *sm* **1** disencounter **2** *(desacordo)* disagreement

desencorajar *vtd* **1** to discourage **2** to dishearten

desencostar *vtdi* to detach

desenferrujar *vtd* **1** to remove rust from **2** *fig* to bring to action again

▸ *vpr* **desenferrujar-se** to be active again

desenfreado *adj* unbridled, unchecked, uncontrolled

desenfurnar *vtd* to cause one to resume social life

▸ *vpr* **desenfurnar-se** to resume social life

desenganado *adj* **1** *(desiludido)* disillusioned, disappointed, disenchanted **2** *(à beira da morte)* about to die, soon to die, terminally ill

desengano *sm (desilusão)* disillusion, disappointment, disenchantment

desengonçado *adj* clumsy, awkward

desenhar *vtd* to draw, to sketch

desenhista *smf* illustrator, designer

desenho *sm* drawing, illustration, picture, portrait, painting, design, image, sketch

▪ **desenho animado** (*animated*) cartoon, cartoon animation

desenlace *sm* **1** *(desfecho)* conclusion, completion, end **2** *(solução)* result, outcome **3** TEATRO *(catástase)* dénouement

desenrolar *vtd* to unroll

▸ *vpr* **desenrolar-se** **1** *(novelos etc.)* to unroll **2** *(acontecimentos)* to unroll

desenroscar *vtd* to untwist, to unscrew

▸ *vpr* **desenroscar-se** to disentangle oneself

desentender-se *vpr* to disagree (*with*), to have an argument (*with*), to argue (*with*), to have a quarrel (*with*)

desentendido *adj* one who does not understand or is unable to understand

• **fazer-se de desentendido** to pretend one doesn't understand

desentendimento *sm* **1** disagreement **2** argument, quarrel

desenterrar *vtd* **1** to unearth **2** *(exumar)* to exhume **3** *fig (tirar do esquecimento)* to bring to memory again

desentupidor *sm* plunger

desentupir *vtd* to unstop, to unclog

desenvolto *adj (desembaraçado)* uninhibited, self-assured, confident

desenvoltura *sf* self-assurance, self-confidence, ease and freedom in action

desenvolver *vtd* 1 *(dar origem a)* to develop: ***desenvolveu uma doença rara*** he developed a rare disease 2 *(fazer evoluir, melhorar)* to develop, to improve, to elaborate: ***você precisa desenvolver o artigo*** you have to elaborate on your article 3 *(criar, inventar)* to develop, to create, to produce 4 *(ter capacidade para)* to be able to: ***o carro desenvolve até 220 km por hora*** this car can reach a speed of 220 kilometres an hour
▸ *vpr* **desenvolver-se** 1 *(aumentar de tamanho, volume etc.)* to develop, to grow 2 *(progredir)* to develop, to improve, to be/become successful

desenvolvido *adj* developed, developing

desenvolvimento *sm* 1 *(crescimento)* development, growth 2 *(melhora)* development, growth, improvement 3 *(exposição)* presentation 4 *(prosseguimento)* development, continuation

desequilibrado *adj* unbalanced
▸ *adj-sm,f (transtornado)* distressed

desequilibrar *vtd* to unbalance
▸ *vpr* **desequilibrar-se** 1 to lose one's balance 2 *(transtornar-se)* to be severely distressed

desequilíbrio *sm* 1 imbalance, lack of balance 2 PSIC instability

deserdar *vtd* to disinherit, to cut someone off

desertar *vi* MIL to desert

desértico *adj* arid

deserto *adj* deserted, abandoned
▸ **deserto** *sm* desert

desertor *sm* 1 MIL deserter 2 *fig* deserter

desesperado *adj* desperate

desesperador *adj* desperating
• **em estado desesperador** in desperation

desesperança *sf* hopelessness

desesperar *vtd* to cause to lose hope, to make desperate: ***a notícia os desesperou*** the news made them desperate
▸ *vi* to lose hope
▸ *vpr* **desesperar-se** to be/become desperate

desespero *sm* despair, desperation
• **em desespero de causa** as a last resort

desestabilizar *vtd* to destabilize
▸ *vpr* **desestabilizar-se** to lose stability

desestimular *vtd* to disencourage

desfalcar *vtd* 1 *(reduzir, subtrair parte)* to reduce, to take away from 2 *(roubar)* to rob, to defraud

desfalecer *vi* to faint, to lose strength

desfalecimento *sm* fainting

desfalque *sm* 1 *(redução)* reduction, subtraction 2 *(roubo)* robbery, fraud

desfavorável *adj* 1 *(contrário)* unfavorable, contrary 2 *(prejudicial)* harmful 3 *(desaconselhável)* inadvisable

desfavorecer *vtd* not to favour, not to be suitable or favourable for

desfavorecido *adj (prejudicado)* harmed, damaged
▸ *adj-sm,f (pobre)* poor, disadvantaged, needy

desfazer *vtd* 1 *(desmanchar)* to undo 2 *(romper-noivado, casamento etc.)* to break up 3 *(desatar)* to undo, to untie, to unbutton, to unfasten, to unloose 4 *(anular)* to cancel, to annul 5 *(dissipar)* to scatter, to disperse: ***o vento logo desfez as nuvens de chuva*** the wind soon dispersed the rain clouds 6 *(diluir)* to dilute *(in)* 7 *(resolver, sanar)* to put an end to: ***a professora desfez todas as dúvidas do menino*** the teacher put an end to all the boy's doubts
▸ *vti (desdenhar)* to disdain, to look down on: ***costuma desfazer das conquistas alheias*** he usually disdains other people's achievements
▸ *vpr* **desfazer-se** 1 *(desmanchar-se)* to melt *(away)*, to dissolve, to fall apart, to disappear 2 *(dispersar-se)* to disperse, to scatter, to disappear 3 *(diluir-se)* to dilute, to get diluted into 4 *(descartar, dar)* to give away, to dispose of, to get rid of: ***vou me desfazer desses móveis*** I'll give these pieces of furniture away 5 to be ended: ***a sociedade se desfez*** their partnership was ended
• **desfazer as malas** to unpack
• **desfazer-se em lágrimas** to burst into tears, to melt into tears

• **desfazer um mal-entendido** to correct a misunderstanding

desfechar *vtd* 1 *(um ataque)* to launch 2 *(um tiro)* to fire 3 *(uma flecha)* to shoot 4 *(um murro)* to strike

desfecho *sm* conclusion, end, result, outcome

desfeita *sf (ofensa)* affront, insult, outrage, slight

desfeito *adj* 1 undone, untied 2 *(dissipado)* dispersed, scattered 3 *(destruído)* destroyed, dismantled 4 *(desmanchado)* undone, taken apart 5 *(diluído)* diluted 6 *(desarrumado)* untidy

desferir *vtd* → **desfechar**

desfiar *vtd* 1 *(tecido)* to fray 2 *(carne etc.)* to separate the fibers of 3 *(um rosário)* to count the beads of 4 *fig (narrar minuciosa e ininterruptamente)* to describe in detail, to narrate

▸ *vpr* **desfiar-se** to fray

desfigurar *vtd* to deface. to disfigure, to deform

desfiladeiro *sm* GEOG gorge, pass, canyon

desfilar *vi* 1 to model at a fashion show 2 *fig (exibir-se)* to parade 3 *(escola de samba)* to parade

desfile *sm* 1 MIL parade 2 *(de moda)* fashion show 3 *(de escola de samba)* parade

desfocado *adj* out of focus

desforra *sf* vengeance, revenge

desforrar-se *vpr* to take revenge on someone, to be revenged on someone

desfrutar *vtd-vti* 1 *(usufruir)* to enjoy 2 *(deliciar-se)* to delight in

desgarrado *adj* straggling, stray, lost, gone astray

• **ovelha desgarrada** lost sheep

desgastar *vtd* to erode, to wear away

▸ *vpr* **desgastar-se** to wear oneself out

desgaste *sm* wear, wearing *(away, out)*

desgostar *vtd* to displease

▸ *vpr* **desgostar-se** to be displeased

desgosto *sm* displeasure

desgostoso *adj* displeased

desgovernado *adj* out of control

desgovernar-se *vpr* to lose self-control

desgraça *sf* 1 *(infelicidade)* misfortune, bad luck, misery, calamity 2 *(coisa ou acontecimento ruim)* disaster, catastrophe

• **cair em desgraça** to fall into disgrace

desgraçado *adj-sm,f* 1 *(desafortunado)* unlucky, unfortunate, miserable 2 *(maldito)* cursed, damned

desgraçar *vtd* to ruin, to destroy

desgrenhado *adj* disheveled

desgrudar *vtd-vtdi* 1 *(descolar)* to unglue 2 *fig (separar)* to separate, to tear apart

▸ *vpr* **desgrudar-se** 1 *(descolar-se)* to unglue 2 *(separar-se)* to separate, to come apart

desidratado *adj* dehydrated

design *sm* design, pattern

designação *sf* name, title, description

designar *vtd-vtdi* 1 *(indicar)* to indicate 2 *(determinar)* to fix, to set, to determine: ***já designaram a data da reunião?*** have they fixed the date of the meeting yet? 3 *(denominar)* to name, to define as, to call

▸ *vpred (nomear)* to call

designer *smf* designer

desigual *adj* 1 unequal 2 *(diferente)* different, distinct 3 *(variável)* varying, inconstant, inconsistent 4 *(inconstante)* unstable, inconsistent

desigualdade *sf* 1 inequality 2 *(diferença)* difference, disparity 3 *(variabilidade)* variety, inconsistency 4 *(inconstância)* instability, inconsistency

desiludido *adj* disillusioned, disappointed, disenchanted

desiludir *vtd-vtdi* to disappoint, to disenchant

▸ *vpr* **desiludir-se** to be/become disillusioned/disappointed/disenchanted

desilusão *sf* disillusionment, disappointment, disenchantment

desimpedido *adj* 1 free, unblocked, unobstructed, clear 2 *(solteiro)* single

desinchar *vtd* to unswell

▸ *vi-vpr* **desinchar(-se)** to unswell

desincumbir-se *vpr* to rid oneself of an obligation

desinfetante *sm* disinfectant

desinfetar *vtd-vi* to disinfect

desinibido *adj* bold, confident, not shy

desintegrar *vtd* to disintegrate, to fall apart

▸ *vpr* **desintegrar-se** to disintegrate, to crumble down, to fall apart

desinteressado *adj* **1** uninterested, not interested **2** *(abnegado)* disinterested, selfless

desinteresse *sm* **1** *(indiferença)* indifference, lack of interest **2** *(desprendimento)* selflessness

desistência *sf* giving up

desistir *vti* to give up: ***desistiu de jogar*** he gave up playing

deslanchar *vi* to get impulse, to gather momentum

desleal *adj* disloyal, unfaithful

deslealdade *sf* disloyalty, unfaithfulness

desleixado *adj* **1** lax, slack, negligent, careless **2** slovenly, messy

desleixo *sm* **1** laxity, slackness, negligence, carelessness **2** slovenliness

desligado *adj* **1** *(desconectado)* off, turned off, switched off **2** *(separado)* apart, set apart, separated from, disconnected

▸ *adj-sm,f fam (distraído)* distracted, diverted, absent-minded

desligamento *sm* **1** *(interrupção)* interruption, cutting off **2** *(de empregado)* termination **3** *(distração)* distraction

desligar *vtd* **1** *(desconectar)* to turn off, to switch off: ***desculpe ter desligado a luz*** I'm sorry I switched off the light **2** *(fechar) to* turn off: ***não se esqueça de desligar o gás*** don't forget to turn off the gas **3** *(interromper o fornecimento)* to interrupt, to cut off **4** *(pôr o telefone no gancho)* to hang up **5** *(desunir)* to separate

▸ *vpr* **desligar-se** **1** *(desconectar-se)* to turn off **2** *(afastar-se)* to separate from, to disconnect from, to detach from **3** *(distrair-se, esquecer)* to disconnect from one's surroundings, to be abstracted, to be oblivious of one's surroundings

deslizamento *sm* **1** *(ato de deslizar)* sliding, slipping, skidding **2** *(de terra)* landslide, mudslide

deslizar *vi* to slide, to slip, to skid

▸ *vtd* to make a *(stupid)* mistake, to make a blunder

deslize *sm* **1** *(falha moral)* fault **2** *(lapso)* lapse, oversight, fault, mistake

deslocamento *sm* **1** removal, move **2** MED dislocation

deslocado *adj* **1** having been removed **2** *(fora do próprio lugar, desambientado)* not in one's element, dislocated **3** *(fora de propósito)* pointless **4** *(luxado)* dislocated

deslocar *vtd* **1** *(tirar do lugar)* to remove **2** *(transferir)* to transfer, to transport **3** *(luxar)* to dislocate

▸ *vpr* **deslocar-se** **1** to go from one place to another **2** *(luxar-se)* to be dislocated

deslumbramento *sm* **1** fascination, daze, bewilderment **2** *fig (cegueira, obcecação)* obfuscation, obsession

deslumbrante *adj* dazzling, fascinating, gorgeous

deslumbrar *vtd* **1** *(fascinar)* to fascinate, to daze, to bewilder **2** *(ofuscar)* to dazzle, to blind

▸ *vpr* **deslumbrar-se** to be fascinated by, to be seduced by *(something)*

desmaiado *adj* **1** *(desbotado)* faint, lacking brightness, lacking color **2** *(desfalecido)* unconscious, having fainted

desmaiar *vi* to faint

desmaio *sm* faint

desmamar *vtd* to wean

desmancha-prazeres *sm,f* spoilsport, killjoy

desmanchar *vtd* **1** *(desfazer)* to undo **2** *(fragmentar, dissolver)* to disintegrate **3** *(desmontar)* to dismantle, to disassemble, to take apart **4** *(namoro, casamento, sociedade)* to break *(up)*, to end **5** *(dissipar)* to disperse, to scatter

▸ *vpr* **desmanchar-se** **1** *(desfazer-se)* to disintegrate, to melt *(away)*, to break up, to fall apart **2** *(fragmentar-se)* to disintegrate, to come apart **3** *(dissipar-se)* to disperse, to scatter **4** *fig* to break out: ***desmanchou-se em sorrisos*** he broke out in smiles

desmanche *sm* breaker's yard

desmando *sm* abuse, immoderation

desmantelar *vtd* **1** *(demolir)* to demolish, to dismantle, to take apart **2** *(destruir)* to demolish, to break *(up)*

▸ *vpr* **desmantelar-se** to break into pieces, to disintegrate

desmarcar *vtd (encontro, reunião etc.)* to cancel

desmascarar *vtd* **1** to unmask, to disclose **2** *fig* to expose

desmatamento *sm* deforestation

desmazelado *adj-sm,f* slovenly, unkempt

desmazelo *sm* slovenliness, sloppiness

desmedido *adj* immense, huge, immeasurable, inordinate

desmembrar *vtd* **1** to divide into parts **2** *(uma companhia)* to demerge

desmentido *sm* denial, statement to the contrary

desmentir *vtd* **1** to deny, to declare that something is not true **2** *(destoar)* contradict, to belie: ***sua aparência desmentia o que acabara de dizer*** her appearance contradicted what she had just said

▸ *vpr* **desmentir-se** to state the opposite of what one has just declared

desmilinguir-se *vpr* to melt away, to crumble down, to break up, to come apart

desmiolado *adj (desajuizado)* unwise, foolish, imprudent

desmontar *vtd* **1** *(tirar do cavalo)* to pull or bring *(someone)* down from a horse **2** *(desarmar)* to disassemble, to dismantle, to take apart **3** *fig (derrotar)* to defeat, to beat

▸ *vi (apear)* to get off a horse, to dismount

desmontável *adj* which can be disassembled/dismantled

desmoralização *sf* **1** *(perda da moral)* loss of moral sense **2** *(perda da autoridade)* loss of authority

desmoralizar *vtd* to embarrass someone

▸ *vpr* **desmoralizar-se** to bring shame upon oneself

desmoronamento *sm* collapse

desmoronar *vi* to collapse

desnatado *adj* skimmed

desnaturado *adj* **1** adulterated **2** *(desumano)* inhuman, cruel

desnecessário *adj* unnecessary

desnível *sm* difference in levels

desnorteado *adj* bewildered, lost, confused

desnutrição *sf* undernourishment

desnutrido *adj* undernourished, malnourished

desobedecer *vti-vi* to disobey

desobediência *sf* disobedience

desobediente *adj-smf* disobedient

desobstruir *vtd* to unblock, to unclog, to clear the way

desocupação *sf* **1** *(de casa)* clearing, vacating, moving out **2** *(de área conquistada)* clearing, evacuation **3** *(de lugar, assento)* freeing **4** *(ociosidade)* idleness

desocupado *adj* **1** unemployed, jobless **2** *(casa)* empty, vacant **3** *(território)* uninhabited, unoccupied **4** *(lugar, assento)* free, vacant

▸ *adj-sm,f* **1** *(ocioso)* idle, lazy, idler, loafer **2** *(sem trabalho)* unemployed, jobless

desocupar *vtd* **1** *(casa)* to vacate, to move out of **2** *(território)* to leave, to clear, to move out of, to evacuate **3** *(lugar, assento)* to free **4** *(esvaziar)* to empty: ***desocupou a gaveta*** she emptied the drawer

desodorante *sm* deodorant

desolado *adj* **1** *(muito triste)* very sad, inconsolable **2** *(deserto)* deserted, remote, isolated

desonesto *adj-sm,f* dishonest, crook

desonra *sf* dishonour

desonrar *vtd* **1** to dishonour **2** *fig (deflorar)* to deflower

desordeiro *adj-sm,f* disorderly

desordem *sf* **1** disorder **2** *(briga, arruaça)* fight, riot, tumult, uproar

desorganização *sf* **1** *(falta de organização)* disorganization **2** *(desmantelamento)* breakdown, collapse

desorganizado *adj* disorganized, messy, chaotic

desorganizar *vtd* 1 *(tornar caótico)* to disorganize, to mess up 2 *(desfazer, desmantelar)* to undo, to dismantle

desorientação *sf* disorientation

desorientar *vtd* to disorientate, to bewilder
▸ *vpr* **desorientar-se** to be/become disorientated

desova *sf* 1 spawning, egg-laying 2 *gíria* drop

despachado *adj* 1 dispatched, expedited, disposed of, taken care of 2 *(expedido)* dispatched, expedited 3 *(dispensado)* dismissed 4 *fig (assassinado)* murdered, killed, taken care of
▸ *adj-sm,f* 1 *(ágil, expedito)* efficient, expeditious 2 *(ousado, desenvolto)* daring 3 *(franco)* assertive

despachante *sm,f* document broker

despachar *vtd* 1 to dispatch, to expedite, to dispose of 2 *(dispensar, mandar embora)* to dismiss 3 *(mercadoria, encomenda)* to dispatch, to route, to forward 4 *fig (matar)* to murder, to kill, to take care of
▸ *vi (deliberar)* to take decisions at an organizational level
▸ *vpr* **despachar-se** to hurry up

despacho *sm* 1 *(execução)* execution 2 DIR dispatch, official decision 3 *(remessa)* dispatch 4 *(desenvoltura)* boldness, liveliness

desparafusar *vtd* to unscrew
▸ *vpr* **desparafusar-se** to burst into a fit of rage

despedaçar *vtd* to break into pieces
▸ *vpr* **despedaçar-se** to be broken into pieces

despedida *sf* 1 farewell, leave-taking 2 *(demissão)* dismissal, termination *(from a job)*
• **despedida de solteiro** stag party

despedir *vtd* 1 *(mandar para casa)* to dismiss 2 *(demitir)* to dismiss, to terminate
▸ *vpr* **despedir-se** 1 to say goodbye, to wave someone goodbye, to kiss someone goodbye 2 to leave, to go away 3 to quit, to leave a job, to hand in a resignation letter

despeitado *adj-sm,f* resentful, bitter

despeito *sm* angry bitterness
• **a despeito de** in spite of, despite, notwithstanding

despejar *vtd* 1 *(líquido)* to pour 2 *(inquilino)* to evict

despejo *sm* 1 *(de esgotos etc.)* disposal 2 *(de inquilino)* eviction
• **quarto de despejo** spare room

despencar *vi (cair)* to drop, to fall 2 *fig (preços)* to drop, to fall

despender *vtd (gastar)* to spend

despensa *sf* larder

despentear *vtd* to uncomb, to dishevel
▸ *vpr* **despentear-se** to be disheveled

despercebido *adj* unperceived, unnoticed, unseen, unobserved

desperdiçar *vtd* to waste, to squander

desperdício *sm* waste

despertador *sm* alarm clock

despertar *vtd* 1 *(fazer acordar)* to wake *(someone)* up, to awake, to rouse 2 *(disparar)* to go off: ***o relógio desperta às sete*** the alarm goes off at seven 3 *fig (apetite, interesse etc.)* to arouse *(one's interest, curiosity etc.)*
▸ *sm* **despertar** awakening

desperto *adj* awake

despesa *sf* expense, expenditure, outlay, cost, charge
• **fazer a despesa do mês** to do the monthly shopping

despido *adj* 1 naked, nude, bare, stripped of one's clothes, having no clothes on 2 *fig (livre, isento)* free *(of something)*, stripped *(of something)* 3 bare: ***os galhos estão todos despidos*** the branches are all bare

despir *vtd (remover as roupas de alguém)* to undress, to take off someone's clothes, to strip someone of his/her clothes
▸ *vpr* **despir-se** 1 to take off one's clothes, to undress 2 *(perder as folhas)* to be stripped of: ***as árvores despiram-se das folhas mais cedo este ano*** the trees were stripped of their leaves earlier this year

despistar *vtd* to divert someone's attention, to mislead *(someone)*

desplante *sm fig* nerve, cheek

despojado *adj (sem ornamentos)* plain, simple, without anything extra or unnecessary

despojar *vtd* 1 *(saquear)* to plunder, to loot 2 *(privar do que revestia)* to strip of
▸ *vpr* **despojar-se** 1 *(despir-se)* to get undressed 2 *(deixar de lado)* to put aside, to leave aside, to let go of

despojo *sm* plunder
▸ *pl* 1 plunder 2 remains
• **despojos mortais** mortal remains

despoluir *vtd* to depollute

despontar *vi (começar a surgir)* to gradually appear

desposar *vtd* to marry *(someone)*

desprender *vtd-vtdi* 1 *(soltar)* to detach, to release 2 *(emitir som)* to send forth *(a sound)*
▸ *vpr* **desprender-se** 1 *(soltar-se)* to come loose from, to detach oneself from 2 *(afastar-se)* to move away from

despreocupado *adj* carefree

despreparado *adj* 1 unprepared 2 immature

despreparo *sm* immaturity, lack of experience

despretensioso *adj* unpretentious

desprevenido *adj* 1 unawares 2 *(sem dinheiro)* having no money on one
• **pegar alguém desprevenido** to catch someone unawares

desprezar *vtd* 1 *(tratar com desprezo)* to despise, to scorn, to look down on 2 *(não levar em conta)* not to take into consideration, not to regard as important, to neglect

desprezível *adj* 1 *(vil)* despicable 2 *(que pode ser negligenciado)* negligible, insignificant

desprezo *sm* 1 lack of consideration, disdain 2 lack of respect, spite 3 disgust for

desprivilegiado *adj* underprivileged, disadvantaged
▸ *sm (pl)* the underprivileged

desproporcional *adj* disproportionate

despropósito *sm* 1 absurdity, nonsense 2 *(grande quantidade)* a large quantity, a huge amount

desprotegido *adj* unsheltered, unprotected, helpless, exposed

desprovido *adj* 1 *(sem)* lacking 2 *(desabastecido)* not having, not bearing

despudorado *adj* shameless, barefaced

desqualificar *vtd* 1 to dequalifiy, to reduce or cancel the value or quality of 2 to discredit

desquitar-se *vpr* to divorce, to get divorced

desquite *sm* divorce

desratização *sf* extermination of vermin

desregrado *adj* 1 *(imoderado)* immoderate, excessive, given to excesses 2 *(imoral)* immoral

desregramento *sm* 1 *(abuso, excesso)* excess 2 *(devassidão)* immorality, perversion

desregulado *adj* not working or functioning properly

desrespeitar *vtd* 1 *(faltar ao respeito)* to disrespect 2 *(transgredir)* to transgress, to trespass

desrespeito *sm* disrespect

desse *pron dem [de + esse]* 1 of that, from that 2 such, this, that: ***você não vai querer sair com um tempo desse!*** you're not going out in such weather!

destacado *adj* 1 *(separado)* separate, single: ***dividiu o estudo em três experiências destacadas*** he divided his study into three separate experiments 2 *(proeminente)* prominent, outstanding, remarkable

destacar *vtd (dar destaque)* to stress, to emphasise
▸ *vtd-vtdi* 1 *(incumbir, designar)* to put in charge *(of)*, to assign *(for)* 2 *(retirar, soltar)* to detach *(from)*
▸ *vpr* **destacar-se** 1 *(soltar-se)* to detach *(from)*, to be released *(from)* 2 *(sobressair)* to stand out *(as)*, to be distinguished *(as)*

destampar *vtd* to remove the cover or lid, to open the lid, to uncover, to open, to pull open

destaque *sm* highlight
• **dar destaque** to stress, to empasize, to call attention to
• **destaque de escola de samba** a famous personality featuring in a samba school parade

deste *pron dem* (prep *de* + *este*) *(of)* this, *(from)* this

destilado *sm* distilled

destilaria *sf* distillery

destinação *sf* destination

destinado *adj* **1** *(fadado)* destined for **2** *(reservado a, separado para)* assigned to/for: ***toda a verba foi destinada para a educação*** all the money was assigned to education **3** *(voltado)* directed to: ***as medidas do governo foram destinadas a acabar com a fome*** the government measures were directed to ending famine

destinar *vtd (reservar para determinado fim)* to assign *(to, for)*
▸ *vpr* **destinar-se** *(ser destinado a)* to be destined for

destinatário *sm,f* **1** *(de carta)* addressee **2** *(que é alvo de algo)* addressee, target

destino *sm* **1** *(sina)* fate, destiny, fortune **2** *(lugar para onde se ruma)* destination

destituição *sf* destitution

destituir *vtd-vtdi* to destitute

destoar *vi-vti* **1** not to match, not to go with, to be different from the others of the same kind **2** to be out of tune, to be discordant

destrambelhado *adj-sm* uncontrolled, loose cannon

destratar *vtd* to mistreat, to ill-treat, to maltreat

destravar *vtd* to unlock

destreza *sf* dexterity, skill

destro *adj* **1** right-handed **2** dexterous, dextrous, skilful

destroçar *vtd* to destroy, to gnash to pieces

destroços *sm pl* parts, ruins, remains

destruição *sf* destruction

destruidor *sm, f* destroyer, a person or thing that destroys

destruir *vtd* to destroy, to ruin, to damage
▸ *vpr* **destruir-se** to self-destroy, to ruin one's own life

destrutivo *adj* destructive

desumanidade *sf* inhumanity

desumano *adj* inhuman, cruel

desunião *sf* **1** separation, break-up **2** *(discórdia)* discord, lack of unity, estrangement

desunir *vtd* **1** to separate, to disconnect **2** *(produzir discórdia)* to disunite, to estrange, to set at variance

desuso *sm* lack of use

desvairado *adj* wild, frenetic, completely crazy

desvalorização *sf* **1** decrease in value **2** *fig (menosprezo)* disdain, scorn

desvalorizar *vtd* **1** to diminish the value of, to devalue **2** *fig (menosprezar)* to despise, to look down on
▸ *vpr* **desvalorizar-se** not to value or acknowledge one's own qualities, not to have a sense of one's own value

desvanecer-se *vpr* **1** *(desaparecer)* to vanish, to disappear gradually, to wane **2** *(encher-se de vaidade)* to puff up with pride

desvantagem *sf* **1** disadvantage **2** *(ponto negativo)* disadvantage, con
• **estar/ficar em desvantagem** to be at a disadvantage

desvantajoso *adj* disadvantageous

desvario *sm* craziness, madness, frenzy

desvelar-se *vpr* to reveal oneself, to uncover oneself, to disclose oneself

desvencilhar *vtd-vtdi* to loosen, to unfasten, to detach from
▸ *vpr* **desvencilhar-se** to get rid of

desvendar *vtd* **1** *(tirar a venda)* to remove the cover from one's eyes **2** *(revelar)* to reveal **3** *(decifrar)* to discover, to solve, to decipher

desventura *sf* misfortune, bad luck, misery

desventurado *adj* unlucky, wretched, miserable

desviar *vtd* **1** *(rio, estrada)* to divert **2** *(esquivar)* to swerve, to turn away *(from)*: ***desviei a cabeça*** I swerved my head **3** *(empurrar)* to push away: ***não conseguiu desviar o revólver do outro*** he wasn't able to push the revolver away **4** *(dinheiro)* to divert
• **desviar da rota** to divert *(from)* one's path

desvio *sm* **1** detour, diversion *(AmE)* **2** *(de rio, de estrada)* diversion **3** *(atalho)* shortcut 4 *(extravio fraudulento)* misappropriation 5 *(anomalia psíquica)* deviation

■ **desvio-padrão** standard deviation

desvirtuar *vtd* to pervert, to corrupt, to adulterate

detalhar *vtd* to detail

detalhe *sm* detail

• **entrar em detalhes** to go into detail(s)

detalhista *adj-smf* having an eye for detail

detector *sm* detector

detenção *sf* 1 halt, detention, arrest 2 delay 3 DIR detention, arrest

detento *sm,f* jail inmate, prisoner

deter *vtd* 1 *(fazer parar)* to stop, to halt, to put an end to 2 *(fazer demorar)* to delay 3 *(conter)* to deter, to prevent *(someone)* from doing something 4 *(conservar em seu poder)* to have, to possess 5 DIR to arrest

▸ *vpr* **deter-se** 1 *(parar)* to stop, to come to a halt 2 *(conter-se)* to restrain oneself, to keep oneself under control 3 *(ocupar-se demoradamente)* to plunge in, to be absorbed by

detergente *adj* cleansing

▸ *sm* detergent

deterioração *sf* 1 decay, putrefaction 2 *(degeneração)* degeneration, deterioration

deteriorar *vtd* 1 *(estragar)* to damage, to spoil, to ruin 2 *(degenerar)* to pervert, to corrupt

▸ *vpr* **deteriorar-se** 1 *(estragar-se)* to decay, to spoil, to rot, to go bad 2 *(degenerar)* to degenerate, to deteriorate

determinação *sf* 1 *(definição)* definition, establishment, determination 2 *(ordem)* order, command 3 *(decisão)* decision, resolution 4 *(arrojo)* determination

determinado *adj* 1 *(definido)* defined, established 2 *(resoluto)* resolute 3 *(decidido)* determined

▸ *pron indef* certain: ***em determinado momento...*** at a certain moment, at a certain point

determinante *adj* 1 *(decisivo)* decisive 2 *(gerador)* causative, causing, giving origin to

▸ *sm* 1 determinant 2 GRAM determiner

determinar *vtd* 1 *(definir, estabelecer)* to define, to determine 2 *(motivar)* to motivate, to encourage, to make determined

▸ *vtd-vtdi* 1 *(ordenar, mandar)* to order, to command 2 *(decidir)* to decide on

detestar *vtd* to hate, to abhor, to detest, to loathe

detestável *adj* detestable, abominable, appaling, disgusting

detetive *smf* detective

detido *adj-sm,f* *(preso)* arrested

detonação *sf* detonation, explosion

detonador *sm* detonator

detonar *vtd* 1 to detonate, to explode 2 *fig* *(estragar, destruir)* to damage, to destroy, to ruin

▸ *vi* *(explodir)* to detonate, to explode

detrás *adv* *(from)* behind, back: ***apertou-lhe os olhos por detrás e disse: "adivinhe quem é!"*** he approached her from behind, covered her eyes and said: "guess who!"; ***está na parte detrás da página*** it's on the back of the page

detrimento *sm loc* loss, harm, injury

• **em detrimento de** at the expense of

detrito *sm* *(a piece of)* debris

deturpar *vtd* 1 *(desfigurar)* to defigure, to deface 2 *(estragar)* to damage, to spoil 3 *(alterar, adulterar)* to adulterate 4 *(corromper)* to pervert, to corrupt 5 *(distorcer)* to distort, to twist

deus *sm* god

▸ *sm* **Deus** God

▸ *sf* **deusa** goddess

• **Deus me livre!** God forbid!

• **graças a Deus!** thank God!

• **pelo amor de Deus!** for God's Sake!, for Heaven's Sake!

• **se Deus quiser** God willing

deus-dará *sm loc* **ao deus-dará** abandoned, neglected

deus nos acuda *sm* confusion, tumult, uproar

devagar *adv* slowly

devaneio *sm* daydream

devastar *vtd* to devastate, to destroy, to raze, to ruin

devedor *adj* debtor

dever *vtd* 1 *(ter obrigação de)* must + verbo: ***devo estudar, já que sou estudante*** I must study as I'm a student 2 *(ter de, precisar)* must + verbo, to have to + verbo, to need to + verbo: ***devo ir agora; já é tarde*** I have to go now; it's late
▸ *vtdi* 1 *(ter de pagar)* to owe 2 *(estar obrigado)* to owe: ***devo-lhe esse favor*** I owe you this favour
▸ *vi* 1 *(ter dívidas)* to have debts, to owe money, to be indebted 2 *(ser provável)* must + verbo: ***ele deve estar lá, pois a luz está acesa*** he must be there as the light is on 3 *(ser possível)* should + verbo: ***deve chegar mais cedo hoje*** he should come home earlier today
▸ *sm* **dever** 1 duty, task, chore: ***um de seus deveres é levar as crianças para a escola*** her duties include taking the children to school 2 homework

devido *adj* 1 *(que se deve ter, que é de direito)* due: ***tratou o homem com o devido respeito*** he treated the man with due respect 2 *(valor)* due
▸ *sm* **devido** *(o que cabe a alguém por direito, o que é justo)* due: ***finalmente saiu de férias; nada mais do que o devido*** he finally went on vacation; no more than what was due to him
• **devido a** due to, owing to, because of

devoção *sf* devotion, dedication

devolução *sf* return

devolver *vtd-vtdi* 1 *(levar de volta)* to return: ***devolvi o livro à biblioteca hoje de manhã*** I returned the book to the library this morning 2 *(restituir)* to give back, to pay back

devorar *vtd* 1 *(comer avidamente)* to devour, to eat up 2 *(ler com avidez)* to devour, to read eagerly 3 *(destruir)* to devour, to devastate 4 *(atormentar)* to consume: ***o ciúme devorava-o por dentro*** jealousy consumed him

devotar-se *vpr* to devote oneself to

devoto *adj* devoted
▸ *sm,f* devotee

dez *num-sm* ten
• **dez para as nove** ten to nine

dezembro *sm* December

dezena *sf* ten, *(a)* tenth *(part)*

dezenove *num-sm* nineteen

dezesseis *num-sm* sixteen

dezessete *num-sm* seventeen

dezoito *num-sm* eighteen

dia *sm* 1 *(o oposto de noite)* day 2 *(período de 24 horas)* day 3 *(ocasião futura)* day: ***um dia seremos felizes*** one day we'll be happy 4 *(data)* date: ***o pagamento deve ser feito neste dia*** payment is due on this date
• **com os dias contados** one's days are numbered
• **da noite para o dia** very quickly, in a short space of time, in the blink of an eye
• **de dia** during the day
• **dentro de alguns dias** in a few days, in a few day's time
• **dia a dia** day by day
• **Dia das Mães/dos Pais** Mother's Day/Father's Day
• **dia de ano-bom** New Year's Day
• **dia de anos** birthday
• **dia de finados** All Souls' Day
• **dia de Reis** Epiphany, Twelfth Night
• **dia de são Nunca** never, the day pigs will be flying
• **dia de semana** weekday
• **dia de Todos os Santos** All Saints' Day
• **dia mais, dia menos** sooner or later
• **dia santo** holiday
• **dia sim, dia não** every other day
• **dia útil** working day
• **estar em dia** *(a par)* to be updated, to be on time
• **estar naqueles dias** *(menstruada)* to be at that time of the month, to be on her period
• **hoje em dia** these days, nowadays, today, at present time, in current time
• **no outro dia** the other day
• **o dia seguinte** the following day, the day after
• **por dia** a day
• **que dia (da semana) é hoje?** what day *(of the week)* is it today?
• **que dia (do mês) é hoje?** what date is it today?
• **todo santo dia** every single day, day in, day out
• **um dia desses** *(há poucos dias)* a few days ago, some days ago, a couple of days ago

dia a dia *pl* (**dia a dias**) *sm* daily life, everyday life

diabetes *smf* MED diabetes

diabo *sm* the Devil
• **e o diabo a quatro** and all that stuff
• **mandar alguém para o diabo** to tell someone to go to hell
• **para o diabo (com alguma coisa)** to hell (*with something*)

diabólico *adj* devilish, demonic, diabolical

diabrura *sf* devilry, mischief

diacho *interj* hell

diadema *sm* diadem

diafragma *sm* ANAT diaphragm

diagnóstico *sm* diagnosis

diagonal *sf* diagonal

dialeto *sm* dialect

dialogar *vti-vi* to have a dialogue, to engage in dialogue, to have a conversation, to carry on conversation

diálogo *sm* dialogue

diamante *sm* diamond

diâmetro *sm* diametre

diante *loc prep* **diante de** before, in front of
• **daqui por diante** from now on
• **do número sete em diante** from number seven onwards
• **e assim por diante** and so on, and so forth

dianteira *sf* front
• **na dianteira** on the front burner
• **tomar a dianteira** to take the lead

dianteiro *adj* frontal, foremost
• **banco dianteiro** the front seat

diapasão *sm* MÚS tuning fork

diária *sf* **1** (*preço por dia em hotéis etc.*) daily rate **2** (*pagamento diário*) daily wages

diário *adj* daily
▸ *sm* **diário 1** (*jornal*) daily paper, newspaper **2** (*pessoal*) diary, journal
• **diário de bordo** (*ship*) log
• **Diário Oficial** a daily publication that officially records government acts

diarista *sm,f* day labourer

diarreia *sf* diarrhea, diarrhoea

dica *sf* tip, hint, cue, suggestion, advice

dicionário *sm* dictionary

didático *adj* didactic

diesel *sm* diesel fuel, diesel oil

dieta *sf* diet

dietético *adj-sm* dietetic, a diet product

difamação *sf* slander, libel

difamar *vtd* to slander, to libel, to malign, to smear someone's reputation

diferença *sf* **1** (*falta de semelhança*) difference, discrepancy **2** (*desigualdade*) difference **3** (*variedade*) variety, diversity **4** MAT difference
▸ *pl* **diferenças** (*desavenças*) differences

diferenciar *vtd* **1** (*determinar a diferença*) to distinguish, to differentiate, to tell the difference **2** (*tratar com desigualdade*) to differentiate, to discriminate
▸ *vpr* **diferenciar-se** to distinguish oneself

diferente *adj* **1** (*dessemelhante*) different **2** (*mudado*) different, changed **3** (*incomum*) different, uncommon, unusual
▸ *pl* (*diversos, variegados*) diverse

diferir *vtd* (*adiar*) to postpone, to put off
▸ *vti-vi* (*divergir*) to disagree, to differ

difícil *adj* **1** (*não fácil*) difficult **2** (*inacessível*) difficult **3** (*embaraçoso*) difficult, complicated, hard **4** (*intratável*) difficult, awkward, not easy to please: ***sempre foi uma pessoa difícil*** he has always been a difficult person **5** (*pouco provável*) unlikely: ***acho difícil que ela venha à festa*** she's unlikely to attend the party
• **bancar o difícil/fazer-se de difícil** to play difficult
• **falar difícil** to talk in a pedantic manner, to talk like a book

dificuldade *sf* **1** (*caráter de difícil*) difficulty, hardship **2** (*obstáculo*) difficulty, hardship, hindrance **3** (*objeção*) objection
• **passar dificuldades** to go through difficult times

dificultar *vtd-vtdi* to make difficult

dificultoso *adj* difficult, hard

difundir *vtd* **1** (*espalhar*) to spread, to scatter **2** (*emitir*) to diffuse **3** (*divulgar*) to spread: ***difundiram a notícia de que voltaria a atuar*** they spread the news that he would be back on stage **4** *(transmitir)* to broadcast: ***difundiram a entrevista para vários países*** they broadcast the interview to several countries

▸ *vpr* **difundir-se 1** *(espalhar-se)* to spread **2** *(divulgar-se)* to spread, to make oneself/itself known **3** *(ser emitido, irradiar-se)* to spread, to be diffused: ***a luz difundia-se por toda a sala*** the light spread to every part of the room **4** *(ser transmitido)* to be broadcast

difusão *sf* **1** diffusion, dispersion **2** radio broadcast

digerir *vtd* to digest

digestão *sf* digestion

digestivo *adj* digestive

digitação *sf* typewriting, typing

digital *adj* **1** *(relativo a dedos)* relating to fingers or fingerprints **2** *(relativo a dígitos)* digital

• **impressões digitais** fingerprints

digitar *vtd* to typewrite, to type

dignar-se *vpr* to deign

dignidade *sf* **1** *(honra)* dignity, worthiness, honour **2** *(gravidade, distinção)* dignity, importance **3** *(respeito a si mesmo)* pride, self-respect

digno *adj* **1** *(merecedor)* worthy **2** *(honrado)* honoured, honest **3** *(apropriado)* proper, appropriate, right, fit, suitable

dilacerar *vtd* **1** to lacerate, to tear *(to pieces)*, to rip **2** *(afligir, torturar)* to afflict, to torture

▸ *vpr* **dilacerar-se 1** to be lacerated, to be torn *(to pieces)*, to be ripped **2** to be afflicted, to be tormented by

dilapidar *vtd* **1** *(destruir)* to destroy, to ruin **2** *(gastar, esbanjar)* to waste, to squander, to dissipate

dilatação *sf* **1** dilation, expansion, enlargement **2** MED dilatation

dilatar *vtd* **1** *(aumentar o volume/as dimensões)* to dilate, to expand, to enlarge **2** *(retardar)* to delay, to hold **3** *(prolongar)* to prolong, to extend

▸ *vpr* **dilatar-se 1** to dilate, to expand, to be enlarged **2** *(demorar-se, estender-se)* to linger

dilema *sm* dilemma

diletante *sm,f* dilettante

diligência *sf* **1** *(aplicação)* diligence **2** *(rapidez, presteza)* readiness, promptness **3** *(investigação, pesquisa)* investigation, research, search **4** *(execução de serviços judiciais externos)* visit **5** *(carruagem puxada a cavalos)* stagecoach

diluição *sf* dilution

diluir *vtd* **1** to dilute, to water down **2** *(abrandar)* to tone down

▸ *vpr* **diluir-se** to be diluted, to be watered down

dilúvio *sm* flood

dimensão *sf* **1** dimension **2** *(tamanho)* size **3** *fig (importância)* importance, value

dimensionar *vtd* to determine the size of

diminuição *sf* **1** diminution, diminishing, lessening **2** *(redução)* reduction, shortening, shrinkage, decrease **3** *(abreviação)* abbreviation, shortening, reduction

diminuir *vtd-vi* **1** to diminish, to lessen **2** *(reduzir)* to reduce, to shorten, to shrink, to decrease **3** *(abreviar)* to abbreviate

▸ *vtd-vtdi (subtrair)* to take off: ***diminuiu 10% do valor total*** he took 10% off the total amount

▸ *vpr* **diminuir-se** *(humilhar-se, depreciar-se)* to humble oneself

• **diminuir a velocidade** to reduce the speed

• **diminuir de peso** to lose weight

• **diminuir de tamanho** to shorten

• **diminuir o fogo** to reduce the strength of the fire

diminutivo *sm* short form, diminutive form

Dinamarca *sf* Denmark

dinamarquês *sm,f* Danish

dinâmica *sf* dynamics

dinâmico *adj* dynamic

dinamitar *vtd* to dynamite

dinamite *sf* dynamite

dinamizar *vtd* to make or cause to be dynamic

dínamo *sf* dynamo

dinastia *sf* dynasty

dinheirama *sf* a lot of money

dinheirão *sm* a lot of money

dinheiro *sm* money
• **dinheiro em espécie** cash
• **dinheiro fácil** easy money
• **dinheiro miúdo/trocado** small change
• **dinheiro sujo** dirty money, illegal money
• **dinheiro vivo** cash
• **ficar sem dinheiro** to get broke
• **investir dinheiro** to put money into something
• **nadar em dinheiro** to be rolling in money
• **não ver a cor do dinheiro** not to keep any money, not to get paid
• **pegar/tomar dinheiro emprestado** to borrow money (*from*)

dinossauro *sm* dinosaur

diocese *sf* diocese

diploma *sm* 1 (*documento*) diploma 2 (*título*) degree

diplomacia *sf* diplomacy

diplomar *vtd* to provide (*someone*) a degree
▸ *vpr* **diplomar-se** to get a degree (*in*)

diplomata *smf* diplomat

diplomático *adj* diplomatic

dique *sm* dam, dyke

direção *sf* 1 (*administração*) management 2 (*diretoria*) the people in charge, (*de uma empresa*) management, (*de escola ou universidade*) the principal, the dean 3 (*orientação*) guidance 4 (*sentido, lado*) direction, course 5 (*tendência*) trend 6 (*condução de veículo*) driving 7 (*volante*) steering wheel 8 TEATRO CINE direction
• **direção hidráulica** automatic steering
• **sem direção** aimlessly
• **sob nova direção** under new management

direcionamento *sm* direction, guidance

direcionar *vtd* to point the way, to guide, to advise

direita *sf* 1 right 2 (*ala direita, em política*) right wing
▸ *adj* **de direita** right-wing
• **dobrar/virar à direita** to turn right
• **extrema direita** far right

direitinho *adv* 1 (*diretamente*) straight 2 (*corretamente*) correctly 3 (*com perfeição*) perfectly 4 (*exatamente*) exactly, precisely 5 (*bem*) well

direito *adj* 1 (*destro*) right-handed 2 (*honesto*) honest 3 (*de bons costumes*) virtuous, having good habits 4 (*justo, correto*) just, fair, righteous, honest 5 (*arrumado*) tidy, organized 6 (*leal*) loyal, faithful, constant 7 (*reto*) straight 8 (*plano*) flat 9 (*não esquerdo*) right
▸ *sm* **direito** 1 (*concernente às leis*) Law 2 (*prerrogativa*) right
▸ *sm pl* **direitos** 1 (*prerrogativas*) rights 2 (*taxa, imposto*) taxes
▸ *adv* **direito** 1 (*em linha reta*) straight 2 (*devidamente, bem*) properly, well 3 (*educadamente*) politely 4 (*convenientemente*) conveniently 5 (*corretamente*) correctly
• **a torto e a direito** right and left, blindly, indiscriminately
• **deixe-me entender direito...** let me get this right...
• **o direito e o avesso** the right and wrong sides
• **a quem é de direito** to whom it's due
• **uma moça direita** a virtuous young woman

direto *adj* 1 direct 2 (*franco*) direct, blunt 3 (*sem baldeação*) direct, non-stop 4 (*sem intermediário*) direct
▸ *adv* **direto** 1 (*sem desviar*) directly, straight ahead 2 (*sem parar*) directly, without stopping 3 (*imediatamente*) immediately, right away: ***vá direto falar com o gerente*** go and see the manager immediately 4 (*sem interrupção*) uninterruptedly

diretor *adj* directing
▸ *sm,f* 1 (*de escola*) principal, head teacher 2 (*de faculdade*) dean 3 (*administrador*) director, manager 4 TEATRO CINE director

diretoria *sf* 1 (*equipe de administração*) management, board of directors 2 (*cargo de diretor*) directorship 3 (*de escola*) the head teacher's office, the principal's office (*AmE*) 4 (*de faculdade*) the dean's office

diretriz *sf* guideline

dirigente *adj* director, the person in charge
▸ *sm,f (governante)* ruler

dirigir *vtd* 1 *(administrar)* to manage, to run 2 *(orientar)* to guide 3 *(liderar, comandar)* to lead, to control, to command 4 *(automóvel)* to drive 5 *(conduzir)* to lead, to guide, to conduct 6 *(direcionar)* to lead, to guide, to show the way
▸ *vtdi* 1 *(encaminhar, endereçar)* to address 2 *(voltar)* to turn: ***dirigiu a atenção para a pessoa que entrava*** he turned his attention to the person entering the room
▸ *vi (automóvel)* to drive: ***como estou dirigindo?*** how am I driving?
▸ *vpr* **dirigir-se** 1 *(encaminhar-se)* to go to 2 *(tender)* to tend to 3 *(destinar-se)* to be aimed at, to have the purpose of 4 *(estar a caminho)* to be on one's way to
• **dirigir a palavra a alguém** to address someone
• **dirigir uma escola** to run a school
• **dirigir uma orquestra** to conduct an orchestra
• **dirigir um filme** to direct a film/movie

dirigível *sm* AERON airship, zeppelin

discagem *sf* dialing
• **discagem direta a distância – DDD** long-distance call

discar *vtd-vi* to dial

discente *adj* student

discernimento *sm* judgement, discernment

discernir *vtd-vi* 1 to discern, to detect 2 to make out, to identify

disciplina *sf* 1 discipline 2 *(matéria de ensino)* subject, course, class

disciplinado *adj* 1 *(obediente)* disciplined, obedient 2 *(metódico)* disciplined, methodical

disciplinar *vtd* to discipline, to punish

discípulo *sm,f* disciple

disco *sm* 1 *(objeto circular)* disc 2 MÚS record 3 TEL dial 4 ANAT disc 5 ESPORTE discus
• **arremesso de disco** throwing the discus
• **disco a laser** compact disc
• **disco de vinil** long-play *(record)*, LP
• **disco flexível** floppy disc
• **disco rígido** hard disc
• **disco voador** flying saucer, UFO
• **hérnia de disco** slipped disc
• **mudar/virar o disco** *fig* to stop saying the same thing over and over again

discordância *sf* disagreement

discordar *vti* to disagree with

discórdia *sf* 1 *(desacordo)* disagreement, discord 2 *(guerra)* conflict, war
• **motivo de discórdia** bone of contention

discorrer *vi-vti* to talk about, to lecture on

discoteca *sf* 1 a collection of music records 2 discotheque, disco, night club

discrepância *sf* discrepancy, disagreement, difference

discrepante *adj* disagreeing, different

discreto *adj* 1 *(reservado)* discreet, reserved, undemonstrative, secretive, private 2 *(que não chama a atenção)* discreet, tactful, cautious, circumspect 3 *(que respeita a privacidade)* discreet, respectful of other people's privacy 4 *(pequeno)* small

discrição *sf* discretion
• **à discrição** with discretion

discriminação *sf* 1 *(distinção, enumeração)* differentiation, distinction, discernment 2 *(racial, social etc.)* discrimination

discriminar *vtd-vti-vtdi (distinguir)* to discriminate
▸ *vtd (fazer distinção por motivo de raça, condição social etc.)* to discriminate

discursar *vi-vti* to speak, to give a talk, to deliver a speech, to lecture, to address people

discurso *sm* speech, talk

discussão *sf* 1 discussion 2 *(briga)* fight, argument, quarrel
• **em discussão** under discussion, being discussed

discutir *vtd* 1 *(debater)* to discuss 2 *(contestar)* to contest, to argue about, to disagree, to contradict, to dispute, to question 3 *(analisar)* to examine, to analise
▸ *vti (questionar)* to question, to dispute, to disagree with, to argue with
▸ *vi (brigar)* to fight, to have a quarrel, to have an argument

discutível *adj* which can be discussed

disenteria *sf* disentery, diarrhea, diarrhoea

disfarçado *adj* **1** feigned, dissimulated, pretended **2** in disguise, wearing a mask, masked

disfarçar *vtd* **1** *(encobrir)* to hide, to disguise, to conceal **2** *(a voz)* to disguise
▸ *vi* **1** *(dissimular)* to dissimulate, to dissemble **2** to act normal: ***disfarça, o professor vem chegando*** act normal, the teacher is coming
▸ *vpr* **disfarçar-se** to disguise oneself as

disfarce *sm* **1** disguise **2** *(dissimulação)* pretending, dissimulation

disforme *adj* **1** misshapen, unshapely **2** monstruous, hideous

disjuntor *sm* circuit breaker

disparada *sf* stampede

disparar *vtd* **1** *(um mecanismo, uma mola)* to start, to set off, to trigger **2** *(arma de fogo)* to shoot **3** *(flechas)* to shoot **4** *(soltar, emitir)* to let off
▸ *vi* **1** *(sair correndo)* to run, to start running, to bolt **2** *(funcionar sem controle)* to go off: ***o alarme do carro disparou*** the car alarm went off

disparatado *adj* absurd

disparate *sm* absurdity, nonsense

disparo *sm* **1** *(de arma de fogo)* shot **2** *(de flecha)* shot, flight **3** *(de mola)* release

dispêndio **1** expense, cost **2** damage, loss

dispendioso *adj* expensive, costly, costing a lot of money

dispensa *sf* **1** exemption, dispensation, special permission **2** *(de aulas, de trabalho)* leave **3** *(demissão)* dismissal **4** *(de serviço militar)* leave

dispensar *vtd-vtdi* **1** to dismiss **2** *(do serviço militar)* to grant leave **3** *(conceder)* to give, to provide: ***dispensou toda a atenção ao convidado*** she gave all her attention to the guest **4** *(tornar desnecessário)* to do away with, to dispense with: ***os cartões de crédito com senha dispensam a assinatura do cliente*** credit cards with a pin number dispense with the client's signature

dispensável *adj* dispensable, unnecessary, inessential, superfluous

dispersão *sf* dispersion, dispersal, scattering, spread

dispersar *vtd* **1** *(espalhar)* to disperse, to scatter: ***dispersaram as sementes por todo o terreno*** they scattered the seeds all over the land **2** *(multidão)* to send away, to break up, to disperse
▸ *vpr* **dispersar-se** **1** *(dissipar-se)* to disperse: ***as nuvens logo começaram a se dispersar*** the clouds soon started to disperse **2** *(alastrar-se)* to spread: ***o fogo se dispersou para as campinas*** the fire spread to the fields **3** *(multidão)* to be sent away, to be dispersed: ***a multidão teve de ser dispersada*** the crowd had to be dispersed

dispersivo *adj* **1** dispersive **2** unfocused, unable to pay attention

disperso *adj (dispersivo)* **1** disperse **2** unfocused, not paying attention

displicência *sf* carelessness, negligence, unconcern

displicente *adj* careless, negligent, unconcerned

disponibilidade *sf* availability

disponível *adj* available

disponibilizar *vtd* to make available

dispor *vtd* **1** *(pôr, arrumar)* to place, to put, to lay, to set in place **2** *(organizar)* to arrange, to organize **3** *(determinar)* to determine, to establish, to provide that: ***a legislação dispõe que o empregado tem direito a um abono*** the legislation determines that the employee has the right to a day off
▸ *vtd-vtdi* **1** *(predispor)* to prepare to/for **2** *(induzir)* to induce **3** *(estimular)* to encourage, to persuade, to convince, to influence
▸ *vti* **1** *(ter, possuir)* to have, to possess **2** *(dar aplicação a)* to make use of **3** *(poder utilizar)* to be at one's disposal, to be available: ***disponha do meu carro quando quiser*** my car is at your disposal any time you want **4** *(contar com)* to count on **5** *(desfazer-se)* to dispose of
▸ *vi* to be one's guest: ***disponha!*** be my guest!
▸ *vpr* **dispor-se** **1** *(predispor-se, estar determinado)* to be determined to **2** *(decidir-se)* to decide to **3** *(preparar-se)* to get ready for

▸ *sm* **dispor** disposal: ***(estou) a seu dispor*** (I'm) at your disposal; ***pus o carro a seu dispor*** the car is at your disposal
• **o homem põe e Deus dispõe** man proposes and God disposes
• "**obrigado**" – "**disponha**" "thank you" – "don't mention it"

disposição *sf* 1 *(distribuição, arranjo)* disposal, placement 2 *(estado de espírito)* disposition, mood 3 *(estado de saúde)* state of health 4 *(vocação, predisposição)* willingness 5 *(manifestação de vontade)* willingness, wish, good will 6 *(preceito)* precept, provision
• **estou à sua disposição** I'm at your disposal, I'll be happy to help

dispositivo *sm* 1 device 2 DIR provision, clause

disposto *adj* 1 *(colocado de certo modo)* placed, laid, disposed 2 *(preparado)* ready 3 *(predisposto, inclinado)* willing 4 *(em bom estado de saúde)* energetic, vigourous, lusty, full of strength 5 *(ativo)* active 6 DIR stated

disputa *sf* 1 contest 2 argument, dispute, disagreement 3 conflict, battle

disputar *vtd* 1 to enter a contest 2 to dispute, to question 3 to conflict, to clash
▸ *vtdi* to compete for: ***disputar um posto com alguém*** to compete with someone for a position

disquete *sm* small disc, disquette

disseminação *sf* 1 *(dispersão)* dispersal, scattering 2 *(propagação)* dissemination, spread

disseminar *vtd* 1 *(semear)* to sow, to scatter 2 *(difundir)* to disseminate, to spread

dissertação *sf* dissertation, MA thesis *(AmE)*

dissimular *vtd* 1 *(ocultar)* to hide, to conceal 2 *(fingir)* to pretend, to dissemble 3 *(disfarçar)* to disguise, to act, to pretend

dissipação *sf* 1 *(desaparição)* disappearing, dissolving, dispersal 2 *(esbanjamento)* squandering, dissipation

dissipar *vtd* 1 *(espalhar)* to scatter 2 *(fazer desaparecer)* to disperse 3 *(esbanjar)* to squander
▸ *vpr* **dissipar-se** to disappear, to be dispersed

disso *pron dem* (prep *de* + *isso*) of this, about this: ***há mais disso que eu não saiba?*** is there any more of this which I don't know?; ***não quero falar disso*** I don't want to talk about this

dissolução *sf* 1 dissolution, breakup 2 QUÍM dissolving 3 DIR dissolution 4 *(devassidão)* debauchery, dissipation

dissolver *vtd* 1 QUÍM to dissolve 2 DIR to dissolve 3 *(dispersar)* to disperse
▸ *vpr* **dissolver-se** 1 to dissolve 2 *(desmembrar-se)* to break up, to fall apart

distância *sf* distance
• **mantenha distância** keep your distance, keep off, keep out

distanciar *vtd* *(pôr distante)* to move away from, to put away, to take away
▸ *vtdi* *(afastar)* to separate, to remove
▸ *vpr* **distanciar-se** 1 *(afastar-se)* to move apart, to separate from, to keep off 2 *(apartar-se)* to separate from

distante *adj* 1 *(que está longe)* distant, far, remote 2 *(diferente)* different, changed 3 *(remoto)* distant, far, remote 4 *fig* *(afastado)* far, remote 5 *fig* *(indiferente, frio)* distant, cold, absent-minded
▸ *adv* far

distinção *sf* 1 *(diferenciação)* distinction, differentiation 2 *(elegância)* distinction 3 *(honraria)* honour, distinction

distinguir *vtd-vtdi* 1 *(diferenciar)* to distinguish, to differentiate 2 *(caracterizar)* to characterize 3 *(avistar)* to see in the distance 4 *(conferir distinção)* to honour (with)
▸ *vpr* **distinguir-se** 1 *(diferenciar-se)* to be distinguished from/by, to be distinct from, to be differentiated from 2 *(sobressair)* to to stand out

distintivo *adj* distinctive
▸ *sm* **distintivo** *(police)* badge

distinto *adj* 1 *(diferente)* distinct, different 2 *(nítido)* clear 3 *(ilustre, considerado)* distinguished, outstanding 4 *(fino, sóbrio)* fine, distinct, sober

distorção *sf* 1 *(de sons)* distortion 2 *(de formas)* distortion 3 *(de intenções)* distortion

distorcer *vtd* to distort

distração *sf* 1 *(desatenção)* inattention 2 *(divertimento)* entertainment 3 *(lapso)* lapse: ***não considero que seja um erro, e sim uma distração*** I don't regard this as a mistake, but as a lapse

distraído *adj* inattentive, absent-minded, abstracted, forgetful

distrair *vtd* 1 *(desviar a atenção)* to distract, to divert 2 *(divertir)* to entertain

▸ *vpr* **distrair-se** 1 *(ter a atenção desviada)* to be distracted from/by, to be diverted from/by 2 *(divertir-se)* to entertain oneself, to amuse oneself

distribuição *sf* 1 *(disposição)* placement, laying, distribution 2 *(divisão, rateio)* distribution 3 *(entrega domiciliar)* delivery

distribuidor *sm,f* distributor

▸ *sm* **distribuidor** 1 AUTO distributor 2 COM supplier

distribuir *vtd-vtdi* 1 *(repartir, dividir)* to distribute, to impart 2 *(dispor, arranjar)* to place, to lay 3 *(doar)* to give away 4 COM to supply

distrito *sm* district

distúrbio *sm* 1 *(perturbação)* disturbance 2 MED disturbance

ditado *sm* 1 *(escolar)* dictation 2 *(provérbio)* saying, proverb

ditador *sm, f* dictator

ditadura *sf* dictatorship

ditar *vtd-vtdi* 1 *(em aula)* to dictate 2 *(lei, decreto)* to dictate, to impose, to decree

dito *adj* said, aforementioned, mentioned, stated

▸ *sm* **dito** saying, proverb

• **dar o dito pelo não dito** to back out, to go back on one's word

• **dito e feito** no sooner said than done

• **dito espirituoso** witticism, a witty remark

• **dito popular** saying, proverb

diurno *adj* diurnal, happening or active during the day

divã *sm* *(psychologist's)* couch

divagação *sf* ramble, roam, wandering/digressive thought or speech, flight of imagination

divergência *sf* 1 divergence 2 *(desacordo)* divergence, difference of opinion, disagreement

divergente *adj* 1 divergent 2 *(discordante)* divergent, different, disagreeing

divergir *vi-vti* 1 to diverge 2 *(discordar)* to diverge, to disagree

diversão *sf* 1 *(divertimento)* amusement, entertainment, fun 2 MIL diversion, diversionary action

diversidade *sf* diversity

diversificar *vtd* to diversify, to branch out

diverso *adj* diverse, different, varying in type

▸ *pron ind pl* **diversos** various, a number of, several

divertido *adj* amusing, entertaining, funny, enjoyable, humorous, comic, witty

divertimento *sm* amusement, entertainment

divertir *vtd* to amuse, to entertain

▸ *vpr* **divertir-se** to amuse oneself, to entertain oneself, to have fun, to have a good time

dívida *sf* 1 debt 2 *(obrigação)* obligation

• **dívida externa** external debt

• **dívida pública** internal debt

dividendo *sm* 1 MAT dividend 2 COM dividend

dividido *adj* 1 divided, split up 2 *fig* divided, split up, torn into two

dividir *vtd-vtdi* 1 MAT to divide 2 *(repartir)* to share 3 *(limitar, separar)* to divide, to split up, to separate 4 *(compartilhar, ratear)* to share

▸ *vtd* *(criar discordância)* to divide, to split

▸ *vpr* **dividir-se** 1 *(separar-se)* to separate from, to move apart 2 *(partir-se)* to be divided, to split up

divindade *sf* 1 the quality of *(being)* divine 2 God, the Deity 3 deity

divino *adj* 1 divine 2 beautiful, marvelous, wonderful, amazing

divisa *sf* 1 *(entre dois estados, países etc.)* border, frontier 2 *(qualquer limite entre A e B)* borderline 3 *fig* frontier

▸ MIL stripe

▸ *pl* ECON foreign exchange credits

divisão *sf* 1 *(ato de dividir)* division 2 *(divisória)* partition 3 *(partilha)* sharing 4 *(distribuição)* distribution, allotment 5 *(discórdia)* division, discord, disagreement 6 *(racha, cisão)* division, split 7 *(departamento)* section, department **8** MAT division

divisor *adj* divisor
▸ *sm* MAT factor: ***3 é divisor de 18*** 3 is a factor of 18
• **divisor de águas** watershed

divisório *adj* dividing
▸ *sf* **divisória** partition, screen

divorciar-se *vpr* **1** to divorce, to get divorced **2** to be divorced: ***a arte não pode ser divorciada da razão*** art can't be divorced from reason

divórcio *sm* **1** divorce **2** *(divergência)* divorce, difference

divulgação *sf* disclosure, publicizing

divulgar *vtd* **1** to make public, to make known **2** spread *(the news)* **3** *(revelar)* to divulge, to disclose, to reveal

dizer *vtd-vtdi* **1** to say, to speak, to utter, to state, to tell **2** *(significar)* to mean: ***essa música não me diz nada*** this song doesn't mean anything to me **3** *(fazer lembrar)* to ring a bell: ***"correr no parque" lhe diz alguma coisa?*** does "jogging in the park" ring a bell?
▸ *vpr* **dizer-se** to claim to be: ***diz-se conhecedor de vinho*** he claims to be an expert in wine
• **a bem dizer** to tell you the truth
• **até dizer chega** a lot, in great quantities
• **bem que eu disse!** I told you so!
• **como diz o outro/como se diz** as the saying goes
• **dizem que** they say
• **dizendo respeito a** concerning, with respect to
• **dizer com seus botões** to think to oneself
• **é difícil dizer** it's hard to tell
• **falou e disse!** well said!
• **isso quer dizer que...** that means *(that)*...
• **não me diga!** don't tell me! you don't say!, is that so?
• **que dirá...** *(muito menos)* not to mention
• **tenho dito** that's all I have to say, I state my case
• **vamos dizer (*que*)...** let's say..., let's suppose...

dizimar *vtd* **1** to decimate **2** to slaughter, to kill in great amounts

dízimo *sm* tithe

do → **de**

dó *sm* **1** pity **2** shame **3** MÚS D
• **ficar com dó** to pity *(someone/something)*, to feel pity, to take pity on *(someone/something)*
• **que dó!** what a shame!, what a pity!

doação *sf* **1** *(de bens)* donation, endowment **2** *(de órgãos)* donation

doador *sm,f* **1** *(de bens)* donor **2** *(de sangue e/ou órgãos)* donor

doar *vtd-vtdi* to donate, to give *(away)*

dobra *sf* **1** fold **2** *(prega)* pleat

dobradiça *sf* hinge

dobradinha *sf* **1** tripe **2** *bras* CUL tripe stew

dobrado *adj* **1** *(que se dobrou)* folded **2** *(duplicado)* double, doubled, duplicated
▸ *sm bras* military march music

dobradura *sf* **1** fold **2** an act of folding

dobrar *vtd* **1** *(sobrepor as partes)* to fold **2** *(curvar)* to bend, to curve **3** *(dominar)* to tame, to domesticate, to control **4** *(duplicar)* to duplicate, to double **5** *(virar - esquina)* to turn: ***dobrou a esquina e desapareceu*** she turned the corner and disappeared **6** *(fazer ceder, consentir etc.)* to make someone agree: ***conseguiu dobrar o pai para sair*** she was able to make her father agree to her going out
▸ *vi* **1** *(duplicar)* to double **2** *(o sino)* to toll
▸ *vpr* **dobrar-se** **1** *(curvar-se)* to bend down **2** *(ceder)* to give in
• **dobrar a língua** to watch one's mouth/tongue
• **dobrar o cabo da Boa Esperança,** *fig* to die

dobrável *adj* folding, which can be folded

dobro *sm* double

doca *sf* dock

doce *adj* **1** sweet **2** *(adoçado)* sweet, sweetened **3** *(meigo, suave)* sweet, kind, gentle
▸ *sm* sweet, candy, dessert

docente *adj-smf* teaching, teacher, professor

doceria *sf* confectioner's

dócil *adj* docile, pliable, tractable

documentário *adj* documentary
▸ *sm* CINE documentary film/movie

documento *sm* document
• **documentos pessoais** papers, personal documents

doçura *sf* 1 sweetness 2 *(meiguice)* sweetness, kindness, gentleness, amiability

dodói *sm* any bodily pain or injury referred to in childish language
▸ *adj* ill, sick

doença *sf* illness, sickness, disease, malady
• **doença grave** a serious disease
• **doença venérea** sexually transmitted disease (STD), veneral disease

doente *adj* ill, sick
▸ *sm,f* a sick person
• **estar doente** to be ill, to be sick (*in bed*), to have a disease
• **ficar doente** to get ill, to get sick, to be stricken by a disease
• **ser doente** to have a (*serious*) disease, to have poor health

doentio *adj* 1 *(de saúde fraca)* unhealthy 2 *(nocivo)* evil 3 *(excessivo)* excessive, morbid: ***ciúme doentio*** morbid jealousy

doer *vi* 1 to ache, to hurt 2 to hurt, to cause pain, to make suffer: ***dói muito vê-los passando necessidade*** it hurts to see them so needy
▸ *vti (causar dó)* to cause pity
▸ *vpr* **doer-se** *(ressentir-se)* to resent
• **ser de doer** to be unfair/untrue/absurd etc., to be hard to believe

dogma *sm* dogma

doido *adj (maluco)* crazy, mad, nuts, insane
• **doido varrido** raving maniac, raving mad

doído *adj* painful, aching, hurting

dois *num* two

dois-pontos *sm pl* colon

dólar *sm* dollar

doleiro *sm,f bras* a black market currency exchanger

dolorido *adj* painful

doloroso *adj* 1 painful 2 painful, trying

dom *sm* 1 *(talento)* gift, talent 2 *(forma de tratamento)* dom, don

domador *sm,f* animal trainer

domar *vtd* to tame

domesticar *vtd* to tame, to domesticate

doméstico *adj* 1 *(animal)* domestic 2 *(relativo à casa)* domestic, home, homemade, household, familial 3 *(relativo ao país)* domestic, local
▸ *sm, f* **doméstico** domestic worker, servant, maid

domiciliar[1] *vtd* to house, to provide with a place to live
▸ *vpr* **domiciliar-se** to start living in/at (*a certain place*), to settle (*in*), to take up residence (*in*)

domiciliar[2] *adj* domiciliary, relating to one's household, familial

domicílio *sm* 1 *(habitação)* home, house, flat, apartment, someone's place 2 DIR domicile 3 *(sede da administração)* headquarters
• **entrega em domicílio** delivery service

dominação *sf* dominion, domination

dominador *adj-sm,f* ruler, controller

dominante *adj* dominant

dominar *vtd* 1 to dominate, to rule, to control, to hold sway 2 *(conhecer bem)* to know well, to have a good knowledge of 3 *(estar no alto)* to overlook, to command, to rise before/behind/besides: ***a cidadela domina a praça do mercado*** the citadel overlooks the market square
▸ *vpr* **dominar-se** to control oneself

domingo *sm* Sunday
▸ **domingo de ramos** Palm Sunday

domingueiro *adj* relating to Sunday, Sunday
• **traje domingueiro** one's Sunday best

domínio *sm* 1 *(dominação)* dominion, domination 2 *(controle)* dominion, authority, control, sway 3 *(conhecimento)* knowledge 4 *(campo, área)* domain, field, area, realm 5 *(propriedade)* domains, property, estate

dominó *sm* domino

dona *sf* 1 *(mulher)* lady 2 *(senhora)* lady, old lady 3 *(possuidora)* owner: ***dona de***

rara beleza owner of a rare beauty **4** *(tratamento)* miss/mrs./ms., madam: ***Dona Maria dos Santos*** Mrs./Miss/Ms. Maria dos Santos
• **dona da casa** the owner of the house
• **dona de casa** housewife

donativo *sm* donation

dondoca *sf* a futile rich woman

dono *sm,f* owner, proprietor
• **dono da verdade** someone who *(allegedly)* is always right
• **sem dono** *(animal)* stray

dopar *vtd* to dope *(someone)*

dor *sm* **1** pain, ache **2** *(mágoa)* suffering, pain, ache, grief
• **dor de cabeça** headache
• **dor de cotovelo** jealousy
• **dores de parto** labor pains

dormente *adj* numb
▸ *sm* sleeper

dorminhoco *adj-sm,f* sleepyhead

dormir *vi* **1** to sleep **2** *(adormecer)* to fall asleep **3** *(estar esquecido)* to be dormant, to fall into oblivion **4** *(entorpecer--se)* to go numb
▸ *vi-vti (fazer sexo)* to sleep together, to sleep with, to go to/get into bed with
• **dormir a sono solto** to sleep deeply
• **dormir acordado** to sleep with one's eyes open, to daydream
• **dormir como uma pedra** to sleep like a log
• **dormir no ponto** to miss an opportunity
• **durma bem** sleep tight
• **ir dormir** to go to bed, to go to sleep

dormitório *sm* dormitory

dorsal *adj* dorsal, back

dorso *sm* **1** ANAT back **2** *(de livro)* spine

dosagem *sf* dosage

dose *sf* **1** *(de droga, de medicamento)* dose **2** *(porção de bebida)* dose **3** *(quantidade)* dose, amount
• **dose cavalar** a big dose
• **esse menino é dose!** this boy is terrible!
• **ser dose para elefante** to be very difficult/hard/boring/displeasing etc.

dossiê *sm* dossier, file

dotar *vtd-vtdi* **1** *(dar dote)* to give as a dowry **2** *(favorecer)* to favour, to endow **3** *(munir)* to provide, to endow

dote *sm* **1** dowry **2** *(dom)* gift, talent

dourado *adj* golden

doutor *sm, f* **1** *(médico)* physician, doctor **2** *(que defendeu tese)* doctor, PhD **3** *(advogado, promotor, delegado)* a title used to address a lawyer, a public prosecutor or a police chief officer or sheriff

doutorado *sm* PhD, doctorate

doutrina *sf* doctrine

download *sm* download
• **fazer *download*** to download

doze *num-smf* twelve, a dozen
• **cortar um doze** to take great pains *(to do something)*, to be at great pains *(to do something)*

dragão *sm* dragon

drágea *sf* pill

drama *sf* **1** drama, play **2** *fig* drama
• **fazer drama** to make a drama out of something, to act out

dramático *adj* dramatic

dramatizar *vtd* **1** to act, to performance, to dramatize **2** *fig* to dramatize

drástico *adj* drastic, dramatic

drenar *vtd* to drain

dreno *sm* drain

driblar *vtd* **1** ESPORTE to dribble **2** *fig (esquivar-se)* to avoid

drible *sm* ESPORTE dribble

drinque *sm* drink

droga *sf* **1** *(substância química)* drug **2** *(entorpecente)* drug **3** *(coisa prejudicial)* a bad thing, an evil thing, a harmful thing **4** *(coisa de pouco valor)* a worthless thing, a piece of junk
▸ *interj* **droga!** damn!

drogado *adj-sm, f* **1** *(sob a influência de drogas)* drugged, *gír* stoned **2** *(usuário de droga)* drug-addicted

drogar *vtd* to drug, to dope
▸ *vpr* **drogar-se** to take drugs

drogaria *sf* drugstore, chemist's, pharmacist's

dropes *sm* drop, sweet, candy

dublador *adj-sm,f* dubber

dublagem *sf* dubbing

dublar *vtd* to dub

dublê *smf* stuntman, stuntwoman

ducha *sf* shower

duelo *sm* duel

dueto *sm* MÚS duo, duet

duna *sf* dune

dupla *sf* **1** pair **2** MÚS duo

duplicação *sf* duplication

duplicar *vtd-vi* to double

duplicata *sf* **1** COM bill **2** *(cópia, repetição)* copy

duplo *adj* double
▸ *sm* **duplo 1** *(dublê)* stuntman, stuntwoman **2** *(sósia)* double

duque *sm* duke

durabilidade *sf* durability

duração *sf* **1** *(espaço de tempo)* duration, run, course, term, length of time: ***a duração da guerra*** the whole course of the war **2** *(durabilidade)* durability

duradouro *adj* long-lasting

durante *prep* **1** *(no tempo de)* during: ***durante a reunião*** during the meeting **2** *(ao longo de)* along: ***durante o percurso*** along the way **3** *(pelo tempo de)* for: ***fiquei de férias durante una semana*** I've been on holiday for a week

durar *vi* **1** *(prolongar-se)* to last **2** *(perdurar)* to last **3** *(conservar-se em determinado estado)* to last: ***nossos móveis duraram muitos anos*** our furniture lasted for many years **4** *(viver)* to live, to be alive

durável *adj* durable

durex *sm* sellotape

dureza *sf* **1** hardness **2** *(dificuldade)* difficulty, hardship **3** *(severidade)* rigour, strictness, harshness **4** *(penúria)* poverty

duro *adj* **1** hard **2** *(árduo)* hard, difficult **3** *(rigoroso)* strict, rigorous **4** *(difícil)* difficult, hard **5** *(cruel)* cruel, harsh **6** *(sem dinheiro)* broke: ***ficar duro*** to get broke
▸ *adv* **duro** hard: ***trabalhar duro*** to work hard
• **dar (um) duro** to work hard
• **no duro** truly

dúvida *sf* doubt
• **estar em dúvida** to have doubts, to doubt, to be in doubt
• **por via das dúvidas** just in case
• **sem dúvida** no doubt
• **sem dúvida alguma** without a shadow of doubt

duvidar *vti* to doubt, to have doubts about
▸ *vtd* to doubt: ***duvido que ele venha*** I doubt he's coming

duvidoso *adj* **1** *(incerto)* uncertain, unsure **2** *(que não inspira confiança)* doubtful **3** *(suspeito)* suspicious

dúzia *sf* a dozen
• **meia dúzia** half a dozen

E

E MÚS E

e *conj* and, also, in addition to, along with, together with

ébrio *adj* drunk, inebriated

ebulição *sf* boiling
• **entrar em ebulição** to reach boiling point

eclético *adj* eclectic

eclipsar *vtd* **1** to eclipse **2** to eclipse, to outshine, to overshadow, to obscure
▸ *vpr* **eclipsar-se** to hide, to disappear

eclipse *sm* eclipse

eclodir *vi* **1** to appear, to come to light **2** to bloom

eclosão *sf* **1** emergence, appearance **2** bloom, blooming

eclusa *sf* lock (*in a dam*)

eco *sm* **1** echo **2** *fig (repercussão)* repercussion, reverberation

ecoar *vi* to echo, to reverberate

ecologia *sf* ecology

ecologista *smf-adj* ecologist

economia *sf* **1** *(ciência)* economy **2** *(poupança)* thrift, parsimony
▸ *pl* **economias** savings
• **economia doméstica** household management
• **fazer economia** to save money or resources

econômico *adj* **1** *(relativo à economia)* economic **2** *(que consome pouco)* economical: ***este carro é muito econômico*** this car is very economical **3** *(parcimonioso)* thrifty, parsimonious

economista *smf* economist

economizar *vtd (gastar com moderação)* to save (*money or resources*), to moderate (*one's expenses*)
▸ *vtd-vi (poupar)* to save (*money or resources*)

ecossistema *sm* ecosystem

ecumênico *adj* ecumenical

ecumenismo *sm* ecumenism

eczema *sm* eczema

edema *sm* edema

éden *sm* Eden, paradise

edição *sf* edition, publication, issue

edícula *sf (casa)* annex

edificação *sf* **1** (*the act of*) building (*up*), construction **2** building **3** edification

edificante *adj* edifying

edificar *vtd* **1** *(construir)* to build **2** *(induzir à virtude)* to edify

edifício *sm* **1** *(prédio)* building **2** *fig* edifice

editado *adj* published, issued

edital *sm* public notice

editar *vtd* to publish, to issue

édito *sm* DIR edict, decree

editor *adj-sm,f* publisher

editora *sf* publishing house

editorial *adj* of or relating to publishing
▸ *sm* editorial

edredom *sm* duvet, eiderdown, quilt

educação *sf* **1** *(formação, ensino)* education **2** *(de filhos)* upbringing **3** *(civilidade, bons modos)* politeness, good manners **4** *(aperfeiçoamento)* improvement
■ **educação física** physical education
• **falta de educação** bad manners, impoliteness

educacional *adj* educational

educado *adj* **1** *(instruído)* educated **2** *(de bons modos)* polite

educador *adj-sm,f* **1** educator, teacher **2** *(especialista em educação)* educationalist

educar *vtd* **1** *(instruir)* to educate, to teach **2** *(filhos)* to raise, to bring up **3** *(ensinar bons modos)* to teach good manners, to teach how to behave

educativo *adj* **1** *(educacional)* educational **2** *(instrutivo)* educational, educative

efeito *sm* **1** effect, consequence, outcome, repercussion **2** effectiveness
▪ **efeito estufa** greenhouse effect
▪ **efeitos colaterais** side effects
▪ **efeitos especiais** special effects
• **com efeito** in fact, really
• **levar a efeito** to bring/put into effect
• **para esse efeito...** for these ends
• **para todos os efeitos** to all appearances
• **produzir efeito** to produce a result

efeméride *sf* *(comemoração)* an important date

efêmero *adj* ephemeral, short-living, transitory, fleeting

efervescência *sf* **1** effervescence **2** *fig* *(movimento, agitação)* effervescence

efervescente *adj* **1** effervescent, fizzy **2** *fig* *(agitado)* effervescent, bubbly

efetivação *sf* **1** bringing/putting into effect **2** *(de funcionário)* granting of tenure

efetivar *vtd* **1** to do, to make, to accomplish, to execute, to give effect to **2** to grant tenure to

efetividade *sf* effectiveness

efetivo *adj* **1** *(concreto, positivo)* effective **2** *(funcionário, professor)* tenured
▸ *sm* **efetivo** MIL the total number of individuals forming a military body

efetuar *vtd* to do, to make, to execute, to accomplish
▸ *vpr* **efetuar-se** to be done, to be made, to be accomplished

eficácia *sf* effectiveness

eficaz *adj* effective, effectual

eficiência *sf* efficiency

eficiente *adj* eficient

efígie *sf* effigy

efusivo *adj* *(expansivo, ardoroso)* effusive

egípcio *adj-sm,f* Egyptian

ego *sm* ego

egocêntrico *adj-sm,f* egocentric, selfish, egoistic, egotistic, egoist

egoísmo *sm* egoism, egotism, selfishness

egoísta *adj-smf* selfish, egoistic, egotistic, egoist

égua *sf* mare
• **lavar a égua** to make the most of a situation, to have a great time

eira *sf* threshing floor

eis *adv* here it is, here you are, lo, lo and behold
• **ei-lo** here you are, here you have it
• **eis-me** here I am
• **eis senão que/quando** suddenly, unexpectedly, lo and behold

eixo *sm* **1** axle, axis **2** *fig* core, center, main part, central part
• **entrar nos eixos** to normalize, to straighten up, to get in order
• **pôr nos eixos** to organize, to order, to put in order, to arrange
• **sair dos eixos** to go out of order

ejaculação *sf* ejaculation

ejeção *sf* ejection

ejetar *vtd* to eject, to throw out

ela *pron pes f 3ª pes* she
▸ *pl* **elas** they
• **elas por elas** tit for tat, quits, even
• **agora é que são elas** this is where the problem lies

elaboração *sf* **1** creation, production, making **2** elaboration, perfectioning

elaborado *adj* **1** created, produced, made **2** *(esmerado)* elaborate

elaborar *vtd* **1** to create, to produce, to make **2** *(aperfeiçoar)* to elaborate, to perfect, to polish

elasticidade *sf* elasticity

elástico *adj* elastic
▸ *sm* **elástico** elastic, rubber band

ele *pron pes m 3ª pes* he
▸ *pl* **eles** they

elefante *sm,f* elephant

elegância *sf* elegance, grace

elegante *adj* elegant, graceful

eleger *vtd* **1** to elect **2** to choose, to select, to pick up

eleição *sf* **1** election **2** vote, poll, referendum, ballot

eleito *adj-sm,f* **1** elected **2** elected, chosen, selected

eleitor *sm,f* POL elector

eleitorado *sm* electorate, constituency

eleitoral *adj* electoral

eleitoreiro *adj* done with the intention of getting votes

elementar *adj* elementary

elemento *sm* **1** element **2** *bras (pessoa, indivíduo)* a person, referred to in police jargon

▸ *pl* **elementos** elementary notions, basic principles

elenco *sm* **1** *(lista, rol)* cast, list **2** TEATRO CINE cast

eletricidade *sf* electricity

eletricista *smf* electrician

elétrico *adj* **1** electric **2** *fig (agitado)* agitated, restless

eletrocardiograma *sm* MED electrocardiogram

eletrodo *sm* ELETR electrode

eletrodoméstico *sm* *(geralmente no plural)* appliance, electrical appliance, household appliance, domestic appliance

eletroencefalograma *sm* MED EEG, electroencephalogram

eletromagnético *adj* electromagnetic

eletromagnetismo *sm* electromagnetism

elétron *sm* electron

eletrônica *sf* electronics

eletrônico *adj* electronic

• **microscópio eletrônico** electron microscope

elevação *sf* **1** rise, increase, elevation, ascension **2** *(ascensão a um cargo)* elevation, promotion **3** *(aumento de preços etc.)* rise, increase **4** *(do solo)* rise, elevation

elevado *adj* **1** *(alto)* elevated, high **2** *(nobre, superior)* elevated, high, lofty **3** *(preços etc.)* high

▸ *sm* **elevado** *(via urbana)* elevated highway/road

elevador *sm* lift, elevator *(AmE)*

▪ **elevador de serviço** a lift for servants, menial workers and goods

▪ **elevador social** residents' lift

elevar *vtd* **1** *(pôr em plano superior)* to put in/on a higher position/place, to move to a higher position/place, to move up **2** *(erguer, levantar)* to lift *(up)*, to elevate **3** *(aumentar em preço)* to raise, to increase **4** *(aumentar o nível)* to elevate, to raise: ***o sal eleva a pressão sanguínea*** salt raises blood pressure; ***elevou a voz*** he raised his voice **5** *(construir, erigir)* to erect

▸ *vtdi (promover)* to elevate to, to raise to, to promote to

▸ *vpr* **elevar-se** **1** *(mover-se para posição superior, subir)* to go up, to move up **2** *(enobrecer-se)* to become elevated, to become noble

eliminação *sf* elimination

eliminar *vtd* **1** *(fazer sair, tirar)* to eliminate, to take out, to move out, to remove **2** *(fazer sair do organismo)* to eliminate, to expel **3** *(extinguir, suprimir)* to eliminate, to suppress, to put an end to **4** *(descartar, excluir)* to eliminate, to exclude, to discard **5** *(matar)* to eliminate, to kill **6** ESPORTE to eliminate, to knock out

eliminatória *sf* ESPORTE eliminatory round

elipse *sf* GRAM ellipsis

elite *sf* elite

• **um clube de elite** a club for the elite, a posh club

elitismo *sm* elitism

elo *sm* **1** link **2** *fig* link, connection, relationship

• **elo perdido** missing link

elogiar *vtd* to praise, to extol

elogio *sm* praise, compliment

eloquente *adj* eloquent

elucidar *vtd* to elucidate, to throw light on, to clarify

em *prep* **1** *(lugar)* in, at, on: ***morar em Paris*** to live in Paris; ***trabalhar na uni-***

versidade to work at the university; ***morreu enquanto estava no trem*** he died while he was on the train **2** *(tempo)* in, on, at: ***em 1965*** in 1965; ***em 10 de março de 1980*** on the 10th of March 1980; ***no Natal*** at Christmas **3** *(modo de ser)* in: ***rosas em botão*** roses in bud; ***vivem em harmonia*** they live in harmony **4** *(finalidade)* as: ***fiz aquilo em sinal de protesto*** I did that as a *(sign of)* protest

ema *sf* a Brazilian bird of the ostrich family

emagrecer *vtd-vi* to lose weight

e-mail *(pl* ***e-mails****) sm* e-mail, electronic mail

emanar *vti* **1** *(provir)* to emanate, to issue from, to flow from **2** *(exalar)* to give off: ***as flores emanavam um perfume doce*** the flowers would give off a sweet smell

emancipação *sf* emancipation

emancipado *adj* emancipated

emancipar *vtd* to emancipate, to be set free
▸ *vpr* **emancipar-se** to become emancipated

emaranhado *sm* tangle, entanglement
▸ *adj* tangled, entangled

emaranhar *vtd* to entangle
▸ *vpr* **emaranhar-se** to get entangled, to get entwined

embaçar *vtd* **1** *(tornar baço)* to dim, to blur, to mist *(up)*, to fog *(up)* **2** *bras gíria (demorar)* to delay, to take long
▸ *vpr* **embaçar-se** to mist *(up)*, to fog *(up)*

embaixada *sf* **1** embassy **2** ESPORTE kick-up

embaixador *sm,f* embassador

embaixo *adv* **1** *(em plano inferior no espaço)* below, down *(there)*: ***estão embaixo, no jardim*** they are down in the garden **2** *([n]a parte de baixo)* bottom: ***embaixo é de madeira e em cima é de plástico*** the bottom part is made of wood, the top is plastic **3** *(debaixo de, sob)* under: ***a caneta está embaixo do livro*** the pen is under the book **4** *(em posição inferior, por baixo)* down
• **lá/ali embaixo** below, down there *(descendo as escadas)* downstairs *(descendo a rua)* down the road

embalado *adj* **1** *(embrulhado)* packed, wrapped **2** *(acelerado)* having a lot of momentum **3** *(drogado)* drugged, stoned

embalagem *sf* pack, container, packet, package

embalar *vtd* **1** *(embrulhar)* to pack, to wrap **2** *(balançar o berço)* to rock **3** *(ninar)* to lull to sleep **4** *(acelerar)* to accelerate, to speed up, to gather momentum
▸ *vi (adquirir velocidade)* to accelerate, to speed up

embalo *sm* **1** *(balanço)* swing **2** *(acalanto)* rocking, lullabying **3** *(aceleração)* acceleration, momentum **4** *(festa)* party, celebration **5** *(euforia causada pela droga)* rush
• **pegar embalo** to get momentum

embalsamar *vtd* to embalm

embananado *adj* entangled, in a mess, in an awkward situation

embaraçado *adj* **1** *(constrangido)* embarrassed **2** *(sem desenvoltura)* clumsy, awkward **3** *(emaranhado)* entangled, knotted-up

embaraçar *vtd* **1** *(constranger)* to embarrass **2** *(atrapalhar, obstruir)* to embarrass, to hinder, to hamper **3** *(emaranhar)* to entangle
▸ *vpr* **embaraçar-se** **1** *(constranger-se)* to get/become embarrassed **2** *(emaranhar-se)* to get/become entangled

embaraço *sm* **1** *(constrangimento)* embarrassment **2** *(emaranhamento)* entanglement **3** *(atrapalhação, dificuldade)* embarrassment, difficulty, trouble

embaraçoso *adj* **1** *(constrangedor)* embarrassing **2** *(que perturba)* embarrassing, annoying, disturbing

embaralhar *vtd* **1** *(misturar, confundir)* to mix, to confuse, to mess **2** *(cartas)* to shuffle

embarcação *sf* vessel, boat craft, ship

embarcar *vtd* to ship: ***embarcar mercadorias*** to ship goods
▸ *vi* **1** to board, to embark, to get on: ***embarco às nove horas*** I'm boarding *(the plane)* at nine; ***ela embarcou naquele táxi*** she got on that taxi **2** *(iniciar algo novo ou difícil)* to embark on/upon

(*something*): ***está para embarcar no seu novo projeto de morar sozinha*** she's about to embark on her new project of living alone 3 *bras pop* (*morrer*) to die

embargar *vtd* 1 DIR to attach 2 POL to embargo, to boycott, to ban 3 (*a voz*) to subdue

embargo *sm* 1 DIR (*arresto*) attachment 2 POL embargo, boycott, ban

embarque *sm* 1 boarding, embarkation 2 (*de mercadorias*) shipment

embate *sm* 1 clash, collision 2 *fig* clash, collision, confrontation (*of ideas, opinion etc.*)

embebedar *vtd* to make drunk, to get someone drunk

▸ *vpr* **embebedar-se** to get drunk

embeber *vtdi* to absorb, to imbibe, to drench, to soak

embelezar *vtd* to beautify, to embellish

▸ *vpr* **embelezar-se** to dress up and put on make-up, to make oneself attractive

embirrar *vi* to sulk

emblema *sm* emblem, symbol

embolar *vtd* 1 (*enrolar*) to roll 2 (*confundir, misturar*) to mix, to mess, to embarrass, to confuse

• **embolar o meio de campo** to confuse a situation, to get things mixed up

embolorar *vi* to moulder, to get mouldy

embolsar *vtd* 1 to put into one's pocket 2 *gíria* to steal

embonecar-se *vpr* to dress up and put on make-up, to make oneself attractive

embora *conj* though, although, even though

▸ *adv* in good time, away

• **já vou embora** I'm leaving, I'm leaving now

• **levar embora** to take away

• **mandar alguém embora** to dismiss someone

• **vá embora!** go away!, just go!, keep off!, leave me alone!

emborcar *vtd* to turn face down

▸ *vi* (*cair virado para baixo*) to fall face down

emboscada *sf* ambush

embotar *vtd* 1 (*tirar o gume*) to blunt 2 (*tirar a sensibilidade*) to make numb, to make dull

▸ *vi-vpr* **embotar(-se)** 1 (*perder o gume*) to become blunt 2 (*perder a sensibilidade*) to become numb, to grow dull

embreagem *sf* clutch

embrenhar-se *vpr* to enter deep into

embriagado *adj* drunk

embriagar *vtd* to make drunk

▸ *vpr* **embriagar-se** to get drunk

embriaguez *sf* drunkenness

embrião *sm* embryo

embromação *sf* delaying, procrastination

embromar *vtd bras* to procrastinate

embrulhada *sf* trouble, predicament

embrulhado *adj* 1 (*empacotado*) packed, wrapped, tied in a pack 2 *fig* (*envolvido em confusão*) mixed up, in a predicament 3 (*estômago*) upset

embrulhar *vtd* 1 (*empacotar*) to pack, to wrap 2 (*enganar*) to deceive, to mislead, *inf* to con 3 (*estômago*) to make upset

▸ *vpr* **embrulhar-se** (*atrapalhar-se*) to get into a mess

embrulho *sm* 1 pack, packet 2 (*embrulhada, confusão*) confusion, mess

emburrado *adj* angry, cross

embuste *sm* lie, deception, con, trick, fraud

embutido *adj* built-in

▸ *sm pl* **embutidos** cold cuts

• **armário embutido** built-in cupboards

embutir *vtd-vtdi* to insert in/into/between, to introduce into, to build into

emenda *sf* 1 (*de lei*) amendment 2 (*correção*) amendment, correction 3 (*regeneração*) regeneration 4 (*acréscimo*) addition

• **pior a emenda do que o soneto** better to abandon it than to fix it

emendar *vtd* 1 (*corrigir, reparar*) to amend, to correct, to patch up 2 (*acrescentar*) to add

▸ *vpr* 1 **emendar-se** (*corrigir engano*) to correct a mistake 2 (*tomar juízo*) to mend one's ways

emergência *sf* 1 *(urgência)* emergency 2 *(surgimento)* emergence

emergente *adj* 1 *(urgente)* urgent, pressing 2 *(em ascensão)* emergent

emergir *vi* to emerge, to appear, to uncover, to show up

emigrante *adj-smf* emigrant

emigrar *vi* to emigrate

eminência *sf* 1 eminence 2 *(saliência)* elevation, rise
• **eminência parda** *éminence grise*
• **Sua Eminência** His/Your Eminence

eminente *adj* eminent, salient, prominent, notable, outstanding

emir *sm* emir, amir

emirado *sm* emirate

emissão *sf* emission

emissário *sm* 1 emissary, envoy 2 *bras (de esgotos)* a tube or canal through which wastewater is discharged into the ground or into a natural body of water

emissora *sf* a broadcasting company

emitir *vtd* 1 *(exalar, soltar)* to emit, to send out *(light, heat, sound etc.)* 2 *(um cheque)* to write 3 *(ações, letras)* to emit

emoção *sf* emotion

emocionado *adj* emotional, showing emotion

emocional *adj* emotional

emocionante *adj* exciting

emocionar *vtd* to move, to touch
▸ *vpr* **emocionar-se** to be moved, to be touched

emotivo adj emotive, emotional

empacar *vi* to balk

empacotar *vtd* to pack, to wrap up
▸ *vi gír (morrer)* to die

empada *sf* CUL a small pie filled with palm hearts, chicken etc.

empalidecer *vi* 1 to become pale 2 *(perder o brilho)* to dull

empanar *vtd* 1 CUL to bread 2 *(tirar o brilho)* to dull, to tarnish

empanturrar-se *vpr* to stuff oneself full

empanzinar-se *vpr* to gorge

emparelhado *adj* paired

emparelhamento *sm* matching

emparelhar *vtd-vti* to make equal to
▸ *vpr* **emparelhar-se** to run neck and neck, to vie with

empatado *adj* even, drawn: ***estamos empatados*** we are even

empatar *vtd* 1 *(atrapalhar)* to hinder 2 *(dinheiro)* to tie up
▸ *vti-vi* ESPORTE to draw, to tie: ***o Santos empatou com o Palmeiras*** Santos and Palmeiras drew

empate *sm* ESPORTE draw, tie

empatia *sf* empathy

empecilho *sm* obstacle, hindrance, snag

empedrar *vtd* to gravel, to cover with gravel
▸ *vi-vpr* **empedrar(-se)** 1 to petrify, to harden 2 to become lumpy

empenar *vtd* to feather, to adorn with feathers
▸ *vi* 1 *(madeira)* to warp 2 *(criar penas)* to fledge

empenhar *vtd* 1 DIR to oblige, to pawn 2 *(a palavra)* to pledge
▸ *vpr* **empenhar-se** 1 *(comprometer-se)* to commit *(to)* 2 *(aplicar-se)* to strive *(to)*

empenho *sm* 1 *(penhor)* pawning 2 *(afinco)* commitment, zeal

emperrar *vtd-vi* to stick, to jam

empertigado *adj* haughty

empestear *vtd* to contaminate, to infest

empetecar-se *vpr* to adorn oneself or dress up in an exaggerated way

empilhar *vtd* to pile up
▸ *vpr* **empilhar-se** to pile oneself up

empinado *adj* upright
• **nariz empinado** *fig* snob, snobbish

empinar *vtd (pipa)* to fly
▸ *vi* **empinar** *(cavalo)* to rear up
▸ *vpr* **empinar-se** to get upright, to straighten one's back

empipocar *vi* to produce pus-filled blisters, to crackle, to burst

emplacamento *sm* registration

emplacar *vtd (carro)* to register
▸ *vi (ter êxito, ser aceito)* to be successful

emplastro *sm* 1 MED plaster 2 *fig (pessoa imprestável)* inept person

empobrecer *vtd* to impoverish

▸ *vi-vpr* **empobrecer(-se)** to become poor

empobrecimento *sm* impoverishment

empoçar *vtd* to form puddles in
▸ *vi* to make a puddle

empoçado *adj* puddly

empoeirar *vtd* to cover with dust
▸ *vpr* **empoeirar-se** to become covered with dust

empoleirar-se *vpr* **1** to set on a perch **2** *fig* to roost

empolgação *sf fig* excitement

empolgante *adj* exciting

empolgar *vtd fig* to excite
▸ *vpr* **empolgar-se** to get excited

emporcalhar *vtd* to soil
▸ *vpr* **emporcalhar-se** to soil oneself

empório *sm* grocery store

empossar *vtd* to appoint

empreendedor *adj-sm,f* enterprising, entrepreneur

empreender *vtd* to undertake

empreendimento *sm* undertaking

empregado *adj* employed
▸ *sm,f* **1** employee **2** *(doméstico)* servant, maid

empregar *vtd* **1** *(utilizar)* to use, to employ **2** *(contratar)* to employ **3** *(o tempo)* to use
▸ *vpr* **empregar-se** to get a job

emprego *sm* **1** *(uso)* use, employment **2** *(ocupação)* job, employment **3** *(local de trabalho)* job, workplace
• **emprego fixo** steady job
• **emprego formal/informal** formal/informal job

empreitada *sf* contract work

empreiteira *sf* contractor

empreiteiro *adj-sm,f* contractor

empresa *sf (firma)* company, business

empresarial *adj* business

empresário *sm,f* **1** businessman, businesswoman; owner of a business enterprise **2** ESPORTE agent **3** *(artístico)* agent

emprestado *adj* on loan, borrowed: ***pedir algo emprestado*** to borrow something; ***tomar algo emprestado*** to borrow something

emprestar *vtd-vtdi* to lend: ***emprestar dinheiro a alguém*** to lend money to someone

empréstimo *sm* loan: ***pedir um empréstimo*** to ask for a loan; ***tomar de empréstimo*** to get a loan

empunhar *vtd* to wield

empurra-empurra (*pl* **empurra-empurras**) *sm* push-and-shove

empurrão *sm* **1** push, shove **2** *(estímulo)* encouragement

empurrar *vtd* to push
▸ *vtdi (algo ruim)* to impose upon

emudecer *vtd (tornar mudo)* to silence
▸ *vi (tornar-se mudo)* to fall silent, to go quiet

emulsão *sf* emulsion

enamorado *adj-sm,f* infatuated, in love, a person in love

enamorar-se *vpr* to fall in love (*with*)

encabulado *adj* shy

encabular *vtd* to embarrass
▸ *vpr* **encabular-se** to get embarrassed

encadernação *sf* **1** *(ato de encadernar)* book-binding **2** *(no livro)* cover

encadernar *vtd* to bind

encaixar *vtd-vtdi* **1** to fit **2** *fig (inserir)* to insert
▸ *vpr* **encaixar-se 1** to fit in **2** *fig (condizer, combinar)* to match, to fit with

encaixe *sm* **1** *(ato de encaixar)* fitting **2** *(reentrância)* groove

encaixotar *vtd* to box, to pack in boxes

encalacrar *vtd* to run into debt
▸ *vpr* **encalacrar-se** to get into debt

encalço *sm loc* **no encalço** on pursuit

encalhar *vi* **1** to run aground **2** *(não vender)* not to sell, to gather dust, to be left on the shelf **3** *(ficar solteiro)* not to get married **4** *(ficar parado)* to grind to a halt

encalhe *sm* **1** stranding **2** *(falta de venda)* deadlock **3** *(objeto não vendido)* unsold merchandise **4** *(paralisação)* hindrance

encaminhar *vtd-vtdi* **1** *(conduzir)* to lead **2** *(orientar)* to direct
▸ *vpr* **encaminhar-se** to set out

encanador *sm* plumber

encanamento *sm* plumbing

encanar *vtd* 1 *(canalizar)* to pipe, to channel 2 *gíria (pôr na prisão)* to put in jail

encantado *adj* 1 *(com poder mágico)* bewitched, under a spell 2 *(seduzido)* fascinated, charmed

encantador *adj* delightful, charming

encantar *vtd* 1 *(seduzir)* to charm, to fascinate 2 *(enfeitiçar)* to bewitch, to charm
▸ *vpr* **encantar-se** to be delighted, to be charmed

encanto *sm* 1 *(feitiço)* spell 2 *(atração)* fascination, charm
• **como por encanto** as if by magic
• **ser um encanto** to be a dear

encapar *vtd* to cover

encaracolar *vtd* to curl
▸ *vi-vpr* **encaracolar(-se)** to curl

encarar *vtd* 1 *(olhar de frente)* to look at 2 *(considerar)* to consider 3 *(enfrentar)* to face

encarcerar *vtd* to imprison

encardido *adj* grimy

encardir *vtd* to grime
▸ *vi* to get grimy

encarecer *vtd* 1 *(tornar mais caro)* to raise the price of 2 *(recomendar)* to stress
▸ *vi (tornar-se caro)* to increase in price

encargo *sm* 1 *(incumbência)* assignment 2 ECON duty

encarnar *vtd* 1 to embody 2 *(personificar)* to personify 3 *(representar personagem)* to play 4 *gíria (assediar, pegar no pé)* to pick on

encarniçado *adj* bloodthirsty, cruel

encaroçar *vi* 1 CUL to lump, to get lumpy 2 *(encher-se de tumores)* to become lumpy

encarquilhado *adj* wrinkled

encarregado *sm,f* person in charge: ***falei com o encarregado da seção*** I spoke with the man in charge of the department

encarregar *vtdi* to put someone in charge of something, to charge with, to entrust with
▸ *vpr* **encarregar-se** to undertake to

encarte *sm* booklet, leaflet

encavalar *vtd (sobrepor)* to superpose

encenação *sf* 1 staging 2 *fig (fingimento)* playacting, pretense, put-on

encenar *vtd* 1 to stage 2 *fig (fingir)* to playact, to simulate, to put on

enceradeira *sf* floor polisher

encerado *adj* polished
▸ *sm* **encerado** waxed canvas

encerar *vtd* 1 *(chão)* to wax 2 *(carro)* to polish

encerramento *sm* closing, end

encerrar *vtd* 1 *(concluir)* to close, to conclude 2 *(conter)* to contain
▸ *vpr* **encerrar-se** to lock oneself up, to close oneself in

encharcado *adj* soaked, drenched

encharcar *vtd* 1 *(alagar)* to flood 2 *(ensopar)* to soak, to drench
▸ *vpr* **encharcar-se** to get soaked, to get drenched

enchente *sf* flood

encher *vtd-vtdi* 1 to fill: ***encher um copo com água*** to fill a glass with water 2 *(saciar)* to fill up 3 *(sobrecarregar)* to load, to charge, to stuff 4 *(haver em abundância)* to crowd, to fill with/of
▸ *vtd (lotar)* to fill up
▸ *vtd-vi (aborrecer)* to annoy
▸ *vi (ficar cheio)* to be filled up
▸ *vpr* **encher-se** 1 *(ficar cheio)* to fill up, to be/become full 2 *(saciar-se)* to have had enough 3 *(aborrecer-se)* to get annoyed

enchido *sm (embutido)* stuffed

enchimento *sm* 1 *(de almofadas etc.)* filling 2 *(de ombro)* stuffing

enciclopédia *sf* encyclopedia

enciumar *vtd* to provoke jealousy
▸ *vpr* **enciumar-se** to become jealous

encoberto *adj* 1 *(dissimulado)* concealed 2 *(enevoado)* overcast

encobrir *vtd* 1 *(cobrir)* to cover 2 *(disfarçar)* to hide, to conceal
▸ *vpr* **encobrir-se** *(tempo)* to overcast

encolher *vtd* 1 to shrink 2 *(retrair)* to draw up, to withdraw: ***ela encolheu o braço*** she drew her arm up 3 *(reduzir)* to get smaller
▸ *vi* to shrink
▸ *vpr* **encolher-se** to huddle

encomenda *sf* 1 order: ***feito por encomenda*** made to order 2 *(pedido)* order: ***fazer uma encomenda*** to place an order 3 *(objeto encomendado)* order 4 *(por correio)* parcel post
• **de encomenda** *fig* in good time

encomendar *vtd* to order

encontrão *sm* bump

encontrar *vtd* 1 *(dar com)* to meet 2 *(achar)* to find
▸ *vpr* **encontrar-se** 1 *(ter um encontro)* to meet *(with)* 2 *(estar)* to be

encontro *sm* 1 appointment: ***marcar encontro para as quatro*** to fix an appointment at four 2 *(descoberta)* finding, discovery: ***o encontro de um corpo*** the discovery of a body 3 *(casual)* casual meeting 4 *(reunião)* meeting 5 *(jogo, partida)* match, contest
• **ao encontro de** towards
• **de encontro a** against
• **ir ao encontro de alguém** to go and meet someone

encorajar *vtd* to encourage

encorpado *adj* 1 *(pessoa)* corpulent 2 *(tecido, papel etc.)* sturdy

encosta *sf* slope

encostado *adj* 1 *(junto a)* leaning on, propped upon 2 *(ao lado de)* side by side with 3 *(sem uso)* useless, left aside 4 *(sem trabalho)* jobless
▸ *adj-sm,f fig (parasita)* sponging, sponger

encostar *vtd* 1 *(a porta)* to leave ajar 2 *(deixar de lado)* to put aside
▸ *vtd-vtdi (algo em algo)* to lean on, to prop against
▸ *vpr* **encostar-se** 1 *(apoiar-se, aproximar-se)* to lean on 2 *fig (viver à custa de alguém)*, to live at the expenses of someone, to sponge on 3 *(ficar ocioso)* to be idle

encosto *sm* 1 *(espaldar)* back 2 RELIG spirit that hampers a person

encouraçado *sm* MAR battleship

encovado *adj (olhos)* sunken

encravado *adj* 1 *(embutido)* embedded 2 *(unha)* ingrown

encrenca *sf* 1 *(briga)* fight 2 *(dificuldade, problema)* trouble
• **meter-se em encrenca** to get into trouble
• **procurar encrenca** to look for trouble

encrencar *vti (brigar)* to make trouble with
▸ *vi (enguiçar)* to break down
▸ *vpr* **encrencar-se** *(complicar-se)* to get into trouble

encrenqueiro *adj* troublesome

encrespado *adj* 1 *(crespo)* curled 2 *(mar)* choppy, rough

encrespar *vtd (cabelos)* to curl
▸ *vpr* **encrespar-se** 1 to become irritated 2 *(mar)* to become rough

encruzilhada *sf* crossroads

encucado *adj* 1 *(cismado, desconfiado)* suspicious 2 *(obcecado)* obsessed

encurralar *vtd* to corner

encurtar *vtd* to shorten

encurvar *vtd* to bend
▸ *vpr* **encurvar-se** to bend

endêmico *adj* endemic

endereçar *vtd (por endereço)* to address
▸ *vtdi* 1 *(enviar)* to send 2 *(dirigir-palavras)* to address 3 *(olhar)* to direct

endereço *sm* address
• **mudar de endereço** to change address
• **ter endereço certo** *fig* to be right on target, to hit the bull's-eye

endiabrado *adj* devilish, mischievous

endinheirado *adj* rich, wealthy, well-to-do

endireitar *vtd* 1 to straighten 2 *(corrigir)* to correct
▸ *vi* 1 *(corrigir-se)* to correct oneself 2 *(tomar boa direção)* to get on the right path

endividar *vtd* to cause to run into debt
▸ *vpr* **endividar-se** to run into debt

endossar *vtd* 1 to endorse 2 *fig* to support, to agree with

endosso *sm* endorsement

endurecer *vtd* 1 to harden 2 *fig (empedernir)* to make insensitive
▸ *vi-vpr* **endurecer(-se)** 1 to harden 2 *fig* to become insensitive

enduro *sm* ESPORTE enduro

energia *sf* 1 energy 2 *(firmeza, vigor)* power, vigour

enérgico *adj* 1 energetic 2 *(vigoroso, eficaz)* vigorous 3 *(rigoroso, severo)* strict

energúmeno *sm* 1 a possessed person 2 moron

enésimo *adj* umpteenth

enervar *vtd (irritar)* to annoy
▸ *vpr* **enervar-se** to get annoyed

enfaixar *vtd* to bandage

ênfase *sf* emphasis, stress

enfático *adj* emphatic

enfatizar *vtd* to emphasize

enfeitar *vtd* to decorate
▸ *vpr* **enfeitar-se** to dress up

enfeite *sm* decoration

enfeitiçar *vtd* to cast a spell on, to bewitch

enfermagem *sf* nursing

enfermaria *sf* hospital ward

enfermeiro *sm,f* nurse

enfermidade *sf* illness

enferrujado *adj* 1 rusty 2 *fig (sem treino)* rusty

enferrujar *vtd* to rust
▸ *vi-vpr* **enferrujar(-se)** to get/go rusty

enfezado *adj* 1 *(irritado)* annoyed, irritated, angry 2 *(raquítico)* feeble

enfezar *vtd (irritar)* to annoy, to anger
▸ *vpr* **enfezar-se** to get annoyed, to get angry

enfiar *vtd-vtdi* 1 to insert, to put into 2 *(fincar)* to stick into 3 *(vestir)* to slip on 4 *(pérolas, contas)* to string 5 *(agulha)* to thread
▸ *vpr* **enfiar-se** 1 *(penetrar)* to slip into 2 *(ir parar)* to be: ***onde você se enfiou?*** where have you been?

enfileirar *vtd* to line
▸ *vpr* **enfileirar-se** to get in line

enfim *adv* finally, at last
• **até que enfim** at last

enforcar *vtd* 1 to hang 2 *(aula)* to skip classes, to play truant
▸ *vpr* **enforcar-se** 1 to hang oneself 2 *gíria (casar-se)* to get married 3 *(meter-se em apertos financeiros)* to get tangled up in debt

enfraquecer *vtd* to weaken
▸ *vi-vpr* **enfraquecer(-se)** to grow weak

enfraquecimento *sm* weakening

enfrentar *vtd* 1 *(inimigo)* to face, to confront 2 *(situação)* to face up to
▸ *vpr* **enfrentar-se** to face oneself

enfronhar-se *vpr* to become absorbed in

enfurecer *vtd* to infuriate
▸ *vpr* **enfurecer-se** to get furious

enfurecido *adj* furious

enfurnar *vtd* to withdraw from social contact
▸ *vpr* **enfurnar-se** to withdraw oneself from social contact

engabelar *vtd* to dupe, to deceive

engaiolar *vtd* 1 to cage 2 *fig (pôr na prisão)* to put in jail

engajado *adj* commited *(to a cause)*

engajamento *sm* commitment

engajar-se *vpr* to get engaged in, to commit to

engalfinhar-se *vpr* to grapple

enganado *adj (equivocado)* mistaken, wrong

enganar *vtd* 1 *(burlar)* to deceive 2 *(induzir a erro)* to mislead 3 *(seduzir)* to seduce 4 *(ser infiel)* to cheat, to be unfaithful to 5 *(o frio, a fome, a sede etc.)* to stave off
▸ *vi (aparentar o falso)* to fake
▸ *vpr* **enganar-se** *(equivocar-se)* to be wrong, to make a mistake

enganchar *vtdi* to hook

engano *sm* 1 *(descuido)* mistake 2 *(logro, falsidade)* deception, trick
• **desculpe, foi engano** *(ao telefone)* sorry, wrong number

enganoso *adj* misleading

engarrafado *adj* 1 *(em garrafas)* bottled 2 *fig (trânsito)* jammed

engarrafamento *sm* 1 bottling 2 *fig* traffic jam

engarrafar *vtd* 1 to bottle 2 *(trânsito)* to block
▸ *vi (trânsito)* to jam

engasgado *adj* 1 *(com algo na garganta)* choked 2 *(entalado na garganta)* stuck 3 *fig (voz)* held up, choked

engasgar *vtd* **1** to choke **2** *(impedir a fala)* to choke
▸ *vi-vpr* **engasgar(-se) 1** *(ficar entalado)* to choke **2** *(sufocar-se)* to suffocate **3** *fig (atrapalhar-se)* to get confused

engasgo *sm* choking

engastar *vtd* to set

engaste *sm* setting

engatar *vtd-vtdi* **1** to couple **2** *(marcha)* to put in gear

engate *sm* **1** MEC coupling **2** *(de marcha)* gear

engatilhar *vtd* to cock

engatinhar *vi* **1** to crawl **2** *fig* to take one's first steps

engavetamento *sm (de veículos)* pile up

engavetar *vtd* **1** *(guardar em gaveta)* to put into a drawer **2** *fig* to shelve
▸ *vpr* **engavetar-se** *(veículos)* to pile up

engenharia *sf* engineering

engenheiro *sm* engineer

engenho *sm* **1** *(talento)* ingenuity **2** *(de açúcar)* sugar mill **3** *(máquina, aparelho)* engine

engenhoso *adj* clever, ingenious

engessar *vtd* **1** to put in plaster, to apply a plaster cast to **2** *fig (enrijecer)* to block, to restrain movement

englobar *vtd* to include

engodo *sm* bait

engolir *vtd* **1** to swallow **2** *(comer depressa)* to swallow, to gobble (*up*) **3** *fig (humilhações, desculpas etc.)* to swallow
• **engolir em seco** to bite one's tongue, to remain silent
• **não engolir alguém** not to be able to stand someone

engomar *vtd* **1** to starch **2** *(passar roupa)* to (*starch and*) iron

engordar *vtd* **1** to fatten **2** *(aumentar)* to increase
▸ *vi* **1** to put on weight **2** *(aumentar)* to get big

engordurar *vtd* to smear with grease

engraçado *adj* funny, amusing
▸ *interj* that's funny!
▸ *sm (curioso)* funny thing: ***o mais engraçado é que...*** the funny thing is that...

engraçar-se *vpr* **1** *(enamorar-se)* to fall in love with **2** *(simpatizar)* to take up with

engradado *sm* crate

engrandecer *vtd* to exalt, to praise, to glorify

engravidar *vtd* to to make pregnant, to impregnate
▸ *vi* to get pregnant

engraxar *vtd* **1** *(sapatos)* to polish, to shine **2** MEC to grease **3** *fig (subornar)* to wet someone's hand

engraxate *smf* shoe shiner

engrenagem *sf* **1** cog wheel **2** *fig (organização, organismo)* mechanism, machinery

engrenar *vtd* **1** to put into gear **2** *fig (dar início)* to strike up
▸ *vi fig (ajustar-se, adequar-se)* to get on with

engripar *vi* **1** to catch the flu **2** to stick, to stop working or moving due to lack of lubrication

engrossar *vtd* **1** *(espessar)* to thicken **2** *(aumentar volume)* to swell **3** *(a voz)* to raise
▸ *vi* **1** *(espessar-se)* to thicken **2** *(avolumar-se)* to swell **3** *(voz)* to raise **4** *(adensar-se)* to become dense **5** *(crescer, aumentar)* to get bigger
▸ *vi-vti (ser grosseiro)* to be rude

engrupir *vtd* to fool, to trick, to deceive

enguiçar *vi* **1** *(avariar-se)* to break down **2** *(ir mal)* to get stuck
▸ *vi-vti (brigar, implicar)* to make trouble with

enguiço *sm* **1** *(avaria)* breakdown **2** *(briga)* fight, quarrel **3** *(problema, obstáculo)* snag

enigma *sm* enigma, mystery

enigmático *adj* enigmatic, mysterious

enjaular *vtd* **1** *(pôr em jaula)* to cage **2** *(pôr na cadeia)* to put in jail

enjeitado *adj* rejected

enjoado *adj* **1** *(nauseado)* sick, nauseated **2** *(enfadonho)* boring **3** *(entediado, farto)* bored
▸ *adj-sm,f* **1** *(exigente)* demanding **2** *(antipático)* finicky

enjoar *vtd* **1** *(causar náusea)* to make sick **2** *(entediar)* to bore

▸ *vti* **1** *(fartar-se)* to get sick and tired of **2** *(enfadar-se)* to get bored with
▸ *vi* **1** *(ter náuseas)* to be sick **2** *(causar enjoo)* to make sick **3** *(entediar)* to bore, to be boring

enjoativo *adj* **1** sickening **2** *(tedioso)* boring

enjoo *sm* **1** *(náusea)* nausea, sickness **2** *(em avião)* air sickness **3** *(em navio)* seasickness **4** *(em carro)* travel sickness, motion sickness **5** *(amolação)* boredom, ennui

enlace *sm loc* **enlace matrimonial** matrimony

enlamear *vtd* **1** to cover in mud **2** *fig* to besmirch
▸ *vpr* **enlamear-se** **1** to cover oneself in mud **2** *fig* to besmirch oneself

enlatar *vtd* to can

enlouquecer *vtd (deixar louco)* to drive mad
▸ *vi (ficar louco)* to go mad

enluarado *adj* moonlit

enlutar *vtd* to mourn
▸ *vpr* **enlutar-se** to mourn, to be in mourning

enobrecer *vtd* to ennoble

enojar *vtd* to disgust, to sicken
▸ *vpr* **enojar-se** to get sick of

enorme *adj* enormous, huge

enquadrar *vtd* **1** to frame **2** CINE, TV to frame **3** *gír (punir)* to punish

enquanto *conj* **1** *(no tempo em que)* while **2** *(ao passo que)* whereas
• **enquanto isso** meanwhile, in the meantime
• **por enquanto** for the time being, for now

enquete *sf* survey

enrabichado *adj* in love, infatuated

enraivecer *vtd* to enrage
▸ *vpr* **enraivecer-se** to fall into a rage

enraizar *vtd* to root
▸ *vi-vpr* **enraizar(-se)** **1** to take root **2** to settle down

enrascada *sf* trouble: ***meter-se numa enrascada*** to get into trouble

enrascar-se *vpr* to get into trouble

enredar *vtd* **1** *(emaranhar)* to entangle **2** *(complicar)* to complicate **3** *(prender em rede)* to net **4** *(ludibriar)* to embroil
▸ *vpr* **enredar-se** **1** *(emaranhar-se)* to become entangled **2** *(prender-se)* to get involved in, to get embroiled in

enredo *sm* **1** plot **2** *(intriga)* intrigue

enregelado *adj* chilled

enrijecer *vtd* **1** to harden **2** *fig* to harden
▸ *vpr* **enrijecer-se** **1** to harden **2** *fig* to become insensitive

enriquecer *vtd* to make rich, to enrich
▸ *vi* to get rich

enriquecimento *sm* enrichment

enrolado *adj (confuso, complicado)* confused, complicated

enrolador *adj-sm,f gíria* con man/woman

enrolar *vtd* **1** to roll (*up*) **2** *(cabelos)* to curl **3** *(embrulhar)* to wrap up **4** *(complicar)* to complicate **5** *(enganar)* to swindle, to con
▸ *vpr* **enrolar-se** **1** to roll up **2** *(embrulhar-se)* to wrap up **3** *(atrapalhar-se)* to get mixed up

enroscar *vtd* **1** *(enrolar)* to wind around **2** *fig (confundir)* to twist up **3** *(um parafuso)* to screw

enrugado *adj* **1** *(rosto)* wrinkled **2** *(amarrotado)* creased

enrugar *vtd* to wrinkle
▸ *vi-vpr* **enrugar(-se)** **1** *(ganhar rugas)* to wrinkle **2** *(amarrotar-se)* to crease

enrustido *adj* **1** *(escondido)* closet **2** *(dissimulado)* dissembling

enrustir *vtd* to conceal

ensaboar *vtd* to soap
▸ *vpr* **ensaboar-se** to soap oneself

ensacar *vtd* to sack, to put in sacks

ensaiar *vtd* **1** *(pôr à prova)* to test, to try out **2** *(peça, música etc.)* to rehearse **3** *(dirigir ensaio)* to rehearse **4** *(esboçar)* to outline

ensaio *sm* **1** *(experiência, prova)* test **2** *(tentativa)* attempt **3** *(de peça, música etc.)* rehearsal **4** *(gênero literário)* essay
• **ensaio geral** dress rehearsal

ensanguentado *adj* stained with blood, bloody

ensanguentar *vtd* to stain with blood

enseada *sf* inlet, bay

ensebado *adj* 1 greasy 2 *fig (metido)* posh

ensebar *vtd* to grease
▸ *vi fig (complicar, demorar)* to dawdle

ensejo *sm* opportunity: ***dar ensejo a*** to give opportunity to; ***aproveitar o ensejo para...*** to take the opportunity to...

ensinamento *sm* teaching, lesson

ensinar *vtd-vtdi* 1 to teach: ***ensinar algo a alguém*** to teach something to someone; ***ensinar alguém a fazer algo*** to teach someone (*how*) to do something 2 *(caminho)* to direct 3 *(adestrar)* to train

ensino *sm* teaching
• **ensino fundamental** *(primeiro ciclo)* primary school, elementary school
• **ensino fundamental** *(segundo ciclo)* secondary school
• **ensino médio** high school
• **ensino superior** higher education

ensolarado *adj* sunny

ensopado *adj* soaked
▸ *sm* **ensopado** CUL stew

ensopar *vtd* 1 *(embeber)* to dunk 2 *(molhar muito)* to soak
▸ *vpr* **ensopar-se** *(molhar-se muito)* to get soaked

ensurdecedor *adj* deafening

ensurdecer *vtd* to deafen

entabular *vtd* to begin

entalado *adj* 1 *(engasgado)* choked 2 *(preso, apertado)* stuck

entalar *vtd* 1 to choke 2 *(prender)* to stick
▸ *vpr* **entalar-se** 1 *(engasgar-se)* to choke 2 *(ficar preso)* to get stuck

entalhe *sm* carving

então *adv* 1 *(nesse, naquele momento)* then 2 *(nesse caso, portanto)* in that case, so
▸ *interj (e aí)* so: ***então, vai ou não?*** so, do you want it or not?

ente *sm* being
• **os entes queridos** loved ones

enteado *sm,f* stepson, stepdaughter

entediado *adj* bored

entediar *vtd* to bore
▸ *vpr* **entediar-se** to get bored

entender *vtd* 1 *(compreender, perceber, concluir)* to understand 2 *(julgar)* to understand: ***as autoridades entendem que isso deve ser proibido*** officials understand that this must be prohibited 3 *(demonstrar compreensão)* to be understanding
▸ *vti* to know: ***ele entende de marcenaria*** he knows cabinet making
▸ *vpr* **entender-se** 1 *(dar-se bem)* to get along with 2 *(entrar em acordo)* to sort things out
▸ *sm* **entender** opinion, understanding: ***no meu entender...*** in my opinion...
• **dar a entender algo a alguém** to imply something to someone
• **desde que me entendo por gente...** since I was a baby in arms...
• **entender mal** to misunderstand
• **levar a entender algo** to insinuate

entendido *adj-sm,f (conhecedor)* 1 expert 2 homo, gay

entendimento *sm* 1 *(compreensão)* understanding 2 *(acordo)* agreement

enternecer *vtd* to move, to touch
▸ *vpr* **enternecer-se** to be moved, to be touched

enterrar *vtd* 1 *(pôr sob a terra)* to bury 2 *(sepultar)* to bury 3 *(ocultar na terra)* to bury 4 *fig (dar por encerrado)* to close, to bury, to put an end to 5 *(cravar)* to plunge 6 *(levar à ruína)* to ruin
▸ *vpr* **enterrar-se** *(arruinar-se)* to ruin oneself

enterro *sm* burial, funeral

entidade *sf* entity

entoar *vtd* to chant

entornar *vtd* 1 *(derramar)* to spill 2 *(despejar)* to pour
▸ *vi* 1 *(extravasar)* to pour out 2 *(beber demais)* to get drunk

entorpecente *sm* narcotic

entorpecer *vtd* to numb
▸ *vpr* **entorpecer-se** *(um membro)* to become numb

entorpecido *adj* numb

entortar *vtd* to bend, to warp

entra e sai *sm* comings-and-goings

entrada *sf* 1 *(de alguém em algum lugar)* entry 2 *(de um edifício etc.)* entrance, doorway 3 *(introdução, estreia)* opening

4 *(bilhete, ingresso)* ticket 5 *(em crediário)* down payment 6 *(primeiro prato)* starter, entrée 7 *(de água, ar, gás)* inlet 8 *(de parágrafo)* entry
▸ *pl (na testa)* receding hairline
• **entrada do ano** beginning of the year
• **entrada proibida** no entry

entranhar-se *vpr* to sink into

entranhas *sf pl* bowels, guts

entrante *adj (mês, ano etc.)* coming

entrar *vi-vti* 1 to go in, to enter 2 to come in: ***o dinheiro parou de entrar*** money stopped coming in 3 *(começar)* to start: ***o mês entrou com frio*** the month has started cold
▸ *vti* 1 *(em coma, em êxtase etc.)* to go into, to enter 2 *(na faculdade)* to get into, to enter 3 *(começar a participar de)* to start, to enter, to enroll 4 to take: ***entra/vai ovo nesse bolo?*** does this cake take eggs?
• **entrar bem** to get into trouble
• **entrar com dinheiro** to contribute with money
• **entrar com uma ação/um recurso** to file a suit/an appeal
• **entrar no mérito de uma questão** to get into the matter
• **entre!** come in!

entravar *vtd* to block, to cramp

entrave *sm* impediment

entre *prep* 1 *(duas coisas, de dois momentos)* between 2 *(várias coisas)* among 3 *(junto de)* among, amongst: ***ela vivia entre amigos*** she lived among friends 4 *(um povo, um grupo)* among, amongst: ***entre os gregos, esse era o costume*** amongst the Greeks, that was the custom 5 within, between: ***o segredo ficou entre os membros da família*** the secret was kept within the family; ***essa informação deve ficar entre nós*** this piece of information must stay between us

entreaberto *adj* half-open, ajar

entreabrir *vtd* to half-open
▸ *vpr* **entreabrir-se** to half-open

entrega *sf* 1 delivery: ***entrega a/em domicílio*** home delivery 2 *(rendição)* surrender 3 *(devotamento)* devotion, zeal

entregador *sm* delivery boy/girl

entregar *vtd-vtdi* 1 to hand over: ***entreguei o dinheiro a ele*** I handed the money over to him 2 *(mercadoria)* to deliver 3 *(devolver)* to give in, to give over 4 *(delatar)* to give up 5 *(confiar)* to entrust
▸ *vpr* **entregar-se** 1 *(confiar-se)* to entrust oneself to 2 *(devotar-se)* to devote oneself to, to give oneself over to 3 *(render-se)* to surrender to 4 *(deixar-se possuir sexualmente)* to have sex with 5 *(abater-se)* to give up

entregue *adj* 1 *(postos nas mãos de)* handed over 2 *(levado a domicílio)* delivered 3 *(devotado)* devoted, given over to 4 *(rendido)* surrendered 5 *(prostrado, abatido)* disheartened
• **entregue a seus próprios recursos** left to his own devices

entrelaçar *vtdi* to interlace, to intertwine
▸ *vpr* **entrelaçar-se** to interlace, to intertwine

entrelinha *sf* line space
• **ler nas entrelinhas** to read between the lines

entremear *vtdi* 1 to intermingle 2 to intersperse

entrementes *adv* meanwhile

entreolhar-se *vpr* to exchange glances

entressafra *sf* time between harvests

entretanto *adv (entrementes)* meanwhile
▸ *conj* however

entretenimento *sm* entertainment

entreter *vtd (distrair, recrear)* to entertain, to amuse
▸ *vpr* **entreter-se** *(distrair-se)* to entertain oneself (*with*), to have fun, to have a good time

entrevado *adj-smf* paralytic, crippled, cripple

entrever *vtd* to glimpse, to catch sight of, to perceive

entrevero *sm* confusion

entrevista *sf* 1 *(encontro)* interview 2 *(com a imprensa)* press conference 3 *(de trabalho)* job interview
• **dar uma entrevista** to give an interview
• **entrevista coletiva** press conference

entrevistar *vtd* to interview

entrincheirar-se *vpr* 1 to be/get entrenched 2 *fig* to entrench oneself (*in*)

entristecer *vtd* to sadden, to make sad
▸ *vpr* **entristecer-se** to feel sad, to go sad, to grieve

entrosado *adj* 1 well-adapted (*to*), well-tuned (*with*), blended in 2 having its parts working well together: ***um time bem entrosado*** a team the players of which are well used to playing together

entrosar *vtdi* to adapt to, to tune into
▸ *vpr* **entrosar-se** 1 to adapt oneself 2 to have its parts work well together

entulhar *vtd* 1 *(encher de entulho)* to fill with rubble 2 *(abarrotar)* to pack
▸ *vpr* **entulhar-se** to pack oneself full (*of*)

entulho *sm* 1 *(material de demolição)* rubble 2 *(lixo)* garbage, trash

entupimento *sm* blockage

entupir *vtd-vtdi* 1 *(obstruir)* to block 2 *(abarrotar)* to fill up 3 *fig (empanzinar)* to stuff
▸ *vi-vpr* **entupir(-se)** 1 to fill oneself up 2 *fig* to stuff oneself

enturmado *adj* blended in, part of a group

entusiasmar *vtd* to fill with enthusiasm, to excite
▸ *vpr* **entusiasmar-se** to fill oneself with enthusiasm, to get excited

entusiasmo *sm* enthusiasm, excitement

entusiasta *adj-smf* enthusiastic, avid, enthusiast

enumerar *vtd* to enumerate, to number

enunciado *sm* utterance

enunciar *vtd* to utter

envaidecer *vtd* to make vain
▸ *vpr* **envaidecer-se** to grow vain

envelhecer *vtd* to age
▸ *vi* 1 to grow old 2 *(vinho)* to age

envelhecido *adj* 1 old 2 *(vinho)* aged

envelhecimento *sm* 1 aging 2 *(vinho)* aging

envelopar *vtd* to put in an envelope

envelope *sm* envelope

envenenamento *sm* poisoning

envenenar *vtd* 1 to poison 2 *fig (amargurar)* to poison 3 *(carro)* to soup up
▸ *vpr* **envenenar-se** 1 to poison oneself, to take poison 2 *fig (amargurar-se)* to be poisoned

enveredar *vti* to make one's way through/toward

envergadura *sf* 1 spread, span 2 *fig* scope

envergonhado *adj* 1 ashamed 2 *(tímido)* shy

envergonhar *vtd* 1 *(causar acanhamento)* to make ashamed, to make shy 2 *(desonrar)* to shame, to dishonour
▸ *vpr* **envergonhar-se** to be ashamed

envernizado *adj* varnished

enviado *adj* sent
▸ *sm,f* envoy, messenger: ***enviado especial*** special messenger

enviar *vtd-vtdi* to send

envidar *vtd* to exert: ***envidar esforços*** to exert one's efforts

envidraçar *vtd* to furnish with glass

envio *sm* sending, shipment

enviuvar *vi* to become a widow/widower

envolto *adj* wrapped, enveloped

envoltório *sm* wrapping, envelope

envolvente *adj (sedutor)* engaging

envolver *vtd-vtdi* 1 *(embrulhar)* to wrap 2 *fig (circundar)* to surround 3 *(contornar)* to encircle 4 *(seduzir, encantar)* to entice, to engage 5 *(comprometer, meter, implicar)* to involve
▸ *vtd* 1 *(incluir)* to cover, to involve 2 *(implicar)* to imply, to involve, to entail
▸ *vpr* **envolver-se** 1 *(cercar-se)* to be surrounded 2 *(ligar-se, comprometer-se)* to commit oneself to 3 *(participar)* to involve oneself with

envolvimento *sm* 1 *(relacionamento)* relationship 2 *(comprometimento, implicação)* commitment, involvement

enxada *sf* hoe

enxadão *sm* mattock

enxaguar *vtd* to rinse

enxágue *sm* rinsing

enxame *sm* 1 swarm 2 *(grande quantidade)* crowd

enxaqueca *sf* migraine

enxergar *vtd* 1 *(ver, avistar)* to catch sight of 2 *(perceber)* to see
▸ *vi (ter capacidade de ver)* to see
▸ *vpr* **enxergar-se** 1 *(no espelho)* to see oneself, to look at oneself 2 to be truthful about oneself, to know oneself: ***você não se enxerga!*** you don't know your place!

enxerido *adj-sm,f (intrometido)* nosey

enxerir-se *vpr* to put one's nose into someone's affair

enxertar *vtd-vtdi* 1 to graft 2 *fig (introduzir)* to introduce, to insert 3 MED to graft

enxerto *sm* 1 graft 2 MED graft

enxofre *sm* QUÍM sulphur

enxotar *vtd* to drive out

enxoval *sm* 1 trousseau 2 layette

enxugar *vtd* 1 *(secar)* to dry 2 *fig (uma garrafa)* to drink up 3 *fig (reduzir ao essencial)* to downsize, to streamline

enxurrada *sf* 1 torrent, running rainwater 2 *fig* spate

enxuto *adj* 1 *(seco)* dry, dried 2 *fig (apenas com o essencial)* lean 3 *(magro)* lean 4 *fig (elegante)* good looking, well-shaped

enzima *sf* enzyme

épico *adj* epic

epidemia *sf* 1 epidemic 2 *fig (uso generalizado)* fever

epilepsia *sf* MED epilepsy

epiléptico *adj* MED epileptic

epílogo *sm* epilogue

episcopal *adj* RELIG Episcopalian

episódio *sm* 1 episode 2 TV episode

epístola *sf* epistle, letter

epitáfio *sm* epitaph

época *sf* 1 *(estação, temporada)* season 2 *(tempo, momento)* time, period, era

epopeia *sf* epic

equação *sf* equation

equador *sm* equator

equatorial *adj* equatorial

equestre *adj* equestrian

equidade *sf* equity

equilibrado *adj* 1 balanced 2 *fig* self-controlled

equilibrar *vtd* to balance
▸ *vpr* **equilibrar-se** to balance

equilíbrio *sm* 1 balance 2 *fig (autocontrole)* self-control

equilibrismo *sm* balancing act

equilibrista *smf* equilibrist, tightrope walker

equino *adj* equine, horse, horsey
▸ *sm* **equino** equine

equipamento *sm* equipment, gear, rigging, outfit

equipar *vtd* to equip, to furnish
▸ *vpr* **equipar-se** to equip oneself

equiparação *sf* leveling

equiparar *vtd-vtdi* to put on a level with
▸ *vpr* **equiparar-se** to equate oneself with

equipe *sf* 1 team 2 ESPORTE team

equitação *sf* riding, horsemanship

equitativo *adj* equitable

equivalente *adj-sm* equivalent

equivaler *vti* to be the same as

equivocado *adj* mistaken, wrong

equivocar-se *vpr* 1 *(errar)* to make a mistake 2 *(entender mal)* to misunderstand

equívoco *adj* ambiguous
▸ *sm* **equívoco** mistake

era *sf* era, age

erário *sm* exchequer

ereção *sf* erection

eremita *smf* hermit

ereto *adj* upright, erect

erguer *vtd* 1 *(levantar)* to raise, to lift 2 *(erigir)* to build, to erect 3 *(a voz)* to raise 4 *(os olhos)* to raise
▸ *vpr* **erguer-se** 1 *(levantar-se)* to rise, to stand up 2 *(revoltar-se)* to rise against
• **erguer a cabeça** *fig* to raise one's head

eriçado *adj* ruffled

erigir *vtd* to erect, to build

erisipela *sm* MED erysipelas

ermitão *sm,f* 1 hermit 2 loner

ermo *adj* wild, deserted
▸ *sm* **ermo** desert, wilderness

erosão *sf* erosion

erótico *adj* erotic

erotismo *sm* erotism

erradicar *vtd* **1** *(arrancar pela raiz)* to unroot, to uproot **2** *(eliminar)* to uproot

errado *adj* **1** *(não correto)* wrong **2** *(caminho, escolha)* astray **3** *(equivocado)* mistaken

• **pegar o ônibus/trem errado** to get the wrong bus/train

errante *adj* wandering

errar *vtd* **1** *(cometer erro)* to get wrong: ***errei a/na conta*** I got the total wrong **2** *(não acertar)* to miss: ***errar o alvo*** to miss the target

▸ *vi* to make a mistake, to be wrong: ***percebo que errei*** I realize I made a mistake

▸ *vi (vaguear)* to wander

errata *sf* erratum, errata

erro *sm* **1** *(engano)* mistake: ***cometer um erro*** to make a mistake **2** *(incorreção)* mistake: ***um exercício cheio de erros*** an exercise with a lot of mistakes **3** *(equívoco)* mistake: ***foi um grave erro*** it was a big mistake

• **erro de imprensa** misprint

errôneo *adj* wrong, mistaken

erudição *sf* scholarly knowledge, scholarship

erudito *adj-sm,f* learned, scholarly, scholar

erupção *sf* eruption

erva *sf* herb

• **erva daninha** weed

erva-cidreira *(pl* **ervas-cidreiras***)* *sf* BOT lemon balm

erva-doce *(pl* **ervas-doces***)* *sf* BOT fennel, fennel seed

ervilha *sf* BOT pea

esbaforido *adj* breathless

esbaldar-se *vpr* to have a great time, to have the time of one's life

esbanjador *adj-sm,f* wasteful, spendthrift

esbanjamento *sm* wasting, prodigality

esbanjar *vtd* to squander, to waste

• **esbanjar saúde** to have great health

esbarrão *sm* bump: ***dar um esbarrão em algo/alguém*** to bump into something/someone

esbarrar *vti* **1** to bump into, to stumble on **2** *fig (encontrar, deparar)* to come up against, to stumble on

esbelto *adj* slim, slender

esboçar *vtd* **1** to sketch **2** *fig* to outline

esboço *sm* sketch, outline

esbodegado *adj* **1** *(estragado)* wrecked **2** *(cansado)* exhausted

esbofetear *vtd* to slap, to hit

esborrachado *adj* smashed

esbranquiçado *adj* whitish, discolored

esbravejar *vi-vtd* to shout, to rave, to rant

esbugalhar *vtd* to open wide

esbulhar *vtd* to usurp, to rob, to despoil

esburacar *vtd* to make/poke holes in

escabeche *sm* CUL a kind of marinade

escabroso *adj* **1** *(escarpado)* craggy **2** *fig (indecente)* indecent

escada *sf* ladder, staircase, stairs

■ **escada de mão** ladder

■ **escada de incêndio** fire escape

■ **escada em caracol** winding staircase

■ **escada rolante** escalator

• **subir as escadas** to go up the stairs

escadaria *sf* staircase

escafandro *sm* diving suit

escala *sf* **1** *(medida)* gauge, scale **2** *(de mapa)* scale **3** *(hierarquia)* hierarchy, rank **4** *(grande quantidade ou tamanho)* scale **5** MÚS scale **6** *(voo)* stop

• **escala de valores** set of values

• **em grande/pequena escala** on a full/small scale

escalada *sf* **1** *(de montanha, muro etc.)* climb, climbing **2** *(aumento de atividade bélica)* escalation

escalar *vtd* **1** *(montanhas etc.)* to climb **2** *(indicar)* to assign: ***ser escalado para um trabalho*** to be assigned to a job

escaldante *adj* scalding, burning

escaldar *vtd* **1** CUL to scald **2** *(aquecer muito)* to scald

▸ *vi (estar muito quente)* to scald

escalope *sm* CUL escalope

escama *sf* scale

escamar-se *vpr* to scale

escambau *sm* stuff

escamoso *adj* 1 scaly 2 *fig* snob

escamotear *vtd (encobrir)* to hide

escâncaras *sf loc* ***às escâncaras*** out in the open, in full view

escancarado *adj* 1 wide-open 2 *fig* gaping

escancarar *vtd* 1 to open wide 2 *fig* to gape

escandalizar *vtd* to shock, to outrage
▸ *vpr* **escandalizar-se** to be shocked, to be outraged

escândalo *sm* 1 scandal 2 *(escarcéu)* show, scene

escandaloso *adj* 1 shocking, outrageous 2 *(indecente)* scandalous, outrageous

escandinavo *adj-sm,f* Scandinavian

escanear *vtd* to scan

escâner *sm* scanner

escangalhado *adj* 1 *(muito avariado)* ruined 2 *(muito cansado)* exhausted

escangalhar *vtd (estragar)* to ruin
▸ *vpr* **escangalhar-se** 1 to get ruined 2 to get exhausted

escanhoar-se *vpr* to give oneself a close shave

escaninho *sm (pequeno compartimento)* pigeonhole
▸ *pl* **escaninhos** *(lugar secreto)* hiding place

escanteio *sm* ESPORTE corner
• **chutar para escanteio** *fig* to set aside

escapada *sf* escape, flight

escapamento *sm (de veículo)* exhaust pipe

escapar *vti-vi* 1 *(fugir)* to escape, to flee 2 *(livrar-se de perigo, sobreviver)* to escape 3 *(ficar de fora)* to be left out 4 *(ser dito por distração)* to blurt out, to slip out 5 *(esquecer)* to miss
• **escapar ao controle** to get out of hand

escapatória *sf* way out, excuse

escape *sm* escape, outlet
• **válvula de escape** escape valve, safety valve, outlet

escápula *sf* ANAT scapula

escapulir *vti-vi* to get away, to slip away

escarafunchar *vtd* to dig at, to investigate

escaramuça *sf* 1 *(combate pouco importante)* skirmish 2 *(briga)* dispute, quarrel

escaravelho *sm* ZOOL scarab

escarcéu *sm (gritaria)* row, scene

escarlate *adj-sm* scarlet

escarlatina *sf* MED scarlet fever

escarnecer *vti* to mock

escárnio *sm* mockery

escarola *sf* BOT escarole

escarpado *adj* steep, craggy

escarranchar *vtd* to spread out
▸ *vpr* **escarranchar-se** to spread out

escarrar *vi-vtd* to spit

escarro *sm* phlegm, spit

escassez *sf* shortage, lack

escasso *adj* scarce

escavação *sf* excavation, digging

escavadeira *sf* excavator

escavar *vtd* to excavate, to dig

esclarecedor *adj* clarifying, enlightening

esclarecer *vtd* 1 *(tornar compreensível)* to explain, to clarify 2 *(informar)* to inform
▸ *vpr* **esclarecer-se** to find out about something

esclarecido *adj (dotado de saber)* educated, knowledgeable, enlightened

esclarecimento *sm* explanation, clarification

esclerosado *adj* 1 sclerotic 2 *(caduco)* senile

esclerose *sf* MED sclerosis

escoamento *sm* draining

escoar *vtd (fazer escorrer)* to drain
▸ *vi (escorrer)* to drain

escocês *adj-sm,f* Scottish, Scots, Scot, Scotsman/woman

Escócia *sf* Scotland

escola *sf* 1 school: ***ir à escola*** to go to school 2 *(de pensamento)* school 3 *fig (lição, ensinamento)* school, teaching

• **escola noturna** evening school/class/course
• **escola privada/pública** private/public school
• **ter/não ter escola** to be/not to be educated

escolado *adj* experienced, seasoned

escolar *adj* school
▸ *smf* **escolar** *(estudante)* schoolboy/girl

escolaridade *sf* education

escolarização *sf* education

escolarizar *vtd* to educate

escolha *sf* choice
• **à escolha** by choice
• **múltipla escolha** multiple choice

escolher *vtd* 1 to choose 2 *(arroz, feijão)* to pick

escolhido *adj* chosen

escolta *sf* escort

escoltar *vtd* to escort

escombros *sm pl* ruins

esconde-esconde *sm* hide-and-seek

esconder *vtd* 1 to hide 2 *(não revelar)* to conceal 3 *(dissimular)* to dissemble
▸ *vpr* **esconder-se** to hide *(oneself)*

esconderijo *sm* hideout, den

escondidas *sf pl loc* ***às escondidas*** secretly

escondido *adj* hidden, concealed

esconjurar *vtd* to conjure, to exorcise

escopo *sm* 1 aim, purpose, goal 2 scope

escora *sf* 1 *(prop)* 2 *fig* support, prop

escorar *vtd* 1 *(pôr escoras)* to prop up 2 *(apoiar)* to support 3 *(amparar)* to support
▸ *vpr* **escorar-se** to rely on

escorbuto *sm* MED scurvy

escorchante *adj* outrageous, abusive: ***preços escorchantes*** outrageous prices; ***juros escorchantes*** abusive interest

escorchar *vtd (cobrar caro)* to overcharge

escória *sf* 1 slag 2 *fig* refuse

escoriação *sf* scratch

escoriar *vtd* to scratch

escorpião *sm* 1 scorpion 2 ASTROL Scorpio

escorraçar *vtd* to chase away, to expel

escorredor *sm* drainer
▪ **escorredor de macarrão** pasta drainer
▪ **escorredor de pratos** dish drainer

escorregadio *adj* slippery

escorregador *sm* slide

escorregão *sm* slip: ***dar/levar um escorregão*** to slip

escorregar *vi* 1 to slip 2 *(ser escorregadio)* to be slippery
▸ *vti (errar)* to slip up
▸ *vtdi (passar furtivamente)* to slip through

escorrer *vi* 1 to drain 2 to trickle

escoteiro *sm* boy/girl scout

escova *sf* 1 brush 2 *(de dentes)* toothbrush 3 *(de roupa)* brush

escovar *vtd* to brush
• **escovar os dentes** to brush one's teeth

escrachado *adj* low, gutter, dirty
• **humor escrachado** gutter humor, dirty humor

escrachar *vtd* 1 *gír (desmoralizar)* to talk badly about 2 *(passar descompostura)* to tell off

escracho *sm* 1 *(descompostura)* scolding 2 *(bagunça, desleixo, falta de compostura)* mess, slovenliness

escravidão *sf* slavery

escravo *adj-sm,f* slave

escrever *vtd-vtdi-vi* to write
• **escrever à mão** to handwrite
• **escrever à máquina** to type

escrita *sf* 1 *(escritura)* writing 2 *(letra)* handwriting

escrito *adj* 1 written 2 *fig* very similar: ***é o pai dela escrito*** she's the spitting image of her father
▸ *sm* **escrito** piece of writing
• **por escrito** on paper

escritor *sm,f* writer, author

escritório *sm* office, study

escritura *sf* 1 *(documento)* deed 2 *(Bíblia)* the Scriptures

escriturar *vtd* to keep books

escriturário *sm,f* clerk

escrivaninha *sf* desk

escrivão *sm* registrar

escroto *sm* ANAT scrotum
▸ *adj* **escroto** *chulo* lousy

escrúpulo *sm* 1 *(consciência)* scruple 2 *(cuidado, zelo)* zeal, care

escrupuloso *adj* 1 *(consciencioso)* scrupulous 2 *(meticuloso)* zealous, careful

escrutínio *sm* 1 *(votação)* voting, poll 2 *(apuração de votos)* ballot count, scrutiny

escudeiro *sm* shield-bearer

escuderia *sf* ESPORTE team

escudo *sm* 1 shield 2 *(moeda portuguesa)* escudo 3 *(brasão)* arms 4 *fig (proteção)* shield

esculachado *adj* 1 *(desmoralizado)* demoralized 2 *(descuidado, relaxado)* careless 3 *(anarquizado)* messy

esculachar *vtd* 1 *(repreender rudemente)* to reprimand, to tell off 2 *(desmoralizar, avacalhar)* to demoralize

esculacho *sm* 1 *(desmazelo)* carelessness 2 *(repreensão rude)* reprimand

esculhambação *sf* 1 *(repreensão rude)* to reprimand 2 *(anarquia, desordem)* mess

esculhambar *vtd* 1 *(repreender rudemente)* to give someone stick 2 *(bagunçar)* to mess up 3 *(estragar muito)* to ruin

esculpir *vtd-vti-vi* to carve, to sculpt, to sculpture, to fashion

escultor *sm,f* sculptor

escultura *sf* sculpture

escultural *adj* shapely, sculptural

escumadeira *sf* skimmer

escuras *sf loc* ***às escuras*** in the dark

escurecer *vtd* 1 *(tornar sem luz)* to darken 2 *(tornar mais escuro)* to get dark
▸ *vi* 1 *(ficar sem luz)* to darken 2 *(anoitecer)* to grow dark

escuridão *sf* darkness

escurinho *adj-sm,f (mulato, negro)* black
▸ *sm* **escurinho** *(penumbra)* half-light

escuro *adj* 1 *(pouco ou nada iluminado)* dark 2 *(de cor preta ou tirante a preto)* black
▸ *adj-sm,f (negro, mulato)* black
▸ *sm (escuridão)* darkness

escuso *adj* questionable, dishonest

escuta *sf* listening
• **escuta telefônica** wiretapping
• **ficar/estar à escuta** to be listening, to be attentive

escutar *vtd* 1 *(ouvir atentamente)* to listen to 2 *(aplicar o ouvido)* to listen 3 *(ouvir)* to listen to
▸ *vi* 1 *(prestar atenção)* to listen 2 *(ter audição)* to hear

esdrúxulo *adj fam (esquisito)* weird

esfacelar *vtd* to smash
▸ *vpr* **esfacelar-se** to be destroyed, to be smashed

esfalfado *adj* exhausted

esfalfar-se *vpr* to tire out, to become exhausted

esfaquear *vtd* to stab

esfarelar-se *vpr* to crumble

esfarrapado *adj* ragged, tattered
• **desculpa esfarrapada** poor/bad excuse

esfarrapar *vtd* to tatter
▸ *vpr* **esfarrapar-se** to become ragged, to become tattered

esfera *sf* 1 sphere 2 *fig (campo, setor)* field, sphere, area
• **esfera de influência** sphere of influence
• **esfera de relações** sphere of relations

esférico *adj* spherical

esferográfica *sf* ballpoint

esfiapar *vtd* to fray
▸ *vpr* **esfiapar-se** to fray

esfinge *sf* sphinx

esfoladura *sf* flaying

esfolar *vtd* 1 *(tirar a pele)* to skin, to flay 2 *(escoriar)* to graze 3 *fig (cobrar preço alto)* to overcharge, to fleece
▸ *vpr* **esfolar-se** *(escoriar-se)* to get grazed

esfomeado *adj* famished, starving

esforçado *adj* committed, dedicated

esforçar-se *vpr* to try hard to, to strive

esforço *sm* effort
• **envidar todos os esforços** to make all efforts
• **somar esforços** to join efforts

esfregão *sm* mop

esfregar *vtd* 1 *(roçar)* to rub 2 *(para limpar)* to scrub 3 *(friccionar)* to rub
▸ *vpr* **esfregar-se** *chulo* to rub against
• **esfregar as mãos** to rub one's hands

esfriar *vtd* 1 to cool, to chill 2 *fig (diminuir o ânimo)* to cool down
▸ *vi-vpr* **esfriar(-se)** 1 to get cold 2 *(perder o ânimo)* to cool off

esfumaçado *adj* smoky

esfumaçar *vtd* to fill with smoke

esganação *sf* 1 strangling 2 *(avidez)* eagerness, craving

esganado *adj (comilão)* glutton

esganar *vtd* to strangle
▸ *vpr* **esganar-se** *(mostrar-se sôfrego, ávido)* to crave

esganiçado *adj (voz)* strained, choked

esgarçar *vtd* to fray
▸ *vpr* **esgarçar-se** to become frayed

esgoelar-se *vpr* to yell, to wail

esgotado *adj* 1 *(livros, entradas, estoques)* sold out 2 *(exausto)* exhausted

esgotamento *sm* 1 *(drenagem)* depletion 2 *(de estoques, víveres etc.)* depletion 3 *(cansaço, exaustão)* exhaustion
• **esgotamento nervoso** nervous breakdown

esgotar *vtd* 1 *(tirar líquido)* to drain 2 *(consumir até o fim)* to use up 3 *(cansar, extenuar)* to exhaust
▸ *vpr* **esgotar-se** 1 *(livros, estoques, entradas etc.)* to be sold out 2 *(extenuar-se)* to become exhausted
• **esgotar todos os recursos/meios** to use up all resources, to run out of means
• **esgotar um assunto** to exhaust a subject

esgoto *sm* drain, sewer

esgrima *sf* fencing

esguelha *sf loc (olhar)* ***de esguelha*** to look (*at someone or something*) out of the corner of one's eye

esguichar *vtd-vtdi* to gush, to hose
▸ *vi* to gush out

esguicho *sm* 1 *(jato)* jet, gush 2 *(mangueira)* hose

esguio *adj* slender, slim

eslavo *adj-sm,f* Slavic, Slav

esmagado *adj* crushed

esmagador *adj fig* crushing, overwhelming

esmagar *vtd* 1 to crush 2 *fig (aniquilar)* to destroy 3 *fig (obter grande vitória)* to crush, to overwhelm

esmaltar *vtd* 1 to enamel 2 *(unhas)* to polish

esmalte *sm* 1 *(tinta)* enamel 2 *(de unha)* nail polisher

esmerado *adj* neat

esmeralda *sf* emerald

esmerar-se *vpr* to take great care in

esmeril *sm* emery

esmerilhar *vt* to abrade

esmero *sm* care

esmigalhar *vtd* to shatter
▸ *vpr* **esmigalhar-se** to crumble, to shatter

esmiuçar *vtd* 1 to investigate in detail 2 to explain in detail

esmo *sm loc* ***a esmo*** at random: ***andar a esmo*** to wander; ***falar a esmo*** to prattle; ***atirar a esmo*** to fire at random

esmola *sf* alms
• **dar/pedir esmolas** to give/ask for alms

esmorecer *vi (perder o ânimo)* to lose heart

esmurrar *vtd* to punch

esnobação *sf* snobbishness

esnobar *vtd* 1 to snub 2 to show off
▸ *vi* to snob

esnobe *adj-smf* snobbish, snob

esôfago *sm* ANAT esophagus

esoterismo *sm* esoterism

espaçar *vtd* 1 to space 2 to slow down, to do at increasing intervals

espacial *adj* spatial, space

espaço *sm* 1 space 2 *(área)* space: ***o espaço da garagem é grande*** the garage has a large space; ***ocupar espaço*** to take up space 3 *(lugar)* room: ***não há espaço para todos*** there is no room for everyone 4 *fig* room: ***não dê espaço para lamentações*** give no room for complaints 5 time: ***no espaço de uma hora*** in three hours' time 6 *(entre palavras)* space

• **abrir/dar espaço** to open/give room
• **espaço aéreo** airspace
• **espaço cultural** cultural center
• **espaço sideral** outer space

espaçonave *sf* spaceship

espaçoso *adj* 1 spacious 2 *pop* roomy

espada *sf* sword
▸ *pl* **espadas** *(naipe)* spades

espádua *sf* 1 *(escápula)* shoulder-blade 2 *(ombro)* shoulder

espaguete *sm* spaghetti

espairecer *vi* to relax

espaldar *sm (de cadeira)* back

espalhafato *sm* commotion

espalhafatoso *adj* showy, loud

espalhar *vtd* 1 *(dispersar)* to spread, to scatter, to disperse 2 *(divulgar)* to spread, to publicize, to diffuse 3 *(propagar)* to spread, to disseminate 4 *(creme, pomada)* to spread
▸ *vpr* **espalhar-se** 1 *(dispersar-se)* to spread out, to disperse 2 *(divulgar-se)* to spread, to publicize 3 *(propagar-se)* to spread, to disseminate 4 *(no sofá, na cama etc.)* to spread out

espanador *sm* duster

espanar *vtd* to dust

espancar *vtd* to beat up

Espanha *sf* Spain

espanhol *adj-sm,f* Spanish, Spaniard
▸ *sm* **espanhol** Spanish

espantado *adj* 1 *(assustado)* frightened 2 *(admirado, surpreso)* astonished, amazed

espantalho *sm* scarecrow

espantar *vtd* 1 *(assustar)* to frighten 2 *(afugentar)* to scare away 3 *(surpreender)* to astonish, to amaze
▸ *vpr* **espantar-se** 1 *(assustar-se)* to be startled 2 *(surpreender-se)* to be astonished, to be amazed
• **não espanta que...** no wonder that...

espanto *sm* 1 *(pasmo)* amazement 2 *(susto)* fright 3 *(admiração)* astonishment
• **é um espanto!** it's astonishing!

espantoso *adj* 1 *(assustador)* frightening 2 *(extraordinário)* extraordinary, amazing 3 *(que causa indignação)* appalling

esparadrapo *sm* plaster, band-aid

espargir *vtd* 1 *(espalhar)* to sprinkle 2 *(disseminar)* to shed, to scatter

esparramar *vtd* 1 *(dispersar, espalhar)* to spread, to disperse 2 *(derramar)* to spill
▸ *vpr* **esparramar-se** 1 *(espalhar-se)* to be spread out 2 *(derramar-se)* to spill 3 *(sentar-se à vontade)* to sprawl

esparrela *sf loc* **cair na esparrela** to fall into the snare

esparso *adj* scattered

espatifar *vtd* to shatter
▸ *vpr* **espatifar-se no chão** to fall flat on the ground

especial *adj* special
• **em especial** especially

especialidade *sf* 1 specialty 2 *(médica)* speciality 3 *(da casa)* specialty of the house

especialista *adj-smf* specialist, expert

especializado *adj* specialized

especializar-se *vpr* to specialize *(in)*

espécie *sf* species
• **pagar em espécie** to pay in goods

especificação *sf* specification

especificar *vtd* specify

específico *adj* specific

espécime *sm* specimen

espectador *sm,f* spectator, viewer, onlooker

espectro *sm* 1 spectrum 2 *(fantasma)* ghost, spectre

especulação *sf* speculation

especulador *sm,f* speculator

especular *vtd-vti-vi* speculate

especulativo *adj* speculative

espelhar *vtd (refletir)* to reflect, to mirror
▸ *vpr* **espelhar-se** 1 *(refletir-se)* to be reflected, to be mirrored 2 *(tomar como exemplo)* to look up to

espelho *sm* mirror

espelunca *sf* dive, dump, joint

espera *sf* wait

esperado *adj (desejado)* expected

esperança *sf* hope
• **a esperança é a última que morre** where there is life there is hope

• **dar esperanças a alguém** to hold out hopes to someone
• **perder as esperanças** to lose hope
• **que esperança!** not a chance!, what a hope!, some hope!

esperançoso *adj (confiante)* hopeful

esperar *vtd-vti-vi (aguardar)* to wait *(for)*
▸ *vtd* **1** *(estar reservado)* to await: ***mal sabia ele o que o esperava*** little did he know what awaited him **2** *(imaginar)* to expect: ***ela não esperava que ele fosse fugir*** she didn't expect that he would run away **3** *(ter esperança)* to hope: ***espero que tudo dê certo*** I hope everything turns out right
▸ *vtd-vi (filho)* to expect
• **espera aí** wait!, hold on!
• **espere um pouco** wait a minute/second
• **ser de esperar** to be expected *(that)*

esperma *sm* sperm

espermatozoide *sm* spermatozoid

espernear *vi* **1** *(agitar as pernas)* to kick one's legs **2** *fig (reclamar)* to fidget about, to complain

espertalhão *adj-sm,f* **1** slick, crafty, rascal **2** clever-clever, wise guy

esperteza *sf* cleverness, cunning

esperto *adj* **1** *(sagaz)* smart **2** *(rápido, expedito)* quick **3** *(vivaz)* alert
▸ *sm,f (espertalhão)* smarty

espessar *vtd* to thicken
▸ *vpr* **espessar-se** to grow thicker

espesso *adj* **1** *(consistente)* dense **2** *(denso, farto)* rich **3** *(grosso)* thick

espessura *sf* thickness

espetáculo *sm* **1** show **2** *(teatral)* performance **3** *(cena ridícula)* spectacle

espetar *vtd* **1** *(enfiar no espeto)* to put on a skewer **2** *(prego, espinho etc.)* to prick

espetinho *sm* CUL skewer

espeto *sm* **1** skewer, spit **2** *fig (coisa complicada)* nuisance, snag

espevitado *adj (vivaz)* lively

espezinhar *vtd* **1** *(pisar)* to trample *(underfoot)* **2** *(humilhar)* to humiliate, to scorn

espião *sm,f* spy

espiar *vtd* **1** *(espionar)* to spy on, to peep at **2** *(observar)* to watch out for

espichar *vtd* to stick out
▸ *vpr* **espichar-se** to stretch out

espiga *sf* spike, ear
■ **espiga de milho** corn cob

espigão *sm* **1** *(pico de serra)* ridge **2** *(edifício alto)* tall building, skyscraper

espinafrar *vtd* to dress down, to ridicule, to deride

espinafre *sm* BOT spinach

espingarda *sf* shotgun

espinha *sf* **1** *(coluna vertebral)* spine **2** *(de peixe)* bone **3** *(na pele)* spot, pimple

espinho *sm* BOT thorn, spine

espinhoso *adj* **1** prickly **2** *fig (delicado)* thorny

espionagem *sf* spying, espionage

espionar *vtd-vi* to spy on, to snoop

espiral *adj-sf* spiral

espírita *adj-smf* spiritualist

espiriteira *sf* a small cooker that runs on alcohol or some other liquid fuel

espiritismo *sm* spiritism

espírito *sm* **1** spirit **2** *fig* mind **3** *(humor)* mood
• **espírito de porco** **1** wet blanket, killjoy **2** evil-minded, mean spirited
• **espírito esportivo** good sportsmanship
• **espírito prático** practical mind

espiritual *adj* spiritual

espiritualismo *sm* spiritualism

espirituoso *adj* witty

espirrar *vtd (expelir)* to spurt, to gush
▸ *vi* **1** *(jorrar)* to spurt out **2** *(dar espirro)* to sneeze

espirro *sm* sneeze

esplanada *sf* esplanade

esplêndido *adj* splendid

esplendor *sm* splendour

espoleta *sf* fuse, cap of a gun
▸ *smf (pessoa irrequieta)* a restless person

espoliação *sf* robbery, plunder

espoliar *vtd* to plunder

espólio *sm* **1** *(bens do falecido)* estate **2** *(de guerra, de saque)* spoils

esponja *sf* 1 sponge 2 *(para maquiagem)* make-up sponge
• **passar uma esponja/borracha em/sobre** *fig* to forget, to leave in the past
• **ser uma esponja** *(beber muito)* to be a drunkard

espontaneidade *sf* spontaneity

espontâneo *adj* spontaneous

espora *sf* 1 spur 2 *(esporão)* spur

esporádico *adj* sporadic

esporão *sm* spur

esporear *vtd* 1 to spur 2 *fig (estimular)* to incite, to instigate

esporro *sm chulo* 1 *(descompostura)* scolding, reprimand, rebuke 2 *(arruaça)* row
• **dar um esporro em alguém** to dress someone down, to rebuke someone

esporte *sm* sport

esportista *smf* sportsman/woman

esportivo *adj* sporting

esposo *sm,f* spouse, husband/wife

espreguiçadeira *sf* deck chair

espreguiçar-se *vpr* to stretch one's limbs

espreita *sf loc* **ficar/estar à espreita** to keep watch

espremedor *sm* 1 *(de laranja)* orange squeezer 2 *(de verdura)* masher

espremer *vtd* to squeeze
▸ *vpr* **espremer-se** to be squashed together

espuma *sf* foam

espumante *adj-sm* foamy, sparkling wine

espumar *vi* 1 *(produzir espuma)* to foam, to froth 2 *fig (de raiva)* to froth at the mouth, to foam at the mouth

espumoso *adj* foamy

espúrio *adj* illegitimate, false

esquadra *sf* MIL fleet

esquadrão *sm* squadron

esquadria *sf (porta, janela etc.)* frame

esquadrilha *sf* AERON squadron

esquadro *sm* square
• **estar no/fora de esquadro** to be in/out of square

esquartejar *vtd* to quarter

esquecer *vtd* 1 *(fugir à memória)* to forget 2 *(deixar por distração)* to forget, to leave: ***esqueci as chaves na mesa*** I left the keys on the table 3 *(deixar de lado)* to forget, to leave the past behind
▸ *vi* to forget: ***beber para esquecer*** to drink to forget
▸ *vpr* **esquecer-se** 1 to forget *(about)* 2 *(deixar de)* to forget: ***não se esqueça de avisá-lo*** don't forget to tell him

esquecido *adj* 1 *(não lembrado)* forgotten 2 *(com má memória)* forgetful

esquecimento *sm* 1 *(falta de memória)* forgetfulness 2 *(distração)* carelessness 3 *(olvido)* oblivion
• **cair no esquecimento** to fall into oblivion

esqueite *sm* skateboard

esquelético *adj* skeletal, very thin

esqueleto *sm* 1 skeleton 2 *(estrutura)* framework 3 *(pessoa muito magra)* skinny person, bag of bones

esquema *sm* 1 outline 2 *(plano)* scheme

esquemático *adj* schematic

esquentado *adj* 1 *(irritado)* irritated 2 *(irritadiço)* hot-tempered

esquentar *vtd* 1 *(aquecer)* to heat, to warm 2 *fig (animar)* to heat up
▸ *vi* 1 *(aquecer-se)* to get warm 2 *(tempo)* to get warm, to get hot 3 *(ser quente-agasalho)* to be warm, to be hot 4 *(animar-se)* to warm up, to heat up
▸ *vpr* **esquentar-se** 1 to get warm 2 *(irritar-se)* to get annoyed
• **esquentar a cabeça** to get worried
• **não esquenta!** don't worry!, relax!

esquerda *sf* left
• **dobrar/virar à esquerda** to turn left
• **extrema esquerda** far left
• **manter-se à esquerda** to keep to the left
• **ser de esquerda** to be a left-winger

esquerdo *adj* left

esqui *sm* ski

esquiador *sm,f* skier

esquiar *vi* to ski

esquilo *sm* ZOOL squirrel

esquimó *adj-smf* Eskimo

esquina *sf* corner
• **casa de esquina** house on the corner

esquisitice *sf* strangeness, oddity

esquisito *adj* 1 *(fora do comum)* strange, odd 2 *(excêntrico)* eccentric, bizarre

esquivar-se *vpr* to evade, to dodge, to escape *(from)*

esquivo *adj* elusive

esquizofrênico *adj-sm,f* schizophrenic

esse *adj* 1 that 2 *(tal)* that: ***não saia com essa chuva*** don't go out in that rain

essência *sf* essence

essencial *adj* essential
▸ *sm* **essencial** main thing

estabanado *adj* 1 reckless 2 clumsy

estabelecer *vtd* 1 *(instituir)* to establish 2 *(fundar)* to establish, to set up 3 *(determinar, indicar)* to establish, to set out 4 *(fixar)* to set
▸ *vpr* **estabelecer-se** 1 *(instaurar-se)* to become established 2 *(abrir negócio)* to establish a business 3 *(fixar residência)* to settle down *(in, at)*

estabelecimento *sm* 1 *(instituição)* establishment, institution 2 *(determinação, indicação)* establishment, setting out 3 *(fixação)* establishment 4 *(implantação)* settlement 5 *(formação)* foundation 6 *(instituição pública)* public institution 7 *(sala de espetáculo, comercial etc.)* business organization, the place where such an organization functions

estabilidade *sf* stability

estabilizar *vtd* to stabilize
▸ *vpr* **estabilizar-se** to become stable

estábulo *sm* stable, cow-shed

estaca *sf* post, stake

estação *sf* 1 *(lugar)* station 2 *(local de embarque e desembarque)* station 3 *(centro transmissor de rádio e TV)* station 4 *(período do ano, época)* season
■ **estação espacial** space station
■ **estação ferroviária** train station
■ **estação meteorológica** weather station
■ **estação rodoviária** bus station
■ **estação transmissora** broadcasting station

estacar *vtd* *(fazer parar)* to stop
▸ *vi* *(parar de repente)* to stop, to halt

estacionamento *sm* 1 *(parada)* parking 2 *(local onde se estaciona)* parking lot
• **estacionamento a 45°** 45 degree parking

estacionar *vi* 1 *(auto)* to park 2 *(parar de crescer, evoluir)* to come to a standstill
• **proibido estacionar** no parking

estacionário *adj* stationary

estada *sf* stay

estadia *sf* 1 MAR lay days 2 *(estada)* stay

estádio *sm* ESPORTE stadium

estadista *smf* statesman/woman

estado *sm* 1 *(condição, situação)* state, condition, status 2 *(divisão administrativa)* state 3 *(poder, nação)* state
• **em bom/mau estado** in good/poor shape
■ **estado civil** marital status
■ **estado de choque** shock
■ **estado de espírito** state of mind
■ **estado de sítio** state of siege, state of emergency
■ **estado gasoso** gaseous state
■ **estado líquido** liquid state
■ **estado sólido** solid state

estadual *adj* state

estafa *sf* fatigue

estafante *adj* exhausting

estagiário *sm,f* trainee

estágio *sm* 1 *(etapa)* stage 2 *(prática)* traineeship

estagnação *sf* 1 stagnation 2 *fig* inertia, inactivity

estagnar *vtd* 1 to stagnate 2 *fig* to stop the flow of
▸ *vi-vpr* **estagnar(-se)** 1 to stagnate 2 *fig* to stop one's activity

estalar *vi* 1 *(crepitar)* to crackle 2 *(os dedos)* to snap, to crack

estalido *sm* pop

estalo *sm* snap, smack, bang

estaleiro *sm* MAR shipyard

estampa *sf* 1 *(figura impressa)* print 2 *(em tecido)* pattern

estampado *adj-sm,f* 1 printed 2 *(tecido)* patterned 3 evident, manifest: ***a alegria estava estampada em seu rosto*** joy was manifest on his looks

estampar *vtd* 1 to print 2 *(tecido)* to stamp 3 to manifest, to give evidence

of: ***seu rosto estampava tristeza*** his face gave evidence of sadness
▸ *vpr* **estampar-se** 1 to be printed 2 to manifest (*on*, *in*, *as*)

estancar *vtd* 1 (*líquido, hemorragia*) to staunch 2 (*fazer cessar*) to stop
• **estancar a sede** to quench one's thirst
▸ *vi* (*deixar de correr*) to stop flowing, to cease

estância *sf* 1 resort: ***estância balneária*** spa, seaside resort 2 (*propriedade rural*) ranch, farm

estandarte *sm* banner

estande *sm* stand

estanho *sm* tin

estanque *adj* 1 (*compartimento*) watertight 2 (*que se esgotou*) empty, drained, dried-out

estante *sf* 1 stand 2 (*de livros*) bookcase

estapafúrdio *adj* preposterous

estar *vpred* to be: ***Maria está doente*** Maria is ill; ***estar sentado/em pé*** to be sitting/to be standing up
▸ *vi* 1 (*encontrar-se*) to be (*in, at, on*): ***Paulo está (aí)?*** is Paulo in (*there*)? 2 (*situar-se, ficar*) to be: ***minha casa está a cem metros do clube*** my house is a hundred meters away from the club
▸ *vti* ■ **estar com** 1 (*ter a companhia de*) to be with 2 (*morar com*) to live with 3 (*ter relações*) to be with 4 (*ter*) to have, to be: ***estou com dor de cabeça*** I have a headache; ***estou com fome*** I am hungry 5 (*vestir, usar*) to wear, to be wearing: ***ele estava com um terno azul*** he was wearing a blue suit
■ **estar de** 1 (*encontrar-se*) to have: ***estar de ressaca*** to have a hangover; ***estar de casamento marcado*** to have the date of one's wedding fixed 2 (*encontrar-se em processo de*) to be: ***estar de saída*** to be leaving 3 (*vestir, usar*) to be wearing: ***minha mãe está de preto*** my mother is wearing black
■ **estar em** 1 (*lugar, tempo*) to be: ***Maria está no banheiro*** Maria is in the bathroom; ***estamos em novembro*** we are in November 2 (*fazer parte*) to be: ***não está nos meus planos*** this is not in my plans 3 (*depender*) to be up to: ***não está em mim resolver isso*** it's not up to me to solve this 4 (*consistir*) to be, to lie in: ***a solução está em saber escolher*** the answer is in knowing how to choose 5 (*atingir*) to reach: ***a dívida está em mais de dois milhões*** the debt has reached more than two million
■ **estar para** 1 (*ser iminente*) to be about to 2 (*ter disposição*) to be in the mood for: ***não estou para brincadeiras*** I'm not in the mood for jokes
• **estar de mal/bem com alguém** to be on bad/good terms with someone
• **estar fora de si** to be beside oneself
• **estar para o que der e vier** to be ready to go through thick and thin
• **estar por acontecer/vir/ocorrer** to be about to happen
• **estar por pouco/dias/horas para acontecer** ... will take place soon/in days/in hours
• **estou com você e não abro** I'm with you, you can depend on me
• **não estar com nada** to be full of crap
• **não estar nem aí para algo/alguém** not to care about something/someone
• **onde estávamos?** where were we?

estardalhaço *sm* fuss

estarrecer *vtd* 1 to terrorize, to terrify 2 to astonish
▸ *vpr* **estarrecer-se** 1 to be/become frightened 2 to be astonished

estarrecedor *adj* 1 terrifying, frightening 2 astonishing

estatal *adj* state-owned
▸ *sf* (*empresa*) state-owned company

estatelado *adj* 1 stock-still 2 flat (*on the ground*)

estatelar-se *vpr* to fall flat down

estático *adj* static

estatística *sf* statistics

estatístico *adj* statistical

estatizar *vtd* to nationalize

estátua *sf* statue

estatueta *sf* statuette, small statue

estatura *sf* 1 stature 2 *fig* (*grandeza*) height, size

estatuto *sm* (*lei, código*) statute

estável *adj* 1 stable 2 (*funcionário*) permanent, tenured

este → **leste**

este *pron dem* this
• **esta manhã/noite/tarde** this morning/this evening/this afternoon
• **este mês/ano** this month/this year

esteira *sf* 1 mat 2 MAR wake
• **esteira rolante** conveyor belt
• **seguir (n)a esteira de alguém** to follow on someone's wake

estelionato *sm* fraud

estelionatário *sm,f* swindler

estender *vtd* 1 *(abrir)* to spread (*out*) 2 *(alongar)* to lengthen 3 *(deitar)* to lie down 4 *(prolongar)* to extend: ***estender o prazo*** to extend the deadline
▸ *vtd-vtdi* 1 to extend: ***estender o privilégio a todos*** to extend the privilege to all 2 *(entregar)* to give
▸ *vpr* **estender-se** 1 *(prolongar-se)* to be extended, to stretch out 2 *(expandir-se)* to expand 3 *(deitar-se)* to lie down 4 *(aplicar-se também)* to include 5 *(demorar-se)* to drag on
• **estender a roupa (no varal)** to hang the washing out *(on the line)*
• **estender a mão para alguém** to hold out one's hand to someone
• **estender a massa** to roll out the dough

estenografia *sf* shorthand

estepe *sf* GEOG steppe
▸ *sm* AUTO spare tire

esterçar *vtd-vi* to turn

esterco *sm* manure, dung

estereofônico *adj* stereo(phonic)

estereotipado *adj fig* stereotyped

estéril *adj* 1 sterile 2 *fig* futile

esterilidade *sf* sterility

esterilizar *vtd* to sterilize

esterlina *sf* sterling

esterno *sm* ANAT sternum

estética *sf* aesthetics

esteticista *smf* 1 aesthetician 2 *(especialista em tratamentos de beleza)* beautician

estético *adj* esthetic

estetoscópio *sm* stethoscope

estiagem *sf* drought

estiar *vi* to stop raining

estica *sf loc* **estar na estica** 1 *(estar bem-vestido)* to be smartly dressed 2 *(estar na miséria)* to be poor

esticar *vtd* 1 *(corda etc.)* to tighten 2 *(alongar-braços etc.)* to stretch 3 *(endireitar)* to straighten 4 *(alisar)* to level out, to smooth out 5 *(prolongar)* to prolong, to lengthen, to extend
▸ *vi (espichar)* to lengthen
▸ *vpr* **esticar-se** 1 *(espreguiçar-se)* to stretch out 2 *(deitar-se, estender-se)* to lay down, to stretch out 3 *(prolongar-se)* to prolong, to extend

estilete *sm* 1 *(punhal)* stiletto 2 *(utensílio)* pen knife

estilhaçar *vtd* to shatter
▸ *vpr* **estilhaçar-se** to shatter

estilhaço *sm* fragment, chip, splinter
▸ *smpl* shrapnel

estilingue *sm* catapult, slingshot

estilista *smf* 1 stylist 2 *(criador de moda)* fashion designer

estilizar *vtd* to stylize

estilo *sm* 1 style 2 BOT style
• **em grande estilo** in great style

estima *sf* esteem, affection

estimar *vtd-vtdi (avaliar, calcular)* to estimate
▸ *vtd* 1 *(ter apreço)* to appreciate 2 *(alegrar-se com)* to be glad that
▸ *vpr* **estimar-se** to value oneself, to have a good opinion of oneself
• **estimo as melhoras** I wish you get well soon

estimativa *sf* 1 estimation 2 COM calculation

estimulante *adj* stimulating

estimular *vtd-vtdi* 1 *(encorajar)* to encourage 2 *(excitar-apetite etc.)* to stimulate

estímulo *sm* stimulus, encouragement

estipular *vtd* to stipulate

estirar *vtd* 1 *(alongar)* to stretch, to extend, to lengthen 2 *(fazer cair ao comprido)* to throw flat on the ground
▸ *vpr* **estirar-se** 1 *(alongar-se)* to stretch out 2 *(deitar-se ao comprido)* to lie down lengthways

estivador *sm* docker, longshoreman *(AmE)*

estocada *sf* 1 *(golpe de espada)* stab, thrust 2 *fig (alfinetada)* sharp comment

estocar *vtd (formar estoque)* to stock

estofado *adj* upholstered
▸ *sm* **estofado** upholstery

estofamento *sm* upholstery

estofar *vtd* to upholster

estofo *sm* 1 stuff 2 *fig (fibra, energia)* energy, determination

estojo *sm* case
▪ **estojo de maquiagem** make-up set

estola *sf* stole

estômago *sm* stomach
• **é preciso ter estômago!** you need guts!
• **enganar o estômago** to have a bite
• **forrar o estômago** to have a snack
• **virar o estômago** to make one sick, to go against one's stomach

estopa *sf* tow

estopim *sm* 1 fuse, blasting fuse 2 *fig* trigger, fuse

estoque *sm* stock

estorno *sm* cancellation

estorvar *vtd* to bother, to be a nuisance

estorvo *sm* 1 obstacle 2 bother, nuisance

estourar *vtd* 1 *(bomba, balão etc.)* to blow 2 *(arrebentar)* to burst 3 *(o orçamento, as estimativas)* to break, to exceed
▸ *vi* 1 *(rebentar, explodir)* to explode 2 *fig (encolerizar-se)* to blow up 3 *fig (notícia)* to break out 4 *(fazer sucesso)* to boom, to break out 5 *(guerra)* to break out 6 *fig* to break into: ***a polícia estourou o esconderijo dos bandidos*** the police broke into the criminals' hideout 7 *(boiada)* to stampede 8 *(aparecer de repente)* to turn up 9 *(prazo)* to blow
• **minha cabeça está estourando** my head is about to explode

estouro *sm* 1 explosion 2 *fig (sucesso repentino)* hit, boom 3 *(raiva súbita)* fit *(of rage)* 4 *fig* hit: ***ser um estouro*** to be a hit 5 *(da boiada)* stampede

estrábico *adj-sm,f* cross-eyed

estraçalhar *vtd* to tear to pieces
▸ *vpr* **estraçalhar-se** to be torn to pieces

estrada *sf* road
▪ **estrada de ferro** railroad
▪ **estrada de rodagem** highway
▪ **estrada vicinal** by-road
• **pôr o pé na estrada** to hit the road

estrado *sm* platform, dais
• **estrado da cama** bed frame

estragado *adj* 1 *(alimento)* spoiled 2 *(avariado)* damaged 3 *fig (mimado)* spoiled

estragão *sm* BOT tarragon

estragar *vtd* 1 *(deteriorar)* to spoil 2 *(avariar, danificar)* to damage 3 *(perverter, deturpar)* to ruin
▸ *vpr* **estragar-se** 1 *(alimento)* to spoil 2 *(avariar-se)* to damage

estrago *sm* 1 *(dano, avaria)* damage 2 *(destruição)* destruction 3 *fig (despesa)* waste

estrambótico *adj* odd, extravagant

estrangeiro *adj* foreign, alien
▸ *sm,f* foreigner, alien
▸ *sm* **estrangeiro** *(no exterior)* abroad

estrangulamento *sm* strangulation, choking

estrangular *vtd* to strangle

estranhar *vtd* 1 *(admirar-se)* to find strange, to be surprised at, to wonder at 2 *(ressabiar-se diante de estranhos)* to feel uneasy in the presence of 3 *(não se adaptar)* not to be used to: ***estranhei a nova casa*** I'm not used to to the new house

estranheza *sf* 1 strangeness 2 wonder, surprise

estranho *adj* 1 *(fora do comum)* odd, bizarre, strange 2 *(alheio)* strange *(to)*
▸ *adj-sm,f* stranger, outsider

estratagema *sm* trick, manoeuvre

estratégia *sf* strategy

estratégico *adj* strategic

estrato *sm* stratum

estratosfera *sf* stratosphere

estratosférico *adj* stratospheric
• **preços estratosféricos** soaring prices

estreante *smf* beginner, novice

estrear *vtd* 1 *(algo novo)* to use/wear for the first time, to debut 2 *(peça teatral etc.)* to perform for the first time
▸ *vi (iniciar)* to begin

estrebaria *sf* stable

estrebuchar *vi* to move convulsively

estreia *sf* 1 debut 2 CINE TEATRO première, opening

estreitamento *sm* 1 *(ajustamento de roupa)* adjustment 2 *(estrangulamento)* tightening, narrowing, constriction
• **estreitamento de relações** strengthening of relations

estreitar *vtd* 1 *(ajustar-roupa)* to shorten 2 *(tornar estreito)* to narrow, to constrict 3 *(abraçar)* to embrace
▸ *vpr* **estreitar-se** to narrow down
• **estreitar laços de amizade** to become close friends

estreiteza *sf* narrowness

estreito *adj* 1 narrow 2 *(próximo, íntimo)* close: ***um vínculo estreito*** a close tie 3 *(limitado-visão)* limited, narrow
▸ *sm* **estreito** GEOG 1 *(desfiladeiro)* narrow 2 *(canal)* strait

estrela *sf* 1 star 2 *(atriz)* star
• **estrela cadente** falling star
• **ver estrelas** *fig* to see stars, to be stunned

estrelado *adj* 1 *(cheio de estrelas)* starry 2 *fig (protagonizado)* starred by
• **ovos estrelados** fried eggs

estrelar *vtd* 1 *(frigir ovos)* to fry 2 *(encher de estrelas)* to adorn with stars 3 *fig (protagonizar)* to star
▸ *vpr* **estrelar-se** *(encher-se de estrelas)* to become covered with stars

estremecer *vtd* 1 *(causar tremor)* to shake, to convulse 2 *fig (abalar-relações)* to shake
▸ *vi* 1 *(sofrer tremor)* to shake 2 *fig (ser abalado)* to be shaken by 3 *(tremer, arrepiar-se)* to shiver, to shudder, to tremble

estremecido *adj (relações)* shaken

estremecimento *sm* 1 *(tremor, calafrio)* tremor, shiver 2 *(vibração)* vibration 3 *fig (de relações)* tension

estremunhar(-se) *vi-vpr* to wake up suddenly

estrepar-se *vpr* to be in a fix, to be in trouble

estressante *adj* stressful

estressado *adj* stressed *(out)*

estressar *vtd* to stress
▸ *vpr* **estressar-se** to get stressed

estresse *sm* stress

estria *sf* 1 groove 2 MED striation

estribeira *sf loc* **perder as estribeiras** to lose one's temper

estribo *sm* 1 stirrup 2 *(de veículo)* step 3 *fig (arrimo)* support

estridente *adj* shrill, piercing

estrilar *vi* 1 *(cricrilar)* to shout in protest 2 *(repreender)* to rail, to rant

estrito *adj* strict

estrofe *sf* stanza

estrondo *sm* rumble, roar

estrondoso *adj* 1 roaring 2 *fig* blatant

estropiar *vtd* 1 *(aleijar)* to cripple 2 *fig (mutilar, adulterar)* to mutilate
▸ *vpr* **estropiar-se** *(aleijar-se)* to become crippled

estrume *sm* manure, dung

estrupício *sm (coisa que atrapalha)* nuisance

estrutura *sf* 1 structure 2 *(armação)* framework

estrutural *adj* structural

estruturar *vtd* to structure
▸ *vpr* **estruturar-se** 1 to structure oneself 2 *fig* to organize oneself, to get organized *(for)*

estudado *adj* 1 *(instruído)* educated 2 *(premeditado, artificial)* deliberate

estudante *smf* 1 *(escolar)* pupil 2 *(de escola média ou universidade)* student
▪ **estudante de ensino médio** high school student

estudantil *adj* student

estudar *vtd-vi* 1 *(uma disciplina)* to study, to learn 2 *(frequentar escola)* to go to school
▸ *vtd* 1 *(refletir)* to study, to ponder 2 *(examinar)* to study, to pore through 3 *(decorar)* to learn by heart 4 *(afetar)* to affect
▸ *vi (ser estudioso)* to be diligent

estúdio *sm* study

estudioso *adj* studious, diligent
▸ *sm,f (pesquisador)* scholar

estudo *sm* 1 study 2 *(pesquisa)* research 3 *(exame)* scrutiny

estufa *sf* 1 incubator 2 *(de plantas)* greenhouse

• **efeito estufa** greenhouse effect

estufar *vtd* 1 *(pôr em estufa)* to incubate 2 *(aumentar o volume)* to stuff 3 *(encher de ar)* to puff up
▸ *vi (encher-se de ar)* to puff up

estupefaciente *sm* stupefying

estupendo *adj* terrific, wonderful

estupidez *sf* 1 *(qualidade do estúpido)* stupidity 2 *(asneira)* stupid thing 3 *(grosseria)* rudeness

estúpido *adj-sm,f* 1 *(burro)* stupid 2 *(grosseiro)* rude 3 *(exagerado)* exaggerated

estupor *sm* MED lethargy

estuprador *adj-sm* rapist

estuprar *vtd* to rape

estupro *sm* rape

estuque *sm* plaster, stucco

esturricar, estorricar *vtd* to dry (*up*), to scorch
▸ *vi-vpr* **esturricar(-se) ao sol** to stay out in the sun excessively, to get scorched

esvair-se *vpr* to vanish, to weaken, to fade, to wane
• **esvair-se em sangue** to bleed to death

esvaziar *vtd* 1 *(descarregar, despejar)* to unload, to empty 2 *(esgotar)* to drain, to empty 3 *(murchar)* to deflate, to empty 4 *(desocupar de gente)* to evacuate, to empty 5 *fig (privar de importância)* to make moot
▸ *vpr* **esvaziar-se** 1 *(descarregar-se)* to unload 2 *(esgotar-se)* to drain 3 *(murchar)* to deflate 4 *(desocupar-se de gente)* to evacuate 5 *fig (perder a importância)* to be moot

esverdeado *adj* greenish

esvoaçar *vi* 1 *(voar)* to fly about 2 *(agitar-se)* to flutter

etapa *sf* stage, step, phase

etc. *abrev* (= *et cetera*) etc.

éter *sm* ether

eternidade *sf* eternity

eternizar *vtd* 1 to make eternal 2 *fig (prolongar muito)* to extend
▸ *vpr* **eternizar-se** 1 to be immortalized 2 *fig (prolongar-se muito)* to be extended

eterno *adj* eternal

ética *sf* ethics

ético *adj* ethical

etílico *adj* ethylic

etiqueta *sf* 1 *(rótulo)* label, tag 2 *(regras de conduta)* etiquette, protocol

etiquetar *vtd* to label, to tag

étnico *adj* ethnic

etnia *sf* ethnic group

eu *pron* I, me
▸ *sm* **eu** the self: **o eu** the self
• **ela é mais bonita que eu** she is prettier than me

eucalipto *sm* eucalyptus

eucaristia *sf* RELIG Eucharist, Holy Communion

eufemismo *sm* euphemism

euforia *sf* excitement

eufórico *adj* excited

euro *sm* euro: ***dois euros*** two euros

Europa *sf* Europe

europeu *adj-sm,f* European

eutanásia *sf* euthanasia

evacuação *sf* 1 *(esvaziamento)* evacuation, emptying 2 *(defecação)* defecation 3 MIL evacuation

evacuar *vtd* 1 *(desocupar)* to leave 2 *(população)* to evacuate 3 *(defecar)* to defecate
▸ *vi (defecar)* to defecate

Evangelho *sm* RELIG Gospel

evangélico *adj* evangelical
▸ *sm,f (membro do grupo evangélico)* evangelical

evangelizar *vtd* to evangelize

evaporação *sf* evaporation

evaporar *vtd* to evaporate
▸ *vi-vpr* **evaporar(-se)** 1 to evaporate 2 *fig (sumir)* to vanish

evasão *sf* escape, evasion

evasê *adj* flared skirt

evasiva *sf* excuse

evasivo *adj* 1 *(pessoa)* evasive 2 *(resposta)* evasive

evento *sm* 1 *(acontecimento)* happening 2 *(apresentação, conferência etc.)* event

eventual *adj* fortuitous, accidental

eventualidade *sf* eventuality

eventualmente *adv* occasionally

evidência *sf* evidence, proof

evidente *adj* evident, obvious

evidentemente *adv* obviously

evitar *vtd* to avoid

evocar *vtd* to evoke

evolução *sf* 1 evolution 2 *(série de movimentos)* evolution 3 *(desenrolar)* development

evoluído *adj* evolved, developed

evoluir *vi* 1 to evolve 2 *(fazer série de movimentos)* to parade

ex *pref* ex, former: ***ex-presidente*** ex-president, former president; ***ex-mulher*** ex-wife, former wife

• **meu ex-namorado** my ex-boyfriend

Exa. *abrev.* **excelência** Excellency

exacerbar *vtd* to exacerbate

▸ *vpr* **exacerbar-se** to exacerbate

exagerado *adj* 1 *(excessivo)* excessive 2 *(que exagera)* exaggerated, excessive

exagerar *vtd* to exaggerate

▸ *vi* to overdo it: ***não exagere!*** do not overdo it!

exagero *sm* 1 exaggeration 2 exaggeration, overstatement

• **que exagero!** what an overstatement!

exalação *sf* exhalation

exalar *vtd* to give off, to exhale

exaltação *sf* 1 exaltation 2 *(irritação)* agitation 3 *(arrebatamento)* passion

exaltado *adj* 1 *(glorificado)* exalted, elevated 2 *(apaixonado)* overexcited 3 *(irritado)* agitated, worked up

exaltar *vtd* 1 *(glorificar)* to praise 2 *(exacerbar)* to exalt 3 *(irritar)* to irritate, to work up

▸ *vpr* **exaltar-se** *(irritar-se)* to get worked up

exame *sm* 1 *(análise)* exam, examination, scrutiny 2 *(prova, teste)* test, exam: ***fazer um exame*** to take an exam

▪ **exame de admissão** entrance examination, admission test

▪ **exame de consciência** examination of conscience

▪ **exame de sangue** blood test

▪ **exame de urina** urine test

▪ **exame médico** medical examination

examinador *adj-sm,f* examiner

examinar *vtd* 1 *(observar)* to observe 2 *(submeter a exame)* to examine, to test

exatamente *adv* exactly

exatidão *sf* accuracy, correctness

exato *adj* 1 *(correto)* correct 2 *(preciso)* exact 3 *(meticuloso)* accurate

exaustão *sf* 1 *(esgotamento, esvaziamento)* depletion 2 *(extremo cansaço)* exhaustion

exaustivo *adj* 1 *(extenuante)* exhausting 2 *(abrangente)* comprehensive

exausto *adj* exhausted, worn-out

exaustor *sm* 1 exhaust 2 *(na cozinha)* extractor fan

exceção *sf* exception

• **com exceção de** with the exception of

• **fazer uma exceção** to make an exception

excedente *adj-sm* excess, surplus

exceder *vtd* to exceed, to surpass

▸ *vpr* **exceder-se** to go too far

excelência *sf* 1 *(qualidade de excelente)* excellence 2 Excellency: ***Sua/Vossa Excelência*** Your Excellency

• **por excelência** par excellence

excelente *adj* excellent

excelentíssimo *adj* most excellent

excentricidade *sf* eccentricity

excêntrico *adj-sm,f* eccentric, odd, eccentric, oddball

excepcional *adj* 1 *(excelente)* exceptional 2 *(de exceção)* special

▸ *smf* MED handicapped

excessivo *adj* excessive

excesso *sm* excess

▸ *pl (desregramento)* immoderation, outdoing

• **em excesso** excessively, in excess

exceto *prep* except *(for)*, apart from

excitação *sf* 1 excitation 2 *(entusiasmo)* excitement, enthusiasm

excitante *adj-sm* exciting

excitar *vtd* 1 *(despertar)* to arouse 2 *(estimular)* to stimulate 3 *(avivar, inflamar)* to instigate

▸ *vtd-vi (produzir erotismo)* to excite

▸ *vpr* **excitar-se** 1 *(exaltar-se)* to become worked up 2 *(sentir desejo sexual)* to be/get excited

exclamação *sf* 1 exclamation 2 *(ponto de exclamação)* exclamation mark

exclamar *vtd-vi* to exclaim

excludente *adj* excluding

excluído *adj* excluded
▸ *sm* **excluído** excluded

excluir *vtd-vtdi* 1 to exclude, to leave out 2 INFORM to delete

exclusão *sf* exclusion
• **com exclusão de** without
• **exclusão digital** digital exclusion
• **exclusão social** social exclusion

exclusividade *sf* 1 exclusivity 2 *(de venda)* exclusiveness

exclusivista *adj-smf* exclusivist

exclusivo *adj* exclusive

excomungar *vtd* RELIG to excommunicate

excomunhão *sf* RELIG excommunication

excremento *sm* excrement

excursão *sf* excursion

excursionista *smf* tourist, day tripper

execrável *adj* execrable, odious, hateful, heinous

execução *sf* 1 *(realização)* execution 2 *(cumprimento da pena de morte)* execution 3 MÚS performance

executar *vtd* 1 *(realizar)* to execute 2 *(cumprir pena de morte)* to execute 3 *(tocar, cantar)* to play, to perform

executivo *adj* executive
▸ *sm,f (profissional)* executive
▸ *sm (Poder Executivo)* executive power

exemplar *adj* exemplary
▸ *sm* **exemplar** 1 *(de revista, livro etc.)* copy 2 specimen: ***esse pássaro é um exemplar raro*** this bird is a rare specimen

exemplo *sm* example
• **a exemplo de** following the example of, as exemplified by
• **por exemplo** for example

exercer *vtd* 1 *(cargo etc.)* to practice, to exercise 2 *(influência, pressão etc.)* to exert

exercício *sm* 1 *(adestramento)* training 2 *(escolar)* exercise 3 *(período)* financial year 4 *(de profissão)* practice

exercitar *vtd* to exercise
▸ *vpr* **exercitar-se** to exercise

exército *sm* MIL army
• **entrar no/para o exército** to join the army

exibição *sf* 1 show, display 2 *(de filmes)* showing 3 *(ostentação)* showing off

exibicionismo *sm* exhibitionism

exibicionista *adj-smf* exhibitionist

exibido *adj-smf (exibicionista)* a show-off

exibir *vtd* 1 to show, to display 2 *(ostentar)* to show off
▸ *vpr* **exibir-se** 1 *(apresentar-se)* to show 2 *(ostentar-se)* to show off

exigência *sf* demand, requirement

exigente *adj* demanding

exigir *vtd* 1 *(impor)* to require 2 *(demandar)* to demand

exilado *adj-sm,f* exiled, exile, deportee
• **exilado político** political exile

exílio *sm* exile

exímio *adj* expert, skilled

eximir *vtd-vtdi* to exempt from, to free from
▸ *vpr* **eximir-se** to exempt oneself *(from)*

existência *sf* existence

existencial *adj* existential

existencialismo *sm* existentialism

existente *adj* existing

existir *vi* 1 *(ter existência)* to exist 2 *(haver)* there to be: ***existem várias causas para isso*** there are many reasons for that
• **você não existe!** you are unique!

êxito *sm* success

êxodo *sm* exodus

exoneração *sf* exoneration, dismissal, discharge

exonerar *vtd-vtdi* to exonerate, to discharge
▸ *vpr* **exonerar-se** to resign

exorbitância *sf* 1 *(excesso)* excess 2 *(preço alto)* exorbitance 3 *(arbitrariedade, abuso)* abuse, outrage

exorbitante *adj* exorbitant, extravagant, outrageous

exorbitar *vti* to deviate
▸ *vi* to exceed, to go beyond the limits

exorcismo *sm* exorcism

exorcista *smf* exorcist

exorcizar *vtd* to exorcize

exortação *sf* exhortation

exótico *adj* exotic

expandir *vtd* 1 *(ampliar, estender)* to expand 2 *(espalhar, difundir)* to spread
▸ *vpr* **expandir-se** 1 to expand 2 *(tornar-se expansivo)* to become expansive

expansão *sf* 1 expansion 2 *(ampliação, crescimento)* expansion 3 *(manifestação de sentimentos etc.)* effusiveness

expansivo *adj* expansive, outgoing

expatriação *sf* expatriation

expatriar *vtd* to expatriate
▸ *vpr* **expatriar-se** to leave one's country, to go into exile

expectativa *sf* expectation

expectorante *adj* expectorant
▸ *sm* **expectorante** expectorant

expedição *sf* 1 expedition 2 *(remessa)* shipment

expediente *sm* 1 *(meio)* expedient 2 *(solução)* solution, way out 3 *(horário de funcionamento)* working hours 4 *(tarefa do dia a dia)* working day, everyday tasks

expedir *vtd-vtdi* 1 *(remeter)* to send 2 *(emitir)* to issue

expelir *vtd* to expel

expensas *sf pl loc* ***expensas de custa de*** at the expense of

experiência *sf* 1 *(experimento)* experiment 2 *(prática)* experience, practical knowledge, lived knowledge 3 *(tentativa, prova)* trial, attempt, experiment: ***fazer uma experiência*** to make an experiment 4 *(vivência)* experience
• **período de experiência** probation

experiente *adj* 1 *(com prática)* skillful 2 *(com experiência de vida)* experienced

experimentação *sf* experimentation

experimentado *adj* *(calejado)* experienced

experimental *adj* experimental

experimentar *vtd* 1 *(pôr em prática)* to attempt 2 *(submeter a provas)* to try out, to test, to experiment with 3 *(tentar)* to try, to attempt 4 *(provar - roupa etc.)* to try on 5 *(saborear)* to taste

experimento *sm* experiment

expiação *sf* expiation, atonement

expiar *vtd* to expiate, to atone for

expiração *sf* 1 *(expulsão de ar dos pulmões)* exhalation 2 *(vencimento)* expiration

expirar *vtd-vi* *(expelir ar)* to exhale, to breathe out
▸ *vi* 1 *(morrer)* to die, to breathe one's last 2 *(vencer - prazo etc.)* to end, to expire

explanação *sf* explanation

explicação *sf* explanation
• **exigir explicações** to demand an explanation

explicar *vtd* 1 *(esclarecer)* to explain 2 *(justificar)* to justify
▸ *vpr* **explicar-se** 1 *(justificar-se)* to explain oneself 2 *(fazer-se entender)* to make oneself clear

explicitar *vtd* to clarify, to make plain

explícito *adj* explicit

explodir *vtd* *(causar a explosão)* to explode, to blow up
▸ *vi* 1 *(estourar)* to explode, to blow up 2 *(revolução, guerra)* to break out 3 *(de raiva)* to explode, to blow up

exploração *sf* 1 *(extração)* exploration, prospection: ***exploração de minérios, petróleo etc.*** ore/oil exploration 2 *(desfrute, produção)* exploitation, development, full usage: ***exploração de uma propriedade rural*** exploitation of a rural property 3 *(observação, reconhecimento)* exploration: ***exploração de uma região*** exploration of a region 4 *(abuso)* exploitation: ***a exploração do homem pelo homem*** exploitation of man by man

explorador *adj-sm,f* 1 *(desbravador)* explorer 2 *(aproveitador)* exploiter

explorar *vtd* 1 *(percorrer região etc.)* to explore 2 *(examinar, estudar, descobrir)* to explore 3 *(extrair lucro)* to profit from 4 *(tirar proveito)* to take advantage of 5 *(impor preços altos)* to exploit 6 *(abusar)* to exploit

explosão *sf* 1 *(detonação)* explosion, burst 2 *(de sentimentos)* outburst

explosivo *adj-sm* explosive

expoente *sm* 1 exponent 2 MAT exponent

expor *vtd* 1 *(exibir)* to exhibit, to display 2 *(explicar)* to explain 3 *(deixar sem proteção)* to expose, to risk, to make vulnerable
▸ *vtdi (a perigo, ao ridículo etc.)* to expose
▸ *vpr* **expor-se** to expose oneself, to put oneself in risk, to make oneself vulnerable

exportação *sf* export, exporting, exports

exportador *adj-sm,f* exporting, exporter

exportar *vtd* to export

exposição *sf* 1 exposure: ***exposição do corpo ao sol*** exposure of one's body to the sun 2 *(apresentação, explicação, relato)* exposition, explanation 3 *(salão, mostra)* exhibition

expressão *sf* 1 *(fisionômica)* look 2 *(manifestação)* expression 3 *(expressividade)* expressiveness 4 GRAM expression
▪ **expressão (idiomática)** idiom
• **liberdade de expressão** freedom of speech

expressar *vtd-vtdi* to express
▸ *vpr* **expressar-se** to express oneself

expressionismo *sm* expressionism

expressivo *adj* 1 expressive 2 *(significativo)* significant

expresso *adj* 1 *(manifesto)* express, explicit 2 *(categórico)* strict: ***ordens expressas*** strict orders 3 *(trem, ônibus etc.)* express
▸ *sm* **expresso** express

exprimir *vtd* to express
▸ *vpr* **exprimir-se** to express oneself

expulsão *sf* 1 expulsion 2 *(de grupo, partido)* expulsion, expelling, ejection

expulsar *vtd-vtdi* 1 to expel, to throw out: ***ele expulsou a filha de casa*** he threw his daughter out of the house 2 *(de grupo, partido etc.)* to throw out, to banish 3 *(expelir)* to expel

expulso *adj* expelled, banished, thrown out

expurgar *vtd-vtdi* to purge

expurgo *sm* purge, expurgation

êxtase *sm* ecstasy

extasiar *vtd* to enrapture
▸ *vpr* **extasiar-se** to be enraptured

extensão *sf* 1 *(tamanho, dimensão)* extension 2 *(comprimento)* length 3 *(ampliação)* expansion 4 *(duração)* duration 5 *(grande superfície)* expanse 6 *(de fio elétrico)* extension cord 7 *(de telefone)* extension

extensivo *adj* extensive

extenso *adj* 1 *(com grande superfície)* extensive 2 *(longo)* long 3 *(de longa duração)* long, drawn-out
• **por extenso** in full

extenuante *adj* exhausting

extenuar *vtd* to exhaust
▸ *vpr* **extenuar-se** to exhaust oneself

exterior *adj* 1 *(de fora)* outside, external 2 *(internacional)* foreign
▸ *sm* 1 *(parte de fora)* outside 2 *(face externa)* outside 3 *fig (aspecto, aparência)* outward appearance 4 *(estrangeiro)* overseas, abroad

exterminador *sm,f* exterminator

exterminar *vtd* to exterminate

extermínio *sm* extermination

externa *sf* CINE outdoor scene/shot

externo *adj* 1 *(de fora)* external 2 *(internacional)* foreign: ***política externa*** foreign policy; ***dívida externa*** foreign debt

extinção *sf* 1 *(destruição)* extinction, dying out 2 *(de incêndio)* extinction, putting out 3 *(abolição)* abolition
• **em (via de) extinção** dying out

extinguir *vtd* 1 *(apagar)* to put out 2 *(destruir)* to extinguish, to wipe out
▸ *vpr* **extinguir-se** 1 *(apagar-se)* to die down, to be put out 2 *(desaparecer)* to die out, to be extinguished 3 *(morrer)* to die

extinto *adj* extinct

extintor *sm* extinguisher
▪ **extintor de incêndio** fire extinguisher

extirpar *vtd* to extirpate, to root out

extorquir *vtd-vtdi* to extort

extorsão *sf* DIR extortion

extorsivo *adj* extortionate

extra *adj (extraordinário)* extra
▸ *smf* CINE extra

extração *sf* 1 extraction 2 *(sorteio de loteria)* draw 3 *(de dente)* extraction, pulling out

extraconjugal *adj* extramarital

extradição *sf* DIR extradition

extraditar *vtd* to extradite

extrair *vtd-vtdi* 1 *(arrancar, tirar)* to extract, to take out, to pull out 2 *(retirar, obter)* to extract: ***extrair vinho da uva*** to extract wine from grapes

extraordinário *adj* 1 *(incomum)* extraordinary 2 *(notável, ótimo)* remarkable

extrapolar *vtd (ir além de)* to go beyond
▸ *vpr (exceder-se)* to exceed oneself

extraterrestre *adj-smf* extraterrestrial

extrato *sm* 1 extract 2 ECON statement

extravagância *sf* 1 extravagance 2 *(desperdício)* waste

extravagante *adj* extravagant, wild, odd

extravasar *vi* to overflow

extraviar *vtd* 1 *(perder)* to lose, to mislay, to misplace 2 *(perverter)* to lead astray
▸ *vpr* **extraviar-se** 1 *(perder-se)* to get lost 2 *(perverter-se)* to go down the bad path

extravio *sm* 1 loss, misplacement 2 deviation

extremado *adj* extreme

extrema-unção (*pl* **extrema-unções**) *sf* extreme-unction, last rites

extremidade *sf* 1 end, edge, tip 2 *(membro)* extremity, limb

extremista *adj-smf* extremist

extremo *adj* 1 *(remoto)* far: ***Extremo Oriente*** Far East 2 *(máximo)* extreme: ***extrema gravidade*** extreme gravity 3 *(derradeiro)* final, last: ***momento extremo*** final moment
▸ *sm* **extremo** extreme
▸ *sm pl* 1 *(radicalismos)* extremes 2 *(últimos recursos)* one's last penny

extrovertido *adj-sm,f* outgoing, extrovert

exuberância *sf* 1 exuberance 2 *(entusiasmo)* effusiveness

exuberante *adj* 1 lush, exuberant 2 *(entusiasmado)* effusive

exultante *adj* exultingm exultant

exultar *vi* to rejoice

exumar *vtd* to exhume

F

fá *sm* MÚS F

fã *smf* fan

fábrica *sf* factory, plant

fabricação *sf* manufacture

fabricar *vtd* to manufacture, to make

fábula *sf* fable, tale
• **gastar uma fábula com algo** to spend a fortune on something

fabuloso *adj* fabulous

faca *sf* knife
• **entrar na faca** (*ser operado*) to go under the knife, to have surgery
• **estar com a faca e o queijo na mão** *fig* to be master of the situation
• **meter a faca** (*cobrar caro*) to charge a lot of money
• **ser uma faca de dois gumes** *fig* to be a mixed blessing

facada *sf* stab, cut
• **ser uma facada** *fig* to cost the earth, to cost a pretty penny

facão *sm* machete

face *sf* **1** face **2** (*superfície externa*) surface **3** side, right side
• **a outra face da moeda** the other side of the coin
• **em face de** in face of, in view of
• **estar face a face com alguém** to be face to face with someone
• **fazer face** (*enfrentar*) to face up to, (*custear*) to afford, to defray, (*ter fachada para*) to be in front of, to overlook

fachada *sf* **1** front, façade **2** *fig* (*aparência*) face, appearance, looks
• **de fachada** *fig* fake

fácil *adj* **1** (*sem dificuldade*) easy **2** (*espontâneo*) easy, natural **3** (*dócil*) good-natured, easy-going
▸ *adv* **1** (*depressa*) easily **2** (*com fluência*) fluently, naturally
• **vida fácil** easy life
• **uma moça fácil** a loose girl

facilidade *sf* ease, easiness
▸ *pl* **facilidades 1** (*meios, recursos*) means, facilities **2** (*complacência*) condescension
• **ter facilidade para algo** to have a talent for something

facilitar *vtd* to facilitate, to make easy
▸ *vi* to expose oneself, to act with imprudence, to be imprudent: ***facilitei demais, e ele abusou*** I was imprudent and he took advantage

fã-clube (*pl* ***fã-clubes***) *sm* fan club

faculdade *sf* **1** faculty, power **2** college, school of higher education

fada *sf* fairy

faísca *sf* spark, sparkle, flash
• **soltar faíscas** *fig* to be furious

faixa *sf* **1** strip, strap, band **2** (*de lutador*) belt **3** (*para ataduras*) bandage **4** (*em discos*) track **5** (*porção*) range, group: ***uma grande faixa da população*** a wide range of the population **6** (*publicitária*) banner
• **faixa de chegada** finishing line
• **faixa de pedestre** zebra crossing
• **faixa etária** age group
• **faixa horária** time zone
• **faixa para ônibus** bus lane

fajuto *adj* **1** (*malfeito*) of poor quality **2** (*falso*) fake

fala *sf* **1** (*faculdade humana*) speech **2** (*alocução*) allocution, discourse, speech **3** TEATRO CINE line
• **chamar às falas** to call to account

• **ficar sem fala** to be speechless
• **perder a fala** to lose one's tongue, to lose one's voice

falado *adj* 1 *(famoso)* notable, famous, celebrated 2 *(mal-afamado)* infamous, notorious 3 *(cinema)* talking movies, talkies

falante *adj (falador)* talkative
▸ *smf (quem fala)* speaker

falar *vtd* to speak, to talk, to say, to tell
▸ *vti* ▪ **falar de** 1 *(falar sobre)* to talk about 2 *(falar mal)* to gossip about
▪ **falar com** 1 *(comunicar-se com)* to talk to, to talk with 2 *(ter amizade)* to get on well with, to have an acquaintance with
▸ *vi* 1 to speak: ***aprender a falar*** to learn how to speak 2 *(discursar)* to speak, to make a speech
▸ *vpr* **falar-se** 1 *(ter amizade)* to get along well with, to have an acquaintance with 2 *(um ao outro)* to talk to each other
▸ *sm* discourse
• **e não se fala mais nisso!** and that's it!
• **falar a sós** to talk in private
• **falar bem/mal de alguém** to speak well/badly of someone
• **falar em particular** to talk in private
• **falar mais alto** to speak louder, *fig* to impose one's authority
• **falar sério/seriamente** to talk serious/seriously
• **falar sozinho** to talk to oneself
• **fala-se inglês/alemão/francês** English/German/French spoken
• **falou!** ok!
• **você falou, está falado** you have the say here

falecer *vi* to pass away, to die

falecido *adj* dead, late
▸ *sm,f* deceased: ***o falecido era meu tio*** the deceased was my uncle

falência *sf* DIR bankruptcy
• **ir à falência** to go bankrupt
• **levar à falência** to bankrupt

falha *sf* 1 *(fenda)* fault, crack 2 *(defeito)* fault, flaw 3 *(erro, lacuna)* omission, gap

falhar *vtd* to miss: ***falhar o alvo*** to miss the target
▸ *vi* 1 *(não funcionar)* to misfire, not to work: ***o revólver falhou*** the revolver misfired 2 *(malograr)* to fail, to go wrong, to come to naught: ***meu plano falhou*** my plan failed
• **não falhar** *(não deixar de ocorrer)* to proceed like clockwork
• **se não me falha a memória...** if my memory is correct...

falir *vi* to go bankrupt, to go broke

falho *adj* 1 *(falhado)* faulty, defective 2 *(carente)* wanting
• **ato falho** slip of the tongue

falsidade *sf* 1 falsehood 2 *(mentira)* lie, untruth 3 *(hipocrisia)* hypocrisy

falsificação *sf* fraud, forgery

falsificador *sm,f* forger, counterfeiter

falsificar *vtd* to forge, to counterfeit, to adulterate

falso *adj* 1 *(irreal, infundado)* false, untrue, wrong 2 *(hipócrita)* hypocritical 3 *(fingido)* dishonest 4 *(aparente, enganoso)* deceitful 5 *(falsificado)* fake

falta *sf* 1 lack 2 *(ausência)* absence: ***sua falta foi muito comentada*** your absence was talked about a lot 3 *(pecado)* fault, sin 4 *(erro)* fault, mistake 5 *(transgressão)* offense 6 ESPORTE foul
• **falta máxima** ESPORTE penalty
• **fazer falta** to be missed
• **marcar falta** ESPORTE to call a foul
• **na falta de...** in the absence of..., lacking...
• **sem falta** without fail, most surely
• **sentir falta de algo/alguém** to miss something/someone

faltar *vi-vti* 1 *(fazer falta)* to be lacking 2 *(restar)* to be left: ***faltam ainda três quilômetros para a chegada*** there are three kilometers left to the finishing line 3 *(não comparecer)* to be absent: ***ela nunca falta às aulas*** she's never absent from classes
▸ *vti (deixar de acudir)* to fail
• **era só o que faltava!** that's all that was needed!
• **faltar a uma promessa** to break a promise
• **faltar pouco para...** *(ser quase)* it won't be long before...

fama *sf* 1 *(celebridade)* fame 2 *(reputação)* reputation
• **levar a fama de** to take the fame for

família *sf* family

• **ser da família** to be like one of the family

familiar *adj* 1 *(digno/próprio da família)* family, familiar 2 *(conhecido)* familiar: ***seu rosto me é familiar*** your face is familiar to me
▸ *smf (pessoa da família)* **familiar** relative, kin, member of the family

familiaridade *sf* 1 *(falta de cerimônia)* informality 2 *(conhecimento)* familiarity: ***ter familiaridade com algo*** to be familiar with something

familiarizar *vtdi* to familiarize, to acquaint: ***familiarizar alguém com alguma coisa*** to familiarize someone with something
▸ *vpr* **familiarizar-se** 1 *(habituar-se)* to get used to 2 *(ganhar prática)* to familiarize oneself with

famoso *adj* famous

fanático *adj* fanatic, crazy: ***ele é fanático por futebol*** he's crazy about football

fanfarra *sf* fanfare, brass band

fanfarrão *sm,f* boaster, braggart

fanhoso *adj* 1 *(som)* nasal 2 *(pessoa)* having a twangy voice, talking through one's nose

fantasia *sf* 1 *(imaginação)* fantasy, imagination 2 *(capricho)* fancy 3 *(roupa de carnaval)* fancy dress
• **rasgar a fantasia** *fig* to show one's true colours

fantasiar *vtd-vi (imaginar, devanear)* to imagine, to daydream
▸ *vtd (pôr fantasia)* to dress up
▸ *vpr* **fantasiar-se** to dress up

fantasma *sm* 1 ghost 2 *(perigo, ameaça)* phantom, spook
▸ *adj* ghost: ***contas fantasmas*** ghost accounts

fantástico *adj* fantastic

fantoche *sm* 1 puppet 2 *fig* puppet

faqueiro *sm* cutlery set

faquir *sm* fakir

farda *sf (de militar)* uniform

fardo *sm* 1 bale, bundle, pack, package 2 *fig* burden, load

farejar *vtd* 1 to scent, to sniff 2 *fig (pressentir)* to get wind of something

farelo *sm* 1 bran 2 sawdust

faringe *sf* pharynx

faringite *sf* pharyngitis

farinha *sf* flour
• **farinha de mandioca** manioc flour
• **farinha de rosca** breadcrumbs
• **ser farinha do mesmo saco** to be birds of the same feather, to be cut from the same cloth

farmacêutico *adj* pharmaceutical
▸ *sm,f* **farmacêutico** pharmacist, chemist

farmácia *sf (estabelecimento)* pharmacy, chemist's
• **curso de Farmácia** Pharmacy course

faro *sm* 1 an animal's sense of smell 2 *fig (intuição, tino)* flair, inkling

farofa *sf* CUL a side dish based on manioc/corn flour

farol *sm* 1 *(na costa)* lighthouse 2 *(semáforo)* traffic lights: ***farol vermelho/verde/amarelo*** red/green/amber light; ***farol fechado*** red light; ***farol aberto*** green light 3 *(luz de veículo)* headlight 4 *fig (ostentação, falsa aparência)* show: ***fazer farol*** to show off
• **faróis baixos** dipped headlights
• **farol de neblina** fog lights

farpa *sf* 1 *(ponta metálica)* barb 2 *(lasca de madeira)* splinter 3 *fig* caustic criticism

farra *sf* revelry
• **cair na farra** to paint the town red, to go on a binge, to go on a spree
• **fazer farra** to revel

farrapo *sm* 1 *(trapo)* rag 2 *(pedaço, fragmento)* shred 3 *(pessoa maltrapilha)* shabby person

farsa *sf* 1 farse 2 *(embuste)* masquerade, sham

farsante *adj-smf* 1 TEATRO joker, jester 2 *fig* impostor

farto *adj* 1 *(saciado)* satiated 2 *(cansado, enfastiado)* fed up 3 *(em que há abundância)* plentiful: ***mesa farta*** plentiful table
• **estar farto de algo** to be fed up with something

fartura *sf* abundance, plenty

fascículo *sm* 1 ANAT fascicle 2 *(caderno)* section

fascinação *sf* **1** fascination, charm **2** dazzle, lure

fascinante *adj* fascinating

fascinar *vtd-vi* to fascinate

fase *sf* phase, stage

▪ **fases da Lua** phases of the moon

fatal *adj* **1** *(letal)* fatal, lethal **2** *(inevitável)* inevitable, inescapable, fated **3** *(funesto)* dreadful

fatalidade *sf* **1** fate **2** disaster, calamity

fatalismo *sm* fatalism

fatia *sf* **1** CUL slice **2** *(porção)* share: ***ela quer sua fatia na divisão do espólio*** she wants her share in the division of the estate; ***uma fatia do mercado*** a market share

fato *sm* fact

• **de fato** in fact, really

• **fato consumado** *fait accompli*

• **o fato de que...** the fact that...

• **o fato é que** the fact is that

• **chegar às vias de fato** to come to blows

fator *sm* **1** MAT factor **2** *(elemento, causa)* factor, agent

• **fator de discórdia** bone of contention

fatura *sf* COM bill, invoice

faturar *vtd* **1** COM to invoice **2** *fam (conseguir)* to get: ***faturei uns ingressos para o jogo*** I've got some tickets for the match **3** *chulo (copular)* to screw, to fuck

▸ *vi fam (ganhar dinheiro)* to make money

fauna *sf* fauna

favela *sf* slum, shantytown

favor *sm* **1** favour: ***me faz um favor?*** will you do me a favour? **2** *(simpatia)* favour, kindness, preference: ***conquistar o favor de alguém*** to conquer someone's favour

• **faça-me o favor!** give me a break!

• **fazer algo a/em favor de alguém** to do something on behalf of someone

• **faz favor** please

• **por favor** please

• **por favor, pode dizer que horas são?** please, can you tell me what time it is?

• **de favor** as an act of kindness or charity: ***mora de favor na casa de um amigo*** his friend gives him a place to live as an act of kindness

favorável *adj* **1** *(propício, benigno)* favourable, auspicious **2** *(defensor)* friendly, supportive

favorecer *vtd* **1** *(proteger, apoiar)* to favor **2** *(beneficiar)* to benefit

favorito *adj* **1** favourite, darling **2** ESPORTE favourite

fax *sm* fax

• **enviar/mandar um fax** to fax

• **receber um fax** to get a fax

faxina *sf* cleaning, *(limpeza)* clean up

faxineiro *sm,f* cleaner

fazenda *sf* **1** *(grande propriedade rural)* farm **2** *(pano, tecido)* fabric **3** ECON treasury: ***Ministério da Fazenda*** Treasury Department

fazendeiro *sm,f* farmer

fazer *vtd* **1** *(pôr em prática; criar; montar; trabalhar em)* to make **2** *(construir, levantar)* to build: ***ele é rico, fez uma casa enorme*** he's rich, he's had a huge house built; ***o pedreiro fez o muro*** the bricklayer has built a wall **3** *(fabricar)* to make, to produce: ***a malharia faz camisetas*** the knitwear mill makes T-shirts **4** *(fingir)* to pretend: ***ela só fez que ouvia*** she just pretended she was listening **5** *(gerar, causar)* to make *(for)*: ***a democracia faz sociedades melhores*** democracy makes for better societies **6** *(curso)* to do, to study **7** *(formar)* to form: ***a pedra fez anéis na superfície da água*** the stone-throw formed rings on the surface of the water **8** *(fortuna, dinheiro)* to make **9** *(pontos)* to score

▸ *vtdi (transformar)* to make into: ***da sala ele fez um dormitório*** he's made the living room into a bedroom

▸ *vtd pred* **1** *(tornar)* to make: ***a persistência o fez famoso*** persistence has made him famous **2** *(nomear)* to name, to appoint

▸ *vti (fazer por)* to struggle for, to strive for

▸ *vi (agir, comportar-se)* to act, to behave: ***faça como seu irmão*** act like your brother

▸ *vimp* **1** to be: ***aqui faz muito calor no verão*** it's very hot in the summer here; ***ontem fez vento*** it was windy yesterday **2** to be: ***faz dois meses que não o vejo*** it's been two months since I last saw him

▸ *vpr* **fazer-se** 1 *(tornar-se)* to become 2 *(alcançar sucesso)* to suceed 3 *(fingir)* to pretend: ***ele se faz de bobo*** he pretends to be a fool 4 *(fazer crer)* to act: ***ele se faz de veterinário*** he acts as if he were a vet

• **esse rapaz é feito para você** that young man is made for you

• **fazer (algo) por alguém** to do *(something)* for someone

• **fazer e acontecer** to act according to one's whim

• **fazer por merecer** to have it coming

• **fazer por onde** *(empenhar-se)* to work for a goal, *(dar motivo a)* to give rise to

• **fazer que não/sim com a cabeça** to nod/shake one's head

• **não faz mal** never mind

• **tanto faz** it's all the same

• **ter mais o que fazer** to be busy

fé *sf* 1 faith: ***ter fé em Deus*** to have faith in God 2 *(confiança)* confidence: ***tenho fé nesse trabalho*** I have confidence in this work 3 *(crédito)* trustworthiness, reliability

• **dar fé** *(afirmar como verdade)* to state under oath, to certify, *(perceber)* to perceive, to take notice

• **fazer fé** *(acreditar)* to have faith, to believe

febre *sf* fever, temperature: ***ter/estar com febre*** to have a temperature

fechada *sf loc* ***dar uma fechada em outro veículo*** to cut off another car

fechado *adj* 1 shut 2 *(acertado, combinado)* closed: ***negócio fechado*** deal closed 3 *(mata, bosque)* dense, thick 4 *(tempo)* overcast 5 *(farol)* red 6 *(terreno, área)* closed

fechadura *sf* lock

fechar *vtd* 1 to close 2 *(tapar, obstruir)* to shut 3 *(cicatrizar)* to heal 4 *(trancar-cofre)* to lock 5 *(trancar-pessoas)* to lock in 6 *(bloquear)* to close off 7 *(limitar, cercar)* limit, restrict, surround 8 *(concluir)* to conclude 9 *(no trânsito)* to cut off: ***o carro azul me fechou*** the blue car cut me off

▸ *vi* 1 *(encerrar expediente, atividades)* to close down 2 *(tempo escuro)* to cloud over, to become overcast 3 *(cicatrizar)* to heal

▸ *vpr* **fechar-se** 1 to close, to shut 2 *(trancar-se)* to lock oneself in 3 *(ensimesmar-se)* to withdraw *(into oneself)*

• **fechar com alguém** to make a deal with someone

fecho *sm* 1 fastening 2 *(de roupa)* fastener 3 *(parte final, conclusão)* close

▪ **fecho ecler** zipper

fecundar *vtd* to fertilize

fedelho *sm,f* brat

feder *vi* to stink

• **feder a** to stink of

federação *sf* federation

federal *adj* 1 federal 2 *fig* huge, grand

fedido *adj* stinking, smelly

fedor *sf* stink, stench

feição *sf (forma, feitio)* feature, aspect

▸ *pl* **feições** features

feijão *sm* beans

feijoada *sf* stew made with bits and pieces of pork and black beans

feio *adj* 1 ugly 2 *(grave)* serious: ***o acidente foi feio*** the accident was serious 3 *(desfavorável)* bad: ***as coisas estão feias*** things are bad 4 *(tempo)* terrible, overcast

▸ *sm* **feio** ugly person

• **fazer feio** to cut a sorry figure

• **ficar/ser feio** *(ser inconveniente)* to get/become/be naughty

• **ficar/tornar-se feio** to get/become ugly

feira *sf* 1 market: ***feira livre*** open air/street market 2 *(salão)* fair

• **fazer feira** to go to the street market

• **feira de amostras/feira industrial** sample fair/industry fair

feirante *smf* stallholder at an open-air market

feitiçaria *sf* witchcraft

feiticeiro *sm,f* wizard, witch

feitiço *sm* 1 spell 2 *(sedução)* charm

• **fazer feitiço** to put a spell

• **o feitiço virou contra o feiticeiro** he was caught in his own trap

feitio *sm* 1 *(modelo)* cut: ***o feitio de um vestido, de um terno*** the cut of a dress, of a suit 2 *(execução)* workmanship: ***ele pagou cem reais pelo feitio*** he's paid a hundred reais for the workmanship 3 *(forma)* shape, aspect: ***louça de todos os feitios*** china of all shapes **4** *(jeito, qualidade, índole)* nature, manner: ***não é do meu feitio fazer isto*** it's not in my nature to do this

feito *adj* **1** finished, ready **2** *(amadurecido, adulto)* mature **3** *(estabelecido, ajustado)* done: ***(está) feito*** (it's) done
▸ *conj* **feito** like: ***ele comeu feito um leão*** he's eaten like a horse
▸ *sm* **feito 1** *(ato)* act, deed **2** *(façanha)* feat
• **bem-feito!** it serves you right!
• **ele está feito na vida** he's got things made for him

feiura *sf* ugliness

feixe *sm* **1** *(de luz)* beam **2** *(de ramos etc.)* bundle

fel *sm* **1** bile **2** *fig* bitterness

felicidade *sf* happiness
▸ *pl* **felicidades!** congratulations!

felicitações *sf pl* best wishes

felicitar *vtd* to congratulate
▸ *vpr* **felicitar-se** to congratulate oneself

felino *sm* feline, cat

feliz *adj* **1** happy **2** *(afortunado)* lucky: ***feliz no jogo*** lucky **3** *(propício, bom)* blessed, happy, fortunate: ***uma escolha feliz*** a blessed choice

felizardo *sm,f* lucky, fortunate, blessed

felizmente *adv* fortunately

felpudo *adj* fluffy

feltro *sm* felt

fêmea *sf* **1** female **2** *(conexão)* eye

feminino *adj* feminine

fêmur *sm* femur

fenda *sf* slit, crack, fissure, gap

fender *vtd* to slit, to crack
▸ *vpr* **fender-se** to slit, to crack

feno *sm* hay

fenomenal *adj* phenomenal, amazing

fenômeno *sm* phenomenon

fera *sf* **1** wild animal, beast **2** *fig (pessoa cruel)* cruel person, brute **3** *fig* expert, crack, maven: ***ele é fera em matemática*** he's crack at Maths

feriado *sm* holiday
• **feriado nacional** national holiday
• **feriados de Natal** Christmas Holidays

férias *sf pl* holidays: ***para onde você vai nestas férias de verão?*** where are you going to spend your summer holidays?; ***neste ano saio de férias em julho*** this year, I'll be on holiday in July

ferida *sf* wound, injury

ferido *adj-sm,f* wounded, injured, hurt

ferir *vtd* **1** *(causar ferimento)* to wound, to injure **2** *(molestar, magoar)* to hurt **3** *(normas etc.)* to break
▸ *vpr* **ferir-se** to wound/injure/hurt oneself, to be or get wounded, injured, or hurt

fermentar *vtd* to ferment, to leaven
▸ *vi* to ferment, to leaven

fermento *sm* **1** yeast, ferment, baking powder **2** *fig* seed, germ

feroz *adj* fierce, ferocious

ferrado *adj* **1** *(com ferradura)* shod, iron-shod **2** *fig (em péssima situação)* screwed

ferragem *sf* **1** *(peças de ferro)* hardware, metalware **2** irons for construction
• **loja de ferragens** ironmonger's, hardware store

ferradura *sf* horseshoe

ferramenta *sf* tool

ferrão *sm* **1** sting **2** goad

ferrar *vtd* **1** *(pôr ferraduras)* to shoe **2** *pop (prejudicar)* to screw
▸ *vtdi (marcar)* to brand
▸ *vpr* **ferrar-se 1** *(cravar-se)* to pierce **2** *pop (sair-se mal)* to get screwed
• **ferrar no sono** to fall fast asleep

ferreiro *sm* smith, ironsmith

ferrenho *adj (obstinado)* obstinate

ferro *sm* **1** iron **2** *(de passar roupa)* clothes iron
▪ **ferro elétrico** electric iron, flat iron
• **a ferro e fogo** with all means at hand
• **levar ferro** *(ser malsucedido)* to get screwed
• **malhar em ferro frio** *fig* to whip a dead horse
• **não ser de ferro** *fig* not to be made of iron
• **passar a ferro** to iron

ferroada *sf* 1 sting 2 *fig* caustic reproach

ferro-velho (*pl* **ferros-velhos**) *sm* junkyard, scrapyard

ferrovia *sf* railway

ferroviário *adj* railway
• *sm* **ferroviário** railway worker

ferrugem *sf* rust

fértil *adj* fertile

fertilizante *adj-sm* fertilizer

fertilizar *vtd* to fertilize

fervente *adj* boiling

ferver *vtd-vi* to boil: ***está fervendo*** it's boiling

fervor *sm* 1 *(ardor)* fervor 2 *(devoção)* devotion

fervura *sf* boiling
• **jogar água na fervura** *fig* to throw a wet blanket on something

festa *sf* party
▸ *pl* **festas** holiday, season: ***boas festas*** Season's Greetings, Happy Holidays
• **fazer festa** 1 to welcome warmly 2 to make a fuss over someone
• **no melhor da festa** *fig* when least expected

festejar *vtd* to celebrate, to greet

festejo *sm* festivity

festim *sm (banquete)* banquet, feast
• **tiro de festim** blank shot

festival *sm* festival

festivo *adj* festive

feto *sm* 1 fetus 2 BOT fern

fevereiro *sm* February

fezes *sf pl* feces

fiação *sf* 1 electrical wiring 2 spinning 3 *(lugar onde se fia)* spinning mill

fiada *sf (carreira de tijolos)* row

fiado *adj* bought/sold on credit
▸ *adv* **fiado**: ***comprar/vender fiado*** to by/sell on credit

fiador *sm,f* surety, backer, guarantor

fiança *sf* DIR bail, bond, security

fiapo *sm* thin thread

fiar *vtd* 1 *(reduzir a fio)* to spin 2 *(vender a crédito)* to sell on credit
▸ *vpr* **fiar-se** to trust

fiasco *sm* fiasco: ***ser um fiasco*** to be a fiasco; ***fazer fiasco*** to flop; ***que fiasco!*** what a fiasco!

fibra *sf* 1 fiber 2 *fig* strength, fiber

fibroso *adj* fibrous

ficar *vpred* 1 *(tornar-se)* to get: ***ficar doente*** to get sick 2 *(vir a ser, acabar)* to end up: ***quero ver como ficam as coisas*** I want to see how things end up 3 *(continuar)* to be, to remain, to stay: ***ele ficou triste o tempo todo*** he was sad all the time; ***estes documentos devem ficar intactos*** these documents must remain intact 4 *(permanecer)* to be, to remain, to stay: ***fiquei sentada duas horas*** I was sitting down for two hours
▸ *vi* 1 *(permanecer)* to stay: ***fique aqui*** stay here 2 *(subsistir)* to hold 3 *(sobrar)* to be left behind
▪ **ficar com** 1 *(permanecer junto)* to stay with 2 *(manter consigo)* to keep: ***fiquei com aquele livro*** I've kept that book 3 *(comprar)* to buy 4 *(contrair)* to catch: ***ficar com gripe*** to catch a flu 5 *(tomar forma)* to get: ***quando ela ri, fica com rugas em torno dos olhos*** when she laughs, she gets wrinkles around the eyes 6 *(namorar sem compromisso)* to go out
▪ **ficar de** 1 to assume a certain position: ***ficar de costas/de bruços*** to lie on one's back/face down; ***ficar de pé*** to stand up 2 *(restar)* to be left: ***do estoque ficou só isto*** of the whole stock, only this is left 3 *(afirmar, prometer)* to promise: ***ele ficou de vir*** he promised he'd come
▪ **ficar em** 1 *(situar-se)* to be situated 2 *(hospedar-se)* to stay: ***vou ficar num hotel*** I'm going to stay in a hotel 3 *(não ir além)* to go no further than: ***tudo ficou em promessas*** it all went no further than promises 4 *(custar)* to cost
▪ **ficar para** 1 *(ser adiado)* to be postponed to 2 *(caber a)* to be in the hands of
▪ **ficar por aí** to stay around, to stick around
• **que isso fique entre nós** let's keep it between ourselves
• **ficar por isso mesmo** to let it go at that
• **ficar sem algo** to run out of something

ficção *sf* fiction
• **ficção científica** science fiction

ficha *sf* 1 *(de telefone, máquinas etc.)* coin 2 *(de jogos)* chip 3 *(de papel)* card
• **só agora caiu a ficha** *fig* only now have I realized it
• **dar a ficha de alguém** *fig* to give information about someone
• **ter ficha limpa/suja** to have a good/bad record

fichário *sm* 1 card index 2 file

fidelidade *sf* 1 fidelity, loyalty 2 accuracy

fieira *sf* 1 *(de tijolos)* row 2 *(de pião)* string

fiel *adj-smf* 1 faithful, loyal 2 accurate

figa *sf (amuleto)* azabache, a kind of talisman
• **de uma figa** damned
• **fazer figa** to cross one's fingers

fígado *sm* liver
• **desopilar o fígado** to have a great time, to laugh one's head off

figo *sm* BOT fig

figueira *sf* BOT fig tree

figura *sf* 1 figure, picture 2 *(personalidade)* character
• **fazer boa/má figura** to cut a good/bad figure
• **mudar de figura** *fig* to be a whole different matter
• **ser uma figura** to be a character

figurado *adj* figurative, metaphorical

figurante *sf* CINE TEATRO TV extra

figurão *sm* big shot

figurar *vtd (representar, simbolizar)* to represent
▸ *vti (tomar parte, participar)* to take part (*in*), to figure (*in, as*)

figurinha *sf* card
• **figurinha difícil** *fig* a person who rarely shows up

figurino *sm (revista de moda)* fashion magazine
• **como manda o figurino** *fig* according to the book
• **não estar no figurino/gibi** *fig* to be incredible

fila *sf* 1 *(fileira)* row, line 2 *(sucessão de pessoas)* queue, line
• **fila de espera** queue
• **fila indiana** single file
• **ficar/estar em fila** to be in a queue
• **fazer fila** to queue
• **furar fila** to jump the queue

filantrópico *adj* philanthropic

filão *sm* 1 *(veio)* seam 2 *(pão)* loaf

filar *vtd* to cadge

filé *sm* 1 *(carne)* steak 2 *fig (melhor pedaço)* the best part
• **filé de peixe** fillet

fileira *sf* 1 row, line 2 MIL military service 3 *(fila)* queue, line

filé-mignon (*pl* **filés-mignons**) *sm* 1 filet mignon 2 *fig* the best part

filete *sm* fillet

filho *sm,f* son, daughter, child
• **filho adotivo** adopted child
• **filho/filhinho de papai** spoilt boy, brat, playboy
• **filho legítimo/ilegítimo** legitimate/illegitimate child
• **ter filho** *(dar à luz)* to give birth

filho da mãe (*pl* **filhos da mãe**) *sm* bastard

filho da puta (*pl* **filhos da puta**) *sm* son of a bitch

filhote *sm* 1 young animal 2 *fig (protegido)* protégé 3 *fig* son, sonny
• **ter filhotes** *(parir)* to calve *(cows)*, to have puppies *(dogs)*, cubs *(lions)*, kittens *(cats)* etc.

filiação *sf* filiation

filial *adj* branch
• *sf* **filial** branch

filmadora *sf* movie camera

filmagem *sf* shooting

filmar *vtd* CINE to shoot

filme *sm* film, movie

filosofia *sf* philosophy

filtrar *vtd* 1 to filter, to strain 2 *fig* to filter, to strain

filtro *sm* 1 *(de água)* filter 2 *(de papel)* strainer 3 *(elixir)* magical potion

fim *sm* 1 *(final, conclusão, termo)* end, close, finish 2 *(extremidade, ponta)* end 3 *(finalidade)* aim, purpose: ***o principal fim do projeto*** the main purpose of the project

• **a fim/com o fim de** in order to
• **dar fim a algo/a alguém** to put an end to something/to kill someone
• **estar a fim** (*de alguém*) to fancy someone, (*de algo*) to want something
• **fim de mundo** world's end, nowhere
• **no fim do mundo** at the end of the world, in the middle of nowhere
• **os fins justificam os meios** the end justifies the means
• **para fins residenciais** for residential purposes
• **por fim** finally
• **pôr um fim a** to put an end to
• **ter/não ter fim** not to be/to be endless
• **ter por fim** to have as a goal

finado *adj-sm,f* deceased
• **dia de finados** All Souls' Day
• **o finado meu tio** my deceased uncle

final *adj* final, last
▸ *sm* end
▸ *sf* ESPORTE final

finalidade *sf* finality, result, end, goal

finalista *adj-smf* ESPORTE finalist

finalizar *vtd* to finish, to conclude

finalmente *adv* finally

finanças *sf pl* finance

financeira *sf* financier

financeiro *adj* financial

financiador *adj-sm,f* financer

financiamento *sm* financing

financiar *vtd* to finance

fincar *vtd* to root, to fix, to drive, to stick
▸ *vpr* **fincar-se** to stand firm

findar *vtd* (*pôr fim*) to put an end to
▸ *vi* (*acabar*) to end

findo *adj* ended, finished, over, past

fineza *sf* kindness, politeness
• **faça a fineza de...** would you be so kind as to...

fingido *adj* (*aparente, falso*) false, deceptive
▸ *adj-sm,f* (*hipócrita*) hypocritical

fingimento *sm* pretence

fingir *vtd* 1 (*aparentar, simular*) to fake, to simulate 2 (*fazer de conta*) to pretend
▸ *vpr* **fingir-se** to pretend, to play: ***fingir-se de morto*** to play dead

finlandês *adj-sm,f* Finnish, Finn

Finlândia *sf* Finland

fino *adj* 1 (*delgado*) slender 2 (*aguçado*) sharp: ***ponta fina*** sharp edge 3 (*refinado*) refined 4 (*sagaz*) shrewd

finura *sf* 1 fineness 2 (*requinte*) refinement

fio *sm* 1 strand: ***um fio de cabelo*** a strand of hair 2 (*linha*) thread 3 (*elétrico*) wire 4 (*gume*) edge
• **a fio** (*seguidamente*) on end
• **bater um fio** to give a ring/call
• **de fio a pavio** from begining to end
• **estar por um fio** to hang by a thread
• **fio condutor** conducting wire
• **fio dental** (*para os dentes*) dental floss, (*biquíni*) g-string bikini
• **fio terra** earth wire
• **perder/achar o fio da meada** to lose/find one's chain of thought
• **sem fio** (*telefone etc.*) wireless

firma *sf* signature
• **reconhecer firma** to certificate someone's signature

firmamento *sm* firmament, sky

firmar *vtd* 1 (*tornar firme, definitivo*) to make firm 2 (*suster, escorar*) to secure 3 (*ajustar*) to make, to close: ***firmar um acordo*** to make a deal 4 (*assinar*) to sign
▸ *vi* (*estabilizar-se*) to settle down
▸ *vpr* **firmar-se** 1 (*tornar-se firme, definitivo*) to establish oneself 2 (*segurar-se, apoiar-se*) to steady oneself 3 (*tornar-se reconhecido*) to be recognized, to establish oneself

firme *adj* 1 (*seguro, fixo, bem apoiado*) firm, steady 2 (*resistente, sólido*) solid 3 (*sem flacidez*) hard, tough 4 (*sem tremor*) steady, firm: ***mão firme*** steady hand; ***letra firme*** steady handwriting; ***voz firme*** firm voice 5 (*impassível, imutável*) stable 6 (*resoluto, determinado*) determined 7 (*estável*) steady: ***emprego firme*** steady job; ***namoro firme*** steady relationship
▸ *adv* **firme** tight: ***aguente firme*** hold tight

firmeza *sf* 1 (*fixidez*) firmness, steadiness 2 (*consistência, solidez*) solidity 3 (*segurança*) stability 4 (*determinação, resolução*) determination

fiscal *adj* (*tributário*) fiscal

▸ *sm* **fiscal** inspector

fisco *sm* the Inland Revenue *(BrE)*, the Internal Revenue Service *(AmE)*

fisgar *vtd* 1 *(capturar na pesca)* to hook 2 *(apanhar, prender)* to catch 3 *(seduzir, conquistar)* to seduce, to conquer

física *sf* physics

físico *adj-sm,f* physical, physicist

fisionomia *sf* 1 face 2 expression, look 3 appearance

fisionomista *smf* physiognomist

• **ser bom/mau fisionomista** to be a good/bad physiognomist, to be good/ bad at remembering people's faces

fisioterapia *sf* physiotherapy

fissura *sf* 1 crack 2 *fig (paixão)* passion, ardent longing

fissurar *vtd* to crack

▸ *vi (apaixonar-se)* fo fall for someone

fita *sf* 1 *(faixa)* strip, band, tape 2 *(filme)* film, movie

■ **fita adesiva** adhesive tape

■ **fita cassete** cassette tape

■ **fita de máquina de escrever** typewriter ribbon

■ **fita isolante** insulating tape

■ **fita magnética** magnectic tape

■ **fita métrica** tape measure

• **fazer fita** 1 to act, to pretend 2 to make a fuss

fita-crepe *sf* adhesive tape

fiteiro *adj (fingidor, exibicionista)* liar, show-off

fivela *sf* 1 *(de cintos, sapatos)* buckle 2 *(de cabelos)* hairpin

fixação *sf* 1 fixing 2 PSIC fixation 3 *(determinação, estabelecimento)* setting: ***fixação de uma data*** setting of a date; ***fixação de uma regra*** setting of a rule

fixado *adj* 1 fixed 2 *(guardado na memória)* set

fixar *vtd* 1 *(pregar, colar)* to fix, to stick 2 *(firmar, estabilizar)* to set, to settle 3 *(fitar)* to stare 4 *(marcar, estipular)* to set, to settle 5 *(gravar na memória)* retain 6 *(assentar, estabelecer)* to fix, to settle

▸ *vpr* **fixar-se** 1 *(firmar-se, estabilizar-se)* to settle down 2 *(estabelecer residência)* to set up house 3 *(concentrar-se)* to concentrate on 4 *(apegar-se em demasia)* to be attached to, to be obsessed by

fixo *adj* 1 *(preso)* fixed 2 *(imóvel)* stationary 3 *(definido, preciso, imutável)* steady, permanent 4 *(estável, firme)* firm, steady 5 *(emprego)* steady

▸ *sm* **fixo** *(salário)* fixed salary

flã *sm* flan

■ **flã de ovo** egg flan

flacidez *sf* flabbiness

flácido *adj* flabby

flagelo *sm* scourge, whip

flagrante *adj (evidente)* glaring, manifest

▸ *sm* **flagrante** the attesting or perceiving of an act in the moment it occurs

• **ser preso em flagrante** to be caught in the very act

flagrar *vtd* to catch in the act

flamingo *sm* ZOOL flamingo

flâmula *sf* pennant, banner

flanela *sf* flannel

flash *sm* 1 *(de máquinas fotográficas)* flash, flashbulb 2 CINE TV flash

flat *sm* flat

flatulência *sf* flatulence

flauta *sf* flute, fife

■ **flauta doce** recorder, English flute

■ **flauta transversa** flute

• **levar a vida na flauta** to take life easy

flecha *sf* arrow

flechada *sf* 1 arrow shot 2 arrow wound

flertar *vi-vti* to flirt

flerte *sm* flirt

flexão *sf* flexion, flexing, bending

flexibilidade *sf* 1 flexibility, pliability 2 *(maleabilidade, docilidade)* sweetness, gentleness, willingness to yield

flexionar *vtd* to bend, to flex

flexível *adj* 1 flexible 2 *(articulações)* flexible 3 *(maleável, compreensivo)* yielding, docile

floco *sm* 1 *(de algodão ou lã)* flock, tuft 2 *(de neve)* flake

• **sorvete de flocos** chocolate chip ice cream

flor *sf* 1 flower 2 *(elite)* cream of society

• **à flor da pele** showing in one's appearance, manners etc.

• **na flor da idade** in the pride of youth

• **não ser flor que se cheire** to be a bad character
• **uma flor de pessoa** a beautiful person, a very nice person

flora *sf* flora

floral *sm (infusão de flores)* floral

floreira *sf (vaso para flores)* flower pot, flower vase

Florença *sf* Florence

florescer *vi* to flower, to blossom, to bloom

floresta *sf* forest

florestal *adj* forest, forestial

floricultura *sf* **1** floriculture **2** flower shop

florir *vi* to bloom, to flower, to blossom

fluência *sf* fluency

fluente *adj* fluent

fluentemente *adv* fluently

fluidez *sf* fluidity, fluidness

fluido *adj* fluid
▸ *sm* **fluido** fluid, liquid

fluir *vi-vti* to flow: ***o trânsito flui*** the traffic flows; ***suas palavras fluem*** their words flow

flúor *sm* fluor

fluorescente *adj* fluorescent

flutuação *sf* **1** fluctuation, float **2** *fig (oscilação)* oscillation

flutuante *adj* floating

flutuar *vi* **1** to float **2** *(pairar)* to hover **3** *fig (oscilar)* to oscillate

fluvial *adj* fluvial

fluxo *sm* **1** flow **2** *(sequência)* succession, sequence
▪ **fluxo da maré** tidal flow
▪ **fluxo de caixa** cash flow
▪ **fluxo nasal** nasal flow

foca *sf* **1** seal **2** *(jornalista novato)* a cub reporter

focalizar *vtd* **1** FOTO to focus, to adjust the focus **2** *fig* to focus, to concentrate on

focinho *sm* muzzle, snout

foco *sm* **1** FOTO focus **2** *(de doença)* focus **3** *fig (centro principal)* center, focus
• **fora de foco** out of focus
• **no foco** focused

foda *sf chulo* **1** fuck **2** *(coisa desagradável)* a pain in the arse

foder *vi chulo* to fuck
▸ *vpr* **foder-se** *(sair-se mal)* to fuck up, to screw up, to mess up, to be fucked, to be screwed
• **foda-se!** fuck off!

fodido *adj chulo* fucked-up

fofo *adj* **1** soft, puff **2** *fig (gracioso)* cute, sweet

fofoca *sf* gossip

fofocar *vi* to gossip

fofoqueiro *adj, smf* gossipy, gossip

fogão *sm* cooker, stove

fogareiro *sm* a small cooker

fogo *sm* **1** fire **2** *fig (ardor, paixão, entusiasmo)* fire, passion, enthusiasm
▸ *pl* **fogos** fireworks
• **abrir fogo** to open fire
• **estar de fogo** to be drunk
• **fazer fogo 1** to light a fire **2** to open fire
• **fogo alto/brando/baixo** high/medium/low heat
• **fogo cruzado** crossfire
• **fogo de palha** *fig* flash in the pan
• **fogos de artifício** fireworks
• **negar fogo** *fig* to misfire, to fail
• **pegar fogo** to catch fire
• **ser fogo (na roupa)** *(ser difícil)* to be trying, hard, troublesome, *(ser exímio)* to be extraordinary, excellent

fogueira *sf* bonfire, campfire

foguete *sm* rocket

foice *sf* scythe

folclore *sm* folklore

folclórico *adj* **1** folkloric **2** *(pitoresco)* quaint, picturesque

fole *sm* bellows

fôlego *sm* **1** breath: ***ficar sem fôlego*** to be out of breath; ***tomar fôlego*** to take breath **2** *(ânimo)* courage, valour, heart
• **de fôlego** *fig* extensive, long
• **ter fôlego de gato** to have as many lives as a cat

folga *sf* **1** *(intervalo)* break **2** *(dia livre)* day off, holiday **3** clearance, slack: ***deixe um pouco de folga na corrente*** give some slack on the chain **4** *fig (financeira)* financial slack **5** *(atrevimento)* cocki-

ness, perkiness **6** *(ociosidade)* laziness, inactivity
• **momentos de folga** time off

folgado *adj* **1** *(com tempo livre)* free, relaxed, free and easy: ***agora estou folgado*** now I'm free and easy **2** *(largo-roupa)* wide, loose **3** *(abastado)* comfortable, wealthy **4** *(confiado)* impertinent, cocky **5** *(preguiçoso)* lazy

folgar *vtd (desapertar)* to loosen, to give slack
▸ *vi (ter descanso)* to rest, to relax

folha *sf* **1** BOT leaf **2** *(de papel)* sheet **3** *(jornal)* newspaper **4** *(de janelas e portas)* wing
• **folha corrida** certificate of conduct
• **novo/novinho em folha** brand-new

folhado *adj* **1** plated: ***um relógio folhado de ouro*** a gold-plated clock **2** *(cheio de folhas)* leafy **3** CUL Danish, croissant, any bread or cake made of puff pastry
• **massa folhada** puff pastry

folhagem *sf* foliage

folhar *vtd* **1** to leaf, put forth leaves, cover with leaves **2** *(revestir de folha)* to plate

folhear *vtd* **1** to leaf through, skim **2** *(revestir de folha)* to plate

folheto *sm* **1** *(prospecto)* brochure **2** *(brochura)* pamphlet, leaflet

folhinha *sf (calendário)* calendar

folia *sf* **1** *(de carnaval)* carnival **2** *(brincadeira, bagunça)* fun, revelry
• **cair na folia** to have fun, to party away
• **fazer folia** to party

folião *sm,f* merrymaker, reveller

fome *sf* **1** hunger **2** starvation, famine
• **dar fome** to make hungry
• **enganar a fome** to grab a quick bite, to line one's stomach
• **estar morto de fome** to be starving (*to death*)
• **ficar com/sem fome** to get/not to get hungry
• **matar a fome** to satisfy one's hunger
• **passar fome** to starve
• **ter/não ter fome, estar/não estar com fome** to be/not to be hungry

fomentar *vtd* to foment, to encourage, to foster

fominha *adj-smf* greedy, covetous

fone *sm* **1** phone **2** *(telefone)* telephone
■ **fone de ouvido** headphones

fonética *sf* phonetics

fonético *adj* phonetic

fonte *sf* **1** *(nascente)* fountain, spring, source **2** *(origem)* source
• **de fonte confidencial** from a confidential source

fora *adv* **1** out, outside, outdoors: ***ele ficou lá fora*** she stayed outside; ***o quartinho ficava fora da casa*** the room was outside the house **2** *(face externa)* outside: ***por fora a caixa era envernizada*** the box was polished on the outside **3** *(de casa, do trabalho)* away, out: ***o chefe está fora*** the boss is away; ***jantamos fora esta noite?*** let's eat out tonight **4** *(no estrangeiro)* abroad
▸ *prep* **1** *(com exceção de)* except for **2** *(sem contar)* plus, without mentioning: ***havia trinta pessoas, fora o professor*** there were thirty people plus the teacher
▸ *interj* **fora!** out!
▸ *sm* **1** *(gafe)* gaffe **2** *(erro)* blunder
• **cair fora** to get out
• **dar o fora** (*romper um relacionamento*) to dump, (*fugir*) to run away
• **de fora** (*exposto; exterior; forasteiro*) out, exposed, outside, outsider, (*não envolvido*) out, excluded
• **dinheiro por fora** money from other sources
• **estar fora de si** to be out of one's mind, to be beside oneself, to be insane
• **fora daqui!** get out of here!, get lost!
• **jogar fora** to throw away
• **levar um fora de alguém** to be dumped by someone
• **para fora** outside
• **por fora** (*pela parte exterior*) on the outside, (*sem conhecimento*) ignorant, not knowing what is going on

foragido *adj-sm,f* fugitive

foragir-se *vpr* to flee

forasteiro *adj-sm,f* foreigner, stranger

forca *sf* **1** gallows, gibbet **2** *(jogo)* hangman

força *sf* **1** force, strength, power, might **2** *(energia elétrica)* (eletric) power: ***faltou força ontem*** we had a power outage yesterday

▸ *pl* **forças** *(tropas)* forces, army, troops
• **à força** *(por meios violentos)* violently, *(por meio de coação)* by compulsion
• **à força de** thanks to
• **com força** strongly
• **dar força** *(dar apoio)* to give support, *(reforçar)* to strengthen
• **dar uma força** to give support
• **fazer força** *(aplicar força muscular)* to put on *(some)* strength *(esforçar-se por)* to try to
• **força!** come on!
• **força aérea** airforce
• **força bruta** brute strength
• **força de expressão** manner of speaking
• **força pública** the police, the force
• **forças armadas** the military
• **por motivo de força maior** for reasons beyond my reach
• **ter força** *(ter músculos)* to be strong, *(ter poder)* to be powerful, to be mighty

forçar *vtd* 1 *(arrombar)* to break into 2 *(obrigar)* to force, to compel
• **forçar uma situação** to force a situation

forçoso *adj* 1 forcible 2 compulsory

forjar *vtd* 1 *(metal)* to forge 2 *fig (inventar)* to fashion, to devise 3 *(falsificar)* to forge, to fabricate

forma *sf* 1 form, shape 2 *(feitio)* shape, pattern, aspect 3 *(maneira)* form, way
• **de certa forma** in a way
• **de forma alguma** not at all, in no way
• **de forma que** so as to
• **de qualquer forma** in any way
• **estar em forma** *(em boas condições físicas)* to be in good shape, *(esbelto)* to be in shape
• **estar fora de forma** *(em más condições físicas)* to be out of shape *(sem habilidade)* to have lost one's hand *(for) (gordo)* to be fat, overweight
• **manter-se em forma** to keep oneself in good shape

forma *sf* 1 *(molde)* mold 2 CUL baking tray
• **tirar da forma** to unmold

formação *sf* 1 *(construção)* formation, building up 2 *(instrução)* education 3 *(criação, educação)* upbringing, education 4 *(militar)* formation
■ **má formação** poor education

formado *adj-sm,f (diplomado)* graduated

formal *adj* 1 *(relativo à forma)* formal 2 *(solene)* formal, solemn, serious 3 *(convencional, não espontâneo)* formal, conventional

formalidade *sf* formality
▸ *pl* **formalidades** formalities

formalizar *vtd* to formalize, to legalize

formão *sm* chisel

formar *vtd* 1 *(dar forma)* to form, to shape 2 *(instruir, dar ensinamentos)* to educate, to instruct 3 *(propiciar educação formal)* to educate 4 *(diplomar)* to graduate 5 *(criar, organizar)* to constitute 6 *(produzir)* to form, to make: ***a chuva formou uma poça no quintal*** the rain formed a puddle in the yard
▸ *vpr* **formar-se** 1 *(tomar forma, desenvolver-se)* to take form, to take shape 2 *(diplomar-se)* to graduate 3 *(instruir-se, educar-se)* to study, to educate oneself

formatar *vtd* INFORM to format

formato *sm* shape, format

formatura *sf* graduation

fórmica *sf* plastic laminate

formidável *adj* 1 *(descomunal)* formidable 2 *(ótimo)* splendid, excellent

formiga *sf* ZOOL ant

formigar *vti-vi (pulular)* to tingle with
▸ *vi (ter formigamento)* to tingle

formigueiro *sm* 1 anthill 2 *(multidão)* crowd

fórmula *sf* formula

formulação *sf* formulation

formular *vtd* 1 *(pôr em fórmula)* to formulate 2 *(enunciar)* to articulate

formulário *sm* form

fornada *sf* batch

fornalha *sf* furnace

fornecedor *adj-sm,f* supplier

fornecer *vtd* to supply, to provide

fornecimento *sm* supply, provision

forno *sm* oven

forração *sf* 1 *(ato de forrar)* lining 2 *(tecido para forrar)* lining

forragem *sf* fodder, feed, forage

forrar *vtd* 1 *(pôr forro em roupas)* to line 2 *(revestir)* to cover 3 *(cobrir com tapeçaria)* to cover
• **forrar o estômago** to get a bite to eat, to line one's stomach

forro *sm* 1 *(de roupa)* lining 2 *(de móveis)* cover 3 *(em edificações)* ceiling

forró *sm* Brazilian popular dance and music

fortalecer *vtd* 1 *(robustecer, fortificar)* to strengthen, to build up 2 *(reforçar)* to reinforce, to strengthen 3 *(tornar mais eficaz)* to fortify, to empower
▸ *vpr* **fortalecer-se** 1 *(robustecer-se)* to become strong 2 *(tornar-se mais eficaz)* to become more efficient

fortalecimento *sm* strengthening, empowerment

fortaleza *sf* 1 fortress, fort, fortification, stronghold 2 fortitude

forte *adj* 1 *(robusto, poderoso)* strong, robust, powerful, mighty, forceful 2 *(corpulento)* stout 3 *(enérgico)* energetic, forceful 4 *(versado)* good, experienced, proficient, expert: ***ele é forte em física*** he is good at physics 5 *(poderoso)* powerful, mighty: ***um país forte*** a powerful country 6 *(intenso)* intense, strong: ***forte sentimento de culpa*** a strong feeling of guilt; ***dor forte*** intense pain 7 *(cor)* glaring, vivid 8 *(som, ruído, voz)* loud 9 *(luz)* intense, dazzling 10 *(realista, cru)* realistic: ***um romance forte*** a realistic novel
▸ *sm* **forte** 1 strong: ***a lei do mais forte*** the law of the strongest 2 strength, strong point: ***esse não é o meu forte*** this is not my strong point 3 *(fortaleza)* fort, fortress
▸ *adv* **forte** 1 *(com força)* strongly, forcefully 2 *(muito, com intensidade)* heavily, intensely: ***chove forte*** it's raining heavily
• **seja forte** be strong

fortificante *sm* tonic, fortifier

fortificar *vtd* 1 *(robustecer)* to fortify 2 *(reforçar construção)* to reinforce 3 *(fortalecer)* to strengthen, to build up

fortuito *adj* fortuitous, accidental

fortuna *sf* 1 fortune, wealth 2 destiny, luck
• **fazer fortuna** to get rich

fórum *sm* forum

fosforescente *adj* phosphorescent

fósforo *sm* 1 QUÍM phosphorus 2 *(de madeira)* match

fossa *sf* 1 pit 2 *(de esgoto)* cesspool
• **fossa nasal** nasal cavity
• **estar/ficar na fossa** to get/ be down, to get/be depressed

fóssil *adj-sm* fossil

fossilizar-se *vpr* 1 to fossilize 2 *fig* to harden up with age

fosso *sm* ditch, trench, moat

foto *sf* photo

fotocópia *sf* photocopy

fotogênico *adj* photogenic

fotografar *vtd* to photograph, to take pictures

fotografia *sf* 1 photography 2 *fig* shot
• **fotografia instantânea** instant photo
• **fotografia para documentos** ID photo
• **tirar fotografia** to take a picture

fotógrafo *sm,f* photographer

fotonovelasf photo novels

foz *sf* mouth of a river, estuary, firth

fração *sf* fraction

fracassar *vi* to fail, to miscarry, to collapse

fracasso *sm* 1 failure 2 TEATRO CINE flop

fracionar *vtd* to divide, to split, to fraction
▸ *vpr* **fracionar-se** to split up, to collapse into small pieces

fraco *adj* 1 weak, feeble, frail 2 *(pouco competente)* weak, poor: ***aluno fraco*** weak student 3 *(sem força de vontade)* discouraged, faint-hearted 4 *(som, voz, ruído)* weak, low, faint, subdued 5 *(luz)* low, faint, soft 6 *(ruim, deficiente)* bad, weak: ***um filme fraco*** a bad movie
▸ *sm,f* weakling
▸ *sm* crush, soft spot, weakness: ***ter um fraco por algo ou alguém*** to have a crush on someone, to have a soft spot (*on one's heart*) for something
▸ *sm pl* weak, meek: ***a defesa dos fracos*** the defence of the meek

frade *sm* friar, monk

frágil *adj* brittle, fragile

fragilidade *sf* brittleness, fragility

fragmentar *vtd* to fragment, to break up
▸ *vpr* **fragmentar-se** to break up

fragmento *sm* 1 fragment, fraction 2 *(trecho de obra artística)* passage, fragment
▸ *pl* **fragmentos** *(cacos, estilhaços)* fragments, shreds, scraps

fragoroso *adj* noisy, loud, clamorous

fragrância *sf* fragrance

fralda *sf* diaper

França *sf* France

francês *adj-sm,f* French
▸ *sm* **francês** French

franco *adj* 1 *(sincero)* candid, frank, honest 2 *(livre, gratuito)* free : ***zona franca*** free trade zone; ***entrada franca*** free entry 3 *(do povo franco)* Frankish
▸ *sm* **franco** 1 *(povo)* Frank 2 *(moeda)* franc

frangalho *sm* 1 *(farrapo)* rag, shred 2 *fig* frazzle
• **estar em frangalhos** to be in shreds

frango *sm* 1 chicken 2 ESPORTE blunder, howler: ***engolir um frango*** to concede a howler
• **frango caipira** free-range chicken
• **frango de granja** factory-farmed chicken

frangote *sm,f (rapaz novo)* lad, youngster

frangueiro *sm* ESPORTE butterfingers

franja *sf* 1 fringe 2 bang

franqueza *sf* candidness, honesty

franquia *sf* 1 franchise 2 *(em seguros)* coinsurance
■ **franquia postal** postal franchise

franzido *adj* 1 shirred 2 wrinkled
▸ *sm* **franzido** shirring

franzino *adj* 1 slender, slim 2 weak, flimsy 3 delicate, fine 4 tenuous

franzir *vtd* 1 *(tecido)* to shirr 2 *(enrugar)* to wrinkle, to frown: ***franzir a testa*** to frown

fraque *sm* tailcoat

fraquejar *vi* 1 to loose strength, to languish 2 to lose heart 3 to lapse, to succumb

fraqueza *sf* 1 weakness, frailty 2 *(ponto fraco)* foible, weakness, weak point

frasco *sm* bottle, flask

frase *sf* phrase, sentence

frasqueira *sf (maleta)* suitcase, valise

fraternidade *sf* brotherhood, fraternity

fraterno *adj* brotherly, fraternal

fratura *sf* fracture, break

fraturar *vtd* to fracture, to break, to crack
▸ *vpr* **fraturar-se** to fracture, to break up

fraudar *vtd* to defraud, to cheat, to dupe

fraude *sf* hoax, fraud, deceit

fraudulento fraudulent, dishonest

freada *sf* sudden braking, sudden stop

frear *vtd* 1 to brake, to stop 2 to slow down 3 *(refrear)* to restrain
▸ vi 1 to stop, to brake 2 to slow down

freelance *smf* freelance

frege *sm* quarrel, strife

freguês *sm,f* customer, client

freguesia *sf (conjunto de fregueses)* customers

freio *sm* 1 brake 2 *fig* curb, repression, restraint
• **freio de mão** handbrake

freira *sf* nun, sister

frenético *adj* frantic, frenetic

frente *sf* 1 *(parte anterior)* front, face: ***a frente da casa*** the front of the house; ***a frente da blusa*** the front of the blouse 2 *(dianteira)* front, foreside, fore: ***ele viajava na frente do carro*** he was traveling in the front seat of the car 3 MIL front 4 POL front
■ **frente fria/quente** cold/hot front
• **estar à frente de** (*na vanguarda*) to be at the cutting edge of, (*no comando*) to be at the head of
• **frente a frente** face to face
• **daqui para a frente** from now on
• **de frente** (*defronte*) in face of, (*sem medo*) bravely, boldly
• **em frente a** (*defronte*) in front of
• **fazer frente a alguém/algo** (*enfrentar*) to face
• **fazer frente para** (*dar para*) to look on
• **ir/seguir em frente** to carry on
• **ir para a frente** (*progredir*) to progress, to get on

• **na frente de** *(defronte)* in front of, *(em presença de)* in the face of, *(adiante)* straight past,*(antes de)* before
• **tomar a frente** *(assumir o comando)* to come to the fore

frentista *smf* gas station attendant

frequência *sf* 1 *(de um lugar)* frequency, attendance 2 *(repetição)* frequency 3 FÍS frequency
• **com frequência** frequently

frequentador *adj-sm,f* regular visitor, regular customer, regular goer
• **frequentador assíduo** assiduous visitor, assiduous goer

frequentar *vtd* 1 *(ir com frequência)* to frequent, to visit 2 *(cursar)* to attend: ***frequentar aulas*** to attend classes

frequente *adj* frequent

frequentemente *adv* frequently

fresco *adj* 1 *(ligeiramente frio)* cool, chilly 2 *(roupa)* summer 3 *(alimento)* fresh 4 *fig (novo, recente)* fresh, new 5 *(tinta, cimento)* fresh 6 *fig (viçoso, alegre)* cheerful, happy 7 *(descansado)* fresh, rested: ***tropas frescas*** fresh troops
▸ *adj-sm,f* 1 *(suscetível, melindroso)* prissy, touchy 2 *(afeminado)* sissy

frescura *sf* 1 *(frescor)* freshness, coolness 2 *(formalismo)* punctiliousness, fussiness 3 *(comportamento de efeminado)* queerness
• **deixe de frescura!** quit your whining!
• **ser cheio de frescuras** to be very fussy

fretar *vtd* 1 NÁUT to charter 2 *(ônibus, avião)* to freight, to charter

frete *sm* 1 *(quantia paga por transporte)* freightage, fare 2 *(transporte)* freight, portage

fria *sf loc* ***entrar numa fria*** to get into trouble

friagem *sf* 1 cold 2 chill, coolness
• **pegar friagem** to catch a cold

fricção *sf* friction

friccionar *vtd* to rub

fricote *sm* fussiness: ***ser cheio de fricote*** to be too fussy; ***fazer fricote*** to whine

frieira *sf* chilblain

frieza *sf* coldness

frigideira *sf* frying pan

frígido *adj* frigid

frigobar *sm* minibar

frigorífico *adj* frigorific
▸ *sm* **frigorífico** 1 *(aparelho)* freezer, refrigerator, cold storage room 2 *(empresa)* cold storage plant

frio *adj* 1 cold 2 *(roupa)* cool 3 *(calmo, impassível)* cool, keeping one's nerve 4 *(reservado)* unconcerned, standoffish, nonchalant 5 *(insensível ao sexo)* frigid 6 *(sem pimenta)* mild
▸ *sm* **frio** 1 cold 2 *(inverno)* cold weather, winter
▸ *sm pl* CUL *(em fatias)* cold cuts: ***200 gramas de frios*** 200 grams of cold cuts
• **estar com frio** to feel cold
• **fazer frio** to be cold
• **fazer uma operação a frio** to perform or undergo surgery in cold blood
• **ficar frio** *(cair a temperature)* to stay cold, (manter-se calmo) to stay cool, to stay calm
• **sentir um frio na espinha** to have chill down one's spine

friorento *adj* very sensitive to cold

frisa *sf* TEATRO box

frisar *vtd* 1 *(encrespar)* to wrinkle, to curl 2 *(enfatizar)* to emphasize, to underline

friso *sm* frieze

fritada *sf* CUL frittata, omelette

fritar *vtd-vi* to fry

fritas *sf pl* chips, French fries *(AmE)*

frito *adj* 1 fried 2 *fig* done for: ***estou frito*** I'm done for

fritura *sf* fried food

frívolo *adj* frivolous

fronha *sf* pillowcase

frontal *adj* frontal
▸ *sm (osso)* frontal
• **oposição frontal** head-on opposition

fronte *sf* forehead

fronteira *sf* boundary, frontier
• **fazer fronteira com** to have a border with

fronteiro *adj* bordering

frota *sf* 1 NÁUT navy, fleet 2 *(de táxis, ônibus etc.)* fleet

frouxo *adj* 1 loose, slack 2 *(sem energia)* weak

▸ *adj-sm,f (covarde)* cowardly

fruir *vtd-vti* to enjoy

frustração *sf* frustration

frustrante *adj* frustrating, baffling

frustrar *vtd* 1 *(fazer falhar)* to frustrate, to thwart 2 *(decepcionar)* to disappoint
▸ *vpr* **frustrar-se** to become frustrated, to be disappointed

fruta *sf* fruit
▪ **frutas secas** dried fruit
▪ **frutos secos** nuts

fruteira *sf* fruit bowl, fruit plate

frutífero *adj* 1 *(árvore)* fruit 2 *fig (proveitoso)* fruitful, profitable

frutificar *vi* 1 to fructify, to bear fruit 2 *fig (produzir resultados)* to bear fruit, to produce results

fruto *sm* 1 BOT fruit 2 *fig (resultado)* fruit, profit
• **dar frutos** to fructify, *fig* to bear fruit

fubá *sm* cornmeal

fuça *sm* nostril, nose, snout, face

fuçar *vtd-vi* 1 *(revolver)* to dig over, to nuzzle 2 *fig (bisbilhotar)* to snoop, to pry

fuga *sf* 1 escape 2 MÚS fugue

fugidio *adj* fugitive, fleeting, elusive

fugir *vti-vi* to run away, to escape, to flee
• **fugir à memória** to slip one's mind
• **fugir da polícia** to run away, to flee
• **fugir do assunto** not to stick to the point

fugitivo *adj-sm,f* fugitive

fujão *adj-sm,f* fugitive, deserter, runaway

fulano *sm,f* so-and-so: ***fulano e sicrano e beltrano*** Tom, Dick and Harry
• **fulano de tal** so-and-so

fulgor *sm* glow, brilliance

fulgurante *adj* flashing, resplendent

fuligem *sf* soot

fulminar *vtd* 1 to fulminate 2 *(destruir, aniquilar)* to destroy, annihilate 3 *(matar rapidamente)* to extinguish, to kill, to slay

fulo *adj* furious, mad
• **ficar fulo** to get furious

fumaça *sf* smoke
• **e lá vai fumaça** *fig* and a lot more...
• **soltar fumaça (pelas ventas)** to be angry as hell

fumaceira *sf* smoke

fumante *smf* smoker

fumar *vtd-vi* to smoke
• **é proibido fumar** no smoking

fumê *adj* dull gray, smoky-coloured: ***vidro fumê*** tinted glass

fumegar *vi* to lunt, to steam, to puff

fumo *sm* 1 *(tabaco)* tobacco 2 *(vício)* tobacco consumption

função *sf* 1 function 2 *(cargo)* role, function 3 *(utilidade, uso)* utility, function 4 *(espetáculo)* spectacle, show
• **em função de...** due to...
• **exercer função de** to play the role of, to serve as

funcional *adj* functional

funcionamento *sm* functioning, running, operation
• **estar fora de funcionamento** to be out of order
• **pôr algo em funcionamento** to put something into operation

funcionar *vi* 1 *(máquina, mecanismo)* to work 2 to function: ***os intestinos devem funcionar regularmente*** the bowels must function regularly 3 *(ter utilidade, adiantar)* to work: ***aquilo não funcionou*** that didn't work 4 to operate: ***o escritório da empresa funciona nesse prédio*** the company's office operates in this building

funcionário 1 *(de empresa)* employee, clerk 2 *(público)* civil servant, public servant

fundação *sf* 1 *(alicerce)* foundation, base, basis 2 *(instituição)* founding, institution, establishing

fundador *adj-sm,f* founder

fundamental *adj* fundamental, key

fundamentar *vtdi* to base

fundamento *sm* 1 *(alicerce)* foundation 2 *(princípio, base)* beginning, base

fundar *vtd* 1 *(assentar alicerces)* to base 2 *(criar, instituir)* to found, to establish
▸ *vtdi (fundamentar)* to base

fundição *sf* forge, foundry

fundir *vtd (derreter)* to smelt
▸ *vtd-vtdi (incorporar)* to merge
▸ *vpr* **fundir-se** 1 *(derreter-se)* to fuse 2 *(unir-se, confundir-se)* to merge

fundo *adj* 1 *(alto, profundo)* deep 2 *(olhos)* sunken eyes
▸ *sm* **fundo** 1 bottom, deep, depths 2 *(íntimo, âmago)* bottom, core, essence: ***do fundo da alma*** from the bottom of the heart 3 *fig* bit, hint: ***um fundo de apreensão por trás da alegria*** a bit of misgiving behind the joy 4 *(fundamento)* basis, foundation: ***suas suspeitas não têm fundo*** your suspicions have no basis 5 *(tema, matéria)* theme, subject 6 *(parte de trás)* back 7 ECON fund, stock: ***fundo de investimento*** investment fund 8 CINE FOT TV TEATRO background 9 ESPORTE back 10 *(orifício de agulha)* eye
▸ *pl* **fundos** 1 back: ***moro na rua A, nº 25, fundos*** I live at 25, A street, at the back 2 *(soma de dinheiro)* funds, capital
▸ *adv* **fundo** deeply: ***respirar fundo*** to breath deeply
• **a fundo** deeply, thoroughly, fully
• **chegar ao fundo do poço** *fig* to hit the bottom, to hit rock bottom
• **fundo falso** false bottom
• **Fundo Monetário Internacional** International Monetary Fund
• **fundo musical** background music
• **ir fundo** *fig* to go for it, to go deep into, to steep oneself in
• **linha de fundo** goal line
• **no fundo de** at the back of
• **no fundo, no fundo...** in truth, at bottom

fúnebre *adj* mournful, gloomy

funerais *sm pl* funeral

funerária *sf* funeral home

funesto *adj* 1 fatal 2 *(danoso)* disastrous

fungar *vi* 1 to whiff, to sniff 2 *(resmungar)* to sniff

fungo *sm* fungus

funil *sm* funnel, filler

funilaria *sf* panel beater's, bodyshop *(AmE)*

funileiro *sm (de carrocerias)* panel beater, bodyman

furacão *sm* hurricane

furadeira *sf* drilling machine

furado *adj* 1 pierced 2 *fig* trouble, flawed

furar *vtd* 1 *(abrir furo ou buraco)* to pierce, to drill, to make a hole in 2 *(atravessar)* to bore through, to transfix
▸ *vi* 1 to pierce, to drill 2 *(não dar certo, gorar)* to go wrong 3 *(faltar a compromisso)* to miss, to be absent 4 ESPORTE to miss

furgão *sm* truck, van

fúria *sf* rage

furioso *adj* furious
• **ficar furioso** to get furious, to get mad

furo *sm* 1 hole, bore 2 *(notícia de primeira mão)* beat, hot news, breaking news

furor *sm* furor, fury, rage, passion
• **fazer furor** to arouse enthusiasm

furta-cor *adj inv* iridescent

furtar *vtd-vtdi-vi* to steal, to thieve
▸ *vpr* **furtar-se** to avoid, to escape, to dodge, to shirk, to shy away from

furtivo *adj* stealthy, furtive

furto *sm* theft

furúnculo *sm* boil, furuncle

fusão *sf* 1 *(derretimento)* melting, fusion 2 *(união)* merge, fusion

fusca *sm* Beetle

fuselagem *sf* fuselage

fusível *adj-sm* fuse

fuso *sm (de fiar)* spindle, spool
• **fuso horário** time zone

fustigar *vtd* 1 to fustigate, to whip 2 *(castigar)* to punish 3 *(excitar, estimular)* to excite, to stimulate

futebol *sm* football, soccer
• **futebol americano** American football
• **futebol de botão** table football, sectorball
• **futebol de praia** beach soccer
• **futebol de salão** indoor soccer
• **futebol totó** table football

fútil *adj-smf* 1 futile 2 trivial, superficial, skin-deep

futsal *sm* futsal

futuro *adj* future
▸ *sm* **futuro** future
• **ser uma pessoa de futuro** to be a rising star
• **ter futuro** to have brilliant prospects

fuxicar *vi (fazer intriga)* to gossip

fuzil *sm* rifle

fuzilamento *sm* shooting

fuzilar *vtd* to shoot

fuzilaria *sf* fusillade, volley

fuzuê *sm* mess, confusion

G

g *abrev (grama)* gram

gabar *vtd* to praise, to laud
▸ *vpr* **gabar-se** to boast, to brag

gabarito *sm* **1** *(modelo)* template **2** *(tabela de respostas)* answer key **3** *fig (idoneidade, capacidade)* quality, ability

gabinete *sm* **1** *(aposento, escritório)* office, cabinet **2** *(ministério)* ministry, cabinet

gado *sm* cattle, livestock
■ **gado de corte** beef cattle
• **conhecer o seu gado** *fig* to know whom one is dealing with

gafanhoto *sm* ZOOL locust, grasshopper

gafe *sf* gaffe

gafieira *sf* popular dancing club

gagá *adj-smf* decrepit, senile

gago *adj-sm,f* stammering, stuttering, stammerer, stutterer

gagueira *sf* stammer, stutter, speech impediment

gaguejar *vi* to stammer, to stutter

gaiola *sf* **1** birdcage **2** *fig (prisão)* jail, gaol

gaita *sf* **1** *(gaita de boca)* harmonica **2** *(dinheiro)* money, dough

gaivota *sf* ZOOL gull, seagull

gala *sf* pomp, gala: ***roupa de gala*** gala dress; ***banquete de gala*** banquet dinner

galã *sm* **1** CINE the leading man in a romantic play/film **2** *(homem bonito)* handsome man

galão *sm* **1** *(distintivo)* stripe **2** *(medida de capacidade)* gallon

galáxia *sf* galaxy

galera *sf* **1** NÁUT galley **2** *(grupo de torcedores)* group of supporters **3** *(grupo, turma)* group, gang

galeria *sf* **1** ARQ arcade **2** *(exposição de quadros)* gallery **3** TEATRO gallery, upper circle **4** *(passagem subterrânea)* passageway

galheteiro *sm* cruet-stand, cruet-holder

galho *sm* **1** *(ramo)* branch **2** *(complicação)* trouble **3** *(relação extraconjugal)* affair
• **dar galho** to end up badly, to lead to trouble
• **quebrar o galho** to find a makeshift solution to a problem

galinha *sf* **1** hen **2** *gíria (pessoa volúvel)* loose person

galinheiro *sm* **1** chicken yard **2** TEATRO peanut gallery

galo *sm* **1** rooster, cock **2** *(calombo)* bump
• **galo de briga** fighting cock
• **cozinhar o galo** *fig* to stall for time
• **ouvir o galo cantar e não saber onde** to have only vague notions about something

galopante *adj* **1** *(doença)* galloping **2** *(inflação)* galloping

galope *sm* gallop

galpão *sm* shed

gamação *sf* passion, infatuation

gamado *adj* infatuated: ***estar gamado por alguém*** to be infatuated with someone

gambá *sm* ZOOL skunk

gana *sf* **1** *(desejo)* craving desire **2** *(ímpeto)* evil impulse **3** *(raiva)* hatred

ganância *sf* greed, greediness

ganancioso *adj-sm,f* greedy, a greedy person

gandaia *sf* **1** dissolute life **2** revelry, binge, spree: ***cair na gandaia*** to go on a spree, to go on a binge, to live it up

gânglio *sm* ganglion

gangorra *sf* seesaw

gangrena *sf* gangrene

gângster *sm* gangster

gangue *sf* gang

ganhador *adj-sm,f* winning, winner

ganha-pão (*pl* **ganha-pães**) *sm* means of livelihood

ganhar *vtd-vi* **1** *(vencer-jogo)* to win, to beat **2** *(guerra)* to win, to be victorious **3** *(receber dinheiro)* to receive, to earn **4** *(salário)* to earn **5** *(conquistar, granjear)* to attain, to conquer, to earn **6** *(tempo)* to gain **7** *(levar)* to get, to take: ***ganhar uns tapas*** to take some slaps **8** *(seduzir)* to seduce, to win over **9** *(passar a ter)* to get: ***as ruas vão ganhar novo asfalto*** the streets will get new paving

• **ganhar nenê** to give birth

▸ *vtd-vtdi* **1** *(presente)* to receive: ***ganhei um presente*** I received a gift **2** *(ser superior)* to beat: ***ele ganha do irmão em inteligência*** he beats his brother in intelligence

ganho *adj* **1** *(tempo)* gained **2** *(dinheiro)* earned **3** *(jogo)* won **4** *(presente)* received

▸ *sm* **ganho** gain, profit, earnings

ganido *sm* howl, yowl, yelp

ganso *sm* goose, gander

• **afogar o ganso** *fig* to have sexual intercourse

garagem *sf* **1** garage **2** *(estacionamento)* parking lot, parking building

garanhão *sm* **1** *(cavalo)* stallion **2** *fig* womanizer, woman-chaser

garantia *sf* **1** *(fiança)* avow **2** *(promessa)* word: ***ele me deu a garantia de que viria*** ele gave me his word he'd come **3** *(de produtos)* warranty, guarantee: ***estar na garantia*** to be in warranty, to be under guarantee

garantir *vtd* **1** *(abonar)* to vouch for **2** *(tornar certo)* to guarantee

▸ *vtd (afirmar com certeza)* to assure

▸ *vtdi (defender)* to defend

▸ *vpr* **garantir-se** to guarantee oneself, to make sure

garapa *sf* sugar cane juice

garça *sf* ZOOL heron

garçom *sm* waiter

garçonete *sf* waitress

garfo *sm* fork

• **ser bom garfo** to be a good eater

gargalo *sm* **1** *(de garrafa etc.)* bottleneck **2** *(estreitamento de rio, rua etc.)* bottleneck

garganta *sf* **1** ANAT throat **2** GEOG ravine, canyon, gorge

▸ *adj-smf (fanfarrão)* braggart

• **dor de garganta** sore throat

• **molhar a garganta** *fig* to have a drink

• **não passar/descer pela garganta** not to go down one's throat, *fig* to be unable to stand someone or something

gargantilha *sf* necklace

gargarejo *sm* gargle, gargling

• **fila do gargarejo** *fig* front row

gari *sm* street cleaner

garimpeiro *sm,f* prospector

garimpo *sm* **1** *(atividade do garimpeiro)* prospect **2** *(local)* mining area, open mine

garoa *sf* drizzle

garoar *vi* to drizzle

garoto *sm,f* boy, kid, girl

• **garoto de programa** escort boy/girl

garra *sf* **1** ZOOL claw **2** *fig (combatividade)* spirit: ***ter garra*** to be spirited

• **cair nas garras de alguém** to fall into someone's hands

garrafa *sf* bottle

• **garrafa sem retorno** disposable bottle

• **garrafa térmica** thermos flask

garrafão *sm* **1** large bottle, about 5 l in capacity **2** ESPORTE restricted area

garrancho *sm (letra ruim)* scrawl, scribble

garupa *sf* **1** *(de cavalo)* croup **2** *(de bicicleta, moto)* back seat, pillion

gás *sm* gas

▸ *pl* **gases** MED gases

▪ **gás lacrimogêneo** tear gas
▪ **gás hilariante** laughing gas

gasolina *sf* petrol, gasoline, gas

gastar *vtd-vtdi-vi (dinheiro)* to spend
▸ *vtd* **1** *(desgastar-roupas, sapatos)* to wear out **2** *(consumir)* to use up **3** *(perder, usar mal-tempo)* to waste
▸ *vpr* **gastar-se** *(desgastar-se)* to wear oneself out

gasto *sm* **1** expenditure **2** waste
• **gastos públicos** public expenditure

gastrite *sf* MED gastritis

gastrônomo *sm,f* gourmet

gatilho *sm* trigger

gatinha *sf loc* **de gatinhas** on all fours

gato *smf* **1** ZOOL cat **2** *(homem bonito)* good-looking man **3** *(namorado)* boy-friend **4** *(erro, engano, lapso)* error, mistake, misprint
• **fazer de gato e sapato** to make a doormat of
• **gato escaldado** scalded cat
• **vender/comprar gato por lebre** to sell/buy a pig in a poke, to sell gold bricks
• **viver como gato e cachorro** to live in constant fighting

gato-pingado (*pl* **gatos-pingados**) *sm* one of the few people who attend a meeting, lecture etc.

gaveta *sf* drawer

gaveteiro *sm* set of drawers

gavião *sm* **1** ZOOL hawk **2** *(indivíduo conquistador)* womanizer

gaze *sf* MED bandage

gazeta *sf* gazette, newspaper

geada *sf* frost

gear *vi* to frost

gel (*pl* **géis, geles**) *sm* gel

geladeira *sf* refrigerator, fridge, ice-box

gelado *adj* iced, cold, ice-cold

gelar *vtd* to cool, to chill, to freeze
▸ *vi-vpr* **gelar(-se)** to freeze, to become frozen

gelatina *sf* gelatine, jelly

geleia *sf* jam

gelo *sm* **1** ice **2** *(frio intenso)* freeze **3** *(frieza, insensibilidade)* coolness, indifference
▸ *adj (cor)* very light grey
• **dar um gelo em alguém** to give someone the cold shoulder
• **quebrar o gelo** to break the ice

gema *sf* **1** *(de ovo)* yolk **2** BOT shoot, bud **3** *(pedra preciosa)* gem
• **da gema** *fig* genuine

gemada *sf* egg yolks beaten with sugar

gêmeo *adj* **1** twin: ***irmãos gêmeos*** twin brothers **2** ANAT span of the thumb and forefinger
▸ *pl* **gêmeos** *(signo)* Gemini

gemer *vi* to moan, to lament

gemido *sm* moan

geminado *adj* geminate, doubled
• **casas geminadas** semi-detached houses

gene *sm* gene

genealogia *sf* genealogy

general *sm* MIL general

genérico *adj* generical
▸ *sm* **genérico** MED generic

gênero *sm* **1** genus **2** gender **3** genre, style **4** kind, sort, type
▪ **gêneros alimentícios** foodstuffs
▪ **gêneros de primeira necessidade** staples, staple products
• **fazer gênero** to show affectation
• **não fazer o gênero de alguém** not to be someone's type

generosidade *sf* **1** generosity, bountifulness **2** *(liberalidade, prodigalidade)* liberality

generoso *adj* **1** generous, bountiful **2** *(liberal, pródigo)* liberal

gênese *sf* genesis

genético *adj* genetic

gengibre *sm* BOT ginger

gengiva *sf* gum

genial *adj* **1** of or pertaining to genius **2** *gíria (ótimo, excelente)* splendid, marvelous, fantastic

gênio *sm* **1** *(espírito)* temperament **2** *(grande inteligência)* genius **3** *(temperamento)* nature: ***ter bom/mau gênio*** to be good/ill natured

genioso *adj* ill-tempered

genital *adj* genital

genitália *sf* genitals

genitor *sm,f* parent, father, mother

genocídio *sm* genocide

genro *sm* son-in-law

gentalha *sf* low people, riff-raff

gentarada *sf* crowd

gente *sf* 1 *(ser humano)* human, human being: ***gente ou bicho?*** human or animal? 2 *(pessoa[s])* people: ***havia muita gente na festa*** there were many people at the party
▸ **a gente** *(eu, nós)* we: ***a gente sempre acha que as coisas vão melhorar*** we always think that things will get better
• **gente de bem** honest people
• **gente de casa** familiar people
• **gente fina** nice person/people
• **gente grande** grown-up
• **ser gente** (*ser adulto*) to be an adult, (*ser importante*) to be someone
• **tem gente!** (*no banheiro*) occupied!
• **virar gente** to grow up, to mature

gentil *adj* polite, kind

gentileza *sf* politeness, kindness
• **faça a gentileza de...** will you be so kind as to...
• **ter a gentileza de fazer algo** to be kind enough to do something

genuíno *adj* 1 *(sem mistura)* pure, genuine 2 *(autêntico)* authentic

geografia *sf* geography

geologia *sf* geology

geometria *sf* geometry

geração *sf* generation

gerador *adj* generative
▸ *sm* **gerador** *(de eletricidade)* generator

geral *adj* general
▸ *sm* **geral** *(a maior parte)* majority: ***o geral dos homens pensa assim*** that's how the majority of men think
▸ *sf* **geral** *(parte do estádio)* bleacher seats
• **dar uma geral** (*vistoria, revisão*) to review, (*limpeza, faxina*) to clean up
• **em/no geral** in general

geralmente *adv* generally

gerânio *sm* BOT geranium

gerar *vtd* 1 *(filho)* to generate, to beget 2 *(provocar, causar)* to cause

gerência *sf* 1 *(função de gerente)* management 2 *(escritório do gerente)* manager's office

gerente *adj-smf* manager

gergelim *sm* BOT sesame

geringonça *sf* gadget

gerir *vtd* to manage, to run

germe *sm* germ
• **germe de trigo** wheat germ

germicida *adj-sm* germicidal, germicide

germinar *vi* to germinate, to sprout

gesso *sf* 1 *(material)* plaster of Paris 2 *(em fratura)* plaster

gestação *sf* 1 pregnancy 2 *fig* preparation, development: ***estar em fase de gestação*** to be in the development stage

gestante *sf* pregnant woman

gestão *sf* administration, management

gesticular *vi* to gesture, to gesticulate

gesto *sm* 1 *(movimento)* gesture 2 *(atitude, ação)* gesture, sign, token

gibi *sm* comic book

gigante *sm,f* giant, giantess
▸ *adj* giant: ***célula gigante*** giant cell

gigantesco *adj* gigantic

gilete *sf* *(lâmina)* razor blade
▸ *sm* *(bissexual)* flex

gim *sm* gin

ginásio *sm* 1 *(escolar)* secondary school, high school 2 *(esportivo)* gym

ginasta *smf* gymnast

ginástica *sf* 1 gymnastics 2 *fig (grande esforço)* great effort

gincana *sf* contest

ginecologista *smf* gynaecologist

ginga *sf* swing

gingar *vi* to swing

gira *adj-smf* *(maluco)* crazy, nutty, nut, nutcase

girafa *sf* giraffe

girar *vtd* *(rodar)* to turn: ***girar a chave, a manivela*** to turn the key, the handle
▸ *vi* 1 *(rodar)* to turn: ***a roda não estava girando*** the wheel was not turning 2 *(circular)* to circulate: ***girar pela sala*** to circulate around the room; ***há notas falsas girando pelo país*** there are false notes circulating in the country 3 *(estar gira)* to be nuts

▪ **girar em torno de** 1 *(versar)* to be about 2 *(gravitar)* to revolve around 3 *(valor-aproximado)* to be about

girassol *sm* BOT sunflower

giratório *adj* turning, revolving

gíria *sf* slang
• **termo de gíria** slang term

giro *sm* 1 *(rotação)* rotation 2 *(circulação de moeda)* circulation 3 *(passeio, volta)* stroll
• **dar um giro** to go for a stroll

giz *sm* chalk

glacial *adj* glacial

glândula *sf* gland

gleba *sf (terreno para cultura)* tract of farming land

glicose *sf* glucose

global *adj* 1 *(total, integral)* total 2 *(mundial)* global

globalização *sf* globalization

globo *sm* 1 globe 2 *(representação da terra)* terrestrial globe 3 *(para lâmpadas)* globe

glóbulo *sm* globule

glória *sf* glory

glorificar *vtd* to glorify
▸ *vpr* **glorificar-se** to exalt oneself

glorioso *adj* glorious

glossário *sm* glossary

glutão *sm,f* glutton

glúten *sm* gluten: ***contém/não contém glúten*** with/without gluten

glúteo *sm* ANAT buttocks

goela *sf* throat
• **molhar a goela** *fig* to have a drink

gogó *sm* 1 *(pomo de adão)* Adam's apple 2 *(promessa vã)* vain promise 3 *(bravata)* idle talk

goiaba *sf* BOT guava

goiabada *sf* CUL guava paste

gol *sm* 1 *(tento)* goal 2 *(baliza, rede)* goalpost
• **gol contra** own goal, *fig* own goal

gola *sf* collar
• **de gola alta** turtleneck

gole *sm* mouthful, gulp, sip
• **dar um gole** *(tomar um gole)* to have a sip, *(oferecer um gole)* to give a sip

goleada *sf* a great number of goals on the same match

goleiro *sm,f* goalkeeper

golfe *sm* golf

golfinho ZOOL *sm* dolphin

golfo *sm* GEOG gulf

golpe *sm* 1 *(pancada)* blow, stroke 2 *(em luta)* knock, blow 3 *(ardil, mentira)* trick 4 *(vigarice)* trick 5 *(desfalque)* embezzlement, fraud: ***dar um golpe na praça*** to defraud 6 *(choque, abalo)* shock, crisis
• **golpe baixo** *(no pugilismo)* a blow below the belt, *fig* dirty trick
• **golpe de ar/vento** gust of air/wind
• **golpe de Estado** coup d'état
• **golpe de mestre** master stroke
• **golpe de misericórdia** coup de grâce
• **golpe de sorte** lucky hit, a stroke of luck
• **golpe de vista** quick glance
• **golpe do baú** to marry someone for money
• **golpe sujo** dirty trick

golpear *vtd* to strike, to hit, to beat

golpista *adj-smf (favorável a golpes de Estado)* advocating a coup
▸ *smf (vigarista)* swindler, crook

goma *sf* 1 BOT gum 2 *(cola de farinha de trigo)* flour glue 3 *(preparado de amido)* starch-paste
• **goma de mascar** chewing gum

gomo *sm* BOT segment

gôndola *sf* 1 gondola 2 *(prateleira de supermercado)* shelf

gongo *sm* gong
• **ser salvo pelo gongo** *fig* to be saved just in time

gonorreia *sf* MED gonorrhea

gorar *vi* 1 *(o ovo)* to fail to hatch 2 *fig (malograr)* to miscarry

gordo *adj* 1 *(gorduroso-alimento)* oily, fatty, fat 2 *(obeso)* fat, obese 3 *(cheio, roliço)* chubby, fat: ***perna gorda*** fat leg 4 *(volumoso)* bulky 5 *(grande)* large: ***uma gorda soma de dinheiro*** a large sum of money 6 *(fértil-terra)* fertile
▸ *sm,f (indivíduo obeso)* obese person
• **domingo/sábado/terça-feira gordo** Sunday/Saturday/Tuesday of Carnival ou Shrove Tuesday

gorducho *adj-sm,f* fattish, plump, fatty, fatso

gordura *sf* 1 *(substância gordurosa)* fat 2 *(material untuoso)* grease: ***mancha de gordura*** grease stain 3 *(banha)* fat, flab: ***gordura de coco*** coconut fat; ***gordura de porco*** pork fat 4 *(tecido adiposo)* adiposity

gordurento *adj* 1 *(engordurado)* greasy 2 *(com excesso de gordura)* fatty 3 *(oleoso)* oily

gorduroso *adj* 1 *(relativo a gordura)* fat, fatty 2 *(gordurento)* greasy

gorila *sm* 1 ZOOL gorilla 2 *(militar truculento)* a military bully

gorjeio *sm* chirp

gorjeta *sf* tip

gororoba *sf (comida malfeita)* grub

gorro *sm* cap, beret

gosma *sf* mucus, goo

gosmento *adj* slimy, gooey

gostar *vti* 1 *(apreciar)* to like, to appreciate: ***gostar de aventura*** to like adventure 2 *(achar saboroso)* to like, to appreciate: ***não gostar de pimenta*** I don't like pepper 3 *(sentir estima)* to be fond of 4 *(dar-se bem)* to get on well: ***esta flor não gosta de sol*** this flower doesn't on get well in sunlight 5 *(aprovar)* to approve 6 *(ter hábito)* to enjoy: ***ele gosta de se levantar cedo*** he enjoys getting up early

▸ *vpr* **gostar-se** to like oneself

gosto *sm* 1 *(prazer, vontade)* pleasure: ***rir com gosto*** to laugh with pleasure 2 *(bom gosto)* good taste 3 *(sabor)* taste

▸ *pl* **gostos** *(preferências)* preferences, likings

• **a meu/seu gosto** to one's liking

• **com gosto** *(com prazer)* with pleasure, *(de bom grado) willingly, (com bom gosto)* with good taste

• **de fazer gosto** to please

• **fazer o(s) gosto(s) de alguém** to please someone

• **ficar/estar a gosto** to be pleasing

• **gosto duvidoso** doubtful taste

• **gosto não se discute** there's no accounting for taste

• **mau gosto** bad taste

• **por gosto** on purpose

• **sal/pimenta etc. a gosto** salt/pepper etc. to one's liking

• **tomar gosto por algo** to get a taste of

gostoso *adj* 1 delicious 2 *(agradável)* tasteful 3 *(bonito, sensual)* sexy, hot

▸ *adv* **gostoso** heartily

• **fazer-se de gostoso** to show off

gostosura *sf* 1 *(alimento gostoso)* delight 2 *(guloseima)* treats 3 *(coisa agradável)* joy 4 *(mulher bonita, sensual)* hottie, a sexy woman

gota *sf* 1 drop 2 *fig (pequena quantidade)* droplet 3 MED gout

• **estar com a gota** to suffer from gout

• **gota a gota** by drops, *fig* little by little

• **parecidos como duas gotas** like two peas in a pod

• **ser a gota de água** *fig* to be the last straw

• **ser uma gota de água no oceano** to be a drop in the ocean

goteira *sf* 1 roof leak 2 roof gutter

gotejar *vi* to drip

gótico *adj* ARQ Gothic

gourmet *sm* gourmet

governador *sm,f* governor

governamental *adj* governmental

governanta *sf* housekeeper

governante *smf* ruler

governar *vtd* 1 to govern 2 *(dominar, comandar)* to rule

▸ *vpr* **governar-se** to control oneself

governo *sm* 1 government, administration 2 *(controle)* control, command, rule

gozação *sf* joke, joking

gozado *adj* 1 *(engraçado)* funny 2 *(estranho, esquisito, curioso)* weird, odd

▸ *interj* how odd: ***gozado, você diz uma coisa e faz outra!*** how odd, you say one thing and do another!

gozador *adj-sm,f* joker

gozar *vtd-vti* (fruir) to relish, to enjoy

▸ *vti (caçoar)* to make fun of

▸ *vi (sentir orgasmo)* to come, to reach an orgasm

gozo *sm* 1 *(fruição)* fruition, delight 2 *(prazer)* pleasure, enjoyment 3 *(orgasmo)* orgasm

Grã-Bretanha *sf* Great Britain

graça *sf* 1 grace, favour 2 *(perdão)* pardon 3 *(nome)* name: ***qual é sua graça?***

what's your name? **4** *(elegância, leveza)* elegance, grace, gracefulness **5** *(comicidade)* humour
• **cair nas graças de alguém** to fall in the graces of
• **de graça** *(gratuito)* free, *(à toa, sem motivo)* for nothing
• **fazer graças** to be funny
• **ficar sem graça** *(perder a graça)* to lose charm, *(ficar envergonhado)* to be embarrassed
• **graças a** *(por causa de)* thanks to
• **graças a Deus** thank God
• **isso não tem graça** that's not funny
• **não ser de (muita) graça** not to be trifled with
• **sem graça** *(desinteressante)* plain, *(sem graciosidade)* graceless
• **ser uma graça** to be sweet
• **ter/não ter graça** *(encanto)* to be/not to be charming, *(comicidade)* to be/not to be funny

gracejo *sm* joke, jest, witticism

gracinha *sf* a cute thing or person: ***ser uma gracinha*** to be cute

gracioso *adj* **1** *(encantador)* graceful, delicate **2** *(gratuito)* free

grade *sf (de janela e porta)* rail
▸ *pl* **grades** *(cadeia)* bars: ***pôr atrás das grades*** to put behind bars

graduação *sf* **1** *(divisão em escala graduada)* gradation **2** *(formatura)* graduation **3** *(lugar na hierarquia)* rank
• **curso de graduação** undergraduate course

graduado *adj* **1** *(dividido em graus)* graded **2** *(elevado na hierarquia)* high standing, superior
▸ *adj-sm,f* **1** *(formado em curso de graduação)* graduate **2** MIL graduate

gradual *adj* gradual, progressive

graduar *vtd* **1** *(dividir em graus)* to rank, to mark with degrees **2** *(dosar)* to stipulate the dosage **3** *(atribuir graus de avaliação)* to grade **4** *(diplomar)* to give a diploma to **5** MIL to graduate
▸ *vpr* **graduar-se** *(formar-se)* to graduate, to take a degree

gráfica *sf* print shop

gráfico *adj* graphic
▸ *sm* **gráfico 1** *(representação gráfica)* graphics **2** *(quem trabalha em gráfica)* printer

grã-fino *(pl* **grã-finos***)* *sm,f* socialite, hot shot

grafite *sm* graffiti *f* graphite

graffito *sm* graffiti

gralha *sf* ZOOL crow

grama *sm* gram: ***duzentos gramas de presunto*** two hundred grams of ham
▸ *sf* BOT grass

gramado *adj* grassy
▸ *sm* **gramado 1** *(terreno coberto de grama)* lawn **2** *(campo de futebol)* football field

gramar *vtd* to cover with grass

gramática *sf* grammar

grampeador *sm* stapler

grampear *vtd* **1** to staple **2** *(telefone)* to bug

grampo *sm* **1** *(para cabelos)* hair pin **2** *(para papéis)* paper clip, staple **3** *(interferência em telefone)* bug, tap

grana *sf (dinheiro)* dough

granada *sf* MIL grenade, bomb

grandalhão *adj-sm,f* enormous, a huge man/woman

grande *adj* **1** big, great: ***uma grande multidão*** a big crowd; ***uma casa grande*** a big house; ***um grande poeta*** a great poet **2** *(crescido)* big, tall **3** *(intenso, forte)* big, great, intense **4** *(alto)* high: ***grande velocidade*** high speed **5** *(bom, ótimo)* great: ***uma grande lição*** a great lesson; ***um grande remédio*** a great solution; ***um grande amigo*** a great friend **6** *(fundamental)* great, big: ***o grande segredo do negócio*** the great secret of the business **7** *(grave)* big: ***uma grande encrenca*** a big problem
▸ *smf* **grande 1** *(poderoso)* powerful **2** *(adulto, mais velho)* grand
▸ *interj* **grande!** great!
• **Catarina, a grande** Catherine the Great
• **grande João, como vai?** John, my friend, how are you doing?
• **Grande São Paulo** Greater São Paulo

grandeza *sf* greatness

grandioso *adj* grandiose, magnificent, grand

granel *sm loc* ***a granel*** in bulk, loose

granito *sm* granite

granizo *sm* hail

granja *sf* **1** *(pequena propriedade rural)* small farm **2** *(criatório de galinhas)* chicken farm

granjear *vtd* to gain, to obtain, to attract, to win

granulado *adj* granulated

grão *sm* **1** *(de cereal, de café, de areia etc.)* grain **2** *(de uva)* grape **3** *fig (quantidade mínima)* particle, minute portion, atom
▸ *adj* **grão** great, grand: ***Grã-Bretanha*** Great Britain; ***grão-duque*** grand-duke

grão-de-bico (*pl* **grãos-de-bico**) *sm* BOT chickpea

gratidão *sf* gratitude, thankfulness

gratificação *sf* tip, bonus

gratificante *adj* rewarding

gratificar *vtd-vtdi* **1** *(remunerar)* to tip, to reward **2** *(dar satisfação)* to gratify

gratinar *vtd* CUL to grate

grátis *adj* free: ***comida grátis*** free food
▸ *adv* for free: ***entrou grátis no show*** he got into the show for free

grato *adj* **1** *(agradecido)* grateful **2** *(agradável)* pleasant

gratuito *adj* **1** *(grátis)* free **2** *(infundado, sem motivo)* gratuitous, unnecessary

grau *sm* **1** FÍS degree **2** *fig (nível)* level, degree **3** *(posto hierárquico)* rank, station **4** *(teor de álcool)* grade
• **colar grau** to take a degree
• **ensino de 1º/2º/3º graus** elementary school, high school, higher education
• **graus de comparação** degrees of comparison
• **óculos de grau** glasses, spectacles *(to improve eyesight, not sunglasses)*

graúdo *adj* **1** *(grande)* large **2** *(vultoso)* big: ***dinheiro graúdo*** big money **3** *(influente)* influential, powerful

gravação *sf* **1** *(incisão)* engraving **2** *(registro de som)* record **3** *(disco, fita gravados)* recording

gravador *adj-sm,f (quem faz gravuras)* engraver
▸ *sm* **gravador** *(de som)* recorder

gravadora *sf* recording company/label

gravar *vtd-vtdi* **1** *(som)* to record **2** *(disco, CD)* to record **3** CINE to print, to burn **4** *(entalhar, esculpir)* to carve **5** *(fixar na memória)* to fix **6** INFORM to save
▸ *vpr* **gravar-se** *(fixar-se na memória)* to leave a deep impression

gravata *sf* **1** necktie, tie **2** *(golpe)* stranglehold

gravata-borboleta (*pl* **gravatas-borboletas**) *sf* bow tie

grave *adj* **1** *(som)* deep, bass **2** *(doença, erro, problema, dificuldade)* serious
▸ *sm (som)* bass: ***graves e agudos*** bass and treble

graveto *sm* twig

grávida *adj* pregnant
▸ *sf* pregnant woman

gravidade *sf* **1** *(atração de planeta)* gravity **2** *(de doença, de erro, de problema, de situação)* seriousness

gravidez *sf* pregnancy

gravitar *vti* to gravitate

gravura *sf* **1** *(incisão)* engraving **2** *(estampa)* print

graxa *sf* **1** QUÍM grease **2** *(de sapato)* shoe polish

graxo *adj* fatty

Grécia *sf* Greece

grego *adj-sm,f* Greek, Grecian
• **para mim, isso é grego** *fig* this is Greek to me

grelha *sf* grill

grelhado *adj* grilled

grêmio *sm* **1** *(associação esportiva)* society **2** *(em escola)* fraternity, students' association

greve *sf* strike
• **entrar em greve** to go on strike
• **fazer greve** to strike
• **greve de fome** hunger strike

grevista *adj-smf* striker

grifar *vtd* to italicize, to emphasize

grife *sf* griffe

grifo *sm (itálico)* italics

grilado *adj* **1** *pop (encucado)* worried, anxious **2** *(terreno)* illegally occupied

grilar *vtd* **1** *pop (deixar encucado)* to worry **2** *(terras)* to squat

▸ *vpr* **grilar-se** to worry

grilo *sm* 1 ZOOL cricket 2 *fig (preocupação, ansiedade)* worry, problem, something that makes one anxious

grinalda *sf* garland

gringo *adj-sm,f (estrangeiro)* foreigner

gripado *adj* taken with the flu

gripar *vtd* to catch the flu
▸ *vpr* **gripar-se** to catch the flu

gripe *sf* the flu

grisalho *adj (cabelos)* grey
▸ *adj-sm,f (pessoa)* grey-haired, grey-headed

gritante *adj* 1 *(clamoroso)* crying, shouting 2 *(evidente)* flagrant, patent 3 *(berrante-cor)* vivid, loud

gritar *vi* 1 *(emitir gritos)* to shout, to scream 2 *(reclamar)* to complain, to potest
• **gritar com alguém** to shout/yell at someone

gritaria *sf* shouting, screaming

grito *sm* 1 shout 2 *(de animais)* howl 3 *fig (clamor)* outcry

grogue *sm* grog
▸ *adj* groggy

grosa *sf* 1 *(doze dúzias)* gross 2 *(lima)* rasp file

grosseiro *adj* 1 *(malfeito)* gross, badly executed 2 *(rústico, áspero)* gross, rough, coarse, crude, rustic
▸ *adj-sm,f (indelicado)* rude, impolite

groselha *sf* 1 BOT currant 2 *(xarope)* red currant syrup

grosseria *sf* rudeness

grosso *adj* 1 *(de grande diâmetro)* bulky 2 *(espesso, denso)* thick 3 *(largo)* thick: ***parede grossa*** thick wall; ***livro grosso*** thick book; ***sola grossa*** thick sole 4 *(áspero)* coarse: ***mão grossa*** coarse hand 5 *(encorpado)* thick, heavy: ***tecido, papel grosso*** thick, fabric, paper 6 *(vultoso)* large: ***grossa soma de dinheiro*** large sum of money 7 *(importante, grave)* big, considerable: ***briga grossa*** a big fight
▸ *adj-sm,f (grosseiro)* rude, impolite
▸ *sm* **grosso** *(a maior parte)* the thickest part
• **falar grosso** *(com voz grossa)* to have a deep voice, *(com autoridade)* to boss the show

grossura *sf* 1 *(diâmetro, espessura, altura, largura)* thickness 2 *(aspereza)* roughness 3 *pop (grosseria)* rudeness, impoliteness

grotesco *adj-sm,f* grotesque

grudar *vtdi* 1 to glue, to paste 2 *(encostar muito)* to cling *(onto)*
▸ *vi* 1 *(ser grudento)* to be clinging 2 *fig (ser aceito)* to be well received
• **grudar-(se) a/em alguém** to stick to someone, to cling to someone

grude *sf* 1 *(cola)* glue, paste 2 *(apego)* clinging relationship 3 *(comida ruim)* chow, food, plain meal

grudento *adj* sticky, clinging

grumo *sm* clot, clump

grunhir *vi* 1 to grunt 2 *(resmungar)* to grumble

grupo *sm* 1 *(de pessoas)* group, bunch 2 *(conjunto de coisas)* set 3 *(de empresas)* group 4 *pop (mentira)* lie
▪ **grupo (escolar)** high school
▪ **grupo sanguíneo** blood group

gruta *sf* cave

guache *sm* gouache

guaraná *sm* 1 BOT guarana 2 *(bebida)* guarana

guarda *sf* 1 guard 2 *(custódia judicial)* custody: ***confiar a guarda de algo a alguém*** to give the custody of something to someone; ***viver sob a guarda dos pais*** to live under the custody of the parents 3 *(vigilância)* watch, vigilance 4 *(corpo de guardas)* guard: ***guarda municipal*** municipal guard
▸ *smf* 1 *(vigilante)* watchman 2 *(policial)* constable
• **baixar a guarda** to lower the guard
• **estar de guarda** to be on guard
• **ter a guarda dos filhos** to have the custody of the children
• **jovem/velha guarda** old/young folks
• **montar guarda** to mount guard

guarda-chuva (*pl* **guardas-chuvas**) *sm* umbrella

guarda-costas (*pl* **guarda-costas**) *sm* bodyguard

guardador *sm,f (de carros)* car watcher

guarda-florestal (*pl* **guardas-florestais**) *sm* forest ranger

guardanapo *sm* napkin

guarda-noturno (*pl* **guardas-noturnos**) *sm* night watchman

guardar *vtd* **1** *(tomar conta, vigiar)* to keep, to guard **2** *(pôr em lugar apropriado)* to put away **3** *(reter na memória)* to remember, to put to memory
▸ *vtd-vtdi* **1** *(proteger, defender)* to keep, to guard, to protect, to defend **2** *(reservar)* to save, to stow away
• **guardar lugar** to keep a place
• **guardar o leito** to keep to one's bed
• **guardar segredo** to keep a secret
• **guardar silêncio** to keep silent

guarda-roupa (*pl* **guarda-roupas**) *sm* **1** closet, wardrobe **2** TEATRO cloakroom, wardrobe

guarda-sol (*pl* **guarda-sóis**) *sm* **1** *(sombrinha)* umbrella **2** *(de praia)* parasol

guarda-volumes (*pl* **guarda-volumes**) *sm* cloakroom

guardião (*pl* **–ões/ães**) *smf* guardian

guarita *sf* lookout, sentry box

guarnecer *vtd* to garnish

guarnição *sf* **1** crew, decoration **2** MIL garrison **3** CUL side dish

gude *sm* game of marbles
• **bola de gude** marble

guerra *sf* war
• **guerra de nervos** war of nerves
• **velho de guerra** old fox

guerrear *vi* to wage war

guerreiro *adj-sm,f* **1** warlike, warrior **2** *fig* *(batalhador)* hard-working, hard worker

guerrilha *sf* guerrilla

guerrilheiro *sm,f* guerrilla, bushwhacker, insurgent

gueto *sm* ghetto

guia *sf* **1** *(documento, formulário)* form **2** *(autorização)* permit, form: ***guia de internação*** internment form **3** *(trela)* lead **4** *(meio-fio)* kerb
▸ *smf* **1** *(cicerone)* guide, cicerone **2** *(orientador)* counselor, guide
▸ *sm* **1** *(manual)* manual **2** *(roteiro)* guide: ***guia da cidade de São Paulo*** city of São Paulo guide **3** RELIG spiritual guide
• **guia de turismo** tourist guide
• **guia rebaixada** lowered kerb

guiar *vtd-vtdi* **1** *(mostrar o caminho)* to guide **2** *(orientar)* to counsel
▸ *vtd-vi* *(dirigir veículo)* to drive
▸ *vpr* **guiar-se** *(orientar-se)* to guide oneself, to take one's bearings

guichê *sm* booth, ticket office, information counter

guidom *sm* handlebar

guilhotina *sf* **1** guillotine **2** *(de tipografia)* paper cutter

guinada *sf* veer, lurch, shift, sudden change of position

guinchar *vi* to squeal
▸ *vtd* to winch

guincho *sm* **1** *(som)* screech **2** *(reboque)* winch, tow truck
• **sujeito a guincho** may be towed away

guindaste *sm* crane

guirlanda *sf* wreath

guisado *sm* CUL stew

guitarra *sf* *(elétrica)* electric guitar

guitarrista *smf* guitar player, guitarrist

gula *sf* gluttony

gulodice *sf* **1** *(gula)* gluttony **2** *(doce)* delicacy

guloseima *sf* treats, sweets

guloso *adj* gluttonous

gume *sm* cutting edge

guri *sm,f* a boy, a girl, a kid

guru *sm* guru
▸ *smf* *(mentor)* mentor, spiritual leader

gutural *adj* guttural

H

habeas corpus *sm* habeas corpus
hábil *adj* able, fit, skilful
habilidade *sf* skill, craft, ability
habilidoso *adj* skillful
habilitação *sf* 1 *(capacidade)* capability, skill 2 *(qualificação)* qualification 3 *(carteira de motorista)* driver's license
habilitar *vtd-vtdi* to enable, to qualify, to prepare
habitação *sf* 1 house, dwelling 2 housing
habitacional *adj* pertaining to housing
habitante *adj-smf* inhabiting, inhabitant, resident
habitar *vtd-vti* to inhabit, to occupy, to live in, to dwell in
hábitat *sm* habitat
hábito *sm* 1 *(costume)* habit 2 *(roupa)* dress, garb, costume
habitual *adj* usual, frequent, regular
habituar *vtdi* to accustom: ***habituar alguém a algo*** to accustom someone to something
▸ *vpr* **habituar-se a fazer algo** to accustom oneself to doing something, to get used to doing something
hálito *sm* breath
• **mau hálito** bad breath
hall *sm* hall, foyer
haltere [*sm* dumbbell, weight
halterofilismo *sm* weightlifting
hambúrguer *sm* hamburguer
handebol *sm* ESPORTE handball
hangar *sm* hangar
haras *sm inv* stud farm
harém *sm* harem
harmonia *sf* harmony, concord, accord
harmônica *sf (sanfona)* accordion, concertina
harmonioso *adj* harmonious, well-proportioned, concordant
harmonizar *vtdi* to harmonize
▸ *vpr* **harmonizar-se** to get into harmony
harpa *sf* MÚS harp
hasta *sf* auction: ***pôr em hasta pública*** to put up for auction
haste *sf* 1 rod, shaft 2 *(pau da bandeira)* flagpole 3 *(caule)* stem 4 *(de óculos)* side
hastear *vtd (bandeira)* to raise, to fly
havaiano *adj* Hawaiian
havana *adj inv (cor)* light-brown
▸ *sm (charuto)* Havana cigar
haver *v imp* 1 there to be: ***não havia dinheiro na carteira*** there was no money in the wallet 2 *(fazer)* to be: ***há vários anos não o vejo*** it's been years since I saw him last
▸ *v aux* 1 have: ***a festa mal havia começado, e ele já estava bêbado*** the party had barely started, and he was already drunk 2 shall, will: ***hei de vencer*** I shall succeed
▸ *vpr* **haver-se** to get even: ***haver-se com alguém*** to get even with someone
• **haja o que houver...** come what may...
• **há/não há como** there's a way/there's no way
• **haver por bem** to see fit
• **não há de quê** you're welcome, don't mention it
haveres *sm pl* property, wealth

haxixe *sm* hashish
hebraico *adj-sm,f* Hebrew
▸ *sm* Hebrew
hebreu *adj-sm,f* Hebrew
hectare *sm* hectare
hediondo *adj* hideous
hegemonia *sf* hegemony
hélice *sf* propeller
helicóptero *sm* helicopter
heliporto *sm* heliport
hematoma *sm* bruise
hemisfério *sm* hemisphere
hemocentro *sm* hemocenter
hemofilia *sf* hemophilia
hemorragia *sf* hemorrhage, bleeding
hemorroidas *sf pl* hemorrhoids, piles
hepatite *sf* hepatitis
hera *sf* ivy
herança *sf* inheritance, heritage
herbívoro *adj* herbivorous
herdar *vtd-vtdi* 1 *(bens)* to inherit 2 *(características)* to inherit
herdeiro *sm,f* heir, heiress
hereditário *adj* hereditary
heresia *sf* 1 RELIG heresy 2 *fig* heresy
hermético *adj* 1 *(bem vedado, fechado)* tight 2 *(obscuro, impenetrável)* hermetic
hérnia *sf* MED hernia
▪ **hérnia de disco** slipped disc
▪ **hérnia estrangulada** strangulated hernia
herói *sm* hero, heroine
heroico *adj* heroic
heroína *sf (droga)* heroin
heroísmo *sm* heroism
herpes *sm* MED herpes
hesitação *sf* hesitation, tentativeness
hesitante *adj* hesitant, tentative
hesitar *vi-vti* to hesitate
heterogêneo *adj* heterogeneous
heterossexual *adj-smf* heterosexual
hiato *sm* 1 GRAM ANAT hiatus 2 *fig (lacuna)* gap
hibernar *vi* to hibernate
híbrido *adj* hybrid
hidrante *sm* fire hydrant
hidratação *sf* hydration
hidratante *adj-sm* hydrating, moisturizer
hidráulico *adj* hydraulic
hidravião *sm* hydroplane
hidrelétrica *sf* hydroelectric power plant
hidrofobia *sf* hydrophobia, rabies
hidrogênio *sm* hydrogen
hidromassagem *sf* hydro massage
hidrômetro *sm* hydrometer
hiena *sf* hyena
hierarquia *sf* hierarchy
hieróglifo *sm* 1 hieroglyph 2 *fig* illegible handwriting
hífen (*pl* **hifens**) *sm* hyphen
higiene *sf* hygiene
• **higiene mental** mental hygiene
• **higiene pessoal** personal hygiene
higiênico *adj* hygienic
hindu *adj-smf* Hindu
hino *sm* 1 hymn 2 anthem
hipermercado *sm* hypermarket
hipertensão *sf* hypertension
hipismo *sf* horsemanship, equestrianism
hipnótico *adj* hypnotic
hipnotizar *vtd* to hypnotize
hipocondríaco *adj* hypochondriac
hipocrisia *sf* hypocrisy
hipócrita *adj-smf* hypocrite
hipódromo *sm* horse race track
hipopótamo *sm* hippopotamus
hipoteca *sf* mortgage
hipótese *sf* hypothesis
hippie *adj-smf* hippie
hispânico *adj* Hispanic
histeria *sf* hysteria
histérico *adj* hysterical
história *sf* 1 *(geral, do Brasil etc.)* history 2 *(de crianças)* story, tale 3 *(caso, anedota)* anecdote 4 *(enredo)* storyline, plot 5 *(lorota)* tall tale 6 *(confusão)* mess 7 *(conversa)* stories
• **chega de história!** no more stories!

• **história da carochinha** fairy tale
• **história em quadrinhos** comic strip, comics
• **história para boi dormir** old wives' tale
• **ser cheio de histórias** to be full of baloney

historiador *sm,f* historian

histórico *adj* historic, historical
▸ *sm* **histórico** account, report, case history

hobby *sm* hobby

hoje *adv* 1 today 2 *(atualmente)* currently
• **de hoje (da atualidade)** present day
• **de hoje a dois dias** in two days
• **hoje em dia** nowadays, these days

Holanda *sf* Holland

holandês *adj-sm,f* Dutch, Dutchman

hollerith *sm* pay slip, pay check *(AmE)*

holofote *sm* 1 searchlight 2 *pop (nádega)* buttocks

homem *sm* 1 *(varão)* man, male 2 *(ser humano)* human being 3 *(marido, amante)* man
• **de homem para homem** from man to man

homenagear *vtd* to honor

homenagem *sf* homage

homeopatia *sf* homeopathy

homérico *adj* 1 Homeric 2 *fig (enorme, importante)* homeric

homicídio *sm* homicide, murder

homilia *sf* RELIG homily

homogêneo *adj* homogeneous

homologar *vtd* to homologate, to approve

homossexual *adj-smf* homosexual

honestidade *sf* honesty

honesto *adj* honest

honorário *adj* honorary
▸ *sm pl* **honorários** fees

honra *sf* 1 *(consideração)* respect 2 *(honraria)* honour
▸ *pl* **honras** courtesies rendered
• **a que devo a honra de sua visita?** to what do I owe the honour of your visit?
• **fazer algo em honra de alguém** to do something in honour of someone
• **fazer as honras da casa** to do the honours
• **lugar de honra** place of honour

honrado *adj* honourable, honoured
• **sentir-se honrado por algo** to feel honoured for something

honrar *vtd* to honour
• **honrar a palavra dada** to honour one's word
• **honrar uma dívida** to honour a debt

honraria *sf* honour, distinction

honroso *adj* honourable

hora *sf* 1 *(60 minutos)* hour 2 *(ocasião)* time: ***está na hora de ir embora*** it's time to leave 3 *(momento)* moment: ***na hora, não percebi o engano*** at that moment, I didn't notice the mistake 4 *(momento oportuno)* opportunity, time: ***aproveite, chegou sua hora*** make the best of it, your time has come
• **100 km por hora** 100 km an hour
• **a toda hora** every moment
• **altas horas** in the wee hours
• **chegar/começar/terminar na hora** to arrive/start/end on time
• **de uma hora para outra** suddenly, from one moment to the next
• **em boa/má hora** in a good/bad moment
• **estar pela hora da morte** to be very expensive
• **fazer algo antes da hora** to do something early or too early
• **fazer hora** to kill time
• **fora de hora** at the wrong time
• **hora de pico/do *rush*** rush hour
• **hora do almoço/do jantar/do lanche** lunch/dinner/snack time
• **hora extra** overtime
• **hora local** local time
• **horas e horas** hours and hours
• **isto são horas?** do you know what time it is?
• **já estava na hora!** it was about time!
• **marcar hora com alguém** to make an appointment with someone
• **meia hora** half an hour
• **na hora certa/errada** at the right/wrong time
• **na hora H** in the nick of time
• **na primeira hora** first thing in the morning

• **não ver a hora de** to be hardly able to wait for
• **nas horas vagas** in one's free time, in one's leisure hours
• **nas primeiras horas da manhã/da tarde/da noite** first thing in the morning/afternoon/evening
• **que horas são?** what time is it?
• **ser da hora** to be great
• **tem horas?** what time have you got?

horário *adj (por hora)* hourly
▸ *sm* **horário 1** schedule: ***horário das aulas*** class schedule **2** timetable: ***perguntei o horário dos ônibus*** I've asked about the bus timetable
• **horário de verão** summer time, daylight-saving time *(AmE)*
• **horário nobre** prime time
• **sentido anti-horário** anti-clockwise
• **sentido horário** clockwise

horizontal *adj* horizontal
• **na horizontal** horizontal, level *(deitado)* lying

horizonte *sm* **1** horizon **2** *fig* horizon

hormônio *sm* hormone

horóscopo *sm* horoscope

horrendo *adj* horrendous

horripilante *adj* horrifying

horrível *adj* horrible

horror *sm* **1** horror **2** *(medo, repulsa)* loathing **3** *fig* a horror: ***esse vestido é um horror*** this dress is a horror

horrorizar *vtd-vi* to horrify, to appall
▸ *vpr* **horrorizar-se** to be/get frightened

horroroso *adj* **1** *(muito feio)* horrific **2** *(muito ruim)* dreadful

horta *sf* vegetable garden

hortaliça *sf* vegetable, greens

hortênsia *sf* BOT hydrangea
sm **1** vegetable garden **2** a kind of park

hospedagem *sf* **1** *(acolhida)* hospitality, accommodation: ***dar hospedagem a alguém*** to provide someone with accommodation, to put someone up **2** *(hospedaria)* lodging

hospedar *vtd* to lodge
▸ *vpr* **hospedar-se** to stay

hospedaria *sf* boarding house, hostel

hóspede *smf* guest

hospedeiro *adj-sm,f* **1** landlord **2** BIOL host

hospício *sm* madhouse

hospital *sm* hospital
▪ **hospital de clínicas** general hospital
▪ **(hospital de) pronto-socorro** emergency hospital
• **sair do hospital** *(ter alta)* to be released from hospital, to be discharged from the hospital

hospitaleiro *adj* hospitable

hospitalidade *sf* hospitality

hospitalização *sf* hospitalization

hospitalizado *sm,f* hospitalized, in hospital

hospitalizar *vtd* to hospitalize
▸ *vpr* **hospitalizar-se** to take oneself to the hospital, to be hospitalized

hóstia *sf* RELIG host, holy bread

hostil *adj* hostile

hostilidade *sf* hostility

hot dog *sm* hot dog

hotel *sm* hotel

hotelaria *sf* **1** *(conjunto de hotéis)* chain of hotels **2** *(gestão de hotéis)* hotel management

hoteleiro *adj* hotel and catering: ***setor hoteleiro*** hotel and catering sector
▸ *sm,f* hotel owner

humanidade *sf* **1** mankind **2** *(benevolência)* humanity
▸ *pl* **humanidades** humanities

humanismo *sm* humanism

humanitário *adj* humanitarian

humano *adj* **1** human **2** *(bondoso, humanitário)* humane

humanizar *vtd* to humanize
▸ *vpr* **humanizar-se 1** to become a human being **2** to become humane

humildade *sf* humility

humilde *adj* **1** humble, meek **2** *(pobre)* poor, humble

humilhação *sf* humiliation

humilhante *adj* humiliating

humilhar *vtd* to humiliate
▸ *vpr* **humilhar-se** to eat humble pie

humor *sm* humour, mood, disposition • **estar de bom/mau humor** to be in good/bad mood

humorismo *sm* humour

humorista *smf* humorist, comedian

humorístico *adj* funny, comedy: ***programa humorístico*** comedy program

húmus *sm* humus

húngaro *adj-sm,f* Hungarian ▸ *sm* **húngaro** Hungarian

I

ianque *smf* yankee

iate *sm* yacht

ibérico *adj* Iberian

IBOPE *abrev* Fundação Instituto Brasileiro de Opinião Pública e Estatística (Brazilian Foundation Institute for Public Opinion and Statistics)
▸ *sm* **ibope** popularity: ***dar/não dar ibope*** to be/not to be successful or popular

ícone *sm* **1** icon **2** INFORM icon **3** *fig* icon, important person

icterícia *sf* MED jaundice

ida *sf* departure, going
• **viagem de ida e volta** round trip
• **ida rápida** quick trip

idade *sf* age, time, epoch
• **Idade Média** Middle Ages

ideal *adj* ideal
▸ *sm* **1** ideal: ***qual é seu ideal?*** what is your ideal? **2** ideal, best: ***o ideal seria mudarmos daqui*** it would be best if we moved from here

idealismo *sm* idealism

idealista *smf* idealist

idealizar *vtd* idealize

ideia *sf* **1** idea, notion **2** *(mente)* mind: ***pôs na ideia que queria ir embora*** he put it into his mind that he wanted to leave **3** *pop (cabeça)* head
• **dar uma ideia** to give an idea
• **ideia fixa** fixed idea, obsession
• **ideia preconcebida** preconceived idea
• **mudar de ideia** to change one's mind
• **não ter (a menor) ideia de algo** to have no idea about something, not to have a clue
• **ter uma ideia de alguém/algo** to have an opinion about someone/something
• **trocar ideias** to talk to someone

idem *pron* **1** ditto **2** also, too, the same: ***– Estou com frio. – Idem*** – I'm cold. – Me too.

idêntico *adj* identical

identidade *sf* identity

identificação *sf* **1** *(igualdade)* identification **2** *(reconhecimento)* identification, recognition

identificar *vtd-vtdi (tornar idêntico)* identify
▸ *vtd* **1** *(reconhecer)* to identify, to recognize, to spot **2** *(fazer reconhecer)* to identify: ***o corte do cabelo identifica a gangue*** the haircut identifies the gang
▸ *vpr* **identificar-se 1** *(tornar-se idêntico)* to identify oneself with **2** *(fazer-se reconhecer)* to identify oneself as: ***identifique-se, por favor*** identify yourself, please **3** *(combinar, ajustar-se)* to identify with

ideologia *sf* ideology

idílio *sm* idyll

idioma *sf* language, tongue, idiom
• **escola de idiomas** language school

idiota *adj-smf* idiot, stupid, silly

idiotice *sf* stupidity, foolishness, idiocy

idolatrar *vtd* idolize, worship, adore

ídolo *sm* idol

idôneo *adj* competent, suitable, incorrupt

idoso *adj-sm,f* old, aged, elder, senior

iglu *sm* igloo

ignição *sf* **1** ignition **2** *(peça de auto)* ignition

ignorância *sf* **1** *(falta de instrução)* ignorance, lack of education **2** *(desconhecimento)* ignorance, lack of awareness:

estar na ignorância de um fato to be ignorant of a fact

ignorante *adj-smf* 1 *(sem instrução)* ignorant, uneducated, ignoramus 2 *(sem conhecimento)* ignorant, uninformed, unaware 3 *(grosseiro)* rude, violent, bully

ignorar *vtd* 1 *(desconhecer)* to ignore, not to know 2 *(não dar atenção)* to ignore, to overlook, to disregard: ***ele me ignorou*** he ignored me

igreja *sf* 1 *(comunidade de religiosos)* religious community, church 2 *(templo cristão)* church

• **casar na igreja** to marry in church

igual *adj* 1 equal, identical, alike, same 2 *(uniforme)* even, uniform: ***uma superfície igual*** an even surface

▸ *smf* equal, peer

• **de igual para igual** between equals

• **por igual** equally

• **ser sem igual** to have no equal, to be peerless

igualar *vtd-vtdi* 1 *(tornar igual)* to equalize, to make equal, to identify 2 *(equiparar, comparar)* to equate, to compare 3 *(uniformizar)* to make even, to level

▸ *vpr* **igualar-se** 1 *(tornar-se igual)* to be/become to the same as 2 *(equiparar-se, comparar-se)* to be on the level with, to be equal to, to be a match for, to be comparable to 3 *(tornar-se uniforme)* to become even, to even out

igualdade *sf* 1 equality, sameness 2 *(uniformidade)* uniformity

• **em pé de igualdade** on the same level

igualmente *adv* likewise, equally

• **– Prazer em conhecê-lo. – Igualmente.** – Nice to meet you. – Likewise.

ilegal *adj* illegal

ilegítimo *adj* 1 *(filho)* illegitimate, bastard 2 *(sem fundamento)* illegitimate, unwarranted

ilegível *adj* illegible, unreadable

ileso *adj* unhurt, uninjured, unscathed, unharmed

• **sair ileso** to come off unharmed

ilha *sf* 1 GEOGR island, isle 2 *(em avenida)* traffic island

ilhó *sm* eyelet

ilícito *adj* illicit, illegal, forbidden

ilimitado *adj* unlimited, boundless

Ilmo., (Ilustríssimo) *abrev* Most illustrious

iludir *vtd* to deceive, to mislead

▸ *vpr* **iludir-se** to fool oneself

iluminação *sf* 1 illumination, lighting 2 enlightenment

iluminar *vtd* 1 to illuminate, to brighten, to light (*up*) 2 *(esclarecer, guiar)* to enlighten, to throw light 3 *fig (alegrar)* to brighten, to light up

▸ *vpr* **iluminar-se** 1 to become enlightened, to become inspired 2 *(alegrar-se)* to brighten up

ilusão *sf* illusion

ilusionista *smf* illusionist, magician

ilusório *adj* illusory, misleading, deceptive

ilustração *sf* 1 *(conhecimento, saber)* knowledge, erudition 2 *(esclarecimento, comentário)* illumination, clarification, elucidation 3 *(desenho, gravura)* illustration, picture

ilustrar *vtd* 1 *(tornar ilustre)* to make illustrious 2 *(transmitir conhecimento)* to transmit knowledge to, to instruct 3 *(exemplificar, esclarecer)* to illustrate, to explain, to clarify 4 *(inserir estampas)* to illustrate

ilustrativo *adj* illustrative, elucidative

ilustre *adj* illustrious, distinguished, eminent

ilustríssimo *adj* most illustrious

• **ilustríssimo senhor** Dear Sir

ímã *sm* magnet

imaculado *adj* immaculate, pristine, spotless, pure

imagem *sf* 1 *(gravada, pintada etc.)* image, drawing, painting 2 *fig (retrato, representação)* picture 3 *(reputação)* reputation: ***gozar de boa imagem*** to have a good reputation 4 *(modo de expressão)* image, metaphor: ***imagem poética*** poetic image

imaginação *sf* imagination

imaginar *vtd* 1 *(conceber, idear)* to imagine, to conceive, to create in one's mind 2 *(visualizar)* to imagine, to visualize, to picture 3 *(supor)* to imagine, to suppose: ***imagino que você queira mais dinheiro***

I suppose you want more money **4** *(conjecturar)* to conjecture, to imagine, to think: ***imagine só se ele aparecesse agora*** just imagine if he shows up now
▸ *vpr* **imaginar-se 1** *(julgar-se)* to picture oneself **2** *(prefigurar-se)* to imagine oneself
• **imagine!** just imagine!
• **quem teria imaginado?** who would have thought?

imaginário *adj* **1** imaginary, fictional **2** imagery: ***o imaginário poético de Shakespeare*** Shakespeare's poetic imagery

imaginativo *adj* imaginative, creative

imaturo *adj* immature

imbatível *adj* unbeatable

imbecil *adj-smf* imbecile, stupid, idiot

imbecilidade *sf* imbecility, stupidity, idiocy

imberbe *adj* beardless, unbearded

imbuir *vtdi* to imbue
▸ *vpr* **imbuir-se** to become imbued

imediações *sf pl* surroundings, environs

imediatamente *adv* **1** *(já)* immediately, instantly, at once **2** *(logo)* shortly: ***imediatamente depois de algo*** shortly after something

imediato *adj* **1** *(sem demora)* immediate, prompt **2** *(seguinte)* coming, next **3** *(direto)* direct **4** *(contíguo)* contiguous, close
• **de imediato** right away, at once, immediately

imensidão *sf* immenseness, vastness

imenso *adj* immense, enormous, huge

imergir *vtd-vtdi-vi* *(afundar)* to immerse, to dip, to plunge
▸ *vtd-vtdi (mergulhar)* to submerge

imersão *sf* immersion

imerso *adj* **1** *(afundado, mergulhado)* immersed, submerged, sunk, plunged **2** *fig (absorto)* absorbed

imigração *sf* immigration

imigrante *adj-smf* immigrant

imigrar *vi* to immigrate

iminência *sf* imminence
• **estar na iminência de** to be on the edge of, to be about to

iminente *adj* imminent, about to happen

imiscuir-se *vpr* to meddle with, to interfere

imitação *sf* **1** imitation **2** *(de joia, pedra preciosa)* trinket, costume jewellery
• **à imitação de** after

imitador *adj-sm,f* impersonator, copy-cat

imitar *vtd* **1** to imitate **2** *(falsificar)* to fake, to forge: ***imitar uma assinatura*** to fake a signature **3** to imitate, to reproduce: ***uma bijuteria que imita a pérola*** a piece of jewelry which imitates pearls

imobiliária *sf* real estate office, real estate agency

imobilidade *sf* stillness, immobility

imobilizar *vtd* **1** *(membro)* to immobilize **2** *(pessoa, coisa)* to immobilize **3** *fig (paralisar)* to paralyse

imolar *vtd* to immolate, to sacrifice

imoral *adj* immoral

imoralidade *sf* immorality

imortal *adj* immortal
▸ *smf* **1** immortal **2** *(membro da Academia)* member of the Brazilian Academy of Letters

imortalidade *sf* immortality

imortalizar *vtd* to immortalize
▸ *vpr* **imortalizar-se** to distinguish oneself

imóvel *adj* immovable, unmoving, motionless, still
▸ *sm* **imóvel** property, real estate
▪ **imóvel rural** agrarian property
• **bens imóveis** properties, real estate

impaciência *sf* impatience, restlessness

impacientar *vtd* to to irritate, to aggravate, to make impatient, to exhaust someone's pacience
▸ *vpr* **impacientar-se** to grow impatient

impaciente *adj* impatient, restless

impacto *sm* **1** *(choque, colisão)* impact, shock **2** *fig (de acontecimento)* impact, impingement

impagável *adj (engraçado)* priceless

ímpar *adj* **1** *(não par)* odd **2** *fig (sem igual)* unique, unrivalled, unparalleled, unequaled

imparcial *adj* impartial, unbiased

impasse *sm* impasse, deadlock, stalemate: ***estar num impasse*** to be at an impasse

impassível *adj* impassible, impassive, unaffected, undisturbed

impecável *adj* impeccable, flawless, irreproachable

impedido *adj (tráfego)* blocked, obstructed

impedimento *sm* **1** impediment, hindrance, impeachment **2** ESPORTE offside

impedir *vtd-vtdi* **1** *(não permitir)* to prevent, to stop, to impede **2** *(dissuadir)* to keep from: ***impediram-no de demitir-se*** they kept him from resigning **3** *(obstar, opor-se a)* to stop: ***nada impede que eu diga isso*** nothing stops me from saying this **4** *(atrapalhar)* to hinder, to block, to obstruct: ***impedir a passagem*** to block the way

• **isto não impede que** this doesn't prevent something/someone from

impelir *vtd* **1** *(empurrar)* to push, to impel **2** *(estimular)* to encourage, to stimulate

impenetrável *adj* impenetrable, impregnable

impensado *adj* unintended, thoughtless

impensável *adj* unthinkable, inconceivable

imperador *sm,f* emperor, empress

imperar *vi* **1** to reign, to rule **2** *fig* to dominate

imperativo *adj* imperative, mandatory

▸ *sm* **imperativo** GRAM imperative form, imperative tense

imperceptível *adj* imperceptible, unnoticeable

imperdível *adj* not to be missed

imperdoável *adj* inexcusable, unforgivable, unpardonable

imperfeição *sf* imperfection, defect

imperfeito *adj* imperfect, defective

▸ *sm* **imperfeito** GRAM imperfect tense

imperial *adj* imperial

imperialismo *sm* imperialism

imperícia *sf* unskilfulness, incompetence

império *sm* **1** empire **2** *fig* empire, domain

imperioso *adj* imperious

impermeável *adj* **1** waterproof, impervious **2** *fig* impervious *(to any kind of influence)*

▸ *sm* trench-coat, raincoat

impertinência *sf* impertinence, flippancy

impertinente *adj* impertinent, insolent, arrogant

imperturbável *adj* unshakeable

impessoal *adj* impersonal, not personal

ímpeto *sm* impetus, impulse, thrust

impetrar *vtd* DIR to plead, to petition, to impetrate, to obtain by petition

impetuoso *adj* impetuous, impulsive, dashing

impiedade *sf* **1** impiety, ungodliness **2** mercilessness, ruthlessness

impiedoso *adj* merciless, ruthless, pitiless

impingir *vtdi* **1** to impose, to inflict **2** *(mercadoria)* to foist something on someone

implacável *adj* **1** relentless **2** unforgiving, pitiless

implantação *sf* **1** MED implant **2** *(instauração, estabelecimento)* implantation, establishment

implantar *vtd* **1** MED to implant **2** *(estabelecer, instaurar)* to implant, to establish

▸ *vpr* **implantar-se** *(estabelecer-se)* to take root, to establish oneself

implante *sm* MED implant

implementar *vtd* to implement, to deploy

implemento *sm* implement

• **implementos agrícolas** agricultural machinery

implicação *sf* implication, involvement

implicar *vtd* **1** *(acarretar)* to imply, to entail, to bring about **2** *(envolver)* to involve, to implicate, to imply

▸ *vti* to tease or annoy continually: ***implicar com alguém*** to tease someone

implícito *adj* implicit, implied, unspoken

implodir *vtd* to implode, to cause to burst or collapse inward
▸ *vi* to burst or collapse inward

implorar *vtd-vtdi-vi* to implore, to beg, to supplicate

implosão *sf* implosion

imponderável *adj* imponderable

imponente *adj* imponent, imposing, impressive, stately

impopular *adj* unpopular

impor *vtd-vtdi* to impose
▸ *vpr* **impor-se** 1 *(fazer-se respeitar)* to impose oneself 2 *(fazer-se reconhecer)* to succeed: ***o produto não se impôs no mercado*** the product didn't succeed on the market 3 *(tornar-se obrigatório, necessário)* to be/to become indispensible

importação *sf* import

importadora *sf* importer, international merchant

importância *sf* 1 importance 2 *(quantia)* amount, sum
• **coisa de pouca importância** of little importance, trifle
• **dar muita/pouca importância a algo/alguém** to think something/someone important/unimportant
• **não ter a mínima importância** to be insignificant, to be of no account

importante *adj* 1 important 2 *(prestigioso)* prestigious, prominent
▸ *sm* important thing: ***o importante é...*** the important thing is...

importar *vi-vti* 1 *(ter importância)* to matter, to be of consequence 2 *(interessar)* to matter: ***não importa*** it doesn't matter
▸ *vtd-vi* *(trazer para dentro do país)* to import
▸ *vti* **importar em** to result in, to amount to
▸ *vpr* **importar-se** to care

importunar *vtd* to disturb, to bother, to annoy, to nag

importuno *adj* 1 *(maçante)* tiresome, boring, annoying 2 *(inoportuno)* unwelcome, obtrusive

imposição *sf* imposition

impossibilidade *sf* impossibility

impossível *adj* 1 impossible 2 *(insuportável)* intolerable 3 *(travesso)* naughty, unmanageable

imposto *adj* *(obrigatório)* imposed, forced
▸ *sm* **imposto** tax
▪ **imposto de renda** income tax
▪ **imposto predial e territorial urbano** urban property tax
▪ **imposto sobre circulação de mercadorias e serviços** value-added tax on sales and services, sales tax

impostor *sm,f* phoney, impostor, faker, cheat

impotência *sf* 1 impotence, powerlessness, helplessness 2 *(incapacidade para a cópula)* impotence, male sexual incapacity

impotente *adj* 1 powerless, unable, helpless 2 *(incapaz para a cópula)* impotent, incapable of engaging in sexual intercourse *(male)*

impraticável *adj* unfeasible

imprecisão *sf* inaccuracy, imprecision

impreciso *adj* imprecise, inaccurate, vague

impregnar *vtd-vtdi* 1 *(molhar totalmente)* to impregnate, to soak 2 pervade, to fill, to impregnate: ***o mau cheiro impregnou o ambiente*** the bad smell pervaded the atmosphere 3 *fig* *(influenciar, imbuir)* to imbue
▸ *vpr* **impregnar-se** 1 to be/become pervaded with 2 *(imbuir-se)* to be/become imbued

imprensa *sf* 1 printing press: ***invenção da imprensa*** invention of the printing press 2 *(jornais, jornalistas etc.)* press

imprensar *vtd* 1 to press, to compress 2 *fig* *(forçar, constranger)* to press, to compel

imprescindível *adj* indispensable, vital, necessary

impressão *sf* 1 *(de livro, documento etc.)* printing 2 *(marca)* stamp, mark 3 *(sensação, ideia)* impression: ***tenho a impressão de que não virão*** I have the impression that they are not coming 4 *(influência)* impression: ***aquela cena causou-me impressão*** that scene caused an impression on me

▸ *pl* **impressões** *(opiniões)* views, opinions

impressionante *adj* impressive
• **é impressionante como...** it is impressive how...

impressionar *vtd* to impress, to make an impression
▸ *vpr* **impressionar-se** to be impressed

impresso *adj* printed
▸ *sm* **impresso** printout

impressora *sf* printer

imprestável *adj* useless, worthless
▸ *smf* good-for-nothing

impreterível *adj* **1** essential, indispensable, not to be done without **2** impossible to postpone, not to be put off

imprevisível *adj* unpredictable

imprevisto *adj* unexpected, unforeseen
▸ *sm* **imprevisto** unexpected event

imprimir *vtd* **1** *(deixar marcas)* to stamp, to engrave **2** *(em impressora)* to print
▸ *vpr* **imprimir-se** to impose something on oneself
• **imprimir impulso, velocidade etc. a algo** to encourage something, to give thrust to something, to speed up

impropério *sm* affront, insult

impróprio *adj* **1** *(inadequado)* improper, inappropriate, unsuitable, inconvenient **2** *(incorreto)* improper, incorrect, wrong
• **impróprio para menores** inappropriate for minors
• **momento/hora imprópria** inconvenient moment/time

improrrogável *adj* undelayable, unpostponable

improvável *adj* unlikely, improbable

improvisação *sf* improvisation

improvisar *vtd-vi* to improvise
▸ *vpr* **improvisar-se** to set oneself as, to pass oneself as

improviso *sm* improvisation
• **de improviso** impromptu, off the cuff

imprudência *sf* imprudence, recklessness

imprudente *adj* imprudent, rash, unwise, reckless

impulsionar *vtd* to impel, to thrust

impulsivo *adj* impulsive, hasty

impulso *sm* **1** impulse, thrust **2** *(ímpeto)* impetus **3** *(progresso)* impulse, momentum
• **tomar impulso** to gather momentum

impune *adj* unpunished: ***ficar impune*** to remain unpunished

impunidade *sf* impunity

impureza *sf* impurity
▸ *pl (sujeira)* dirt

impuro *adj* impure, tainted, dirty

imputar *vtdi* to impute, to accredit, to ascribe

imundície *sf* filth

imundo *adj* **1** *(sujo)* filthy, dirty **2** *(imoral)* immoral

imune *adj* immune, exempt

imunidade *sf* immunity, exemption

imunizar *vtd-vtdi* to immunize
▸ *vpr* **imunizar-se** to immunize oneself, to make oneself impervious to

imutável *adj* immutable, unchangeable

inabalável *adj* unshakeable, steady, unfaltering, unbreakable

inabitável *adj* uninhabitable

inacabado *adj* unfinished

inaceitável *adj* unacceptable, inadmissible

inacessível *adj* inaccessible, unattainable

inacreditável *adj* unbelievable, incredible

inadequado *adj* inadequate, unsuitable

inadiável *adj* undelayable, unpostponable

inadimplente *adj* defaulter, a person who does not pay a debt

inadmissível *adj* inadmissible

inadvertência *sf* inadvertence, negligence

inafiançável *adj* DIR unbailable

inalação *sf* MED inhalation

inalar *vtd* inhale

inalterado *adj* unchanged

inanição *sf* inanition, starvation

inaptidão *sf* inaptitude, inability, incapacity

inatingível *adj* unachievable, unattainable, unreacheable

inativo *adj* **1** inactive, idle, dormant **2** *(aposentado)* retired

inato *adj* innate, born, inborn, inherent

inaudível *adj* inaudible

inauguração *sf* inauguration, opening

inaugural *adj* inaugural, opening

inaugurar *vtd* to inaugurate, to open

incalculável *adj* incalculable, inestimable, priceless

incandescente *adj* incandescent, ablaze, red-hot
• **ferro incandescente** hot iron

incansável *adj* tireless, indefatigable

incapacidade *sf* **1** incapacity, incapability, impairment **2** *(inaptidão)* inaptitude, inability

incapacitar *vtd-vtdi* to disable, to incapacitate
▸ *vpr* **incapacitar-se** to become unable

incapaz *adj* **1** *(que não se permite fazer algo)* incapable: ***incapaz de fazer o mal*** incapable of doing evil **2** *(inapto)* incapable, unable: ***incapaz para o trabalho*** unable to work
• **ser um incapaz** to be incompetent, to be stupid, to be worthless

incendiar *vtd* to set on fire, to set ablaze, to ignite
▸ *vpr* **incendiar-se 1** to catch fire **2** to be inflamed, excited, irritated

incendiário *adj-sm,f* incendiary, arsonist

incêndio *sm* fire, conflagration

incenso *sm* incense

incentivar *vtd-vtdi* **1** to stimulate: ***o governo incentiva a arte nacional*** the government stimulates national art **2** to encourage: ***incentivei-o a morar aqui*** I encouraged him to live here

incentivo *sm* incentive, stimulus, encouragement
▪ **incentivo fiscal** tax incentive

incerta *sf loc* ***dar uma incerta*** to make a surprise inspection, without prior warning

incerteza *sf* uncertainty, doubt

incerto *adj* **1** *(duvidoso)* uncertain, doubtful **2** *(variável)* unreliable, inconstant, variable **3** *(desconhecido)* unknown: ***está em lugar incerto*** he is somewhere unknown **4** *(indeciso)* unsure, in doubt **5** *(arriscado)* risky: ***um investimento incerto*** a risky investment
▸ *sm* **incerto** uncertain: ***trocar o certo pelo incerto*** to exchange the certain for the uncertain, to exchange a bird in the hand for two in the bush

incessante *adj* incessant, ceaseless, continuous

inchado *adj* **1** swollen **2** *fig (envaidecido)* proud, inflated

inchar *vtd* **1** to swell, to bloat **2** *(inflar)* to inflate
▸ *vi fig* to swell up
▸ *vi-vpr* **inchar(-se) 1** to swell **2** *(envaidecer-se)* to grow proud, to puff up

incidência *sf* incidence

incidente *adj* applying to
▸ *sm* **incidente** incident, episode

incidir *vti* **1** to fall: ***não incide luz sobre estes objetos*** the light doesn't fall on these objects **2** to fall, to make subject to: ***pesados impostos incidem sobre o salário*** the salary is subject to heavy taxes **3** *(ocorrer)* to happen, to occur
• **incidir em erro** to make a mistake

incinerar *vtd* to incinerate, to burn *(up)*
▸ *vpr* **incinerar-se** to burn up

incisão *sf* incision, cut

incisivo *adj* incisive, sharp
▸ *sm* **incisivo** *(dente)* incisor, foretooth

incitar *vtd-vtdi* to incite, to prompt, to fire up

inclemente *adj* harsh, severe, inclement
• **clima inclemente** inclement weather

inclinação *sf* **1** slope **2** *(da cabeça)* leaning **3** *fig (tendência)* tendency, inclination, disposition **4** *fig (simpatia)* fondness

inclinado *adj* **1** leaning: ***a torre inclinada de Pisa*** the leaning Tower of Pisa **2** *(superfície)* slanted, sloped, inclined **3** *(cabeça)* leaning **4** *(tendente)* inclined, disposed **5** *(interessado por)* interested in

inclinar *vtd* to slant, to incline
▸ *vtdi* ***isso me inclina a pensar que...*** this inclines me to think that...

▸ *vpr* **inclinar-se** 1 to slant, to recline, to incline 2 *(curvar-se, dobrar o corpo)* to bend, to bend over 3 *(fazer mesuras)* to bow 4 *fig (submeter-se)* to bow to 5 *(tornar-se propenso)* to be well-disposed to, to be inclined to, to tend to

incluir *vtdi* to include, to add in
▸ *vpr* **incluir-se** to include oneself

inclusão *sf* inclusion
• **inclusão social** social inclusion

inclusive *adv-adj* inclusively, inclusive, including

incluso *adj* included: ***serviço incluso*** service included

incoerência *sf* incoherence, inconsistency

incoerente *adj* incoherent, inconsistent

incógnita *sf* unknown quantity

incógnito *adj* 1 incognito, disguised 2 unknown
• **passar incógnito** to go incognito

incolor *adj* colorless

incólume *adj* unhurt, uninjured, unscathed, unharmed, clear: ***sair incólume*** to come off clear

incomodado *adj* 1 *(molestado)* upset, annoyed 2 *(perturbado)* troubled, uneasy
▸ *adj f (menstruada)* unwell

incomodar *vtd-vi* 1 *(perturbar)* to bother 2 *(molestar)* to disturb 3 *(irritar, aborrecer)* to annoy, to nag
▸ *vpr* **incomodar-se** 1 to bother: ***não faça café, não se incomode!*** don't bother to make any coffee! 2 *(aborrecer-se)* to get angry
• **incomoda-se se eu fumar?** do you mind if I smoke?
• **não querer incomodar** not to want to trouble/bother someone

incômodo *adj* 1 *(não confortável)* uncomfortable 2 *(desajeitado)* awkward: ***um pacote incômodo de carregar*** an awkward package to carry 3 *(inoportuno)* pesky, troublesome, obtrusive, unwelcome 4 *(embaraçoso)* embarrassing, uncomfortable: ***situação incômoda*** embarrassing situation
▸ *sm* **incômodo** 1 *(falta de comodidade)* discomfort 2 *(indisposição)* indisposition 3 *(trabalho, canseira)* effort, work 4 *(transtorno)* bother, trouble, nuisance 5 *(menstruação)* menstruation, period

incomparável *adj* incomparable, unparalleled, unrivaled, unmatched

incompatibilidade *sf* incompatibility
• **incompatibilidade de gênios** incompatibility of temperaments

incompatível *adj* incompatible, ill-placed

incompetência *sf* incompetence

incompetente *adj* incompetent

incompleto *adj* 1 incomplete, unfinished, unaccomplished 2 *(imperfeito)* imperfect, incomplete: ***felicidade incompleta*** incomplete happiness

incompreendido *adj* misunderstood

incompreensão *sf* misunderstanding, incomprehension

incompreensível *adj* 1 *(ininteligível)* unintelligible, incomprehensible 2 *(inconcebível)* inconceivable, incredible

incomum *adj* 1 *(pouco frequente)* uncommon, rare, unusual 2 *(extraordinário, notável)* uncommon, extraordinary

incomunicável *adj* 1 *(que não pode ser comunicado)* impossible to communicate, inexpressible, innefable 2 *(que não pode comunicar-se)* incommunicado, in solitary confinement: ***preso incomunicável*** a prisioner held incommunicado

inconcebível *adj* inconceivable, incredible

incondicional *adj* unconditional

inconfessável *adj* impossible to confess, secret

inconformado *adj* not conformed

inconfundível *adj* unmistakable, distinctive

inconsciência *sf* 1 *(ausência de consciência)* unconsciousness 2 *(desconhecimento, alheamento)* lack of awareness 3 *(irreflexão, leviandade)* frivolity

inconsciente *adj* 1 *(sem consciência)* unconscious 2 *(maquinal)* unthinking 3 *(ignorante)* unaware, ignorant 4 *(irresponsável)* irresponsible, thoughtless
▸ *sm* **inconsciente** PSIC unconscious

inconsequente *adj* irresponsible, careless, thoughtless

inconsistente *adj* 1 inconsistent 2 *fig (infundado)* unfounded, baseless 3 *fig (pessoa)* unstable

inconsolável *adj* inconsolable

inconstante *adj* inconstant, changing, floating

inconstitucional *adj* unconstitutional

incontável *adj* uncountable, countless

incontrolável *adj* uncontrollable, unstoppable

inconveniência *sf* inconvenience, nuisance

inconveniente *adj* 1 *(inadequado)* inconvenient 2 *(indiscreto, inoportuno)* improper, unwelcome, obtrusive 3 *(desvantajoso)* disadvantageous
▸ *sm* **inconveniente** 1 *(empecilho)* trouble, nuisance, inconvenience 2 *(desvantagem, risco)* drawback

incorporar *vtd-vtdi* to incorporate: ***incorporar uma coisa na outra*** to incorporate something into something else
▸ *vpr* **incorporar-se** to become incorporated, to partake

incorreção *sf* 1 *(impropriedade, falta de correção)* impropriety 2 *(erro)* inaccuracy, error, mistake 3 *(grosseria)* impoliteness, rudeness, indecorum 4 *(desonestidade)* dishonesty

incorreto *adj* 1 incorrect, inaccurate 2 dishonest

incorrigível *adj* incorrigible, hopeless
▸ *smf* a hopeless case

incrédulo *adj* incredulous, skeptical

incrementar *vtd* to develop, to improve, to increase

incremento *sm* increment, development

incriminar *vtd* to incriminate, to blame

incrível *adj* 1 incredible, unbelievable 2 *(imenso, extraordinário)* astounding, amazing

incubação *sf* 1 incubation, hatching 2 *fig (premeditação)* brooding, planning, premeditation

incubadora *sf* 1 *(chocadeira)* incubator 2 *(de crianças)* incubator

incubar *vtd* 1 to incubate, to hatch 2 *fig* to premeditate, to plan, to brood over

inculcar *vtdi* to inculcate

inculto *adj* 1 *(sem cultivo)* uncultivated 2 *fig (sem erudição)* uncultured, unlearned

incumbência *sf* incumbency, errand, task, responsibility

incumbir *vti-vtdi* 1 to be one's duty or responsibility, to fall to one: ***incumbe a vocês limpar a casa*** it's your duty to clean the house 2 to assign, to entrust 3 to put in charge of
▸ *vpr* **incumbir-se** to take charge of

incurável *adj* incurable

incutir *vtd-vtdi* to instill, to inspire

indagação *sf* 1 inquiry, investigation 2 question

indagar *vtd-vtdi* 1 to inquire, to investigate 2 to ask, to question

indecente *adj* indecent, obscene

indecifrável *adj* undecipherable

indecisão *sf* indecision

indeciso *adj* 1 *(irresoluto)* indecisive, undecided, wavering, hesitant 2 *(indefinido)* uncertain, doubtful, indefinite

indefeso *adj* defenseless, undefended, helpless

indefinido *adj* indefinite, undefined

indelével *adj* indelible

indivisível *adj* indivisible

indócil *adj* 1 indocile, intractable 2 fiery, excited

índole *sf* nature, character

indolência *sf* indolence

indolente *adj* indolent

indolor *adj* painless

indomável *adj* untamable, indomitable

indubitável *adj* doubtless

indulgente *adj* indulgent, lenient

indumentária *sf* costume

indústria *sf* industry

industrial *adj* industrial
▸ *smf* industrialist

industrialização *sf* industrialization

industrializado *adj* industrialized

induzir *vtdi* to induce
▸ *vtd (provocar)* to cause
• **induzir em erro** to lead into error, to mislead

inédito *adj* **1** unpublished **2** unheard-of ▸ *smf* unpublished work

ineficaz *adj* inefficacious, inefficient

ineficiente *adj* inefficient

inegável *adj* undeniable

inelutável *adj* ineluctable, inevitable, irresistible

inércia *sf* **1** inertia **2** *(indolência)* lethargy, laziness

inerente *adj* inherent

inerte *adj* **1** inert **2** lethargic, lazy

inescrupuloso *adj* unscrupulous

inesgotável *adj* inexhaustible, boundless

inesperado *adj* **1** *(não esperado)* unexpected **2** *(repentino)* sudden

inesquecível *adj* unforgetable

inestimável *adj* priceless

inevitável *adj* inevitable

inexperiência *sf* inexperience

inexperiente *adj* **1** inexperienced **2** *(ingênuo, novato)* naive, green

inexplicável *adj* unexplainable

inexpressivo *adj* **1** inexpressive **2** expressionless, poker-faced

infalível *adj* **1** *(que não erra)* infallible **2** *(que não falta)* guaranteed, fail-proof

infame *adj* **1** infamous **2** *(péssimo, detestável)* vile **3** *(piada)* poor

infâmia *sf* infamy

infância *sf* childhood, infancy

infantaria *sf* infantry

infantil *adj* childish

infantilidade *sf* childishness

infarto *sm* heart attack

infecção *sf* infection

infeccionado *adj* infected

infeccionar *vtd* to infect ▸ *vi-vpr* **infeccionar (-se)** to get/become infected

infeccioso *adj* **1** *(doença)* infectious **2** *(agente)* infecting

infectar *vtd* to infect ▸ *vpr* **infectar-se** to get/be infected

infecto *adj* infected

infelicidade *sf* unhappiness

infelicitar *vtd* to make unhappy, to grieve ▸ *vpr* **infelicitar-se** to be unhappy, to grieve

infeliz *adj* unhappy

infelizmente *adv* unfortunately

inferior *adj* **1** inferior, lower **2** *(de má qualidade)* poor **3** *fig (sem nobreza, indigno)* inferior, base **4** *(subalterno)* subordinate
• **a parte inferior de algo** the lower part of something

inferioridade *sf* inferiority

inferiorizar *vtd* to lower, to make inferior ▸ *vpr* **inferiorizar-se** to lower oneself

infernal *adj* **1** infernal, diabolic(al) **2** *fig (insuportável)* terrible

inferninho *sm* dive, a cheap, dark and noisy night club

infernizar *vtd* to afflict, to torment

inferno *sm* hell

infertilidade *sf* infertility

infestar *vtd* to infest

infidelidade *sf* disloyalty, unfaithfulness, infidelity

infiel *adj* **1** disloyal, unfaithful **2** *(inexato)* inaccurate ▸ *smf* **infiel** infidel, unbeliever

infiltração *sf* infiltration, seepage

infiltrar *vtd* **1** *(fazer penetrar)* to infiltrate **2** *(incutir)* to inculcate ▸ *vpr* **infiltrar-se** **1** to infiltrate, to seep *(in, into, through)* **2** *(introduzir-se sub--repticiamente)* to sneak in

ínfimo *adj* lowest, poorest

infinidade *sf* infinity

infinito *adj* infinite, endless, boundless ▸ *sm* **infinito** infinity, infinitude

inflação *sf* inflation

inflacionar *vtd* to inflate

inflacionário *adj* inflationary

inflamação *sf* inflammation

inflamado *adj* **1** MED inflamed **2** *fig* heated

inflamar *vtd* **1** MED to inflame **2** *(acender)* to set fire to: ***inflamar a palha*** to

set fire to the straw **3** *(excitar, entusiasmar)* to work up
▸ *vpr* **inflamar-se 1** *(pegar fogo)* to catch fire **2** MED to get inflamed **3** *(entusiasmar-se)* to get worked up

inflamável *adj* inflammable, flammable

inflável *adj* inflatable

inflexão *sf* **1** *(mudança de direção)* shift **2** *(entonação)* inflection

inflexível *adj* **1** stiff, firm, rigid, inflexible **2** *fig* unyielding

infligir *vtdi* to inflict

influência *sf* influence
• **exercer influência sobre algo ou alguém** to have an influence on something or someone

influenciar *vtd* to influence

influenciável *adj* capable of being influenced, vulnerable to external influence

influente *adj* influential

influir *vti* to have an influence on, to affect
▸ *vi* to matter: ***para ela, dinheiro não influi*** money doesn't matter to her

informação *sf* information

informado *adj* informed: ***estar bem/mal informado*** to be well/badly informed

informal *adj* informal

informalidade *sf* informality
• **viver na informalidade** to work in the informal sector

informante *sf* informant

informar *vtd* **1** to inform **2** *(caminho)* to direct
▸ *vpr* **informar-se** to get informed, to gather information

informática *sf* information technology, computer science

informativo *adj* informative
▸ *sm* **informativo** newsletter

informe *adj* *(disforme)* shapeless, formless
▸ *sm* *(informativo)* newsletter

infortúnio *sm* misfortune

infra-assinado *sm,f* BUR signed below

infração *sf* **1** infringement, breach **2** ESPORTE foul

infraestrutura *sf* infra-structure

infravermelho *adj-sm* infra-red

infringir *vtd* to infringe, to break, to breach

infrutífero *adj* fruitless, unfruitful

infundado *adj* unfounded, groundless

infundir *vtd-vtdi* to infuse, to instill

infusão *sf* infusion

ingenuidade *sf* naiveté, naivety

ingênuo *adj* **1** *(inocente)* innocent **2** *(crédulo)* naive

ingerência *sf* interference

ingerir *vtd* *(engolir)* to swallow, to ingest
▸ *vpr* **ingerir-se** *(intrometer-se)* to interfere

ingestão *sf* ingestion

Inglaterra *sf* England

inglês *adj-sm,f* English, Englishman/woman

inglório *adj* inglorious

ingratidão *sf* ingratitude

ingrato *adj* ungrateful

ingrediente *sm* ingredient

íngreme *adj* steep

ingressar *vti* **1** to enter **2** to join *(a group, as a member)*

ingresso *sm* **1** *(entrada)* entry **2** *(bilhete de entrada)* ticket **3** *(admissão)* joining, admission *(in/to a club or group)*

inhame *sm* BOT yam

inibição *sf* inhibition

inibido *adj* **1** inhibited **2** *(tímido)* shy

inibir *vtd* **1** MED to inhibit **2** *(intimidar)* to intimidate

iniciação *sf* initiation

inicial *adj-sf* initial
▸ *sf pl* **iniciais** initials

iniciante *adj-smf* beginner
• **um artista iniciante** a beginner artist

iniciar *vtd* *(começar)* to start, to begin
▸ *vtd-vtdi* *(dar iniciação)* to initiate into
▸ *vpr* **iniciar-se 1** *(começar, ter início)* to begin, to start **2** *(instruir-se)* to initiate oneself into

iniciativa *sf* initiative

início *sm* start, beginning

• **dar início a algo** to begin/start something
• **de início** at first
• **desde o início** since the beginning

inimaginável *adj* unthinkable, unimaginable

inimigo *adj-sm,f* enemy

inimitável *adj* inimitable, peerless, unmatched

inimizade *sf* enmity

ininteligível *adj* incomprehensible, unintelligible

ininterrupto *adj* continuous, nonstop, uninterrupted

injeção *sf* 1 *(ato de injetar)* injection 2 MED injection: ***tomar injeção*** to have an injection 3 *fig* injection, encouragement: ***uma injeção de coragem*** an injection of courage

injetar *vtd-vtdi* to inject

injetável *adj* injectable

injúria *sf* insult

injuriar *vtd* to insult

injurioso *adj* insulting

injustiça *sf* injustice

injustiçado *adj* unjustly treated, unjustly devalued, not taken at its/one's true worth

injustificado *adj* unjustified

injusto *adj* unfair, unjust
• **ser injusto com alguém** to be unfair with someone

inocência *sf* 1 *(falta de culpa)* innocence 2 *(pureza, ingenuidade)* innocence, guilelessness

inocentar *vtd* to acquit, to declare someone innocent

inocente *adj-smf* 1 *(sem culpa)* innocent, not guilty 2 *(sem malícia, ingênuo)* innocent, guileless, naive, unsuspecting
▸ *smf (criança)* child
• **inocente útil** someone who is tricked into favouring a cause they do not consciously support

inocular *vtd* to inoculate
▸ *vpr* **inocular-se** to be inoculated, to be immunized against

inócuo *adj* innocuous

inodoro *adj* odorless

inofensivo *adj* harmless

inoportuno *adj* inconvenient

inorgânico *adj* inorganic

inóspito *adj* inhospitable, barren, wild

inovação *sf* innovation

inovador *adj* innovator

inoxidável *adj* stainless

inquebrável *adj* unbreakable

inquérito *sm* DIR inquiry
• **instaurar um inquérito** to start an inquiry

inquietação *sf* 1 *(agitação)* restlessness 2 *(ansiedade)* anxiety, worry

inquietar *vtd* 1 *(agitar, alvoroçar)* to disturb 2 *(preocupar)* to worry
▸ *vpr* **inquietar-se** to worry

inquieto *adj* 1 *(agitado)* restless 2 *(preocupado)* worried

inquilino *sm,f* tenant

insaciável *adj* insatiable

insalubre *adj* unhealthy

insanidade *sf* insanity, madness
• **insanidade mental** mental insanity

insatisfação *sf* dissatisfaction

insatisfatório *adj* unsatisfactory

insatisfeito *adj* dissatisfied, unhappy

inscrever *vtd* 1 *(gravar)* to inscribe 2 *(fazer inscrição, matrícula etc.)* to enroll
▸ *vpr* **inscrever-se** to enroll

inscrição *sf* 1 *(palavra ou frase gravada)* inscription 2 *(matrícula, afiliação)* enrollment

inscrito *adj (gravado)* inscribed, enrolled
▸ *adj-sm*: ***os inscritos na competição*** those enrolled in the competition

insegurança *sf* 1 *(nas grandes cidades)* lack of safety 2 *(falta de autoconfiança)* insecurity, lack of confidence

inseguro *adj* 1 *(local)* unsafe 2 *(sem autoconfiança)* insecure, lacking confidence

inseminação *sf* insemination

insensatez *sf* folly, madness

insensato *adj-smf* unreasonable, foolish, fool

insensibilidade *sf* 1 insensibility 2 insensitivity

insensibilizar *vtd* 1 MED to numb 2 *(tornar indiferente)* to make insensitive, to make indifferent, to benumb

insensível *adj* 1 numb 2 *(indiferente, impiedoso)* insensitive

inseparável *adj* inseparable

inserção *sf* insertion

inserir *vtd* 1 *(incluir)* to put in 2 *(intercalar)* to insert

inseticida *sm* insecticide

inseto *sm* insect

insígnia *sf* badge

insignificante *adj* insignificant

insinuação *sf* 1 *(introdução sub-reptícia)* insinuation 2 *(alusão)* hint

insinuar *vtd* 1 *(introduzir, infiltrar)* to insinuate 2 *(sugerir, aludir)* to imply, to hint, to suggest

▸ *vpr* **insinuar-se** to insinuate oneself, to work oneself into

insípido *adj* 1 insipid, tasteless 2 *fig* uninteresting, dull, drab

insistência *sf* insistence

insistente *adj* 1 insistent: ***uma pessoa insistente*** an insistent person 2 repeated: ***toques insistentes da campainha*** repeated ringing of the bell

insistir *vti* 1 to insist: ***insistir com alguém para fazer algo*** to insist on someone doing something 2 *(enfatizar)* to insist, to emphasize

insociável *adj* unsociable

insolação *sf* 1 *(incidência de sol)* insolation, sunlight 2 MED sunstroke

insolência *sf* insolence

insolente *adj* insolent

insolúvel *adj* 1 QUÍM insoluble 2 *(sem solução)* unsolvable

insônia *sf* insomnia

insosso *adj* 1 unsalted 2 *fig* uninteresting, dull, drab

inspeção *sf* inspection, check

inspecionar *vtd* to inspect

inspetor *sm,f* inspector

inspiração *sf* inspiration

inspirador *adj-sm,f* inspiring, giver of inspiration, inspiring angel

inspirar *vtd-vi (introduzir ar no pulmão)* to inhale

▸ *vtd-vtdi* 1 *(dar inspiração)* to inspire 2 *(causar, incutir)* to inspire, to instill

▸ *vpr* **inspirar-se** to become inspired

instabilidade *sf* instability

instalação *sf* 1 *(ato de estabelecer)* set up, installation 2 *(de rede elétrica)* wiring 3 *(de telefone)* installation 4 *(de aparelhos, armários etc.)* fittings 5 *(conjunto de aparelhos)* equipment, plant 6 *(obra de arte)* installation

▸ *pl* **instalações** *(lugar, prédio)* premises, plant

instalar *vtdi (em cargo)* to introduce, to install

▸ *vtd* 1 *(estabelecer, alojar)* to establish, to lodge 2 *(aparelhos, armários etc.)* to install 3 *(eletricidade)* to wire

▸ *vpr* **instalar-se** to settle down, to become settled

instância *sf* DIR instance

• **em última instância** *(direito)* at the highest court of appeals, as a final ruling, *fig* in the last resort

instantâneo *adj* instantaneous

▸ *sm* **instantâneo** *(foto)* snapshot

instante *sm* instant

• **no último instante** in the last minute

• **num instante** quickly, in the blink of an eye

instaurar *vtd* to establish, to institute

instável *adj* unstable

instigar *vtdi* to instigate, to incite, to provoke, to encourage

instilar *vtd* 1 to instill 2 *fig* to instill, to inculcate

instintivo *adj* instinctive

instinto *sm* instinct

institucional *adj* institutional

instituir *vtd* to institute, to found

instituto *sm* institute

instrução *sf* 1 instruction 2 *(formal)* education

▸ *pl* **instruções** instructions: ***instruções de uso*** instructions for use

• **dar instruções a alguém** to instruct someone

• **ter/não ter instrução** to be/not to be educated

instruído *adj* educated

instruir *vtd-vi (transmitir conhecimentos)* to instruct, to teach
▸ *vtdi* 1 *(informar)* to inform 2 *(ensinar)* to teach 3 *(orientar)* to train 4 DIR *(um processo)* to prepare a suit for hearing, to present evidence and take statements in a lawsuit

instrumental *adj* instrumental
▸ sm **instrumental** instruments, equipment

instrumentista *smf* player, instrumentalist

instrumento *sm* 1 instrument, tool, utensil 2 *fig (meio, recurso)* means 3 MÚS instrument

instrutivo *adj* instructive

instrutor *sm,f* instructor, coach

insubmisso *adj* unsubmissive
▸ *adj-sm,f* MIL insubordinate

insubordinação *sf* rebellion, insubordination

insubstituível *adj* irreplaceable

insucesso *sm* failure

insuficiência *sf* 1 *(carência)* shortage, lack, inadequacy 2 MED deficiency

insuficiente *adj* insufficient, inadequate

insuflar *vtd* 1 to insufflate, to instigate 2 *fig (insinuar, inspirar)* to inspire

insulina *sf* insulin

insultar *vtd* to insult

insulto *sm* insult

insuperável *adj* 1 *(invencível)* unbeatable 2 *(intransponível)* unsurpassable, insurmountable

insuportável *adj* unbearable

insurgir-se *vpr* to rebel, to revolt

insurreição *sf* rebellion, insurrection

insustentável *adj* 1 *(insuportável)* unsustainable 2 *(indefensável, sem fundamento)* unsustainable

intacto *adj* intact, whole

íntegra *sf* wholeness
• **na íntegra** in full, verbatim

integração *sf* integration

integral *adj-sm* 1 *(total, inteiro)* whole 2 *(pão, trigo etc.)* wholegrain

integrante *adj* part of, member

integrar *vtd* 1 *(incorporar)* to combine *(in oneself, in itself)* 2 *(pertencer)* to belong under *(a category, a class)*
▸ *vtdi (incluir)* to integrate
▸ *vpr* **integrar-se** 1 to become complete 2 to join

integridade *sf* 1 *(inteireza)* wholeness, integrity, entirety 2 *fig (honestidade)* integrity
• **integridade física** physical integrity

íntegro *adj* 1 entire, whole 2 *fig (honesto)* honest, upright

inteirar *vtd (completar)* to complete
▸ *vtdi (informar)* to inform
▸ *vpr* **inteirar-se** to find out

inteiriço *adj* solid, of one piece

inteiro *adj-sm* 1 *(completo, integral)* complete, entire, whole 2 *(intacto, ileso)* intact, unharmed 3 *(inteiriço)* solid 4 *(total, pleno)* whole 5 *fig (conservado-pessoa)* whole 6 *(em bom estado)* in good shape
• **por inteiro** totally, as a whole

intelecto *sm* intellect

intelectual *adj* intellectual
▸ *smf* intellectual

intelectualidade *sf* 1 intellectuality 2 *(conjunto dos intelectuais)* intelligensia

inteligência *sf* intelligence

inteligente *adj* intelligent, clever

inteligível *adj* intelligible

intempéries *sf pl* elements, *(bad)* weather

intencional *adj* intentional, deliberate

intensidade *sf* intensity

intensificar *vtd* to intensify, to enhance
▸ *vpr* **intensificar-se** to intensify

intensivo *adj* intensive

intenso *adj* intense, deep, full

interação *sf* interaction

interagir *vti* to interact

interativo *adj* interactive

intercalar *vtd* 1 to insert between 2 to alternate

intercâmbio *sm* exchange

interceder *vti* to plead in favour of, to intercede

interceptar *vtd* 1 to intercept 2 to interrupt, to obstruct

interdição *sf* 1 *(proibição)* prohibition, ban 2 *(de estabelecimento)* closure 3 *(de rua)* road blocking

interditar *vtd* 1 *(proibir)* to forbid, to prohibit, to ban 2 *(estabelecimento)* to close down 3 *(rua)* to block

interessado *adj* 1 *(que demonstra interesse)* concerned, interested 2 *(interesseiro)* self-seeking, self-interested
▸ *adj-sm,f* an interested or concerned party

interessante *adj* 1 interesting 2 *(atraente)* attractive 3 *(estranho, curioso)* strange, weird

interessar *vti-vi* 1 *(importar)* to interest 2 *(dizer respeito)* to concern
▸ *vtd-vti-vi (despertar o interesse)* to interest, to make interested
▸ *vpr* **interessar-se** 1 *(sentir interesse)* to be interested in 2 *(sentir atração)* to be attracted to

interesse *sm* 1 interest 2 *(importância)* importance
• **despertar o interesse de alguém** to attract someone's attention
• **fazer algo com interesse** to put one's heart into something
• **fazer algo por interesse** to do something for one's own ends, to act on self-interest
• **interesse público** public interest

interesseiro *adj* self-seeking

interferência *sf* 1 intervention, interference 2 *(distorção de sinal)* interference

interferir *vti* to intervene, to interfere

interfone *sm* intercom

ínterim *sm loc* ***nesse ínterim*** meanwhile

interino *adj* provisional, temporary, interim

interior *adj* 1 internal 2 *(íntimo)* inner 3 *(do país)* domestic
▸ *sm* 1 *(parte interna)* inside 2 *(íntimo)* inside, heart 3 *(longe do litoral)* inland, countryside
• **Ministério do Interior** Home Office

interiorano *adj* provincial

interjeição *sf* interjection

interligar *vtd* to connect
▸ *vpr* **interligar-se** to connect oneself

interlocutor *sm,f* interlocutor, addressee, the person whom one speaks to

intermediário *adj* intermediary, intermediate
▸ **intermediário** *sm,f* mediator
• **servir de intermediário** to be a mediator, to mediate

intermédio *adj loc* **por intermédio de** through, by means of

interminável *adj* endless

intermitente *adj* intermittent

internação *sf* admission

internacional *adj* international

internado *sm,f (em hospital)* inpatient

internamento *sm* internment

internar *vtd* 1 *(em colégio)* to place in a boarding school 2 *(em hospital)* to place in a hospital
▸ *vpr* **internar-se** to be hospitalized, to put oneself under care at a hospital

internato *sm* boarding school

internauta *smf* internaut

internet *sf* Internet

interno *adj* 1 *(do lado de dentro)* internal, inner 2 *(interior)* internal: ***regulamento interno*** internal regulations; ***comércio interno*** internal trade; ***lutas internas*** internal struggles 3 *(do Estado)* domestic, internal: ***política interna*** domestic policy; ***dívida interna*** internal debt 4 MED internal: ***uso interno*** internal use
▸ *sm,f (aluno)* boarder

interpelar *vtd* 1 to summon 2 to question, to challenge

interpretação *sf* 1 interpretation 2 *(tradução)* translation 3 TEATRO CINE acting 4 MÚS performance, interpretation

interpretar *vtd* 1 to interpret, to take: ***não me interprete mal*** don't take me wrong 2 *(traduzir)* to interpret 3 TEATRO CINE to act 4 MÚS to perform

intérprete *smf* 1 interpreter 2 *(tradutor)* interpreter 3 MÚS player 4 CINE TEATRO performer, artist

inter-relação *sf* interrelation, connection

inter-relacionar *vtd* to inter-relate, to connect

interrogação *sf* interrogation, question

interrogar *vtd* 1 *(perguntar)* to question 2 *(sondar)* to probe

interrogatório *sm* inquiry, questioning

interromper *vtd* 1 *(parar)* to stop, to interrupt 2 *(suspender)* to cut off
▸ *vtd-vi (cortar a palavra)* to interrupt
▸ *vpr* **interromper-se** 1 to cease 2 to stop short, to stop talking in the middle of a sentence

interrupção *sf* interruption, break
• **sem interrupção** non stop

interruptor *sm* ELETR switch

intersecção *sf* intersection

interurbano *adj* 1 *(telefonema)* long-distance 2 *(transporte)* intercity
▸ *sm* **interurbano** *(telefonema)* long-distance call

intervalo *sm* 1 interval 2 *(de escola)* break 3 *(em apresentação)* intermission

intervenção *sf* intervention
▪ **intervenção cirúrgica** operation, surgical intervention

intervir *vi* to intervene

intestinal *adj* intestinal

intestino *sm* intestine
▪ **intestino delgado** small intestine
▪ **intestino grosso** large intestine
▪ **intestino preso/solto** constipated/loose bowels

intimação *sf* order, summons

intimar *vtd* to order, to summon

intimidade *sf* 1 *(familiaridade)* intimacy 2 *(vida íntima)* privacy
• **não gostar de intimidades** to dislike excessive closeness or familiarity

íntimo *adj* 1 intimate 2 *(amigo)* close 3 *(estreito, próximo)* familiar 4 intimate: ***um jantar íntimo*** an intimate dinner
▸ *sm* **íntimo** 1 a close friend or associate: ***ele é íntimo do presidente*** he's a close friend of the president; ***um jantar para os íntimos*** a dinner for close friends 2 inside: ***no íntimo, ele não é ruim*** deep down inside, he's not a bad person; ***não sei o que lhe vai no íntimo*** I don't know how he feels down deep inside

intitulado *adj* entitled, named

intitular *vtd* to entitle, to name
▸ *vpr* **intitular-se** to entitle oneself, to call oneself

intocável *adj* untouchable

intolerância *sf* intolerance

intolerante *adj* intolerant

intolerável *adj* intolerable, unbearable

intoxicação *sf* poisoning

intoxicar *vtd* to poison
▸ *vpr* **intoxicar-se** to poison oneself

intraduzível *adj* untranslatable

intragável *adj* 1 unpalatable 2 *fig* intolerable, unbearable

intramuscular *adj* intramuscular

intranquilo *adj* restless

intransferível *adj* untransferable

intransigente *adj* intolerant, strict

intransitável *adj* impassable

intransitivo *adj* intransitive

intransponível *adj* impossible to cross, insurmountable

intratável *adj* 1 intractable, unmanageable 2 unsociable

intrauterino *adj* intrauterine

intrépido *adj* intrepid, fearless, bold

intriga *sf* 1 *(enredo)* plot 2 *(mexerico)* piece of gossip

intrigante *adj-smf* intriguing, trouble-maker

intrigar *vtd (causar perplexidade)* to intrigue
▸ *vi (mexericar)* to gossip
▸ *vpr* **intrigar-se** to make trouble with, to fall out with

intrincado *adj* intricate

intrínseco *adj* intrinsic, inherent

introdução *sf* introduction

introduzir *vtd* 1 *(enfiar)* to insert 2 *(levar para dentro)* to bring in 3 *(incluir, inserir)* to include 4 *(servir de introdução)* to introduce
▸ *vpr* **introduzir-se** to penetrate, to enter

intrometer *vtd* to interfere
▸ *vpr* **intrometer-se** to meddle, to interfere

intrometido *adj-sm,f* interfering, nosey, busy-body

intromissão *sf* interference

introvertido *adj* introverted

intruso *adj-sm,f* intrusive, intruder

intuição *sf* intuition, insight

intuir *vtd-vi* to have an intuition of, to perceive by intuition

intuitivo *adj* intuitive

intuito *sm* intention, aim

inúmeros *adj pl* countless, innumerable

inundação *sf* flood

inundar *vtd* to flood

▸ *vpr* **inundar-se** to be flooded

inusitado *adj* unusual

inútil *adj* 1 useless 2 *(infrutífero)* pointless

▸ *smf* **inútil** worthless person, good-for-nothing

inutilidade *sf* uselessness

inutilizar *vtd* to make useless, to ruin

invadir *vtd* to invade, to trespass

invalidade *sf* invalidity

invalidar *vtd* 1 *(anular)* to annul, to void 2 *(incapacitar)* to disable

invalidez *sf* disability

inválido *adj* invalid

▸ *adj-sm,f* 1 *(aleijado)* crippled, cripple 2 *(incapaz)* disabled: ***inválido para o trabalho*** unable to work due to a disability

invariável *adj* invariable

invasão *sf* invasion

invasor *adj-sm,f* invading, invader

inveja *sf* envy

• **fazer inveja** to make envious

• **morrer de inveja** to to die of envy

invejar *vtd* to envy

invejável *adj* enviable

invejoso *adj* envious

invenção *sf* 1 *(ato de inventar)* invention 2 *(invento)* invention

invencionice *sf* fiction, old wives' tale

invencível *adj* 1 invincible 2 *(irrefreável)* unstoppable, irresistible

inventar *vtd* 1 to invent 2 *(mentira, notícia)* to make up

inventariante *adj-smf* inventorying, executor, one who makes the inventory of a decedent's estate

inventário *sm* inventory of a decedent's estate

invento *sm* invention

inventor *adj-sm,f* inventor

inverno *sm* winter

inversão *sf* inversion, reversion

inverso *adj* 1 *(ordem)* inverse 2 *(lado)* reverse

▸ *sm* **inverso** other side: ***o inverso da folha*** the other side of the sheet

invertebrado *adj* invertebrate

inverter *vtd* 1 to invert, to change, to reverse: ***inverter a mão de uma rua/a ordem das palavras*** to reverse the direction of the road/the word order 2 *(emborcar)* to turn upside down

invertido *adj* inverted, reversed, upside down

invés *sm loc* ***ao invés de*** instead of

investidor *adj-sm,f* investor

investigação *sf* 1 *(estudo, pesquisa)* research 2 *(policial)* investigation

investigador *adj* investigating

▸ *sm,f (policial)* investigator

investigar *vtd* 1 *(estudar, examinar)* to examine, to research 2 *(crime etc.)* to investigate

investimento *sm* investment

investir *vti-vi (arremeter)* to invest

▸ *vtdi* 1 to install: ***investir alguém num cargo*** to install someone in a position 2 COM to invest

inveterado *adj* inveterate: ***fumante inveterado*** inveterate smoker

inviável *adj* impracticable

inviolável *adj* inviolable

invisível *adj* invisible

invocação *sf* 1 invocation 2 *pop (zanga, irritação)* anger, irritation

invocado *adj* 1 invoked 2 *pop (zangado, irritado)* uptight, angry, irritated, having a chip on one's shoulder

invocar *vtd* 1 to invoke 2 *pop (irritar, zangar)* to get angry, to become irritated

▸ *vti* ***ele invocou com o rapaz*** he got angry with the boy

▸ *vpr* **invocar-se** *pop (zangar-se)* to get angry

invólucro *sm* covering, wrapper, envelope

involuntário *adj* involuntary, unintentional

invulnerável *adj* invulnerable

iodo *sm* iodine

ioga *sm, sf* yoga

iogurte *sm* yogurt

ipê *sm* BOT Tabebuia tree, peuva tree, ipe tree

ir *vti* ▪ **ir a, para** *(dirigir-se)* to go: ***ir à farmácia, ao açougue*** to go to the drugstore, to the butcher's; ***ir para o Japão*** to go to Japan; ***ir para a praia*** to go to the beach ▪ **ir para 1** *(destinar-se)* to go to **2** *(perfazer)* to get on for: ***vai para quatro anos que ele morreu*** it's getting on for four years since he died ▪ **ir até** *(estender-se, dar acesso)* to go *(right)* to: ***este muro vai até o rio*** this wall goes right to the river ▪ **ir a** *(atingir)* to go to, to reach ▪ **ir por** *(alguém: seguir, acatar)* to follow, to go after ▪ **ir com** *(copular)* to go with

▸ *vi* **1** to go: ***ir depressa/devagar*** to go fast/slowly; ***ir de ônibus/de carro*** to go by bus/by car; ***ir a pé*** to go on foot **2** *(passar, pôr-se a caminho)* to go by: ***não sei por onde ele foi*** I don't know where he went by **3** *(ser expedido)* to be sent: ***a carta foi ontem pelo correio*** the letter was sent yesterday by post **4** *(ficar, ser conduzido, ser transportado)* to go: ***vou no banco de trás*** I'll go on the back seat **5** *(seguir)* to go, to follow: ***aí vai o dinheiro*** there goes the money **6** *(fazer)* to be: ***já lá vão três anos que não nos vemos*** it's been three years since we last saw each other **7** *(ocorrer)* to go on: ***o que vai pela cidade?*** what's going on around town? **8** MAT to carry: ***oito mais oito, dezesseis, vai um*** eight plus eight is sixteen, carry one

▸ *vi-vpr* **ir(-se)** *(partir)* to go away, to depart, to leave

▸ *vpred* **1** *(passar)* to be, to do: ***como vai teu pai?*** how is your father doing? **2** *(ocorrer, transcorrer)* to go: ***as coisas vão de mal a pior*** things are going from bad to worse **3** *(alcançar resultado)* to do: ***ir bem/ir mal em alguma coisa*** to do well/badly in something **4** *(portar-se)* to behave: ***ir bem ou mal no trabalho*** to behave well or badly at work **5** *(combinar)* to go well with

▸ *vpr* **ir-se 1** *(desaparecer, dissipar-se, estragar-se)* to go, to disappear, to spoil **2** *(morrer)* to die

• **ir andando** to go on foot, to walk

• **ir atrás de** *(seguir)* to follow *(confiar, acreditar)* to go with *(perseguir, assediar)* to follow, to stalk

• **ir dar a/em** to end up in

• **ir e vir** to come and go, to move to and fro

• **ir embora** to go away, to leave

• **ir levando** to be getting along

• **ir longe** *(subir na vida)* to get ahead, *(progredir)* to prosper, *(ter graves consequências)* to go far, *(estar distante, no passado)* to go a long way

• **ir muito longe/ir longe demais** *(exceder-se)* to go far/too far

• **ir(-se) desta para a melhor** to die, to pass away

• **não ir com alguém** *(não ter afinidade, simpatia)* not to get on well with someone

• **ou vai, ou racha** it's now or never

• **vá lá** *(de acordo)* ok, *(ainda passa)* it'll do

• **vai ver que** perhaps

• **vai, não vai** it's stopping and starting

• **vamos e venhamos** let's be serious about it/oh, come on!

ira *sf* rage, wrath

Irã *sm* Iran

iraniano *adj-sm,f* Iranian

íris *sf* **1** ANAT iris **2** *(pedra)* iris

Irlanda *sf* Ireland

irlandês *adj-sm,f* Irishman, Irishwoman

irmã *sf* **1** sister **2** *(freira)* nun

irmão *sm* **1** brother **2** *(frade)* brother, friar, monk

ironia *sf* irony

irônico *adj* ironical

irracional *adj* irrational

irradiar *vtd-vi* **1** *(emitir raios)* to radiate, to irradiate, to beam **2** *fig* to radiate, to irradiate, to beam

▸ *vtd* **1** *(propagar, difundir)* to spread **2** *(transmitir por rádio)* to broadcast

▸ *vpr* **irradiar-se** *(difundir-se, propagar--se)* to spread

irreal *adj* unreal

irreconhecível *adj* unrecognizable

irrecuperável *adj* unrecoverable, irretrievable

irredutível *adj* **1** irreducible **2** *fig* invincible, unshakeable

irrefutável *adj* irrefutable

irregular *adj* **1** irregular **2** *(contrário à lei)* irregular, illegal **3** *(intermitente)* irregular, floating **4** *(inconstante, variável)* irregular, inconsistent, inconstant

irregularidade *sf* **1** irregularity **2** *(falta de observância à lei)* irregularity, illegality **3** *(intermitência)* irregularity, inconsistency **4** *(inconstância)* irregularity, variability

irrelevante *adj* insignificant

irremediável *adj* irremediable, incurable

irreparável *adj* irreparable

irrepreensível *adj* irreproachable, blameless

• **ser irrepreensível** to be unreprehensible

irrequieto *adj* restless

irresistível *adj* irresistible

irresoluto *adj* *(não resolvido)* undecided

▸ *adj-sm,f* *(indeciso)* hesitant person

irrespirável *adj* unbreatheable

irresponsável *adj* irresponsible

irrestrito *adj* unrestricted, unlimited

irreverência *sf* irreverence, disrespect

irreverente *adj* irreverent, disrespectful

irreversível *adj* unreversible

irrevogável *adj* irrevocable

irrigação *sf* **1** irrigation **2** ANAT irrigation

irrigar *vtd* **1** to irrigate **2** ANAT to irrigate

irrisório *adj* **1** ludicrous **2** *fam* *(insignificante)* petty, trifling

irritação *sf* **1** MED itching, rash **2** *(zanga)* irritation

irritadiço *adj* irritable, peevish

irritado *adj* **1** MED irritated, sore **2** *(zangado)* annoyed

• **ficar irritado** to get annoyed

irritante *adj* **1** annoying **2** MED irritating

irritar *vtd* **1** to annoy **2** MED to irritate

▸ *vpr* **irritar-se** **1** *(zangar-se)* to get annoyed **2** MED to become sore

• **irritar-se com alguém** to get annoyed with someone

• **irritar-se por/com alguma coisa** to get annoyed by/with something

irromper *vi* to irrupt, to break forth

irrupção *sf* irruption

isca *sf* **1** bait **2** *fig* bait, lure: ***morder a isca*** to take the bait

isenção *sf* exemption, immunity

isentar *vtdi* **1** to exempt **2** *(fisco)* to exempt

isento *adj* **1** *(desprovido)* lacking **2** *(neutro)* fair, unbiased **3** *(desincumbido)* exempt, free

• **isento de impostos** tax free

islâmico *adj* Islamic

islamismo *sm* Islamism

islandês *adj-sm,f* Icelander

isolado *adj* **1** *(apartado)* isolated **2** *(só)* isolate, alone **3** *(retirado, afastado)* isolated

• **fato isolado** an isolated fact

isolamento *sm* **1** *(separação)* detachment **2** *(estado de quem vive isolado)* isolation

isolante *adj* insulating

isolar *vtd-vtdi* **1** to isolate, to separate, to detach **2** to insulate

▸ *vtd* **1** to isolate: ***a polícia isolou a praça*** the police isolated the square **2** to isolate: ***isolar um vírus*** to isolate a virus

▸ *interj* **isola!** knock on wood!

▸ *vpr* **isolar-se** to isolate oneself

isopor *sm* polystyrene

isqueiro *sm* lighter

Israel *sm* Israel

israelense *adj-smf* Israeli

israelita *adj-smf* Israeli, Israelite

isso *pron dem* that

• **é isso aí!** that's it!, that's right!

• **ficar por isso mesmo** to leave things as they are
• **isso sim é que...** that's what I call...
• **isso!** yes!
• **não por isso** not at all
• **nem por isso...** still, yet, nevertheless
• **por isso** *conj* therefore
• **só isso** that's all

istmo *sm* isthmus

isto *pron dem* this
• **isto é** that is

Itália *sf* Italy

italiano *adj-sm,f* Italian
▸ *sm* **italiano** Italian

item *sm* **1** item **2** *(artigo)* item

itinerário *sm* itinerary, route

iugoslavo *adj-sm,f* Yugoslav, Yugoslavian

J

já *adv* **1** *(antes)* already, yet: ***já comeu?*** have you eaten yet? **2** *(não mais)* no longer, anymore: ***ela já não reconhece ninguém*** she no longer recognizes anyone **3** *(imediatamente)* at once: ***venha já para cá*** come here at once **4** *(daqui a pouco)* soon: ***vou até ali e volto já*** I'm going over there and I'll be back soon **5** *(antigamente, uma vez)* once: ***ela já foi bonita*** she was beautiful once
• **desde já** from now on
• **é para já** right away
• **já chega!** enough!
• **já que** since
• **já, já** okay, okay; coming, coming
• **já vou** I'll be right there
• **um, dois, três, já!** one, two, three, go!

jabuti *sm* ZOOL tortoise

jabuticaba *sf* BOT jaboticaba, Brazilian grape

jaca *sf* BOT jackfruit

jacarandá *sm* BOT jacaranda

jacaré *sm* ZOOL alligator

jaguar *sm* ZOOL jaguar

jaguatirica *sf* ZOOL ocelot, painted leopard

jagunço *sm* hired gun, rural bandit

jaleco *sm* jacket, coat

jamaicano *adj-sm,f* Jamaican

jamais *adv* never

jamanta *sf (carreta)* semi-trailer truck, juggernaut

janeiro *sm* January

janela *sf* **1** window **2** *(de carro, de avião)* window **3** *fig (abertura, buraco)* opening **4** *(envelope com janela)* window envelope **5** *(intervalo entre aulas etc.)* break

jangada *sf* raft

jantar *vtd-vi* to dine, to have dinner
▸ *sm* dinner

Japão *sm* Japan

japona *sf (agasalho)* winter coat, anorak

japonês *adj-sm,f* Japanese
▸ *sm* **japonês** *(língua)* Japanese

jaqueta *sf* **1** jacket **2** *(no dente)* jacket
• **jaqueta acolchoada** padded jacket or coat
• **jaqueta impermeável** waterproof jacket

jaquetão *sm* double-breasted coat

jararaca *sm* **1** ZOOL jararaca, a poisonous snake of the genus *Bothrops* **2** *fig* virago, an ill-tempered woman

jardim *sm* garden
▪ **jardim botânico** botanical garden
▪ **jardim zoológico** zoo

jardim de infância (*pl* **jardins de infância**) *sm* kindergarten, nursery school

jardinagem *sf* gardening

jardineiro *sm,f* gardener

jargão *sm* lingo, jargon

jarra *sf* jar

jarro *sm* jar, jug, pitcher

jasmim *sm* BOT jasmine

jato *sm* **1** *(de água, de sangue)* gush, spurt, squirt **2** *(de luz)* flash, beam **3** *(avião)* jet
• **avião a jato** jet plane
• **ir/vir a jato** *fig* to go/come very fast
• **ir/vir de jato** to jet, to go/come by jet
• **sair de jato** to leave by jet

jaula *sf* cage

javali *sm* ZOOL boar, wild boar

jazer *vi* to lie: ***aqui jaz*** here lies

jazida *sf* **1** bed, resting place **2** *bras* a natural deposit of ore, mine, mother lode

jazigo *sm (sepultura)* grave, tomb

jazz *sm inv* jazz

jeans *sm pl* jeans

jegue *sm* ZOOL donkey, ass

jeitão *sm* way, habits

jeitinho *sm* **1** ways, manner: ***gosto do seu jeitinho*** I like her ways **2** way, knack, skill: ***dar um jeitinho*** to find a way around

jeito *sm* **1** *(modo, maneira)* manner, way **2** *(aparência, disposição)* appearance **3** *(maneira de ser)* ways, way of being **4** *(propensão, aptidão)* propensity, aptitude: ***você leva jeito para médico*** you have the aptitude to be a doctor **5** *(habilidade, cuidado)* knack, skill, care, tact: ***é preciso jeito para lidar com ele*** you need skill to handle him; ***fale com jeito*** speak with tact **6** *(correção, emenda, solução)* hope, solution: ***você não tem jeito mesmo!*** there's no hope for you
• **ao jeito de** in the manner of
• **cair no jeito** to fall into the lowlife
• **daquele jeito** *pej* bad, untidy, dirty, scruffy
• **dar (um) mau jeito no braço, na perna etc.** to sprain
• **dar um jeito** to fix, to clean, to tidy up: ***dei um jeito no banheiro*** I cleaned the bathroom; ***dê um jeito nessa bagunça*** fix this mess
• **de jeito nenhum** not by any means, by no means, *(in)* no way
• **de qualquer jeito** *(sem cuidado)* carelessly, *(haja o que houver)* at any rate
• **desculpe o mau jeito** excuse my manners
• **do/pelo jeito como as coisas vão...** the way things are going...
• **fazer jeito** to be convenient, to be good
• **ficar/estar sem jeito** to get/be embarassed, to feel awkward
• **não ter jeito** to be hopeless
• **pelo jeito...** on the face of it..., it seems...
• **tenha jeito!** behave!

jeitoso *adj* **1** *(conveniente, prático)* convenient, handy **2** *(habilidoso)* skillful **3** *(simpático, bonito)* handsome, graceful

jejuar *vi* to fast

jejum *sm* fast
• **estar em jejum** to be fasting
• **fazer jejum** to fast
• **tomar o remédio em jejum** to take the medicine on an empty stomach

jérsei *sm* jersey

jesuíta *adj-sm* Jesuit

Jesus *sm* Jesus

jiboia *sf* ZOOL boa, python

jiló *sm* BOT gilo

jingle *sm* jingle

jipe *sm* jeep

joalheiro *sm,f* jeweller

joalheria *sf* jewellery

joanete *sm* MED bunion

joaninha *sf* ZOOL ladybird, ladybug *(AmE)*

joão-de-barro (*pl* **joões-de-barro**) *sm* ZOOL the bird *Rufous hornero*

joão-ninguém (*pl* **joões-ninguém**) *sm* a nobody, a worthless person

joça *sf* thing, contraption, stuff

joelhada *sf* a hit or blow given with the knee

joelheira *sf* knee pad

joelho *sm* knee
• **de joelhos** on one's knees

jogada *sf* **1** move, throw, shot **2** *fig (estratagema)* scheme, plot, strategy
• **fazer uma jogada** to make a move
• **morar na jogada** to understand something, to get it
• **tirar da jogada** to take out of the game

jogador *sm,f* player
■ **jogador de futebol** soccer player

jogar *vtd-vi* **1** *(um jogo)* to play **2** *(esporte)* to play: ***jogar futebol/tênis*** to play football/soccer *(AmE)*, to play tennis; ***jogar bola*** to play football **3** *(apostar)* to gamble, to bet **4** *fig (arriscar)* to risk, to take a chance **5** *(oscilar)* to sway, to move from side to side
▸ *vtd (descartar)* to throw: ***jogue os papéis no cesto*** throw the paper in the basket

▸ *vtd-vtdi (arremessar)* to throw: ***joguei uma pedra no vizinho*** I threw a rock at the neighbor
▸ *vpr* **jogar-se** *(atirar-se)* to throw oneself
• **de/para jogar fora** to be thrown away, disposable
• **jogar algo fora** *(descartar)* to bin, to dump, to dispose, *(desperdiçar)* to waste
• **jogar sujo** to play foul

jogatina *sf* gambling, gaming

jogging *sm* jogging

jogo *sm* **1** *(brincadeira)* game, children's play **2** *(de cartas etc.)* game **3** *(partida-esporte)* match, game **4** *(aposta)* bet, gamble **5** *(peças de jogo de xadrez etc.)* pieces **6** *(arrumação de peças ou cartas)* set, pieces **7** *(conjunto)* set: ***dois jogos de chá*** two tea sets **8** *fig (estratégia, estratagema)* scheme, plot **9** *(movimento, funcionamento)* working, motion **10** *(oscilação de barco, avião)* sway, swaying
▸ *pl* **jogos** games: ***jogos olímpicos*** Olympic Games
• **abrir o jogo** *(exibir as cartas)* to show one's cards, *(declarar intenções)* to show one's cards, *(futebol)* to kick off
• **entrar no jogo de alguém** to act with complicity with someone, to be *(mis)* led by someone
• **estar em jogo** to be at stake
• **jogo americano** place mat
• **jogo de cama** bed sheet
• **jogo de cintura** ability to deal with a difficult situation
• **jogo de empurra** buck passing
• **jogo de palavras** pun, play on words
• **jogo de palitinhos** sticks
• **jogo de salão** indoor games
• **jogo do bicho** an illegal lottery in Brazil
• **virar o jogo** to turn things around, *fig* to turn things around

jogo da velha (*pl* **jogos da velha**) *sm* noughts and crosses, tic-tac-toe *(AmE)*

joguete *sm fig* plaything, toy

joia *sf* **1** jewel, gem **2** *fig* person or thing of great value **3** *(taxa)* entrance fee
▸ *pl* **joias** jewelry
▸ *interj* **joia!** great!

jóquei *sm* jockey

jóquei-clube (*pl* **jóqueis-clube**) *sm* jockey club, horse racing track

joqueta *sf* a woman who rides a horse professionally

jornada *sf* **1** *(trajeto, caminhada)* journey **2** *(duração do trabalho)* shift

jornal *sm* **1** *(impresso)* newspaper **2** *(de tv ou rádio)* news

jornaleiro *sm,f (vendedor de jornais)* newsagent

jornalismo *sm* journalism

jornalista *smf* journalist

jorrar *vtd* to gush, to squirt, to spout
▸ *vi* to gush

jorro *sm* jet, gush, spurt

jovem *adj-smf* young, youthful, young person, youth

jovial *adj* jovial, merry, blithe

jovialidade *sf* joviality

juba *sf* mane

jubilar *vtd* **1** *(aposentar)* to retire **2** *(expulsar)* to dismiss a student from school as his time for completing the course has overrun

jubileu *sm* jubilee

júbilo *sm* jubilation, rejoicing, exultation

judaico *adj* Jewish

judas *sm* **1** *(traidor)* traitor **2** *(boneco)* an effigy which is beaten and burned on Holy Saturday: ***malhar o judas*** spanking and burning Judas

judeu *adj-sm,f* Jewish, Jew, Jewess

judiar *vti* to torment, to mistreat, to mock

judiciário *adj* judicial
▸ *sm* **judiciário** judiciary

judô *sm* judo

jugo *sm* **1** yoke **2** *fig* oppression, subjection

juiz (*pl* **juízes**) *sm* **1** judge **2** ESPORTE referee, umpire

juizado *sm* **1** judgeship **2** court

juízo *sm* **1** *(julgamento, avaliação)* judgement: ***emitir juízo sobre alguém/algo*** to pass judgement on someone/something **2** *(discernimento, siso)* judgement, discernment, reason, sense: ***tenha juízo!*** use your judgement!; ***perder o juízo*** to lose one's reason **3** *(pensamento)* view, opinion **4** DIR *(tribunal)* court

• **juízo final** judgement day, doomsday

julgamento *sm* 1 *(juízo, avaliação)* judgement 2 *(em tribunal)* trial, court session 3 *(sentença)* ruling

julgar *vtd-vpred-vi* 1 DIR to judge, to try, to rule: ***julgar um caso*** to try a case; ***o tribunal julgou-o inocente*** the court ruled him innocent 2 *(considerar)* to consider, to believe

▸ *vpr* **julgar-se** *(considerar-se)* to consider oneself

julho *sm* July

jumento *sm* ZOOL donkey, ass

junção *sf* junction

junco *sm* BOT rush, reed

junho *sm* June

junino *adj* pertaining to June

• **festas juninas** June parties *(popular and religious feasts in Brazil in honor of Saint Anthony, Saint John and Saint Peter)*

junta *sf* 1 *(ponto de união)* junction, juncture 2 *(parelha-de bois)* team, yoke 3 *(articulação)* joint 4 *(comissão)* council, assembly, board

▪ **junta médica** medical board, medical council

juntar *vtd-vtdi* 1 *(unir)* to join 2 *(recolher)* to gather, to collect 3 *(reunir)* to bring together 4 *(acrescentar)* to combine 5 *(anexar-documentos)* to attach 6 *(colecionar)* to collect, to gather 7 *(dinheiro)* to save, to amass

▸ *vpr* **juntar-se** 1 *(unir-se)* to join 2 *(reunir-se)* to meet, to get together 3 *(amasiar-se)* to move in together, to splice

juntinho *adj* together: ***os pombos estão juntinhos ali*** the doves are together over there

▸ *adv* **juntinho** near, close: ***fique aqui juntinho de mim*** stay close to me

junto *adj* 1 *(unido)* united, joined 2 *(anexo)* attached, enclosed 3 *(em contato, contíguo)* adjoining, next to, contiguous 4 *(em companhia)* together: ***vieram juntos*** they came together

▸ *adv* **junto** 1 *(juntamente)* together with 2 *(ao lado, perto)* nearby, close to

Júpiter sm Jupiter

jura *sf* vow, oath, promise: ***juras de amor*** vows of love

jurado *adj loc* ***jurado de morte*** sworn to death

▸ *sm* **jurado** juror, member of the jury

juramentado *adj* legally certified

• **tradutor juramentado** public translator

juramento *sm* vow, oath

• **prestar juramento** to take an oath, to swear

jurar *vtd-vtdi-vi* to swear

• **jurar em falso** to perjure, to swear falsely

• **jurar por Deus** to swear to God

• **juro!** I swear!

júri *sm* jury

jurídico *adj* legal, forensic, relating to the law

jurisdição *sf* jurisdiction

jurisprudência *sf* 1 precedent, *stare decisis* 2 jurisprudence

jurista *smf* jurist, lawyer

juro *sm* interest: ***5% de juros*** 5% interest

jururu *adj* sad, discouraged, dismayed, dejected

jus *sm loc* ***fazer jus a*** to deserve, to have a right to

justamente *adv* 1 justly, fairly 2 exactly

justapor *vtd-vtdi* to juxtapose, to place side by side, to adjoin

justiça *sf* justice, fairness

• **fazer justiça a alguém** to do someone justice

• **fazer justiça com as próprias mãos** to take the law into one's hands

• **procurar a justiça** to demand one's rights

justiçar *vtd* to execute a death sentence, to put to death

justiceiro *adj* just, incorruptible

▸ *sm,f* vigilante

justificação *sf* justification, excuse

justificar *vtd* 1 *(legitimar)* to justify, to explain 2 *(demonstrar inocência)* to absolve, to vindicate

▸ *vpr* **justificar-se** to state one's case, to justify oneself

justificativa *sf* justification, apology, proof, explanation

justificável *adj* justifiable, excusable, reasonable

justo *adj* 1 *(conforme à justiça)* just, fair, righteous 2 *(imparcial)* just, unbiased 3 *(merecido)* deserved, fairly earned 4 *(legítimo)* legitimate 5 *(preciso, exato)* exact, accurate 6 *(certo)* correct, right 7 *(estreito)* tight: ***esta blusa está muito justa para mim*** this blouse is too tight for me 8 *(acertado, ajustado)* proper

▸ *adv* **justo** precisely, exactly

• **dormir como um justo** to sleep the sleep of the just

juta *sf* jute

juvenil *adj* juvenile, youthful

juventude *sf* 1 *(mocidade)* youth, youthfulness 2 *(os jovens)* youth

K

kg *abrev* **quilograma** kilogram
kit *sm* kit
kiwi *sm* kiwi
km *abrev* **quilômetro** kilometer
know-how *sm* know-how

L

la *pron* **1** *(neutro)* it: ***mesmo sem ver a casa, decidiu comprá-la*** even without seeing the house, he decided to buy it **2** *(feminino)* her: ***gosto daquela atriz; vim especialmente para vê-la*** I like that actress; I came especially to see her

lã *sf* wool

lá¹ *adv* **1** *(lugar)* there: ***Luís mora lá, naquela casa*** Luís lives there, in that house; ***meu pai é aquele lá*** my father is that one over there; ***estou chegando do Rio; moro lá há dez anos*** I am arriving from Rio; I have been living there for ten years **2** *(tempo)* then: ***de lá para cá*** since then

▸ *loc* **lá por** around

• **lá se vai/foi...** there goes/went

• **eu lá vou saber?** how *(the hell)* should I know?

• **lá adiante** over there

• **lá em cima** up there

• **lá embaixo** down there

• **lá fora** out there

• **lá longe** over there, far away

• **sabe-se lá** who knows

• **sei lá** I don't know

lá² *sm* MÚS la

labareda *sf* flame, blaze

lábia *sf* silver tongue: ***usou sua lábia para convencê-la*** he used his silver tongue to convince her

lábio *sm* lip

labirintite *sf* labyrinthitis

labirinto *sm* **1** labyrinth, maze **2** ANAT labyrinth

laboratório *sm* laboratory

labuta *sf* toil, drudgery

laca *sf* lac, lake, lacquer

laçada *sf* loop

lacaio *sm* **1** menial, servant **2** *fig* flunky, lackey

laçar *vtd* **1** *(capturar com laço)* to noose, to lasso **2** *(prender com laço)* to tie

laçarote *sm* bow

laço *sm* **1** *(de sapato)* shoe-lace **2** *(de gravata)* tie knot **3** *(decorativo)* bow, lace **4** *(armadilha)* snare, trap, *(também fig)* ***cair no laço*** to fall into a trap **5** *(vínculo)* tie, bond **6** *(corda para animais)* noose

lacre *sm* seal, sealing wax

lacrimejar *vi* **1** *(chorar)* to weep, to cry **2** *(encher-se de lágrimas)* to water: ***a poeira fez meus olhos lacrimejarem*** dust made my eyes water

lacrimogêneo *adj* lachrymatory

• **gás lacrimogêneo** tear gas

lactação *sf* lactation

lactante *adj* lactating

▸ *sf* breast-feeding woman

lactente *adj-smf* nursling, nurseling

lactose *sf* lactose

lacuna *sf* **1** gap, hiatus, blank **2** *(omissão)* omission

ladainha *sf* **1** litany **2** *fig* tiresome and tedious talk, humdrum

ladeira *sf* slope, hill

lado *sm* **1** side: ***os lados do triângulo*** the sides of the triangle; ***os lados da caixa*** the sides of the box; ***os lados da rua*** the sides of the street **2** *(direção)* side, way: ***para que lado está a janela?*** which side is the window?; ***para que lado ele foi?*** which way did he go? **3** *(parte)* part: ***o lado brasileiro da Amazônia*** the Brazilian part of Amazonia **4** *(proximidade)* side: ***fique do meu lado*** stand by my side 5 *(partido, facção)* side, party 6 *(aspecto)* perspective, light: ***veja as coisas por outro lado*** look at things in a different perspective

• **ao lado de** *(junto de)* by, beside, next to, *(a favor de)* for, *(em comparação com)* compared to

• **de lado** *(de viés)* sideways, *(sobre o flanco)* on the side, on the flank

• **de lado a lado** from side to side

• **de um lado para outro** across, from side to side

• **lado a lado** side by side, alongside

• **por outro lado** on the other hand

• **pôr/deixar de lado** *(separar)* to put aside, to set aside, *(abandonar)* to give up, to let go

• **de todos os lados** from all directions, from all sides

• **do outro lado de** across

• **por um lado..., por outro** on the one hand…, on the other hand

• **por todos os lados** all over, all around

ladrão *sm* 1 thief, robber, burglar 2 *(de caixa de água)* overflow pipe

ladrilhar *vtd* to tile

ladrilho *sm* floor tile

ladroeira *sf* (*também fig*) thievery, robbery, stealing, theft

lagarta *sf* ZOOL caterpillar

lagartixa *sf* gecko

lagarto *sm* lizard

lago *sm* lake

lagoa *sf* pond

lagosta *sf* ZOOL lobster

lágrima *sf* tear

• **desfazer-se em lágrimas** to burst into tears

laguna *sf* lagoon

laia *sf* kind, sort

laico *adj-sm,f* lay, secular

laje *sf* 1 *(de pedra)* slab 2 *(em edifício)* slab: ***uma laje de concreto*** a concrete slab

lajota *sf* floor tile

lama[1] *sf* 1 mud, sludge 2 *fig (vergonha)* disgrace 3 *fig (miséria)* extreme poverty

lama[2] *sm (monge budista)* lama

lamaçal *sm* slough, bog

lamacento *adj* muddy

lambada *sf* 1 *(pancada)* a blow with a whip or a stick 2 *(descompostura)* scolding 3 MÚS lambada

lamber *vtd* 1 to lick 2 *fig (bajular)* to flatter

▸ *vpr* **lamber-se** 1 to lick oneself 2 *(regalar-se)* to rejoice

lambida *sf* lick, licking

lambido *adj (sem graça)* drab, tasteless

lambiscar *vtd-vi* to nibble, to eat sparingly

lambisgoia *sf* 1 arrogant, vain woman 2 busybody

lambri *sm* wainscot

lambuja *sf* 1 (*vantagem que um jogador concede a outro*) advantage, handicap 2 *(gorjeta)* tip

• **dar algo de lambuja** to throw something in, to give something as an extra

lambuzar *vtd* to smear

▸ *vpr* **lambuzar-se** to smear oneself

lamentação *sf* lament, wailing

lamentar *vtd* 1 *(algo ou alguém)* to lament, to regret, to be sorry for 2 *(manifestar pesar)* to lament, to express sorrow, to feel sorry for: ***lamentamos informar que...*** we regret to inform that…

▸ *vpr* **lamentar-se** to complain, to moan

lamentável *adj* regrettable, unfortunate, pitiful

lamento *sm* lament, wail

lâmina *sf* 1 plate, foil 2 *(de metal)* blade

▪ **lâmina de barbear** razor blade

lâmpada *sf* 1 lamp 2 *(elétrica)* light bulb

▪ **lâmpada piloto** pilot light

lampejo *sm* 1 *(faísca)* sparkle, spark 2 *fig* flash

lampião *sm* gas or kerosene lamp

lamúria *sf* whimper

lamuriar-se *vpr* to whimper, to grumble

lança *sf* spear, lance, javelin

lançamento *sm* 1 *(de foguete)* launch, blast-off 2 *(de livro, projeto etc.)* release, launching 3 *(livro, disco)* release: ***qual é seu último lançamento?*** what is your latest release?

lança-perfume (*pl* **lança-perfumes**) *sf* **1** *(bisnaga)* perfume-squirter **2** *(conteúdo)* the perfumed ethyl chloride contained inside the perfume-squirter

lançar *vtd* **1** *(arremessar)* to throw **2** *(moda)* to launch, to introduce **3** *(livro, filme)* to release, to launch: ***lançar um novo livro*** to release/to launch a new book **4** *(fumaça etc.)* to release, to emit, to belch out: ***lançar fumaça*** to belch out smoke **5** *(registrar contas)* to register
▸ *vpr* **lançar-se 1** *(arremeter)* to rush, to plunge into, to dart **2** *(promover-se)* to make oneself known, to gain visibility **3** *(desaguar)* to flow into: ***o Amazonas se lança no mar*** the Amazon River flows into the sea

lance *sm* **1** *(no jogo)* play, turn, move **2** *(de escada)* flight of stairs **3** *(oferta em leilão)* bid **4** *(conjuntura)* juncture
• **não entendi qual é o seu lance** I don't know what you´re on about
• **que lance é esse?** what is this?

lancha *sf* **1** *(barco)* speedboat **2** *(pé grande)* big foot
▪ **lancha a motor** motorboat, launch

lanchar *vi* to have a snack
▸ *vtd* to eat, to have a snack, to have a slight meal: ***lanchou um sanduíche*** he ate a sandwich

lanche *sm* snack

lancheira *sf* lunchbox

lanchonete *sf* diner, cafeteria, snack bar

lancinante *adj* lancinating, excruciating

lanolina *sf* lanolin

lantejoula *sf* sequin, spangle

lanterna *sf* **1** lantern **2** *(aparelho portátil)* flashlight **3** *(de carro)* tail lights, side lights

lanterninha *sm* **1** *(de cinema)* usher **2** *(último colocado)* the one who/which got or is in the last place: ***meu time foi o lanterninha do campeonato*** my team got the last place in the championship

lapela *sf* lapel

lapidação *sf* **1** *(apedrejamento)* lapidation, stoning **2** *(de pedras preciosas)* cutting

lapidar *vtd* **1** *(apedrejar)* to lapidate, to stone **2** *(pedras preciosas)* to cut

lápide *sf* tombstone, gravestone

lápis *sm* pencil

lapiseira *sf* mechanical pencil, propelling pencil

lapso *sm* **1** *(decurso de tempo)* lapse, interval, period **2** *(erro, falha)* slip, lapse

laptop *sm* laptop, notebook

laquê *sm* lacquer, hairspray

laquear *vtd* to lacquer

lar *sm* home, hearth

laranja *sf* BOT orange
▸ *smf fig (testa de ferro)* figurehead
▸ *adj-sm inv (cor)* orange

laranja-lima *sf* BOT sweet orange

laranjada *sf* orangeade

laranjeira *sf* BOT orange tree

lareira *sf* fireplace, hearth

largada *sf* start, take-off
• **dar a largada** to start, to fire the starting pistol

largado *adj* **1** *(descuidado)* careless, sloppy **2** *(desmazelado)* slouchy

largar *vtd* **1** *(soltar)* to let go to drop **2** *(desapegar-se de)* to let go of
▸ *vtd-vi (sair-do serviço)* to leave
▸ *vtd-vti* **1** *(abandonar; interromper)* to abandon, to quit **2** *(vício)* to quit **3** *(desistir)* to give up, to abandon
▸ *vi-vti* **1** *(dar o arranque)* to start **2** *(navio)* to set sail

largo *adj* **1** broad, wide: ***o corredor é comprido e largo*** the corridor is long and wide; ***não gosto de cintos largos*** I don't like wide belts; ***a partir daqui o rio deixa de ser largo*** from here on, the river is no longer wide; ***o tremor de terra abriu uma rachadura larga na parede*** the earthquake opened a wide crack in the wall; ***é um sujeito de testa curta e rosto largo*** he is a man with a short forehead and broad face; ***o tijolo é mais comprido que largo*** the brick is longer than it is wide; ***este tecido é mais largo que os outros: tem 1,50 de largura*** this piece of fabric is wider than the others **2** loose: ***uma blusa de mangas largas*** a blouse with loose sleeves **3** *(liberal, pródigo)* liberal, generous
▸ *sm* **1** *(praça)* square **2** MÚS largo
• **ao largo** afar, out at sea

largura *sf* width, breadth: ***qual é a largura do rio neste trecho?*** what is the width of the river in this stretch?; ***o tijolo tem 10 cm de largura*** the brick has a width of 10 cm

laringe *sf* ANAT larynx

laringite *sf* MED laryngitis

larva *sf* ZOOL larva, grub, maggot

lasanha *sf* CUL lasagna, lasagne

lasca *sf* 1 chip 2 *(fatia fina)* slice, sliver

lascar *vtd* 1 *(criar lascas)* to chip, to splinter 2 *fig (proferir, soltar)* to utter, to let out
▸ *vtd-vtdi fig (dar, aplicar)* to give: **ela lascou um tapa na cara dele** she gave him a slap in the face
▸ *vpr* **lascar-se** 1 *(soltar lascas)* to sliver, to splinter 2 *(sair-se mal)* to get one's fingers burnt

laser *sm* laser

lástima *sf* 1 *(dó, pena)* pity 2 *(lamentação)* lament, wailing
• **ser uma lástima** to be a problem, to be pitiful

lastimar *vtd* 1 *(lamentar)* to lament 2 *(sentir dó)* to pity
▸ *vpr* **lastimar-se** to complain, to moan

lastimável *adj* lamentable, pitiable

lastro *sm* 1 MAR ballast 2 *(de balão)* ballast 3 ECON reserves, guarantee 4 *fig* something that gives stability 5 *(de ferrovia)* bed

lata *sf* 1 *(material)* tin 2 *(recipiente)* can 3 *(lataria de automóvel)* bodywork
• **em lata** canned
• **falar na lata** to tell to one's face
• **lata de conservas** can
• **lata de lixo** trash can

latão *sm* 1 *(material)* brass 2 *(recipiente em geral)* can 3 *(de lixo)* trash can

lataria *sf (carroceria de automóvel)* bodywork

lata-velha *(pl* **latas-velhas***) sf fig* wreck

latejar *vi* to throb

latente *adj* latent

lateral *adj* lateral, side
▸ *sf* throw-in *(soccer)*

látex *sm* latex

laticínios *sm pl* dairy products

latido *sm* bark, yelp, woof

latifundiário *adj-sm,f* big landowner

latifúndio *sm* latifundium, a large landed property

latim *sm* Latin
• **gastar/perder o latim** to waste one's breath

latino *adj* Latin

latino-americano *(pl* **latino-americanos***) adj-sm,f* Latin American

latir *vi* to bark, to yelp, to woof

latitude *sf* latitude

latrina *sf* latrine

latrocínio *sm* robbery with murder

lauda *sf* 1 *(folha padronizada)* a standardized written sheet 2 *(folha datilografada)* page

laudo *sm* report, decision, finding

lava *sf* lava

lavabo *sm* 1 washbasin, lavatory 2 a WC that can be used by casual guests in a house

lavadeira *sf* washer, washerwoman

lavado *adj (desbotado)* faded

lavadora *sf* 1 *(de roupa)* washing machine 2 *(de louça)* dishwasher

lavagem *sf* 1 *(ato de lavar)* wash, laundry 2 MED lavage 3 *(comida para porcos)* slop, hogwash, swill
• **lavagem cerebral** brainwashing
• **lavagem de dinheiro** money laundering

lava-louças *sf inv* dishwasher

lavanda *sf* lavender

lavanderia *sf* 1 laundry 2 *(dependência da casa)* laundry room
▪ **lavanderia a seco** dry cleaner's

lavar *vtd* to wash, to bathe, to cleanse
▸ *vpr* **lavar-se** to wash oneself, to bathe
• **lavar a alma** to cleanse one's soul
• **lavar a égua** *fig* to be successful
• **lavar a honra** to restore one's honor
• **lavar a roupa suja em casa** to air one's dirty linen in public
• **lavar a seco** to dry clean
• **lavar e passar** to launder

lava-rápido *(pl* **lava-rápidos***) sm* car wash

lavatório *sm* washbasin, lavatory

lavoura *sf* **1** farming **2** *(terra cultivada)* farm

lavrador *sm,f* farmer, peasant, tiller, plowman

lavrar *vtd* **1** *(a terra)* to plow, to cultivate, to till **2** *(uma sentença, um ato)* to draft, to draw up

laxante *adj-sm* laxative

laxativo *adj* laxative
▸ *sm* **laxativo** laxative

lazer *sm* **1** *(tempo de folga)* leisure, spare time **2** fun: ***fazer algo por lazer*** to do something for fun

leal *adj* **1** loyal, faithful **2** fair

lealdade *sf* **1** loyalty, faithfulness, allegiance **2** fairness, fair play

leão *sm,f* ZOOL lion, lioness

leão de chácara (*pl* **leões de chácara**) *sm* bouncer

leão-marinho (*pl* **leões-marinhos**) ZOOL *sm* sea lion

lebre *sf* ZOOL hare

lecionar *vtd-vtdi-vi* to teach

legal *adj* **1** *(de acordo com a lei)* legal, lawful **2** *fig (bem-disposto, bem-humorado)* alright, cool **3** *fig (em ordem)* right, correct **4** *fig (ótimo, perfeito)* nice, cool, awesome

legalidade *sf* legality, lawfulness

legalizar *vtd* to legalize

legar *vtdi* DIR to bequeath

legenda *sf* **1** *(explicação)* caption **2** CINE TV subtitle, caption

legião *sf* legion

legislação *sf* legislation, statute, statute law

legislador *sm* legislator, lawmaker, lawgiver

legislar *vtdi-vi* to legislate

legislativo *adj* legislative

legitimar *vtd* **1** *(legalizar)* to legitimate, to legalize **2** *(reconhecer filho)* to legitimize **3** *(justificar)* to justify

legitimidade *sf* legitimacy

legítimo *adj* **1** *(legal)* legitimate, lawful, legal **2** *(justo, razoável)* reasonable, justified **3** *(verdadeiro, genuíno)* true, authentic, genuine **4** *(filho)* legitimate

legível *adj* legible, readable

légua *sf* league

legume *sm* **1** vegetable **2** BOT legume

lei *sf* law
• **fora da lei** outlaw
• **lei da oferta e da procura** law of supply and demand
• **lei da selva** law of the jungle
• **lei do menor esforço** line or path of least resistance
• **lei seca** Prohibition
• **madeira de lei** hardwood
• **prata de lei** silver
• **sem lei** lawless

leigo *adj* **1** *(secular)* lay, laic **2** *(desconhecedor)* lay, nonprofessional, non-expert
▸ *sm,f* **1** laic **2** layman

leilão *sm* auction

leiloar *vtd* to auction

leiloeiro *adj-sm,f* auctioneer

leitão *sm* **1** ZOOL piglet, suckling pig **2** CUL a dish made with a suckling pig
▪ **leitão assado** roast pork

leite *sm* milk
▪ **leite condensado** condensed milk
▪ **leite de coco** coconut milk
▪ **leite de magnésia** milk of magnesia
▪ **leite de soja** soymilk
▪ **leite de vaca** cow's milk
▪ **leite desnatado** skimmed milk
▪ **leite em pó** dried milk
▪ **leite integral** whole milk
▪ **leite longa-vida** long-life milk
▪ **leite materno** mother's milk
▪ **leite semidesnatado** low fat milk
• **tirar leite de pedra** to do something apparently impossible

leiteira *sf* milk pan

leiteiro *sm,f* milkman, milkwoman

leito *sm* **1** *(cama)* bed **2** *(fundo de rio, mar etc.)* bed **3** *(de rua, estrada etc.)* road surface
▪ **leito (de hospital)** hospital bed
▪ **leito conjugal** marriage bed
▪ **leito de morte** death-bed
▪ **leito nupcial** bridal bed
• **guardar o leito** to keep the bed

leitor *sm,f* reader

leitoso *adj (com aspecto de leite)* milky

leitura *sf* reading

lema *sm* motto

lembrado *adj* 1 *(recordado)* recollected, remembered 2 *(sugerido)* brought to one's attention

• **bem lembrado!** just right!

• **estar/não estar lembrado de algo** to remember/not to remember something

lembrança *sf* 1 *(recordação)* remembrance, recollection 2 *(presente)* souvenir

• **dê lembranças à sua mãe** give my regards/best wishes to your mother

• **mandar lembranças a alguém** to give/send someone one's regards/best wishes

• **não sair da lembrança** to be unforgettable

lembrar *vtd* to remember

▸ *vtdi* to remind

▸ *vpr* **lembrar-se** to remember

lembrete *sm* reminder

leme *sm* MAR helm

lenço *sm* 1 *(para assoar-se)* handkerchief 2 *(de papel)* paper tissue 3 *(para a cabeça)* headscarf, kerchief

lençol *sm* 1 sheet

▪ **lençol petrolífero** oil deposit

▪ **lençol freático** groundwater

• **estar em maus lençóis** to be in deep water, to be in a fix

lenda *sf* legend

lendário *adj* legendary

lenga-lenga *sf* rigmarole

lenha *sf* firewood

• **baixar/meter lenha** *(surrar)* to give someone a beating, *(criticar)* to speak ill of someone

• **jogar/deitar lenha na fogueira** to add fuel to the fire

lente *sf* lens

• **lente de aumento** magnifying glass

• **lente de contato** contact lens

lentidão *sf* slowness, sluggishness

lentilha *sf* BOT lentil

lento *adj* 1 *(vagaroso)* slow 2 *(gradual)* gradual 3 *(lerdo)* sluggish, laggard

leonino *adj* 1 *(abusivo)* leonine 2 *(desleal)* perfidious, treacherous 3 *(do signo de Leão)* a Leo, a person born under the sign of Leo

leopardo *sm* ZOOL leopard

lépido *adj* 1 lepid, agile 2 joyful, jovial

lepra *sf* leprosy

leque *sm* 1 fan 2 *fig (conjunto, gama)* range, array: ***um leque de opções*** an array of options

ler *vtd-vi* to read

• **onde está *x* leia-se *y*** read y for x

lerdo *adj* sluggish, laggard

lesão *sf* injury

lesar *vtd* 1 *(contundir)* to injure, to hurt, to wound 2 *(prejudicar)* to damage, to aggrieve

lésbica *sf* lesbian

lesma *sf* ZOOL slug

leste *sm* East

letal *adj* lethal

letargia *sf* lethargy, languor

letivo *adj* concerning school or a period of learning

• **ano letivo** school year

letra *sf* 1 *(sinal gráfico)* letter 2 *(caligrafia)* handwriting: ***ter boa/má letra*** to have good/bad handwriting 3 *(de canção)* lyrics, words

▸ *pl* **letras** 1 *(conhecimentos)* learning, schooling 2 *(curso)* Language and Literature 3 *(literatura)* Literature

• **a letra e o espírito** the letter and the spirit

• **ao pé da letra** to the letter, literally

• **com todas as letras** clearly

• **letra de câmbio** *sf* bill of exchange

• **letra de forma/de imprensa** block letter, print type

• **letra maiúscula** capital letter, uppercase letter

• **letra minúscula** lowercase letter

• **tirar de letra** to do something easily

letrado *adj-sm,f* 1 *(que sabe ler)* literate 2 *(erudito)* lettered, scholar

letreiro *sm* placard

letrista *smf (quem compõe letra de música)* lyricist

léu *sm loc **ao léu*** aimlessly

leucemia *sf* MED leukemia

leva *sf* 1 *(grupo)* lot, batch 2 *(recrutamento)* recruitment, draft

levado *adj-sm,f (traquinas)* naughty
• **levado da breca** frisky

levantamento *sm* 1 *(de objeto)* lifting, raising 2 *(pesquisa, sondagem etc.)* survey
• **levantamento de peso** weightlifting
• **levantamento topográfico** surveying, topographic survey

levantar *vtd* 1 *(pôr no alto)* to lift 2 *(pôr em posição reta)* to set upright, to pull up 3 *(ajudar a levantar-se)* to raise *(up)*, to pull up 4 *(dar mais altura)* to lift, to raise 5 *(erigir)* to erect 6 *(erguer do chão)* to lift 7 *(elevar-volume)* to raise 8 *(questão, problema)* to raise 9 *(fazer levantamento)* to survey, to make a survey, to poll 10 *(olhos, rosto)* to lift 11 *(recrutar)* to recruit 12 *(arrecadar)* to raise, to collect
▸ *vi-vpr* **levantar(-se)** *(despertar)* to get up
▸ *vpr* **levantar-se** 1 *(pôr-se em pé)* to stand up 2 *(raiar-o sol)* to rise 3 *(rebelar-se)* to rise *(up)* against 4 *(reabilitar-se)* to be restored, to recover

levante *sm* 1 *(nascente)* East 2 *(países do Mediterrâneo oriental)* the Levant 3 *(motim)* mutiny, upheaval

levar *vtd* 1 *(conduzir)* to take, to bear, to move 2 *(possibilitar chegar)* to go, to lead: ***todos os caminhos levam à praça*** all the ways lead to the square 3 *(transportar)* to take, to drive, to haul 4 *(portar)* to carry: ***nunca leva o guarda-chuva*** he never carries an umbrella 5 *(retirar)* to take away, to remove: ***levem daqui este caixote*** take this box away from here 6 *(receber, sofrer)* to take, to get, to receive, to be given: ***levar um pontapé, um soco*** to take a kick, a punch; ***levar a culpa por alguma coisa*** to take the blame for something; ***levar uma surra*** to take a beating 7 *(a vida)* to lead 8 *(demorar)* to take: ***levou dois anos para conseguir emprego*** it took him two years to get a job 9 *(obter)* to win: ***levar um prêmio*** to win a prize 10 *(roubar)* to steal 11 *(requerer)* to take, to require: ***este bolo leva ovos?*** does this cake take eggs? 12 *(pôr em cena)* to stage, to exhibit
▸ *vtdi* 1 to take: ***leve-lhe este prato de comida*** take him this dish of food 2 *(induzir, fazer)* to lead, to make: ***a escuridão levou-o a cometer aquele engano*** darkness led him to make that mistake
• **deixar-se levar por alguém/algo** to be taken in by somebody/something
• **deixar-se levar por um sentimento** to be overcome by a feeling
• **ir levando** to get by
• **levar a mal** to take amiss
• **levar a melhor** to prevail, to get a good deal, to get the better of
• **levar a pior** to get a sore/bad deal
• **levar algo adiante** to go ahead with
• **levar alguém/algo embora** to take someone/something away
• **levar de volta** to take someone/something back, *(retomar)* to retake, to take something back
• **não levar a nada** not to go/lead anywhere

leve *adj* 1 *(que não pesa)* light, weightless 2 *(trabalho, tarefa)* light, easy 3 *(ágil, desenvolto)* nimble, agile 4 *(fresco-tecido, roupa)* fine 5 *(delicado, suave, tênue)* delicate 6 *(ameno-filme, livro etc.)* light 7 *(refeição, comida)* light 8 *(sono)* light 9 *(bebida)* light, soft
• **de leve** *(sem exercer pressão)* lightly, softly, *(superficialmente)* superficially
• **pega leve!** take it easy!

levedura *sf* yeast

leveza *sf* lightness

leviandade *sf* folly, flippancy

leviano *adj* 1 frivolous, flippant, trifling 2 *pop (leve)* light

levitar *vi* to levitate

léxico *sm* lexicon

lhama ZOOL *sf* llama

lhe *pron pes* 1 *(a/para ele, a/para ela) pron (to)* him, her, it: ***vi sua irmã e dei-lhe a notícia*** I saw your sister and gave her the news; ***disse-lhe a verdade*** I told him the truth 2 *(a você, ao senhor, à senhora) (to)* you: ***Sra. Ramos, envio-lhe uma amostra*** Mrs. Ramos, I'm sending you a sample; ***você perguntou, e eu lhe respondi com a verdade*** you asked, and I gave you the truth

lhes *pron* 1 *(a/para eles, a/para elas) (to)* them: ***meus irmãos me procuraram e eu lhes telefonei ontem*** my brothers looked for me and I called them yesterday **2** *(a/para vocês, a/para os senhores, a/para as senhoras) (to)* you: ***apresento-lhes meu irmão*** let me introduce my brother to you

Líbano *sm* Lebanon

libanês *adj-sm,f* Lebanese

liberação *sf* **1** *(exoneração de compromisso)* release, liberation, discharge **2** *(conquista de direitos iguais)* liberation **3** COM *(da alfândega)* clearance

liberal *adj* **1** *(pródigo)* liberal, prodigal, generous **2** *(aberto, tolerante)* liberal, open-minded

▸ *adj-smf* POL liberal

• **profissão liberal** *(liberal)* profession

• **profissional liberal** a member of the professions

liberalismo *sm* POL liberalism

liberar *vtd-vtdi* **1** *(exonerar)* to discharge, to let go: ***eu o liberei mais cedo*** I let him go earlier **2** *(libertar)* to free, to set free **3** *(tornar disponível)* to make available **4** *(autorizar)* to free **5** *(pôr à disposição, soltar)* to unleash **6** *(tornar livres-costumes)* to liberate, liberalize

▸ *vpr* **liberar-se** **1** *(exonerar-se)* to get discharged, to be exonerated **2** *(tornar-se livre)* to become free, to free oneself

liberdade *sf* **1** liberty, freedom **2** *(licença, permissão)* license, permission: ***eu não tinha a liberdade de visitá-la*** I had no permission to visit her **3** *(familiaridade)* liberty: ***tomei a liberdade de entrar sem ser anunciado*** I took the liberty of coming in unannounced

▸ *pl* **liberdades** *(intimidade)* intimacy

▪ **liberdade condicional** parole

• **tomar a liberdade de** to take the liberty of

libertação *sf* **1** *(de um país)* liberation **2** *(soltura)* release, the act of setting free

libertador *adj-sm,f* liberator

libertar *vtd-vtdi* **1** *(país)* to free, to make independent **2** *(soltar)* to release, to set free

▸ *vpr* **libertar-se** **1** *(livrar-se)* to free/release oneself **2** *(soltar-se)* to free/release oneself

libertinagem *sf* licentiousness, debauchery

liberto *adj (livre)* free

▸ *smf* freedman, freedwoman

libido *sf* libido, sexual drive

libra *sf* **1** *(medida)* pound **2** *(moeda)* pound, pound sterling **3** ASTROL Libra

lição *sf* **1** *(tarefa escolar)* homework, school-work **2** *(aula)* class, lesson: ***tomar lições de matemática com alguém*** to have Math classes with someone **3** *(informações sobre algo)* instruction **4** *(ensinamento moral)* lesson **5** *(repreensão, castigo)* reprimand **6** *(exemplo, modelo)* example

• **lição de vida** life lesson

• **que isso lhe sirva de lição** let this be a lesson to you

licença *sf* **1** *(autorização)* license, permission, consent: ***pedir licença para fazer algo*** to ask for permission to do something **2** *(poética)* poetic license **3** *(permissão formal)* consent, license: ***licença de funcionamento de um imóvel*** business license; ***licença para dirigir*** driver's license; ***licença de importação*** import license **4** *(ausência autorizada em emprego)* leave of absence **5** MIL leave

• **com licença da (má) palavra** excuse my manners

• **com licença!** excuse me!

• **estar de licença por motivo de saúde** to be on sick leave

• **tirar licença** to take leave

licença-maternidade *(pl* **licenças-maternidade***) sf* maternity leave

licenciamento *sm (de veículo)* licensing

licenciar *vtd* **1** *(conceder licença)* to license, to permit, to allow **2** MIL to grant leave **3** *(conceder licenciatura)* to grant licentiate **4** *(veículo)* to license

▸ *vpr* **licenciar-se** **1** *(obter licenciatura)* to take the degree of licentiate, to take a teaching degree **2** *(tirar licença)* to take leave

licenciatura *sf* licentiate

licencioso *adj* libertine, licentious

lícito *adj* **1** *(legal)* lawful, legal, legitimate **2** *(válido, admissível)* valid, legitimate

licor *sm* liqueur

lida *sf* **1** *(esforço, labuta)* labour, drudgery, toil **2** *(leitura rápida)* a quick look, a quick read

lidar *vti-vi (esforçar-se, labutar)* to labor
▸ *vti* to deal with

líder *sm* leader

liderança *sf* leadership

liderar *vtd* **1** *(grupos, equipes)* to lead, to command **2** *(pesquisas)* to conduct

lido *adj* **1** *(que tem livros lidos)* read, well--read **2** *(instruído)* scholarly, well-read

liga *sf* **1** cement, bond, bonding, fastening **2** *(aliança)* alliance, league **3** *(de metais)* *(metal)* alloy **4** *(para meias)* garter, suspender
• **dar liga** to bind (*together*): ***os ovos dão liga na massa*** the eggs bind the dough

ligação *sf* **1** *(união, junção)* joint **2** *(o que serve para ligar)* coupling, binding, liaison **3** *(mediador, intermediário)* liaison, link **4** *(nexo, conexão)* coherence, connection, nexus **5** *(relação, vínculo)* connection, link **6** *fig (relação entre amigos ou familiares)* bond, tie **7** *(relação entre amantes)* liaison, affair **8** *(de eletricidade ou conexão elétrica)* connection **9** QUÍM chemical bond **10** *(telefonema)* call: ***ligação a cobrar*** collect call; ***fazer uma ligação*** to make a call

ligado *adj* **1** *(unido)* connected, united **2** *(funcionando)* on (*not off*), running **3** *(em comunicação)* connected **4** *(apegado)* attached to, clinging **5** *pop (atento)* alert, aware, intent **6** *pop (sob efeito de droga)* high **7** QUÍM bonded **8** MÚS tied in, legato
• **'tá ligado?** got it?

ligamento *sm* ANAT ligament

ligar *vtd-vtdi* **1** *(unir, prender)* to bind, to connect, to attach **2** *(conectar)* to connect, to link **3** *(pôr em comunicação)* to connect **4** *(associar)* to associate **5** *(unir afetivamente)* to bond, to attach **6** *(discar)* to call, to dial: ***ligue para este número*** dial this number **7** *(telefonar)* to call, to phone: ***você me ligou ontem?*** did you call me yesterday?
▸ *vtd* **1** *(propiciar liga)* to cement, to bind, to attach **2** *(ativar sistema)* to turn on **3** *(veículo)* to start
▸ *vti (telefonar)* to call, to phone
▸ *vti (dar importância)* to care about
▸ *vi (fazer liga)* to cement, to bind (*together*)
▸ *vpr* ligar-se *(apegar-se)* to cling to
• **ligar por engano** *(telefone)* to call a wrong number
• **não estou nem ligando!** see if I care!, I couldn't give a damn!

ligeireza *sf* lightness, swiftness, quickness

ligeiro *adj* **1** *(leve)* light, slight **2** *(rápido)* fast, swift, quick **3** *(ágil, veloz)* agile, nimble **4** *(sutil, delicado)* slight, delicate **5** *(sem importância)* insignificant, trifling **6** *(frugal)* light **7** *(ameno, fácil)* light: ***música ligeira*** light music **8** *bras pop (desonesto)* deceitful, dishonest, slick

lilás *adj-sm* lilac

lima *sf* **1** *(ferramenta)* file **2** BOT lime

limão *sm* BOT lemon

limão-galego (*pl* **limões-galegos**) *sm* BOT key lime

limar *vtd* to file, to smooth with a file

limiar *sm* **1** threshold **2** *fig* cusp

limitação *sf* **1** *(demarcação)* limit, confinement **2** *(restrição)* limitation, restriction, restraint
▸ *pl* **limitações** limitations

limitado *adj* **1** limited, restricted **2** narrow-minded, with little intelligence **3** COM *(companhia limitada)* limited company **4** COM *(ordem limitada)* limit order

limitar *vtd* **1** *(demarcar)* to limit, to circunscribe **2** *(restringir)* to restrict, to restrain
▸ *vti (fazer fronteira)* to border on
▸ *vpr* **limitar-se** *(restringir-se)* to restrict oneself to

limite *sm* **1** *(linha de demarcação)* boundary, borderline, limit **2** *(fronteira)* frontier **3** *(fim, termo)* end
▸ *pl* **limites** limits

limítrofe *adj* **1** adjoining, neighboring **2** borderline

limoeiro *sm* BOT lemon tree

limonada *sf* lemonade

limpador *adj-sm,f* cleaner
▸ *sm* cleaner, sweeper
▪ **limpador de para-brisa** windshield wiper

limpar *vtd* **1** *(fazer limpeza)* to clean, to cleanse, to sweep, to wipe **2** *(ferida)* to clean, to cleanse **3** *fig (purificar)* to pu-

rify **4** *fig (nome, reputação)* to clear **5** *fig (roubar, levar tudo)* to steal everything from someone/somewhere
▸ *vi (tempo)* to clear *(up)*: ***o tempo limpou*** the weather cleared up
▸ *vpr* **limpar-se** **1** *(purificar-se)* to get purified **2** *fig (reabilitar-se)* to clean oneself
• **limpar feijão, arroz etc.** to sort beans, rice etc.
• **limpar o prato** to clean up one's plate

limpeza *sf* **1** *(asseio, alinho)* cleanliness, neatness **2** *(ato de limpar)* cleaning, clean-up **3** *(purificação)* purification **4** *(expurgo, expulsão)* purging **5** *fig (em texto)* clean-up **6** *fig (roubo de vulto)* big theft
• **creme/sabonete de limpeza** cleansing cream/soap
• **é limpeza** it's clean, it's all right, it's not dishonest
• **fazer limpeza** to clean *(up)*: ***fazer uma limpeza na casa*** to clean up the house
• **(serviço de) limpeza urbana** city cleaning *(service)*

límpido *adj* **1** *(claro, transparente)* limpid, clear, transparent **2** *(nítido)* clear

limpo *adj* **1** clean, clear **2** *(asseado)* clean, neat **3** *(sem impurezas)* clean **4** *(terreno, área)* clean, clear **5** *(céu, tempo)* clear, cloudless **6** *fig (honesto)* clean, honest **7** *fig (desarmado)* clean, unarmed **8** *fig (não ilícito, confiável, sem perigo)* clean, clear: ***está limpo, podemos ir*** it's clear, we can go; ***e aí, estamos acertados? – está limpo*** so, are we done? – we're clear **9** *fig (sem ficha na polícia)* clean, with a clean record **10** *fig (sem deduções)* net: ***o salário dele é de dez mil reais limpos*** his net salary is ten thousand reais **11** *(sem dinheiro, duro)* broke **12** *(não poluente)* clean: ***tecnologia limpa*** clean technology
▸ *adv* **limpo** fair: ***jogar limpo*** to play fair
• **ficar limpo** *(ficar sem dinheiro)* to be broke, *(ficar reabilitado)* to get clean
• **passar a limpo** to make a fair copy, *fig* to start over with a clean slate
• **sair limpo** *(não dar motivo a queixas)* to come out clean, *(ir embora sem dinheiro)* to be cleaned out
• **tirar a limpo** to check out, to dig out the truth

limusine *sf* limousine, limo

lince *sf* ZOOL lynx

linchar *vtd* to lynch

lindo *adj* beautiful, lovely

linear *adj* linear

linfa *sf* lymph

linfático *adj* lymphatic

lingerie *sf* **1** *(roupa íntima feminina)* lingerie **2** *(tecido)* lingerie

lingote *sm* ingot

língua *sf* **1** ANAT tongue **2** *(idioma)* tongue, language
▪ **língua materna** mother tongue
▪ **língua de sinais** sign language
▪ **língua franca** lingua franca
• **bater/dar com a língua nos dentes** to spill the beans, to babble/blab something out
• **dar/mostrar a língua** to pull one's tongue out
• **dobre a língua!** hold your tongue!, show respect!
• **engolir a língua** to shut up
• **enrolar a língua** to babble
• **estar/ficar com a língua de fora** to pant, to lose one's breath
• **língua comprida** slanderer
• **língua de palmo e meio** chatterbox
• **língua de trapo** loose tongue
• **língua suja** foul-mouthed
• **meter a língua** to attack verbally
• **morder a língua** *fig* to bite one's tongue
• **não falar a mesma língua** *fig* not to be on the same page
• **na ponta da língua** *(bem sabido)* on the tip of one's tongue

linguado *sm* ZOOL sole, flounder

linguagem *sf* language

linguajar *sm* lingo

linguarudo *adj-sm,f* **1** talkative, windbag **2** verbally inconvenient, not holding one's tongue

lingueta *sf* tongue

linguiça *sf* sausage
• **encher linguiça** *fig* to say or write irrelevant things to fill up space

linguística *sf* Linguistics

linha *sf* **1** *(fio para costura)* *(sewing)* thread **2** *(traço, pauta)* line **3** *(escrita)* line **4** *(bilhete)* line: ***escrever umas linhas*** to write a few lines **5** *(elétrica)* power line: ***linha de alta tensão*** high tension power line **6** *(comunicação telefônica)* line: ***a linha está ocupada*** the line is busy; ***quem está na linha?*** who is on the line?; ***esperar na linha*** to hold the line; ***o telefone não está dando linha*** I can't get a line **7** *(de transporte)* line **8** *(conjunto de produtos)* line **9** *(de um partido)* line **10** *(fio para pescar)* fishing line **11** *(correção, classe)* correct behaviour **12** *(boa forma física)* shape, figure **13** *(modelo)* figure **14** *(trilho-de trem, de bonde)* railway **15** *(parentesco)* lineage

▸ *pl* **linhas** *(formas)* lines, lineaments

• **andar na linha** to behave, to keep within one's bounds

• **caiu a linha** (*no telefone*) I was cut off, the call was cut off

• **em linhas gerais** broadly

• **linha aérea** airline

• **linha de conduta** line of conduct

• **linha de montagem** assembly line

• **linha dura** strict

• **pôr alguém na linha** to make someone behave themselves, to put someone in their place

• **sair da linha** to misbehave, to step out of one's bounds

linhaça *sf* linseed

linho *sm* **1** BOT flax **2** *(tecido)* linen

link *sm* link

lipoaspiração *sf* liposuction

liquefazer *vtd* to liquify

▸ *vpr* **liquefazer-se** to become liquid, to melt

liquidação *sf* **1** *(pagamento, quitação)* settlement **2** *(venda de mercadorias)* sale, clearance **3** *(extinção)* extinction **4** *fig (eliminação, morte)* elimination, removal, annihilation

liquidar *vtd* **1** *(quitar, pagar)* to settle, to pay: ***liquidar uma dívida*** to settle a debt **2** *(vender a preços reduzidos)* to sell out, to clear **3** *(pôr fim)* to annihilate, to destroy **4** *(consumir)* to finish off **5** *(assassinar)* to liquidate

• **liquidar estoques** to sell off

liquidez *sf* **1** liquidity **2** COM liquidity

liquidificador *sm* blender

líquido *adj* **1** liquid **2** *(não bruto)* net: ***salário líquido*** net salary; ***peso líquido*** net weight

▸ *sm* **líquido** liquid

• **líquido e certo** clear and legal, *fig* undoubted, undisputed

lira *sf* **1** MÚS lyre **2** *(moeda)* lira

lírico *adj-sm,f* lyrical, lyric

lírio *sm* BOT lily

Lisboa *sf* Lisbon

liso *adj* **1** smooth, even **2** *(não estampado)* plain: ***tecido liso*** plain fabric **3** *(honesto, íntegro)* honest, clean **4** *pop (sem dinheiro)* broke

lisonja *sf* flattery

lisonjear *vtd* to flatter

lisonjeiro *adj* flattering

lista *sf* **1** *(rol)* list, roll **2** *(listra)* stripe

■ **lista de casamento** wedding list

■ **lista de espera** waiting list

■ **lista de preços** price list

■ **lista eleitoral** electoral roll/register

■ **lista telefônica** telephone directory

• **lista negra** blacklist

• **fazer uma lista** to make a list

listra *sf* stripe

• **de listras** striped

literal *adj* literal

literalmente *adv (à letra)* literally, word for word

literário *adj* literary

literato *sm,f* literate

literatura *sf* literature

litígio *sm* litigation

litigioso *adj* litigious, contentious

litoral *sm* coast, shore, shoreline

litorâneo *adj* coastal

litro *sm* litre

liturgia *sf* liturgy

lívido *adj* livid

livrar *vtd-vtdi* **1** *(libertar)* to free, to release, to let go **2** *(desvencilhar)* to exempt, to cut off from, to rid *(from)*

▸ *vpr* **livrar-se** **1** *(libertar-se)* to get free, to achieve freedom **2** *(desvencilhar-se)* to get rid of

• **Deus me livre!** God forbid!

livraria *sf* bookshop, bookstore

livre *adj* 1 *(não escravo)* free 2 *(solto)* free, loose 3 *(à vontade)* free, clear: ***você está livre para fazer o que quiser*** you are free to do whatever you want 4 *(desembaraçado)* free, unbound, disengaged: ***braços e as mãos livres*** free hands and arms 5 *(táxi, banheiro)* free, unoccupied 6 *(não ocupado, de folga)* free, available 7 *(sem compromisso amoroso)* free, single 8 *(isento)* free, exempt: ***livre de preocupações*** free from worries; ***livre de impostos*** tax free 9 *(gratuito)* free, gratuitous 10 *(permitido)* unrestricted: ***o filme é livre*** the film is unrestricted 11 *(espontâneo, desenvolto)* free, spontaneous 12 *(tradução, tema, adaptação)* free

livre-arbítrio (*pl* **livres-arbítrios**) *sm* free will

livreiro *adj* book, related to the book trade
▸ *sm,f* bookseller

livro *sm* book
• **livro contábil** accounts book
• **livro de bolso** pocket book
• **livro de cabeceira** bedside book
• **livro de ponto** timesheet
• **livro de receitas** cookbook
• **ser um livro aberto** to be an open book

lixa *sf* sandpaper
▪ **lixa de unha** nail file

lixar *vtd* to sandpaper
▸ *vpr* **lixar-se** not to give a damn: ***estou me lixando para isso*** I don't give a damn about it

lixeira *sf* 1 *(doméstica)* dustbin, litter bin, trash can *(AmE)* 2 *(na rua)* dump

lixo *sm* 1 garbage, trash, waste, litter 2 *(lixeira)* dustbin, trash can, dump 3 *fig (coisa ruim, porcaria)* crap

lo *pron* 1 it: ***fui ver o carro, mas não pretendo comprá-lo*** I went to see the car, but I don't intend to buy it 2 him: ***ela quis abraçá-lo*** she wanted to hug him 3 you: ***venha cá, quero beijá-lo*** come here, I want to kiss you

lobisomem *sm* werewolf

lobo *sm,f* ZOOL wolf

locação *sf* leasing, rental

locador *sm,f* leaser, renter, landlord, landlady

locadora *sf* 1 *(de automóveis)* car rental store 2 *(de filmes)* video rental store

local *adj* local
▸ *sm* **local** place, site
• **local de encontro** meeting point
• **local de trabalho** workplace

localidade *sf* locality

localização *sf* 1 setting, locale 2 COM localization

localizado *adj* 1 *(não espalhado)* localised 2 situated, located: ***uma casa bem/mal localizada*** a well/badly-situated house

localizar *vtd* 1 *(detectar o lugar)* to spot, to locate 2 *(identificar)* to situate, to localise 3 *(colocar, instalar)* to situate, to place
▸ *vpr* **localizar-se** *(situar-se)* to situate oneself

loção *sf* lotion
• **loção de limpeza** cleanser

locar *vtd* to lease, to hire

locatário *sm,f* leasee, hirer, tenant

locomoção *sf* locomotion

locomotiva *sf* locomotive

locomover-se *vpr* to move

locução *sf* GRAM phrase

locutor *sm,f* 1 *(de rádio)* broadcaster, announcer 2 LING speaker

lodaçal *sm* 1 swamp, bog, marsh 2 *fig* an immoral place

lodo *sm* 1 mud, silt, sludge, slime 2 *fig* degradation

logaritmo *sm* MAT logarithm

lógica *sf* 1 logic 2 *(coerência)* coherence
• **pela lógica...** by logic

lógico *adj* 1 logical 2 *(racional, coerente)* rational, coherent, consistent 3 clear, obvious: ***é lógico que...*** it is clear that...
• **é lógico!** of course!

logística *sf* logistics

logo *adv* 1 *(em breve)* soon: ***volto logo*** I'll come back soon 2 *(imediatamente)* right away, at once, immediately: ***eu logo entendi as intenções dele*** I read his intentions right away 3 *(justamente)* of all: ***logo comigo isso foi acontecer!*** of all people, it would happen to me!; ***e pen-***

sar que eu iria lhe encontrar logo aqui and to think that I'd meet you here, of all places
▸ *conj (portanto)* therefore, hence
• **até logo** see you soon, so long
• **tão logo** as soon as

logradouro *sm* generical and technical term used for public spaces such as roads, streets, avenues, and squares

lograr *vtd* **1** *(conseguir)* to achieve **2** *(enganar, tirar proveito)* to cheat, to deceive
▸ *vi (dar certo)* to succeed

logro *sm* **1** *(embuste)* trick, trap **2** *(trapaça, peça, partida)* cheat, hoax, fraud

loiro *adj-sm,f* blond, fair

loja *sf* **1** store, shop **2** *(maçônica)* lodge
• **loja de conveniência** convenience store
• **loja de departamentos** department store
• **loja de ferragens** hardware store
• **loja de miudezas** a shop selling odds and ends

lombada *sf* **1** *(de livro)* spine **2** *(quebra-molas)* ramp

lombar *adj* ANAT lumbar

lombo *sm* **1** ANAT loin **2** CUL loin **3** *(costas)* back

lombriga *sf* worm, roundworm

lombrigueiro *sm pop* anthelmintic

lona *sf* **1** *(para caminhões)* canvas **2** *(de pneus)* casing **3** *(de circo)* tarpaulin **4** *(de freio)* brake lining

Londres *sf* London

longa-metragem (*pl* **longas-metragens**) *sm* feature film

longe *adv* **1** *(no espaço)* far, far off, away **2** *(no tempo)* far off, distant **3** far: ***longe de mim achar que...*** far be it from me to think that... **4** *(afastado de uma atividade)* distant, distanced: ***estou longe da política*** I've been distant from politics
• **ao longe** at a distance
• **de longe** *(de um local distante)* from afar, *(sem dúvida)* by far
• **estar longe de** *fig* to be far from
• **ir longe** *(progredir)* to go far
• **ir muito longe** *(exagerar)* to go too far

longínquo *adj* **1** *(no espaço)* far away, distant **2** *(no tempo)* far off, distant

longitude *sf* longitude

longitudinal *adj* longitudinal

longo *adj* **1** *(comprido, extenso)* long, lengthy **2** *(demorado)* long, protracted: ***uma longa espera*** a long wait
▸ *sm (vestido)* long dress
▸ *loc adv* **ao longo de 1** *(no espaço)* along, alongside **2** *(no tempo)* throughout

lonjura *sf* great distance

lontra *sf* ZOOL otter

lordose *sf* lordosis

lorota *sf* fib

los *pron* **1** them: ***quis ficar com os meninos para criá-los*** I wanted to keep the boys to raise them **2** you: ***venham cá, quero abraçá-los*** come here, I want to hug you

losango *sm* lozenge, diamond

lotação *sf* **1** *(capacidade)* capacity **2** *(pequeno ônibus)* minibus, van

lotado *adj (cheio)* crowded, filled

lotar *vtd* to fill

lote *sm* **1** *(de mercadorias)* lot **2** *(de bens, de ações)* lot **3** *(terreno)* lot

loteca *sf* lottery

loteria *sf* **1** lottery **2** *(casa lotérica)* lottery agency **3** *fig* something completely determined by chance: ***este projeto dar certo ou não é loteria*** only chance will tell whether this project will succeed or not
• **loteria esportiva** sports lottery

lotérico *adj* lottery
• **casa lotérica** lottery ticket agency

loto *sf* lotto

lótus *sm* BOT lotus
• **posição de lótus** lotus position

louça *sf* **1** *(material)* chinaware, dishware **2** *(conjunto de recipientes)* dishes: ***lavar a louça*** to wash the dishes
• **louça sanitária** bathroom appliances

louco *adj-sm,f* mad, crazy, insane
• **estar louco por alguém** to be crazy for someone
• **ficar louco** to go crazy
• **louco de pedra/varrido** nuts, whack
• **ser louco por algo** to be crazy/mad about something

loucura *sf* 1 *(demência)* madness, insanity, craziness 2 *(paixão)* madness 3 *fig (insensatez)* folly, nonsense

louro *adj-sm,f (loiro)* blond, fair
▸ *sm* **louro** 1 BOT laurel 2 CUL bay leaf 3 *(papagaio)* parrot

lousa *sf* blackboard

louva-deus *sm inv* ZOOL mantis

louvar *vtd* to praise

louvável *adj* praiseworthy, laudable

louvor *sm* commendation, praise

lua *sf* moon
• **lua minguante** waning moon
• **lua cheia** full moon
• **lua crescente** waxing moon
• **lua nova** new moon

lua de mel (*pl* **luas de mel**) *sf* honeymoon

luar *sm* moonlight

lubrificante *adj-sm* lubricating, lubricant

lubrificar *vtd* to lubricate

lucidez *sf* lucidity

lúcido *adj* 1 *(ato)* lucid 2 *(pessoa)* lucid, sane

lucrar *vtd-vti-vi* to profit, to benefit, to gain

lucrativo *adj* lucrative, profitable
• **sem fins lucrativos** non-profit

lucro *sm* 1 profit, gain, income 2 *(vantagem, utilidade)* benefit, advantage

ludibriar *vtd* to deceive, to dupe

lufada *sf* gust, puff

lugar *sm* 1 place: ***ele se levantou para ir à toalete e não voltou para seu lugar*** he stood up to go to the toilet and did not return to his place; ***pôr cada coisa em seu lugar*** to put everything in its place; ***não saio desta casa; aqui é meu lugar*** I won't leave this house; this is my place; ***este livro estava fora de lugar*** this book was out of place 2 *(assento)* seat 3 *(país, cidade, bairro etc.)* place, parts, region: ***não sou do lugar*** I'm not from these parts 4 *(espaço)* room: ***no elevador não há lugar para dez*** there's no room for ten in the lift 5 *(hospedagem)* room, vacancy 6 *(assento à mesa)* place 7 *(local indefinido)* place 8 *(posição)* place: ***saiu em primeiro lugar e chegou em último*** he was in first place at the beginning but came out last 9 *fig (situação)* situation, position 10 *(posto, emprego)* position, job, employment 11 *(trecho-de livro, filme etc.)* passage of a book, film etc. 12 *(momento oportuno)* right place, right moment: ***aquela sua intervenção estava fora de lugar*** your intervention was out of place
• **dar lugar a** *(ensejar)* to give way to, *(oferecer espaço)* to give room to
• **em outro lugar** elsewhere, in another place
• **em primeiro lugar..., em segundo lugar...** firstly..., secondly...
• **em todo lugar** everywhere
• **enxergar o seu lugar** to see one's place, to know one's place
• **guardar o lugar para alguém** to keep someone's place
• **lugar em pé** standing room
• **não esquentar lugar** not to keep a place
• **perder o lugar** to lose one's place
• **se eu estivesse no seu lugar** if I were in your shoes, if I were you
• **um lugar ao sol** a place in the sun

lugar-comum (*pl* **lugares-comuns**) *sm* commonplace

lugarejo *sm* village, hamlet

lúgubre *adj* gloomy, grim, dismal

lula *sf* 1 ZOOL squid 2 CUL calamari

luminária *sf* lamp

luminoso *adj* luminous, bright
▸ *sm* luminous advertising sign, neon sign

lunar *adj* lunar

lunático *adj* lunatic

luneta *sf* refracting telescope

lupa *sf (lente)* magnifying glass

lusitano *adj-sm,f* Lusitanian

lustra-móveis *sm inv* furniture polish

lustrar *vtd* 1 *(polir)* to polish, to gloss 2 *(engraxar)* to shine

lustre *sm* 1 *(castiçal)* candelabra 2 lustro

lustro *sm* lustre

lustroso *adj* lustrous, shiny

luta *sf* 1 *(batalha)* fight, battle 2 ESPORTE

wrestling, combat **3** *(esforço)* struggle, effort

lutador *adj-sm,f* **1** ESPORTE wrestler, contender, fighter **2** *fig* fighter

lutar *vti-vi* **1** *(entrar em combate corporal)* to fight, to wrestle **2** *(combater)* to fight, to battle **3** *(esforçar-se)* to struggle, to strive

▸ *vtd-vi* to fight, to be skilled in the fighting technique of *(a specific martial art)*: ***lutar judô*** to do judo

luto *sm* mourning, bereavement

• **estar de luto** to grieve, to mourn, to be in mourning

• **luto fechado** deep mourning

luva *sf* **1** glove **2** COM key money

• **luva de boxe** boxing glove

luxação *sf* MED dislocation, strain

luxo *sm* **1** *(opulência)* luxury, magnificence **2** *(coisa supérflua)* luxury, extravagance, excess **3** *fig (abundância, profusão)* luxuriousness **4** *fig (denguice)* affectation, fussiness: ***tem muito luxo: vive reclamando da comida*** she's full of affectation: always complaining about the food **5** *fig (cerimônia)* false formality: ***deixe de luxo, aceite logo esse dinheiro*** leave aside the false formalities and accept this money

• **cheio de luxo** affected, fussy, picky

• **dar-se ao luxo de** to afford to, to afford *(oneself)* the luxury of: ***não posso me dar ao luxo de recusar sua oferta*** I can't afford *(myself)* the luxury of refusing his offer

• **fazer luxo** **1** to be fussy **2** to behave with false or misplaced formality

• **um luxo de** a luxury

luxuoso *adj* luxurious

luxúria *sf* lust

luz *sf* **1** light, lighting, illumination **2** *(claridade)* brightness **3** *fig (elucidação, clareza)* enlightenment, understanding **4** *fig (saber, conhecimentos)* knowledge, instruction

• **à luz de** in the light of

• **à luz do dia** in daylight

• **acender a luz** to turn the lights on

• **ao apagar das luzes** *fig* when the lights go out

• **dar à luz** to give birth

• **lançar luzes sobre algo** to cast light on something

• **luz de freio** brake lights

• **luz intermitente** flashing light

• **luzes do carro** car lights

• **trazer à luz** to bring to light, to make known

• **vir à luz** *(nascer)* to be born, *(tornar-se conhecido)* to come to light, to become known, *(ser editado)* to be published

luzir *vi (brilhar)* to shine, to gleam

M

maca *sf* stretcher

maçã *sf* BOT apple
• **maçã do rosto** cheek

macaca *sf* ZOOL female monkey
• **estar com a macaca** to be irritated

macacada *sf* **1** *(grupo de macacos)* a band of monkeys **2** *(grupo de pessoas)* a group of people

macacão *sm* **1** *(roupa de trabalho)* overalls **2** *(roupa de passeio)* jumpsuit

macaco *sm* **1** ZOOL monkey **2** *(do carro)* jack **3** *(imitador)* copycat **4** *(indivíduo feio)* ugly person

maçada *sf* *(amofinação)* vexation, annoyance

maçaneta *sf* door handle, doorknob

maçante *adj* tiresome, boring, annoying

maçarico *sm* **1** *(aparelho de soldar)* blowtorch **2** ZOOL any of a number of water fowl of the genera *Numenius*, *Bartramia* and *Tringa*, among others

macarrão *sm* spaghetti, pasta, noodles

macerar *vtd* to macerate

macete *sm* *(truque, artifício)* trick

machado *sm* axe, hatchet

machista *adj-smf* sexist, male chauvinist

macho *sm* **1** male **2** *(valentão)* braggart **3** *(amásio)* lover

machucado *adj* *(ferido)* hurt
▸ *sm* *(ferimento)* bruise, wound

machucar *vtd* **1** to hurt: ***o sapato está me machucando*** the shoe is hurting me **2** to hurt: ***brincando com a faca, machucou o irmão*** playing with a knife, he hurt his brother
▸ *vpr* **machucar-se** to hurt oneself

maciço *adj* **1** thick **2** *(intenso, grande)* massive: ***uma dose maciça de remédio*** a massive dose of medicine **3** *(em massa)* massive: ***migração maciça para as cidades*** massive migration to the cities
▸ *sm* **maciço** GEOG massif

macieira *sf* BOT apple tree

maciez *sf* softness, smoothness

macio *adj* **1** *(fofo)* soft **2** *(sem aspereza)* smooth **3** *(que cede à mordida)* mellow: ***fruta macia*** mellow fruit **4** *(meigo, delicado)* smooth, soft, mellow: ***fala macia*** smooth talk; ***o toque macio das mãos*** the soft touch of the hands

maço *sm* **1** *(feixe-de plantas)* bunch **2** *(de cigarros)* packet **3** *(de fósforos)* pack **4** *(de papel, notas)* pile, heap, stack

maçom *smf* mason, freemason

maçonaria *sf* masonry, freemasonry

maconha *sf* marijuana, pot

maconheiro *adj-sm,f* one who smokes marijuana, pothead

má-criação (*pl* **más-criações, má-criações**) *sf* rudeness

macular *vtd* to maculate, to stain, to spot
▸ *vpr* **macular-se** to bring shame on oneself

macumba *sf* **1** an Afro-Brazilian religion involving syncretic elements **2** witchcraft
• **fazer macumba para alguém** to put someone under a macumba spell

madeira *sf* wood
• **bater na madeira** to knock on wood

madeiramento *sm* timberwork, wooden framework

madrasta *sf* stepmother

madre *sf* RELIG mother

madrepérola *sf* mother-of-pearl

madressilva *sf* BOT honeysuckle

madrinha *sf* godmother

madrugada *sf* dawn, daybreak

madrugador *adj-sm,f* early bird

maduro *adj* **1** *(fruto)* ripe, mellow **2** *(pessoa)* mature **3** *fig* mature: ***um projeto maduro*** a mature project **4** *fig* prudent, well thought out: ***uma atitude madura*** a prudent attitude

mãe *sf* mother

má-educação (*pl* **más-educações**) *sf* bad manners

maestria *sf* mastership, mastery, perfection

má-fé (*pl* **más-fés**) *sf* bad faith: ***de má-fé*** in bad faith

máfia *sf* mafia, mob

magazine *sm* **1** *(loja)* store **2** *(revista)* periodical, magazine

magia *sf* **1** magic **2** sorcery, witchcraft

mágica *sf*magic
- **fazer mágica** *fig* to do magic

mágico *adj* magician

magistério *sm* **1** *(ação)* teaching **2** *(professorado)* teaching profession

magistrado *sm* **1** magistrate **2** judge

magistral *adj* **1** magisterial **2** masterly, masterful

magistratura *sf* DIR magistrature, the Bench

magnata *sm* magnate

magnésia *sf* magnesia

magnésio *sm* magnesium

magnético *adj* magnetic

magnetizar *vtd* **1** to magnetize **2** *(fascinar)* to charm, to fascinate

magnetismo *sm* magnetism

magnífico *adj* magnificent, superb, splendid

magnitude *sf* magnitude

magnólia *sf* BOT magnolia

mago *sm,f* magus, wizard: ***os Reis Magos*** the Three Wise Men

mágoa *sf* **1** grief, sorrow **2** resentment, spite **3** sore, bruise

magoado *adj* **1** sad **2** resentful **3** hurt, sore

magoar *vtd* **1** to hurt **2** to upset
▸ *vpr* **magoar-se** to hurt oneself, to be hurt

magrelo *adj-sm,f* skinny

magreza *sf* thinness, leanness, slenderness

magricela *adj-smf* skinny

magro *adj* **1** *(pessoa)* skinny **2** *(sem gordura)* slim, light, low-fat **3** *(pouco espesso, delgado)* thin **4** *(pequeno, minguado)* meager: ***salário magro*** meager wage
▸ *sm,f* a thin, skinny person

maio *sm* May

maiô *sm* swimsuit

maionese *sf* mayonnaise

maior *adj* **1** *(mais amplo, mais extenso, mais encorpado, mais alto)* larger, bigger, greater, taller, longer **2** MÚS major
- **a maior parte** the majority
- **estar na maior** to be doing great
- **maior (de idade)** over 18 *(or 21)*
- **maior de 21 anos** over 21
- **ser o maior** to be the greatest, to be number one

▸ *sm* **1** the largest, biggest, greatest, tallest, longest **2** number one

maioral *smf* head, chief, boss, big shot

maioria *sf* majority
- **na maioria das vezes** most times
- **ter maioria no Congresso/no Parlamento** to have a majority in Congress/Parliament

mais *adv* **1** more, -er: ***você precisa ler mais*** you need to read more; ***este perfume é mais cheiroso que aquele*** this perfume smells better than that one; ***está mais quente que frio*** it is hotter than it is cold **2** anymore, any longer: ***não chore mais*** don't cry any longer **3** *(acima de)* over: ***ele tem mais de 20 anos*** he is over 20 **4** *(mais vezes)* more: ***eu o via mais que você*** I would see him more than you would **5** *(melhor)* better: ***você enxerga mais que eu*** you can see better than I can
▸ *sm (restante)* else: ***tudo o mais*** everything else

▸ *pron indef* **1** *(maior quantidade)* more: ***a sala tinha mais atores que espectadores*** there were more actors in the room than spectators; ***não posso pegar mais alunos*** I can't get any more students

▸ *prep* **1** *(com)* with: ***ele veio mais o irmão*** he came with his brother **2** MAT plus: ***cinco mais cinco são dez*** five plus five is ten

• **a mais** in addition, as an extra

• **ainda mais que...** **1** especially because... **2** even more than

• **de mais a mais** besides, moreover

• **há mais de um mês** more than a month ago

• **mais dois quilômetros chegamos** two kilometers more and we will be there

• **mais ou menos** **1** so so **2** more or less

• **mais que tudo** more than anything

• **nem mais nem menos** neither more nor less

• **por mais que...** however much..., no matter how much...

• **quanto mais... mais...** the more... the more...

• **quer mais?** do you want some more?

• **sem mais nem menos** without further ado, without warning

• **sinal de mais** plus sign

maisena *sf* corn starch

maître *sm* head waiter

maiúsculo *adj* capital letter, upper-case: ***em maiúsculas*** in capital letters

majestade *sf* majesty

• **Sua/Vossa Majestade** Your Majesty

majestoso *adj* majestic, imperial

major *sm* MIL major

majorar *vtd* to raise, to increase, to augment

mal *adv* **1** *(de modo indesejável)* bad, badly: ***a empresa vai mal*** the company is doing badly **2** *(sem saúde)* ill: ***o filho dela está mal*** her son is ill **3** *(de modo inadequado)* badly: ***mal alojado*** badly housed **4** *(pouco, insuficientemente)* hardly: ***eu o conheço mal*** I hardly know him **5** *(dificilmente)* barely: ***essa comida mal dá para três*** this meal will barely feed the three of us **6** *(quase nada)* barely, hardly: ***ele mal me olha*** he hardly looks at me **7** *(indelicadamente)* rudely: ***responder mal para alguém*** to answer rudely to someone

▸ *sm* **1** *(o contrário de bem)* evil **2** *(desgraça, dor, coisa nociva ou errada)* harm, hurt, wrong **3** *(doença)* illness, disease

▸ *conj (assim que)* as soon as, barely: ***mal chegava, tirava os sapatos*** as soon as he got home he'd take off his shoes

• **cortar o mal pela raiz** to nip something in the bud

• **de mal a pior** worse and worse, from bad to worse

• **dos males, o menor** of two evils choose the least

• **estar/ficar de mal** to fall out with someone

• **falar mal** *(uma língua)* to speak poorly, *(de alguém)* to speak ill of somebody, to backbite

• **fazer mal a** *(ser indigesto)* to desagree, *(ser prejudicial)* to harm

• **ir mal em algo** to go badly or wrong

• **levar a mal** to take one wrong

• **mal e porcamente** very badly

• **menos mal** not so bad

• **não faz mal** it's ok, it doesn't matter

• **passar mal** to feel sick, to feel ill

• **por bem ou por mal** whether one wants it or not, willy-nilly, by hook or by crook

• **que mal há nisso?** what's wrong with that?, what's the problem with that?

• **sentir-se mal** to feel bad, to feel ill

• **viver mal** *(com pouco dinheiro)* to live poorly, *(sem concórdia)* not to get on/along with

mala *sf* **1** bag, suitcase **2** *(porta-malas)* trunk

▸ *adj-smf pop* **1** *(chato)* annoying person **2** *(alguém que deixa o trabalho para os outros)* passenger, freerider

malabarismo *sm* juggling

• **fazer malabarismos** *fig* to juggle

malabarista *smf* juggler

mal-acostumado (*pl* **mal-acostumados**) *adj* spoiled, spoilt

mal-afamado (*pl* **mal-afamados**) *adj* infamous, notorious

mal-agradecido (*pl* **mal-agradecidos**) *adj* ungrateful

mal-ajambrado (*pl* **mal-ajambrados**) *adj* scruffy

malandragem *sf* **1** *(conjunto de malandros)* group of rascals, rogues **2** *(ato de malandro)* swindle, cheating, trickery

malandrice *sf* **1** vagrancy, idleness **2** roguery

malandro *sm* scoundrel, rogue, rascal, con artist

malária *sf* MED malaria

mal-assombrado (*pl* **mal-assombrados**) *adj* haunted

malcheiroso *adj* smelly, stinky

malcriado *adj-sm,f* ill-bred, ill-mannered, rude, uncivil, impolite

maldade *sf* malice, badness, wickedness

• **fazer maldade** to do harm

• **fazer algo por maldade** to be mean, to act maliciously

maldição *sf* curse, damn, malediction

▸ *interj* **maldição!** damn it!

maldito *adj-sm,f* cursed, damned

maldizer *vtd* **1** *(amaldiçoar)* to condemn, to curse, to damn **2** *(dizer mal)* to slander, to defame, to backbite

maldormido *adj* **1** *(que dormiu mal)* sleepless **2** *(em que se dormiu mal)* sleepless: ***noite maldormida*** sleepless night

maldoso *adj-sm,f* **1** *(mau)* wicked, bad, spiteful **2** *(malicioso)* malicious, mischievous

maleável *adj* **1** *(elástico)* malleable, flexible, pliable **2** *(dócil)* docile, compliant

maledicência *sf* slander, defamation, backbiting

mal-educado (*pl* **mal-educados**) *adj-sm,f* ill-bred, ill-mannered, impolite, rude

malefício *sm* **1** *(mal)* harm, misdeed, malefaction **2** *(feitiço)* witchcraft, sortilege, spell

maléfico *adj* malefic, malign, evil

mal e mal *adv* barely, scarcely

mal-encarado (*pl* **mal-encarados**) *adj* **1** *(de mau-humor)* glum, grumpy, cranky **2** *(com aparência de má índole)* evil-looking

mal-entendido (*pl* **mal-entendidos**) *adj* *(mal interpretado)* misunderstood, misconcieved

▸ *sm* misunderstanding

mal-estar *sm* **1** *(indisposição)* discomfort, malaise **2** *(constrangimento)* uneasiness

• **mal-estar repentino** a sudden malaise

maleta *sf* suitcase, valise

malévolo *adj* malevolent, unwilling, unkind

malfazejo *adj* maleficent, harmful, mischievous

malfeito *adj* *(mal executado)* clumsy, poorly made

malfeitor *sm,f* **1** evil-doer **2** criminal, villain

malformação *sf* malformation

malha *sf* **1** *(nó, volta em tecido, em rede)* mesh **2** *(tecido)* knitted fabric **3** *(traje colante)* leotard **4** *(suéter)* knitwear, sweater **5** *fig* net: ***nas malhas do crime*** caught in crime's net **6** *(mancha em pelagem)* spot, speckle **7** *(jogo)* Portuguese game ressembling quoits or bowls in which metal discs are aimed at an upright metal pin

• **malha de lã** sweater, cardigan

• **malha fina (da Receita)** tax inspection

• **malha rodoviária** highway network

• **malha urbana** urban network

malhação *sf* **1** *(surra)* beating **2** *(crítica enérgica)* severe criticism **3** *(ginástica vigorosa)* workout

malhado *adj* *(com manchas na pelagem)* spotted, speckled, patchy, mottled

malhar *vtd-vti* **1** *(bater com o malho)* to hammer, to beat with a mallet or hammer **2** *(espancar)* to spank, to beat *(up)*

▸ *vtd (criticar)* to criticize severely

▸ *vi (fazer ginástica)* to work out

• **malhar em ferro frio** *fig* to make ropes out of sand, to labour in vain

malharia *sf* knitwear factory

malho *sm* sledgehammer

• **descer o malho em alguém** to criticize someone severely

mal-humorado (*pl* **mal-humorados**) *adj-sm,f* grumpy, ill-humoured

malícia *sf* **1** *(malignidade)* malice **2** *(sagacidade)* slickness, shrewdness **3** *(marotice)* roguery **4** *(intenção picante)* lewdness: ***disse aquilo com malícia*** he said it with lewdness in his mind

malicioso *adj* **1** *(picante)* spicy, lewd: ***piada maliciosa*** lewd joke **2** *(sagaz, esperto)* slick, smart

maligno *adj* **1** *(malévolo)* malign, pernicous **2** MED malignant
▸ *sm (diabo)* devil

mal-intencionado (*pl* **mal-intencionados**) *adj* having bad intentions, malicious, perfidious

maloca *sf* **1** *(casa indígena)* indian dwelling, wigwam **2** *(casebre)* hovel, shack

malograr *vi* to fail, to go to wreck

malogro *sm* frustration, failure

maloqueiro *adj* **1** *(andrajoso, malcriado)* badly dressed rude individual **2** *(marginal)* rogue

malote *sm* small suitcase, bag, pouch

malpassado *adj* CUL rare

malquisto *adj* **1** disliked **2** hated, detested

malsucedido *adj* **1** *(projeto etc.)* unsuccessful **2** *(pessoa)* unlucky

malte *sm* malt

maltrapilho *adj-sm,f* ragged, tattered, torn, shabby

maltratar *vtd* **1** *(tratar com aspereza)* to mistreat **2** *(espancar)* to beat, to abuse **3** *(machucar)* to hurt physically, to abuse **4** *(danificar, avariar)* to damage

maluco *adj-sm,f (louco)* nut, crazy, mad, insane
▸ *adj* crazy: ***uma ideia maluca*** a crazy idea

maluquice *sf* craziness, madness, wackness

malvadeza *sf* perversity

malvado *adj* mean, perverse, wicked, evil

malvisto *adj* **1** disliked **2** suspicious, untrustworthy

mama *sf* **1** female breast **2** udder

mamadeira *sm* nursing bottle

mamãe *sf* mom, mommy, mummy, mamma

mamão *sm* BOT papaya

mamar *vtd-vi* **1** to suck, to suckle, to take the breast **2** *(colher benefícios ilícitos)* to mismanage private or public funds, swindle

mamata *sf* shady business, theft

mamífero *adj* mammiferous
▸ *sm* mammal

mamilo *sm* nipple

mamoeiro *sm* BOT papaya tree, papaw tree

mamona *sf* BOT **1** castor-oil plant **2** castor bean

maná *sm* manna

manada *sf* herd, flock

manancial *sm* **1** fountain head, spring **2** abundant well

manar *vtd (verter, dar origem)* to produce, to issue, to bring forth, to give rise to
▸ *vti* **1** *(brotar)* to issue **2** *(provir)* to emanate, to flow continuously and abundantly

mancada *sf* mistake or lapse, blunder, gaffe, error
• **dar uma mancada** to make a mistake

mancar *vi-vti* **1** to limp, to hobble **2** to fail, to break one's word, to let someone down
▸ *vpr* **mancar-se** *gír* to realize the mistake made
• **se manca!** wake up!, hello!

mancha *sf* **1** spot, stain, speck, fleck, blotch **2** *fig* blemish, disgrace
• **tirar manchas** to whiten, to bleach

manchar *vtd* **1** to spot, to blot, to stain **2** *fig* to dishonour, to discredit, to tarnish: ***manchar a reputação de alguém*** to tarnish someone's reputation
▸ *vpr* **manchar-se** to bring shame on oneself

manchete *sf* headline

manco *adj* lame, crippled

mancomunar *vtd-vtdi (combinar)* to combine, to agree
▸ *vpr* **mancomunar-se** to collude with

manda-chuva (*pl* **manda-chuvas**) *smf* **1** bigwig, big shot **2** boss **3** influential person

mandado *adj* 1 *(enviado)* sent 2 *(ordenado)* ordered
▸ *adj-sm,f (quem cumpre ordens)* ordered
▸ *sm* **mandado** 1 *(ordem, comando, incumbência)* order, command: ***o menino cumpre mandados*** the boy carries out orders 2 DIR warrant: ***mandado de captura*** arrest warrant

mandamento *sm* RELIG commandment

mandante *sm* 1 *(quem comanda)* one who directs or commands, leader of a plot 2 *(de crime)* instigator

mandão *adj-sm,f* bossy

mandar *vtd-vtdi* 1 *(dar ordens)* to order, to command, to tell: ***mandei as crianças tomar banho*** I told the kids to take a shower 2 *(expedir)* to issue 3 *(ordenar a ida)* to send: ***mandou o menino com um bilhete*** he sent a boy with a note 4 *(sugerir, pedir)* to ask: ***ele mandou dizer que gosta de você*** he asked me to tell you he likes you
▸ *vti-vi (ter o comando)* to command
▸ *vtd* 1 *(soltar, emitir)* to let out, to play: ***mandar um palavrão*** to let out a swear word; ***manda aí aquela música*** play that song 2 *(trazer)* to bring: ***garçom, manda um bife acebolado*** waiter, bring me a steak with onions please
▸ *vtdi (desferir)* to inflict: ***mandou-lhe uma cacetada*** he inflicted her a blow
▸ *vpr* **mandar-se** 1 *(ir)* to go, to leave (**para**, -) 2 *(ir embora)* to leave
• **mandar alguém embora** *(mandar sair)* to send someone away, *(despedir do emprego)* to fire someone
• **mandar chamar alguém** to ask to call someone
• **mandar ver** to go for it

mandato *sm* mandate, term of office

mandíbula *sf* ANAT jaw, jawbone, inferior maxillary

mandinga *sf (feitiço)* witchcraft, sorcery

mandioca *sf* BOT cassava, manioc, mandioca

mandioquinha *sf* BOT arracacha

mando *sm* command
• **a mando de** by order of

maneira *sf* 1 *(modo, jeito)* way, manner, form 2 *(possibilidade)* way, means: ***não houve maneira de convencê-lo*** there was no way to convince him
▸ *pl* **maneiras** *(modo de comportar-se)* manners
• **à maneira de** in the way of, in the manner of, like, as
• **de alguma maneira** somehow
• **de maneira nenhuma** in no way, by no means
• **de maneira que** so that
• **de outra maneira** otherwise
• **de toda maneira** anyway
• **ter/não ter boas maneiras** *(not)* to have good manners

maneirar *vtd* 1 *(contornar, resolver com habilidade)* to solve a problem with skill 2 *(abrandar)* to relieve, to tone down
▸ *vi* 1 *(abrandar-se)* to calm down 2 *(agir com moderação)* to go easy: ***maneirar nas despesas*** to go easy on the expenses

maneiro *adj* 1 *(de fácil manejo)* easy to be handled 2 *(leve, fácil)* easy 3 *(hábil, jeitoso)* handy 4 *(bacana, legal, ótimo)* cool, nice

manejar *vtd* to handle, to manage

manejo *sm* handling, management

manequim *sm* 1 *(boneco)* mannequin 2 *(tamanho de roupa)* size: ***qual é seu manequim?*** what size do you wear?
▸ *smf (modelo)* mannequin, fashion model

manga *sf* 1 *(do vestuário)* sleeve 2 BOT *(fruta)* mango
• **arregaçar as mangas** to roll up one's sleeves
• **botar/pôr as mangas de fora** *fig* to reveal one's real intentions
• **de manga curta/comprida** in short/long sleeves
• **ter uma carta na manga** to have a card up one's sleeve

mangue *sm* salt marsh

manha *sf* 1 *(choro sem motivo)* whining, whim 2 *(astúcia)* slyness, artfulness, craftiness 3 *(procedimento astucioso)* trick, artifice 4 *(mania, hábitos)* vice, bad habit 5 *(característica que torna algo difícil de lidar)* whim: ***este aparelho tem certas manhas para ligar*** this appliance has a few whims which make it difficult to turn on 6 *(habilidade, destreza)* skill, cleverness

manhã *sf* morning
• **amanhã de manhã** tomorrow morning
• **de manhã (bem) cedo** early in the morning
• **de/pela manhã** in the morning
• **durante a manhã** in the morning
• **hoje pela manhã** this morning

manhoso *adj* 1 *(desenvolto, destro)* smart, clever, skilful 2 *(ardiloso, malicioso)* cunning, crafty, shrewd 3 *(que chora sem motivo)* whining

mania *sf* 1 mania 2 *(costume)* habit

maníaco *adj-sm,f* maniac

manicômio *sm* psychiatric hospital, asylum

manicure *sf* manicure, manicurist

manifestação *sf* 1 *(revelação, expressão)* manifestation, disclosure 2 *(de sentimentos)* demonstration, display 3 *(passeata)* protest march, demonstration 4 RELIG manifestation

manifestante *smf (de passeata)* demonstrator, protester

manifestar *vtd-vtdi* 1 *(demonstrar)* to demonstrate, to display 2 *(declarar publicamente)* to reveal, to manifest, to disclose
▸ *vpr* **manifestar-se** 1 *(fazer declarações)* to express oneself 2 *(em passeata)* to protest 3 *(aparecer)* to manifest, to appear, to show: ***a doença ainda não se manifestou*** the disease has not yet manifested itself 4 RELIG manifest

manifesto *adj* manifest
▸ *sm* **manifesto** manifesto, statement

manilha *sf (tubo)* glazed clay or concrete pipe used in canalisation

manipulação *sf* 1 manipulation, handling 2 *(falsificação)* falsification, forgery 3 *(manobra para influenciar)* manipulation 4 *(preparação de fórmulas)* prescription pharmacy

manipular *vtd* 1 to manipulate, to handle 2 *(falsificar)* to forge, to fake 3 *(influenciar)* to manipulate 4 *(preparar fórmulas)* to prepare medicine

manivela *sf* handle, crank, winch

manjar *vtd (observar, espionar)* to spy, to get a peep of
▸ *vtd-vti* 1 *(conhecer bem)* to be good at something, to know something well 2 *(perceber)* to get it, to perceive, to get to the point
▸ *sm (iguaria)* 1 delicacy 2 CUL a kind of pudding

manjedoura *sf* manger, crib

manjericão *sm* BOT basil

mano *sm,f (irmão)* brother, sister

manobra *sf* 1 *(acomodação de veículo)* manoeuvre 2 *(movimentação de trens)* shunting 3 *(expediente, estratagema)* manoeuvre, stratagem 4 *(artimanha)* trick, artifice
▸ *pl* **manobras** MIL manoeuvre

manobrar *vtd-vi (acomodar veículo)* to manoeuvre
▸ *vi* 1 *(empregar ardis)* to scheme 2 MIL to manoeuvre
▸ *vtd (influenciar vontade alheia)* to manipulate

manobrista *smf* car valet

mansão *sf* mansion

mansinho *adj (muito manso)* very tame, gentle, docile
• **de mansinho** softly, gently, slowly, stealthily, little by little, step by step

manso *adj* 1 *(afável)* gentle, mild, affable 2 *(calmo)* docile, meek 3 *(animal)* tame

manta *sf* blanket

manteiga *sf* butter

manteigueira *sf* butter dish

manter *vtd-vpred (deixar ficar)* to maintain, to keep
▸ *vtd* 1 *(conservar)* to keep, to preserve 2 *(promessa)* to keep 3 *(sustentar, suportar)* to sustain 4 *(sustentar, custear)* to support, to keep: ***as crianças são mantidas pelos tios*** the children are kept by their uncles
▸ *vpr* **manter-se** 1 *(ficar, permanecer)* to stay, to remain 2 *(sustentar-se)* to keep oneself, to earn a living 3 *(sobreviver)* to maintain oneself

mantimentos *sm pl* provisions, supply, food
• **comprar mantimentos** to buy groceries

manto *sm* mantle, cloak, robe

mantô *sm* shawl

manual *adj* 1 *(das mãos)* manual, hand 2 *(feito com as mãos)* manual, handmade
▸ *sm* manual
■ **manual de instruções** instruction manual

manufatura *sf* 1 *(fabricação, elaboração)* manufacturing, producing 2 *(estabelecimento)* factory

manufaturado *adj* 1 handmade 2 manufactured, produced

manuscrito *adj* written by hand, handwritten
▸ *sm* **manuscrito** manuscript

manusear *vtd* to handle

manuseio *sm* handling

manutenção *sf* 1 *(preservação)* keeping, maintenance 2 *(apoio, sustentação)* support, sustenance 3 *(sustento de pessoas)* maintenance, sustenance 4 *(custeio)* cost of maintaining: ***a manutenção de um carro*** the cost of maintaining a car 5 *(cuidado periódico)* maintenance: ***manutenção elétrica de um prédio*** electrical maintenance of a building; ***manutenção das máquinas*** machine maintenance

mão *sf* 1 hand 2 *(demão)* coat 3 *(sentido de tráfego)* way: ***duas mãos ou mão única*** two way or one way 4 *(rodada de jogo)* round
• **à mão** *(ao alcance)* at hand, *(manualmente)* by hand
• **à mão armada** armed: ***assalto à mão armada*** armed robbery
• **a quatro mãos** *(música)* four-hands, *fig* four-hands, in four hands
• **abrir mão de algo** to give something up
• **aguentar a mão** to keep on, to bear
• **assentar a mão** to become skilled in something
• **botar/pôr a mão na consciência** to recognize one has done something wrong, to feel a pang of conscience
• **botar/pôr a mão na massa** to get one's hands dirty, to get down to brass tacks, to put one's shoulder to the wheel
• **com uma mão na frente e outra atrás** empty-handed, with no money
• **dar a mão a alguém** *(apertar a mão)* to shake hands with, *(ajudar)* to help, to lend a hand
• **dar a mão à palmatória** to confess one's error
• **dar/receber de mão beijada** to give/get for free
• **dar-se as mãos** to hold hands
• **de mãos abanando** empty-handed
• **de/em segunda mão** *(usado)* used, second-hand, *(já sabido, divulgado)* already known, old news
• **de/em primeira mão** *(novo)* new, first-hand, *(inédito)* unpublished
• **deixar alguém na mão** to let someone down, to turn someone away
• **deixar de mão** not to insist, to let go
• **dê-me a mão!** give me your hand!
• **em boas mãos** in good hands
• **estar de mãos atadas/amarradas** to have one's hands tied
• **estar de mãos limpas** *fig* to have clean hands, to be honest, to have integrity
• **estar nas mãos de alguém** to be in someone's hands
• **ficar na mão** to be cheated, to be let down, to be stood up
• **fora de mão** out of the way
• **lavar as mãos** *fig* to wash one's hands
• **meter a mão em** *(roubar)* to steal, *(bater)* to spank, to beat
• **passar a mão em algo** *(roubar)* to steal something
• **passar de mão em mão** to pass on
• **pôr mãos à obra** to get busy, to go for something, to put one's shoulder to the wheel
• **pôr/não pôr a mão no fogo por alguém** to completely trust/not trust someone
• **sentar a mão** to hit, to beat up
• **ser pego com a mão na massa** to be caught red-handed
• **ter (boa) mão para algo** to be good at something

mão de obra (*pl* **mãos de obra**) *sf* 1 labour 2 workers, workhands

mapa *sm* map
■ **mapa rodoviário** roadmap
• **mapa da mina** *fig* way to achieve a difficult goal
• **não estar no mapa** *fig* to be uncommon

mapa-múndi (*pl* **mapas-múndi**) *sm* world map

maquete *sf* maquette, model

maquiagem *sf* make-up

maquiar *vtd* **1** to make up **2** *fig (modificar superficialmente)* to hide, to give a false appearance, to make up, to make over **3** *fig (alterar)* to change
▸ *vpr* **maquiar-se** to make oneself up

máquina *sf* machine
▪ **máquina caça-níqueis** slot machine
▪ **máquina de escrever** typewriter
▪ **máquina fotográfica** camera
▪ **máquina registradora** cash register
▪ **máquina de lavar roupa** washing machine
• **escrever à máquina** to typewrite

maquinação *sf* machination, scheming

maquinal *adj* **1** mechanical **2** automatic **3** unconscious, mechanistic

maquinar *vtd* to machinate, to scheme, to intrigue

maquinaria *sf* machinery

maquinista *smf* **1** machinist **2** locomotive driver

mar *sm* **1** sea **2** *fig* large quantity, bunch: ***um mar de gente*** a bunch of people
• **mar de lama** sea of mud, corruption
• **mar de rosas** bed of roses
• **nem tanto ao mar nem tanto à terra** somewhere in the middle, in a middling position
• **por mar** by sea

maracujá *sm* BOT granadilla, passion fruit

maracutaia *sf* monkey business

marajá *sm* **1** maharajah **2** *fig* derogatory term for highly paid civil servants

marasmo *sm* **1** *(apatia, abatimento)* apathy, indifference, melancholy **2** *(inatividade, estagnação)* stagnation

maratona *sf* **1** marathon race **2** *fig (evento cansativo e demorado)* marathon

maravilha *sf* **1** *(prodígio)* wonder, prodigy **2** *(coisa excelente)* marvel, wonder **3** BOT four-o'clock, marvel of Peru
▸ *adj (cor)* pink
• **às mil maravilhas** marvellously
• **dizer maravilhas de alguém** to say extraordinary or strange things about someone
• **fazer maravilhas** to do wonders
• **que maravilha!** wonderful!, marvellous!
• **sete maravilhas do mundo** the seven wonders of the world

maravilhar *vtd* **1** to marvel, to amaze, to astonish **2** to enchant, to fascinate
▸ *vpr* **maravilhar-se** to marvel at

maravilhoso *adj* **1** *(prodigioso)* wonderful **2** *(excelente, perfeito, bom)* amazing, marvelous, wonderful

marca *sf* **1** *(impressão)* print, sign **2** *(sinal natural na pele)* mark, sign **3** *(empresarial)* brand **4** *(sinal indicador)* mark, sign: ***fez uma marca na margem*** he made a mark in the margin **5** *fig (traço distintivo, característica)* mark, signal, brand **6** *fig (laia)* kind, nature, sort, brand **7** *fig (vestígio, lembrança)* mark, trace, imprints: ***deixar marcas*** to leave imprints
• **de marca** remarkable
• **de marca maior** beyond measure
• **marca registrada** trade mark, brand

marcação *sf* **1** marking **2** ESPORTE marking

marcado *adj* **1** *(nítido, definido, acentuado)* distinctive, remarkable **2** *(estigmatizado)* branded, stigmatized

marcador *sm (de livro)* bookmark

marcante *adj* **1** *(que deixa forte impressão)* marking **2** *(notável)* remarkable

marca-passo (*pl* **marca-passos**) *sm* pacemaker

marcar *vtd* **1** *(pôr marca)* to mark **2** *(ferretear)* to brand: ***marcar o gado*** to brand the cattle **3** *(deixar sinal, vestígio)* to mark, to leave an imprint **4** *(demarcar)* to delimit **5** *(indicar)* to read: o ***velocímetro marcava 180 km/h*** the speedometer was reading 180 km/h **6** *(pôr sob vigilância)* to watch **7** *(assinalar, causar impressão)* to mark, to distinguish
▸ *vtd-vi* **1** *(fixar)* to make, to set, to arrange, to schedule, to establish: ***marcar encontro*** to arrange a meeting; ***marcar consulta com o médico*** to schedule an appointment with the doctor; ***marquei com ele às duas*** I arranged to meet him at two **2** ESPORTE to score
• **marcar falta** to commit a foul
• **marcar gol** to score a goal

• **marcar o ritmo** to beat the time
• **marcar posição** to establish a position
• **marcar presença** to put in an appearance

marca-texto (*pl* **marca-textos**) *sm* highlighter

marcenaria *sf* joinery, cabinetmaking

marceneiro *sm* joiner, cabinetmaker

marcha *sf* **1** *(andadura)* march **2** *(procissão, movimento de tropa)* procession, marching **3** *fig* *(curso, evolução)* march, course, development **4** *(passeata)* *(protest)* march **5** MÚS march **6** *(mecânica)* gear
• **marcha a ré** reverse gear
• **marcha forçada** forced march
• **pôr em marcha** to start, *fig* to start, to put into movement
• **pôr-se em marcha** to start off

marchar *vti-vi* **1** *(seguir em ritmo de marcha)* to march, to walk **2** *(avançar, evoluir)* to progress

marcial *adj* martial, military

marco *sm* **1** *(sinal)* sign, demarcation, landmark **2** *fig* *(coisa importante)* reference **3** ECON German mark, Deutschmark

março *sm* March

maré *sf* tide: ***maré alta*** high tide; ***maré baixa*** low tide
• **a maré não está para peixe** things are looking black
• **ir/nadar/remar contra a maré** to go/swim/row against the tide

mareado *adj* *(enjoado)* seasick

marechal *sm* MIL marshal

maremoto *sm* seaquake, tsunami

maresia *sf* sea air

marfim *sm* ivory

margarida *sf* BOT daisy

margarina *sf* CUL margarine

margem *sf* **1** *(borda)* border, edge **2** *(beira de rio ou lago)* shore, riverside, lakeside, river bank **3** *(espaço em branco na página)* margin **4** *(borda de ferida)* edge
• **à margem** *(fora, afastado)* aside, laid aside, on the sidelines, *(que não faz parte do texto)* marginal notes
• **às margens de** laid aside, *fig* put aside, on the sidelines
• **dar margem a** to give opportunity to
• **margem de erro** margin of error
• **margem de lucro** profit margin
• **margem de prejuízo** loss margin
• **margem de tolerância** tolerance margin
• **por boa/pequena margem** by a long/short distance

marginal *adj* **1** *(relativo a margem)* marginal **2** *(situado na periferia)* marginal, peripheral **3** *(feito à margem)* marginal **4** *(secundário, acessório)* marginal
▸ *smf* criminal

marginalidade *sf* **1** *(condição de marginal)* marginality **2** *(conjunto de marginais)* offenders, criminals

marginalização *sf* marginalization

marginalizar *vtd* to marginalize
▸ *vpr* **marginalizar-se** to become apart from society, to be marginalized, to be tossed aside

maria-mole (*pl* **marias-moles**) *sf* CUL a sweet made of egg whites, sugar and coconut milk with grated coconut on top

maricas *sm* **1** *(efeminado)* sissy **2** *(covarde)* coward

marido *sm* husband

marimbondo *sm* ZOOL a kind of wasp with a very painful sting
▪ **não mexer em casa de marimbondos** to let sleeping dogs lie

marinha *sf* navy
▪ **marinha mercante** merchant navy

marinheiro *sm* sailor, seaman
• **marinheiro de água doce** fairweather-sailor
• **marinheiro de primeira viagem** beginner, novice

marinho *adj* marine, sea
▸ *adj-sm,f* *(azul-marinho)* navy blue

marionete *sf* **1** puppet, marionette **2** *fig* puppet

mariposa *sf* **1** moth **2** *(meretriz)* whore, prostitute

marisco *sm* ZOOL shellfish

maritaca *sf* ZOOL a parakeet of the *Pionus* genus

marítimo *adj* maritime, sea, seagoing

marketing *sm* marketing

marmelada *sf* **1** CUL marmalade, quince jam **2** *fig (fraude)* fraud **3** *fig (negócio inescrupuloso)* crooked deal, monkey business

marmelo *sm* BOT quince

marmita *sf* dinner pail, lunch box

mármore *sm* marble

maroto *sm* **1** *(travesso)* naughty **2** *(malandro)* rascal, rogue

marquês *sm* marquis, marquise

marqueteiro *sm,f* marketeer

marra *sf loc* **na marra** **1** *(à força)* by force, by constraint, reluctantly **2** *(com coragem)* boldly, forcefully

marquise *sf* marquise, marquee

marreco *sm* ZOOL teal

marreta *sf* sledge hammer

marreteiro *sm,f (camelô)* street vendor, peddler, hawker

marrom *adj* brown

marselhês *adj-sm,f* native of or pertaining to Marseille

▸ *sf* **Marselhesa** *(hino)* Marseillaise

martelada *sf* hammer blow

martelar *vtd* **1** to hammer **2** *fig (repetir, repisar)* to insist **3** *fig (piano)* to hammer

▸ *vi fig (latejar, doer)* to throb

martelo *sm* hammer

mártir *smf* martyr

martírio *sm* martyrdom

martirizar *vtd* to martyr

marujo *sm* sailor, seaman, mariner

marulho *sm* **1** agitation, tossing, roaring of the sea **2** *(fig)* agitation

marzipã *sm* marzipan

mas *conj* **1** but, however, still, yet, even, nevertheless: ***eu o vi, mas não falei com ele*** I saw him, but I didn't talk to him **2** indeed, really: ***ele ficou zangado, mas zangado mesmo*** he got angry, really angry **3** *(e sim)* but: ***a intenção dele não era jantar, mas comer um lanche*** his intention wasn't to have dinner, but to have a snack

▸ *sm (inconveniente)* but

• **mas como?** how so?

• **mas sim** why yes

• **não só... mas também** not only... but also

• **nem mas nem meio mas** no more excuses

mascar *vtd* to chew

máscara *sf* **1** mask **2** *fig* mask: ***deixar cair a máscara*** to unmask oneself

• **máscara de oxigênio** oxygen mask

• **máscara para gás** gas mask

mascarar *vtd* **1** to mask **2** *(disfarçar)* to disguise **3** *(encobrir)* to hide, to cover up

▸ *vpr* **mascarar-se** to put on a mask

mascate *sm* peddler, hawker

mascote *sf* mascot

masculino *adj* masculine, male

▸ *sm* masculine

másculo *adj* virile, manly

masoquista *adj-smf* masochistic, masochist

massa *sf* **1** CUL *(de bolo, de pão)* dough, pastry **2** *(grande quantidade)* mass, large quantity: ***uma massa de água*** a large quantity of water; ***a massa de prédios*** mass of buildings **3** *(argamassa)* mortar **4** *(preparado pastoso)* mass, mush: ***uma massa de papel molhado*** **5** *(multidão)* mass, crowd **6** FÍS mass

▸ *sf pl* **massas** **1** CUL pasta **2** *(povo)* crowds, masses, multitude

• **cultura de massa** mass culture

• **em massa** *en masse*

• **massa cinzenta** gray matter

▪ **massa corrida** plaster

▪ **massa de tomate** tomato purée

▪ **massa de vidraceiro** glaziers' putty

▪ **massa folhada** puff pastry

▪ **massa podre** sour dough

▪ **massas alimentícias** pasta

massacrante *adj* **1** *(penoso)* painful, crushing **2** *(maçante)* dull, very boring

massacrar *vtd* **1** to massacre, to slaughter **2** *(apoquentar, atormentar)* to torment **3** *(cansar excessivamente)* to exhaust **4** *(obter vitória esmagadora)* to massacre, to crush

massacre *sm* **1** massacre **2** *(vitória esmagadora)* landslide

massagear *vtd* to massage

▸ *vpr* **massagear-se** to massage oneself

massagem *sf* massage

massagista *smf* masseur, masseuse

mastigar *vtd* **1** to chew **2** *fig (dizer entre dentes)* to mumble, to talk between one's teeth, to mutter **3** *fig (remoer, ponderar)* to ponder, to examine

mastro *sm* **1** MAR mast **2** *(pau de bandeira)* flagpole

masturbar *vtd* to masturbate
▸ *vpr* **masturbar-se** to masturbate

mata *sf* wood, forest, jungle
• **mata virgem** wild forest, deep jungle

matado *adj* badly done, badly finished, lousy, poor: ***serviço matado*** poor job

matador *sm,f (profissional)* killer, assassin, murderer

matadouro *sm* slaughterhouse, abattoir

matagal *sm* jungle, dense forest, underwood

mata-moscas *sm inv* flyswatter

matança *sf* **1** *(abate)* killing, slaying **2** *(massacre)* massacre

matar *vtd-vi* **1** *(pessoas)* to kill, to slay **2** *(abater animais)* to slaughter, to butcher **3** *(provocar a morte)* to kill: ***os acidentes de trânsito matam mais que o câncer*** car crashes kill more than cancer
▸ *vtd fig (destruir)* to destroy
▸ *vpr* **matar-se 1** *(suicidar-se)* to commit suicide **2** *(sacrificar-se)* to sacrifice oneself **3** *(trabalhar muito)* to work hard
• **de matar** *(péssimo)* awful, *(enorme)* great, awesome
• **matar aula** to skip class, to play truant
• **matar a fome/a sede** to satisfy one's hunger, to quench one's thirst
• **matar o serviço** *(fazer mal)* to do a lousy/poor job, *(faltar)* to skive
• **matar o tempo** to kill time
• **matar uma charada** to solve a riddle
• **matar-se de rir, de chorar, de comer...** to laugh, to cry, to eat to death

mata-ratos *sm inv* rat poison

mate *adj* dim, opaque, dull
▸ *sm* **1** *(chá)* mate tea **2** *(xeque-mate)* checkmate

matemática *sf* mathematics, maths, math

matemático *adj* mathematical
▸ *sm,f (estudioso de matemática)* mathematician

matéria *sf* **1** matter **2** *(material)* substance, material **3** *(teor, assunto, tema)* subject, topic **4** *(de jornal)* article, story **5** *(disciplina de estudo)* subject
■ **matéria plástica** plastic material

material *adj* **1** material **2** *(monetário, financeiro)* monetary, financial
▸ *sm* **1** *(substância, matéria)* substance, matter, material **2** *(objetos, petrechos)* equipment, apparatus, gear **3** *(dados)* data
• **material cirúrgico** surgical apparatus
• **material de construção** building material
• **material de escritório** stationery
• **material escolar** school supplies, school stuff

materialismo *sm* materialism

materializar *vtd* **1** *(concretizar)* to accomplish, to create **2** *(corporificar)* to give visible form to
▸ *vpr* **materializar-se 1** *(concretizar-se)* to come to being, to materialize **2** *(corporificar-se)* to take on visible form, to materialize

matéria-prima *(pl* **matérias-primas***)* *sf* **1** raw material **2** QUÍM first matter

maternal *adj* maternal, motherly, motherlike
▸ *sm (escola infantil)* kindergarten

maternidade *sf* **1** motherhood **2** *(hospital)* maternity hospital

materno *adj* maternal

matilha *sf (de cães, de lobos)* pack

matinal *adj* morning, pertaining to or happening in the morning

matinê *sf* matinée

matiz *sm* tint, tincture, hue, shade

mato *sm* **1** *(bosque)* wood **2** *(erva daninha)* weed **3** *(o interior)* countryside **4** *(local desabitado)* wilderness
• **nesse mato tem coelho** there's more than meets the eye
• **no mato sem cachorro** in a tight spot
• **que nem mato** very ordinary
• **ser mato** to be ordinary, to be very common

matraca *sf* 1 rattle 2 *(tagarela)* windbag
• **fechar/abrir a matraca** to shut up/ to start talking a lot

matraquear *vi* 1 *(tocar matraca)* to rattle 2 *(tagarelar)* to prattle, to talk on and on

matreiro *adj* 1 smart, shrewd, astute 2 wily, crafty

matrícula *sf* 1 *(inscrição)* registration 2 *(de automóvel)* vehicle registration 3 *(nº de registro)* registration number
• **fazer matrícula na escola** to enroll, to register
• **trancar matrícula** to suspend registration temporarily

matricular *vtd* to enroll, to register
▸ *vpr* **matricular-se** to enroll, to register

matrimonial *adj* matrimonial, nuptial

matrimônio *sm* matrimony, marriage

matriz *sf* matrix
▸ *adj-sf (igreja)* mother church

maturidade *sf* 1 maturity 2 *(ponderação)* prudence, judgement

matutar *vti-vi* to think, to meditate, to reflect, to ponder
▸ *vtd (conceber, arquitetar)* to plan, to plot

matutino *adj* morning, early, pertaining to or happening in the morning

matuto *sm,f* 1 a country person, rustic, country bumpkin 2 an ignorant and naïve person

mau *adj* 1 *(malvado)* evil, wicked, malignant: ***um homem mau*** an evil man 2 bad, evil: ***um mau filho e mau amigo*** a bad son and a bad friend; ***maus conselhos*** bad advice 3 bad: ***um mau funcionário*** a bad employee
▸ *sm,f (malvado)* bad, evil, wicked: ***os bons e os maus*** the good and the evil *(people)*

mau-caráter *(pl* **maus-caracteres***)* *adj-smf* rogue

mau-olhado *(pl* **maus-olhados***)* *sm* evil eye: ***pôr mau-olhado em alguém*** to give someone the evil eye

mausoléu *sm* mausoleum

maus-tratos *sm pl* maltreatment, abuse

maxila *sf* ANAT jaw, jawbone, maxillary bone

maxilar *adj* ANAT maxillary

máxima *sf* maxim, precept, aphorism, motto

máximo *adj* greatest, highest, best
• **no máximo** at the utmost, at most, at the most
• **o máximo possível** the more you can, as much as possible
• **ser o máximo** to be the best

mazela *sf* 1 *(falha moral)* blemish, infamy 2 *(o que aflige)* ailment, infirmity, illness

me *pron pess* 1 me, myself: ***você nem me olhou*** you haven't even looked at me; ***vejo-me no espelho*** I see myself in the mirror 2 *(a mim, em mim)* to me, me: ***dê-me essa laranja*** give that orange to me; ***ela me deu muito amor*** she gave me a lot of love 3 *(meu, minha)* my, mine: ***lavei-me os pés*** I washed my feet 4 me: ***não me venha com lorotas*** don't give me nonsense

meada *sf* skein
• **perder o fio da meada** to lose the thread, to miss the point

meandro *sm* 1 *(de rio)* meander 2 *fig* entanglement, intrigue, confusion

meca *sf* Mecca

mecânica *sf* 1 mechanics 2 *fig (mecanismo, funcionamento)* mechanics

mecânico *adj* 1 mechanic 2 *(maquinal)* mechanical, mechanistic
▸ *sm* **mecânico** mechanic

mecanismo *sm* 1 *(engenho, maquinismo)* mechanism, gear, machinery 2 *fig (modo de funcionamento)* workings

mecenas *sm* Maecenas

mecha *sf* 1 *(pavio)* wick 2 *(estopim)* fuse, match 3 *(madeixa)* lock of hair

medalha *sf* 1 medal 2 decoration

medalhão *sm* 1 medallion, locket 2 *fig* important person, big shot

média *sf* 1 mean, medium, average: ***a média de temperatura na região*** the average temperatura in the region 2 *(meio-termo)* middle term, medium, mean 3 *(nota média)* average 4 *(café com leite)* coffee with milk, coffee with cream

• **em média** on average
• **fazer média** to average out

mediação *sf* 1 mediation, mediating intervention, settlement, compromise 2 negotiation, brokerage

mediador *sm,f* mediator, intermediary, interposer, interceder

mediano *adj* 1 *(médio)* average, mean, median, medium: ***altura mediana*** average height 2 *(do meio)* mid, middle: ***linha mediana*** midline

mediante *prep* by means of, by the aid of, through

mediar *vtd-vti-vtdi (agir como mediador)* to mediate, to intermediate
▸ *vti (estar entre)* to be in the middle, to lie between

medicação *sf* 1 *(tratamento)* medication, medical treatment 2 *(medicamento)* medicine, medicament, drug

medicamento *sm* medicine, medicament, drug

medição *sf* measurement, measuring

medicar *vtd* to medicate
▸ *vpr* **medicar-se** to take medicaments

medicina *sf* medicine

medicinal *adj* medicinal

médico *adj (medicinal)* medical, medicinal
▸ *sm,f* **médico** physician, doctor

médico-legista (*pl* **médicos-legistas**) *sm,f* coroner

medida *sf* 1 measure 2 *(recipiente para medir)* measure, measuring instrument 3 *(porção)* measure: ***duas medidas de água para uma de suco*** two measures of water for one measure of juice 4 *(valor, grau, estimativa)* degree, gauge 5 *(comedimento)* moderation 6 *(limite)* limit, line, bounds: ***ir além das medidas*** to cross the line 7 *(providência)* arrangements, provision, measures: ***tomar as medidas cabíveis*** to take appropriate measures
▸ *pl* **medidas** 1 *(dimensões)* measure, extent, dimension, size 2 *(do corpo)* body measurement
• **à medida que** as, while, at the same time that
• **em certa medida** to some extent
• **encher as medidas** 1 to please, to satisfy completely 2 to go beyond the bounds
• **medida de urgência** emergency measure
• **medida disciplinar** disciplinary measure
• **na medida do possível** as far as possible
• **na medida em que** to the extent that, insofar as
• **por medida de segurança...** as a security measure...
• **sob medida** made to measure
• **tirar/tomar a(s) medida(s) de algo** to take the measurements of something

medido *adj* 1 *(calculado)* measured, calculated 2 *(ponderado)* moderate

medidor *sm* measurer, meter

médio *adj* 1 average: ***o nível médio da represa*** the average level of the dam 2 *(intermédio)* intermediate 3 *(do meio)* middle, mid: ***linha média*** midline 4 *(mediano, comum)* average, ordinary

medíocre *adj* 1 *(de qualidade média)* average 2 *(inexpressivo, banal)* ordinary, mediocre, trivial 3 *(insuficiente)* unsatisfactory

mediocridade *sf* mediocrity

medir *vtd* 1 *(tomar medida)* to measure: ***medir uma parede*** to measure a wall 2 *(ter medida)* to measure: ***João mede 1,80 m*** João measures 1.80 m 3 *(refletir, traduzir)* to ponder, to weigh, to reckon 4 *(avaliar)* to measure, to assess: ***medir as consequências de um ato*** to measure the consequences of an act 5 *(moderar)* to weigh, to moderate: ***meça suas palavras!*** weigh your words!
▸ *vpr* **medir-se** 1 *(avaliar-se com o olhar)* to judge oneself, to scan oneself 2 *(competir, lutar)* to contend with 3 *(igualar-se)* to rival, to be on the same standing as
• **medir alguém de alto a baixo** to measure someone up

meditação *sf* meditation

meditar *vtd* to meditate, to think, to ponder, to reflect

mediterrâneo *adj* Mediterranean
▸ *sm* **Mediterrâneo** Mediterranean

médium *smf* medium, spiritualist

medo *sm* 1 *(acovardamento, pavor)* fear, fright 2 *(receio)* fear, dread
• **dar/fazer medo** to scare
• **de dar medo** scary
• **morrer de medo** to be scared to death

medonho *adj* awful, frightful, horrible, dreadful

medroso *adj-sm,f* fearful, frightful, fainthearted

medula *sf* 1 marrow 2 *fig* pith
• **medula espinal** spinal marrow

megafone *sm* megaphone

megera *sf* shrew, vixen, termagant
• **a megera domada** the taming of the shrew

meia *sf* 1 *(de mulher)* stocking 2 *(de homem)* sock 3 *(meia-entrada)* reduced price ticket
▪ **meia elástica** elastic stockings
▪ **meia soquete** ankle socks
▪ **meias transparentes** transparent stockings
▪ **meia três-quartos** knee-high socks, knee-highs

meia-calça (*pl* **meias-calças**) *sf* panty hose, tights

meia-entrada (*pl* **meias-entradas**) *sf* half price

meia-estação (*pl* **meias-estações**) *sf* fall fashion

meia-idade (*pl* **meias-idades**) *sf* middle age

meia-noite (*pl* **meias-noites**) *sf* midnight
• **meia-noite e meia** half past midnight

meia-volta (*pl* **meias-voltas**) *sf* about-face, about-turn: ***fazer meia-volta*** to turn around, to do an about-turn

meigo *adj* sweet, kind, tender, gentle

meiguice *sf* tenderness, gentleness, sweetness

meio *sm* **meio** 1 *(parte média)* half, middle 2 *(parte central)* middle 3 *(intermediário)* middle: ***a porta do meio está aberta*** the door in the middle is open 4 *(entre)* middle, midst: ***no meio de um monte de gente*** in the middle of a lot of people 5 *(modo, jeito)* way 6 *(instrumento)* way 7 *(ambiente)* environment: ***sobreviver em meio hostil*** to survive in a hostile environment 8 *(meio-termo)* middle-term
▸ *pl* **meios** *(recursos)* resources, ways
▸ *num* half: ***dois pedaços e meio*** two and a half pieces; ***são cinco e meia*** it's half past five
▸ *adv* 1 *(na metade, não totalmente)* half, well: ***um sapato meio usado*** a well--used shoe; ***uma garrafa meio vazia*** a half-empty bottle 2 *(um tanto)* a little, a little bit: ***estou meio chateado hoje*** I'm a little bit upset today
• **deixar algo pelo meio** *(sem ser concluído)* to leave something unfinished
• **em meio a** *(durante)* during, *(no meio de)* in the middle of, between, among
• **meio a meio** half and half
• **meio ambiente** environment
• **meios de comunicação de massa** mass media
• **meio de transporte** means of transportation
• **meio de vida** way of living
• **no meio de** in the middle of, in the midst of, between, among: ***fiquei no meio dos dois*** I was between the two of them; ***no meio daquela gente, não me sentia bem*** I wasn't feeling well among those people
• **por meio de** through, by means of
• **tirar do meio** to put away

meio-dia *sm* noon
• **meio-dia e meia** half past twelve

mel *sm* honey

melaço *sm* treacle, molasses

melado *adj* 1 *(adoçado com mel)* sweetened with honey 2 *(doce demais)* too sweet 3 *(pegajoso)* sticky
▸ *sm* **melado** *(calda de rapadura)* treacle, molasses

melancia *sf* BOT watermelon

melancolia *sf* melancholy, melancholia

melancólico *adj* melancholic

melão *sm* BOT melon

melhor *adj* 1 *(comparativo)* better: ***esta companhia aérea é melhor que aquela*** this airline company is better than that one; ***já conheci hotéis melhores*** I have been to better hotels 2 *(superlativo)* best:

este é meu melhor amigo this is my best friend

▸ *adv* better: ***agora estou enxergando melhor*** now I can see better

▸ *smf* 1 best: ***os melhores serão premiados*** the best will get a reward 2 best, best part, highlight: ***o melhor do apartamento é a sala*** the best part of the apartment is the living room

▸ *interj* **melhor!** better

• **é melhor.../ o melhor é...** it's better to.../ the best thing is...

• **levar a melhor** to come off better

• **na falta de melhor** in case there is nothing better

• **nada melhor que...** nothing better than

• **no melhor da festa** when things were most exciting, in the best part of something

• **ou melhor** or even better

• **passar desta para a melhor** to pass away

melhora *sf* improvement

▸ *pl* **melhoras** getting better: ***(estimo as) melhoras!*** I hope you get better!

melhoramento *sm (benfeitoria)* improvement

melhorar *vtd (beneficiar, introduzir melhorias)* to improve

▸ *vti* 1 *(de vida)* to prosper 2 *(de saúde)* to grow better

▸ *vi* 1 *(doente)* to get better, to recover 2 *(comportamento)* to mend one's ways 3 *(tempo)* to clear up 4 *(progredir)* to improve

melhoria *sf (progresso)* advancement, improvement, betterment

meliante *smf* vagrant, rascal, cheat, thief

melindrado *adj* offended, hurt

melindrar *vtd* to offend, to hurt

▸ *vpr* **melindrar-se** to feel hurt

melindroso *adj* 1 *(suscetível)* susceptible 2 *(embaraçoso)* embarrassing 3 *(arriscado)* risky 4 *(afetado)* affected, fussy

melodia *sf* melody

melodioso *adj* melodious, harmonious, sweet

melodrama *sm* melodrama

meloso *adj* 1 *(açucarado)* sweetened 2 *(piegas)* soppy, mushy 3 *(meigo em excesso)* soft, sentimental

membrana *sf* membrane

membro *sm* 1 ANAT limb 2 *(parte de um todo)* element, component, part 3 *(afiliado)* member

memorável *adj* memorable, notable, remarkable

memória *sf* 1 memory: ***ter boa/má memória*** to have good/bad memory 2 *(lembrança)* memory, remembrance 3 INFORM memory

▸ *pl* **memórias** memories

• **de triste memória** sadly remembered

• **memória curta** short memory

• **ter memória de elefante** having a memory like an elephant's

memorial *sm* memorial

memorizar *vtd (guardar na memória)* to memorize

menção *sf* mention, reference, incidental remembrance: ***fazer menção a algo*** to make mention of something

mencionar *vtd* 1 *(fazer alusão)* to mention, to refer to 2 *(citar)* to mention, to cite: ***mencionei o nome dela na reunião*** I mentioned her name in the meeting

mendigar *vtd-vtdi-vi* 1 *(pedir esmolas)* to beg 2 *(pedir com insistência)* to beg, to plead for

mendigo *sm,f* beggar

menina *sf* 1 girl 2 *(filha)* daughter 3 *(namorada)* girlfriend 4 *(forma de tratamento)* darling: ***menina, há quanto tempo não nos vemos!*** darling, long time no see!

meninada *sf* kids

menina dos olhos (*pl* **meninas dos olhos**) *sf* apple of the eyes

menina-moça (*pl* **meninas-moças**) *sf* girl at the age of puberty

meninge *sf* ANAT meninx

meningite *sf* MED meningitis

meninice *sf* childhood

menino *sm,f* 1 *(criança)* child, boy, kid 2 *(pré-adolescente)* teenager 3 *(forma de tratamento)* boy, kid

• **menino de rua** street child

menisco *sm* ANAT meniscus

menopausa *sf* MED menopause

menor *adj* **1** *(comparativo)* smaller: ***um sapato é menor que o outro*** one shoe is smaller than the other **2** *(superlativo)* smallest: ***este é o menor sapato que já vi*** these are the smallest shoes I have ever seen **3** *(mais novo)* younger, little, baby: ***meu irmão menor*** my baby brother; ***qual dos dois meninos é menor?*** which of the two boys is younger? **4** *(mais baixo-pessoa)* shorter **5** *(reduzido--preço etc.)* cheaper **6** *(mínimo)* slightest: ***não ter a menor vontade de fazer algo*** not to have the slightest desire to do something **7** *(idade)* under: ***menor de 12 anos*** under 12 years old **8** *(com menos de 18 anos)* under 18, underage **9** MÚS minor

▸ *smf (com menos de 18 anos)* minor

• **menor de idade** underage person, minor

• **não dar a menor (importância)** to not care in the least

menoridade *sf* minority

menos *pron indef* **1** less: ***prepare menos arroz*** cook less rice **2** less: ***está menos nervoso agora*** he is less nervous now; ***Maria é menos bonita que a irmã*** Maria is less pretty than her sister **3** *(negativo)* minus: ***menos dois graus*** minus two degrees

▸ *adv* **1** less: ***falar menos*** talk less **2** less: ***ele ganha menos de dois mil por mês*** he make less than two thousand a month; ***andei menos que ela*** I walked less than her

▸ *sm* least: ***o menos que posso fazer é ajudá-lo*** the least I can do is to help him

▸ *prep* **1** *(exceto)* except for, but: ***todos vieram, menos ele*** everybody came but him **2** MAT minus: ***oito menos três são cinco*** eight minus three is five

• **a menos que...** unless...

• **a/de menos** too little, short

• **ao menos** at least

• **menos mal** not so bad

• **não é para menos** no wonder

• **o menos possível** the least possible

• **pelo menos** at least

• **quanto menos... mais** the less... the more

• **quanto menos... menos** the less... the less

• **sinal de menos** minus sign

menosprezar *vtd* to despise, to disdain, to scorn

menosprezo *sm* disdain, scorn

mensageiro *sm,f* **1** messenger **2** *(portador)* carrier, messenger

mensagem *sf* message

• **mensagem eletrônica** electronic message, e-mail

mensal *adj* monthly

mensalidade *sf* monthly fee

menstruação *sf* menstruation, period

menstruado *adj* menstruating, in one's period

menta *sf* BOT mint

mental *adj* **1** mental **2** *(não oral)* mental: ***leitura mental*** mental reading

mentalidade *sf* mentality

mente *sf* mind

• **ter algo em mente** to have something in mind

mentir *vtd-vti-vi* to lie

• **minto!** I mean

mentira *sf* lie

• **de mentira** fake

mentiroso *adj-sm,f* liar

mentolado *adj* mentholated

mentor *sm,f* mentor

menu *sm* **1** *(cardápio)* menu **2** INFORM menu

mercado *sm* market

• **mercado a futuro** forward exchange

• **mercado de pulgas** flea market

• **mercado de valores** stock market

• **mercado exterior** foreign market

• **mercado interno/nacional** domestic/home market

• **mercado negro** black market

mercadoria *sf* merchandise, goods, commodity

mercantil *adj* mercantile, commercial

mercearia *sf* grocery store

mercenário *adj-sm,f* mercenary

mercúrio *sm* mercury

mercuriocromo *sm* mercurochrome

merda *sf* shit, excrement

• **estar na merda** to be in the shit
• **mandar alguém à merda** to tell someone to screw themselves, to tell someone to piss off

merecedor *adj-sm,f* meritorious, worthy

merecer *vtd-vi* to deserve, to earn
▸ *vtd* to be worth: ***isso não merece resposta*** it is not worth answering; ***o filme merece ser visto*** it's worth watching that movie

merecido *adj* deserved, just

merenda *sf* snack

merecimento *sm* merit, worth, desert

meretriz *sf* prostitute, whore

mergulhador *sm,f* diver, plunger

mergulhar *vtdi* 1 *(imergir)* to dive, to plunge, to sink 2 *fig* to dip, to immerse
▸ *vti-vi (ave, avião)* dive

mergulho *sm* dive, plunge

meridiano *adj* meridian
▸ *sm* **meridiano** meridian

meridional *adj* southern

meritíssimo *adj* Your Honor

mérito *sm* merit, desert
• **o mérito da questão** the merit of the question

meritório *adj* meritorious, praiseworthy, deserving

merluza *sf* ZOOL hake

mero *adj* 1 *(banal)* mere 2 *(fortuito)* mere: ***por mero acaso*** by mere accident, by mere chance

mês *sm* 1 month 2 *(mensalidade)* monthly fee

mesa *sf* 1 table 2 *(de escola, escrivaninha)* desk
• **à mesa** at the table
• **mesa de operação** surgical table
• **mesa eleitoral** polling officers
• **mesa telefônica** switchboard
• **pôr a mesa** to lay the table
• **sentar-se à mesa** to sit at the table
• **tirar a mesa** to clear the table
• **virar a mesa** *fig* to turn the table

mesada *sf (monthly)* allowance

mescla *sf (mistura)* mixture
▸ *adj (tecido)* melange, mixed cloth

mesclar *vtd-vtdi* to mix
▸ *vpr* **mesclar-se** to mix, to mingle

mesmice *sf* stagnation, lack of variety, progress or alteration

mesmo *adj* 1 *(idêntico ou equivalente)* same, selfsame: ***estamos falando da mesma coisa*** we are talking about the same thing 2 *(próprio)* -self: ***falei com ele mesmo*** I talked to the guy himself 3 *(exato)* exact, same, selfsame: ***naquele mesmo ano me casei*** I got married in that same year
▸ *sm* 1 *(coisa igual)* same: ***ele me disse o mesmo*** he told me the same 2 same: ***obrigado, o mesmo para você*** thank you, the same to you
▸ *pron* same: ***você continua o mesmo*** you are still the same
▸ *adv* 1 *(até)* even: ***mesmo a mãe dele o achou esquisito*** even his mother thought he was weird 2 *(exatamente)* just, by: ***chegou agorinha mesmo*** he just got here 3 *(de fato)* really: ***será que ele vem mesmo?*** do you think he is really coming? 4 *(apesar disso)* even so: ***mesmo assim podemos tentar*** even so we can try
▪ **mesmo que** even if
▪ **mesmo porque** not least because
• **amanhã mesmo vou lá** I'm definitely going there tomorrow
• **dar no mesmo/na mesma** to come to the same thing
• **do mesmo jeito** in the same way

mesquinharia *sf* 1 *(atitude)* stinginess, meanness 2 *(coisa insignificante)* trifle, worthless thing

mesquinhez *sf* avarice, niggardliness, meanness

mesquinho *adj-sm,f* stingy, niggardly, skimpy, mean

mesquita *sf* mosque

messias *sm* Messiah

mestiço *adj-sm,f* 1 *(pessoa)* mestizo, half-blooded, half-blood, of mixed blood 2 *(animal)* half-bred, half-breed, hybrid

mestrado *sm* master's degree, MA

mestre *sm,f* 1 *(professor)* master, instructor, teacher 2 *(exímio conhecedor)* expert, maven 3 *(quem tem mestrado)* master 4 *(chefe dos operários)* foreman
▸ *adj (principal)* main

mestre-cuca (*pl* **mestres-cucas**) *smf* cook

mestre de obras (*pl* **mestres de obras**) *sm* construction foreman

mestre-sala (*pl* **mestres-salas**) *sm* master of ceremonies

mesura *sf* reverence, bow, curtsy

meta *sf* goal

metabolismo *sm* metabolism

metade *sf* **1** half: ***pela metade do preço*** half the price; ***deixar pela metade*** to do by half **2** *(meio)* half, middle, during: ***na metade da festa*** in the middle of the party

• **a outra metade** *fig* the other half

• **pela metade** by half: ***fazer pela metade*** to leave unfinished

metáfora *sf* metaphor

metal *sm* metal

• **o vil metal** money

metaleiro *adj-sm,f* headbanger, metalhead

metálico *adj* metallic

metalurgia *sf* metallurgy

metalúrgico *adj* metallurgical

▸ *sm,f* metallurgist

metamorfose *sf* metamorphosis

metano *sm* QUÍM methane

metástase *sf* MED metastasis

meteórico *adj* **1** meteoric **2** *fig* meteoric, brilliant but short-lived

meteorologia *sf* meteorology

meteorológico *adj* meteorological

meter *vtdi* **1** *(enfiar, introduzir)* to put, to introduce **2** *(envolver)* to involve, to get: ***meteu-me numa bela enrascada*** he got me into deep water

▸ *vtd (pôr, esconder)* to hide

▸ *vi (copular)* to have sex

▸ *vpr* **meter-se 1** *(esconder-se, enfiar-se)* to hide oneself **2** *(pôr-se)* to put oneself in **3** *(interferir)* to interfere, to intrude **4** *(envolver-se)* to involve oneself in **5** *(atuar como) pej* to pass oneself as, to present oneself falsely as

• **meter medo** to scare

meticuloso *adj* meticulous

metido *adj* **1** *(intrometido, mexeriqueiro)* meddler, busybody **2** *(orgulhoso, arrogante)* arrogant, superior, haughty

• **metido a besta** presumptuous, arrogant

metódico *adj* methodical

metodista *adj-smf* Methodist

método *sm* method

metragem *sf* footage

metralhadora *sf* machine gun

metralhar *vtd* to machine gun

métrica *sf* scansion, meter

métrico *adj* metric

metro *sm* **1** metre **2** *(fita métrica)* tape measure

▪ **metro cúbico** cubic meter

▪ **metro quadrado** square meter

metrô *sm* underground, metro, subway

metrópole *sf* metropolis

meu *pron poss* **1** my: ***este é meu filho*** this is my son **2** mine: ***este casaco é meu*** this coat is mine **3** mine: ***pegue o seu casaco e deixe o meu*** get your coat and leave mine

▸ *sm pl* **meus** *(familiares)* my family, my loved ones

▸ *sm gíria (meu amigo)* my friend, mate

mexer *vtd* **1** *(agitar, revolver)* to stir, to shuffle, to shake **2** *(movimentar)* to move

▸ *vti* **1** *(tocar)* to touch **2** *(bulir)* to fiddle with, to tamper with, to mess with **3** *(modificar)* to change, to modify, to tamper with **4** *(emocionar)* to move, to touch: ***esse filme mexeu comigo*** that film touched me

▸ *vpr* **mexer-se 1** *(mover-se)* to move **2** *(apressar-se)* to hurry, to get going: ***mexa-se!*** get going! **3** *(tomar providências)* to budge, to move, to do something: ***você tem de se mexer para resolver esse problema*** you must do something to sort that problem out

• **mexer com uma mulher** to say improper things to a woman, usually in public

mexerica *sf* BOT tangerine

mexerico *sm* gossip, intrigue, chit-chat

mexeriqueiro *adj-sm,f* gossip, tale bearer, intriguer, tattler

mexicano *adj-sm,f* Mexican

México *sm* Mexico

mexida *sf* **1** *(confusão)* confusion, disorder **2** *(modificação)* change, modification

mexilhão *sm* mussel

mezanino *sm* mezzanine

mi *sm* MÚS mi

miado *sm* mew

miar *vi* to mew

mica *sf* mica

micagem *sf* the act of pulling a face, grimace

miçanga *sf* bead

micção *sf* urination

mico *sm* **1** ZOOL capuchin monkey **2** *fig (vexame)* embarassment

micose *sf* MED mycosis

micreiro *sm,f* **1** *(aficionado de computador)* a person keen on microcomputers **2** *(perito em computador)* expert in computers

micro *sm (computador)* microcomputer, PC

micróbio *sm* microbe

microcomputador *sm* microcomputer, PC

microempresa *sf* microenterprise

microfilme *sm* microfilm

microfone *sm* microphone

micro-ondas *sm (forno)* microwave oven

micro-ônibus *sm* microbus

microscópio *sm* microscope

mídia *sf* **1** *(meios de comunicação)* media **2** INFORM media

migalha *sf* crumb

migração *sf* migration

migrar *vti-vi* to migrate

mijada *sf* piss, piddle

mijão *adj* pisser

mijar *vi* to pee
▸ *vpr* **mijar-se** **1** piss oneself **2** *fig (amedrontar-se)* to get scared, to get frightened

mijo *sm* pee

mil *adj* thousand: ***um mil, dois mil*** a thousand, two thousand
• **estar a mil** to be hyperactive, to be going full steam ahead

milagre *sm* miracle

milagroso *adj* miraculous

milanês *adj-smf* Milanese

Milão *sf* Milan

milenar *adj* millenniums-old, very ancient

milênio *sm* millennium

milésimo *num* **1** *(número mil ordinal)* thousandth **2** *(uma parte em mil)* one thousandth

milha *sf* mile

milhagem *sf (para companhias aéreas)* mileage

milhão *sm* million

milhar *sm* **1** a thousand **2** *fig* thousand, several: ***já lhe disse isso milhares de vezes*** I already told you a thousand times

milharal *sm* maize field

milheiro *sm* maize plant

milho *sm* BOT maize, corn

milícia *sf* militia

miligrama *sm* milligram

mililitro *sm* milliliter

milímetro *sm* millimeter

milionário *adj-sm,f* millionaire

militante *adj-smf* militant

militar *vti* **1** to serve as a soldier **2** to fight *(for a cause)*
▸ *adj-sm* military

mim *pron pess* me

mimado *adj* spoiled

mimar *vtd* to spoil

mímica *sf* miming, mimic

mímico *adj* mimical, mimic
▸ *sm* **mímico** mimic, mimicker

mimo *sm* **1** *(carinho exagerado)* spoiling **2** *(presente)* delicate gift, present **3** *(coisa graciosa)* sweetness, daintiness

mimoso *adj* **1** *(gracioso)* cute **2** *(carinhoso)* sweet, tender **3** *(delicado)* delicate

mina *sf* **1** *(jazida natural)* mine **2** *(escavação para exploração)* mine, quarry **3** *(explosivo)* mine **4** *(nascente)* fountain **5** *(lança minas)* mine launcher **6** *fig (fonte de riquezas)* mine, motherlode **7** *pop (garota)* chick

minar *vtd* **1** *(verter)* to flow, to pour, to spout **2** *fig (corroer, debilitar)* to corrode, to sap, to ruin **3** *fig (solapar)* to undermine, to sap

▸ *vi (manar, ressudar)* to flow continuously, to issue

mindinho *sm* the little finger

mineiro *adj* 1 *(de mineração)* mining 2 *(de Minas Gerais)* native of the state of Minas Gerais
▸ *sm,f* 1 *(minerador)* miner 2 *(de Minas Gerais)* native of the state of Minas Gerais

mineração *sf* mining

minerador *adj* mining
▸ *sm,f* 1 *(mineiro)* miner 2 *(proprietário de mina)* mineowner

mineradora *sf* miner

mineral *adj* mineral
▸ *sm* mineral

minério *sm* ore

mingau *sm* pap, porridge

míngua *sf* lack
• **à míngua** in need

minguado *adj* 1 *(irrisório)* derisory, scanty, insignificant 2 *(franzino)* short, small

minguante *adj* waning, decreasing, declining

minguar *vi* 1 *(diminuir, escassear)* to wane, decrease, reduce 2 *(rarear)* to become scarce, to diminish, to rarefy

minha *adj* → **meu**
• **ficar na minha** *(manter a opinião)* to keep one's opinion, *(não se envolver)* not to get involved, to keep to oneself
• **minha nossa!** my gosh!

minhoca *sf* ZOOL worm, earthworm
• **ter minhocas na cabeça** to have wild ideas, to think nonsense

minhocão *sm (viaduto comprido)* viaduct, overpass

miniatura *sf* miniature

minimizar *vtd* 1 *(reduzir ao mínimo)* to minimize 2 *(subestimar)* to underestimate

mínimo *adj* minimal
▸ *sm* **mínimo** minimum, least: ***é o mínimo que...*** it's the least that...
• **no mínimo** *(não menos, no menor limite)* in the least, *(pelo menos)* at least

minissaia *sf* miniskirt

minissérie *sf* miniseries

ministério *sm* ministry

ministrar *vtd-vtdi* 1 *(medicamentos etc.)* to give, to administer 2 *(aulas)* to give, to teach 3 *(extrema-unção)* to administer

ministro *sm,f* minister

minorar *vtd* to reduce

minoria *sf* minority

minoridade *sf* minority

minoritário *adj* minoritary

minúcia *sf* detail

minucioso *adj* 1 *(pormenorizado)* detailed 2 *(detalhista)* meticulous 3 *(cuidadoso)* accurate

minúsculo *adj* minuscule, tiny
• **escrever em minúsculas** to write in lowercase letters

minuta *sf* draft

minuto *sm* minute
• **15 minutos** 15 minutes

miolo *sm* 1 *(cérebro)* brain 2 *fig (inteligência)* brains 3 *(parte interna do pão)* crumb, the soft inside of a loaf of bread 4 *(de alface, de alcachofra etc.)* pulp 5 *fig (âmago, cerne)* core, inside
• **de miolo mole** half-brained, irresponsible
• **estourar os miolos** to blow one's head
• **frigir os miolos** to think hard, to rack one's brains

míope *adj* myopic

miopia *sf* myopia

mira *sf* 1 *(peça de arma)* sight 2 *(pontaria)* aim
• **estar na mira de alguém** to be watched closely by someone
• **ter algo em mira** to aim something, to have one's eye on something

mirabolante *adj* fantastic, unreal, delirious

miraculoso *adj* miraculous

miragem *sf* 1 mirage 2 *fig* illusion

mirante *sm* belvedere

mirar *vtd (olhar, fitar)* to stare
▸ *vtd-vti (ter em vista)* to aim, to target
▸ *vtd-vti-vi (fazer pontaria)* to aim
▸ *vpr* **mirar-se** *(olhar-se)* to look at oneself

miríade *sf* 1 myriad 2 *fig* myriad, a vast number

mirim *adj* 1 *(infantil)* child, of or pertaining to children 2 *(pequeno)* little 3 *(para crianças)* children, for children

mirra *sf* BOT myrrh

mirrado *adj* 1 *(planta)* withered 2 *(pessoa)* skinny

misantropo *adj-sm,f* misanthropic, misanthrope, misanthropist

miscigenação *sf* miscegenation

miserável *adj* 1 *(pequeno, ínfimo)* undermost, paltry, derisory 2 *(mísero, infeliz)* miserable, wretched
▸ *adj-smf* 1 *(muito pobre)* extremely poor, destitute, a very poor person 2 *(canalha)* wretched, wretch, scoundrel 3 *(avarento)* stingy, mean, a mean person

miserê *sm* poverty

miséria *sf* 1 *(penúria, pobreza)* extreme poverty, destitution 2 *(desgraça)* misery 3 *(ninharia)* pittance: ***ganhar uma miséria*** to earn a pittance 4 *(imperfeição, mazela)* imperfection, blemish

misericórdia *sf* mercy

misericordioso *adj* merciful

mísero *adj* 1 *(miserável, pobre)* scarce, paltry 2 *(ínfimo, insignificante)* derisory, insignificant

missa *sf* mass

missão *sf* mission

míssil *sm* missile

missionário *adj-sm,f* missionary

missiva *sf* missive, letter

mistério *sm* 1 mistery 2 RELIG mystery

misterioso *adj* mysterious

místico *adj-sm,f* mystic

misto *adj* 1 mixed 2 *(escola, classe)* co-ed
▸ *sm* **misto** mixture, mix: ***um misto de alegria e tristeza*** a mix of hapiness and sadness

misto-quente (*pl* **mistos-quentes**) *sm* a hot ham and cheese sandwich

mistura *sf* 1 mixture, mix 2 *(misto, mescla)* sundry 3 *(miscigenação)* miscegenation, interbreeding

misturado *adj* mixed, mingled

misturar *vtd-vtdi* to mix
▸ *vpr* **misturar-se** to mingle, to join in

mítico *adj* mythical

mitigar *vtd* to mitigate, to moderate, to soften, to soothe

mito *sm* myth

mitologia *sf* mythology

mitológico *adj* mythologic, mythological

miudeza *sf* *(pequenez)* minuteness, smallness
▸ *pl* **miudezas** 1 *(quinquilharias)* gewgaws, trinkets, knicknacks 2 *(detalhes)* details, small matters, trifles
• **loja de miudezas** trinket store

miúdo *adj* 1 *(pequeno)* tiny 2 *(de pequeno porte)* small: ***gado miúdo*** small cattle
▸ *pl* **miúdos** giblets
• **dinheiro miúdo** small change

mixagem *sf* mixing

mixar[1] *vi* *(acabar)* to finish, to end, to dry up: ***o dinheiro mixou*** the money finished

mixar[2] *vtd* *(fazer mixagem)* to mix

mixo *adj* of little value, small, insignificant

mixórdia *sf* 1 *(mistura confusa)* mishmash, hotchpotch, witches' brew 2 *(confusão, desentendimento)* confusion, mix-up 3 *(gororoba)* grub

mixuruca *adj* insignificant, small, derisory

moagem *sf* grinding, milling

mobília *sf* furniture

mobiliar *vtd* to furnish

mobiliário *adj* furniture
▸ *sm* **mobiliário** furniture

mobilidade *sf* mobility

mobilização *sf* 1 *(movimentação)* mobilization 2 mobilization: ***mobilização popular*** popular mobilization 3 MIL mobilization

moça *sf* 1 *(jovem)* girl, lass, young lady 2 *(qualquer pessoa)* woman, young lady

mocassim *sm* mocassin

mochila *sf* backpack

mocidade *sf* 1 *(juventude)* youth 2 *(conjunto de jovens)* young people

moço *adj* 1 *(jovem)* young 2 *(novo)* young, junior: ***ele é o irmão mais moço*** he is the youngest brother
▸ *sm* 1 **moço** *(rapaz)* young man, lad 2 *(qualquer pessoa)* man, young man

mocotó *sm* the feet of cattle used as food

moda *sf* 1 fashion, trend: ***estar na moda*** to trendy, to be in fashion; ***cair de moda*** to be out of fashion; ***entrar na moda*** to come into fashion 2 *(voga)* vogue 3 *(confecção, roupa)* fashion: ***ela trabalha com moda*** he works in fashion 4 MÚS tune, song
• **moda de viola** a kind of Brazilian country song
• **seção de modas** fashion sector

modalidade *sf* modality

modelagem *sf* modeling

modelar *vtd* to model, to shape, to form, to mould

modelismo *sm* scale modeling

modelo *sm* 1 *(protótipo)* model, pattern 2 *(de carro, de vestido etc.)* model 3 *fig (exemplo)* model, token: ***um modelo de virtude*** a model of virtue
▸ *smf* 1 *(manequim)* model, mannequin 2 *(fotográfico)* model 3 *(de pintura)* model

modem *sm* modem

moderação *sf* moderation, restraint, temperance

moderador *sm,f* moderator

moderar *vtd* 1 *(comedir)* to moderate, to restrain 2 *(um debate)* to moderate
▸ *vpr* **moderar-se** to restrain oneself

modernice *sf pej* pretentious modernism, mania for modern things and styles

modernidade *sf* modernity

modernismo *sm* modernism

modernizar *vtd* to modernize
▸ *vpr* **modernizar-se** to modernize oneself, to come up to date

moderno *adj* modern

modernoso *adj pej* pretentiously or doubtfully modern

modéstia *sf* modesty

modesto *adj* 1 *(despretensioso)* modest 2 *(moderado, parco)* moderate, frugal 3 *(simples)* simple

módico *adj* small, moderate, low, reasonable

modificação *sf* modification, change, alteration, shift

modificar *vtd* to modify, to change
▸ *vpr* **modificar-se** to change, to shift, to undergo a modification

modista *smf* 1 dressmaker, fashion designer 2 singer of a certain kind of popular songs

modo *sm* 1 *(maneira, jeito)* manner, way, style 2 *(possibilidade, meio)* possibility, way, means 3 GRAM mode 4 MÚS mode
▸ *pl* **modos** behaviour, conduct
• **com maus modos** rude, impolite
• **de modo nenhum** no way
• **de modo que** so that
• **de qualquer/todo modo** anyway, anyhow
• **modo de ser** way of being
• **modo de usar** procedure
• **tenha modos!** behave yourself!

modorra *sf* sleepiness, drowsiness

modular *vtd* to modulate
▸ *adj* modular

módulo *sm* module

moeda *sf* 1 coin 2 *(dinheiro em geral)* money
• **a outra face da moeda** the other side of the coin, *fig* the other side of the coin, the flip side of the coin
• **moeda corrente** currency
• **moeda falsa** counterfeit coin
• **na mesma moeda** tit for tat

moedor *sm* grinder
• **moedor de café** coffee grinder
• **moedor de carne** meat grinder, mincer
• **moedor de pimenta** pepper grinder

moela *sf* gizzard

moer *vtd* 1 to grind, to crush, to mince 2 *(deixar exausto)* to exhaust, to wear down

mofar *vi* 1 to go moldy 2 *fig* to rot: ***mofar na cadeia*** to rot in jail

mofo *sm* mold, mildew

mogno *sm* BOT mahogany

moído *adj* 1 ground, minced, powdered 2 *(exausto)* exhausted, dead-beat

moinho *sm* mill

moita *sf* bush

• **na moita** *(à espreita)* lurking, *(às escondidas)* furtively, *(em silêncio)* silently

mola *sf* coil

molambo *sm* 1 rag, tatter 2 *fig* weak character, weakling

molar *adj* QUÍM molar

▸ *sm* ANAT molar

moldar *vtd* to mold, to mould, to shape, to give form

▸ *vtd-vtdi* 1 *fig* to mold, to model: ***moldou suas atitudes pelas do pai*** he modeled his behavior on that of his father 2 *(adaptar)* to adapt

▸ *vpr* **moldar-se** 1 *(ter como exemplo)* to take as an example, to take as a model 2 *(adaptar-se)* to adapt

molde *sm* 1 *(forma)* mould 2 *(de roupa)* pattern 3 *fig (modelo, exemplo)* model

moldura *sf* frame

mole *adj* 1 *(não duro)* soft, flaccid, flabby, flimsy 2 *(sem vigor)* weak 3 *(molenga, lerdo)* lazy, sluggish 4 *fig (indulgente)* indulgent 5 *fig (fácil)* easy, piece of cake

• **dar mole** *(flertar)* to flirt, to come on to, *(ser condescendente)* to be condescending, to be compliant

molecada *sf* kids, children

molecagem *sf* child's mischief

molécula *sf* molecule

moleira *sf* ANAT fontanel

moleirão *adj-sm,f* lazybones, sluggard

molejo *sm* 1 *(de veículo)* springs 2 bounce, swing 3 *fig* swaying motion

molenga *adj-smf* 1 *(lerdo)* sluggish, slothful 2 *(fraco, condescendente)* weak

moleque *sm,f* boy, kid, urchin

molestar *vtd* 1 *(magoar)* to hurt 2 *(importunar)* to bother, to nag 3 *(assediar sexualmente)* to molest, to abuse, to harrass

moléstia *sf* disease, sickness, illness

molesto *adj* molesting, bothersome, annoying, harrowing

moletom *sm* 1 *(tecido)* a kind of cotton fabric 2 *(peça de vestuário)* sweatsuit

moleza *sf* 1 softness 2 *(falta de vigor)* weakness, drowsiness 3 *(lentidão)* sluggishness, slowness 4 *(indulgência)* indulgency, condescending attitude

• **dar moleza** to facilitate, to make easy, to act condescendingly

• **na moleza** easily

• **ser moleza** *(ser fácil)* to be a piece of cake

molhado *adj* wet, moist

▸ *sm* **molhado** *(poça, alagamento)* puddle

• **secos e molhados** warehouse

molhar *vtd* 1 to wet 2 *(plantas)* to water

▸ *vpr* **molhar-se** 1 to get wet 2 *(urinar-se)* to wet oneself

molho *sm* 1 CUL sauce 2 CUL *(para salada)* dressing 3 *(feixe)* bunch

• **ficar de molho** to soak, *(acamado)* to be in bed, *(marginalizado)* to be put aside

• **pôr algo de molho** to soak, to steep

molusco *sm* clam

momentâneo *adj* momentary

momento *sm* 1 moment, instant 2 *(agora)* moment, now: ***no momento não posso ir*** I can't go now 3 *(situação)* time, momentos ***os bons e maus momentos*** good and bad times 4 *(ocasião)* time, moment: ***este não é o momento para isso*** this is not the time for this 5 *(tempo, época)* time, moment, period

• **a todo momento** all the time

• **de um momento para outro** suddenly, unexpectedly, from one minute to the next

monarca *sm* monarch

monarquia *sf* monarchy

monárquico *adj* monarchic, monarchal

monetário *adj* monetary

monge *sm,f* monk, friar

mongol *adj-smf* Mongolian

monitor *sm,f* monitor

▸ *sm* **monitor** INFORM monitor

monitorar *vtd* to monitor

monogamia *sf* monogamy

monógamo *adj-sm,f* monogamous, monogamist

monografia *sf* monograph

monologar *vi* to monologize, to soliloquize, to recite monologues

monólogo *sm* monologue, soliloquy

monopólio *sm* monopoly

monopolizar to monopolize

monossílabo *adj* monosyllabic
▸ *sm* **monossílabo** monosyllable

monoteísmo *sm* monotheism

monotonia *sf* monotony, sameness, dullness

monótono *adj* monotonous, tedious

monóxido *sm* QUÍM monoxide

monsenhor *sm* Monsignor

monstrengo *sm* **1** very ugly person **2** freak, anomaly **3** a big and completely useless thing, white elephant

monstro *sm* monster

monstruosidade *sf* monstrosity, enormity

monstruoso *adj* monstrous

montadora *sf (de automóveis)* factory

montagem *sf* **1** assembly: ***linha de montagem*** assembly line **2** TEATRO production **3** CINE editing

montanha *sf* mountain

montanha-russa (*pl* **montanhas-russas**) *sf* roller coaster

montanhista *smf* mountaineer

montanhoso *adj* mountainous, hilly

montante *sm* **1** *(peça de sustentação)* post, pillar, prop, upright **2** *(soma)* amount, sum

montão *sm* **1** *(grande pilha)* heap, pile **2** *(grande quantidade)* huge quantity
• **de montão** a lot

montar *vti* **1** *(trepar)* to climb **2** *(subir)* to get *(up)*: ***monte na garupa*** get on the pillion **3** *(atingir)* to amount to, to reach: ***as despesas montam a dois milhões de reais*** the expenses amount to two millions reais
▸ *vtd-vi (cavalgar)* to ride
▸ *vtd* **1** *(barraca, brinquedos etc.)* to set up, to assemble **2** *(quebra-cabeças)* to assemble **3** *(negócio, casa etc.)* to set up **4** TEATRO to produce **5** CINE to edit

monte *sm* **1** *(morro)* mount, mound, hill **2** *(amontoado)* heap, mass, pile **3** *(grande quantidade)* bundle, a huge quantity **4** *(no jogo de cartas)* stock, pile of cards

monturo *sm* dunghill, scrap heap, dust heap

monumental *adj* monumental, magnificent

monumento *sm* monument

morada *sf* home, residence, dwelling place

moradia *sf* home, dwelling, residence

morador *adj-sm,f* inhabitant, dweller

moral *adj* moral
▸ *sf* **1** morality **2** moral, lesson, conclusion: ***moral da história*** moral of the story
▸ *sm* morals, spirits: ***estar com o moral baixo*** to be in low spirits

moralidade *sf* morality

moralista *smf* moralist

moralizar *vtd* to moralize

moranga *sf* BOT *(abóbora)* pumpkin

morango *sm* BOT strawberry

morar *vti* to live: ***moro na Av. Paulista*** I live on Avenida Paulista; ***nunca morei na Bahia*** I have never lived in Bahia
▸ *vti* **1** to live **2** *pop (entender)* to understand, to get
• **morou?** got it?

morbidez *sf* morbidness, morbidity

mórbido *adj* morbid

morcego *sm* ZOOL bat

mordaça *sf* gag, muzzle

mordaz *adj* sharp, biting, sarcastic

mordedura *sf* bite

mordente *adj* **1** *(cáustico)* sulphurous **2** *fig* provoking
▸ *sm* mordant

morder *vtd-vtdi* **1** *(alimento)* to bite: ***morder o pão*** to bite the bread **2** *(agredir com mordida)* to bite **3** *(picar)* to bite: ***uma cobra me mordeu*** a snake bit me **4** *(corroer)* to gnaw, to eat away

mordida *sf* bite

mordomia *sf* **1** *(vantagens)* advantages **2** *(regalias)* privileges, comfort: ***que mordomia!*** what comfort!

mordomo *sm* butler

moreno *adj* **1** *(de cabelo escuro)* dark-haired, brunette **2** *(de pele escura)* brown, tanned

morfina *sf* morphine

moribundo *adj-sm,f* dying, fading, moribund, a dying person

moringa *sf (bilha)* pitcher

mormaço *sm* sultry weather

mórmon *adj-smf* Mormon

morno *adj* warm, mild, tepid

moroso *adj* slow, tardy, sluggish

morrer *vi* 1 to die, to perish 2 *(extinguir-se)* to go out, to die out, to cease, to subside, to vanish, to disappear: ***o fogo morreu*** the fire went out 3 *(carro)* to die ▸ *vti* 1 *(ser apaixonado)* to be crazy about 2 *fig (pagar)* to pay off: ***morri com mil reais*** I paid off a thousand reais
• **de morrer** terrible
• **morrer de calor** to die of heat
• **morrer de inveja** to be green with envy
• **morrer de sono** to be dead tired
• **morrer de rir** to laugh one's head off
• **morrer de infarto/do coração etc.** to die of a heart attack
• **morrer de repente** to die suddenly, to die unexpectedly

morro *sm* mount, hill

morsa *sf* 1 *(ferramenta)* vise, bench vise 2 ZOOL walrus

mortadela *sf* CUL large Italian sausage

mortal *adj* mortal, deadly

mortalha *sf* shroud, pall

mortalidade *sf* mortality

mortandade *sf* slaughter, carnage, great loss of life

morte *sf* 1 *(natural, por acidente)* death 2 *(por assassinato)* murder, killing, slaying
• **ferido de morte** mortally wounded
• **morrer de morte matada** to be killed, to be murdered
• **morrer de morte morrida** to die a natural death
• **ser de morte** to be terrible, to be a pain in the neck

morteiro *sm* 1 *(canhão)* mortar 2 *(bombinha)* a large firecracker 3 *(almofariz)* mortar

mortiço *adj* 1 dying, about to subside or to go out 2 *(fogo, luz)* dim, dull

mortífero *adj* mortal, lethal, deadly

mortificar *vtd* to mortify

morto *adj* 1 *(por motivo natural)* dead 2 *(por assassinado, abate, acidente)* murdered, slayed, slaughtered, killed by accident 3 *(sem movimento)* dead, stagnant: ***cidade morta*** dead town 4 *(exausto)* dead tired 5 *(extinto, apagado)* vanished, extinguished, erased, out 6 *(sem circulação, parado)* dead, stagnant: ***dinheiro morto*** stagnant capital
• **morto de fome** starving to death
• **morto e enterrado** dead and buried
• **nem morto!** no way!

mosaico *sm* mosaic

mosca *sf* fly
• **acertar na mosca** to hit the bull's eye
• **comer mosca** *(não perceber)* to not understand something, *(deixar-se enganar)* to stand gaping about, to be cheated
• **estar (entregue) às moscas** to be forgotten, neglected, abandoned
• **não fazer mal a uma mosca** to be completely harmless

mosca-morta (*pl* **moscas-mortas**) *sf* a very passive, weak-willed person

Moscou *sm* Moscow

mosquiteiro *sm* mosquito net

mosquito sm small fly, mosquito

mostarda *sf* mustard

mosteiro *sm* monastery

mostra *sf* 1 exhibition: ***mostra de cinema*** film exhibition 2 *(exposição)* exhibition, display
• **dar mostras de** to show, to give proofs of

mostrador *sm* 1 *(mostruário)* showcase 2 *(visor)* display, dial

mostrar *vtd-vtdi* 1 *(exibir)* to show, to exhibit 2 *(apontar, indicar)* to indicate, to show 3 *(demonstrar)* to demonstrate ▸ *vpr* **mostrar-se** 1 *(revelar-se)* to show 2 *(deixar-se ver, aparecer)* to show off

mostruário *sm* showcase

mote *sm* motto

motel *sm* 1 *(hotel à beira da estrada)* motel 2 *(para encontros amorosos)* motel, love hotel

motim *sm* mutiny, rebellion

motivação *sf* motivation

motivado *adj* 1 *(causado)* motivated, caused 2 PSIC motivated 3 DIR *(justificado)* with a formal statement of reasons or motives

motivar *vtd* 1 *(causar)* to motivate, to cause 2 *(interessar, estimular)* to motivate, to arouse interest 3 DIR *(justificar)* to justify, to formally state the reasons or motives

motivo *sm* 1 *(razão, causa, motivação)* reason, cause 2 *(tema, assunto)* matter, subject 3 *(tema musical)* motif
• **motivo pelo qual...** for which reason
• **por motivo de força maior** for reasons beyond my control
• **sem motivo** without reason, for no reason

moto *sf (motocicleta)* motorbike

motobói *sm* courrier

motocicleta *sf* motorcycle

motociclista *smf* motorcyclist

motoneta *sf* scooter

motoqueiro *sm,f* biker

motor *adj* motor
▸ *sm* **motor** 1 *(causa)* motive 2 *(máquina)* engine, motor
▪ **motor de arranque** starter

motorista *smf* driver

motorizar to motorize

mourão *sm (estaca)* stake, pole, post

mouro *adj-sm,f* Moor

mouse *sm* INFORM mouse

movediço *adj* movable, unsteady, shaky, shifting
• **areias movediças** quicksand

móvel *adj* movable
▸ *sm* **móvel** a piece of furniture
▪ **móvel embutido** built-in furniture
▪ **móvel modular** modular furniture

mover *vtd* 1 *(mexer, movimentar)* to move 2 *(mudar de lugar, deslocar)* to move, to shift 3 *(motivar)* to motivate, to induce, to stimulate 4 DIR to start *(a lawsuit)*
▪ **mover uma ação** to sue
▸ *vpr* **mover-se** 1 *(mexer-se)* to move, to budge, to change place 2 *(locomover-se)* to move *(around)*

movimentação *sf* 1 *(movimento)* movement 2 *(agitação)* agitation

movimentado *adj (lugar)* active, busy

movimentar *vtd* 1 *(pôr em movimento)* to move 2 *(agitar)* to bustle, to agitate 3 *(dinheiro)* to make an operation in a bank account
▸ *vpr* **movimentar-se** to move

movimento *sm* 1 *(deslocamento)* movement 2 *(agitação, alvoroço)* bustle 3 *(ação, campanha)* movement, campaign 4 *(partido, frente)* movement 5 *(corrente de pensamento)* movement, school of thought 6 MÚS *(parte de composição)* movement
• **pôr em movimento** to set in motion, to start

muamba *sf* 1 *(produto de contrabando)* contraband 2 *(produto de roubo)* swag, loot

muambeiro *sm,f* bootlegger

muco *sm* mucus

mucosa *sf* mucosa

mucoso *adj* mucous

muçulmano *adj-sm,f* Muslim

muda *sf* 1 *(troca)* change, shift 2 BOT seedling 3 *(de roupa)* change 4 *(de pele, de pelo, de carapaça de animais)* moulting

mudado *adj* changed, different

mudança *sf* 1 *(modificação)* change, shift 2 *(de casa, de cidade)* move 3 *(móveis e outros objetos, ao se mudar)* stuff, that which is taken when one moves houses
• **estar de mudança** to move *(out/in)*
• **fazer a mudança** to move out
• **mudança de marcha** gear change
• **mudança de voz** voice change
• **mudança do tempo** change in the weather

mudar *vtd* 1 *(modificar)* to modify, to change, to shift 2 *(transferir)* to transfer 3 *(trocar de lugar)* to switch *(places)*, to move: ***mudar os móveis da sala*** to switch the places of the furniture in the room
▸ *vi* 1 *(transferir-se)* to move away 2 *(modificar-se)* to change, to shift, to mutate: ***as pessoas mudam*** people change
▸ *vti* 1 *(trocar)* to change, to switch 2 *(transferir-se)* to transfer
▸ *vpr* **mudar-se** 1 to move 2 to change

mudo *adj-sm,f* 1 mute, dumb, a mute person 2 *fig* taciturn, silent, a silent person

mugir *vi* to moo

muito *adj* many, a lot: ***há muitas maçãs na árvore*** there are many apples on the tree

▸ *pron indef* much: ***há muito que fazer*** there is much to do

▸ *pl* **muitos** many: ***muitos não acreditam nele*** many don't believe him

▸ *sm* **muito** all, everything: ***foi recompensado pelo muito que fez*** he was rewarded for all he did

▸ *adv* **muito 1** too much: ***ele fala muito*** he talks too much **2** very: ***estou muito cansada*** I´m very tired **3** much: ***é muito mais alto que Carlos*** he is much taller than Carlos **4** *(muito tempo)* long, long time: ***há muito não nos vemos*** long time no see

• **falta muito? 1** have we arrived yet? **2** is there much left?

• **quando muito** at most, at best

mula *sf* **1** ZOOL mule **2** *gíria* mule

mulato *adj-sm,f* mulatto

muleta *sf* crutch

mulher *sf* **1** woman **2** *(esposa)* wife **3** *(filha)* girl, daughter: ***ela teve dois meninos e duas meninas*** she had two boys and two girls

mulherengo *sm* womanizer

mulherio *sm (mulherada)* women, womenfolk

mulherzinha *sf* **1** *(mulher pequena)* short woman **2** *(mulher inferior)* vulgar woman, minx, baggage **3** *(maricas)* sissy

mulo *smf* male mule

multa *sf* **1** fine, ticket **2** *(documento da multa)* ticket slip

• **aplicar uma multa** to fine, to give one a ticket

multar *vtd-vtdi* to fine

multidão *sf* crowd, multitude

multimídia *adj inv* multimedia

▸ *sf* multimedia

multinacional *adj-sf* multinational

multiplicação *sf* multiplication

multiplicar *vtd* to multiply

• **multiplicar cinco por três** to multiply five by three

múltiplo *adj* multiple

▸ *sm* **múltiplo** multiple

▪ **mínimo múltiplo comum** lowest common multiple

múmia *sf* mummy

mumificar *vtd* to mummify

▸ *vpr* **mumificar-se 1** to mummify **2** *(esclerosar-se)* to go senile

mundano *adj* **1** *(da vida em sociedade)* worldly **2** *(deste mundo)* earthly, worldly, mundane

mundial *adj* world, worldwide

▸ *sm* ESPORTE world

mundo *sm* **1** world **2** *fig (grande quantidade)* world

• **cair no mundo** to hit the road

• **como veio ao mundo** naked, in his birthday suit

• **desde que o mundo é mundo** since the world began

• **ganhar o mundo** to hit the road

• **mandar para o outro mundo** to kill

• **meio mundo 1** everywhere **2** a lot of people

• **mundos e fundos** everything

• **no mundo da lua** daydreaming

• **primeiro/segundo/terceiro mundo** first/second/third world

• **ser do outro mundo** to be fantastic

• **todo o mundo** everybody

• **vir ao mundo** to come to this world

• **vir o mundo abaixo** to rock one's world

munheca *sf* **1** wrist **2** *fig (avarento)* scrooge, miser

munhequeira *sf* wristband

municipal *adj* municipal

• **teatro municipal** municipal theater

município *sm* city

munição *sf* ammunition

munido *adj* provided *(with)*

munir *vtdi* **1** to munition **2** to provide with, to supply

▸ *vpr* **munir-se 1** to arm oneself **2** *fig* to provide oneself with

muque *sm* **1** *(bíceps, músculo)* muscles, brawn **2** *(força)* force, brawn

• **a muque** by force

• **nem a muque** in no way

muquirana *adj-smf (sovina)* scrooge, stingy, miserly, miser

mural *adj* mural

▸ *sm* mural

muralha *sf* wall, rampart

murar *vtd* to wall, to enclose

murchar *vtd* **1** to wizen, to sear **2** *fig (desencorajar)* to discourage
▸ *vi* **1** *(flor)* to wither **2** *fig (perder o viço)* to wilt **3** *(pneu, bola)* to flatten **4** *fig (perder o ânimo)* to lose heart

murcho *adj* **1** *(flor)* withered **2** *fig (sem viço)* wilted, faded **3** *(pneu, bola)* flat, flattened **4** *(desanimado)* disheartened **5** *(caído, frouxo)* wilted, drooping
• **bola murcha** flattened ball, *fig* losing every game

murmurar *vtd-vi* to murmur, to whisper

murmúrio *sm* murmur, whispering, muttering

muro *sm* wall
• **ficar em cima do muro** to sit on the fence
• **muro das lamentações** Wailing Wall
• **muro de arrimo** retaining wall

murro *sm* punch

murundu *sm (montículo)* hummock

musa *sf* muse

musculação *sf* bodybuilding

muscular *adj* muscular

musculatura *sf* musculature

músculo *sm* **1** muscle **2** CUL muscle

musculoso *adj* brawny, sturdy, strong, muscular

museu *sm* museum

musgo *sm* BOT moss

música *sf* music

musical *adj* musical
▸ *sm* musical

musicar *vtd* **1** to score, to compose music for *(a play, a movie etc.)* **2** to play a musical instrument, to sing

musicista *smf* musician

músico *sm* musician, player

musse *sf* CUL mousse

mutação *sf* mutation

mutável *adj* mutable, changeable, shifting

mutilação *sf* mutilation

mutilar *vtd* to mutilate, to gore
▸ *vpr* **mutilar-se** to multilate oneself

mutirão *sm* joint effort, usually a community project that requires the help of the whole group: ***construir uma casa em mutirão*** to build a house with community help; ***organizar um mutirão para ajudar os desabrigados*** to organize communitary work to help the homeless

mutreta *sf* monkey business

mútuo *adj* mutual, reciprocal

N

na[1] *prep* **em** + *art* **a** → **em** on/in *(her, it)*

na[2] *pron obl 3.ª pes f* her, it

nabo *sm* BOT turnip
• **comprar nabos em sacos** to buy a pig in a poke

nação *sf* nation

nacional *adj* national

nacionalidade *sf* nationality

nacionalista *adj* nationalistic

nacionalizar *vtd* to nationalize

nada *pron indef* nothing: ***não disse nada*** he said nothing
▸ *adv* not: ***ele não é nada bobo*** he is not a fool
▸ *sm* **1** nothing **2** *(ninharia)* trifle
• **antes de mais nada** first and foremost
• **como se nada fosse** as if it was nothing
• **dar em nada** to come to nothing
• **de nada** *(insignificante)* trifling, *(resposta a "obrigado")* you're welcome, don't mention it
• **nada de novo** no news
• **nada disso** none of this
• **nada feito** no way
• **nada mal!** not bad!
• **nada menos que** nothing less than
• **nada de** none of
• **não é por nada, mas...** don't get me wrong, but...
• **quando nada** at least

nadadeira *sf* fin, flipper

nadador *sm,f* swimmer

nadar *vi* **1** to swim **2** *(boiar)* to float, to drift
• **nadar em dinheiro** to be swimming in money

nádega *sf* buttock, backside, behind

nado *sm* swim, swimming
• **a nado** swimming
▪ **nado borboleta** butterfly stroke
▪ **nado *crawl*** crawl stroke
▪ **nado de costas** backstroke
▪ **nado de peito** breaststroke

nafta *sf* naphtha

naftalina *sf* naphthalene, naphtaline

namorado *sm,f* boyfriend, girlfriend

namorar *vtd-vi* **1** to date, to go out *(with)*, to be in a relationship *(with)* **2** *fig (desejar)* to wish, to desire, to have a fancy for: ***estou namorando esse par de sapatos*** I have a fancy for that pair of shoes **3** *fig (sentir-se atraído)* to fancy, to flirt with: ***é um cineasta que agora está namorando a literatura*** he is a filmmaker who is now flirting with literature

namoro *sm* relationship, dating

nana *sf fam* nap, lullaby: ***fazer nana*** to lull to sleep

nanico *adj (gente, animal)* tiny, dwarfish

nanquim *sm (tinta)* China ink, Indian ink

não *adv* no, not: ***não, não acredito!*** no, I don't believe it!; ***há quem está de acordo e quem não*** some people agree, some people don't; ***você vai conosco? – Não*** are you coming with us? – No; ***não há ninguém aqui*** there is no one here; ***não sei se vou ou não*** I can't decide whether I'm going or not
▸ *sm* no, nay: ***no referendo, venceu o não*** in the referendum, the nays won; ***pediu comida e recebeu um não*** he asked for food and reveived a no
• **claro que não** of course not

• **dia sim, dia não** every other day
• **dizer que não** to say no
• **não é mesmo?** isn't it?
• **não é?** isn't it?
• **não há de quê** you are welcome, don't mention it
• **parece que não** it doesn't seem so
• **pois não** yes?, sure!, why not?

não me toques *sm inv* BOT touch-me--not
• **ser cheio de não me toques** to be fussy

naquele *prep* **em** + *pron demon* **aquele** in that

naquilo *prep* **em** + *pron demon* **aquilo** in that

Nápoles *sf* Naples

narcótico *sm* narcotic, drug

narcotráfico *sm* drug trafficking

narigudo *adj-sm,f* big-nosed

narina *sf* nostril

nariz *sm* nose
• **bater/dar com o nariz na porta** (*encontrar fechado*) to find closed doors (*não encontrar em casa*) to find no one home
• **meter o nariz em** *fig* to stick one's nose into
• **nariz empinado** *fig* snobbish
• **saber/não saber onde tem o nariz** to be (*in*)competent
• **torcer o nariz para algo** to frown on/upon, to turn up one's nose

narração *sf* narration

narrar *vtd-vtdi* to narrate, to report, to describe

narrativa *sf* narrative, story, account

nasal *adj* nasal

nascença *sf* **1** birth **2** origin, source
• **de nascença** by birth

nascente *adj* emergent, beginning
▸ *sf* (*fonte*) fountain, spring
▸ *sm* (*leste*) East

nascer *vi* **1** (*criança*) to be born **2** (*planta*) to shoot, to sprout, to germinate **3** (*ter origem*) to originate **4** (*unha, dente etc.*) to grow

nascimento *sm* **1** birth: ***data de nascimento*** date of birth; ***lugar de nascimento*** place of birth **2** (*origem*) origin, source

nata *sf* **1** cream **2** *fig* elite

natação *sf* swimming
• **fazer natação** to swim, to take swimming classes

natal *adj* native, home: ***a casa natal*** hometown; ***terra natal*** homeland
▸ *sm* **Natal** Christmas: ***feliz Natal*** Merry Christmas; ***vou viajar no Natal*** I'll be traveling at Christmas

natalidade *sf* birthrate: ***índices de natalidade*** birthrates

natalino *adj* Christmas

nativo *adj* native
▸ *sm,f* native

nato *adj* born, natural: ***um escritor nato*** a born writer

natural *adj* **1** natural: ***uma paisagem natural*** a natural landscape; ***o desenvolvimento natural das crianças*** the natural development of children **2** (*normal, de esperar*) natural **3** (*nato*) born, natural **4** (*próprio*) innate, inherent **5** (*não afetado*) unaffected, genuine **6** (*nascido*) born, native: ***ele é natural da Bahia*** he was born in Bahia
▸ *sm* **natural** **1** (*nativo*) native **2** (*tendência inata*) innate character
• **ao natural** in natura
• **não natural** not natural, artificial, contrived

naturalidade *sf* naturalness
• **com/sem naturalidade** (*un*)naturally

naturalizar *vtd* to naturalize
▸ *vpr* **naturalizar-se** to become naturalized

naturalmente *adv* **1** (*de modo natural*) naturally **2** (*com toda a certeza*) naturally, of course

natureza *sf* **1** nature **2** (*índole, temperamento*) nature, disposition **3** (*caráter, tipo*) nature, character, kind

natureza-morta (*pl* **naturezas-mortas**) *sf* still life

naufragar *vtd* to wreck, to shipwreck
▸ *vi* to wreck

naufrágio *sm* wreck, shipwreck

náufrago *sm,f* castaway

náusea *sf* sickness
• **dar náuseas** to sicken, to make sick

naval *adj* naval, marine

navalha *sf* **1** razor **2** *fig (motorista ruim)* bad driver

nave *sf* ship

▪ **nave espacial** spaceship

navegação *sf* navegation

navegante *sm* navigator, sailor

navegar *vi* to navigate, to sail

▸ *vtd* to navigate, to sail

navio *sm* ship, boat

• **ficar a ver navios** to be left holding the bag

▪ **navio a vapor** steam ship

▪ **navio de carga** freight ship, cargo ship

▪ **navio mercante** merchant ship, merchant vessel

▪ **navio quebra-gelo** icebreaker

nazismo *sm* Nazism

nazista *adj-smf* nazi, Nazi

né *adv* isn't it

neblina *sf* fog

nebulosidade *sf* nebulosity, haziness, foggyness

nebuloso *adj* **1** foggy, hazy, cloudy **2** *fig (indistinto)* foggy, hazy, indistinct **3** *fig (ambíguo, obscuro)* foggy, hazy, obscure, vague

nécessaire *sm* sponge bag, toilet bag, toilet kit

necessário *adj* necessary

▸ *sm* **necessário** necessary

• **fazer-se necessário** to make oneself necessary

necessidade *sf* **1** *(precisão)* need **2** *(coisa inevitável)* necessity: ***comer é necessidade*** eating is a necessity

▸ *pl* **necessidades 1** *(exigências)* needs: ***necessidades básicas*** basic needs **2** *(penúria)* privation: ***passar necessidades*** to undergo privation

• **gêneros de primeira necessidade** staples, essential commodities

• **em caso de necessidade** in case of need

• **fazer necessidades** to use the bathroom

necessitado *adj-sm,f* needy

necessitar *vti (precisar)* to need

necrose *sf* necrosis

necrotério *sm* morgue

néctar *sm* nectar

nectarina *sf* BOT nectarine

nefasto *adj* **1** disastrous, tragic, fatal **2** ominous, ill-omened, ill-fated

nefrite *sf* MED nephritis

negação *sf* **1** denial **2** *(recusa)* denial, refusal

• **ser uma negação em/para algo** not to be good at something

negar *vtd* **1** *(dizer que não)* to deny, to say no **2** *(contestar, não reconhecer)* to deny, to contradict **3** *(renegar)* to disavow **4** *(recusar)* to refuse

▸ *vtdi* **1** *(recusar)* to refuse: ***ele me negou o emprego*** he refused me the job **2** *(contestar)* to deny: ***negar um direito a alguém*** to deny someone a right

▸ *vi* to deny: ***foi acusado do crime, mas negou*** he was charged with a crime, but denied it

▸ *vpr* **negar-se** *(recusar-se)* to refuse

negativo *adj* **1** negative **2** *(nocivo)* negative, bad **3** MAT negative **4** *(abaixo de zero)* below zero, negative

▸ *sm* **negativo** FOTO negative

▸ *adv* no: ***você vai trabalhar hoje? – Negativo*** are you working today? – No

negligência *sf* negligence

negligenciar *vtd* to neglect, to disregard

negligente *adj* negligent, neglectful

negociação *sf* negotiation, transaction, dealing

negociador *adj-sm,f* negotiator

negociante *sm* merchant, trader, dealer

negociar *vtd-vtdi* **1** *(transacionar)* to transact, to deal **2** *(entrar em negociações)* to negotiate

▸ *vti-vi (lidar com negócios)* to do business

negociata *sf* swindle, suspicious transaction

negociável *adj* negotiable

negócio *sm* **1** *(comércio)* business **2** *(loja, empresa etc.)* business **3** *(assunto, pendência)* matter, issue **4** *(coisa)* thing, stuff

▸ *pl* **negócios** business

negra *sm (partida decisiva)* runoff

negrito *sm* bold

negro *adj* **1** *(preto)* black **2** *(escuro)* pitchy
▸ *adj-sm,f (da raça negra)* black, negro

nele *prep* **em** + *pron* **ele**, **ela** in him, in her, in it

nem *conj* neither, nor, not even: ***nem um nem outro*** neither of them; ***ela me disse que não gosta dele; nem eu*** she said she doesn't like him; neither do I; ***não veio ninguém; nem ele veio*** no one has come; not even him
▸ *conj* **nem que** not even: ***não ia querer nem que fosse de graça*** I wouldn't accept it, not even for free
▸ *adv* **1** not even: ***nem me fale em sair com esse frio*** don't even mention going out in this cold **2** not even: ***pedi dinheiro, e ele não me deu nem um tostão*** I asked him for money and he didn't give me even a penny
• **nem mais nem menos** neither more nor less
• **nem sempre** not always
• **nem sequer** not even
• **que nem** like, just like

neném *sm* baby

nenhum *pron indef* neither, *(not)* any, no, no one, none: ***não apareceu nenhum interessado no carro*** there was no one interested in the car; ***chamei os três irmãos, mas nenhum (deles) me respondeu*** I called the three brothers, but none of them answered; ***o vendedor me ofereceu várias blusas, mas não comprei nenhuma*** the salesperson offered me several shirts, but I didn't buy any of them; ***nenhum de nós foi selecionado no concurso*** none of us was chosen in the contest
• **estar a/sem nenhum** to be broke

neófito *sm,f* neophyte

neon *sm* neon

nervo *sm* nerve
• **estar com os nervos à flor da pele** to be on edge
• **ter nervos de aço** to have nerves of steel

nervosismo *sm* nervousness

nervoso *adj* **1** nervous **2** *(agitado)* fussy, jumpy **3** *(irritadiço)* peevish, nervous
▸ *sm (irritação)* irritation, anger
• **deixar alguém nervoso** to irritate someone, to get on someone's nerves
• **ficar nervoso** to get angry

nesga *sf* nook, corner

nêspera *sf* BOT loquat

nesse *prep* **em** + *pron dem* **esse** → **em**; **esse** in this, in that

neste *prep* **em** + *pron dem* **este** → **em**; **este** in this

neto *sm,f* grandson, granddaughter

neura *sm pop (neurose)* neurosis

neurastênico *adj-sm,f* **1** MED neurasthenic **2** *(mal-humorado)* grumpy

neurologia *smf* neurology

neurônio *sm* neuron

neurose *sf* neurosis

neurótico *adj* neurotic

neutralidade *sf* neutrality

neutralizar *vtd* to neutralize

neutro *adj* FÍS QUÍM BIOL neutral
▸ *adj-sm,f* POL neutral

nevada *sf* snowfall

nevado *adj* **1** *(coberto de neve)* snowy **2** *(semelhante à neve)* snowy

nevar *vi* to snow

nevasca *sf* snowstorm, blizzard

neve *sf* snow

névoa *sf* mist, fog

nevoeiro *sm* mist, haze

nevoento *adj* misty, foggy

nevralgia *sf* MED neuralgia

nexo *sm* nexus, connection

nhoque *sm* gnocchi

nicho *sm* **1** *(reentrância para estátua)* niche, recess **2** *(mercado especializado)* niche

Nicarágua *sf* Nicaragua

nicotina *sf* nicotine

ninar *vtd* to lull
• **canção de ninar** lullaby

ninguém *pron indef (not)* anybody, nobody, no one: ***ninguém apareceu ontem por aqui*** no one showed up yesterday; ***não há ninguém em casa*** there's no one home; ***não conheci ninguém igual*** I have never met anyone like him; ***saí sem que***

ninguém me visse I left and no one noticed; ***chamei várias vezes, não apareceu ninguém*** I called several times and nobody showed

ninhada *sf* 1 brood 2 *fig (filharada)* children

ninharia *sf* insignifance, trifle

ninho *sm* nest
• **ninho de rato** rathole

ninja *smf* ninja

nipônico *adj* Japanese

níquel *sm* 1 QUÍM nickel 2 *(moeda, dinheiro)* nickel

nisso *prep* **em** + *pron dem* **isso** 1 *(nessa coisa)* on/in this, on/in it: ***pendure a toalha nisso aí*** hang the towel on this 2 *pej* in this: ***você vai viajar nisso?*** are you traveling in this? 3 *(algo já referido)* this, that, it: ***pense nisso*** think about that; ***ele me propôs a venda, mas não vejo vantagem nisso*** he proposed the sale, but I see no advantage in it 4 *(nesse/naquele momento)* this/that moment

nisto *prep* **em** + *pron dem* **isto** → **em**; **isto** on/in this, on/in it

nitidez *sf* clearness, distinctness

nítido *adj* 1 *(claro, transparente)* clear, transparent 2 *(claro, compreensível)* clear 3 *(bem visível)* clear

nitrogênio *sm* QUÍM nitrogen

nitroglicerina *sf* nitroglycerin

nível *sm* 1 *(instrumento para verificação de superfícies)* level 2 *(linha horizontal)* horizontal level: ***esta mesa não está no nível*** this table is not level 3 *(altura)* level: ***meça o nível da água*** check the water level; ***acima do nível do mar*** above sea level 4 *fig (grau, hierarquia)* position, degree 5 *fig (categoria, classe)* grade, class 6 *(plano)* plane
• **nível de vida** standard of living

nivelar *vtd (tornar horizontal, aplainar)* to level
▸ *vtd-vtdi fig (igualar, equiparar)* to even
▸ *vpr* **nivelar-se** to put oneself on the same level with

nº *abrev* **número** n#, number
• **Av. Paulista, nº 500** 500, Paulista Av.

no¹ *pron obl 3ª. pes m* him, it

no² *prep* **em** + *art* **o** on/in (him, it) → **em**; **o¹**

nó *sm* 1 knot 2 *(parte dura da madeira)* woodknot 3 *(articulação dos dedos)* joint 4 *fig (cerne)* heart, nub, crux, core 5 *fig (problema, dificuldade)* problem, trouble
• **dar um nó** *(ficar confuso)* to get confused
• **não dar ponto sem nó** to play it safe
• **nó cego** a difficult knot to untie
• **o nó da questão** the nub of the question
• **ter um nó na garganta** to have a lump in one's throat, to feel like crying

nobre *adj* noble
▸ *smf* noble, aristocrat

nobreak *sm* INFORM UPS: Uninterruptible Power Supply

nobreza *sf* 1 *(aristocracia)* aristocracy, nobility 2 *(grandeza de caráter)* honourableness, high-mindedness, nobleness

noção *sf* 1 notion 2 *(ideia)* idea, track: ***perdi a noção do tempo*** I lost track of time; ***você tem noção do que está dizendo?*** do you have any idea of what you are saying?
▸ *pl* **noções** ideas

nocaute *sm* knockout
• **pôr alguém em nocaute** to knock someone out

nocivo *adj* noxious, harmful, bad

nódulo *sm* nodule, node

noitada *sf* 1 a night's period, vigil, watch 2 *(farra noturna)* night out

noite *sf* 1 night, evening *(das 6 às 24 h)*, dawn *(das 24h ao amanhecer)* 2 *(período noturno)* night 3 *fig (trevas)* darkness 4 *(vida noturna)* night life
• **à noite** at night
• **da noite para o dia** overnight
• **de noite** at night
• **hoje à noite** tonight
• **noite alta** late at night
• **noite e dia** day and night
• **passar a noite em branco/claro** to have a sleepless night

noitinha *sf* early evening

noivado *sm* engagement

noivo *adj-sm,f* 1 *(prometido em casamento)* fiancé, fiancée 2 *(no dia das núpcias)* groom, bride

▸ *sm pl* **noivos** fiancés
• **ficar noivo** to get engaged

nojento *adj* 1 disgusting 2 *(convencido)* snob

nojo *sm* disgust, nausea
• **dar/causar nojo** to make sick
• **sentir/ter nojo de algo** to loathe
• **ser/estar um nojo** to be disgusting

nômade *adj-smf* nomad

nome *sm* 1 *(prenome)* name: ***qual é seu nome? – Maria*** what's your name? – Maria 2 *(nome e sobrenome)* name, name and surname 3 *(título-livro, filme, quadro etc.)* name, title 4 *(denominação)* denomination, name 5 *(reputação)* reputation, name
▪ **nome artístico** stage name
▪ **nome científico** scientific name
▪ **nome comercial** business name
▪ **nome comum/vulgar** common/ordinary names
▪ **nome de batismo** Christian name
▪ **nome de guerra** pseudonym, alias
• **conhecer de nome** to know by name
• **dar nome aos bois** to call a spade a spade
• **em nome de** *(em lugar de)* in name of, *(da parte de)* on behalf of, *(em respeito a)* with respect to
• **pôr um documento em nome de** to draft a document on behalf of
• **ser alguém de nome** to make oneself a name, to be famous

nomeação *sf* nomination, appointment

nomear *vtd* 1 to name: ***foi nomeado presidente do banco*** he was named president of the bank 2 *(citar o nome)* to call

nomenclatura *sf* nomenclature, terminology

nominal *adj* 1 *(de nome, por nome)* nominal 2 *(só de nome)* nominal, in name only 3 GRAM nominal 4 COM face *(value)*

nonagésimo *num* ninetieth

nono *adj-sm,f* ninth

nora *sf* daughter-in-law

nordeste *sm inv* northeast

nórdico *adj-sm,f* Nordic

norma *sf* norm, standard, rule

normal *adj* 1 *(sem anormalidades)* normal 2 *(regular)* regular 3 *(natural)* natural
▸ *sm* **normal** *(curso)* normal school

normalidade *sf* normality, normalcy
• **voltar à normalidade** to resume normality

normalmente *adv* 1 *(com normalidade)* normally 2 *(costumeiramente)* normally

noroeste *sm* northwest

norte *adj* 1 north 2 *(região ao Norte)* North, Northern: ***o Norte da Itália*** Northern Italy 3 *fig (rumo)* direction, bearings: ***perder o norte*** to lose one's bearings

norte-americano (*pl* **norte-americanos**) *adj-sm,f* North American

nortear *vtd* to guide, to direct

Noruega *sf* Norway

norueguês *adj-sm,f* Norwegian

nos[1] *pron obl 1ª pes pl* us, ourselves: ***você nos leva à estação?*** would you take us to the station?; ***nós nos divertimos de verdade*** we enjoyed ourselves very much; ***quiseram fotografar-nos também*** they wanted to take a picture of us too

nos[2] *pron obl 3ª pes m pl* them

nós *pron pes 1ª pes pl* we

nossa *interj* gosh!, wow!

nosso *pron poss* 1 our, ours: ***nosso filho tem cinco anos*** our son is five years-old; ***o petróleo é nosso*** the oil is ours 2 ours: ***esta é a casa dela; aquela é a nossa*** this is her house; that is ours

nostalgia *sf* nostalgia

nostálgico *adj* nostalgic

nota *sf* 1 *(sinal, marca)* mark 2 *(bilhete)* note 3 *(apontamento)* note 4 *(remissão em texto)* note 5 *(observação)* notice, observation 6 *(papel-moeda)* note, bill *(AmE)*, paper money 7 *fig (muito dinheiro)* a lot of money 8 *(conta)* check, bill 9 *(título de crédito)* security 10 *(notícia breve em jornal)* entry, headword 11 MÚS note 12 *(avaliação escolar)* grade
• **digno de nota** noteworthy
• **nota destoante** *fig* discordant note
• **nota fiscal** invoice
• **nota promissória** promissory note
• **ser cheio da nota** to be rich

• **tomar nota** to note (*down*)

notar *vtd (observar, reparar)* to notice, to note

• **fazer-se notar** to make oneself noticed

notável *adj* 1 *(digno de nota)* noteworthy 2 *(de vulto, considerável)* notable 3 *(perceptível)* noticeable 4 *(digno de apreço)* remarkable

notebook *sm* INFORM notebook, laptop

notícia *sf* news, note, information

• **notícias de jornal** news

noticiar *vtd* to publish, to report, to give the news

noticiário *sm* news

notificação *sf* 1 notification, notice, communication 2 announcement

notificar *vtd-vtdi* to notify, to inform, to communicate

notoriedade *sf* renown, fame

notório *adj* known, famous (*as*)

noturno *adj* nocturnal, nightly, night

▸ *sm* **noturno** MÚS nocturne

noutro *prep* **em** + *pron* **outro** → **em**; **outro** in another

nova *sf (notícia)* news, novelty

novamente *adv* again, once more, over

novato *adj-sm,f* novice, beginner

nove *num* nine

• **noves fora** casting out nines

novecentos *num* nine hundred

nove-horas *sm* airs, ceremonies: ***cheio de nove-horas*** full of airs, standing on ceremonies

novela *sf* 1 *(narrativa ficcional)* novel 2 *(de TV)* soap opera 3 *fig* a funny or melodramatic situation

▪ **novela policial** detective story

novelo *sm* ball of yarn or wool

novembro *sm* November

novena *sf* novena

noventa *num* ninety

noviço *adj-sm,f* novice

novidade *sf* 1 *(qualidade de novo)* newness, freshness 2 *(notícia, nova)* news 3 *(algo novo)* novelty

novilho *sm,f* calf

novo *adj* 1 *(recente)* recent, new 2 *(não usado)* new, fresh 3 *(de pouca idade)* young 4 *(jovem)* young 5 *(que está no início)* new 6 *(que é novidade)* new, fresh 7 *(adquirido há pouco)* new 8 *(original)* original

• **de novo** again

• **irmão mais novo** younger brother

• **ser mais novo que alguém** to be younger than anyone else

• **ser um novo homem** to be a new man

noz *sf* BOT walnut

noz-moscada (*pl* **nozes-moscadas**) *sf* BOT nutmeg

nu *adj* 1 *(despido)* naked 2 *fig* plain, bare: ***paredes nuas*** plain wall; ***árvore nua*** bare tree 3 *fig* naked: ***verdade nua*** naked truth

▸ *sm* **nu** *(artístico)* nude

• **nu como veio ao mundo** stark naked

• **nu e cru** blunt, downright

• **pôr a nu** to uncover, to expose

nuance *sf* nuance

nublado *adj* cloudy

nuca *sf* ANAT nape

nuclear *adj* nuclear

núcleo *sm* 1 nucleus 2 *fig* center, core, hub

• **núcleo habitacional** housing estate

nudez *sf* nudity, nudeness

nudismo *sm* nudism

nudista *adj-smf* nudist

nulidade *sf* 1 nullity 2 *fig* a nobody

nulo *adj* 1 null 2 *fig (inepto, incompetente)* inept, unable 3 DIR null and void

num *prep* **em** + *art indef* **um**, **uma** → **em**; **um**, **uma** in/on/at a, in/on/at an

numeração *sf* 1 numeration, numbering, enumeration 2 *(de casas)* numbering

numeral *adj-sm* numeral

numerador *sm* MAT numerator

numerar *vtd (pôr números em)* to number

numerário *sm* money, cash

numérico *adj* numeric, numerical

número *sm* 1 MAT number 2 *(quantidade)* number, quantity 3 *(exemplar de revista)* issue 4 *(de jornal)* issue 5 *(apresen-*

tação) issue, presentation **6** *(tamanho de roupa)* size **7** *(de sapato)* size
■ **número cardinal** cardinal number
■ **número decimal** decimal number
■ **número ímpar** odd number
■ **número inteiro** whole number
■ **número ordinal** ordinal number
■ **número par** even number
■ **número primo** prime number
• **fazer número** to fill the number
• **ser um número** to be funny

numeroso *adj* numerous, plentiful

nunca *adv* never, ever
• **nunca mais** never again

nupcial *adj* nuptial, bridal

núpcias *sf pl* nuptials, wedding, marriage
■ **segundas núpcias** second marriage

nutrição *sf* nutrition

nutricional *adj* nutritional

nutricionismo *sf* nutrition

nutriente *adj* nutritious
▸ *sm* nutrient

nutrir *vtd-vtdi (alimentar)* to nourish, to feed
▸ *vtd (ter, sentir)* to harbour
▸ *vi (ser nutritivo)* to nourish
▸ *vpr* **nutrir-se** to feed

nutritivo *adj* nutritious, nourishing

nuvem *sf* **1** cloud **2** *(de pássaros, de insetos)* flock, cloud **3** *fig (tristeza)* gloom
• **cair das nuvens** to be flabbergasted
• **ir às nuvens** to be extremely happy
• **passar em brancas nuvens** *(sem acontecimentos relevantes)* having nothing significant, *(sem ser notado)* to go by unnoticed
• **pôr nas nuvens** to flatter, to speak very well of
• **ter a cabeça nas nuvens** to have one's head in the clouds

nylon *sm* nylon

O

o *art def m* **1** the: ***o gato e o cachorro*** the cat and the dog **2** the: ***o árbitro*** the referee; ***o homem*** the man; ***o tio*** the uncle; ***o psicólogo*** the psychologist; ***o iate*** the yacht; ***o estudante*** the student
▸ *pl* **os 1** the: ***os gatos e os cachorros*** the cats and the dogs **2** the: ***os árbitros*** the referees; ***os homens*** the men; ***os tios*** the uncles; ***os psicólogos*** the psychologists; ***os iates*** the yachts; ***os estudantes*** the students
▸ *pron pess* you, him, it, them: ***Luís viajou; não sei se o verei mais*** Luís travelled; I don't know whether I'm going to see him ever again; ***perdi os óculos; não sei se os encontrarei*** I lost my glasses; I don't know whether I'll find them
▸ *pron dem* the one, these, those: ***daqueles dois homens, meu pai é o que está de terno escuro*** of these two men, my father is the one in the black suit; ***dos três irmãos, os que eram músicos já morreram*** of those three brothers, those who were musicians have already died
▸ *pron dem neutro* that, it: ***ela me pediu que interviesse, e eu o farei assim que puder*** she asked me to interfere, and I'll do that as soon as possible

oásis *sm* oasis

oba-oba *sm* **1** party, celebration **2** fuss, excessive attention: ***fizeram grande oba-oba em torno do livro*** they made a big fuss about the book

obcecar *vtd* **1** to blind, to obscure, to confuse **2** to fascinate

obedecer *vti* to obey
▸ *vi* to work: ***o volante não está obedecendo*** the steering wheel is not working

obediência *sf* obedience

obediente *adj* obedient

obelisco *sm* obelisk

obesidade *sf* obesity

obeso *adj-sm,f* obese

óbito *sm* death, decease

objeção *sf* objection, opposition, obstacle

objetiva *sf* FOTO objective lens

objetividade *sf* objectivity

objetivo *adj* **1** *(baseado na realidade, não subjetivo)* objective: ***dados objetivos*** objective data **2** *(prático, imparcial)* impartial: ***procure ser objetivo*** try to be impartial
▸ *sm* **objetivo** *(finalidade)* purpose, objective, aim

objeto *sm* **1** object **2** *(alvo)* target: ***ser objeto do ódio de alguém*** to be the target of someone's hatred
▪ **objeto direto** direct object
▪ **objeto indireto** indirect object
• **objetos pessoais** personal belongings

oblíquo *adj* oblique

obra *sf* **1** *(literária)* work **2** *(plástica, visual)* work **3** *(ação)* work: ***o roubo foi obra de funcionários da empresa*** the theft was work of company employees **4** *(construção)* construction, construction site
• **em obras** under repair
• **obra de arte** art work, work of art
• **obras públicas** public works
• **pôr em obra** to put into movement
• **pôr mãos à obra** to put one's shoulder to the wheel
• **por obra e graça de** by work and grace of

obra-prima (*pl* **obras-primas**) *sf* masterpiece

obrigação *sf* 1 *(dever moral)* obligation, duty 2 *(tarefa, incumbência)* task 3 *(favor)* favor: ***devo-lhe muitas obrigações*** I owe you many favors 4 *(título do poder público)* bond

obrigado *adj (forçado)* forced, imposed
• **(muito) obrigado** thank you *(very much)*, thank you *(so much)*

obrigar *vtdi* to force, to make: ***obrigar alguém a fazer algo*** to force someone to do something
▸ *vtd* DIR to oblige, to bind

obrigatório *adj* 1 *(forçoso, necessário)* obligatory, binding 2 *(imposto por lei, regulamento etc.)* compulsory: ***serviço militar obrigatório*** compulsory military service

obsceno *adj* obscene

obscurecer *vtd* 1 *(nublar, escurecer)* to obscure, to darken 2 *(tornar confuso)* to confuse, to muddle *(up)*, to obfuscate
▸ *vpr* **obscurecer-se** 1 *(escurecer)* to darken, to become obscure 2 *(tornar-se confuso)* to become confused

obscuridade *sf* 1 *(falta de clareza)* obscurity, vagueness 2 *(anonimato)* obscurity 3 *(esquecimento)* oblivion

obscuro *adj* 1 *(sem clareza)* obscure 2 *(desconhecido)* unknown, obscure

obséquio *sm* favour, kindness, courtesy

observação *sf* 1 *(ato de observar)* observation 2 *(comentário, nota)* comment, note 3 *(observância)* observance

observador *adj-sm,f* 1 *(quem observa)* observer, watcher 2 *(arguto, perspicaz)* keen 3 *(cumpridor)* observant

observância *sf* observance

observar *vtd* 1 to watch, to observe 2 *(estudar, examinar)* to examine, to study 3 *(notar, reparar)* to observe, to note 4 *(espreitar, espiar)* to spy *(on)* 5 *(cumprir)* to obey, to comply, to observe
▸ *vtd-vtdi (chamar a atenção, mostrar)* to note, to point out, to call attention to

observatório *sm* observatory

obsessão *sf* obsession

obsessivo *adj* obsessive

obsoleto *adj* obsolete

obstáculo *sm* 1 obstacle, obstruction 2 *(empecilho)* dificulty
• **salto de obstáculos** obstacle race

obstante *sm loc conj* **não obstante** nevertheless, despite, in spite of

obstar *vti* to oppose, to resist, to prevent, to impede

obstetra *smf* obstetrician

obstetrícia *sf* obstretics

obstinação *sf* obstinacy, stubbornness

obstinado *adj* obstinate, stubborn, obdurate

obstinar-se *vpr* to become obstinate

obstrução *sf* 1 obstruction 2 ESPORTE block 3 POL block

obstruir *vtd* 1 *(tapar, entupir)* to clog 2 *(impedir, bloquear)* to obstruct, to block up 3 *(votação)* to filibuster

obter *vtd* 1 *(conseguir)* to get, to obtain, to win 2 *(extrair)* to get, to obtain 3 *(granjear, alcançar)* to achieve, to gain

obturação *sf* 1 obturation 2 *(de dente)* filling 3 *(de cárie)* closing

obturar *vtd* to obturate, to close, to fill

obtuso *adj* 1 GEOM obtuse 2 *(ignorante)* dull, slow, stupid

óbvio *adj* obvious, evident

ocasião *sf* 1 *(oportunidade)* occasion, opportunity 2 *(momento, época)* moment, juncture
• **a ocasião faz o ladrão** the opportunity makes the thief
• **aproveitar a ocasião** to take advantage of the opportunity, to take occasion
• **dar ocasião a** to occasion, to give occasion to
• **de ocasião** second-hand, used
• **para a ocasião** for the occasion
• **por ocasião de** on the occasion of

ocasional *adj* occasional, casual

ocasionar *vtd* to occasion, to cause

oceano *sm* ocean
▪ **oceano Atlântico** Atlantic Ocean
▪ **oceano Índico** Indian Ocean
▪ **oceano Pacífico** Pacific Ocean

ocidental *adj* Western, Occidental

ocidente *sm* West, Occident

ócio *sm* **1** leisure, rest **2** inactivity, laziness, idleness

ociosidade *sf* laziness, idleness

ocioso *adj* **1** lazy, idle **2** *(parado-máquinas etc.)* idle **3** *(tempo)* spare, free **4** *(inútil-pergunta)* idle, empty, vain

oclusão *sf* occlusion

oco *adj* **1** hollow **2** *fig* futile, vain
▸ *sm* **oco** *(parte oca)* hollow, hole, inside

ocorrência *sf* occurrence, happening, incident, event

ocorrer *vi* **1** *(acontecer)* to occur, to happen, to come to pass **2** *(sobrevir)* to come up
▸ *vti-vi (vir à mente)* to come to mind, to occur

ocular *adj* ocular

oculista *smf* oculist, ophtalmologist, eye doctor

óculo *sm (luneta)* spy-glass
▸ *pl* **óculos** glasses

ocultação *sf* occultation, concealement
■ **ocultação de cadáver** concealment of a corpse

ocultar *vtd (esconder)* to hide, to conceal
▸ *vtdi (omitir)* to omit, to hide, to conceal: ***ocultar algo de alguém*** to conceal something from someone
▸ *vpr* **ocultar-se** to hide

oculto *adj* **1** *(escondido)* hidden, concealed **2** *(misterioso)* occult, mysterious

ocupação *sf* **1** *(tomada)* occupation: ***ocupação do prédio*** occupation of the bulding **2** *(trabalho)* job, occupation

ocupacional *adj* occupational

ocupado *adj* **1** *(cheio de atividades)* occupied, busy **2** *(telefone)* busy, engaged **3** *(assentos, lugares)* occupied, taken **4** *(preocupado, atento)* preoccupied, concerned **5** *(tomado)* occupied, taken: ***um país ocupado por tropas estrangeiras*** a country occupied by foreign troops

ocupante *adj-smf* **1** *(de terras, cidades etc.)* tenant **2** *(de assentos)* occupant **3** *(de cargos)* occupant

ocupar *vtd* **1** *(preencher cargo, posto etc.)* to occupy **2** *(tomar à força, instalar-se)* to take possession of, to occupy **3** *(tomar espaço)* to occupy, to take up **4** *(durar)* to take: ***o curso ocupou todo o mês*** the course took the whole month **5** *(fazer trabalhar)* to employ
▸ *vpr* **ocupar-se 1** *(dedicar-se a)* to devote oneself to **2** *(tratar)* to busy oneself with
• **ocupar o tempo** to occupy the time

ode *sf* ode

odiar *vtd-vi* **1** to hate **2** *(não gostar)* to hate, to loathe: ***odeio carne de porco*** I hate pork
▸ *vpr* **odiar-se** to hate oneself

odiento *adj* hateful, spiteful, odious

ódio *sm* hatred: ***sentir ódio de algo/de alguém*** to feel hatred for something/someone

odioso *adj* hateful, odious

odisseia *sf* odyssey

odontológico *adj* odontologic(al)
• **consultório odontológico** surgery, dental office *(AmE)*

odor *sm* smell, odor

oeste *sm* west

ofegante *adj* breathless, puffing, gasping, panting

ofegar *vi* to puff, to gasp, to pant

ofender *vtd* **1** *(ultrajar)* to offend, to insult **2** *(ferir, prejudicar)* to hurt, to harm
▸ *vpr* **ofender-se** to be offended

ofendido *adj-sm* offended, insulted, hurt

ofensa *sf* offense, insult

ofensiva *sf* attack, agression

ofensivo *adj* offensive

ofensor *adj-sm,f* offender

oferecer *vtd-vtdi* **1** *(apresentar)* to present **2** *(ofertar)* to offer **3** *(jantar, recepção)* to give **4** *(proporcionar, propiciar)* to offer
▸ *vpr* **oferecer-se** to present oneself *(to)*, to volunteer *(to)*

oferecido *adj* **1** *(ofertado, dado)* offered, given **2** *fig* easy, said of an easy person in sexual terms: ***uma pessoa muito oferecida*** an easy person to take to bed **3** *fig* cheeky, having the cheek: ***não foi convidada, veio de oferecida*** she wasn't invited but had the cheek to come

oferecimento *sm* **1** *(oferta)* offer, offering **2** *(dedicatória)* dedication

oferenda *sf* **1** *(oferta)* offering **2** RELIG offering, sacrifice, victim

oferta *sf* **1** offering **2** *(proposta de compra)* offer **3** *(mercadoria com menor preço)* offer

• **mercadorias em oferta** goods on offer

ofertar *vtd-vtdi* **1** to give, to offer **2** RELIG to offer, to present an oblation

office boy *sm* messenger

off road *sm inv* off-road

oficial *adj* official

▸ *sm* **1** *(operário abaixo do mestre)* artisan, skilled worker **2** MIL officer

oficializar *vtd* to officialize, to make official

oficina *sf* **1** workshop **2** *(mecânica)* garage **3** *(workshop)* workshop

ofício *sm* **1** *(profissão)* profession, craft **2** *(comunicação)* official letter: ***receber um ofício das autoridades superiores*** to receive an official letter from the authorities **3** *(cartório)* register office **4** *(oração litúrgica)* Divine Office

▸ *pl* **ofícios** offices: ***usar seus bons ofícios a favor de alguém*** to use their good offices in favour of someone

• **os ossos do ofício** part of the job

oftalmologista *adj-smf* ophtalmologist

ofuscante *adj* blinding, dazzling

ofuscar *vtd* **1** *(deslumbrar)* to blind, to dazzle **2** *(toldar)* to darken **3** *fig (suplantar)* to eclipse

▸ *vpr* **ofuscar-se** **1** *(toldar-se)* to obscure, to darken **2** *(ser suplantado)* to be eclipsed

ogiva *sf* **1** ogive **2** *(projétil)* warhead

oi *interj* hi!, hello!

oitava *sf* MÚS octave

oitavo *num* eighth

oitenta *num* eighty

oito *num* eight

• **você é oito ou oitenta** you are all or nothing

oitocentos *num* eight hundred: ***oitocentas pessoas*** eight hundred people

ojeriza *sf* aversion, antipathy, loathing

olá *interj* hello!, hi!, hey!

olaria *sf* pottery factory, brickyard, tilery

oleado *sm* oilcloth

oleiro *adj-sm,f* **1** *(quem trabalha em olaria)* brickmaker **2** *(ceramista)* potter

óleo *sm* **1** oil **2** *(pintura a óleo)* oil painting

▪ **óleo de fígado de bacalhau** cod-liver oil

▪ **óleo diesel** diesel oil

• **trocar o óleo do carro** to change the oil

oleoduto *sm* pipeline, oleoduct

oleoso *adj* oily, greasy

olfato *sm* smell, scent, sense of smell

olhada *sf* look, glance: ***dar uma olhada*** to take a glance

olhar *vtd-vti-vi* **1** to look: ***olhe para mim*** look at me; ***não me olhe assim*** don't look at me like this **2** *(tomar conta, vigiar)* to look after **3** *(prestar atenção)* to look out, to watch out: ***olhe bem o que vai fazer*** watch out what you are doing

▸ *vti* **1** *(proteger)* to watch over, to look after **2** *(dar uma olhada para)* to take a look at

▸ *vtd-vti (analisar)* to watch

▸ *vpr* **olhar-se** **1** *(no espelho)* to look at oneself **2** *(mutuamente)* to look at each other

▸ *sm* **olhar** look, glance

• **e olhe lá!** and you'd better watch out!

• **olha só** look at this, look what we have here

• **olhando bem** on second thought

• **olhar de peixe morto** glassy-eyed look, blank stare

olheiras *sf pl* dark rings under the eyes, bags under the eyes

olheiro *sm,f* **1** *(quem observa a chegada da polícia)* watch, watchman, lookout **2** *(quem procura novos talentos)* scout, informer

olho *sm* **1** ANAT eye **2** *(orifício)* hole **3** *(do furacão)* eye

▸ *interj* **olha!** look out!

• **a olho** *(avaliação superficial)* eyeball, rough

• **a olho nu** to the naked eye

• **a olhos vistos** visibly, obviously

• **abra os olhos!** wake up!
• **aos olhos de** to the eyes of
• **botar o olho em** to lay eyes on
• **correr os olhos por** to run one's eyes over
• **custar o olho da cara** to cost an arm and a leg
• **de olhos fechados** *fig* easily, with no difficulty
• **entrar pelos olhos** to be absolutely clear
• **estar de olho em algo/alguém** to keep one's eye on something/someone, to have one's eye on something/someone
• **fechar os olhos para algo** to connive, to overlook
• **não conseguir pregar o olho** not to sleep a wink
• **não tirar os olhos de cima de alguém/algo** not to take one's eyes off someone/something
• **num piscar de olhos** in the twinkle of an eye
• **o que os olhos não veem o coração não sente** out of sight, out of mind
• **olho de águia/de lince** eagle-eyed, sharp-eyed
• **olho de peixe morto** glassy-eyed, a blank stare
• **olho gordo** envy, the evil eye
• **olho mágico** eyehole
• **olho por olho, dente por dente** an eye for an eye and a tooth for a tooth
• **olho vivo** observant
• **pôr no olho da rua** to fire someone, to kick someone out
• **saltar aos olhos** to become crystal-clear, to stick out like a sore thumb
• **ser de encher os olhos** to be an eyeful
• **ter bom olho para algo** to be good at assessing something
• **ter diante dos olhos** to have in front of one's eyes
• **ter o olho maior que a barriga** to bite off more than one can chew
• **ter olho clínico** to have a keen eye
• **ver/não ver algo/alguém com bons olhos** *(not)* to accept, *(not)* to like

olho de gato (*pl* **olhos de gato**) *sm* *(dispositivo de estrada)* cat's eye, reflector

olimpíadas *sf pl* Olympic Games, Olympics

olímpico *adj* olympic

oliva *sf* olive
• **azeite de oliva** olive oil

oliveira *sf* olive tree

ombreira *sf* **1** *(peça do vestuário)* shoulder piece **2** *(peça da porta)* door jamb **3** *(entrada, limiar)* entrance, threshold

ombro *sm* **1** ANAT shoulder **2** *(de roupa)* shoulder
• **carregar nos ombros** to carry on one's shoulders, to shoulder, *fig* to carry on one's shoulders, to shoulder
• **dar de ombros/encolher os ombros** to shrug one's shoulders
• **ombro a ombro** side by side

ombudsman *smf* ombudsman

omelete *sf* omelette

omissão *sf* omission, negligence

omisso *adj* **1** *(negligente)* negligent **2** *(com lacunas)* deficient, defective, incomplete: ***a lei é omissa*** the law is defective

omitir *vtd* to omit, to neglect
▸ *vpr* **omitir-se** to be omissive

omoplata → escápula

onça *sf* **1** ZOOL jaguar **2** *(medida)* ounce

onda *sf* **1** *(vaga)* wave **2** FÍS oscillation **3** *(do cabelo)* hair wave **4** *(de boatos, de acidentes etc.)* wave **5** *(de frio, de calor)* front, wave
• **fazer onda** to be fussy, to fuss
• **ir na onda** *(ser ludibriado)* to be cheated, *(seguir o que os outros fazem)* to follow others, to do what others do
• **pegar uma onda** to ride a wave

onde *adv* where
• **de onde** whence, from where
• **onde quer que** wherever
• **para onde** wherever
• **por onde** wherever
• **por onde quer que** wherever

ondulado *adj* **1** *(superfície)* wavy **2** *(cabelos)* wavy

ondular *vi* *(ondear)* to wave, to undulate
▸ *vtd* *(cabelos)* to wave, to curl

onerar *vtd* **1** *(pesar sobre)* to encumber, to burden, to load **2** *(endividar)* to tax, to burden, to encumber

▸ *vtdi* to burden: ***onerar a população com impostos*** to burden the people with taxes

oneroso *adj* 1 onerous, burdensome 2 oppressive 3 heavy, weighty

ônibus *sm inv* bus
• **ônibus circular** shuttle bus
• **ônibus elétrico** trolleybus
• **ônibus espacial** space shuttle
• **ônibus interurbano** coach, bus

onipotente *adj* omnipotent, almighty

onipresente *adj* 1 omnipresent 2 pervasive, widespread

onisciente *adj* omniscient

onívoro *adj* omnivorous

onomatopeia *sf* onomatopoeia

ontem *adv* 1 yesterday 2 *(passado)* yesterday, before
▸ *sm (passado)* past: ***o ontem e o hoje*** the past and the present
• **antes de ontem** the day before yesterday
• **de ontem para hoje** from yesterday to today
• **é para ontem** *fig* it's to be done immediately, it's a rush job

ONU *sf abrev* **Organização das Nações Unidas** UN, United Nations

ônus *sm* 1 burden 2 responsibility
• **o ônus da prova** burden of proof

onze *num* eleven

onze-horas *sf* BOT rose moss

opa *interj* 1 oh!, wow! 2 *(saudação)* hey!

opaco *adj* opaque, dull

opção *sf* option, choice, pick: ***fazer opção por algo*** to take one's choice

opcional *adj* optional

ópera *sf* MÚS opera

operação *sf* 1 *(atividade)* operation, working, execution, act 2 *(medida, providência)* operation: ***a retirada das vítimas foi uma operação difícil*** the withdrawal of the victims was a difficult operation 3 *(transação)* transaction 4 MAT operation 5 *(cirurgia)* surgery

operacional *adj* operational, working: ***sistema operacional*** operational system

operador *sm,f* operator
• **operador de pedágio** toll booth operator
• **operador de telemarketing** telemarketing operator

operar *vi (agir, atuar)* to operate, to function, to work
▸ *vtd* 1 *(realizar)* to effect, to work, to operate 2 *(máquinas, telefones etc.)* to work, to operate
▸ *vtd-vi (realizar cirurgia)* to perform a surgery, to undergo surgery
▸ *vti (lidar)* to work with
▸ *vpr* **operar-se** *(dar-se)* to work, to function, to succeed

operário *adj-sm,f* worker
• **abelha operária** worker bee

opinar *vti-vi* 1 to judge, to opine, to deem 2 to suppose, to consider, to suggest 3 to vote, to express an opinion

opinião *sf* opinion
• **na minha/tua/sua opinião** in my/your/his/her opinion
• **ter opinião** to be determined

ópio *sm* opium

oponente *adj-smf* opponent, adversary, rival

opor *vtd-vtdi* to oppose
▸ *vpr* **opor-se** 1 *(mutuamente)* to be opposed to 2 *(ser contrário)* to oppose, to be against

oportunidade *sf* 1 *(caráter oportuno)* convenience 2 *(ocasião propícia)* opportunity, chance 3 *(momento)* occasion, juncture
• **aproveitar a oportunidade** to take advantage of the opportunity
• **dar oportunidade a alguém** to give someone a chance
• **deixar escapar uma boa oportunidade** to miss a good opportunity
• **não deixar escapar a oportunidade** not to let an opportunity escape
• **ter oportunidade de fazer algo** to have the chance to do something, to have the occasion to do something

oportunista *adj-smf* opportunistic, opportunist

oportuno *adj* opportune

oposição *sf* 1 *(contraste)* opposition, contrast 2 *(divergência)* opposition, antagonism 3 POL opposition

oposicionista *adj-smf* oppositional, oppositionist

opositor *adj-sm,f* opponent

oposto *adj* 1 *(contrário)* contrary, opposed 2 *(fronteiro)* opposite: ***na calçada oposta*** on the opposite sidewalk pavement

▸ *sm* **oposto** opposite, contrary

opressão *sf* 1 *(compressão)* pressure 2 *(tirania)* oppression, tyranny

opressivo *adj* oppressive, burdensome, onerous

opressor *adj* oppressing, oppressive

▸ *sm* **opressor** oppressor

oprimir *vtd* 1 *(tiranizar, humilhar)* to oppress, to tyrannize, to humiliate 2 *(afligir, atormentar)* to persecute, to harass, to molest

optar *vti* to choose, to pick

▸ *vi* to opt, to choose

optativo *adj* optative

óptica *sf* 1 FÍS optics 2 *(loja de óculos)* optician 3 *fig (ponto de vista)* point of view, perspective

óptico *adj* optical

opulência *sf* 1 *(luxo)* wealth, opulence, luxury 2 *(exuberância)* opulence

opulento *adj* 1 *(luxuoso)* opulent, luxuriant 2 *(fértil)* rich, abundant, profuse 3 *(exuberante)* opulent, lavish 4 *(corpulento)* opulent, corpulent

ora *adv (agora)* now, presently

▸ *conj* 1 now, however: ***ora, se não comeu foi porque não quis*** however, if he didn't eat it was because he didn't want to 2 sometimes: ***ele ora chorava, ora ria*** sometimes he would cry, sometimes laugh

▸ *interj* now: ***ora, não insista!*** now, don't insist!

• **por ora** for now, yet

oração *sf* 1 *(prece)* prayer 2 *(discurso)* speech, oration 3 GRAM clause, sentence

orador *sm,f* orator, public speaker

oral *adj* 1 *(bucal)* oral: ***por via oral*** orally 2 *(verbal)* verbal, oral: ***exame oral*** oral examination

orangotango *sm* ZOOL orangutang

orar *vi-vti* 1 *(rezar)* to pray 2 *(discursar)* to speak, to make a speech

órbita *sf* 1 ANAT orbit, eye socket 2 ASTRON orbit 3 *fig* scope, range, sphere

orbitar *vtd-vi* 1 to orbit 2 *fig* to be attracted to, to revolve around

orçamento *sm* 1 *(avaliação de preço)* reckoning, valuation 2 *(cálculo de despesa e receita)* budget

orçar *vtd-vtdi* to reckon, to rate, to appraise

▸ *vti (atingir aproximadamente)* to amount to, to be in the vicinity of

ordeiro *adj-sm,f* 1 orderly, systematic, tidy 2 conservative

ordem *sf* 1 order: ***ordem alfabética*** alphabetical order; ***ordem dos ungulados*** order of ungulates 2 *(arrumação, organização)* tidiness, neatness 3 *(método, disciplina)* order, orderly way, regularity: ***ele faz tudo com ordem*** he does everything in an orderly way 4 *(determinação, comando)* command, order: ***baixar uma ordem*** to issue an order; ***dar ordem a alguém*** to give someone a command 5 *(lei, regulamento)* law, rule 6 *(configuração social e política)* order 7 *(categoria, qualidade)* quality, class: ***de primeira ordem*** first class, high-quality 8 association: ***ordem dos médicos, dos advogados etc.*** physicians' association, bar association etc. 9 *(congregação religiosa)* religious order 10 MIL military order

• **em ordem** *(de forma ordenada)* in order, *(arrumado)* neat, tidy

• **estar às ordens de alguém** to be under the orders of, to be at someone's service

• **fora de ordem** *(de forma desordenada)* out of order, *(desarrumado)* untidy, disorganised

• **na ordem do dia** on the agenda

• **ordem de compra** purchase order

• **ordem de pagamento** order of payment

• **ordem de serviço** service order

• **por ordem** *(de forma ordenada)* in an orderly way

• **por ordem de alguém** under the command of

ordenação *sf* 1 *(organização)* disposition, order 2 RELIG ordination

ordenado *adj* 1 *(em ordem)* orderly, arranged 2 *(comandado)* ordered, commanded 3 RELIG ordained

▸ *sm* **ordenado** *(salário)* salary, stipend, wage

ordenamento *sm* 1 *(organização)* planning 2 *(codificação de leis)* legal system 3 RELIG ordaining

ordenar *vtd-vtdi* 1 *(pôr em ordem, organizar)* to arrange, to organize 2 *(exigir, impor)* to order, to command: ***ordenou-lhe que se calasse*** he ordered him to keep quiet 3 RELIG to ordain, to order

ordenha *sf* milking

ordenhar *vtd-vi* to milk

ordinal *adj* ordinal

ordinário *adj* 1 *(habitual)* ordinary 2 *(de má qualidade-objeto)* bad, poor-quality 3 *fig (pessoa)* impolite, rude 4 *fig (pessoa)* of bad character

orégano *sm* BOT CUL oregano

orelha *sf* 1 ANAT ear 2 *(parte do livro)* flap
- **até as orelhas** up to the ears
- **de orelha** *fig* by listening, by ear
- **de orelha em pé** on the lookout
- **puxar as orelhas de alguém** to pull someone's ears, *fig* to give someone a scolding

orelhada *sf (pancada nas orelhas)* bang on the ear
- **de orelhada** by listening, by ear

orelhão *sm* 1 *(orelha grande)* big ear 2 *(telefone)* a public telephone booth with the shape of an ear 3 *(caxumba)* mumps

orfanato *sm* orphanage

órfão *adj-sm,f* orphan

orfeão *sm (coro)* chorus, choir

orgânico *adj* organic

organismo *sm* 1 organism 2 COM body

organização *sf* 1 *(ordenação, arrumação)* organization, order 2 *(entidade, grupo)* organization

organizado *adj* 1 *(disposto de forma ordenada)* organized 2 *(planejado)* planned 3 *(formado, constituído)* formed, composed 4 *(metódico)* methodic(al): ***não sou nada organizado*** I'm not even a bit methodical

organizador *adj-sm,f* 1 *(que arruma)* organizer 2 *(que promove)* promoter

organizar *vtd* 1 *(arrumar)* to arrange, to dispose, to organize 2 *(promover)* to promote
▸ *vpr* **organizar-se** to get organized

órgão *sm* 1 ANAT organ 2 *(entidade)* organ, agency 3 MÚS organ

orgasmo *sm* orgasm

orgia *sf* orgy

orgulhar *vtd* to make proud
▸ *vpr* **orgulhar-se** to be proud *(of)*

orgulho *sm* 1 *(sentimento de dignidade)* pride 2 *(soberba)* vanity 3 pride: ***ser o orgulho da família*** to be the pride of the family

orgulhoso *adj* 1 proud: ***está orgulhoso do filho que tem*** he is proud of his son 2 *(soberbo)* haughty, vain, conceited

orientação *sf* 1 direction: ***senso de orientação*** sense of direction 2 *(posição, sentido)* orientation 3 *(instrução)* information, orientation, guidance 4 *(direção-trabalho, tese etc.)* guidance, supervision 5 *(tendência)* direction, course 6 *(aconselhamento)* counseling: ***orientação familiar*** family counseling

orientador *adj* orienting, guiding, directing
▸ *sm,f (de tese)* supervisor

oriental *adj* eastern, oriental

orientar *vtd* 1 *(voltar para uma direção)* to orientate, to face 2 *(nortear)* to guide 3 *(trabalho, tese)* to guide, to supervise 4 *(conduzir, encaminhar)* to direct
▸ *vpr* **orientar-se** 1 *(dirigir-se)* to find one's way to 2 *(nortear-se)* to orient oneself, to take one's bearings

oriente *sm* East, Orient
- **Extremo Oriente** Far East
- **Oriente Médio** Middle East
- **Oriente Próximo** Near East

orifício *sm* orifice, opening, hole

origem *sf* 1 origin, source 2 origin: ***produto de origem asiática*** product of Asian origin
- **dar origem a algo** to create something
- **ser origem de algo** to be the source of something
- **ter origem em** to spring from, to originate from

original *adj* 1 orginal 2 *(autêntico, de fábrica)* authentic, original
▸ *sm* authentic, original: ***o original e a cópia*** the original one and the copy

originalidade *sf* originality

originar *vtd* to originate, to cause
▸ *vpr* **originar-se** to spring from, to derive from, to result from, to originate from, to descend from

originário *adj* 1 *(oriundo-coisa)* derived from 2 *(oriundo-pessoa)* native of 3 *(primitivos, das origens)* early, original

oriundo *adj* 1 *(coisa)* derived from 2 *(pessoa)* native of

orla *sf (de tecido etc.)* fringe, edge, hem, border
• **orla marítima** sea shore

ornamentação *sf* ornamentation, decoration, adornment, ornament

ornamental *adj* ornamental, decorative, adorning

ornamentar *vtd-vtdi* to ornament, to adorn, to decorate
▸ *vpr* **ornamentar-se** to embellish oneself

ornamento *sm* ornament, decoration, adornment, embellishment

ornar *vtd-vtdi* to adorn, to ornament, to decorate, to embellish
▸ *vpr* **ornar-se** to dress up, to embellish oneself

orquestra *sf* orchestra
▪ **orquestra de câmara** chamber orchestra
▪ **orquestra filarmônica** philharmonic orchestra
▪ **orquestra sinfônica** symphony orchestra

orquídea *sf* BOT orchid

ortodontista *smf* orthodontist

ortodoxo *adj-sm,f* orthodox, Orthodox

ortografia *sf* orthography

ortopedista *smf* orthopedist

orvalho *sm* dew

oscilação *sf* 1 oscillation 2 *(mudança, alternância)* variation, oscillation, shift 3 *fig (hesitação)* doubt, hesitation 4 *fig (instabilidade)* unsteadiness, oscillation

oscilante *adj* 1 oscillating, oscillatory 2 *fig (titubeante)* hesitating 3 *fig (instável)* unsteady, shifting

oscilar *vtd-vi (balançar)* to oscillate, to swing
▸ *vi* 1 *(tremer, sofrer abalo)* to oscillate 2 *(variar)* to alternate, to oscillate, to shift 3 *(hesitar)* to hesitate

oscilatório *adj* oscillatory, oscillating

ossada *sf* 1 heap of bones 2 skeleton *(of a decayed corpse)*

ósseo *adj* osseous, bone

osso *sm* 1 ANAT bone 2 *pl (restos mortais)* remains
• **até os ossos** *fig* to the very bones
• **moer os ossos** *(dar uma surra)* to beat someone up, *(trabalhar demais)* to work too much
• **ser de carne e osso** to be human
• **ser osso duro de roer** to be a hard nut to crack
• **ser pele e osso** to be skin and bones

ostensivo *adj* 1 ostensive, manifest 2 conspicuous, apparent
• **policiamento ostensivo** police on the streets

ostentação *sf* ostentation, vainglory

ostentar *vtd-vtdi-vi* 1 *(alardear)* to brag, to boast 2 *(mostrar, revelar)* to show, to exhibit 3 *(mostrar com orgulho)* to flaunt
▸ *vpr* **ostentar-se** to show off

ostra *sf* ZOOL oyster

otário *adj* dull, dupe, fool

ótica *sf* → **óptica**

otimismo *sm* optimism

otimista *adj-smf* optimistic, optimist

ótimo *adj* excellent, great
▸ *sm* **ótimo** *(conceito escolar)* excellent, A
▸ *interj* **ótimo!** excellent!, great!

otorrino *smf* ear, nose and throat doctor

otorrinolaringologista *smf* ear, nose and throat doctor, otorhinolaryngologist

ou *conj* or, either: ***não sei se vou de carro ou de ônibus*** I don't know if I'll go by car or by bus
• **ou melhor** or rather
• **ou seja** in other words, that is

ouriçado *adj* 1 bristly 2 *fig (irritado)* irritated 3 *fig (excitado)* excited

ouriço *sm* 1 ZOOL hedgehog 2 *fig (grande agitação)* excitement

ourives *smf* 1 goldsmith 2 jewellery shop

ouro *sm* gold

▸ *pl* **ouros** *(naipe)* diamonds
• **entregar o ouro (ao bandido)** *(contar segredo)* to reveal a secret, *(desistir)* to give up
• **nadar em ouro** to be very rich
• **nem coberto de ouro** not even for free
• **nem tudo o que reluz é ouro** not all that glitters is gold
• **ser de ouro** to be golden, *fig* to be excellent, to be very good
• **valer (seu peso em) ouro** to be priceless, to be worth its weight in gold

ousadia *sf* daring, boldness

ousado *adj* daring, bold, brave

ousar *vtd-vi* to dare

outdoor *sm* billboard

outono *sm* autumn, fall *(AmE)*

outorgar *vtdi* to approve, to sanction

outrem *pron indef* somebody else, another person, other people

outro *pron ind* 1 other 2 *(mais um)* another *(one)*: ***comeu um pedaço de torta e pediu outro*** she ate a piece of cake and asked for another one 3 *(seguinte)* next: ***ele passeia num dia, no outro fica em casa*** he goes for a walk one day and stays home the next 4 *(anterior)* previous, before, other, last: ***no outro ano o lucro foi péssimo*** last year the profit was terrible 5 *(igual)* another *(one)*: ***era um bom funcionário; vai ser difícil achar outro*** he was a good employee; it's going to be hard to find another one
▸ *pron m pl* **outros** others
• **um e outro** both

outrora *adv* formely, yore, sometime

outubro *sm* October

ouvido *adj* heard
▸ *sm* 1 *(audição)* hearing: ***tem bom ouvido*** he has good hearing 2 *(órgão da audição)* ear: ***ter dor de ouvido*** to have earache
• **ao ouvido** whispering
• **ao pé do ouvido** whispering
• **chegar aos ouvidos de alguém** to reach someone's ears
• **dar ouvidos a alguém** to believe someone, to give ears to someone
• **de ouvido** by listening, by ear
• **entrar por um ouvido e sair pelo outro** to go in one ear and out another
• **fazer ouvidos de mercador** to pretend not to listen
• **ser todo ouvidos** to pay very close attention

ouvinte *smf* 1 listener 2 *(de rádio)* listener 3 *(aluno)* auditor

ouvir *vtd* 1 to hear: ***ouvi um ruído na cozinha*** I heard a noise coming from the kitchen 2 to listen: ***gosto de ouvir música à noite*** I like listening to music at night 3 *(dar ouvidos)* to listen: ***ouvir os conselhos do pai*** to listen to one's father's advice 4 *(atender)* to listen, to give ear to: ***finalmente ouviram as reclamações do povo*** they finally listened to the complaints of the people
▸ *vi* 1 *(ter audição)* to hear 2 *(ser repreendido)* to take a scolding, to hear a few things: ***quando ele chegar, vai ouvir*** when he gets here, he'll hear a few things

ova *sf* ZOOL roe, spawn
▸ *interj* **uma ova!** fiddlesticks!

oval *adj* oval, egg-shaped

ovário *sm* ovary, ovarium

ovelha *sf* ZOOL sheep, ewe *(female)*
• **ovelha negra** black sheep

overdose *sf* overdose

ovino *sm* ovine
▸ *adj* sheep: **gado ovino** sheep

óvni *abrev* **Objeto Voador não Identificado** Unidentified Flying Object *(UFO)*

ovo *sm* egg
▸ *pl* **ovos** *(testículos)* testicles
■ **ovo duro** hard-boiled egg
■ **ovo escaldado** poached egg
■ **ovo frito** fried egg
■ **ovo mexido** scrambled egg
■ **ovo *poché*** poached egg
■ **ovo quente** soft-boiled egg
■ **ovos nevados** floating islands *(a kind of dessert)*
• **no frigir dos ovos** in the endgame
• **ovo de Colombo** something that becomes easy after being explained
• **ovo de Páscoa** Easter egg
• **pisar em ovos** to watch one's step, to tread carefully
• **ser um ovo** *(ser pequeno)* to be very small

ovulação *sf* ovulation

óvulo *sm* ovum, egg cell, egg

oxidar *vtd* to oxidate, to oxidize
▸ *vpr* **oxidar-se** to rust, to become rusty

oxidável *adj* oxidazable

óxido *sm* oxide

oxigenado *adj* **1** oxygenated, bleached **2** *(cabelos)* bleached
• **loira oxigenada** bleached blonde

oxigenar *vtd* to oxygenate, to oxygenize, to bleach
▸ *vpr* **oxigenar-se** to oxygenate, to oxygenize, to bleach

oxigênio *sm* QUÍM oxygen

ozônio *sm* QUÍM ozone: ***camada de ozônio*** ozone layer, ozonosphere

P

P.S. *abrev* PS

pá *sf* **1** *(braço de hélice)* propeller blade **2** *(de terra)* shovel **3** *(de lixo)* dustpan **4** *(grande quantidade)* a great deal, a lot

■ **ser da pá virada** to be a rowdy person

PABX *sm* PABX

paca *sf* ZOOL paca

▸ *adv pop (muito)* a great deal, very much, a lot

pacato *adj* peaceful

pachorra *sf* apathy, laggardness

paciência *sf* **1** *(perseverança)* patience, steadfastness **2** *(resignação, calma)* patience **3** *(jogo)* solitaire

▸ *interj* **paciência!** what can we do?, let's leave at that!

• **haja paciência!** God, give me patience!

• **perder a paciência** to lose one's temper

• **tenha (a santa) paciência!** for heaven's sake!

• **ter paciência** to be patient

• **torrar a paciência** to get on someone's nerves

paciente *adj* patient

▸ *smf* patient

pacificar *vtd* to pacify

pacífico *adj* **1** *(que vive em paz)* peaceable, peaceful **2** *(sossegado, pacato)* quiet, tranquil

• **ser ponto pacífico** to be taken for granted

pacifista *adj-smf* pacifist

pacote *sm* **1** *(embrulho)* package, pack **2** *(por correio)* parcel **3** *(de cigarros)* packet, pack **4** *(embalagem)* package, pack

• **pacote econômico** economical/cheap package

• **pacote turístico** package tour

pacto *sm* pact

pactuar *vtd-vti* to agree *(with)*, to make a pact *(with)*

padaria *sf* **1** bakery **2** *pop (nádegas)* buttocks

padecer *vtd-vti-vi (sofrer)* to suffer

padeiro *sm,f* baker

padiola *sf* stretcher

padrão *sm* **1** *(modelo oficial)* template **2** *(nível, tipo, qualidade)* standard **3** *(desenho)* pattern

padrasto *sm* stepfather

padre *sm* RELIG priest, father, minister, cleric

padrinho *sm* **1** godfather **2** *(testemunha de casamento)* best man **3** *fig (protetor)* protector, patron

padroeiro *adj-sm,f* RELIG patron saint

• **festa do padroeiro** patron saint feast

padronizar *vtd* to standardize

paetê *sm* sequins

pagador *adj-sm,f* payer, paying teller

• **fonte pagadora** source of income

pagamento *sm* **1** *(remuneração)* wages, payment **2** *(de dívida)* payment, acquital **3** *(salário)* salary **4** *(prestação)* installment

• **pagamento na entrega** pay on delivery

pagão *adj-sm,f* pagan

pagar *vtd* **1** *(arcar com)* to pay **2** *(dívida, conta)* to pay *(off)*

▸ *vtdi* to pay for, to buy: ***pago-lhe um jantar*** I will buy you dinner

▸ *vtd-vi* to pay *(remunerar)* to pay, to remunerate: ***é uma empresa que paga mal*** this company underpays
▸ *vti-vi fig* to pay: ***ele ainda me paga*** he will pay for this!
• **pagar caro** to pay dearly, *fig* to pay for something
• **pagar para ver** 1 seeing is believing 2 to call someone's bluff
• **pagar uma prestação** to pay an installment

página *sf* page
• **página de rosto** cover page
• **página da *web*** webpage

pago *adj* 1 *(que se pagou)* paid: ***fatura paga*** paid bill 2 *(dado em pagamento)* paid, given as payment: ***a quantia paga*** the amount paid 3 *(que recebeu pagamento)* paid: ***empregados pagos*** paid employees

pagode *sm* 1 *(templo indiano)* pagoda 2 *(divertimento)* party 3 *(tipo de samba)* a kind of samba 4 *(ritmo de música caipira)* a fast and elaborate rhythm of Brazilian country music

pai *sm* father
• **pai de família** 1 family man 2 father of the family
• **tirar o pai da forca** *fig* to leave in a hurry

painel *sm* 1 panel: ***painel de controle*** control panel 2 ARQ pane 3 AUTO dashboard 4 *(quadro, mural, cartaz)* board 5 *fig (mostra, apanhado)* panel, show

pai-nosso *sm* the Lord's Prayer, Our Father

paio *sm* CUL a variety of pork sausage of Portuguese origin

paiol *sm* 1 *(armazém, depósito)* storehouse, barn 2 *(de pólvora)* powder magazine

pairar *vi* 1 to hover, to float, to glide 2 *(estar iminente)* to be imminent

pais *sm (pai e mãe)* parents
• **meus/teus pais** my/your parents

país *sm* country

paisagem *sf* 1 landscape, scenery 2 *(arte)* landscape

paisagismo *sm* landscaping, landscape planning

paisana *sf loc* **à paisana** in civilian dress, in plain clothes

paixão *sf* 1 passion 2 *(fanatismo)* fanaticism 3 *(grande amor)* infatuation
• **paixão fulminante** devastating love

pajear *vtd* 1 *(criança)* to nurse 2 *(adulto)* to page

pajem *smf* 1 *(acompanhante de príncipe)* page 2 *(babá)* nurse 3 *(menino em casamento)* page boy

pala *sf* 1 *(viseira de boina)* eyeshade, peak 2 *(em roupas)* flap

palacete *sm* a small palace, stately house

palácio *sm* palace

paladino *sm fig* champion, paladin

palafita *sf* palaffite, stilt

palanque *sm* platform

palatável *adj* 1 palatable 2 *fig* acceptable

palato *sm* ANAT palate

palavra *sf* 1 *(vocábulo)* word 2 *(fala)* speech, talk, words: ***ter o dom da palavra*** to have the gift of speech 3 *(discurso)* speech 4 *fig* word: ***não acredito na palavra dele*** I don't take him at his word, I won't take his word for it; ***cumprir/não cumprir a palavra*** to keep/not to keep one's word
▸ *pl* **palavras** words
▸ *interj* **palavra!** *(I give you)* my word!
• **com perdão da (má) palavra** I'm sorry to have to say this, but…
• **dar sua palavra (de honra)** to give your word *(of honour)*
• **dirigir a palavra a alguém** to talk to someone
• **engolir as palavras** to swallow one's words
• **estar com/ter a palavra** to have the ear of the house
• **medir as palavras** to weigh one's words
• **palavras cruzadas** crossword puzzle
• **pedir a palavra** to take the floor, to speak
• **ser a última palavra em** to be the last word on, to be the state of the art in
• **ser de palavra/ter palavra** to be a man of his word

• **tirar a palavra da boca de alguém** to take the word out of someone else's mouth
• **tomar a palavra** to begin to speak
• **trocar duas palavras com alguém** to have a quick talk with someone

palavrão *sm* swearword, four-letter word, foul language: ***não falo palavrão*** I never use foul language; ***falou um palavrão e foi embora*** he said a four-letter word and left

palco *sm* **1** stage **2** *(arte teatral)* theatre, stage **3** *fig* scene: ***esta cidade foi palco de grandes lutas políticas*** this city was the scene of major political struggles
• **subir ao palco** to get on the stage

palerma *smf* fool

palestino *adj-smf* Palestinian

palestra *sf* lecture

paleta *sf* **1** *(de pintor)* pallete **2** *(de animal)* shoulderblade

paletó *sm* coat, jacket

palha *sf* straw
■ **palha de aço** steel wool
• **fogo de palha** flash in the pan
• **não mover uma palha** to do nothing, not to lift a finger

palhaço *sm* clown

palheta *sf* **1** *(lâmina de veneziana)* slat **2** MÚS *(plectro)* plectrum, pick **3** MÚS *(para instrumento de sopro)* reed **4** *(do para-brisa)* windshield wiper

palhinha *sf* **1** *(palha)* straw **2** *(junco)* cane **3** *(para arear panelas)* steel wool

palhoça *sf* thatched hut

paliativo *adj* palliative
▸ *sm* palliative

pálido *adj* **1** pale, pallid, wan **2** *(cor)* pale

paliteiro *sm (utensílio)* toothpick holder

palito *sm* **1** *(de dente)* toothpick **2** *(de fósforo)* match **3** any short and thin stick

palma *sf* **1** ANAT palm of the hand **2** BOT palm tree **3** *(aplauso)* hand clapping, applause
• **bater palmas** *(para chamar)* to clap hands, *(para aplaudir)* to clap hands
• **levar a palma** to carry off the palm
• **ter algo/alguém na palma da mão** to have someone in the palm of one's hand, to have someone wrapped around one's little finger

palmada *sf* slap

palmatória *sf* ferule, ruler, cane
• **dar a mão à palmatória** to admit to one's mistake

palmeira *sf* BOT palm tree

palmilha *sf* insole

palmo *sm* palm, hand: ***dois palmos de largura*** two hands wide

palpável *adj* **1** *(concreto)* touchable, tangible **2** *(evidente)* apparent, manifest, obvious

pálpebra *sf* ANAT eyelid

palpitação *sf* palpitation

palpitante *adj* **1** *(que palpita)* pulsating **2** *fig (emocionante)* exciting **3** *fig (atual)* modern

palpitar *vi* **1** to pulsate **2** to give unwelcome advice **3** to deal in guesswork

palpite *sm* **1** *(opinião infundada)* guess, guesswork **2** *(aposta)* tip

palpiteiro *adj-sm,f* **1** meddler, someone who gives advice without being asked for it **2** someone who talks without true knowledge of the subject

pamonha *sf* CUL sweet corn cake, a kind of sweet tamal
▸ *adj-smf fig* lazybones

panaceia *sf* panacea

pança *sf (barriga)* potbelly

pancada *sf* **1** *(golpe, batida)* blow **2** *(bordoada)* thwack **3** *(aguaceiro)* downpour **4** *fig (grande quantidade)* bunch
▸ *adj-smf (maluco)* whacky

pancadaria *sf* fray, brawl, row

pâncreas *sm* ANAT pancreas

pandeiro *sm* **1** MÚS tambourine **2** *pop (nádegas)* butt

pane *sf* **1** MEC breakdown **2** *fig* breakdown, collapse

panela *sf* **1** pan **2** *(panelada)* panful **3** *fig (grupo)* clique
• **panela de pressão** pressure cooker

panelinha *sf* **1** *(panela pequena)* small pan **2** *fig (grupo)* clique

panetone *sm* CUL panettone

panfleto *sm* **1** *(político)* tract **2** *(folheto)* pamphlet

pânico *sm* panic

panificadora *sf* bakery

pano *sm (tecido)* cloth, tissue
▪ **pano de chão** floor-cloth, mop
▪ **pano de fundo** back-cloth, *fig* background
▪ **pano de pó** cleaning cloth
• **botar/pôr panos quentes em algo** to water down, to defuse
• **dar pano para manga** to be the talk of the town
• **por baixo do pano** illegally

panorama *sm* 1 panorama, scenery 2 *fig (exposição geral)* panorama

panorâmico *adj* panoramic

panqueca *sf* CUL pancake

pântano *sm* swamp, bog

pantanoso *adj* swampy

pantera *sf* ZOOL panther

pantomima *sf* 1 pantomime 2 *fig* charade

panturrilha *sf* calf

pão *sm* 1 bread 2 *fig (homem bonito)* a very good-looking man, handsome
▪ **pão amanhecido/dormido** yesterday's bread
▪ **pão ázimo** unleavened bread
▪ **pão caseiro** home-made bread
▪ **pão com manteiga** bread and butter
▪ **pão de açúcar** sugar loaf
▪ **pão de centeio** rye bread
▪ **pão de forma** sliced loaf, sliced bread
▪ **pão de mel** a cake made of flour and honey seasoned with clover, cinnamon and nutmeg
▪ **pão de queijo** rolls made of cheese and tapioca starch
▪ **pão francês** bread rolls
▪ **pão integral** wholegrain bread
▪ **pão preto** black bread
• **comer o pão que o diabo amassou** to undergo difficulties, to go through hell
• **fatia de pão** slice of bread
• **ganhar o pão de cada dia** to get your daily bread, to make a living
• **pão, pão, queijo, queijo** clear, frank, outspoken

pão de ló (*pl* **pães de ló**) *sm* sponge cake

pão-duro (*pl* **pães-duros**) *adj-smf* miser, stingy person

papa *sm* 1 RELIG Pope 2 *fig* mush, gruel
▸ *sf* CUL baby food

papada *sf* double chin, gills, dewlap

papado *sm* 1 *(dignidade de papa)* papacy 2 *(período)* papacy

papagaio *sm* 1 ZOOL parrot 2 *(pipa)* kite 3 *fig* parrot, copycat 4 *fig (nota promissória)* promissory note

papai *sm* dad, daddy
▪ **Papai Noel** Father Christmas, Santa Claus *(AmE)*

papaia *sf* BOT papaya

papão *sm* bogeyman

papar *vtd* to eat *(used especially when talking to children)*

paparicar *vtd (mimar)* to pamper

papear *vti-vi (bater papo)* to chatter, to tittle-tattle, to make small talk

papel *sm* 1 paper 2 *(parte de ator)* role 3 *(função)* role 4 *(título, nota etc.)* paper, document, title, deed, bond
▸ *pl* **papéis** *(documentos)* papers
▪ **papel almaço** lined paper
▪ **papel de carta** writing paper
▪ **papel de embrulho** wrapping paper
▪ **papel de parede** wallpaper
▪ **papel higiênico** toilet paper
▪ **papel ofício** foolscap paper
▪ **papel sulfite** bond paper
▪ **papel timbrado** letterhead paper
• **de papel passado** legally
• **desempenhar um papel** to play a role, *fig* to play up, to be naughty
• **ficar no papel** to remain on paper
• **papel principal** title role

papelada *sf* 1 *(grande quantidade de papéis)* a heap of paper 2 *(documentos)* paperwork

papel-alumínio (*pl* **papéis-alumínio**) *sm* aluminum foil

papelão *sm* 1 cardboard 2 *fig* fiasco, failure, foolishness
▪ **fazer um papelão** to make a fool of oneself

papelaria *sf* stationer's shop

papel-carbono (*pl* **papéis-carbono**) *sm* carbon paper

papo *sm* 1 ZOOL craw 2 *pop (estômago, barriga)* stomach 3 *fig (lorota)* fib, idle talk, lie 4 *fig (conversa)* talk, chat, chatter

• **bater (um) papo com alguém** to chat with somebody
• **de papo para o ar** idle
• **estar em papos de aranha** to be in a tight corner
• **estar no papo** to be in the bag
• **papo furado** *(conversa fiada)* idle talk, *(mentira)* lie
• **passar alguém no papo** to deceive someone
• **ser bom de papo** to have the gift of the gab

papoula *sf* BOT poppy

páprica *sf* CUL paprica

papudo *adj* **1** goitrous, gouty **2** *fig (fanfarrão)* boastful, braggart

paquera *sf* flirt

paquerar *vtd* to flirt

par *adj* **1** matching, equal, similar **2** *(número)* even
▸ *sm* **par 1** *(duas coisas que combinam)* pair, two of a kind **2** *(dupla)* pair, couple **3** *(parceiro de dança)* partner **4** *(que forma conjunto)* match, counterpart: ***este vaso é par daquele*** this vase is a counterpart to that one **5** *(alguns, vários)* a couple, a few: ***um par de vezes*** a couple of times **6** *(igual)* peer, equal
• **de par em par** two by two
• **estar a par de algo** to be informed about
• **sem par** *(que perdeu o par)* macthless, *(sem igual)* nonpareil
• **ser julgado por seus pares** to be judged by one's peers

para *prep* **1** *(destino)* to: ***veio para São Paulo*** he came to São Paulo **2** *(sentido)* to: ***foi para a direita*** it went to the right **3** *(finalidade)* to, for: ***ele veio para ficar*** he came to stay; ***roupa para criança*** clothes for children **4** *(como)* for: ***escolheu um ótimo moço para marido*** she chose an excellent young man for a husband **5** *(em vista de)* for: ***está conservado para a idade que tem*** he's well-preserved for his age **6** *(duração)* for: ***trabalho para os dois próximos meses*** work for the next two months **7** *(capaz, apto)* for: ***este é o empregado para esse serviço*** this is the right man for the job **8** *(com)* to: ***bondoso para os filhos*** affectionate to his children **9** *(segundo, conforme)* to: ***para mim, isso está errado*** it seems wrong to me
▸ *conj* **para que** so that (+ *subj* so that)
• **para com** with, to: **ele deveria ser mais simpático para com os outros** he should be more friendly to other people

parabéns *sm* congratulations
• **dar parabéns** to congratulate

parabólica *sf* satellite dish

pára-brisa (*pl* **para-brisas**) *sm* AUTO windshield

pára-choque (*pl* **para-choques**) *sm* AUTO bumper

parada *sf* **1** *(de movimento)* stop, pause, halt **2** *(de ônibus)* stop, halt **3** *(de táxi)* rank, stand **4** *(de atividades)* stop, pause, halt, time off **5** *(desfile)* parade **6** *(valor de aposta)* bet, wager **7** *fig (situação complicada)* predicament, difficult situation
• **parada cardíaca** heart failure
• **parada de sucessos** hit parade
• **topar a parada** to take the plunge
• **uma pessoa que não tem parada** a person who is always moving around

paradeiro *sm* stopping place, whereabouts
• **de paradeiro ignorado** whereabouts unknown

parado *adj* **1** *(ar, águas)* still, unmoving **2** *(atividades, comércio)* closed **3** *(paradão)* lifeless, inert **4** *(desempregado)* unemployed **5** *(inerte)* inert, at a standtill

paradoxal *adj* paradoxical

parafernália *sf* paraphernalia

parafina *sf* paraffin

parafusar *vtd* to screw
▸ *vti-vi fig* to think *(about)*, to meditate *(on)*, to speculate *(on)*

parafuso *sm* **1** screw **2** spin
▪ **parafuso de porca** bolt
• **entrar em parafuso** to go into a tailspin
• **faltar um parafuso a alguém** to have a screw loose

paragens *sf pl* **1** stopping place, whereabouts **2** a particular place: ***me disseram que ele está nestas paragens*** I was told he was staying hereabouts

parágrafo *sm* **1** paragraph **2** *(de lei)* clause, section

Paraguai *sm* Paraguay

paraguaio *adj-sm,f* Paraguayan

paraíso *sm* paradise, heaven
• **paraíso fiscal** tax haven
• **paraíso terrestre** earthly paradise

para-lama (*pl* **para-lamas**) *sm* AUTO wing, mudguard, fender *(AmE)*

paralela *sf* GEOM parallel

paralelo *adj* 1 GEOM parallel 2 *fig (análogo)* parallel
▸ *sm fig (comparação, analogia)* parallel
• **atividades paralelas** parallel activities
• **mercado paralelo** gray market

paralisação *sf* 1 MED paralisation, interruption 2 *(de atividades)* shutdown

paralisar *vtd* 1 MED to suffer from paralysis 2 *(tornar inerte, sem ação)* to paralyse 3 *(atividades)* to shut down, to go on strike
▸ *vpr* **paralisar-se** 1 MED to become paralysed or paralytic 2 *fig* to grind to a halt, to come to a halt

paralisia *sf* MED paralysis, palsy

paralítico *adj-sm,f* MED paralytic

paramédico *adj* paramedic, paramedical

parâmetro *sm* parameter, standard, criterion

paramilitar *adj* paramilitary

paraninfo *sm,f (de formandos)* paranymph

paranoico *adj-sm,f* paranoid

paranormal *adj* paranormal

parapeito *sm* window sill

parapente *sm* ESPORTE paraglider

paraplégico *adj-sm,f* MED paraplegic

paraquedas *sm inv* parachute

paraquedista *smf* (*pl* **paraquedistas**) parachutist

parar *vtd* 1 *(movimento)* to stop 2 *(interromper)* to interrupt, to discontinue 3 *(deter)* to detain, to stay, to check
▸ *vti* 1 *(cessar)* to stop, to halt 2 *(desistir)* to quit 3 *(limitar-se)* to stop: ***não pare por aí*** don't stop there 4 *(restringir-se)* to go no further than, to stop at 5 *(ficar, permanecer)* to stay
▸ *vi* 1 *(deter-se)* to stop, to halt, to come to a halt 2 *(atividade-interromper, paralisar)* to stop, to pause 3 *(cessar)* to cease, to stop: ***o vento parou*** the wind stopped 4 *(acabar)* to come to an end: ***essa roubalheira não vai parar?*** this robbery won't ever come to an end? 5 *(fazer escala, dar uma parada)* to stop by 6 *(encontrar-se)* to get to: ***onde foram parar meus óculos?*** where did my glasses get to?
• **pare com isso!** enough!
• **sem parar** nonstop, without interruption

para-raios *sm* lightning conductor, lightning rod

parasita *adj-smf* 1 parasite 2 *fig* parasite, leech

parceiro *sm,f* 1 *(de jogo)* partner 2 *(de dança)* partner 3 *(empresa)* partner, associate, copartner 4 *(cúmplice)* accomplice, conniver, co-operator

parcela *sf* 1 *(parte, fração)* parcel, portion 2 *(prestação)* installment

parcelar *vtd* to pay in installments

parceria *sf (sociedade)* partnership, copartnership, association

parcial *adj* 1 *(em parte)* partial 2 *(injusto)* partial, one-sided

parcialidade *sf* partiality, partisanship, one-sidedness

parcimônia *sf* parsimony, thrift

parcimonioso *adj* parsimonious, frugal, sober, thrifty

pardal *sm* ZOOL sparrow

pardo *adj* brown, dusk, dark, grey, drab
▸ *sm,f* mulatto
• **à noite todos os gatos são pardos** all cats look gray in the dark

parecer *vpred* 1 *(ser semelhante)* to resemble, to look like: ***você parece meu pai*** you look like my dad 2 *(ter a aparência)* to seem, to appear: ***ele parece feliz, mas não é*** he seems to be happy, but he is not
▸ *vpr* **parecer-se** to resemble, to be similar to
▸ *sm* **parecer** 1 *(opinião)* opinion 2 *(relatório)* report

• **ao/pelo que parece** it seems, as far as I can see
• **parece que...** *(tudo indica que)* it seems like, *(tem-se a impressão de que)* it seems to me that
• **parece que sim/não** it seems so/it doesn't seem so
• **parecer mais novo/mais velho do que é** to look younger/older than one actually is

parecido *adj* similar, alike, like, resembling

parede *sf* wall
• **encostar alguém na parede** to put someone against the wall
• **subir pelas paredes** *fig* to get mad

parente *sm,f* relative, kinsman

parentesco *sm* **1** kinship **2** *fig (afinidade, semelhança)* kinship, affinity, similarity

parêntese *sm* parenthesis, bracket: ***abrir/fechar parênteses*** to open/close brackets

páreo *sm* ESPORTE race
• **não ser páreo para alguém** to be less than a match to someone, to be outmatched by someone
• **ser páreo duro** to be a tough match, to be a hard nut to crack

pária *smf* pariah

paridade *sf* parity, equality, similarity

parir *vtd-vi* **1** to give birth **2** *fig (criar)* to bring forth

Paris *sf* Paris

parisiense *adj-smf* Parisian

parlamentar *adj-smf* parlamentarian

parlamentarismo *sm* parlamentarism, parlamentary system

parlamento *sm* POL parliament

parmesão *adj-sm* CUL Parmesan

pároco *sm* parish priest, vicar

paródia *sf* parody

paróquia *sf* parish

par ou ímpar parow-par (*pl* **pares ou ímpares**) *sm loc* ***tirar par ou ímpar*** to play odds or evens, to decide who is to do something by means of a simple game of showing fingers and counting the resulting number

parque *sm* park
• **parque de diversões** amusement park, fairground
• **parque industrial** industrial park
• **parque infantil** playground

parreira *sf* vine

parrudo *adj* squat, dumpy

parte *sf* **1** *(porção)* part, portion, share **2** *(trecho)* part **3** *(fração)* fraction, share **4** *(divisão de obra)* part, section **5** TV episode **6** *(matéria, assunto)* topic **7** *(lugar)* part, place **8** *(zona, região)* part, region **9** *(papel, função)* part, role **10** *(participantes de um contrato)* party
• **à parte** *(separadamente)* separately, *(além de, afora)* aside
• **da parte de alguém** from someone
• **dar parte de alguém/algo à polícia** to report someone/something to the police
• **de minha parte** from me, on my part
• **em parte** in part, partly
• **fazer/tomar parte de algo** to take part in
• **fazer sua parte** to do your part
• **ficar com a parte do leão** to get the lion's share
• **ir por partes** to go part by part
• **parte de trás/traseira** rear end
• **parte dianteira/da frente** front end
• **parte inferior/de baixo** bottom
• **parte superior/de cima** top
• **por parte de mãe/pai** on one's mother's side/father's side
• **por toda parte** everywhere
• **ter parte com alguém** to have dealings with someone

parteira *sf* midwife

participação *sf* **1** *(ação de tomar parte)* participation, involvement **2** *(comunicação)* communication, notification
• **participação nos lucros** profit sharing, a share in the profits

participante *adj-smf* **1** participant **2** communicator, informer

participar *vti* **1** *(ter parte, partilhar)* to share *(in)*, to participate *(in)*, to partake *(of)* **2** *(tomar parte)* to take part *(in)*
▸ *vtd-vtdi (comunicar)* to communicate *(to)*

particípio *sm* GRAM participle

partícula *sf* 1 particle 2 GRAM particle, any uninflected word

particular *adj* 1 *(peculiar)* particular, peculiar, unique 2 *(próprio, privativo, pessoal)* personal, private 3 *(especial, fora do comum)* special, unique
▸ *sm* 1 *(assunto, aspecto)* matter, subject 2 *(indivíduo)* private person, private citizen, individual 3 *(conversa reservada)* private conversation
▸ *pl* **particulares** *(detalhes)* details, particulars
• **em particular** in private

particularidade *sf* particularity, peculiarity, singularity

partida *sf* 1 *(saída)* departure, leaving 2 ESPORTE *(largada)* start 3 ESPORTE *(encontro, jogo)* game, match 4 *(de cartas, xadrez etc.)* game 5 COM lot, shipment
• **dar partida** *(carro)* to start
• **dar sinal de partida a alguém/algo** to start someone/something off
• **estar de partida** to be about to leave
• **estar sem partida** *(carro)* with a dead engine

partidário *adj* adherent, partisan, backer
▸ *adj-sm,f* 1 *(simpatizante)* sympathizer of a political party 2 *(sectário)* sectarian

partido *sm* party
• **casar-se com um bom partido** to marry well
• **tirar partido de algo/alguém** to take advantage of something/someone
• **tomar o partido de alguém/algo** to take sides with someone/something
• **tomar partido** to side with

partilha *sf* sharing, partition, division

partilhar *vtd-vtdi* 1 *(fazer partilha)* to share 2 *(compartilhar)* to share *(with)*

partir *vtd-vtdi* 1 *(dividir)* to split, to cleave 2 *(repartir)* to share 3 *fig (o coração)* to break
▸ *vtd (quebrar)* to break
▸ *vti* 1 *(ter início, provir)* to come from, to start off from 2 *(tomar por base)* to be based on, to be grounded on 3 *(dar início)* to start to 4 *(sair)* to start off to
▸ *vi* 1 *(ir embora)* to leave, to depart, to go away 2 *(sair-condução)* to depart 3 *(morrer)* to die, to pass away
▸ *vpr* **partir-se** 1 *(dividir-se)* to split 2 *(quebrar-se)* to break
• **partir para cima de alguém** to attack someone

partitura *sf* 1 MÚS *(composição para uma parte)* score 2 MÚS *(representação gráfica)* score

parto *sm* 1 childbirth, delivery 2 *fig* hard start, initial difficulty

parturiente *adj-sf* parturient

Páscoa *sf* Easter

pasmado *adj* amazed, astonished

pasmo *sm* amazement, astonishment
▸ *adj* **pasmo** amazed, astonished
• **ficar pasmo** to be astonished, to gape

paspalhão *sm,f* fool

pasquim *sm* pasquinade

passada *sf* 1 *(passo)* pace, footstep 2 *(visita rápida)* quick stop: ***uma passada pela cidade*** a quick stop by the town

passadeira *sf* 1 *(espécie de tapete)* runner 2 *(engomadeira)* a machine for pressing clothes 3 a person who irons, ironing woman

passado *adj* 1 *(ido)* past, gone, bygone: ***histórias passadas*** bygone events 2 *(anterior)* last: ***a semana passada*** last week 3 *(maduro demais)* overripe 4 *(um tanto velho)* stale 5 *(antiquado)* old-fashioned 6 *fig (perplexo)* perplexed 7 *(roupa)* ironed
▸ **passado** *sm* 1 past 2 GRAM past tense
• **bem passado/malpassado** *(carne)* well-done/rare

passageiro *adj (temporário)* transient, fleeting
▸ *sm,f* passenger

passagem *sf* 1 passage 2 *(valor de transporte)* fare 3 *(bilhete)* ticket 4 *(trecho)* section 5 *(transição)* transition, change
▪ **passagem de nível** level crossing
▪ **passagem de pedestres** pedestrian crossing
▪ **passagem subterrânea** subway, underpass
• **abrir passagem** to give way
• **barrar a passagem** to obstruct the way, to close the way
• **dar passagem a alguém** to let someone pass
• **dar passagem a um carro** to have room for one car

• **de passagem** **1** passing by **2** in passing

passaporte *sm* passport

passar *vtd* **1** *(transpor, ultrapassar)* to cross, to pass, to go over **2** *(processar)* to pass through: ***passar a carne no moedor*** to pass the meat through the grinder **3** *(coar)* to strain **4** *(fome, frio etc.)* to suffer, to undergo **5** *(ficar, permanecer)* to stay, to spend: ***passou seis meses na Europa*** he spent six months in Europe **6** *(atravessar, transcorrer)* to spend, to stay: ***passei a noite em claro*** I stayed awake all night **7** *(filme, programa de TV)* to show, to be on **8** *(rememorar, estudar)* to review **9** *(lição)* to give: ***que lição o professor passou?*** what subject did the teacher give? **10** *(prescrever)* to prescribe: ***o médico passou um remédio*** the doctor prescribed a drug **11** *(notas falsas)* to pass **12** *(pano-em móveis etc.)* to dust, to wipe

▸ *vti* **1** *(trafegar)* to pass *(by, through)* **2** *(visitar rapidamente)* to stop by *(at)* **3** *(ultrapassar)* to overtake **4** *(penetrar, atravessar)* to cross **5** *(transferir-se, mudar-se)* to transfer, to change, to move *(to)* **6** *(subsistir)* to survive, to go on living **7** *(ser submetido, vivenciar)* to undergo **8** *(viver, atravessar)* to go *(through)* **9** *(ir além, superar)* to surpass, to go beyond, to get through **10** *(ser promovido)* to pass, to be promoted *(to)*: ***passar para a quarta série*** to pass to the fourth grade; ***ele passou a sargento*** he was promoted to sergeant

▸ *vtdi* **1** *(transportar)* to take, to transfer **2** *(entregar, fazer chegar)* to hand over to **3** *(transferir)* to transfer to **4** *(fazer correr)* to pass through: ***passe o cinto pela fivela*** pass the belt through the buckle **5** *(manteiga, pomada etc.)* to spread, to apply **6** *(telegrama)* to send **7** *(transmitir-doença, característica)* to pass on **8** *(comunicar-recado, notícia)* to pass on **9** *(embrulhar)* to wrap up: ***passe um papel neste presentinho*** wrap up this present **10** *(ser superior)* to surpass **11** *(subir ou descer para)* to go up or down to

▸ *vi* **1** *(mover-se por um ponto)* to pass by: ***o trem está passando*** the train is passing by **2** *(situar-se)* to pass through, to go through: ***a estrada passa por lá*** the road passes through that place **3** *(acabar)* to pass, to be over **4** *(transcorrer)* to pass by **5** *(sentir-se)* to be, to feel: ***como está passando?*** how have you been? **6** *(ser aprovado-lei etc.)* to pass, to be approved **7** *(ser aprovado, em escola)* to pass **8** *(ser aceitável)* to pass **9** *(ser aceito, admitido)* to be accepted **10** *(filme, programa de TV)* to show, to be on **11** *(não jogar)* to pass

▸ *vpred (ficar)* to spend

▸ *vpr* **passar-se** **1** *(ocorrer)* to happen, to occur **2** *(transcorrer)* to go by, to elapse

• **deixar passar** *(dar passagem)* to let pass, *(não se importar)* to pass up, to let it go

• **dessa vez passa!** this time it'll pass!, it's ok for this one time

• **não passar de** *(não ser mais que)* to be nothing but

• **não passar de hoje, de uma semana etc**. to happen no later than today, than next week etc.

• **passar adiante** *(notícia, boato etc.)* to spread

• **passar a vida** to spend one's life

• **passar bem/mal** to be well/not well

• **passar da idade** to be too old

• **passar desta para a melhor** to die, to pass away

• **passar para trás** *(obter vantagem)* to gain an advantage, *(enganar)* to trick, to outwit

• **passar por** *(ser tomado por)* to pass oneself as

• **passar por cima de algo** *(não levar em conta, omitir)* to omit

• **passar por cima de alguém** *fig* to trample over somebody

• **passar roupa** to iron clothes

• **passar sem algo** to go without something, to do without something

• **passe bem!** goodbye!

passarela *sf* **1** *(ponte)* footbridge **2** *(da moda)* catwalk

passarinho *sm* bird, birdie

pássaro *sm* bird

passatempo *sm* amusement, hobby, pastime

passável *adj* tolerable

passe *sm* **1** *(permissão de locomoção)* permission **2** *(de transporte público)* ti-

cket 3 ESPORTE *(de bola)* pass 4 ESPORTE *(troca de atleta de clube)* transfer 5 RELIG spiritual pass
• **passe de mágica** magic trick

passear *vi* to walk, to stroll
• **ir passear** 1 to go for a walk, to take a stroll 2 to go out to amuse oneself
• **levar alguém passear** take someone for a walk
• **mandar passear** *fig* tell someone to take a walk

passeata *sf* protest, public parade

passeio *sm* 1 walk, stroll: ***dar um passeio*** to go for a walk 2 *(calçada)* pavement, sidewalk

passional *adj* passional

passível *adj* suceptible *(to, of)*

passivo *adj* 1 passive 2 *(sem iniciativa)* inert, indifferent 3 GRAM passive 4 ECON inert, inactive

passo *sm* 1 step, footstep 2 *(modo de andar, passada)* gait 3 *(movimento da dança)* step, move 4 *(pegada)* footprint, footstep 5 *(marcha de animal)* gait 6 *fig (ato, atitude, resolução)* stride 7 *(etapa)* step 8 MIL *(maneira de marchar)* march
• **a passos largos/lentos** at a great pace/at a slow pace
• **acelerar/apertar o passo** to step out, to hurry up
• **ao passo que** 1 whereas 2 at the same time as, according as
• **dar o passo maior que a perna** to bite off more than one can chew
• **dar o primeiro passo** to break ground
• **dar um mau passo/um passo em falso** to stumble
• **marcar passo** *fig* to mark time
• **nesse passo** at this pace
• **passo a passo** step by step
• **primeiros passos** *fig* first steps, initiation
• **seguir os passos de alguém** *fig* to follow in someone's footsteps

pasta *sf* 1 *(matéria aglutinada)* paste, dough, pulp 2 *(para documentos)* folder, binder 3 *(espécie de bolsa)* briefcase 4 *(posto de ministro)* portfolio 5 INFORM folder
• **pasta dental** toothpaste
• **pasta suspensa** hanging files folder

pastar *vi* 1 to graze 2 *fig pop (padecer)* to suffer

pastel 1 CUL a kind of stuffed pastry 2 *(pintura)* pastel

pastelão *sm* 1 CUL a big pie 2 *(comédia)* knockabout comedy, slapstick comedy

pastelaria *sf* 1 *(conjunto de iguarias de massa)* pastry 2 *(loja do pasteleiro)* pastry shop

pasteleiro *sm,f* pastryman, pastry cook

pasteurizado *adj* pasteurized

pastilha *sf* 1 lozenge, a kind of candy 2 MEC brake pad 3 *(revestimento)* tile: ***parede coberta de pastilhas*** a tile-covered wall

pasto *sm* 1 *(pastagem)* grazing ground, pasture 2 *(comida)* pasture

pastor *smf* 1 *(de animais)* shepherd 2 *(clérigo protestante)* pastor, shepherd, minister, clergyman
▸ *sm (cão)* shepherd dog
• **pastor-alemão** Alsatian, German shepdog
• **pastor-belga** Belgian shepherd

pastoso *adj* pasty, viscous, gummy, runny

pata *sf* 1 *(fêmea do pato)* duck, female duck 2 *(pé de animal)* paw 3 *pejor (mão)* paws

patacoada *sf* 1 *(disparate)* nonsense 2 *(brincadeira)* idle talk

patada *sf* 1 kick 2 *fig (grosseria)* a rude, offensive remark

patamar *sm* 1 *(de escada)* landing 2 *fig (nível)* baseline

patavina *pron* nothing: ***não entendi patavina*** I didn't understand anything

patê *sm* CUL paté

patela *sf* ANAT patella, kneecap

patente *adj (claro, manifesto)* patent, clear, manifest, apparent
▸ *sf* 1 *(título de invenção)* patent 2 *(posto militar)* rank

patentear *vtd* 1 *(tornar claro)* to make it clear 2 *(registrar com patente)* to patent
▸ *vpr* **patentear-se** to become evident

paternidade *sf* fatherhood

paterno *adj* paternal, fatherly, hereditary

pateta *adj, smf* foolish, silly, fool, stooge

patético *adj* pathetic

patife *smf* villain, rascal, rogue

patim *sm* skate
■ **patins de rodinhas** roller skates

patinação *sf* ESPORTE skating

patinador *sm,f* skater

patinar *vi* 1 *(deslocar-se sobre patins)* to skate 2 *(patinhar)* to skid

patinete *sm* scooter

patinhar *vi* 1 *(agitar a água)* to splash 2 *(locomover-se em água, lama)* to paddle 3 *(derrapar)* to skid

pátio *sm* 1 courtyard 2 *(átrio)* vestibule, atrium

pato *smf* 1 ZOOL duck 2 *fig (otário)* sucker, dupe, mark
• **pagar o pato por alguma coisa** to pay the piper

patológico *adj* pathologic, pathological

patota *sf (turma)* group, gang

patrão *sm,f* 1 boss 2 *pop* mister, sir, governor, a respectful way of addressing people of higher social status
▸ *sf* **patroa** *(esposa)* wife

pátria *sf* homeland
• **salvar a pátria** *fig* save the day

patriarca *sm* patriarch

patrício *sm,f* fellow countryman

patrimônio *sm* heritage, patrimony
■ **patrimônio cultural** cultural heritage

pátrio *adj* 1 *(da pátria)* native 2 *(paterno)* paternal
• **pátrio poder** paternal power, a father and mother's legal authority over their children

patriota *smf* patriot

patriótico *adj* patriotic

patrocinar *vtd* to sponsor, to support

patrocínio *sm* 1 *(apoio moral)* support, assistence, aid, help 2 *(custeio)* sponsorship, patronage
• **com o patrocínio de** under the auspices of, with the support of, sponsored by

patrono *sm* 1 DIR *(advogado)* lawyer 2 *(padroeiro)* patron saint
▸ *sm,f* **patrono** patron

patrulha *sf* patrol

patrulhar *vtd* 1 to patrol 2 *fig* to patrol

pau *sm* 1 *(madeira)* wood, stick, beam, timber: ***colher de pau*** wooden spoon 2 *(bastão, porrete)* cudgel, stick, staff 3 *(surra)* beating: ***dar um pau em alguém*** to give someone a beating 4 *(mastro)* mast, pole 5 *(reprovação)* flunking 6 *pop (pênis)* cock, dick 7 *(dinheiro em geral)* quid, buck *(AmE)*: ***custa cinco paus*** it costs five quid 8 *(árvore)* tree
• **a dar com pau** a great deal, a lot
• **a meio pau** *(bandeira)* half-mast, *(sem vigor sexual)* limp, impotent
• **chutar o pau da barraca** *(entornar o caldo)* to lose control, to get mad
• **dar pau** *(computador)* to break down
• **ficar pau da vida** to get pissed off
• **meter o pau** *(trabalhar muito)* to work your ass off
• **meter o pau em alguém** *(falar mal)* to speak ill of someone, *(espancar)* to beat someone up
• **mostrar com quantos paus se faz uma canoa** to teach someone a lesson
• **nem a pau** no way
• **pau a pau** cheek by jowl
• **pau para toda a obra** Jack of all trades
• **quebrar o pau com alguém** to fight or argue with someone

pau-brasil *sm* brazilwood *(Caesalpinia echinata)*

paulada *sf* a hard blow with a stick

pausa *sf* 1 *(interrupção de atividade)* pause, stop, halt 2 MÚS rest

pauta *sf* 1 *(de caderno)* guidelines 2 MÚS staff, stave 3 *(ordem do dia)* agenda: ***na pauta, a discussão sobre o aborto*** on the agenda, discussion on abortion
• **em pauta** on the agenda

pautar *vtd* 1 *(traçar pautas)* to enroll 2 *(pôr em pauta)* to list
▸ *vtdi* to guide by, to base on, to model on: ***ela pauta suas ações pelas do pai*** she bases her actions on her father's
▸ *vpr* **pautar-se** to guide oneself by, to base oneself on

pauzinho *sm* little stick
• **mexer os pauzinhos** to pull some strings

pavão *smf* 1 ZOOL peacock 2 *fig* peacock, a dandy

pavê *sm* CUL trifle

pavilhão *sm* 1 *(construção anexa)* pavillion 2 *(construção em feira, exposição)* pavillion 3 *(bandeira)* flag 4 ANAT the outer ear

pavimentar *vtd* to pave

pavimento *sm* 1 pavement, paving 2 floor of a building

pavio *sm* wick

pavonear-se *vpr* to show off, to strut, to swagger

pavor *sm* fright, terror

pavoroso *adj* frightful

paxá *sm* 1 pasha 2 *fig* big shot

paz *sf* peace
• **deixar algo/alguém em paz** to leave something/someone alone
• **fazer as pazes** to make peace

Pça. (praça) *abrev* Square (SQ)

pé *sm* 1 ANAT foot 2 *(pata)* paw 3 *(de objeto)* leg 4 *(base, pedestal)* base, support, pedestal 5 *(planta)* a single plant: ***um pé de alface*** a head of lettuce; ***um pé de amora*** a mulberry tree; ***um pé de milho*** a corn stalk 6 *fig (pretexto, desculpa)* pretext 7 *(medida)* foot 8 *(em versos)* foot
• **ir/vir a pé** to go/come on foot
• **ao pé da letra** literally
• **ao pé de** near, besides
• **bater (o) pé** *fig* to insist
• **botar o pé no mundo** 1 to run away 2 to take to the road
• **cair de pé** *fig* to keep one's dignity even facing defeat
• **com/de pé atrás** suspecting or doubting someone or something
• **começar com o pé direito/esquerdo** *fig* to have a lucky/unlucky beginning
• **com um pé nas costas** with one's eyes closed
• **dar no pé** to run away
• **dar pé** *(ter altura)* to be shallow *(water)* so you can touch the bottom with your feet, *(ser possível)* to be possible, to be viable
• **dos pés à cabeça** from top to bottom
• **em/de pé** standing up, holding good
• **em pé de guerra** on the warpath
• **em pé de igualdade** on the same level, on the same footing
• **em que pé estão as coisas?** how are things going?
• **estar com o pé na cova** to have one foot in the grave
• **ficar no pé de alguém** to be on top of somebody, to nag somebody, not to leave someone alone
• **ir num pé e vir no outro/ir num pé só** to go out and come back very quicly
• **largar do pé** to leave someone alone
• **meter o pé em alguém** to dump someone, to get rid of someone, to kick someone in the arse
• **meter os pés pelas mãos** to get confused
• **não arredar pé** *(não sair do lugar)* to stay to a place, *(não ceder)* to stick to one's opinion, not to give in
• **não chegar aos pés de** to be far beneath someone
• **não ter nem pé nem cabeça** to be a complete nonsense
• **nas pontas dos pés/pé ante pé** tiptoeing
• **pé da página** bottom of the page
• **pé na tábua!** hurry up!
• **pegar no pé de alguém** to pick on someone, to nag someone
• **pés chatos** flat feet
• **ter os pés no chão** to be realistic
• **um pé no saco** a pain in the neck, a pain in the arse

peão *sm* 1 *(amansador de animais)* horse tamer 2 *(empregado rural)* rural worker, farm hand 3 *(servente de obra)* unskilled worker, laborer 4 *(peça do xadrez)* pawn

pebolim *sm* table football

peça *sf* 1 *(parte de um todo)* piece, part 2 *(unidade de conjunto)* part 3 *(de vestuário)* garment 4 *(de máquina)* part 5 *fig (pessoa exótica)* a character 6 MÚS a piece of music 7 TEATRO play, drama 8 *(pedra de jogo)* piece 9 trick, prank
• **peça de museu** *fig* museum piece
• **peça de reposição** replacement part
• **pregar uma peça** to play a prank

pecado *sm* sin

pecador *sm,f* sinner

pecaminoso *adj* sinful

pecar *vi* to sin
▸ *vti* to sin against
▸ *vi (errar)* to sin, to err: ***pecou por excesso de zelo*** he erred on the side of caution

pechincha *sf (coisa barata, vantajosa)* bargain

pechinchar *vtd-vi* to bargain

peçonha *sf* poison

pecuária *sf* cattle breeding, cattle raising

peculiar *adj* peculiar, unique

peculiaridade *sf* peculiarity, uniqueness

pecúlio *sm* savings

pé-d'água (*pl* **pés-d'água**) *sm* rainstorm

pedaço *sm* **1** *(parte de um todo)* piece, part, fragment, chunk, slice, shred **2** *(tempo)* period of time: ***esperei um bom pedaço*** I have waited for a long time **3** *(trecho)* stretch
• **estar aos pedaços** to be very tired, to be torn to shreds
• **estar caindo aos pedaços** *(estar exausto)* to be very tired, to be shattered, *(estar velho, ou em mau estado)* to be falling to pieces
• **passar um mau pedaço** to suffer, to go through hell

pedágio *sm* toll

pedagogia *sf* pedagogy

pedal *sm* pedal

pedalar *vtd-vi* to pedal, to ride a bicycle

pedalinho *sm* pedalo

pedante *adj-smf* pedantic

pé de boi (*pl* **pés de boi**) *smf* **1** an old-fashioned person **2** a hard-working person

pé de cabra (*pl* **pés de cabra**) *sm (ferramenta)* crowbar

pé de chinelo (*pl* **pés de chinelo**) *adj-smf (reles)* poor, shabby, vulgar

pé de chumbo (*pl* **pés de chumbo**) *smf* **1** *(pessoa vagarosa)* sluggard, a sluggish person **2** *(motorista que corre muito)* a driver who is heavy on the gas **3** *(motorista ruim)* bad driver

pé de galinha (*pl* **pés de galinha**) *sm (rugas)* crow's-foot

pé de meia (*pl* **pés de meia**) *sm* savings

pé de pato (*pl* **pés de pato**) *sm* flipper

pederasta *sm* pederast

pedestal *sm* pedestal, support, plynth

pedestre *smf* pedestrian

pé de vento (*pl* **pés de vento**) *sm* blast of wind, gush of wind

pediatra *smf* MED pediatrician

pedicure *smf* pedicure

pedida *sf* idea: ***uma boa pedida*** good idea!

pedido *sm* **1** *(solicitação)* request, demand **2** *(encomenda)* order: ***fazer um pedido a um fornecedor*** to make an order **3** *(coisa encomendada)* order: ***chegou o meu pedido*** I got my order **4** *(documento de encomenda)* order: ***pedido nº...*** order number... **5** *(demanda de mercadoria)* request
• **a pedido de alguém** at the request of someone
• **pedido de casamento** marriage proposal
• **pedido de divórcio** divorce petition

pedinte *smf* beggar

pedir *vtd-vtdi-vi* **1** *(solicitar)* to ask, to request, to demand: ***pedir algo a alguém*** to ask someone for something **2** *(encomendar)* to order: ***já pediu o café?*** have you ordered your coffee yet? **3** *(cobrar)* to charge
▸ *vti (interceder)* to intercede *(with, for)*
• **pedir a mão de alguém** to propose
• **pedir de volta** to ask back

pé-direito (*pl* **pés-direitos**) *sm* ceiling height

pedofilia *sf* pedophilia

pedra *sf* **1** stone **2** MED calculus **3** *(peça de jogo)* piece **4** *(granizo)* hail
▪ **pedra britada** crushed stone
▪ **pedra de isqueiro** flint
▪ **pedra de sabão** a tablet of soap
▪ **pedra preciosa** precious stone
• **atirar a primeira pedra** to cast the first stone
• **com quatro pedras nas mãos** agressively, violently, defensively

• **dormir como uma pedra** to sleep like a log
• **não deixar pedra sobre pedra** to leave no stone standing
• **ser/não ser de pedra** not to be/to be human
• **uma pedra no sapato** *fig* a thorn in one's side

pedrada *sf* **1** stone throw **2** a blow inflicted by a stone

pedra-pomes (*pl* **pedras-pomes**) *sf* pumice stone

pedra-sabão *sf* soapstone

pedregulho *sm (seixo)* gravel

pedreira *sf* stone-quarry

pedreiro *sm* mason, bricklayer

pé-frio (*pl* **pés-frios**) *sm* an unlucky person who also brings bad luck to others

pega *sm (briga)* brawl, fight
▸ *interj* **pega!** get him/it!

pegada *sf (marca no chão)* footprint

pegador *sm (brincadeira infantil)* tag

pega-gelo (*pl* **pega-gelos**) *sm* ice tongs

pegajoso *adj* sticky, tacky, viscous

pega pra capar *sm inv* hurry-scurry, brawl

pegar *vtd* **1** *(segurar)* to get, to hold, to grab, to take: ***pegou o caderno e saiu*** got the notebook and left **2** *(apanhar, capturar)* to catch, to grab: ***a polícia pegou o ladrão*** the police caught the burglar **3** *(ônibus, trem, avião, táxi)* to take **4** *(piada)* to get, to understand **5** *(chegar a tempo)* to get somewhere on time: ***pegar a última sessão de cinema*** I managed to get the last session **6** *(estação de rádio, canal de tevê)* to get, to tune **7** *(frio, chuva etc.)* to get **8** *(aceitar)* to accept, to get: ***pegar um trabalho*** to get a job **9** *(tantos anos de prisão)* to get **10** *(caminho)* to take
▸ *vtd-vtdi* **1** *(costume, hábito)* to get *(the hang of something)* **2** *(doença)* to catch *(from)*
▸ *vi* **1** *(grudar, colar)* to glue, to grip, to stick **2** *(criar raízes-planta)* to take root **3** *(difundir-se-moda etc.)* to catch on **4** *(ser aceito, acreditado)* to be accepted, to be believed **5** *(carro, motor-dar partida)* to start **6** *(fogo)* to catch **7** *(ser contagioso)* to be contagious: ***essa doença pega*** this disease is contagious
▸ *vpr* **pegar-se 1** *(unir-se)* to stick to **2** *(brigar)* to fight
• **é pegar ou largar** take it or leave it
• **pegar bem/pegar mal** to be well/not well received: ***sua piada pegou mal*** your joke was not well received

peidar *vi* to fart

peido *sm* fart

peitar *vtd (enfrentar)* to face, to confront

peito *sm* **1** ANAT chest, breast, bosom **2** *(de mulher)* breast, bosom **3** *fig (coragem)* courage, bravery, guts **4** *(do pé)* instep
• **amigo do peito** bosom friend
• **de peito aberto** sincerely, with an open heart
• **meter os peitos** to put one's shoulder to the wheel
• **no peito e na raça** bravely
• **pegar/levar/tomar a peito** to take something to heart

peitoral *adj* pectoral

peitoril *sm (parapeito)* parapet

peitudo *adj-sm,f* **1** *(de peitos grandes)* big-bosomed **2** *fig (corajoso)* brave, gutsy

peixaria *sf* fish store, an establishment where fish are sold

peixe *sm* ZOOL fish
▸ *pl* **Peixes** ASTRON Pisces
• **como peixe na água** like a fish in the water
• **não ter nada com o peixe** to be none of your business
• **como um peixe fora d'água** ill at ease, like a fish out of water
• **vender o seu peixe** to defend one's opinion

peixe-espada (*pl* **peixes-espada**) *sm* ZOOL swordfish

peixeira *sf (faca)* machete

peixeiro *sm,f* fishmonger, fish-wife

pejorativo *adj* **1** pejorative **2** GRAM pejorative

pelada *sf* ESPORTE a football game played for fun

pelado *adj* **1** *(sem pelos)* bald, hairless **2** *(nu)* naked **3** *fig (sem dinheiro)* broke

pelanca *sf* 1 *(pele flácida)* flab 2 *(carne ruim)* gristle, fatty meat

pelar *vtd* 1 *(tirar o pelo)* to skin, to flay 2 *(tirar a casca)* to peel
▸ *vi (estar muito quente)* to be very hot
▸ *vpr* **pelar-se** *(ficar sem pele)* to peel off
• **pelar-se de medo** to freak out

pele *sf* 1 *(epiderme)* skin 2 *(cútis, tez)* skin 3 *(curtida, de animal)* skin, fur 4 BOT peel
• **arriscar a pele** to risk one's skin
• **estar na pele de alguém** to be in one's shoes
• **salvar a pele** to save one's skin
• **ser pele e osso** to be skin and bones

pelego *sm* 1 *(pele de carneiro)* sheepskin 2 *fig (agente do governo)* a henchman 3 *fig (puxa-saco)* flatterer

pelejar *vti (obstinar-se)* to fight, to struggle

pelica *sf* kid leather

pelicano *sm* ZOOL pelican

película *sf* 1 pellicle, skin, membrane 2 *(filme)* film

pelo *sm* hair
• **em pelo** naked

pelo *contr prep* **por** + *art* **o, a** by, through, of, at, for the, in the, toward the → **por**

pelotão *sm* MIL platoon

pelúcia *sm* plush

peludo *adj* hairy, shaggy

pelve *sf* ANAT pelvis

pena *sf* 1 *(punição)* punishment 2 *(aflição, sofrimento)* suffering, pain 3 *(dó)* pity: ***tenho muita pena de você*** I am very sorry for you, I feel pity for you 4 *(de ave)* feather 5 *(para escrever)* pen, nib
• **a duras penas** with difficulty
• **que pena!** what a pity!
• **ser uma pena** *(pesar pouco)* to be light *(as a feather)* *(ser lamentável)* to be a pity, to be a shame
• **valer a pena** to be worthwhile

penacho *sm* plume, bunch of feathers

penal *adj* 1 penal, punitive 2 DIR criminal: ***direito penal*** criminal law

penalidade *sf* penalty

penalizar *vtd* 1 *(causar dó)* to move to pity 2 *(infligir pena)* to punish
▸ *vpr* **penalizar-se** to feel pity or sorry *(for)*

pênalti *sm* penalty
• **cobrar um pênalti** to take a penalty *(kick)*

penar *vi* 1 *(sofrer)* to suffer, to grieve 2 *(fazer muito esforço)* to be at pains, to take pains

penca *sf* 1 *(de flores)* stalk 2 *(de banana)* stem, bunch
• **às pencas** in a big quantity, in a great number

pendência *sf* 1 dispute, fight 2 *(assunto pendente)* pending matter, outstanding matter

pendente *adj* 1 *(dependurado)* pendant, hanging 2 *(não resolvido)* pending 3 *(inclinado)* sloping, tilted, leaning
• **braços pendentes** hanging arms

pender *vi* 1 *(estar suspenso)* to pend, to hang 2 *(estar inclinado)* to lean, to slope, to tilt
▸ *vti* 1 *(ter propensão)* to verge *(on)*, to tend *(to)*

pêndulo *sm* pendulum

pendurar *vtd* 1 to hang, to suspend 2 *(comprar fiado)* not to pay right away, to put it on the slate
▸ *vpr* **pendurar-se** 1 to be suspended 2 to depend on

penduricalho *sm* pendant, gewgaw

peneira *sf* 1 sieve, screen, strainer 2 *fig* sieve

peneirar *vtd* to sieve, to screen

penetra *adj-smf* gatecrasher, interloper

penetração *sf* penetration

penetrante *adj* 1 penetrating, piercing 2 *(forte, intenso)* piercing 3 *fig (perspicaz)* keen

penetrar *vtd* 1 *(atravessar, invadir)* to pierce 2 *(compreender)* to discern
▸ *vti (introduzir-se)* to enter, to go in

penhasco *sm* cliff, crag

penhoar *sm* robe, peignoir

penhor *sm* 1 *(garantia, segurança)* pledge 2 DIR pawn
• **casa de penhor** pawn shop

penhora *sf* DIR distrain, seizure

penhorar *vtd* 1 DIR to distrain, to seize 2 to pawn, to pledge

penicilina *sf* MED penecillin

penico *sm* chamber pot

península *sf* GEOG peninsula

pênis *sm* ANAT penis

penitência *sf* penitence

penitenciar-se *vpr* to chastise oneself *(for)*

penitenciária *sf* penitentiary, prison

penoso *adj* painful

pensador *sm,f* thinker, philosopher

pensamento *sm* thought

pensão *sf (renda)* pension **2** *(espécie de hotel)* boarding house

pensar *vi* to think
▸ *vti* **1** *(tencionar)* to intend to **2** *(estar preocupado)* to be concerned with **3** *(lembrar-se)* to think about **4** *(meditar)* to ponder on
• **nem pensar!** no way!
• **pensar alto** to think aloud
• **pensar bem/mal de alguém** to think well/badly of someone
• **pense bem** think twice *(before you act)*

pensativo *adj* meditative, pensive

pênsil *adj* hanging, suspended, pensile
• **ponte pênsil** *sf* suspension bridge

pensionato *sm* boarding house

pensionista *smf* **1** *(que recebe pensão)* pensioner **2** *(que mora em pensão)* boarder

pentágono *sm* pentagon

pente *sm* **1** *(de cabelo)* comb **2** *(de arma automática)* clip

penteadeira *sf* dressing-table, dresser

penteado *adj* combed
▸ *sm* **penteado** hairdo, hairstyle

pentear *vtd* to comb
▸ *vpr* **pentear-se** to comb one's hair

pente-fino (*pl* **pentes-finos**) *sm* **1** fine comb **2** *fig* screening, close scrutiny

pentelho *sm (pelo pubiano)* pubic hair, bush
▸ *sm,f* **pentelho** *gíria* an annoying person

penugem *sf* down, fluff

penúltimo *adj-sm,f* last but one

penumbra *sf* penumbra, half-light, shade

penúria *sf* want, poverty

pepino *sm* **1** BOT cucumber **2** *gíria (dificuldade, problema)* problem, trouble, lemon

pequeno *adj* **1** small, little, short **2** *(leve, insignificante)* slight, petty **3** *(criança)* little: ***quando eu era pequeno*** when I was little, when I was a child
▸ *sm,f (criança)* child, boy, girl

pé-quente (*pl* **pés-quentes**) *sm* lucky person

pequinês *adj-sm,f* Pekinese
▸ *sm (cão)* pekinese dog

pera *sf* **1** BOT pear **2** *(tipo de interruptor)* pear-switch

peralta *adj-smf (traquinas)* naughty, prankish child

perambular *vi* to walk about, to walk around, to perambulate

perante *prep* in the presence of, before

pé-rapado (*pl* **pés-rapados**) *sm* very poor person, poor devil

percalços *sm pl (dificuldades, obstáculos)* troubles, predicaments, trials

perceber *vtd* **1** *(entender)* to understand **2** *(notar, reparar)* to perceive **3** *(receber)* to receive **4** *(ver, enxergar)* to see

percentual *sm* ECON percentage, percent

percepção *sf* perception

perceptível *adj* perceivable, noticeable

percevejo *sm* **1** ZOOL bedbug **2** *(tipo de tachinha)* thumbtack

percorrer *vtd* to pass through, to go through, to traverse

percurso *sm* **1** course, way, route **2** *(itinerário)* trajectory, circuit

percussão *sf* percussion

perda *sf* **1** loss, waste **2** *(morte, falecimento)* loss
• **perda de tempo** waste of time
• **perda de vidas** loss of lives, loss of life
• **perda do emprego** job loss
• **perda dos sentidos** unconciousness
• **perdas e danos** damages
• **sem perda de tempo** no time to lose, immediately

perdão *sm* forgiveness, pardon

▸ *interj* **perdão!** I am sorry!, excuse me!
• **pedir perdão** to beg one's pardon, to ask for pardon, to say one is sorry

perdedor *adj-sm,f* loser

perder *vtd* **1** *(em jogo, competição, guerra etc.)* to lose **2** *(objetos)* to lose **3** *(costume, gosto, saúde etc.)* to lose **4** *(amigos)* to lose **5** *(por falecimento)* to lose **6** *(ônibus, avião etc.)* to miss **7** *(peso)* to lose **8** *(tempo)* to dawdle, to waste **9** *(filme, espetáculo)* to miss **10** *(causa em justiça)* to lose **11** *(oportunidade)* to miss
▸ *vtd-vi (ser derrotado)* to lose: ***meu time perdeu o jogo*** my team lost the game; ***a seleção perdeu*** the national team lost
▸ *vpr* **perder-se 1** *(extraviar-se)* to go/be missing **2** *(errar o caminho)* to go astray **3** *(confundir-se, atrapalhar-se)* to get confused **4** *(extinguir-se)* to wane, to disappear **5** *(desgraçar-se)* to ruin oneself **6** *(em pensamentos)* to be deeply absorbed **7** *(prostituir-se)* to become a prostitute
• **não ter o que perder** to have nothing to lose

perdição *sf* perdition, disgrace

perdido *adj* **1** *(que se extraviou)* lost, stray, strayed **2** *(imoral)* immoral, dissipated **3** *(sem salvação)* hopeless
• **achados e perdidos** lost and found
• **dar por perdido** to give something up as lost or hopeless

perdiz *sf* ZOOL partridge

perdoar *vtd-vti-vi* **1** to forgive, to pardon, to excuse **2** *(conformar-se com)* to settle for **3** *(poupar)* to spare **4** *(dívida)* to excuse

perdoável *adj* forgivable, excusable

perdurar *vi* to remain, to persist

perecível *adj loc* **produtos perecíveis** perishable goods

peregrinação *sf* pilgrimage, journey

peregrino *sm,f* pilgrim, wanderer

pereira *sf* BOT pear tree

peremptório *adj* peremptory, decisive.

perene *adj* perennial, permanent, ever-flowing

perereca *sf* **1** ZOOL tree toad **2** *pop (vulva)* the vulva

perfazer *vtd* to finish, to conclude

perfeccionista *adj-smf* perfectionist

perfeição *sf* perfection

perfeito *adj* **1** perfect **2** *(rematado)* precious, perfect: ***um perfeito idiota*** a perfect idiot
▸ *adj-sm* GRAM preterite, past

pérfido *adj* perfidious, unfaithful, disloyal, mean

perfil *sm* **1** profile **2** *(contornos)* outline, profile **3** *(dados concisos)* profile, outline

perfumar *vtd* to perfume
▸ *vpr* **perfumar-se** to put on perfume

perfumaria *sf* **1** *(loja, fábrica)* perfumery **2** *(conjunto de perfumes)* perfumery **3** *fig (coisa supérflua)* trifle

perfume *sm* perfume

perfuração *sf* **1** *(ato de perfurar)* perforation, drilling **2** *(furo)* hole, drill

perfurar *vtd* **1** *(furar)* to perforate, to drill, to bore **2** *(poço)* to drill

pergunta *sf* question: ***fazer uma pergunta*** to ask a question; ***responder a uma pergunta*** to answer a question

perguntar *vtd-vtdi (informar-se)* to ask: ***perguntar o preço, o caminho a alguém*** to ask the price, to ask one's way
▸ *vti (pedir informação)* to ask for, to inquire about: ***perguntar por alguém*** to ask for someone
▸ *vi (fazer perguntas)* to ask, to question
▸ *vpr* **perguntar-se** to wonder, to ask oneself

perícia *sf* **1** *(exame técnico)* technical inspection **2** *(mestria)* skill, ability, expertise, know-how **3** *(grupo de peritos)* a group of experts

periclitante *adj* in a dangerous situation, on the brink of ruin

periferia *sf* **1** GEOM periphery **2** *(subúrbio)* suburbs, outskirts

periférico *adj* peripheric(al)

perigar *vi* **1** to be in danger **2** to have a chance of happening

perigo *sm* **1** *(risco)* danger, hazard, risk **2** *(coisa perigosa)* danger, hazard: ***o álcool é um perigo*** alcohol is a danger

• **estar a perigo** *(periclitando)* to be in a difficult situation, *(sem dinheiro)* to be without money, to be broke

perigoso *adj* dangerous, hazardous, risky

perímetro *sm* perimeter

períneo sm ANAT perineum

periódico *adj* periodic(al)
▸ *sm* **periódico** 1 periodical publication 2 academic journal

período *sm* 1 period 2 *(fase, época)* age, era
• **período da manhã/da tarde/da noite** morning/afternoon/evening
• **trabalhar em período integral/meio período** to work full-time/part-time

peripécia *sf* 1 peripetia 2 *(proeza)* adventure

periquito *sm* ZOOL parrakeet

perito *sm,f* 1 DIR expert, specialist 2 *(especialista, prático, exímio)* skilled person, expert

perjúrio *sm* perjury

permanecer *vpred (continuar)* to stay, to continue, to remain: ***permaneça em pé, por favor*** stay up, please
▸ *vti (ficar)* to stay
▸ *vi (perdurar, restar)* to remain, to last

permanência *sf* 1 permanence 2 stay, sojourn
• **visto de permanência** permanent visa

permanente *adj* 1 permanent 2 *(frequente)* continuous
▸ *smf (penteado)* permanent wave
▸ *sm (documento para ingresso)* ticket or fare which grants its owner free admission during a certain length of time

permear *vtd* 1 *(passar através)* to penetrate, to pervade 2 *fig* to pervade

permissão *sf* permission: ***pedir permissão para fazer algo*** to ask permission to do something

permissível *adj* permissible, allowable, admissible

permissivo *adj* permissive

permitir *vtd-vtdi-vi* 1 *(autorizar)* to permit, to allow 2 *(possibilitar)* to make possible, to allow

permuta *sf* DIR exchange, substitution

permutar *vtd-vtdi* DIR to permute, to exchange

perna *sf* 1 ANAT leg 2 ZOOL leg 3 *(da calça)* leg 4 *(da mesa, da cadeira)* leg 5 *(do compasso)* leg
▪ **perna artificial** artificial leg
▪ **pernas de pau** stilts
• **bater perna** to knock about, to wander
• **de pernas para o ar** upside down
• **em cima da perna** hastily, carelessly
• **não estar/ir bem das pernas** not to have strength, talent, energy to finish a task or a project
• **passar a perna em alguém** to deceive someone, to trick someone
• **pernas, para que te quero** run for one's life!
• **trocar as pernas** *(estar bêbado)* to be completely drunk

pernada *sf* 1 *(pancada com a perna)* a kick 2 *(rasteira)* trip 3 *(caminhada longa)* a very long walk

pernalta *adj* wading bird

pernicioso *adj* pernicious, destructive, bad, vicious

pernilongo *sm* mosquito

pernoitar *vi* to stay overnight, to sleep

pernóstico *adj* arrogant, pedantic, presumptuous

peroba *sf* BOT a Brazilian hardwood tree

pérola *sf* 1 pearl 2 *fig* a person that is highly regarded for his or her moral qualities
▪ **pérola cultivada** cultured pearl
• **lançar pérolas aos porcos** to cast pearls before the swine

perpendicular *adj* perpendicular
▸ *sf* MAT perpendicular

perpetrar *vtd* to perpetrate

perpetuar *vtd* to perpetuate

perpétuo *adj* 1 perpetual, everlasting 2 *(vitalício)* lifelong
• **neves perpétuas** perpetual snow

perplexo *adj* perplexed, astonished

perseguição *sf* 1 *(caça)* chase 2 *(tratamento injusto)* persecution

perseguidor *adj-sm,f* 1 *(quem segue)* chaser, follower 2 *(quem vexa)* persecutor

perseguir *vtd* 1 *(correr atrás)* to chase 2 *(vexar)* to persecute 3 *fig (objetivo, meta)* to run after

perseverança *sf* perseverance, persistence, steadfastness

perseverante *adj* persevering, persistent

persiana *sf* Persian blinds, Venetian blinds

persignar-se *vpr* to cross oneself

persistência *sf* persistence, perseverance

persistente *adj* persistent

persistir *vti (perseverar)* to persist *(in)*
▸ *vi (perdurar, continuar)* to continue, to perdure, to last, to remain

personagem *smf* 1 *(pessoa importante)* important person 2 *(de teatro, de romance)* character

personalidade *sf* 1 PSIC personality 2 *fig (temperamento, vontade)* personality 3 *(pessoa importante)* personality

personalizar *vtd* to personalize

personificar *vtd* to personify

perspectiva *sf* 1 ARTE perspective 2 *fig (ponto de vista)* perspective, outlook, point of view 3 *fig (possibilidade)* prospect, possibility

perspicácia *sf* perspicacity, sagacity, keenness

perspicaz *adj* perspicacious, clever, keen

persuadir *vtd* to persuade
▸ *vpr* **persuadir-se** to persuade oneself

persuasão *sf* persuasion

persuasivo *adj* persuasive

pertencente *adj* belonging, pertaining

pertencer *vti* 1 *(ser propriedade de)* to belong to, to be owned by 2 *(fazer parte de)* to belong to, to pertain to

pertences *sm pl* belongings, properties

pertinente *adj* pertinent, relevant

perto *adv* 1 *(que está nas proximidades)* near, close 2 *(junto de)* next to, by, beside: ***ficou perto da mãe*** he stood beside his mother 3 *(próximo no tempo)* near
• **pertinho** very close
• **de perto** nearly, closely

perturbação *sf* 1 *(incômodo)* disturbance, nuisance 2 *(comoção, emoção)* commotion

perturbador *adj* disturbing

perturbar *vtd* 1 *(incomodar)* to disturb, to disquiet 2 *(atrapalhar)* to trouble, to bother 3 *(agitar)* to agitate 4 *(abalar, comover)* to move
▸ *vpr* **perturbar-se** 1 to be troubled, confused or disordered 2 *(abalar-se, comover-se)* to be moved

Peru *sm* Peru

peru *sm* ZOOL turkey

perua *sf* 1 ZOOL turkey hen 2 *(veículo)* station wagon 3 *(mulher espalhafatosa)* bimbo

peruano *adj-sm,f* Peruvian

peruca *sf* wig

perueiro *sm,f (transportador)* minibus driver

perversão *sf* perversion, depravity, depravation

perversidade *sf* perversity, wickedness, meanness

perverso *adj* perverse, wicked, bad, evil, mean

perverter *vtd* to pervert, to corrupt
▸ *vpr* **perverter-se** to become perverted, to become corrupt

pervertido *adj-sm,f* perverted, corrupt

pesadelo *sm* nightmare

pesado *adj* 1 *(com peso)* weighty, heavy 2 *(árduo, difícil)* hard 3 *(opressivo)* heavy, oppressive 4 *(enfadonho)* boring, tedious 5 *(vagaroso)* slow, sluggish 6 *(excessivo)* heavy 7 *(grosseiro)* rough, rude 8 *(sono)* heavy, sound
• **pegar no pesado** to work hard

pesagem *sf* weighing

pêsames *sm pl loc* 1 ***dar os pêsames*** to give condolences 2 ***meus pêsames*** my condolences

pesar *vtd* 1 *(avaliar na balança)* to weigh 2 *(ponderar, avaliar)* to ponder, to weigh up
▸ *vti* 1 *(recair)* to weigh on 2 *(influenciar)* to influence
▸ *vi-vpred* to weigh: ***ele pesa setenta quilos*** he weighs seventy kilos
▸ *vpr* **pesar-se** 1 to weigh oneself 2 to be sorry
▸ *sm* sorrow

• **apesar dos pesares** regardless, even so

• **em que pese a** despite, notwithstanding

pesca *sf* fishing

▪ **pesca submarina** underwater fishing

pescada *sf* ZOOL hake

pescadinha *sf* ZOOL a kind of hake

pescador *sm,f* fisherman, fisher

pescar *vtd-vi* **1** to fish **2** *fig (apanhar, fisgar)* to catch **3** *fig (perceber, entender)* to perceive, to understand **4** *(cochilar sentado)* to nap, to nod off

• **ir pescar** to go fishing

pescaria *sf* fishing, fishing trip

pescoção *sm (tabefe)* a slap on the neck

pescoço *sm* neck

peso *sm* **1** FÍS weight **2** *(objeto pesado)* something heavy: ***carregar peso*** to carry heavy things **3** *(padrão de balança)* weight standard **4** *(de papel)* paperweight **5** *fig (prestígio)* weight, significance **6** *(azar)* bad luck **7** *(haltere)* dumbbell **8** ESPORTE weight **9** *(moeda)* peso **10** MAT weight, weighing

▪ **peso bruto/líquido** gross/net weight

▪ **peso leve/médio/pesado** lightweight, middleweight, heavyweight

• **em peso** entire, in full force

• **ter dois pesos e duas medidas** to use two weights and two measures

pesponto *sm* backstitch

pesqueiro *adj* fishing

▸ *sm (lugar em que se pesca)* fishery, fishing ground

pesquisa *sf* research, inquiry, investigation

▪ **pesquisa de mercado** market research

pesquisador *sm,f* researcher, investigator, inquirer

pesquisar *vtd-vi* to research, to inquire, to investigate

pêssego *sm* BOT peach

pessegueiro *sm* BOT peach-tree

pessimismo *sm* pessimism

pessimista *adj-smf* pessimist

péssimo *adj* very bad

pessoa *sf* **1** pessoa: ***uma pessoa importante*** an important person **2** *(gente)* people: ***quantas pessoas havia no elevador?*** how many people there were in the elevator; ***vi muitas pessoas na praça*** I saw many people in the square **3** GRAM person, one of the three verb subjects indicated by means of verb inflection

▪ **pessoa física/jurídica** natural person/legal entity

• **em pessoa** in person, personally

pessoal *adj (particular)* personal

▸ *sm* **1** *(conjunto de pessoas)* group **2** *(turma)* folks, guys, people: ***pessoal, vamos para a praia?*** hey, folks, let's go to the beach?

pessoalmente *adv* personally, individually, in person, for one: ***faço isso pessoalmente*** I'll do it in person; ***pessoalmente, prefiro o azul*** I, for one, like the blue one better

pestana *sf* **1** ANAT eyelash **2** *(no vestuário)* a flap covering the buttonholes **3** *(de envelope)* lap

• **tirar uma pestana** to take a nap, to snooze

• **queimar as pestanas** to study hard

pestanejar *vi* to blink, to wink

• **sem pestanejar** *fig* without blinking an eye

peste *sf* **1** plague **2** pest

▸ *smf (pessoa ruim)* a terrible person

pesticida *sm* pesticide

pétala *sf* petal

peteca *sf* shuttlecock

• **não deixar a peteca cair** *fig* not to waver, to keep on acting with resolution

peteleco *sm* slap

petição *sf* petition, request, suit, solicitation

• **em petição de miséria** in a pretty bad shape

petisco *sm* tidbit, morsel, delicacy

petrecho *sm* tool, implement, utensil

petroleiro *adj* oil, pertaining to petroleum

▸ *sm* **1** *(navio-petroleiro)* oil tanker **2** *(trabalhador da indústria petroleira)* worker in the oil industry

petróleo *sm* petroleum

petrolífero *adj* petroliferous

petulância *sf* petulance, insolence, impertinence

pia *sf* 1 *(de cozinha)* sink 2 *(lavatório)* basin, sink

▪ **pia batismal** baptismal font

piaçava *sf* 1 the piaçava palm 2 a broom made with piaçava fibers

piada *sf* 1 joke 2 *fig (ideia ridícula)* joke

pianista *smf* pianist

piano *sm* MÚS piano

▪ **piano de cauda/de armário** grand/ upright piano

pião *sm* top

piar *vi* to peep, to cheep, to chirp, to tweet, to twitter

pica *sf gíria (pênis)* cock

picada *sf* 1 *(de inseto)* bugbite 2 *(de cobra)* snakebite 3 *(de agulha etc.)* prick 4 *(trilha)* a narrow trail in a forest 5 *(injeção)* shot

• **ser o fim da picada** to be the worst thing that could happen

picadinho *sm* CUL a stew made with small pieces of meat

picante *adj* 1 spicy, hot, pungent 2 *fig (malicioso)* spicy

picão *sm* BOT beggar-tick

pica-pau *sm* ZOOL woodpecker

picape *sf* truck, pick-up truck

picar *vtd* 1 *(inseto)* to bite 2 *(cobra)* to bite 3 *(agulha etc.)* to prick 4 *(fragmentar)* to chop, to hash

▸ *vi* 1 *(produzir ardor)* to sting 2 *(produzir comichão)* to itch

picareta *sm* pickaxe

▸ *adj-smf fig* a person who makes use of artifices to gain favours

picaretagem *sf gíria* cheating

picas *sf (nada)* nothing at all

pichação *sf* 1 graffiti 2 *fig* slander, backbiting

pichar *vtd* 1 *(aplicar piche)* to tar, to pitch 2 *(grafitar)* to do graffiti 3 *(escrever em muro)* to write on public walls 4 *(falar mal)* to slander, to disparage

piche *sm* pitch

picles *sm pl* CUL pickles

pico *sm* 1 GEOG peak, summit, top 2 *(auge)* peak

• **horário de pico** rush hour

picolé *sm* ice lolly, popsicle *(AmE)*

picotar *vtd* to perforate, to punch, to prick

piedade *sf* 1 piety, religious rightness 2 pity, mercy, compassion

piedoso *adj* 1 pious, devout, religious 2 merciful, compassionate

píer *sm* pier

pifar *vi* 1 *(avariar-se)* to break, to stop working 2 *(fracassar)* to fail

pigarrear *vi* to clear the throat

pigarro *sm* accumulation of mucus in the throat, phlegm

pigmento *sm* pigment

pijama *sm* pajamas

• **vestir pijama de madeira** to kick the bucket, to die

pilantra *adj-smf* dishonest, rascal

pilantragem *sf* dishonesty

pilão *sm* mortar, crusher

pilar *sm* pillar, column, post

pilastra *sf* pilaster

pileque *sm* drunkenness

pilha *sf* 1 *(monte)* pile, stack 2 *(elétrica)* battery

• **ser uma pilha de nervos** to be a bag of nerves

pilhagem *sf* plunder, plundering, pillage

pilhar *vtd* 1 *(saquear)* to plunder, to pillage, to sack 2 *(surpreender, apanhar)* to catch *(red-handed)*

pilotar *vtd* to pilot

piloto *smf* 1 pilot 2 *(motorista de corrida)* pilot

▸ *sm* 1 *(pequena lâmpada)* pilot lamp 2 *(bico de gás)* gas pilot

• **piloto automático** automatic pilot

• **piloto de prova** test pilot

pílula *sf* pill

• **dourar a pílula** to gild a bitter pill

pimenta *sf* BOT pepper

• **pimenta nos olhos dos outros não arde** comedy is tragedy happening to someone else, everything is funny as long as it happens to somebody else

pimenta-do-reino *sf* (*pl* **pimentas-do-reino**) BOT black pepper

pimenta-malagueta *sf* (*pl* **pimentas-malaguetas**) BOT red chilli pepper

pimentão *sm* BOT sweet pepper, bell pepper

pinacoteca *sf* art gallery

pinça *sf* **1** tongs, tweezers, nippers **2** *(de depilar)* tweezers

pincel *sm* brush
▪ **pincel atômico** felt-tip pen, marker pen

pincelada *sf* brush stroke

pincelar *vtd* to paint, to daub with a brush

pindaíba *sf gíria* lack of money: ***estar na pindaíba*** to be broke

pinel *smf* crazy, nut, lunatic

pinga *sf (cachaça)* sugar cane spirit, cachaça

pingadeira *sf* **1** *(construção)* dripping pan **2** *(coriza)* runny nose

pingado *sm (café)* coffee to which a little bit of milk has been added

pinga-pinga *sm* **1** *(que rende aos poucos)* something which yields small profits little by little **2** *(avião, ônibus etc.)* transportation which travels short distances with many stops on the way

pingar *vi* **1** *(água)* to drip **2** *(torneira, telhado etc.)* to drip, to leak **3** *(começar a chover)* to drizzle **4** *(parar muito-ônibus etc.)* to make several stops
▸ *vtd (borrifar)* to spray, to sprinkle
▸ *vtd-vi (dinheiro-render aos poucos)* to continually yield small profits

pingente *sm* **1** pendant **2** *(passageiro)* passenger who travels hanging on the outside of the bus or train

pingo *sm* **1** *(gota)* drop **2** *(porção mínima)* jot **3** *(ponto)* dot
• **pingo de gente** a person of low stature
• **pôr os pingos nos ii** to make something clear, to spell something out

pinguço *sm, f* a heavy drinker

pinguela *sf (ponte)* a plank or treetrunk used as a footbridge

pingue-pongue (*pl* **pingue-pongues**) *sm* ESPORTE table tennis

pinguim *sm* ZOOL penguin

pinha *sf* BOT pine cone

pinhão *sm* BOT pine nut

pinheiro *sm* BOT pine, pine tree

pinho *sm* pinewood

pino *sm* pin, bolt, tee
▪ **pino de tomada** plug
• **bater pino** *(mecânica)* the state of an engine the valves of which thump against the engine block, *(fig)* to be physically and mentally exhausted

pinote *sm (pirueta)* jump, leap, caper

pinta *sf* **1** *(sinal da pele)* dot, mark **2** *pop (aparência)* look **3** *pop (jeito)* expression, countenance, appearance

pintar *vtd* **1** *(paredes)* to paint **2** *(quadros)* to paint **3** *(o rosto)* to make-up **4** *(descrever, retratar)* to picture, to portray
▸ *vi* **1** *fig (aparecer)* to show up **2** *fig (ocorrer)* to happen
▸ *vpr* **pintar-se** **1** *(o rosto)* to put on make up **2** *(o corpo)* to paint oneself
• **pintar e bordar** to paint the town red

pintassilgo *sm* ZOOL goldfinch

pintinho *sm* ZOOL chick

pinto **1** *sm* ZOOL chick **2** *gíria (pênis)* cock

pintor *sm,f* **1** *(de paredes)* painter **2** *(de quadros)* painter, artist

pintura *sf* **1** *(de parede)* painting **2** *(artística)* painting **3** *(quadro)* painting, picture **4** *(maquiagem)* make-up **5** *fig (descrição)* picture, portrait
▪ **pintura a óleo** oil painting
▪ **pintura rupestre** cave drawing

pínus *sm* BOT *Pinus elliottii*, a kind of pine common in forestry projects in southern and southeastern Brazil

pio *sm* peep
• **não dar um pio** *fig* not to say anything, to remain in absolute silence

piolho *sm* ZOOL louse

pioneiro *sm, f* pioneer

pior *adj* **1** *(comparativo)* worse **2** *(superlativo)* worst

▸ *adv* worst, worse
▸ *sm (a pior coisa)* worst
• **estar pior** to be worse
• **estar na pior** to be in a critical situation
• **ir de mal a pior** to go from bad to worse
• **levar a pior** to be defeated, to come out worse off
• **o pior é que...** the worst thing is *(that)*...
• **pior ainda** even worse
• **pior impossível!** it couldn't get *(any)* worse!
• **pior para você** all the worse for you
• **temer o pior** to fear the worst

piora *sf* **1** *(de situação)* worsening **2** *(de doença)* worsening, aggravation

piorar *vtd* **1** *(pessoa)* to make worse **2** *(doença, situação)* to worsen, to aggravate
▸ *vi* **1** *(pessoa, situação)* to worsen **2** *(doença)* to worsen, to aggravate

pipa *sf* **1** *(barril)* barrel **2** *(brinquedo)* kite

pipi *sm* penis *(used in talking to a child)*

pipoca *sf* popcorn

pipocar *vi* **1** *(arrebentar)* to pop, to burst **2** *(estalar)* to crackle **3** *(surgir de repente)* to pop up

pique *sm* **1** *(pequeno corte)* slit, small cut **2** *(brincadeira)* tag **3** *(disposição)* zest
• **a pique** vertically
• **estar no maior pique** to be feeling good, to be eager to do something, to have a zest for something

piquenique *sm* picnic

piquete *sm* **1** *(estaca)* picket **2** *(em greves)* picket

pira *sf (fogueira)* pyre
• **dar o pira** to beat it

pirado *adj* crazy, insane

pirambeira *sf* steep slope

pirâmide *sf* pyramid

piranha *sf* **1** ZOOL piranha, **2** *fig (prostituta)* whore

pirão *sm* mush of manioc flour boiled in water

pirar *vi* **1** *(sair, sumir)* to flee **2** *(enlouquecer)* to go crazy

pirata *sm* pirate
▸ *adj (copiado ilegalmente)* pirate

pirataria *sf* **1** piracy **2** *(produção ilegal)* piracy

piratear *vtd-vi* **1** to pirate **2** to make and/or sell a copy of a copyrighted product

pires *sm* saucer

pirex *sm inv* pyrex

Pirineus *sm pl* Pyrenees

pirotécnico *adj* pyrotechnic

pirraça *sf* spite, impertinence

pirralho *sm* kid, brat

pirueta *sf* pirouette

pirulito *sm* lollipop

pisado *adj* **1** *(contundido)* bruised **2** *fig (humilhado)* humbled, walked over

pisão *sm (pisada)* the act of intentionally stepping on someone else's foot

pisar *vtd* **1** *(andar em cima)* to step on **2** *(calcar)* to trample **3** *fig (humilhar)* to walk over someone, to tread over someone
▸ *vi (acelerar)* to speed up

piscadela *sf* wink

pisca-pisca *(pl* **pisca-piscas**) *sm* turn signal, indicator

piscar *vi* **1** *(olho)* to blink **2** *(luz)* to twinkle, to flicker **3** *(fazer sinal com piscada)* to wink
• **num piscar de olhos** in the twinkle of an eye

piscina *sf* swimming pool

piso *sm* **1** *(chão)* floor **2** *(andar de prédio)* floor **3** *(pavimento)* pavement: ***piso de mármore/de ladrilhos*** marble floor, tile floor **4** *fig (limite inferior)* minimum

pisotear *vtd* to trample

pista *sf* **1** *(vestígio)* track **2** *(indicação, dica)* clue **3** *(leito de estrada)* lane
▪ **pista de aeroporto** aiport runway
▪ **pista de corrida** race track
▪ **pista de dança** dance floor
▪ **pista de esqui** ski slope
▪ **pista de patinação** skating rink
▪ **pista de rolamento** traffic lane
▪ **pista de turfe** grass track
▪ **pista sonora** soundtrack
• **estar na pista de algo/alguém** to be on someone's trail, to track someone down

• **perder a pista de alguém/algo** to lose someone's trail

pistache *sm* pistachio

pistão *sm* **1** MEC piston **2** MÚS trumpet

pistolão *sm* patron, a person of influence who protects and advances someone's interests

pistoleiro *sm,f* gunman

pistonista *smf* trumpet player

pitada *sf* pinch

pitar *vtd-vi* to smoke

piteira *sf* cigar-holder, cigarrette-holder

pito *sm* **1** *(cachimbo, cigarro)* pipe **2** *(repreensão)* scolding

pitoresco *adj* picturesque

pitu *sm* ZOOL crayfish

pivete *sm* **1** *(moleque)* boy, lad, kid **2** *(moleque ladrão)* street urchin

pivô *sm* **1** pivot **2** *fig* pivot

pizza *sf* CUL pizza

• **vai terminar em pizza** *fig* nothing will come of it

pizzaria *sf* pizzeria

placa *sf* **1** *(chapa, lâmina)* plate **2** *(tabuleta-de rua)* sign **3** *(de anúncio, casa de comércio)* sign **4** *(de automóvel)* license plate **5** *(mancha na pele)* patch **6** INFORM board

▪ **placa bacteriana** bacterial plaque

placenta *sf* ANAT placenta

plácido *adj* placid, quiet, calm

plagiador *adj-sm,f* plagiarist

plagiar *vtd* to plagiarize

plágio *sm* plagiarism

plaina *sf* plane

planador *sm* glider

planalto *sm* plateau

• **o Planalto** the presidential palace in Brasília

planar *vi* to glide

planejamento *sm* planning

▪ **planejamento familiar** family planning

planejar *vtd* **1** to plan **2** *(tencionar)* to intend

planeta *sm* planet

planetário *adj* planetary
▸ *sm* planetarium

planície *sf* plain, lowland

planilha *sf* worksheet

• **planilha eletrônica** spreadsheet

plano *adj* flat, plane, level
▸ *sm* **1** GEOM plane **2** *(projeto, programa)* plan **3** *(intenção)* intent **4** *fig (nível)* level ground **5** CINE FOTO **primeiro plano** foreground **meio plano** middle ground **último plano** background

▪ **plano de saúde** health insurance

planta *sf* **1** BOT plant **2** ARQ plan **3** *(do pé)* sole

plantação *sf* planted land, cultivated field: ***plantação de milho*** a maize field; ***plantação de cana*** a sugar cane field

plantão *sm* **1** MIL duty **2** MED duty, shift

• **ficar de plantão** to be on duty

plantar *vtd* **1** to plant **2** *(deixar parado)* to place, to station *(at)*
▸ *vpr* **plantar-se** to place oneself *(at)*, to station oneself *(at)*

plantio *sm* planting, sowing

plantonista *smf* employee on duty

plasma *sm* MED plasma

plasmar *vtd* to shape, to model

plástica *sf* **1** *(formas)* shape, outline **2** *(cirurgia)* plastic surgery

plástico *adj* plastic
▸ *sm* **plástico** plastic

plataforma *sf* **1** platform **2** *(de estação ferroviária)* platform

▪ **plataforma continental** continental shelf

plateia *sf* **1** *(parte do teatro)* stalls **2** *(espectadores)* audience

platina *sf* platinum

platinado *adj* platinated, platinized
▸ *sm* **platinado** MEC platinum-contact

platônico *adj* Platonic

playboy *sm* playboy

plebe *sf* mob, rabble

plebeu *adj-sm,f* plebeian

plebiscito *sm* referendum

pleitear *vtd* **1** *(concorrer, disputar cargo ou função)* to run for **2** *(empenhar-se por* *conseguir)* to strive for **3** *(em juízo)* to plead for

pleno *adj* full, whole, complete, entire
• **em pleno inverno/verão etc.** in the middle of winter, in full-blown summer

plissado *adj* pleated
▸ *sm* **plissado** pleating

plugado *adj* **1** INFORM plugged **2** *gíria (por dentro)* tuned

plugar *vtd* to plug
▸ *vpr* **plugar-se** *fig* to pay attention, to tune in

plugue *sm* plug

pluma *sf* plume, large feather

plumagem *sf* plumage

plural *adj-sm* plural

pluvial *adj* pluvial, rain
• **águas pluviais** rainwater

pneu *sm* **1** tyre **2** *gíria (gordura)* muffin top, spare tyre

pneumático *adj* pneumatic

pneumonia *sf* MED pneumonia

pó *sm* **1** *(poeira)* dust **2** *gíria (cocaína)* dust **3** *(pó de arroz)* rice powder
• **em pó** powdered
• **tirar o pó** to dust

pô *interj* God!, really! never!

pobre *adj-smf* **1** *(sem recursos)* poor, pauper **2** *(escasso de)* short, lacking, wanting

pobretão *adj-sm,f* pauper

pobreza *sf* **1** poverty **2** *fig (escassez)* need, want

poça *sf* puddle

poção *sf* potion

poceiro *sm* **1** a digger of wells **2** a large basket used for washing wool

pochete *sf* belly pack, belt pack, pochette

poço *sm* **1** well **2** *(da orquestra)* pit **3** *(de petróleo)* well **4** *(do elevador)* shaft
▪ **poço artesiano** artesian well
• **poço sem fundo** *fig* bottomless pit
• **um poço de conhecimentos** having a wealth of knowledge

poda *sf* pruning

podar *vtd* **1** to prune **2** *fig (cercear)* to cut

pó de arroz *sm* (*pl* **pós de arroz**) rice powder, cosmetic powder

poder *vtd* **1** *(ter faculdade, meio)* to be able to, to have the means to, to can: ***não pode comprar carro*** you cannot buy a car **2** *(ter força, poder)* to have the strength to, to have the capacity to, to can: ***esse caminhão pode carregar três toneladas*** this truck can carry up to three tones **3** *(ter autorização)* to have the authority to, to can, to may: ***vocês não podem entrar aqui*** you may not come in **4** *(correr o risco de)* to may: ***você pode cair*** you may fall **5** *(haver a possibilidade de)* to may: ***podemos ficar esperando duas horas*** we may have to wait for two hours **6** *(conseguir)* to be able to, to can: ***não posso erguer esta mala*** I cannot lift this bag **7** *(ter motivo para)* to can, to may: ***você já pode dizer que é doutor*** you already can call yourself a doctor **8** *(resistir, suportar)* to can: ***não pode sentir esse cheiro, que vomita*** he cannot stand this smell, it makes him vomit
▸ *vi (ter poder)* to have power, to be powerful
▸ *vti* **1** *(suportar)* to be up to **2** *(ter poder sobre)* to be able to deal with
▸ *sm* **poder** **1** *(autoridade, direito)* authority **2** *(governo)* power **3** *(capacidade, possibilidade)* capacity, means, might, power **4** *(eficácia)* capacity, means **5** *(força)* power, might, force
▸ *sm pl* **poderes** powers
▪ **Poder Executivo** executive power
▪ **Poder Judiciário** judiciary power
▪ **Poder Legislativo** legislative power
▪ **poder público** government
• **a mais não poder** until you drop
• **plenos poderes** full powers
• **pode ser que** maybe, it is possible that
• **poder aquisitivo** purchasing power
• **ter algo/alguém em seu poder** to have something/someone in the palm of one's hand

poderio *sm* power, might, force

poderoso *adj* **1** *(forte)* powerful, mighty **2** *(que tem poder, poderio, autoridade)* powerful, influential
▸ *sm pl* **poderosos** the powerful

pódio *sm* ESPORTE podium

podre *adj* **1** rotten **2** *fig (corrompido)* corrupt
• **ser podre de rico** to be as rich as Croesus

podridão *sf* rottenness

poeira *sf* **1** dust **2** *gíria (cocaína)* flake, dust

poeirento *adj* dusty

poema *sm* poem

poente *sm* **1** the west **2** sunset

poeta *sm,f* poet

poético *adj* poetic

pois *conj* **1** *(porque)* because **2** *(portanto)* therefore **3** *(então)* so, then: ***pois viaje!*** go then! **4** *(no entanto)* well, because: ***você tem dinheiro? Pois eu não tenho!*** do you have money? Well, I don't!
• **pois (que)** as
• **pois bem** well then
• **pois é** that's right
• **pois não** of course
• **pois sim!** oh, sure!

polar *adj* polar

polegada *sf* inch

polegar *sm* thumb

poleiro *sm* **1** perch, roost **2** TEATRO pigeonhole, peanut gallery

polêmica *sf* controversy, polemics

polêmico *adj* controversial, polemical

pólen *sm* pollen

polenta *sf* polenta, a kind of porridge made of cornmeal

polia *sf* pulley

polícia *sf* police
▸ *sm (policial)* police officer
▪ **polícia federal** federal police
▪ **polícia militar** military police
▪ **polícia rodoviária** highway police

policial *adj* police
▸ *smf* **1** *(profissional da polícia)* policeman **2** *(cão)* police dog

policiamento *sm* patrolling, policing

policiar *vtd* **1** to police **2** *fig (reprimir)* to restrain, to control, to keep watch over
▸ *vpr* **policiar-se** *fig* to restrain oneself, to control oneself, to keep watch over oneself

polidez *sf (cortesia)* politeness, courtesy

polido *adj* **1** polished **2** *(cortês)* polite

poliéster *sm* polyester

poligamia *sf* polygamy

polígamo *sm,f* polygamist

poliglota *adj-smf* polyglot

poliomielite *sf* MED polio

polir *vtd* **1** to polish **2** *fig (educar)* to refine

politécnico *adj* polytechnic

politeísmo *sm* RELIG polytheism

política *sf* **1** politics **2** *(orientação ou método)* policy **3** *fig (habilidade, diplomacia)* diplomatic cunning

político *adj* politic(al)
▸ *smf* **político** politician

politizar *vtd* politicize
▸ *vpr* **politizar-se** to be politicized

polivalente *adj* polyvalent, multivalent

polo *sm* **1** GEOG pole **2** ELETR terminal **3** *(centro)* center: ***polo cultural*** cultural center **4** ESPORTE polo
• **polo aquático** water polo
• **polo petroquímico** petrochemical complex

polonês *adj-sm,f* Polish
▸ *sm* **polonês** *(língua)* Polish

polpa *sf* **1** pulp, flesh, marrow **2** BOT pulp **3** *(dos dedos)* pulp

polpudo *adj* **1** pulpy **2** *fig (vultoso, grande)* voluminous

poltrona *sf* **1** *(sofá)* armchair **2** *(em teatro etc.)* seat

poluente *adj* polluting
▸ *sm* pollutant

poluição *sf* pollution
▪ **poluição sonora** noise pollution
▪ **poluição visual** visual pollution

poluído *adj* polluted

poluidor *adj* polluter

poluir *vtd* to pollute

polvilhar *vtd* to sprinkle

polvilho *sm* manioc starch

polvo *sm* octopus

pólvora *sf* gunpowder

• **descobrir a pólvora** *fig* to come to an obvious conclusion, to find out the obvious

pomada *sf* 1 ointment 2 *(para sapatos)* shoe polish

pomba *sf* female pigeon, dove
▸ *interj* **pombas!** hell!

pombal *sm* pigeon house, dovecot

pombo *sm* pigeon, dove

pombo-correio (*pl* **pombos-correio**) *sm* 1 carrier pigeon 2 *fig* messenger

pompa *sf* pomp, splendour

pomposo *adj* 1 pompous, ostentatious, magnificent 2 *(estilo)* pompous

ponche *sm* punch

poncho *sm* poncho, a blanket with a hole for the head

ponderar *vtd* 1 MAT to ponder, to weigh 2 *fig* to ponder, to reflect on

ponderável *adj* ponderable

ponta *sf* 1 *(extremidade)* extremity, end, tip 2 *(extremidade aguda)* point, tip 3 *(ângulo)* tip, angle: ***ponta do lenço, da toalha*** scarf tip, towel tip 4 top 5 *(pequena quantidade)* pinch 6 CINE TV TEATRO *(pequeno papel)* walk-on role 7 *(de cigarro)* butt

• **aguentar/segurar as pontas** to hang in there

• **de ponta a ponta** from one end to the other, from beginning to end

• **fazer ponta (em lápis etc.)** to sharpen

• **na ponta da língua** on the tip of one's tongue

• **na ponta dos pés** on tiptoe

• **ponta de estoque** overstock, end of stock, end of line

• **sem ponta** blunt

ponta-cabeça *sf loc* **de ponta-cabeça** upside down

pontada *sf* MED *(dor)* twinge

pontapé *sm* kick

pontaria *sf* aim

• **fazer pontaria** to take aim

• **ter boa/má pontaria** to be a good/bad shot

ponte *sf* 1 bridge 2 *fig* bridge 3 *(de dente)* dental bridge

• **fazer ponte (de feriado)** to have an extended weekend

• **ponte aérea** air shuttle service

• **ponte de safena** coronary artery bypass surgery

• **ponte pênsil/suspensa** chain bridge, suspension bridge

ponteiro *sm* hand, point, indicator

• **acertar os ponteiros** *fig* to make things clear, to enter in agreement with someone

pontilhão *sm* a small bridge

ponto *sm* 1 GEOM point 2 *(sinal gráfico)* dot, period 3 *(de costura)* stitch 4 *fig (momento, altura)* point, extent 5 *fig (situação, limite)* point 6 *(lugar)* spot 7 *(registro de entrada no trabalho)* clocking in 8 *(questão, assunto, aspecto)* question, matter, issue 9 *(de história, matemática etc.)* point 10 *(de ônibus)* bus stop 11 *(de táxi)* cabstand, taxi rank 12 *(grau de cozimento)* doneness: ***estar/não estar no ponto*** to be/not to be well done 13 TEATRO prompt 14 *(livro de ponto)* register 15 *(local de estabelecimento comercial)* premises: ***passa-se o ponto*** premises to rent

• **a tal ponto que...** to the point that...

• **até certo ponto** up to a certain point

• **dar ponto** *(atingir consistência)* to come to the consistency of

• **dormir no ponto** to miss a good opportunity

• **em ponto** exactly, sharp

• **entregar os pontos** to give up

• **estar a ponto de** to be about to

• **fazer ponto em um lugar** to hang out somewhere

• **não dar ponto sem nó** to have selfish interests in view in everything one does

■ **ponto cardeal** cardinal point

■ **ponto culminante** culminating point, high point

■ **ponto de crochê/tricô** knit, knitting stitch

■ **ponto de ebulição** boiling point

■ **ponto de encontro** meeting point

■ **ponto de exclamação** exclamation mark

■ **ponto de interrogação** question mark

■ **ponto de partida** starting point
■ **ponto de referência** point of reference
■ **ponto de venda** point of sale
■ **ponto de vista** point of view
■ **ponto final** *(sinal gráfico)* period, *(de ônibus)* final stop, terminus
■ **ponto fraco** weak point

ponto e vírgula (*pl* **pontos e vírgulas**) *sm* semicolon

pontuação *sf* **1** *(classificação)* rating **2** *(de um texto)* punctuation

pontual *adj* punctual

pontualidade *sf* **1** punctuality **2** accuracy

pontuar *vtd-vi (colocar pontos gráficos)* to punctuate
▸ *vtdi fig (marcar)* to point, to dot

pontudo *adj* pointed, sharp, spiky

popa *sf* stern

população *sf* population

populacional *adj* of or referring to population

popular *adj* **1** *(do povo)* folk **2** *(benquisto, conhecido)* popular **3** *(de massas)* public, common

popularidade *sf* popularity

populoso *adj* **1** populous **2** crowded

pôquer *sm* poker

por pur *prep* **1** *(através de)* through, by: ***passar pela janela*** to pass through the window; ***mandar pelo correio*** to send by post **2** *(ao longo de)* along: ***andar pela praia*** to walk along the beach **3** *(sobre, em)* by, via: ***vieram por mar*** they came by sea **4** *(em lugar indeterminado)* around: ***as crianças estão pelo jardim*** the kids are around the garden **5** *(por causa de)* because of, out of: ***calou-se por medo*** she silenced out of fear **6** *(como)* as: ***tem por amigo um grande literato*** he has a great writer as a friend **7** *(indicador de unidade)* per: ***ele é pago por mês*** he is paid per month **8** *(com base em)* for: ***pelo que dizem...*** for what they say... **9** *(indicador de preço)* for: ***comprei um vestido por cem reais*** I bought a dress for a hundred reais **10** *(em troca de)* for: ***trabalhou por um prato de comida*** he worked for a meal **11** *(para)* to: ***está tudo por fazer*** everything is still to be done **12** *(a, à, ao)* for, to: ***amor pela pátria*** love for one's country; ***ódio pelo inimigo*** hatred for one's enemies **13** *(a)* by: ***palavra por palavra*** word by word **14** *(aproximadamente)* around, about: ***as despesas andam por quinhentos reais*** the expenses are around five hundred reais **15** *(agente da passiva)* by: ***a lei foi baixada por esse governo*** the law was passed by this government **16** *(de acordo com)* according to, as far as one is concerned: ***por ele, você pode viajar*** as far as he is concerned, you can travel
▸ **por que** why: ***por que está correndo?*** why are you running?; ***diga por que fez isso*** tell me why you did that
• **2 por 3 são 6** 2 times 3 are 6
• **a 50 km por hora** at 50 km an hour
• **não sei por quê** I don't know why
• **por entre** through
• **por que não?** why not?

pôr *vtd-vtdi* **1** *(colocar)* to put, to place **2** *(pousar)* to lay, to put, to place: ***pôr as coisas na mesa*** to lay the table **3** *(introduzir)* to put on, to put in **4** *(instalar)* to put: ***pôr um armário embutido no quarto*** to put a built-in cupboard in the bedroom **5** *(incutir)* to put, to instill: ***pôr uma ideia na cabeça*** to put an idea in one's mind **6** *(descansar, assentar)* to rest, to settle down: ***pôr a cabeça no travesseiro*** to rest one's head on a pillow **7** *(depositar)* to put, to deposit: ***pôr as economias no banco*** to put one's savings in the bank **8** *(incluir)* to put, to add: ***pôr alguém na lista de chamada*** to add a name to the roll call **9** *(virar, voltar)* to put, to turn: ***ponha este lado para cima*** put this side up **10** *(escrever)* to put down, to write: ***ponha esta palavra na terceira linha*** write this word in third line **11** *(despejar)* to pour, to put: ***ponha o vinho na taça*** pour the wine in the glass; ***ponha pimenta no molho*** put some pepper in the sauce **12** *(investir-dinheiro)* to put in **13** *(aplicar)* to apply, to lay, to put: ***ponha remédio na ferida*** put the ointment on the sore; ***ponha colírio no olho*** put some eyedrops in your eye **14** *(dar-nome, apelido)* to name, to give nicknames **15** *(avaliar)* to put, to place: ***pôr o amor em primeiro lugar*** to put love first **16** *(apresentar)* to put

up: ***pôr uma casa para alugar*** to put a house up for rent **17** *(apostar)* to place
▸ *vtd* **1** *(vestir, calçar)* to wear, to put on **2** *(ovos, a galinha)* to lay
▸ *vpr* **pôr-se** **1** *(postar-se)* to place, to set oneself **2** *(começar)* to start *(to)* **3** *(o sol)* to set **4** *(vestir-se)* to get dressed

porão *sm* **1** basement **2** MAR hold

porca *sf* **1** ZOOL sow **2** *(de metal)* nut
• **é aí que a porca torce o rabo** that's where the shoe pinches, that's when the going gets tough

porção *sf* **1** *(parte)* portion **2** *(quinhão)* portion, part, parcel **3** *(quantidade, parcela)* part **4** *(grande quantidade)* bunch, lot: ***uma porção de coisas*** a bunch of things

porcaria *sf* **1** *(imundície)* filth, crap **2** *(obscenidade)* dirt **3** *(coisa nojenta)* filth **4** *(coisa ruim)* rubbish, crap, trash *(AmE)* **5** *(guloseima)* junk food **6** *(bugiganga)* garbage, rubbish **7** *(ninharia)* trifle

porcelana *sf* china, porcelain

porcentagem *sf* percentage

porco *sm* ZOOL pig, hog *sf* ZOOL sow
▸ *sm (carne de porco)* pork
▸ *adj* **1** *(sujo)* filthy **2** *(obsceno)* dirty **3** *(sem capricho)* slovenly

pôr do sol (*pl* **pores do sol**) *sm* sunset

porém *conj* however
▸ *sm* but: ***há um porém*** there is a but

pormenor *sm* detail

pornô *adj* porn

pornográfico *adj* pornographic

poro *sm* pore

poroso *adj* porous

porque *conj* **1** because **2** *(pois)* as, then
• **porque sim/não** because I say so

porquê *sm* reason, motive: ***o porquê*** the reason

porra *sf* **1** *pop (esperma)* cum **2** *(porcaria)* crap
▸ *interj* fuck!

porrada *sf* **1** *(bordoada)* hit, knock **2** *(grande quantidade)* a lot of, a great deal of

porre *sm* **1** binge, drunkenness **2** *pop (chatice)* something dull, boring

porrete *sm* cudgel, stick

porta *sf* **1** door, doorway, entry, gate, entrance **2** *(de veículo)* door **3** *(de móvel)* door
▪ **porta corrediça** sliding door
▪ **porta de enrolar** roll-up door
▪ **porta traseira** *(de veículo)* rear door
• **abrir todas as portas** *fig* to have all the doors open
• **a portas fechadas** behind closed doors
• **dar com a porta na cara de alguém** to shut the door in someone's face
• **estar às portas da morte** to be at death's door

porta-aviões *sm inv* aircraft carrier

porta-bagagem (*pl* **porta-bagagens**) *sm* AUTO boot, trunk

porta-bandeira (*pl* **porta-bandeiras**) *smf* **1** MIL standard-bearer **2** *(escola de samba)* flag-bearer

porta-estandarte *smf* **1** MIL standard-bearer **2** *(escola de samba)* flag-bearer

porta-joias *sm inv* jewellery box

portal *sm* **1** ARQ gate, gateway, portal **2** INFORM portal

porta-luvas *sm inv* glove compartment

porta-malas *sm inv* boot, trunk *(AmE)*

porta-moedas *sm inv* coin purse, change purse

portanto *conj* therefore

portão *sm* gate

portar *vtd (ter consigo)* to carry, to have
▸ *vpr* **portar-se** to behave

porta-retratos *sm inv* portrait frame

portaria *sf* **1** *(onde fica o porteiro)* entrance **2** *(norma)* decree

portátil *adj* portable

porta-voz (*pl* **porta-vozes**) *sm* spokesperson

porte **1** *(transporte)* portage **2** *(aparência)* figure, body **3** *(postura, atitude)* behaviour, conduct **4** *(dimensões)* size: ***de grande/pequeno porte*** large/small sized
• **porte de armas** license to carry a gun

porteira *sf* **1** *(mulher da portaria)* female doorkeeper **2** *(portão, cancela)* gate

porteiro *sm,f* doorkeeper, doorman, porter, female doorkeeper, concierge
• **porteiro eletrônico** intercom

pórtico *sm* ARQ portico, colonnade, entryway

porto *sm* **1** port **2** *(vinho)* port

Portugal *sm* Portugal

portuário *adj* of or relating to a port or harbour
▸ *sm* **portuário** *(trabalhador)* dock worker, longshoreman

português *adj-sm,f* Portuguese
▸ *sm* **português** *(língua)* Portuguese

posar *vti* to pose
▸ *vpred* to posture as

pose *sf* **1** pose, posturing **2** *(exposição de filme)* exposure: ***filme de 24 poses*** 24 exposure film roll
• **fazer pose para se mostrar** to show off

posição *sf* **1** *(situação, condição)* position, standing, circumstance **2** *(postura)* position, stand **3** *(localização)* position **4** *fig (cargo, posto etc.)* post, position, job
• **tomar uma posição** to take a stand

posicionamento *sm* positioning, standing

posicionar *vtd-vtdi* to position, to place
▸ *vpr* **posicionar-se 1** *(colocar-se)* to place oneself **2** *(assumir opinião)* to take a stand

positivo *adj* **1** positive **2** *(bom, favorável)* positive **3** MAT plus **4** MED *(resultado de exame)* positive
▸ *sm* FOTO positive
▸ *adv* **positivo** *(sim)* yes, positive

pós-operatório (*pl* **pós-operatórios**) *adj* post-operative
▸ *sm* post-operative period

possante *adj* powerful, mighty, potent
▸ *sm gíria (carro)* auto, ride

posse *sf* **1** *(propriedade)* possession, property **2** *(ato de possuir)* ownership, possession **3** *(investidura)* inauguration
• **estar de posse de** to be in possession of
• **ter posses** to be wealthy, to be well--off
• **tomar posse** *(de cargo)* to take office *(as)*, *(de propriedade)* to take possession *(of)*

posseiro *sm,f (quem ocupa terra)* leaseholder, squatter

possessão *sf* RELIG possession

possessivo *adj* possessive

possesso *adj-sm,f* **1** possessed **2** *(encolerizado)* mad, berserk

possibilidade *sf* possibility

possibilitar *vtdi* to enable, to make possible

possível *adj* possible
▸ *sm* what is possible
• **fazer o possível** to do one's best, to do whatever one can
• **tentar o possível e o imaginável** to try whatever one can
• **será possível?!** is it possible?!
• **seria possível passar o sal?** could you pass the salt?

possuidor *sm* owner, possessor

possuir *vtd* **1** to own, to possess **2** *(of a man)* to have sexual intercourse with

posta *sf (de peixe)* piece

postal *adj* postal
▸ *sm (cartão-postal)* postcard

postar *vtd* **1** *(pôr, colocar)* to put, to position **2** *(pôr no correio)* to post
▸ *vpr* **postar-se** to position oneself

poste *sm* **1** post, pole **2** lamp post

pôster *sm* poster

posterior *adj* **1** *(traseiro)* back, backside **2** *(ulterior)* ulterior **3** *(seguinte, subsequente)* posterior, next

postiço *adj* **1** *(que pode ser posto e tirado)* removable **2** *(artificial)* false, artificial: ***dentes postiços*** false teeth **3** *fig (sem naturalidade)* artificial

posto *sm* **1** *(lugar, cargo)* post, position **2** *(lugar)* station, post, center **3** MIL *(grau hierárquico)* rank **4** MIL *(lugar das tropas)* military post
▸ *conj* **posto que** *(embora)* although, though, even though
▪ **posto avançado** outpost
▪ **posto de gasolina** petrol station, gas station, filling station
▪ **posto de informações** information center
▪ **posto de pedágio** tollgate
▪ **posto de polícia** police station
▪ **posto de saúde** health care center

■ **posto de serviço (nas rodovias)** service station
■ **posto de vacinação** vaccination center
■ **posto telefônico** public call-box
■ **posto de correio** post office
• **deixar o posto** to quit
• **estar a postos** to be ready to act

póstumo *adj* posthumous

postura *sf* **1** *(posição)* posture **2** *(ato de pôr ovos)* egg-laying **3** *(preceito municipal)* local ordinance, city ordinance **4** *fig (ponto de vista)* stand

posudo *adj-sm,f* poser, posey

potássio *sm* QUÍM potassium

potável *adj* potable, drinkable

pote *sm* pot, vessel

potência *sf* **1** potency, power **2** MAT power **3** *(país)* world power **4** *(sexual)* potency

potencial *adj* potential
▸ *sm* potential

potro *sm,f* ZOOL foal

pouco *adj* little, not much: ***fiz pouca comida hoje*** I cooked just a little food today
▸ *pron indef* few, not many: ***são poucos os escolhidos*** few are chosen
▸ *adv* **1** little, not much: ***ela é pouco cuidadosa e trabalha pouco*** she is careless and works just a little **2** a little bit: ***estou um pouco cansado*** I'm a little bit tired
▸ *sm* **1** little: ***ele gastou o pouco que ganhou*** he spent the little he earned **2** little bit, awhile: ***um pouco mais baixo*** a little bit lower; ***fique um pouco comigo*** stay awhile with me
• **aos poucos** little by little, step by step, gradually
• **daqui a pouco/dentro em pouco** in a little while
• **de pouco** *(recentemente)* a while ago
• **dizer poucas e boas a alguém** to come straight to the point
• **éramos poucos** we were few
• **estar por pouco** to get close
• **faz pouco (tempo)** not long ago
• **fazer pouco de alguém** to ridicule someone
• **nem um pouco** not even a little bit
• **por pouco não...** barely, almost not
• **pouco a pouco** *(gradualmente)* gradually, by degrees, *(aos poucos)* little by little
• **pouco depois/antes de** a little after/ before
• **pouco mais que/de** just over, a little more than

poupador *adj-sm,f* thrifty, someone who saves money

poupança *sf* savings

poupar *vtd-vi (economizar-dinheiro)* to save
▸ *vtd* **1** *(deixar intacto)* to spare **2** *(esforços)* to save efforts **3** *(a vida)* to spare
▸ *vtdi* to spare: ***poupe-me desse sofrimento*** spare me from this suffering

pousada *sf* **1** *(hospedaria)* inn **2** *(permanência, estada)* stay

pousar *vtd-vtdi (pôr com cuidado)* to place
▸ *vi* **1** *(pássaro)* to alight **2** *(aterrissar)* to land **3** *(pernoitar)* to stay the night

pouso *sm* **1** *(para aves)* perch **2** *(aterrissagem)* landing **3** *(refúgio)* refuge **4** *(permanência, estada)* stay

povo *sm* **1** people, nation, race **2** *(gente, pessoas)* people, folk
• **homem do povo** a man of the people

povoado *adj* populated
▸ *sm* village, settlement

povoar *vtd* to populate, to colonize, to settle in
▸ *vpr* **povoar-se** to become populated

poxa *interj* gosh!

praça *sf* **1** *(área pública)* square **2** COM trading center, market
▸ *sm (soldado de polícia)* soldier
• **praça de alimentação** food court
• **sentar praça** to join the army

prado *sm* meadow

praga *sf* **1** *(maldição)* curse: ***rogar praga*** to put a curse on somebody **2** *(de gafanhotos etc.)* plague **3** *(moléstia de planta)* pest **4** *(erva daninha)* weed **5** *fig* nuisance

praguejar *vti-vi* to swear, to curse

praia *sf* **1** beach, seashore **2** *fig* cup of tea: ***matemática não é minha praia*** math is not my cup of tea

• **morrer na praia** to try hard and not succeed after all, to fall at the last hurdle

prancha *sf* 1 *(tábua)* plank 2 *(de surfe)* surfboard 3 *(gravura)* print, plate

prancheta *sf* 1 *(mesa de desenhista)* drawing board 2 *(tábua com suporte)* clipboard

pranto *sm* weeping, tears

prata *sf* silver
• **prata da casa** home-grown
• **prata de lei** sterling silver

prataria *sf* silverware

prateado *adj* silver

prateleira *sf* shelf
• **estar/ficar na prateleira** *fig* to be/stay on the shelf

prática *sf* 1 *(exercício)* practice 2 *(realidade)* pratice: ***na prática, tudo é diferente*** in practice, everything is different 3 *(perícia)* skill, experience: ***ter prática em alguma atividade*** to have experience in doing an activity 4 *(costume)* practice, habit
• **adquirir prática** to acquire experience
• **pegar prática** to get practice
• **pôr em prática** to apply, to put into practice

praticante *adj* practicing: ***católico praticante*** practicing Catholic
▸ *smf* practitioner

praticar *vtd* 1 *(realizar, fazer)* to put into practice 2 *(exercer)* to practice: ***praticar a medicina*** to practice medicine; ***praticar esportes*** to practice sports 3 *(exercitar, treinar)* to exercise, to train, to practice

prático *adj* 1 *(não teórico)* practical 2 *(experiente)* experienced *(in)* 3 *(positivo-pessoa)* practical 4 *(funcional)* functional, user-friendly: ***um objeto prático*** a functional object

prato *sm* 1 *(vasilha)* plate, dish 2 *(iguaria)* dish 3 *(elemento da refeição)* course, dish 4 MÚS cymbals
• **como primeiro/segundo prato...** as first/second course...
• **cuspir no prato em que comeu** to bite the hand that fed one
• **lavar pratos** to do the dishes
• **pôr em pratos limpos** to clear up a matter
• **prato de resistência** main dish
• **prato de sopa** soup bowl
• **prato do dia** day's special
• **prato fundo/raso/de sobremesa** soup plate/dinner plate/dessert dish
• **prato pronto** ready meal

praxe *sf* custom

prazer *sm* 1 pleasure, delight, joy, satisfaction 2 *(sexual)* pleasure, delight
• **com muito prazer!** I'd be delighted!
• **fazer algo por prazer** to do something for fun
• **prazer (em conhecê-lo)** pleased to meet you

prazeroso *adj* pleasant, joyful

prazo *sm* 1 *(tempo em que algo deve ser feito)* deadline 2 *(período)* time, period
• **a curto/médio/longo prazo** short-term, middle-term, long-term
• **a longo prazo** *(com o passar do tempo)* in the long-term
• **comprar/vender a prazo** to buy/sell in stallments
• **prazo de vencimento** expiration date

preâmbulo *sm* preamble, preface, introduction

precário *adj* precarious, scarce

precaução *sf* precaution

precaver *vtd-vtdi* to prevent
▸ *vpr* **precaver-se** to be cautious, to beware

precavido *adj* prepared, wary, precautious

prece *sf* prayer

precedente *adj* *(anterior)* preceeding
▸ *sm* *(exemplo, fato anterior)* precedent
• **criar precedentes** to set a precedent

preceder *vtd-vti-vi* to precede

preceito *sm* rule, precept

precioso *adj* precious

precipício *sm* precipice, crag

precipitação *sf* 1 *(meteorologia)* precipitation 2 *(radioativa)* fallout 3 *(sedimentação)* subsidence 4 *(afobação)* hurry, haste, rush 5 *(irreflexão)* precipitation

precipitado *adj* 1 *(caído)* fallen 2 *(imprudente)* hasty 3 *(impensado)* abrupt, precipitated

▸ *sm* **precipitado** QUÍM precipitate

precipitar *vtdi (atirar, arremessar)* to hurl down, to cast down headlong
▸ *vtd* 1 *(acelerar)* to hurry *(up)* 2 *(antecipar)* to advance 3 QUÍM to precipitate
▸ *vpr* **precipitar-se** 1 *(atirar-se)* to throw oneself into, to plunge *(in, into, onto)* 2 *(ocorrer antes do tempo)* to happen beforehand 3 *(apressar-se)* to rush oneself, to dash 4 *(cair)* to fall headlong *(in, into, onto)*, to plunge *(in, into, onto)*
▸ *vi* QUÍM to precipitate

precisão *sf* 1 *(pontualidade)* precision 2 *(exatidão)* accuracy 3 *(rigor)* preciseness 4 *(necessidade)* need, want

precisar *vti (indicar com exatidão)* to detail, to indicate precisely
▸ *vti (ter necessidade)* to need, to necessitate
▸ *vi* 1 *(ser preciso)* to be necessary, to be needed: ***não precisa tanta preocupação*** there is no need to be so concerned 2 *(ser precisado)* to need: ***ele trabalha porque precisa*** he works because he needs to

preciso *adj* 1 *(pontual)* precise 2 *(claro)* concise 3 *(exato)* exact
▸ *loc* **ser preciso** to be necessary, to be needed: ***é preciso ter cuidado*** caution is necessary

preço *sm* price
• **a preço de banana** very cheap
• **a preço de custo** at cost price
• **a qualquer preço** at all costs
• **não ter preço** *fig* to be priceless
• **preço fixo** fixed price
• **ter em alto preço** to hold in high respect

precoce *adj* 1 precocious 2 premature 3 early: ***alerta precoce*** early warning

preconcebido *adj* 1 preconceived, premeditated 2 intentional

preconceito *sm* prejudice
• **sem preconceitos** unprejudiced

precursor *sm,f* precursor, forerunner

predador *adj-sm,f* predatory, predator

pré-datado *adj* post-dated

predecessor *sm* predecessor

predestinação *sf* predestination

predial *adj* predial
• **imposto predial** house tax, property tax

predicado *sm* 1 *(atributo)* predicate, attribute, property 2 *(dote, virtude)* talent, aptitude 3 GRAM predicate

predileção *sf* predilection, preference
• **ter predileção por algo/alguém** to have a preference for someone

predileto *adj* favourite, preferred, beloved

prédio *sm* 1 *(construção)* building, construction 2 *(de apartamentos)* condo, apartment building, high-rise building

predispor *vtd-vtdi* to predispose, to incline: ***predispor alguém a fazer algo*** to incline someone to do something
▸ *vpr* **predispor-se** to incline oneself *(to)*

predisposição *sf* predisposition, inclination

predisposto *adj* 1 *(preparado)* predisposed 2 *(propenso)* prone

predizer *vtd-vtdi* to predict

predominante *adj* predominant

predominar *vti* to predominate

predomínio *sm* superiority, preponderance

preencher *vtd* 1 *(encher)* to fill *(up)* 2 *(formulário etc.)* to fill in 3 *(cargo etc.)* to fill 4 *(tempo etc.)* to fill

pré-escola *sf* pre-school

preestabelecer *vtd* to pre-establish

pré-estreia *sf* CINE preview

pré-fabricado *adj-sm,f* prefabricated

prefácio *sm* preface

prefeito *sm,f* mayor

prefeitura *sf* city hall, town hall

preferência *sf* preference
• **de preferência** preferably

preferido *adj* favourite

preferir *vtd* to prefer
▸ *vtd-vtdi* to prefer: ***preferir uma coisa a outra*** to prefer one thing over another

preferível *adj* preferable

prefixo *sm* prefix
• **prefixo musical** signature tune

prega *sf* 1 *(de roupa)* pleat, fold 2 *(ruga)* wrinkle

pregação *sf* 1 RELIG preaching, sermon 2 *(discurso)* preaching

pregador *sm,f* preacher
▸ *sm* **pregador** *(prendedor de roupa)* peg

pregão *sm* 1 *(de vendedores)* vendor's cry 2 *(em leilões)* cry 3 *(local, na Bolsa)* trading pit

pregado *adj* 1 *(fixado com prego)* nailed, fastened with nails 2 *(exausto)* tired, exhausted

pregar *vtd* 1 *(cravar)* to nail 2 *(cansar, exaurir)* to exhaust 3 *(fazer sermão)* to preach 4 *(coser)* to sew: ***pregar um bolso na calça*** to sew a pocket on the trousers 5 *(proclamar, defender)* to proclaim, to advocate
▸ *vi* 1 *(grudar)* to stick 2 *(ficar exausto)* to get dead tired
• **pregar um susto em alguém** to give someone a fright
• **pregar uma mentira** to lie

prego *sm* 1 *(utensílio)* nail 2 *(casa de penhor)* pawnbroker's shop 3 *(cansaço, exaustão)* exhaustion
• **dar o prego** *(ficar exausto)* to get exhausted, to be dead tired

pregueado *adj* tucked, pleated
▸ *sm* tuck, pleat

preguear *vtd* 1 *(fazer pregas)* to pleat 2 *(enrugar)* to wrinkle

preguiça *sf* 1 laziness, sluggishness 2 ZOOL sloth
• **estar com/ter preguiça** to be lazy

preguiçoso *adj-sm,f* lazy, sluggish

prejudicar *vtd* 1 *(causar prejuízo)* to damage 2 *(desfavorecer)* to injure, to impair, to interfere with 3 *(ser nocivo)* to hurt, to harm
▸ *vpr* **prejudicar-se** to come to harm, to suffer damage

prejudicial *adj* harmful

prejuízo *sm* 1 *(perda financeira)* loss 2 *(perda em geral)* loss, damage, injury

preliminar *adj* preliminary

prelo *sm* press
• **no prelo** in press

prelúdio *sm* prelude

prematuro *adj* premature
▸ *sm,f (nascido antes do tempo)* premature

premeditação *sf* premeditation, forethought

premeditar *vtd* to premeditate

premente *adj* urgent, pressing

premiação *sf* rewarding, awarding of a prize

premiar *vtd* to reward, to award a prize

premier *sm* POL prime minister

première *sf* first showing

prêmio *sm* 1 prize, award, reward 2 *(de loteria ou aposta)* prize 3 *(de sorteio)* jackpot 4 *(de seguro)* premium
• **prêmio de consolação** consolation prize
• **primeiro prêmio** first prize

premonição *sf* premonition, foreboding

prenda *sf* 1 *(mimo, dádiva)* present, gift 2 *(dote, predicado)* talent, ability 3 *(brinde, prêmio)* freebie, present
• **prendas domésticas** the occupation of a housewife

prendado *adj* gifted, talented

prendedor *sm* fastener, clip, clamp
▪ **prendedor de cabelo** hair clipper
▪ **prendedor de roupa** clothes peg

prender *vtd* 1 *(atar, unir)* to tie, to fasten 2 *(aprisionar)* to arrest 3 *(respiração)* to hold 4 *(imobilizar)* to hold, to fasten: ***prender a porta*** to hold the door 5 *(vincular)* to attach
▸ *vpr* **prender-se** 1 *(ficar preso)* to get caught 2 *(casar-se)* to get married, to tie the knot 3 *(afeiçoar-se, apegar-se)* to get attached *(to)* 4 *(ter relação a)* to depend upon, to be contingent on

prensa *sf* 1 press 2 *(prelo)* press, printing press

prensar *vtd* MEC to press

prenunciar *vtd* to foreshadow, to forebode

preocupação *sf* 1 *(ansiedade)* worry, anxiety 2 *(pensamento dominante)* concern, care

preocupado *adj* 1 *(pensativo, absorto)* concerned 2 *(apreensivo)* worried, troubled

preocupante *adj* worrying, worrisome

preocupar *vtd* 1 *(absorver)* to worry: ***ter casa própria é o que me preocupa***

having my own house is what worries me 2 *(inquietar)* to concern
▸ *vpr* **preocupar-se** to be worried, to be concerned
• **preocupar-se com alguém** to be concerned or worried about someone

preparação *sf* preparation

preparado *adj* 1 *(pronto)* ready, prepared 2 *(prestes)* ready 3 *(arranjado antecipadamente)* prepared, arranged 4 *(estudado)* qualified: ***é um homem muito preparado*** he is a very qualified man
▸ *sm* **preparado** QUÍM preparation

preparar *vtd* 1 *(dispor com antecedência)* to prepare, to make ready, to provide *(for)* 2 *(fazer, aprontar)* to prepare, to make ready 3 *(planejar)* to arrange 4 *(medicamento)* to manipulate 5 to train
▸ *vtdi* 1 ((*formar, instruir; tornar apto)* to teach, to instruct 2 *(predispor)* to prepare: ***é preciso prepará-lo para a má notícia*** we must prepare him for the bad news
▸ *vpr* **preparar-se** 1 *(vestir-se, aprontar-se)* to get ready 2 *(aprestar-se)* to prepare oneself 3 *(tornar-se apto)* to qualify oneself 4 *(estudar, instruir-se)* to acquire instruction, to undergo training

preparativo *sm* preparation
▸ **preparativos** *pl* preparations

preparo *sm* 1 *(preparação)* preparation 2 *(instrução)* education, training

preponderante *adj* preponderant, predominant, prevalent

preposição *sf* GRAM preposition

prepotente *adj-smf* haughty, overbearing, despotic

prepúcio *sm* prepuce, foreskin

prerrogativa *sf* prerogative, privilege, advantage

presa *sf* 1 prey, victim 2 *(dente canino)* fang, canine tooth

prescindir *vti* to do without

prescrever *vtd-vtdi* 1 *(receitar)* to prescribe 2 *(ordenar, determinar)* to enjoin, to ordain
▸ *vi* DIR to expire, to prescribe

prescrição *sf* 1 *(ordem, determinação)* prescription, order, instruction 2 *(norma, regra)* prescription 3 *(receita médica)* prescription 4 DIR limitations, prescription

presença *sf* 1 presence 2 *(aparência)* appearance, air, aspect
• **contamos com sua presença** we count on your presence
• **livro de presença** attendance book
• **marcar presença** to be present
• **presença de espírito** presence of mind

presenciar *vtd* to witness, to be present at

presente *adj* 1 *(que se encontra no local)* present 2 *(atual)* present 3 *(interessado, atencioso)* concerned, present
▸ *sm* 1 *(tempo atual)* present, now, present time 2 GRAM present tense 3 *(mimo)* gift
▸ *sm pl* **presentes** those present: ***todos os presentes assistiram ao filme*** all those present saw the film

presentear *vtd-vtdi* to give a present to

presépio *sm* manger, crib, nativity scene

preservar *vtd-vtdi* to preserve, to maintain
▸ *vpr* **preservar-se** to preserve oneself

preservativo *sm* condom

presidência *sf* presidency

presidente *sm,f* president, chairman
▪ **Presidente da República** President of the Republic

presidiário *adj* presidiary, prison
▸ *sm* convict, inmate

presídio *sm* prison

presidir *vtd-vti* 1 to preside *(over)* 2 *fig* *(nortear)* to guide

presilha *sf* loop

preso *adj* 1 *(atado)* tied up, fastened 2 *(a um leito)* bedridden 3 *(travado)* stuck 4 *(aprisionado)* arrested, in prison 5 *(pregado)* attached: ***quadro preso à parede*** painting attached to the wall 6 *(vinculado, apegado)* attached 7 *(casado, comprometido)* married, engaged
▸ *sm,f* prisoner, convict

pressa *sf* speed, haste, hurry, rush: ***estou com pressa*** I am in a hurry
• **a toda a pressa** in a hurry, very fast
• **às pressas** rushed, in a rush
• **fazer algo com pressa/sem pressa** to do something in a hurry/without haste

• **ter pressa de fazer algo** to be in a hurry to do something

presságio *sm* omen

pressão *sf* **1** pression, pressure, push **2** MED pressure: ***pressão alta/baixa*** high/low blood pressure **3** *fig (coação)* pressure, stress, duress

• **exercer pressão** to put pressure *(on)*

• **sob pressão** under pressure, *fig* under pressure, under stress, under duress

pressentimento *sm* feeling, premonition, foreboding

pressentir *vtd* to sense, to foresse, to anticipate, to have a foreboding

pressionar *vtd (calcar, apertar)* to pressurize, to press, to exert pressure

▸ *vtd-vtdi-vi (forçar, constranger)* to push, to coerce, to force

pressupor *vtd* to presuppose, to suppose, to assume

pressuposição *sf* presupposition, conjecture, assumption

pressuposto *adj* presupposed, assumed

▸ *sm* **pressuposto** assumption

prestação *sf* **1** *(de serviço)* delivery, performance **2** *(de contas)* report, account **3** *(parcela de crediário)* installment

• **comprar à prestação** to buy in installments

• **pagar em suaves prestações** to pay in easy installments

prestar *vtdi (dar, dispensar)* to provide, to perform: ***prestar um serviço*** to provide a service

▸ *vtd (realizar)* to do, to take, to effect: ***prestar um exame*** to take an exam; ***prestar serviço militar*** to do military service

▸ *vi (servir)* to be good enough, to be suitable

▸ *vti (ser útil)* to be good to, to be suited to, to serve for

▸ *vpr* **1 prestar-se** *(ser adequado)* to be good *(for)* **2** *(estar disposto)* to be willing *(to)*

• **não prestar** *(não ter caráter)* to be no good

• **prestar atenção** to listen, to pay attention

• **prestar depoimento** to give evidence

• **prestar homenagem** to homage, to pay homage

• **prestar socorro** to help, to give help

prestativo *adj* helpful, willing to help, willing to be of service

prestes *adj inv* ready for, about to

presteza *sf* **1** *(rapidez)* quickness, speed **2** *(solicitude)* readiness, promptness

prestigiar *vtd* **1** *(conferir prestígio)* to give prestige to **2** *(valorizar com sua presença)* to grace, to honour

prestígio *sm* prestige

prestigioso *adj* prestigious

préstimo *sm* **1** *(serventia)* utility **2** *(auxílio, colaboração)* help, aid, service: ***vim oferecer meus préstimos*** I came to offer my services

prestimoso *adj* helpful, useful

presumido *adj* **1** *(pressuposto)* assumed **2** *(vaidoso, orgulhoso)* vain, presumptuous, conceited

presumir *vtd* to presume, to assume, to suppose, to suspect

presumível *adj* alleged, presumed

presunção *sf* presumption, conceit, self-conceit

presunçoso *adj* presumptuous, conceited

presunto *sm* **1** CUL ham **2** *gíria (cadáver)* stiff

pretendente *smf* **1** *(candidato)* candidate **2** *(a namoro etc.)* suitor

pretender *vtd* **1** *(desejar, aspirar)* ***to*** aspire to, to wish for, to expect **2** *(tencionar)* to intend

▸ *vtd-vtdi (exigir)* to claim, to demand

pretensão *sf* **1** *(desejo, aspiração)* wish, expectation **2** *(presunção)* conceit, self--conceit **3** *(exigência)* pretension, claim, demand

pretensioso *adj* pretentious, presumptuous, conceited, arrogant, snobbish

preterir *vtd* **1** *(desprezar, deixar de lado)* to neglect **2** *(omitir)* to omit, to pass over **3** to fail to give preference to

pretérito *adj* preterite, past

▸ *sm* GRAM past tense

pretexto *sm* pretext, excuse

• **a pretexto de** under the pretence of

preto *adj* 1 *(cor)* black 2 *fig* bad: ***a coisa está preta*** things are getting bad
▸ *adj-sm,f (negro-pessoa)* black, negro
▸ *sm (roupa preta)* black: ***ela estava de preto*** she was wearing black

prevalecer *vi (predominar)* to prevail
▸ *vti (impor-se, ter primazia)* to prevail *(over)*
▸ *vpr* **prevalecer-se** to take advantage of

prevenção *sf* 1 *(precaução)* prevention 2 *(repulsa)* prejudice

prevenido *adj* 1 prepared 2 prejudiced 3 *(com dinheiro)* having money in one's pocket
• **ter o espírito prevenido contra algo/alguém** to have one's mind prejudiced against something/someone
• **um homem prevenido vale por dois** a stitch in time saves nine

prevenir *vtd* 1 *(deixar preparado)* to anticipate 2 *(evitar)* to prevent, to avert, to preempt
▸ *vtdi (avisar)* to warn *(about)*, to forewarn *(about)*, to caution *(against)*
▸ *vi (acautelar-se)* to take precautions
▸ *vpr* **prevenir-se** *(preparar-se)* to be prepared *(for)*, to be wary *(against)*

preventivo *adj* preventive, preemptive

prever *vtd* to foresee

previdência *sf* foresight
■ **Previdência Social** social welfare, social security

previdenciário *adj* employee of a social welfare institution

previdente *adj* 1 far-sighted 2 provident

prévio *adj* previous, prior, former

previsão *sf* 1 *(antevisão)* forecast 2 *(presságio)* foreknowledge, prescience
• **previsão do tempo** weather forecast
• **previsão orçamentária** budget forecast

previsível *adj* foreseeable

previsto *adj* 1 *(esperado)* expected 2 *(pressagiado)* foreseen 3 *(em lei)* provided for
• **como previsto** as arranged, as foreseen

prezado *adj* dear, esteemed
▸ *sm,f (em cartas)* dear: ***prezado Senhor Garcia***, dear Mr. Garcia
• **prezados senhores** *(a uma empresa)* Dear Sirs

prezar *vtd* to esteem, to value, to respect

primar *vti* to excel in, to stand out for

primário *adj* 1 primary, elementary 2 *(simples)* primary, elementary 3 *(bronco, primitivo)* primitive
▸ *sm* **primário** *(ensino fundamental)* primary school, elementary school

primavera *sf* 1 spring 2 *fig (da vida)* youth 3 *fig (anos)* years, age, winter: ***já viu nove primaveras*** he has seen nine winters 4 BOT a vine of the *Bougainvillea* genus

primaveril *adj* vernal, spring

primazia *sf* primacy, priority, superiority

primeira *sf (marcha-auto)* first gear

primeiro *adj* 1 first 2 *(melhor)* prime, foremost
▸ *adv* 1 *(antes)* first 2 *(em primeiro lugar)* first of all
▸ *sm,f* 1 first: ***quem é o primeiro da fila?*** who is the first in line?; ***ele foi o primeiro que falou em viajar*** he was the first to talk about travelling 2 *(o melhor)* first, best: ***ele é o primeiro da turma*** he is the best in the class.

primeiro de abril (*pl* **primeiros de abril**) *sm* April Fool's Day

primeiro-ministro (*pl* **primeiros-ministros, primeiras-ministras**) *sm* POL prime minister

primitivo *adj-sm,f* primitive

primo *sm* cousin

primogênito *sm,f* first-born

primor *sm* 1 beauty, nicety, exquisiteness 2 perfection, accuracy, exquisiteness

primordial *adj* primordial

primórdios *sm pl* dawn, early days: ***os primórdios da civilização*** the dawn of civilization

primoroso *adj* 1 beautiful, nice, exquisite 2 perfect, accurate, exquisite

princesa *sf* princess → **príncipe**

principal *adj* main, leading

principalmente *adv* mainly
• **principalmente porque** mainly because

príncipe *sm* prince

principiante *adj-smf* beginning, beginner, novice

principiar *vtd-vtdi-vi* to begin, to initiate, to start

princípio *sm* 1 *(começo)* beginning, start 2 *(causa, raiz)* origin, source 3 *(preceito)* principle
• **a princípio** at first
• **desde o princípio** from the beginning
• **em princípio** in principle
• **no princípio** in/at the beginning

prioridade *sf* priority

prioritário *adj* having priority, overriding

prisão *sf* 1 *(captura)* capture 2 *(cativeiro)* capitivity, bondage 3 *(cadeia)* prison
• **prisão perpétua** life imprisonment
• **prisão de ventre** constipation

prisioneiro *sm,f* prisoner

prisma *sm* 1 prism 2 aspect

privação *sf* want, destitution, deprivation

privacidade *sf* privacy
• **invasão da privacidade** invasion of privacy

privada *sf* toilet, privy

privado *adj* 1 *(particular)* private 2 *(pessoal)* personal: ***vida privada*** personal life 3 *(restrito)* private: ***reunião privada*** private meeting
• **clube privado** gentlemen's club

privar *vtdi* to deprive of
▸ *vpr* **privar-se** to deprive oneself of, to abstain from

privatização *sf* privatization

privatizar *vtd* to privatize

privilegiado *adj* privileged, favoured

privilegiar *vtd* to privilege

privilégio *sm* privilege

pró *sm* pro: ***os prós e os contras*** the pros and cons

proa *sf* MAR bow, nose
• **figura de proa** figurehead

probabilidade *sf* likelihood, probability

problema *sm* 1 MAT proposition 2 *(obstáculo, contratempo)* problem 3 *(distúrbio, transtorno)* problem, trouble 4 *(preocupação, contrariedade)* problem, worry 5 *(coisa preocupante)* problem 6 trouble: ***essa menina é um problema*** this girl is a trouble
• **criar problemas** to ask for trouble

problemático *adj* 1 *(complicado)* problematic(al) 2 *(duvidoso)* questionable 3 *(perturbado psiquicamente)* distressed

procedência *sf* 1 *(proveniência)* source, origin, derivation 2 *(fundamento, razão de ser)* foundation

procedente *adj* 1 *(proveniente)* proceeding, derived 2 *(fundamentado)* consequent

proceder *vti* 1 *(provir)* to be derived from, to originate from 2 *(levar a efeito)* to go ahead *(in, at, with)*
▸ *vi* 1 *(comportar-se)* to proceed, to behave 2 *(ter fundamento)* to be founded, to be sound: ***essa afirmação não procede*** this assertion is unfounded

procedimento *sm* 1 *(processo, método)* procedure 2 *(comportamento)* behaviour, conduct 3 DIR judicial proceeding

processador *sm* processor
▪ **processador de alimentos** food processor

processamento *sm* 1 *(de materiais)* processing 2 *(de dados)* processing

processar *vtd* 1 DIR to sue, to prosecute 2 INFORM to process 3 *(materiais)* to process

processo *sm* 1 *(seguimento)* process 2 *(procedimento, método)* procedure 3 DIR *(ação, pleito judicial)* lawsuit 4 DIR *(autos)* proceedings
• **mover um processo contra alguém** to take proceedings against, to sue someone
• **perder/ganhar um processo** win/lose a case

procissão *sf* RELIG procession

proclamar *vtd* to proclaim
▸ *vpr* **proclamar-se** to proclaim oneself to be

• **proclamar a independência** to proclaim independence, to declare independence

proclamas *sm pl* banns

procriar *vtd-vi* **1** to procreate, to engender **2** to germinate

procura *sf* **1** *(busca)* search **2** *(demanda)* quest

• **à procura de** looking for

procuração *sf* power of attorney, proxy

• **casar-se por procuração** to marry by proxy

• **passar procuração** to pass proxy

procurador *sm,f* DIR agent, proxy, attorney

procurar *vtd* **1** *(buscar)* to look for, to seek, to search **2** *(desejar falar)* to look for **3** *(tentar)* to try, to attempt **4** *(investigar)* to look for

prodígio *sm* prodigy, wonder

pródigo *adj* prodigal

produção *sf* **1** production **2** ECON production

produtividade *sf* productivity

produtivo *adj* **1** *(relativo à produção)* productive, efficient **2** *(fértil, fecundo)* fertile, fruitful

produto *sm* **1** *(coisa produzida)* product **2** *(resultado)* fruit, results **3** MAT product

• **produto agrícola** produce

• **produto de roubo** stolen property

• **produto interno bruto** gross domestic product

• **produtos manufaturados** manufactured goods

• **produtos químicos** chemical products, chemicals

produtor *adj-sm,f* **1** producer **2** CINE TV producer

produzido *adj fig pop* dressed-up

produzir *vtd* **1** to produce, to make **2** *(ocasionar)* to cause, to bring about **3** *(render)* to yield **4** CINE TV to produce

▸ *vi (ser fértil)* to bear fruit

▸ *vpr* **produzir-se** **1** *(ocorrer)* to take place, to happen **2** *gíria* to dress up

proeminente *adj* **1** *(saliente)* protuberant **2** *fig (eminente)* eminent

proeza *sf* exploit, deed

profanar *vtd* to profane, to defile

profecia *sf* prophecy

proferir *vtd* to pronounce, to utter

• **proferir sentença** to rule on, to pass judgement on

professar *vtd* **1** *(defender, manifestar)* to profess, to declare openly **2** *(exercer-profissão)* to pratice, to exercise

professor *sm,f* teacher, professor

▪ **professor primário** school teacher

▪ **professor universitário** professor, lecturer

▪ **professor titular** *(full)* professor

profeta *sm,f* prophet, prophetess

profissão *sf* profession, occupation

▪ **profissão de fé** profession of faith

• **qual é sua profissão?** what is your occupation?

• **mudar de profissão** to switch occupations

profissional *adj* **1** *(relativo à profissão)* occupational **2** *(não amador)* professional **3** *(dotado de profissionalismo)* professional

▸ *smf* professional

profissionalismo *sm* professionalism

profissionalizar *vtd* to profissionalize

▸ *vpr* **profissionalizar-se** to become professional

profiterole *sm* CUL profiterole, cream puff

profundeza *sf* depth

profundidade *sf* **1** *(de lagos, mares etc.)* depth **2** *(de objetos)* depth **3** *fig* depth, profundity

profundo *adj* **1** *(fundo)* deep **2** *(extenso-túnel, caverna)* profound **3** *(intenso-sentimento)* profound **4** *(cor)* deep **5** *fig* deep, profound: ***análise profunda*** deep analysis **6** *(enorme)* deep, excessive: ***ignorância profunda*** deep ignorance **7** *(incompreensível)* deep, difficult to understand: ***mistério profundo*** deep mystery **8** *(forte, entranhado)* deep-seated, ingrained: ***razões profundas*** deep-seated reasons **9** *(de grande alcance)* far-reaching: ***transformações profundas*** far-reaching changes **10** *(sono)* sound, deep

profusão *sf* profusion, exuberance, plenty, cornucopia

prognóstico *sm* prognostic

programa *sm* 1 *(plano, sinopse)* program 2 *(lista de disciplinas de um curso)* program, syllabus 3 *(planejamento)* program, plan, agenda 4 *(de partido, de governo)* program, agenda, policy 5 *(de rádio, tevê)* show 6 *(divertimento)* program 7 *(encontro sexual)* rendezvous, a good time 8 INFORM software
• **isso não estava no programa** it wasn't planned
• **programa de índio** a pretty boring kind of entertainment

programação *sf* 1 programming 2 INFORM programming

programador *sm,f* INFORM programmer

programar *vtd* 1 to program 2 INFORM to program

progredir *vi-vti* 1 *(avançar)* to proceed, to advance 2 *(ter progressos)* to progress, to make progress, to improve

progressão *sf* progression

progressista *adj* 1 *(avançado)* progressive 2 POL progressive

progressivo *adj* progressive, advancing

progresso *sm* 1 *(avanço)* progress 2 *(melhoria, adiantamento)* improvement 3 *(aproveitamento)* development
• **fazer progressos** to make progress

proibição *sf* prohibition, ban

proibido *adj* prohibited, forbidden, banned
• **entrada proibida** no admittance
• **proibido para menores de 18 anos** no admittance for under 18s

proibir *vtd-vtdi* to forbid *(from)*, to ban
• **é proibida a entrada de pessoas estranhas ao serviço** employees only
• **é proibido estacionar** no parking
• **é proibido fumar** no smoking

proibitivo *adj* prohibitive, prohibitory

projeção *sf* 1 *(proeminência, saliência)* protuberance 2 *(prestígio)* importance, projection 3 *(cálculo antecipado)* projection, plan 4 CINE projection 5 *(de sombra, luz etc.)* projection

projetar *vtd* 1 *(arremessar)* to throw out, to shoot 2 *(tornar famoso)* to become popular, to become well-known, to achieve projection 3 *(planejar)* to plan, to design 4 ARQ to design 5 *(imagem, sombra etc.)* to project
▸ *vpr* **projetar-se** 1 *(precipitar-se, arrojar-se)* to throw oneself 2 *(prolongar-se em sentido horizontal)* to project 3 *(ganhar fama)* to project oneself, to achieve projection

projétil *sm* projectile

projetista *smf* designer

projeto *sm* 1 *(plano, desígnio)* plan 2 *(esboço de texto)* draft 3 *(arquitetônico, paisagístico etc.)* design, blueprint
▪ **projeto de lei** bill
• **fazer projetos para o futuro** to make plans for the future

projetor *sm* FOTO CINE projector

prole *sf* offspring, descendants, progeny

proletário *adj-sm,f* proletarian

proliferar *vi* to proliferate

prolixo *adj* prolix, diffuse, tedious

prólogo *sm* prologue

prolongamento *sm* extension

prolongar *vtd* 1 *(alongar no espaço)* to extend, to lengthen 2 *(alongar no tempo)* to extend, to prolong
▸ *vpr* **prolongar-se** to continue, to last, to go on

promessa *sf* 1 promise 2 *(a santo)* vow, pledge or promise made to God or to a saint that should be kept once a favour is obtained
• **cumprir/não cumprir uma promessa** to keep/not to keep a promise
• **promessa de compra e venda** promise of sale and purchase

prometer *vtd-vtdi-vi* to promise
▸ *vtd (prenunciar, dar sinais de)* to promise, to bode
▸ *vi (ser promissor)* to be promising, to bode well

promiscuidade *sf* promiscuity, promiscuousness

promíscuo *adj* 1 *(confuso, misturado)* mingled, confused 2 *(sem discriminação)* indiscriminate 3 *(pessoa)* promiscuous

promissor *adj* promising

promissória *sf* promissory note

promoção *sf* 1 *(publicidade)* promotion 2 *(ascensão a cargo)* promotion

promocional *adj* promotional

promotor *adj-sm,f* 1 promoter 2 DIR public prosecutor, district attorney

promotoria *sf* DIR public prosecution service

promover *vtd* 1 *(dar impulso)* to further, to promote, to advance, to foster 2 *(provocar)* to cause, to instigate 3 *(fazer propaganda)* to advertise, to promote
▸ *vtd-vtdi (elevar na hierarquia)* to promote *(to)*
▸ *vpr* **promover-se** to advertise oneself

promulgação *sf* DIR promulgation, declaration

pronome *sm* GRAM pronoun

prontidão *sf* 1 *(presteza)* readiness 2 MIL readiness for action 3 *(policial de serviço)* officer on duty 4 *(falta de dinheiro)* penilessness
■ **de prontidão** ready to act *(exército ready to go into battle)*

prontificar-se *vpr* to offer oneself, to volunteer *(to)*

pronto *adj* 1 *(terminado)* ready, finished, done 2 *(disposto)* willing 3 *(imediato, instantâneo)* quick, swift, prompt 4 *(preparado)* ready 5 *(arrumado)* ready, prepared 6 *gíria (sem dinheiro)* broke
▸ *interj* 1 *(feito, acabado)* **pronto!** done!, right! 2 *(alô)* hello!

pronto-socorro *(pl* **prontos-socorros***)* *sm* emergency room

prontuário *sm (ficha)* record
■ **prontuário médico** medical records
■ **prontuário policial** criminal records

pronúncia *sf* pronouciation, articulation

pronunciamento *sm* pronouncement

pronunciar *vtd* 1 *(proferir)* to utter, to speak 2 *(realçar, acentuar)* to assert 3 *(articular as palavras)* to pronounce, to speak
▸ *vpr* **pronunciar-se** 1 to declare oneself to be 2 to speak out *(on some matter)*

propagação *sf* propagation

propaganda *sf* propaganda, advertising
• **fazer propaganda** to advertise

propagar *vtd* to propagate, to spread
▸ *vpr* **propagar-se** to propagate, to spread

propensão *sf* propension, tendency, leaning

propenso *adj* inclined, willing, ready

propiciar *vtd-vtdi* 1 to propitiate, to appease 2 *(possibilitar)* to make possible, to favour

propício *adj* 1 *(benevolente)* benevolent, kind 2 *(adequado, favorável)* favourable, opportune 3 *(auspicioso, encorajador)* promising, auspicious

propina *sf* bribe

propor *vtd-vtdi* 1 *(fazer proposta)* to propose 2 *(apresentar)* to present 3 *(sugerir)* to suggest 4 *(ação em juízo)* to file
▸ *vpr* **propor-se** to propose: ***ele se propôs deixar de beber*** he proposed to stop drinking

proporção *sf* 1 MAT proportion 2 *(conformidade)* proportion
▸ *pl* **proporções** *(dimensões)* dimensions
• **à proporção que** as, while, at the same time that
• **guardadas/mantidas as devidas proporções...** keeping things in proportion..., mutatis mutandis..., taking everything in its due context...

proporcional *adj* proportional

proporcionar *vtd-vtdi (oferecer, propiciar)* to provide

proposital *adj* intentional, purposed, on purpose

propósito *sm* purpose, intention
• **a propósito** by the way
• **a propósito de** to the effect of
• **de propósito** on purpose
• **fora de propósito** out of place, irrelevant
• **ter propósito** to have a purpose

proposta *sf* proposal, offer, proposition

propriedade *sf* 1 property, attribute, quality 2 *(direito)* property, ownership 3 *(imóvel)* property, real estate
• **propriedade privada** private property, private ownership
• **propriedade rural** landed property

proprietário *sm,f* owner, proprietor

próprio *adj* **1** *(particular)* private, own: ***casa própria*** one's own house **2** *(apropriado)* appropriate *(to, for)*, proper **3** *(peculiar)* peculiar **4** *(autêntico)* authentic **5** *(em pessoa)* oneself: ***foi o próprio dono que abriu a porta*** it was the owner himself who opened the door
▸ *pron (mesmo)* oneself: ***ele próprio*** he himself

prorrogar *vtd* to prolong, to extend

prosa *sf* **1** prose **2** *(conversa)* talk, chatter
▸ *adj inv (convencido)* boastful

proscrição *sf* proscription, interdiction, banishment

prospecto *sm* prospect, outlook

prosperar *vi* to prosper, to thrive, to succeed

prosperidade *sf* prosperity, success

próspero *adj* prosperous, successful

prosseguimento *sm* continuation, following

prosseguir *vtd* to follow, to proceed, to continue

próstata *sf* ANAT prostate

prostituição *sf* prostitution

prostituir *vtd* to prostitute
▸ *vpr* **prostituir-se** to prostitute oneself, to sell one's body

prostituta *sf* prostitute

prostração *sf* prostration, debility

prostrar *vtd* to prostrate
▸ *vpr* **prostrar-se** to prostrate *(oneself)*

protagonista *smf* protagonist, main character

proteção *sf* **1** protection **2** *(tratamento privilegiado)* patronage **3** *(anteparo, invólucro etc.)* fender, covering **4** *(abrigo)* shelter, guard

protecionismo *sm* ECON protectionism

proteger *vtd* **1** *(ajudar)* to protect **2** *(apoiar)* to favour, to support **3** *(fomentar)* to encourage, to nurture, to foster **4** *(revestir)* to cover, to protect
▸ *vtdi* **1** *(resguardar)* to protect from **2** *(defender)* to defend from
▸ *vpr* **proteger-se 1** to defend oneself *(from)* **2** *(abrigar-se)* to shelter *(from)*

protegido *sm,f (apadrinhado)* protegé(e), favourite

proteína *sf* protein

protelar *vtd* to delay, to procrastinate

prótese *sf* MED prothesis

protestante *adj-smf* RELIG Protestant

protestar *vtdi-vi (reclamar)* to protest, to object, to complain
▸ *vtd (afirmar)* to declare

protesto *sm* protest, disapproval, objection
▸ *interj* **protesto!** objection!

protetor *adj* protector
▸ *sm,f* **1** *(santo)* patron saint **2** *(das artes etc.)* patron

protocolar *vtd* to protocol, to record
▸ *adj* **1** protocolar, protocolary **2** *fig (formal, cerimonioso)* formal

protocolo *sm* **1** *(registro)* protocol, register **2** *(cartão de registro)* registration card **3** *(seção de protocolo)* registration department **4** *(formalidade)* protocol: ***quebrar o protocolo*** to break protocol

protótipo *sm* **1** prototype, pattern **2** *fig* prototype

protuberante *adj* protuberant, prominent, bulging

prova *sf* **1** *(demonstração)* proof, evidence **2** DIR evidence **3** *(aprovação, verificação)* test: ***passar por uma prova*** to go through a test **4** *(manifestação)* proof, demonstration: ***dar provas de um sentimento*** to give proof of your feelings **5** *(teste escolar)* test, exam, examination **6** *(experiência científica)* experiment, test **7** *(ato de experimentar roupa)* trying on **8** ESPORTE test **9** *(gráfica)* proof
• **à prova de** proof
• **até prova em contrário** until proven otherwise
• **pôr/submeter algo/alguém à prova** to put something/someone to the test
• **prova de fogo** acid test
• **prova de revezamento** relay race
• **prova dos nove** casting out nines
• **prova escrita/oral** oral/written text
• **prova real** the real proof
• **tirar a prova** to check

provação *sf* test, trial, ordeal

provador *sm (cabine)* fitting room

provar *vtd-vtdi* **1** *(estabelecer a verdade)* to prove, to show **2** *(submeter a prova)* to check, to verify **3** *(demonstrar)* to show, to demonstrate **4** *(experimentar--bebida, comida)* to taste, to try **5** *(roupa)* to try on

provável *adj* likely

provedor *sm* INFORM provider

proveito *sm* profit, gain
• **faça bom proveito!** enjoy!
• **tirar proveito de algo** to make good use of, to take advantage of

proveitoso *adj* profitable, advantageous

proveniência *sf* origin, source

proveniente *adj* proceeding from, originating in

prover *vtd-vti* *(providenciar)* to provide
▸ *vtdi* **1** *(abastecer)* to supply with **2** *(dotar)* to provide with
▸ *vpr* **prover-se** to provide oneself *(with)*

provérbio *sm* proverb, saying, maxim

proveta *sf* MED test tube

providência *sf* **1** RELIG providence **2** *(disposições, medidas)* measures, arrangements: ***tomar providências*** to take measures

providenciar *vtd* to provide, to make arrangements for, to make provision for

provir *vti* to come from

provisão *sf* provision
▸ *pl* **provisões** *(mantimentos)* supplies

provisório *adj* provisional, temporary

provocação *sf* **1** provocation, provoking **2** *(desacato)* offense **3** teasing

provocar *vtd* **1** *(desafiar)* to challenge **2** *(ocasionar, causar)* to provoke, to cause **3** *(incitar, excitar)* to tempt, to tease

proximidade *sf* **1** *(vizinhança)* sorroundings, neighbourhood **2** *(iminência)* imminence, verge **3** *(familiaridade)* closeness
▸ *pl* **proximidades** nearby, near: ***nas proximidades da igreja*** near the church

próximo *adj* **1** *(vizinho)* neighbouring, close **2** *(iminente)* impending, close **3** *(seguinte)* next **4** *(parecido)* similar
▸ *sm* **próximo** **1** neighbour: ***amar o próximo*** to love one's neighbour **2** *(numa fila)* next
▸ *adv* *(perto)* next, near, close
• **parente próximo** close relative

prudência *sf* prudence

prudente *adj* prudent, cautious

prumo *sm* **1** *(instrumento de engenharia)* plumb bob **2** *(elegância)* smartness
• **perder o prumo** to crack up

pseudônimo *sm* pseudonym

psicanalista *smf* psychoanalyst

psicólogo *sm,f* psychologist

psiquiatra *smf* MED psychiatrist

psíquico *adj* psychic, psychological

puberdade *sf* puberty

púbis *sm* ANAT pubis

publicação *sf* **1** publication **2** *(obra publicada)* publication

publicar *vtd* **1** *(divulgar)* to make public, to spread, to divulge **2** *(editar)* to publish

publicidade *sf* **1** publicity **2** *(propaganda)* advertising

publicitário *adj* advertising
▸ *sm,f* *(especialista em publicidade)* advertiser

público *adj* **1** public **2** *(aberto, divulgado)* open
▸ *sm* **público** public

pudico *adj* chaste, modest

pudim *sm* pudding

pudor *sm* modesty, chastity

pueril *adj* childish, foolish

pugilismo *sm* ESPORTE boxing

pugilista *sm* ESPORTE boxer

puído *adj* threadbare

pular *vi* **1** *(saltar)* to jump, to leap, to skip, to hop **2** *(sobressaltar-se)* to jump
▸ *vti* **1** *(aumentar)* to jump, to leap *(from ... to)* **2** *(levantar-se rapidamente)* to jump, to leap *(out of)* **3** *(arrojar-se)* to rush, to leap *(into)* **4** *(mudar)* to jump *(from)*
▸ *vtd* **1** *(transpor)* to cross, to leap across **2** *(omitir)* to skip **3** *(carnaval)* to celebrate carnival
• **pular corda** to skip rope

pulga *sf* flea
• **ficar com a pulga atrás da orelha** to be uneasy, to be suspicious

pulmão *sm* ANAT lung
• **a plenos pulmões** in a very loud voice

pulmonar *adj* pulmonary

pulo *sm* 1 jump, leap 2 *(sobressalto)* start 3 *(omissão)* skip
• **aos pulos** leaping for joy, extremely happy
• **dar pulos de alegria** to leap for joy
• **dar um pulo** to stopover, *(crescer muito)* to grow up very fast
• **dar um pulo em algum lugar** to stop by somewhere

pulôver *sm* sweater

púlpito *sm* pulpit

pulsação *sf* pulsation, beating, pulse
• **sentir a pulsação** to feel the pulse

pulsar *vi* to pulse, to beat

pulseira *sf* 1 bracelet 2 *(de relógio)* strap

pulso *sm* 1 *(batimento)* pulse, heartbeat 2 ANAT *(punho)* wrist 3 *fig (energia)* energy
• **tirar/tomar o pulso de alguém** to take someone's pulse, *fig* to get a feel of a situation or a problem

pulular *vi* to pullulate, to swarm

pulverizar 1 *(reduzir a pó)* to pulverize, to atomize 2 *(polvilhar)* to powder 3 *fig (destroçar)* to destroy, to annihilate

pungente *adj* 1 *(penetrante)* piercing 2 *fig (comovente)* touching 3 *fig (odor, sabor)* pungent

punguista *sm* pickpocket

punhado *sm* 1 handful 2 *(pequena quantidade)* pinch, handful 3 *(grande quantidade)* lot: ***havia um punhado de gente na reunião*** a lot of people were present at the meeting

punhal *sm* dagger

punhalada *sf* 1 stab 2 *fig* stab in the back, treachery, breach of trust

punho *sm* 1 ANAT wrist 2 *(mão fechada)* fist 3 *(cabo, empunhadura)* handle 4 *(da camisa)* cuff
• **de próprio punho** in one's own handwriting

punição *sf* punishment

punir *vtd-vtdi* to punish

pupila *sf* 1 ANAT pupil 2 *(discípula, tutelada)* an orphan girl under legal custody of a ward

pupilo *sm,f* an orphan boy under legal custody of a ward

purê *sm* puree

pureza *sf* purity

purgante *sm* purgative

purgatório *sm* purgatory

purificar *vtd-vtdi* to purify, to cleanse
▸ *vpr* **purificar-se** to purify oneself

puritano *adj-sm,f* 1 RELIG Puritan 2 *(pudico)* bashful

puro *adj* 1 *(autêntico)* pure 2 *(sem mistura)* unmixed 3 *(não contaminado)* undefiled 4 *(casto)* chaste 5 *(sem malícia)* innocent 6 *(castiço)* noble, correct 7 *(total)* absolute, total: ***é pura mentira*** it's total bullshit
• **pura e simplesmente** pure and simple

púrpura *sf* purple

purpurina *sf (pó metálico)* glitter

pus *sm* MED pus

puta *sf* whore, bitch

putaria *sf* 1 scandal 2 *pop (imoralidade)* obscenity, indecency 3 *pop (safadeza)* monkey business

puteiro *sm (prostíbulo)* whorehouse, brothel

puto *sm* 1 *pop (sacana)* scoundrel 2 *(dinheiro)* money *(used when one doesn't have any)*: ***estou sem um puto*** I don't have any money
▸ *adj* pissed off: ***estar puto da vida*** to be pissed off

putrefação *sf* putrefaction, decay

puxa *interj* well!, really!, my God!, never!, wow!
• **puxa vida!** good grief!

puxado *adj* 1 CUL *(apurado)* reduced 2 *(trabalhoso, árduo)* tough
▸ *sm (acréscimo de cômodo)* wing

puxador *sm* 1 *(espécie de maçaneta)* handle 2 *gíria (ladrão de automóveis)* car thief 3 *gíria (maconheiro)* pothead 4 *(de samba)* leading singer of a samba group

puxão *sm* tug *f*, tug
• **dar um puxão de orelhas em al-**

guém to pull someone's ears, *fig* to give someone a scolding

puxar *vtd* **1** *(atrair para si)* to pull, to draw **2** *(mover para fora)* to pull: ***puxei o parafuso, mas ele não saiu*** I pulled the screw, but it did not come out **3** *(tracionar; rebocar)* to tug, to tow, to draw **4** *(esticar)* to draw, to pull out **5** *(sacar--arma)* to draw **6** *(tentar arrancar)* to pull out **7** *(reza)* to lead **8** *(provocar)* to lead to: ***uma coisa puxa a outra*** one thing leads to another **9** *(eletricidade)* to steal **10** *pop (roubar automóvel)* to steal a car **11** *pop (fumar)* to smoke
▸ *vti* **1** *(ter vocação)* to be naturally inclined *(to)* **2** *(cor-tender)* -ish: ***seu vestido puxa para o azul*** her dress is blueish **3** *(exagerar)* to pull up: ***ele puxou no preço*** he pulled the price up **4** *(herdar)* to take after: ***ele puxou à mãe*** he took after his mother
▸ *vi (adular)* to flatter

puxa-saco (*pl* **puxa-sacos**) *smf* flatterer, lackey, bootlicker

Q

quadra *sf* **1** *(série de quatro)* series of four, quartet **2** ESPORTE *(campo)* court **3** *(estrofe)* quatrain **4** *(distância de esquina a esquina)* block

quadrado *adj* **1** square **2** MAT square: ***metro quadrado*** square meter **3** *fig (tradicional, conservador)* square
▸ *sm* **quadrado 1** square **2** MAT square
• **elevar ao quadrado** to square, to raise to the power of two

quadragésimo *num* fortieth

quadriculado *adj* checkered

quadril *sm* ANAT hip

quadrilha *sf* **1** *(grupo de bandidos)* gang **2** *(dança)* quadrille
• **crime de formação de quadrilha** racketeering

quadringentésimo *num* four hundredth

quadro *sm* **1** *(pintura)* painting **2** *(tabela)* table **3** *(quadro-negro)* blackboard **4** *(estrutura de bicicleta)* frame **5** *fig (cena)* scene, panorama **6** *fig* picture: ***um quadro sucinto da situação*** a concise picture of the situation **7** TEATRO tableau **8** TV scene **9** MED condition: ***um quadro infeccioso*** an infectious condition
▸ *pl* staff: ***ele nunca fez parte de nossos quadros*** he was never part of our staff
• **quadro clínico** patient's condition
• **quadro de avisos** bulletin board, noticeboard
• **quadro de luz** electric switchboard
• **quadro sinóptico** tabular summary, synoptic chart

quadro-negro *sm* blackboard

quadrúpede *adj-sm* quadruped, four-legged, four-legged animal, beast

quádruplo *adj* quadruple
▸ *sm* **quádruplo** quadruple

qual *pron int* what, which: ***qual é a cor do carro?*** what color is the car?; ***a qual dentista você foi?*** which dentist did you go to?
▸ *pron rel* **1** whom: ***vi o homem ao qual você se refere*** I saw the man whom you refer to; ***a mulher da qual falamos*** the woman whom we talked about
▸ *conj* like: ***trabalhei qual um mouro*** I worked like a slave
▸ *interj* **qual!** what?!, no way!
• **cada qual** each one
• **qual é (a tua)?!** what's the matter *(with you)*?!
• **qual nada** no way
• **tal e qual** exactly like, just like

qualidade *sf* **1** quality, attribute **2** *(dote, dom, virtude)* quality, gift
• **de péssima qualidade** low quality, low-grade
• **de qualidade** high quality, first-grade
• **na qualidade de** as

qualificação *sf* **1** qualification **2** *(capacidade)* qualification, training, competence
• **qualificação profissional** professional qualification

qualificar *vtd* **1** *(classificar)* to classify **2** *(avaliar)* to qualify **3** *(conferir qualidade)* to qualify **4** *(tornar apto)* to enable
▸ *vpr* **qualificar-se** to qualify *(for, as)*

qualificativo *adj* qualifying
▸ *sm* **qualificativo** qualificative

qualitativo *adj* qualitative

qualquer (*pl* **quaisquer**) *adj* **1** *(algum)* any: ***se surgir qualquer problema, ligue*** call me if you have any problem **2** *(um*

ou outro, indeterminado) any, any old: ***não quero ouvir um pianista qualquer*** I don't want to listen to any old pianist **3** *(todo, cada)* any, every, all: ***qualquer elevador o levará à cobertura*** any elevator will take you to the roof; ***qualquer criança poderá ser vacinada*** every child can be vaccinated; ***pessoas de qualquer idade*** people of all ages
• **a qualquer custo** no matter what
• **qualquer pessoa** anybody, anyone
• **qualquer que seja** no matter which
• **qualquer um** anyone
• **todo e qualquer** any and all

quando *adv* when: ***quando você nasceu?*** when were you born?
▸ *conj* **1** when: ***não sei quando ele volta*** I don't know when he will be back; ***quando fui embora, ainda estava escuro*** it was still dark when I left; ***quando for o momento, escrevo*** I'll write you when the moment comes **2** *(enquanto)* as, when: ***encontrei-o quando saía de casa*** I met him as I left home
• **de vez em quando** once in a while
• **desde quando** since when
• **para quando** for when
• **quando de** on the occasion of
• **quando muito** at the most
• **sabe-se lá quando** who knows when
• **senão quando** when suddenly

quantia *sf* COM amount, sum

quantidade *sf* quantity, amount, number

quanto *pron* **1** (how) many: ***quantos irmãos você tem?*** how many brothers and sisters do you have?; ***não sei quantas moedas há na carteira*** I don't know how many coins there are in the wallet; ***você tem muitos amigos; convide quantos quiser*** you have a lot of friends, invite as many as you want **2** how much: ***quanto custa esta bolsa?*** how much is this purse?; ***quanto quer por essa bola?*** how much do you want for this ball?
▸ *adv* how much: ***você não imagina quanto eu gosto dela*** you can't imagine how much I love her
• **não consegue isto... quanto mais aquilo** you won't get this... and that even less
• **não sei a quantas andam as coisas** I don't know how things are going
• **quanto a...** as for...
• **quanto antes... melhor/pior** the sooner.. the better/the worse
• **quanto custa/é?** how much is this?
• **quanto mais... mais/menos** the more... the more/the less
• **quanto mais... melhor/pior** the more... the better/the worse
• **quanto menos... mais/menos** the less... the more/the less
• **quanto menos... melhor/pior** the less... the better/worse
• **quanto tempo fica aqui?** how long are you staying here?

quão *adv* how, as

quarentão *adj-sm,f* a man or woman in his or her fourties

quarentena *sf* quarantine
• **estar/pôr de quarentena** MED to be in quarantine, INFORM to be in quarantine

quaresma *sf* Lent

quarta-de-final *sf* ESPORTE quater-final

quarta-feira *sf* Wednesday

quartel *sm* barracks, quarters
• **sem quartel** merciless

quarteto *sm* quartet

quarto *num* fourth, quarter
▸ *sm* **quarto 1** *(de litro)* a quarter of a liter, 250 millilitres **2** *(de quilo)* a quarter of a kilogram, 250 grams: ***um quarto de queijo*** a quarter kilo of cheese **3** *(dormitório)* bedroom
• **passar um mau quarto de hora** to be in a very difficult situation
• **quarto ano** *(escolar)* fourth grade
• **quarto crescente** *(moon's)* first quarter
• **quarto de despejo** spare room, junk room
• **quarto minguante** last quarter

quartzo *sm* quartz

quase *adv* **1** *(perto)* almost, close to: ***a tartaruga está quase em fase de desova*** the turtle is almost in the spawning stage **2** *(pouco menos)* almost, nearly: ***faz quase vinte anos que moro aqui*** I've been living here for almost twenty years **3** *(por pouco não)* almost: ***quase desmaiou*** she almost fainted; ***quase caiu*** he almost fell

quatorze *adj* fourteen

quatro *num* four

quatrocentos *adj* four hundred

quê *sm* somewhat, a bit, a little, a dash: ***um quê de ironia*** a dash of irony; ***ela tem um quê da mãe*** she looks a little bit like her mother

• **como quê** like

• **não há de quê** you are welcome

• **um não sei quê** something

que *pron int* what, which: ***não sei que livro escolher*** I don't know what book to choose; ***que dia é hoje?*** what day is today?; ***em que andar você mora?*** which floor do you live on?

▸ *pron excl* what: ***que dia lindo!*** what a beautiful day!

▸ *adv* what: ***que bonita esta cidade!*** what a beautiful city!

▸ *pron rel* 1 *(sujeito)* that, who, whom: ***este é o homem que comprou a casa*** this is the man who bought the house; ***esse é o homem com quem falei*** this is the man whom I talked to 2 *(objeto)* that, which: ***esta é a cidade que a aviação bombardeou*** this is the city which the airplanes bombed

▸ *conj* 1 *(comparativa)* than: ***esta música é mais bonita que a anterior*** this song is nicer than the previous one; ***é melhor do que imaginava*** it is better than I thought 2 *(integrante)* that: ***acho que você está enganada*** I think that you're wrong 3 *(causal)* because: ***não vou sair, que estou muito cansado*** I am not going out because I am too tired 4 *(consecutiva)* that: ***estou tão cansada que não consigo ficar em pé*** I am so tired that I can't stand up

▸ **para que** (+ *subj*): so that

▸ **por que** 1 why: ***por que você não escolheu outra camisa?*** why didn't you choose another shirt? 2 why: ***não sei por que comprou esse computador*** I don't know why you bought this computer 3 why: ***enfim, ele não disse por quê*** in the end, he never said why

• **pelo que sei...** as far as I know...

quebra *sf* 1 break 2 *(transgressão)* breach 3 *(falência)* bankruptcy 4 *(desconto, abatimento)* discount

▸ *pl* **quebras** *(sobras)* the leftovers of defective paper that are sold as a product of inferior quality or recycled as raw material

• **de quebra** *(a mais)* to boot, in addition, as an extra

quebra-cabeça (*pl* **quebra-cabeças**) *sm (jigsaw)* puzzle

quebrada *sf* 1 *(encosta, vertente)* hillside, ravine 2 bend of a road

▸ *pl (local distante)* a faraway place: ***nas quebradas*** in a faraway place

quebradeira *sf* 1 *(falência em massa)* mass bankruptcy 2 *(sensação de moleza)* languidness

quebradiço *adj* fragile, breakable

quebrado *adj* 1 *(em pedaços)* fractured, broken *(into pieces)* 2 *(fraturado)* broken 3 *(avariado)* broken, damaged 4 *(falido)* broke 5 *(cansado, esgotado)* worn out

▸ *pl* **quebrados** *(pouco dinheiro)* small change

quebra-galho (*pl* **quebra-galhos**) *sm* stopgap

quebra-molas *sm inv* speed bump

quebranto *sm* prostration, weakness

quebra-pau (*pl* **quebra-paus**) *sm* fight, row

quebra-pedra (*pl* **quebra-pedras**) *sf* BOT a plant of the genus *Phyllanthus* deemed effective against kidney stones

quebra-quebra (*pl* **quebra-quebras**) *sm* fight, row

quebrar *vtd* 1 *(reduzir a pedaços)* to break: ***quebrar um copo, um prato*** to break a glass, a dish 2 *(fraturar-osso)* to break, to fracture 3 *(o silêncio)* to break 4 *(arruinar, causar falência)* to break

▸ *vi* 1 *(romper-se, partir-se)* to break 2 *(fraturar-se)* to break, to suffer a fracture 3 *(avariar-se, enguiçar)* to break down 4 *(dobrar-se, formar ângulo)* to bend 5 *(ondas)* to break

▸ *vpr* **quebrar-se** *(partir-se)* to break, to split

quebra-vento *sm (de automóvel)* wind -break

queda *sf* 1 *(tombo)* fall, tumble 2 *(precipitação)* fall, crash: ***a queda do avião*** the plane crash 3 *(redução)* drop, fall, decline: ***queda nos preços*** a drop in the prices; ***a queda do seu prestígio*** the de-

cline of his prestige **4** *(desvalorização)* fall, devaluation **5** *(ruína, decadência, fim)* fall, downfall, ruin **6** *(de rei etc.)* fall, downfall **7** *(inclinação)* inclination, soft spot: ***ter uma queda por música*** to have an inclination for music **8** *(simpatia)* crush, soft spot: ***ter certa queda por alguém*** to have a crush on someone
• **queda dos anjos** fall of the angels
• **queda livre** free fall
• **ser duro na queda** to be stubborn

queda-d'água (*pl* **quedas-d'água**) *sf* waterfall

queda de braço (*pl* **quedas de braço**) *sm* arm wrestling

queijeira *sf (recipiente)* a dish for cheese

queijo *sm* cheese
▪ **queijo em fatias** sliced cheese
▪ **queijo fresco** fresh cheese
▪ **queijo parmesão** parmesan cheese
▪ **queijo prato** a common kind of table cheese in Brazil
▪ **queijo de soja** soy cheese, tofu
▪ **queijo suíço** swiss cheese

queima *sf* **1** firing, burning **2** *(cremação)* cremation **3** *(de estoques)* clearance sale
• **queima de arquivo** *fig* witness elimination, destruction of evidence

queimação *sf* **1** *(na pele)* burn **2** *(estomacal)* burning

queimada *sf (incêndio de mato)* clearing of land by the use of fire

queimado *adj* **1** burned, scorched **2** *(pela geada, diz-se de plantas)* scorched, frostbitten, frostburned **3** *fig* said of someone in whom people have lost trust: ***ele está queimado com a chefia*** the bosses no longer trust him **4** *fig (bronzeado)* tanned **5** *(comida)* burnt
▸ *sm* **queimado** the taste or smell of burnt food: ***gosto de queimado*** taste of burnt food

queimador *sm* **1** *(de incenso)* burner **2** *(de fogão)* burner

queimadura *sf* burn
• **queimadura de primeiro/segundo/terceiro grau** first/second/third degree burn

queimar *vtd* **1** *(produzir queimadura)* to burn, to scorch **2** *(consumir pelo fogo, atear fogo)* to burn, to set fire to, to set on fire **3** *(comida)* to burn, to carbonize **4** *(bronzear)* to tan **5** *(causar ardor)* to burn **6** *(ressequir-sol, geada)* to wither, to burn, to freeze-burn **7** *(consumir)* to burn: ***esse carro queima muito álcool*** this car burns too much ethanol **8** *(dissipar, esbanjar)* to squander **9** *(liquidar estoque)* to sell off **10** *(balear)* to shoot *(dead)* **11** *fig (desprestigiar)* to destroy morally, to cause people to lose trust in **12** *(cerâmica)* to bake
▸ *vi* **1** *(abrasar-sol)* to burn **2** *(estar muito quente-objeto, pessoa)* to be hot **3** *(causar ardor)* to burn **4** *(lâmpada, fusível, tevê etc.)* to burn
▸ *vpr* **queimar-se 1** *(pegar fogo)* to catch fire **2** *(sofrer queimadura)* to get scorched, to suffer burns **3** *(ressequir-se)* to get burned **4** *(bronzear-se)* to get suntanned **5** *(melindrar-se, zangar-se)* to get angry, to be offended **6** *(perder o prestígio)* to lose prestige, to lose people's trust

queima-roupa *sf loc* **à queima-roupa** point-blank

queixa *sf* **1** *(reclamação)* complaint *(against, about)* **2** *(lamúria)* lament **3** *(queixa-crime)* criminal complaint

queixa-crime (*pl* **queixas-crime**) *sf* criminal complaint

queixar-se *vpr* to complain

queixo *sm* chin

queixoso *adj* complaining
▸ *sm,f* DIR plaintiff

quejando *adj-sm* similar, such, parallel, something of the same quality or nature: ***nunca havia passado por quejando situação***: I have never been through such a situation

quem *pron* who, whom
▸ **a quem** to whom: ***a noiva a quem demos o presente*** the bride to whom we gave the present
▸ **de quem** of whom, about whom: ***as pessoas de quem falamos*** the people whom we talked about
▸ **para quem** to whom: ***a pessoa para quem foi endereçada a carta*** the person to whom the letter was addressed
▸ **por quem** by whom: ***por quem foi feito este quadro?*** by whom was this painting made?; ***por quem você passou***

a caminho daqui? whom did you pass by on your way here?
• **quem de direito** to whom it may concern
• **quem dera!** I wish!
• **quem quer que** whoever
• **quem quer que seja** whoever it may be

quentão *sm* hot cachaça with ginger and other spices

quente *adj* 1 hot 2 *(picante)* hot, spicy 3 *(ardente, entusiasmado)* ardent, keen, enthusiastic 4 *(lucrative)* hot, profitable: ***o negócio é quente*** the deal is hot 5 *(sensual)* hot
• **estar quente** *(estar próximo)* to get warm, to get close to something

quepe *sm* cap

quer *conj* whether, or: ***quer você venha, quer não*** whether you come or not

querer *vtd* 1 *(ter vontade)* to want: ***não quero sair hoje*** I don't want go out today 2 *(tencionar)* to intend: ***ela quer estudar medicina*** she intends to study medicine 3 *(exigir)* to want: ***quero que você traga esse dinheiro já*** I want you to bring that money now 4 *(requerer)* to call for: ***este prato quer um bom vinho*** this dish calls for a good wine 5 *(ter a bondade)* will, would: ***queira sentar-se*** would you take a seat, please? 6 *(condescender)* to will, to admit, to agree to: ***se quiser largar esse orgulho, podemos conversar*** if you agree to putting your pride away, we can talk 7 *(ameaçar, estar para)* to be about to happen, to be imminent: ***está querendo chover*** it's about to rain 8 *(conseguir)* will: ***o fogo não quer pegar*** the fire won't light
▸ *vtdi (ter afeição)* to love, to like: ***quero-lhe muito bem*** I love you very much
▸ *vpr* **querer-se** to love each other, to love one another, to like one another: ***eles se querem bem*** they love each other
• **como queira** as you wish
• **não querer nada com algo/alguém** not to want anything to do with someone
• **queira ou não queira** whether you want it or not, willy-nilly
• **quer dizer** *(isto é)* I mean, in other words
• **quer dizer que...** you are trying to say that...
• **se Deus quiser** if God permits, God willing
• **sem querer** not on purpose, accidentally
• **sem querer querendo** accidentally on purpose

querido *adj* dear
▸ *sm,f* dear, favourite, pet: ***o querido da professora*** teacher's pet
• **querido André, ...** dear André, ...

querosene *sm* kerosene

quesito *sm* query, question, matter

questão *sf* 1 *(pergunta)* question 2 *(assunto)* matter, issue 3 *(o que está em jogo)* matter 4 *(divergência)* controversy
• **estar em questão** to be in question
• **estar fora de questão** to be out of the question
• **fazer questão de algo** to insist on something
• **pôr em questão** to question
• **questão de ordem** point of order
• **ser questão de vida ou morte** to be a matter of life or death

questionar *vtd* 1 *(pôr em questão, contestar)* to debate, to put into question, to call into question 2 *(interrogar)* to question, to inquire

questionário *sm* questionnaire

questionável *adj* questionable

quiabo *sm* BOT okra

quibe *sm* CUL kibbe, kibbeh, an Arab dish made of baked or deep-fried minced meat and coarsely ground whole wheat grain seasoned with mint

quieto *adj* 1 *(parado)* still 2 *(calmo)* quiet: ***uma criança quieta*** a quiet child 3 *(sem ruído, silencioso)* silent
• **quieto!** quiet!, silent!

quilate *sm* 1 carat: ***ouro 24 quilates*** 24-carat gold 2 *fig (qualidade)* excellence, superiority

quilo *sm* 1 kilo 2 MED chyle

quilograma *sm* kilogram

quilometragem *sf* 1 *(distância em quilômetros)* a distance in kilometers 2 *(de carro)* mileage

quilômetro *sm* kilometre

• **quilômetro quadrado** square kilometre

quimera *sf* chimera

química *sf* chemistry

químico *adj* chemical
▸ *sm,f* chemist

quina *sf* 1 *(na loteria)* a series of five numbers *(in the lotto)* 2 *(aresta)* corner, edge 3 BOT quina

quinhão *sm* portion, quota, division

quinhentos *num* five hundred
• **são outros quinhentos** that is quite another question

quinquagésimo *num* fiftieth

quinquênio *sm* quinquennium

quinquilharia *sf* knick-knack

quinta-feira *sf* Thursday

quintal *sm* yard, backyard

quinteto *sm* quintet

quinto *adj num* fifth
• **mandar para os quintos dos infernos** to tell someone to go to hell

quinze *num* fifteen
• **nove e quinze** a quarter past nine
• **quinze para as nove** a quarter to nine

quinzena *sf* fortnight

quinzenal *adj* fortnightly

quiosque *sm* kiosk

quirera *sf* broken maize used to feed chicken and other poultry

quisto *sm* MED cyst, wen

quitação *sf* COM acquittance, discharge

quitado *adj* quit, acquitted

quitanda *sf* *(pequeno estabelecimento comercial)* greengrocery

quitar *vtd* to pay off something

quite *adj* 1 even, quits: ***fiquei quite com ele*** he and I are quits 2 *(desobrigado)* quits, free: ***assim ficamos quites*** so now we are quits 3 *(igualado)* even: ***os dois estão quites*** they are even

quitinete *sf* studio flat, one-room apartment

quitute *sm* tasty appetizing dish, delicacy

quiuí *sm* BOT kiwi fruit

quociente *sm* quotient

quórum *sm* quorum

quota *sf* quota, share, portion

quota-parte (*pl* **quotas-partes**) *sf* share

quotista *smf* shareholder

quotizar-se *vpr* to each contribute one's share

R

rã *sf* ZOOL frog

rabada *sf* **1** *(pancada com o rabo)* lash with the tail **2** CUL oxtail stew

rabanada *sf* **1** *(pancada com o rabo)* lash with the tail **2** CUL French toast

rabanete *sm* BOT radish

rabecão *sm (carro funerário)* hearse

rabeira *sf* **1** *(traseira de carro)* tail end, rear **2** *(último lugar)* rear end, last place: ***estar na rabeira*** to come last, to be in the rear end

rabicho *sm* **1** *(pequeno rabo de cabelo)* bobtail, pigtail **2** *(paixão)* crush

rabino *sm* rabbi

rabiscar *vtd* **1** to scribble **2** *(garatujar)* to doodle **3** *(escrevinhar)* to scrawl

rabisco *sm* **1** *(risco)* scrawl **2** *(garatuja)* doodle

rabo *sm* **1** *(cauda)* tail **2** *(cabo)* end **3** *pop (bunda)* buttocks, rear, arse, ass *(AmE)* **4** *pop (ânus)* arse, asshole *(AmE)*
- **de cabo a rabo** *fig* from beginning to end
- **meter o rabo entre as pernas** *fig* to put one's tail between one's legs
- **olhar com o rabo dos olhos** to look out of the corner of one's eye
- **ter o rabo preso** to be in someone's pocket

rabo de cavalo (*pl* **rabos de cavalo**) *sm* pony-tail

rabo de foguete (*pl* **rabos de foguete**) *sm* difficult task

rabo de galo (*pl* **rabos de galo**) *sm* **1** *(aperitivo)* a shot of cachaça and vermouth **2** *(gasolina + álcool)* mix of 50% gasoline and 50% ethanol

rabo de saia (*pl* **rabos de saia**) *sm* a woman

rabugento *adj* sour, crabby, curmudgeonly, peevish, sulky

raça *sf* race, breed
- **acabar com a raça de alguém** to wreck someone
- **de raça** thoroughbred
- **na raça** with courage

ração *sf* **1** *(quantidade)* ration **2** *(alimento para animais)* ration

racha *sf* **1** *(fenda)* fissure, crack **2** *(partilha)* sharing
▸ *sm* **1** *(cisão, divisão)* split **2** *(corrida de carros)* street racing

rachadura *sf* split, crack, fracture

rachar *vtd* to split, to crack, to break *(in half)*
▸ *vtd-vtdi (partilhar)* to share
▸ *vi (estudar muito)* to study your brains out
▸ *vi-vpr* **rachar(-se)** to split, to crack
- **calor de rachar** very strong heat
- **ou vai ou racha!** it's now or never
- **rachar o bico** to laugh one's head off

racial *adj* racial

raciocinar *vtd-vi* to reason

raciocínio *sm* reasoning

racional *adj* **1** *(que usa a razão)* rational, reasoning **2** *(coerente, lógico)* coherent **3** MAT rational

racionar *vtd* to ration *(out)*

racismo *sm* racism

racista *adj-smf* racist

radar *sm* radar
- **radar de velocidade** speed radar

radiador *sm* radiator

radiante *adj* 1 radiant 2 *(felicíssimo)* radiant, beaming *(with joy)*

radical *adj* 1 *(da raiz)* radical, root 2 *(extremado)* extreme 3 ESPORTE radical
▸ *sm* 1 GRAM word root 2 MAT radical sign

radicar-se *vpr* 1 to take root 2 *(fixar residência)* to settle down

rádio *sm* 1 ANAT radius 2 QUÍM radium 3 *(aparelho)* radio *(set)*
▸ *sf (emissora)* broadcasting station

radioativo *adj* radioactive

radiografia *sf* MED radiography, X-ray

radiopatrulha *sf* 1 *(policiamento)* radio patrol, squad patrol 2 *(veículo)* patrol car, squad car

rádio-relógio *sm* radio alarm

radiotáxi *sm* radio taxi

radiotransmissor *adj-sm,f* radio transmitter

raia *sf* 1 *(arraia)* ray, skate 2 *(linha, limite)* mark, brink 3 *(divisão de piscina)* lane
• **chegar às raias de...** to be on the brink of...
• **fugir da raia** to lose courage, to yellow, to chicken out

raiar *vi (surgir, nascer)* to dawn

rainha *sf* queen

raio *sm* 1 *(radiação luminosa)* beam, ray 2 *(relâmpago)* lightning 3 GEOM radius 4 *(da roda)* spoke 5 *(espaço, perímetro)* range: ***num raio de 10 quilômetros*** in a range of 10 km 6 *interj* bloody: ***o raio do ônibus não apareceu*** the bloody bus hasn't shown up
▸ *interj* **raios!** blast it!
• **raio de ação** area, scope, range of action
• **raios o partam** damn him!
• **raios X** X-ray

raiva *sf* 1 *(hidrofobia)* rabies, hydrophobia 2 *(cólera)* rage, fury 3 *(aversão)* aversion, hate: ***ter raiva do patrão*** to hate one's boss 4 *(irritação)* anger: ***ficar com raiva*** to get angry
• **fazer raiva a alguém** to make someone angry

raivoso *adj* 1 *(hidrófobo)* hydrophobic 2 *(encolerizado)* furious

raiz *sf* root
• **criar raízes** *fig* to settle down

rajada *sf* 1 *(de vento)* gust 2 *(de tiros)* burst of machine-gun fire

rajado *adj* striped

ralador *sm* grater

ralar *vtd* to grate
▸ *vi (trabalhar muito)* to work one's fingers to the bone

ralé *sf* scum, dregs *(of society)*

ralhar *vti-vi* to scold

rali *sm* rally

ralo *adj* 1 *(pouco denso)* sparse, thin: ***mato ralo*** sparse vegetation; ***cabelo ralo*** thin hair 2 *(sem consistência)* watery, thin: ***molho ralo*** thin sauce
▸ *sm* 1 *(ralador)* grater 2 *(parte do encanamento)* drain 3 *(peça do regador)* nozzle
• **ir pelo ralo** *fig* to go down the drain

ramal *sm* 1 *(de estrada)* branch 2 *(de telefone)* extension

ramalhete *sm* bunch of flowers, small bouquet

ramela *sf* → **remela**

ramerrão *sm* 1 tiresome repetition 2 everyday routine, daily grind

ramificação *sf* 1 ramification 2 *fig* subdivision

ramificar-se *vpr* 1 BOT to branch out 2 *fig* to spread out

ramo *sm* 1 BOT branch 2 *fig (campo, esfera)* trade, line of business 3 *(buquê)* bunch of flowers

rampa *sf* slope, ramp
• **rampa de lançamento** launch pad

rancho *sm* 1 *(bloco de carnaval)* group of carnival merrymakers 2 *(refeição)* food, meal 3 *(choupana)* hut

ranço *adj (rançoso)* rancid, stale
▸ *sm* **ranço** staleness

rancor *sm* grudge, hate

rançoso *adj* 1 rancid, stale 2 *fig* outdated, stale

ranger *vtd (os dentes)* to grind, to grit
▸ *vi* to creak, to squeak

rangido *sm* creak, squeak

rango *sm gíria (comida)* bite, grub

ranheta *adj-smf* grouchy

ranho *sm* snot

ranhura *sf* groove

ranzinza *adj-smf* cranky

rapadura *sf* hard lump of brown sugar
• **entregar a rapadura 1** *(admitir derrota, entregar a toalha)* to throw in the towel **2** to die

rapar *vtd* **1** *(raspar)* to scrape **2** *(cortar rente)* to shave closely, to cut clean
▸ *vtd-vtdi (roubar)* to rob, to steal, to clean

rapaz *sm* young man, fellow, lad, bloke, guy

rapel *sm* ESPORTE rapelling

rapidez *sf* quickness, speed

rápido *adj* **1** *(veloz)* fast **2** *(ágil)* quick **3** *(curto)* short: ***uma viagem rápida*** a short trip **4** *(acelerado)* fast: ***música rápida*** fast music; ***respiração rápida*** fast breathing
▸ *adv (depressa)* rapidly, quickly, speedily

rapina *sf* rapine, plunder
• **aves de rapina** birds of prey

raposa *sf* **1** ZOOL fox **2** *fig* fox, a foxy character

raptar *vtd-vtdi* to abduct, to kidnap

rapto *sm* **1** abduction, kidnapping **2** rapture

raquete *sf* racket

raquítico *adj* **1** *(pessoa)* underdeveloped, undernourished **2** *(vegetação)* scrubby

rarear *vi (rarefazer-se)* to become rare, to become scarce

rarefeito *adj* rarefied, rare, scarce, thin

raridade *sf* rarity

raro *adj* **1** rare **2** *(pouco)* scarce: ***raros alunos apareceram hoje*** scarcely any students have shown up today **3** *(extraordinário)* extraordinary: ***uma inteligência rara*** an extraordinary wit
• **não raro** usually

rascunho *sm* rough draft
• **papel de rascunho** scrap paper

rasgado *adj* **1** torn, ripped **2** *fig (caloroso)* open, generous, effusive: ***elogios rasgados*** effusive praise

rasgão *sm* tear, rip

rasgar *vtd* **1** to tear, to rip **2** *(lacerar)* to lacerate
▸ *vpr* **rasgar-se** to tear open
▸ *vi (rasgar seda)* to be excessively complimentary

rasgo *sm* **1** tear, slip, rip **2** *(laceração)* laceration **3** *fig (ação nobre)* deed: ***um rasgo de heroísmo*** an heroic deed **4** *fig (manifestação súbita)* flight, stroke: ***um rasgo de imaginação*** a flight of imagination

raso *adj* **1** *(rente)* close, close-cropped **2** *(não cheio)* not full **3** *(não fundo)* not deep, shallow: ***um balde raso*** a shallow bucket; ***aqui o rio é raso*** at this point the river is shallow
▸ *sm* shallows: ***fique no raso*** stay at the shallows
• **olhos rasos de lágrimas/olhos rasos d'água** tear-filled eyes

raspa *sf* **1** *(lasca)* scrape **2** *(comida do fundo da panela)* food left at the bottom of the pan
• **raspa de tacho** scraping from the bottom of the barrel, *fig* someone born in their parents' later life

raspão *sm* **1** scratch: ***deu um raspão no carro estacionado*** he gave the parked car a scratch **2** *(arranhão)* scratch
• **de raspão** in a side-swipe

raspar *vtd* **1** *(rapar)* to scrape **2** *(tocar de raspão)* to side-swipe **3** *(ralar)* to scrap **4** *(arranhar)* to scratch

rasteira *sf* **1** the act of tripping someone up **2** *fig* stab in the back

rasteiro *adj* **1** *(que se arrasta)* crawling, creeping **2** *(rasante)* touching **3** *fig (subserviente)* servile **4** *fig (ignóbil)* base

rastejar *vi* **1** to creep, to crawl **2** *fig* to debase oneself before someone else

rastelo *sm* rake

rastrear *vtd (investigar)* to track *(down)*, to trail, to follow the trails or the tracks of

rastro *sm* **1** *(pegada)* footprint, track **2** *(de navio)* wake

rasura *sf* erasure

rata *sf* **1** *(ratazana)* female rat **2** *(erro)* mistake

ratazana *sf* big rat

ratear *vtd* to apportion, to allot
▸ *vi* **1** *(dar defeito-motor)* to misfire **2** *(não funcionar)* to break down **3** *(perder as forças)* to lose strength

rateio *sm* apportionment, allotment

ratificar *vtd* to ratify, to confirm

rato *sm* ZOOL rat
• **rato de biblioteca** *fig* bookworm
• **rato de igreja** *fig pej* churchgoer

ratoeira *sf* mouse trap
• **cair na ratoeira** *fig* to fall into a trap

ravióli *sm* CUL ravioli

ray-ban *sm inv* sunglasses

razão *sf* 1 *(faculdade de raciocinar)* reason 2 *(correção, justiça)* right, justice: ***você está com a razão*** you are right, justice is on your side 3 *(juízo)* sense, mind: ***perder a razão*** to lose one's mind 4 *(causa, motivo)* cause, motive, reason 5 *(argumento)* reason: ***apresente suas razões*** present your reasons 6 MAT ratio
• **à razão de** *(ao preço de)* at the price of, *(à taxa de)* at the rate of, *(na proporção de)* in the ratio of
• **dar razão a alguém** to agree with someone
• **em razão de** by reason of, on account of
• **ter suas razões** to have one's own reasons
• **ter/não ter razão** to be right/to be wrong

razoável *adj* 1 *(racional)* reasonable 2 *(sensato)* sensible 3 *(moderado)* moderate, fair: ***exigências razoáveis*** fair requirements 4 *(passável, aceitável)* fair enough: ***o vinho pareceu-me razoável*** the wine seemed fair enough

razoavelmente *adv* reasonably

ré *sm* MÚS D
▸ *sf* 1 DIR female defendant 2 *(marcha a ré)* reverse gear
• **dar marcha a ré** to put the car into reverse gear, to back, *fig* to back off

reabastecer *vtd* to replenish, to restock
▸ *vti-vi (de gás, gasolina etc.)* to refuel, to fill *(the tank)* up

reabastecimento *sm* replenishment, restocking, refueling

reabilitação *sf* 1 rehabilitation 2 *(recuperação do crédito)* financial credit rehabilitaion

reabilitar *vtd* 1 to rehabilitate, to regain 2 *(restituir o crédito)* to regain financial credit
▸ *vpr* **reabilitar-se (de dependência) química** to go to/on rehab

reação *sf* 1 reaction, response 2 POL reaction

reacionário *adj* reactionary

reagir *vti* react *(against)*

real *adj* 1 *(verdadeiro)* real 2 *(régio)* royal
▸ *sm (moeda brasileira)* real
• **cair na real** to come to one's senses, to get real

realçar *vtd* 1 *(dar destaque)* to cause to stand out, to enhance 2 *(ressaltar)* to emphasize
▸ *vpr* **realçar-se** to stand out

realce *sm* 1 enhancement 2 emphasis

realeza *sf* royalty

realidade *sf* reality
• **na realidade** actually

realimentar *vtd* to feed back

realismo *sm* realism

realista *adj* 1 *(monarquista)* royalist 2 *(prático)* realistic 3 *(de acordo com a realidade)* realistic, according to reality 4 *(partidário do realismo em arte)* realist

realização *sf* 1 realization 2 *(feito, ato meritório)* achievement, accomplishment

realizado *adj* realized, fulfilled, accomplished: ***um homem realizado*** a fulfilled man

realizar *vtd* 1 *(tornar real)* to make real 2 *(pôr em prática)* to effect, to put into practice, to perform, to accomplish
▸ *vpr* **realizar-se** 1 *(cumprir-se, efetivar-se)* to come true 2 *(ocorrer)* to take place 3 *(concretizar seus ideais)* to achieve one's goals, to come to fulfillment

realmente *adv* 1 *(verdadeiramente)* really 2 *(de fato, com efeito)* in fact, actually

reanimação *sf* MED reanimation

reaparecer *vi* to reappear

reaparição *sf* reappearance

reaproveitamento *sm* recycling, reuse

reaproveitar *vtd* to recycle, to reuse

reaproximação *sf* reapproximation, getting together again

rearmamento *sm* rearming

reatamento *sm* re-establishment of relations

reatar *vtd* to resume, to re-establish relations, to retie

reatividade *sf* reactivity

reator *sm* reactor

reavaliar *vtd* to reappraise

reaver *vtd* to recover, to get back

rebaixamento *sm* 1 *(diminuição de altura)* lowering, reduction in height 2 *(redução de valor)* cheapening 3 *(humilhação, aviltamento)* degradation, debasement 4 ESPORTE lowering

rebaixar *vtd* 1 *(tornar mais baixo)* to lower, to reduce in height 2 *(humilhar)* to discredit, to debase 3 ESPORTE to lower

▸ *vpr* **rebaixar-se** to debase oneself, to cheapen oneself

rebanho *sm* herd, flock

rebarba *sf* 1 *(saliência, quina)* edge, corner 2 *(excesso de material)* burrs

rebate *sm (som de sino)* strike, alarm, toll

• **rebate falso** false alarm

rebater *vtd* 1 *(bater e lançar em direção contrária)* to beat *(back)*, to hit *(back)*, to strike *(back)* 2 *(aparar, rechaçar)* to parry, to beat back, to repel 3 *(refutar, contestar)* to reject, to rebuff

rebelar *vtd* to incite to rebelion

▸ *vpr* **rebelar-se** to rebel, to revolt

rebelde *adj-smf* 1 *(amotinado)* insurgent 2 *(desobediente)* rebel 3 *fig (cabelos)* rebellious

rebeldia *sf* rebelliousness

rebelião *sf* rebellion, revolt, mutiny, inssurrection

rebentação *sf* line of breaking waves

rebentar *vtd* 1 *(estourar)* to break, to burst *(up, open)*

▸ *vi* 1 *(estourar, explodir)* to explode, to blow up 2 *(ondas)* to break 3 *(romper-se, partir-se)* to crack up 4 *(guerra)* to break out 5 *(brotar)* to sprout

rebite *sm* rivet

rebobinar *vtd* to rewind

rebocador *sm* tug, tugboat

rebocar *vtd* 1 *(puxar-auto, barco etc.)* to tow, to tug 2 *(revestir de reboco)* to cover with plaster

▸ *vpr* **rebocar-se** *(maquiar-se demais)* to put on heavy make-up

reboco *sm* plaster

rebolado *sm (saracoteio, rebolação)* swinging of the hips, rebolation

• **perder o rebolado** *fig* to be/get embarrassed

rebolar *vi (saracotear)* to swing the hips

reboque *sm* 1 trailer, barge 2 *(guincho)* tow truck

• **ir a reboque** to be towed, *fig (pessoa)* to go after someone, to follow someone unthinkingly, *fig (coisa)* to come as a result

rebotalho *sm* 1 *(refugo)* reject, piece of junk 2 *(ralé)* castoff

rebote *sm* 1 ESPORTE rebound 2 *(ricochete)* ricochet

rebu *sm* comotion, stir, fuss

rebuliço *sm (confusão)* comotion, stir, fuss

rebuscado *adj (requintado)* belaboured, excessively refined, recherché

recadastramento *sm* reregistration

recado *sm* 1 *(mensagem oral)* message, word: ***mandar um recado para alguém*** to send a word to someone 2 *(mensagem escrita)* message, note

• **dar o recado** to deliver someone the message, *fig* to perform well

recaída *sf* MED relapse

recair *vi (sofrer recaída)* to suffer a relapse

▸ *vti* 1 *(reincidir)* to recidivate 2 to fall: ***a culpa recaiu sobre ele*** the blame fell on him

recalcado *adj* PSIC repressed

▸ *adj-sm,f* repressed, uptight: ***um (sujeito) recalcado*** a repressed person

recalcar *vtd* PSIC to repress

recalque *sm* PSIC repression

recapado *adj* 1 *(pneu)* recapped 2 *(asfalto)* repaved

recapitular to recapitulate, to review

recarga *sf (de celular)* recharge

recatado *adj (modesto, pudico)* modest, chaste

recato *sm (modéstia, pudor)* modesty, chastity

recauchutagem *sf* recapping

recauchutar *vtd* 1 to recap 2 *fig (fazer plástica)* to undergo plastic surgery

recear *vtd* to fear, to be afraid of
▸ *vti* to fear *(for)*: ***eu receio pela vida dele*** I fear for his life

receber *vtd-vtdi* 1 *(ganhar)* to receive, to get 2 *(salário)* to receive 3 *(cobrar-dívida, imposto etc.)* to collect 4 *(notícia)* to receive, to get, to hear
▸ *vtd* 1 *(aceitar, admitir)* to take: ***receber bem/mal um pedido*** to take a request well/badly 2 *(hospedar)* to receive at home 3 *(acolher-visita)* to welcome 4 *(ser atingido)* to get: ***recebeu uma pedrada bem na testa*** he got a stone right on the forehead; ***este lado da casa não recebe luz*** this side of the house doesn't get any light
▸ *vi (recepcionar)* to entertain: ***ela não recebe às quartas*** she doesn't entertain on Wednesdays
• **recebimento** *sm* receival, receipt
• **aviso de recebimento** notice of receipt
• **favor acusar recebimento** please acknowledge the receipt of

receio *sm* uncertainty, fear, suspicion

receita *sf* 1 CUL recipe 2 *(de tricô, costura etc.)* directions, instructions 3 *(receita médica)* prescription 4 *(valor arrecadado)* income 5 *fig (fórmula)* formula: **a receita do sucesso** the formula of success

receitar *vtd (medicamentos)* to prescribe

receituário *sm* prescription book

recém-casado *(pl* **recém-casados)** *adj-sm,f* newly-wed

recém-chegado *(pl* **recém-chegados)** *adj-sm,f* newly arrived, newcomer

recém-nascido *(pl* **recém-nascidos)** *adj-sm,f* newborn, baby

recender *vtd (espargir odor)* to give off an aroma
▸ *vtdi-vi (cheirar a)* to smell like

recenseamento *sm* census

recensear *vtd* to take a census

recente *adj* recent, new, novel, late, fresh

recentemente *adv* recently, lately

recepção *sf* 1 *(recebimento)* receiving, getting, receipt 2 *(acolhida)* reception, welcome 3 *(reunião festiva)* party, reception 4 *(setor)* reception: ***dirija-se à recepção*** please go to the reception

recepcionar *vi* to have guests, to hold a reception
▸ *vtd* to receive, to greet, to entertain

recepcionista *smf* receptionist

receptação *sf* receiving and stashing of stolen goods

receptáculo *sm* receptacle

receptador *sm,f* receiver, fence

receptivo *adj* receptive

receptor *adj* receiving, recipient
▸ *sm* receiver

recessão *sf* ECON recession

recessivo *adj* 1 BIOL recessive 2 ECON recessive

recesso *sm* 1 recess, retreat, seclusion: ***no recesso do lar*** in the seclusion of one's home 2 *(do Congresso etc.)* recess

rechaçar *vtd* to repel, to repulse, to rebuff

rechear *vtd-vtdi* 1 CUL to stuff, to fill 2 *fig (carteira)* to stuff with money 3 *fig (encher)* to stuff, to fill

recheio *sm* CUL stuffing, filling

recibo *sm* receipt
• **passar recibo** to give a receipt

reciclagem *sf* recycling

reciclar *vtd* to recycle

recidiva *sf* MED recurrence, relapse

recife *sm* reef, ledge, shoal, scar

recinto *sm* 1 premises 2 enclosure

recipiente *sm* receptacle, container
▪ **recipiente descartável** disposable container
▪ **recipiente graduado** graded recipient

recíproca *sf* counterpart, reverse: ***a recíproca também é verdadeira*** the reverse is also true

reciprocamente *adv* mutually

recíproco *adj* reciprocal, mutual

récita *sf* performance, recital

recital *sm* recital

recitar *vtd* to recite, to declaim

reclamação *sf* 1 *(queixa, protesto)* complaint, protest 2 *(lamúria)* whining

reclamar *vti-vi* 1 *(queixar-se, protestar)* to complain *(of, about)*, to protest *(about, against)* 2 *(lamentar-se)* to lament, to whine

▸ *vtd (reivindicar, exigir)* to demand, to claim

reclinar *vtd* to recline, to lay back

▸ *vpr* **reclinar-se** to lie down, to lounge, to rest

reclinável *adj* reclining

reclusão *sf* 1 DIR imprisonment 2 *(afastamento voluntário)* seclusion

recluso *adj-sm,f* recluse, secluded

recoberto *adj* coated, covered

recobrar *vtd* to recover, to regain, to get back

▸ *vpr* **recobrar-se** to get well again, to cheer up

• **recobrar o juízo** to regain self-control, to come to one's senses

• **recobrar os sentidos** to regain consciousness

recobrir *vtd* to coat, to cover

recolher *vtd-vtdi (abrigar)* to harbour, to give shelter

▸ *vtd* 1 *(colher, catar)* to harvest, to gather 2 *(colher, coligir)* to collect, to assemble 3 *(dar hospitalidade)* to lodge 4 *(retirar de circulação)* to take *(money)* out of circulation

▸ *vpr* **recolher-se** 1 *(voltar para casa)* to go home 2 *(ir para o quarto, deitar-se)* to go to bed 3 *(retirar-se)* to retire, to go into seclusion 4 *(concentrar-se, refletir)* to concentrate

recomeçar *vtd* to resume, to begin again, to start over

▸ *vti* to resume

▸ *vi* 1 to start over 2 to reopen

recomendação *sf* 1 advice, counsel: ***fazer recomendações a alguém*** to give somebody advice 2 reference, recommendation: ***a atividade filantrópica é sua melhor recomendação*** your philanthropic actions are your best reference

• **carta de recomendação** reference letter

• **dar boas/más recomendações de alguém** to give good/bad references about somebody

• **minhas recomendações à família** my regards to your family

recomendado *adj (indicado como bom)* recommended

recomendar *vtdi* 1 *(aconselhar, indicar)* to advise, to suggest 2 to recommend, to give good references about 3 *(advertir)* to admonish, to warn

recomendável *adj* recommendable, advisable

recompensa *sf* compensation, reward

recompensar *vtd-vtdi* to compensate, to reward

reconciliação *sf* reconciliation

reconciliar *vtd-vtdi* to reconcile, to conciliate

▸ *vpr* **reconciliar-se** to become reconciled *(to)*, to be friends again

reconfortar *vtd (consolar)* to comfort

reconhecer *vtd* 1 *(conhecer o que era conhecido)* to recognize 2 *(admitir)* to acknowledge, to admit 3 *(filho)* to acknowledge *(parenthood)* 4 *(região, território)* to reconnoiter territory 5 *(novo governo)* to recognize 6 *(ser grato por)* to be grateful for, to be thankful for

reconhecido *adj (grato)* grateful, thankful

reconhecimento *sm* 1 *(de criminosos)* recognition, identity parade, line-up 2 *(confissão de erro)* confession, admission 3 *(de filho)* acknowledgement *(of parenthood)* 4 *(de firma)* certification 5 *(gratidão)* thankfulness, gratitude, recognition 6 *(fama)* recognition

reconquistar *vtd* to regain, to recover, to win again

reconstituição *sf* 1 reconstitution 2 *(de crime, acidente etc.)* reconstruction

reconstituir *vtd* 1 *(restabelecer)* to re-establish 2 *(devolver as forças)* to restore, to revive 3 *(crime, acidente etc.)* to reconstruct

reconstrução *sf* 1 rebuilding 2 *fig* rebuilding, reconstruction

recordação *sf* remembrance, recollection

recordar *vtd* **1** *(lembrar)* to remember, to recollect, to recall **2** *(lição)* to review the homework

▸ *vpr* **recordar-se:** ***isso me faz recordar de algo*** that reminds me of something

recorde *sm* **1** record: ***bater/quebrar um recorde*** to break a record **2** ESPORTE record, best performance

recordista *adj-smf* record-breaking, record-breaker

recorrência *sf* recurrence

recorrer *vti* **1** to resort to **2** DIR to appeal: ***recorrer da sentença*** to appeal from the ruling

recortar *vtd* to cut *(up, out)*, to trim

recorte *sm* **1** clipping, cutout **2** *(de jornal)* clipping

recostar *vtd-vtdi* to lay *(back)*, to lean

▸ *vpr* **recostar-se** **1** to lean *(on)* **2** *(deitar-se por breve tempo)* to recline, to lay down a bit

recosto *sm* back of a seat

recrear *vtd* to amuse, to entertain

▸ *vpr* **recrear-se** to have a good time, to enjoy oneself

recreativo *adj* recreational, amusing

recreio *sm* **1** *(divertimento)* recreation **2** *(intervalo escolar)* break **3** *(local do intervalo escolar)* playground

recriar *vtd* to re-create

recriminar *vtd* to recriminate, to accuse, to criticize

recruta *sm* MIL recruit, draftee

recrutamento *sm* **1** MIL recruitment **2** *(contratação)* hiring

recrutar *vtd* **1** MIL to recruit **2** *(contratar)* to hire

recuar *vi* **1** *(andar para trás)* to move back, to back up **2** *(desistir)* to give up

▸ *vtd* *(muro, fronteira etc.)* to move back

recuperação *sf* **1** restoration **2** *(restabelecimento da saúde)* recovery **3** *(da economia)* recovery **4** *(escolar)* an extra course given for students to make up for a course in which they haven't passed

• **ficar de recuperação** to take a make-up test

• **prova de recuperação** make-up test

recuperar *vtd* **1** *(readquirir)* to regain **2** *(saúde)* to recover **3** INFORM to recover: ***consegui recuperar vários arquivos e pastas*** I managed to recover several files and folders

▸ *vpr* **recuperar-se** **1** *(voltar a ter saúde)* to recover, to regain health **2** *(reabilitar-se)* to rehabilitate oneself

recurso *sm* **1** resource **2** DIR appeal

▸ *pl* **recursos** **1** *(dotes)* gifts **2** *(riquezas)* resources, means

• **como último recurso...** as a last resort...

• **uma pessoa de recursos** a well-off person, a well-to-do person

recusa *sf* refusal, denial

recusar *vtd* **1** *(rejeitar)* to refuse, to reject **2** *(não admitir)* to deny, to reject

▸ *vtdi* *(negar)* to deny: ***a esposa recusou-lhe ajuda*** the wife denied him help

▸ *vpr* **recusar-se** *(negar-se)* to refuse *(to)*

redação *sf* **1** editing **2** writing **3** *(exercício escolar)* composition **4** *(jornalismo)* editorship, editorial room, editorial staff

redator *sm,f* editor

rede *sf* **1** net, network **2** *(de pescar)* fishing net **3** *(do corpo de bombeiros)* life net **4** ESPORTE net **5** *(de dormir)* hammock **6** *fig* trap: ***cair na rede*** to fall into the trap **7** *(internet)* the net, the web

▪ **rede bancária** banking network

▪ **rede de computadores** computer network

▪ **rede de esgotos** sewage system

▪ **rede de espionagem** spying network

▪ **rede de televisão** televison network

▪ **rede elétrica** electric power system

▪ **rede viária** highway system

rédea *sf* **1** rein **2** *fig* *(controle)* control, direction

redemoinho *sm* whirl, whirlpool, whirlwind, swirl

redentor *sm,f* redeemer

redigir *vtd* to write, to compose

redimir *vtd* to redeem

▸ *vpr* **redimir-se** to redeem oneself

redobrar *vtd* **1** *(multiplicar)* to double, to reduplicate **2** *(aumentar)* to double, to redouble: ***redobrar esforços*** to redouble efforts

redoma *sf* bell-jar, bell-glass
▪ **pôr numa redoma** to give special protection, to overprotect

redondamente *adv* roundly, completely: ***você está redondamente enganado*** you're completely mistaken

redondo *adj* 1 round 2 *fig (bem-acabado, perfeito, harmonioso)* well-finished, well-rounded, perfect, harmonious 3 *(conta, número)* whole 4 *adv fig (suavemente)* smoothly, well: ***tem cerveja que desce redondo*** some beers go down smoothly

redor *sm loc* **ao redor de** round, around, about

redução *sf* 1 *(diminuição)* reduction, decrease, lowering 2 *(de preço)* reduction, decrease
• **redução da velocidade** speed reduction

redundância *sf* redundancy

redundante *adj* redundant

redundar *vti* to result *(in)*

reduto *sm* stronghold

reduzir *vtd (diminuir)* to reduce
▸ *vtdi* 1 *(converter)* to turn *(into)* 2 *(diminuir)* to deflate
▸ *vpr* **reduzir-se** 1 *(converter-se, resumir-se)* to be reduced *(to)*, to be limited *(to)*, to amount to no more than 2 *(diminuir)* to be reduced

reeducação *sf* re-education

reeleger *vtd* re-elect

reeleito *adj* re-elected

reembolsar *vtd* to reimburse, to refund, to repay

reembolso *sm* reimbursement, refund, repayment
• **reembolso postal** postal order

reencarnação *sf* reincarnation

reencontrar *vtd* to meet again, to reunite
▸ *vpr* **reencontrar-se** to meet again, to reunite

reencontro *sm* reunion

reentrância *sf* hollow, recess

reestruturação *sf* reorganization

refazer *vtd* 1 *(fazer novamente)* to redo, to remake 2 *(restaurar)* to restore
▸ *vpr* **refazer-se** to recover, to rest up

refeição *sf* meal

refeitório *sm* dining hall, mess hall

refém *smf* hostage

referência *sf* 1 *(referencial)* reference 2 *(menção)* mention, reference: ***fazer referência a alguma coisa*** to make reference to
▸ *pl* **referências** information, references
• **com referência a** with regard to, with reference to
• **referências bibliográficas** reference list

referendo *sm* POL referendum

referente *adj* regarding, concerning

referir *vtd-vtdi (relatar)* to report
▸ *vpr* **referir-se** 1 *(aludir)* to allude *(to)* 2 *(dizer respeito)* to refer *(to)*, to concern
• **no que se refere a** with reference to

refestelar-se *vpr* to stretch out, to lean back in a confortable seat

refilmagem *sf* remake

refinado *adj* 1 refined 2 refined, sophisticated

refinamento *sm* 1 *(de petróleo)* refining 2 *(de açúcar, sal etc.)* refining 3 *(requinte)* refinement, sophistication

refinar *vtd* 1 *(petróleo)* to refine 2 *(açúcar, sal etc.)* to refine 3 *(aprimorar, requintar)* to refine, to perfect, to improve, to elaborate
▸ *vpr* **refinar-se** to become more cultivated

refinaria *sf* refinery

refletir *vtd* 1 *(espelhar)* to mirror, to image 2 *(revelar, traduzir)* to reveal, to reproduce, to reflect, to echo
▸ *vti-vi (meditar)* to reflect *(on)*, to think deeply *(about)*, to meditate *(on, upon)*
▸ *vpr* **refletir-se** 1 *(repercutir)* to reflect on 2 *(espelhar-se)* to be mirrored

refletor *sm* 1 reflector 2 searchlight, spotlight

reflexão *sf* 1 FÍS reflection 2 *(meditação)* deep thought, meditation

reflexo *adj* reflex: ***ação reflexa*** reflex action
▸ *sm* 1 reflection, mirror image 2 *(reação)* reaction, reflex 3 *(indício, resultado)* reflexion, echo

reflorestamento *sm* reforestation

refluxo *sm* reflux, ebbing tide

refogado *adj* sautéed
▸ *sm* CUL onion, garlic and sometimes tomato, quickly sautéed as a base for other ingredients

refogar *vtd* CUL to sauté

reforçar *vtd* 1 *(fortalecer)* to strengthen, to fortify 2 *(enfatizar)* to reinforce, to insist on

reforço *sm* 1 *(em roupa)* brace, backing 2 *(fortalecimento, auxílio)* strengthening, reinforcement 3 *(novas tropas)* relief, replacement, reinforcement
• **aulas de reforço** back-up classes

reforma *sf* 1 *(de roupa)* renovation 2 *(de casa, construção)* rebuilding, renovation, remodeling 3 *(de lei)* reform 4 *(aposentadoria militar)* retirement 5 DIR reversal *(on appeal)*
• **reforma agrária** agrarian reform
• **reforma ministerial** ministry reform
• **reformas sociais** social reforms

reformado *adj (aposentado)* retired

reformar *vtd* 1 *(roupa)* to renovate 2 *(casa, construção)* to remodel, to rebuild, to renovate 3 *(lei)* to reform 4 MIL to put on the retirement list 5 DIR to reverse on appeal
▸ *vpr* **reformar-se** 1 to mend one's ways 2 MIL to retire

reformular *vtd* to reformulate, to rephrase

refrão *sm* 1 chorus, refrain 2 *(provérbio)* saying

refratário *adj* 1 refractory, resistant 2 *fig* intractable

refrear *vtd* to restrain, to control
▸ *vpr* **refrear-se** to restrain oneself

refrescante *adj* refreshing

refrescar *vtd* to refresh, to cool
▸ *vi (tempo)* to grow cool
▸ *vtd-vi fig* to be enough: ***esse dinheirinho não vai refrescar*** this small amount of money is not enough
▸ *vpr* **refrescar-se** to refresh oneself
• **refrescar a memória** to jog one's memory

refresco *sm* refreshment, soft drink, cool drink

refrigeração *sf* refrigeration, air-conditioning

refrigerador *sm* refrigerator, fridge, ice box

refrigerante *sm* cola, soda, soft drink

refrigerar *vtd* to refrigerate, to cool, to chill

refugiado *adj-sm,f* refugee

refugiar-se *vpr* to take refuge, to seek refuge

refúgio *sm* 1 refuge 2 *fig* shelter, refuge

refugo *sm* reject, waste

refutar *vtd* to refute, to contradict

rega *sf* irrigation, watering

regador *sm* sprinkler, watering-can

regalia *sf* privilege, prerogative

regar *vtd* 1 *(irrigar)* to irrigate, to water, to sprinkle 2 to wash down with: ***vamos regar o jantar com muito vinho*** we're washing down our dinner with a lot of wine

regata *sf* 1 NÁUT regatta, boat race 2 *(blusa)* tank top

regatear *vtd-vtdi-vi* 1 *(pechinchar)* to bargain, to skimp, to grudge 2 *(dar com parcimônia)* to dole out, to give *(out)* grudgingly

regateiro *sm,f* vain, presumptuous

regato *sm* stream, brook, creek

regência *sf* 1 POL regentship, regency 2 GRAM syntactical regime 3 MÚS conducting

regeneração *sf* 1 *(emenda, correção)* reform 2 *(reconstituição, restauração)* renovation, regeneration

regenerar *vtd* 1 *(emendar, corrigir)* to reform 2 *(reconstituir, restaurar)* to renovate, to regenerate
▸ *vpr* **regenerar-se** 1 to reform oneself 2 to be regenerated

regente *adj-smf* 1 POL regent 2 MÚS conductor

reger *vtd* 1 *(governar, dirigir)* to govern, to direct 2 POL to rule 3 GRAM to govern 4 MÚS to conduct 5 *fig (orientar)* to lead

região *sf* 1 GEOG region 2 *(área)* region, area

regime *sm* 1 POL regime 2 *(dieta)* diet
• **estar de regime** to be on a diet
• **fazer regime** to go on a diet

regimento *sm* 1 *(conjunto de normas)* *(statutory)* rules, statute 2 MIL regiment

régio *adj* regal, royal, kingly

regional *adj* regional, sectional, local

registradora *sf* *(caixa registradora)* cash register

registrar *vtd* 1 *(lançar em livro; consignar por escrito)* to record 2 *(marcar-aparelho)* to record, to mark, to show, to indicate 3 *(reter na memória)* to record, to take note of 4 *(carta)* to register 5 *(escritura em cartório)* to protocol 6 *(criança)* to certify the birth of

registro *sm* 1 *(lançamento contábil)* registration 2 *(lançamento em livro oficial)* registration 3 *(livro em que se faz o registro)* ledger 4 *(cartório de registro)* register office 5 *(certidão)* certificate: ***registro de nascimento*** birth certificate 6 *(verificação por relógio ou outro aparelho)* gauge, indication, mark 7 *(o relógio, o aparelho)* meter: ***registro de água*** water meter; ***registro de gás*** gas meter 8 *(torneira para isolar tubulações)* shutter 9 INFORM record
▪ **registro civil** *(cartório)* register office, notary's office
▪ **registro de propriedade industrial** industrial property registration

rego *sm* 1 ditch, channel, groove 2 *(risca de cabelo)* parting

regra *sf* rule, norm
▸ *pl* **regras** *(menstruação)* menstruation, period, menses
▪ **regra de três** rule of three
• **cagar regras** to keep telling others what to do
• **em regra** *(em geral)* generally, ordinarily, *(completo, total)* complete, thorough
• **não há regra sem exceção** all rules have exceptions

regrado *adj* *(comedido, sensato)* orderly, controlled

regrar *vtd* 1 *(submeter a regras)* to establish rules for, to direct 2 *(regular, moderar)* to guide, to control
▸ *vpr* **regrar-se** to guide or to direct oneself *(by)*

regra-três *(pl* **regras-três***)* *sm* 1 ESPORTE replacement 2 *fig* replacement

regravável *adj* rewritable

regredir *vi* to retrograde, to regress, to fall back *(on)*

regressar *vti-vi* to return

regressivo *adj* 1 *(retroativo)* retroactive 2 regressive

regresso *sm* return, comeback

régua *sf* ruler
▪ **régua de cálculo** slide-rule

regulação *sf* regulation

regulado *adj* 1 *(comedido)* controlled 2 *(motor)* adjusted

regulador *sm* regulator, controller

regulagem *sf* adjustment

regulamentação *sf* regulation

regulamentar *vtd* to regulate, to govern, to control
▸ *adj* regular, according to the rules

regulamento *sm* rule, precept

regular[1] *vtd* 1 *(sujeitar a regras)* to rule 2 *(comedir, moderar)* to regulate, to control 3 *(ajustar-máquina, mecanismo)* to adjust
▸ *vti* *(ser quase igual)* to be on a par with
▸ *vi* to be in full control of one's mind, to have sense: ***ela não regula muito bem*** she's a little mad
▸ *vpr* **regular-se** *(guiar-se)* to guide oneself *(by)*

regular[2] *adj* 1 *(harmonioso)* regular 2 *(mediano, razoável)* average 3 *(constante, uniforme)* uniform, even 4 *(sem anomalias)* normal, regular

regularidade *sf* regularity

regularizar *vtd* to regularize, to correct

regurgitar *vtd-vi* to regurgitate

rei *sm* king, monarch, sovereign
• **dia de Reis** Epiphany, Twelfth Night
• **rei de copas/paus/ouros/espadas** king of hearts/clubs/diamonds/spades
• **rei morto, rei posto** the king is dead, long live the king
• **ter um rei na barriga** to be haughty, to be conceited, to be big-headed

reinado *sm* 1 reign 2 *fig* supremacy, predominance

• **no reinado de Luís XVI** during the reign of Louis 16th

reinante *adj* 1 reigning 2 *(que domina)* dominating, prevalent, widespread

reinar *vi* 1 to reign 2 *(mandar, dominar)* to dominate, to predominate 3 *(preponderar)* to prevail, to be prevalent, to have the upper hand: ***nesta casa reina a desordem*** mess has the upper hand in this house 4 *fam* to play up, to be naughty: ***as crianças estão reinando*** the children are playing up

reincidência *sf* recidivism, recidivation

reincidir *vtdi-vi* to recidivate, to relapse
▸ *vi* to recidivate: ***foi preso porque reincidiu*** he was arrested because he recidivated

reiniciar *vtd* to recommence, to resume, to start over

reino *sm* 1 kingdom 2 *fig* realm: ***no reino da ficção*** in the realm of fiction
• **reino animal/vegetal/mineral** animal/vegetable/mineral kingdom

reintegrar *vti* 1 *(no cargo)* to reinstate 2 *(na sociedade)* to reintegrate

reiterar *vtd* to reiterate, to repeat

reitor *sm,f* 1 headmaster, principal 2 *(chefe de universidade)* Rector, Vice-Chancellor, President *(AmE)*

reivindicação *sf* claim

reivindicar *vtd* to claim, to demand

rejeição *sf* 1 rejection, denial 2 MED rejection

rejeitar *vtd* 1 *(recusar, reprovar)* to refuse, to reject 2 *(repelir)* to repudiate 3 MED to reject

rejuvenescer *vtd vi* to rejuvenate
▸ **relação** *sf* 1 *(elo, vínculo)* relation, relationship: ***que relação há entre a dieta e a saúde?*** what's the relationship between diet and health? 2 *(relacionamento-de amor, de amizade)* relationship 3 *(lista)* list 4 MAT ratio, proportion
▸ *pl* **relações** *(conhecidos, amigos)* connections, acquaintances: ***ter muitas relações*** to have lots of connections
• **em relação a...** *(relativamente a)* in/with relation to
• **manter boas relações com alguém** to be well-acquainted with someone, to have good relations with someone
• **relações exteriores** foreign affairs
• **relações humanas** human relations
• **relações públicas** public relations

relacionado *adj* 1 *(em lista)* listed, enrolled 2 *(referente)* related *(to, with)* 3 *(que tem relações de amizade)* acquainted *(to, with)*

relacionamento *sm* 1 relationship 2 *(amigos etc.)* acquaintance

relacionar *vtd* 1 *(relatar)* to recount, to relate 2 *(arrolar)* to list, to enumerate
▸ *vtdi* 1 *(estabelecer elos de amizade)* to make familiar, to acquaint 2 *(estabelecer relação)* to establish a relationship between, to correlate, to relate
▸ *vpr* **relacionar-se** 1 *(condizer)* to have to do with 2 *(ter vínculos, dar-se)* to be acquainted *(with)*

relações-públicas *smf* public relations

relâmpago *sm* METEOR lightning, thunderbolt
• **visita relâmpago** quick visit
• **sequestro relâmpago** flash kidnapping

relance *sm* glance, glimpse: ***num relance*** at a glance
• **olhar de relance** to glance

relapso *adj* neglectful

relar *vtd* *(tocar de leve)* to touch lightly

relatar *vtd-vtdi* to report

relativamente *adv* *(não de todo, mais ou menos)* relatively
• **relativamente a...** as far as... is concerned

relatividade *sf* relativity

relativo *adj* 1 *(não absoluto)* relative 2 *(referente)* relating *(to)*

relato *sm* account, report

relator *sm,f* 1 relator, narrator 2 the judge at an appeal panel who presents the proceedings to the other members of the panel

relatório *sm* report

relaxado *adj* 1 *(não contraído)* relaxed 2 *(desmazelado)* sloppy 3 *(pena)* eased

relaxamento *sm* 1 *(descontração)* relaxation 2 *(negligência, desmazelo)* sloppiness 3 *(abrandamento)* easing, loosening

relaxante *adj-sm* relaxing

relaxar *vtd* 1 *(soltar-nó)* to loosen 2 *(músculo)* to relax 3 *(abrandar-pena, disciplina etc.)* to ease
▸ *vi* 1 *(enfraquecer)* to become weak 2 *(corromper-se)* to become dissolute 3 *(descansar)* to relax 4 *(descontrair-se)* to unwind, to enjoy oneself 5 *(tornar-se negligente)* to become negligent, to become sloppy
▸ *vpr* **relaxar-se** *(distender-se)* to unbend, to stretch

relegar *vtdi* to relegate, to consign, to dismiss: ***relegar algo a segundo plano*** to consign something to an inferior position

relembrar *vtd-vtdi* to remember, to remind, to recollect

relento *sm (orvalho)* dew, night air, dampness of the night
• **dormir ao relento** to sleep outdoors
• **ficar/deixar ao relento** to stay/leave outdoors

reler *vtd* to reread

reles *adj* vulgar, inferior, simple, mere

relevância *sf* importance, significance

relevante *adj* important, significant

relevo *sm* 1 *(saliência)* raise, projection 2 *(importância)* distinction, importance, significance 3 GEOG relief
• **pôr em relevo** to emphasize, to underline

religião *sf* religion

religioso *adj* 1 religious 2 *(devoto)* devout, pious
▸ *sm,f (sacerdote, freira)* member of a religious order, monk, nun
▸ *sm (casamento religioso)* church wedding: ***casar no religioso*** to have a church wedding

relinchar *vi* to neigh, to whinny

relincho *sm* neigh, whinny

relíquia *sf* 1 *(corpo de santo)* remains 2 *(objeto precioso)* relic

relógio *sm* 1 watch, clock 2 *(marcador)* meter, dial
▪ **relógio de água** water meter
▪ **relógio de bolso** pocket watch
▪ **relógio digital** digital clock/watch
▪ **relógio de gás** gas meter
▪ **relógio de luz** electricity meter
▪ **relógio de parede** wall clock
▪ **relógio de pêndulo** pendulum clock
▪ **relógio de ponto** time clock
▪ **relógio de pulso** wristwatch
▪ **relógio de sol** sun dial
• **correr contra o relógio** to run against the clock
• **adiantar o relógio** to put the clock forward
• **atrasar o relógio** to turn the clock back

relojoaria *sf* watchmaker's

relojoeiro *sm,f* watchmaker

relutância *sf* reluctance, hesitancy

relutante *adj* reluctant, tentative

reluzente *adj* sparkling, glittering

relva *sf* grass, lawn

reluzir *vi* to sparkle, to glitter

remador *sm,f* oarsman, oarswoman

remanejar *vtd* to rearrange

remanescente *adj* remaining
▸ *sm* remainder

remar *vi* to row

remarcar *vtd* 1 *(marcar de novo)* to set a new date for 2 *(atribuir preço menor/maior)* to mark down/up

rematado *adj* 1 *(acabado)* finished, complete, perfect 2 *(completo)* complete, absolute, perfect

rematar *vtd* 1 *(terminar)* to finish, to complete 2 *(dar acabamento)* to give a finishing touch to

remate *sm* 1 finish, finishing touch 2 *fig* peak, climax

remedar *vtd* to mock

remediado *adj-sm,f (nem rico nem pobre)* neither rich nor poor, of moderate means

remediar *vtd* 1 *(reparar)* to fix, to repair 2 *(minorar)* to relieve

remédio *sm* 1 medicine, medication 2 *(solução)* remedy 3 *(correção, emenda)* correction, reform
▪ **que remédio?** what can I do?

remela *sf* eye secretion

rememorar *vtd* to remind, to remember, to recollect

remendar *vtd* 1 to patch 2 *(consertar)* to fix, to repair, to amend 3 *(corrigir)* to correct

remendo *sm* 1 patch 2 *(correção, emenda)* correction, amendment

remessa *sf* 1 *(envio)* sending, dispatch 2 *(objeto enviado)* shipped goods

remetente *smf* sender

remeter *vtdi* 1 *(mandar, enviar)* to send, to dispatch 2 *(a outro texto)* to refer to

▸ *vpr* **remeter-se** 1 *(referir-se)* to refer to 2 *(confiar-se)* to trust in, to rely on

remexer *vtd* 1 *(agitar, mexer bem)* to agitate, to stir *(up)* 2 *(revolver)* to revolve

▸ *vpr* **remexer-se** 1 *(agitar-se)* to move, to rock and roll 2 *(rebolar-se)* to wiggle one's hips

reminiscência *sf* reminiscence, remembrance

remissão *sf* 1 *(em texto)* cross reference 2 *(perdão)* remission

remo *sm* 1 oar 2 ESPORTE rowing: ***um campeão do remo*** a rowing champion

remoção *sf* 1 removal 2 *(transferência de empregado)* transfer

remoçar *vtd-vi* to rejuvenate

▸ **remodelar** *vtd* to remodel

remoer *vtd* 1 *(moer de novo)* to regrind 2 *fig* to ruminate, to brood over

▸ *vpr* **remoer-se** to brood

remorso *sm* remorse, regret

remoto *adj* remote, far, distant

removedor *sm (produto de limpeza)* remover, cleaning fluid

remover *vtd* 1 *(retirar, afastar)* to remove 2 *(transferir funcionário)* to transfer

remuneração *sf* pay, remuneration, wages

remunerar *vtd* to pay, to remunerate

rena *sf* ZOOL reindeer

renascer *vi* to be born again, to revive, to grow again

renascimento *sm* 1 rebirth 2 *(nas artes)* Renaissance

renda *sf* 1 *(rendimento)* means, income, return 2 *(quantia recebida)* income 3 *(resultado de aplicação)* profit 4 *(tecido da rendeira)* lace

• **renda fixa** fixed income

• **renda mensal** monthly income

• **renda *per capita*** per capita income

render *vtd* 1 *(dominar, vencer)* to subdue, to conquer 2 *(substituir)* to substitute for: ***o soldado rendeu o colega*** the soldier substituted for his mate 3 to yield: ***render o espírito*** to yield the ghost

▸ *vtd-vtdi* 1 *(produzir, dar como resultado)* to produce 2 *(dar lucro)* to pay: ***a aplicação rendeu-lhe mil reais por mês*** the fund paid him a thousand reais a month

▸ *vtdi (prestar)* to render, to pay: ***render homenagem a alguém*** to pay homage to someone

▸ *vi* 1 *(dar lucro)* to be profitable 2 *(ter desempenho)* to have a good performance, to perform well: ***o motor não rende com esse combustível*** the engine doesn't perform well with that kind of fuel 3 *(ter resultado)* to pay: ***toda aquela atividade não rendeu nada*** all that work did not pay at all 4 *(ter consequências)* to have consequences: ***aquelas suas palavras renderam!*** those words of yours had consequences! 5 *(demorar)* to take too long: ***essa conversa está rendendo*** this talk is taking too long

▸ *vpr* **render-se** to surrender

rendição *sf* surrender, capitulation

rendimento *sm* 1 *(eficiência, desempenho-de máquina, de pessoa)* efficiency, performance 2 *(renda)* income 3 *(lucro)* profit

▪ **rendimento bruto** gross income

▪ **rendimento líquido** net income

renegar *vtd* 1 *(abandonar)* to renounce 2 *(rejeitar)* to deny, to reject

renitente *adj* stubborn

renovação *sf* renovation, renewal

renovar *vtd* 1 *(tornar novo)* to renew, to renovate 2 *(substituir)* to refurbish: ***renovar os estoques*** to refurbish supplies 3 *(contrato, promissória)* to renew 4 *(repetir-pedido etc.)* to repeat 5 *(rejuvenescer)* to rejuvenate

▸ *vpr* **renovar-se** 1 *(rejuvenescer, tornar-se novo)* to be renovated, to rejuvenate, to be reinvigorated 2 *(aparecer, sobrevir de novo)* to reappear, to come about again

rentável *adj* profitable

rente *adj (curto)* close-cut, near, even with
▸ *adv (pela raiz)* close, at the root: ***cortar rente*** to cut close
• **rente à água** close to the water
• **rente à parede** close to the wall
• **rente ao chão** close to the ground

renúncia *sf* renunciation, resignation

renunciar *vti* to renounce, to resign
▸ *vi (desistir, abdicar)* to resign, to abdicate

reorganizar *vtd* to reorganize

reparação *sf* 1 *(conserto)* fix, repair 2 *(correção, emenda)* amends 3 *(indenização)* reddress, amends

reparar *vtd* 1 *(consertar, restaurar)* to repair, to mend 2 *(corrigir, emendar)* to correct, to amend: ***reparou todos os seus erros*** he corrected all his mistakes 3 *(remediar, compensar)* to remedy, to make amends for, to compensate for 4 *(perceber, notar)* to notice: ***reparei que você está triste*** I noticed that you're sad
▸ *vti* 1 *(notar)* to take notice *(of)* 2 *(notar criticamente)* to make a remark *(about)*

reparo *sm* 1 *(reparação)* repair 2 *(comentário, correção)* comment, remark

repartição *sf* 1 *(partilha)* sharing 2 *(divisão)* division 3 *(setor da administração pública)* civil service department/office

repartir *vtd-vtdi* 1 *(partilhar, dividir)* to share 2 *(dispor em diferentes locais, distribuir)* to allot, to distribute

repassar *vtd (estudar, recordar)* to study, to read over again
▸ *vtdi (transferir)* to transfer to, to give over to

repasse *sm (transferência de crédito)* credit transfer

repatriar *vtd* to repatriate
▸ *vpr* **repatriar-se** to come/go back to one's own country

repelente *adj (repugnante)* repulsive
▸ *sm (contra insetos)* repellent

repelir *vtd* 1 *(rechaçar, repudiar)* to repel 2 *(rejeitar)* to reject 3 *(expulsar, afastar)* to rebuff

repente *sm* 1 *(ato ou palavra impulsivos)* burst, spurt: ***num repente de generosidade*** in a burst of generosity 2 *(verso improvisado)* improvised verse
• **de repente** suddenly, all of a sudden, on the spur of the moment

repentino *adj* sudden, abrupt, unexpected

repercussão *sf* 1 repercussion 2 *(resultado, impressão)* effect

repercutir *vtd* to reverberate
▸ *vi* 1 *(som)* to resound 2 *fig (ter consequência)* to have effects, to motivate further talks or actions

repertório *sm* list, catalogue, repertoire

repeteco *sm* repetition

repetente *smf* one who goes over a school course a second time, having failed the first time

repetição *sf* repetition
• **arma de repetição** repeating rifle

repetir *vtd* 1 *(dizer de novo)* to repeat 2 *(fazer de novo)* to do something over again 3 *(na escola)* to go over a school course a second time
▸ *vpr* **repetir-se** 1 to happen again 2 to repeat oneself, to say something over and over again

repetitivo *adj* repetitive

repicar *vtd (os cabelos)* to have a layered haircut
▸ *vi (sinos)* to ding, to dong, to peal

repisar *vtd* 1 *(repetir muito)* to repeat, to dwell insistently on 2 *(insistir, reiterar)* to reiterate, to insist on

replantar *vtd* to replant

repleto *adj* 1 replete, full, brimming 2 crowded, crammed, packed

réplica *sf* 1 *(resposta)* reply 2 *(cópia)* replica

replicar *vtd-vti (refutar)* to reply, to retort
▸ *vtd (fazer réplica, cópia)* to replicate, to reproduce

repolho *sm* BOT cabbage

repor *vtd* 1 *(recolocar)* to replace 2 *(restituir)* to make restitution

reportagem *sf* 1 reporting 2 *(texto da reportagem)* story

repórter *sm* reporter

reposição *sf (restituição)* replacement
• **peças de reposição** spare parts, replacement parts

repousar *vtd* 1 *(descansar)* to rest 2 *(tranquilizar)* to soothe, to reassure
▸ *vi* 1 *(descansar)* to rest 2 *(massa, solo)* to set to rest 3 *(jazer)* to lie, to rest, to abide
▸ *vti (basear-se)* to rest *(on)*

repouso *sm (descanso)* rest, ease, repose
• **deixar em repouso** *(massa, madeira, solo etc)* to leave to rest

repreender *vtd-vtdi* to reprehend, to reprimand, to reproach, to scold, to rebuke

repreensão *sf* reprehension, reprimand, reproaching, scolding, rebuke

repreensível *adj* reprehensible, objectionable

represa *sf* dam, reservoir

represália *sf* reprisal, retaliation

represar *vtd* 1 to dam *(up)* 2 *fig* to repress, to restrain

representação *sf* 1 *(ação de representar outras pessoas)* representation, impersonation 2 *(encenação)* acting 3 *(atuação em cena)* performing 4 *(reprodução)* depiction
• **representação comercial** sales representation

representante *smf* 1 representative, delegate 2 *(modelo)* exponent
▪ **representante comercial** sales representative

representar *vtd* 1 *(outra pessoa)* to represent, to impersonate 2 *(reproduzir, retratar)* to portray, to depict 3 *(significar)* to represent, to mean 4 *(em cena-ator)* to act 5 *(encenar-companhia teatral)* to play, to perform 6 *(imitar)* to impersonate

repressão *sf* 1 *(policial)* restraint, repression 2 PSIC repression

reprimir *vtd* 1 *(conter)* to repress 2 *(polícia)* to restrain, to repress

reprise *sf* rerun

reprodução *sf* 1 *(procriação)* reproduction, breeding 2 *(réplica)* reproduction

reprodutor *sm,f* reproducer

reproduzir *vtd* 1 *(procriar)* to reproduce, to breed 2 *(representar, imitar)* to impersonate, to imitate 3 *(repetir)* to copy 4 *(replicar, refazer)* to reproduce, to replicate
▸ *vpr* **reproduzir-se** to reproduce

reprovação *sf* 1 *(desaprovação)* reproval 2 *(escolar)* failure

reprovar *vtd* 1 *(desaprovar)* to disapprove of 2 *(em escola)* to deny approval, to flunk

reprovável *adj* reproachful, censurable, objectionable

réptil *sm* ZOOL reptile

república *sf* 1 republic 2 *(casa de estudantes)* students' house

republicano *adj-sm,f* republican

repudiar *vtd* 1 *(mulher)* to repudiate, to reject 2 *(ato)* to disavow

repúdio *sm* 1 repudiation 2 *(rejeição, censura)* disavowal

repugnante *adj* disgusting

repugnar *vtd* 1 *(causar aversão)* to disgust 2 *(censurar, repudiar)* to resist, to oppose

repulsa *sf* repulse, aversion, disgust

repulsivo *adj* repulsive, disgusting

reputação *sf* reputation

repuxão *sm* a strong pull back, jerk

repuxar *vtd (esticar)* to pull back, to draw back, to jerk violently

requebrar *vtd* to wiggle one's hips
▸ *vpr* **requebrar-se** to walk or dance with a swaying motion

requebro *sm* 1 *(expressão lânguida)* swinging, swaying 2 *(rebolado)* rebolation, swaying of the hips

requeijão *sm* cream cheese

requentar *vtd* 1 to reheat, to rewarm 2 *fig* to refurbish, to present something old as new

requerer *vtd-vtdi* 1 *(solicitar por requerimento)* to petition for 2 *(exigir)* to require, to demand, to claim

requerimento *sm* petition, request

requintado *adj* refined, sophisticated, exquisite

requinte *sm* 1 refinement, exquisiteness 2 *(excesso calculado)* elaboration, sophistication: ***requintes de crueldade*** sophisticated cruelty

requisitado *adj fig (procurado, famoso)* sought after, famous

requisito *sm (condição)* requirement, requisite

rês *sf* head of cattle

rescaldo *sm* 1 cinders, ashes and embers from a fire 2 damping down, the act of preventing a fire from irrupting again 3 *fig* cinders, aftermath: ***no rescaldo da guerra*** in the cinders of war

rescindir *vtd* DIR to rescind, to annul

rescisão *sf* cancellation, annulment

resenha *sf* 1 critical review 2 summary, report

reserva *sf* 1 *(coisa posta à parte)* reserve: ***não há reserva de dinheiro para essa eventualidade*** there is no money in reserve for that possibility 2 *(auto)* fuel reserve: ***o tanque está na reserva*** the only fuel we have is in the reserve tank 3 MIL reserve 4 *(em hotel)* reservation: ***você fez reserva em algum hotel?*** have you made a hotel reservation? 5 *(de mesa)* booking, reservation 6 *(discrição, prudência)* discretion 7 *(ressalva)* exception, restriction, proviso 8 *(área protegida)* reservation

▪ **reserva florestal** forest reservation, forest reserve

▪ **reserva indígena** indian reservation, indian reserve

▪ **reservas cambiais** exchange reserves

• **carro de reserva** *(de seguradora)* spare car

• **chave de reserva** spare key

reservado *adj* 1 *(discreto, calado)* reserved 2 *(privado)* private: ***um aposento reservado*** private room

reservar *vtd-vtdi* 1 *(guardar)* to save, to reserve 2 *(destinar)* to save, to allot: ***reservei uma hora para a ginástica*** I've saved an hour to exercise

▸ *vtd* 1 *(quarto em hotel)* to make reservations for a hotel room 2 *(mesa)* to book a table

reservatório *sm* reservoir, tank

reservista *smf* reservist

resfriado *adj* 1 *(esfriado)* cooled, refrigerated 2 suffering from a cold: ***fiquei resfriado*** I caught a cold

▸ *sm* **resfriado** MED cold, common cold

resfriamento *sm* cooling

resfriar *vtd (esfriar)* to cool

▸ *vpr* **resfriar-se** 1 *(esfriar-se)* to become cool 2 *(ficar resfriado)* to catch/have a cold

resgatar *vtd* 1 *(refém, prisioneiro)* to rescue, to set free 2 *(vítimas)* to rescue 3 *(títulos, promissórias)* to cash 4 *(objeto penhorado)* to redeem 5 *(culpas, pecados)* to redeem 6 *(recuperar)* to recover

resgate *sm* 1 *(de sequestro)* rescuing, rescue 2 *(extinção de débito)* rescue 3 *(de vítimas)* rescue 4 *(salvação)* rescue 5 *(equipe de resgate)* rescue team, emergency services: ***chame o resgate*** call the rescue team

resguardar *vtdi (proteger)* to safeguard, to shelter, to protect

▸ *vpr* **resguardar-se** to protect oneself *(from)*

resguardo *sm* 1 *(proteção, defesa)* protection, defense 2 *(prudência)* prudence, caution, wariness 3 *(repouso pós-parto)* period of convalescence

residência *sf* 1 residence: ***ela fixou residência em São Paulo*** she has established residence in São Paulo 2 *(casa)* house, home 3 MED residency

▪ **fixar residência em** to settle down in

residencial *adj* residential

residente *adj* resident

▸ *smf* 1 *(morador)* dweller, resident 2 *(médico)* resident, intern doctor *(AmE)*

residir *vi* 1 *(fixar residência)* to reside, to dwell 2 *(ter lugar)* to be located *(in)*, to reside *(in)*

resíduo *sm* residue

resignação *sf* resignation, self-denial

resignado *adj* resigned, long-suffering

resignar-se *vpr* to become resigned *(to)*

resina *sf* resin

resistência *sf* 1 resistance 2 ELETR resistance

resistente *adj* 1 *(forte, firme, vigoroso)* resistant, tough, hardy, resilient 2 *(refratário, obstinado)* resistant *(to)*, averse *(to)*

▸ *sm* MIL resistent, partisan, member of the resistance

resistir *vti* 1 *(não ceder)* to resist, not to give in to 2 *(suportar)* to bear 3 *(subsistir)* to survive, to resist: ***ele não resistiu às torturas*** he didn't survive the tortures

resistor *sm* ELETR resistor

resma *sf* ream *(of paper)*

resmungar *vi* to whine, to mutter

resolução *sf* 1 *(solução)* resolution 2 *(decisão)* resolution, decision

resoluto *adj* resolute, firm, determined

resolver *vtd* 1 *(solucionar)* to solve 2 *(esclarecer, decidir)* to determine 3 *(decidir-se)* to decide, to resolve

▸ *vi* ***gritar não resolve*** it's no use shouting

▸ *vpr* **resolver-se** to make up one's mind

resolvido *adj* 1 *(solucionado)* solved 2 *(decidido)* decided 3 *(combinado)* settled 4 *fam (não problemático)* said of a person who is in peace with themselves and their choices in life

respaldo *sm* 1 backboard, backrest 2 *fig (apoio)* support

respectivo *adj* respective

respeitar *vtd* to respect

▸ *vti (dizer respeito a)* to concern, to bear upon

respeitável *adj* 1 respectable, respected 2 *(prestigioso)* honorable 3 *(considerável)* considerable: ***uma fortuna respeitável*** a considerable fortune

respeito *sm* 1 respect 2 *(observância)* abiding: ***respeito à lei*** law abiding

▸ *pl* **respeitos** respects, regards: ***meus respeitos*** my respects

• **a respeito de** concerning

• **dar-se ao respeito** to respect oneself

• **dizer respeito a algo/alguém** to concern something/someone

• **faltar ao respeito** to disrespect, to be irreverent

• **no que me (te, lhe) diz respeito** as far as one is concerned

respeitoso *adj* respectful, polite

respingar *vtd-vi* to sprinkle, to splash, to wet

respingo *sm* sprinkle

respiração *sf* breath, breathing, respiration

respiradouro *sm* air hole, air well, breathing tube

respirar *vi* 1 to breathe, to take a breath 2 to rest, to pause

respiro *sm (respiradouro)* air hole

resplandecente *adj* shining, splendid

respondão *adj-sm, f* impolite, given to rude answers, insolent, one who gives rude answers

responder *vtd-vtdi-vi* to answer, to reply, to retort

▸ *vti-vi* 1 *(a carta)* to reply to 2 *(revidar)* to answer back 3 *(ser responsável)* to account for, to answer for 4 *(atender)* to answer 5 *(reagir)* to react, to respond

responsabilidade *sf* responsibility

responsabilizar *vtd-vtdi* to charge, to hold responsible for, to blame

▸ *vpr* **responsabilizar-se** to answer for

responsável *adj* 1 responsible 2 *(encarregado)* accountable 3 *(consciencioso)* responsible

resposta *sf* 1 *(a pergunta)* answer 2 *(a carta)* reply 3 *(reação)* response

ressabiado *adj* 1 suspicious, fearful 2 resentful

ressaca *sf* 1 *(movimento das ondas)* rough condition of the sea with many breakers 2 *(efeito de bebida)* hangover

ressaltar *vtd (destacar)* to point out

▸ *vi (sobressair)* to stand out

ressalto *sm (saliência)* 1 salience, protuberance 2 ARQ projection

ressalva *sf* exception, reservation, proviso, safety clause

ressalvar *vtd* to except, to exempt

ressarcimento *sm* reddress, amends

ressecar *vtd* to dry, to parch

▸ *vpr* **ressecar-se** to dry out

ressentido *adj* resentful

ressentimento *sm* resentment, grudge

ressentir-se *vpr* 1 *(sentir os efeitos)* to feel the effects *(of)* 2 *(magoar-se)* to resent, to be resentful *(with)*

ressequido *adj* dried out

ressoar *vi* to resound, to echo

ressonância *sf* resonance

ressonar *vi* 1 to snore 2 to breath regularly during sleep

ressurreição *sf* resurrection

ressuscitar *vtd* to resuscitate, to revive
▸ *vi* to resurge, to reappear

restabelecer *vtd* 1 *(restaurar)* to restore 2 *(recuperar)* to recover
▸ *vpr* **restabelecer-se** *(recobrar-se)* to recover, to get well again

restabelecido *adj (de doença)* recovered

restabelecimento *sm* 1 *(restauração)* recovery, restoration 2 *(cura)* recovery, healing

restante *adj* remaining, left
▸ *sm* remainder, rest, leftovers

restar *vi-vti* 1 *(sobrar)* to remain, to be left *(over)*: ***restam-me dois reais na carteira*** I've only got two reais left in my wallet 2 *(faltar)* to remain, to be left *(over)*: ***restam-lhe 2 minutos*** he's got 2 minutes left 3 *(ficar, sobreviver)* to remain, to survive

restauração *sf* 1 *(restabelecimento)* restoration 2 *(de obras de arte)* restoration 3 *(recuperação)* recovery 4 MED *(obturação)* filling

restaurador *sm,f* restorer, renovator

restaurante *sm* 1 restaurant 2 *(refeitório)* dining hall, refectory

restaurar *vtd* 1 *(restabelecer)* to restore 2 *(reparar obra de arte)* to restore, to repair, to touch up 3 *(recuperar)* to recover

restituição *sf* restitution

restituir to return, to refund, to give back, to reimburse

resto *sm* 1 *(sobra, restolho)* remainder, rest 2 *(restante)* remnant 3 MAT remainder, difference
▸ *pl* **destroços** leftovers, wreckage
• **de resto** besides, moreover
• **restos mortais** remains

restolho *sm (restos)* leftovers, rest

restrição *sf* restriction, limitation

restringir *vtd (limitar)* to restrict, to limit
▸ *vtdi (reduzir)* to reduce
▸ *vpr* **restringir-se** to limit oneself *(to)*

restrito *adj* 1 *(reduzido)* reduced 2 *(limitado)* limited, restricted *(to)*

resultado *sm* 1 *(consequência, efeito)* result, consequence, effect 2 *(de exame laboratorial)* results 3 *(de prova escolar)* result 4 MAT result

resultante *adj* resulting

resultar *vti* 1 *(ser efeito)* to be the result *(of)* 2 *(provir)* to result *(from)* 3 *(redundar)* to result *(in)*, to end *(in)*

resumido *adj* reduced, abridged

resumir *vtd* 1 *(abreviar)* to shorten, to condense, to abridge 2 *(sintetizar)* to summarize
▸ *vtdi (restringir, limitar)* to limit
▸ *vpr* **resumir-se** to be reduced to, to be no more than

resumo *sm* 1 *(síntese)* summary 2 *(recapitulação)* review

resvalar *vi* 1 *(escorregar)* to slide, to skid 2 *fig (errar)* to slip
▸ *vti (converter-se)* to turn *(into)*

reta *sf* 1 GEOM straight line 2 *(trecho reto de estrada)* straight section of the road
• **estar na reta final** to be at the end of something

retalhar *vtd* 1 *(cortar em pedaços, em retalhos)* to chop, to shred, to cut into bits and pieces 2 *(cortar em diversos lugares)* to slash 3 *(fracionar, dividir)* to divide

retalho *sm* 1 *(fragmento de tecido)* patch 2 *(pedaço, fração)* scrap, shred

retaliação *sf* retaliation, reprisal, tit for tat

retangular *adj* rectangular

retângulo *sm* rectangle

retardado *adj* 1 *(adiado)* delayed, postponed 2 PSIC mentally handicapped

retardamento *sm* 1 *(atraso, adiamento)* delay, postponement 2 PSIC retardment

retardar *vtd* 1 *(atrasar)* to delay 2 *(adiar)* to postpone 3 *(desacelerar)* to slow down

retardatário *adj-sm,f* late, slow, latecomer

retardo *sm* PSIC retardment

retenção *sf* 1 withholding, retention, delay 2 MED retention
• **retenção (de imposto) na fonte** tax deduction at source

reter *vtd* 1 *(segurar firme)* to have, to hold 2 *(guardar consigo)* to keep 3 *(deter)* to detain 4 *(conter, reprimir)* to refrain 5 *(aprisionar)* to detain 6 *(amparar, sustentar)* to support, to sustain
▸ *vpr* **reter-se** 1 *(deter-se)* to stop 2 *(conter-se)* to refrain *(from)*

reticência *sf (omissão, subentendido)* reticence, reserve in speech
▸ *pl* GRAM **reticências** omission points, ellipsis

retífica *sf (de motores)* engine reconditioning shop

retificação *sf* 1 *(correção)* correction, rectification 2 *(de motores)* reconditioning, overhaul

retificar *vtd* 1 *(corrigir, emendar)* to correct, to rectify 2 *(endireitar)* to rectify 3 *(motor)* to recondition, to overhaul

retina *sf* ANAT retina

retinir *vi* to tinkle, to jingle

retinto *adj* deep-dyed

retirada *sf* 1 *(ato de retirar)* retreat, withdrawal 2 *(de dinheiro)* withdrawal 3 *(emigração)* emigration

retirado *adj* 1 *(isolado)* recluse: ***viver retirado*** to be recluse 2 *(afastado-lugar)* distant, faraway

retirante *adj-smf* migrant, a migrant from the drought areas of northeastern Brazil

retirar *vtd-vtdi* 1 *(puxar para si)* to pull *(back)* 2 *(tirar)* to remove, to take *(off, from)* 3 *(evacuar-pessoas)* to remove 4 *(retratar-se)* to retract, to take back: ***retire o que disse!*** take back what you said! 5 MED to collect: ***retirar sangue*** to collect blood 6 *(dinheiro de conta bancária)* to withdraw
▸ *vpr* **retirar-se** 1 *(partir, sair)* to depart, to leave 2 *(ir para um retiro)* to withdraw to a secluded place 3 *(recolher-se)* to go to bed

retiro *sm* privacy, seclusion, retreat, den

reto *adj* 1 right, straight 2 *(honesto)* honorable, righteous
▸ *adv* straight: ***siga reto*** go straight ahead
▸ *sm* ANAT rectum

retocar *vtd* to touch up, to perfect

retomada *sf* 1 retaking recapture 2 *(reinício)* restart, resuming

retomar *vtd* 1 *(reconquistar)* to recapture 2 *(recuperar)* to recover 3 *(dar continuidade, voltar a)* to resume: ***retomar a conversa*** to resume the conversation 4 *(reiterar)* to repeat, to reiterate: ***o filme retoma esse tema*** the film repeats this theme

retoque *sm* finishing touch

retorcer *vtd* to twist back
▸ *vpr* **retorcer-se** to contort oneself

retórica *sf* rhetoric

retórico *adj* rhetorical

retornar *vi-vti* 1 *(regressar)* to return 2 *(voltar atrás)* to back out 3 *(ir de novo)* to go back 4 *(manifestar-se de novo)* to show up again 5 *(retomar)* to get back to: ***vamos retornar ao trabalho*** let's get back to work

retorno *sm* 1 *(regresso)* return 2 *(volta atrás)* backtracking, backsliding 3 *(em médico)* return visit 4 *(nova manifestação)* recurrence 5 *(retomada, reinício)* restart 6 *(em estrada)* detour 7 *(lucro, ganho)* return

retração *sf* 1 *(encolhimento)* shrinkage 2 *(de negócios etc.)* retraction

retraimento *sm (acanhamento)* reserve

retrair *vtd* 1 *(puxar para si)* to draw back, to pull back, to hold back 2 *(encolher)* to shrink
▸ *vpr* **retrair-se** 1 *(tornar-se reservado)* to retire 2 *(contrair-se, encolher-se)* to recoil, to flinch

retranca *sf* 1 ESPORTE defense 2 *fig (atitude defensiva)* defensive attitude

retratação *sf* retraction, abjuration

retratar *vtd* 1 *(fazer retrato)* to portray 2 *(representar)* to picture
▸ *vpr* **retratar-se** 1 *(transparecer)* to look 2 *(desdizer-se)* to retract, to go back on what has been said

retrato *sm* 1 *(pintura)* portrait 2 *(fotografia)* picture, shot 3 *fig* picture: ***ela é o retrato da dor*** she's the picture of pain 4 *fig (descrição, representação)* description, depiction
■ **retrato falado** identikit picture

retribuição *sf* 1 *(reconhecimento, recompensa)* reward 2 *(remuneração)* remuneration

retribuir *vtd-vtdi* 1 *(recompensar)* to reward, to give in return 2 *(corresponder)* to reciprocate 3 *(remunerar)* to pay back
▸ *vtd (cumprimento, visita)* to repay

retroativo *adj* retroactive

retroceder *vi* 1 *(voltar)* to go back, to back *(off, out)* 2 *(andar para trás)* to backtrack 3 *(decair, involuir)* to retrograde, to regress 4 *(desistir, voltar atrás)* to back down

retrocesso *sm* 1 *(recuo)* backward motion 2 *(volta ao que é ultrapassado)* regress

retrógrado *adj* backward
▸ *adj-sm,f (ultrapassado, atrasado)* outdated

retrós *sm* sewing thread

retrospectiva *sf* 1 *(mostra)* retrospective exhibition 2 *(relato)* account

retrospecto *sm* retrospect, reminiscence

retrovisor *sm* AUTO rear mirror

retrucar *vtd-vtdi* to retort, to talk back

réu *sm,f* defendant

reumatismo *sm* MED rheumatism

reunião *sf* 1 *(encontro)* meeting 2 *(junção, coincidência)* meeting 3 *(nova união)* reunion
▪ **reunião de cúpula** summit meeting
• **estar em reunião** to be in/at a meeting
• **marcar uma reunião** to agree to a meeting, to set a meeting
• **ter uma reunião com alguém** to have a meeting with someone

reunificação *sf* reunification

reunir *vtd* 1 *(tornar a unir, juntar)* to reunite, to unite 2 *(juntar pessoas)* to gather, to bring together
▸ *vtdi* 1 *(anexar)* to attach 2 *(aliar, combinar)* to combine
▸ *vpr* **reunir-se** 1 *(juntar-se, aliar-se, somar-se)* to meet, to converge 2 *(encontrar-se em reunião)* to meet, to be in/at a meeting

revanche *sf* 1 revenge, getting even 2 return match

réveillon *sm* New Year's Eve celebration

revelação *sf* 1 revelation, unveiling 2 FOTO development

revelador *adj* revealing
▸ *sm* **revelador** FOTO developer

revelar *vtd-vtdi* 1 *(mostrar)* to reveal, to unveil, to show 2 *(traduzir, refletir)* to reflect 3 *(denunciar, relatar)* to disclose 4 FOTO to develop

revelia *sf loc* **à revelia de** without the knowledge *(consent, approval)* of

revenda *sf* resale

revendedor *adj* COM dealer
▸ *sm* **revendedor** dealer, sales representative

revender *vtd-vtdi* to resell

rever *vtd* 1 *(ver de novo)* to see again 2 *(ver, estudar com atenção)* to verify, to check 3 *(reconsiderar)* to reconsider 4 *(revisar)* to revise, to read and correct proofs
▸ *vpr* **rever-se** to examine oneself

reverberar *vtd* 1 *(refletir luz ou calor)* to reflect 2 *(repercutir)* to reverberate, to echo
▸ *vi (brilhar, resplandecer)* to glitter, to glow, to blaze

reverência *sf* 1 *(saudação)* reverence 2 *(respeito)* respect, veneration, awe
• **fazer reverência** to bow

reverenciar *vtd* 1 *(fazer reverência)* to bow 2 *(venerar)* to venerate, to stand in awe of

reverendíssimo *sm* RELIG His or Your Reverence

reverendo *sm* RELIG reverend

reversível *adj* reversible

reverso *sm* 1 reverse, back 2 *(de moeda, medalha)* back, other side

reverter *vti* 1 *(voltar, retroceder)* to revert to, return to 2 *(redundar)* to lead to, to result in
▸ *vtd (fazer voltar à situação inicial)* to reverse

revertério *sm* reversal, turn for the worse

revés *sm* setback, mishap: ***sofrer uma série de reveses*** to meet with various mishaps

revestimento *sm* 1 covering, coating, finish 2 upholstery

revestir *vtd (cobrir)* to coat, to cover, to overlay

revezamento *sm* alternation, rotation, relay
• **prova de revezamento** relay race
• **trabalhar em regime de revezamento** to work in rotation, to rotate

revezar *vtd* to alternate, to rotate: ***é preciso revezar a guarda*** it's necessary to rotate the watch
▸ *vti* to alternate, to be relieved by: ***o porteiro revezou com o colega às dez da noite*** the doorkeeper was relieved by his mate at 10 o'clock
▸ *vi-vpr* **revezar(-se)** to take turns: ***as filhas revezavam-se à cabeceira da mãe*** the daughters took turns at their mother's bedside

revidar *vtd-vtdi-vi* **1** *(responder, replicar)* to strike back, to pay back **2** *(reagir à ofensa)* to react **3** *(contradizer)* to contradict

revigorar *vt* **1** to reinvigorate, to revive **2** *fig (fortalecer)* to fortify, to strengthen: ***é preciso revigorar o ensino fundamental*** it's necessary to strengthen the Brazilian basic education system **3** *fig (estimular, reanimar)* to stimulate, to revive

revirado *adj* **1** rolled up: ***gola revirada*** rolled up collar **2** messed up: ***guarda-roupa revirado*** messed up wardrobe; ***entrei e encontrei as gavetas reviradas*** I got in and found the drawers all messed up **3** rolled up: ***estar com os olhos revirados*** to have one's eyes rolled up

revirar *vtd* **1** to roll *(up)*: ***revirar a manga*** to roll one's sleeves up; ***revirar os olhos*** to roll up one's eyes **2** to turn inside out: ***revirei o armário e não achei nada*** I turned the wardrobe inside out and couldn't find anything **3** to rake: ***revire a terra antes de pôr a semente*** rake the soil before planting the seed **4** *(virar várias vezes)* to turn around over and over: ***ele virava e revirava a caneta, sem saber o que escrever*** he turned the pen around, without knowing what to write **5** *(desorganizar, desarrumar)* to make a mess of **6** *(o estômago)* to turn: ***esse cheiro está me revirando o estômago*** this smell is turning my stomach
▸ *vpr* **revirar-se** to turn around

reviravolta *sf* **1** *(pirueta, cambalhota)* pirouette, spin **2** *(guinada)* complete reversal, turnround

revisão *sf* **1** *(de texto)* proofreading **2** *(de máquina, carro etc.)* maintenance check

revisar *vtd* **1** *(texto)* to proofread **2** *(máquina, carro etc.)* to do a maintenance check

revisor *sm,f* proofreader, checker

revista *sf* **1** *(publicação)* magazine **2** MIL review **3** *(ato de revistar)* search
• **passar as tropas em revista** to review the troops
• **revista ilustrada** illustrated magazine
• **fazer uma revista (na casa, no carro etc.)** to search *(the house, the car etc.)*

revistar *vtd* to search, to inspect

revitalizar *vtd* to revitalize, to renew

revoada *sf* flight of a flock of birds or a cloud of insects

reviver *vi* **1** *(voltar à vida)* to revive **2** *(revigorar-se)* to grow strong again **3** *(reaparecer)* to reappear
▸ *vtd* **1** *(revigorar)* to invigorate, to fortify **2** *(trazer à lembrança)* to bring to mind: ***aquela música me fez reviver momentos felizes da infância*** that song brings my happy childhood moments to mind

revogação *sf* revoking, annulment, abrogation, voiding

revogar *vtd* to revoke, to annul, to abrogate, to void

revolta *sf* revolt, rebellion, uprising

revoltado *adj* **1** *(revoltoso)* rebel **2** *(indignado)* outraged: ***fiquei revoltada quando o vi maltratar o bichinho*** I was outraged when I saw him harm the poor little animal **3** *(inconformado)* rebellious: ***ele é muito revoltado, não se conforma com nada*** he is very rebellious, he doesn't accept anything

revoltante *adj* revolting, outrageous, shocking, disgusting

revoltar *vtd* **1** *(sublevar)* to rise up **2** *(indignar)* to outrage **3** *(causar repulsa)* to disgust
▸ *vpr* **revoltar-se** to revolt *(against)*, to rebel *(against)*, to be outraged *(by)*

revolto *adj* 1 *(revolvido, remexido, revirado)* disarranged, messed up 2 *(agitado, revoltoso)* agitated, turbulent 3 *(tempestuoso)* stormy, rough: ***mar revolto*** rough sea 4 *(cabelo)* disheveled

revolução *sf* 1 revolution: ***revolução de um astro*** revolution of a star 2 POL revolution 3 *fig* revolution, turnround: ***ele sofreu uma verdadeira revolução em sua vida*** his life went through a complete turnround

revolucionar *vtd* 1 *(causar revolução)* to revolutionize 2 *(transformar)* to change fundamentally, to turn around

revolucionário *adj-sm,f* revolutionary

revolver *vtd* 1 *(remexer, esquadrinhar)* to examine, to scan, to scrutinize 2 *(revirar)* to roll: ***revolver os olhos*** to roll one's eyes 3 to turn over: ***revolver a terra*** to turn the soil over

▸ *vpr* **revolver-se** *(revirar-se)* to revolve, to rotate

revólver *sm* revolver

reza *sf* prayer, praying

rezar *vtd* 1 to pray 2 *(ditar, dizer)* to read, to say, to dictate: ***a lei reza que...*** the law says that…

▸ *vti* to pray: ***ele rezou para todos os santos*** he prayed to all the saints

▸ *vi* to pray, to say a prayer: ***ela vai todos os dias rezar na igreja*** everyday she goes to church and prays

• **reza o ditado que...** as the saying goes...

• **rezar um pai-nosso, uma ave-maria** to say the Lord's Prayer, a Hail Mary

riacho *sm* brook, creek

ribalta *sf* 1 footlights 2 *fig (teatro)* stage

ribanceira *sf* steep slope, cliff, ravine

ribeirão *sm* brook, creek

ricaço *adj-sm,f* a wealthy person

rícino *sm* castor oil plant, castor bean: ***óleo de rícino*** castor oil

rico *adj-sm,f* 1 *(abastado)* rich, wealthy 2 *(cheio, repleto)* full *(of)*, rich *(in)*: ***um texto rico em informações*** a text full of information

ricochete *sm* ricochet, rebound

ricochetear *vi* to ricochet, to rebound

ridicularizar *vtd* to mock, to make fun of

ridículo *adj* ridiculous

• **não ter senso de ridículo** not to have a sense of the ridiculous

rifa *sf* raffle, draw

rifar *vtd* to raffle: ***rifei minha máquina fotográfica*** I've raffled my camera

rifle *sm* rifle

rigidez *sf* 1 rigidity 2 *fig (severidade, inflexibilidade)* severity, inflexibility, strictness 3 *fig (exatidão, rigor)* angularity, rigor

rígido *adj* 1 rigid 2 *fig (severo, inflexível)* rigorous, severem strict 3 *(rigoroso)* rigorous, tightm strict: ***não se atrase, o horário é rígido*** don't be late, the schedule is tight

rigor *sm* 1 rigour, severity, strictness 2 *(intransigência)* intolerance, intransigence 3 *(precisão)* precision, accuracy: ***ele raciocina com grande rigor*** he reasons with great accuracy

• **o rigor do inverno** the harshness of winter

rigoroso *adj* 1 *(rígido, inflexível)* rigorous, inflexible, strict 2 *(severo)* tough, severe, strict: ***disciplina rigorosa*** tough discipline 3 *(exato, preciso)* accurate, precise: ***um raciocínio rigoroso*** accurate reasoning 4 harsh: ***inverno rigoroso*** a harsh winter

rijo *adj* 1 *(rígido)* rigid: ***ele ficou lá, rijo, sem se mexer*** he stood still, rigid, motionless 2 *(vigoroso)* vigorous: ***ele diz que ainda está rijo e forte*** he says he's still vigorous, full of life

rim *sm* 1 ANAT kidney: ***doença dos rins*** kidney disease 2 CUL kidney

rima *sf* rhyme

rimar *vtd-vi-vtdi* to rhyme

rímel *sm* mascara

rincão *sm (recanto, lugar afastado)* secluded place

ringue *sm* ESPORTE ring, arena

rinite *sf* MED rhinitis

rinoceronte *sm* ZOOL rhinoceros

rinque *sm* ESPORTE ring, arena

rio *sm* river

• **derramar rios de lágrimas** to shed a sea of tears

• **rios de dinheiro** loads of cash

• **gastar rios de tinta** to use gallons of paint

ripa *sf* lath, batten

riqueza *sf* 1 *(abastança)* wealth, riches, possessions 2 *(abundância, profusão)* abundance, plenty, wealth: ***descrever com riqueza de detalhes*** to describe with an abundance of details; ***há grande riqueza de colorido em seus quadros*** there's a great wealth of color in his paintings 3 *(coisa valiosa)* a valuable possession: ***aquele filho é sua maior riqueza*** that child is his most valuable possession 4 riches, richness: ***riqueza do subsolo*** underground riches

rir *vi* to laugh: ***ela é uma pessoa que pouco ri*** she's a person who doesn't laugh much

▸ *vti* 1 *(zombar)* to laugh at, to mock: ***sei que ele está rindo de mim*** I know he's laughing at me 2 *(sorrir)* to smile: ***ela riu para mim*** she smiled at me

• **morrer de rir** to laugh one's head off

• **rir por dentro** to chuckle

risada *sf* laughter

• **dar uma risada amarela** to give a forced laugh

• **dar uma risada gostosa** to laugh loud

risca *sf* 1 *(risco)* line 2 *(listra)* stripes: ***um tecido azul com riscas brancas*** a blue fabric with white stripes 3 *(no cabelo)* parting

• **à risca** to the letter

riscar *vtd* 1 *(fazer riscas)* to make lines 2 to cross out: ***ela riscou a palavra errada*** she crossed out the wrong word 3 *(apagar, retirar)* to delete: ***risquei esse nome da lista*** I've deleted that name from the list 4 *(esboçar)* to make a sketch: ***risque rapidamente a planta da casa*** do a quick sketch of the house 5 to outline: ***riscar o molde de um vestido*** to outline the pattern of a dress

• **riscar um fósforo** to strike a match

risco *sm* 1 *(perigo)* danger, risk: ***há grande risco de abalo sísmico na região*** there's great danger of an earthquake in the area; ***ele está correndo risco de vida*** his life is at risk; ***com isso você está expondo a criança ao risco de atropelamento*** doing this you're exposing the child to the risk of being run over 2 *(traço)* mark: ***há um risco na parede*** there's a mark on the wall 3 pattern: ***tenho uma revista com muitos riscos de bordado*** I've got a magazine with lots of embroidery patterns 4 *(projeto esboçado)* outlined project

• **estar em risco** to be at risk

• **por minha/sua conta e risco** at one's own risk

riso *sm* 1 *(risada)* laughter 2 *(zombaria)* mockery

• **riso amarelo** forced smile

risonho *adj* smiling, cheerful

• **futuro risonho** a cheerful future

risoto *sm* CUL risotto

rispidez *adj* harshness, gruffness, rudeness

ríspido *adj* harsh, gruff, rude

rítmico *adj* rhythmic

ritmo *sm* 1 rhythm 2 *fig* rate, pace: ***nesse ritmo, o trabalho nunca vai acabar*** at this rate, the work will never be finished; ***o ritmo das cidades grandes*** the pace of big cities

ritual *adj-sm* ritual

rival *smf* 1 rival 2 peer, equal: ***é um produto sem rival no mercado*** this product has no equal on the market

rivalidade *sf* 1 *(ciúme)* rivalry 2 *(concorrência)* competition: ***a rivalidade entre as duas empresas foi proveitosa para os consumidores*** the competition between both companies was beneficial for the consumers 3 *(conflito)* conflict: ***a rivalidade entre os dois grupos provocou várias mortes*** the conflict between both groups has brought about several casualties

rivalizar *vti* 1 to compete with: ***os dois colegas rivalizam pelo mesmo cargo*** both workmates are competing for the same position; ***um irmão rivaliza com o outro por causa da mesma garota*** both brothers are competing for the same girl 2 *(igualar-se)* to match: ***este tecido não rivaliza com aquele em termos de durabilidade*** this fabric doesn't match that one as far as durability is concerned

rixa *sf* 1 *(discórdia)* rivalry, discord 2 *(briga, tumulto)* row, brawl

robe *sm* robe

robô *sm* robot

robustecer *vtd* **1** *(revigorar)* to strengthen: ***os exercícios o robusteceram*** physical exercises have strengthened him **2** *fig (corroborar, intensificar, enaltecer)* to corroborate, to confirm

▸ *vpr* **robustecer-se 1** to grow robust **2** *(intensificar-se)* to get stronger

robustez *sf* **1** vigour: ***a robustez de uma criança*** the vigour of a child **2** *fig* strength, solidity, soundness: ***um argumento de grande robustez*** an argument of great solidity **3** *(solidez)* strength, solidity, soundness: ***é uma construção de grande robustez*** it's a building of great solidity

robusto *adj* **1** vigorous: ***homem robusto*** a vigorous man **2** solid, sound: ***construção robusta*** a solid building; ***móvel robusto*** a solid piece of furniture **3** strong, sound: ***uma argumentação robusta*** a sound argument

roça *sf* **1** *(terreno de lavoura)* cleared land or field **2** *(mandiocal)* manioc plantation **3** *(zona rural)* countryside: ***gosto da roça, não da cidade*** I like the countryside, not the city

roçar *vtd* **1** *(cortar)* to grub: ***roçar o capim*** to grub the grass **2** *(tocar de leve)* to touch lightly, to rub

▸ *vti (atritar de leve)* to touch lightly: ***o galho da árvore roçava na janela*** the branch was lightly touching the window

roceiro *adj-sm,f (caipira)* peasant, country man/woman

rocha *sf* **1** GEOL rock **2** *(pedra)* stone **3** *(rochedo)* cliff

rochedo *sm* rock, cliff, crag

rochoso *adj* rocky, cragged

roda *sf* **1** wheel: ***roda do automóvel*** car wheel; ***roda da carroça*** cart wheel **2** fullness: ***a roda de uma saia*** the fullness of the skirt **3** *(círculo de pessoas)* circle: ***as pessoas formaram uma roda*** the people formed a circle **4** *(grupo)* group, circle: ***ele logo se integrou à roda dos cinéfilos*** he soon joined the group of film lovers **5** *(ajuntamento)* gathering: ***logo se formou uma roda em torno do homem desmaiado*** soon there was a gathering around the fainted man

• **brincar de roda** to play ring-a-ring--o'roses

• **cantiga de roda** nursery rhyme

• **frequentar as altas rodas** to be part of high society, to move in important circles

rodada *sf* **1** *(giro completo)* turn **2** ESPORTE tournament **3** round: ***convidei os amigos para uma rodada de cerveja*** I've invited my friends for a round of beer

rodado *adj* **1** full: ***saia rodada*** full skirt **2** clocked: ***um carro com 60 mil quilômetros rodados*** a car clocked at 60 thousand kilometers **3** used, worn *(out)*: ***esta moto está muito rodada*** this motorbike is very used; ***o pneu está bem rodado*** the tyre is quite worn out

rodapé *sm* **1** *(na parede)* skirting-board, baseboard **2** *(na página)* bottom margin

• **no rodapé (da página)** at the bottom of the page

• **nota de rodapé** footnote

rodar *vtd* **1** *(fazer girar)* to rotate, to turn *(around)*, to spin: ***ele rodou a polia*** he rotated the pulley **2** *(percorrer)* to go *(around)*: ***ele rodou todo o bairro, mas não achou o cachorro*** he's been around the neighborhood, but hasn't found the dog **3** *(filmar)* to shoot: ***rodou a última cena em externa*** he shot the last exterior scene **4** to do: ***quantos quilômetros esse carro já rodou?*** how many kilometers has this car done?

▸ *vi* **1** *(girar)* to rotate, to turn, to spin: ***as hélices do ventilador não estão rodando?*** aren't the fan blades rotating?; ***a Terra roda em torno do Sol*** the Earth turns around the Sun; ***a menina começou a rodar*** the girl started to spin **2** *(andar)* to walk *(around)*: ***ele deve estar rodando por aí*** he must be walking around **3** to fail, to suffer a misfortune: ***fui muito mal; rodei nesse exame*** I was bad at the examination, I think I've failed; ***trabalhou mal, acabou rodando*** he worked badly and ended up being fired **4** *(ser impresso)* to be printed

roda-viva (*pl* **rodas-vivas**) *sf* flurry, bustle, ado

rodear *vtd* **1** *(andar ao redor)* to go around: ***ele rodeou o quintal, para ver se havia alguma brecha na cerca*** he went around the backyard to see if there was a crack in the fence **2** *(cercar)* to surround: ***um muro alto rodeia toda a casa*** a high wall surrounds the house **3** *(formar círculo)* to form a circle around, to gather around: ***os alunos rodearam o professor*** the students formed a circle around the teacher **4** *(desviar-se)* to go round: ***para chegar lá é preciso rodear o bosque*** to get there you've got to go round the woods **5** *(fazer companhia)* to surround: ***ele está sempre rodeado de bajuladores*** he's always surrounded by flatterers

▸ *vpr* **rodear-se** to surround oneself with: ***ele logo se rodeou de discípulos*** he soon surrounded himself with disciples

rodeio *sm* **1** *(circunlóquio)* beating about the bush: ***ele chegou cheio de rodeios e no fim disse que queria dinheiro*** he came beating about the bush but eventually said he wanted money **2** *(competição rural)* rodeo, cattle round-up

• **falar sem rodeios** to be straightforward, to come right to the point

rodela *sf* **1** small wheel **2** washer, round slice

rodinha *sf* **1** caster: ***uma mesa com rodinhas*** a table with casters **2** *fig (panelinha)* clique

rodízio *sm* **1** *(rodinha)* furniture caster **2** *(alternância, revezamento)* rotation: ***rodízio de automóveis*** car rotation plan; ***rodízio de empregados nos postos de plantão*** rotation of on-duty personnel **3** *(sistema de restaurante)* eat all you can, rotation restaurant

rodo *sm* squeegee

rodopiar *vi* to spin, to swirl, to twirl

rodopio *sm* spin, twirl

rodovia *sf* highway, motorway, main road

rodoviária *sf* bus station

rodoviário *adj* highway: ***movimento rodoviário*** highway traffic

roedor *adj-sm,f* rodent

▸ *pl* **roedores** ZOOL rodents

roer *vtd* **1** to gnaw, to nibble at **2** *(corroer)* to corrode, to undermine

• **ser osso duro de roer** to be a hard nut to crack

• **roer as unhas** to bite one's finger-nails

rogar *vtd-vtdi-vti* to beg, to pray for

rojão *sm* skyrocket: ***soltar rojões*** to let off skyrockets

• **aguentar/segurar o rojão** to have endurance, to have the strength to go on, to be able to take on a hard blow

rol *sm (lista)* list: ***rol de roupas para lavar*** laundry list

rola *sf* ZOOL turtledove

rolamento *sm* MEC ball bearing, roller bearing

rolar *vtd* to roll: ***precisei rolar o barril até a porta*** I had to roll the barrel to the door

▸ *vi* **1** *(cair do alto)* to roll down *(from, off)*: ***muitas pedras rolaram do telhado*** many stones have rolled down off the roof **2** *(virar-se, revirar-se)* to roll: ***o gatinho está rolando no gramado*** the kitten is rolling on the grass; ***fiquei rolando na cama até amanhecer*** I kept rolling around in bed till dawn **3** to roll out on to: ***a bola saiu rolando pela rua*** the ball rolled out on to the street **4** *(engalfinhar-se)* to roll around: ***saíram rolando pelo chão*** they rolled around on the floor **5** *gír (acontecer)* to happen, there to be: ***não sei o que anda rolando por lá*** I don't know what's happening there; ***rolou uma tremenda confusão depois que ela saiu*** a great confusion happened after she left **6** *gíria (circular)* to be, to go around: ***rolou muita bebida na festa dos garotos*** there was a lot of drink at the boys' party

• **rolar a dívida** to roll the debt

roldana *sf* grooved pulley

rolé *sm loc* **dar um rolé** to go for a walk, to go for a ride

rolê *sm* CUL rolled beef

roleta *sf* roulette

roleta-russa (*pl* **roletas-russas**) *sf* Russian roulette

rolha *sf* **1** cork **2** *fig (censura)* stopper

roliço *adj* **1** cylindrical **2** chubby, plump: ***braços roliços*** chubby arms

rolimã *sm* MEC ball bearing

• **carrinho de rolimã** wooden board on casters, trolley

rolinha *sf* ZOOL kind of small dove

rolo *sm* 1 roll: ***rolo de papel*** roll of paper; ***rolo da máquina de escrever*** typewriter roll 2 *(almofada cilíndrica)* cylindrical pad 3 *(cilindro)* cylinder 4 *(manuscrito antigo)* scroll 5 *(conflito, briga)* row, quarrel: ***aquilo deu um tremendo rolo*** it created a big row; ***não me meto nesse rolo*** don't put me in this quarrel; ***ele vive criando rolo com a sogra*** he's always rowing with his mother-in-law 6 *(troca, transação)* deal, swap: ***fez um rolo com o carro*** he did a deal with the car
▪ **rolo** painter's roll
▪ **rolo compressor** steamroller
▪ **rolo de estender massa** rolling pin
▪ **rolo de filme** roll of film
• **fazer rolos no cabelo** to curl one's hair

romã *sf* pomegranate

Roma *sf* Rome

romance *sm* 1 *(obra literária)* novel 2 *(caso de amor)* romance, love affair

romancista *smf* novelist

romano *adj-sm,f* Roman

romântico *adj* 1 romantic: ***José de Alencar é um escritor romântico*** José de Alencar is a romantic writer 2 *(poético, sentimental)* romantic: ***meu namorado é muito romântico*** my boyfriend is very romantic; ***essa música é muito romântica*** this song is very romantic 3 *(sem senso prático)* dreamer, romantic: ***ele é um sonhador, um romântico*** he's a dreamer, a romantic

romantismo *sm* 1 romanticism 2 *(sentimentalismo)* sentimentalism

romaria *sf* 1 RELIG pilgrimage 2 *fig* pilgrimage: ***quando o craque voltou, foi uma verdadeira romaria à sua casa*** when the star came back, there was a real pilgrimage to his home

rombo *sm* 1 *(buraco)* large hole 2 *(desfalque)* embezzlement 3 *(déficit)* deficit: ***um rombo no orçamento*** a budget deficit
▸ *adj* blunt: ***este prego está rombo*** this nail is blunt

rombudo *adj* blunt, dull

romeiro *sm,f* pilgrim

romeno *adj-sm,f* Romanian

romeu e julieta (*pl* **romeus e julietas**) *sm* CUL guava paste with fresh cheese

romper *vtd* 1 *(despedaçar)* to split (open), to burst, to disrupt 2 *(sulcar, abrir)* to break open 3 *(atravessar)* to break through 4 *(infringir, rescindir)* to break, to breach: ***romper um acordo de paz*** to break a peace treaty; ***romper um trato*** to break a deal 5 *(suspender)* to break: ***romper o sigilo bancário*** to break bank secrecy 6 *(desfazer)* to break up: ***os dois romperam os laços de amizade*** they broke up their friendship ties
▸ *vti* 1 *(cortar relações)* to break up with: ***ele rompeu com a namorada*** he broke up with his girlfriend 2 *(desligar-se)* to break with: ***o partido rompeu com o governo e passou para a oposição*** the party broke with the government and went over to the opposition
▸ *vi* 1 *(começar a surgir)* to break: ***rompeu o dia*** morning has broken 2 *(brotar)* to sprout 3 *(irromper)* to break through 4 *(desfazer relação amorosa)* to break up
▸ *vpr* **romper-se** 1 *(despedaçar-se)* to break 2 *(rasgar-se, fender-se)* to tear, to split, to burst 3 *(interromper-se)* to be disrupted

rompimento *sm* 1 *(ruptura)* rupture, break, breaking 2 *(cessação, suspensão)* suspension, breaking up, breach, breaching: ***rompimento do sigilo bancário*** the breaking of bank secrecy; ***rompimento do acordo de paz*** the breaching of the peace treaty 3 *(quebra de relações)* breaking up: ***rompimento da amizade*** breaking up of the friendship; ***rompimento com a namorada*** breaking up with one's girlfriend

roncar *vi* 1 *(ressonar)* to snore 2 to growl: ***minha barriga está roncando de fome*** my stomach is growling from hunger 3 to roar: ***o motor roncava*** the engine was roaring

ronco *sm* 1 snore, snoring: ***do meu quarto eu ouvia o ronco do vovô*** from my room, I could hear grandpa's snoring 2 roar, turning over: ***já estou ouvindo o ronco do motor do carro*** I can hear the car engine roaring 3 *(grunhido)* grunt 4 *(ronrom)* purr 5 growl: ***está ou-***

vindo o ronco do meu estômago? can you hear my stomach growling? **6** *fig (bravata)* boast

rondar *vtd* **1** to patrol: ***a patrulha está rondando o quarteirão*** the police car is patrolling the block **2** *(espreitar)* to snoop: ***um desconhecido esteve rondando a casa*** a stranger has been snooping around the house

ronda *sf* **1** patrol, guard, watch **2** circuit, rounds **3** prowl

rosa *sf* BOT rose

▸ *adj* pink: ***dois cintos rosa*** two pink belts

• **viver num mar de rosas** to live in a bed of roses

rosado *adj* **1** rosy, pink **2** rosé: ***vinho rosado*** rosé wine

rosário *sm* rosary, prayer beads

• **desfiar o rosário** to say the rosary, *fig* to nag

rosbife *sm* CUL roast beef

rosca *sf* **1** CUL ring-shaped bun **2** *(em parafuso)* thread: ***rosca sem fim*** endless thread

roseira *sf* BOT rose-bush

róseo *adj* rose, rosy, rose-colored

rosnar *vi* to snarl, to growl

▸ *vtd-vi (resmungar)* to mutter

rosto *sm* face

rota *sf* **1** lane: ***rota de navio, de avião*** shipping lane, aircraft lane **2** *fig (rumo, caminho)* course, direction

rotação *sf* rotation: ***rotação da Terra*** the Earth's rotation

▪ **rotações por minuto** revolutions per minute

• **plantar em regime de rotação** to rotate crops

rotatividade *sf* rotation

rotativo *adj* **1** *(que gira)* turning, rotating **2** *(que reveza)* rotating

roteiro *sm* **1** *(itinerário)* itinerary: ***qual é o roteiro da viagem?*** what's the itinerary of the journey? **2** CINE TV script **3** *(plano, esquema)* plan, program, schedule

rotina *sf* **1** routine **2** *(praxe)* ordinary practice: ***esse tratamento não é de rotina*** this treatment is not an ordinary practice **3** *(práticas de operação)* routine procedure: ***seguir a rotina de manutenção das máquinas*** to follow the routine maintenance procedure of the machines **4** INFORM routine

• **entrar na rotina** to get in the habit

• **quebrar a rotina** to break the habit

• **sair da rotina** to break the routine

rotineiro *adj* **1** *(habitual)* habitual, routine **2** *(que segue a rotina)* customary

rotisseria *sf* rotisserie

rotular *vtd* **1** to label **2** *fig* to label

rótulo *sm* **1** *(etiqueta)* label **2** *fig* label

roubada *sf pop* rip-off: ***esse negócio é roubada*** this deal is a rip-off

roubado *adj* **1** stolen, robbed: ***aquela é a casa roubada*** that's the house which was robbed; ***acharam a joia roubada?*** have they found the stolen jewel? **2** *fig (frito, perdido)* down and out, screwed: ***se eu perder esse emprego, estou roubado*** If I lose this job, I'll be down and out

roubalheira *sf* embezzlement

roubar *vtd-vtdi* **1** to steal, to rob: ***roubar algo a/de alguém*** to steal something from someone; ***roubar um apartamento*** to rob a flat **2** *(furtar)* to steal: ***depois que desci do ônibus, percebi que tinham roubado a minha pulseira*** after getting off the bus I noticed someone had stolen my bracelet; ***um trombadinha lhe roubou a bolsa*** a thief has stolen her purse **3** *(apropriar-se com fraude)* to rob: ***ele roubou o patrão um ano, até que foi descoberto*** he robbed his boss for a year until he was found out **4** *(plagiar)* to steal: ***roubou-lhe a música e ganhou dinheiro*** he has stolen her song and made money **5** *(lograr)* to cheat: ***acho que o açougueiro me roubou*** I think the butcher has cheated me **6** *(consumir)* to take away: ***aquela farra me roubou três dias de estudo*** the good time I had took away three study days **7** *(conquistar, tomar)* to steal, to take something from someone: ***uma amiga me roubou o namorado*** a friend of mine has taken my boyfriend from me

▸ *vti (trapacear)* to cheat: ***ele costuma roubar no jogo*** he usually cheats during the game; ***é um comerciante que***

vive roubando no peso he is a shopkeeper who cheats when weighing goods
▸ *vi* **1** to steal: ***com os maus amigos, ele aprendeu a roubar*** he has learned how to steal with his bad friends **2** to cheat: ***naquele jogo, o juiz roubou*** the referee cheated in that match
• **roubar um beijo** to steal a kiss

roubo *sm* **1** burglary, robbery **2** *(furto)* theft **3** *fig* rip-off: ***o imóvel é ruim: esse negócio foi um roubo*** the property is awful: this deal was a rip-off; ***não pago; isso é um roubo!*** I'm not paying; it's a rip-off **4** *(trapaça)* cheating
• **roubo com arrombamento** breaking and entering

rouco *adj* hoarse, husky

round *sm* round

roupa *sf* **1** clothes, clothing: ***não sei com que roupa vou ao casamento*** I haven't decided which clothes to wear at the wedding; ***chegou com as roupas rasgadas*** he arrived with his clothes torn **2** *(traje)* suit, outfit: ***roupa de astronauta*** astronaut's outfit; ***roupa de esquiador*** skiing outfit
▪ **roupa branca** underclothes
▪ **roupa de baixo** underwear
▪ **roupa de banho** bathing-suit
▪ **roupa de cama** bed-linen
▪ **roupa de mergulho** diving suit
▪ **roupa feita** ready-made clothing
▪ **roupa íntima** underwear
▪ **roupa para gestantes** pregnant women's clothing
▪ **roupas para homens, mulheres e crianças** menswear, womenswear, childrenswear
• **lavar a roupa suja em casa** not to air one's dirty linen in public
• **lavar roupa** to do the laundry

roupão *sm* dressing gown, bathrobe, robe

rouquidão *sf* hoarseness

rouxinol *sm* ZOOL nightingale

roxo *adj* **1** purple, violet **2** *fig (ansioso)* anxious: ***ele está roxo para se encontrar com ela*** he's anxious to meet her **3** *fig (louco)* mad: ***está roxo de raiva*** he's mad with anger **4** *fig (intenso, apaixonado)* passionate, intense: ***é flamenguista roxo*** he's a passionate supporter of Flamengo

rua *sf* **1** street: ***as ruas do centro*** downtown streets; ***moro na rua Alvarenga, n° 59*** I live at 59 Alvarenga Street; ***o cachorro foi para a rua*** the dog went into the street; ***as crianças brincam na rua*** the children are playing in the street; ***deixei o carro na rua*** I've left the car in the street **2** *(fora de casa)* on the street, outside, out in the town: ***ele só vive na rua*** he lives on the street
• **estar na rua da amargura** to be on the streets of sorrow
• **ir para a rua** *(ser demitido)* to be/get fired
• **morador de rua** homeless person, street dweller
• **pôr alguém na rua** *(demitir)* to fire, to dismiss
• **pôr alguém no olho da rua** to fire someone
• **rua sem saída** dead-end street

rubéola *sf* MED German measles

rubi *sm* ruby

rubor *sm* blush, flush, glow, redness

ruborizar-se *vpr* to redden, to blush

rubrica *sf* **1** instructions to actors **2** *(assinatura abreviada)* abbreviated signature, initials

rubro *adj* blood-red, crimson

ruço *adj* **1** *(pardacento)* brownish gray **2** *(grisalho)* faded gray **3** *(surrado, desbotado)* faded **4** *fig (complicado)* black: ***a coisa está ruça!*** things are getting black!

rúcula *sf* BOT rocket, arugula

rude *adj* **1** *(indelicado, ríspido)* rude **2** *(sem instrução)* primitive, rough, uncouth, blunt **3** *(brusco)* rough: ***um gesto rude*** a rough gesture

rudimentar *adj* **1** *(elementar)* elementary **2** *(grosseiro, tosco)* primitive **3** *(sem sofisticação)* unsophisticated

ruela *sf* small street, alley

ruga *sf* **1** *(na pele)* wrinkle **2** *(prega)* crease

ruge *sm* rouge

rugido *sm* roar

rugir *vi* to roar, to bellow, to howl

rugoso *adj* wrinkled, corrugated

ruído *sm* **1** noise, sound, clatter **2** *(distúrbio na comunicação)* noise, disturbance in communication

ruidoso *adj* 1 noisy 2 *fig* noisy: ***um caso ruidoso*** a noisy affair

ruim *adj* 1 *(malvado)* bad, evil, wicked 2 *(de má qualidade)* bad, inferior
• **ser ruim de** to be bad at

ruína *sf* 1 *(perda da fortuna)* ruin 2 *(decadência)* ruin, decay, collapse
▸ *pl* **escombros** ruins, debris
• **uma casa em ruínas** a house in ruins

ruindade *sf* 1 *(qualidade ruim)* badness, poor quality 2 *(maldade)* wickedness

ruir *vi* 1 *(desmoronar-se)* to collapse 2 *fig (desfazer-se)* to fall apart

ruivo *adj* red, ginger

rulê *adj* rolled: ***gola rulê*** rolled-up collar

rum *sm* rum

rumar *vti* to steer, to set a course for

ruminante *adj-sm* ruminant

ruminar *vtd* 1 to ruminate 2 *fig* to brood: ***ficou ali, ruminando a raiva*** he was brooding with anger

rumo *sm* 1 course, direction 2 *fig (tendência)* direction: ***tomar maus rumos*** to take bad directions; ***o novo rumo da política brasileira*** the new direction of Brazilian politics 3 *(comportamento)* turn: ***está tomando um rumo que não me agrada*** it's taking a turn that doesn't please me at all
• **perder o rumo** to lose direction
• **rumo a** bound for

rumor *sm* 1 rumour 2 *(boato)* gossip, rumour

rumoroso *adj* 1 *(barulhento)* noisy 2 *fig (sensacional)* sensational

ruptura *sf* 1 *(rompimento, fratura)* rupture, fracture, break 2 *(interrupção)* interruption, break 3 *(rompimento de compromisso)* break up, breaching 4 MED rupture

rural *adj* rural, countryside

Rússia *sf* Russia

russo *adj-sm,f* Russian

rústico *adj* 1 *(do campo)* peasant, country 2 *(sem acabamento)* rustic: ***chão de cimento rústico*** rustic cement floor 3 rustic: ***móvel de estilo rústico*** rustic style furniture

S

sábado *sm* Saturday
• **aos sábados** every Saturday
• **sábado de aleluia** Easter Saturday, Holy Saturday
• **sábado de carnaval** Saturday before Carnival

sabão *sm* **1** soap **2** *(bronca)* scolding: ***passar um sabão em alguém*** to give someone a scolding
▪ **sabão de coco** coconut soap
▪ **sabão em pedra** a bar of soap
▪ **sabão em pó** powder soap
▪ **vá lamber sabão** get lost

sabedoria *sf* wisdom

saber *vtd* **1** to know: ***ele não sabe resolver esse problema*** he doesn't know how to solve this problem **2** *(ter conhecimentos)* to know: ***ele sabe muito inglês*** he knows a lot of English **3** *(ter certeza)* to be sure: ***eu sabia que isso não ia dar certo*** I was sure this wasn't going to work **4** *(ter informação)* to come to know, to learn: ***fiquei sabendo que você vai viajar amanhã*** I've come to know that you're going to travel tomorrow; ***ele ficou sabendo da novidade pelos jornais*** he learned about the news through the papers
▸ *vti (estar informado)* to be informed *(of)*, to know
▸ *sm* knowledge
• **a saber** namely
• **bem que eu sabia!** I knew it!
• **pelo que sei** as far as I know
• **quem sabe?** who knows?

sabiá *sm* ZOOL thrush

sabido *adj (conhecido)* known
▸ *adj-sm,f (inteligente, conhecedor)* wise, smart, someone who knows a lot

sábio *adj* **1** *(erudito)* scholarly **2** *(prudente, sensato)* wise
▸ *sm,f* scholar

sabonete *sm* toilet soap

saboneteira *sf* soap dish

sabor *sm* **1** *(gosto)* taste, flavour **2** *fig* zest
• **ao sabor de** at the whim of
• **dar sabor** to add flavor
• **tomar sabor** to taste

saborear *vtd* **1** to taste **2** *fig* to relish

saboroso *adj* tasty

sabotagem *sf* sabotage

sabotar *vtd* to sabotage

sabre *sm* sabre

sabugo *sm (espiga de milho sem grãos)* corncob

saca *sf* large sack or bag

sacada *sf (de janela)* balcony

sacador *adj-sm,f* ECON drawee

sacana *adj-smf pop* **1** *(sensual, libertino)* immoral, dirty **2** *(cafajeste, finório)* schemer, bastard

sacanagem *sf* **1** *pop (procedimento desleal)* dirty trick **2** *pop (logro, deslealdade)* fraud, scheme **3** *pop (ato libidinoso)* immoral act

sacanear *vtd pop (enganar, lograr)* to trick, to cheat

sacar *vtd* **1** *(tirar, puxar)* to pull out **2** *(arma)* to draw **3** COM to draw, to cash: ***sacar dinheiro do banco*** to draw money from the bank; ***sacar um cheque*** to cash a check
▸ *vtd-vti* **1** *pop (perceber, intuir)* to understand, to realize, to get **2** *pop (entender)* to understand *(about)*

▸ *vi* 1 ESPORTE to serve 2 *(entender)* to get: ***não quero sair, sacou?*** I don't want to go out, got it?

sacarina *sf* sacharine

saca-rolhas *sm* corkscrew

sacerdote *sm* priest, clergyman

sacerdotisa *sf* priestess

sachê *sm* sachet

saciar *vtd* to satisfy, to quench
▸ *vpr* **saciar-se** to satiate oneself, to become satisfied

saco *sm* 1 bag 2 *pop (chatice)* bore 3 *pop (paciência)* patience: ***não tenho mais saco para isso*** I have no more patience for that 4 *pop (escroto)* balls
• **encher o saco de alguém** to annoy someone
• **estar de saco cheio de alguém/algo** to be fed up with someone/something
• **pôr tudo no mesmo saco** to put everything in the same basket
• **puxar o saco de alguém** to lick someone's boots
• **que saco!** god damn it!, what a bore!
• **saco de dormir** sleeping bag
• **saco sem fundo** someone who eats a lot
• **ser saco de pancada** to be a punchbag

sacola *sf* bag

sacoleiro *adj-sm,f* bagman, bagwoman, salesperson

sacolejar *vtd* 1 *(sacudir)* to shake up, to agitate, to jolt 2 *(rebolar)* to swing

sacolejo *sm* shake, shaking, agitation

sacramentar *vtd* 1 *(tornar sagrado)* to make sacred, to enshire 2 *(formalizar)* to legalize, to enshire

sacramento *sm* RELIG sacrament

sacrificar *vtd* 1 to sacrifice, to immolate 2 *(matar, abater)* to slaughter
▸ *vtd-vtdi (renunciar)* to sacrifice: ***sacrificar a carreira pelo casamento*** to sacrifice one's career for marriage
▸ *vpr* **sacrificar-se** to sacrifice oneself, to deny oneself

sacrifício *sm* 1 *(imolação)* sacrifice, immolation 2 *(renúncia)* self-denial 3 *(esforço penoso, dificuldade)* sacrifice: ***que sacrifício subir aquela ladeira!*** what a sacrifice it is to walk up that hill! 4 *(eutanásia de animal)* animal euthanasia

sacrilégio *sm* sacrilege, profanation

sacristão *sm* sacristan, sexton

sacristia *sf* sacristy, vestry

sacro *adj* sacred, holy
▸ *sm* ANAT sacrum

sacudido *adj* 1 shaken, agitated, jolted 2 *(saudável, disposto)* healthy, vigorous

sacudir *vtd* 1 *(fazer tremer)* to shake, to make tremble 2 *(agitar)* to shake 3 *(abanar, mover)* to wag *(the tail)*, to wave 4 *(a poeira)* to shake from: ***sacudiu a poeira das calças*** he shook the dust from his trousers 5 *(bater-toalha etc.)* to shake
▸ *vpr* **sacudir-se** 1 to shake oneself: ***o cachorro molhado se sacudia*** the wet dog shook himself 2 *(abalar-se)* to shake, to shudder 3 *(saracotear)* to stroll around

sádico *adj* sadistic

sadio *adj* 1 *(que tem saúde)* healthy, wholesome: ***um homem sadio*** a healthy man 2 *(que é bom para a saúde)* healthy: ***um alimento sadio*** healthy food 3 *(salubre)* sound 4 *(bom para o espírito)* healthy, wholesome

safadeza *sf* 1 *(qualidade)* immorality 2 *(ato)* dirty trick

safado *adj-sm* 1 *(desavergonhado)* shameless, a shameless person 2 *(obsceno)* obscene, a depraved person

safanão *sm* 1 *(bofetão)* slap 2 *(puxão)* push 3 *(esbarrão)* bump

safári *sm* safari

safar-se *vpr* to get away with something

safira *sf* sapphire

safra *sf* 1 *(colheita)* crop, harvest 2 *(de vinho)* vintage

sagaz *adj* keen, sharp, clever, witty

sagitário *sm* sagittarius

sagrado *adj* 1 *(sacro)* holy 2 *(submetido à sagração)* blessed 3 *(intocável, precioso)* sacred

sagrar *vtd* to consecrate, to anoint, to bless
• **sagrar alguém cavaleiro** to knight someone

saguão *sm (de hotel)* foyer, lobby **2** *(de prédio)* hall

sagui *sm* ZOOL saguin, small South American monkey

saia *sf* **1** skirt **2** AUTO *(peça metálica)* casing **3** AUTO *(peça pendente do para--lama)* fender skirt

• **saia justa** *fig* an embarrassing situation

saída *sf* **1** *(acesso externo)* exit: ***onde é a saída do prédio?*** where's the exit of the building? **2** *(ato de sair)* exit, exiting, coming out, departure: ***esperei a saída dos noivos*** I waited until the bride and groom came out **3** *(demissão)* quitting, retiring: ***minha saída do emprego*** my retiring of the job **4** *(fim do expediente)* end of the working day, knocking off time: ***qual é a hora da saída?*** when do we knock off? **5** *(recurso, salvação, escapatória)* loophole, way out, escape **6** *(resposta)* answer **7** *(procura, venda)* sales **8** *(escape)* outlet: ***saída do vapor*** vapor outlet

• **de saída** on one's way out

• **não dar nem para a saída** to be too scarce

saído *adj* **1** *(intrometido)* nosey **2** *(atirado, atrevido)* forward, bold

saiote *sm* petticoat

sair *vi* **1** to go out, to exit **2** *(passear)* to go out: ***não costumo sair aos domingos*** I don't usually go out on Sundays **3** *(escapar)* to escape: ***o cano furou e está saindo muita água*** there's a hole on the duct and a lot of water is escaping **4** *(nascer-dentes, pelos etc.)* to appear **5** *(aparecer)* to come out: ***saiu o sol*** the sun has come out **6** *(ser publicado, divulgado)* to be published, to be issued **7** *fig* to pour out: ***as palavras foram saindo*** the words were pouring out **8** *fam (acontecer)* to take place: ***saiu um quebra--pau*** a big fight took place **9** *(desaparecer)* to come off: ***a mancha não saiu*** the stain hasn't come off **10** *(vender)* to sell **11** *(ser sorteado, escolhido)* to be drawn: ***que número saiu?*** which number has been drawn?

▸ *vti-vi* **sair com** **1** *(manter relacionamento)* to date **2** *(passear)* to go out **sair de** **3** *(provir)* to be from, to come from **4** *(manar, brotar)* to emanate *(from)* **5** *(ter como origem)* to come from **6** *(vir, aparecer)* to show up **7** *(ser produto)* to result *(from)* **8** *(deixar um lugar)* to leave **9** *(livrar-se)* to get rid of **10** *(abandonar, desistir)* to quit: ***ele está saindo de um casamento difícil*** he's quitting a difficult marriage; ***sair do emprego, da escola*** to quit the job, to quit school **11** *(concluir)* to finish: ***quanto tempo falta para você sair da faculdade?*** how long is it until you finish college?

▸ *vpred (ficar, resultar, aparecer)* to turn out: ***o quadro saiu feio*** the painting turned out ugly; ***esse carro saiu caro*** this car turned out expensive

▸ *vpr* **sair-se** to go, to perform: ***como se saiu no exame?*** how did you go in the exam?

• **ele/ela/isso não me sai da memória, da cabeça etc.** I can't get him/her/it out of my head

• **sai de baixo** *fig* watch out!

• **sair ao pai/à mãe** to take after one's father/mother

• **sair da estrada** *(carro etc.)* to go off the road

• **sair na Portela/na Mangueira etc.** to take part in the Portela/Mangueira samba school parade

• **sair para jantar** to go out for dinner

• **sair por aí** to hang around

• **sair-se com alguma** to pop out with

sal *sm* salt

▪ **sal amargo** Epsom salt

▪ **sal grosso** bay salt

• **sem sal nem açúcar** *fig* plain

sala *sf* **1** room **2** living room **3** *(classe)* classroom

▪ **sala de aula** classroom

▪ **sala de cinema** movie theatre

▪ **sala de cirurgia** surgery room

▪ **sala de espera** waiting room

▪ **sala de estar/de visitas** sitting/living room

▪ **sala de imprensa** press room

▪ **sala de jantar** dining room

▪ **sala de reuniões** meeting room

▪ **sala dos professores** teacher's room

▪ **sala VIP** VIP lounge

• **fazer sala a alguém** to keep someone company

salada *sf* **1** CUL salad **2** *fig (mistura confusa)* mess

• **salada de frutas** fruit salad
• **salada russa** Russian salad, *fig* mess, confusion

salame *sm* salami

salão *sm* **1** hall, salon, gallery, large room **2** *(exposição)* exhibition, show
▪ **salão de baile** ballroom, dance hall
▪ **salão de barbeiro** barber's shop
▪ **salão de beleza** beauty salon
▪ **salão de cabeleireiro** hairdresser's, hair salon
▪ **salão de jogos** game room, pool room
▪ **salão do automóvel** auto show
▪ **salão nobre** auditorium
• **jogos de salão** party games
• **limpar o salão** *fig* to pick one's nose
• **piada de salão** party joke

salário *sm* salary, wages, pay
• **décimo terceiro salário** thirteenth salary
• **salário mínimo** minimum wage

salário-família (*pl* **salários-família**) *sm* family allowance

saldar *vtd* COM to liquidate, to settle

saldo *sm* **1** *(diferença entre débito e crédito)* balance **2** *(resto a pagar)* remainder **3** *(vantagem)* credit: ***um saldo de cinco pontos*** a five-point credit
▪ **saldo credor** credit
▪ **saldo de estoque** remainder
▪ **saldo devedor** debit
▪ **saldo líquido** credit
• **tirar o saldo do banco** to withdraw one's balance from the bank

saleiro *sm* salt-shaker

salgado *adj* **1** *(com sal)* salty **2** *(muito caro)* very expensive

salgueiro *sm* BOT willow

saliência *sf* salience

salientar *vtd* **1** *(evidenciar)* to call attention to, to emphasize **2** *(destacar)* to point out
▸ *vpr* **salientar-se** **1** *(evidenciar-se)* to distinguish oneself **2** *(destacar-se)* to stand out

saliente *adj* **1** salient **2** *fig (intrometido)* salient

salino *adj* salty, saline

salitre *sm* saltpeter

saliva *sf* saliva

salivar *vi* to salivate
▸ *adj* salivous, salivary

salmão *sm* ZOOL salmon

salmo *sm* psalm

salmoura *sf* brine, souse

salobro *adj* salty, brackish, briny

salpicar *vtd* **1** *(espargir gotas)* to sprinkle **2** *(polvilhar)* to sprinkle **3** *(respingar)* to sprinkle, to splash

salsa *sf* **1** BOT parsley **2** *(dança)* salsa

salsão *sm* BOT celery

salseiro *sm* *(briga, escândalo)* fight, brawl

salsicha *sf* 1 CUL sausage **2** *(cão bassê)* dachshund

salsicharia *sf* sausage factory, sausage shop

salsinha *sf* BOT parsley

saltar *vi* **1** *(dar pulos)* to jump, to leap **2** *(do ônibus, do trem)* to get off **3** *(brotar, irromper)* to sprout
▸ *vtd* **1** *(galgar)* to jump over, to leap over: ***saltar a cerca*** to jumper over the fence **2** *(atravessar)* to jump: ***saltar o córrego*** to jump the creek **3** *(omitir)* to skip
▸ *vti* to jump off: ***o gato saltou do muro*** the cat's jumped off the wall
• **saltar à vista** to stand out, to catch the eye

saltimbanco *sm* **1** juggler, acrobat **2** itinerant performer or artist

saltitante *adj* hopping, jumping up and down

saltitar *vi* to hop

salto *sm* **1** *(pulo)* jump, leap **2** *(ricochete)* recoil **3** *(cascata)* drop, waterfall **4** *(transformação abrupta)* leap **5** *(de sapato)* heel: ***salto alto ou baixo*** high heel or low heel **6** *(omissão)* omission
• **de salto alto** *fig* conceited
• **salto com vara** pole vault
• **salto em altura** high jump
• **salto em distância** long jump
• **salto mortal** somersault
• **salto triplo** triple jump

salutar *adj* healthful, wholesome, salutary, beneficial, edifying

salva *sf* **1** *(de tiros)* salute **2** *(de palmas)* burst of applause **3** BOT sage

salvação *sf* **1** salvation, hope: ***esse doente não tem salvação*** this patient has no hope **2** *(resgate, salvamento)* rescue **3** *(socorro)* salvation: ***aquele dinheiro foi a minha salvação*** that money was my salvation

• **salvação da alma** salvation of the soul

salvador *adj-sm,f* rescuer, saviour

salvaguardar *vtd* to safeguard

salvamento *sm* rescue, rescuing, saving

salvar *vtd-vtdi* to save: ***ele me salvou da morte*** he saved me from death

▸ *vtd* **1** *(conservar, reter)* to save: ***salvei uma parte da comida*** I've saved some of the food **2** *(salvaguardar)* to defend, to safeguard **3** INFORM to save

▸ *vpr* **salvar-se** **1** to save oneself, to take refuge **2** to be saved **3** *(escapar, livrar-se)* to escape *(from)*

• **salve-se quem puder** every man for himself

salva-vidas *sm* **1** *(nadador)* lifeguard **2** *(dispositivo)* life jacket

salvo *adj* **1** safe **2** *(resguardado)* rescued **3** RELIG saved, redeemed **4** INFORM saved

▸ *prep (exceto)* except for

• **a salvo** safe

• **são e salvo** safe and sound

samambaia *sf* BOT fern

samba *sm* samba

• **cuecas samba-canção** boxer briefs

sambar *vi* **1** to dance the samba **2** *fig (ser posto de lado)* to be rejected **3** *fig (não dar certo)* to go wrong

sambista *adj-smf* samba dancer, samba singer, samba composer

sanar *vtd* **1** *(curar)* to heal **2** *(reparar)* to fix, to repair, to amend

sanatório *sm* asylum

sanção *sf* sanction

sandália *sf* sandal

• **sandália de dedo** beach sandal, flip-flop

sândalo *sm* sandal, sandalwood

sanduíche *sm* sandwich

saneamento *sm* **1** *(de um terreno)* sanitation **2** *fig (de contas)* cleaning up

sanear *vtd* **1** *(terreno)* to sanitize **2** *fig (contas)* to clean up

sanfona *sf* **1** MÚS *(acordeão)* accordion **2** *(remate de tricô)* ribbing

sangrar *vtd* **1** *(tirar sangue)* to bleed **2** *(tirar algum líquido)* to tap, to drain

▸ *vi* **1** *(verter sangue-ferida)* to bleed **2** *(pessoa)* to bleed

sangrento *adj* **1** *(cruento)* gory **2** *(ensanguentado)* bloody, bleeding

sangria *sf* **1** MED bloodletting **2** *(hemorragia)* bleeding **3** *(depauperação)* bleeding **4** *(bebida)* sangria

sangue *sm* blood

• **sangue tipo A-, B-, AB-, O-** A, B, AB, O type blood

• **subir o sangue à cabeça** to have one's blood rush to one's head

• **ter sangue quente** to be hot-blooded

• **ter/não ter sangue de barata** to be/not to be lily-livered

sangue-frio (*pl* **sangues-frios**) *sm* cold blood

• **ter/não ter sangue-frio** to be/not to be cold-blooded

• **fazer algo a sangue-frio** to do something in cold blood

sanguessuga *sf* leech

sanguinário *adj* bloody, sanguinary

sanidade *sf* sanity, health: ***sanidade mental*** mental sanity

sanitário *adj* sanitary

▸ *sm* **sanitário** sanitarian

santidade *sf* sanctity, holiness, sainthood

santificar *vtd* to sanctify, to bless

santinho *sm* **1** *(imagem religiosa)* small image or picture of a saint **2** *pop (propaganda eleitoral)* election advertising leaflet

santo *sm,f* **1** saint **2** *(pessoa bem-comportada, virtuosa)* a good and generous person

▸ *adj* **1** *(santificado)* holy: ***dia santo*** holy day **2** *fig* blessed: ***um santo remédio*** a

blessed solution
• **Santo Antônio, Santo André** Saint Anthony, Saint Andrew
• **Todos os Santos** *(dia de)* All Saints' Day

santuário *sm* sanctuary, shrine

são *adj* **1** healthy, sound **2** *sm (santo)* saint
• **São Bernardo, São Bento** Saint Bernard, Saint Benedict

sapateado *sm* tap dance

sapatear *vi* **1** *(dançar sapateado)* to tap dance **2** *(bater o pé)* to stump

sapateiro *sm* shoemaker, shoe repairer

sapatilha *sf* **1** *(de balé)* ballet slipper **2** *(de ginástica)* gym shoe

sapato *sm* shoes: ***pôr/tirar os sapatos*** to put on/take off one's shoes
• **saber onde aperta o sapato** *fig* to know where the shoe pinches
• **sapato anabela** platform shoes

sapeca *adj-smf* naughty

sapecar *vtd (chamuscar)* to scorch
• **sapecar um tapa** to slap

sapinho *sm* MED thrush

sapo *sm* ZOOL toad
• **engolir sapo** to be forced to accept something unpleasant

saque *sm* **1** *(pilhagem)* sack, looting **2** ESPORTE serve, service **3** COM *(de dinheiro)* draw

saquear *vtd* to sack, to loot

sarado *adj* **1** *(curado)* healed, cured **2** *fig fam (enxuto, malhado)* in great shape

sarampo *sm* MED German measles

sarar *vtd (curar)* to heal, to cure
▸ *vi (curar-se)* to heal

sarcasmo *sm* sarcasm

sarcófago *sm* sarcophagus

sarda *sf* freckle

Sardenha *sf* Sardinia

sardento *adj* freckled

sardinha *sf* sardine
• **como sardinha em lata** packed in like sardines

sargento *sm* sergeant

sarjeta *sf* kerb, curb *(AmE)*
• **estar na sarjeta** *fig* to be in the gutter

sarna *sf* **1** MED scabies **2** *fig (pessoa impertinente)* nuisance
• **arranjar sarna para se coçar** to look for trouble

sarrafo *sm (madeira)* batten, lath, slat
• **baixar o sarrafo em alguém** to beat someone up, *fig* to say bad things about someone

sarro *sm* **1** *(sujeira nos dentes)* tartar **2** *(saburra)* fur, furring **3** *pop (coisa divertida)* laugh: ***que sarro!*** what a laugh!; ***esse filme é um sarro*** that film is a laugh
• **tirar (um) sarro de alguém** *(zombar)* to take the micky out of someone

Satã *sm* Satan, the Devil

Satanás *sm* Satan, the Devil

satânico *adj* satanical, devilish, demoniac

satélite *sm* satellite

sátira *sf* satire, lampoon

satírico *adj* satirical, biting

satisfação *sf* **1** *(contentamento)* satisfaction **2** *(explicação)* explanation: ***não lhe peço satisfações por seus atos*** I don't ask you to give explanations about your actions
• **tirar/tomar satisfações** to ask for explanations

satisfatório *adj* satisfactory

satisfazer *vtd* **1** *(desejos)* to satisfy **2** *(necessidades)* to meet **3** *(contentar, agradar)* to please **4** *(saciar)* to appease, to satiate **5** *(atender)* to fulfill, to comply with **6** *(reparar, indenizar)* to make amends
▸ *vpr* **satisfazer-se** **1** *(fartar-se)* to be satiated **2** *(contentar-se)* to be happy, to be satisfied *(with)*

satisfeito *adj* **1** *(farto, saciado)* satisfied, satiated **2** *(contente)* content **3** *(cumprido, executado)* fulfilled, complied with

saturação *sf* **1** *(impregnação)* saturation **2** *fig* saturation

saturar *vtd* **1** *(impregnar)* to saturate **2** *fig (fartar, aborrecer)* to upset, to annoy

saudação *sf* salutation, greeting

saudade *sf* longing, homesickness, nostalgia, the act of missing something or someone: ***sentir saudade de algo/alguém*** to have a longing for something/someone, to miss something/someone

saudar *vtd* to greet
▸ *vpr* **saudar-se** to exchange greetings

saudável *adj* 1 *(que tem saúde)* healthy 2 *(que proporciona saúde)* healthful 3 *(benéfico)* wholesome, beneficial

saúde *sf* health
▸ *interj* **saúde!** *(quando alguém espirra)* bless you!
• **de saúde delicada** of poor health
• **saúde de ferro** strong health
• **saúde mental** mental health
• **vender saúde** to be bursting with health, to be the picture of good health

saudoso *adj* 1 *(que tem saudade)* longing, homesick 2 *(que inspira saudade)* nostalgic 3 deeply missed: ***meu saudoso irmão faleceu há dois anos*** my deeply missed brother passed away two years ago

sauna *sf* sauna

saxofone *sm* MÚS saxophone

scanner *sm* scanner

script *sm* script

se *pron 3.ª pes sing pl* 1 *(pronome reflexivo)* himself, herself, itself, themselves, oneself, yourself, yourselves, each other, one another: ***ela se feriu com a faca*** she's hurt herself with the knife; ***eles se entreolharam*** they looked at one another 2 *(índice de indeterminação do sujeito)* indicates that the subject of the sentence is not specified and can be translated by "one", among other alternatives: ***precisa-se de empregada*** maid wanted; ***naquele restaurante come-se muito bem*** one eats very well at that restaurant 3 *(partícula apassivadora)* indicates that the sentence is in the passive voice and can be translated by "it is + adjective" or "it is + verb participle", among other alternatives: ***vendem-se casas*** houses to sell; ***conta-se que...*** it's reported that...; ***dispensam-se comentários*** comments are unnecessary
▸ *conj* 1 if, in case, provided, supposing: ***se esperar mais um pouco, poderá almoçar*** if you wait a little longer, you'll be able to have lunch 2 whether: ***não sei se leio ou se durmo*** I don't know whether I'll read or I'll sleep

sé *sf* see
• **Santa Sé** Holy See

sebo 1 suet, fat, grease 2 *(livraria)* second-hand bookstore

seboso *adj* 1 sebaceous, fatty, greasy 2 *pop (metido)* conceited

seca *sf (estiagem)* drought

secador *sm* dryer
■ **secador de roupa** tumble dryer
■ **secador de cabelo** hairdryer

secagem *sf (de grãos, de madeira, de cimento, de tinta etc.)* drying

seção *sf* 1 *(corte)* section, cut 2 *(parte)* section, part, segment 3 *(divisão, repartição)* section, department, division 4 *(em jornais)* section: ***seção de esportes*** sports section
• **seção de pessoal, almoxarifado etc**. *(em empresas)* personnel department, stock department etc.
• **seção de roupas, móveis etc.** *(em lojas)* clothes department, furniture department etc.
• **seção eleitoral** electoral district

secar *vtd* 1 *(enxugar)* to dry 2 *(esgotar)* to dry up: ***secou o barril*** he dried up the barrel
▸ *vtd-vi pop (dar azar)* to cast the evil eye
▸ vi 1 *(enxugar-se)* to become dry 2 to dry out: ***com a estiagem, a lagoa secou*** due to the drought, the lagoon has dried out; ***a água da chaleira secou*** the water in the kettle has dried up 3 *(murchar)* to wilt 4 *(tinta, cimento)* to dry 5 *(planta)* to dry

seco *adj* 1 *(enxuto)* dried 2 *(sem umidade)* dry, barren, arid: ***dias secos*** dry days; ***solo seco*** dry soil; ***pele seca*** dry skin 3 *(desidratado)* dehydrated 4 *(muito magro)* skinny, skin and bones 5 *(batida, ruído)* coarse 6 *(ríspido, sem afabilidade)* dry, rude 7 *(cheio de vontade)* craving, eager, longing: ***eu estava seco por um prato de comida*** I was craving for a meal
• **a seco** *(sem dinheiro)* without money, *(sem bebida)* without drink
• **secos e molhados** grocery store

secreção *sf* secretion

secretaria *sf* 1 *(em empresas)* administrative section 2 *(em escolas)* registrar's office 3 *(de governo)* department, ministry, bureau

secretária *sf* 1 secretary 2 *(móvel)* desk
• **secretária eletrônica** answering machine
• **serviço de secretária eletrônica** *(da companhia telefônica)* message service

secretário *sm,f* 1 secretary 2 *(de governo)* secretary

secreto *adj* 1 secret 2 *(misterioso)* mysterious

secular *adj* secular, lay

século *sm* century

secundário *adj* 1 secondary 2 *(acessório, menos importante)* minor

secura *sf* 1 dryness 2 *(frieza, rispidez)* dryness, coarseness

seda *sf* silk
• **rasgar seda** *fig* to praise lavishly

sedã *sm* AUTO sedan

sedar *vtd* to sedate

sedativo *adj-sm* sedative

sede *sf* 1 *(jurisdição episcopal)* see 2 *(cidade principal)* seat, main city 3 *(principal estabelecimento)* head office, headquarters 4 *(casa de fazenda)* manor house 5 *(local escolhido)* venue: ***Londres será a sede das Olimpíadas de 2012*** London is set to be the venue of the 2012 Olympic Games 6 seat: ***o cérebro é a sede do pensamento*** the brain is the seat of thought

sede *sf* 1 thirst 2 *fig (cobiça, desejo intenso)* thirst, strong desire or craving
• **matar a (própria) sede** to quench one's thirst
• **matar a sede de alguém** to quench someone's thirst
• **ter/não ter sede/estar/não estar com sede** to be/not to be thirsty

sedentário *adj* sedentary

sedento *adj* 1 thirsty 2 *(cobiçoso)* avid, eager

sediar *vtd* to hold, to be the venue for

sedimento *sm* sediment

sedoso *adj* silky, silken

sedução *sf* seduction

sedutor *adj* seductive, seducing, luring, charming
▸ *sm,f* seducer, charmer

seduzir *vtd* 1 to seduce 2 *(desvirginar)* to deflower

segmento *sm* 1 segment 2 TV segment

segredar *vtd-vtdi* 1 to whisper 2 to confide a secret

segredo *sm* 1 secret, mystery 2 *fig* secret: ***o segredo do sucesso*** the secret of sucess 3 *(de cofre etc.)* password
• **segredo de polichinelo** open secret
• **em segredo** in secret

segregação *sf* segregation

segregar *vtd* 1 *(discriminar)* to segregate 2 *(secretar)* to secrete

seguida *sf loc adv* **em seguida** right away, immediately, soon after

seguido *adj* 1 *(contínuo)* continuous 2 *(acompanhado)* followed 3 *(espionado)* followed

seguidor *sm* 1 *(defensor)* follower, adherent 2 *(perseguidor)* pursuer

seguimento *sm (continuação)* sequence, continuation
• **dar seguimento a algo** to continue with something, to take something to the next step

seguinte *adj* 1 *(subsequente)* following 2 *(próximo)* next: ***o balconista chamou o freguês seguinte*** the shop attendant has called the next customer 3 following: ***apresente os seguintes documentos...*** bring the following documents... 4 listen, look: ***é o seguinte: preciso de dinheiro*** look, I need some money
• **no dia/mês/ano seguinte** on the next day/month/year
• **o dia seguinte** the day after

seguir *vtd* 1 *(ir atrás)* to follow 2 *(perseguir)* to pursue 3 to follow: ***seguíamos o noticiário com interesse*** we followed the news with interest 4 *(acompanhar)* to follow: ***não consigo te seguir*** I can't follow you; ***siga meu raciocínio*** follow my line of reasoning 5 *(ir ao longo)* to go along: ***siga o rio até a curva*** go along the river to the bend 6 *(vir depois)* to come after, to come next 7 *(acatar)* to follow, to abide by: ***seguirei seus conselhos*** I'll abide by your advice; ***seguir a moda*** to follow the fashion
▸ *vtd-vi (continuar, prosseguir)* to continue, to proceed

▸ *vpr* **seguir-se** 1 *(vir depois)* to come after/behind 2 *(decorrer)* to follow: ***disto se segue que...*** it follows from this that...
• **a seguir** as follows
• **seguir adiante** to go ahead

segunda-feira (*pl* **segundas-feiras**) *sf* Monday

segundo *adj* second
▸ *sm* **segundo** second
▸ *adv* **segundo** secondly, second: ***primeiro porque é inútil, segundo porque é feio*** first because it's useless; second because it's ugly
▸ *prep* **segundo** according to: ***segundo dizia minha avó...*** according to my grandmother...; ***Evangelho segundo Mateus*** the Gospel according to Matthew
▸ *conj* **segundo** 1 *(à medida que)* as: ***apresentavam-se segundo eram chamados*** they introduced themselves as they were called 2 *(conforme)* according to: ***fiz tudo segundo me instruíram*** I did everything according to what I was told

segurado *adj* 1 *(quem tem seguro)* policyholder 2 *(protegido por seguro)* insured: ***carro segurado*** insured car

seguradora *sf* insurance company

segurança *sf* 1 *(autoconfiança)* self-reliance, self-confidence 2 *(confiabilidade)* reliability, dependability 3 safety, security: ***a segurança é uma preocupação dos cidadãos*** the citizens are concerned with public safety; ***na segurança de sua casa*** in the security of his home
▸ *sm* security guard: ***chame o segurança*** call the security guard
• **dispositivo de segurança** safety device/mechanism

segurar *vtd* 1 *(prender)* to fasten, to fix 2 *(manter, fixar)* to hold, to keep 3 *(amparar, sustentar)* to hold, to prop 4 *(pegar, conter na mão)* to grasp, to grip, to clasp, to hold 5 *(pôr no seguro)* to insure 6 *(conter)* to hold
▸ *vpr* **segurar-se** 1 *(agarrar-se)* to hold on, to hold tight 2 *(conter-se)* to hold one's horses
• **segurar alguém pelo braço/pela mão** to hold someone by the arm/the hand
• **segurar algo/alguém no colo** to hold something/someone in one's arms
• **segure firme!** hold tight!

seguro *adj* 1 *(salvo, protegido)* safe, secure 2 *(confiante)* confident 3 *(certo, confiável)* reliable: ***a fonte da notícia é segura*** the source of the news is reliable 4 *(garantido)* guaranteed 5 *(firme)* firm, stable 6 *(que não oferece perigo)* safe: ***não é um lugar seguro*** it's not a safe place
▸ *sm* **seguro** insurance: ***pagar o seguro*** to pay the insurance; ***receber o seguro*** to get the insurance
• **em lugar seguro** in a safe place
• **estar seguro de que...** to feel certain that...
• **estar seguro de si** to feel confident, to have confidence in oneself
• **pôr no seguro** to insure: ***pôr um carro no seguro*** to insure a car
• **seguro de vida** life insurance

seio *sm* 1 *(mama)* breast 2 *fig (recôndito, âmago)* bosom

seis *adj* six

seiscentos *adj* six hundred

seita *sf* sect, cult

seiva *sf* BOT sap

seixo *sm* pebble

seja *conj* either... or...: ***seja este, seja aquele...*** either this or that...
▸ *interj* **que seja** be!, may it be so!
• **ou seja** that is

sela *sf* saddle

selar *adj* 1 *(pôr selo)* to stamp, to seal 2 *(confirmar, validar)* to seal: ***selar um acordo*** to seal an agreement; ***selar uma amizade*** to seal a friendship 3 *(pôr sela)* to saddle 4 *(fechar)* to seal, to close, to shut

seleção *sf* 1 *(escolha)* choice, selection, pick 2 *(antologia)* selection 3 ESPORTE national team
• **seleção natural** natural selection

selecionado *adj* selected: ***vinhos selecionados*** selected wines; ***frutas selecionadas*** selected fruits

selecionar *vtd* to select, to pick

seletivo *adj* selective

seleto *adj* 1 *(selecionado)* selected 2 select, exclusive: ***local seleto*** select place

seletor *sm (de canais)* selector

self-service *sm* self-service

selim *sm (de moto, bicicleta)* seat

selo *sm* **1** stamp, seal **2** *(estampilha)* revenue stamp **3** *fig (marca)* seal

selva *sf* jungle

selvagem *adj* **1** wild **2** *(não domesticado, não civilizado)* savage, wild

sem *prep* without

semáforo *sm* traffic lights
• **semáforo intermitente** beacon

semana *sf* week
▪ **Semana Santa** Holy Week
• **fim de semana** weekend

semanal *adj* weekly

semanário *sm (periódico)* weekly publication

semblante *sm* face, countenance

sem-cerimônia *sf* informality

semear *vtd* **1** to sow, to seed: ***semear milho*** to sow maize **2** to sow: ***semear a terra*** to sow the land **3** *fig (propagar)* to scatter, to spread

semelhança *sf* resemblance, similarity

semelhante *adj* **1** *(similar)* similar **2** *(parecido)* alike
▸ *sm* **semelhante** neighbour, fellow man: ***respeita teu semelhante*** respect thy neighbour
▸ *pron* such: ***semelhante atitude é inaceitável*** such an attitude is unacceptable

sêmen *sm* semen

semente *sf* seed

semestral *adj* semestral, six-monthly

semestre *sm* semester

semifinal *sf* semifinal

seminário *sm* **1** RELIG seminary **2** *(grupo de estudo)* seminar **3** *(aula dada por aluno)* seminar

seminarista *sm* RELIG seminarian

seminu *adj* half-naked

semita *adj-smf* Semitic, Semite

sêmola *sf* semolina

semolina *sf* semolina

sem-par *adj* unparalleled, peerless

sempre *adv* always, ever
• **a história de sempre** the same old story
• **desde sempre** right from the beginning
• **quero a bebida de sempre** I want the usual drink
• **viveram felizes para sempre** they lived happily ever after

sem-sal *adj* unsalted, insipid

sem-terra *adj-smf* landless, landless peasant

sem-teto *adj-smf* homeless, homeless person

sem-vergonha *adj* **1** *(canalha)* shameless **2** *(despudorado)* impudent

sem-vergonhice *sf* **1** *(canalhice)* shameless behavior **2** *(falta de pudor)* lack of decency

sena *sf* **1** *(conjunto de seis)* set of six **2** *(face do dado etc.)* six **3** *(loteria)* a kind of lottery

senado *sm* senate

senador *sm,f* senator

senão *cong* **1** *(do contrário)* otherwise: ***não corra, senão cai*** don't run, otherwise you'll fall down **2** *(mas, sim)* rather: ***o noivo não era rico, senão um pobretão*** the groom wasn't rich, rather he was very poor
▸ *prep (a não ser)* except: ***ela não comia nada, senão carne*** she ate nothing except meat
▸ *sm* **senão** defect, flaw, fault: ***não vejo nenhum senão nesse negócio*** I don't see any flaws in this business

senha *sf* **1** *(palavra secreta)* password **2** *(papel numerado)* ticket: ***pegue a senha no guichê*** get the ticket at the window **3** INFORM password

senhor *sm,f* **1** *(dono)* lord, lady **2** *(amo, autoridade)* master, mistress **3** *fig* master/mistress, having power over: ***não era senhora de seus atos*** she wasn't mistress of her own acts **4** *(nobre)* milord, milady **5** *(de meia-idade)* middle-aged man or woman: ***ela já é uma senhora*** she's a middle-aged woman; ***um senhor está à sua procura*** a middle-aged man is looking for you **6** *(tratamento)* mister, mistress, you, sir, madam: ***Sr. Freitas, ligo mais tarde*** Mr. Freitas, I'll call back later; ***professor, o senhor já esteve na Inglaterra?*** Sir, have you ever been to England?

▸ *sm* **Senhor** *(Deus)* Lord

▸ *adj* large: ***ele mora numa senhora casa*** he lives in a large house

• **– faça isso. – sim, senhor** – do this. – yes, sir

• **(meus) senhores, (minhas) senhoras...** Ladies and gentlemen...

• **sim, senhor, que pouca vergonha!** yes, sir, what a shame!

senhora *sf (mulher)* lady: ***toalete das senhoras*** ladies restroom

senhorita *sf* **1** *(moça solteira)* young unmarried woman **2** *(forma de tratamento)* you, young lady: ***a senhorita aceita uma bebida?*** would the young lady have something to drink? **3** miss: ***Srta. (senhorita) Maria da Silva*** Miss Maria da Silva

senil *adj* senile

sensação *sf* **1** sensation, feeling: ***ter sensação de frio*** to have the sensation of cold **2** *(intuição)* feeling: ***tenho a sensação de que esse governo cai*** I have the feeling that this government will fall **3** *(emoção)* sensation: ***a notícia causou viva sensação entre os presentes*** the news was a great sensation amongst the people who where present **4** *(acontecimento importante)* sensation

sensacional *adj* sensational

sensacionalismo *sm* sensationalism

sensatez *sf* good sense

sensato *adj* sensible

sensibilidade *sf* **1** sensitivity: ***há grande sensibilidade na região gástrica*** there's great sensitivity in the gastric area; ***sensibilidade ao frio, ao calor*** sensitivity to cold/hot weather **2** sensibility, sensitivity: ***um artista de grande sensibilidade*** an artist of great sensibility **3** *(suscetibilidade)* sensitivity **4** *(precisão de aparelho)* sensitivity

sensibilizar *vtd* **1** *(comover)* to touch **2** to sensitize: ***a luz sensibiliza a emulsão fotográfica*** the light sensitizes the photographic emulsion

▸ *vpr* **sensibilizar-se** *(comover-se)* to be touched

sensitivo *adj-sm,f (paranormal)* sensitive

sensível *adj* **1** sensitive: ***sensível à luz, ao calor*** sensitive to light, to heat **2** *(dolorido)* sore **3** *(perceptível)* noticeable **4** sensitive: ***um artista sensível*** a sensitive artist **5** *(suscetível, emotivo)* susceptible, touchy **6** *(preciso-aparelho)* sensitive

senso *sm* sense

• **bom-senso** good sense

• **senso comum** common sense

• **senso de dever** sense of duty

• **senso de humor** sense of humor

• **senso de orientação** sense of direction

• **senso prático** practical sense

sensor *sm* sensor

sensual *adj* sensual, sexy

sensualidade *sf* sensuality

sentado *adj* sitting

sentar *vtd* **1** to sit: ***sentei meu filho no muro*** I sat my son down on the wall **2** *(assentar)* to give: ***ela sentou-lhe um bofetão*** she gave him a slap

▸ *vi-vpr* **sentar(-se)** to sit down

• **sentar a mão em alguém** to hit someone hard, to give someone a beating

• **sente-se, por favor!** sit down, please!

sentença *sf* **1** *(julgamento)* judgment, ruling, sentence **2** *(provérbio)* saying, proverb

sentenciar *vtd-vi (proferir sentença)* to adjudge, to rule on, to sentence

▸ *vtd-vtdi (condenar)* to convict, to condemn

sentido *adj* **1** *(magoado)* hurt **2** *(triste, ressentido)* sad **3** *(comovido, comovente)* touched

▸ *sm* **sentido 1** sense: ***os cinco sentidos*** the five senses **2** *(direção, orientação)* direction **3** *(significado)* meaning

▸ *pl* **sentidos** senses: ***perder os sentidos*** to loose one's senses

• **em certo sentido** in a certain way

• **em sentido horário/anti-horário** clockwise/anticlockwise

• **estar sem sentidos** to be senseless

• **fazer/não fazer sentido** to make/not to make sense

• **nesse sentido...** in that sense...
• **ir no sentido São Paulo–Rio** to go in the direction Rio–São Paulo
• **sexto sentido** sixth sense
• **de duplo sentido** *(ruas)* two-way, *(palavras)* ambiguous

sentimental *adj* 1 sentimental 2 *(romanesco)* sentimental, romantic

sentimentalismo *sm* sentimentalism

sentimento *sm* 1 feeling 2 *(noção, senso)* sense 3 *(disposição)* disposition 4 *(emoção, entusiasmo)* heart, sentiment: ***ela falou com muito sentimento*** she spoke out of her heart 6 *(pressentimento)* feeling, foreboding
▸ *pl* **sentimentos** *(pêsames)* condolences: ***meus sentimentos!*** my condolences!
• **sentimento de culpa** guilty feeling

sentinela *sf* sentinel, sentry
• **estar de sentinela** to stand sentinel

sentir *vtd* 1 *(gosto, cheiro, frio, calor, fome, sede etc.)* to feel, to experience: ***sinto fome*** I feel hungry; ***sinto frio*** I feel cold 2 *(tristeza, alegria, vontade)* to feel: ***sentir tristeza*** to feel sad; ***sentir vontade de dar um passeio*** to feel like taking a walk 3 *(pressentir, conhecer por indícios)* to feel, to sense, to perceive 4 *(ficar sentido, magoado)* to feel hurt, to resent
▸ *vi (ter pesar)* to be sorry: ***sinto muito*** I'm very sorry
▸ *vpr* **sentir-se** to feel: ***sentir-se bem/mal*** to feel well/bad; ***como se sente?*** how do you feel?; ***sentir-se feliz*** to feel happy
• **sentir gosto, cheiro** to taste, to smell
• **sentir vontade de** to feel like

separação *sf* 1 *(tabique, muro, parede etc.)* separation 2 *(de casal)* legal separation 3 *(afastamento)* separation, detachment, parting

separado *adj (desunido, isolado, apartado)* apart, detached, separated, separate
▸ *adj-sm,f* 1 separated: ***uma mulher separada*** a separated woman 2 separate: ***o casal está separado*** the couple is separated

separar *vtd-vtdi* 1 *(destacar)* to detach 2 *(apartar)* to part 3 *(desunir)* to separate 4 *(dividir-compartimentos)* to partition
▸ *vpr* **separar-se** 1 *(destacar-se)* to detach 2 *(apartar-se)* to part 3 *(dividir-se, partir-se)* to be divided 4 *(casal)* to separate, to divorce

sepultamento *sm* burial

sepultar *vtd* 1 to bury 2 *(soterrar)* to cover with earth 3 *fig (extinguir)* to bury

sepultura *sf* grave

sequela *sf* 1 sequela 2 sequel, result

sequência *sf* 1 *(seguimento, continuidade)* sequence 2 *(continuação)* sequel: ***este texto não tem sequência*** this text has no sequel 3 *(série, sucessão)* series: ***uma sequência de desgraças*** a series of misfortunes 4 *(ordem)* order: ***a sequência dos temas musicais*** the order of the musical themes 5 *(no pôquer)* run

sequer *adv* even: ***não quis sequer entrar na escola*** he didn't even want to go into the school building

sequestrar *vtd* 1 DIR to confiscate, to impound 2 *(raptar)* to kidnap

sequestro *sm* 1 DIR confiscation 2 *(rapto)* kidnapping

séquito *sm* entourage

ser *vpred* 1 to be: ***é alto/baixo*** he is tall /short 2 *(provir)* to be from: ***de onde você é?*** where are you from?; ***estas frutas são da Argentina*** these fruits are from Argentina 3 to be: ***é muito cedo/tarde*** it's very early/late 4 *(custar)* to be, to cost: ***quanto é isto?*** how much is this? 5 *(trabalhar como)* to be, to work as: ***ele é engenheiro*** he's an engineer
▸ *v aux* to be: ***a população foi dizimada*** the population was decimated
▸ *vti* 1 *(naturalidade, nacionalidade)* to be from: ***de onde você é? – do Equador*** where are you from? – from Ecuador 2 *(proveniência)* to come from: ***estas frutas são da Argentina*** these fruits are from Argentina 3 *(posse)* to belong: ***esta camisa é do meu irmão*** this shirt belongs to my brother
▸ *sm* being: ***ser humano*** human being
• **assim seja** so be it
• **dois vezes três são seis** two times three is six
• **era uma vez** once upon a time
• **isto é** i.e., that is
• **já era** it's history
• **não é?** isn't it?

• **que é de...?** where is/are...?
• **seja como for** be as it may, in any case
• **seja (lá) o que for** no matter what, whatever
• **seja (lá) quem for** no matter who, whoever
• **ser/não ser de** *(ter propensão a)* to be apt to, *(ser capaz de, provocar, fazer)* to be able to, to be capable of
• **ser com alguém** *(dizer respeito a, ser da alçada)* to concern someone: ***isto é comigo*** this concerns me, *(ser do agrado)* to please: ***samba é comigo mesmo*** I love samba
• **ser/não ser para** *(+ infinitivo)* to be/not to be for

sereia *sf* 1 mermaid 2 siren

serenar *vtd* 1 *(acalmar)* to calm 2 *(pacificar)* to pacify
▸ *vi* 1 *(acalmar-se)* to grow calm, to calm down 2 *(aplacar-se)* to quieten down

serenata *sf* serenade

serenidade *sf* serenity

sereno *adj* 1 *(calmo, não agitado)* serene, calm 2 *(céu)* clear, unclouded 3 *(sensato, imparcial)* cool, self-possessed
▸ *sm* **sereno** *(orvalho)* dew

seriado *adj* seriate
▸ *sm* **seriado** TV CINE series, show

série *sf* 1 *(sequência)* sequence, series 2 *(grupo, lote)* lot 3 *(ano escolar)* grade 4 *(vários)* series 5 TV series, show
• **em série** in series, serial
• **fora de série** out of this world

seriedade *sf* 1 *(caráter de sério)* seriousness 2 *(gravidade, importância)* seriousness, gravity

seringa *sf* MED syringe

seringueira *sf* BOT rubber tree

sério *adj* 1 *(sisudo)* serious 2 *(austero)* austere, rigorous 3 *(importante)* serious: ***um assunto sério*** a serious matter 4 *(grave)* serious: ***a doença dele é séria*** his illness is serious; ***um caso sério*** a serious business 5 *(positivo, real, concreto)* serious: ***é séria a proposta?*** is the offer serious? 6 *(correto, aplicado)* serious: ***um profissional sério*** a serious professional 7 *(honrado, honesto)* serious: ***ela é uma mulher séria*** she's a serious woman; ***é uma empresa séria*** it's a serious company
▸ *adv* 1 *(de fato)* serious, really: ***sério?!*** serious?! 2 *(seriamente)* seriously: ***fale sério*** talk seriously
• **levar/tomar a sério** to take something seriously
• **sair do sério** to get mad

sermão *sm* 1 RELIG sermon 2 *(repreensão)* admonition, lecture

serpente *sf* serpent, snake

serpentina *sf* 1 *(ducto metálico)* coil 2 *(fita de papel)* coiled paper streamer

serra *sf* 1 *(ferramenta)* saw 2 *(montanhas)* mountain chain, sierra
• **subir a serra** *(irritar-se)* to hit the ceiling

serragem *sf* sawdust

serralheiro *sm* metalworker

serralheria *sf* metalworker's shop

serrar *vtd* 1 to saw 2 *pop (filar)* to cadge: ***serrou um cigarro de mim*** he cadged a cigarette from me

serraria *sf* sawmill

serrote *sm* handsaw

sertanejo *adj-sm,f* 1 *(do sertão)* country, country man 2 *(interiorano, caipira)* yokel, redneck *(AmE)*
• **música sertaneja** country music

sertão *sm* 1 *(região semiárida)* backlands 2 *(interior)* countryside

servente *smf (zelador de escola)* janitor
▪ **servente de pedreiro** hodman

serventia *sf (utilidade)* utility
• **sem serventia** useless

serviçal *adj* 1 *(solícito)* complying 2 *(obsequioso)* obliging
▸ *smf* servant

serviço *sm* 1 *(trabalho)* work: ***serviço pesado*** heavy work 2 *(préstimo, favor)* favour, service: ***preste-me esse serviço*** do me this favour 3 *(local de trabalho)* work, workplace: ***ele já foi para o serviço*** he's gone to work 4 *(em restaurante, hotel)* service: ***este restaurante não cobra serviço*** this restaurant doesn't charge for service 5 *(modo de servir)* service: ***o serviço aqui é péssimo*** the service here is terrible 6 *(aparelho, conjunto)* set, service 7 ESPORTE service

▸ *pl* **serviços** services: ***o setor de serviços*** services sector

• **área de serviço** service area

• **brincar/não brincar em serviço** 1 to waste/not to waste time 2 not to take/to take work seriously, not to be/to be efficient at something

• **dar o serviço** to squeal, to reveal a secret

• **entrada de serviço** back entrance

• **escada de serviço** backstairs

• **estar de serviço** to be on duty

• **fazer serviço limpo/porco** to do a neat/lousy job

• **serviço completo** complete job

• **serviço de utilidade pública** public utility service

• **serviço militar** military service, active duty

• **serviço secreto** secret service

servidão *sf* 1 servitude, vassalage 2 DIR right of way

servidor *sm,f* servant, attendant

▸ *sm* **servidor** INFORM server

■ **servidor público** civil servant

servil *adj* servile, obsequious

Sérvia *sf* Serbia

sérvio *adj-sm,f* Serb, Serbian

servir *vtd-vti* 1 *(trabalhar, prestar serviço)* to work *(for, as)* 2 *(ajudar)* to help, to be of service 3 *(prestar serviço militar)* to do military service 4 *(pôr à mesa)* to serve: ***o jantar já foi servido*** supper has already been served; ***sirva o macarrão neste prato*** serve the pasta on this plate 5 *(oferecer)* to offer: ***sirva vinho à visita*** offer some wine to the visitor; ***ele serviu-me um cigarro*** he offered me a cigarette

▸ *vtd* 1 *(prestar obséquio)* to serve 2 *(atender)* to wait on: ***o garçom veio nos servir*** the waiter waited on us

▸ *vti-vpred (funcionar, agir como)* to be, to serve as: ***ele me serviu de pai*** he was a father to me; ***esta peça serve de alavanca*** this part serves as a lever

▸ *vti-vi* 1 *(ser adequado)* to suit, to be suited *(for)*: ***isso não me serve*** this doesn't suit me 2 *(ser útil)* to be useful *(for)*

▸ *vti (roupas, calçados)* to fit

▸ *vi* ESPORTE to serve

▸ *vpr* **servir-se** 1 *(pegar)* to help oneself: ***sirva-se de canapés e vinho*** help yourself to hors d'ouevres and wine; ***servir-se das mercadorias necessárias*** to help oneself to the necessary goods 2 *(utilizar)* to make use of: ***ele serviu-se de meios condenáveis*** he's made use of unworthy means

sessão *sf* 1 *(de assembleias)* session 2 *(com terapeuta)* session 3 *(em cinemas, teatros)* session

sessenta *adj-sm* sixty

sesta *sf* siesta, early afternoon nap: ***fazer a sesta*** to take a nap after lunch

set *sm* 1 ESPORTE set 2 CINE set

seta *sf* arrow

sete *num* seven

setecentos *num* seven hundred

setembro *sm* September

setenta *num* seventy

setentrional *adj* northern

sétimo *num* seventh

setor *sm* sector

■ **setor de informações** information bureau

■ **setor de pessoal** personnel department, human resources department

■ **setor privado/público** private/public sector

seu *pron poss* 1 *(2.ª pes sing)* your, yours: ***seu passaporte está vencido, senhor*** your passport is due, sir; ***minha querida irmã, a culpa é toda sua*** my dear sister, the blame is all yours 2 *(3.ª pes sing)* his, her, its: ***gosto desse escritor e de suas novelas*** I like this writer and his novels; ***os capotes estão ali, cada um deve pegar o seu*** the overcoats are over there, each must get his own; ***é uma boa aluna, mas seu trabalho está ruim*** she's a good student, but her paper is bad; ***um carro e todos os seus acessórios*** a car and all its accessories 3 *(3.ª pes pl)* their, theirs: ***lá vêm os dois irmãos com seu cachorro*** here come the two brothers and their dog; ***estou pensando neles e na sua vontade de viajar*** I'm thinking about them and their willingness to travel

▸ *sm (Sr.)* Mr: ***seu João*** Mr. João
▸ *sm,f* you: ***seu malandro!*** you rascal!; ***sua danada!*** you naughty girl!

severidade *sf* severity, harshness

severo *adj* severe, harsh

sevícias *sf pl* abuse

sexagenário *adj-sm,f* sexagenarian

sexagésimo *num* sixtieth

sexo *sm* **1** sex **2** gender: ***preencha com nome, idade, sexo etc.*** fill in name, age, gender etc. **3** *(órgãos genitais)* genitals

sexta *sf* → **sexta-feira**

sexta-feira (*pl* **sextas-feiras**) *sf* Friday
■ **Sexta-feira Santa** Good Friday

sexto *num* sixth

sexual *adj* sexual

sexy *adj* sexy

shampoo *sm* shampoo

shopping center *sm* shopping centre

shorts *sm pl* shorts

show *sm* show
• **dar um *show*** *(apresentar um espetáculo)* to give a performance, *(fazer escândalo)* to make a row, to raise a scandal
• **ser um *show*** to be great

si *pron sing* oneself, yourself, himself, herself, itself, yourselves, themselves: ***falando de si (mesmo)*** talking about oneself; ***você quer todo o dinheiro só para si*** you want the money all to yourself; ***ele só pensou em si, não pensou em você*** he's just thought about himself, he hasn't thought about you
• **cada um por si e Deus por todos** every man for himself and God for all
• **cair em si** to come to one's senses, to arrive at a correct picture of a situation
• **estar cheio de si** to be conceited
• **estar fora de si** to be beside oneself
• **por si só** on one's own
• **voltar a si** to come to one's senses

siamês *adj-sm,f* Siamese

Sicília *sf* Sicily

sicrano *sm,f* so-and-so: ***fulano, beltrano e sicrano*** Tom, Dick and Harry

sideral *adj* sidereal

siderurgia *sf* steel metallurgy

siderúrgica *sf* steel plant

sidra *sf (vinho de maçã)* cider

sifão *sm (tubo de pia)* trap, siphon

sífilis *sf* MED syphilis

sigilo *sm (segredo)* **1** secret, secrecy **2** privilege *(of confidentiality)*: ***sigilo profissional*** professional privilege of confidentiality; ***sigilo entre advogado e cliente*** lawyer-client privilege

sigiloso *adj* secret

sigla *sf* initials

significação *sf* signification, meaning

significado *sm* **1** meaning **2** *fig* significance: ***esta joia tem grande significado para mim*** this jewel is of great significance to me

significar *vtd* **1** *(querer dizer)* to mean **2** *(ser sinal)* to denote **3** *(refletir, mostrar)* to suggest

significativo *adj* significant, meaningful

signo *sm* **1** LING sign **2** ASTROL sign
• **ser do signo de** to be born under the sign of

sílaba *sf* syllable

silenciador *sm* **1** *(de arma)* silencer **2** AUTO silencer, muffler

silenciar *vtd* **1** *(impor silêncio)* to hush **2** *(omitir)* to silence
▸ *vtd-vti (guardar silêncio sobre)* to remain silent about
▸ *vi* **1** *(calar-se)* to shut up **2** to become silent: ***o vento silenciou*** the wind became silent

silêncio *sm* silence
▸ *interj* **silêncio!** silence!, hush!

silencioso *adj* silent, quiet
▸ *sm* **silencioso** AUTO muffler

silhueta *sf* **1** *(desenho de perfil)* silhouette **2** *(contorno)* outline **3** *(formas do corpo)* figure

silício *sm* QUÍM silicon

silicone *sm* QUÍM silicone

silkscreen *sm* silkscreen

silo *sm* silo

silvestre *adj* wild

sim *adv* yes
• **dizer que sim** to say yes, to consent
• **não é isto, e/mas sim aquilo** it's not this but that

• **pelo sim, pelo não...** just to make sure...

simbólico *adj* symbolic, symbolical

simbolizar *vtd* to symbolize

símbolo *sm* symbol

simetria *sf* symmetry

simétrico *adj* symmetric, symmetrical

similar *adj* **1** *(semelhante)* similar, alike **2** similar: ***não temos esse produto; aceita um similar?*** we don't have this item, would you take a similar one?

símio *sm* simian, ape

simpatia *sf* **1** affection, fondness: ***ter/sentir simpatia por alguém*** to have/feel affection for someone **2** someone or something that has a strong appeal or charm: ***aquela moça é uma simpatia!*** that young lady is charming! **3** *(ritual)* charm: ***ela fez uma simpatia para conquistar o namorado*** she made a charm to conquer her boyfriend

simpático *adj* **1** ANAT sympathetic **2** *(pessoa, coisa)* nice, charming

simpatizante *smf* sympathizer

simpatizar *vti* to have an instinctive liking for, to be attracted to

simples *adj* **1** *(não composto)* simple, single **2** *(despojado)* simple, modest **3** *(fácil, elementar)* simple, easy **4** *(sem complicação)* simple, uncomplicated **5** *(singelo)* simple: ***não repare, a casa é simples*** don't look too much, it's a simple house **6** *(frugal)* simple, frugal **7** *(mero, puro)* simple, mere: ***viajar é simples questão de querer*** travelling is a mere question of wanting to **8** *(apenas)* just: ***não se assuste, é uma simples coruja*** don't get frightened, it's just an owl **9** *(pobre)* poor **10** *(ingênuo)* naive **11** *(espontâneo)* natural

▸ *smf* **1** *(pobre)* poor person **2** *(ingênuo)* naive person

simplicidade *sf* **1** *(ausência de complicação)* simplicity **2** *(espontaneidade, naturalidade)* naturalness **3** *(facilidade)* easiness **4** *(ausência de luxo)* austerity

simplificação *sf* simplification

simplificar *vtd* to simplify

simplório *adj* simple-minded

simpósio *sm* symposium

simulação *sf* **1** *(disfarce, fingimento)* dissimulation, dissembling **2** *(imitação)* simulation: ***simulação de voo*** fight simulation **3** *(reconstituição)* simulation: ***simulação de um acidente*** simulation of an accident

simulacro *sm* simulacrum, semblance

simulado *adj* simulate, mimetic, artificial, mock

▸ *sm (exame)* mock exam

simular *vtd* **1** *(fingir)* to dissimulate, to dissemble **2** *(fazer simulacro)* to simulate: ***simular um voo*** to simulate a flight

simultaneidade *sf* simultaneity

simultaneamente *adv* simultaneously

simultâneo *adj* simultaneous

sina *sf* fate, fortune

sinagoga *sf* synagogue

sinal *sm* **1** *(marca)* sign, mark, marking **2** *(impressão, vestígio)* sign **3** *(gesto, aceno)* sign: ***ele fez um sinal para o amigo*** he made a sign to a friend **4** *(senha)* signal: ***a cortina aberta era um sinal*** the open curtain was a signal **5** *(som de aviso)* signal: ***o sinal avisava que o espetáculo começaria*** the signal told the show would begin; ***o sensor emitiu um sinal*** the sensor emitted a signal **6** *(vestígio, resto)* sign: ***não há nem sinal dos convidados*** there's no sign of the guests **7** *(mancha, pinta)* mark, spot **8** *(placa, aviso)* sign: ***não vi o sinal e entrei na contramão*** I didn't see the sign and drove into a one-way street **9** *(prenúncio, presságio)* sign, omen **10** *(dinheiro)* down payment, retaining fee: ***dei um sinal para ficar com o carro*** I've paid a retaining fee to get the car **11** *(penhor, demonstração)* sign, token: ***o anel era um sinal de fidelidade*** the ring was a token of faithfulness **12** *fig (mostra)* sign: ***ele não deu sinais de comiseração*** he has shown no signs of compassion **13** *(farol, semáforo)* traffic lights **14** MED sign, symptom **15** *(de tevê)* signal

• **avançar o sinal** to drive through the red light, *fig* to act prematurely

• **não dar sinal de vida** to show no sign of life

• **por sinal...** by the way...

• **ser bom/mau sinal** to be a good/bad sign

• **sinal de alarme** alarm
• **sinal de mais, de menos, de dividir, de multiplicar** plus/minus/division/multiplication sign
• **sinal de pontuação** punctuation mark
• **sinal aberto/fechado/amarelo** green/red/yellow lights
• **sinal de trânsito** traffic lights
• **sinal luminoso intermitente** blinking sign

sinal da cruz (*pl* **sinais da cruz**) *sm* sign of the cross

sinalização *sf* **1** signalizing **2** *(de trânsito)* traffic signals and signs
• **sinalização refletora** cat's eyes

sinalizar *vtd* **1** *(pôr sinalização de trânsito)* to signal **2** *fig (indicar)* to indicate

sinceridade *sf* sincerity

sincero *adj* sincere

síncope *sf* **1** MED fainting **2** MÚS syncopation

sincronizar *vtd* to synchronize

sindical *adj* syndical, union

sindicato *sm* trade union

síndico *sm,f (em prédios de apartamentos)* occupant who acts as a manager of the apartment block

síndrome *sf* syndrome

sineta *sf* small bell

sinete *sm* seal, signet, cachet

sinfonia *sf* symphony

sinfônico *adj* symphonic

singelo *adj* simple, unadorned, pure

singular *adj-sm* singular, peculiar
▸ *adj (inusitado)* unique

sinistrado *adj* damaged, wrecked, having suffered loss or damage

sinistro *adj* sinister
▸ *sm* **sinistro** loss or damage of property

sino *sm* bell

sinônimo *sm* synonym

sintaxe *sf* syntax

sinteco *sm* wooden floor varnish

síntese *sf* synthesis

sintético *adj* **1** *(que constitui síntese)* synthetical **2** *(não natural)* synthetic: ***grama sintética*** synthetic lawn; ***tecido sintético*** synthetic fabric

sintetizar *vtd* to synthesize

sintoma *sm* **1** symptom **2** *fig* symptom

sintomático *adj* symptomatic, symptomatical

sintonia *sf* tuning

sintonizar *vtd (rádio)* to tune
▸ *vpr* **sintonizar-se** *fig (harmonizar-se)* to syntonize, to come into tune (*with*)

sinuca *sf* **1** *(jogo)* pool **2** *fig* trouble, tight spot: ***estar numa sinuca*** to be in a tight spot

sinuoso *adj* **1** winding, sinuous **2** *fig* sinuous

sinusite *sf* MED sinusitis

sirene *sf* siren

siri *sm* ZOOL a kind of crab

sírio *adj-sm,f (da Síria)* Syrian

siriri *sm* ZOOL flying termite

sisal *sm (tecido)* sisal

sísmico *adj* seismic

sismo *sm* seism, earthquake

siso *sm* **1** *(juízo, prudência)* good sense **2** *(dente do siso)* wisdom tooth

sistema *sm* **1** system **2** MED system **3** INFORM system: ***o sistema está fora do ar*** the system is off line **4** POL ECON system **5** *(costumes predominantes)* usage, practice **6** *(método, técnica, conjunto de ações)* mode, means, method, system: ***um sistema revolucionário para a produção de combustível*** a revolutionary method for fuel production; ***não gosto do seu sistema de trabalho*** I don't like your method of work **7** *(hábito)* habit
■ **sistema circulatório** circulatory system
■ **sistema nervoso** nervous system
■ **sistema operacional** operational system
■ **sistema respiratório** respiratory system
■ **sistema solar** solar system
■ **sistema viário** road system

sistemático *adj* **1** systematical **2** *(meticuloso, metódico)* orderly, methodical

sisudo *adj (sério, carrancudo)* serious, stern, frowning

site *sm* INFORM site

sitiar *vtd* to surround, to besiege

sítio *sm* 1 *(lugar)* site: ***sítio arqueológico*** archeological site 2 *(fazendola, chácara)* small farm 3 INFORM site 4 *(cerco)* siege

sito *adj* located, situated, placed

situação *sf* 1 *(localização)* location, site, siting: ***a situação da casa não é das melhores*** the siting of the house is not ideal 2 *(conjuntura, circunstância)* situation 3 *(posição, condição)* condition: ***a situação social da família*** the family social condition 4 POL situation
• **que situação!** what a situation!
• **situação difícil** difficult situation, tight spot

situar *vtd* 1 *(determinar situação)* to situate 2 *(localizar)* to locate: ***o autor situou a ação na Grécia antiga*** the writer's located the action in Ancient Greece 3 *(colocar)* to place
▸ *vpr* **situar-se** 1 *(colocar-se, pôr-se)* to situate oneself 2 *(estar)* to be situated: ***a casa situa-se na rua da Paz*** the house is situated on Peace Street

slide *sm* slide

slogan *sm* slogan

smoking *sm* dinner jacket, tuxedo *(AmE)*

só *adj* 1 *(sozinho)* alone: ***ele estava só na sala*** he was alone in the room; ***os dois ficaram sós*** they were left alone 2 *(solitário)* lonely: ***ele tem vivido muito só*** he's been very lonely 3 *(único)* single: ***não houve um só dia sem chuva*** there wasn't a single day without rain
▸ *adv (somente)* only: ***comprei um só*** I've bought only one; ***estávamos só nós três*** there were only the three of us
• **antes só do que mal acompanhado** better to be alone than in bad company
• **não só... mas também...** both... and...
• **só que...** but...

soalho *sm* floor, flooring

soar *vi* 1 to ring, to sound: ***o relógio soou*** the alarm clock rung; ***o sino soou às nove*** the bell rang at nine 2 *(as horas)* to strike: ***soavam as quatro horas*** the clock struck four
▸ *vtd* 1 to strike: ***o carrilhão soou cinco horas*** the grandfather clock struck five o'clock
▸ *vpred* to sound: ***sua voz me soa harmoniosa*** your voice sounds beautiful to me
▸ *vi-vti fig* to sound: ***essa história não me soa bem*** that story doesn't sound good to me

sob *prep* 1 *(embaixo)* underneath: ***sob a blusa, ela usava uma camiseta*** she wore a t-shirt underneath the blouse 2 *(debaixo)* under: ***o cachorro deitou-se sob a mesa*** the dog lay down under the table 3 *(por baixo)* beneath: ***ela nadou sob a superfície da água*** she swam beneath the surface of the water 4 *(abaixo)* below: ***voar sob as nuvens*** to fly below the clouds 5 *(em posição subalterna)* under: ***estar sob a autoridade de alguém*** to be under someone's authority
• **sob esse aspecto...** from that point of view...
• **sob juramento** under oath

soberania *sf* sovereignty

soberano *adj (sem restrição)* supreme, sovereign
▸ *sm,f* sovereign, ruler

soberba *sf* pride, vanity

soberbo *adj-sm,f* 1 *(altivo, orgulhoso)* arrogant, proud 2 *(magnífico)* superb

sobra *sf* excess, leftovers

sobrado *sm (casa de dois pavimentos)* a two-storey house

sobrancelha *sf* eyebrow

sobrar *vti-vi* 1 *(ter, haver em demasia)* to be abundant, to be plentiful: ***sobrava-lhe beleza*** she had plenty of beauty 2 *(ser mais que suficiente)* to be more than enough: ***esse dinheiro sobra para o que precisamos*** this money is more than enough for what we need 3 *(restar, ficar)* to be left: ***não lhe sobrava muito dinheiro*** she hadn't much money left; ***sobrou uma fatia de doce*** a slice of marmalade was left 4 *(exceder)* to be excessive: ***sobrou comida e faltou bebida*** the food was excessive and the drinks weren't enough
▸ *vi (ficar, ser esquecido)* to be left: ***todos se foram, só sobrei eu*** everyone's gone,

I'm the only one left; ***ela ficou sobrando na festa*** she was left aside at the party, she was the fifth wheel at the party

sobre *prep* 1 *(em cima)* on: ***o copo estava sobre a mesa*** the glass was on the table 2 *(por cima)* over: ***a neblina se espalhou sobre a região*** the fog spread over the area 3 *(acima de)* above: ***avistei a torre sobre os tetos*** I saw the tower above the rooftops 4 *(acerca de)* about: ***conversaram sobre esse assunto*** they've talked about that subject 5 *(de preferência a)* above: ***amar a Deus sobre todas as coisas*** to love God above all things 6 *(por, em)* on: ***sobre o dinheiro aplicado, ganhou 10%*** he got 10% on the money invested 7 *(com base em)* on: ***não posso julgar sobre hipóteses*** I can't judge on hypotheses

sobreaviso *sm loc* ***estar/ficar de sobreaviso*** to be/stay alert

sobrecarga *sf* 1 *(de peso)* overload 2 *(de trabalho, impostos etc.)* overburden

sobrecarregar *vtd-vtdi* 1 to overload: ***não sobrecarregue o carro*** do not overload the car 2 *(de trabalho, impostos etc.)* to overburden
▸ *vpr* **sobrecarregar-se** to overburden oneself

sobre-humano *adj* superhuman

sobreloja *sf* mezzanine

sobremesa *sf* dessert

sobrenatural *adj* supernatural

sobrenome *sm* surname, last name
• **sobrenome de solteira** maiden name

sobrepor *vtdi* 1 *(pôr em cima)* to superimpose, to overlay, to put on, to put upon 2 *(juntar por acréscimo)* to add 3 *fig (dar prioridade)* to place before: ***sobrepor os interesses pessoais aos gerais*** to place personal interests before the interests of the community
▸ *vpr* **sobrepor-se** *(colocar-se por cima)* to rise above, to put oneself above

sobrepujar *vtd* 1 *(suplantar em altura)* to tower above 2 *fig (ir além, ultrapassar)* to overcome 3 *(suplantar)* to surpass

sobressair *vi* 1 *(estar saliente)* to stand out, to be prominent 2 *(distinguir-se como melhor)* to stand out, to excel 3 *(distinguir-se, destacar-se)* to stand out: ***sobre um fundo cor-de-rosa, o preto sobressaía*** on a pink background, the black color stood out
▸ *vpr* **sobressair(-se)** to stand out

sobressalente *adj* spare: ***peças sobressalentes*** spare parts

sobressaltar *vtd* to startle, to alarm
▸ *vpr* **sobressaltar-se** to be startled, to be alarmed

sobressalto *sm* 1 *(movimento brusco)* jerk 2 *(susto)* startle

sobretudo *adv* above all, overall
▸ *sm* overcoat

sobrevir *vi-vti* to follow, to befall

sobrevivência *sf* 1 survival 2 *(vida, sustento)* survival: ***luta pela sobrevivência*** struggle for survival

sobrevivente *adj* surviving
▸ *smf pl* **sobreviventes** survivor

sobreviver *vti* to survive
▸ *vi* 1 to survive 2 *(manter-se com esforço)* to survive

sobrevoar *vtd* to fly over

sobriedade *sf* 1 *(moderação, discrição)* moderation 2 *(estado de não embriagado)* sobriety

sobrinho *sm,f* nephew, niece

sóbrio *adj* 1 *(moderado, discreto)* sober, moderate 2 *(não embriagado)* sober

socar *vtd* 1 *(dar socos)* to punch 2 *(sovar massa)* to knead 3 *(moer grãos)* to mash 4 *(calcar)* to press (down)

social *adj* 1 social 2 *(referente a empresas)* corporate, company 3 *(que não é de serviço)* residents': ***elevador social*** residents' lift; ***entrada social*** residents' entrance

socialismo *sm* socialism

socialista *smf* socialist

socializar *vtd* 1 *(tornar sociável)* to socialize 2 *(tornar socialista)* to become a socialist 3 *(estatizar)* to nationalize 4 *fig (repartir)* to share, to distribute

sociável *adj* 1 *(que vive em sociedade)* social 2 *(extrovertido)* sociable, extrovert

sociedade *sf* 1 society 2 *(coletividade)* community, society 3 *(associação)* association, society 4 *(firma)* partnership

• **alta sociedade** high society
• **entrar em sociedade com alguém** to enter into partnership with someone
• **sociedade anônima** stock company
• **sociedade comercial** trade board
• **sociedade de consumo** consumer society

sócio *sm,f* **1** *(de uma empresa)* partner **2** *(afiliado, membro)* member

sociólogo *sm,f* sociologist, social scientist

soco *sm* punch: ***dar um soco*** to punch; ***levar um soco*** to take a punch

socorrer *vtd* **1** *(ajudar, acudir)* to help, to assist **2** *(salvar, resgatar)* to save, to rescue

socorro *sm (ajuda, auxílio)* help
▸ *interj* **socorro!** help!
• **ir em socorro de alguém** to assist someone, to help someone
• **pedir socorro** to ask for help
• **prestar primeiros socorros** to give first aid
• **prestar socorro a alguém** to assist someone, to help someone
• **material de primeiros socorros** first aid kit
• **socorro mecânico** mechanical assistance

soda *sf* **1** *(soda cáustica)* caustic soda **2** *(carbonato de sódio)* sodium carbonate, soda **3** *(água gaseificada)* soda

sódio *sm* QUÍM sodium

sofá *sm* sofa, couch

sofá-cama (*pl* **sofás-camas**) *sm* day bed, davenport

sofisticado *adj* sophisticated, elaborate

sofrer *vtd* **1** *(experimentar, passar por)* to undergo, to suffer: ***o vinho sofreu alterações químicas*** the wine has undergone chemical changes **2** *(ser vítima de)* to suffer: ***as tropas sofreram mais um ataque inimigo*** the troops have suffered another attack from the enemy
▸ *vti* **1** *(sentir mal físico)* to suffer: ***ela sofre dos pulmões*** she suffers from her lungs trouble **2** *(padecer)* to be affected, to suffer: ***o país sofreu com as guerras*** the country was affected by the wars; ***sofri pela criança*** I was affected by what the child was going through
▸ *vi (padecer)* to suffer: ***é preciso socorrer os que sofrem*** it's necessary to help those who suffer

sofrido *adj* **1** long-suffering **2** *(sofredor)* resigned: ***expressão sofrida*** resigned look **3** *(experimentado)* undergone: ***a mudança sofrida*** the change undergone **4** *(árduo)* difficult: ***que aumento sofrido!*** how difficult it was to get the raise!

sofrimento *sm* **1** *(padecimento)* suffering **2** *(angústia, aflição)* distress, hardship

sofrível *adj* so-so, mediocre

software *sm* INFORM software

sogro *sm,f* father-in-law, mother-in-law

soja *sf* soy, soybean

sol *sm* **1** *(astro)* sun **2** *(luz do sol)* sun, sunlight: ***ficar ao sol*** to be in the sunlight; ***estender a roupa no sol*** to hang the washing out in the sun **3** MÚS G
• **de sol a sol** from early morning until evening
• **fazer sol** to be sunny
• **pegar sol** to sunbathe
• **sol a pino** high noon, midday sun
• **sol nascente** sunrise
• **sol poente** sunset
• **tapar o sol com a peneira** to try to hide the sun with a sieve
• **tomar sol** to sunbathe
• **ver o sol nascer quadrado** to be in jail

sola *sf* **1** *(solado)* sole leather **2** *(planta do pé)* sole
• **entrar de sola** *fig* to start something with full impact

solapar *vtd* to undermine

solar *vtd (pôr sola)* to sole
▸ *vi (executar solo)* to play a solo
▸ *adj (do sol)* solar, sun: ***luz solar*** sunlight; ***mancha solar*** sunspot
▸ *sm (palacete)* manor house

solavanco *sm* jolt

solda *sf* **1** weld, welding **2** solder, soldering

soldado *sm* soldier
• **soldado raso** private

soldar *vtd* **1** to weld **2** to solder

soleira *sf* **1** *(da porta)* door sill **2** *(sol forte)* hot sun

solene *adj* solemn, formal

solenidade *sf* **1** *(caráter solene)* solemnity **2** *(cerimônia formal)* solemn ceremony

soletrar *vtd* to spell

solicitação *sf* **1** *(pedido)* request **2** *(pedido, encomenda)* order

solicitado *adj (requisitado)* requested, asked for

solicitar *vtd-vtdi* **1** *(pedir)* to ask *(for)*, to request **2** *(encomendar)* to order **3** *(exigir cuidado)* to demand the *(full)* attention of/from: ***o filho doente solicitava muito a mãe*** the sick child demanded full attention from his mother

solícito *adj* concerned, caring, thoughtful

solicitude *sf* concern, care, thoughtfulness

solidão *sf* loneliness, solitude

solidariedade *sf* sympathy, solidarity

solidário *adj* sympathetic, solidary

solidez *sf* **1** solidity, soundness **2** *fig (firmeza, estabilidade)* firmness, soundness **3** *fig (fundamentação)* soundness **4** *(robustez)* resistance, strength **5** *(seriedade)* reliability

solidificação *sf* solidification

solidificar *vtd* to solidify, to harden
▸ *vpr* **solidificar-se** to solidify, to harden

sólido *adj* **1** solid, firm **2** *(compacto, robusto)* dense, compact, strong **3** *(bem fundamentado)* sound, well-grounded **4** *(estável)* solid, sound: ***situação financeira sólida*** solid financial situation
▸ *sm* **sólido** solid: ***sólidos e líquidos*** solids and liquids

solista *adj-smf* soloist

solitária *sf* **1** MED tapeworm, taenia **2** *(prisão)* solitary confinement

solitário *adj* **1** lonely, alone, solitary **2** *(ermo)* deserted, lonely
▸ *smf* solitary

solo *sm* **1** GEOL soil **2** *(terra arável)* soil, land **3** MÚS solo
• **ginástica de solo** floor gymnastics

soltar *vtd* **1** *(desatar)* to loosen, to untie **2** *(libertar)* to release, to set free, to let loose **3** *(deixar escapar)* to let go: ***soltei o copo, ele caiu*** I let the glass go, it dropped **4** *(afrouxar)* to loosen: ***solte um pouco a corda*** loosen the rope a bit **5** *(verter, exalar, emanar)* to release, to let out, to emanate **6** *(proferir)* to let out **7** *(desinibir)* to let go: ***soltar a imaginação*** to let one's imagination go; ***soltar a voz*** to let one's voice go **8** *(liberar, aprovar)* to release: ***o banco não soltou o financiamento*** the bank hasn't released the loan **9** *(dinheiro)* to release **10** *(o intestino)* to loosen
▸ *vtd-vtdi (desprender)* to release: ***soltar os parafusos*** to release the screws; ***soltar a calota da roda*** to release the hub from the wheel
▸ *vpr* **soltar-se** **1** *(desatar-se)* to get loose **2** *(escapar)* to get free, to escape: ***o cachorro se soltou da corrente*** the dog escaped from the chain **3** *(desinibir-se)* to let oneself go

solteirão *adj-sm,f* confirmed bachelor, spinster

solteiro *adj-sm,f* single, unmarried

solto *adj* **1** *(desatado)* loose, unattached **2** *(livre de prisão)* free **3** *(não colado, não soldado)* loose, unfixed **4** *(frouxo)* loose, unfastened: ***cordão solto*** unfastened cord **5** *(frouxo, folgado)* loose: ***vestido solto*** loose dress **6** *(sem controle)* loose, licentious **7** *(sem continuidade)* disconnected: ***frases soltas*** disconnected sentences **8** *(arroz)* fluffy **9** *(avulso)* loose, unconnected: ***ler trechos soltos*** to read unconnected excerpts **10** *(desinibido)* loose, uninhibited
• **solto no mundo** on the loose

soltura *sf* **1** *(libertação)* freeing **2** *(desenvoltura)* self-confidence

solução *sf* **1** *(resolução)* solution, resolution **2** QUÍM solution

soluçar *vi* **1** to hiccup **2** *(chorando)* to sob

solucionar *vtd* to solve, to crack, to clear up

soluço *sm* **1** hiccup: ***eu estava com soluço*** I had hiccups **2** *(chorando)* sob

solúvel *adj* soluble

solvente *sm* QUÍM solvent, remover
▸ *adj (que paga)* solvent

som *sm* 1 sound 2 *(ruído)* noise 3 *(aparelho de som)* sound system 4 *(música)* music: ***vou ouvir um som*** I'm going to listen to some music
• **ao som de** to the sound of
• **dizer algo em alto e bom som** to say something out loud

soma *sf* 1 *(conjunto, reunião)* sum, total, sum total 2 *(quantidade)* amount: ***uma grande soma de riquezas*** a great amount of wealth 3 *(dinheiro)* amount: ***ele recebeu uma pequena soma*** he received a small amount of money 4 MAT *(adição)* addition 5 MAT *(resultado)* sum, total
• **soma de esforços** joint effort

somar *vtd-vtdi* 1 to sum *(up)* 2 *(juntar, acrescentar)* to add: ***some este dinheiro às suas economias*** add this money to your savings 3 *(totalizar)* to total, to amount to: ***os gastos somavam cem mil reais*** the expenses totaled a hundred thousand reals

sombra *sf* 1 shadow, shade: ***à sombra*** in the shade 2 *(para os olhos)* eye shadow 3 *fig (sinal, indício)* sign: ***nem sombra do meu gato*** no sign of my cat
• **fazer sombra a** to stand in someone's light, *fig* to eclipse someone's merit
• **na sombra** *(às escondidas)* hidden, *(sem aparecer)* in the background, in the shadows
• **sombra e água fresca** pleasant idleness, goofing off

sombrear *vtd* 1 *(cobrir de sombra)* to shadow 2 *(desenho)* to shade

sombrinha *sf* umbrella, parasol

sombrio *adj* 1 *(sem luz)* dark 2 *(sem sol)* overcast: ***dia sombrio*** overcast day 3 *(lúgubre)* gloomy, grim 4 *fig* sad, gloomy: ***rosto sombrio*** sad face

somente *adv* only, just, merely

sonâmbulo *adj-sm,f* sleepwalking, sleepwalker

sonata *sf* MÚS sonata

sonda *sf* 1 drill, probe 2 MED catheter

sondagem *sf* 1 drilling, probing 2 *(pesquisa)* survey 3 *(investigação)* investigation, probing

sondar *vtd* 1 *(verificar com sonda)* to drill, to probe, to sound 2 *(examinar, explorar)* to probe, to plumb 3 *fig* to plumb, to fathom, to feel out: ***procure sondar as intenções dele*** try to feel out his intentions

soneca *sf* nap: ***tirar uma soneca*** to take a nap

sonegar *vtd* 1 *(impostos)* to evade 2 *(informações)* to conceal

soneto *sm* sonnet

sonhador *adj-sm,f* dreaming, dreamer, idealist, romantic

sonhar *vti* 1 to dream: ***sonhar com alguém*** to dream about someone 2 *(aspirar)* to dream of
▸ *vi* 1 *(dormindo)* to dream 2 *(acordado)* to daydream
▸ *vtd* 1 to dream 2 *(imaginar)* to dream, to imagine: ***ninguém podia sonhar que isso acontecesse*** no one could ever dream this would happen

sonho *sm* 1 dream 2 *(aspiração)* dream 3 *(fantasia)* dream 4 *fig* dream: ***aquela casa é um sonho*** that house is a dream; ***que sonho de menina!*** this girl is a dream! 5 CUL doughnut
• **nem por sonho** not even dreaming, not in your faintest dreams, by no means

sonífero *adj-sm* soporific

sono *sm* sleep
• **cair/ferrar no sono** to fall asleep
• **cair/morrer de sono** to be nodding, to be overcome with sleep
• **estar com/sem sono** to be sleepy/sleepless
• **pegar no sono** to fall asleep
• **perder o sono** to lose sleep
• **ter/não ter sono** to be/not to be sleepy
• **ter sono leve/pesado** to have light/heavy sleep
• **tirar o sono de alguém** to keep someone awake, *fig* to make someone worried, to keep someone awake at night

sonolência *sf* sleepiness, drowsiness

sonolento *adj* 1 *(que está com sono)* sleepy, drowsy 2 *(que causa sono)* soporific

sonoridade *sf* sonority, sound

sonoro *adj* **1** *(que tem som)* sonorous **2** *(melodioso, musical)* melodious **3** *(ruidoso)* loud, resounding: ***risada sonora*** loud laugh

sonso *adj-sm,f* dissembling, someone who pretends to be dumb but is actually quite cunning

sopa *sf* **1** soup **2** *fig (coisa fácil)* piece of cake
• **cair como sopa no mel** to happen just at the right moment, to come in very handy
• **cair uma mosca na sopa** to have a bad surprise
• **ser sopa no mel** to be very easy
• **dar sopa** *(oferecer facilidade)* to be easily available, *(dar confiança)* to be open to, *(haver em abundância)* to be plentiful, *(expor-se)* to expose oneself to danger, to put oneself at risk

sopapo *sm* punch, slap

soprano *smf* soprano

soprar *vtd* **1** to blow: ***soprar uma ferida*** to blow on a wound; ***soprar o fogo*** to blow the fire **2** *(encher de ar)* to inflate, to blow into: ***sopre o balão*** inflate the balloon
▸ *vtd-vtdi* **1** *(dar a solução)* to whisper: ***você me sopra a resposta?*** can you whisper me the answer? **2** *(cochichar)* to whisper
▸ *vi (vento)* to blow

sopro *sm* **1** breath **2** puff of air, whiff **3** blow, act of blowing
• **instrumento de sopro** wind instrument
• **sopro no coração** heart murmur

soquete[1] *sf (meia)* bobby socks

soquete[2] *sm* socket

sórdido *adj* sordid, filthy, nasty, mean, low

soro *sm* **1** *(do leite)* whey **2** *(do sangue)* serum

soropositivo *adj* HIV-positive

sorridente *adj* smiling

sorrir *vi* to smile
▸ *vti* **1** **sorrir para** to smile to **2** **sorrir de** to smile at **3** *fig* to smile: ***o futuro lhe sorria*** the future smiled on her

sorriso *sm* smile
• **dar um sorriso amarelo** to force a smile

sorte *sf* **1** *(destino)* fate, fortune **2** *(boa estrela)* luck: ***ser um sujeito de sorte*** to have a lot of luck
• **andar com sorte** to be on a winning streak, to have good luck
• **boa sorte!** good luck!
• **dar sorte** *(funcionar como talismã)* to bring luck, *(dar-se bem)* to be lucky
• **de sorte que** in such a way that
• **ler a sorte de alguém** to tell someone's fortune
• **má sorte** bad luck
• **por sorte** luckily
• **sorte sua!** lucky you!
• **tentar a sorte** *(arriscar)* to try one's luck, to take a chance
• **ter/não ter sorte** to be/not to be lucky
• **tirar a sorte** *(sortear)* to cast lots, to draw lots
• **tirar a sorte grande** *(ganhar na loteria)* to win the lottery, *(ser muito afortunado)* to hit the jackpot, to bring home the bacon

sortear *vtd* **1** to cast, to draw: ***sortearam o número 52*** they've drawn number 52 **2** to select: ***meu amigo foi sorteado*** my friend has been selected

sorteio *sm* draw, raffle

sortido *adj* **1** *(abastecido)* supplied **2** *(de vários tipos)* assorted: ***bombons sortidos*** assorted bonbons

sortimento *sm (provisão, estoque)* supply, stock

sortudo *adj-sm,f* lucky

sorvete *sm* ice cream
• **sorvete com licor** ice cream with liqueur
• **sorvete de nata** cream flavored ice cream
• **virar sorvete** *(enregelar-se)* to freeze, *(sumir)* to disappear

sorveteiro *sm,f* ice cream vendor

sorveteria *sf* ice cream shop

sósia *smf* double, counterpart

soslaio *sm loc* **de soslaio** out of the corner of one's eye

sossegado *adj* **1** *(quieto, tranquilo)* quiet **2** *(em paz)* peaceful **3** *(despreocupado)* relaxed **4** *(displicente)* easy **5** *(lerdo)* slow

sossegar *vtd* 1 *(aquietar)* to relax, to quieten *(down)* 2 *(tranquilizar)* to calm down
▸ *vi* 1 *(aquietar-se, serenar)* to relax, to quieten *(down)* 2 *(acalmar-se)* to calm down

sossego *sm* 1 *(paz, quietude)* peace, quiet 2 *(calma, despreocupação)* calm 3 *(descanso, serenidade)* relaxation 4 *(displicência)* easiness

sótão *sm* attic

sotaque *sm* accent

soterrar *vtd* to bury, to cover completely *(and usually violently)* with earth or stone

souvenir *sm* souvenir

sova *sf* beating, thrashing
• **dar uma sova em alguém** to beat someone up
• **levar uma sova de alguém** to be thrashed by someone

sovaco *sm* armpit

sovar *vtd* 1 *(massa)* to knead 2 *(surrar)* to beat up

soviético *adj-sm,f* soviet, Soviet

sovina *adj-smf* tight-fisted, miser

sozinho *adj* 1 *(só)* lonely 2 *(a sós)* alone: ***ficar sozinho com alguém*** to be alone with someone 3 *(sem ajuda)* alone: ***faça isso sozinha*** do it alone 4 *(sem família)* alone in this world 5 *(solteiro, viúvo etc.)* single
• **falar sozinho** to talk to oneself

spa *sm* spa

spot *sm* 1 TEATRO CINE spot 2 *(lâmpada)* spotlight

spray *sm* spray

status *sm inv* 1 status 2 *fig* status: ***esse carro dá status*** this car gives status; ***é uma família que tem status*** it's a family that has status

strip-tease *sm* striptease

sua *pron* → **seu**
▸ *sf* what you are doing, what you want, what you are thinking, what you are up to: ***não entendi qual é a sua*** I can't understand what you're up to

suado *adj* 1 sweaty 2 *fig (sofrido)* hard-won: ***tudo o que ela conseguiu foi muito suado*** everything she's got was hard-won

suadouro *sm* 1 *(suadeira)* sweating 2 *(lugar muito quente)* a very hot place 3 *gíria (roubo de meretriz)* a criminal act in which a prostitute tricks his/her client into going to a place where the client is robbed

suar *vi* 1 *(transpirar)* to sweat 2 *(verter umidade)* to perspire
• **suar a camisa** to work hard
• **suar em bicas** to pour with sweat
• **suar frio** to be in a cold sweat

suástica *sf* swastika

suave *adj* 1 *(macio ao tato)* delightfully soft and smooth 2 *(terno, meigo, benévolo)* tender: ***palavras suaves*** tender words 3 *(doce, agradável, ameno, delicado)* pleasant, soothing, lovely: ***música suave*** pleasant music; ***clima suave*** pleasant weather; ***voz suave*** pleasant voice 4 *(sem solavancos)* smooth: ***aterrissagem suave*** smooth landing 5 *(pouco íngreme)* mild: ***uma subida suave*** a mild hill 6 *(módico, acessível)* easy, light: ***suaves prestações*** easy installments 7 *(sem contrastes, sutil)* soft: ***cores suaves*** soft colors; ***suave luminosidade*** soft light 8 *(vinho)* sweet

suavidade *sf* 1 *(maciez)* softness 2 *(delicadeza)* sweetness, pleasantness, loveliness 3 *(meiguice, ternura)* tenderness 4 *(moderação, brandura, calma)* mildness, easiness, lightness 5 *(sutileza, finura)* gentleness

suavizar *vtd* 1 *(abrandar)* to soothe 2 *(pele)* to soften 3 *(mitigar, aliviar)* to ease: ***o remédio apenas suavizou a dor*** the medicine just eased the pain 4 *(tornar mais sutil, enfraquecer)* to soften, to tone down: ***suavizar as cores*** to soften the colors

subalterno *adj-sm,f* subordinate

subconsciente *adj* subconscious
▸ *sm* subconscious

subcutâneo *adj* subcutaneous

subdesenvolvido *adj* underdeveloped

subdividir *vtd* to subdivide
▸ *vpr* **subdividir-se** to subdivide

subdivisão *sf* subdivision

subemprego *sm* underemployment

subentender *vtd* to suppose, to presume, to imply, to take for granted

subentendido *adj* implicit, implied
▸ *sm* **subentendido** implication, something implied

subestimar *vtd* 1 *(desdenhar)* to disdain, to hold in contempt 2 *(avaliar para menos)* to underestimate, to underrate
▸ *vpr* **subestimar-se** to underestimate oneself

subida *sf* 1 *(ato de subir)* ascension, ascent, rising 2 *(de balão, avião etc.)* take off 3 *(ladeira)* slope 4 *(alta, elevação)* rise, rising

subir *vtd* 1 to go up: ***subir uma escada*** to go up the stairs; ***subir uma ladeira*** to go up the hill 2 *(escalar)* to climb: ***subir a montanha*** to climb the mountain 3 to *(any verb)* up: ***subir o rio a nado*** to swim up the river; ***subir o rio de barco*** to sail up the river
▸ *vi* 1 *(crescer, elevar-se)* to grow higher 2 *(encarecer)* to go up, to rise, to climb 3 *(ascender socialmente)* to ascend, to climb 4 *(ser promovido)* to be promoted 5 *(rio, água)* to rise, to flood 6 *(alçar-se, elevar-se no ar)* to rise into the air 7 *(elevador)* to go up
▸ *vti* 1 to go up: ***subir ao terceiro andar*** to go up to the third floor 2 *(trepar)* to climb: ***subir ao pódio*** to climb on to the podium; ***subir no telhado*** to climb on the roof; ***subir no muro, na árvore*** to climb on to the wall, on the tree; ***subir na cadeira*** to climb on the chair 3 *(em cavalo)* to mount 4 *(em veículo)* to board, to get on/in
• **subir de volta** to come/go back up

súbito *adj* sudden, unexpected

subjacente *adj* underlying

subjetivo *adj* subjective

subjugar *vtd* to subdue

subjuntivo *sm* GRAM subjunctive

sublimar *vtd* 1 *(enaltecer)* to exalt, to extol 2 PSIC to sublimate

sublime *adj* sublime

sublinhado *adj* underlined
▸ *sm* **sublinhado** underline

sublinhar *vtd* 1 to underline 2 *fig* to point out, to emphasize

sublocação *sf* sublease, subletting

submarino *adj* submarine, underwater, undersea
▸ *sm* **submarino** submarine

submergir *vtd* to submerge
▸ *vi* to submerge, to sink

submersão *sf* submersion

submerso *adj* submerged

submeter *vtd (subjugar)* to subjugate
▸ *vtdi* 1 *(sujeitar)* to subject *(to)* 2 *(subordinar)* to subordinate *(to)* 3 *(fazer passar por)* to submit: ***submeter o paciente a uma cirurgia*** to submit the patient to a surgery 4 *(apresentar)* to propose, to put before: ***submeter uma lei ao senado*** to put a law before the senate
▸ *vpr* **submeter-se** 1 *(sujeitar-se)* to subject oneself *(to)* 2 *(passar por)* to submit oneself *(to)*

submissão *sf* 1 submission: ***submissão às regras*** submission to the rules 2 *(docilidade)* obedience, compliance

submisso *adj* submissive

submundo *sm* underground

subnutrição *sf* undernourishment, subnutrition

subordinação *sf* 1 subordination: ***subordinação ao chefe*** subordination to the boss 2 *(dependência)* dependence: ***subordinação de uma empresa a outra*** dependence of one company on another 3 GRAM subordination

subordinar *vtd-vtdi* 1 *(sujeitar, submeter)* to subordinate, to subject 2 *(condicionar)* to subordinate, to condition
▸ *vpr* **subordinar-se** *(sujeitar-se)* to submit oneself *(to)*

subornar *vtd* to bribe

suborno *sm* bribery, bribe

sub-reptício *adj* surreptitious

subscrever *vtd* 1 *(assinar)* to subscribe 2 *(participar de subscrição)* to subscribe 3 COM to subscribe: ***subscrever ações*** to subscribe shares
▸ *vpr* **subscrever-se** to sign one's name

subscrição *sf* 1 *(assinatura)* signature, subscription 2 *(lista para angariar recursos)* subscription 3 COM subscription: ***subscrição de ações*** share subscription

subscrito *adj* 1 *(assinado)* signed 2 COM subscribed: ***ações subscritas*** subscribed shares

subsequente *adj* subsequent, following

subserviência *sf* subservience

subserviente *adj* subservient

subsidiar *vtd* to subsidize, to aid, to finance

subsidiária *sf* COM subsidiary

subsidiário *adj* 1 *(secundário)* secondary 2 *(controlado por outra entidade)* subsidiary 3 COM subsidiary

subsídio *sm* subsidy, aid, grant, financing
▸ *pl* **dados** data, information

subsistência *sf* 1 *(permanência)* subsistence 2 *(sustento)* sustenance, livelihood: ***meios de subsistência*** means of sustenance

subsistir *vi (perdurar)* to persist

subsolo *sm* 1 underground 2 *(parte do prédio)* basement

substância *sf* 1 substance 2 *(conteúdo)* essence, heart, core 3 QUÍM substance

substancial *adj* 1 *(considerável, volumoso)* substantial 2 *(fundamental, essencial)* essential

substancioso *adj* hearty, rich, nutritious

substantivo *sm* GRAM substantive, noun
• **substantivo comum** common noun
• **substantivo próprio** proper noun

substituição *sf* substitution, replacement

substituir *vtd* 1 *(ficar no lugar)* to substitute *(for)*, to replace: ***ninguém substituiu a professora*** nobody's substituted the teacher; ***a paz deve substituir a guerra*** peace must replace war 2 *(trocar)* to replace: ***vai ser preciso substituir as polias*** it'll be necessary to replace the pulleys
▸ *vtdi* to substitute for: ***substitua esta pinça por aquela*** substitute that pair of tweezers for this one; ***ela substituiu a carne por vegetais*** she's substituted meat for vegetables

substituto *adj-sm,f* substituting, substitute, replacement

subterfúgio *sm* subterfuge

subterrâneo *adj* subterranean, underground
▸ *sm* **subterrâneo** 1 basement 2 *fig* underground: ***os subterrâneos da política*** the underground of politics

subtítulo *sm* subtitle, subheading

subtração *sf* 1 *(furto)* stealing 2 MAT subtraction

subtrair *vtd* 1 *(tirar, deduzir)* to subtract 2 *(furtar)* to steal 3 *(omitir)* to conceal 4 MAT to subtract
▸ *vpr* **subtrair-se** *(esquivar-se)* to avoid

subúrbio *sm* suburb

subvenção *sf* subvention

subversão *sf* subversion

subverter *vtd* 1 *(transtornar, desordenar)* to upset, to subvert 2 *(perverter)* to pervert

sucata *sf* scrap iron

sucatear *vtd* 1 *(transformar em sucata)* to scrap 2 *fig* to scrap, to write off

sucedâneo *adj* substitute
▸ *sm* **sucedâneo** succedaneous

suceder *vi (acontecer)* to happen, to come about
▸ *vti* to happen
▸ *vpr* **suceder-se** to come next

sucessão *sf* 1 succession: ***a sucessão do rei*** the succession of the king 2 *(série, sequência)* series, sequence 3 DIR *(herança)* inheritance
• **direito das sucessões** probate law

sucessivo *adj (consecutivo)* successive, consecutive

sucesso *sm* success
• **fazer/ter sucesso** to be successful, to be/make a hit
• **o sucesso do momento** the sensation/hit of the moment

sucessor *sm,f* 1 successor 2 *(herdeiro)* heir, heiress

súcia *sf* gang, mob, pack

sucinto *adj* succinct, concise, brief

suco *sm* juice

suculento *adj* juicy

sucumbir *vti (não resistir)* to succumb, to fail
▸ *vi* 1 *(morrer)* to die 2 *(abater-se)* to fall into depression

sucuri *sf* anaconda

sucursal *sf* branch

sudário *sm* shroud: ***Santo Sudário*** the Holy Shroud

sudeste *sm* southeast

súdito *sm,f* subject

sudoeste *sm* southwest

Suécia *sf* Sweden

sueco *adj-sm,f* Swedish, Swede
▸ **sueco** *sm (língua)* Swedish

suéter *sm* sweater

suficiência *sf* sufficiency

suficiente *adj* sufficient, enough
• **chega, é suficiente** stop, that's enough

sufixo *sm* suffix

suflê *sm* soufflé

sufocante *adj* **1** suffocating **2** *fig (opri-mente, angustiante)* oppressive

sufocar *vtd* **1** *(fazer perder o ar)* to suffocate **2** *(matar por asfixia)* to strangle, to choke to death **3** *(reprimir)* to oppress, to strangle
▸ *vi* to suffocate

sufoco *sm fam* **1** *(pressa)* hurry **2** *(dificuldade)* difficulty, hardship **3** *(aperto, apuro)* trouble

sufrágio *sm* suffrage, vote
• **sufrágio universal** universal suffrage

sugar *vtd* **1** to suck **2** *fig (espoliar, extorquir)* to extort

sugerir *vtd-vtdi* to suggest
▸ *vtd (significar, ser indício)* to hint, to indicate, to suggest

sugestão *sf* **1** suggestion **2** *(sugestionamento)* influencing by suggestion

sugestionar *vtd* to use hypnotic suggestion *(on)*
▸ *vpr* **sugestionar-se** to influence oneself by suggestion

sugestionável *adj* capable of being influenced by suggestion

sugestivo *adj* suggestive, significant

Suíça *sf* Switzerland

suicida *adj fig* suicidal: ***uma atitude suicida*** suicidal behavior
▸ *smf* one who commits suicide

suicidar-se *vpr* to commit suicide

suicídio *sm* **1** suicide **2** *fig* suicide: ***um suicídio financeiro*** financial suicide

suíço *adj-sm,f* Swiss
▸ *sf pl* **suíças** sideburns

suíno *adj* **1** swine, swinnish, pig, piggish **2** pork
▸ *sm* **suíno** swine, pig, hog

suíte *sf* **1** *(em hotéis e hospitais)* suite **2** *(em residências)* suite: ***apartamento com duas suítes*** flat with two suites **3** MÚS suite

sujar *vtd* **1** to dirty, to soil **2** *(macular)* to stain, to defile: ***aquele erro sujou seu nome*** that mistake has stained your reputation
▸ *vi pop* to come trouble: ***a polícia vem vindo, sujou*** the cops are coming, here comes trouble
▸ *vpr* **sujar-se** **1** to dirty oneself **2** *(macular-se)* to be stained, to be defiled **3** *(defecar-se)* to soil oneself, to crap one's pants

sujeira *sf* **1** *(dejetos, lixo)* dirt, filth **2** *(poeira, nódoa, barro)* dirt **3** *(ato de sujar)* mess: ***ele fez a maior sujeira*** he's made a big mess **4** *(excremento)* excrement **5** *(canalhice)* dirty trick **6** *(obscenidade)* obscenity

sujeitar *vtd (subjugar)* to subjugate
▸ *vtdi (submeter)* to submit: ***ele sujeitava os filhos a maus-tratos*** he submitted his kids to abuse
▸ *vpr* **sujeitar-se** **1** to subject oneself *(to)* **2** *(render-se)* to surrender

sujeito *adj* **1** *(subordinado)* subordinate **2** *(obediente)* compliant **3** *(exposto)* exposed to: ***ali os animais estão sujeitos a muitas doenças*** the animals are exposed to many diseases there **4** *(passível)* subject: ***suas decisões estão sujeitas a veto*** your decisions are subject to veto
▸ *sm* guy, fellow, bloke
▸ *sm* GRAM subject

sujo *adj* **1** dirty **2** *fig (desonesto)* dishonest **3** *(malfeito, porco)* sloppy: ***serviço sujo*** sloppy job **4** *(manchado)* stained: ***toalha suja de vinho*** a towel stained with wine **5** *(indecente, obsceno)* indecent, indecorous **6** *fig* on the black list, to be blacklisted: ***nome sujo na praça*** to be blacklisted **7** *fig* having a police record

sul *sm* south

sul-africano (*pl* **sul-africanos**) *adj-sm,f* South African

sul-americano (*pl* **sul-americanos**) *adj-sm,f* South American

sulco *sm* 1 *(do arado)* furrow 2 *(ranhura, fissura)* groove 3 *(nas águas)* wake 4 *(ruga, prega)* wrinkle

sultão *sm,f* sultan, sultana

suma *sf loc* **em suma** in short

sumário *adj* 1 *(resumido)* condensed, abridged, short, brief 2 *(roupas)* short 3 *(sem formalidades)* summary, to the point: ***execução sumária*** summary execution

▸ *sm* **sumário** summary

sumiço *sm* disappearance

• **dar sumiço em algo ou alguém** to do away with someone or something

sumidade *sf* 1 *(cume)* summit 2 *fig* authority: ***ele é uma sumidade em matemática*** he's an authority in math

sumido *adj* 1 *(desaparecido)* disappeared 2 *(escondido)* hidden 3 *(ausente)* absent for a long time, away: ***você anda sumida*** you've been absent for a long time 4 *(voz, som)* faint, faded

sumir *vi* 1 *(desaparecer)* to disappear, to vanish 2 *(ausentar-se)* to be away

sumo *adj (supremo)* highest, high: ***sumo sacerdote*** high priest

▸ *sm* **sumo** 1 *(suco)* juice 2 *fig (auge)* summit, top

sunga *sf* bathing trunks, jockstrap

suntuoso *adj* sumptuous, lavish, luxurious

suor *sm* 1 sweat 2 *fig* sweat: ***ganhar o sustento com muito suor*** to earn a living with one's sweat and blood

• **suor frio** cold sweat

superação *sf* overcoming

superado *adj* 1 *(vencido)* defeated, surpassed 2 *(percorrido)* covered 3 *(ultrapassado, obsoleto)* obsolete 4 *(solucionado)* solved

superar *vtd* 1 *(vencer)* to overcome 2 *(ultrapassar)* to outdo, to surpass 3 *(sobrepujar)* to excel

▸ *vpr* **superar-se** to excel oneself

superdose *sf* overdose

superdotado *adj-sm,f* highly gifted, talented, highly gifted and talented child or person

superestimar *vtd* to overestimate, to overrate

▸ *vpr* **superestimar-se** to overestimate oneself

superestrutura *sf* superstructure

superfaturamento *sm* overpricing

superficial *adj* 1 superficial 2 *fig* shallow: ***um texto superficial*** a shallow text

superficialidade *sf* superficiality

superfície *sf* 1 *(área)* area 2 *(parte externa, face)* outside, surface 3 *(da água)* surface: ***subir à superfície*** to go up to the surface 4 *(plano)* surface: ***uma superfície uniforme*** a flat surface 5 *fig* surface: ***suas análises não saem da superfície*** your analysis don't go below the surface

supérfluo *adj* superfluous, excessive

super-homem *sm* superman

superior *adj* 1 *(de cima)* upper, superior 2 *(melhor)* better: ***este tecido é superior àquele*** this fabric is better than that one 3 *(mais elevado numa escala)* higher: ***animais superiores*** higher animals; ***hierarquia superior*** higher rank 4 *(de autoridade)* superior, higher, from above: ***estou cumprindo ordens superiores*** I'm following orders from above 5 *(universitário)* higher: ***escola superior*** higher education

▸ *sm (chefe, autoridade)* superior

superioridade *sf* 1 *(excelência)* superiority 2 *(vantagem)* advantage: ***superioridade numérica*** numerical advantage

superlativo *adj* superlative

sm **superlativo** GRAM superlative

superlotado *adj* overcrowded

superlotar *vtd* to overcrowd

supermercado *sm* supermarket

superpotência *sf* superpower

supersafra *sf* big harvest

supersônico *adj* supersonic

superstição *sf* superstition

supersticioso *adj* superstitious

supervisão *sf* supervision

supervisionar *vtd* to supervise, to oversee

supervisor *sm,f* supervisor

supetão *sm loc* **de supetão** suddenly, unexpectedly

suplantar *vtd (sobrepujar, superar)* to supplant, to supersede

suplementar *vtd* to supplement

▸ *adj* supplementary

suplemento *sm* 1 addition, supplement 2 *(publicação)* supplement

• **suplemento alimentar** food supplement

• **suplemento semanal** weekly supplement

suplente *adj-smf* substituting, substitute, deputy

supletivo *sm (ensino)* adult education

súplica *sf* supplication, humble petition, appeal

suplicante *adj* supplicant

suplicar *vtd-vtdi* to supplicate, to beg

suplício *sm* 1 *(pena de morte)* death sentence 2 *(tormento, sofrimento)* torment, agony

supor *vtd* 1 *(admitir)* to suppose: ***suponhamos que...*** suppose that... 2 *(pressupor)* to assume

▸ *vpred (considerar)* to think, to deem: ***eu o supunha mais inteligente*** I thought you were more intelligent

▸ *vpr* **supor-se** to assume oneself to be, to deem oneself to be

• **supondo que...** supposing that...

suportar *vtd* 1 *(sustentar)* to hold *(up)*, to sustain, to bear: ***esta viga está suportando muito peso*** this beam is holding up a lot of weight 2 *(aguentar)* to bear 3 *(resistir)* to resist: ***estas plantas não suportam o frio*** these plants don't resist cold weather 4 *(tolerar)* to tolerate

▸ *vi* to stand: ***não suporto mais*** I can't stand it any more

suporte *sm* 1 *(reforço, auxílio)* support: ***suporte financeiro*** financial support 2 *(sustentáculo)* holder, brace, prop: ***suporte de uma parede*** prop of a wall

• **suporte para copo** glass holder

• **suporte para vasos** vase holder

suposição *sf* supposition, assumption

supositório *sm* suppository

▪ **supositório vaginal** vaginal suppository

suposto *adj* 1 *(considerado)* presumed: ***o suposto assassino*** the presumed murderer 2 *(falso, fictício)* supposed

suprassumo *sm* peak, utmost

supremacia *sf* supremacy

supremo *adj* 1 *(superior, principal, divino)* highest, supreme 2 *(extremo)* supreme

▸ *sm* **Supremo** *(Supremo Tribunal Federal)* The Supreme Court

supressão *sf* suppression

suprimento *sm* 1 *(ato de suprir)* supply 2 *(fornecimento)* supply

suprimir *vtd* to suppress

▸ *vtdi* to suppress, to delete *(from)*: ***suprimir trechos de um texto*** to delete parts from a text

suprir *vtd* 1 *(substituir, preencher)* to make up for: ***a mãe supria a ausência do pai*** the mother made up for the father's absence 2 *(completar)* to supplement

▸ *vtdi (fornecer, prover)* to supply, to furnish

supurar *vi* MED to suppurate

surdez *sf* deafness

surdina *sf* MÚS mute

• **cantar em surdina** to sing softly

• **fazer algo na surdina** *fig* to do something on the sly

surdo *adj-sm,f* deaf, a deaf person

▸ *adj* 1 *(insensível)* insensitive: ***surdo aos apelos*** insensitive to the appeals 2 *(pouco sonoro)* muffled: ***ruído surdo*** muffled sound 3 *fig* secret, brooding: ***um ódio surdo*** a secret hatred

• **fazer-se de surdo** to turn a deaf ear

• **ficar surdo** to become deaf

surdo-mudo *(pl* **surdos-mudos***)* *adj-sm,f* deaf-and-dumb, a deaf and dumb person

surfar *vi* 1 to surf 2 *fig* INFORM to browse, to surf

surfe *sm* surf

surfista *adj-smf* surfer

surgir *vi* 1 *(aparecer)* to appear 2 *(manifestar-se)* to arise: ***surgiram dificuldades inesperadas*** unexpected difficulties have arisen 3 *(chegar)* to come forth: ***que surja um novo tempo*** let a new era come forth

surpreendente *adj* surprising, amazing

surpreender *vtd* 1 *(flagrar)* to surprise 2 *(apanhar de improviso)* to catch unawares 3 *(causar surpresa)* to astonish, to amaze, to surprise

▸ *vpr* **surpreender-se** to surprise oneself, to be surprised

• **não surpreende que...** it's hardly surprising that...

surpresa *sf* 1 *(imprevisto)* surprise: ***aquele acidente não foi surpresa para ninguém*** that accident wasn't a surprise to anyone 2 *(espanto)* astonishment, amazement

• **caixa de surpresas** a surprise box, *fig* a box full of surprises

• **demonstrar surpresa** to show surprise

• **fazer algo de surpresa** to do something out of the blue, to do something unexpectedly

• **fazer uma surpresa a alguém** to surprise someone

• **surpresa!** surprise!

surpreso *adj* surprised

• **ficar surpreso com algo/alguém** to be surprised by something/someone

surra *sf* 1 beating 2 *(grande derrota)* sound defeat

• **dar uma surra em alguém** to beat someone up

• **levar uma surra** to take a beating

surrado *adj* 1 *(espancado)* beaten 2 *(desgastado, velho)* worn-out 3 *fig (repetido, repisado)* beaten, trite

surrar *vtd* 1 *(espancar)* to spank, to beat up 2 *(usar demais)* to wear out

surrealismo *sm* surrealism

surrealista *adj-smf* surrealistic, surrealist

surripiar *vtd-vtdi* to pilfer, to steal

surtar *vi pop* to freak out

surtir *vtd* to produce: ***surtir efeito*** to produce the desired effect

surto *sm* 1 *(aumento rápido, arrancada)* burst, boom 2 *(acesso)* attack: ***um surto de febre*** an attack of fever 3 *(epidemia)* outbreak: ***surto de dengue*** an outbreak of dengue fever 4 PSIC episode, break

suscetibilidade *sf* 1 susceptibility (**a**, to) 2 *(melindre)* touchiness

• **ferir a suscetibilidade de alguém** to hurt someone's sensitiveness

suscetível *adj* 1 *(sensível)* sensitive *(to)* 2 *(passível)* susceptible 3 *(melindroso)* touchy

suscitar *vtd* to rouse, to stimulate

suspeita *sf* suspicion

• **despertar suspeitas** to arouse suspicion

• **lançar suspeitas sobre alguém** to cast suspicion on someone

• **ter suspeita de algo** to be suspicious of something

suspeitar *vti* 1 *(desconfiar)* to be suspicious: ***suspeitar de alguém*** to be suspicious of someone 2 *(não confiar)* to distrust, to suspect: ***sempre suspeito desse tipo de gente*** I always distrust this kind of person

suspeito *adj* 1 *(preocupante)* suspicious: ***sintomas suspeitos*** suspicious symptoms 2 *(duvidoso)* fishy: ***um cheiro suspeito*** a fishy smell 3 *(que não inspira confiança)* untrustworthy, suspect: ***um indivíduo suspeito*** an untrustworthy person

▸ *sm,f* suspect: ***o suspeito foi detido*** the suspect was arrested

suspeitoso *adj (desconfiado)* suspicious

suspender *vtd* 1 *(levantar, erguer)* to raise, to suspend 2 *(puxar para cima)* to pull up 3 *(interromper temporariamente)* to adjourn, to postpone, to suspend 4 *(interromper definitivamente)* to stop, to suspend: ***o árbitro suspendeu o jogo*** the referee stopped the match 5 *(cancelar)* to cancel: ***a partida do dia 5 foi suspensa*** the match on the 5th has been cancelled

▸ *vtd-vtdi* 1 *(elevar)* to suspend, to raise *(above)* 2 to suspend: ***o diretor suspendeu três alunos*** the principal has suspended three students

▸ *vpr* **suspender-se** to suspend oneself, to hang

suspensão *sf* 1 *(interrupção temporária)* temporary dismissal, suspension 2 *(interrupção definitiva)* cessation, discontinuance 3 *(adiamento)* postponement, adjournment 4 *(pena disciplinar)* suspension 5 MEC suspension

suspense *sm* suspense

• **estar em suspense** to be in suspense
• **(filme de) suspense** thriller

suspenso *adj* 1 *(dependurado)* hanging 2 *(pênsil)* suspended, hanging 3 *(interrompido temporariamente)* temporarily dismissed 4 *(interrompido definitivamente)* discontinued 5 *(cancelado)* cancelled 6 *(punido)* suspended
• **em suspenso** undecided, in suspense

suspensórios *sm pl* suspenders

suspirar *vi* to sigh
▸ *vti (desejar)* to long for

suspiro *sm* 1 sigh 2 CUL baked merengue 3 *(respiradouro)* vent
• **último suspiro** one's last breath

sussurrar *vi* to whisper
▸ *vtd (cochichar)* to whisper

sussurro *sm* whisper

sustentação *sf* 1 *(sustentáculo)* holder 2 *(apoio)* support 3 *(manutenção)* maintenance 4 *(defesa)* defence

sustentar *vtd* 1 *(suportar, segurar por baixo)* to hold, to uphold 2 *(alimentar, manter)* to provide for 3 *(afirmar)* to affirm, to claim, to hold 4 *(resistir)* to bear 5 *(conservar, manter)* to keep up, to maintain
▸ *vi (nutrir)* to sustain, to nourish: ***essa comida não sustenta ninguém*** this food doesn't nourish anyone
▸ *vpr* **sustentar-se** 1 *(segurar-se)* to sustain oneself 2 *(conservar-se, manter-se)* to maintain oneself 3 *(aguentar-se)* to resist 4 *(alimentar-se, manter-se)* to keep oneself up

sustentável *adj* bearable

sustento *sm* support, sustenance

susto *sm* fright, alarm, scare, fear
• **dar um susto em alguém** to startle someone
• **levar/tomar um susto** to get frightened
• **passar susto** to be shocked
• **que susto!** what a shock!
• **sem susto** with no worry, no problem

sutiã *sm* brassiere, bra

sutil *adj* 1 *(tênue)* tenuous, subtle 2 *(delicado)* delicate 3 *fig* subtle

sutileza *sf* 1 *(tenuidade)* subtleness 2 *(delicadeza)* subtlety 3 *fig (sagacidade, perspicácia)* sharpness, keenness

sutura *sf* suture

T

tá *interj* **1** *(está bem)* all right, it's a deal **2** *(chega)* enough

tabacaria *sf* tobacco shop, tobacconist's

tabefe *sm* **1** CUL buffet **2** *(sopapo)* slap, blow

tabela *sf* **1** table, list, chart, schedule **2** ESPORTE match schedule
▪ **tabela de preços** price list
▪ **tabela periódica** periodic table of elements
• **cair pelas tabelas** to feel sick, to face troubled waters
• **por tabela** indirectly

tabelamento *sm* control: ***tabelamento de preços*** price control

tabelar *vtd* **1** *(pôr em tabela)* to put on a list or chart **2** *(submeter a tabela de preços)* to control prices, to put on a price list

tabelião *sm,f* notary, notary public

tablete *sm* tablet, bar

tabu *sm* tabu

tábua *sf* board
▪ **tábua de cortar carne** carving board, chopping board
▪ **tábua de passar roupa** ironing-board
▪ **tábua de salvação** last resort
• **dar tábua** *(enganar)* to fool, *(recusar pedido de namoro)* to refuse to date someone
• **levar tábua** to be refused

tabuada *sf* multiplication table

tabulador *sm* tabulator

tabuleiro *sm* **1** *(mesa de feirante)* stand **2** *(bandeja)* tray **3** *(de jogos)* board
▪ **tabuleiro de xadrez** chessboard

tabuleta *sf* signboard, nameplate

taça *sf* **1** goblet, cup, stemmed glass **2** *(troféu esportivo)* trophy, cup

tacada *sf* ESPORTE stroke with a club or cue

tacha *sf (pequeno prego)* tack, small nail

tachar *vtd (qualificar)* to brand *(as)*

tacho *sm (recipiente)* large shallow pan

taco *sm* **1** club, mallet, cue, bat **2** *(espécie de piso)* parquet block: ***chão de tacos*** parquet floor
▪ **taco de bilhar** pool/billiard cue
▪ **taco de beisebol** baseball bat
▪ **taco de golfe** golf club
• **confiar no seu taco** to be confident on one's abillities
• **taco a taco** bit by bit

tagarela *adj-smf* **1** *(falador)* talkative, talker **2** *(indiscreto)* gossipy, gossip

tagarelar *vti-vi* **1** *(falar muito)* to chatter away **2** *(revelar segredo)* to gossip
• **tagarelar com alguém sobre algo** to chatter with someone about something

tailleur *sm* lady's suit

tal *pron* **1** *(esse, este, aquele)* this, that, such: ***não faça tal coisa*** don't do that; ***este é o tal carro de que lhe falei*** this is the car I told you about; ***tal é sua maneira de ser*** that's the way he is **2** this, that, such and such: ***ela disse que tinha comprado o livro tal, o disco tal etc.*** she said she'd bought this book, that record etc. **3** *pej* a certain person just mentioned: ***a tal freguesa investiu contra o balconista*** the customer I've just mentioned attacked the shop assistant
• **... e tal** ... and so on
• **em tais circunstâncias** things being so

• **Fulano de Tal** John Doe
• **tal pai, tal filho** like father, like son
• **que tal/tais** *(do mesmo tipo)* just as
• **que tal?** what do you think of it?
• **ser o tal** to be the one
• **tal... que** such... as
• **tal qual/tal e qual** *(expressão de concordância)* exactly, precisely, *(semelhante)* exactly alike
• **tal/tais como** *(antes de exemplos)* such as, *(assim como)* just as
• **um tal de...** a certain...: ***uma tal de Madalena me ligou*** a certain Madalena called me

talão *sm (bloco de folhas destacáveis)* book
▪ **talão de cheques** cheque book

talco *sm* talcum powder

talento *sm* talent, gift
• **ter talento para algo** to have the talent for something

talentoso *adj* talented, gifted

talhar *vtd* 1 *(cortar)* to cut, to slash 2 *(esculpir)* to carve, to chisel 3 *(coalhar)* to sour, to curdle
▸ *vi-vpr* **talhar(-se)** *(coalhar)* to sour, to curdle

talharim *sm* thin noodles

talhe *sm* 1 *(porte físico)* figure, form, shape 2 *(corte de roupa)* cut

talher *sm* 1 knife, fork and spoon, a piece of cuttlery 2 *(lugar à mesa)* a table place for one person
• **talheres de sobremesa** dessert tableware

talho *sm (corte, sulco)* cut, chop, hack, slack

talismã *sm* talisman, charm

talo *sm* stem, stalk

talvez *adv* perhaps, maybe: ***talvez ele chegue mais tarde*** perhaps he'll arrive late; ***ele disse que talvez não*** he said maybe not

tamanco *sm* wooden clog
• **subir nos tamancos** to get furious

tamanduá *sm* anteater

tamanho *sm* 1 *(grandeza física, dimensão)* size, dimension 2 *(altura)* height: ***veja só o tamanho desse menino!*** look at this boy's height! 3 *(porte)* size: ***qual é o tamanho da empresa?*** what's the size of the company?
▸ *adj (tão grande)* such a big: ***nunca vi tamanho disparate*** I've never seen such a big nonsense
• **do tamanho de um bonde** as big as a tram
• **em tamanho grande/pequeno** big/small size
• **em tamanho natural** actual size, life-size
• **estar de bom tamanho** *fig* to be good enough, to be fair enough
• **isto é do tamanho daquilo** this is as big as that

tâmara *sm* BOT date

também *adv* 1 too, also: ***este tecido é azul, aquele também*** this fabric is blue and that one is too 2 *(realmente)* indeed: ***você, também, é bem pão-duro, hein!*** you are indeed mean, aren't you? 3 *(não é à toa)* not surprisingly: ***não comi nada; também, não tinha dinheiro!*** I didn't eat anything; not surprisingly, I didn't have money 4 **também não** either: ***ele não quis bolo, eu também não*** he didn't want cake, and I didn't either

tambor *sm* 1 MÚS drum 2 *(recipiente)* barrel 3 *(parte do revólver)* magazine

Tâmisa *sm* Thames

tampa *sf* lid, cover, top

tampão *sm* 1 *(tampo)* large lid/cover 2 MED tampon

tampar *vtd* to cover with a lid, to close

tampo *sm* 1 *(tampa)* top, lid 2 *(superfície de mesa)* tabletop

tampouco *adv* either, neither

tanga *sf* 1 *(tapa-sexo)* loincloth 2 *(calção de banho)* swimming trunks, slip, thong

tangente *sf* MAT tangent
• **sair/escapar pela tangente** *(escapar de assunto)* to explain away, to change subject

tangerina *sf* BOT tangerine

tango *sm (dança)* tango

tanque *sm* 1 *(cisterna, poço)* well, tank, pool 2 *(reservatório)* reservoir 3 *(pia de lavar roupa)* washtub 4 *(de guerra)* tank

• **tanque de gasolina** petrol/gas/fuel tank

tanto *pron indef* 1 *(tamanho, tal)* so: ***tomei tanto cuidado, mesmo assim o copo se quebrou*** I was so careful, nonetheless the glass broke 2 *(tamanha quantidade)* so many: ***nunca vi tanta gente*** I've never seen so many people

▸ *adv* **tanto** so much: ***tanto insistiu, que conseguiu o que queria*** he insisted so much that he got what he wanted

▸ *sm* **tanto** 1 *(certa quantia)* some: ***suponhamos que ele desconte tantos por cento do valor devido*** suppose he takes off some percentage of the owed amount 2 *(volume, tamanho)* times as much: ***o seu terreno dá três tantos do meu*** your piece of land is three times as big as mine 3 *(igual, mesma quantidade)* as much: ***eu queria ter o tanto de dinheiro que ele tem*** I'd like to have as much money as he has 4 *(quantia)* as many: ***dei a ela três peras, e ela me deu o mesmo tanto de maçãs*** I gave her three pears and she gave me as many apples

• **às tantas** at one point

• **... e tanto** very good: ***é um guitarrista e tanto*** he's a very good guitar player

• **lá pelas tantas** very late at night

• **nem tanto** not quite

• **para tanto...** in order to do that

• **se tanto** if such

• **tanto (assim) que...** so much so *(that)*...

• **tanto quanto/como** as... as...

• **um(ns) tanto(s)** *(um pouco)* some, *(certa quantia)* a little, a few

tão *adv* so: ***é tão burro, que não entende as coisas mais simples*** he's so stupid he doesn't understand the simplest things; ***ele falava tão devagar*** he spoke so slowly; ***estou tão cansado, que não consigo ficar em pé*** I'm so tired I can't stand on my own two feet; ***não sabia que ele morava tão longe*** I didn't know he lived so far away

tapa *sm* slap

tapado *adj* 1 *(que se tapou)* covered 2 *(ignorante)* dumb, stupid, moron

tapar *vtd* 1 *(cobrir com tampa)* to cover with a lid 2 *(fechar com rolha)* to cork 3 *(vendar)* to blindfold 4 *(entupir)* to clog 5 *(fechar buraco)* to fill 6 *(encobrir, esconder)* to hide: ***as nuvens taparam o sol*** the clouds have hidden the sun 7 *(obstruir)* to close: ***tapar os ouvidos*** to close one's ears 8 *(calar)* to shut up: ***aquele argumento lhe tapou a boca*** that argument has shut him up

tapeação *sf* cheating, deceiving, trickery

tapear *vtd* to cheat, to deceive, to trick

tapeçaria *sf* 1 *(tecido, estofos)* upholstery, drapery 2 *(arte do tapeceiro)* tapestry 3 *(estabelecimento do tapeceiro)* upholstery

tapera *sf (residência em ruínas)* shack, slum

tapete *sm* rug, carpet, mat

• **puxar o tapete de alguém** to outmanouver someone, to topple someone by treachery

• **tapete voador** flying carpet

tapume *sm* hedge, screen

taquara *sf* BOT bamboo

taquigrafia *sf* shorthand

tara *sf* 1 *(vício, desequilíbrio mental)* pervertion 2 *(peso de carroceria)* tare

tarado *adj-smf* perverted, pervert

taramela *sf (trava de madeira)* wooden door latch

tardar *vti (demorar)* to delay, to lake long

▸ *vi (chegar tarde)* to be late

• **o mais tardar** at the latest

• **sem mais tardar** without further delay

• **tarda mas não falha** the mill grinds slow but sure

tarde *adv* late: ***chegar tarde*** to arrive late

▸ *sf* afternoon: ***às duas horas da tarde*** at two in the afternoon; ***estudar à tarde*** to study in the afternoon

• **agora é tarde** now it's too late

• **antes tarde do que nunca** better late than never

• **hoje à tarde** this afternoon

• **já é tarde** it's late

• **mais tarde** later on

• **no fim da tarde** late in the afternoon

• **tarde da noite** late at night

tardinha *sf* late afternoon

• **à tardinha** late in the afternoon

tardio *adj* 1 late 2 *(lento)* slow

tarefa *sf* 1 *(trabalho, missão)* task 2 *(lição de casa)* homework

tarifa *sf* 1 *(taxa)* fare 2 *(lista de preços)* schedule of rates/charges

tarimbado *adj* experienced

tarja *sf (orla)* border, brim
• **tarja magnética** magnetic strip

tártaro *sm* 1 MED tartar 2 *(povo)* Tartar 3 *(creme)* tartar sauce

tartaruga *sf* ZOOL turtle

tataravô *sm,f* great great grandfather/grandmother

tatear *vtd* 1 *(apalpar com cuidado)* to feel 2 *(tocar para orientar-se)* to feel one's way

tática *sf* 1 tactics 2 *fig (método)* method, strategy

tato *sm* 1 sense of touch 2 *fig* diplomacy, tact

tatu *sm* ZOOL armadillo

tatuagem *sf* tattoo, tattooing

taturana *sf* ZOOL hairy caterpillar

tatuzinho *sm* ZOOL *(crustáceo)* pill bug, wood louse, sowbug

taxa *sf* 1 ECON rate 2 *(tributo)* tax 3 *(valor)* fee 4 *(índice, porcentagem)* rate: ***taxa de glicose no sangue*** rate of blood glucose; ***taxa de mortalidade infantil*** infant mortality rate
▪ **taxa de câmbio** exchange rate
▪ **taxa de condomínio** maintenance fee
▪ **taxa de inscrição** admission fee

taxar *vtd (cobrar tributo)* to tax
▸ *vtdi* 1 *(fixar preço)* to price 2 *(avaliar)* to assess

taxativo *adj (categórico)* firm, imperative

táxi *sm* taxi, cab
• **táxi aéreo** taxiplane

taxiar *vi* to taxi

taxímetro *sm* taximeter

taxista *smf* taxi driver

tchau *interj* bye!
• **dar tchau** to say goodbye

te *pron* you: ***alguém está te chamando*** someone's calling you; ***eu te respondo*** I'll answer you, I'll reply to you

tear *sm* loom

teatral *adj* 1 theatrical 2 *fig* dramatic

teatro *sm* 1 theater 2 *fig* drama
• **fazer teatro** to be into drama, to act, *fig* to be dramatic. to pretend
• **teatro de operações** theatre of operations

tecelagem *sf* weaving

tecelão *adj-sm,f* weaver

tecer *vtd-vi* 1 to weave 2 *fig (tramar)* to plot
• **tecer comentários** to make remarks about

tecido *sm* 1 *(pano)* fabric, cloth 2 ANAT tissue

tecla *sf (máquina de escrever, computador, piano)* key
• **bater sempre na mesma tecla** *fig* to harp on the same string

teclado *sm (máquina de escrever, computador, piano, instrumento musical)* keyboard

teclar *vi* 1 *(pressionar tecla)* to strike, to press 2 to type: ***de onde você está teclando?*** where are you typing from?
▸ *vtd* to type: ***tecle o prefixo 55*** type the prefix 55

técnica *sf* 1 technique 2 *fig (jeito, perícia)* way, skill

técnico *adj* technical
▸ *sm,f* 1 technician 2 ESPORTE coach

tecnologia *sf* technology

teco-teco *sm* small single-motor airplane

tédio *sm* boredom, tediousness

teia *sf* 1 *(trama)* web, network 2 *fig (enredo)* plot, intrigue
• **teia de aranha** cobweb

teima *sf (obstinação)* stubbornness, obstinacy

teimar *vti* to insist (**em**, on)
▸ *vi* to be stubborn

teimosia *sf* stubbornness, obstinacy

teimoso *adj-sm,f* stubborn, obstinate

tela *sf* 1 *(tecido)* woven fabric 2 *(de arame)* screen, wire fencing 3 *(de pintura)* canvas 4 *(quadro)* painting: ***uma tela de Manet*** a painting by Manet 5 *(de cinema, tevê, monitor)* screen 6 *(o cinema)* the big screen

telão *sm (grande tela)* widescreen

telecomunicação *sf* telecommunication

teleconferência *sf* teleconference

teleférico *sm* cable car, chair lift

telefonar *vti* to telephone, to phone

telefone *sm* telephone, phone
• **estar ao telefone** to be on the phone
• **telefone de contato** phone number
• **telefone de utilidade pública** public services telephone numbers
• **telefones de urgência** emergency phone numbers

telefonema *sm* call, ring: ***dar um telefonema*** to give someone a call

telefônico *adj* telephone
• **companhia telefônica** (tele)phone company

telefonista *smf* operator

telegráfico *adj* 1 telegraphic 2 *fig* telegraphic: ***estilo telegráfico*** telegraphic style

telegrama *sm* telegram

teleguiado *adj* guided, remote-controlled

telejornal *sm* TV news

telenovela *sf* soap opera

telepatia *sf* telepathy

telescópio *sm* telescope

telespectador *sm,f* viewer

televenda *sf* telemarketing

televisão *sf* 1 television 2 *(televisor)* TV set

televisionar *vtd* to broadcast

telha *sf* roofing tile
• **dar na telha de alguém (de fazer algo)** to get into one's head *(the idea of doing something)*

telhado *sm* roof
• **telhado de zinco** galvanized roof
• **ter telhado de vidro** *fig* to have a bad reputation, to be vulnerable to attack

tema *sm* theme

temer *vtd* to fear, to be afraid
▸ *vti* to fear for

temeroso *adj* fearful

temível *adj* fearsome

temor *sm* fear, fright, dread

temperado *adj* 1 *(clima)* temperate 2 *(vidro, metal etc.)* tempered 3 *(condimentado)* spicy, seasoned

temperamento *sm* temperament

temperar *vtd* 1 *(amenizar)* to soften, to moderate 2 *(condimentar)* to spice, to season, to flavour 3 *(vidro, metal etc.)* to temper

temperatura *sf* temperature
• **tomar a temperatura de alguém** to take someone's temperature

tempero *sm* spice, dressing, seasoning

tempestade *sf* storm

templo *sm* temple

tempo *sm* 1 time: ***o relógio mede o tempo*** the clock measures the time 2 *(época)* period, age, times 3 *(temporada)* season, period of time 4 *(clima)* weather: ***tempo feio/bonito/firme/instável*** bad/good/fair/unstable weather 5 ESPORTE half, quarter, period: ***primeiro/segundo tempo*** first/second half 6 GRAM tense 7 MÚS tempo
• **a tempo** *(no prazo)* in time
• **a um só tempo** at the same time
• **ao mesmo tempo** at the same time
• **com o passar do tempo** as time goes by
• **como está o tempo?** what's the weather like?
• **dar um tempo** *(esperar um pouco)* to give a break
• **de tempos em tempos** from time to time
• **em tempo de...** in times of...
• **em tempo hábil** in due time
• **em tempo integral/parcial** full/part time
• **em tempo real** in real time, online
• **fazer algo com tempo** to have time to do something
• **fazer tempo bom/ruim** to have good/bad weather
• **fechar o tempo** to darken, to threaten rain, *(haver briga)* to have a quarrel
• **ganhar tempo** to gain time
• **há algum/muito tempo** for some time/a long time
• **já não era sem tempo** it was about time

• **matar o tempo** to kill time
• **nesse meio-tempo** in the meantime
• **no tempo do Onça** a long time ago
• **o tempo urge** time's pressing
• **passar o tempo** to pass the time
• **perder tempo** to waste time
• **previsão do tempo** weather forecast
• **só o tempo dirá** only time will tell
• **tempo de casa/de serviço** time employed
• **tempo livre** free time
• **tempo regulamentar/suplementar** ESPORTE regular time/extra time
• **ter/não ter tempo para algo** to have/not to have time for something

têmpora ANAT *sf* temple

temporada *sf* 1 period of time: ***passar uma temporada em algum lugar*** to spend a period of time somewhere 2 *(teatral)* season
• **alta/baixa temporada** high/low season

temporal *adj* 1 temporal 2 RELIG secular, temporal
▸ *sm* METEOR storm

temporário *adj* temporary, interim

tencionar *vtd* to intend

tenda *sf (barraca de lona)* tent

tendão *sm* tendon, sinew

tendência *sf* 1 *(vocação)* inclination 2 *(orientação)* tendency

tendente *adj* tending

tender *vti* to tend *(to)*

tenebroso *adj* dark, gloomy, appalling

tenente *sm* lieutenant

tênia *sf* MED taenia, tapeworm

tênis *sm* 1 *(calçado)* tennis shoes, sneakers 2 ESPORTE tennis

tenista *smf* tennis player

tenor *sm* tenor

tenro *adj* 1 tender, soft 2 frail, delicate

tensão *sf* 1 tension 2 *fig* stress 3 ELETR voltage, tension: ***alta tensão*** high voltage

tenso *adj* 1 tense 2 *fig* stressed out, stretched tight

tentação *sf* temptation

tentar *vtd* 1 *(fazer tentativa)* to try: ***tente fazer isso, você consegue*** try to do this, you'll succeed 2 *(experimentar)* to try: ***tente esta outra chave*** try this other key 3 *(despertar tentação, seduzir)* to tempt, to lure: ***essa proposta não me tenta*** that offer doesn't tempt me

tentativa *sf* 1 *(projeto)* attempt: ***tentativa de matar alguém*** attempt to kill someone 2 *(experiência)* attempt: ***depois de três tentativas, ele desistiu*** after three attempts, he gave up

tênue *adj* 1 *(fino)* tenuous, slender 2 *(débil)* weak 3 *(sutil)* subtle, elusive 4 *(fugaz)* frail

teologia *sf* theology

teor *sm (conteúdo)* content, intent, gist: ***teor de um discurso*** the gist of a speech
• **teor alcoólico** alcohol content

teorema *sm* MAT theorem, proposition

teoria *sf* theory

teórico *adj* theoretical

ter *vtd* 1 *(possuir, contar com)* to have, to have got: ***só tenho três reais*** I only have three reals; ***tenho dois filhos*** I have two sons; ***aquele hotel tem garagem?*** does that hotel have a parking lot?; ***só tive dois amigos naquela ocasião*** I only had two friends at that time 2 *(receber)* to have: ***ela teve muito amparo*** she had lots of support; ***a peça teve um grande público*** the play had a big audience; ***você tem alguma notícia nova?*** do you have any news? 3 *(portar)* to carry, to have: ***você tem um relógio aí?*** do you have a watch? 4 *(passar por, viver)* to have, to undergo: ***ter um destino cruel*** to have a ruthless fate; ***ter morte violenta*** to have a violent death 5 *(medir)* to be: ***a sala tem cinco por três*** the room is five by three; ***ele tem 1,80 m de altura*** he's 1.80 meters tall 6 *(contar)* to be: ***ela tem 30 anos*** she's 30 (years old) 7 *(conter)* to hold: ***quantos litros tem esse barril?*** how many liters does that barrel hold? 8 *(realizar)* to have: ***a orquestra teve dois consertos no mês*** the orchestra had two concerts during the month 9 *(presenciar)* to have: ***tive várias aulas com ele*** I've had several classes with him; ***você tem jantar da firma hoje?*** do you have the company's dinner tonight? 10 *(sentir)* to feel, to have: ***ter ódio de alguém*** to feel hate for someone; ***ter amor por alguém*** to feel

love for someone; ***ter medo de algo*** to feel fear of something
▸ *vtd pred (considerar)* to consider: ***ele o tem por bom*** he considers him good
▸ *vi* to have, to own: ***quem tem deve ajudar os que não têm*** those who have something should help those who have nothing
▸ *vpr* to think: ***ele tem-se por muito esperto*** he thinks he's very smart
▸ *vaux* to have: ***não o tenho visto ultimamente*** I haven't seen him lately; ***eu não tinha pensado nessa hipótese*** I hadn't thought of that hypothesis
• **que Deus o tenha** may God rest his soul
• **ter/não ter a ver com algo ou alguém** *(dizer respeito)* to have/not to have to do with something/someone, *(imiscuir-se)* to deal/not to deal with something/someone
• **ter com que** to have the means to
• **ter de/que fazer algo** to have to do something
• **ter por onde** *(ter meios de)* to have the means to, *(ter razão para)* to have the right to
• **ter por si** to have as one's opinion, to think, to believe, to hold
• **ter de/que fazer** *(estar ocupado)* to have to do
• **ter que ver** *(dizer respeito)* to have to do with
• **tido e havido como** considered as
• **você tem que ver!** you must see it!

terapeuta *smf* 1 therapist 2 *(psicoterapeuta)* psychotherapist

terapêutico *adj* therapeutic

terapia *sf* 1 therapy 2 *(psicoterapia)* psychotherapy
• **terapia intensiva** intensive care

terça-feira (*pl* **terças-feiras**) *sf* Tuesday
• **terça-feira de carnaval** Shrove Tuesday

terceiro *adj* third
▸ *sm* **terceiro** *(terceira pessoa)* third party

terço *num* third: ***um terço do capital*** one third of the money
▸ *sm* RELIG rosary: ***rezar o terço*** to say the rosary

terçol *sm* MED sty, stye

termas *sf pl* hot springs

térmico *adj* thermic, thermal, thermo

terminal *adj* terminal: ***doente terminal*** terminal patient
▸ *sm (de transportes)* 1 terminal 2 INFORM terminal

terminar *vtd (concluir)* to finish, to end
▸ *vi (acabar)* to end: ***a que hora termina o filme?*** at what time does the film end?
▸ *vtd-vti-vi (romper)* to break up: ***terminar o namoro*** to break up a relationship; ***terminar com o noivo*** to break up with one's fiancé
▸ *vti* ***terminar em*** 1 to end in: ***a festa terminou em briga*** the party ended up in a fight 2 *(ir dar em)* to end: ***o corredor termina na sala*** the corridor ends in the sitting room

término *sm* end, close, finish

termo *sm* 1 *(fim, limite)* term, limit, end 2 *(prazo)* period of time 3 *(vocábulo)* term, word 4 *(maneira)* terms: ***em que termos foi feita a proposta?*** in what terms has the offer been made?
• **em termos** *(guardadas as devidas proporções)* within limits
• **em termos de...** in terms of...
• **em termos gerais** in general terms
• **levar algo a termo** to finish something
• **não tem termo de comparação** there's no basis for comparison
• **pôr termo a algo** to put a stop to something, to put an end to something

termômetro *sm* thermometer

termostato *sm* thermostat

terno *adj* tender, affectionate, loving, gentle
▸ *sm* **terno** 1 *(roupa)* suit 2 *(três)* threesome

ternura *sf* tenderness, affection, gentleness

terra *sf* 1 *(planeta)* earth, world, globe 2 *(chão, solo)* land, earth, soil: ***terra fofa*** soft soil 3 *(país, região, lugar)* country, nation 4 *(propriedade)* land: ***suas terras vão até aquele morro ali*** your lands go as far as that hill over there 5 *(poeira)* dirt: ***o piso está sujo de terra*** there's dirt all over the floor **6** *(argila)* terracotta **7** ELETR ground

• **debaixo da terra** under the sod, underground, *(na sepultura)* in the grave

• **por terra** *(por via terrestre)* by land

• **ser/não ser da terra** to be/not to be native

• **terra de ninguém** *(área indefinida ou que não tem dono)* waste land, *(entre dois exércitos numa guerra)* no man's land

• **terra firme** ashore

• **terra natal** native land, native country

• **terra prometida** promised land

terraço *sm* **1** *(varanda)* balcony **2** *(patamar em terreno)* terrace

terraplanagem *sf* earthworks, filling in and levelling

terreiro *sm* **1** *(quintal)* backyard **2** *(espaço ao ar livre)* cleared land **3** RELIG a place where voodoo rites ate practiced

terremoto *sm* earthquake

terreno *adj* terrestrial, mundane, worldly

▸ *sm* **terreno 1** piece of land, tract *(of land)*, lot: ***comprar um terreno*** to buy a tract of land **2** *(solo)* land, ground, earth **3** *fig (setor)* field: ***no terreno das ideias*** in the field of ideas **4** MIL field

• **perder/ganhar terreno** *fig* to gain/lose ground

• **sondar o terreno** *fig* to feel one's way

térreo *adj* situated on the ground

▸ *sm* **térreo** *(andar térreo)* ground floor

• **andar térreo** ground floor

• **casa térrea** one-storey house

terrestre *adj* terrestrial

terrina *sf* tureen

território *sm* **1** *(grande extensão de terra)* territory **2** *(área de país etc.)* territory

terrível *adj* **1** *(assustador)* terrifying **2** *(ruim, péssimo)* terrible, horrible

terror *sm* terror, horror

• **filme de terror** horror film, horror movie

terrorismo *sm* terrorism

terrorista *adj-smf* terrorist

tesão *sf* **1** *pop (excitação sexual)* hots **2** *pop (pessoa atraente)* a hot person

tese *sf* **1** thesis **2** *(de doutorado) (PhD)* thesis, dissertation: ***defender tese*** to defend a thesis

• **em tese** theoretically

tesoura *sf* scissors

• **botar/meter a tesoura em alguém** to backbite

tesouraria *sf* treasury

tesoureiro *sm,f* treasurer

tesouro *sm* **1** treasure **2** *(erário)* treasury, exchequer **3** *(compilação lexicográfica)* thesaurus

testa *sf* ANAT forehead, front, brow

• **estar à testa de algo** *(à frente de)* to be in front, *(no comando de)* to be at the head of something

• **franzir a testa** to frown

testa de ferro (*pl* **testas de ferro**) *sm* figurehead, strawman

testamento *sm* will, testament

• **fazer testamento** to make one's will

• **Antigo/Novo Testamento** Old/New Testament

testar *vtd* **1** *(dispor em testamento)* to bequeath, to will **2** *(submeter a teste)* to test, to experiment

teste *sm* **1** test **2** *(exame escolar)* test, examination **3** test: ***fazer um teste para um emprego*** to take an test for a job **4** MED exam

testemunha *sf* **1** DIR witness, testifier, deponent **2** *fig* proof, corroboration

▪ **testemunha de casamento** witness to marriage

▪ **testemunha ocular** eyewitness

• **ser testemunha de algo 1** to witness something **2** to testify

testemunhar 1 *(dar testemunho)* to testify **2** *(presenciar)* to witness **3** *(manifestar, revelar)* to express

testemunho *sm* **1** *(depoimento)* deposition **2** *(ato de testemunhar)* witnessing **3** *(demonstração, prova, manifestação)* evidence

testículo *sm* testicle

teta *sf* **1** *(de animal)* udder **2** *(de ser humano)* tit

tétano *sm* MED tetanus

teto *sm* **1** ARQ *(telhado)* roof **2** ARQ *(cobertura, forro)* ceiling **3** *fig (casa)* roof (*over one's head*) 4 AERON ceiling: ***o avião não decolou porque não havia teto*** the plane didn't take off because the ceiling was too low 5 (*valor máximo*) ceiling, cap

• **teto salarial** salary cap

tetraplégico *adj-sm,f* tetraplegic

tétrico *adj* horrible, gruesome, appaling

teu *pron poss* 1 your: ***esta é tua casa*** this is your house; ***esses sujeitos são teus amigos?*** are these guys your friends? 2 yours: ***não encontro meu celular, posso usar o teu?*** I can't find my mobile, can I use yours?

• **qual é a tua?** what are you up to? what do you want?

tevê *sf* TV

• **tevê por assinatura** cable TV

têxtil *adj* textile

texto *sm* 1 text 2 (*trecho*) passage, excerpt

textual *adj* textual

textura *sf* texture

ti *pron* you: ***estão falando de ti*** they're talking about you; ***um presente para ti*** a present for you

tia *sf* 1 aunt 2 (*mulher de meia-idade*) middle-aged woman 3 (*tratamento carinhoso*) auntie

tiara *sf* 1 (*do papa*) tiara 2 (*para os cabelos*) hair band

tibetano *adj-sm,f* Tibetan

tíbia *sf* ANAT tibia

tição *sm* live coal

tico-tico (*pl* **tico-ticos**) *sm* 1 ZOOL a kind of crown sparrow 2 (*velocípede*) a small trycicle for children

tiete *smf* fan, groupie

tifo *sm* MED typhus

tigela *sf* bowl

tigre *sm* ZOOL tiger, tigress

tijolo *sm* brick

• **tijolo aparente** fair-faced brick (*wall*), exposed brick (*wall*)

• **tijolo refratário** firebrick

til *sm* (*sinal ~*) tilde

tilintar *vi* to tinkle, to jingle, to ring

timão *sm* 1 MAR helm 2 *fig* (*governo*) direction, control, rule 3 (*grande time*) a great team, the football team of one's heart

timbre *sm* 1 (*inscrição em impresso*) mark, letterhead 2 (*carimbo, selo*) seal 3 (*de voz etc.*) timbre, tone

time *sm* team

• **jogar no time de** *fig* to agree with the ideas of

• **tirar o time de campo** to leave the pitch, *fig* to retreat, to withdraw

timer *sm* timer

timidez *sf* shyness, couness

tímido *adj* shy, coy

tímpano *sm* 1 ANAT tympanum, tympanic membrane 2 MÚS kettledrum, timbal, timpano

tina *sf* tub

tingir *vtd* 1 (*tecido*) to dye 2 (*cabelos*) to colour

▸ *vpr* **tingir-se** (*colorir-se*) to take such and such a colour: ***o horizonte tingiu-se de vermelho*** the sky grew red near the horizon

tinir *vi* 1 (*vidros, metais etc.*) to tinkle 2 (*ouvido*) to buzz

• **tinir de** to die to, to die for, to be in an intense state of: ***estou tinindo de vontade de ir ao show*** I'm dying to go to that show

• **estar tinindo** to be in great shape

tinta *sf* 1 (*de escrever*) ink 2 (*de impressão*) ink 3 (*de parede*) paint 4 (*a óleo, de pintura*) paint 5 (*de cabelo*) dye

• **carregar nas tintas** *fig* to exaggerate

• **ter tintas de** *fig* to have the makings of

tinteiro *sm* inkpot

tintim *sm loc* ***tintim por tintim*** in detail, minutely, dotting all the I's and crossing all the T's

tinto *adj* 1 (*tingido*) dyed 2 (*vinho*) red

tintura *sf* 1 (*de tecidos*) dye 2 FARM tincture 3 (*de cabelos*) dye

tinturaria *sf* cleaner's, drycleaner's

tio *sm,f* uncle

típico *adj* typical

tipo *sm* 1 (*espécie*) kind 2 (*modelo*) type 3 type: ***ele é o tipo do canalha*** he's the bastard type 4 (*personagem*) character 5 *(sujeito)* guy, fellow, bloke: ***um tipo esquisito*** a weird guy **6** *(pessoa excêntrica)* character: ***esse sujeito é mesmo um tipo*** this guy is a real character **7** *(letra)* type

tipografia *sf* printing, printing works

tipoia *sf* arm sling

tique *sm* **1** *(ruído)* tick **2** *(cacoete)* involuntary twitch of the face or other muscles **3** *(sinal manuscrito)* tick

tiquetaque *sm* tick-tack

tíquete *sm* ticket

tira *sf* **1** *(fita, faixa)* ribbon, band **2** *(de história em quadrinhos)* strip **3** *(policial)* cop

tiracolo *sf loc* ***a tiracolo*** worn over the shoulder and across the chest

tirada *(fala, escrita com ímpeto)* witty remark

tiragem *sf (número de exemplares)* print run, edition

tira-gosto *sm* appetizer

tirano *sm,f* tyrant

tirar *vtd-vtdi* **1** *(retirar)* to take *(from)*, to draw *(from)* **2** *(eliminar, apagar)* to remove **3** *(subtrair)* to subtract: ***tirar três de nove*** to subtract three from nine; ***desse dinheiro, tire as contas de água e luz*** from that amount, you should subtract water and electricity bills **4** *(puxar)* to take *(out)*, to draw *(out)*: ***tirar o lenço do bolso*** to take one's handkerchief out of one's pocket **5** *(arrebatar)* to take away, to snatch **6** *(roubar)* to steal **7** *(despir)* to take off: ***tirar a blusa, a saia, as meias*** to take off one's blouse/skirt/socks **8** *(inferir)* to draw: ***tirar uma solução a partir dos dados*** to draw a solution from the data **9** *(libertar)* to take out: ***tiro você daqui*** I'll take you out of here **10** *(fazer sair)* to take *(someone)* out of: ***tirar alguém da miséria*** to to take someone out of poverty; ***tirar o país da crise***; to take the country out of the crisis **11** *(extinguir)* to get rid of: ***tirar um costume, uma mania, uma má impressão*** to get rid of a habit/an obsession/a bad impression **12** *(contestar)* to take away: ***não tiro sua razão, mas...*** I don't take away the fact you're correct, but... **13** *(afastar)* to take away, to remove: ***tirar alguém do bom caminho*** to take someone away from the right path **14** *(nota)* to get *(a mark)* **15** *(extrair)* to extract: ***da uva se tira o vinho*** wine is extracted from grapes **16** *(água de poço)* to take out **17** *(cópia, radiografia, fotografia etc.)* to take **18** *(impressões digitais)* to take **19** MÚS to learn: ***tirar uma letra, uma melodia*** to learn the lyrics, the melody

• **sem tirar nem pôr** without changing a comma

• **tirar algo/alguém da cabeça** to take something/someone out of one's mind

• **tirar alguém para dançar** to ask someone to dance

• **tirar música de ouvido** to play by ear

• **tirar o corpo fora** to sidestep

tireoide *sf* ANAT thyroid

tiririca *sf* **1** BOT a plant of the sedge family **2** *(erva daninha)* weed

• **ficar tiririca** to be pissed off

tiritar *vi* to shiver, to shake *(with cold)*

tiro *sm* **1** *(disparo)* shot **2** ESPORTE shot **3** *fig (golpe)* blow

• **animal de tiro** draft horse

• **dar um tiro em alguém** to shoot someone

• **dar-se um tiro** to shoot oneself

• **errar o tiro** to miss the shot

• **levar um tiro** to be shot

• **o tiro sair pela culatra** *fig* to backfire

• **ser tiro e queda** *fig* to be excellent

• **tiro ao alvo** target practice

• **tiro de festim** blank cartridge shot

• **tiro de meta** goal kick

• **tiro de misericórdia** mercy shot

• **trocar tiros com alguém** to exchange shots with someone

tiro de guerra *(pl* **tiros de guerra***) sm* military training school

tiroteio *sm* shooting, gun fight

títere *sm* **1** *(marionete)* puppet **2** *fig* POL pawn, puppet **3** *fig (fantoche)* puppet

titica *sf* **1** excrement **2** *fig* worthless or unimportant person or thing

titubear *vi* to hesitate

• **sem titubear** without hesitation

titular *adj-smf* titular, honorary, titled person, titleholder, official

• **professor titular** full professor

• **titular de um cargo** occupant of an office

título *sm* 1 *(nome)* title 2 *(denominação, qualificação)* title of rank 3 *(subdivisão de obra)* subtitle, section 4 *(motivo)* way, pretext, guise 5 *(documento)* certificate, deed: ***título de propriedade*** ownership certificate 6 *(letra, nota, apólice)* note, policy, bond, stock 7 QUÍM titer
• **a título de** *(na qualidade de)* by way of, *(no intuito de)* on the pretext that
• **sem título** *(em obras artísticas)* untitled
• **título de eleitor** voter ID card

toa *sf loc* **à toa** 1 *(a esmo)* at random: ***andar à toa*** to walk at random, to ramble 2 *(sem razão)* without purpose, with no reason: ***está me xingando à toa*** you're calling me names without a purpose 3 *(inutilmente)* in vain: ***você disse tudo isso à toa*** you've said all this in vain 4 *(ocioso)* having nothing to do: ***ficar à toa*** to hang about without anything to do 5 *(sem mais nem menos)* just like that: ***foi embora, assim, à toa*** he left just like that
• **não é à toa que...** it's no wonder that..., it's not for no reason that…

toada *sf* 1 MÚS tune 2 *fig* song: ***sempre a mesma toada*** it's always the same song

toalete *sf* 1 *(traje)* style of dress 2 MED cleansing: ***fazer a toalete do paciente*** to cleanse the patient 3 *(banheiro)* toilet

toalha *sf* 1 *(de banho)* bath towel 2 *(de mão, de rosto)* hand/face towel 3 *(de mesa)* tablecloth
• **jogar a toalha** *fig* to give up
• **toalha higiênica** tissue paper

tobogã *sm* toboggan, slide

toca *sf* burrow, den, lair, hole

toca-discos *sm inv* record player, CD player

tocado *adj (meio embriagado)* tipsy

toca-fitas *sm inv* cassette player

tocaia *sf* ambush stakeout: ***ficar de tocaia (para alguém)*** to lay ambush *(for someone)*

tocar *vti* 1 *(mexer)* to touch 2 *(fazer menção)* to touch, to mention: ***tocar no assunto*** to touch the subject 3 *(ir)* to go, to go on, to go away 4 *(roçar, encostar)* to touch 5 *(incumbir)* to fall to 6 *(caber a)* to be up to 7 *(dizer respeito)* to concern
▸ *vtd* 1 *(enxotar)* to run *(someone)* out *(of)* 2 *(aproximar-se)* to reach: ***seu salário já está tocando a casa dos dez mil*** your salary is already reaching the mark of ten thousand 3 *(emocionar)* to touch 4 *(levar adiante)* to carry on with, to go on with: ***tocar um projeto*** to carry on with a project
▸ *vtd-vi* 1 *(música, instrumento)* to play 2 *(disco, CD etc.)* to play 3 *(sinos, campainha etc.)* to ring
▸ *vpr* **tocar-se** 1 to touch, to touch one another: ***as duas retas se tocam neste ponto*** both straight lines touch one another at this point 2 *pop* to wake up, to notice *(that)*: ***se toca, ela não quer nada com você*** wake up, she doesn't want anything with you; ***não me toquei que ali era contramão*** I didn't notice it was a one way street
• **mal tocar na comida** to barely touch the food
• **toque aqui!** *(dar a mão)* give me five!
• **tocar o barco** *fig* to move on with one's life

tocha *sf* torch

toco *sm* stump

todavia *conj* however, nevertheless, notwithstanding, yet, still

todo *adj* all, whole, each, every, any, any one
▸ *sm* **todo** whole: ***a parte pelo todo*** the part for the whole
▸ *adv* **todo** all: ***você está todo molhado*** you're all wet
▸ *pron indef* all: ***todo homem é mortal*** all men are mortal
▸ *pron indef pl* **todos** everyone: ***todos aplaudiram*** everyone clapped
• **a toda** at full blast
• **ao todo** on the whole, as a whole
• **estar em todas** to be in each and every event
• **ser um todo** to be a whole

todo-poderoso *(pl* **todo-poderosos***)* *adj* almighty

toicinho *sm* pork fat, bacon

toldo *sm* awning

tolerância *sf* 1 endurance, toleration 2 tolerance: ***há só dois minutos de tole-***

rância there's only a two-minute tolerance 3 MED tolerance

tolerante *adj* tolerant

tolerar *vtd* 1 to tolerate: ***tolerar as diferenças religiosas*** to tolerate religious differences 2 *(suportar, admitir)* to bear, to put up with 3 MED to tolerate

tolerável *adj* tolerable, bearable

tolher *vtd (embaraçar)* to hinder, to restrain

tolice *sf* 1 *(qualidade do tolo)* foolishness 2 *(bobagem)* nonsense

tolo *adj* foolish, silly, senseless, nonsensical, simple-minded, fool, a simple-minded person

tom *sm* 1 *(de som)* tone 2 *(de cor)* shade, hue 3 *fig* tone, manner: ***não fale comigo nesse tom*** don't talk to me in that tone 4 MÚS key

tomada *sf* 1 seizure, taking: ***tomada do poder*** power seizure; ***tomada de posição*** position taking 2 ELETR socket 3 CINE take

toma lá dá cá *sm inv* give-and-take

tomar *vtd* 1 *(pegar, segurar)* to take, to seize, to grasp 2 *(empunhar)* to grasp, to hold, to wield 3 *(enveredar por)* to take: ***tomar a rua da direita*** to take the street on the right 4 *(apoderar-se de)* to take, to capture, to seize: ***tomar uma cidade*** to capture a city; ***tomar o lugar de alguém*** to take someone's place; ***tomar o poder*** to seize power 5 *(ocupar espaço)* to take up, to occupy: ***o móvel tomava metade da sala*** that piece of furniture took up half of the room 6 *(beber)* to take, to have 7 *(ocupar)* to take up: ***tomar o tempo de alguém*** to take up someone's time 8 *(ônibus, trem, táxi etc.)* to take 9 *(sol, chuva, frio)* to be out in: ***tomou chuva o dia inteiro*** he was out in the rain all day 10 *(dominar)* to dominate, to pervade 11 *(levar)* to take: ***tomar uma surra*** to take a beating 12 *(assumir)* to take on: ***o caso tomou proporções enormes*** the case has taken on huge proportions 13 *(aulas)* to take, to have: ***tomou aulas particulares de matemática*** he had private math classes

▸ *vtdi* 1 *(escolher)* to take: ***ele tomou-a por esposa*** he's taken her for his wife 2 *(considerar)* to take: ***tomaram-me por vítima*** they've taken me for a victim 3 *(confundir)* to take: ***ele me tomou pelo cunhado*** he took me for his brother-in-law

▸ *vpr* **tomar-se** to fall, to be taken by: ***tomar-se de amores por alguém*** to fall in love with

• **tomar as medidas de algo** to take the measurements of something

• **tomar conta de** *(dominar)* to dominate, to pervade, *(cuidar)* to take care of

tomara *interj* I hope so!, may it be so!

tomara que caia *sm inv* strapless dress

tomate *sm* BOT tomato

tombar *vtd* 1 *(derrubar)* to cause to fall 2 *(colocar bens imóveis sob guarda do governo)* to put under government trust in order to preserve and protect

▸ *vi (cair)* to fall, to tumble down

tombo *sm* 1 *(queda)* fall, tumble 2 *(cascata)* falls

tômbola *sf* kind of lotto

tomilho *sm* BOT thyme

tomo *sm* tome

tona *sf (superfície)* surface

• **vir à tona** to come to the surface, *fig* to be revealed, to become known

tonalidade *sf* 1 *(matiz)* shade, hue 2 MÚS tone

tonel *sm* large cask, vat

tonelada *sf* tonne, ton

tônico *adj* tonic

▸ *sm* tonic: ***tônico capilar*** hair tonic

• **água tônica** tonic, tonic water

tonto *adj* 1 *(tolo)* fool 2 *(com tontura)* dizzy

tontura *sf* dizziness

topada *sf* stumble

topar *vti* 1 *(deparar)* to bump *(into)* 2 *(tropeçar)* to trip *(on)*, to stumble *(on)*

▸ *vtd pop* 1 to like: ***não topo esse sujeito*** I don't like this guy 2 *pop* to fancy: ***topa ir ao cinema?*** fancy going to the cinema?

topázio *sm* topaz

topete *sm* 1 forelock, tuft of hair 2 *fig (atrevimento)* insolence, cheek

tópico *adj* 1 topic 2 FARM topical: ***uso tópico*** topical use

▸ *sm* **tópico** *(tema, assunto)* topic

topless *sm* topless

topo *sm* top, summit, peak

topografia *sf* topography

toque *sm* 1 touch: ***o toque dos dedos na vidraça*** the touch of the fingers on the window pane 2 *(som)* toll, ring: ***toque dos sinos*** bell toll; ***toque do despertador*** alarm clock ring; ***toque do telefone*** telephone ring 3 character: ***uma lauda com 1200 toques*** a page with 1200 characters 4 MED touch 5 *fig* touch: ***um toque de elegância*** a touch of elegance
• **a toque de caixa** in a great hurry
• **dar um toque em alguém** *(dar dica)* to give someone a hint
• **toque de recolher** curfew
• **toque de silêncio** taps, lights out
• **toque de bola** passing of the ball between players *(in football)*, *fig* a light conversation or debate

tórax *sm* ANAT thorax

torção *sf* 1 twist, twisting 2 MED *(entorse)* torsion

torcedor *sm,f* supporter, fan

torcer *vtd* 1 *(fio)* to twist 2 *(um membro de alguém)* to twist 3 *(roupa)* to wring 4 *(luxar)* to sprain 5 *(o sentido das palavras)* to distort
▸ *vti* 1 to support: ***não torcemos pelo mesmo time*** we don't support the same team 2 to keep one's fingers crossed *(that)*, to root *(AmE)*: ***estou torcendo por seu sucesso*** I'm keeping my fingers crossed you'll be succesful, I'm rooting for your success
▸ *vpr* **torcer-se** 1 *(retorcer-se)* to squirm 2 *(entortar)* to twist, to be twisted, to bend 3 *(dar voltas)* to twist and turn 4 *(contorcer-se)* to contort oneself

torcicolo *sm* MED torticollis, neck pain

torcida *sf* 1 *(mecha)* wick 2 *(conjunto de torcedores)* supporters, fans 3 *(incentivo a jogadores)* cheering, support 4 *(voto, desejo)* support, keeping one's fingers crossed: ***estamos aqui na torcida*** we're here, keeping our fingers crossed

tormenta *sf* storm, gale, tempest

tormento *sm* torture, torment, anguish

tornado *sm* tornado

tornar *vti* 1 *(voltar)* to return: ***tornou para casa*** he returned home 2 to do something again: ***tornou a falar*** he spoke again
▸ *vtd* to make: ***o calor tornou a casa insuportável*** the hot weather has made the house unbearable
▸ *vpr* **tornar-se** to become, to turn into

torneado *adj* 1 *(feito no torno)* molded, shaped 2 *(roliço)* rounded

torneio *sm* *(competição, certame)* competition, contest, tournament

torneira *sf* tap, faucet
• **torneira de gás** gas tap

torno *sm* 1 MEC lathe 2 *(de oleiro)* potter's wheel
• **em torno de** *adv* around, about

tornozelo *sm* ANAT ankle

toró *sm* *(pancada de chuva)* downpour, shower

torpe *adj* mean, vile

torpedear *vtd* 1 to torpedo 2 *fig* to torpedo 3 *fig* to attack: ***torpedear alguém com críticas mordazes*** to attack someone with sharp criticism

torpedo *sm* 1 torpedo 2 *(mensagem de celular)* torpedo

torrada] *sf* toast

torradeira *sf* toaster

torrão *sm* 1 *(pedaço de terra)* hard lump of soil, clod 2 lump: ***um torrão de açúcar*** a lump of sugar 3 *fig* land: ***torrão natal*** native sod, native land

torrar *vtd* 1 *(queimar, ressequir)* to toast 2 *(tostar)* to roast 3 *fig* *(vender por preço baixo)* to sell out 4 *fig* to misspend: ***ele torrou o dinheiro em bobagens*** he's misspent all his money
▸ *vtd-vi fig* to annoy
• **não torra!** leave me alone!
• **torrar a paciência de alguém** to get on someone's nerves

torre *sf* 1 ARQ tower 2 ELETR pylon, transmission tower 3 *(xadrez)* castle
• **torre de alta tensão** high voltage pylon, high voltage transmission tower
• **torre de Babel** Tower of Babel
• **torre de controle** control tower
• **torre de marfim** *fig* ivory tower

torrencial *adj* torrential

torrente *sf* **1** torrent, flood **2** *fig* rush

torresmo *sm* CUL pork crackling, pork scratchings, crisp skin of roast pork

tórrido *adj* torrid, very hot

torta *sf* CUL pie, tart

torto *adj* **1** *(não direito)* bent, twisted **2** *(inclinado)* lopsided

• **a torto e a direito** *(sem discernimento)* indiscriminately, *(aos montes)* lots

tortuoso *adj* **1** twisting, winding **2** *fig* false, disloyal

tortura *sf* torture

torturador *sm,f* torturer

torturante *adj* torturing, tormenting

torturar *vtd* **1** to torture, to torment **2** *(afligir)* to afflict

▸ *vpr* **torturar-se** to torment oneself

tosa *sf* shearing

• **banho e tosa** grooming

tosar *vtd* **1** to shear, to clip, to crop **2** *(cortar o cabelo rente)* to have one's hair cut very short

tosco *adj* **1** *(sem apuro)* crude, coarse **2** *(grosseiro)* rough, rude

tosquiar *vtd* to fleece, to shear

tosse *sf* cough

▪ **tosse comprida** whooping cough

• **ver o que é bom pra tosse** to give someone what for

tossir *vi* to cough

tostão *sm* penny

tostar *vtd* to toast, to roast

total *adj* **1** *(completo, inteiro)* complete **2** *(pleno)* total, all-out: ***paralisação total dos trabalhadores*** all-out strike of the workers

▸ *sm* **1** *(totalidade)* all: ***o total de alunos*** all the students **2** *(soma)* total: ***o total da conta*** the total amount

totalidade *sf* totality, entirety

totalizar *vtd* **1** *(calcular o total)* to total **2** *(realizar completamente)* to finish off **3** *(perfazer)* to make up, to complete

touca *sf* **1** bonnet, cap **2** *(de freira)* coif

• **dormir de touca** *(deixar-se enganar)* to be cheated, *(perder uma boa oportunidade)* to miss a good chance

touceira *sf (amontoado de caules)* thicket

toupeira *sf* **1** ZOOL gound mole **2** *fig* a dull-witted person

tourada *sf* bullfight

toureiro *sm* bullfighter

touro *sm* bull

• **pegar o touro pelos chifres** to take the bull by the horns

tóxico *adj* toxic, poisonous

▸ *sm* **tóxico** **1** toxin, poison **2** *(droga)* drug

toxicômano *sm,f* drug addict

toxina *sf* toxin

trabalhado *adj* **1** worked: ***dias trabalhados*** worked days **2** *(lavrado)* carved, polished **3** *(esmerado)* polished

trabalhador *adj* hard-working, diligent, industrious

▸ *sm,f* **trabalhador** worker, labourer

▪ **trabalhador autônomo** freelancer

▪ **trabalhador braçal** unskilled worker

trabalhar *vi* **1** to work: ***ela trabalha na fábrica*** she works in the factory; ***ele trabalhou a vida inteira*** he's worked all his life **2** *(funcionar)* to work: ***o relógio está trabalhando*** the clock is working **3** *(representar)* to act: ***sabe o nome da estrela que trabalha nesse filme?*** do you know the name of the star who's acting in this film?

▸ *vtd* **1** *(manipular)* to shape: ***trabalhar a madeira*** to shape the wood **2** *(elaborar)* to perfect **3** *(preparar para o cultivo)* to plough

▸ *vti (comerciar)* to work *(with)*

▸ *vpred* to work as: ***trabalhar como intérprete*** to work as an interpreter; ***trabalha de enfermeiro*** he works as a nurse

trabalheira *sf* hard work, hard time

trabalho *sm* **1** work **2** *(cargo)* job: ***qual é o seu trabalho aqui na firma?*** what's your job here in the company? **3** *(tarefa)* job: ***a empregada terminou o trabalho e saiu*** the maid finished her job and left **4** *(local de trabalho)* work, workplace: ***de casa ao trabalho*** from home to work **5** *(esforço, cuidado)* hard time: ***essa tarefa me deu muito trabalho*** this assignment has given me a hard time **6** *(tarefa escolar)* homework **7** *(obra)* piece of work **8** *(lavor)* labour **9** *(funcionamento, rendimento)* production: ***o traba-***

lho de uma máquina the production of a machine **10** *(atividade)* activity: ***trabalho manual*** manual activity **11** RELIG a macumba offering

■ **dar trabalho** *(oferecer emprego)* to offer jobs, *(exigir esforço)* to be hard, to be difficult, *(incomodar)* to be a nuisance

• **dar-se o trabalho de fazer algo** to bother to do something

• **dia de trabalho** workday

• **trabalho braçal** unskilled work

• **trabalho de parto** labour

• **trabalho em grupo** group work

• **trabalho externo** *(fora da firma)* outside work

• **trabalho manual** craftwork

• **trabalhos forçados** forced labour

trabalhoso *adj* hard, difficult, laborious

traça *sf* ZOOL moth

traçado *adj* **1** delineated **2** *fig* sketched, drawn up: ***um plano mal traçado*** a poorly drawn up plan

▸ *sm* **traçado 1** drawing: ***o traçado de uma linha*** the drawing of a line **2** *(esboço, projeto)* sketch, draft

tração *sf* **1** traction, pull: ***tração animal ou por máquina*** animal traction or by machine **2** MED traction

traçar *vtd* **1** to trace **2** *(pautar)* to plot **3** *(esboçar)* to sketch, to draft **4** *fig (projetar)* to draw *(up)*: ***traçar um plano*** to draw a plan **5** *pop* to eat up: ***tracei a macarronada*** I've eaten up the pasta **6** *pop (copular)* to screw, to fuck

tracejado *adj* traced, broken

▸ *sm* **tracejado** outline

tracionar *vtd* **1** *(rebocar, puxar)* to tow, to pull **2** MED to give traction treatment

traço *sm* **1** *(risco ou linha)* line **2** *(feição)* feature **3** *(característica)* trait **4** *fig (impressão, marca; vestígio)* trace: ***o sofrimento deixou traços indeléveis*** suffering has left indelible traces **5** sign, trace: ***havia traços de mercúrio na água*** there were traces of mercury in the water

• **traço fisionômico** face trait, feature

traço de união (*pl* **traços de união**) *sm* **1** *(hífen)* hyphen **2** *fig* link

tradição *sf* tradition

tradicional *adj* traditional

tradução *sf* translation

tradutor *sm,f* translator

traduzir *vtd-vtdi* to translate: ***traduzir um livro do francês para o português*** to translate a book from French into Portuguese

▸ *vtd fig (refletir)* to reflect: ***sua expressão traduzia incredulidade*** his expression reflected incredulity

▸ *vpr* **traduzir-se** to show: ***a insegurança se traduz em agressividade*** insecurity shows in agressiveness

trafegar *vi* to pass through, to go through, to come and go

• **trafegar pela contramão** to drive the wrong way

trafegável *adj* passable, that can be traversed

tráfego *sm* **1** *(trânsito)* traffic **2** *(fluxo)* flow

• **tráfego aéreo/marítimo** air/sea traffic

• **tráfego intenso** intense traffic

traficante *smf* dealer, trader

• **traficante de drogas** drug dealer

• **traficante de escravos** slave trader, slave dealer

traficar *vtd* to trade, to deal

▸ *vtd-vi (droga)* to deal

tráfico *sm* **1** trade **2** *(de drogas)* traffic, trafficking

tragada *sf* **1** *(de cigarro)* puff **2** *(gole)* shot

tragar *vtd* **1** *(engolir de um trago)* to gulp **2** *(absorver, sorver)* to swallow, to sip, to drink **3** *(tolerar)* to stand: ***não tragar alguém*** not to be able to stand somebody

▸ *vtd-vi (fumaça de cigarro)* to inhale

tragédia *sf* tragedy

trágico *adj* tragic

trago *sm (gole)* shot, drink

• **tomar uns tragos** to have a few drinks

traição *sf* treason, betrayal, treachery

• **à traição** treacherously, by way of treason

traiçoeiro *adj* **1** disloyal: ***atitude traiçoeira*** disloyal attitude **2** treacherous: ***animal traiçoeiro*** treacherous animal

traidor *adj-sm,f* treacherous, traitor

trair *vtd* **1** to betray **2** *fig (refletir, denunciar)* to reveal, to expose
▸ *vpr* **trair-se** to betray oneself

trajar *vtd* to wear, to dress
▸ *vpr* **trajar-se** to dress oneself

traje *sm* **1** *(roupa)* clothes **2** outfit: ***traje de mergulhador*** diving outfit
• **em trajes menores** in underclothes
• **traje a rigor** formal evening attire, evening clothes, full dress
• **traje de banho** bathing suit
• **traje de noite** evening gown/suit
• **traje de passeio** casual outfit

trajeto *sm* way

trajetória *sf* route, course, way, path

tralha *sf* **1** *(conjunto de utensílios)* cumbersome equipment **2** *(cacarecos)* trash, junk

trama *sf* **1** *(fios cruzados na urdidura)* weft **2** *fig (intriga, conluio)* intrigue, conspiracy **3** *(enredo, entrecho)* plot

tramar *vtd fig* to plot, to scheme, to conspire

trambique *sm pop* trick, swindle

trambiqueiro *adj-sm,f* swindler

trambolhão *sm* a tumble, a heavy fall, a crashing down

trambolho *sm (coisa grande e desajeitada, obstáculo)* hindrance, encumbrance

tramela *sf* → **taramela**

trâmites *sm pl* proper channels, ways, means, procedures, formalities
• **trâmites burocráticos** burocratic procedures

tramoia *sf* scheme, trick, swindle

trampolim *sm* **1** diving board, springboard **2** *fig* springboard

tranca *sf* **1** *(artefato de portas e janelas)* lock **2** *(barra para reforço de portas e janelas)* bar, crossbar

trança *sf* plait, braid

trancafiar *vtd* **1** *(trancar pessoa)* to shut up **2** *(encarcerar)* to lock up

trancar *vtd* **1** *(portas, janelas etc.)* to lock **2** *(alguém)* to shut up, to lock up
▸ *vpr* **trancar-se** to lock/shut oneself up

trançar *vtd* **1** *(cabelos)* to plait, to braid **2** *(fitas, palha etc.)* to weave

tranco *sm* **1** *(solavanco)* jolt **2** *(empurrão)* push
• **aguentar o tranco** to be able to endure a situation
• **aos trancos (e barrancos)** *(aos solavancos)* jolting this way and that, *(com grande dificuldade)* with great difficulty, with many false starts

tranqueira *sf* **1** *(tipo de porteira)* gate **2** *(estorvo)* nuisance **3** *(porcaria, coisa ruim)* trash **4** *(tralha)* junk **5** *(congestionamento de trânsito)* traffic jam

tranquilidade *sf* tranquility, calm

tranquilizante *adj* tranquilizing
▸ *sm* tranquilizer

tranquilizar *vtd* **1** *(acalmar)* to calm down **2** *(livrar de preocupações)* to tranquilize
▸ *vpr* **tranquilizar-se** **1** to calm down **2** to relax

tranquilo *adj* **1** *(sereno, calmo)* calm **2** *(sem preocupações, sem receios)* reassured **3** *(garantido)* certain, sure

transação *sf* COM transaction, business deal

transar *vtd-vtdi (transacionar)* to negotiate, to deal
▸ *vti gír (copular)* to have sex *(with)*

transatlântico *adj* transatlantic
▸ *sm* **transatlântico** ocean liner

transbordamento *sm* overflow

transbordar *vi* to overflow

transcorrer *vi* **1** to go by: ***transcorreram dez anos*** ten years have gone by **2** *(desenrolar-se)* to take its way, to go by: ***as festividades transcorreram calmamente*** the events have gone by peacefully

transcrever *vtd* to transcribe, to copy

transcrição *sf* **1** transcription **2** transcript, copy

transcurso *sm* passage

transe *sm* **1** *(estado de aflição)* distress, crisis, anguish **2** *(êxtase)* trance: ***estar em transe*** to be in trance

transeunte *smf* passerby

transexual *smf* transexual

transferência *sf* **1** *(de coisas ou pessoas)* transfer **2** *(de dados)* transfer **3** *(ban-*

cária) transfer **4** *(de propriedade)* transfer **5** PSIC transference

transferir *vtd-vtdi* **1** *(empregado)* to transfer **2** to transfer: ***a sede foi transferida para Brasília*** the main office has been transferred to Brasília **3** *(delegar)* to assign: ***a diretoria transferiu-lhe essa responsabilidade*** the board of directors have assigned this responsibility to him **4** to postpone, to transfer: ***a reunião foi transferida para segunda-feira*** the meeting have been postponed until Monday **5** *(dados)* to transfer **6** *(propriedade)* to transfer **7** *(dinheiro entre bancos)* to transfer

▸ *vpr* **transferir-se** to move, to be transferred

transfigurar *vtd* to transfigure, to transform

transformação *sf* transformation

transformador *adj* transforming

▸ *sm* **transformador** ELETR transformer

transformar *vtd-vtdi* **1** to change, to transform: ***a nova vida o transformou*** his new life has changed him **2** *(tornar)* to change into, to turn into: ***o casamento a transformou em uma nova mulher*** marriage has changed her into a new woman; ***ele transformou o país numa potência*** he has turned the country into a world power

▸ *vpr* **transformar-se** to change *(into)*

transfusão *sf* MED transfusion

transgredir *vtd (violar)* to transgress, to trespass, to violate, to break

transgressão *sf* transgression, violation

transgressor *sm,f* transgressor, trespasser, violator

transição *sf* transition

transigir *vti* to comply with, to condescend in

▸ *vi* to compromise, to acquiesce

transitar *vtd-vti* to pass over/through/across, to travel *(through)*

transitivo *adj* GRAM transitive

trânsito *sm* **1** *(passagem, afluência)* transit, flow **2** *(tráfego)* traffic

• **estar em trânsito por um lugar** to be in transit

• **regulamentação do trânsito** traffic regulations

• **ter bom trânsito em algum lugar** to be well-related

transitório *adj* transitory

translúcido *adj* translucent, semitransparent

transmissão *sf* **1** transmission **2** *(rádio, TV)* broadcasting **3** COM sending

transmissor *adj* transmitting: ***mosquito transmissor de doença*** mosquito transmitting the disease; ***aparelho transmissor*** transmitting device

▸ *sm* **transmissor** transmitter, sender

transmitir *vtd-vtdi* **1** to send **2** *(calor, som)* to transmit **3** *(doença)* to carry **4** *(cargo, propriedade)* to hand over **5** to pass, to convey: ***essas tradições foram transmitidas de pai para filho*** these traditions have been passed on from father to son **6** *(comunicar)* to pass over/on, to convey: ***transmitir os conhecimentos aos alunos*** to pass knowledge over to the students; ***transmita-lhe minhas palavras*** pass my words on to him

transparecer *vti* to show, to appear

transparência *sf* transparency

transparente *adj* transparent

transpassar *vtd* **1** *(furar, perfurar)* to pierce **2** *(passar através de)* to transfix, to pierce through **3** *(passar além de)* to go over, to go beyond **4** to overlap: ***transpassar uma saia*** to overlap a skirt

transpiração *sf* sweat, perspiration

transpirar *vi* **1** to perspire, to sweat **2** *fig* to leak *(out)*, to transpire: ***a notícia transpirou*** the news has leaked out

▸ *vtd fig* to exhale: ***transpirar alegria*** to exhale joy

transplantar *vtd* **1** to transplant **2** MED to transplant

transplante *sm* **1** transplantation **2** MED transplant

transpor *vtd* **1** *(passar além)* to pass through, to cross over **2** *fig (superar)* to overcome **3** *(alterar ordem de colocação)* to jump over **4** MÚS to transpose

transportadora *sf* shipping company

transportar *vtd-vtdi* to transport, to ship, to carry

transporte *sm* **1** transportation **2** *(condução)* transport

transtornar *vtd* 1 *(incomodar)* to disturb 2 *(perturbar, abalar)* to upset

transtorno *sm* 1 *(incômodo, contratempo)* disturbance, inconvenience 2 *(perturbação, abalo)* upset 3 PSIC disorder

transversal *adj* transversal
▸ *sf (rua)* cross street

transversalmente *adv* obliquely

transverso *adj* transverse

transviado *adj* 1 *(perdido)* lost 2 *fig* misguided: ***juventude transviada*** misguided youth

transviar *vtd* 1 *(perder)* to lead astray 2 *fig* to misguide, to pervert

trapaça *sf* cheat, swindle, fraud

trapacear *vtd* to cheat, to swindle

trapaceiro *sm,f* cheater, swindler

trapalhada *sf (confusão)* mess, imbroglio

trapalhão *adj-sm,f (confuso)* clumsy, awkward, goofy, a clumsy or awkward person, a person who always gets himself or herself in trouble

trapézio *sm* 1 GEOM trapezoid 2 *(no circo)* trapeze
▸ *adj-sm* ANAT *(músculo)* trapezium

trapezista *smf* trapeze acrobat

trapo *sm* rag, shred
• **estar um trapo** to be in shreds, to be completely worn out

traqueia *sf* ANAT trachea

traquejado *adj (experiente)* experienced, skilled

traquejo *sm* experience, skill

traquinas *adj* naughty
▸ *smf* a naughty child

trás *prep, adv* back, behind, after: ***um rasgo na parte de trás da meia*** a tear on the back of the sock
• **deixar para trás** to leave behind
• **estar por trás de algo** to be behind something
• **ficar para trás** to be left behind
• **para trás!** back up!

traseira *sf* rear, hind part

traseiro *adj* back, rear, hind
▸ *sm* **traseiro** behind, bottom, buttocks

traste *sm* 1 *(cacareco)* cheap or old household article 2 *(indivíduo imprestável)* worthless person

tratado *sm* 1 *(obra)* treatise 2 *(acordo)* treaty, pact

tratamento *sm* 1 MED treatment 2 treatment: ***tratamento cordial*** friendly treatment
• **forma de tratamento** form of address
• **tratamento de canal** root canal treatment
• **tratamento de choque** *fig* shock therapy/treatment

tratante *adj-smf* crooked, swindler

tratar *vti* 1 *(versar sobre)* to be about, to discuss 2 *(lidar)* to deal with 3 *(nutrir, cuidar)* to care for 4 *(começar a fazer)* to see that, to arrange: ***trate de comer*** see that you eat; ***ele chegou, tratei de sair*** he arrived, I arranged to leave
▸ *vtdi (ajustar, acertar)* to agree on: ***tratei com o pedreiro o preço da obra*** I've agreed on the price of the job with the builder
▸ *vtd* 1 *(dispensar tratamento)* to treat: ***trate bem crianças e animais*** treat children and animals well 2 *(versar sobre)* to be about, to discuss 3 *(doente)* to treat, to care for
▸ *vpred* to call: ***ela me tratou de covarde*** she called me a coward
▸ *vpr* **tratar-se** 1 *(consistir)* to be: ***trata-se de material delicado*** it's a fragile material 2 *(cuidar de si)* to get/have treatment for: ***tratar-se de uma doença*** to have treatment for an illness
• **tratar alguém por "tu"** to be on familiar terms with, to be informal with someone
• **tratar bem/mal alguém** *(com/sem cortesia)* to treat someone well/badly, *(sem/com brutalidade)* to treat someone without/with violence
• **trate de sua vida!** mind your own business!

tratativa *sf* negotiations, agreements, deals

trato *sm* 1 *(acordo)* deal, agreement 2 ANAT tract
• **dar tratos à bola** to rack one's brains
• **de fino trato** well-bred

• **uma pessoa de trato difícil** a difficult person

trator *sm* tractor

tratorista *smf* tractor driver

trauma *sm* **1** MED (*traumatismo*) traumatism **2** PSIC trauma

traumático *adj* traumatic

traumatismo *sm* MED traumatism, trauma

traumatizar *vtd* MED, PSIC to traumatize

trava *sf* lock, fastening
• **trava de direção** steering lock
• **trava de segurança** safety lock

travar *vtd* **1** (*impedir movimento*) to hinder, to impede **2** (*guerra*) to wage, to join in **3** (*conversa*) to engage in **4** (*amizade*) to make: ***travei amizade com um médico*** I made friends with a doctor **5** (*obstruir*) to block **6** to have an adstringent taste, to produce a rough and dry sensation in the mouth: ***fruta verde trava a boca*** unripe fruit tastes adstringent in one's mouth
▸ *vi* **1** to lock: ***a direção do carro travou*** the steering-wheel has locked **2** (*computador*) freeze, crash down: ***o computador travou*** the computer has frozen **3** to go rough and dry as a result of chewing an adstringent substance: ***com o caqui verde, minha boca travou*** eating an unripe kaki left my mouth feeling rough and dry

trave *sf* **1** (*viga*) beam **2** ESPORTE *sf* goal post

travessa *sf* **1** (*madeira de través*) beam board **2** (*rua*) bystreet, crossroad, alley **3** (*prato*) platter, serving dish

travessão *sm* **1** GRAM dash **2** ESPORTE crossbar

travesseiro *sm* pillow

travessia *sf* crossing, voyage

travesso *adj-sm,f* naughty

travessura *sf* **1** trick **2** naughtiness

travesti *sm* transvestite

trazer *vtd-vtdi* **1** to bring: ***quando vier, traga as crianças*** when you come back, bring the kids **2** to bring: ***você me trouxe os documentos?*** have you brought the documents? **3** to bring: ***traga o carro até aqui*** bring the car over here **4** (*conduzir*) to bring along: ***ela sempre trazia o filho consigo*** she always brought her son along; ***chegou trazendo o cão pela coleira*** she's brought the dog along on its leash **5** to bring, to drive, to go along with: ***ele me trouxe de carro até a porta*** he's driven me to my door **6** (*carregar*) to carry: ***o que você traz aí na bolsa?*** what are you carrying in your bag? **7** (*acarretar, causar*) to bring about

trecho *sm* **1** (*literário ou musical*) excerpt, passage, part **2** (*espaço*) space, distance

treco *sm* **1** (*coisa*) stuff, thing **2** (*ataque*) attack **3** (*mal-estar*) indisposition

trégua *sf* **1** MIL truce **2** (*descanso*) break

treinador *sm,f* **1** ESPORTE coach **2** (*de animais*) trainer

treinamento *sm* **1** (*profissional etc.*) training **2** (*esportivo*) coaching, training **3** (*de animais*) training

treinar *vtd* **1** to train **2** ESPORTE to coach **3** (*animais*) to train
▸ *vi* **1** (*praticar, pegar prática*) to practice **2** ESPORTE to practice, to train, to coach

treino *sm* **1** training **2** (*prática, experiência*) practice **3** ESPORTE training

trela *sf* (*de cão*) dog leash
• **dar trela a alguém** (*dar confiança/conversa*) to encourage familiarity, (*dar liberdade*) to give liberty

trem *sm* **1** train **2** (*objeto*) stuff, thing **3** (*traste*) trash, junk
• **trem de alta velocidade** high-speed train
• **trem de aterrissagem** landing gear
• **trem de carga** freight train
• **trem de passageiros** passenger train

trem-bala *sm* high-speed rail

tremedeira *sf* trembling, jitters

tremendo *adj* **1** (*horripilante*) terrible, frightful **2** (*respeitável*) formidable **3** (*grande, impressionante*) tremendous, amazing

tremer *vi* **1** to shake, to tremble, to shiver **2** (*trepidar, vibrar*) to vibrate **3** (*terra*) to quake
• **tremer de frio/de medo** to shiver with cold/to tremble with fear

tremoço *sm* CUL lupine seed

tremor *sm* shaking, quivering, shivering

■ **tremor de terra** earthquake

tremular *vi* **1** *(agitar-se ao vento)* to flutter **2** *(cintilar)* to glimmer

trena *sf (fita métrica)* tape measure

trenó *sm* sledge, sleigh

trepadeira *sf* BOT climber, runner, creeper

trepar *vti* **1** to climb *(on)* **2** *fig (fazer sexo)* to have sex *(with)*

trepidação *sf* vibration

trepidar *vi* to vibrate

três-quartos *adj* three quarters

trevas *sf pl* darkness

trevo *sm* **1** BOT clover **2** *(complexo viário)* interchange

• **trevo de quatro folhas** four-leaf clover

treze *num-sm* thirteen

triagem *sf* selection

• **fazer triagem** to select

triangular *adj* triangular

triângulo *sm* triangle

■ **triângulo equilátero** equilateral triangle

■ **triângulo retângulo** right-angled triangle

tribo *sf* tribe

tribuna *sf* **1** tribune **2** *(palanque)* tribune, pulpit **3** *(arquibancada)* stand

tribunal *sm* DIR court

■ **tribunal de contas** National Audit Office

■ **tribunal de recursos** court of appeals

■ **tribunal do júri** jury court, jury trial

■ **tribunal eleitoral** electoral judicial office/commission

tributar *vtd* ECON to tax

tributo *sm* **1** *(imposto)* tax **2** *(homenagem)* tribute: ***prestar tributo a alguém*** to pay tribute to someone

triciclo *sm* trycicle

tricô *sm* knitting

• **blusa de tricô** knitted sweater

• **fazer tricô** to knit

tricolor *adj* three-coloured

tridente *sm* trident

tridimensional *adj* three-dimensional

trigêmeo *adj-sm (irmãos)* triplet

▸ *adj-sm* ANAT trifacial, trigeminal

trigésimo *num* thirtieth

trigo *sm* BOT wheat

trilha *sf* **1** *(caminho)* track **2** *(rastro)* trail

■ **trilha sonora** soundtrack

trilhar *vtd* **1** *(percorrer)* to tread, to follow **2** *fig (guiar-se por)* to follow the path of

trilho *sm (de trem etc.)* rail

• **andar nos trilhos** *fig* to behave well

• **sair dos trilhos** *fig* to come off the rails

trimestral *adj* quarterly

trimestre *sm* quarter

trinca *sf* **1** *(rachadura)* crack **2** *(três coisas)* set of three

trincado *adj* cracked: ***copo trincado*** a cracked glass

trincar *vtd (cortar com os dentes)* to bite

▸ *vi (fender-se)* to crack

trinchar *vtd (carne etc.)* to carve

trincheira *sf* MIL trench

trinco *sm* **1** *(tranca de fechadura)* latch, lock **2** *(tipo de fechadura)* spring lock

trinta *num* thirty

trio *sm* set of three

tripa *sf* **1** CUL tripe **2** *(intestino)* gut, intestine

• **fazer das tripas coração** to turn weakness into strength

tripé *sm* tripod

triplicar *vtd* to triplicate

▸ *vpr* **triplicar-se** to triple

triplo *adj* triple

tripulação *sf* **1** *(de navio, de avião)* crew

tripulante *smf* **1** *(de navio)* crew member **2** *(de avião)* crew member

triste *adj* **1** *(melancólico)* sad, unhappy **2** *(soturno)* sad, glum **3** *(lastimável)* wretched **4** *fam (desagradável, ruim etc.)* bad, unpleasant, annoying

tristeza *sf* sadness, unhappiness

tristonho *adj* sorrowful, dejected

triturar *vtd* to grind, to crush, to pound

triunfal *adj* triumphal

triunfo *sm* triumph

trivial *adj* commonplace, trivial, petty ▸ *sm* CUL plain everyday home-cooked dishes

triz *sm loc* **por um triz** by the skin of one's teeth, very nearly: ***passei por um triz*** I've passed the examination by the skin of my teeth; ***por um triz não caiu em cima dele*** it very nearly fell on top of him

troca *sf* **1** *(substituição)* substitution **2** *(confusão)* mistake, misunderstanding **3** *(permuta)* trade **4** exchange: ***troca de votos, cumprimentos***; ***troca de gentilezas*** exchange of vows, greetings; exchange of courtesies

• **em troca (de algo)** in exchange *(for something)*

• **troca de turno** change of crew/shift

trocado *sm (dinheiro miúdo)* small change ▸ *pl* **trocados** *(algum dinheiro)* some change: ***tem uns trocados para me emprestar?*** have you got some change I can borrow?

trocador *sm (cobrador)* fare collector

trocar *vtdi* **1** *(substituir)* to replace: ***ele trocou o prato verde pelo amarelo*** he replaced the green plate by the yellow one **2** *(permutar)* to swap, to exchange: ***ele trocou a bicicleta por um rádio*** he swapped the bicycle for a radio set; ***trocar euros por libras esterlinas*** to exchange euros for pounds sterling **3** *(preferir)* to exchange: ***não troco este emprego por nenhum outro*** I wouldn't exchange this job for any other one ▸ *vtd* **1** *(mudar)* to change: ***trocar as fraldas de um bebê*** to change the baby's napkins **2** *(confundir)* to mix up **3** *(olhares)* to exchange **4** *(palavras)* to exchange **5** *(presentes)* to exchange, to swap **6** *(dinheiro)* to change: ***troca cem euros?*** can you change a hundred-euro note? ▸ *vti* **1** to change: ***trocar de roupa*** to change clothes **2** to change: ***trocar de carro*** to change the car **3** to swap: ***vamos trocar de lugar?*** let's swap places? ▸ *vpr* **trocar-se** *(trocar de roupa)* to change

troco *sm* change: ***dei trinta, recebi dez de troco*** I gave thirty and got ten back as change

• **a troco de algo** at the cost of something

• **dar o troco** to pay back

• **receber o troco** to be paid back

troço *sm (excremento)* excrement

troço *sm (coisa)* thing, stuff

troféu *sm* trophy

trólebus *sm inv* trolley bus

tromba *sf* **1** ZOOL trunk **2** MÚS horn

• **estar/ficar de tromba** to make/pull a long face

• **fazer tromba** to pout

trombada *sf* **1** *(qualquer colisão)* collision, bump **2** *(de carros)* crash

tromba-d'água (*pl* **trombas-d'água**) *sf* heavy shower, waterspout

trombadinha *smf* mugger

trombar *vti-vi (colidir)* to bump into

trombeta *sf* **1** MÚS trumpet **2** *fig* horn

trombone *sm* MÚS trombone

trombose *sf* MED thrombosis

trompa *sf* MÚS French horn

trompete *sm* MÚS trumpet

tronco *sm* **1** BOT trunk **2** ANAT trunk

trono *sm* **1** throne **2** *(vaso sanitário)* toilet bowl

tropa *sf* **1** MIL troops **2** *(multidão)* crowd, pack

tropeção *sm* **1** stumble **2** *fig (equívoco)* mistake

tropeçar *vti* **1** to stumble *(on)* **2** *fig* to bump *(into)* ▸ *vi fig (errar, hesitar)* to err, to blunder

tropeço *sm fig (obstáculo)* false step, mistake

tropel *sm* **1** *(barulho de pés ou patas)* stamping **2** *(balbúrdia)* confusion, uproar

tropical *adj* tropical

trópico *sm* tropics

trote *sm* **1** *(passo da cavalgadura)* trot **2** *(ao telefone)* prank, practical joke played with someone on the phone: ***passar um trote*** to play a practical joke on the phone **3** *(com calouros)* pranks played as part of the reception given to new university students, hazing *(AmE)*: ***dia do trote*** hazing day

trouxa *sf (embrulho de roupa)* bundle

▸ *adj* fool, sucker

trovão *sm* thunder

trovejar *vi* to thunder

trovoada *sf* **1** thunderstorm **2** thunder

trucidar *vtd* to slaughter

truco *sm (jogo)* kind of card game

trufa *sf* **1** BOT truffle **2** CUL *(de chocolate)* chocolate truffle

truncar *vtd* **1** *(mutilar)* to cut off **2** *(cortar)* to mutilate: ***truncar um texto*** to mutilate a text

trunfo *sm* **1** trump **2** *fig* big shot

trupe *sf* TEATRO troupe

truque *sm* **1** *(mágica)* trick **2** *(ardil)* catch

truta *sf* ZOOL trout

tu *pron pes* **1** you **2** you: ***ele é maior que tu*** he's bigger than you

tuba *sf* **1** ANAT tube: ***tuba uterina*** Fallopian tube; ***tuba auditiva*** Eustachian tube **2** MÚS tuba, bass horn

tubarão *sm* **1** ZOOL shark **2** *fig* profiteer

tuberculose *sf* MED tuberculosis

tuberculoso *adj* tuberculous

tubo *sm* **1** pipe, duct **2** *(de TV)* tube
▪ **tubo de ensaio** test tube
• **gastar/ganhar os tubos** to spend/earn a lot of money

tubulação *sf* **1** *(conjunto de tubos)* tubing **2** *(sistema de tubos)* pipe system

tucano *sm* ZOOL toucan

tudo *pron* all, everything
• **tudo bem** *(está certo, concordo)* all right
• **tudo bem?** *(você está bem?)* are you all right?, *(você concorda?)* do you agree?

tufão *sm* typhoon

tufo *sm (de pelos, capim etc.)* tuft, bunch, cluster

tule *sm* tule

tulipa *sf* BOT tulip

tumor *sm* MED tumor
• **tumor benigno** non-malignant tumor
• **tumor maligno** malignant tumor

túmulo *sm* grave, tomb

tumulto *sm* tumult, turmoil, uproar

tumultuar *vtd* **1** *(amotinar)* to stir up **2** *(desarrumar)* to agitate **3** *(perturbar)* to disturb

túnel *sm* tunnel
• **ver/não ver luz no fim do túnel** *fig* to see/not to see a light at the end of the tunnel

túnica *sf* tunic

turbante *sm* turban

turbilhão *sm* **1** whirlwind **2** *fig (agitação, confusão)* great disturbance, turmoil

turbina *sf* turbine
• **aquecer as turbinas** *fig* to warm up

turbinado *adj* **1** *(carro)* turbocharged **2** *fig* high on drugs or drink: ***hoje ele está turbinado*** he's high today

turbulência *sf* **1** *(agitação, tumulto)* commotion, disturbance **2** AERON turbulence

turco *adj-sm,f* Turkish
▸ *sm* **turco** Turkish

turfe *sm* turf, horse-racing

turismo *sm* tourism, touring
• **turismo rural** rural tourism

turista *smf* tourist

turístico *adj* tourist, touristic

turma *sf* **1** *(grupo)* group, crew **2** *(classe escolar)* class **3** *(grupo de amigos)* group of friends **4** *(turno)* shift

turnê *sf* tour

turno *sm* **1** *(hora, vez)* turn **2** *(turma de trabalho)* crew **3** *(período de trabalho)* shift: ***turno da noite*** nightshift **4** ESPORTE one of the parts of a championship
• **primeiro turno** *(eleições)* first round
• **segundo turno** *(eleições)* second round

turquesa *sf* MIN turquoise
▸ *adj* turquoise: ***vestido turquesa*** turquoise dress

Turquia *sf* Turkey

turrão *adj (teimoso)* stubborn

turvar *vtd* **1** *(tornar opaco)* to muddy **2** *(embaçar os olhos)* to blur **3** *(nublar)* to cloud **4** *fig (anuviar)* to cloud

turvo *adj* **1** *(opaco, líquido)* muddy **2** *(nublado)* cloudy **3** *fig (sombrio)* dark, gloomy

tutano *sm* **1** *(medula)* marrow **2** *fig (inteligência)* brains

tutela *sf* tutorship, custody

tutelar *vtd* **1** to tutor **2** *fig (proteger)* to protect
▸ *adj* **tutelar** tutelar, tutorial, guardian

tutor *sm,f* tutor

tutu *sm* **1** *(papão)* bogeyman **2** CUL Brazilian dish of beans with manioc flour, pork chops, fried egg and kale **3** *(dinheiro)* dough

U

uísque *sm* whisky

uivar *vi* **1** *(animais)* to howl **2** *(humanos)* to yell, to shout

uivo *sm* howl, howling

úlcera *sf* MED *(ferida)* ulcer
• **úlcera gástrica** gastric ulcer

ulna *sf* ANAT ulna

ulterior *adj (posterior)* later, further

ultimamente *adv (recentemente)* lately, recently

última *sf* **1** latest: ***sabe da última?*** have you heard the latest? **2** last thing, latest thing: ***a última do meu pai foi casar de novo*** my father's latest thing was to get married again
▸ *pl* **últimas: *estar nas últimas*** to be dying

ultimato *sm* ultimatum

último *adj* **1** last: ***no último momento, ele decidiu partir*** at the last moment he decided to leave **2** *(mais recente)* latest: ***a última moda*** the latest fashion **3** *(supremo)* supreme, utmost, ultimate: ***o último grau de felicidade*** the utmost degree of happiness **4** *(definitivo)* final, last: ***a última palavra*** the final word **5** *(insignificante)* least, least important: ***os últimos detalhes*** the least important details
▸ *sm,f* **1** *(vil, desprestigiado)* least: ***ele é o último dos homens*** he's the least of all men **2** younger one: ***ela teve dois filhos; nunca vi o último*** she had two sons, I've never seen the younger one **3** last: ***eu era o último da fila*** I was the last in the queue **4** latter: ***lá estavam João e Antônio; o último, de camisa azul*** there were João and Antônio; the latter was wearing a blue shirt
• **os últimos serão os primeiros** the last shall be the first

ultrajar *vtd* to outrage, to affront, to insult

ultraje *sm* outrage, affront, insult

ultrapassado *adj* **1** overcome: ***dificuldades ultrapassadas*** overcome difficulties **2** *(obsoleto)* obsolete: ***máquinas ultrapassadas*** obsolete machines **3** outdated, old-fashioned: ***ideias ultrapassadas*** outdated ideas; ***um político ultrapassado*** an outdated politician

ultrapassagem *sf* overtaking
• **fazer uma ultrapassagem proibida** to overtake illegally

ultrapassar *vtd* **1** *(exceder)* to exceed: ***ultrapassar a marca dos 50 km/hora*** to exceed 50 kilometres an hour; ***a água não pode ultrapassar este nível*** the water cannot exceed this level **2** *fig* to go beyond: ***você ultrapassou todos os limites*** you've gone beyond all limits **3** *fig* to surpass: ***ele ultrapassa o irmão em talento*** he surpasses his brother in talent **4** *(transpor)* to cross: ***ultrapassar as fronteiras*** to cross the borders **5** to overtake: ***o ônibus me ultrapassou pela direita*** the bus overtook me on the right
• **proibido ultrapassar pelo acostamento** do not overtake on the hard shoulder

ultrassonografia (*pl* **ultrassonografias**) *sf* MED ultrasound

um *num* one: ***comprei três blusas: duas para você e uma para mim*** I've bought three blouses: two for you and one for me; ***na mesa há um prato e dois talheres*** there is one plate and two pieces of cuttlery on the table

▸ *art indef* 1 a, an: ***li um artigo dele no jornal*** I've read an article of his on the paper; ***procure um bom médico*** look for a good doctor 2 *(todo)* one, anyone: ***uma pessoa que aceite isso só pode ser muito crédula*** one who accepts this can only be very credulous 3 *(algum)* a few, some, one: ***trocamos umas palavras e nos despedimos*** we exchanged a few words and said goodbye; ***tenho uns trocados aqui no bolso*** I've got some change here in my pocket; ***um dia desses a gente vai jantar em sua casa*** one of these days we'll have dinner at your place

▸ *pl* **uns** 1 *(alguns)* a few, some: ***pagam umas centenas de reais por mês*** they pay a few hundred reals a month 2 *(cerca)* about: ***custará uns 200 reais*** it'll cost about 200 reals; ***tem uns quarenta anos*** he's about forty; ***havia umas trezentas pessoas*** there were about three hundred people

• **almoço à uma** lunch at one o'clock

• **tomar umas e outras** to have a few drinks

umbigo *sm* ANAT navel, belly-button

umbral *sm* threshold

umedecer *vtd* to moisten, to dampen

▸ *vpr* **umedecer-se** to become moist

úmero *sm* ANAT humerus

umidade *sf* humidity, moisture, dampness, wetness

• **umidade relativa do ar** relative humidity of the air

úmido *adj* humid, moist, damp

unânime *adj* unanimous

unanimemente *adv* unanimously

unanimidade *sf* unanimity

• **aceito por unanimidade** unanimously accepted

unguento *sm* 1 *(essência)* ointment 2 MED ointment, unguent

unha *sf* ANAT nail, fingernail

• **com unhas e dentes** *fig* tooth and nail

• **fazer algo à/na unha** *fig* to do something with one's bare hands

• **fazer as unhas** to do one's nails

• **ser unha e carne com alguém** *fig* to be hand and glove with someone

união *sf* 1 *(junção, contato)* junction, join, joining, joint: ***união de dois canos*** the joint of two pipes; ***união de duas tábuas*** the joint of two wooden boards 2 *(combinação)* combination, union: ***união da vontade com a necessidade*** a combination of will and need 3 *(aliança)* alliance, union: ***união de dois países*** an alliance between two countries 4 *(concórdia, solidariedade)* union: ***união de uma família*** family union 5 *(casamento, convivência)* marriage, union 6 *(núpcias)* wedding

• **a união faz a força** union is strength

• **União** *(governo federal)* Union, Federal Government

• **União dos Emirados Árabes** United Arab Emirates

• **união estável** stable non-formalized relationship recognized by law, common-law marriage

• **União Soviética** Soviet Union

único *adj* 1 *(só)* only: ***sobrou um único ingresso*** there's only one ticket left 2 *(um)* single: ***documento em cópia única*** a single-copy document 3 *(sem igual)* unique, one-of-a-kind: ***esse móvel é único, você não encontrará similar*** this piece of furniture is unique, you won't find anything similar; ***um fato único na história*** a unique fact in History

• **filho único** only child

• **você é o único que sabe disso** you're the only one who knows it

unidade *sf* 1 unity, unison: ***unidade de opiniões*** unity of opinions 2 *(união)* unity: ***a unidade da Nação assim exige*** the unity of the Nation thus requires 3 *(o número um)* unity 4 *(peça, artigo, item, elemento)* unit: ***de todos os apartamentos do prédio foram vendidas só três unidades*** of all the flats in the building, only three units have been sold 5 MIL unit

• **unidade de medida** measurement unit

• **unidade de terapia intensiva** intensive care unit

unido *adj* 1 *(juntado)* joined, combined, made into one 2 *(em contato)* contiguous, conjoined 3 *(junto)* united 4 *(solidário, amigo)* united: ***é uma família muito unida*** it's a very united family

unificação *sf* unification

unificar 1 *(tornar único, unir)* to unite, to join: ***unificar dois fios*** to join two wires 2 *(uniformizar, fazer convergir)* to unify
▸ *vpr* **unificar-se** to become unified, to become united

uniforme *adj* even: ***chão uniforme*** even floor; ***cerca uniforme*** even fence; ***temperamento uniforme*** even temperament
▸ *sm* **uniforme** uniform: ***uniforme de escola*** school uniform; ***uniforme de trabalho*** work uniform

uniformidade *sf (regularidade)* uniformity, regularity, evenness

uniformizar *vtd* 1 *(tornar uniforme)* to make uniform, to even *(out)* 2 *(fazer vestir uniforme)* to clothe or supply with a uniform

unilateral *adj* 1 unilateral, one-sided 2 half: ***irmão unilateral*** half-brother 3 unilateral: ***a decisão do país vizinho foi unilateral*** the decision taken by the neighboring country was unilateral

unir *vtd-vtdi* 1 *(unificar)* to unify, to join: ***os dois povoados foram unidos à cidade principal*** the two villages were joined to the main city 2 *(pregar, aderir)* to adhere, to join, to glue: ***a cola uniu os dois cacos do prato*** the glue joined the two broken pieces of the plate; ***una este pedaço de papel àquele*** glue this piece of paper to that one 3 *(juntar)* to join *(together)*: ***os dois azulejos não foram bem unidos*** the two tiles haven't been joined together very well 4 *(ligar)* to connect, to link: ***o corredor une a sala aos quartos*** the corridor connects the living room to the bedrooms 5 *(conciliar, solidarizar)* to unite: ***o inimigo comum uniu os antigos adversários*** the common enemy has united the former opponents; ***a tragédia uniu a família*** the tragedy has united the family 6 *(ligar pelo casamento)* to connect, to link 7 *(conciliar)* to harmonize
▸ *vpr* **unir-se** 1 *(unificar-se)* to unify 2 *(aderir, pregar-se)* to adhere 3 *(juntar-se)* to connect to, ally oneself with 4 *(aproximar-se)* to come together with 5 *(solidarizar-se, conciliar-se)* to unite 6 *(casar-se)* to join in marriage
• **unir forças** to unite forces
• **unir o útil ao agradável** to join profit to pleasure

unissono *adj* 1 unisonous 2 *fig* unisonous, unanimous
• **em uníssono** *(em acordo perfeito)* in unison, in perfect agreement

unitário *adj* unitary

universal *adj* universal

universidade *sf* university

universitário *adj* academic, scholastic, of or pertaining to a university
▸ *sm,f* university student

universo *sm* 1 universe 2 *fig (todo)* whole 3 *fig (mundo)* world: ***universo cinematográfico*** the world of cinema

uno *adj* 1 *(singular)* one, sole single 2 *(indivisível)* one 3 *(unido)* united

untar *vtd* 1 *(de óleo)* to anoint 2 *(de manteiga)* to grease

urânio *sm* QUÍM uranium

urbanismo *sm* urbanism, urban design, city/town planning

urbano *adj* 1 urban: ***centro urbano*** urban center 2 *(citadino)* city 3 *(cortês)* polite, urbane

urdir *vtd* 1 to warp 2 *fig* to plot, to scheme, to intrigue

uretra *sf* ANAT urethra

urgência *sf* 1 urgency, haste, pressing want 2 MED emergency

urgente *adj* 1 urgent, pressing 2 MED urgent

urgir *vi* 1 to press: ***o tempo urge*** time is pressing 2 to be urgent: ***urge tomar providências*** it's urgent to make the right arrangements

urina *sf* urine

urinar *vi* to urinate

urinol *sm* chamber-pot, urinal

urna *sf* 1 *(funerária)* urn 2 *(para sorteios, votos etc.)* ballot-box
▸ *pl* **urnas** the elections: ***vencer nas urnas*** to win the elections
■ **urna eletrônica** electronic voting machine

urrar *vi* to roar, to bellow

urro *sm* roar, bellow, howl

urso *sm,f* male/female bear

urticária *sf* MED urticaria

urtiga *sf* BOT nettle

urubu *sm* ZOOL a South American vulture

Uruguai *sm* Uruguay

uruguaio *adj-sm,f* Uruguayan

usado *adj* **1** *(usual)* common, used: ***uma palavra muito usada*** a very common word; ***a tática usada por um exército*** the tactics used by an army; ***a cor mais usada neste inverno*** the most common color in this winter season **2** *(não novo)* second-hand, used: ***carro usado*** second-hand car; ***loja de roupas usadas*** second-hand clothes shop **3** *(desgastado)* worn *(out)*

usar *vtd* **1** *(servir-se de)* to use: ***usar a tesoura com destreza*** to use the scissors skillfully; ***você usa vinho no tempero?*** do you use wine in dressings? **2** *(empregar)* to employ, to use: ***usar uma palavra em vez de outra*** to employ a word instead of another; ***usou o dinheiro para comprar uma casa*** he's used the money to buy a house **3** *(tirar proveito)* to use: ***está zangado porque acha que foi usado*** he's annoyed because he thinks he has been used **4** *(consumir)* to use *(up)*: ***que combustível esse carro usa?*** what kind of fuel does this car use? **5** to wear, to have: ***usar óculos*** to wear glasses; ***usar cabelos curtos*** to have short hair; ***ela usava um vestido azul*** she was wearing a blue dress; ***ela não usa saltos altos*** she doesn't wear high heels

usina *sf* **1** mill: ***usina siderúrgica*** steel mill **2** plant: ***usina hidrelétrica*** hydroelectric power plant; ***usina nuclear*** nuclear plant **3** *(engenho)* sugar mill

uso *sm* **1** *(emprego, utilização)* application, usage, use **2** custom: ***era uso fazer sacrifício aos deuses*** it was a custom to sacrifice to the gods **3** *(utilidade)* use: ***um utensílio com diversos usos*** a utensil with many uses

• **fazer bom/mau uso de algo** to make good/bad use of something

• **fazer uso de algo** to make use of something

• **fora de uso** out of use

• **pôr em uso** to put to use

• **sair de uso** to go out of use

• **ter muito uso** to be of great use

• **usos e costumes** custom, custom and usage

usual *adj* usual

usuário *sm,f* user

usufruir *vtd-vti* **1** *(ter usufruto)* to enjoy the fruits of **2** *(fruir, desfrutar)* to enjoy

usurpar *vtd* to usurp, to appropriate unlawfully

utensílio *sm* utensil

útero *sm* ANAT uterus, womb

UTI *sf* MED intensive care unit

útil *adj* **1** useful: ***ferramentas úteis*** useful tools **2** helpful: ***depois que ele deixou de ser útil, foi mandado embora*** after he stopped being helpful, he was dismissed **3** *(dia)* work: ***os dias úteis*** workdays

▸ *sm* utility, that which is useful

• **em que posso ser útil?** what can I do to help? can I be of any help?

• **unir o útil ao agradável** to join business with pleasure

utilidade *sf* **1** utility, usefulness: ***reconheço a utilidade dessas medidas*** I recognize the usefulness of these measures **2** *(uso)* use: ***uma vasilha com várias utilidades*** a vessel with several uses **3** *(proveito, vantagem)* advantage, use: ***qual é a utilidade da pena de morte?*** what's the use of the death penalty?; ***que utilidade tem essa viagem agora?*** what's the use of this trip now?

• **de utilidade pública** public utility

• **utilidades domésticas** household ware

utilitário *adj* utilitarian

▸ *sm* **utilitário** *(auto)* utility vehicle

utilização *sf* use, utilization

utilizar *vtd* to use, to employ, to put to use

utopia *sf* utopia

uva *sf* BOT grape

▪ **uva moscatel** muscatel grape

uva-passa (*pl* **uvas-passas**) *sf* raisin

úvula *sf* ANAT uvula

V

vaca *sf* 1 ZOOL cow 2 *fig pejor* bitch, cow
• **a vaca foi pro brejo** things took a turn for the worse
• **vaca louca** mad cow disease

vacilante *adj* 1 *(cambaleante)* wobbling, tipsy 2 *(oscilante)* oscillating 3 *(instável)* unstable 4 *(hesitante)* hesitating

vacilar *vi* 1 *(balançar)* to fluctuate 2 *(cambalear)* to wobble 3 *(tremer, oscilar)* to oscillate 4 *(perder a força)* to lose heart 5 *(hesitar)* to hesitate: ***cometeu o crime sem vacilar*** he commited the crime without hesitating

vacina *sf* vaccine
▪ **vacina antitetânica** tetanus vaccination
▪ **vacina tríplice** MMR vaccine *(measles, mumps and German measles)*

vacinação *sf* vaccination, innoculation

vacinar *vtd* to vaccinate
▸ *vpr* **vacinar-se** to be vaccinated

vácuo *sm* vaccuum, void
• **a vácuo** airtight

vadiar *vi* to idle, to loiter, to do nothing

vadio *adj-sm,f* loafing, idle, loafer, vagabond, vagrant

vaga *sf* 1 *(posto de trabalho)* vacancy 2 *(lugar para carro)* parking space 3 *(lugar em escola)* place 4 *(onda)* wave 5 *(onda de pessoas, animais etc.)* wave
• **não há vagas** *(de trabalho)* no vacancy, *(de carro etc.)* no parking space

vagabundo *adj-sm,f* 1 *(que leva vida errante)* vagrant 2 *(vadio)* vagabond 3 *(malandro, canalha)* scoundrel
▸ *adj* cheap, poor quality: ***um produto vagabundo*** a cheap item

vaga-lume (*pl* **vaga-lumes**) *sm* ZOOL firefly

vagão *sm* railway wagon, coach, carriage

vagar *vi* 1 *(ficar vago)* to become vacant: ***o cargo vagou*** the post has become vacant 2 *(perambular)* to wander, to roam, to drift
▸ *sm* slowness, deliberateness, care: ***fazer algo com vagar*** to do something with care

vagaroso *adj* 1 *(lento)* slow 2 *(sem pressa)* sluggish

vagem *sf* 1 BOT pod 2 CUL green beans

vagina *sf* ANAT vagina

vago *adj* 1 *(não preenchido)* vacant: ***posto vago*** vacant position 2 *(sem ocupante)* unoccupied: ***apartamento vago*** unoccupied flat; ***um assento vago*** an unoccupied seat 3 *(indefinido, impreciso)* vague: ***ter uma ideia vaga sobre algo*** to have a vague idea of something; ***tenho uma vaga lembrança daquilo*** I have a vague recollection of that 4 spare: ***horas vagas*** spare time
▸ *sm* ANAT *(nervo)* vagus

vaia *sf* boo

vaiar *vtd* to boo: ***o cantor foi vaiado e saiu do palco*** the singer was booed and left the stage

vaidade *sf* vanity, self-conceit

vaidoso *adj* vain, conceited

vai não vai *sm* hesitation

vaivém *sm* 1 *(oscilação)* to-and-fro motion, fluctuation 2 coming and going: ***havia um vaivém infindável de pessoas na casa*** there was an endless coming and going of people in the house

vala *sf (escavação para águas)* ditch, trench

• **vala comum** common grave, potter's field

vale *sm* **1** GEOG valley **2** *(documento de adiantamento)* voucher **3** *(recibo provisório)* temporary receipt **4** *(documento-moeda)* IOU

• **vale postal** postal money order

valente *adj-smf* brave, corageous, bold, valiant or brave person

valentia *sf* **1** *(coragem)* courage, bravery **2** *(audácia)* boldness, audacity, daring

valer *vtd* **1** *(custar)* to be worth: ***este computador vale uma fortuna*** this computer is worth a fortune; ***quanto vale essa casa?*** how much is this house worth? **2** *(merecer)* to be worth: ***aquele ingrato não vale o seu sacrifício*** that ungrateful person is not worth your sacrifice

▸ *vti* **1** *(equivaler)* to be the equivalent of, to be valid for: ***um ingresso vale para dois espetáculos*** one ticket is valid for two shows; ***este lanche vale por um almoço*** this snack is equivalent to a meal **2** *(servir)* to serve, to be worth: ***de nada valeram nossos esforços*** our efforts served for nothing

▸ *vtdi (acarretar)* to cost: ***o crime lhe valeu dez anos de prisão*** the crime cost him ten years in prison

▸ *vi* **1** *(ter valor)* to count: ***amizade é coisa que vale muito*** friendship is something that counts a lot **2** *(ser válido)* to be valid: ***este documento não vale mais*** this document is no longer valid; ***esta moeda ainda vale?*** is this coin still valid? **3** *(ter utilidade, servir)* to be good, to be worth it, to count: ***valeu a intenção*** the thought counted; ***esse pretexto não valeu, invente outro*** this pretext was no good, make up another **4** to be worth: ***vale lutar até o fim*** it's worth fighting to the end

▸ *vpr* **valer-se de** to resort to: ***ele se valeu de um pau para defender-se*** he's resorted to a club to defend himself

• **assim não vale!** that's not fair!

• **valer-se de algo** *(aproveitar)* to take advantage of something, *(usar)* to make use of something

• **valeu!** cheers!, it's a deal!

• **valha-me Deus!** God help me!

vale-refeição (*pl* **vales-refeição**) *sm* luncheon voucher

valeta *sf* ditch, trench

valete *sm* jack

vale-transporte (*pl* **vales-transporte**) *sm* transport voucher

validade *sf* validity

• **no/fora do prazo de validade** before/after sell-by date

validar *vtd* **1** to validate **2** to acknowledge

válido *adj* **1** *(com saúde)* able-bodied, healthy: ***foram convocados todos os homens válidos e solteiros*** every able-bodied unmarried man was called **2** *(com valor legal)* valid: ***documento válido*** valid document **3** *(fundamentado)* robust, well-founded: ***argumento válido*** robust argument **4** effective: ***este remédio já não é válido, está fora do prazo de validade*** this medicine is no longer effective, it's passed its use-by date

valioso *adj* **1** valuable: ***um colar valioso*** a valuable necklace **2** precious: ***uma amizade valiosa*** a precious friendship

valise *sf* travelling-bag

valor *sm* **1** value: ***é alto o valor desta casa*** the value of this house is high; ***deve-se calcular o valor de seu patrimônio*** the value of your estate must be estimated **2** price: ***sua amizade tem um valor inestimável*** your friendship is priceless **3** value: ***os valores culturais de um povo*** the cultural values of a people

▸ *pl* **valores 1** COM *(títulos)* securities **2** *(riquezas)* valuables

■ **valor nominal** face value

■ **valor real** real value

• **bolsa de valores** stock exchange

• **dar valor a algo ou alguém** to value something or someone

• **ser alguém de valor** to be someone important

• **ser de valor para algo ou alguém** to be important for something or for someone

valorização *sf* **1** *(aumento do preço)* rise in price **2** *(aumento da importância)* valorization, increase in value

valorizar *vtd* 1 *(dar importância)* to value: ***saber valorizar as coisas boas da vida*** to know how to value the good things in life 2 *(aumentar o valor)* to increase the value of: ***essas medidas acabaram valorizando o dólar*** these measures ended up increasing the value of the dollar
▸ *vpr* **valorizar-se** 1 to increase in value: ***nestes anos os terrenos se valorizaram muito*** in the last few years these lands have increased in value 2 to appreciate: ***não se subestime, valorize-se*** do not underestimate yourself, appreciate yourself

valoroso *adj* courageous, intrepid, brave, bold

valsa *sf* MÚS waltz

válvula *sf* 1 ELETR tube: ***as válvulas de um velho rádio*** the tubes of an old radio set 2 *(registro)* valve: ***válvula de gás*** gas valve 3 ANAT valve
• **válvula de escape** escape valve
• **válvula de segurança** safety valve

vampiro *sm* vampire

vândalo *sm,f* 1 *(povo)* Vandal 2 *fig* vandal, hooligan: ***aqueles vândalos destruíram meu jardim*** those vandals have destroyed my garden
▸ **vândalo** *adj* vandal

vangloriar *vtd* to flatter, to praise excessively
▸ *vpr* **vangloriar-se** to boast, to brag: ***vangloriar-se de algo*** to boast about something

vanguarda *sf* 1 MIL vanguard, front line 2 *fig* vanguard, forefront, cutting edge

vantagem *sf* 1 *(superioridade)* benefit, advantage: ***este produto apresenta grandes vantagens em relação ao outro*** this product has great benefits compared to the other 2 *(adiantamento)* advantage, lead: ***o ciclista manteve vinte metros de vantagem à frente dos competidores*** the cyclist kept a twenty-meter lead over the other competitors 3 *(utilidade)* advantage: ***não vi muita vantagem em mudar de emprego*** I haven't seen much advantage in changing jobs 4 *(ganho)* gain, advantage: ***a promoção trouxe-lhe grandes vantagens financeiras*** the promotion has brought him great financial gain; ***a vantagem de comprar este carro é a economia de combustível*** the gain in buying this car is the fuel saving
• **contar vantagem** to boast, to brag
• **levar vantagem** *(ser superior)* to get the upper hand, *(tirar proveito)* to take advantage of

vantajoso *adj* 1 *(lucrativo)* profitable, advantageous 2 *(proveitoso)* fruitful, advantageous 3 favourable: ***estar em posição vantajosa*** to be in a favourable position

vão *adj* 1 *(sem conteúdo)* empty, vain: ***palavras vãs*** empty words 2 *(inútil)* useless, vain: ***todos os meus esforços foram vãos*** all my efforts were useless 3 *(fantasioso)* false, vain: ***vãs esperanças*** false hopes
• **em vão** *(inutilmente)* in vain, *(sem razão, sem motivo)* with no reason

vão *sm* 1 *(espaço vazio)* gap: ***há um vão entre as duas pilhas de tijolos*** there's a gap between the two piles of bricks 2 space: ***aqui há um vão para a janela*** there's a space for the window here
• **vão de escada** stairwell
• **vão livre** opening, clear span

vapor *sm* vapour, steam
• **a todo vapor** at full blast

vaporizador *sm* *(nebulizador)* vaporizer

vaporizar *vtd* 1 *(converter em vapor)* to vaporize 2 *(evaporar)* to evaporate 3 *(borrifar)* to spray
▸ *vpr* **vaporizar-se** 1 *(converter-se em vapor)* to vaporize 2 *fig (desaparecer)* to evaporate

vaporoso *adj* 1 *(leve, fluido)* vaporous, volatile: ***substância vaporosa*** vaporous substance 2 *(fino)* thin: ***tecido vaporoso*** thin fabric 3 *(fresco)* cool: ***um vestido vaporoso*** a cool dress 4 *(diáfano)* diaphanous: ***uma figura vaporosa*** a diaphanous figure

vaquinha *sf* pool, combination of resources or funds *(usually between friends)*
• **fazer uma vaquinha** to take up a collection, to have a whipround, to pass the hat

vara *sf* 1 rod, wand, stick 2 ESPORTE pole 3 *(açoite)* whip 4 DIR jurisdiction 5 *(de pesca)* fishing rod 6 *(de porcos)* herd

varal *sm (de roupa)* clothes line

varanda *sf (terraço, alpendre)* open porch, veranda

varão *sm* **1** *(homem)* man, male **2** *(peça de cortina)* rail

varar *vtd* **1** *(fustigar com vara)* to cane, to fustigate, to whip with a stick **2** *(transpassar)* to go through, to penetrate, to pierce: ***o punhal varou-lhe o peito*** the dagger pierced his chest **3** *fig* verb + through: ***ele varou a noite estudando*** he studied through the night

varejão *sm (estabelecimento comercial)* retail shop, retail market

varejeira *sf* ZOOL horsefly

varejista *adj* retail: ***comércio varejista*** retail business

▸ *smf* retail dealer

varejo *sm* retail trade: ***venda a varejo*** retail sales

vareta *sf* **1** stick **2** *(jogo)* pick-up sticks

variação *sf* **1** *(mudança)* change, alteration, shift **2** *(inconstância)* variance **3** MÚS variation

variante *sf* **1** variant **2** *(estrada)* detour

variar *vtd (diversificar)* diversify, vary: ***é preciso variar o menu*** it's necessary to diversify the menu

▸ *vi* **1** *(modificar-se)* to change, to fluctuate: ***o humor dele varia*** his mood changes; ***meu trabalho nunca varia*** my work never changes **2** *(discrepar)* to vary, to fluctuate: ***os resultados desse teste variam muito*** the results of this test vary a lot **3** *(perder o uso da razão)* to go out of one's mind: ***depois do acidente, ela começou a variar*** after the accident, she went out of her mind

• **só pra variar** just for a change

variável *adj* **1** *(mutável, inconstante)* variable, changeable, inconstant **2** MAT variable

▸ *sf* variable

variedade *sf* **1** *(diversidade)* diversity: ***a grande variedade das espécies animais*** the great diversity of animal species **2** *(multiplicidade)* variety, range: ***a população foi atacada por uma variedade de doenças*** the population was attacked by a range of diseases **3** *(variação)* variety: ***não uso só um tipo de roupa, gosto de variedade*** I don't wear only one type of clothes, I like variety **4** *(espécie)* kind: ***que variedade de música é essa?*** what kind of music is this?

▸ *pl* **variedades** music hall, vaudeville, variety show

varinha *sf* thin stick

• **varinha de condão** magic wand

vários *pron indef pl* **1** *(variados)* different, various: ***uma casa pintada de várias cores*** a house painted in different colours **2** *(diversos)* various: ***várias pessoas deixaram a sala antes do fim da sessão*** various people left the room before the end of the session **3** *(bastantes)* several, many, a number of: ***há várias possibilidades*** there are a number of possibilities; ***repeti a oração várias vezes*** I repeated the prayer several times

• **em várias ocasiões** on several occasions

varíola *sf* smallpox

variz *sf* MED varix

varredor *sm,f (de rua)* street cleaner, street sweeper

varrer *vtd-vtdi-vi (limpar com a vassoura)* to sweep: ***varrer a casa*** to sweep the house floor; ***varrer os cacos do chão*** to sweep the shivers off the floor

▸ *vtd* **1** *fig (percorrer)* to sweep: ***o furacão varreu toda a região*** the hurricane swept the whole area **2** *fig* to sweep away: ***o vento varreu as folhas do chão*** the wind swept the leaves away **3** *fig (examinar atentamente)* to scan, to comb

• **varrer algo do mapa** to sweep something off the map

várzea *sf* **1** *(vale)* low land bordering a body of water, riverside meadow **2** ESPORTE a football pitch on low land bordering water used for amateur games

• **time de várzea** a park team

vasculhar *vtd* to search *(every nook and corner)*: ***vasculhei as gavetas e não achei o documento*** I've searched the drawers and couldn't find the document

vaselina *sf* vaseline

vasilha *sf (qualquer recipiente)* vessel, container

vasilhame *sm* 1 *(grupo de vasilhas)* containers 2 *(garrafa)* bottle, container, vessel: ***vasilhame para devolução*** bottle with deposit

vaso *sm* 1 *(vasilha)* bowl 2 *(de flores)* vase, pot, flowerpot 3 ANAT vessel 4 *(navio)* ship, vessel

▪ **vaso de guerra** man-of-war, warship

▪ **vaso linfático** lymphatic vessel

▪ **vaso noturno** pot, pisspot

▪ **vaso sanguíneo** blood-vessel

▪ **vaso sanitário** toilet, toilet bowl

vassalo *sm* 1 vassal 2 *fig* servant

vassoura *sf* broom

vasto *adj* 1 *(amplo)* vast 2 *(extenso)* extensive

Vaticano *sm* Vatican

vazamento *sm* 1 leakage, leak: ***vazamento de água*** water leakage; ***vazamento de gás*** gas leak 2 leak: ***há um vazamento no cano*** there's a leak in the pipe 3 *fig* leak: ***houve vazamento da notícia do plano do governo*** there was a leak of the government plan

vazão *sf* 1 *(de rio)* flow, discharge 2 *(saída de mercadorias)* output

• **dar vazão a** *(mercadorias) (sentimentos)* to find an outlet for

vazar *vi* 1 to leak: ***a jarra estava rachada, e a água vazou*** the jug was cracked and the water leaked 2 to leak: ***não use essa caçarola, ela vaza*** do not use this pan, it leaks 3 *(refluir, baixar)* to ebb, to recede 4 *fig* to leak (*out*): ***a notícia vazou*** the news leaked out

▸ *vtd* 1 *(despejar em molde)* to pour 2 *(escavar, tornar oco)* to empty, to hollow out 3 *(varar)* to pierce 4 to tear out: ***vazar um olho*** to tear out an eye

vazio *adj* 1 empty: ***garrafa vazia*** empty bottle; ***caixa vazia*** empty box 2 *(sem gente)* vacant, empty: ***a casa está vazia*** the house is vacant; ***uma rua vazia*** an empty street 3 *(com pouca gente)* half-empty: ***o público não gostou da peça: o teatro está vazio*** the audience didn't like the play: the theatre is half-empty 4 *(fútil, vão)* empty, futile, vain: ***palavras vazias*** empty words; ***uma vida vazia*** a vain life

▸ *sm* **vazio** 1 *(espaço vazio)* empty space: ***ainda há vazios no armário*** there's a lot of empty space in the closet; ***retirado o quadro, ficou um vazio na parede*** after the painting was removed, there was an empty space on the wall 2 *(vão)* gap: ***há um vazio entre os dois móveis*** there's a gap between the two pieces of furniture 3 *fig* void: ***preencher o vazio da perda de uma pessoa querida*** to fill in the void left by the loss of a loved one 4 *fig* hole: ***que fome, que vazio no estômago!*** I'm starving, there's a hole in my stomach!

• **cair no vazio** to ring hollow, to have no fruit or outcome

• **de estômago vazio** on an empty stomach

• **estar com o pneu vazio** to have a flat tyre

veado *sm* 1 ZOOL deer 2 *fig pop* queer, queen, faggot, male homossexual

vedar *vtd* 1 *(fechar, selar)* to seal: ***vedar um cano*** to seal a pipe 2 *(obstruir)* to block

▸ *vtd-vtdi fig (proibir)* to forbid, to prohibit: ***vedar a entrada de estranhos*** to forbid the admittance of unknown people; ***vedar o uso de álcool a menores*** to prohibit the use of alcohol by minors

vedete *sf* 1 stage star: ***diz que na juventude ela era vedete*** word is that she was a star of the stage when younger 2 *(pessoa que se destaca)* star 3 *fig pej* star

veemente *adj* vehement, intense

vegetação *sf* vegetation

vegetal *adj* plant: ***vida vegetal*** plant life

▸ *sm (planta)* plant

vegetar *vi fig* to vegetate

vegetariano *adj-sm,f (que não come carne)* vegetarian

veia *sf* 1 ANAT vein 2 *fig* vein: ***veia poética*** poetic vein

veicular *vtd* 1 *(propagar, difundir)* to spread, to carry: ***veicular uma doença*** to spread a disease 2 *(transmitir)* to convey: ***veicular ideias*** to convey ideas

▸ *adj* vehicular

veículo *sm* 1 *(meio de transporte)* vehicle 2 *fig* vehicle, medium: ***o livro é um veículo de conhecimento*** the book is a medium for knowledge; ***o partido serviu de veículo para as ideias revolucio-***

nárias the party was used as a vehicle for revolutionary ideas

veio *sm* **1** *(de água)* stream, small brook **2** *(de madeira, pedra etc.)* grain **3** *(de minas)* streak, vein, lode, seam

vela *sf* **1** *(de cera)* candle **2** *(de filtro)* water filter cartridge **3** ELETR plug **4** *(auto)* plug: ***vela de ignição*** spark plug **5** MAR sail

• **barco à vela** sailboat, sailing boat

• **estar com a vela na mão** *fig* to be the last one

• **largar velas** to set sail

• **segurar/servir de vela** *fig* to be the third wheel

velado *adj* **1** *fig (dissimulado)* veiled **2** FOTO burned, overexposed, ruined by direct exposure to light

velar *vi (ficar de vigília, acordado)* to keep awake, to keep vigil

▸ *vtd* **1** to watch over: ***velar um enfermo, um morto*** to watch over a sick person, a corpse **2** *(encobrir)* to veil **3** *fig (dissimular)* to veil **4** *fig (anuviar, entristecer)* to fog **5** FOTO to burn, to ruin by direct exposure to light

▸ *vti (zelar)* to watch

▸ *adj* **velar** GRAM velar

velcro *sm* velcro

veleiro *sm (barco à vela)* sailboat, sailing boat

velejar *vi* to sail

velhaco *adj (patife)* scoundrel, crook, rascal

velharia *sf* **1** *(coisas velhas)* old stuff **2** *(grupo de velhos)* old folks, a group of old people

velhice *sf* **1** *(idade avançada)* old age **2** *(antiguidade)* antiquity

velho *adj* **1** old: ***um homem velho*** an old man **2** old: ***um carro velho*** an old car; ***uma casa velha*** an old house **3** old: ***minha velha professora de matemática*** my good old maths teacher; ***os velhos costumes*** old customs; ***um velho hábito inveterado*** an old fixed habit

▸ *sm,f* **1** *(idoso)* elder **2** *(pai, mãe, pais)* old man, old woman, old folks, old people

• **ficar velho** *(gente)* to grow old, *(coisa)* to get old

• **irmão mais velho** elder brother

velocidade *sf* speed, swiftness

velocímetro *sm* speedometer

velocípede *sm (veículo de três rodas)* tricycle

velódromo *sm* velodrome, cycling track

velório *sm (funeral)* wake, *(death)* watch

veloz *adj* quick, fast, swift

veludo *sm* velvet

• **veludo cotelê** corduroy

venal *adj* **1** market: ***valor venal*** market value **2** venal: ***uma pessoa venal*** a venal person

vencedor *adj-sm,f* winning, winner: ***o exército vencedor*** the winning army: ***quem foi o vencedor do campeonato?*** who's the winner of the championship?; ***o vencedor de um concurso*** the winner of the contest

vencer *vtd-vi* **1** to defeat, to beat: ***nosso time venceu o adversário por 2 a 0*** our team has beat the opponents two nil; ***Napoleão não conseguiu vencer os russos*** Napoleon wasn't able to defeat the Russians **2** to win: ***os exércitos estavam vencendo em todas as frentes*** the armies were winning on all fronts

▸ *vtd* **1** *(superar, soprepujar)* to overcome, to conquer, to get over, to beat: ***vencer dificuldades*** to overcome difficulties; ***vencer uma doença*** to get over an illness; ***vencer uma paixão*** to get over a passion; ***ninguém o vence no remo*** nobody can beat him at rowing **2** *(subjugar)* to defeat: ***foram vencidos pelo desânimo*** they were defeated by discouragement

▸ *vi* **1** to succeed: ***lutou na vida, até que venceu*** after struggling all his life, he's succeeded **2** to fall due: ***há uma multa, pois o prazo da fatura já venceu*** there's a fine, for the invoice has fallen due

• **deixar-se vencer por algo** to let oneself be defeated by something

• **vencer alguém pelo cansaço** to wear someone down

• **vencer uma distância** to cover a distance

vencido *adj* **1** defeated: ***um exército vencido*** a defeated army **2** won: ***um jogo***

vencido pelo time da casa a match won by the home team; ***uma batalha vencida*** a battle won **3** expired: ***prazo vencido*** expired time limit; ***remédio vencido*** expired medicine **4** *(acabrunhado, abatido)* beaten

• **dar-se por vencido** to give up, to admit defeat

vencimento *sm* **1** *(expiração de prazo)* expiry date **2** *(data de pagamento)* pay date **3** *(remuneração)* pay, salary, wage

venda *sf* **1** *(ato de vender)* sale, selling **2** *(pequena mercearia)* small grocery store **3** *(faixa de pano nos olhos)* blindfold

• **venda a varejo** retail shop/store/trade

• **venda por atacado** wholesale

vendado *adj* blindfolded: ***olhos vendados*** blindfolded; ***uma pessoa vendada*** a blindfolded person

vendagem *sf* **1** sales: ***ter boa vendagem*** to have good sales **2** *(ato de vendar)* blindfolding

vendar *vtd* to blindfold

vendaval *sm (forte ventania)* gale, windstorm

vendedor *adj-sm,f* **1** salesperson **2** *(balconista)* shop attendant

• **vendedor ambulante** street vendor, peddler

vender *vtd-vtdi* **1** to sell: ***ela vendeu a casa e o carro ao irmão*** she has sold the house and the car to her brother **2** to sell: ***seu negócio é vender roupas*** her business is selling clothes **3** to sell: ***ele está vendendo o armazém; compre-o*** he's selling the grocery store, buy it **4** *pej* to sell: ***vendeu o voto em troca de uma promessa de emprego*** he's sold his vote for the promise of a job; ***vender a alma*** to sell one's soul

▸ *vi* to sell: ***mercadoria que vende bem/mal*** a good/bad selling item; ***esse tipo de coisa não vende*** this kind of thing/item doesn't sell

▸ *vpr* **vender-se** **1** *(ser venal)* to sell oneself **2** *(prostituir-se)* to sell one's body

veneno *sm* poison

venenoso *adj* poisonous

venerar *vtd* to venerate, to revere, to stand in awe of

venéreo *adj* MED venereal

veneta *sf loc* **dar na veneta** to be struck with an idea

Veneza *sf* Venice

veneziana *sf* **1** *(janela)* shutter **2** *(persiana)* Venetian blind

venta *sf* nostril, nasal cavity

▸ *pl* **ventas** *(cara)* face

ventania *sf* windstorm, blast, gale

ventilação *sf* ventilation

ventilador *sm* fan, electric fan, ventilator

ventilar *vtd* **1** to ventilate: ***abra a janela para ventilar o quarto*** open the window to ventilate the room **2** to air: ***ligue o ar-condicionado só para ventilar o ambiente*** turn on the air-conditioning just to air the room **3** *fig* to discuss, to debate: ***o assunto não foi ventilado durante a reunião*** the subject was not discussed during the meeting

vento *sm* wind

• **aos quatro ventos** to the four winds, in all directions

• **de vento em popa** *fig* at full steam

• **que bons ventos o trazem?** what good wind brings you here?

ventoinha *sf* **1** *(de carro)* blower fan **2** INFORM fan **3** *(cata-vento)* weather vane, weathercock

ventosa *sf* MED cup, cupping glass

ventre *sm* **1** *(abdome)* abdomen **2** *(útero)* womb: ***trazer um filho no ventre*** to bear a child in the womb **3** *fig (âmago)* guts

ventrículo *sm* ANAT ventricle

ventríloquo *adj-sm,f* ventriloquial, ventriloquist

ver *vtd* **1** to see: ***estou feliz por vê-lo*** I'm happy to see you; ***gostaria de ir ver a exposição*** I'd like to go and see the exhibition **2** *(enxergar, avistar)* to see: ***está vendo aquele vulto?*** can you see that figure? **3** *(perceber, reconhecer)* to notice, to see: ***eu logo vi que ele ia brigar comigo*** I soon noticed he was going to quarrel with me; ***pela cara, dava para ver quais eram suas intenções*** by his face, I could see his real intentions **4** *(visitar)* to visit, to see: ***preciso ir ver meus pais*** I must go and see my parents

5 *(observar)* to see: ***pelo que vejo, o serviço vai render*** from what I see, the job will be profitable; ***veja se este vinho lhe agrada*** see if this wine pleases you; ***veja como este pano é áspero*** see how this fabric is rough 6 *(atentar)* to see, to pay attention: ***veja bem se não é enganado*** see that you're not fooled 7 *(prever)* to foresee: ***ver o futuro*** to foresee the future 8 *(considerar)* to consider: ***veja bem as vantagens antes de fechar o negócio*** consider the advantages before closing the deal 9 *(tentar)* to see: ***vou ver se consigo falar com ele*** I'll see if I can talk to him

▸ *vtd pred (considerar)* to see, to consider: ***ele sempre o viu como inimigo*** he's always seen him as an enemy

▸ *vpr* **ver-se** 1 *(enxergar-se)* to see oneself: ***viu-se no espelho*** he's seen himself in the mirror 2 *(considerar-se)* to find oneself: ***via-se perdido*** he found himself lost 3 *(encontrar-se)* to meet, to see each other: ***eles se viram há pouco tempo*** they saw each other a short while ago

• **estou vendo!** I see!
• **ir ver alguém** to go and see someone
• **não tem nada a ver** it has nothing to do
• **não ter a ver com algo/alguém** to have nothing to do with something/someone
• **não ver a hora de** I can hardly wait for the time to
• **veremos!** we'll see!
• **ver para crer** seeing is believing
• **ver/não ver com bons olhos** to welcome/not to welcome

veraneio *sm* summer vacation

veranista *smf* holidaymaker

verão *sm* summer
• **no/durante o verão** in/during the summer
• **horário de verão** summer time, daylight saving time *(AmE)*

verba *sf* funds: ***falta de verbas*** lack of funds

verbal *adj* 1 *(oral)* oral, vocal 2 *(da palavra)* verbal 3 *(do verbo)* verbal

verbete *sm* entry

verbo *sm* GRAM verb

verdade *sf* 1 truth: ***a verdade dos fatos*** the truth of the facts 2 a truth: ***você quer sair, não é verdade?*** isn't it the truth that you want to go out?
• **a bem da verdade** to tell the truth
• **de verdade** *(autêntico)* real, *(para valer)* really, *(que não é mentira)* truly
• **dizer a verdade** to tell the truth
• **dizer umas verdades a alguém** to tell someone some truths
• **é verdade!** it's true!
• **faltar à verdade** not to speak/say/tell the truth
• **na verdade** in fact, actually, truly
• **para dizer/falar a verdade** to tell you the truth, to be honest with you
• **ser verdade que...** to be true that: ***é verdade que você se casou?*** is it true that you got married?

verdadeiro *adj* 1 *(veraz)* true: ***afirmação verdadeira*** a true statement 2 *(autêntico)* genuine: ***um verdadeiro diamante*** a genuine diamond 3 *(real)* real: ***qual é a verdadeira história?*** what's the real story? 4 *(verídico)* true: ***esse caso é verdadeiro*** this story is true 5 *(sincero)* honest, true: ***uma amizade verdadeira*** a true friendship 6 *(perfeito)* real: ***é um verdadeiro imbecil*** he's a real moron

verde *adj* 1 *(cor)* green: ***blusas verdes*** green blouses 2 *(não maduro)* unripe: ***as maçãs ainda estão verdes*** the apples are still unripe 3 *(com vegetação)* green, covered with vegetation: ***área verde*** green area

▸ *sm* 1 *(cor)* green 2 *(vegetação)* vegetation, greenery

verdura *sf* 1 *(a cor verde)* greenness 2 greens, leafy vegetables: ***fui à feira e comprei muitas verduras*** I've been to the street-market and bought lots of leafy vegetables

vereador *sm,f* councillor, councilman, councilwoman *(AmE)*

veredicto *sm* verdict, jury finding

vergão *sm (marca na pele)* rash

vergar *vtd* 1 *(encurvar)* to bend, to curve 2 *fig (submeter)* to subdue

▸ *vi* 1 *(encurvar-se)* to bow 2 *fig (ceder, submeter-se)* to stoop

vergonha *sf* 1 *(desonra)* shame, disgrace: ***dizem que ele é a vergonha da família*** they say that he's the disgrace of the family **2** *(sentimento penoso)* shame, embarrassment: ***sentiu vergonha por estar malvestido*** he felt some embarrassment at not being well dressed **3** *(timidez, insegurança)* shyness, self-consciousness, bashfulness **4** *(dignidade)* *(sense of)* shame, sense of dignity: ***tenha vergonha, deixe de se humilhar assim!*** have you no sense of shame? don't humiliate yourself that much! **5** *(pudor)* decency: ***ela não quis tirar a roupa por vergonha*** she didn't want to take her clothes off out of decency

- **passar vergonha** to be embarrassed
- **que vergonha!** what a shame!
- **ter vergonha** to be ashamed, to be bashful
- **ter/não ter vergonha na cara** to have a sense of shame/to be shameless

vergonhoso *adj* **1** *(desonroso)* shameful, disgraceful **2** *(envergonhado)* ashamed, bashful

verídico *adj* **1** *(veraz)* true: ***palavras verídicas*** true words **2** *(real)* true: ***uma história verídica*** a true story

verificação *sf* **1** *(averiguação, exame)* examination, check, inspection: ***verificação das taxas de colesterol*** a check of the cholesterol screening rates **2** *(constatação)* confirmation, checking, corroboration: ***a verificação dos fatos*** the confirmation of the facts

verificar *vtd* **1** *(examinar, estudar)* to check: ***precisamos verificar as dimensões dos danos*** we must check the extent of the damages; ***verifique as contas, por favor*** check the accounts, please **2** *(investigar)* to check, to investigate: ***verifique se a chave está na fechadura*** check if the key is in the lock; ***verifique as taxas de colesterol*** check the cholesterol rates; ***verificar os freios de um veículo*** to check the brakes of a vehicle
▸ *vpr* **verificar-se** to take place, to happen

verme *sm* **1** worm **2** *(parasita intestinal)* helminth, parasitic worm

vermelho *adj* red
- **ficar vermelho (de vergonha)** to turn red, to blush

vermífugo *sm* MED vermifuge

verminose *sf* MED verminosis

vernáculo *adj* vernacular
▸ *sm* **vernáculo** vernacular

vernissage *sm* opening *(of an art exhibition)*, vernissage

verniz *sm* **1** varnish, lacquer, gloss **2** *fig* gloss

verruga *sf* MED wart, mole

versado *adj* **1** *(tratado)* versed **2** *(exímio)* skilled, proficient

versão *sf* **1** translation: ***versão do inglês para o português*** translation from English into Portuguese **2** version: ***quero que você me dê sua versão dos fatos*** I want you to give me your version of the facts **3** *(variante)* version: ***essa é uma nova versão daquele motor de quatro cilindros*** this is a new version of that 4-cylinder engine

versar *vti* to be about, to deal with: ***a palestra versou sobre os últimos acontecimentos*** the talk dealed with the latest events

versátil *adj* versatile: ***uma pessoa versátil*** a versatile person; ***uma máquina versátil*** a versatile machine

versatilidade *sf* versatility

versículo *sm* RELIG verse

verso *sm* **1** back: ***a frente e o verso de uma folha*** the front and the back of a sheet of paper **2** line: ***uma estrofe composta de quatro versos*** a stanza made up of four lines

vértebra *sf* ANAT vertebra

vertebrado *adj* vertebrate

vertebral *adj* vertebral

verter *vtd* **1** *(entornar)* to pour: ***verter água no copo*** to pour water in the glass **2** *(ressumar)* to shed, to seep *(through)*: ***a parede está vertendo água*** the wall is shedding water; ***a água vertia através das pedras*** water was seeping through the stones **3** *(expelir)* to expel, to pour out: ***as chaminés vertem fumaça negra*** the chimneys pour out black smoke
▸ *vtdi* *(traduzir)* to translate: ***verter do italiano para o português*** to translate from Italian into Portuguese

vertical *adj* vertical
- **na vertical** upright

vértice *sm* **1** vertex **2** *fig* summit, top

vertigem *sf* **1** *(tontura)* vertigo, dizziness, giddiness **2** *fig* sudden impulse

vesgo *adj* cross-eyed

vesícula *sf* MED *(bolha)* vesicle, sac, blister

• **vesícula biliar** gall bladder

vespa *sf* **1** ZOOL wasp, hornet **2** *(motoneta)* motor scooter

vespeiro *sm* hornests' nest *(também fig)*

véspera *sf* the day before, eve: ***na véspera do exame sofreu um acidente*** on the eve of the examination, he had an accident

▸ *pl* **vésperas** eve: ***às vésperas do exame, desistiu*** on the eve of the examination, he gave up

vespertino *adj* evening, vespertine

veste *sf* garment, clothes, clothing, apparel

vestiário *sm (lugar para trocar de roupa)* dressing room

vestibular *sm* college entrance examination

• **passar no vestibular** to pass the college entrance examination

vestido *adj* dressed

▸ *sm* dress, gown

• **vestido de noiva** wedding dress, bridal gown

vestígio *sm* **1** *(pegada)* footstep **2** *(o que restou)* vestige **3** *(marca, indício)* trace, sign

vestir *vtd* **1** to wear: ***o criminoso vestia camisa azul*** the criminal was wearing a blue shirt **2** to put on: ***vestir o pijama*** to put on one's pijamas; ***vista estas meias*** put these socks on **3** to dress: ***essa modista veste muitas mulheres elegantes*** this fashion stylist dresses many elegant women

▸ *vtd-vtdi* **1** to dress: ***a menina vestia e desvestia a boneca*** the girl dressed and undressed her doll; ***a mãe vestiu na filha um casaco de lã*** the mother dressed her daughter in a woolen coat **2** *(fantasiar)* to dress up: ***a mãe vestiu a filha de fada*** the mother dressed her daughter up as a fairy

▸ *vi* to fit: ***essa roupa veste bem*** this garment fits well

▸ *vpr* **vestir-se 1** to get dressed: ***vestiu-se e saiu*** he got dressed and left **2** to dress oneself: ***ela se veste nas melhores grifes*** she dresses herself in the best griffes **3** *(fantasiar-se)* to dress up as, to put on a costume: ***vestir-se de palhaço*** to put on a clown's costume

vestuário *sm* clothing, wardrobe

vetar *vtd* to veto, to prohibit, to forbid, to refuse

veterano *adj* veteran, old-timer, senior

▸ *sm,f* **1** veteran **2** *(de guerra)* war veteran

veterinário *sm,f* veterinary, vet

veto *sm* **1** DIR veto **2** *(proibição)* prohibition, ban

véu *sm* **1** veil **2** *fig (o que serve para ocultar)* veil

vexação *sf* vexation

vexame *sm* **1** *(vexação)* vexation **2** *(vergonha)* shame

• **passar vexame** to make a fool of oneself

vexar *vtd* **1** *(atormentar, oprimir)* to annoy, to get on someone's nerves **2** *(envergonhar)* to shame, to make ashamed **3** *(apressar)* to hurry someone up

vez *sf* **1** time: ***nós nos vimos duas ou três vezes*** we've seen each other two or three times; ***nós nos vimos daquela vez no restaurante*** we saw each other that time in the restaurant; ***falaremos disso na próxima vez*** we'll talk about this next time **2** once: ***uma vez você me emprestou um livro, lembra-se?*** once you lent me a book, remember? **3** turn: ***fiquei na fila do banco, esperando minha vez*** I was queueing in the bank waiting for my turn **4** times: ***cinco vezes cinco, vinte e cinco*** five times five equals twenty-five **5** *(chance)* chance, turn: ***ela nunca teve vez*** she's never had a chance, her turn never came

• **a cada vez** each time
• **às vezes** sometimes
• **certa vez** once, one time
• **de uma só vez** all at once
• **de (uma) vez** *(para sempre)* for good, *(conjuntamente)* together, *(logo, sem demora)* at once, *(terminantemente)* once and for all

• **de uma vez por todas** once and for all, for good
• **de vez** *(quase maduro)* almost ripe
• **de vez em quando** once in a while
• **desta vez** this time
• **é sua vez de jogar** it's your turn to play
• **em vez de** instead of
• **era uma vez** once upon a time
• **fazer as vezes de alguém** to take the place of someone
• **muitas vezes** many times, often
• **toda vez que** every time that
• **tudo de uma vez** all at once
• **uma coisa por vez** one thing at a time
• **uma vez que** since, as long as, seeing that

via *sf* **1** *(rua, avenida etc.)* way, route, road, path **2** *fig (caminho, meio)* way, means: ***atingiu seu objetivo por vias ilícitas*** he's reached his goals by illegal means **3** *(exemplar)* copy: ***um contrato em duas vias*** a contract with two copies; ***esta é a primeira via da minuta*** this is the first copy of the minutes
• **chegar às vias de fato** to come to blows
• **estar em via de** to be about to, to be on the verge of
• **por via aérea** by air mail, by plane
• **por via de...** by means of...
• **por via intravenosa** intravenously
• **por via marítima** by sea, by ship
• **por via oral** by mouth
• **por via parenteral** parenteral nutrition
• **por via terrestre** by land
• **via de regra** as a rule, generally
• **via elevada** elevated freeway
• **via expressa** expressway, motorway, freeway
• **via férrea** railway, railroad
• **Via Láctea** Milky Way
• **via marginal** side way
• **via pública** public way
• **Via Sacra** Way of the Cross
• **vias respiratórias** respiratory channels

viação *sf (serviço de transporte)* transport service, transportation system

via-crúcis *sf fig* a hard path, something very difficult or harrowing

viaduto *sm* viaduct, overpass

viagem *sf* **1** trip, journey, travel **2** *fig (alucinação por droga)* trip
• **para viagem** *(lanche etc.)* takeaway
• **viagem de trabalho** business trip

viajado *adj* travelled

viajante *smf* traveller

viajar *vi* **1** *(partir)* to leave: ***você viaja quando?*** when do you leave? **2** to travel: ***gosto muito de viajar*** I love travelling
▸ *vti* to travel: ***viajar para a Europa*** to travel to Europe; ***viajar pela América do Sul*** to travel around South America

viário *adj* road: ***sistema viário*** road system

via-sacra *sf fig* a hard path, something very difficult or harrowing

viatura *sf* patrol car, police car

viável *adj* **1** *(exequível)* practicable **2** viable: ***feto viável*** viable fetus

víbora *sf* viper

vibração *sf* **1** vibration **2** *fig* vibe

vibrante *adj* **1** vibrating **2** *fig* vibrant

vibrar *vtd* **1** *(agitar, brandir)* to brandish, to wield **2** *(fazer soar)* to strike
▸ *vtdi (desferir)* to deal: ***ele vibrou um bofetão no rival*** he dealt a blow to his rival
▸ *vi* **1** *(estremecer)* to vibrate: ***naquela estrada esburacada, o carro todo vibrava*** along that road full of holes, the whole car vibrated **2** to sound: ***a corda do violão vibrou*** the guitar string sounded **3** *(ecoar)* to echo **4** *fig* to be thrilled: ***a torcida vibrava com o gol de seu time*** the supporters were thrilled by their team's goal

vibratório *adj* vibratory, vibrating,

vice- *pref* vice: ***vice-presidente*** vice-president; ***vice-governador*** vice-governor; ***vice-prefeito*** vice-mayor; ***vice-diretor*** vice-director; ***vice-rei*** viceroy

vice-versa *adv* vice versa, the other way around, contrarywise

viciado *adj* **1** stuffy: ***ar viciado*** stuffy air **2** addicted: ***ele é viciado em álcool*** he's addicted to alcohol **3** *fig* addicted: ***sou viciado em teatro*** I'm addicted to

theatre **4** *(corrompido, pervertido, deturpado)* corrupted, perverted, vitiated
▸ *sm,f* addict
• **viciado em drogas** drug addict

viciar *vtd* **1** *(estragar, deteriorar)* to spoil, to deteriorate **2** *(tornar dependente)* to create addiction **3** *(acostumar mal)* to spoil
▸ *vpr* **viciar-se** to become addicted

vício *sm* **1** *(imperfeição, deformação)* vice, flaw: ***os vícios da lei*** the vices of the law **2** *(dependência física)* addiction, dependence **3** *(costume inveterado)* bad habit

vicioso *adj* **1** vicious, corrupted, depraved **2** faulty, defective

vicissitude *sf* **1** change, alternation, shifting, ups and downs **2** reverse, reversal *(of fortune)*

viço *sm* lushness, bloom, vigour, vitality
• **perder o viço** to lose vitality, to lose one's first bloom

vida *sf* **1** life: ***haverá vida em outros planetas?*** is there life on other planets? **2** *(existência)* life, existence: ***teve uma vida feliz*** he had a happy life
• **a vida toda** for life
• **cair na vida** **1** to become a prostitute **2** to have to make a living on one's own
• **cuidar da própria vida** to mind one's own business
• **dar vida a algo** *fig* to devote one's life to something
• **de longa vida** long life
• **entre a vida e a morte** between life and death
• **feliz da vida** incredibly happy
• **ganhar a vida** to make a living
• **louco da vida** mad, pissed off
• **meter-se na vida alheia** to be nosey, to meddle in other people's business
• **mudar de vida** to change one's ways
• **mulher de vida fácil** prostitute
• **sem vida** *(morto)* dead, *(sem viço)* pale, withered
• **ter a vida por um fio** to have one's life hanging by a thread
• **ter vida mansa** to have an easy life
• **vida noturna** night life

videira *sf* BOT grapevine, vine

vidente *sm,f* clairvoyant, psychic

vídeo *sm* **1** *(tela de tevê, computador)* screen **2** *(filme)* video: ***assistir a um vídeo*** to watch a video **3** *(videocassete)* videocassete player/recorder

videoamador *sm,f* amateur videomaker

videocassete *sm* videocassete player/recorder

videoclipe *sm* videoclip

videogame *sm* videogame

videolocadora *sf* video rental shop

vidraça *sf* window pane

vidraceiro *sm* glazier

vidrado *adj* **1** *(vitrificado)* vitrified **2** *(envidraçado)* glazed **3** glazed: ***olhos vidrados*** glazed eyes **4** *fig* crazy about, fascinated by: ***ser vidrado em futebol*** to be crazy about football
▸ *sm* **vidrado** *(esmalte cerâmico)* vitrified

vidro *sm* **1** glass: ***loja de acrílico e vidro*** acrylic and glass shop **2** *(recipiente)* container, jar: ***comeu um vidro inteiro de compota*** he's eaten a whole jar of preserves **3** *(vidraça)* glass window **4** glass: ***o vidro do relógio*** the watch glass
• **um vaso de vidro** a glass vase
• **vidros do carro** auto glass, windscreen and side and rear windows
• **vidro traseiro com desembaçador** rear window with heater

viela *sf* alley, lane

vienense *adj-smf* Viennese

viés *sm* **1** *(tira cortada obliquamente)* bias binding or trim **2** *fig* *(natureza, caráter)* bias, nature, character **3** *fig* *(tendência)* tendency
• **olhar de viés** oblique look

vietnamita *adj-smf* Vietnamese

viga *sf* beam, girder

vigarice *sf* **1** swindle, racket, scam: ***percebi logo a vigarice daquele sujeito*** I soon noticed that guy's swindle **2** confidence game, confidence trick: ***fui vítima de uma vigarice*** I was a victim of a confidence game

vigarista *adj-sm,f* swindler, con artist

vigência *sf* **1** *(period of)* validity: ***durante a vigência de uma lei*** during the period of validity of a law; ***a vigência de***

uma moeda the validity of a currency **2** state of being in force: ***durante a vigência da censura*** when censorship was in force

vigente *adj* **1** valid, in force: ***moeda vigente*** valid currency; ***lei vigente*** law in force **2** in practice: ***esse costume continua vigente*** this custom is still in practice

vigésimo *num* twentieth

vigia *sf* **1** *(orifício)* peephole **2** MAR porthole
▸ *smf (guarda)* watchman, guard
• **ficar de vigia** to be on the watch

vigiar *vtd* **1** *(guardar)* to guard: ***aquele homem vigia esta rua*** that man guards this street **2** *(espreitar)* to spy on: ***o bandido passou uma semana vigiando a casa*** the criminal spent one week spying on the house **3** *(cuidar com atenção)* to watch: ***fique aí vigiando a leiteira*** stay there watching the milkjug
▸ *vi (ficar alerta)* to keep watch

vigilância *sf* **1** *(precaução, cuidado)* caution, care **2** *(alerta)* watchfulness, alertness, vigilance
• **manter sob vigilância** to keep under watch
• **um local sem vigilância** an unwatched place

vigilante *adj (precavido, cuidadoso)* watchful, wary
▸ *smf* security guard
• **vigilante (particular)** private guard
• **vigilante de banco** bank security guard
• **vigilante noturno** night guard

vigília *sf* **1** *(insônia)* insomnia **2** *(ato de velar)* watch **3** *(véspera de festa)* vigil
• **fazer vigília** to keep vigil

vigor *sm* **1** *(saúde, força)* vigour, health, strength: ***o vigor da juventude*** the vigour of youth **2** *(energia)* energy: ***lutar com vigor contra as vicissitudes*** to fight with energy against setbacks **3** *(vigência)* validity, effect, force
• **a lei em vigor** the law in force
• **entrar em vigor** to come into effect
• **estar em vigor** to be in force

vigoroso *adj* **1** *(forte, robusto)* strong, robust, vigorous **2** *(saudável)* healthy, vigorous **3** *(enérgico)* energetic **4** *(pujante)* vigorous

vil *adj* **1** *(reles, ordinário)* vile, base **2** *(indigno, infame)* despicable

vila *sf* **1** *(pequeno povoado)* village, settlement **2** *(conjunto de casas em beco)* row of small houses along an alley **3** *(casa de campo)* country house, villa
• **vila olímpica** Olympic village

vilão *sm,f* **1** *(malvado, em ficção)* the bad guy/girl, villain: ***a vilã roubou o namorado da mocinha*** the villain stole the good girls's boyfriend **2** *fig* villain, culprit: ***nesta crise, o vilão não é o preço do petróleo*** the price of oil is not the villain in this crisis

vime *sm* wicker, wickerwork
• **móveis de vime** wicker furniture

vinagre *sm* vinegar

vincar *vtd* **1** *(marcar tecido com vinco)* to crease, to seam **2** *(marcar com rugas)* to wrinkle

vinco *sm* **1** *(marca em tecido)* crease, seam **2** *(sulco, ruga na pele)* wrinkle

vincular *vtdi* **1** *(ligar, prender moralmente)* to bind: ***a amizade me vinculou àquela família*** friendship has bound me to that family **2** *(unir, ligar, relacionar)* to link, to tie: ***na sua exposição, ele vinculou as diversas ideias sobre o assunto*** during his talk he linked the different ideas about the subject **3** *(submeter)* to attach: ***a empresa vinculou o abono ao aumento do faturamento*** the company attached the bonus to a increase in turnover
▸ *vpr* **vincular-se** **1** to bind oneself, to be bound **2** to be linked

vínculo *sm* **1** *(relação lógica)* link: ***vínculo entre dois fatos*** a link between two facts **2** *(laços, relacionamento)* ties: ***vínculos de família*** family ties; ***vínculo de sangue*** blood ties **3** DIR *(gravame)* restriction on real property

vinda *sf* **1** *(chegada)* coming, arrival **2** *(regresso)* coming, return

vindo *adj* **1** *(chegado)* arrived **2** *(proveniente de)* arriving from, coming from

vindouro *adj* future, coming

vingança *sf* revenge, vengeance

vingar *vtd* to avenge: ***vingar uma afronta*** to avenge an insult; ***vingar a honra*** to avenge one's honour; ***ele vingou a morte do filho*** he avenged his son's death
▸ *vtdi* to avenge: ***aquela promoção o vingou das humilhações passadas*** that promotion avenged the humiliations of the past
▸ *vi* **1** to flourish: ***meus planos de mudança não vingaram*** my moving out plans haven't flourished **2** to thrive: ***nem todos os ovos da chocadeira vingaram*** not all the eggs in the brooder have thrived
▸ *vpr* **vingar-se** to take revenge

vingativo *adj-sm,f* vindictive, revengeful

vinha *sf* vine, vineyard

vinhedo *sm* large vineyard

vinheta *sf* **1** *(ornamento tipográfico)* ornamental design **2** TV vignette

vinho *sm* wine
▪ **vinho branco** white wine
▪ **vinho da casa** house wine
▪ **vinho de mesa** table wine
▪ **vinho frisante** sparkling wine
▪ **vinho rosado** rosé wine
▪ **vinho tinto** red wine
▪ **vinho verde** green wine

vinícola *adj* wine: ***produtos vinícolas*** wine products
▸ *sm* winery

vinte *num* twenty

vintém *sm (pouco dinheiro)* little money, penny
• **estar sem um vintém** to be penniless
• **não ter vintém** to be penniless

viola *sf* **1** *(instrumento de arco)* viol **2** *(instrumento dedilhável)* a 10-stringed instrument similar to the guitar, Brazilian guitar
• **meter a viola no saco** to remain silent, to have nothing to answer

violação *sf* **1** *(transgressão)* violation **2** *(estupro)* rape
▪ **violação da lei** violation of the law
▪ **violação de correspondência** mail violation
▪ **violação de túmulos** tomb violation
▪ **violação do espaço aéreo** airspace violation

violão *sm (acoustic)* guitar

violar *vtd* **1** *(transgredir)* to break, to violate **2** *(estuprar)* to rape **3** *(profanar)* to dessecrate

violência *sf* **1** violence **2** *(intensidade, veemência)* intensity
• ***usar de violência contra alguém*** to use violence against someone

violentar *vtd* **1** *(estuprar)* to rape **2** *(constranger, forçar)* to coerce, to constrain, to force
▸ *vpr* **violentar-se** to constrain oneself, to go against one's principles

violento *adj* **1** *(brutal)* violent: ***uma atitude violenta*** violent behavior; ***repressão violenta*** violent repression **2** brutal, violent: ***uma pessoa violenta*** a brutal person **3** *(veemente, enfático)* vehement, forceful: ***um discurso violento*** a vehement speech **4** *(intenso, forte)* intense, strong, violent, furious: ***uma dor violenta*** a strong pain; ***um choque violento entre dois veículos*** a violent crash between two vehicles

violeta *sf* BOT violet
▸ *adj inv (cor)* violet

violino *sm* MÚS violin

violoncelo *sm* MÚS cello

vir *vi-vti* **1** to come: ***venho aqui todos os dias*** I come here everyday; ***ele está vindo de casa*** he's coming from home; ***virei à escola segunda-feira*** I'll come to school on Monday; ***ela veio ontem e ficou pouco tempo*** she came yesterday and stayed only for a short while **2** *(chegar, regressar)* to arrive, to return: ***ele virá do México em janeiro*** she'll return from Mexico in January; ***ela veio ontem, de ônibus*** she arrived yesterday, by bus **3** *(proceder)* to come from: ***é uma tecnologia que vem da Ásia*** it's a technology that comes from Asia; ***essa energia vem da força de vontade*** that energy comes from willpower **4** *(caminhar, aproximar-se)* to come along: ***o menino vinha devagar pela avenida*** the boy was coming slowly along the avenue **5** *(chegar, advir)* to come: ***virá um tempo em que...*** there will come a time when...; ***a primavera veio mais cedo este ano*** spring has come earlier this year **6** to come: ***vim comprar aquele computador*** I came to buy that computer; ***ele veio visitar os pais*** he's come to visit his parents

• **a semana/o mês/o ano que vem** next week/month/year

• **vir a saber** to come to know

• **vir a ser** *(tornar-se)* to come to be, to become

• **vir abaixo** to come down

• **vir fazendo algo há algum tempo** to have been doing something for some time

virada *sf* **1** turn: ***uma virada na chave*** a turn of the key **2** turning: ***uma virada no automóvel*** a turning of the car **3** *(curva, esquina)* turn, turning **4** *(guinada)* turning point, shift

• **virada de volante** turn/turning of the steering wheel

virado *adj* **1** *(invertido)* upside down **2** *(às avessas)* inside out **3** *(de costas para alguém)* turned away **4** *(dirigido para)* turned to **5** *(revolvido)* turned over/ around

▸ *sm* CUL dish of beans, manioc flour, pork meat and fried eggs

vira-lata *(pl* **vira-latas**) *adj-smf* **1** *(cão sem raça)* mongrel, street dog **2** *(animal doméstico em geral sem raça)* not belonging to a determined breed, an animal of undetermined breed: ***um gato vira-lata*** a cat of undetermined breed **3** street dweller, tramp

virar *vtd-vi* **1** *(emborcar)* to turn over: ***virei o copo para protegê-lo das moscas*** I turned the glass over to protect it from the flies **2** *(derrubar)* to knock over: ***virei o copo, e a água entornou*** I knocked the glass over and the water poured out **3** *(revirar)* to turn inside out: ***virar os bolsos*** to turn one's pockets inside out **4** *(remexer)* to turn upside down: ***virar as gavetas à procura de um documento*** to turn the drawers upside down in search of a document **5** *(inverter posição)* to turn over: ***virar um disco*** to turn a record over; ***virar a toalha de mesa*** to turn the tablecloth over **6** *(dobrar)* to fold: ***virar a ponta do lençol*** to fold the bedsheet corner; ***virar a manga*** to fold one's sleeve; ***virar a ponta do papel*** to fold the corner of the paper

▸ *vtdi* **1** *(voltar)* to turn: ***virar o carro para a esquerda*** to turn the car to the right **2** *(virar)* to turn away: ***virar o rosto para o outro lado*** to turn one's face away **3** *(apontar)* to point: ***virar a arma para alguém*** to point the gun at someone **4** to turn: ***virar os olhos para cima*** to turn one's eyes up

▸ *vpred* **1** *(converter-se, transformar-se)* to turn into, to become: ***o que era um pequeno problema virou catástrofe*** what was a small problem became a disaster; ***a crisálida virou borboleta*** the chrysalis turned into a butterfly **2** *(ficar, tornar-se)* to become, to get: ***ele virou uma fera*** he got furious; ***estudou e virou professora*** she has studied and has become a teacher

▸ *vi* **1** *(emborcar)* to turn over: ***a canoa virou*** the canoe turned over **2** *(cair, entornar)* to turn over: ***o copo virou*** the glass turned over **3** *(mudar de direção)* to change direction, to turn *(around)*: ***o carro virou naquela esquina*** the car turned around that corner **4** *(transformar-se)* to change, to turn: ***de repente, a situação virou*** suddenly, the situation turned **5** *(girar)* to turn round: ***a manivela não está virando*** the handle is not turning; ***a chave virou e a porta se abriu*** the key turned and the door opened

▸ *vpr* **virar-se 1** *(voltar-se)* to turn: ***quando ele se virou, eu vi a cicatriz no seu rosto*** when he turned, I saw the scar on his face; ***vire-se para a esquerda*** turn to the left **2** *(rebelar-se)* to turn against: ***virar-se contra alguém*** to turn against someone **3** *(girar)* to turn **4** *(arranjar-se)* to manage, to get by: ***não preciso de ajuda, sei me virar*** I don't need help, I can manage; ***como não arranjou emprego, virou-se vendendo sucos*** as he couldn't find a job, he got by by selling fruit juice **5** *pop (exercer a prostituição)* to work as a prostitute

• **o tempo virou** the weather's changed

• **virar a direção/o volante** to turn the steering wheel

• **virar-se de costas** *(dar as costas a alguém)* to turn one's back on someone, *(deixar de estar de bruços)* to turn over on one's back

• **vire-se!** that's your problem! you take care of yourself!

virgem *sf* virgin, maiden

▸ *sm* ASTROL Virgo

▸ *adj* **1** virgin: ***noiva virgem*** a virgin bride **2** clean: ***fita virgem*** clean tape **3** virgin: ***floresta virgem*** a virgin forest

virgindade *sf* virginity

vírgula *sf* comma

• **rico, vírgula!** *(expressão de ressalva)* rich, my eye!

viril *adj* virile, masculine, male

virilha *sf* ANAT groin

virilidade *sf* **1** *(masculinidade)* virility **2** *(idade adulta do homem)* manhood

virose *sf* MED virosis

virótico *adj* MED virotic

virtual *adj* **1** *(potencial)* potential **2** *(quase completo)* virtual **3** INFORM virtual

virtude *sf* virtue, uprightness, good quality, merit

• **em virtude de** because of, as a result of

virtuose *adj-smf* virtuoso

virtuoso *adj-sm,f* virtuous, upright

virulento *adj* **1** virulent: ***bactéria virulenta*** virulent bacteria **2** *fig* acrimonious: ***um ataque virulento ao governo*** an acrimonious attack on the government

vírus *sm* MED INFORM virus

visão *sf* **1** eyesight: ***ter boa visão*** to have good eyesight; ***perder a visão*** to lose one's eyesight **2** sight: ***a visão da criança lhe deu alegria*** the sight of the child made him happy **3** vision: ***as visões dos profetas*** the prophets' visions **4** view, take: ***qual é sua visão sobre esse assunto?*** what's your view on this subject?

• **ter visões** to have visions

• **visão de mundo** world view

visar *vtd* **1** *(dar visto)* to visa **2** *(mirar)* to aim **3** to aim at: ***visou o boneco e atirou*** he aimed at the dummy and shot

▸ *vtd-vti* to intend: ***o prêmio visa a incentivar o trabalhador*** the prize intends to encourage the workers

víscera *sf* ANAT viscera

▸ *pl* **vísceras 1** guts **2** *fig* inside, core, that which is inside

viscoso *adj* viscous, slimy

viseira *sf* **1** *(de capacete)* visor **2** *(pala de boné)* eyeshade **3** *(máscara)* mask **4** *fig* disguise

visgo *sm* mistletoe

visibilidade *sf* **1** visibility: ***a visibilidade de um objeto*** the visibility of an object **2** vision: ***o carro estacionado na esquina prejudica a visibilidade dos outros motoristas*** the car parked on the corner blocks the vision of the other drivers **3** METEOR visibility: ***com a neblina, são péssimas as condições de visibilidade*** with the fog, visibility conditions are really bad **4** *fig* visibility: ***ela só está procurando visibilidade*** she's just looking for visibility

visionário *adj-sm,f* visionary

visita *sf* **1** visit: ***foi agradável a visita à casa dos seus pais*** the visit to your parents' place was pleasant **2** *(visitante)* guest, visitor: ***apareceu em casa uma visita inoportuna*** an inconvenient guest showed up **3** call, visit: ***a visita do médico ao paciente*** the doctor's call on the patient **4** *(vistoria, inspeção)* inspection

• **estar de visita** to be visiting

• **fazer uma visita** to make a visit

• **pagar uma visita** to pay a visit

• **receber a visita da cegonha** to have a baby

• **visita de médico** *fig* doctor's call

• **visita inesperada** unexpected visitor

visitante *smf* visitor, guest

visitar *vtd* **1** to go to see: ***visitar um amigo*** to go to see a friend **2** *(ir conhecer)* to visit: ***visitar uma fábrica*** to visit a factory; ***visitar vários países*** to visit a number of countries **3** to call on: ***visitar um paciente*** to call on a patient **4** *(inspecionar, vistoriar)* to inspect

visível *adj* **1** *(que se pode ver)* visible: ***uma luz visível de longa distância*** a light visible from a long distance **2** *(evidente)* obvious: ***a fadiga era o efeito mais visível da doença*** the fatigue was the most obvious effect of the disease **3** *(perceptível)* noticeable: ***é visível a sua tristeza*** your sadness is noticeable

vislumbrar *vtd* **1** *(enxergar parcialmente)* to glimpse: ***vislumbrar um vulto*** to glimpse a figure **2** *fig (perceber indistin-*

tamente) to glimpse: ***vislumbrar uma saída para a situação*** to glimpse a way out of the situation

vison *sm* mink

visor *sm* **1** *(espia)* peephole **2** FOTO view finder **3** *(mostrador)* face, dial

vista *sf* **1** *(olho)* eye, eyesight: ***vista cansada*** eye-strain **2** *(visão)* sight: ***a vista de uma cena desagradável*** the sight of an unpleasant scene **3** *(paisagem, panorama)* view: ***a vista daqui é muito bonita*** the view from here is very beautiful; ***do meu apartamento, tenho uma boa vista da cidade*** from my flat, I have a good view of the city **4** *(opinião)* point of view **5** *(parte do capacete)* visor
• **perder de vista** to lose sight of
• **à primeira vista** at first sight
• **comprar/vender à vista** to buy/sell cash
• **dar na vista** *(dar a perceber)* to show, *(fazer-se notado)* to make oneself known
• **em vista de** in view of, considering
• **estar ao alcance da vista** to be within sight
• **estar fora de vista** to be out of sight
• **fazer vista** *(ser vistoso)* to strike the eye, to be eye-arresting
• **fazer vista grossa** to shut one's eyes to
• **haja vista** as shown by
• **não perder algo/alguém de vista** not to lose sight of something/someone
• **pedir vistas de um processo** to request an examination of the court records
• **ponto de vista** point of view
• **ter em vista** *(tencionar)* to have in mind, *(atender)* to be considering
• **vista aérea** airview
• **vista curta** short sight

vista-d'olhos (*pl* **vistas-d'olhos**) *sf* **1** *(olhada rápida)* quick look **2** *(leitura rápida)* quick view, quick read

visto *adj* **1** seen: ***não foi identificado o objeto visto nos céus*** the object seen in the sky has not been identified **2** *(considerado)* considered, seen: ***ser bem ou malvisto*** to be seen in a favourable or in an unfavourable light **3** *(debatido, estudado)* debated, studied, seen: ***o tema visto*** the studied theme
▸ *sm* **1** approval: ***um visto do professor*** approval from the teacher **2** *(endosso em passaporte)* visa
▸ *conj* since: ***desistiu, visto não ter conseguido o dinheiro*** he gave up, since he couldn't get the money
• **dar visto** to give a visa
• **pelo visto...** apparently..., it seems that...
• **visto de permanência (para estrangeiros)** permanent visa, green card *(AmE)*
• **visto que** since, inasmuch as

vistoria *sf* inspection, survey

vistoriar *vtd* to inspect, to survey

vistoso *adj* **1** *(atraente, bonito)* attractive, beautiful: ***uma moça vistosa*** an attractive lady **2** *(que chama a atenção)* eye-catching: ***um estampado vistoso*** an eye-catching motif; ***uma decoração vistosa*** an eye-catching decoration

visual *adj* visual: ***campo visual*** visual field; ***percepção visual*** visual perception
▸ *sm* **1** *(aparência)* look **2** *(vista, panorama)* view, scenery

vital *adj* **1** vital **2** *fig (essencial)* crucial

vitalício *adj* lifelong

vitalidade *sf* vitality

vitamina *sf* **1** vitamin **2** *(batida de frutas)* fruit juice and pulp with milk and sugar

vitela *sf* **1** *(novilha)* calf **2** CUL veal

vítima *sf* **1** victim: ***vítima de um ritual religioso*** victim of a religious ritual; ***vítimas da violência urbana*** victims of urban violence; ***vítima de um acidente*** victim of a accident **2** victim: ***ela foi vítima de várias zombarias*** she was a victim of a lot of mockery; ***ela está sendo vítima de sua própria imprevidência*** she's being a victim of her own recklessness
• **fazer-se de vítima** to pose as a victim

vitimar *vtd* **1** *(imolar)* to sacrifice **2** *(matar, ferir)* to kill, to injure: ***o acidente vitimou uma pessoa*** the accident has killed someone **3** *(causar danos)* to damage
▸ *vpr* **vitimar-se** *(sofrer acidente ou catástrofe)* to have an accident, to be in an accident

vitória *sf* 1 *(triunfo bélico)* victory: ***vitória dos aliados na segunda guerra*** victory of the Allies in the Second World War 2 victory: ***vitória de um time sobre outro*** victory of one team over another 3 *(sucesso, êxito)* success

vitória-régia (*pl* **vitórias-régias**) *sf* BOT victoria, giant Amazon water lilly

vitorioso *adj* 1 victorious: ***exército vitorioso*** victorious army 2 winning: ***time vitorioso*** winning team 3 successful: ***ser vitorioso na vida*** to be successful in life

vitral *sm* stained-glass window

vitrificar *vtd* to vitrify: ***vitrificar a louça*** to vitrify the chinaware

vitrina *sf* store window, show window

viúvo *adj-sm,f* widower, widow

viva *interj* hurrah!, hurray!

vivacidade *sf* 1 *(cores claras)* vividness: ***a vivacidade das cores*** the vividness of the colours 2 *(vitalidade, energia)* vitality, liveliness, energy ***a vivacidade das crianças*** the liveliness of the children 3 *(sagacidade)* wit, spirit, spiritedness

vivalma *sf loc* **não haver vivalma** not a living soul

vivaz *adj* 1 *(animado)* lively 2 *(cheio de energia)* energetic 3 *(sagaz)* witty 4 *(jovial)* cheerful, jaunty

viveiro *sm* 1 *(de pássaros)* aviary 2 *(de peixes)* fish hatchery 3 *(de plantas)* nursery

vivência *sf* 1 *(experiência vivida)* experience: ***suas conclusões são fruto da vivência, e não de conceitos*** his conclusions are a result of experience not of concepts 2 *(prática, experiência)* practical experience: ***não tem vivência com o assunto*** he hasn't got practical experience in the subject

vivenciar *vtd* to experience

viver *vi* 1 *(ter vida)* to liv, to be alive: ***seu avô ainda vive?*** is your grandfather still alive? 2 *(morar)* to live: ***ela vive no Rio*** she lives in Rio
▸ *vti* 1 to live off: ***são animais que vivem das frutas das árvores*** they are animals that live off the fruits from the trees 2 to live on: ***ele vive de bicos, não tem profissão*** he lives on freelance jobs, he hasn't got a career; ***vivo de um mísero salário*** I live on a meager salary
▸ *vtd* to live: ***viver uma grande aventura*** to live a great adventure
• **ir vivendo** to be just getting along
• **viver a vida** *(aproveitar a vida)* to enjoy life
• **viver com alguém** to live with someone
• **viver de brisa** to live with very little money
• **viver para algo/alguém** to live for something/someone
• **viver (uma) vida calma, agitada etc.** to live a calm life, a hectic life etc.

víveres *sm pl* food, foodstuffs, provisions

vívido *adj* 1 *(animado)* vivid, lively 2 *(vivo, ardente)* bright, vivid

vivo *adj* 1 living: ***seres vivos*** living creatures 2 alive: ***o diretor do filme ainda está vivo?*** is the film director still alive? 3 *(vivaz, sagaz)* smart, witty: ***olhar vivo*** a smart way of looking at things 4 *(esperto, perspicaz)* smart, clever, astute: ***ele foi vivo, não caiu na armadilha*** he was astute, he didn't fall into the trap 5 *(esperto, ágil)* quick, lively: ***ela é muito viva no trabalho*** she's very quick at work 6 *(vistoso)* live, vivid: ***cores vivas*** live colours 7 *(forte)* strong: ***dor viva*** strong pain 8 *(intenso)* intense: ***sentimentos vivos*** intense feelings 9 *(expressivo)* lively: ***uma descrição viva*** a lively description 10 *(persistente)* vivid: ***aquela lembrança ainda está viva na minha memória*** that memory is still vivid in my mind 11 *(animado)* live: ***uma discussão viva*** a live discussion
▸ *sm* **vivo** 1 living: ***os vivos e os mortos*** the living and the dead 2 *(esperto)* smart: ***os vivos não caem nessa vigarice*** the smart won't fall into that trap
• **transmissão ao vivo** live broadcast

vizinhança *sf* 1 *(proximidade)* nearness: ***a vizinhança do rio valorizou o terreno*** the nearness to the river has increased the value of the land 2 *(vizinhos)* neighbours: ***a vizinhança percebeu o roubo*** the neighbours noticed the burglary 3 *(arredores)* neighbourhood: ***ele***

mora na vizinhança he lives in the neighbourhood

vizinho *adj* 1 *(próximo)* close to, next to: ***pôr um móvel vizinho ao outro*** to place a piece of furniture next to another 2 *(encostado, adjacente)* adjoining: ***casas vizinhas*** adjoining houses 3 *(da vizinhança)* nearby: ***famílias vizinhas*** nearby families 4 *(semelhante)* similar: ***são cores vizinhas*** they're similar colours

▸ *sm,f* 1 neighbour: ***minha vizinha sofreu um acidente*** my neighbour has had an accident; ***os vizinhos aqui são bons*** the neighbours here are good people 2 someone or something that is very close by: ***ele era meu vizinho de mesa*** he was on the adjoining table

voador *adj* flying

voar *vi* 1 to fly 2 *fig (correr muito)* to fly, to rush: ***ele passou voando por aqui*** he's flown by; ***voei para a casa de meu pai*** I rushed to my father's place 3 *fig* to fly at: ***ele voou para cima do inimigo*** he flew at the enemy 4 *fig* to fly: ***o tempo voou*** time has flown

• **voar alto** *fig* to aim high

• **voar pelos ares** to explode

vocabulário *sm* vocabulary

vocábulo *sm* word, term

vocação *sf* vocation, call, calling

vocacional *adj* vocational: ***teste vocacional*** vocational test

vocal *adj* vocal, voiced, oral

vocalista *smf* vocalist: ***vocalista de uma banda*** the band vocalist

você *pron* 1 you: ***você virá hoje?*** will you come today? 2 you: ***alguém quer falar com você*** someone wants to talk to you; ***trouxe este presente para você*** I've bought this present for you 3 you: ***amo você*** I love you

▸ *pl* **vocês** 1 you: ***vocês virão hoje?*** will you come today? 2 you: ***alguém quer falar com vocês*** someone wants to talk to you all 3 you: ***amo vocês*** I love you all

vociferar *vi* to cry out, to shout out

▸ *vtd* to vociferate, to shout out: ***vociferar injúrias*** to shout out insults

vodca *sf inv* vodka

voga *sf loc* **em voga** in fashion

vogal *sf* vowel

volante *sm* 1 *(de auto)* steering wheel 2 *(prospecto)* leaflet, flier 3 *(impresso com apostas de jogo)* betting slip

volátil *adj* 1 *(que voa)* flyaway 2 *(que evapora)* volatile

volatilidade *sf* 1 volatility 2 *(da Bolsa)* stock market volatility

voleibol *sm* ESPORTE volleyball

volta *sf* 1 *(regresso)* way back, coming (*back*), return: ***a volta ao lar*** the way back home; ***na volta para casa, encontrei um amigo*** on the way back home, I met a friend; ***a viagem foi tranquila: na ida choveu, mas na volta fez sol*** the journey was calm: on the way to it rained, but on the way back, the sun shone; ***neste livro o imigrante conta como foi sua volta à Europa*** in this book, the immigrant describes his return to Europe 2 *fig* return, back, coming back: ***volta a um antigo projeto*** coming back to an old project; ***volta à infância*** back to childhood 3 *(giro)* turn: ***as voltas de uma chave*** the turns of a key 4 rotation, turn: ***as voltas de uma mola em torno do eixo*** the rotations of a coil around the axis 5 lap: ***foram 76 voltas na corrida*** there were 76 laps in the race 6 *(curva, curvatura)* curve: ***as voltas da estrada*** the curves of the road

• **dar a volta por cima** to overcome a difficulty

• **dar uma volta** *(passear)* to go for a ride/stroll/walk/drive

• **dar uma volta em torno do prédio** to go around the building

• **dar uma volta na chave/na manivela** to turn the key/the crank

• **estar às voltas com alguma coisa** to be busy with something

• **estar de volta** to be back

• **por volta de** around, approximately

• **receber algo de volta** *(em restituição)* to get something back, *(como troco ou recompensa)* to get something in exchange for

• **volta e meia** frequently, at every turn

voltagem *sf* ELETR voltage

voltado *adj* 1 facing: ***um prédio voltado para o leste*** a building facing east 2 directed, oriented: ***ela tem sempre o***

pensamento voltado para a família she always has her thought directed to the family 3 directed, oriented: ***um projeto voltado para as crianças carentes*** a project directed to children in need

voltar *vti-vi (regressar)* to return: ***voltar à antiga escola*** to return to the old school; ***voltar ao lar paterno*** to return to the parents' home; ***depois que partiu nunca mais voltou*** he left and never returned

▸ *vi (repetir-se)* to return: ***aquela epidemia nunca mais voltou*** that epidemic has never returned; ***voltaram as alucinações*** the allucinations have returned

▸ *vti* 1 *(ir pela segunda vez)* to return: ***voltou à Europa dois anos depois*** he returned to Europe two years later 2 *(recomeçar)* to start again: ***voltar a fumar*** to start smoking again; ***voltar a escrever*** to start writing again; ***voltar a trabalhar*** to start working again 3 *(tratar novamente)* to go back: ***voltar ao assunto*** to go back to the subject

▸ *vtdi* 1 *(dirigir)* to turn (*on, to, on to*): ***voltar o refletor para o palco*** to turn the spotlight on to the stage; ***voltar a arma para alguém*** to turn the gun on someone; ***voltar a planta para o sol*** to turn the plant to the sun 2 to turn to: ***voltar o pensamento para os pais*** to turn one's thought to one's parents 3 *(destinar)* to turn to: ***voltar seus esforços para uma boa causa*** to turn one's efforts to a good cause 4 *(devolver)* to return to 5 *(dar como troco)* to give back: ***dei dez, ele me voltou cinco*** I gave him ten and he gave me back five 6 *(virar)* to turn (*away, aside, back etc.*): ***voltar o rosto para o lado*** to turn one's face away; ***voltar as costas para alguém*** to turn one's back on someone

▸ *vpr* **voltar-se** 1 *(dirigir-se)* to turn: ***voltou-se para mim*** he turned to me 2 *(virar-se)* to turn: ***voltou-se de bruços*** he turned over onto his stomach 3 *(recorrer)* to turn to: ***voltou-se para os pais, mas não teve ajuda*** he turned to his parents, but didn't get any help 4 to turn against: ***voltar-se contra alguém*** to turn against someone

• **voltar a si** to get back to one's senses
• **voltar atrás** to turn around and go back, *fig* to backslide, to relapse, *(na palavra dada)* to go back on one's word
• **voltar para casa** to return home, to go back home

volume *sm* 1 volume: ***uma obra em três volumes*** a work in three volumes 2 MAT volume: ***calcule o volume do tanque*** calculate the volume of the tank 3 *(massa, quantidade)* amount, volume: ***grande volume de água*** a great amount of water; ***um grande volume de dinheiro*** a great amount of money; ***o volume do rio baixou*** the volume of the river has lowered; ***um imenso volume de trabalho*** an immense amount of work 4 shape: ***por baixo do paletó, percebia-se o volume do revólver*** underneath the jacket, one could notice the shape of the gun 5 *(intensidade do som)* volume: ***o volume do rádio estava alto*** the volume of the radio was loud 6 *(unidade de produto)* unit: ***na perua cabem dez volumes no máximo*** a maximum of ten units will fit into the van

• **aumentar/abaixar o volume (do som)** to turn the volume up/down
• **volume de tráfego** traffic volume
• **volume de vendas** sales volume

volumoso *adj* bulky, voluminous

voluntário *adj* 1 *(de boa vontade)* voluntary: ***trabalho voluntário*** voluntary work 2 *(não forçado)* spontaneous: ***uma atitude voluntária*** spontaneous behaviour

▸ *sm,f* 1 volunteer 2 MIL volunteer

voluntarioso *adj* stubborn, obstinate, willful

volúpia *sf* voluptuousness, (*sensuous*) pleasure

voluptuoso *adj* voluptuous, sensual

volúvel *adj* inconstant, unstable, changeable, fickle

volver *vtd-vtdi (voltar, virar)* to turn: ***volver o rosto para a direita*** to turn one's face to the right; ***volver os olhos para o céu*** to turn one's eyes to the sky

▸ *vti (regressar)* to return, to come back, to go back

▸ *vpr* **volver-se** *(virar-se)* to turn, (*oneself*) around

• **direita/esquerda volver**! left/right turn!

vomitar *vi* to vomit, to throw up

▸ *vtd* **1** to vomit: ***vomitei todo o jantar*** I've vomited everything I ate for dinner **2** *fig* to expel, to vomit *(out)*: ***as chaminés vomitavam fumaça*** the chimneys were vomiting out smoke

vômito *sm* **1** *(ato de vomitar)* vomit, act of vomiting **2** *(material vomitado)* vomit

vontade *sf* **1** will, free will: ***um ser dotado de vontade*** a being with free will **2** *(firmeza)* will power: ***com vontade, você consegue tudo*** with will power, you can do anything **3** *(desejo)* wish: ***ter/não ter vontade de comer*** to wish/not to wish to eat; ***respeitar a vontade de alguém*** to respect someone's wishes; ***não tenho vontade de sair*** I don't wish to go out **4** *(gosto)* enthusiasm, zest, gusto: ***comer com vontade*** to eat with enthusiasm; ***rir com vontade*** to laugh with zest
▸ *pl* **vontades** wishes: ***as últimas vontades de alguém*** someone's last/dying wishes
• **à vontade** *(com fartura)* as much as you like, *(sem constrangimento)* at ease
• **cheio de vontades** spoilt, pampered
• **contra a sua/minha vontade** against your/my will
• **de boa vontade** willingly, gladly
• **de má vontade** reluctantly, grudgingly
• **fazer todas as vontades de alguém** to indulge someone
• **matar a vontade** to quench one's desire, to gratify one's wish
• **morrer de vontade de fazer algo** to be dying to do something
• **não se sentir à vontade** not to feel comfortable/at ease/at home
• **vontade política** political will

voo *sm* **1** *(de ave)* flight **2** *(de avião)* flight **3** *(viagem aérea)* flight
• **levantar/alçar voo** to take off
• **voo de imaginação** flight of fancy
• **voo livre** hang gliding
• **voo por instrumentos** instrument flight
• **voo regular** regular flight

voracidade *sf* **1** voracity **2** *fig* voraciousness

vos *pron* you, yourself, yourselves

vós *pron* **1** *(singular)* you **2** *(plural)* you, ye

vosso *pron* **1** your **2** yours: ***esta terra é minha, aquela é a vossa*** this land is mine, that one is yours

votação *sf* **1** *(ato de votar)* voting, polls **2** *(conjunto de votos)* votes

votar *vtd* **1** to vote: ***votar uma lei, um projeto*** to vote a bill/a project **2** *(fazer voto)* to vow
▸ *vi* to vote: ***a que horas você vai votar?*** at what time are you going to vote? **2** *(ter direito a voto)* to vote: ***você vota?*** can you vote?
▸ *vti* to vote: ***votar em alguém*** to vote for someone; ***votar para presidente*** to vote for president; ***votar pelo desarmamento*** to vote for disarmament
▸ *vtdi (devotar)* to devote
▸ *vpr* **votar-se** *(consagrar-se, dedicar-se)* to devote oneself

voto *sm* **1** *(promessa)* vow **2** *(oferenda)* offering **3** *(sufrágio)* right to vote **4** *(cédula)* ballot: ***contagem de votos*** ballot count **5** *fig (aprovação)* vote
▪ **voto direto** direct vote
▪ **voto eletrônico** electronic vote
▪ **voto secreto** secret vote
• **fazer votos que** to wish *(for)*

voucher *sm* voucher

vovô *sm,f* grandpa, grampa, grandad, grandfather, grandma, granny, grandmother, nanny

voz *sf* **1** *(humana)* voice **2** *(de animal)* cry **3** *fig (opinião)* opinion **4** *(notícia, boato)* rumour: ***corre voz que...*** rumour says that...
• **de viva voz** orally, verbally
• **dispositivo de viva voz** speakerphone
• **em voz alta** aloud, out loud
• **em voz baixa** in a low voice, in a low tone
• **reconhecimento de voz** voice recognition
• **ter voz** *(poder cantar)* to have a voice, *(ter direito de falar)* to have the right to speak
• **ter/não ter voz ativa** to have/not to have a say/a voice, *fig* to take/not to take an active part in
• **voz ativa/voz passiva** active/passive voice
• **voz de comando** command
• **voz de taquara rachada** screechy voice

• **voz grossa** (*grave*) bass voice, (*rouca*) hoarse voice

vozeirão *sm* thundering voice

vulcão *sm* vulcano

vulgar *adj* 1 vulgar: ***latim vulgar*** Vulgar Latin 2 (*comum*) ordinary: ***um sapatinho vulgar*** ordinary shoes 3 (*grosseiro*) coarse: ***palavras vulgares*** coarse words

vulgaridade *sf* 1 vulgarity: ***a vulgaridade do trajar*** vulgarity in the way one dresses 2 something vulgar: ***cometer uma vulgaridade*** to say/do something vulgar

vulgarizar *vtd* 1 (*popularizar*) to make popular 2 (*banalizar*) to make common place 3 (*tornar indigno*) to vulgarize

vulgo *sm* (*povo*) common people ▸ *adv* alias: ***José, vulgo Zequinha*** José, alias Zequinha

vulnerável *adj* 1 vulnerable: ***sua coluna era muito vulnerável a traumas*** her spine was very vulnerable to traumas 2 vulnerable: ***uma pessoa muito vulnerável à depressão*** someone very vulnerable to depression 3 vulnerable: ***o lado mais vulnerável de um território*** the most vulnerable side of a territory

vultoso *adj* 1 (*grande, volumoso*) great, bulky, voluminous: ***uma quantia vultosa de mercadoria*** a great amount of goods 2 large: ***uma soma vultosa em dinheiro*** a large sum of money 3 considerable: ***um preço vultoso*** a considerable price

vulva *sf* ANAT vulva

W

waffle *sm inv* waffle
walkie-talkie *sm inv* walkie-talkie
walkman *sm inv* walkman
water closet *sm inv* WC, water-closet, toilet *(bowl)*
watt *sm* ELETR watt

X

xá *sm* shah

xador *sm* chuddar, chadar

xadrez *sm* **1** *(jogo)* chess **2** *(em tecidos)* checked cloth, checkered cloth, check **3** *pop (cadeia)* jail, prison
▸ *adj* checkered, checked, check: ***camisa xadrez*** check shirt

xale *sm* shawl

xampu *sm* shampoo

xará *smf* **1** namesake **2** man, mate, buddy, bro, yo: ***e aí, xará?*** what's up, mate?

xarope *sm* **1** *(calda de açúcar)* syrup **2** *(medicamento)* cough syrup, medicinal syrup
▸ *adj-smf fig (chato, enfadonho)* tiresome, boring, dull, a tiresome or dull person

xaveco *sm* chicanery, monkey business, chit-chat

xaxim *sm* **1** BOT trunk of certain tree ferns **2** *(vaso)* plant pot made of the trunk of certain tree ferns

xenofobia *sf* xenophobia

xepa *sf* **1** army food, mess **2** *pop* low-priced articles, especially food, because of inferior or degraded quality

xeque *sm* **1** sheikh, shaykh **2** *(no xadrez)* check
• **pôr algo em xeque** **1** to endanger something **2** to question something, to challenge something

xeque-mate *sm* (*pl* **xeques-mate** ou **xeques-mates**) checkmate

xereta *smf* snoopy, busybody, nosey parker

xeretar *vt vi* to meddle, to snoop, to poke, to nose around

xerife *sm* sheriff

xerocar *vtd* to xerox, to photocopy

xerocópia *sf* xerox copy, photocopy

xerox *smf* **1** *(técnica)* xerox **2** *(cópia obtida)* xerox copy, photocopy
• **fazer/tirar um xerox** to get a xerox copy/photocopy
• **máquina xerox** xerox machine

xícara *sf* **1** cup **2** *(de café)* coffee cup **3** *(de chá)* teacup
• **acrescente duas xícaras de açúcar** add two cups of sugar
• **quero uma xícara de leite** I want a cup of milk

xilindró *sm pop* jail, gaol

xilofone *sm* MÚS xylophone

xilogravura *sf* xylograph, woodcut

xingar *vtd* to insult, to scold, to swear (*at*), to call names: ***aquele menino me xingou*** that little boy has insulted me
▸ *vpred* to call (*names*): ***ele me xingou de besta*** he called me stupid
▸ *vi* to curse: ***ficou ali nervoso, xingando*** he stood there, nervous, cursing

xixi *sm fam* pee, wee-wee, piss
• **o menino quer fazer xixi** the kid wants to pee

xô *interj* shoo!

xodó *sm* **1** *(amor, paixão)* love, passion **2** *(afeto)* affection **3** *(apreço, apego)* fondness, attachment: ***ter xodó por um carro*** to be fond of a car **4** *(namorado)* sweetheart, sweetie

Z

zabumba *sf (tambor)* bass drum

zagueiro *sm* ESPORTE fullback

zanga *sf* **1** *(aborrecimento)* huff, tiff, irritation **2** *(raiva)* anger

zangado *adj* angry, annoyed: ***estar zangado com algo/alguém*** to be angry with something/someone

zangar *vtd* to anger, to irritate, to annoy
▸ *vpr* **zangar-se (com)** to get angry/annoyed *(at, with)*: ***zangar-se com algo/alguém*** to get angry/annoyed with someone

zanzar *vi (andar, passear ao acaso)* to wander, to loiter, to ramble

zarolho *adj (estrábico)* cross-eyed

zarpar *vi* **1** MAR to sail, to set sail **2** *fig* to run away, to flee, to go away

zebra *sf* **1** ZOOL zebra **2** *fig* surprising outcome, unexpected outcome: ***esse resultado foi uma zebra*** this result was unexpected
• **dar zebra** to have an unexpected outcome

zebu *adj-smf* ZOOL zebu

zelador *sm,f (de prédio)* caretaker, janitor, keeper, steward

zelar *vtd-vti (velar, cuidar de)* to take care of, to watch over
▸ *vti (defender, proteger)* to keep, to guard, to defend, to protect: ***zelar pela segurança do país*** to keep the country safe

zelo *sm* **1** *(grande cuidado, desvelo)* zeal **2** *(pontualidade, diligência)* earnestness

zeloso *adj* **1** *(cuidadoso, diligente)* zealous **2** *(desvelado)* earnest

zé-ninguém (*pl* **zés-ninguém**) *sm* mister nobody, john doe, man in the street

zerar *vtd* **1** *(levar ao zero)* to zero: ***impossível zerar o índice de inflação*** it's impossible to zero the inflation rate **2** *(quitar, saldar)* to settle **3** *(esgotar)* to exhaust, to use up **4** *(dar nota zero)* to give a mark corresponding to zero

zero *num-sm* zero, nothing, naught, nought
• **ser um zero à esquerda** to be a nothing
• **ficar/estar a zero** to be left penniless
• **zero grau** zero degree
• **zero hora** zero hour

zigue-zague *sm* **1** zigzag **2** *(tipo de costura)* zigzag trim
• **andar em zigue-zague** to zigzag, to crisscross

zilhão *num* zillion: ***já disse isso um zilhão de vezes*** I've said that a zillion times

zimbro *sm* BOT juniper

zinco *sm* **1** QUÍM zinc **2** galvanized: ***telhado de zinco*** galvanized roof

zipar *vtd* INFORM to zip

zíper *sm* zipper

zoada *sf* **1** *(rumor forte, confuso)* hubbub **2** *(zumbido)* buzz, buzzing, hum, humming **3** *(tumulto, desordem)* havoc, riot **4** *(caçoada)* mock, mockery

zoar *vi* **1** *(produzir rumor forte, confuso)* to make a hubbub **2** *(zumbir)* to buzz, to hum
▸ *vti-vi (caçoar, gozar)* to mock, to ridicule
▸ *vi* **1** *(divertir-se)* to have a good time **2** *(causar tumulto)* to cause a commotion

zodíaco *sm* zodiac

zoeira *sf* → **zoada**

zombar *vti* to mock
• **zombar de alguém** to take the micky out of someone

zombaria *sf* mock, mockery

zombeteiro *adj-sm,f* mocking, one who mocks

zona *sf* 1 *(área, espaço, região)* zone, belt, neighbourhood, section, district; area, region 2 *(local de meretrício)* red-light district 3 *(desordem, bagunça)* mess: ***esta casa está uma zona*** this house is a mess
• **fazer a maior zona** *(desarrumar)* to mess something up, *(criar confusão, briga)* to make a mess, to start a fight
• **zona azul** paid parking zone
• **zona franca** tax free/duty free zone

zoneamento *sm* zoning

zonear *vtd* 1 *(dividir em zonas)* to zone 2 *(desarrumar)* to mess up: ***você zoneou a sala*** you've messed the room up 3 *(criar tumulto, briga)* to start a fight/a riot

zonzo *adj* 1 *(com vertigem)* dizzy 2 *(aturdido, desnorteado)* disoriented

zoologia *sf* zoology

zoológico *adj* zoological
▸ *sm* **zoológico** *(jardim)* zoo *(short for zoological garden)*

zoom *sm* FOTO zoom

zumbido *sm* 1 buzzing, humming, whirring: ***zumbido de abelhas*** the buzzing of the bees 2 *(nos ouvidos)* buzzing in the ears

zumbir *vi* 1 to buzz, to hum, to whirr: ***as abelhas zumbem*** the bees buzz 2 to have a buzzing in: ***meus ouvidos zumbiam*** I had a buzzing in my ears

zunir *vi* → **zumbir**

zunzum → **zumzumzum** *sm* 1 *(zumbido)* drone, humming 2 *(boato)* buzz, gossip, rumour

zureta *adj* crazy, mad

Zurique *sf* Zurich

zurrar *vi* to bray, to heehaw

zurro *sm* bray, heehaw